KB166210

Otorhinolaryngology
-Head and Neck Surgery

이비인후과학

비과 *Rhinology*

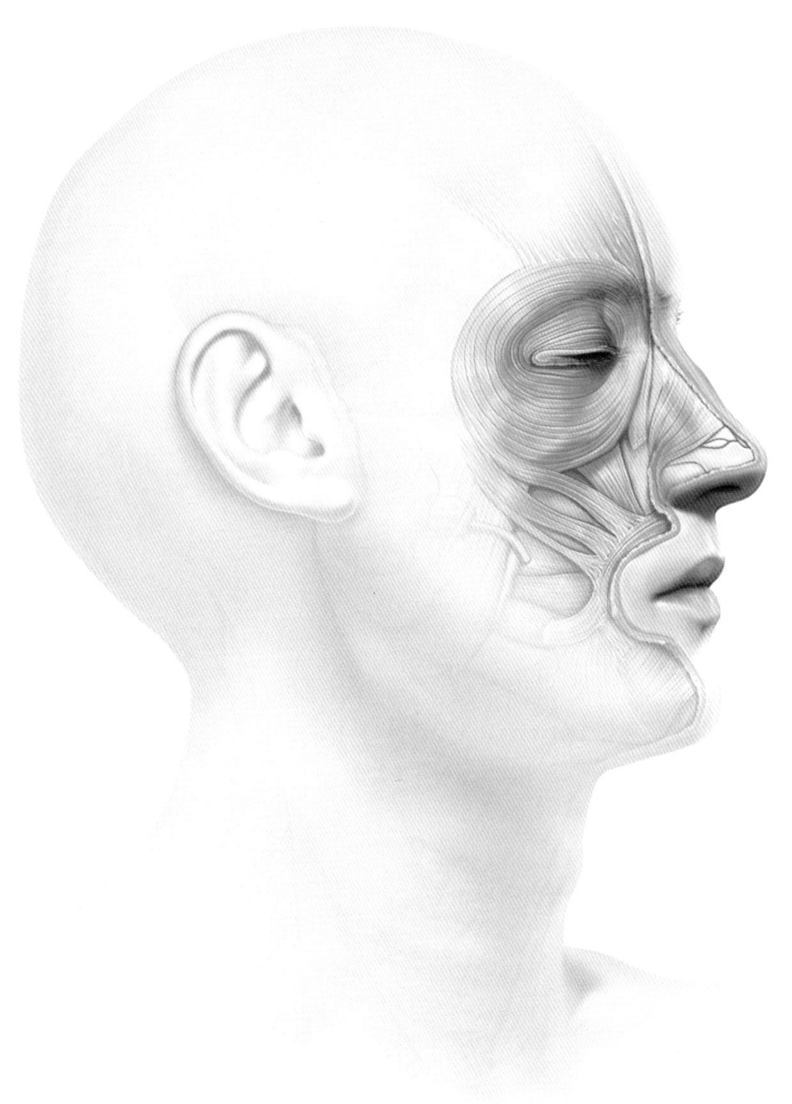

대한이비인후과학회

이비인후과학(비과)

Otorhinolaryngology - Head and Neck Surgery

첫째판 1쇄 발행 | 2002년 8월 15일
개정1판 1쇄 발행 | 2009년 3월 5일
개정2판 1쇄 인쇄 | 2018년 11월 1일
개정2판 1쇄 발행 | 2018년 11월 16일

지 은 이 대한이비인후과학회
발 행 인 장주연
출 판 기 획 이성재
책 임 편 집 박미애
편집디자인 박은정
표지디자인 김재욱
일 러 스 트 이호현
발 행 처 군자출판사(주)
등록 제 4-139호(1991. 6. 24)
본사 (10881) **파주출판단지** 경기도 파주시 회동길 338(서패동 474-1)
전화 (031) 943-1888 팩스 (031) 955-9545
홈페이지 | www.koonja.co.kr

ISBN 979-11-5955-372-1
979-11-5955-370-7 (set)

정가 160,000원

집필진

편찬위원회
(가나다 순)

● 편찬위원장

김정수 경북의대 경북대학교병원

● 분과위원장

이 과 **조양선** 성균관의대 삼성서울병원
비 과 **김선태** 가천의대 길병원
두경부 **김세헌** 연세의대 세브란스병원

● 위 원

강제구 국립중앙의료원
김한수 이화의대 목동병원
김현직 서울의대 서울대학교병원
박시내 가톨릭의대 서울성모병원
박용호 충남의대 충남대학교병원
백승국 고려의대 안암병원
안순현 서울의대 서울대학교병원
이규엽 경북의대 경북대학교병원
정유삼 울산의대 서울아산병원
정진혁 한양의대 한양대학교구리병원

● 간 사

허성재 경북의대 칠곡경북대학교병원

집필진(비과)
(가나다 순)

강일규 가천의대 길병원
강제구 국립중앙의료원
강준명 가톨릭의대 부천성모병원
구수권 부산성모병원
권삼현 전북의대 전북대학교병원
권재환 고신의대 복음병원
김경래 한양의대 한양대학교병원
김경수 연세의대 강남세브란스병원
김경수 중앙의대 중앙대학교병원
김대우 서울의대 보라매병원
김동영 서울의대 서울대학교병원
김동은 계명의대 동산병원
김동현 가톨릭의대 인천성모병원
김병국 가톨릭의대 성바오로병원
김선태 가천의대 길병원
김성완 경희의대 경희대학교병원
김성원 가톨릭의대 서울성모병원
김수환 가톨릭의대 서울성모병원

집필진

집필진(비과)

(가나다 순)

김용대 영남의대 영남대학교병원
김용민 충남의대 충남대학교병원
김용복 한림의대 한강성심병원
김정수 경북의대 경북대학교병원
김정훈 서울의대 분당서울대학교병원
김지훈 서울의대 서울대학교병원
김진국 건국의대 건국대학교병원
김창훈 연세의대 세브란스병원
김태훈 고려의대 안암병원
김현준 아주의대 아주대학교병원
김현직 서울의대 서울대학교병원
김효열 성균관의대 삼성서울병원
나기상 충남의대 충남대학교병원
노환중 부산의대 양산부산대학교병원
동헌종 성균관의대 삼성서울병원
모지훈 단국의대 단국대학교병원
박도양 아주의대 아주대학교병원
박동준 연세의대 원주세브란스기독병원
박석원 동국의대 일산병원
박성국 인제의대 부산백병원
박용진 가톨릭의대 성빈센트병원
박찬순 가톨릭의대 성빈센트병원
박찬흠 한림의대 춘천성심병원
배우용 동아의대 동아대학교병원
배정호 이화의대 목동병원
백병준 순천향의대 천안병원
신승헌 대구가톨릭의대 대구가톨릭대학교병원
심우섭 충북의대 충북대학교병원
예미경 대구가톨릭의대 대구가톨릭대학교병원
원태빈 서울의대 분당서울대학교병원
유명상 울산의대 서울아산병원
윤주헌 연세의대 세브란스병원
이건희 경희의대 강동경희대학교병원
이경철 성균관의대 강북삼성병원
이봉재 울산의대 서울아산병원
이상학 고려의대 안암병원
이승훈 고려의대 안산병원
이재서 서울의대 서울대학교병원
이재용 순천향의대 부천병원
이재훈 원광의대 원광대학교병원
이정권 연세의대 세브란스병원
이주형 가톨릭의대 대전성모병원
이철희 서울의대 분당서울대학교병원
이흥만 고려의대 구로병원
임대준 건국의대 충주병원
임상철 전남의대 전남대학교화순병원
장용주 울산의대 서울아산병원
장진순 인제의대 서울백병원
장태영 인하의대 인천병원
전시영 경상의대 경상대학교병원
정승규 성균관의대 삼성서울병원
정영준 단국의대 단국대학교병원
정용기 성균관의대 삼성창원병원
정유삼 울산의대 서울아산병원
정진혁 한양의대 한양대학교구리병원
조규섭 부산의대 부산대학교병원
조석현 한양의대 한양대학교병원
조재훈 건국의대 건국대학교병원
조진희 가톨릭의대 여의도성모병원
조형주 연세의대 세브란스병원
진홍률 닥터진 이비인후과의원
최지윤 조선의대 조선대학교병원
최지호 순천향의대 부천병원
홍석찬 건국의대 건국대학교병원

발간사

대한이비인후과학회 교과서는 2002년 8월 초판이 발간된 후 7년이 지난 2009년 3월에 개정판이 발간되었습니다. 그 후 가이드라인들이 바뀌고, 많은 새로운 지식이 소개되고 기술들이 발전하여 교과서 개정이 필요하게 되었습니다. 따라서, 본 학회에서는 2015년에 교과서 개정위원회를 발족해서 교과서 개정 작업을 시작하였고, 약 4년의 노력 끝에 드디어 결실을 맺게 되었습니다.

대한이과학회, 대한비과학회, 대한갑상선두경부외과학회를 비롯한 많은 분과/유관학회들과 연구회에서 발간한 다양한 교과서들이 있지만, 이비인후과 전문의로서 알아야 할 필수 지식들과 실제 진료에 필요한 정보들을 한 곳에 정리할 필요가 있고, 그러한 요구를 이번 대한이비인후과학회 교과서가 충족시킬 수 있도록 노력하였습니다. 이번 교과서는 이비인후과학을 처음 접하는 의과대학생이 쉽게 이해할 수 있도록 기본적인 내용에 충실했을 뿐만 아니라, 전문가의 역량이 더욱 강조되는 시대적 요구에 부응하고 선도적인 연구의 기틀이 될 수 있는 전문적인 내용을 함께 포함시켰습니다. 날로 발전하고 빠르게 변화해가는 의료지식, 새로운 의료기술을 포함시키면서, 환자 진료를 위해서 꼭 필요한 책이 될 수 있도록 근거위주의 지식들을 이 책에 충분히 담고자 하였습니다.

대한이비인후과학회는 최근 눈부신 발전을 하고 있습니다. 그 발전에 걸맞은 우수한 이비인후과 교과서가 될 수 있도록 많은 노력을 기울였기에, 이 교과서가 대한이비인후과학회뿐만 아니라 많은 회원님들의 학문의 발전과 진료에 큰 도움이 되길 기대합니다.

교과서 개정을 중요한 학회의 사업으로 적극적으로 추진해주신 전임 태경 이사장님과, 4년 동안 많은 노력과 희생을 해주신 김정수 편집위원장님께 감사 드립니다. 또한, 좀 더 좋은 교과서가 발간될 수 있도록 열을 성을 다해주신 김선태, 김세헌, 조양선 분과위원장님을 비롯한 편집위원님들과, 집필에 많은 노력을 기울여주신 저자들께도 깊은 감사를 드립니다.

2018년 10월

대한이비인후과학회 이사장 **이재서**

머리말

2002년 대한이비인후과 교과서가 처음 발간된 후 약 7년이 경과된 2009년에 개정판이 발간되었습니다. 이후 이비인후과 학문 분야의 눈부신 발전으로 새로운 개정판 발간의 필요성이 대두되어 태경 전 이사장님의 결단으로 재개정판의 발간이 결정되었고 2014년 7월에 개정위원회가 발족되었습니다. 각분과위원장으로 이과 조양선, 비과 김선태, 두경부 김세헌 선생님을 주축으로 각 분과에서 세 분을 다시 모셔 총 12명의 개정위원을 구성하였으며, 이후 최근에 안면성형 분야가 이비인후과 분야에서 차지하는 부분이 늘어나 안면성형학회의 추천으로 편집위원을 한 분 추가하여 총 13명의 위원이 교과서 개정방향 설정과 저자 선정 작업에 들어갔습니다.

개정 방향은 기존 교과서를 바탕으로 이비인후과 전문의로서 필요한 지식과 술기를 포함하는 것으로 하였습니다. 이후 좀 더 내용을 튼실히 하고자 분과별로 개정판에 포함될 내용과 양 및 깊이 등에 대한 설문 조사를 하는 등의 노력을 기울였으며, 몇 번의 회의를 거쳐 전체 양을 너무 늘리거나 완전히 새로운 내용으로 개정하는 것은 교재로 활용될 전공의에게 부담이 클 수 있겠다는 태경 전이사장님의 의견을 수렴하여 20~40% 내에서 분량과 내용을 조정하기로 하였습니다.

이전 개정판은 2권으로 구성되어 있어 책이 너무 무겁다는 많은 의견에 따라 분과별로 분권하여 출판하기로 하였습니다. 또한 이전 개정판에는 세 분야의 기초 부분을 한 책에 모았으나 새로운 개정판은 세 분야에 걸쳐 분권으로 출판되는 만큼 각 분권에 기초와 각론을 같이 구성하는 것으로 하였습니다. 각 분과별로 기존 내용에 추가하여 새로운 지식과 술기를 적극적으로 반영하여 이과에선 이식형 청각보조장치, 중심성 현훈 등과 비과에서는 수면과 성형 분야에서 새로운 장을 만들고 두경부에서는 각 영역을 보다 세분화하여 저자를 선정하기로 하였으며, 2015년 초에 각 저자들에게 집필요청서와 집필 주의사항 등을 보낼 수 있었습니다.

전국의 대학병원 및 종합병원의 부교수급 이상을 총망라하여 많은 집필진이 구성된 관계로 저자에 따라 원고 제출이 약 2년에 걸쳐 이루어져, 조기에 원고를 제출하신 많은 저자들은 원고 제출과 출판간의 공백기간으로 최신지견을 다 포함하지 못하는 상황이 발생하여 안타깝게 생각하며, 매끄럽지 않은 진행으로 불편을 드린 저자들께 심심한 사과의 말씀을 드립니다.

개정판 교과서 편찬을 마치며 그 동안 도움을 주신 많은 분들께 진심으로 감사드립니다. 가장 먼저, 바쁜 와중에도 원고 집필을 승낙해 주시고 옥고를 보내주신 여러 교수님들께 감사드리며, 교과서 개정판의 발간을 결정하시고 많은 도움을 주신 태경 전이사장님, 시간에 쫓기지 말고 제대로 된 교과서를 만들어 달라고 격려해주신 노환중 전 이사장님과 이재서 이사장님께도 깊이 감사드립니다.

지난 약 4년간에 걸쳐 함께 해주신 편집위원 조양선 교수, 김선태 교수, 김세헌 교수, 박시내 교수, 박용호 교수, 이규엽 교수, 김현직 교수, 정유삼 교수, 정진혁 교수, 강제구 교수, 김한수 교수, 백승국 교수 안순현 교수와 특히 싫은 소리 하나 하지 않고 모든 업무를 주선하고 처리하여 주신 허성재 교수에게 진심으로 감사를 드리며, 편집위원은 아니나 리뷰에 참여하여 주신 모든 교수님들께도 이 자리를 빌어 감사의 말을 전합니다.

마지막으로 이번에 출간되는 이비인후과 교과서 개정판은 학회의 미래의 주역인 이비인후과 전공의의 학업에 가장 중요한 교재가 될 뿐만 아니라 기존 전문의에게도 이비인후과와 관련된 총괄적인 새로운 지식과 기술을 이해하고 진료에 도움이 되는 매개체가 될 수 있기를 바랍니다.

2018년 10월

편집위원장 **김정수**

목 차

CHAPTER 32 비강과 부비동의 악성 종양

CHAPTER 33 비강과 부비동의 악성 종양의 치료

CHAPTER 34 전두개저와 중두개저의 수술

CHAPTER 35 내시경 두개저 수술

CHAPTER 36 소아 수면호흡장애

CHAPTER 37 성인 수면호흡장애

CHAPTER 38 수면질환의 진단과 치료

CHAPTER 39 비골 골절

CHAPTER 40 악안면 외상

CHAPTER 41 안면성형 및 재건술의 기초

CHAPTER 42 안면노화의 수술적 교정

비과 Rhinology

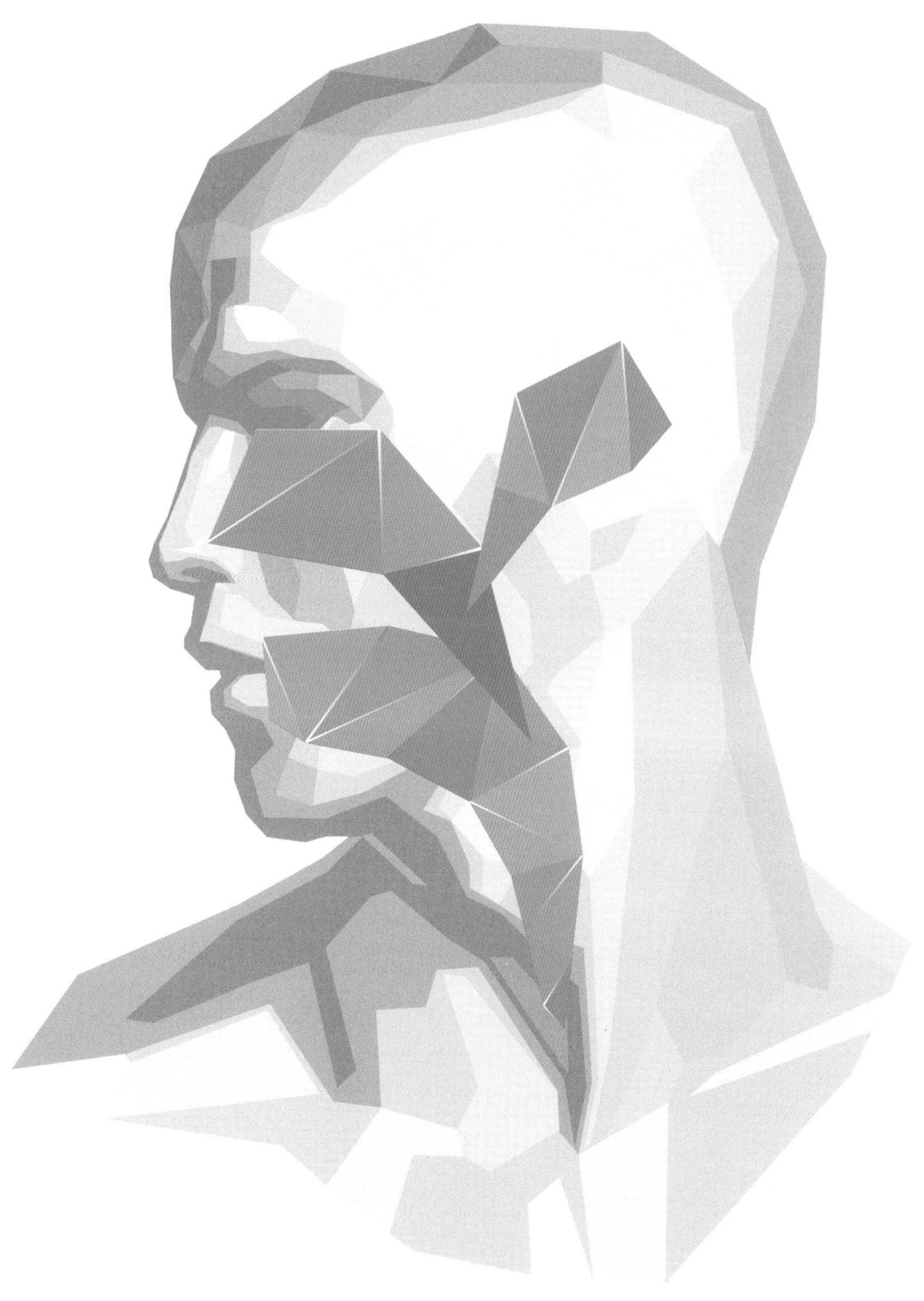

RHINOLOGY

비 과

CHAPTER

01

코와 부비동의 발생과 해부

이정권, 배정호

I 코와 부비동의 발생

발생에 대한 이해는 정상 해부학적 구조를 좀 더 쉽게 잘 파악하게 할 수 있을 뿐 아니라 발생 과정에 문제가 있을 경우에 생길 수 있는 선천적 기형을 이해하는 데 도움이 된다. 외비, 비강 및 부비동의 발생은 ① 태생 초기에 코의 형성, ② 연골, 뼈의 형성, ③ 비강측벽의 형성, ④ 부비동의 형성 등 4단계로 구분할 수 있다.

1. 태생 초기의 코의 형성

사람의 발생은 수정부터 8주 말까지의 배아기와 9주부터 출생까지의 태아기로 나눌 수 있는데 코의 발생은 배아기 중 발생 4주 말에 제1 새궁(branchial arch)에서 시작된다. 이 시기에 제1 새궁에 다섯 개의 중간엽 융기(mesenchymal prominence) – 좌우 위턱 융기, 좌우 아래턱 융기, 비전두 융기가 형성되고 이 중 비전두 융기의 양 옆면을 덮고 있던 표면 외배엽 중 일부가 두꺼워져, 4~5층의 상피 세포 층으로 이루어진 초기 비판(nasal placode)이 형성된다.[3,7,44,50] 이 때, 비판이 형성되지 않으면, 코가 생기지 못하고, 비판이 하나만 형성되면 단비공(single nostril)이 된다.[4] 비판 상피 세포의 활발한 증식으로, 비판의 가운데는 점차 깊어져, 비고랑(nasal groove)이 되고, 이를 둘러싼 표면의 조직은 능선을 이루어 비융기(nasal prominence)가 된다.

발생 5주째, 외측 비돌기(lateral nasal process)가 점차 뚜렷해지며, 비고랑은 더 움푹 들어가 비와(nasal pits)가 되는데, 이것이 이후에 비공(nostrils)과 비강(nasal cavities)이 된다. 발생 5~6주째, 내측 비융기(medial nasal process)까지 뚜렷해지면, 비와를 비소낭(nasal sac)이라고 부른다.[7]

발생 6주 중반에, 비소낭 외배엽과 입천장 외배엽 사이의 상피막인 구비막(bucconasal membrane, oronasal membrane)이 천공되어 원시 후비공(primitive choana)이 형성되고, 이로써 비강과 소화관이 연결된다.[3] 구비막 파열 이후에는 비소낭을 비강(nasal cavity)이라고 부르며, 구비막이 파열되지 않고 생후에도 남아 있는 질환을 선천성 후비공 폐쇄(congenital choanal atresia)라고 한다.[35]

비중격은 발생 7주째, 비전두융기의 외배엽과 중배엽, 내측 비돌기가 증식하면서 형성되어, 비강 천장(nasal cavity roof) 내부로부터 하방으로 발달한다. 발생 9주에 구개(palate)의 전측부에서부터 정중선을 따라 융합되기 시작하여, 발생 12주에는 후측부까지 완전히 융합된다.[4,40]

외비는 발생 7주에 내외측 비돌기가 비전두융기와 상악융기를 따라 성장하여 점차 모양을 갖추게 된다. 비전두융기는 비교를, 외측 비돌기는 비익(nasal ala)과 비루구(nasolacrimal groove)를 이루며, 내측 비돌기는 비배, 비첨과 구순의 중앙부를 형성한다(그림 1-1, 2).[16]

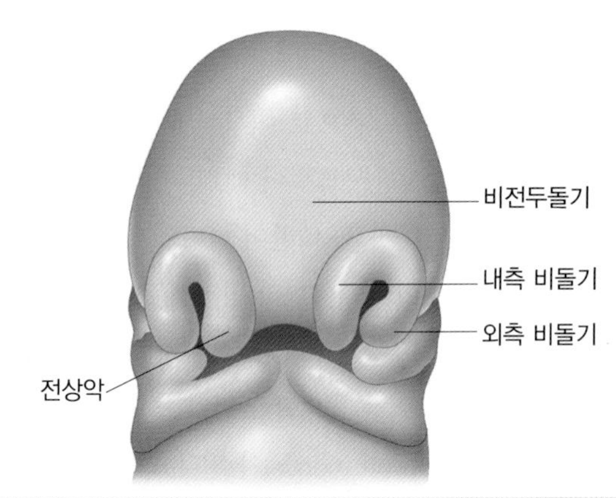

■ 그림 1-1. **발생 5주 말 태아**

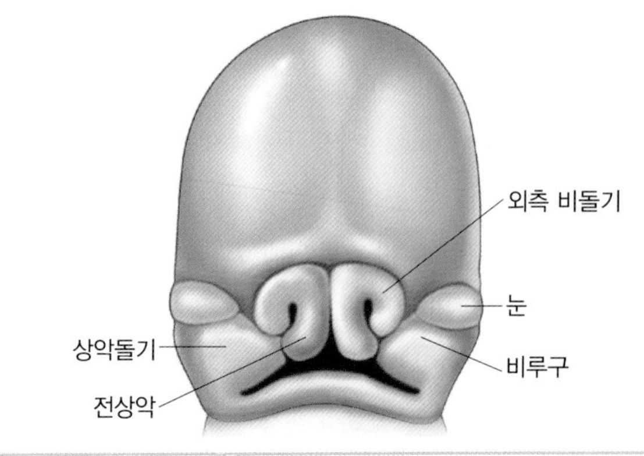

■ 그림 1-2. **발생 7주째 태아**

2. 연골, 뼈의 형성

비낭(nasal capsule)은 발생과정의 구조물을 싸고 있는 연골성 외피로 두개기저부의 일부를 형성하는데, 모든 비갑개와 부비동은 이 연골성 비낭(cartilagenous nasal capsule)으로부터 형성된다.[43] 코 연골의 형성 과정은 명확하지는 않다. 이전에는 코 구조물로 둘러싸인 중배엽(mesoderm)의 형태학적 변성에 의한 것이라고 생각했으나, 최근의 연구에 따르면 이보다는 신경능선(neural crest)에서 기원한 중배엽의 변형에 의한 것으로 설명되고 있다. 비낭의 연골화는 태생 3~4개월에 접형골 전방의 두개기저부에서 시작되어 비중격 방향으로 진행한다.[9]

연골내 골화(endochondral bone formation)는 연골막에서 연골로 침윤한 혈관에서 시작되어 골세포(osteocyte)가 혈관을 따라 들어와 골기질(bone matrix)이 침착되고 동시에 연골이 흡수되는 과정으로 진행된다.

첫 번째 골화 중심(ossification center)은 접형골의 전면에 위치하고 이는 두개저의 전면과 안면의 성장판으로 남게 된다. 이 성장판이 조기 폐쇄되면 안면 및 뇌의 성장을 방해하는데, 이러한 형태의 기형은 Alport 증후군, Crouzon병, 태아 알코올 증후군(fetal alcohol syndrome) 등에서 볼 수 있다.[4]

두 번째 골화중심은 비낭의 측부에 여러 개가 존재하며 성인에서도 하나 이상의 골화중심이 안면과 비골에 존재한다. 하비갑개는 독립된 골화중심을 가지고 있어 비낭의 주변에서 안쪽으로 성장하게 되고, 전두골은 양측의 골화 중심에 의해 형성되어 뇌와 비강, 사골포의 상벽(ethmoid roof)을 분리시킨다.

상악골은 중배엽과 치아를 포함한 상악돌기의 연골 내 골화에 의해 형성되고 상악돌기의 골막하층으로 막성골화(membranous bone formation)가 진행되어 협골(zygomatic bone)을 이루며 안와내벽의 골화중심에서 누골(lacrimal bone)을 형성한다. 구개의 골화는 구개의 안와측으로 확장하여 시신경관의 전내측을 형성한다.

접형골의 형성은 첫째, 비낭의 뒤쪽에서 연골벽을 형성한 후 골화중심을 이루게 된다. 둘째, 나머지의 접형골은 두개기저부의 비낭에서 형성되며 7쌍의 독립된 골화중심이 있는데, 이 중 5쌍은 연골내골화로 접사함요(spheno-ethmoidal recess), 접형골기저, 안와접형골(orbito-sphenoid), 접형골대익(greater wing)과 설부(lingulae)를 형성하고, 2쌍은 막성골화로 내측 익돌판(medial pterygoid)과 접형골의 안와측두부(orbitotemporal portion)를 형성한다.

3. 비강측벽의 형성

1) 비갑개(Turbinals)

발생 7주에 각 비강의 측벽에 여러 개의 융기된 주름의 형태로 전골갑개(preturbinals)가 나타나는데, 이들은 태아기 초에는 연골, 후에는 뼈로 지지된다. 여러 갑개 중 악골갑개(maxilloturbinal)가 제일 먼저 발달되며, 후에 하비갑개가 된다. 사골갑개는 5개가 형성되는데, 가장 선하방에 위치하는 것이 중비갑개, 두 번째와 세 번째의 것은 상비갑개가 된다.

악골갑개와 첫 번째 사골갑개 사이에 형성되는 주름(fold)에 의하여 중비도가 형성되며, 첫 번째 사골갑개와 두, 세 번째 사골갑개 사이에 상비도가 형성된다. 발생 8주 째, 하비갑개, 중비갑개, 상비갑개 원기가 이어서 발생하며, 최상비갑개 원기는 그 이후에 발생한다. 형성 이후, 발생 주수에 비례하여 활발하게 길이가 길어지는 상, 중, 하비갑개와는 달리, 뒤늦게 발생한 최상비갑개는 발생 14주부터 36주까지 평균 5 mm의 길이를 유지한다. 최상비갑개는 태아의 65%에서만 발견된다. 비제비갑개(naso-turbinal)는 사골비갑개 위쪽에 있는 작은 융기로 성인에서는 비제봉소(agger nasi)가 된다.[4,43]

2) 중비도(Middle meatus)

발생 10주째, 구상돌기(uncinate process)가 연골성 비낭(cartiligenous capsule)으로부터 발생한다. 발생 10~11주째, 구상돌기의 외측으로 공기 통로가 발생되는데, 이것이 초기의 사골누두(primitive infundibulum)이다. 발생 9~10주째, 배아에서 상악 해면골이 보이기 시작하는데, 이후 비강에 비해 빠른 속도로 성장한다. 발생 13~14주째에 연골성 비낭은 점차 쇠퇴하고, 커진 상악골은 하비도의 가측 벽을 이룬다. 같은 시기에 중비도의 상행지(ascending limb)가 누두에서 분리되어 전두와(frontal recess)가 된다. 발생 16주가 되면, 사골누두 후하방의 상피가 측방으로 확장하여, 원시의 상악동(primitive maxillary sinus)이 발생하기 시작한다.[8,9,43] 그 이후, 발생 17주에는 사골누두의 후상방에서 간엽조직의 팽융이 나타나, 사골포(bulla ethmoidalis)를 형성한다. 사골포와 구상돌기 사이의 사골누두로 개방된 이차원적 공간이 반월열공(hiatus semilunaris)이다.

4. 부비동의 형성

일반적으로 부비동은 태생기에 발생하며 각 부비동은 일정한 구형을 이룬다. 생후 6~7년간 주변구조의 성장에 따라 차츰 비정형의 모양을 갖추게 되어 12~14세가 되면 성인과 같은 모양과 크기가 된다. 부비동의 성장형태는 개체마다 예측이 불가능하고 심지어 같은 개체에서도 양측이 다를 수 있다.[2]

1) 사골동

태생 3개월에 중비도 부위의 비강측벽에서 전후 사골동 세포가 나오기 시작한다. 기판을 중심으로 전방의 전사골 봉소와 후방의 후사골봉소로 구분되며, 출생 후 2세까지는 작다가, 6~8세에 빠르게 자란다. 생후 6년이 지나면 보다 정형적인 발달이 관찰되며 소년기에 사골봉소체는 두터운 벽을 가진 공동(cavity)에서 복잡한 기포(air space)를 형성한다. 청소년기에 사골동은 사골 자체의 성장과 비례하여 성장하나 그 정도는 예측하기 어렵다.

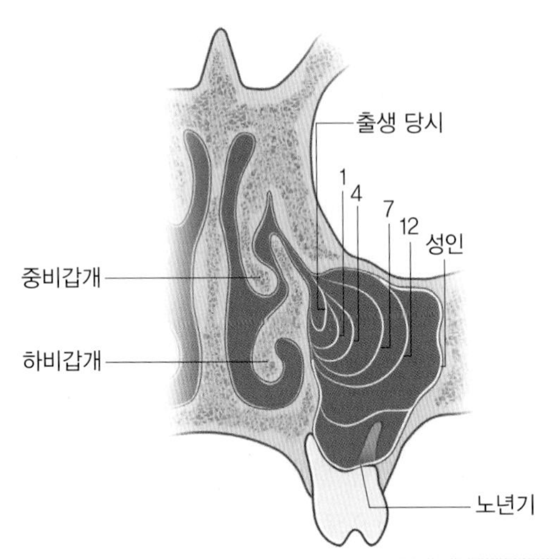

■ 그림 1-3. **상악동의 성장(년)**

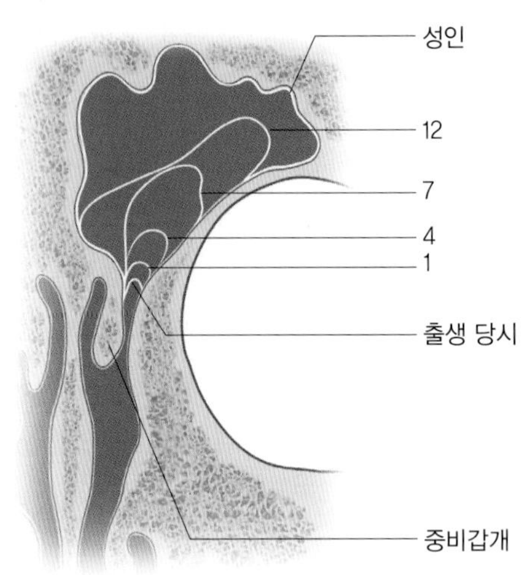

■ 그림 1-4. **전두동의 성장(년)**

전사골동은 태생 전두와, 누두의 상부, 사골포 상부와 하부의 작은 함몰부에서 시작되고 이들은 모두 기판의 앞쪽에 위치한다. 후사골동은 기판의 후방, 즉 상비도와 최상비도에서 발생하며, 태생기에 시작하여 생후 15~20일에 성장이 마무리된다.

출생 시에 전사골동의 크기는 5 mm(높이)×2 mm(길이)×2 mm(너비)이며, 후사골동의 크기는 5 mm(높이)×4 mm(길이)×2 mm(너비) 이다.[38]

2) 상악동

앞에 기술한 바와 같이, 상악동은 태생 9~10주에 사골누두의 비점막이 바깥쪽으로 돌출되어 발생하기 시작하고, 이후 점막이 측하방으로 확장하며 형성이 진행된다. 상악동의 발달 초기에는 연골막성 비낭 때문에 상악융기로의 확장이 제한되다가, 비낭이 골화 과정에 따라 흡수되면, 상악융기 방향으로 확장되기 시작한다.[4,7,43] 상악동은 이후, 상악골(maxillary bone)의 성장과 치아의 하행에 따라 성장한다(그림 1-3). 발생 17~20주, 발생 25~28주, 그리고 출생 후~3세, 7~12세 사이에 상악동의 전후방 직경이 빠르게 증가한다.[43] 태생 말기 상악동의 직경은 전후방 7 mm, 내측방 3~4 mm이다.

3) 전두동

전두동은 발생 3~4개월에 출현하며, 전두와(frontal recess)나 사골누두의 전상방, 상사골포 봉소(suprabullar cell)로부터 기원한다. Davis는 전두동의 60%는 태생의 전두와, 16%는 누두로부터 기원한다고 하였다.[13] 출생 시에는 2, 3개의 작은 봉소로 관찰되다가, 2세 이후에 전두골의 수직 부위로 확장하여 15~18세까지 점차 커지게 된다. 좌우의 전두골은 막성골(membranous bone)로 출생 시에는 분리되어 있으나, 생후 1년 내에 융합되어 전두봉합선(metopic suture)을 이루며, 이 봉합선은 생후 2년경이 되면 사라진다(그림 1-4). 전두동은 대개 7세경부터, 방사선 사진에서 관찰된다.[4]

4) 접형동

접형동은 발생 4~5개월에 접사함요(sphenoethmoidal recess)의 후상부가 좁아지며 형성되며, 6~7세에 이차 함기화가 일어난다. 접형골의 융합과 함기화에 따라 후측방으로 확장되며, 경우에 따라 접형동의 함기화가 접형골 체부를 넘어 접형골의 대익, 소익, 내측 및 외측 익돌판, 후두골과 사골까지 진행하기도 한다(그림 1-5).[49] 비강측벽이 외측으로 확장하여 발생하는 다른 부비동들과 달리, 비낭의 후단에서 발생하는 유일한 부비동이므로 발

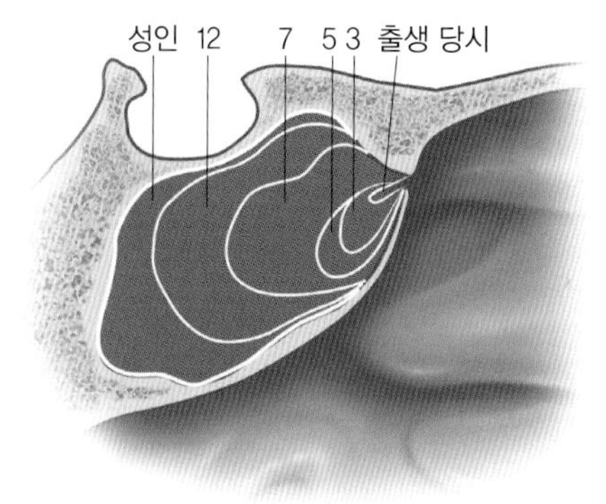

■ 그림 1-5. **접형동의 성장(년)**

생형태가 독특하고, 성인기 초기에도 계속 성장하며, 크기가 다양하다.

II 코와 부비동의 해부

1. 외비

외비(external nose)의 모양과 크기, 얼굴에서의 상대적인 위치는 인종과 성별, 각 개인별로 큰 차이를 보인다. 외비는 미간(grabella)에서 시작하여 비근부(nasion)에서 약간 함몰되다가 다시 점차 돌출되어 비공점(rhinion), 비배부(nasal dorsum)를 형성한 후 비첨상부(supratip), 비첨(nasal tip)을 이루고, 아래로 비주(columella)를 지나 윗입술과 연결된다. 측면에서 이마의 하부와 비배부가 이루는 각도인 비전두각(nasofrontal angle)과 비주와 윗입술이 이루는 각도인 비구순각(nasolabial angle)을 측정할 수 있는데 이는 외비의 전반적 모양을 결정하는 각도이다(그림 1-6).

1) 피부와 연조직

외비는 가장 바깥부터 피부, 얕은 지방층(superficial fatty layer), 섬유근육층(fibromuscular layer), 깊은 지방층(deep fatty layer), 그리고 골막(periosteum) 혹은 연골막(perichondrium)의 5층으로 덮여 있다.[29] 피부는 비근부에서 두껍고 비공점에서 얇아진 후 다시 비첨상부, 비첨에서 두꺼워진다. 특히 비공점 부위의 얇은 피부는 매부리코를 교정할 때 고려해야 한다. 천근건막체계(superficial musculoaponeurotic system; SMAS) 층은 얕은 지방층과 섬유근육층을 포함하는 개념으로 외비의 주요 혈관과 신경이 이 층을 통하여 주행한다. 이는 얼굴 전체를 둘러싸는 연속된 층으로 목에서는 넓은 목근(platysma)과 연결된다.[32] 외비 수술 시 천근건막체계의 바로 아래로 절개해야 혈관이나 신경의 손상을 예방할 수 있어 피부의 혈류를 유지하고 수술 후 상처조직의 수축으로 인한 변형을 피할 수 있다.[47]

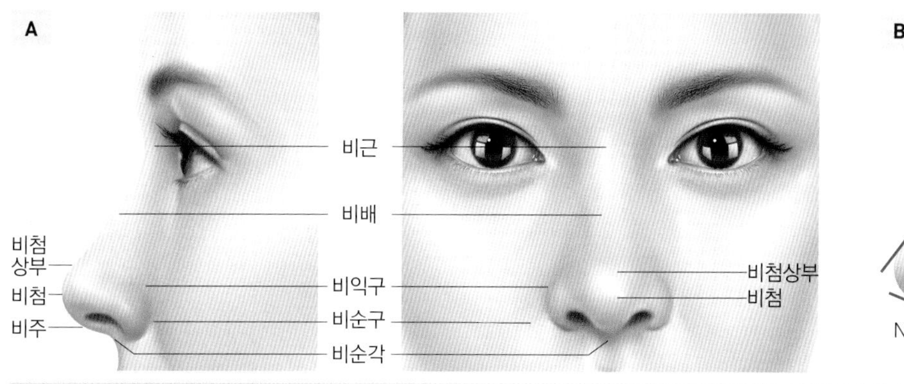

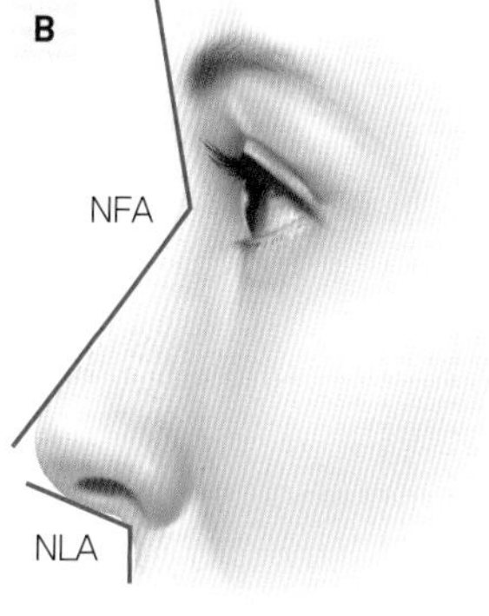

■ 그림 1-6. **외비.** NFA: 비전두각(nasofrontal angle), NLA: 비구순각(nasolabial angle)

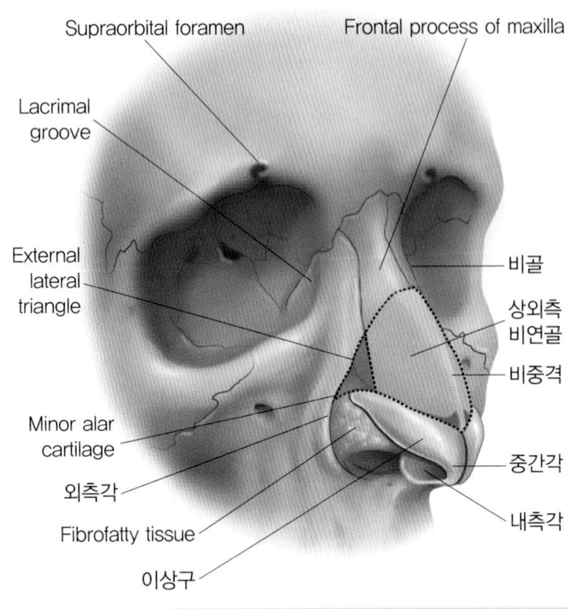

■ 그림 1-7. **코의 연골**

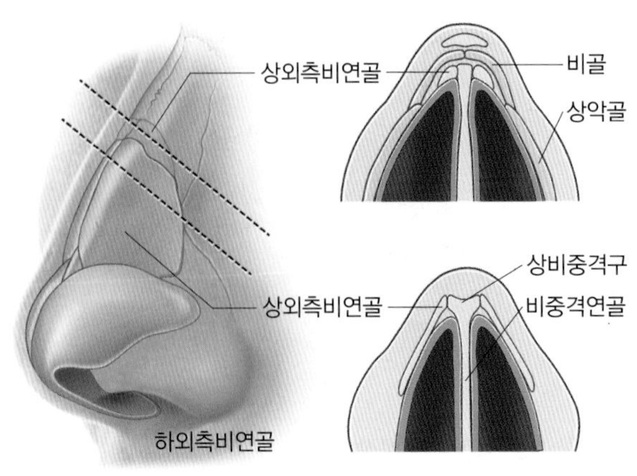

■ 그림 1-8. **비골과 상외측비연골의 관계**

2) 골부

골성 비천장(bony nasal vault)은 중앙에서 만나는 한 쌍의 좌우 비골과 상악골의 전두돌기(frontal process)로 구성된다. 비골의 모양은 마름모꼴이며 위로 갈수록 두껍고 좁은 반면에 하부는 얇고 넓다(그림 1-7). 비골 골절은 두껍다가 얇아지는 경계 부위에서 흔히 발생한다. 이상구(pyriform aperture)는 위쪽은 비골, 하측과 외측은 상악골로 구성되는 조롱박 모양 구조로 외비성형술 시 이상구의 하외측 변연부에서 외측절골술(lateral osteotomy)을 시작한다.

3) 연골부

외비의 연골부는 주로 상외측비연골(upper lateral cartilage)과 하외측비연골(lower lateral cartilage)로 구성되며 이는 내측에서 비중격연골에 의해 지지된다(그림 1-7).

(1) 상외측비연골(Upper lateral cartilage)

상외측비연골은 앞에서 볼 때 삼각형이며 연골의 상연은 비골의 하연과 단단히 결합되어 있다. 상외측비연골과 비골, 비중격의 연골부분, 사골 수직판이 결합되어 있는 부위를 키스톤부위(keystone area)라고 한다. 키스톤부위는 콧등을 지지하는 데 매우 중요한 부위로 비중격 성형술이나 코성형술 시 이 부분이 잘 유지되어야 수술 후 안장코(saddle nose) 발생을 예방할 수 있다.[3] 상외측비연골과 비골이 겹치는 길이는 3~15 mm로 사람마다 다양하며 한국인의 경우 평균 7.6 mm 정도이다(그림 1-8).[32] 이 부분은 연골막과 골막이 서로 단단하게 붙어 있기 때문에 비골절 때에도 보통 골편이 떨어져 나가지 않고 연골에 붙어 있다.[24] 상외측 비연골은 아래쪽으로 결체조직에 의해 하외측비연골과 연결되며 이 부위를 스크롤 영역(scroll area)이라고 한다.

(2) 하외측비연골(Lower lateral cartilage, alar cartilage)

하외측비연골은 비첨을 구성하는 한 쌍의 연골로서 C자 모양이며 코끝을 지지하는 데 중요한 역할을 한다. 하외측비연골과 상외측비연골은 일부분이 겹쳐지면서 연결되며 이때, 하외측비연골이 외측에 위치한다. 하외측비연골은 내측각(medial crus)과 외측각(lateral crus)으로 구성되며 그 이행부를 중간각(middle crus or intermediate crus)이라 한다. 중간각은 외측부터 반구형 분절(domal segment), 콧방울 분절(lobular segment)로 나뉘며, 내측각은 코기둥 분절(columellar segment)과 발판 분절(footplate)로 나뉜다. 내측각은 비주를 따라 아래로 내려오면서 벌어진다. 외측각은 비익의 대부분을 구성하고 비중격의 지지를 받지 못하고 주위의 치밀한 섬유윤문상조직(fibroareolar tissue)에 의해 형태가 유지된다. 하외측비연골의 크기, 모양, 위치는 사람마다 다양하며, 평균 넓이는 11 mm, 너비는 22 mm 정도이다.

(3) 연삼각과 약삼각

하외측비연골의 외측각과 내측각이 만나는 부위는 외비공의 가장자리와 분리되어 삼각형을 이루며 이 부위를 연삼각(soft triangle)이라 불린다. 이곳은 연골이 없이 비전정의 피부와 외비의 피부로 이루어져 있으며, 그 사이에 있는 윤문상조직(loose areolar tissue)에 의해 분리된다. 이곳이 손상되면 비공함요(nostril notching)와 같은 해부학적 변형이 초래될 수 있으므로 주의가 필요하다. 그러므로 비성형술 시 비익 연골을 노출시킬 때는 외비공의 가장자리가 아닌 비익 연골의 가장자리를 절개해야 한다. 하외측비연골 양쪽의 외측각이 비첨상부 부위에서 만나는 곳에서도 삼각형이 생기는데, 이곳을 약삼각(weak triangle)이라 하며, 약한 섬유윤문상조직으로만 덮여 있다(그림 1-9).[3,31]

4) 근육과 신경

코의 근육은 섬유근육층의 일부로 잘 발달된 교원섬유에 의해 서로 연결되어 있으며 각각의 기능에 따라 올림근(elevator muscle), 내림근(depressor muscle), 압축근(compressor muscle), 확장근(dilator muscle)으로 나눌 수 있다(그림 1-10).[47,48]

코 길이를 줄이고 외비공을 확장시키는 올림근으로는 눈살근(procerus muscle), 위입술콧방울올림근(levator labii superioris alaeque nasi muscle) 및 비이상근(anomalous nasi muscle)이 있다. 코 길이를 늘리고 외비공을 확장시키는 내림근으로는 비근(nasalis muscle)

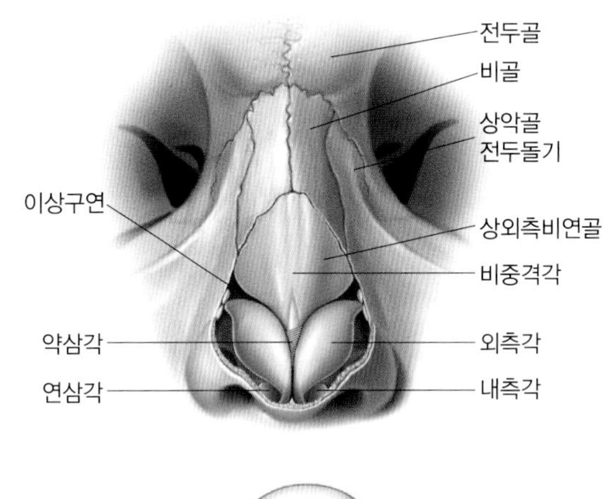

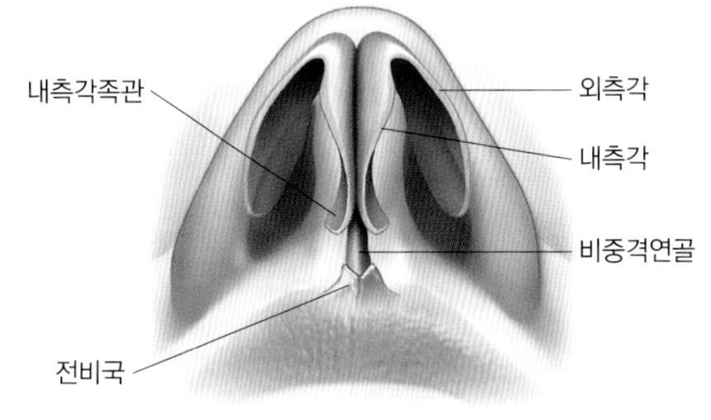

■ 그림 1-9. **하외측비연골과 triangles**

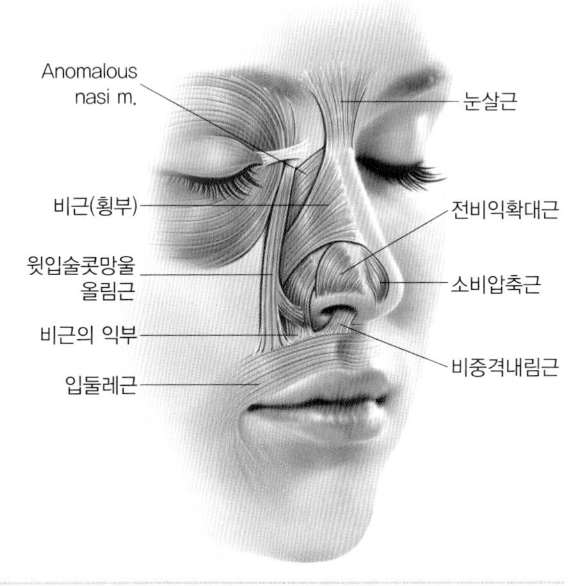

■ 그림 1-10. **외비의 근육**

의 익부(alar part)와 비중격내림근(depressor septi muscle)이 있다. 이 밖에도 작은 확장근으로 전비익확대근(anterior dilator nasal muscle)이 있다.[47] 안면신경이 마비되면 콧구멍을 확장시키는 근육들도 마비되어 비익을 벌릴 수 없어 비폐색을 초래할 수 있다.[46] 코 길이를 늘이고 외비공을 좁히는 압축근(compressor muscle)으로는 비근의 횡부(transverse part)와 소비압축근(compressor narium minor muscle)이 있다. 눈살근은 비골 하부와 측비연골의 상부에서 기시하여 위쪽을 향해 수직으로 달려 두 눈썹 사이에서 이마 하부를 덮는 피부에서 끝나고 전두근(frontalis muscle)과 섞여 비배부 피부를 들어 올리는 역할을 하여 가로주름을 형성한다.

윗입술콧방울올림근은 입 근육의 하나로 상악골 전두돌기 상부에서 기시한 후 코와 뺨 사이의 고랑을 따라 하행하여 코와 입으로 가는 두 갈래로 나뉜다. 비근은 비근육 중 가장 잘 발달한 근육으로 횡부가 대부분을 차지하며 상악골에서 기원하여 반대쪽 근육과 함께 비배를 가로질러 건막(aponeurosis)에 부착하고, 간혹 건막에서 기시하여 비순구(nasolabial sulcus)에 부착한다. 일부분을 차지하는 익부는 외측 절치 상부에서 기시하여 대비익연골(greater alar cartilage) 하부에 부착한다. 내측 부위는 비중격내림근과 섞이기도 한다.[18] 비중격내림근은 전비극과 내외측 절치와에서 기시하여 위로 진행하여 비중격과 비익 후부에 부착한다. 일부는 구륜근(orbicularis oris muscle) 상부 섬유의 앞부분에서 기시하기도 한다. 잘 발달된 사람에서는 이 근육이 수축하면 크게 웃을 때 비첨(nasal tip)이 아래로 잡아당겨지고 윗입술이 짧아진다.[15] 이런 사람에게 미용 목적의 비성형술을 시행할 때 비중격내림근을 절단하기도 한다. 2개의 극히 작은 근다발로 이루어진 비확장근(dilator muscle)은 전비익확대근과 후비익확대근(dilator naris posterior muscle)으로 나뉜다. 근육의 신경지배와 작용은 안면신경(facial nerve)의 관골 분지(zygomatic branch), 측두분지(temporal branch)와 협분지(buccal branch)의 지배를 받는다. 외비의 감각은 삼차신경의 제1 분지인 안신경(opthalmic nerve)의 활차상신경(supratrochlear nerve)과 활차하신경(infratrochlear nerve)이 비근, 비공점 및 코 외측벽의 상부 피부의 감각을 담당한다. 삼차신경의 제1 분지로 안신경으로부터 나오는 전사골신경(anterior ethmoidal nerve)의 외비신경(external nasal nerve)과 삼차 신경의 제2 분지인 상악신경(maxillary nerve)의 안와하신경(infraorbital nerve)이 하부의 감각을 담당한다. 이 중 외비신경은 비골의 안쪽에 있는 간격을 통해 내려와 측비 연골의 표면을 따라 하행하면서 비첨을 포함한 콧등 원위부의 피부에 분포한다.[1,6] 외비신경은 종종 방사선 사진에서 골절로 오인된다.

2. 비강

비강(nasal cavity)은 입천장과 두개저사이 불규칙한 모양의 공간으로 위에서 아래로 갈수록 넓어지는 형태이다. 비강은 비중격에 의해 좌우로 분리된다. 앞쪽의 입구를 전비공(anterior nares) 혹은 외비공(external nares), 비강 뒤쪽의 비인두로 통하는 개구부를 후비공(choana, posterior nares)이라 한다. 후비공은 성인에서 수직으로 약 2.5 cm, 수평으로 1.5 cm 정도 크기이며 비교적 일정한 크기를 유지한다.

1) 비전정(Nasal vestibule)

비전정은 상외측비연골의 하단에 있으며, 주름(fold)을 형성하며 튀어나온 부위를 내비공(internal nares)이라 한다. 비전정의 전후 길이는 일정하지 않지만 약 1 cm 정도이다. 표면은 편평상피세포인 피부로 덮여 있고 비모, 피지선, 한선 등이 있다. 이 부위의 후방은 비점막이 시작되는 부위로 고유비강을 이룬다.[3,5]

2) 비강 상벽

비강 상벽의 전하방은 비골과 전두골 비부의 내면으로

형성되고, 중앙부가 가장 높이 위치하며 사골(ethmoid bone)의 사판(cribriform plate)으로 구성된다. 후하방은 접형동의 전벽과 서골익(ala of the vomer), 구개골(palatine bone)의 접형돌기(sphenoid process), 접형골의 초상돌기(vaginal process) 등으로 구성된다. 이 부위의 점막은 후점막(olfactory mucosa)으로 이루어져 있으며 후각신경(olfactory nerve)이 사판의 사골공(ethmoid foramen)을 통하여 분포한다.[3]

3) 비중격

비중격은 비강을 좌우로 나누는 구조물이다(그림 1-11). 비중격의 맨 앞쪽, 비중격연골의 전하방부와 비주 사이를 막성 중격(membranous septum)이라고 하는데, 이 부위는 연골이 없이 양측으로 비전정 피부의 외층과 그 사이의 피하 지방층으로 구성되어 있어 매우 유동적이다. 막성 비중격은 뒤쪽으로 비중격연골로 이어진다.

비중격연골의 앞부분은 상악골 전비극(anterior nasal spine)과 상악릉(maxillary crest)에 의해 지지되며 섬유조직으로 하외측비연골의 내측각과 연결된다. 비중격의 전방부는 비배부와 비첨의 지지에 매우 중요한 역할을 하며 상외측비연골에서 언급한 것과 같이 특히 상외측비연골과 비골, 비중격의 연골부분, 사골 수직판이 결합되어 있는 키스톤부위 손상 시 안장코를 유발할 수 있다.[37]

비중격 후상방은 사골수직판(perpendicular plate of ethmoid)으로 되어 있고, 후하방은 서골(vomer)로 되어 있다. 사골수직판은 비중격 상부의 1/3 이상을 이루며 이 부분의 만곡이 있는 경우 상부 비중격 만곡증(high septal deviation)으로 관찰된다. 사골수직판은 위쪽으로는 사판으로 연결되며 계관(crista galli)과 이어져 있어 비중격성형술 시 휘어진 수직판을 제거할 때 비틀어 부러뜨리면서 제거하면 사판을 손상시킬 수 있고 척수액누출 등이 발생할 수 있으므로 주의하여야 한다.

서골은 얇고 평평한 뼈로 거의 삼각형 모양으로 비중격 연골이나 사골수직판에 비해 외비의 지지에 역할이 적다. 서골은 후방으로 접형골릉(sphenoidal crest)과 접해 있어 비중격 경유 접형동 수술 시 중요한 지표가 된다. 간혹 접형동에 의해 서골이 함기화될 수 있으며 뒤쪽의 유리된 경계면은 평탄하고 오목하여 후비공의 좌우 경계를 이루고 있다.[18]

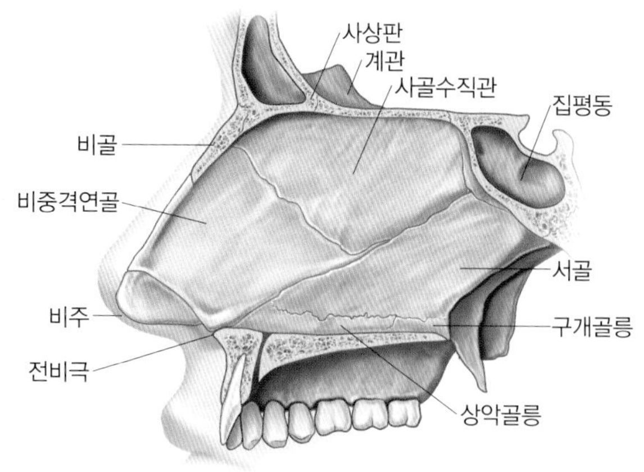

■ 그림 1-11. **비중격**

상외측비연골의 하단과 비중격연골 사이의 공간은 비강 내에서 가장 좁은 부위로 내비밸브(internal nasal valve)라 한다. 내비밸브는 호흡 시 코 주위 근육의 영향으로 좁아지거나 넓어진다. 이 각은 코 안에서 가장 좁은 부분으로 서양인에서는 10~15°이고 동양인에서는 19~20°이다. 내비밸브와 함께 비중격 가장 아래, 하비갑개 선단, 이상구 주변 조직에 의해 경계를 이루는 부분을 비밸브영역(nasal valve area)이라 하며 이 부위에 구조적 이상이 있으면 코막힘을 초래할 수 있다.[37,51]

비중격의 전하방은 비강에 분포하는 동맥혈관이 군을 형성하고 있어 비출혈과 가장 관계가 깊은 곳으로, Little's 부위(area) 또는 Kiesselbach 혈관총(plexus)이라고 한다.

4) 비강저

비강저는 전후로 수평을 이루고 좌우로 약간 오목하다. 비강저의 전방 3/4 부위는 상악골구개돌기로 형성되어 있고 그 전단부의 약 12 mm 후방에 절치관(incisive canal)이 있어 비구개신경(nasopalatine nerve)의 분지 및 대구개동맥(greater palatine artery)의 분지 등이 통과한다. 후방 1/4 부위는 구개골의 수평판으로 되어 있고 연구개가 그 뒤에 이어진다.[3]

좌우의 상악골과 구개골이 합쳐지는 중앙부는 약간 융기되어 비중격의 비릉(nasal crest)이 되고, 그 가장 선단부는 전비극(anterior nasal spine)이 되어 돌출해 있으며 비중격 연골을 지지하게 된다.[5]

5) 비강측벽

비강측벽은 해부학적으로 구조가 가장 복잡한 부위로서 대부분에서는 상, 중, 하비갑개가 존재하며 그 상부에 최상비갑개가 있을 수 있다. 비강측벽은 상악동 내측벽과 뒤쪽으로 구개골의 수직판, 위쪽으로 사골미로(ethmoid labyrinth)로 구성된다.[3,8]

각 비갑개 사이에는 그에 대응하는 비도와 각 부비동의 자연개구부 등이 존재하여 임상적으로 중요한 의의를 가지고 있다(그림 1-12). 비갑개의 위치나 크기는 개인별로 차이가 있다. 부비동내시경수술 시 비갑개의 위치에 대한 해부학적 지식은 큰 도움이 된다. 또한 비역(limen nasi)이나 비전정문턱(nasal sill)부터 각 비갑개까지의 평균 거리는 주요 구조물들의 위치를 가늠해볼 수 있는 좋은 지표가 된다. 비역은 콧구멍의 바깥모서리 중 가장 아랫점을 의미하고, 비전정문턱은 비전정의 뒤쪽 경계로서 중층편평상피(stratified squamous epithelium)에서 섬모원주상피(ciliated columnar epithelium)로 이행되는 부위이다.

측벽을 구성하는 골은 상악골이 주를 이루며 그 외에 상악골 전두돌기, 누골(lacrimal bone), 사골, 구개골 수직, 내측익상판(medial pterygoid plate) 등으로 이루어진다(그림 1-13).

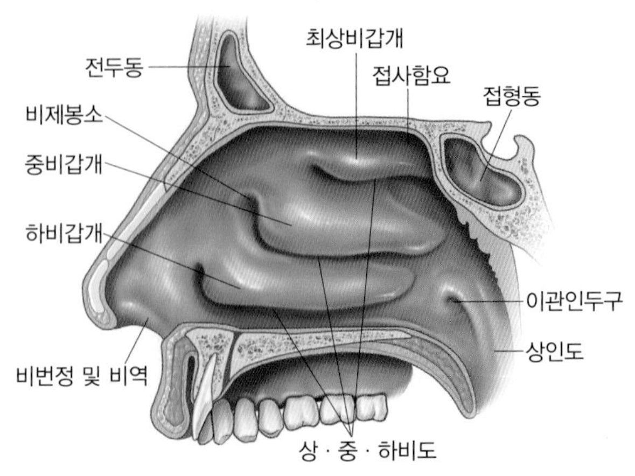

■ 그림 1-12. **비강측벽**

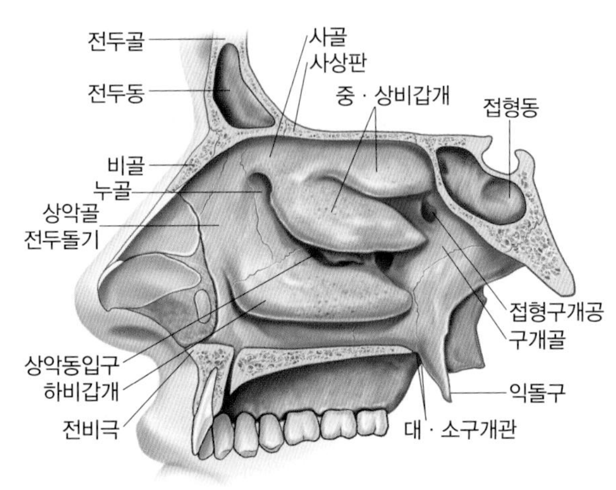

■ 그림 1-13. **비강측벽의 골구조**

(1) 하비갑개(Inferior turbinate)와 하비도(Inferior meatus)

하비갑개는 일반적으로 비갑개 중 가장 크며 아래모서리의 형태가 비스듬히 주행한 후 수평에 가깝게 꺾이는 경우가 많다. 독립된 뼈로 구성되며 길이는 약 3.5~5.8 cm, 폭은 0.5~1.5 cm 정도이다. 고르지 못한 표면에는 점막골막(mucoperiosteum)이 단단하게 붙어 있는데, 이 점막은 두껍고 정맥총(venous plexus)을 많이 포함하여 해면체(carvenous plexus)를 형성한다.[24] 하비갑개는 상악동 열공의 하연과 접하는 상악돌기를 포함 하며 사골, 구개골 및 누골과도 접한다.

하비도는 하비갑개, 비강측벽과 비강저에 의해 이루어지며 비도 중 가장 크다. 비강의 전장에 걸쳐 뻗어 있으며 앞 1/3과 중앙 1/3이 만나는 지점이 가장 높아 어른의 경우 1.6~ 2.3 cm 정도이다. 하비갑개 부착부의 앞 1/3 부위(비 입구부 에서 2.5~3.0 cm), 즉 하비도 중 가장 높은 부위의 바로 전방에 비루관(nasolacrimal duct)이 개구한다. 비루관에 판막은 없으며 개구부는 점막의 작은 주름으로 덮여 있다. 또한 하비도의 측벽은 비교적 골이 얇아서 상악동의 시험천자나 내시경검사, 상악동 수술 시 대공(counter opening)을 만드는 데 이용된다.

(2) 중비갑개(Middle turbinate)와 중비도(Middle meatus)

중비갑개의 모양은 아래모서리가 비스듬히 뒤쪽으로 가는 것, 아래모서리가 수직으로 내려와서 뒤쪽으로 가는 것, 아래모서리의 앞면이 앞쪽으로 돌출된 것 등 형태가 다양하다. 사골의 일부인 중비갑개의 길이는 3.0~5.4 cm, 폭은 0.4~2.1 cm, 앞쪽부위의 높이는 10.9 mm, 중간부위 높이는 10.6 mm, 후방부위 높이는 7.7 mm, 그리고 중비갑개의 앞쪽 부착부위와 상비갑개의 앞쪽 부착부위 사이의 길이는 18.5 mm 정도로 보고되어 있다.[26] 중비갑개의 가장 전상방 부착부위는 상악골의 사골릉(crista ethmoidalis)과 연접해 있고, 이것은 비제(agger nasi)라고 알려진 전방으로 팽창된 구조를 형성한다. 중비갑개의 후방 끝은 구개골 수직돌기의 사골릉에 부착되어 있다. 앞쪽에서 뒤쪽 자유연까지는 아래쪽으로 15°의 경사를 이루고 있으며 끝은 접형구개공(sphenopalatine foramen)의 바로 아래에 위치한다.

중비갑개는 부착부위에 따라 3개 부분으로 나누어진다. 중비갑개의 전방 1/3은 완전히 수직이며 사판의 외측 끝에서 두개저에 직접 부착되므로 수술 시 두개저 손상을 방지하는 가장 중요한 지표가 된다. 여기서부터 후방으로는 부착선이 외측방으로 휘어져 지판(lamina papyracea)에 도달한다. 중비갑개의 중앙 1/3은 기판에 의해 지판에 고정되어 있고, 여기서는 거의 관상면(coronal plane) 내에서 주행한다. 후방 1/3은 거의 수평면의 기판으로 중비도 후방 대부분의 상벽을 형성하며 지판에 고정되거나 상악동의 내측벽에 부착된다. 이와 같이 수직면, 관상면, 수평면을 따른 부착부위는 중비갑개의 안정성에 크게 기여 한다. 그러므로 부비동수술 시 중비갑개의 후방을 제거한 경우 남아 있는 전방이 불안정해질 수 있다.[45] 수술 후 중비갑개의 안정성이 유지되지 않아 중비갑개가 외측 편위(lateralization) 될 경우, 중비도 협착 등이 발생할 수 있으므로 후사골봉소군이나 접형동을 쉽게 조작하기 위하여 기판을 과다하게 제거하는 것은 피해야 한다.

관상면의 부착부위는 반드시 매끈하거나 평탄한 표면은 아니며 함기화가 잘 된 전사골봉소군은 이 판상구조를 뒤쪽으로 팽대시켜 후상방으로 향하게 할 수도 있다. 이것은 특히 측동(lateral sinus)이 잘 발달된 경우에서 잘 볼 수 있다. 간혹 이런 전사골봉소군이 거의 접형동 부근까지 확장되어 있기도 하다. 반대로 후사골봉소군이 기판의 중앙부위를 전방으로 팽대시키기도 하며, 상비도가 전하방으로 많이 발달되어 그것이 중비갑개의 기판을 전방으로 팽대시키기도 한다.[45] 때로는 중비갑개 자체도 크게 함기화 될 수 있으며 큰 봉소가 형성된 경우 중비갑개가 비대해져 비폐색을 일으킬 수 있다. 이렇게 중비갑개의 골구조 안으로 수포성 갑개(concha bullosa)를 만드는 것을 기판간봉소(interlamellar cell)라 한다. 수포성 갑개의 발생빈도는 25% 정도이며 안쪽은 호흡상피로 이루어져 있고 전두와(frontal recess)나 측동 혹은 반월열공으로 배출된다.[45] 때로는 중비갑개 내측면이 오목해 역으로 굽은 중비갑개(paradoxical middle turbinate)의 모양을 가지기도 한다. 이와 같이 중비갑개 기판의 형태가 매우 다양하므로 수술 전 방사선검사에서는 물론 수술 시야에서도 정확히 확인하기가 쉽지 않다.

중비도는 임상적으로 가장 중요한 부위로서 상악동, 전두동, 전사골봉소군이 개구한다. 중비도의 전상부에는 전두동의 개구부가 있는 전두와가 있고 외측벽은 편평하지 않고 심한 요철이 있다. 중비갑개의 직하부에는 사골동의 융기로 인한 사골포(ethmoidal bulla)가 있고, 그 아래는 사골포와 대칭되게 돌출한 구상돌기(uncinate

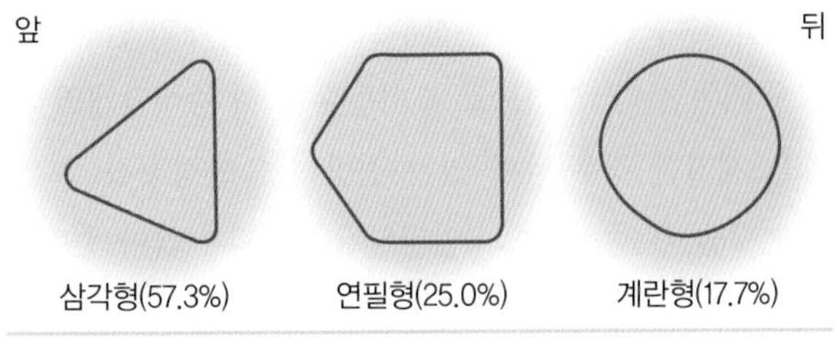

■ 그림 1-14. **상악동 열공의 형태**

process)가 후하방으로 가늘게 연장된다. 구상돌기는 50%가 비강의 외측벽, 25%가 전두개저, 그리고 25%가 중비갑개에 붙게 된다. 이 구상돌기의 후방경계와 사골포의 전면경계 사이의 좁은 이차원적 간격을 반월열공(hiatus semilunaris)이라 한다. 이는 초생달 모양과 매우 흡사한 낫 모양의 구조물로 이차원적 시상면에 위치해 있으며 앞쪽으로는 오목한 구상돌기의 후연, 뒤쪽으로는 볼록한 사골포의 전면으로 이루어져 있다. 중비도로부터 반월열공을 통하여 사골누두(ethmoidal infundibulum)라고 알려진 공간으로 접근할 수 있다. 하반월열공은 이곳을 통하여 사골누두에 도달할 수 있는 구상돌기와 사골포 사이의 '문'이 된다. 상반월열공은 사골포의 후방과 상방으로 확실한 측동이 있을 때 사골포와 중비갑개 사이에 나타나는 열(cleft)을 의미한다.[10]

상악동열공이란 상악골의 내측으로 형성된 큰 구멍을 말한다. 상악동열공의 모양은 삼각형(triangular type), 연필 모양(pencil type), 계란형(oval type) 등 세 가지인데 이 중 뒤쪽이 크고 앞쪽이 작은 삼각형이 57.3% 로 가장 흔하다(그림 1-14).[14] 상악동열공의 경계로 하벽은 하비갑개의 상악돌기로 이루어져 있고, 후벽은 구개골의 수직판, 전상방은 누골의 일부, 그리고 상벽은 구상돌기와 사골포로 이루어져 있다. 구상돌기와 하비갑개 사이에는 중비도와 상악동의 점막 및 치밀한 결체조직으로 구성된 막성 구조물이 있다. 이 구조물은 전천문(anterior fontanelle)과 후천문(posterior fontanelle)으로 나뉘는데, 구상돌기의 갑개돌기(conchal process of the uncinate process)를 지나는 수직선 혹은 구상돌기 자체를 기준으로 나뉜다.[53] 구상돌기 자체를 기준으로 할 경우 상악동 자연구는 후천문의 가장 앞쪽에 위치하며, 부구(accessory ostium)는 모두 후천문에서 발견된다. 정상 성인의 15~40%에서 부구가 발견된다고 보고되었으며, 한국인의 경우 약 6%에서 발견된다.[3,19,53] 만성 부비동염 환자에서는 부구가 있는 비율이 최고 25%까지 높아진다.[31] 상악동의 부구는 자연구와 달리 구상돌기를 제거하지 않아도 비내시경에서 발견되는데, 주로 원형이고 자연구보다 크며 관을 형성하지 않는다.

(3) 상비갑개(Superior turbinate)와 상비도(Superior turbinate)

상비갑개는 매우 작고 대개 뾰족한 형태이다. 비교적 작아서 길이가 0.7~2.7 cm, 폭이 0.1~0.9 cm, 점막은 얇고 다른 비갑개와 달리 후각상피(olfactory epithelium)로 덮여 있다. 상비갑개는 12.2~48%에서 함기화된 형태로 발견되며 이 경우 두통 및 비폐색을 유발할 수 있다고 알려져 있다.[41] 상비갑개 위에 최상비갑개(supreme turbinate)가 존재할 수 있는데 이는 사골의 흔적기관으로 성인의 약 20~60%에서 편측 혹은 양측에서 발견된다.[38] 상비도는 상비갑개와 중비갑개 후반부 사이의 좁은 통로로서 비도 중 가장 짧고 얕다. 대부분의 후사골봉소가 여기에서 개구한다. 이 내측에는 삼각형의 접사함요(sphenoethmoidal recess)가 있어 여기에서 접형동이 개구하고 후하방, 즉 중비갑개가 비강측벽에 부착되는 최말단 부위에는 접형골에 접하여 접구개공(sphenopalatine foramen)이 있다. 접구개공은 익구개와로부터 접구개동맥과 비구개신경, 상비신경(superior nasal nerve)이 들어오는 통로로 구개골의 안와돌기(orbital process)와 접형돌기(sphenoid process)사이에 존재한다.

6) 비강의 혈관

(1) 동맥계

비강은 2개의 큰 동맥으로부터 혈액을 공급받는데, 하

나는 내경동맥(internal carotid artery)의 분지인 안동맥(ophthalmic artery)이고, 다른 하나는 외경동맥(external carotid artery)의 분지인 내악동맥(internal maxillary artery)이다. 안동맥은 안와 내에서 전·후사골동맥(anterior and posterior ethmoid artery)의 두 분지를 낸다. 각각은 전두사골봉합(frontoethmoid suture)부분에서 안구의 내측 지판을 통하여 두개 내로 들어가 사판을 관통하거나 혹은 전내측에 있는 구멍을 통하여 비강 내에 분포하는데, 전사골 동맥은 정상적으로 후사골동맥에 비하여 훨씬 크며 주로 비강측벽의 전 1/3 부위와 그곳과 인접한 비중격부위에 분포한다. 후사골동맥은 주로 상비갑개와 그곳과 인접한 비중격부위에 분포한다. 전사골동맥의 외비분지(external nasal branch)는 비골과 측비연골 사이를 지나 비배부의 피부에 분포한다(그림 15-15, 16).[3,8]

내악동맥의 종말분지인 접형구개동맥(sphenopalatine artery)이 위치하는 익구개와(pterygopalatine fossa) 부위의 해부학적 구조는 이비인후과 영역에서 매우 중요하다. 특히 심한 비출혈이나 심한 비루 또는 익돌관신경통(vidian nerve neuralgia)을 치료하기 위해 상악동을 통하여 익구개와에 위치한 접형구개동맥 분지를 결찰하거나 익돌관신경 절제술(vidian neurectomy)을 시행한다. 내악동맥의 종말분지인 접형구개동맥은 접형구개공을 통하여 비강 내로 들어가 비강측벽과 비중격의 점막에 분포한다. 비강측벽으로의 분지는 중비도와 하비도 후방의 측벽을 따라 주행한다. 부비동내시경수술 시 상악동 열공을 후방으로 확장할 때 후외측비동맥(posterolateral nasal artery)이 상악동의 후벽보다 앞쪽으로 주행하면 이 동맥이 손상될 가능성이 많아진다. 한국 성인의 경우 후외측비동맥이 상악동 후벽과 구개골의 수직판이 만나는 선보다 뒤쪽에서 주행하는 경우가 43%로 가장 많으며 그 선에 연접하여 주행하는 경우는 21%, 선의 위쪽에서는 뒤에서 주행하고 아래쪽에서는 앞으로 주행하는 경우는 19%, 전체 주행이 그 선보다 앞으로 주행하는 경우는 17%를 차지한다.[3] 접형구개동맥의 비중격 분지는 접형구개공으로부터 상행하여 비강의 천장으로 가면서 접형골의 형태를 따라가다 비중격으로 향하여 서골(vomer)의 주행을 따라 비중격의 전하방으로 주행하게 된다. 따라서 비중격분지가 접형동 전벽의 점막에 있기 때문에 접형동 수술 시 이 점막을 보존하면서 하부로 젖혀야 동맥을 보존할 수 있다. 상악동맥의 분지인 하행구개동맥(descending palatine artery)은 대구개동맥(greater palatine artery)과 소구개동맥(lesser palatine artery)으로 나누어지며, 소구개동맥은 연구개에 분포하고, 대구개동맥은 대구개공을 지나 경구개와 상악치은에, 그리고 절치관(incisive foramen)을 통해 비강 내로 들어와 비강 저부에 분포한다. 비

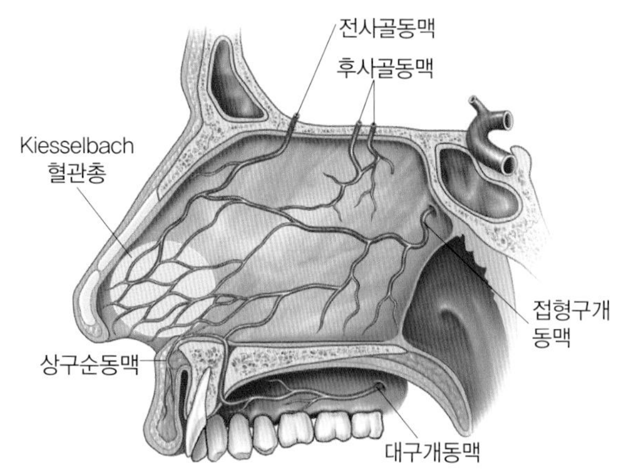

■ 그림 1-15. **비중격 점막의 동맥혈관**

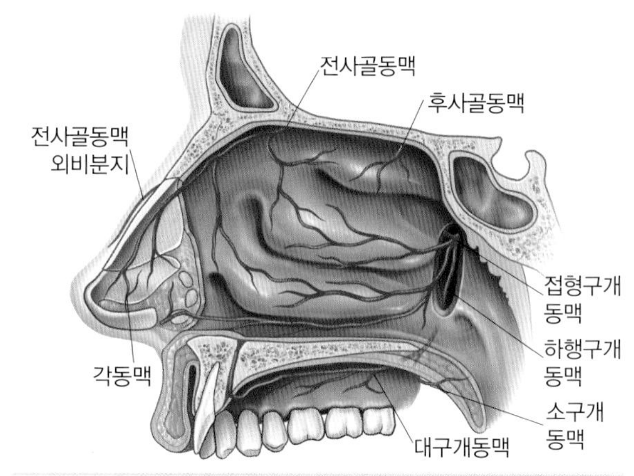

■ 그림 1-16. **비강 측벽의 동맥 혈관**

강의 전정부위는 그 외에 안면동맥(facial artery)의 분지인 상순동맥(superior labial artery)에서 혈액을 공급받는다. 이 혈관은 비중격의 전하부에서 전사골동맥, 대구개동맥, 접형구개동맥의 비중격분지와 문합하는데 이를 Kiesselbach 혈관총 또는 Little 부위라고 한다.[2,12,15]

(2) 정맥계

천장부위는 사골정맥을 통해 안와로 가서 안정맥으로 이행되고 후방으로 주행하면서 해면정맥동으로 이행된다. 비강의 후방은 접형구개정맥을 통해 익구개와로 가서 결국 하측두와(infratemporal fossa)의 익구개 정맥총(pterygoid venous plexus)으로 이행된다. 비강의 전방은 전안면정맥(anterior facial vein)을 통해 내·외측 경정맥(internal and external jugular vein)으로 이행된다.

(3) 림프계

비강의 전반부는 전안면정맥(anterior facial vein)을 통하여 이하선림프절로 유입되고, 후반부는 후인두림프절(retropharyngeal node)과 상부 심경부림프절(superior deep cervical node)로 유입된다.

7) 비점막의 신경

비점막의 신경지배는 지각, 부교감, 교감 신경으로 이루어진다. 지각신경 중 후각신경은 비강 상부의 1/3 부위 즉, 상비갑개의 내측면과 그곳과 인접한 비중격부위, 비강의 천장부위에 위치한다.[18] 비점막의 일반감각은 삼차신경의 분지인 안신경(ophthalmic nerve)과 상악신경(maxillary nerve)이 담당한다. 비강의 중간 및 후부에는 상악신경의 가지들이 중비갑개 바로 뒤의 익구개와(pterygopalatine fossa)에 있는 익구개신경절(pterygo-palatine ganglion)을 경유하여 분포하며, 비강의 앞부분에는 안신경에서 나온 비모양체신경(nasociliary nerve)의 분지가 분포한다(그림 1-17).

익구개신경절에서 나오는 익구개신경의 분지는 안와,

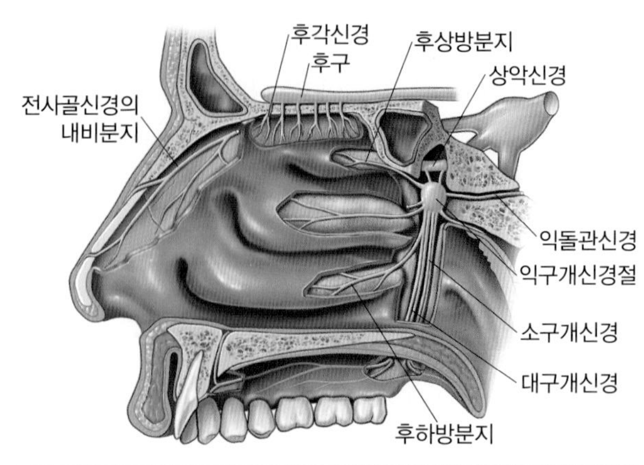

■ 그림 1-17. **비강 측벽의 신경**

구개, 비강 및 인두에 분포하는데 이 중 비강에 분포하는 것은 외측후상분지(lateral posterior superior nasal branch), 비구개신경(nasopalatine nerve)과 대구개신경(greater palatine nerve)이다. 외측후상분지는 접구개공(sphenopalatine foramen)을 통해 비강 내로 들어와 상비갑개와 중비갑개의 감각을 담당하며, 비구개신경은 내측으로 비강의 천정을 가로질러 중격을 따라 아래로 내려가면서 비중격분지(nasal septal branches)를 내어 비중격에 분포하고 계속 앞으로 진행하여 절치관(incisive canal)을 지나 구강의 천정에서 대구개신경의 말단과 합쳐진다.[18] 대구개신경은 익구개관 내로 하행하면서 하비갑개를 포함하여 비강 외측벽의 아래 부분에 분지를 낸다. 안신경의 분지인 모양체신경은 안와 후부에서 활차하신경(infratrochlear nerve)과 전/후사골신경으로 나뉘며 이 중 비강에는 전사골신경(anterior ethmoid nerve)이 분포한다. 전사골신경은 같은 이름의 동맥과 같이 전사골공을 통해 두 개강으로 들어간 후 사판의 외측연을 따라 비강으로 들어가고 외측 및 내측 비분지(lateral and medial internal nasal branches)를 내어 앞쪽 비강 외측벽과 비중격에 분포한다. 외측비분지는 중비갑개의 상부와 상비갑개의 전방에도 분포하고 내측 비분지는 비중

비강에 분포하는 자율신경은 익구개신경절을 통하여 비강 내로 들어온다. 안면신경의 중간신경(nervus intermedi-

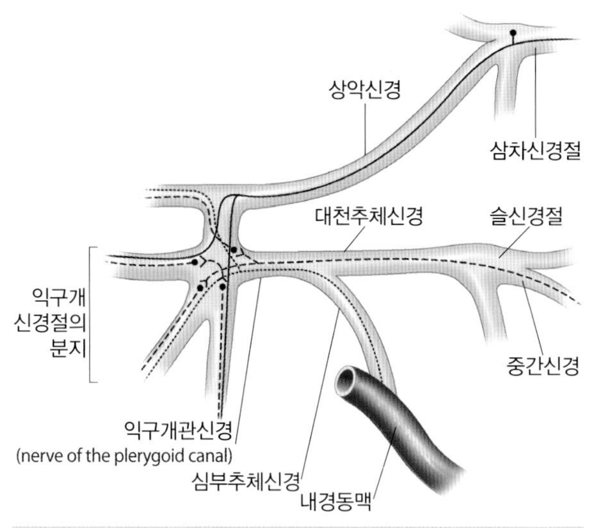

■ 그림 1-18. **익구개신경절과 주위 신경**

us)에 포함된 부교감신경섬유는 대천추체신경용(greater superficial petrosal nerve)을 통해 익구개와에 들어와 익구개신경절을 형성하고 연접(synapse)한다. 절후 부교감 신경은 교감 신경과 함께 익구개신경의 분지를 따라 주행하여 비강 내에 분포한다. 교감신경은 척수, 특히 여덟 번째 경추부와 상부 흉추부에서 기원하며 상경신경절(superior cervical ganglion)에서 연접한 다음 내경동맥총(internal carotid plexus)을 형성하고 내경동맥을 따라 주행한다. 내경정맥총에서 나온 심부추체신경(deep petrosal nerve)을 따라 주행한 후 대추체신경과 합쳐져 익돌관신경(vidian nerve)을 형성한 후 익구개신경절에서 연접없이 비강 내에 분포한다(그림 1-18).[2]

3. 부비동

부비동은 고형의 안면골 구조에 호흡점막이 함입되어 함기화되는 과정을 통해 생성된다. 비강점막의 팽출외번(evagination)으로 발생하는 부비동은 비강 주위에 있는 공동으로 출생 시에는 발달이 덜 되어 있거나 존재하지 않지만 성장하면서 점차 발육해서 사춘기에 거의 완성된다. 부비동은 공동의 각 개구부를 통하여 비강과 교통하며 동벽을 덮고 있는 점막이 비강점막과 연속되므로 비강의 염증이 쉽게 동 내에 파급되어 부비동염을 일으킨다.

각 부비동은 개구부의 위치에 따라서 크게 두 군으로 구분된다. 중비도에 개구하는 상악동, 전두동 및 전사골봉소 군은 전군(anterior group)이라 하고, 상비도나 최상비도에 개구하는 후사골봉소군과 접형동은 후군(posterior group)이라 한다(그림 1-19).[2,8] 개구비도단위(osteomeatal unit)는 뒤에 기술하는 상악동 자연공, 사골누두, 반원열공을 포함한 개념으로 기능적 구조 단위이다. 개구비도단위를 통하여 부비동 전군, 즉 상악동, 전두동, 전사골봉소의 점액 배출이 이루어진다.[8]

1) 상악동

현재는 부비동 질환의 병태생리에서 사골동의 역할이 강조되고 있으나, 전통적으로 상악동은 부비동 질환의 주요 구조물로 고려되어 왔다. 상악골이 함기화되면 측면으로는 협골의 체부까지, 후방으로는 구개골까지 다양한 정도로 확장된다. 영구치가 생기면 상악동은 성장을 멈추게 되며, 34(길이)×33(높이)×23(너비) mm 정도의 크기가 된다. 일측의 용적은 약 15 mL지만 개인에 따라 차이가 크다.

상악동은 입체적으로 피라미드 모양인데 피라미드의 바닥은 비강의 외측벽에 의해 형성되고 꼭대기(apex)는 바깥쪽에 위치한 협골돌기(zygomatic process)를 향한다. 상악동 천장은 동시에 안와의 바닥이 되는데 안와에 의해 아래쪽으로 융기되어 있으며, 후외측으로 갈수록 30~45° 아래쪽으로 향하므로 상악동 내에서 기구를 사용할 때는 주의를 요한다.

상악골과 측면에서 관절을 이루는 협골은 상악동에 의해 함기화되어 있다. 일반적으로 전벽, 상벽과 측벽 하부는 얇은 골로 이루어지며 후벽, 측벽 상부와 대부분의 하벽은 두꺼운 골로 이루어진다. 상악동의 하벽은 상악골의 치조돌기(alveolar process)에 의해 형성되며 대개 해면조직의 두꺼운 골로 상부 치열을 고정하고 있다. 너비는 천

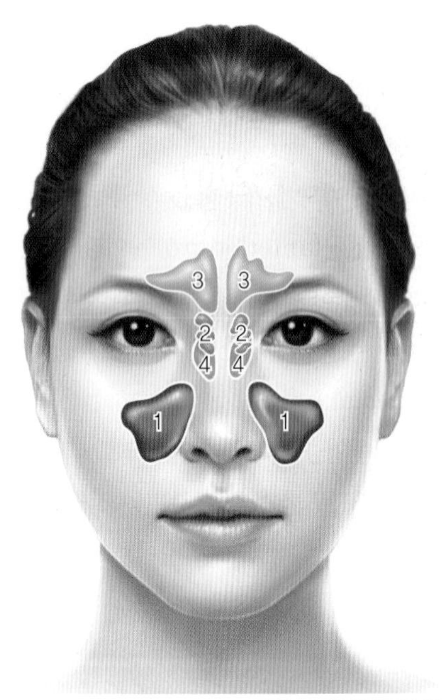

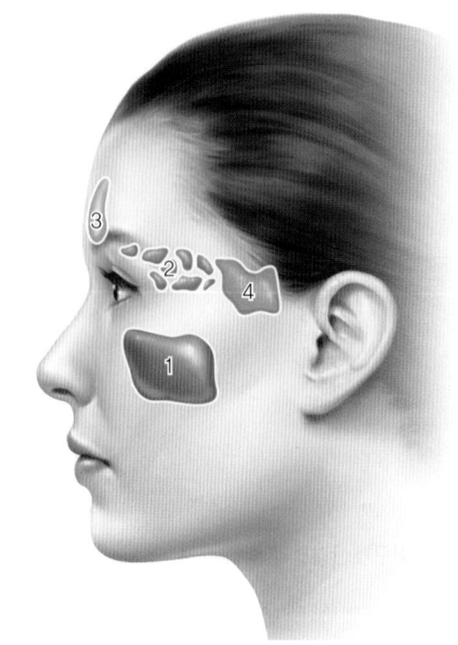

■ 그림 1-19. **부비동.** 1: 상악동, 2: 사골동, 3: 전두동, 4: 접형동

장의 1/2에 불과하며, 일부 내측 하벽은 경구개 위에 놓여 있다. 흔히 중앙면의 수 mm까지 확장되어 있고 그 면은 8~9세에서는 비강저와 거의 높이가 같으며, 성인이 되면 비강저보다 5~10 mm 정도 낮다. 또 치근이 상악동 바닥과 가까워 제1 대구치는 약 2.2%가, 제2 대구치는 약 2%가 동 내로 돌출해 있으며 함기화 정도에 따라 세 번째 대구치나 소구치(premolar tooth) 또는 견치(canine tooth)가 상악동 내로 돌출될 수 있다. 상악동의 하벽을 통해 치성 병변이 동 내로 파급되어 치성 부비동염을 유발하기도 하고 발치 후에 구강상악동누공(oroantral fistula)이 형성되기도 한다.

상악동 내에 완전 또는 불완전 격벽이 수직 또는 수평으로 있을 수 있다. 완전격벽은 약 1~2.5%에서 존재한다. 분리된 또는 중복된 상악동도 볼 수 있는데 약 6%에서 관찰되며 이들의 개구부는 사골포의 후방으로 개구하고, 일부는 중비갑개의 상방인 상비도로 개구한다.[24] 중복된 상악동은 사골봉소은 사골봉소의 하나인 Haller 봉소로 오해될 수 있다. 부비동의 외측벽은 곡선으로 보이며 매우 얇다.

상악 치아에 분포하는 전·후·중 치조신경혈관다발(anterior, posterior, middle superior alveolar neurovascular bundle)이 외측벽을 가로질러 주행한다. 신경은 하안와신경(infraorbital nerve)으로부터, 동맥은 내상악동맥으로부터 분지된다. 이 신경 혈관다발들은 일부는 골속으로 지나가고 일부는 부비동을 덮고 있는 점막하 부위로 지나간다. 상악동벽은 위쪽으로 협골의 두껍고 강한 협골돌기(malar process)와 맞닿는다. 상악동의 상벽인 안와하벽은 내측에서 외측으로 경사져 있고 상악동 쪽으로 볼록하며 벽이 얇아 외상을 입었을 때나 부비동 수술 시 손상되기 쉽다. 안와하신경은 안와하벽을 관통하여 안와 하공을 통해 절치와 상방, 상악골 전면으로 나온다. 안와하신경 중 약 14%는 안와하신경관 내에 없고 상악동 천장에서 상악동 내로 노출되어 있어서 수술 중 손상될 위험이 있다.[19] 전면부는 약간 두텁고 안와륜에서 치아까지 뻗어 있으며 위쪽에 안와하공이 있어 신경과 혈관이 통과한다. 가장 얇은 부위는 절치 직상부로 절치와

(canine fossa)라 한다. 절치와는 Caldwell-Luc 수술 또는 비내시경수술 시 절치와 접근술(canine fossa approach)을 시행할 때 통로로 이용된다.

상악동 후벽의 두께는 0.2~3.6 mm, 평균 0.8 mm 정도로 전벽이나 천장에 비해 비교적 두께가 두껍고 하측두와(infratemporal fossa)나 익구개와의 내용물과 상악동을 분리한다. 상악동의 후벽과 접형골의 익상돌기(pterygoid process) 사이에는 종으로 길고 좁은 간격이 있는데 이를 익구개와라 한다. 여기에는 비, 부비강으로 가는 신경과 혈관이 집결해 있는데 상악신경이 통과하는 정원공(foramen rotundum)과 익돌관신경(vidian nerve)이 통과하는 익돌관과 하안와열(infraorbital fissure), 대구개관(greater palatine canal), 접구개공(sphenopalatine foramen) 등이 있다. 또한 이 와에는 비부비강의 자율신경계를 담당하는 익구개신경절(pterygopalatine ganglion)이 존재한다.[14]

내벽은 구조가 가장 복잡하며 비강측벽의 하부에 해당하고 비루관이 통과한다. 상악동 자연공(natural ostium)은 중비도에 형성되며 자연공 바로 앞의 구상돌기는 자연공을 덮고 있다. 대개 시상면에서 전후방향으로 타원형으로 직경이 약 4 mm, 깊이가 약 1 cm이다.

상악동이 형성부전(hypoplasia)을 보이거나 위축(atelectasis)된 경우도 있는데 이때는 상악골 주위가 매우 두껍고 구상 돌기 역시 형성부전을 보이며 안와의 내하방으로 외측 편위(lateralization)가 되어 사골누두가 좁아져 부비동내시경수술 시 구상돌기 절제술 중 안와 손상을 유발할 수 있으므로 주의한다. 또한 비루관 후벽에서 개구부의 전벽까지의 거리가 평균 5 mm 정도밖에 안 되므로 내시경수술 시 역절제겸자(back biting forceps)으로 과도하게 전방으로 절제할 경우 비루관 손상을 초래할 수 있다. 그 외의 상악동 내벽에 대한 내용은 비강측벽에 설명되어 있다.

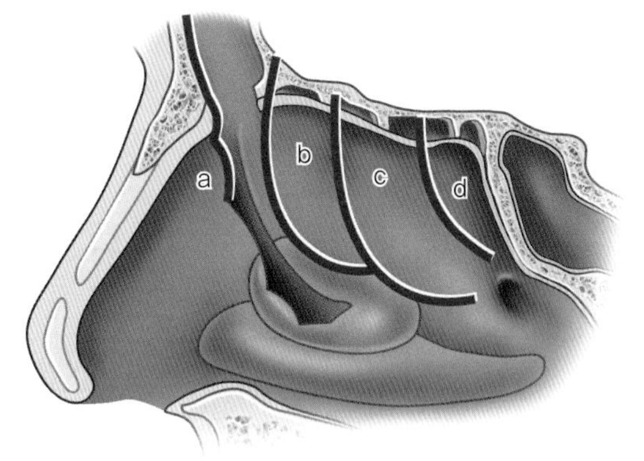

■ 그림 1-20. **기판의 해부학적 구조.** a: 제1 기판(구상돌기), b: 제2 기판(사골포 전벽), c: 제3 기판(중비갑개 부착판), d: 제4 기판(상비갑개 부착판)

2) 사골동

사골동은 부비동 염증질환의 중심 부비동이며 가장 복잡한 부비동으로 사골미로(ethmoidal labyrinth)라고 한다. 호흡상피로 덮인 얇은 골판으로 이루어진 일련의 봉소들은 각각 자기의 개구부를 가지며 복합체를 이룬다.

사골동의 천장은 사골와(fovea ethmoidalis)라고 하며 앞쪽이 뒤쪽보다 더 높아 15°의 경사를 이루고 있다. 사골동의 외측벽은 주로 안와의 지판으로 위로는 전두골, 앞으로는 누골, 아래쪽으로는 상악골, 그리고 뒤쪽으로는 접형골의 소익(lesser wing)과 연결되어 있다. 사골동의 외측벽인 지판은 안와 내측벽의 대부분을 이루는 골판으로 종이처럼 얇아 수술 시 손상에 주의해야 한다.

사골동은 몇 개의 기판(lamella)에 의해 나누어지는데, 제1 기판은 구상돌기, 2 기판은 함기화된 사골포의 전벽, 3 기판은 중비갑개의 기저판이며, 전상방에서 상악골의 구개골사골릉(crista ethmoidalis)과 접합한다. 제3 기판을 중심으로 전하부의 전사골봉소군와 후상부의 후사골봉소군으로 나뉘며 전사골군은 중비도로, 후사골군은 상비도로 배출된다. 상비갑개 기저판이 4 기판을 이루며, 최상비갑개가 존재하는 경우 이의 기저판이 5 기판이 된다(그림 1-20).

사골동의 함기봉소(air cell)는 내사골봉소(intramu-

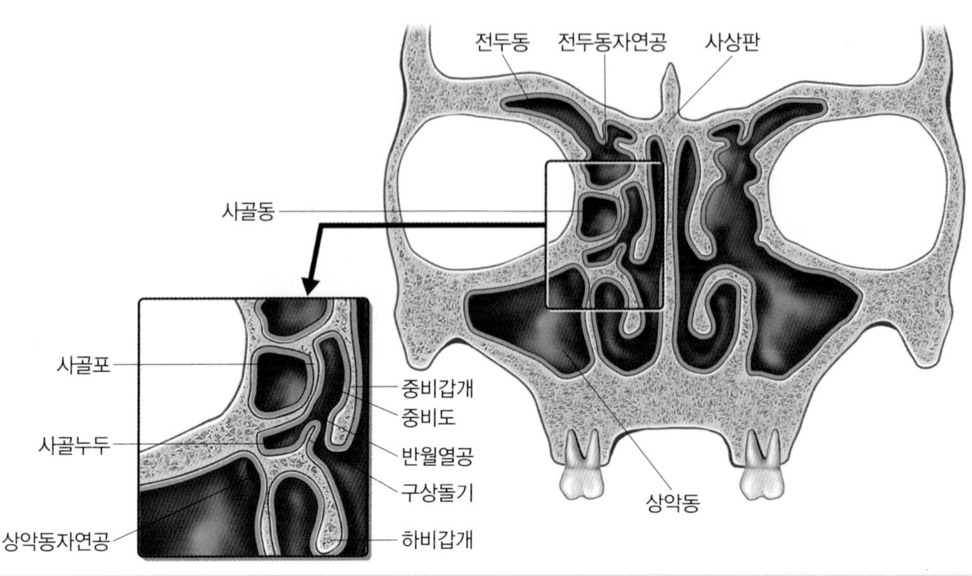

■ 그림 1-21. **관상면**

ral cell)와 외사골봉소(extramural cell)로 나눌 수 있는데, 사골 내에 위치한 함기봉소는 내사골봉소, 함기봉소가 전두골, 접형골, 누골, 상악골 등의 주위 골조직으로 팽출외번된 경우를 외사골봉소라고 한다.

사골동의 길이는 약 4~5 cm, 높이는 2.5~3 cm 이며 너비는 전방 0.5 cm, 후방 1.5 cm 정도로 부비동 중 앞뒤 거리가 가장 길다. 사골동 함기봉소의 자연공은 직경 1~2 mm 정도로 전체 부비동 중 가장 작기 때문에 점막조직의 부종이나 비용 등에 의해 쉽게 막힐 수 있다.

한쪽 사골 미로에는 적게는 4개에서 많게는 17개, 평균 7~11개의 함기봉소가 있다. 전사골동에는 함기봉소가 2~8개 정도로 많고 각각의 크기가 작은 반면, 후사골동 함기봉소는 크기가 크고 1~7개 정도로 수가 적다. 전사골동의 함기봉소는 위치에 따라 중비갑개의 전상방에 위치한 비제봉소(agger nasi), 사골포(ethmoid bulla), 전두사골봉소(frontoethmoidal cell), 전두와에서 전두동으로부터의 배출을 방해하는 전두와봉소(frontal recess cell), 안와상벽의 측부까지 뻗어있는 상안와봉소(supra-orbital cell), 사골봉소가 전두동의 관 내로 팽창하여 비전두관(nasofrontal duct) 주위를 좁히는 전두포(frontal bulla) 등으로 구분하는데 이 함기봉소들은 다양한 발생 과정 때문에 모양이 일정하지 않아서 명백한 비제봉소나 상안와봉소 등을 제외하고는 수술 시야에서 각각을 구분하여 명명하기란 불가능하다.[22,45]

(1) 전사골동

전사골동에 위치하는 해부학적 구조물은 구상돌기, 사골포, 사골누두, 비제봉소, 전두와, 측동 등이 있다. 함기화 정도에 따라 여러 외사골 봉소와 수포성 갑개 등이 발생하기도 한다(그림 1-21, 22).

① 구상돌기

구상돌기는 얇고 대부분이 시상면으로 위치한 골성 구조로, 전상방에서 후하방을 향하고 있다. 구상돌기의 뒤쪽 끝부분과 전하측 부위에 있는 몇 개의 골편을 무시하고 보면, 구상돌기는 약간 구부러진 갈고리나 부메랑과 유사하게 보인다. 구상돌기의 후상방연은 날카롭고 오목하며, 그 바로 뒤에 위치한 사골포와 평행하게 놓여 있다. 구상돌기의 후방 부착부위는 다양한데 끝부위가 하비갑개에만 붙는 경우가 제일 많은 것으로 보고되고 있다.[53]

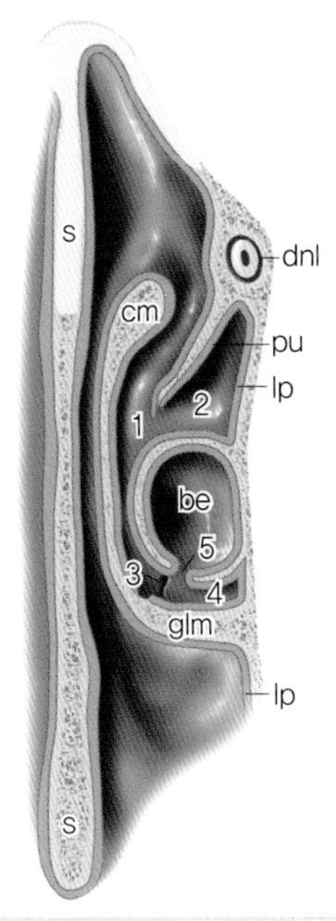

■ 그림 1-22. **횡단면.** S: 비중격, cm: 중비갑개, glm: 중비갑개기판, pu: 구상돌기, dnl: 비루관, lp: 지판, be: 사골포, 1: 하반월열공, 2: 사골누두, 3: 상반월열공, 4: 측동, 5: 사골포공

전방 부착부위는 비강측벽과 연속되는 점막층으로 덮여 있어서 구별할 수는 없다. 드물게 구상돌기가 비강 외측벽으로부터 기원하는 선을 따라 약간 함몰되어 부비동내시경수술 시 어려움을 겪을 수 있다. 상방을 향한 구상돌기의 전방부분은 비강의 골성 외측벽인 누관과 접하며, 최상부분은 중비갑개의 기시부에 가려서 더 이상 볼 수 없다. 이 최상부분은 두개기저부까지 연장되거나 외측방으로 부분적으로 혹은 완전히 휘어져 지판에 부착되기도 한다. 또 내측으로 휘어져 중비갑개의 기시부와 융합하기도 한다. 구상돌기의 최상부위가 외측방으로 구부러져 지판에 붙게 되면 사골누두는 말단와(terminal recess)라고 불리는 맹낭부로 상방이 막힌다. 이 때 사골누두와 전두와가 서로 분리되어 전두와는 사골누두 내측 구상돌기와 중비갑개 사이의 중비도로 열린다. 또한 전두동의 배출과 환기 경로는 사골누두의 내측을 지난다. 구상돌기는 직접 상부로 뻗어 사골 상벽으로 뻗쳐 있거나 점진적으로 앞쪽으로 와서 끝날 수도 있고, 내측으로 방향을 바꾸어 중비갑개에 부착할 수 있는데, 이 두 가지 상황에서 전두와와 전두동은 직접 사골누두에 개방된다. 이것은 염증의 확산 과정에서도 중요한 의미를 가진다. 만일 사골누두가 말단와를 형성하여 전두와로부터 분리되면 사골누두의 병변이 전두와로 확산될 가능성은 줄어들고, 마찬가지로 전두와 내의 병변이 사골누두까지 확산될 가능성이 적어진다.[45]

② 사골포

사골포는 전사골봉소 중 가장 변화가 적고 가장 큰 봉소로서 지판에 부착되어 있으며, 사골포 기판(bulla lamella)의 함기화에 의해 형성된다. 함기화가 많이 일어나면 사골포가 낮게 위치하게 되어 사골누두를 좁히거나 점액섬모수송과 환기를 어렵게 할 수도 있다.[45] 약 8% 에서는 사골포가 빈약하게 발달했거나 아예 없어 사골포 기판에서 골조직이 팽창된 측융기(lateral torus)로 존재한다. 사골포는 외측으로 지판에 부착되어 있으며 전두와의 후벽을 이룬다.[45] 후방으로는 중비갑개의 기판이 있고, 사골포 기판은 상방으로 사골의 상벽인 두개저에 도달할 수도 있고 그렇지 못할 수도 있다.

Haller 봉소는 사골봉소가 중비갑개 부착부위와 사골포의 후외측에서 안와저/상악동 천장 부위로 함기화된 것으로 사골누두와 상악동 자연공의 외측에 위치하며 하안와봉소(infraorbital ethmoidal cell)이라고도 불린다.[17] 이 봉소의 88% 는 전사골봉소에서, 12%는 후사골봉소에서 기원하는 것으로 보고된다.[2] 이것은 안와의 내측벽과 안와저에 인접해 있고 하방으로는 상악동 쪽으로 연장될 수 있어 크기가 크면 상악동 내의 격막으로 오인될 수 있고, 상악동으로부터의 배출에 영향을 미칠 수 있다. 또한 부비동 수술 시 안와 손상에 위험요인이 될 수 있다.[4]

③ 사골누두

사골누두는 반월열공을 통하여 비강과 통하는 전방, 하방, 상방으로 우묵한 공간이며 갈라진 틈새 같은 모양

을 띤다. 비강측벽에 있는 삼차원 공간으로 전사골동에 속한다. 사골누두의 내측벽은 구상돌기 및 반월열공, 외측벽의 대부분은 안와의 지판 후벽은 사골포의 전벽, 상부는 구상돌기의 부착부위에 따라 모양이 다양하며 전방은 구상돌기가 지판을 만나면서 생기는 예각으로 된 맹와(blind recess)로 막혀 있다. 하방과 후방에서 사골누두의 외측벽은 후천문의 점막층으로 덮인 결체조직으로 되어 있다.

상악동의 자연개구부는 구상돌기가 제거된 후 사골누두 후방의 하비갑개 직상부에서 찾아볼 수 있다. 사골누두의 상측벽에서 뚜렷하게 보이는 약간 움푹한 형상을 여러개 볼 수 있는데, 그 수와 크기는 다양하며 전방으로 확장되어 소위 누두봉소(infundibular cells)로 발전한다. 그러한 봉소가 전방과 상방으로 발달하면 누골까지 도달하는데 이를 사골누봉소(ethmolacrimal cell)라 한다. 구상돌기의 형태에 따라 사골누두의 전체 길이는 4 cm까지 이를 수 있다. 구상돌기의 후방 자유연에서 수직으로 측정했을 때 최대 깊이는 12 mm까지 이를 수 있고 구상돌기의 자유연에서 지판까지의 최대 너비는 5~6 mm이다. 사골누두의 너비가 넓은 경우는 주로 구상돌기가 내측으로 굽었거나 전방으로 젖혀졌을 때 볼 수 있다. 사골누두는 역곡중비갑개나 수포성갑개 같은 해부학적 변이나 비강외측벽 쪽으로 구상돌기를 미는 어떠한 병리적 변화가 있는 경우에는 무기화(atelectatic)될 수도 있다.

④ 비제봉소

중비갑개 전방 부착부의 전상측부에 있는 비제봉소는 사골누두의 상부 혹은 전두와로부터 함기화된다. Agger는 퇴화한 비갑개를 나타내기 위해 명명된 것으로 능선(ridge)을 의미하며, 비제봉소는 발생 과정의 흔적 기관인 'nasoturbinal'에서 생긴다고 한다.[25] 봉소의 형태와 크기는 매우 다양하여 심지어 비골과 상악골 전두돌기를 침범하는 경우도 있다.

비제봉소는 전두와의 전방에 위치하여 크게 발달된 비제봉소는 후방의 전두와를 가로막아 전두동으로부터의 배출에 영향을 미칠 수 있으며 또한 누골이 외하방(inferolateral)측에 접해 있어 부비동 질환에서 유루증(epiphora)의 원인이 된다.

비제봉소가 내하방(inferomedial)측으로 함기화가 일어나 구상돌기가 사골포처럼 되는 경우도 있다.[11] 시체해부에만 의존했던 과거 연구에 따르면 비제봉소의 발견율이 40~50%였으나 전산화단층촬영을 이용한 연구에 따르면 거의 100%에 달하며 양측성인 경우가 흔하다.[4,36]

⑤ 전두와

전사골에서 전두와라고 부르는 부위는 사골누두보다도 명칭과 정의에 대한 혼란이 더 심하다. 전두와는 '전두동의 비부', '전두누두', '비전두관' 등으로 불리어 왔으며 사골누두와 혼동되기도 했다. 전두동은 전두와에서 전두골 내로 함기화되어 생기게 된다. '비전두관'은 실제로 매우 드문 구조물로서 전사골동과 전두동을 연결하는 관상의 골구조물을 지칭한다. 두개골을 시상면으로 절단하여 전두동에서부터 사골동으로 이행되는 부위를 보면, 전두동의 저부 내측으로 끝이 좁아지면서 개구를 향해 깔때기 모양이라는 것을 알 수 있다. 개구의 아래쪽으로는 또 다른 깔때기 모양의 공간이 존재하는데, 전두동 개구의 가장 좁은 부위에서부터 시상면 방향으로 넓어지는 부위이다. 따라서 시상면에서 모래시계 모양의 구조가 존재하는데, 가장 좁은 부위는 전두개구부에 해당하며 그 아래 부위를 전두와라고 지칭한다. 그 부위의 경계, 모양, 너비 등은 주위 구조물의 영향을 많이 받는다. 전두와의 내측경계는 거의 항상 중비갑개의 가장 앞쪽 부위의 외측면이 되지만, 구상돌기가 내측으로 굽어 있어 중비갑개의 부착부위와 붙어 있는 경우에는 구상돌기가 내측벽이 된다. 외측벽의 많은 부분을 형성하는 것은 지판이며 만약 사골누두에 말단와가 있으면 구상돌기가 외벽이 된다. 상벽은 사골동의 상벽과 전두골의 일부로 형성되는데, 이들은 전방을 향하면서 수평방향에서부터 약간 전상방으로 휘

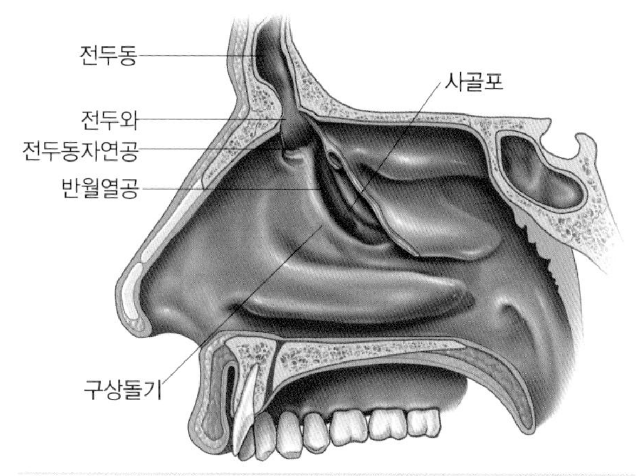

■ 그림 1-23. **전두와**

면서 결국 전두동의 후벽을 형성하게 된다. 전두동개구는 전두와의 가장 전상부에서 찾을 수 있다. 전벽은 43들로 이루어지며 후벽은 만일 사골포의 기판이 연속적으로 그 전체 넓이로 상승되어 사골상벽으로 향한다면 사골포의 전벽으로 이루어진다. 이 경우에 사골포의 전벽에 의해 측동으로부터 전두와가 분리된다. 그러나 사골포의 기판은 불완전하게 사골상벽에 도달하기 때문에, 전두와는 후방에서 사골포 상부(때로는 후부)의 공간, 즉 측동과 연결된다.[30,45]

두개골저 및 전사골신경이 전두와의 후벽을 이룰 수도 있다. 사골포 기판의 상태는 전두와의 모양에 큰 영향을 미친다. 만일 이것이 앞쪽으로 많이 뻗어 있고 사골포가 잘 발달했다면 전두와는 좁아진다. 부가적으로 비제봉소의 함기화 정도가 심하고 부수적인 전두사골봉소가 존재한다면 전두와는 좁은 통로 혹은 관모양이 될 것이다. 이러한 관모양의 형태를 일컬어 '비전두관'이라고 한다(그림 1-23).[45] 많은 경우에 전두와로부터 발달된 전사골봉소들로 인해 전두와의 구조가 매우 복잡해지는데 이 봉소들을 전두와봉소라 하며 비제봉소, 전두봉소(frontal cell), 상안와봉소(supraorbital ethmoid cell), 전두포봉소(frontal bulla cell), 상사골포봉소(suprabullar cell) 등이 포함된다. 전사골봉소 중 주로 전두동의 후벽을 따라 전두골 내로 발달하는 전두포봉소는 10~20%에서 존재하며, 단순히 전두동의 저부 내로 전두와가 팽창하는 것에서부터 일측 전두골에 동등하게 큰 2개 혹은 그 이상의 봉소를 형성하는 것까지 다양하다. 이러한 모든 봉소들은 전두와 내로 열려 있다. 어느 봉소가 진정한 전두동이고, 전두포봉소인지 가늠하기가 불가능한 경우도 종종 있다.

전두와봉소는 형태는 크게 4가지로 구분된다. 1형은 비제봉소의 상부에 1개의 전두와봉소가 있을 때, 2형은 비제봉소 상부의 전두와 내에 2개 이상의 일련의 봉소들이 있을 때, 3형은 전두동까지 침범하여 크게 함기화된 하나의 큰 봉소가 있을 때, 4형은 전두동 내에 독립적으로 존재하여 비내시경만으로는 제거하기 힘들 때이다.[42] 상안와봉소는 전두골 안와판(orbital plate of frontal bone)이 함기화되어 형성되는 것으로 전두동과 함께 같은 전두와를 통해 환기 및 배출이 일어날 수 있다.[22]

⑥ 측동

측동(lateral sinus)이라고 지칭된 공간은 일정한 모양이 없다. 측동은 사골봉소의 크기에 따라, 전하방으로는 사골포의 후상벽, 외측으로는 지판, 상방으로는 사골의 상벽, 후벽은 중비갑개의 기판, 내측으로는 중비갑개가 경계를 이루며 사골포와 중비갑개 사이의 상반월열공을 통해 열려 있다. 측동의 함기화가 좋은 경우에는 사골포가 대개 여기에 개구한다. 사골포가 두개저까지 함기화되지 않아 전두와의 후벽을 형성하지 않는다면 측동은 전두와 및 하반월열공과 통할 수 있다.[45] 이 공간은 '상사골포와(recessus suprabullaris)'로 명명되어 보통 상사골포봉소로 알려져 있으나 진정한 의미의 봉소가 아니며 단지 사골상벽, 기판과 사골포 사이의 열(cleft)이다.[45]

⑦ 사골동상벽과 전사골동맥

사판의 측벽은 사골원개(ethmoid dome)의 내측벽이 되며 높이와 모양이 개인에 따라 매우 다양하다. 사골상벽에 대한 사판의 위치에 따라 Keros는 다음과 같이 분류하였다. Keros type 1은 사판이 사골상벽보다 1~3

mm, Keros type 2는 4~7 mm, Keros type 3은 8~16 mm 정도 낮다. 사골상벽의 가장 높은 곳은 사판 위 17 mm까지 이른다는 보고도 있다. 이처럼 사골상벽에 비해 사판이 매우 낮게 위치할 경우 부비동내시경수술 시 뇌척수액 유출의 위험성이 증가하게 된다.[45] 사골상벽은 높이, 너비, 모양이 개개인마다 또 좌, 우측에 따라 매우 다양하므로 수술자가 수술을 시행하기에 앞서 부비동 전산화 단층촬영으로 이 부위의 해부를 완전히 이해하는 것이 중요하다. 관상면 또는 시상면의 부비동 전산화 단층촬영 영상을 이용하여 수술자는 환자 개인의 상태나 변이, 잠재적 위험요소 등에 관해 정보를 얻을 수 있다. 전사골동맥의 위치관계 또한 중요하다. 이 동맥은 안와에서 후와(olfactory fossa)까지 주행하면서 안와, 사골미로, 전두개와를 통과한다. 이 동맥은 수술 중 전사골동맥의 전체 주행 중에서 가장 위험한 부위인 사판의 측벽을 통해 전두개와로 들어간다. 전사골동맥 주위의 골 구조들은 두께가 매우 다양한데, 전두골에 의해 형성된 사골상벽 부위는 사골원개의 내측벽보다 더 두껍고 강하다.

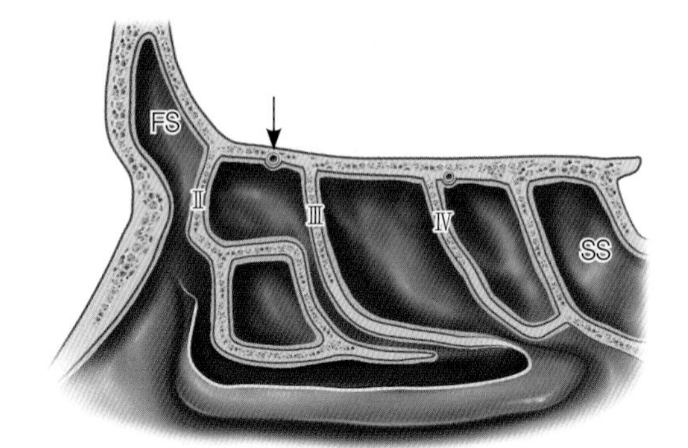

■ 그림 1-24. **전사골동맥과 기판의 관계.** 화살표: 전사골동맥관, FS: 전두동, SS: 접형동, II: 2기판, III: 3기판, IV: 4기판

사골상벽의 전두골은 평균 두께가 0.5 mm인 반면에 내측벽의 평균 두께는 0.2 mm에 지나지 않는다. 특히 사골동맥이 통과하는 부위는 0.05 mm까지 감소되는데 이는 사골상벽의 두께에 비해 1/10에 지나지 않아 가장 약한 부위이다.[21] 전사골동맥은 안와 내에서 안와동맥으로부터 기시한 후 전사골공을 통하여 얇은 벽으로 된 골관에 의해 둘러싸인 전사골 부위로 들어간다. 전사골동맥이 지나는 사골관은 두 번째와 세 번째 기판 사이에 위치하는 경우가 87% 정도로 제일 흔하며, 사골상벽이 낮을 때나 사관보다 약간만 높게 위치할 때는 이 사골관이 사골상벽 안에 묻혀 있지만 대부분의 경우에 골간막(bony mesentery)에 의해 사골상벽에서 5 mm 정도의 사이 공간을 두고 연결되어 있다고 한다. 그러나 한국인의 경우에는 91%에서 골간막이 아닌 사골동 천장에서 융기된 형태로 존재한다고 보고되었다(그림 1-24, 25).[32] 사골포 기판이 사골상벽까지 뻗어 있다면 사골동맥은 바로 그 근처 또는 직후방에서 발견된다. 사골포 기판이 사골상벽까지 뻗어 있지 않아서 전두와와 측동 사이의 골 분리가 완전하지 않다면 사골동맥은 측동의 모양에 따라 측동 내부에서 보일 수도 있다. 그러므로 경우에 따라서는 사골포의 일부를 제거하지 않고도 넓은 상반월열공 혹은 더 드물게는 전두와를 통해 진단적 내시경술을 하는 동안에도 사골동맥이 발견될 수 있다.

(2) 후사골동

후사골동의 함기봉소는 상비갑개와 중비갑개 사이의

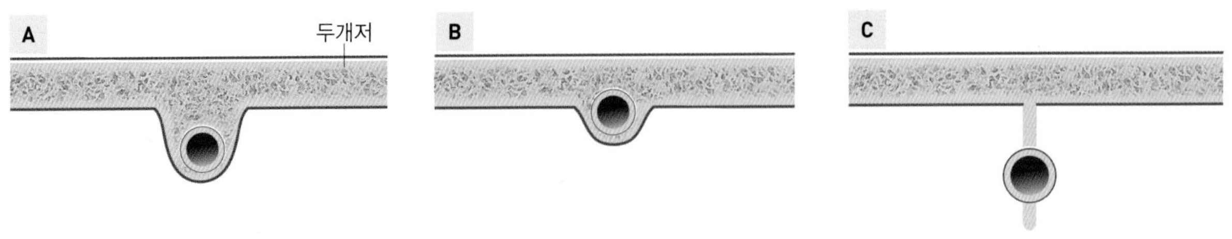

■ 그림 1-25. **전사골동맥의 형태**

상비도로 배출된다. 전사골봉소군보다 적어서 1~7개 정도이나 각각의 봉소 크기는 훨씬 크다. 이들은 다시 상비도에 개구하는 후사골봉소와 최상비도에 개구하는 최후사골봉소(postreme cell)로 나뉘기도 한다. 후사골동에서 세포의 수는 상비갑개의 기판이 지판까지 연장되었는지, 세부 중격이 존재하는지에 따라 크게 다르며, 부피 또한 중비갑개 기판의 구조와 주행에 따라 크게 달라진다. 임상적으로는 의미있는 증상이나 징후를 유발하지는 않으나 후사골동의 최후사골봉소는 접형동을 따라 외측으로 그리고 접형동을 넘어 상방으로 분포할 수 있고 이는 수술 시 수술자에게는 매우 중요하다.

어떤 경우에는 후사골동의 후벽이 접형동의 전벽을 지나 외측으로 1.5 cm까지 확대되는 경우가 있으며 이를 'Onodi 봉소'라 한다. 이 봉소의 발견율은 3.5%~51%로 보고에 따라 다양하며, 함기화 정도에 따라 시신경과 밀접한 공간적 관계를 갖고 있어 시신경관이 이 봉소의 측면으로 튀어나와 보이거나 그 봉소에 의해 둘러싸일 수도 있다.[24] 내경동맥 또한 후사골동 봉소 측면으로 불거져 나올 수 있으므로 수술 시 주의를 요한다. 수술 중 사골동을 경유하여 접형골의 전벽을 열 경우에는 가능하면 내하측으로 접근하는 것이 좋다. 기판의 천공 후 Onodi 봉소의 가장자리 뒤쪽의 접형동을 찾기 위해 지판을 따라 후외측으로 향하는 실수를 범해서는 안 된다. 이곳은 시신경이 가장 손상받기 쉬운 지점이다. 후사골동의 측벽은 지판으로 이루어져 있는데 이곳은 매우 얇고 피열이 있을 수 있으며 이곳을 통해 안구 내용물이 후사골동으로 빠져나올 수 있으므로 노란색의 안구 지방조직이 지판을 통해 빠져나온 것으로 의심되면 안구를 압박하여 지방조직이 움직이는지를 확인해 stankiewicz's sign이 있는지 검사한다.[31]

3) 전두동

전두동은 전두골이 함기화된 것으로 전두와 전체가 전두골 방향으로 확장되어 생성되거나, 발생 당시 전두와에 있던 4개의 와(pit) 중 하나에서부터 생성되거나, 중비도의 사골누두가 상부로 확장되어 생성되거나, 또는 사골포로부터 함기화됨으로써 발생한다.[22]

전두동의 크기는 1 cm^3에서부터 전체 전두골을 차지하는 것까지 매우 다양하다. 출생 시에 작은 봉소로 관찰되다가 사춘기까지 확장되며 6세에는 방사선 검사로도 식별할 수 있다. 전두동의 모양은 첨단부를 아래로, 기저부를 위로 하는 역삼각형으로 대부분의 하벽은 안와상벽으로 이루어지고 중앙부의 하벽은 사골와와 겹치며 일부는 전사골동 상부에 위치한다. 하벽의 최전방부는 비근의 직상부로 견고하고 두터운 뼈로 이루어져 있다. 전두동의 후벽을 구성하는 안와상벽은 얇은 골로 구성되어 있다. 전두동은 전두동 중격에 의해 좌우로 나뉘며 대칭적인 경우는 드물고 전체의 약 9%는 중격이 불완전하다. 전두동의 모양은 불규칙한 추체형을 띠며 양측 동의 크기는 개체에 따라 차이가 심하다. 동 자체가 완전히 결여될 확률은 4% 정도인데 종족에 따라 차이가 커서 에스키모인의 경우 50%가 넘는다. 그런가 하면 일측에 2개 이상이 존재하는 과잉전두동(supernumerary frontal sinus)도 있는데 발생률은 1.5~10% 정도이다.

전두동의 전내측으로부터 자연배설구를 통해 중비도로 이행되는 부위는 관이라기보다는 상하의 깔때기 모양이 만나 좁아지는 구멍으로 이루어져 있다. 전두동으로부터 중비도로 배출되는 경로는 앞에서 언급한 바와 같이 구상 돌기와 사골포 기판의 형태 및 부착부위에 따라 전두와, 사골누두 및 측동 등으로 다양하다(그림 1-26).[17] 전두동의 후벽 및 하벽은 전벽에 비해 약 50% 정도의 두께로 얇아서 염증이나 종양이 있을 때 이곳을 통하여 두개내 혹은 안와 내로 파급되기도 한다.[52]

4) 접형동

접형동은 태생 4개월에 비피막(nasal capsule)이 접형골 쪽으로 팽창하여 생기는 함기화된 공간으로서 대부분 쌍으로 존재하고 좌우 비대칭적으로 발달한다. 이 부비동

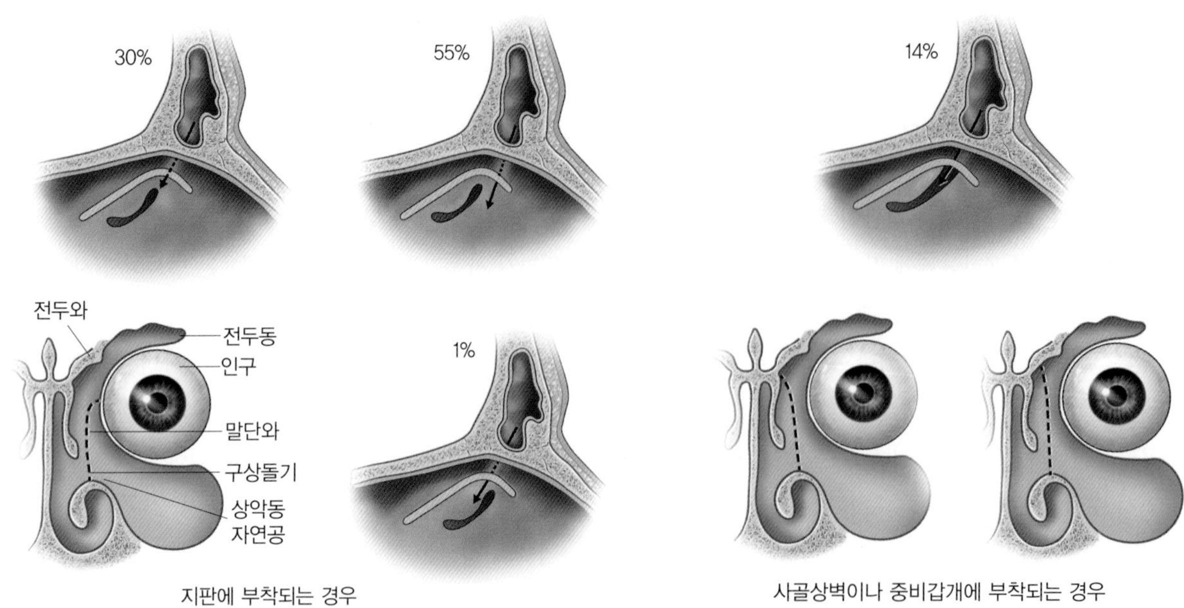

■ 그림 1-26. **구상돌기 부착부위에 따른 전두동 배출**

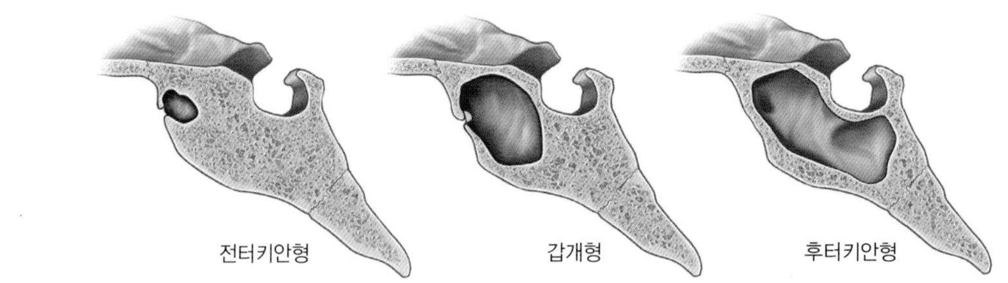

■ 그림 1-27. **접형동의 함기**

은 두개골의 중심에 위치하며 1~1.5%에서는 존재하지 않는다. 함기화의 모양과 정도는 매우 다양하여 심하면 접형골대익, 익상돌기, 접형부리(sphenoidal rostrum)와 후두골(occiput)의 저부까지도 확장될 수 있다.

접형동의 함기화는 세 가지 형태로 구분된다. 함기화가 진행되지 않거나 매우 작을 경우 갑개형(conchal type)(2~3%)이라고 하며 이러한 경우 접형동은 존재하지 않거나 터키안 전방에 위치하며 두꺼운 골조직에 의해 터키안과 분리되어 있다. 전터키안형(presellar type, 11%)은 뇌하수체와(pituitary fossa)의 전벽까지 함기화된 경우이며, 후터키안형(postsellar type, 86%)은 뇌하수체와를 넘어서 후방으로 함기화된 경우이다.[23,31] 후터키안형이 아주 큰 경우에는 뇌간(brain stem)과 접형동 사이의 골조직이 극히 얇을 수 있다(그림 1-27).

접형동의 평균 부피는 7.4 cm^3 이다.[3,8] 접형동의 중격은 대부분 중앙선에서 벗어나 있다. 43%는 중앙선에서 시작하지만 수직선에서 기울어져 후방으로 가면서 S자나 C자 또는 다른 형태를 나타낸다. 25%만 수직형의 중격을 나타낸다. 종종 뒤쪽으로 가면서 외상측으로 만곡되며 시신경이나 내경동맥 위에 위치하므로 접형동 중격을 뚫거나 제거하려 할 때 주의해야 하며 제거하기 전에 횡단면상(axial view)을 확인하는 것이 바람직하다. 함기화가 잘

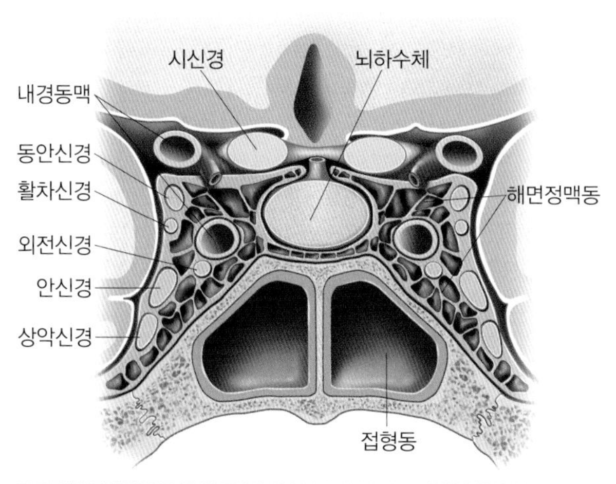

■ 그림 1-28. **접형동 주위 구조물**

된 접형동은 주위 골로 퍼져나가 돌기를 여러 개 형성한다. 접형서골포(sphenovomerine bulla)로 불리는 중격와(septal recess)는 접형동이 서골 내로 퍼져 들어가 함기화된 것이다. 사골와(ethmoidal recess)는 후사골봉소 쪽으로 함기화된 것으로, 특히 후하방이 가장 많다. 더 심한 경우에는 안와나 상악골로도 연장된다. 시신경의 상방이나 하방으로 함기화되면 접형동 내로 시신경관이 돌출해 보일 확률이 약 40%이다.[19] 이 경우 시신경관의 골조직이 결손됐을 수 있다.

구개골안와돌기의 함기화가 접형동으로부터 일어날 수 있으며, 간혹 사골동 또는 상악동으로부터도 일어날 수 있다. 외하방으로 접형골대익, 안와의 후외측벽 까지도 함기화 될 수 있으며, 정원공, 난원공(foramen ovale), 추체첨(petrous apex)까지 도달할 수 있다. 하벽은 익돌신경과 접해 있으며 상벽은 터키안에 면해 있어 접형동을 통해 뇌하수체종양 수술을 할 수 있다.

접형동의 외측벽에는 시신경, 내경동맥, 해면정맥동, 뇌하수체, 외전신경 및 상악신경 등의 중요한 구조물들이 있다(그림 1-28). 함기화가 잘 된 경우에 접형동 측벽에서 돌출된 시신경관과 내경동맥을 볼 수 있다. 시신경과 내경동맥 사이에 외측과 상측으로 깊은 함요를 형성할 수 있으며 시신경 상부의 함기화는 전방에서 후방까지 확대될

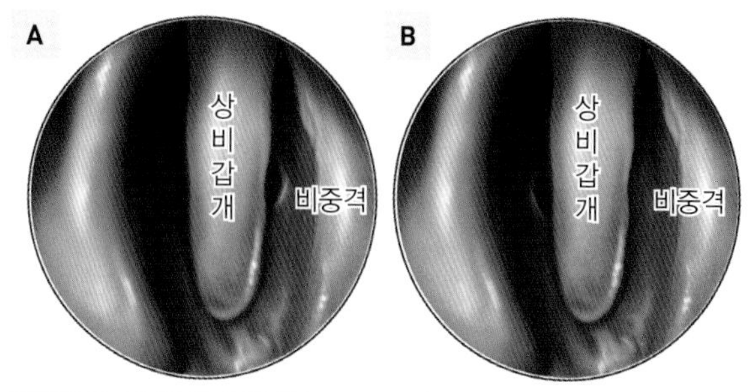

■ 그림 1-29. **접형동 자연공과 상비갑개의 위치관계. A)** 상비갑개의 내측, **B)** 상비갑개의 외측

수 있다. 시신경은 내측으로 궁형 주행을 따라 주행하여 시신경 교차가 접형동 내로 팽창되어 보이기도 한다. 내경동맥이 돌출되어 두드러져 보이는 경우도 약 65% 정도로 보고되며, 돌출된 양측 내경 동맥은 거의 중앙선에서 접해 보일 수도 있다.[19] 해부학적 연구에 따르면

25%에서 내경동맥을 둘러싸는 골관이 극도로 얇아지거나 부분적으로 피열(dehiscence)이 관찰된다. 시신경관의 피열은 약 6%로 내경동맥에 비해서 빈도가 낮다.[45]

접형동 자연공은 상비갑개 또는 최상비갑개의 내상방에 위치하는 접사함요로 개구되며 내시경 수술 시 앞에서 보면 중비갑개 또는 상비갑개에 의해 가려진다. 접형동 자연공의 약 70%가 원형이며, 평균 지름은 3.4 mm 정도지만 1~2 mm 크기의 자연공도 18%를 차지한다. 부비동내시경수술 시 자연공을 찾는 데 가장 좋은 지표는 상비갑개의 후하단(postero-inferior end) 부위를 찾는 것이다. 상비갑개 후하단은 접형동 바닥의 수평면에 위치하며 자연공이 상비갑개의 내측에서 발견되는 경우는 보고자에 따라 다르며 83~100%에 달한다고 한다(그림 1-29).[18] 자연공은 대부분 사골 수직판에서 수 mm 내외에서 발견되며 대개의 경우 접형동 전벽의 상 1/3 또는 동의 저면에서 약 1.5 cm 상방에 위치하며 상비갑개의 하방으로 진입하면 내시경하 관찰이 용이하다. 그러나 드물게는 접형동 저부, Onodi 봉소나 다른 후사골동 봉소로 개구하며, 더 드물게는 익상돌기의 기시부나 구개골 안와돌기(orbital process of palatine bone)로도 개구한다.[14]

5) 부비동의 혈관

(1) 동맥계

상악동은 주로 내악동맥의 분지와 일부 안면동맥으로부터 혈액을 공급받고, 사골동은 다른 부비동처럼 접형구개 동맥의 분지로부터 받고, 전후사골동맥으로부터도 받는다. 전두동은 안동맥의 분지인 상안와동맥(supraorbital artery)과 상활차동맥(supratrochlear artery)으로부터 혈액을 공급받는다. 접형동의 상부는 안동맥의 후사골동분지로부터, 하부는 내악동맥의 접형구개분지로부터 혈액을 공급받는다.

(2) 정맥계

상악동의 전방부는 전안면정맥을 통해 경정맥으로, 후방부는 상악정맥을 통해 정맥 이행이 이루어진다. 사골동의 정맥은 두 가지 경로로 이행되는데, 하나는 상악정맥의 분지를 통해서, 다른 하나는 사골정맥을 통해서 안정맥으로 유입된다. 전두동은주로 상안와정맥을 통해 해면정맥동으로 유입되는 경로를 가진다. 접형동은 비인두와 비강과 유사한데 내악정맥과 익구개정맥총으로 유입된다.

(3) 림프계

비강 후반부의 림프계 유입과 마찬가지로 후인두림프절과 상부심경부림프절로 유입된다.

참고문헌

1. 노관택. 이비인후과학. 일조각;1995. p.180-187.
2. 민양기. 임상비과학. 일조각;1997. p.1-36.
3. 박인용, 윤주헌, 이정권, 등. 코임상해부학. 아카데미아;2001.
4. 박형우. 인체발생학, 3판. 군자출판사;2005. p.249-264.
5. 백만기. 최신이비인후과학. 일조각;1987. p.159-175.
6. 윤동호, 이상욱, 최억. 안과학, 제4판. 일조각;1995. p.27-28.
7. 토마스 WS. 사람발생학, 12판. 범문 에듀케이션;2013. p. 259-280.
8. Ballenger JJ. The clinical anatomy and physiology of the nose and accessory sinus. In: Ballenger JJ, Snow JB, eds. Disease of the Nose, Throat, Ear, Head, and Neck, 15th ed. Pensylvania: Lea & Febiger;1995. p.3-18.
9. Baxter JS, Boyd JD. Observations on the neural crest of a ten-somite human embryo. J Anat 1939. p318-32.
10. Bolger WE, Woodruff WW, Morehead J, et al. Maxillary sinus hypoplasia: classification and description of associated uncinate hypoplasia. Otolaryngol Head Neck Surg 1990;103:759-765.
11. Bolger WE, Woodruff WW, Parsons DS. CT demonstration of uncinate process pneumatization: a rare paranasal sinus anomaly. Am J Neurorad 1990;11:552.
12. Clemente CD. The respiratory system. In: Clemente CD. Grey's Anatomy, 29th American ed. Philadelphia: Lea & Febieger;1985. p.1360-1363.
13. Daivs W. Development and Anatomy of the Nasal Accessory Sinuses in Man. Philadelphia: WB Saunders;1914.
14. Donald PJ. Anatomy and histology. In: Donald PJ, Gluckman JL, Rice DH, eds. The Sinuses, New York: Raven Press;1995.
15. Graney DO, Baker SR, Anatomy. In: Cummings CW, Fredrickson JM, Harker LA, et al, eds. Otolaryngology -Head and Neck Surgery, 2nd ed. St. Louis: Mosby-Year Book;1998.
16. Hinrichsen K. The early development of morphology and patterns of the face in the human embryo. Adv Anat Embryo Cell Biol 1985;98:1-79.
17. Hollinshead WH. Anatomy for Surgeons: Vol 1. The Head and Neck, 3rd ed. Philadelphia: Harper & Row Publishers;1982. p.103-106.
18. Hollinshead WH. Anatomy for Surgeons: Vol 1. The Head and Neck, 3rd ed. Philadelphia: Harper & Row Publishers;1982. p.237-297.
19. Janfaza P, Montgomery WW, Salman SD. Nasal cavities and paranasal sinuses. In: Janfaza P, Nadol JB, Galla R, et al, eds. Surgical Anatomy of the Head and Neck. Philadelphia: Lippincott Williams & Wilkins;2001. p.259-318.
20. Johnston MC, Bronsky PT. Embryonic craniofacial development. Prog Clin Biol Res 1991;373:99-115.
21. Kainz J, Stammberger H. The roof of the anterior ethmoid: A place of least resistance in the skull base. Am J Rhinol 1989;3:191-199.
22. Kasper KA. Nasofrontal connection. Arch Otolaryngol 1936;23:322-343.
23. Kim HU, Kim SS, Kang SS, et al. Surgical anatomy of the natural ostium of the sphenoid sinus. Laryngoscope 2001;111:1599-1602.
24. Lang J. Clinical Anatomy of the Nose, Nasal Cavity and Paranasal Sinuses, New York: Thieme;1989.
25. Lang J, Haas A, The sagittal dimension of the sinus frontalis, its wall thickness, distance from the lamina cribrosa, the depth of the so-called olfactory groove and the ethmoidal canal. Gegenbaurs Morphol Jahrb 1988;134:459-469.
26. Lee HY, Kim CH, Kim JY, et al. Surgical anatomy of the middle turbinate. Clinical Anatomy 2006;19:493-496.
27. Lee HY, Kim HU, Kim SS, et al. Surgical anatomy of the sphenopala-

tine artery in lateral nasal wall. Laryngoscope 2002;112:1813-1818.
28. Lee K. Essential Otolaryngology Head and Neck Surgery, 6th ed. Norwalk: Appleton & Lange;1995.
29. Letourneau A, Daniel RK. Superficial musculoaponeurotic system of the nose. Plast Reconstr Surg 1988;82:48.
30. Loury MC. Endoscopic frontal recess and frontal sinus ostium dissection. Laryngoscope 1993;103:455-458.
31. Lund VJ. Anatomy of the nose and paranasal sinuses. In: Kerr AG, ed. Scott-Brown's Otolaryngology, 6th ed. 1997:1/5/1-25.
32. Mitz V, Peyronie M. The superficial musculoaponeurotic systems (SMAS) on the parotid and cheek area. Plast Reconstr Surg 1976;58:80.
33. Moon HJ, Kim HU, Lee JG, et al. Surgical anatomy of the anterior ethmoidal canal in the ethmoid roof. Laryngoscope 2001;111:900-904.
34. Nunez-Castruita A, Lopez-Serna N, Guzman-Lopez S. Prenatal development of the maxillary sinus: a perspective for paranasal sinus surgery. Otolaryngol Head Neck Surg;2012;146:997-1003.
35. Osguthorpe JD, Singleton GT, Adkins WY. The surgical approach to bilateral choanal atresia. Arch Otolaryngol 1982;108:366-369.
36. Praff G. Anatomy of the Head and Neck. Philadelphia: WB Saunders, 1973.
37. Reidenour BD. The nasal septum. In: Cummings CW, Fredrickson JM, Harger LA, et al, editors. Otolaryngology-Head and Neck Surgery, 3rd ed. St. Louis: Mosby Year Book;1998. p.921-948.
38. Schaeffer JP. The Nose, Paranasal Sinuses, Nasolacrimal Passageways, and olfactory Organ in Man. New York: McGraw-Hill;1920.
39. Schaefer SD. Endoscopic total sphenoethmoidectomy. Otolaryngol Clin North Am 1989;22:727-732.
40. Schoenwolf CL. Larsen's human embryology, 4th ed. Philadelphia: Churchill Livingstone;2008. p.563-573.
41. Seung Ju Lee, Seong Jun Song, Won Yoon. The prevalence and clinical significance of superior turbinate pneumatization on computed tomography. Korean J Otorhinolaryngol-Head Neck Surg 2009;52:736-40.
42. Siller MJ, Kuhn FA, Wood A. Endoscopic surgery of the frontal recess. Current Opinion Otolaryngol 1995;3:36-40.
43. Som PM, Naidich TP. Illustrated review of the embryology and development of the facial region, part 1: Early face and lateral nasal cavities. AJNR Am J Neuroradiol 2013. p2233-40.
44. Srivastava HC. Role of nasal fin in the development of nasal cavity in human embryos. J Anat Soc Ind 1972;21:1-9.
45. Stammberger H. Functional Endoscopic Sinus Surgery. Philadelphia: BC Decker, 1991.
46. Tardy Jr ME. Practical surgical anatomy. In: Rhinoplasty. Philadelphia: WB Saunders;1997. p.5-125.
47. Tardy ME, Brown RJ. Surgical Anatomy of the Nose. New York: Raven Press;1990.
48. Tardy ME, Rhinoplasty. The art and the science. Philadelphia: WB Saunders;1997. p.65.
49. Vidic B. The postnatal development of the sphenoid sinus and its spread into the dorsum sellae and posterior clinoid process. Am J Roentgenol Radium Ther Nuclear Med 1968;1:177-183.
50. Warbrick JG. The early development of the nasal cavity and upper lip in the human embryo. J Anat 1960;94:351-362.
51. Wood RPII, Jaffek BW, Rovert E. Nasal obstruction. In: Bailey BJ, Jonson JT, Kohut RI, et al, eds. Head and Neck Surgery-Otolaryngology, 1st ed. Pennsylvania: JB Lippincott Company;1992. p.302-328.
52. Wormald PJ. The agger nasi cell: the key to understanding the anatomy of the frontal recess. Otolaryngol Head Neck Surg 2003;129:497-450.
53. Yoon JH, Kim KS, Jung DH, et al. Fontanelle and uncinate process in the lateral wall of the human nasal cavity. Laryngoscope 2000;110:281-285.

CHAPTER

02

비부비동의 기능과 생리

김병국, 조형주

비강은 호흡기의 한 부분으로서 공기가 폐로 가는 통로의 역할과 함께 공기가 폐에 도달하기 전에 유해물질을 제거하고, 후각 기능을 담당한다. 부비동은 두개골 내부의 공간을 형성하여 무게를 가볍게 하고, 음성을 공명시키며, 들이쉬는 공기의 습도 조절 및 비강 내 압력을 조절하는 기능이 있다.

비강 및 비부비동은 점막으로 덮여 있으며, 호흡상피로 구성되어 있다. 이는 세균, 바이러스 등의 병원체 및 산화물, 먼지, 항원 등의 외부 유해물질로부터 호흡기를 방어하는 중요한 면역학적 기능을 갖는다.

I 비부비동 점막면역

1. 점막 상피세포층 미세구조(그림 2-1)

비부비동의 점막은 상피세포층(epithelial layer), 기저막(basement membrane), 점막하고유층(lamina propria)으로 구성된다. 비강점막의 상피층은 비강 내 위치에 따라 구성되는 세포가 다르다. 비전정(nasal vestibule)과 비인강(nasopharynx)은 중층편평상피(stratified squamous epithelium)로 덮여 있으며, 비부비동의 호흡기 점막부위는 위중층원주섬모상피세포(pseudostrati-

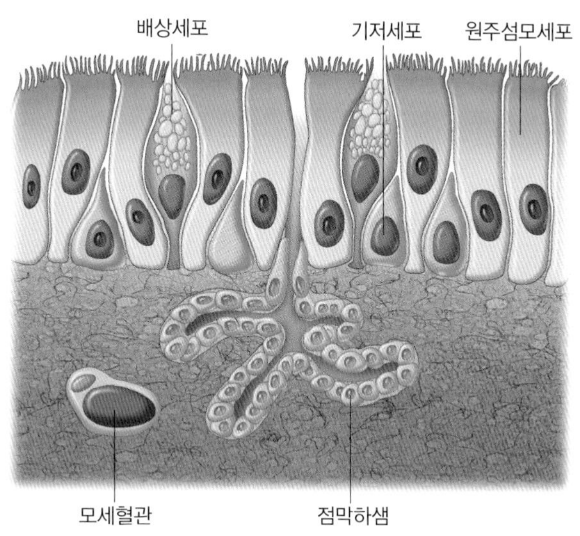

■ 그림 2-1. 비강 점막 상피층 조직학 모식도

fied columnar ciliated epithelium)와 기저세포(basal cell)로 구성되며, 염증 정도에 따라 섬포상피세포 대신 배상세포(goblet cell)의 수가 증가하게 된다.

1) 원주섬모세포(Columnar ciliated cell)

상피층의 선단면(apical surface)을 형성하는 세포로 점액섬모수송 운동을 유지하는 데 중요한 역할을 한다. 대부분의 원주세포의 길이는 2 μm 정도이고, 세포는 50~100개의 섬모(cilia)를 갖고 있는데, 섬모의 평균 길이는 4~6 μm이며 운동성을 가지며, 섬모 외에도 지름이 0.1 μm인 300~400개의 미세융모(microvilli)로 덮여 있다. 미세융모는 운동성이 없으며, 세포와 점액 간의 수분과 전해질의 수송에 기여한다.

2) 배상세포(Goblet cell)

배상세포는 호흡상피층에서 점액을 분비하는 세포이다. 세포 내에는 점액을 담고 있는 소포(vesicle)들이 존재하고, 이것들은 ATP 등에 의하여 세포외유출(exocytosis) 과정을 거쳐 세포의 표면으로 분비된다.[41]

3) 기저세포(Basal cell)

상피층의 기저부를 형성하는 세포로 기저막 상층부에 존재하며, 상피층 표면에는 직접 노출되지 않는다. 세포분화 과정에서 원주세포와 배상세포로 분화할 수 있는 근원세포로 알려져 있다.

4) 세포간 연결물질(Cell adhesion molecules)

폐쇄소대(tight junction)는 상피층 표면으로부터 0.1~0.7 μm의 깊이에 위치하며, 기도상피세포들을 서로 연결하여 유해물질이 유입되는 것을 막는 세포장벽 역할을 한다.[25] 염증 등이 있으면 폐쇄소대의 연결이 느슨해져서 체액의 유출이 증가하게 되고 외부의 병원체 침입도 용이해 진다.

결합소체(desmosome)도 인접한 상피세포들이 서로 연결될 수 있도록 하는 역할을 담당하며, 반결합소체(hemidesmosome)는 상피세포와 기저막을 연결하는 기능을 한다. 이러한 연결은 세포의 분화 정도와 상피층에 가해지는 기계적 스트레스의 정도에 따라 다양한 신호전달 과정을 거쳐 결합이 약해지는 반응을 나타내게 된다.

5) 기저막(Basement membrane)

기저막(basement membrane)은 상피세포에 대하여 얇은 기저판(basal lamina)과 두꺼운 교원질섬유로 이루어진 망상판(lamina reticularis)의 두 층으로 구성되며, 상피세포에 대하여 기계적인 반투과성의 경계막을 형성한다. 주된 기능은 세포의 부착, 이주, 분화작용을 조절하게 된다.

2. 비점막 상피층의 기능

1) 상피세포 분비물질

비부비동 상피층을 포함한 기도의 상피세포는 기도의 기능 유지 및 질병 발생과 연관되어 아래에 기술된 다양한 물질들을 합성하고 분비한다.

비점막의 감각신경 말단에서는 substance P, bradykinin 등의 뉴로펩타이드 등이 분비된다. 이들은 뉴로펩타이드 분해효소인 neutral endopeptidase (NEP), angiotensin-converting enzyme (ACE), carboxypeptidase N (CPN) 등에 의해 양이 조절되며, 비부비동에 생기는 다양한 질환의 병태생리에 관련된다.[44]

엔도텔린(endothelin)은 혈관수축의 기능이 있으며, 하기도에서는 기관지 수축을 유발한다. 점소의 분비 조절에 관여한다는 보고가 있다.[9]

산화질소(nitric oxide; NO)는 자유기(free radical)로서 반감기가 짧고 용해성이 크다. 이는 L-arginine으로부터 nitric oxide synthase (NOS)에 의해 생성된다. NOS에는 크게 constitutive NOS (cNOS)와 inducible NOS (iNOS)가 존재한다. cNOS는 혈관내피세포(eNOS)

와 신경세포(nNOS)에 존재하며 미생물이나 염증 관련 사이토카인 자극에 의하여 생성이 된다.[18] iNOS에 의하여 생성되는 NO는 혈관을 확장시키고 hydroxyl radical을 생성하여 superoxide anion과의 반응을 통하여 세포독성을 유발하는 특성이 있다.

상피세포층에서는 염증의 주요 매개체인 아라키돈산(arachidonic acid)의 cycloxygenase와 lipoxygenase 경로의 대사산물인 prostaglandin, leukotriene 등을 생성할 수 있다.[16] 알레르기 비염이나 비용 등의 병태생리에서는 특히 leukotriene과 15-HETE 등이 중요한 역할을 담당한다.[16]

비강상피세포는 GM-CSF, IL-1β, TNF-a, IL-5, IL-6, IL-8, RANTES 등의 염증매개 사이토카인을 생성할 수 있다. 이들은 염증세포의 성장, 분화, 활성화에 관여한다. 비용이나 비염이 있는 사람의 비강상피세포는 정상인에 비해 IL-5, RANTES, GM-CSF, IL-8을 더 많이 분비하는 것으로 알려져 있다.[2]

2) 점액 분비조절(그림 2-2, 3)

기도점막 표면에 분비된 점액의 양은 상피세포를 통한 능동적인 이온 수송에 의해 조절된다. 기도상피세포는 Na^+이온을 흡수하고 Cl^-이온을 분비하면서 동시에 물을 흡수 혹은 분비하는 능력을 갖고 있다. 이러한 상피세포층의 이온통로(ion channel) 기능에 이상이 오면 상피세포를 통한 수분의 분비작용이 변하고, 그에 따라 점액의 양이 변화되면서 점액섬모수송(mucociliary transport)이 지연되어 점막 감염 혹은 염증이 발생하게 된다.

(1) 비점막 호흡상피세포에서 Na^+의 수송

Na^+과 K^+은 2개의 Cl^-이온과 함께 세포의 기저층에 존재하는 cotransporter 단백질을 통하여 점막하고유층으로부터 상피세포 내로 들어오며, 이는 furosemide 약물에 의해 억제가 가능하다. 상피세포막의 측기저부에는 Na-K-ATPase가 있는데, 이것은 K^+을 세포 내로, Na^+을 세포 밖 점막하층으로 보내는 능동수송 펌프로서 세포 내의 Na^+ 농도는 낮게, K^+ 농도는 점막하층보다 높게 유지하는 기능이 있으며, 에너지가 소모되는 이 과정은 oubain 약물로 억제될 수 있다. Na-K-ATPase가 세포 내의 Na^+을 낮게 유지해주기 때문에 Cl^-의 분비나 Na^+ 흡수가 가능하게 된다. 세포의 내부에서는 Na^+ 농도가 낮으므로 세포는 전기적으로 음전위를 갖고 있다. 그러므로 Na^+은 특이적인 Na^+ 통로를 통해 세포 내로 수동적으로

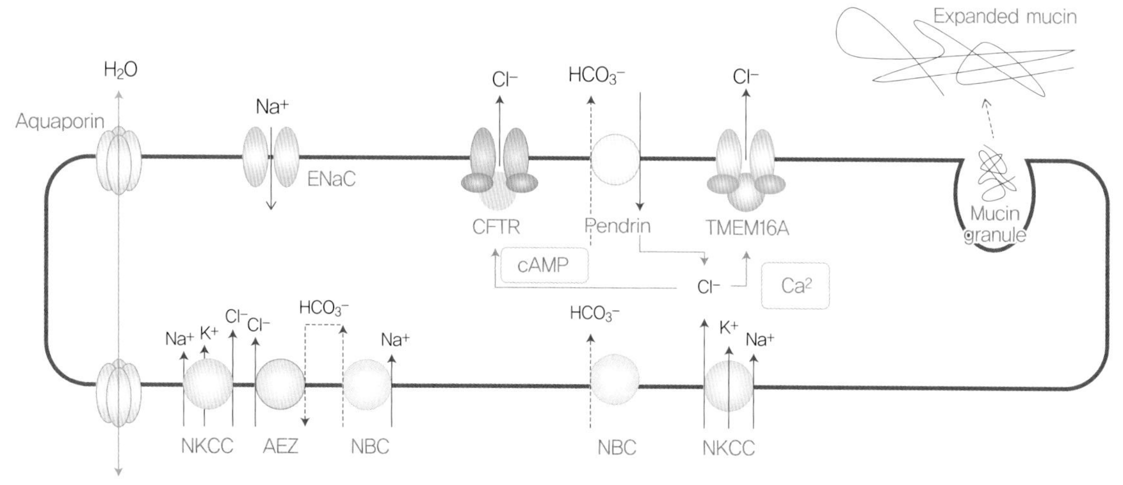

■ 그림 2-2. **호흡기 상피세포에서 이온통로의 종류 및 작용 모식도.** AE_2: Cl^-/HCO_3^- exchanger, NBC: Na^+/HCO_3^- cotransporter, NKCC: Na^+-K^+-$2Cl^-$ cotransporter

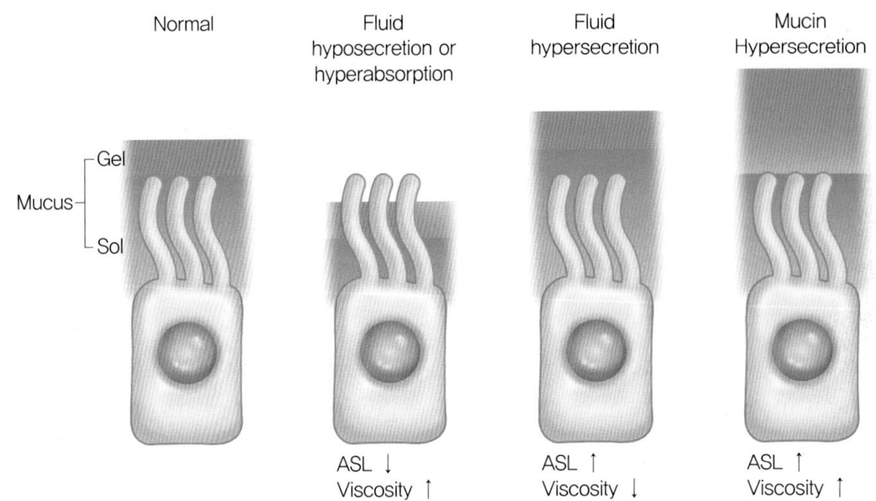

■ 그림 2-3. **호흡기 점막 표면에서 점액분비 조절에 따른 점액층의 높이 및 점도의 차이.** ASL: airway surface liquid

들어올 수 있다. 상피세포의 선단면(apical)에 있는 Na^+ 통로 ENaC는 Na^+이 전기화학적인 경사를 따라 세포 내로 들어올 수 있도록 하는 작용을 하는데, 이 과정은 amiloride약물에 의하여 억제시킬 수 있다.

(2) 비점막 호흡상피세포에서 Cl^-이온의 수송

Cl^- 통로는 세포막의 기저부와 선단면에 분포한다. 세포의 기저부에는 Na-K-Cl2 cotransporter가 존재하며, 이를 통하여 세포 내로 Na^+이 들어올 때 2개의 Cl^-이온이 Na^+과 K^+과 함께 들어오게 된다. 이렇게 세포 내로 들어온 Cl^-이온은 다양한 자극에 의하여 수동적으로 선단면에 존재하는 Cl^- 이온통로를 통하여 세포의 선단면으로 배출된다. 그러한 통로 중 하나인 cystic fibrosis transmembrane conductance regulator (CFTR)는 cAMP에 의하여 조절되는 통로이다. CFTR의 유전자는 염색체 7번의 장완에 존재하는데, 이 염색체에 변이가 생겨 세포막에 정상적 CFTR유전자가 존재하지 못하는 낭포성 섬유증(cystic fibrosis) 환자의 경우 Cl^- 분비에 이상이 생겨 분비되는 점액의 점도가 높아지게 되고 호흡기를 포함한 전신적으로 다양한 장기에 기능 이상을 초래하게 된다. 호흡기에서는 정상적 점액섬모수송에 이상이 생겨 폐감염이 발생하게 되고, 비부비동에서도 반복적 부비동염과 비강 내 폴립이 형성된다.[19]

CFTR통로 이외에도 Ca^{2+}에 의해 조절되는 통로인 calcium-activated chloride channel (CaCC)이 존재하며 최근 이 유전자가 밝혀졌으며 대표적인 것으로 TMEM16A (Anoctamin 1; ANO1) channel이 있다.

3) 점막하 고유층의 구조와 기능

고유층은 느슨한 교원질과 탄성섬유로 구성된 결체조직으로 이루어진 부분으로 장액선, 점액선, 선소포의 도관, 혈관, 다양한 혈관외세포들이 분포한다.

(1) 점막하 분비선(Submucosal gland)

점막하 분비선은 장액성(serous) 선소포와 점액성(mucous) 선소포로 구성된다. 분비선은 도관(collecting duct)과 연결되며 이를 통하여 점액 등 분비되는 물질이 점막 표면의 상피외층으로 배출되게 하며, 이러한 분비선의 분비작용은 부교감신경에 의해 조절된다. 장액선과 점액성 선조직은 배상세포보다 50배나 많은 분비액을 생성하는데, 단백질 성분이 많고 점도가 낮으며 라이소자임(lysozyme), 락토페린(lactoferrin) 등과 같은 항균물질

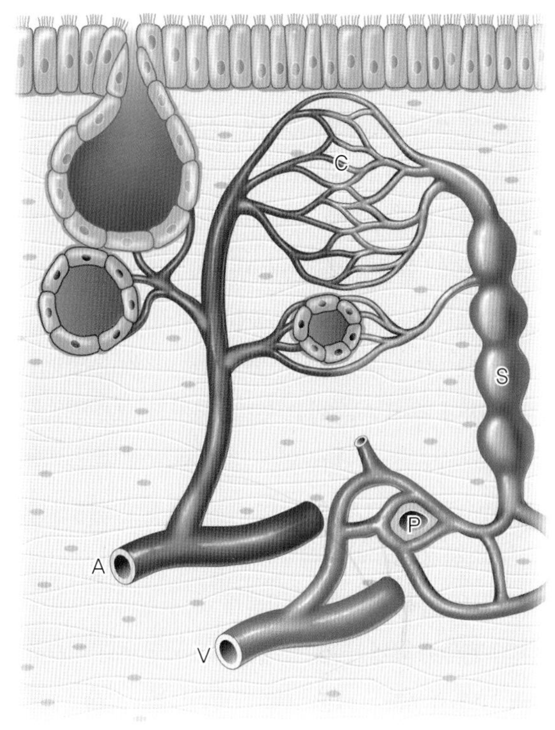

■ 그림 2-4. **비강 점막의 혈관분포 모식도.** A: 세동맥(arteriole), C: 상피하모세혈관(subepithelial capillary), P: 정맥총(venous plexus), S: 정맥동(venous sinus), V: 세정맥(venule)

이 함유되어 있다.[20,48]

(2) 비점막하층의 혈관

점막하 고유층에는 혈관이 풍부하게 분포해 있고 혈류량이 많은 것이 특징이며, 비강을 통해 지나가는 공기의 열교환에서 중요한 역할을 한다(그림 2-4). 비점막의 혈관은 크게 세 종류(교환혈관, 저항혈관, 수용혈관)로 분류된다.

교환혈관(exchange vessel)은 비점막상피 하층에 집중적으로 분포한 모세혈관(capillary vessel)이 이에 해당된다. 비강 내 모세혈관은 혈관내피세포의 연결이 결손되어 형성된 많은 구멍이 존재하는 것이 특징으로 이를 통하여 수분이 이동하고 약물과 같은 외부물질을 신속히 흡수가 가능하다. 이러한 모세혈관은 모세혈관후정맥-모세혈관후세정맥으로 이행되게 된다. 모세혈관후세정맥은 여러 가지 염증매개체 반응으로 혈장성분을 밖으로 누출시키는 데 중요한 역할을 한다.

저항혈관(resistance vessel)에는 세동맥, 점모세혈관 괄약근 등이 속하며, 비강 내 혈류저항의 80% 이상을 기여하며, 전체적인 모세관의 혈류량을 조절한다.

수용혈관(capacitance vessel)에는 동정맥문합, 정맥, 정맥동이 해당된다. 이는 비점막을 팽창시켜 비저항을 조절하는 부분으로, 정상적인 상태에서는 비주기 발생에 관여한다. 특히 동정맥문합은 정맥동을 신속하게 팽창시키는 기능을 하며, 정맥동은 비강내강의 면적 조절에 유용하도록 발달되어 있다. 직경이 큰 정맥동은 해면정맥동이라고도 불리며, 급속한 혈류양의 변화에 따라 비점막의 충혈 정도가 변하게 된다.

(3) 혈관외 세포

면역세포, 섬유아세포(fibroblast), 섬유세포(fibrocyte), 조직구(histiocyte) 등이 혈관외세포에 해당되며, 이들은 그 형태와 수가 다양하다. 고유층에 분포하는 면역세포들로는 호산구, 림프구, 비만세포, 호중구, Langerhans세포, 형질세포 등이 있다. 이러한 세포들은 점막 면역에 중요한 역할을 한다.

3. 비부비동의 신경조절

비점막에 분포하는 신경계는 자율신경과 감각신경이다. 감각신경은 제5 뇌신경인 삼차신경과 후각을 담당하는 제1 뇌신경인 후각신경으로 구성된다.

1) 자율신경계

주로 비점막의 선조직과 혈관에 분포하여 분비기능 및 혈류 조절기능을 한다.

(1) 교감신경

주로 비점막에 존재하는 큰 혈관인 익구개동맥과 정맥에 분포하며, 비강의 혈관계는 기본적으로 교감신경의 지배를 받는다. 수용혈관은 저항혈관보다 교감신경의 자극에 대한 역치가 낮다. 따라서 교감신경을 자극하면 수용혈관인 정맥동이 수축하고 모세혈관보다 동정맥문합의 혈류가 더 많이 감소되어 교환혈관에 더 많은 혈액이 공급된다.[26] 교감신경계에서 분비되는 신경전달물질로는 noradrenalin (NA), neuropeptide Y (NPY), avian pancreatic polypeptide (APP) 등이 있다.[24] NA는 동맥, 세동맥, 정맥의 수축을 유도하며, NPY는 세동맥을 수축시킨다.

(2) 부교감신경

부교감신경은 비강점막에서 주로 점액의 분비활동을 조절하지만 혈관에도 분포하고 있어, 부교감신경이 자극되면 점액의 분비가 증가하고 혈관은 전반적으로 확장되게 된다. 부교감신경계 작용제인 methacholine을 비강에 분무하면 점액 분비가 증가하고, 혈관이 확장되어 비강 내 단면적과 체적이 줄어들게 된다. 부교감신경계의 전달물질로는 acetylcholine 이외에도 vasoactive intestinal polypeptide (VIP), peptide histidine isoleucine (PHI), nitric oxide (NO)가 있다.

2) 감각신경

비점막의 일반적 감각은 삼차신경(trigeminal nerve)의 안분지(ophthalmic branch)와 상악분지(maxillary branch)로부터 분지된 신경이 담당한다. 이들은 점막하 고유층 혹은 상피층에서 자유종말(free terminal) 형태로 분포하며, 비강 내로 흡입되는 공기 속의 자극물질에 대하여 반응하여 재채기, 회피행동, 점액분비와 같은 방어적 반사작용이 일어나며, 축삭반사(axonal reflex)를 통해 매개물질 등이 분비되어 혈관확장 및 혈장성분의 혈관외유출 현상이 일어나게 된다.[47]

감각신경계의 신경전달물질로는 substance P, neurokinin A, neuropeptide K, calcitonin gene-related peptide (CGRP) 등이 있다. Substance P와 CGRP 신경은 호흡상피의 하층에 존재하며 동맥, 세동맥, 세정맥, 선조직에 분포하지만 분비선에서는 부교감신경에서보다 분포 밀도가 낮다. Substance P는 감각신경계의 역전도성 자극(antidromic stimulation)에 대한 축삭반사 전달물질로 중추신경계와 말초신경계에 모두 존재하며 평활근을 자극하고, 혈관을 확장시키며, 이온수송을 증가시키고, 분비활동을 촉진한다. 신경펩타이드(neuropeptide)로 전달되는 감각신경계의 연구에 캡사이신(capsaicin)이라는 물질이 많이 이용되고 있다. 이것은 고춧가루에 포함된 매운 성분으로, 비점막에 존재하는 무수 C 신경섬유(unmyelinated C nerve fiber)의 구심성 신경을 자극하여 지각신경으로 하여금 substance P 등의 여러 신경전달물질을 일시에 다량 분비하게 하여 점액분비를 증가시킴과 동시에 신경원성염증작용(neurogenic inflammation)에 관여하는 것으로 알려져 있다.[8,23]

비점막에는 neutral endopeptidase (NEP), angiotensin converting enzyme (ACE), carboxypeptidase N (CPN) 등의 효소가 존재하는데, 이들은 신경펩타이드를 분해하여 이들의 작용을 차단하고 조절하는 기능을 한다. NEP는 호흡기의 바이러스 감염, 흡연 등은 NEP를 억제하여 신경원성 염증을 악화시키고, 부신피질호르몬제는 NEP의 작용을 항진시켜 신경원성 염증을 억제하는 것으로 알려져 있다. ACE는 점액생성, 혈관투과성의 증가를 일으키는 tachykinin과 혈액 내에서 순환하는 bradykinin을 분해한다. CPN도 kinin을 분해하는 작용을 한다.

3. 점액 및 점액섬모수송에 의한 방어작용

비강점막 표면으로 분비되는 점액은 호흡기에 대한 다양한 방어작용 기능을 갖는다. 흡입되는 공기의 온도 및 습도를 조절, 비강 내로 들어오는 작은 크기의 외부 물질 혹은 병원균 등을 포획하고 이를 점액섬모수송작용을 통해 체외로 배출하는 선천면역(innate immunity) 기능

등이다. 점액은 점막하고유층에 존재하는 장액성 및 점액성 선소포로부터 분비되는 분비액, 점막표면에 분포한 섬모상피세포 혹은 배상세포로부터의 분비액, 혈관으로부터의 삼출액과 여출액, 백혈구와 점막세포의 찌꺼기 등으로 구성된다. 부비동의 점막상피는 비강과 약간의 차이를 보인다. 부비동 점막은 비강점막보다 더 얇고, 배상세포나 선소포가 적으며, 혈관도 적어 비갑개와 같은 수축과 종창의 발생 정도가 적다. 부비동 점막의 섬모세포 밀도는 비강점막보다 높으나 자연공 근처에서는 섬모세포의 밀도가 낮고 대신 배상세포의 밀도가 높다. 부비동 내의 산소분압은 비강에 비하여 낮으며, 염증 혹은 해부학적 이상 등으로 자연공이 막히게 되면 산소분압은 더욱 저하되며, 이는 부비동염 발생의 병태생리와 연관되어 있다.[33] 점액섬모수송은 비강에서 비인강 방향으로 이동되며, 평균 8~10 mm/min의 속도로 이동하는 것으로 알려져 있다. 점액섬모수송의 속도는 하비갑개의 앞쪽에서는 1~2 mm/min로 다소 느리지만 뒤쪽에서는 8~10 mm/min 정도로 알려져 있다.[42] 적절한 점액섬모수송이 일어나기 위해서는 섬모운동, 점액 겔(gel)층의 점도, 섬모주위액층(periciliary fluid layer)의 양, 점액의 유동학적 특징 등이 매우 중요한 구성요소로 이들에 의하여 점액섬모운동이 영향을 받게 된다. 점액의 유동학적 성상을 결정짓는 요소로는 점도(viscosity), 탄성(elasticity), 수분의 양, 전해질, 면역글로불린 등이 있으며, 이 중 점도와 탄성이 가장 중요하다. 점도는 흐름이나 내부적인 비틀림에 대하여 어떠한 유체가 저항하는 힘을 의미한다. 점액의 점도가 높아질수록 섬모운동 횟수는 감소하며 조화로운 섬모운동에 제한을 받는다.

1) 섬모의 구조와 운동기전

섬모는 중앙에 위치한 한 쌍의 미세소관(microtubule)과 이를 둘러싼 9쌍의 미세소관으로 구성된다(그림 2-5). 섬모의 끝에는 갈고리 모양의 동력단백팔이 3~7개 정도 돌출되어 있다. 바깥쪽의 쌍미세소관(doublet microtubule)들은 nexin으로 연결되어 있고, 외측과 내측의 쌍미세소관은 바퀴살 같은 모양으로 배열되어 있다. 외측 쌍미세소관은 내측과 외측의 동력단백팔(dynein arm)로 구성되며, 섬모운동을 위한 에너지 공급은 이 ATPase에 의해 일어나는 ATP의 분해과정을 통해 생성된다. 외측 동력단백팔은 쌍미세소관의 미끄러짐의 빈도와 그에 따르는 섬모운동 횟수를 결정하고, 내측 동력단백팔은 섬모의 구부러짐 정도를 결정하는 데 관여한다. 섬모운동 조절인자로는 Ca^{2+}, cAMP, cGMP, PKC 등이 있다.

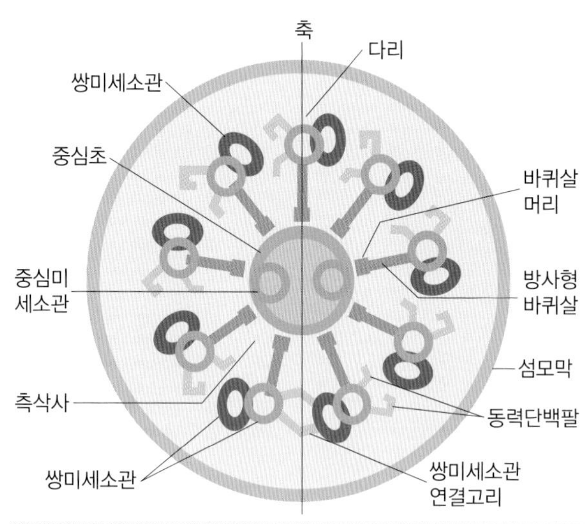

■ 그림 2-5. **호흡기 상피세포의 섬모 미세구조 모식도**

효과적인 섬모운동은 기도점막의 정상적 기능 유지에 매우 중요하다. 섬모운동은 크게 빠른 속도의 유효가격(effective stroke)과 느린 속도의 회복가격(recovery stroke) 두 요소로 구성된다. 섬모운동의 유효가격은 섬모의 끝이 섬모의 방향과 직각으로 놓여 있는 점액층과 닿았을 때 일어나며, 이때 섬모 끝부분의 갈고리 같은 구조는 약간 뒤로 꺾이게 되며, 뒤로 꺾인 섬모가 다시 앞으로 구부러지면서 점액층을 이동시킨다. 회복가격에서는 또 다음에 이어질 유효가격이 일어나기 위하여 섬모가 섬모주위액(periciliary fluid)에서 움직여 유효가격의 시작 상태까지 되돌아가는 운동을 한다(그림 2-6). 전체적인 섬모의 운동은 특정부위의 섬모들과 그 주위의 섬모들이

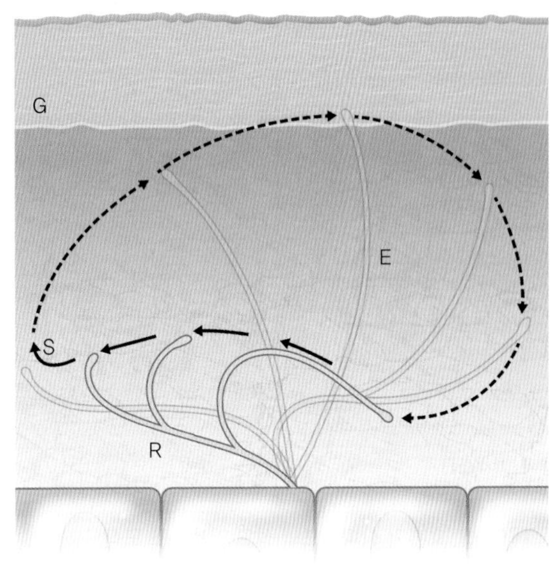

■ 그림 2-6. **섬모운동의 작용기전.** E: 유효가격, R: 회복가격, G: 점액겔층, S: 점액졸층

부위별로 연이어 물결처럼 운동하는 이시성(metachronism)형태로 나타난다. 섬모주위액에서 섬모운동의 횟수는 12~18회/초이다. 그러나 유효가격이 실제로 점액겔층에 닿는 빈도는 그보다 낮아 1~3회/초 정도로 보고된다.[46]

2) 비즙의 성분과 생리적 기능

호흡기도점막의 점액 분비물은 약 95%의 수분과 당단백질(glycoprotein), 지방, 탄수화물, 핵산, 당, 아미노산, 1~3%의 단백질, 지질, 1~2%의 전해질로 구성된다. 수분과 전해질은 주로 장액선에서의 분비활동, 모세혈관으로부터의 삼출액, 눈물 등을 통해 공급된다. 점소(mucin)는 점액선 소포와 배상세포에서 분비되는데, 점액선에서는 배출관을 따라서 점막 표면으로 배출되고 배상세포에서는 세포질 내에서 골지체에 과립 형태로 존재하다가 세포외 유출(exocytosis)을 통하여 1~2 μm 크기의 과립 형태로 분비된다. 점액은 하루에 약 1 mL/cm^2 정도가 생성된다.[39]

점액선과 배상세포는 산성점소인 sialomucin과 sulphomucin을 분비하지만, 장액선은 중성 점소인 fucomucin과 lysozyme이나 lactoferrin 같은 효소, IgA 같은 면역글로불린을 생성한다. 또한 비즙에는 비만세포, 거식세포, 백혈구, 호산구 등의 세포와 면역학적으로 활성이 높은 여러 성분이 포함되어 있어 유해한 항원이나 미생물에 대한 직접적인 방어작용을 수행하는데, 그러한 기능을 담당하는 비즙의 성분은 다음과 같다.

(1) 점소(Mucin)

점액의 여러 성분 중 하나로서 점액의 유동학적, 물리화학적 또는 생화학적 특성에 가장 큰 영향을 미치며, 점액 건조중량의 약 80%를 차지한다. 점소는 분자량이 매우 큰 당단백질로서 단백질의 중심부에 O-glycoside linkage를 통하여 불규칙한 과당류의 고리가 연결된 구조를 이루고 있다. 혐수성 중합체인 점소는 물과 접촉하면 겔을 형성하게 되므로, 점액층은 표면에 위치한 겔층(gel layer)과 그 아래층인 섬모주위액층(periciliary fluid layer)의 이층구조로 형성된다. 표면의 겔층은 두께가 0.5~2.0 μm이며 대부분의 점소는 이곳에 분포하고, 졸(sol) 성상인 섬모주위액층은 두께가 7~10 μm로 좀 더 두껍다.[39] 건조한 공기가 흡입되면 점액 표면층의 겔화가 유발된다. 섬모주위액층이 지나치게 얕으면 섬모운동의 회복가격이 제한되고, 너무 깊으면 섬모 끝이 겔층에 닿지 않아 효과적인 점액섬모수송이 어려워 진다(그림 2-3). 점소 유전자는 지금까지 11종류가 밝혀져 있으며, 보고된 순서에 따라 MUC1-4, MUC5AC, MUC5B, MUC6-8, MUC11-12로 명명되었다.[35] 이 중 호흡기 점막의 대표적인 점액 관련 점소로는 MUC5AC와 MUC5B가 있으며, MUC5AC는 호흡상피세포에서 MUC5B는 점막하선조직에서 주로 분비된다.[1]

(2) 항균작용 물질

비점막을 통한 방어작용의 주된 인자는 면역글로불린으로서 그 중 IgA와 IgG가 중요하다. 특히 IgA는 점막하층에 존재하는 형질세포(plasma cell)에서 생성되며, 비즙에 존재하는 단백질 양의 10~15%를 차지한다. 방어작

용이 있는 IgA의 층은 비점막의 외부층을 형성하며 미생물에 대한 일차적 방어막을 형성한다.[40] 그외의 대표적 물질로는 lysozyme이 있다. 이는 주로 점막하선조직의 장액선에서 생성되며, 비즙 단백질의 15~30%를 차지한다.[21] 세균 세포막에 있는 단당류의 배당결합(glycoside bond)을 가수분해시켜 세균을 파괴하는 기능이 있다.[49] Lactoferrin은 장액선에서 분비되며 비즙 단백질의 2~4%를 구성한다. 조직 내의 철분과 결합하여 철분의존성 세균의 증식을 억제하는 기능이 있다. Peroxidase은 점막 표면에 있는 항세균성 효소단백으로 알려져 있다. 그밖에 Secretory leukoproteinase inhibitor (SLPI), leukocyte elastase, chymase 등이 존재한다.[5]

3) 점액섬모수송의 조절

(1) 섬모의 운동

Prostaglandin E1, E2, F2α, substance P, 교감신경길항제 등의 약물들은 섬모운동을 항진시키며, 국소 혈관수축제, acetylcholine 등은 섬모운동을 억제시킨다. 점막이 건조하게 되면 섬모는 민감하게 반응하여 운동이 저하된다. 또한 섬모운동은 32~40℃에서 적정한 운동을 유지하며, 19~32℃까지는 선형적으로 증가하고, 40℃ 이상이면 감소하며, 5℃ 이하이거나 43℃ 이상이면 정지하게 된다.[15]

(2) 점액의 유동학적 특징

호흡기도의 감염, 알레르기 항원에 대한 노출, 원발성 점액이상, 약물 등은 점액의 유동학적 특성을 변화시킨다. 바이러스 감염은 혈관투과성을 높여 점액분비의 양을 증가시키며, 이에 따라 점액의 탄성이 줄어들어 점액이 점막하분비선의 도관 개구부에 정체되어 원활한 분비가 제한된다. Histamine, prostaglandin, leukotriene 등의 염증매개체는 비분비물의 양을 증가시켜 점액의 점도를 전체적으로 떨어뜨린다. 식염수 세척은 점액의 점도를 직접적으로 변화시키는 효과보다는 점액, 가피 등을 물리적으로 제거하여 점액섬모수송 능력을 높이는 데 도움을 준다. 점액용해제로 사용되는 N-acetylcysteine, S-carboxymethylcysteine, bromhexine 등의 약물들은 이론적으로는 점액유동학적 성상을 호전시키지만[6] 실제 임상에서 점액섬모수송을 호전시키는지는 명확히 밝혀지지 않았다.

(3) 점액섬모수송 이상과 연관된 질환들

비점막에 바이러스 혹은 세균 등이 감염되면 이들로부터 분비된 독소가 비점막 섬모상피세포에 손상을 주게 되며, 호중구에서 생성된 elastase 역시 세포에 손상을 유발한다. 만성 비부비동염에서는 점도와 탄성도가 모두 높은 과량의 분비물이 부비동에 저류되는데, 상피세포 표면에 존재하는 ENaC 이온통로를 통한 Na^+과 수분의 과도한 재흡수로 인한 점액의 점도가 높아지는 것과 연관되어 있다. Kartagener증후군에서는 외측 미세소관의 동력단백팔에 결손이 있어 섬모세포의 일부분만 정상적 운동기능을 유지하며[38], 점막 표면 전체의 섬모의 운동도 이시성(metachronism)을 보이지 않는다. 원발성 섬모운동부전증(primary ciliary dyskinesia)은 섬모의 미세소관에 구조적 이상이 있는 선천성 질환으로, 만성 호흡기 질환과 불임증의 원인이 될 수 있다. Young증후군에서는 섬모의 배열방향에 이상이 생기는데, 재발성 부비동염과 기관지염의 원인이 된다. 비강무섬모증(nasal acilia)인 Rothmund-Thomson증후군은 비점막에만 섬모가 없는 특이한 질환으로 역시 부비동염이 호발하게 된다.[14] 낭성섬유증(cystic fibrosis) 환자에서는 상피 표면의 CFTR 이온 수송 장애 때문에 물분비 결핍으로 인한 점액의 점도가 높아져서 점액섬모수송 운동이 현저히 저하되고 호흡기 감염의 원인이 된다.[43] 면역결핍증에서도 점액섬모수송의 이상이 나타날 수 있다.

4) 비부비동에서 점액섬모수송의 방향

(1) 비강 점막

비중격의 앞쪽의 점액은 비중격의 아래쪽 경계를 따라

비인강 쪽으로 진행하거나, 비중격을 따라가서 비인강에 도달한 후 아래쪽으로 방향을 바꾼다. 비강의 바닥 부위의 점액은 바닥을 따라 뒤로 가지만 일부는 내측과 외측을 향하기도 한다. 하비갑개의 내측면에 놓인 점액은 하비도를 향해 외측으로 들어간 후 후방으로 이동하여 이관 개구부의 위, 아래를 통과한다. 비중격의 돌기(spur)나 편평상피화생 등 상피의 변화가 있는 경우 점액은 병변의 위, 아래를 거쳐 지나가게 된다.[27]

(2) 부비동 점막

부비동에서의 점액섬모수송의 방향과 속도는 각각의 부비동마다 차이가 있다. 상악동에서는 부비동의 바닥에서부터 위쪽 방향의 자연공을 향하여 이동한다. 사골동에서도 각각의 자연공으로 향하는데, 전사골동은 중비도를 통해 이관의 전·하부로 움직인다. 후사골동은 상비도를 통해서 접사함요(sphenoethmoidal recess)를 거쳐 이관의 윗부분을 지나간다. 전두동에서 점액의 이동방향은 다른 부비동과는 달리 부분적으로 되돌아간다. 점액은 일차적으로 내측벽을 향해 상방으로 움직이다가 외측으로 향하여 전후벽의 하부로 내려가며, 그 중 일부는 다시 돌아서 올라가는 재순환 양상을 보인다. 접형동에서는 앞쪽에 위치한 자연공의 방향으로 이동한다. 부비동에서 배출된 점액이 비강에 이르면 비인강으로 흐르게 된다. 부비동과 비강의 분비물은 비인강에 위치하는 비강의 호흡상피가 인두부의 편평상피세포와 만나는 부분에서 중력이나 연하작용에 의해 떨어질 때까지 잠시 정지된다.

5) 점액섬모수송능에 대한 검사

(1) 섬모의 형태와 운동 회수 측정

섬모의 형태는 투과전자현미경을 통해 횡 절단면으로 촬영된 영상(SEM)에서 섬모의 구조를 자세히 관찰할 수 있다. 미세소관의 형태적 이상, 한 섬모당 내측과 외측의 동력단백팔(dynein arm)의 수, 섬모의 배열상태 등을 평가한다. 섬모의 운동능은 하비갑개의 전단면이나 비강기저부, 비중격의 앞쪽 1/3 부분에서 가늘고 부드러운 브러쉬로 긁어서 채취된 섬포상피세포의 섬모운동을 고속카메라로 촬영하고 이를 다양한 분석 소프트웨어를 이용한 분석이 가능하다.

(2) 점액섬모수송 능력 검사법

사카린 검사(saccharine test)는 비강점액섬모수송 이상이 의심되는 피검자에게 비교적 쉽게 사용할 수 있는 검사방법이다. 검사 실시 전에 피검자가 사카린의 맛을 느낄 수 있는지 미리 확인해야 한다. 피검자는 앉은 자세에서 흡인, 재채기 등을 하지 않도록 주의하면서, 1 mm 지름의 사카린 과립이나 용액을 하비갑개의 전단부 1 cm 뒤쪽 혹은 비중격에 바른다.[43] 사카린이 점액주위액에 녹아서 비인강과 설근부로 이동하면 피검자는 맛을 느끼게 되며, 처음에 단맛을 느낀 시간이 사카린 청소시간이다.

비강질환이 없는 정상인에서 사카린 이동시간은 평균 7~15분이다. 만약 이동시간이 20~40분 정도인 경우 비강점액수송이 지연되었다고 볼 수 있다. 이 검사는 유용한 선별검사지만, 좀 더 유효성에 대한 검증이 필요하며, 검사법이 실제 임상에서 활용되지는 못하고 있다.[13] 사카린 대신에 숯(charcoal) 분말을 이용하여 검사할 수 있으며, 숯 분말의 이동시간은 사카린보다 빠른 것으로 알려져 있다.[37] 색소의 일종인 인디고카민(indigo carmine)을 이용한 검사도 가능하다.[13]

II 비부비동의 물리적 기능

1. 비강의 호흡기류 조절 작용

1) 비강 내 호흡기류

(1) 비강호흡의 생리적 특성

비강을 통한 호흡이 기본적인 호흡이며, 흡입한 공기를 청소, 가온, 가습작용을 하는 데에는 비강호흡이 구강호흡보다 유리하다. 성인의 비강 흡기류 속도는 분당 5 L에서 12 L이다. 운동을 하면 분당 40 L까지 오르고, 최고 분당 150 L까지 오를 수 있다.[17] 흡기류의 속도는 비밸브 근처에서 빠르며, 주된 기류는 중비갑개 상부와 중비도를 통하는 것인데 속도가 빨라져도 흐름의 양상은 큰 변화가 없다. 흡기류의 일부만 비강저부와 상부를 지나간다. 비강은 흡기의 온도를 지각함으로써 호흡운동을 감지하는데, 기류의 속도와 습도는 이러한 지각에 영향을 준다. 호기류는 심한 와류(turbulent)를 형성하며 비강 전체로 퍼지는 특징이 있는데, 이는 후각 점막에서 후각물질을 제거하고 비점막을 가열 및 가습하는 기능을 한다. 또한 와류는 흡입된 공기의 비점막 접촉을 증가시켜서 호흡기능뿐만 아니라 후각, 방어기능도 향상시킨다. 비강 내 와류 속도는 기류의 속도에 비례하여 변화하며 비폐색 시에는 비강의 단면적이 감소하여 국소적으로 기류의 속도가 증가되어 와류가 발생된다. 호기 시에는 흡기 시에 비하여 대부분 감각을 잘 느끼지 못한다.

(2) 비강 내 기류 조절요인

비강 내 기류는 비주기(nasal cycle), 체위, 운동, 산화질소(nitric oxide)에 영향을 받는다.

체위에 따라 상대적인 정맥압의 변화에 의해 비강 기류를 변화시킬 수 있다. 운동은 epinephrine을 분비시켜 비강 점막을 수축시킨다. 신경전달물질인 산화질소는 비강 내 혈류 조절과 점액생산에 관계되어 있다. 비강 내 산화질소의 농도는 비주기나 체위에 관계 없고 비강 기류에 따라 변한다. 비강점막 수축 시 증가된 비강 기류는 산화질소를 비강에서 제거하여 폐로 전달하고 이는 폐에서 혈관이완 가스로서 작용한다. 반대로 비강 폐색 시 비강 기류가 감소하면 비강 내 산화질소의 농도도 증가한다. 증가된 산화질소는 비강섬모진동횟수(ciliary beat frequency)를 자극하여 방어 작용을 도울 수 있다. 성호르몬은 비강 기류에 영향을 미쳐 임신, 사춘기, 월경 시 코막힘 증상을 증가시킬 수 있다.

2) 흡기류에 대한 비저항

흡기류에 대한 비저항(nasal resistance)은 크게 비전정, 비밸브, 그리고 비강 내 구조적 요인에 의해 영향을 받는다.

(1) 비전정(Nasal vestibule)

비전정은 외비의 비익(nasal alae) 안쪽의 팽창된 부분으로 피부로 덮여 있다. 비전정은 비저항의 약 1/3을 담당한다. 흡기 시에 이 부분에 상대적으로 음압이 발생하여 비익의 함몰(collapse)을 유발할 수 있으나, 정상적인 경우 비전정에 붙어 있는 비공확장근(dilator naris) 근육들이 흡기 시에 수축하여 비전정의 함몰을 막아줌으로써 움직임은 보이지 않는다. 이 근육은 안면신경에 의해 지배되며 근육의 활성도는 호흡운동이 증가할수록 항진된다. 전비강 기도를 일정하게 유지하는 데 중요한 이 확장근은 환기의 증가뿐만 아니라 비저항의 변화, 저산소 상태, 고이산화탄소 상태, 정서변화 시에도 반응하여 비강호흡이 변화되게 된다. 안면신경마비, 선천성 기형 또는 외비수술의 합병증으로 비공확장근의 기능장애가 오면 비폐색이 발생할 수 있다.

(2) 비밸브(Nasal valve)

비밸브의 입구는 외측비연골(upper lateral cartilage)의 미단(caudal edge), 그 내측의 비중격 연골부, 비강기저부로 구성되며, 이런 삼각형 입구에서 뒤로 비강 이상구(pyriform aperture)의 앞까지 수 mm에 걸쳐있는 부분이다. 외측 경계는 탄성이 있는 비익조직과 하비갑개 전단부의 발기조직(erectile tissue)이고 내측 경계는 비중격 연골과 특히 비중격 배부에 있는 발기조직으로 구성된다.

비밸브는 비강에서 가장 좁은 부분이며 저항이 가장 큰 부분으로, 내부 비밸브와 비갑개 전단부 사이에서 기류의 속도가 가장 빠르다. 비밸브에서 흡기류의 속도는 18 m/sec에 이르나 비강에 이르러 갑자기 넓어지면서 3~4 m/sec로 떨어진다. 비호흡 시 공기는 층류(laminar flow)로 기류의 속도가 빠른 부분은 공기조절(air conditioning)의 기능을 하고, 예민한 후각 부위에서는 속도가 저하되어 흡기류에 의한 손상을 방지한다.

비밸브에서 하비갑개 앞부분과 비중격의 앞부분에 있는 독특한 정맥굴모양혈관(venous sinusoid)이 전체 비 흡기저항에서 가장 중요하다. 특히 하비갑개의 점막은 이 작은 정맥혈관인 정맥굴모양혈관을 많이 가지고 있다. 이 혈관에 혈액이 차면 비충혈이 일어난다. 이 혈관에는 교감신경이 풍부하게 분포하며 이것에 의해 수축작용이 일어난다. 교감신경의 혈관 수축자극으로 이곳의 혈액양이 줄면 비충혈이 감소하게 된다. 비강 점막에 염증이 있으면 발기조직의 혈관 긴장도를 조절하는 기능이 마비된다. 그러므로 이러한 경우에서는 중력의 영향을 받는 쪽으로 팽창조직의 충혈이 일어나 비폐색을 느끼게 된다.

(3) 비주기(Nasal cycle)

비주기는 양측 비강에서 점막하 고유층에 분포하는 혈관 내의 혈액량의 증감으로 인하여 자연적으로 비강의 수축과 팽창이 일어나는 현상이다. 이러한 비주기는 기류와 저항에 영향을 미치지만 양측 비강 전체의 기류와 총 비강 저항에는 의미 있는 변화를 주지 않는다. 성인의 약 80%에서 나타나고 소아는 그 주기가 짧거나 불규칙하다.[10] 비주기는 2시간에서 7시간을 주기로 반복되며, 시상하부의 자율신경중추에 의해 조절된다. 자율신경계에 영향을 미치는 약물은 정상적인 비주기에 변화를 유발한다. 따뜻하고 건조한 공기에서는 비주기가 약화되고 기온이 낮고 습한 곳에서는 비주기가 강화된다. 누워 있는 자세에서도 비주기가 강화되게 된다.[11] 비강이 건강한 사람인 경우 비주기를 거의 느끼지 못하지만 비중격만곡증 등의 비내 구조적 이상이 있으면 교대성 비폐색 증상을 느낄 수 있다. 이러한 비주기는 전신적인 신경계의 활성도를 반영하는 현상으로 여겨지며, 비주기의 생리학적 기능에 대해 완전히 규명되어 있지는 않다.

2. 비강의 온도 및 습도 조절기능

비강은 흡입된 공기를 적절히 가열하고 가습하여, 폐포 모세혈관계의 건조와 유착을 방지하여 이상적인 폐 가스 교환에 필수적인 역할을 한다. 코는 흡입된 공기를 5~34℃로 가열할 수 있고 분당 7 L까지 흡입된 기류를 따뜻하게 할 수 있다.[32] 따라서 비인강에서의 온도는 2~3℃ 정도밖에 차이가 나지 않는다. 하비갑개의 점막을 보존하는 수술은 이러한 조절 능력을 유지하기 위해 중요한 생리적 의미를 지닌다. 전하비갑개 절제술이나 비갑개의 전방을 많이 제거한 경우에는 가열이나 가습기능이 떨어지고 비강건조나 가피(crust) 형성을 유발할 수 있다. 전산유체 역학(computational flow dynamics; CFD)을 사용한 연구에 의하면 비강은 폐포에서 필요한 공기 상태의 온도의 92%, 습도의 96%까지 조절할 수 있다고 한다.

3. 비강의 반사 조절작용

1) 비점막에서 유발되는 반사

점막의 염증이 있는 경우 비내 신경기능은 만성적으로 상승 조절되어 여러 가지 반사가 과민하게 발생될 수 있다.

재채기 반사(sneeze reflex)는 비강 상피 표면에서 자극물질의 제거를 돕는 반사이다. 이는 하기도의 기침반사와 유사하게 상기도를 보호하는 작용을 한다. H_1 수용체를 가진 C형 삼차신경 및 미주신경이 관련되어 있다. 횡격막신경은 횡격막을 자극하여 흡기를 유발하고 이어 전방 복부 근육이 수축하며 강한 호기가 이루어진다. 동시에 설인두신경과 미주신경이 구개를 상승시키고 상부 인두괄약근(superior pharyngeal constrictor muscle)을 수축시켜 짧은 Valsalva maneuver가 된 후 비강을 통해 압축된 호기가 생성되고, 심호흡 후 성대가 닫힌 상태에서 강력한 호기가 발생하면서 재채기가 일어난다. 재채기 반사에 의한 호기의 속도는 시속 160 km를 넘는다고 한다.

비루반사(nasolacrimal reflex)는 비점막에 화학적 물리적 자극에 의해 눈물이 즉각적으로 증가하게 한다. 삼차신경의 구심성 통각 C형 섬유는 자극을 superior salivary ganglion, geniculate ganglion, superficial petrosal nerve, sphenopalatine ganglion에 순서대로 전달하고 상악신경(maxillary nerve)을 통해 부교감신경의 섬유가 눈물샘에 신경지배한다.[3]

비안구반사(naso-ocular reflex)는 알레르기 항원에 의한 비자극 후 생긴다. 이는 알레르기성 비염의 안구 증상과 연관되어 있을 수 있다.[4]

삼차신경심장반사(trigeminocardiac reflex; TCR)는 삼차신경이 지배하는 곳이나 부근에 수술적 조작을 하는 경우 서맥, 저혈압, 무호흡과 위장 과운동이 나타나는 것이다. 두개저 수술 시 나타나는 잘 알려진 현상이며 전신마취 시 삼차신경 감각분지의 말초적 자극에 의해 나타날 수 있다.

잠수반사(diving reflex)는 TCR의 변형으로 물이나 공기의 화학적 자극물질에 의해 비점막이 자극되고, 부교감 신경이 상승되어 현저한 서맥이 발생된다.[4,5]

비폐반사(nasopulmonary reflex)는 비폐색이 폐저항을 증가시키는 것으로 노인에게서 더 잘 나타난다. 이는 비강 팩킹 시 혈액 내 이산화탄소의 증가로 나타날 수 있다.

2) 외부 자극에 의하여 비점막에 나타나는 반사

운동으로 호흡 항진이 있으면 동맥의 이산화탄소 분압이 높아져 경 부교감신경절에서의 자극으로 비강의 혈관 수축이 일어나는 현상이다. 이는 교감신경계의 작용으로서 운동 시작과 동시에 비강점막 수축이 곧바로 일어나는데 호흡 수가 증가할수록 더욱 심해진다. 이러한 운동의 효과는 20분 정도 지속된다. 정서적 불안, 긴장, 통증 등이 있을 때 비강혈관이 수축되는 현상이 생길 수 있다. 이는 시상하부의 방어작용인데 자극에 장기적으로 노출되면 시상하부 조절작용이 일어나지 않아 오히려 부교감신경의 과잉반응으로 인한 비폐색과 비루가 나타난다. 광재채기반사(photic sneeze reflex)는 태양빛과 같은 밝은 빛에 노출이 되면 재채기나 코가 따끔거리는 것인데 이는 일반인보다 시각피질(visual cortex)의 흥분이 증강되어 있는 경우에 볼 수 있고 insula와 이차감각피질(secondary sensory cortex)의 흥분과 관계되어 있다.[28] 피부의 온도 자극도 비강에 반응을 일으킬 수 있는데 팔이나 다리 목 등 신체의 한 부분을 따뜻하게 하면 비강 혈관이 수축하여 비저항이 감소하며, 차게 하면 반대 현상이 나타난다.[29]

Ⅲ 후각수용기관으로서 비강의 기능

후각은 후각점막의 점액에 용해된 화학성분을 인지하는 화학감각이다. 후각물질(odorants)은 비강이나 후비(retronasal)경로로 후각신경상피에 도달한다. 비강을 통한 자극이 일반적인 후각감각이고 후비경로를 통한 경우는 음식 섭취 시 향을 느끼는 것과 관계되어 있다.

1. 후각신경상피

후각신경상피(그림 2-7)는 비강의 상부, 주로 비중격과 상비갑개의 내측부 사이에 흩어져 있고, 중비갑개 전방과 사상판(cribriform plate)의 아래에도 분포되어 있을 수 있다. 이 부분을 후열(olfactory cleft)이라고 한다. 후각상피층은 점액층, 후각상피세포층, 고유층으로 구분된다. 이는 양측 비강을 합하여 2~10 cm^2로 비강 전체 표면적의 1.5% 정도이다. 후각점막은 육안적으로는 약간 노란색을 띠고 호흡기 점막보다 두꺼워 60~70 μm의 두께를 보인다. 또한 상피층을 구성하는 세포의 종류도 일반적인 호흡기 점막과는 다른데 점막하조직이 없고 혈관이 풍부한 고유층 위에 놓여 있다. 노화됨에 따라 후각 상피는 호흡상피에 의해 단절되거나 호흡상피에 의해 대치된다. 이는 노화에 따르는 후각기능의 손실을 말해준다. 최근의

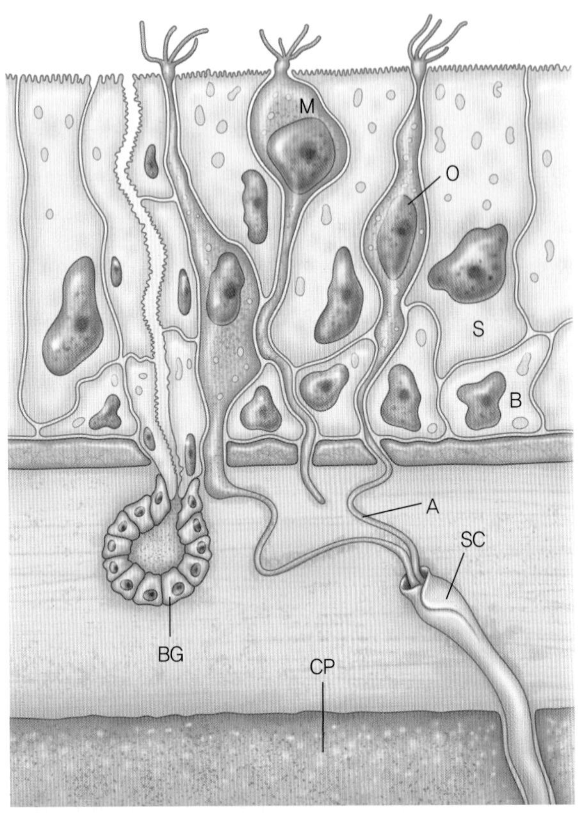

■ 그림 2-7. **후각 상피층의 조직학적 모식도.** A: 축삭(axon), B: 기저세포(basal cell), BG: Bowman선(Bowman's gland), CP: 사상판(cribiform plate), O: 후각수용세포(olfactory receptor cell), M: 미세융모세포(microvilli cell), S: 지지세포(supporting cell), SC: Schwann 세포(Schwann cell)

전기생리학적 그리고 조직학적 연구에 의하면 중비갑개의 내측면에 후각상피가 반(patch)형태로 희박하지만 항상 존재함이 확인되었다.

후각상피는 중추신경계 중 유일하게 외부에 노출되어 있고 재생이 가능한 부분이다.[30]

후각물질이 감지되기 위해서는 우선 후각수용세포의 수용체를 덮고 있는 점액에 용해되어야 한다. 후각상피의 점액은 주로 고유층의 Bowman 선에서 분비된다.

후각신경상피는 위중층 원주상피로서 후각수용세포(olfactory receptor cell), 지지세포(supporting cell, sustentacular cell), 미세융모세포(microvilli cell), 기저세포(basal cell)로 구성된다.

후각수용세포는 양극성(bipolar) 수용세포로 수용체의 기능과 신경의 연접 없이 직접 대뇌로 연결되는 일차 신경원(first order neuron)의 기능도 수행하며, 후각점막에 수백만 개가 존재한다. 이 세포는 다른 신경세포와 달리 손상 후에도 기저세포에서 재생되고 세포고사작용으로 인해 3~7주 간격으로 지속적으로 재생된다. 그리고 이 세포는 후각표지단백(olfactory marker protein; OMP)이라는 특징적인 표지자를 갖고 있다.

10~100개의 신경섬유가 고유층에서 Schwann세포에 싸여 후사(olfactory fila)를 이루며 사판에 있는 50여 개의 열공을 지나 후구에서 이차신경원과 접속한다.

미세융모세포는 후각점막의 가장 표면에 있는 플라스크처럼 생긴 세포로 세포당 75~100개의 미세융모를 갖고 있다. 이 세포의 기능에 대해서는 뚜렷하게 알려지지 않았으나 형태학적으로 특별한 종류의 감각수용체라고 생각된다.

지지세포는 후각수용세포를 둘러싸고 키가 크고 핵이 윗부분에 위치하며 표면에 많은 수의 미세융모를 갖고 있다. 이 세포는 신경의 정상적 활동에 필요한 세포외 K^+의 농도를 유지하는 기능을 하며 cytochrome-P450과 해독효소를 풍부하게 갖고 있어 지각과정이 종료된 후각물질(odorant)을 제거하는 데 기여한다고 여겨진다.

기저세포는 고유층 바로 위에 존재하며 후각수용세포가 손상됐을 때 이것으로 분화하는 원천이 되는 간세포(stem cell)이다. 지름은 4~5 μm이고 핵이 중앙에 위치한다.

고유층에는 혈관, 결체조직세포, Bowman선 등이 있다. Bowman선은 후각점막 표면으로 장액성 액을 분비한다.

2. 후각의 생리

우리가 냄새를 어떻게 인식하는지에는 여러 가지 가설이 있다. 주로 후각물질의 흡수성질에 의한다는 설이 있는데 사람에서 점액흡수가 후각 지각과 관계되어 있음이 밝혀지고 있다.[36] 또한 기본적인 후각 물질과 이들의 조합에 의해 후각이 인식된다는 설이 있는데 이는 시각과 같은 생리적인 원리에 따른다. 후각물질의 파동 특성에 따른다는 설도 제기되었는데 이는 최근 연구에 의해 부정되고 있다.[22] 이는 후각물질 화학적 구조를 가지고 있고 리간드(ligand)-수용체 상호작용이 존재함이 발표되었기 때문이다. 1991년에 후각 신경세포에 주로 존재하는 7개의 막횡단 수용체 단백질의 군이 발견되었다. 마우스에서 1000개 정도의 유전자가 후각수용체와 연관되어 있는데 이중 850개 정도는 발현되고 나머지는 위 유전자(pseudogene)이다.[7] 이들 수용체의 기능 소실에 대한 원인은 알려져 있지 않다. 사람에게서는 350개 정도의 유전자만이 기능을 하는데, 수용체 수가 적으면 기능이 떨어지는가에 대해서는 아직 논란이 많다.

분자학적 그리고 전기생리학적 연구에 의하면 후각수용체는 한 가지 후각 물질에만 선택적으로 작용하지는 않고, 수많은 입자들이 다양한 친화력(affinity)으로 특정 후각수용체에 결합한다. 또한 화학기에 따라 친화력은 달라진다.[31] 모든 후각물질은 한 가지 후각수용체에 의해 인식되지 않고 동시에 여러 가지 후각수용체에 의해 인식되는데 이는 특정한 화학 특성에 따라 다르다. 후각물질의 입체화학적(sterochemical) 특성을 보고 후각의 특성을 알아낼 수 있는가에 대한 문제는 해결해야 할 문제이다.

3. 화학감각(Chemical sense)

비강에 신경지배하는 삼차신경은 온도, 통각, 촉각, 자극(irritation)을 느끼는 기능을 한다.

후각과 미각과 더불어 삼차신경 감각을 화학 감각이라고 한다. 이들 감각계는 모두 화학물질에 의해 자극이 된다. 삼차신경은 비강뿐만 아니라 구강에도 신경지배하고 있다. 대부분의 후각자극 물질은 삼차신경의 말단을 자극하는데, 적어도 높은 농도에서는 후각과 같이 활성화된다.[12]

Ⅳ 발성기관으로서의 비강

후두는 모음과 음조 음성(pitch voice)을 생성하며, 주된 주파수는 1,000 Hz 이하이다. 자음을 생성하는 고음은 인두, 혀, 입술과 치아에 의해서 추가된다. 코는 발성된 소리에 일정한 특징을 부여하는 기능이 있다. 비강의 공명을 통해 발성되는 소리의 종류는 세 가지로, 비성 자음, 비성 모음, 비음화된 모음(nasalized vowel)으로 나뉠 수 있다. 비성 자음(ㅁ,ㄴ,ㅇ)은 비강과 인후강이 공통적인 공명통으로 이용되어 발성되는 소리이다. 비성 모음은 불어나 폴란드어 등에서 발견되는데, 이것이 발음될 때 혀는 구강을 폐쇄시켜야 한다. 비강으로 들어오는 공기가 너무 적을 때는 폐쇄성 비성(rhinolalia clausa)이, 너무 많을 때는 개방성 비성(rhinolalia aperta)이 발생하게 된다.[34]

참고문헌

1. Adler KB, Tuvim MJ, Dickey BF. Regulated mucin secretion from airway epithelial cells. Front Endocrinol (Lausanne) 2013;4:129.
2. Bachert C, Hauser U, Prem B, Rudack C, Ganzer U. Proinflammatory cytokines in allergic rhinitis. Eur Arch Otorhinolaryngol 1995;252 Suppl 1:S44-49.
3. Baraniuk JN, Kim D. Nasonasal reflexes, the nasal cycle, and sneeze. Curr Allergy Asthma Rep 2007;7:105-111.
4. Baroody FM, Shenaq D, DeTineo M, Wang J, Naclerio RM. Fluticasone furoate nasal spray reduces the nasal-ocular reflex: a mechanism for the efficacy of topical steroids in controlling allergic eye symptoms. J Allergy Clin Immunol 2009;123:1342-1348.
5. Becq F, Mettey Y, Gray MA, et al. Development of substituted Benzo[c]quinolizinium compounds as novel activators of the cystic fibrosis chloride channel. J Biol Chem 1999;274:27415-27425.
6. Brown DT, Litt M, Potsic WP. A study of mucus glycoproteins in secretory otitis media. Arch Otolaryngol 1985;111:688-695.
7. Buck L, Axel R. A novel multigene family may encode odorant receptors: a molecular basis for odor recognition. Cell 1991;65:175-187.

8. Choi JY, Khansaheb M, Joo NS, et al. Substance P stimulates human airway submucosal gland secretion mainly via a CFTR-dependent process. J Clin Invest 2009;119:1189-1200.
9. Clancy SM, Yeadon M, Parry J, et al. Endothelin-1 inhibits mucin secretion from ovine airway epithelial goblet cells. Am J Respir Cell Mol Biol 2004;31:663-671.
10. Cole P. Physiology of the nose and paranasal sinuses. Clin Rev Allergy Immunol 1998;16:25-54.
11. Cole P, Haight JS. Posture and the nasal cycle. Ann Otol Rhinol Laryngol 1986;95:233-237.
12. Doty RL, Brugger WE, Jurs PC, Orndorff MA, Snyder PJ, Lowry LD. Intranasal trigeminal stimulation from odorous volatiles: psychometric responses from anosmic and normal humans. Physiol Behav 1978;20:175-185.
13. Duchateau GS, Graamans K, Zuidema J, Merkus FW. Correlation between nasal ciliary beat frequency and mucus transport rate in volunteers. Laryngoscope 1985;95:854-859.
14. Dudley JP, Welch MJ, Stiehm ER, Carney JM, Soderberg-Warner M. Scanning and transmission electron microscopic aspects of the nasal acilia syndrome. Laryngoscope 1982;92:297-299.
15. Green A, Smallman LA, Logan AC, Drake-Lee AB. The effect of temperature on nasal ciliary beat frequency. Clin Otolaryngol Allied Sci 1995;20:178-180.
16. Hattori R, Shimizu S, Majima Y, Shimizu T. Prostaglandin E2 receptor EP2, EP3, and EP4 agonists inhibit antigen-induced mucus hypersecretion in the nasal epithelium of sensitized rats. Ann Otol Rhinol Laryngol 2009;118:536-541.
17. Hooper RG. Forced inspiratory nasal flow-volume curves: a simple test of nasal airflow. Mayo Clin Proc 2001;76:990-994.
18. Howarth PH, Redington AE, Springall DR, et al. Epithelially derived endothelin and nitric oxide in asthma. Int Arch Allergy Immunol 1995;107:228-230.
19. Jang YJ, Lee CH. Localization of cystic fibrosis transmembrane conductance regulator in epithelial cells of nasal polyps and postoperative polypoid mucosae. Acta Otolaryngol 2001;121:93-97.
20. Joo NS, Lee DJ, Winges KM, Rustagi A, Wine JJ. Regulation of antiprotease and antimicrobial protein secretion by airway submucosal gland serous cells. J Biol Chem 2004;279:38854-38860.
21. Kaliner MA. Human nasal respiratory secretions and host defense. Am Rev Respir Dis 1991;144:S52-56.
22. Keller A, Vosshall LB. A psychophysical test of the vibration theory of olfaction. Nat Neurosci 2004;7:337-338.
23. Khansaheb M, Choi JY, Joo NS, Yang YM, Krouse M, Wine JJ. Properties of substance P-stimulated mucus secretion from porcine tracheal submucosal glands. Am J Physiol Lung Cell Mol Physiol 2011;300:L370-379.
24. Knipping S, Riederer A, Berghaus A. [Neural control of the respiratory nasal mucosa]. HNO 2004;52:471-487; quiz 488-479.
25. Koizumi J, Kojima T, Ogasawara N, et al. Protein kinase C enhances tight junction barrier function of human nasal epithelial cells in primary culture by transcriptional regulation. Mol Pharmacol 2008;74:432-442.
26. Lacroix JS, Auberson S, Morel DR, Theodorsson E, Hokfelt T, Lundberg JM. Vascular control of the pig nasal mucosa: distribution and effect of somatostatin in relation to noradrenaline and neuropeptide Y. Regul Pept 1992;40:373-387.
27. Lale AM, Mason JD, Jones NS. Mucociliary transport and its assessment: a review. Clin Otolaryngol Allied Sci 1998;23:388-396.
28. Langer N, Beeli G, Jancke L. When the sun prickles your nose: an EEG study identifying neural bases of photic sneezing. PLoS One 2010;5:e9208.
29. Lee AD. The physiology of the nose and paranasal sinuses: Oxford: Butterworth-Heinmann, 1997, p. 21.
30. Leopold DA, Hummel T, Schwob JE, Hong SC, Knecht M, Kobal G. Anterior distribution of human olfactory epithelium. Laryngoscope 2000;110:417-421.
31. Malnic B, Hirono J, Sato T, Buck LB. Combinatorial receptor codes for odors. Cell 1999;96:713-723.
32. Marks SC. Nasal and sinus surgery. Philadelphia: PA: WB Saunders, 2000.
33. Matsune S, Kono M, Sun D, Ushikai M, Kurono Y. Hypoxia in paranasal sinuses of patients with chronic sinusitis with or without the complication of nasal allergy. Acta Otolaryngol 2003;123:519-523.
34. meyerhoff WL. Physiology of the nose and paranasal sinuses. 3rd ed. Philadelphia: WB Saunders, 1992.
35. Moniaux N, Escande F, Porchet N, Aubert JP, Batra SK. Structural organization and classification of the human mucin genes. Front Biosci 2001;6:D1192-1206.
36. Mozell MM, Jagodowicz M. Chromatographic separation of odorants by the nose: retention times measured across in vivo olfactory mucosa. Science 1973;181:1247-1249.
37. Passali D, Bellussi L, Bianchini Ciampoli M, De Seta E. Experiences in the determination of nasal mucociliary transport time. Acta Otolaryngol 1984;97:319-323.
38. Pedersen H, Mygind N. Absence of axonemal arms in nasal mucosa cilia in Kartagener's syndrome. Nature 1976;262:494-495.
39. Quraishi MS, Jones NS, Mason J. The rheology of nasal mucus: a review. Clin Otolaryngol Allied Sci 1998;23:403-413.
40. Renegar KB, Small PA, Jr., Boykins LG, Wright PF. Role of IgA versus IgG in the control of influenza viral infection in the murine respiratory tract. J Immunol 2004;173:1978-1986.
41. Rogers DF. The airway goblet cell. Int J Biochem Cell Biol 2003;35:1-6
42. Rusznak C, Devalia JL, Lozewicz S, Davies RJ. The assessment of nasal mucociliary clearance and the effect of drugs. Respir Med

1994;88:89-101.

43. Rutland J, Cole PJ. Nasal mucociliary clearance and ciliary beat frequency in cystic fibrosis compared with sinusitis and bronchiectasis. Thorax 1981;36:654-658.
44. Sava F, MacNutt MJ, Carlsten CR. Nasal neurogenic inflammation markers increase after diesel exhaust inhalation in individuals with asthma. Am J Respir Crit Care Med 2013;188:759-760.
45. Schaller BJ, Filis A, Buchfelder M. Trigemino-cardiac reflex in humans initiated by peripheral stimulation during neurosurgical skull-base operations. Its first description. Acta Neurochir (Wien) 2008;150:715-717; discussion 717-718.
46. Sleigh MA, Blake JR, Liron N. The propulsion of mucus by cilia. Am Rev Respir Dis 1988;137:726-741.
47. Tai CF, Baraniuk JN. Upper airway neurogenic mechanisms. Curr Opin Allergy Clin Immunol 2002;2:11-19.
48. Widdicombe JH, Wine JJ. Airway Gland Structure and Function. Physiol Rev 2015;95:1241-1319.
49. Woods CM, Lee VS, Hussey DJ, et al. Lysozyme expression is increased in the sinus mucosa of patients with chronic rhinosinusitis. Rhinology 2012;50:147-156.

CHAPTER

03

후각과 미각의 생리

예미경

후각과 미각은 화학감각(chemical sense)으로 외부의 많은 화학물질에 대해 독특한 반응을 나타낸다. 음식물의 맛과 향을 느끼게 해주고 화재나 상한 음식 등의 위험한 상황을 피할 수 있게 해주는 등 인간의 생활에 매우 중요한 감각이며, 서로 밀접한 연관이 있어 같이 다루어지는 수가 많다. 후각과 미각은 외부 환경의 광범위한 화학적 자극에 반응하여 정보를 추출해내고, 쾌락과 관계된 감각이며, G-단백 연결 수용체를 사용한다는 것과, 수용체들이 재생 능력이 있다는 것 등이 공통점이다. 차이점은 후각은 기체매질(gaseous medium)에 의해 자극을 받지만, 미각은 수용액에 의해 자극을 받으며, 후각은 신경세포로 원거리 화학수용체(distant chemoreceptor)이나, 미각수용체는 변형된 상피세포로 구강 내의 접촉으로 감각을 느끼는 접촉 화학수용체(contact chemoreceptor)이다. 또한 후각 자극은 수많은 감각으로 표현되며 몇 가지의 기본적인 후각 특성으로 나눌 수 없지만, 미각은 짠맛, 단맛, 신맛, 쓴맛의 네 가지 기본 맛으로 나눌 수 있는 것 등이 다른 점이다.[45]

I 후각계의 해부와 생리

1. 후각신경상피(Olfactory neuroepithelium)

후각상피는 비강 천정, 상비갑개, 비중격의 상부에 분포하며, 신경세포와 비신경세포들이 층상 구조(layered structure)를 이루고 있다. 비강의 대부분을 덮고 있는 호흡상피가 섬모 상피세포(ciliated epithelial cell)와 배세포(goblet cell)로 구성되어 있는 데 비해, 후각상피는 후각수용세포(olfactory receptor neuron), 지지세포(supporting or sustentacular cell), 기저세포(basal cell)로 구성되어 있다.[37]

후각수용세포는 한 쪽 끝은 수상돌기(dendrite), 다른 한 쪽 끝은 축삭(axon)으로 이루어진 양극세포(bipolar cell)이다. 수상돌기는 비강쪽(luminal surface)으로 뻗어 후각꼭지(olfactory knob)라고 불리는 끝이 부풀어 오른 구조를 형성하고 여기에서 후각섬모(olfactory cilia)가 후각점액 속으로 뻗쳐있다. 후각섬모는 9+2의 미세소관

(microtubule) 구조를 가지나, 호흡상피세포의 섬모와 달리 dynein 단백이 없기 때문에 운동성은 없다. 후각 섬모는 5~20 μm 길이로 냄새분자와 상호작용할 수 있는 광대한 표면적을 제공하는 역할을 한다. 기저부에는 후각신경세포로부터 뻗어 나온 무수 축삭들(unmyelinated axon)이 10~100개씩 모여서 다발을 형성하여 전두개저의 사상판에 뚫린 구멍을 통과한다. 축삭다발은 후구(olfactory bulb) 내에 있는 승모-소방세포(mitral and tufted cell)의 수상돌기와 후각사구체(olfactory glomerulus)라는 독특한 신경접합부(synapse)를 형성한다.[21,37,45]

지지세포는 후각수용세포를 둘러싸고 있는 세포로서, 표면에 많은 미세융모를 가지고 있다. 기능은 확실치 않으나, 후각수용세포의 신호전달 과정을 도울 수 있는 미세환경을 조절하고, 비강을 통해 들어온 독성물질의 해독에 관여하는 것으로 알려져 있다.[28]

기저세포는 후각신경상피에서 가장 깊은 곳인 기저막 바로 위에 있다. 세포분열이 가능하며 그 결과로 후각수용세포와 지지세포로 분화 및 성숙될 수 있다. 후각수용세포는 약 40일의 주기로 소멸되고 새로운 세포로 대치된다. 기저세포는 원형기저세포(globose basal cell)와 수평기저세포(horizontal basal cell)의 두 종류로 나누어진다.

그 외에도 후각신경상피세포의 약 10%를 차지하는 미세융모세포(microvillar cell)가 있는데, 후각수용세포와 유사하게 후구와 연결이 되어 있는 것처럼 보이지만 아직 그 기능이 명확히 알려져 있지는 않다.[41]

점막하 조직에는 신경 다발과 혈관, Bowman 선 등이 있다. Bowman 선에서 나온 관은 상피층을 관통하여 뻗어 있으며, 냄새 분자의 전달에 필요한 점액을 생성하여 후각상피 표면으로 분비한다. 후각점액은 물, 전해질, mucopolysaccharide, 각종 항체 및 효소, 방향제결합단백(odorant binding protein; OBP) 등이 포함되어 있다. 점액 분비는 상경신경절(superior cervical ganglion)에서 나오는 아드레날린성 교감 신경에 의해 영향을 받아 dopamine이나 norepinephrine 같은 catecholamine이 고유층(lamina propria)에 있는 신경 종말로부터 분비가 된다. 또한 자극에 의한 삼차 신경의 흥분에 의해서도 catecholamine이 점액 속으로 분비되어 냄새에 대한 민감도를 변화시킨다고 알려져 있다. 그러므로 점막하 조직의 기능의 변화는 직간접적으로 후각수용세포의 기능에 영향을 준다고 생각된다.[4,11,24,35]

2. 후구(Olfactory bulb)

후구는 후각수용세포와 대뇌 사이에서 신경정보가 처리되는 중간 정류장 역할을 하는 조직으로, 포유류에서 주 후구(main olfactory bulb)와 부 후구(accessory olfactory bulb)로 구분된다. 주 후구는 구형의 구조물로 사상판 위에 얹혀있고, 후각수용세포의 신경정보가 처리된다. 부 후구는 pheromone을 감지하는 서골코기관(vomeronasal organ)의 정보가 처리되는 곳으로 인간에서도 존재하는지는 아직 명확하지 않다.

후구는 6개의 뚜렷한 층으로 구분되는데, 가장 바깥쪽부터 후각신경층(olfactory nerve layer), 사구체층(glomerular layer), 외총상층(external plexiform layer), 승모세포층(mitral cell layer), 내총상층(interal plexiform layer), 과립세포층(granule cell layer)으로 구분된다. 후각신경층에는 후각신경세포로부터 유래한 많은 신경축삭이 분포한다. 이 신경축삭들은 두 번째 층인 사구체층에서 승모세포나 소방세포의 수상돌기와 함께 실타래 모양의 사구체라는 독특한 신경접합부를 형성한다(그림 3-1).[3] 사구체는 신경세포 없이 축삭과 수상돌기만으로 구성된 무세포 구조로 후각신경정보가 처리되는 가장 중요한 장소라고 할 수 있다.[31] 후구의 주된 세포인 승모세포(mitral cell)와 소방세포(tufted cell)는 이차전달뉴우론(second relay neuron)으로 후각수용세포의 신경정보를 처리 후 후각신경로(olfactory tract)를 형성하여 대뇌 후각중추로 전달하는 역할을 수행한다. 그러나 승모세포는

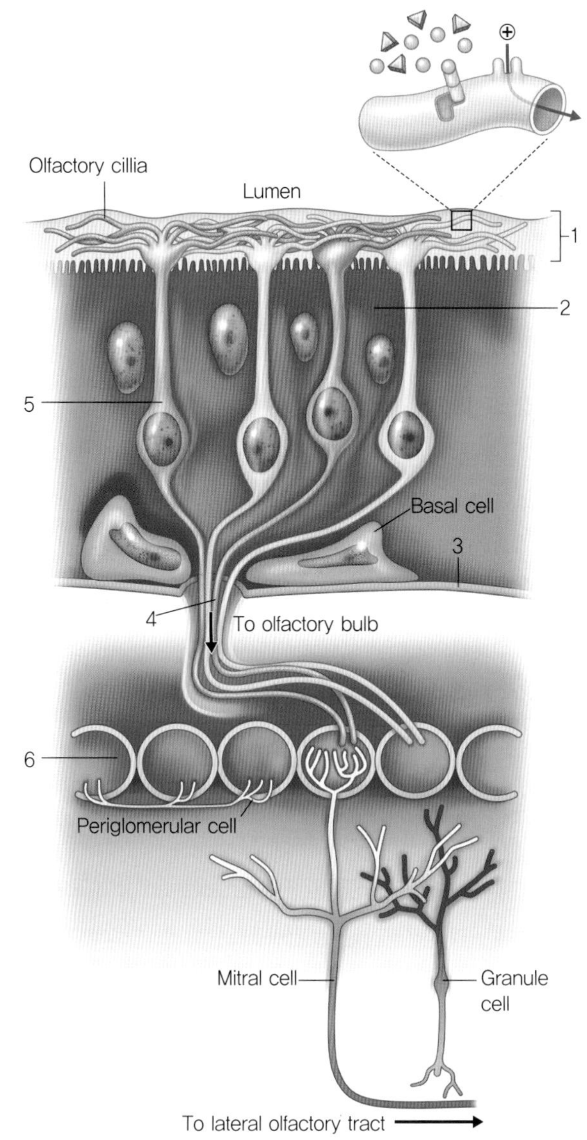

■ 그림 3-1. **후각신경상피와 후구의 기능적 해부학적 소견.** 한 개의 후각수용세포는 한 종류의 후각 수용체만을 발현한다. 특정 후각수용체를 발현하는 후각수용세포의 축삭들은 후구 내의 같은 사구체로 수렴하여 승모-소방세포의 수상돌기와 신경 연접을 형성한다. 사구체를 떠난 승모-소방세포의 축삭은 외측후각선을 타고 상위의 후각중추에 이르게 된다. 후구 내에서 사구체주위세포와 과립세포에 의해서 후각신경정보의 수정과 조정이 이루어진다. 1: Mucus, 2: Supporting cell, 3: Basement membrance, 4: Olfactory neuron axons, 5: Olfactory sensory neuron, 6: Glomerulus

승모세포층에, 소방세포는 외총상층에 분포하며, 연결되는 대뇌중추의 부위나 수상돌기의 분포, 신경전달물질(neurotransmitter) 등에서 차이가 있는 것으로 알려져 있다. 승모세포와 소방세포 모두 한 개의 주요 수상돌기가 한 개의 사구체와 연결되어 있어 수많은 후각수용세포의 축삭과 신경접합부를 형성하며, 사구체 내에서 사구체주위세포의 수상돌기와도 신경접합부를 형성한다. 또한 외총상층에 많은 이차수상돌기(secondary dendrite)를 분지하여 과립세포(granule cell)와 수상돌기간 연접(dendrodendritic synapse)을 한다.[49]

그 외 과립세포, 사구체주위세포(periglomerular cell), 단축삭세포(short axon cell) 등의 중간뉴우론(interneuron)이 존재한다. 사구체주위세포는 사구체 내에서 후각수용세포의 축삭과 연접을 하고, 승모-소방세포의 수상돌기, 전후각신경핵(anterior olfactory nucleus) 쪽에서 후구로 들어오는 중추원심섬유(centrifugal fiber)와도 연접을 한다. 대부분의 사구체주위세포는 승모-소방세포에 억제 신경세포로 작용한다. 과립세포는 축삭이 없는 특이한 신경세포로 후구에서 가장 많은 중간뉴우론이다.[17,20]

3. 후각피질(Olfactory cortex)

후각피질은 전두엽의 기저부와 측두엽의 내측 영역에 위치하며, 후구와는 후삭(olfactory tract)에 의해서 연결된다. 후삭은 전관통질(anterior perforated substrance) 앞쪽의 후삼각(olfactory trigone)에서 내측, 중간, 외측의 3개의 후각선(olfactory stria)으로 갈라진다. 후각피질에는 후구로부터 직접 후각신경정보를 받아들이는 일차후각피질(primary olfactory cortex)과 여기에서 시상(thalamus)을 거쳐 받아들이는 안와전두피질(orbitofrontal cortex)이 있다. 일차후각피질은 외측 후각선(lateral olfactory stria)을 통해 후구로부터 구심섬유를 받아들이며, 이상피질(piriform cortex), 편도체주위피질(periamygdaloid cortex), 내후각뇌피질(entorhinal cortex)의 세 부분으로 구성되어 있다.

후각자극은 자율신경계를 통해 내장반응(visceral response)을 일으킨다. 가장 대표적인 것이 내측전뇌다발(medial forebrain bundle)로서 여러 시상하부핵(hypothalamic nuclei)과 중뇌변연구역(midbrain limbic area) 및 중격신경핵(septal nuclei)과 연결되어 있다. 후각신경계는 시상의 등쪽내측신경핵(dorsomedial nucleus)과 연결되는데 이 부위는 전전두엽피질(prefrontal cortex)과 연결되어 기분(mood)에 영향을 준다. 내측후각영역은 측두엽의 신피질(neocortex)과 안와전두피질(orbitofrontal cortex)과 직접적인 연결을 갖는다. 후각중추로부터 생성된 후각정보는 실비안열(Sylvian fissure)에 위치한 뇌섬엽(insula)으로도 전달되며, 이 곳은 시상의 VPM핵(ventroposteromedial nucleus of thalamus)으로부터 미각에 대한 정보도 받아들인다. 따라서 뇌섬엽은 후각과 미각의 정보가 통합되어 풍미(flavor)라는 감각을 생성하는 곳으로 추정된다.[39]

4. 후각의 신호전달과정 (Olfactory signal transduction)

기체 상태의 방향제(odorant)가 후각 점액 속으로 흡수되어 방향제결합단백과 결합하여 후각수용세포의 섬모로 이동하고, 섬모막에 있는 수용체 단백과 상호 작용을 하게 된다.[13] 약 3만 개로 알려져 있는 인간의 유전자 중에 후각수용체 유전자의 수는 약 1000개로, 전체 유전자의 3%에 해당하는 매우 많은 유전자가 후각수용체 생성에 관련되어 있다. 이중 약 350개가 후각수용체를 생성하는 진성 유전자이고 다른 560여 개의 유전자는 가성유전자(pseudogene)이다.[6,10,26] 개개의 후각수용세포는 한 종류의 후각수용체만을 발현한다. 따라서 인간이 약 만에서 10만 가지 정도의 냄새를 구분할 수 있다고 알려져 있으므로, 제한된 후각수용체로 수많은 냄새를 감별하기 위해서는 후각수용체 신호의 적절한 조합이 필요하다.[29,31]

생쥐에서 후각수용체는 비강 내의 일정한 부위에 국한되어 분포하는 영역별분포(zonal distribution)를 보인다. 모두 4개의 영역이 있으며 개개의 후각수용체를 발현하는 후각수용세포는 정해진 영역 내에서 무작위로 산재하여 분포한다.[32,38] 그러나 인간에서도 이러한 영역별 분포가 있는지 아직 알려져 있지 않으며, 어떻게 개개의 후각수용체포가 특정 수용체를 선택적으로 가지며, 이런 발현양상이 계속되는 후각수용세포의 재생에도 유지되어지는지에 관해서도 밝혀져 있지 않다.

냄새 신호는 휘발성 화학 물질(volatile chemical)이 수용체에 결합하여 분자 모양의 변화가 생기면 세포 내에 일어나는 일련의 과정에 의해 생성된다. 포유류에서는 G-단백(Golf)이 adenylyl cyclase를 활성화 시키고, 이것이 ATP를 cyclic AMP로 변화시킨다.[31,40] 이렇게 전달된 신호는 cyclic nucleotide-gated (CNG) 이온 통로를 열어 Na^+, Ca^{2+} 같은 양이온들이 유입되도록 해 탈분극(depolarization)을 일으킨다. 유전자 변형으로 이 통로가 없도록 만든 실험동물들은 대부분의 냄새를 맡을 수 없지만 전혀 못 맡지는 않는 것으로 보아 CNG 통로가 후각수용세포가 냄새 자극에 반응하는 주된 경로이긴 하나 유일한 기전은 아니라는 것을 알 수 있다.[5,50]

그 외의 경로로 inositol-1,4,5-triphosphate (IP3)가 알려져 있으며, 막 채널의 개방을 통해 칼슘 반응에 관여한다.[1] 유입된 칼슘이온은 chloride 통로를 열어 후각수용세포 내에 높은 농도로 존재하는 Cl^-가 세포 밖으로 나가게 함으로써 탈분극 효과를 강화한다.[19,30]

또한 증가된 calcium과 cyclic AMP는 Protein kinase A나 calcium/calmodulin kinase II같은 protein kinase들을 활성화시킴으로써 냄새 신호의 종료와 후각 적응(adaptation)에 관여한다. 유입된 calcium은 Na^+/Ca^{2+}exchanger를 통해 제거되며 이러한 calcium 항상성 경로(homeostatic pathway)는 여러 가지 약물이나 질병에 의해 영향을 받을 수 있으며, 세포 내 calcium 농도가 과하게 증가하면 후각수용세포의 수명이 짧아지

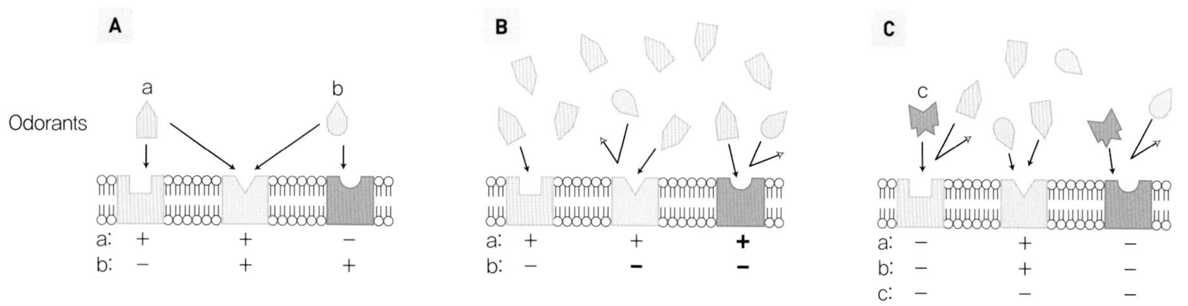

■ 그림 3-2. **여러 방향제가 섞여 있을 때의 후각의 부호결정(coding) 모델.** **A)** 한 가지 방향제(a 또는 b)는 여러 후각 수용체에 의해 인식될 수 있다. **B)** 한 가지 방향제가 고농도로 존재하면 다른 방향제의 결합을 방해하거나(b의 진하게 표시된 -), 수용체의 친화력을 변화시킬 수 있다(a의 진하게 표시된 +). **C)** 수용체 결합 부위는 활성화되지 않고 어떤 방향제(c)에 의해 봉쇄될 수 있다(negative).

거나 기능장애 등을 초래할 수 있다.[33]

세포막 탈분극으로 생긴 활동 전위는 축삭을 타고 전달되어 후각 사구체 내의 신경연접에서 신경전달물질인 glutamate를 방출하여 승모세포를 활성화시키고 후각 피질로 활동 양상을 전달한다.[37]

5. 후각의 식별 기전

우리가 일상생활에서 만나는 대부분의 냄새들은 수십에서 수천 가지의 휘발성 화학물질들이 섞여있는 것으로 어떻게 이러한 복합적인 자극을 한 가지 향으로 해독할 수 있는지는 아직 잘 알려져 있지 않다(그림 3-2).[18,37]

한 개의 방향제는 여러 개의 후각수용체들과 결합할 수 있고, 한 개의 후각수용체도 많은 방향제들과 결합할 수 있다. 각각의 냄새는 특정 조합의 수용체들을 활성화시키고 같은 수용체를 가진 후각수용세포들은 후구 내의 같은 사구체로 전달되어, 한 개의 사구체마다 한 개씩 연결되어 있는 승모세포에 의해 활동 양상이 감지된다. 사구체의 활동 양상은 사구체주위세포, 과립세포, 소방세포의 활동에 의해 더 동조된 후 후각 피질로 전달되고 여기에서 특정 냄새로 인지된다. 사구체 간에도 억제 중간뉴우론(inhibitory) (interneuron)에 의해 매개되는 연결이 있어 놀랄만큼 다양한 종류의 냄새를 맡을 수 있게 된다.[20,27]

후각수용세포에서 후구로 축삭이 연결될 때 후각수용체에 따라서 같은 사구체로 수렴되었던 것과는 달리 승모-소방세포는 후각피질에서 넓은 영역에 걸쳐 산재되어 있는 적어도 15개의 추체세포(pyramidal cell)로 분산되어 연결된다. 따라서 후각피질의 신경세포에는 여러 후각수용체로부터 동시에 후각신경신호가 전달된다. 방향제에 따라서 자극되는 후각피질의 신경세포 양상은 개체가 다르더라도 매우 일정한 양상을 보인다. 자극되는 신경세포의 수 및 영역의 넓이는 냄새분자의 농도가 증가함에 따라서 늘어난다. 한편 구조적으로 연관이 있는 냄새분자들은 이상피질에서 매우 근접한 신경세포들을 자극한다.[48,49]

II 미각계의 해부와 생리

1. 미뢰(Taste bud)

미뢰는 구강, 인두, 후두, 식도 입구부 등에 분포하며, 술통형 구조(barrel-shaped structure)로 미각수용세포(taste receptor cells)와 기저세포(basal cell)로 구성되어 있다. 미각수용세포는 전자현미경상의 미세구조에 따라 암세포(dark cell) 명세포(light cell) 중간세포(intermediate cell) 등으로 구분이 가능하며, 동심성(concentric fashion)으로 배열하고 있다. 첨단부에는 많은 미세

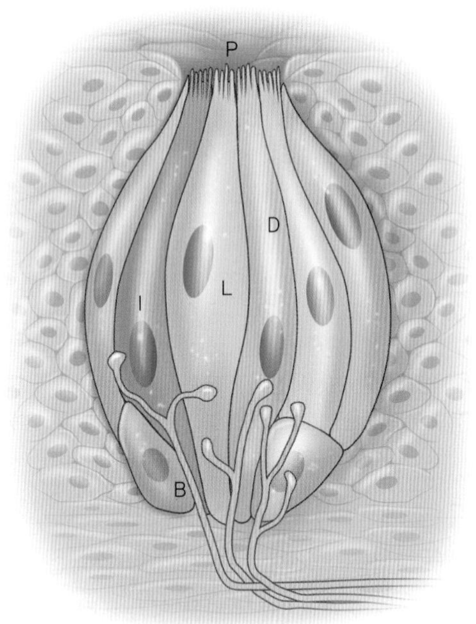

■ 그림 3-3. **미뢰의 구조.** 미각수용세포는 암세포(D), 명세포(L), 중간세포(I) 등으로 구분되며, 기저부에 기저세포(B)가 있어 재생이 가능하다. 미각수용세포의 첨단부에 있는 미세 융모들은 구강 내의 미각 구멍(taste pore) (P)을 향해 돌출해 있고, 기저 측면막에는 구심성 신경과 신경 접합부를 형성한다.

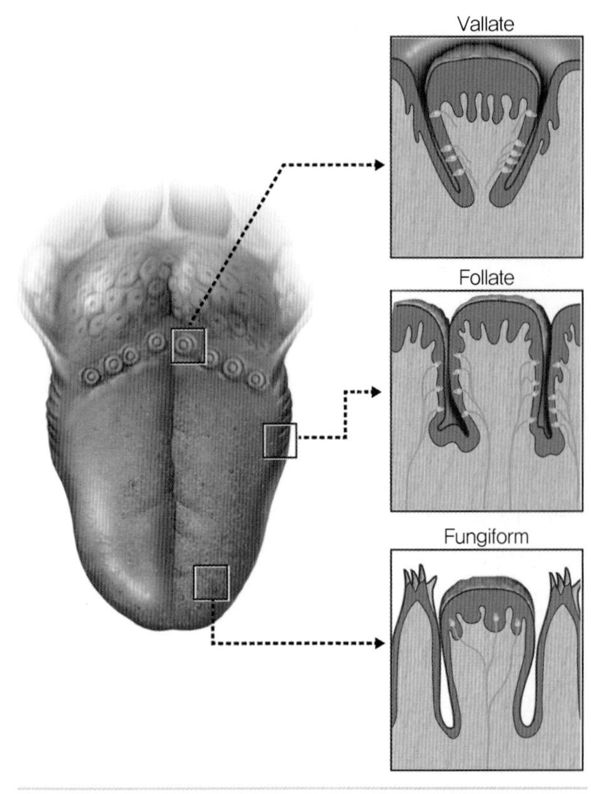

■ 그림 3-4. **유두의 구조와 위치.** 유곽유두와 잎새유두는 혀의 후방부에 위치하고 버섯유두는 혀의 전방 2/3에 산재되어 있으며, 각각 미뢰를 포함하고 있다.

융모들이 구강의 상피 사이에 있는 미각구멍(taste pore)을 향하여 돌출해 있어 미각 자극물질과 접촉을 하게 된다. 기저측면막(basolateral membrane)에서는 구심성 신경섬유들과 신경접합부를 형성하며, 전형적인 미뢰는 50~150개의 미각수용세포를 포함한다(그림 3-3).[25] 미각수용세포들은 약 10일의 평균 수명을 가지고 있고 후각수용세포처럼 기저세포층으로부터 계속적으로 재생된다. 신경계가 새로 생긴 세포들과 새로운 연결을 만들고 죽어가는 세포들과는 연결을 끊으면서, 어떻게 단맛은 단맛으로, 짠맛은 짠맛으로 똑같이 느끼도록 유지되는지에 대해서는 아직 확실히 밝혀진 바가 없는 상태이다. 하나의 신경섬유는 하나 이상의 미뢰를 지배하고 각각의 미뢰들도 몇 개의 다른 구심성 신경에 의해 지배받는다.[12,45]

미뢰는 혀의 배면(dosal lingual surface)에 가장 많고 유두(papilla) 내에 포함되어있다. 연구개나 인후두 등 다른 부위에서는 평평한 상피표면에 분포한다. 혀에는 4가지 형태의 유두가 있고 혀의 다른 부위에 위치한다(그림 3-4).[4] 버섯 유두(fungiform papilla)는 혀의 앞쪽 2/3에 분포하며 약 200~300개가 있으며, 개인차가 크지만 약 1600개의 미뢰를 포함하고, 제7 뇌신경의 분지인 고실신경(chorda tympani)에 의해 지배를 받는다. 유곽유두(vallate papilla)는 혀의 전방 2/3와 후방1/3 사이에 V자형으로 분포한다. 8~12개의 유두로 구성이 되고 각각 약 250개의 미뢰들이 있어 평균 3,000개가 있고, 제9 뇌신경인 설인신경(glossopharyngeal nerve)에 의해 지배받는다. 잎새유두(foliate papilla)는 혀의 양 가장자리에 있는 주름과 틈새에 있으며 약 1,280개의 미뢰가 있다. 실유두(filiform papilla)에는 미뢰가 없어 미각에 직접적으로 관여하지는 않지만, 혀의 표면을 거칠게 만들어 음식물을 조작하기 용하도록 도와주고, 체감각(somatosensory) 기능을 향상시키는 것으로 알려져 있다.[4,47]

미각 신경섬유에 의한 신경지배가 미뢰의 형성과 유지에 필요하며 신경공급이 없어지면 퇴화하는 것을 볼 수 있다. 후각 수용체 세포는 신경세포인데 반해 미각세포들은 변형된 상피세포이다. 그러나 신경세포의 많은 특징을 가지며, 다양한 세포표면 분자와 신경항원들이 발현된다. 쥐의 유곽유두와 설인신경에서 발현되는 NCAM (neural cell adhesion molecule)은 신경이 절단되면 미뢰가 퇴화함에 따라 발현이 사라지게 된다. 유곽유두에 신경재지배(reinnervation)가 이루어지게 되면 먼저 신경에서 NCAM이 발현되고, 이어 표피의 분화와 함께 분화된 미각수용세포에서도 발현된다.[45]

2. 미각의 중추 신경 경로

버섯유두와 잎새유두 중 앞쪽에 위치한 미뢰들은 고실신경에 의해 지배를 받는다. 안면신경 분지인 대천추체신경(greater superficial petrosal nerve)은 소구개신경(lesser palatine nerve)을 통해 연구개의 미뢰에, 비구개신경(nasopalatine nerve)을 통해 비절치관(nasoincisor duct)에 있는 미뢰를 지배한다. 고실신경과 대천추체신경의 두 분지는 슬신경절(geniculate ganglion)을 거쳐 미각 정보를 연수의 고립로핵(nucleus of solitary tract)에 전달한다. 혀 후방에 위치한 잎새유두와 유곽유두에 있는 미뢰들은 제9 뇌신경의 설편도(lingual-tonsillar) 분지에 의해 지배받으며, 추체신경절(petrosal ganglion)을 거쳐 연수로 간다. 후두개의 후두쪽 면과 피열후두개주름(aryepiglottic fold), 식도 상부에 위치한 미뢰들은 제10 뇌신경의 분지인 상후두신경(superior laryngeal nerve)의 내분지에 의해 지배를 받으며, 결절신경절(nodose ganglion)을 거쳐 연수의 고립로핵으로 들어간다. 그 외에, 삼차신경의 말단이 혀에 분포하여 강하고 불유쾌하거나 자극적인 감각을 감지한다.[2]

이와 같이 미각 정보는 제7, 9, 10번 뇌신경의 구심성 섬유를 통해 연수의 1차 미각 중추인 고립로핵으로 전달되고, 2차 미각 중추인 팔결핵(parabrachial nuclei)으로 상행 섬유가 투사한다.[8] 팔결핵에서 시상피질투사(thalamocortical projection)가 미각 정보를 담고 시상의 VPM 핵(ventroposteromedial nucleus of thalamus)과 미각 신피질(gustatory neocortex)로 정보를 전달한다. 시상피질투사와 평행하게 섭식과 자율신경조절에 관여하는 변연계인 외측 시상하부(lateral hypothalamus), 편도 중간핵(central nucleus of the amygdala), 분계선조 침상핵(bed nucleus of the stria terminalis) 등으로 미각의 구심성 정보를 나르는 제2의 투사경로가 있다.[22,36,42,46]

미각계 내로의 하행 축삭(descending axon)들이 뇌섬엽(insular cortex)과 몇몇 배측 전뇌부(ventral forebrain area)로부터 내려오고 팔결핵과 고립로핵으로 투사한다. 또한 고립로핵 내의 신경세포들과 구강, 안면, 인두의 운동핵의 세포들 간에 직접 또는 그물체(reticular formaion) 내의 중간뉴우론(interneuron)을 통한 많은 국소연결이 있다. 이러한 후뇌계(hindbrain system)들은 섭취한 음식물의 섭취나 거부와 관련된 미각관련 반응들을 형성한다.[34,44]

3. 미각의 신호전달과정

후각이나 체지각 같은 다른 자극이 없는 상황에서 미각은 단맛, 짠맛, 신맛, 쓴맛의 네 가지 기본적인 맛으로 나눌 수 있고, 여기에 감칠맛(umami)을 추가하여 다섯 가지로 분류하기도 한다.[14] 맛의 인지는 맛을 내는 물질이 미각수용세포 첨단부의 미세융모에 닿았을 때 시작되며, 통상 짠맛과 신맛은 이온 채널에 의해 변환되고, 나머지는 G-단백 연결 수용체에 의해 변환된다. 이러한 상호작용은 연쇄증폭반응(signaling cascade)을 유발하고 미뢰의 기저부에 접합하고 있는 구심성 미각 신경 섬유를 따라 뇌로 신호가 전달된다(그림 3-5).[25,45]

단맛은 포도당 등 각종 당분자가 G-단백 연결 수용체

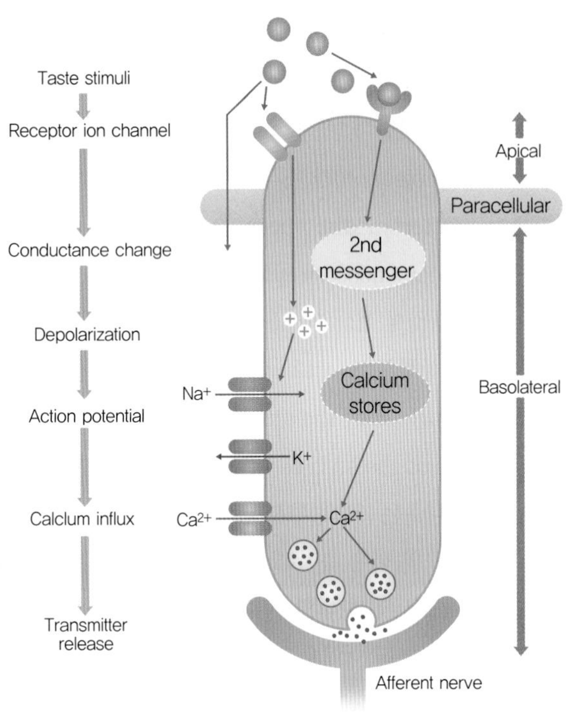

■ 그림 3-5. **미각수용세포에서의 신호전달과정.** 미각 자극물질이 막수용체에 결합하거나 이온 통로를 변화시킴으로써, 막전도성 변화, 탈분극, 활동전위 유발, Ca2+ 유입, 신경전달물질 유리 등의 연쇄증폭반응이 유발된다.

와 결합하면 수용체의 구조가 바뀌면서 세포 안에서 일어나는 일련의 과정에 의해 신호가 전달된다. 당분자는 몸에서 분해돼 칼로리를 내기 때문에 생존에 매우 중요하므로 인간은 달콤한 맛에 쾌락을 느끼도록 진화되었다. 감칠맛 수용체는 아미노산의 하나인 글루탐산을 감지한다. 글루탐산은 주로 고기나 생선에 풍부하게 들어있고 영양이 풍부한 음식임을 나타내는 신호이며, 음식에 맛을 더하는 합성조미료도 글루탐산염이다. 단맛과 감칠맛을 감지하는 수용체의 유전자는 세 개로 알려져 있으며, 각각 T1R1, T1R2, T1R3로 불리는 수용체 단백질을 만든다. 이 가운데 T1R2와 T1R3가 결합되면 단맛을 감지하고, T1R1가T1R3가 결합되면 감칠맛을 감지하는 것으로 밝혀졌다.[7,23]

짠맛과 신맛의 수용체는 이온 채널의 형태이다. 나트륨이온이나 수소이온이 직접 막전압에 의존하는 양이온 통로를 통하여 세포 내로 이동하면 막전위의 탈분극이 일어나고, 칼슘의 유입과 신경전달물질의 방출로 이어진다. 세포막에 존재하는 짠맛과 관련된 나트륨 통로(epithelial sodium channel, ENaC)는 막전압 의존형이고 설치류에서는 amiloride에 의해 선택적으로 차단되는 amiloride 민감성 나트륨 통로의 성질을 가지고 있다. 그러나 인간의 짠맛은 amiloride에 차단되지 않는 수가 많아 짠맛의 식별 기전이 다른 동물과 다른 것으로 생각되며 아직까지 불확실한 상태이다. 몸속의 미네랄이 부족하거나 지나치면 세포활성이나 신경전달에 문제가 생긴다. 따라서 짠맛이 적당하면 유쾌하게 느끼지만 과다하면 불쾌한 느낌으로 바뀌고 너무 싱거운 음식도 맛이 없게 느껴진다. 또, 약한 신맛은 입맛을 돌게 하지만 강한 신맛은 사람뿐만 아니라 동물도 거부한다. 음식을 부패시키는 미생물은 산을 내므로 강한 신맛은 오염된 음식이니 뱉으라는 경고로 쓰이고 풋과일의 시큼한 맛도 아직 당분이 충분치 않아 영양가가 없다는 신호라고 할 수 있다.[45,47]

다른 맛들이 섭취하는 음식의 정보를 알려주는 것이라면 쓴맛은 먹어서는 안 되는 것을 경고하는 역할을 한다. 자연계에서 쓴맛을 내는 분자는 수천 가지나 되고 구조도 다양하여 쓴맛 수용체의 종류도 25가지 정도 되는 것으로 밝혀져 있다.[15,16]

4. 미각의 식별 기전

미각을 식별하는 기전에 대해서는 논란이 있으나 두 가지로 요약할 수 있다. 첫째, 각각의 미각을 전달하는 신경섬유가 별도로 존재한다는 가설이다. 혀에 존재하는 미뢰는 부위에 따라 단맛, 짠맛, 신맛, 쓴맛에 대한 예민성이 차이를 보인다. 이 사실은 기본 미각에 반응하는 미뢰가 각각 존재하며 수용체에서 일어난 흥분이 서로 독립된 신경로(labelled line pathway)를 따라 중추신경에 전달됨으로써 맛을 식별할 수 있다고 생각하였다. 그러나 미각세포나 미각의 단일 구심신경에서 미각물질에 대한 전기적 활성도를 기록하여 보면 미각세포나 미각신경은 단순히 특정 미각 물질에만 반응하지 않고 네 가지 기본 미각물질에 정도의 차이는 있지만 모두 반응함(broad tuning)이 알려졌다. 모든 미각세포나 미각신경은 미각물질에 반응하지만 각각의 흥분성은 물질에 따라 차이를 보이며 가장 예민하게 반응하는 미각물질이 있다. 이것은 하나의 구심성 신경이 분지하여 여러 개의 미뢰와 유두에 분포하며, 미뢰 내에서도 성질이 서로 다른 미각세포에 분포하고 있으므로 다른 여러 개의 미각세포에서 오는 흥분을 모두 전달받게 되기 때문이다. 그리고 각 미각세포는 여러 구심신경 섬유의 지배를 받고 있으므로 단일 감각세포의 흥분은 여러 신경섬유로 전달된다. 두 번째 가설은 이와 같은 미각 신경섬유의 성질로 미루어보아 단일신경섬유의 흥분만으로는 자극물질의 양과 질에 대한 확실한 정보를 얻을 수 없으며, 동시에 미각물질에 반응한 여러 신경섬유가 중추에 투사될 때 그 흥분 정도를 비교하여 가장 강하게 반응하는 자극물질의 질과 농도를 식별할 수 있다는 것이다(across fiber pattern pathway). 이 가설은 신경 집단에 대한 접근으로, 어떤 하나의 세포는 자극의 특성이나 강도를 독립적으로 분명히 나타낼 수 없다. 미각 신경의 다중 감수성이 기본개념이며, 맛을 식별하는 데 세포 집단 전체의 반응을 강조하며 개개의 신경의 역할은 무시한다.[43,45]

참고문헌

1. Boekhoff I, Tarelius E, Strotmann J, et al. Rapid activation of alternative second messenger pathways in olfactory cilia from rats by different odorants. (EMBO J) 1990;9:2453-2458.
2. Bradley RM, King MS, Wang L, et al. Neurotransmitter and neuromodulator activity in the gustatory zone of the nucleus tractus solitarius. (Chem Senses) 1996 ;21:377-385.
3. Breer H, Boekhoff I. Odorants of the same odor class activate different second messenger pathways. (Chem Senses) 1991;16:19-29.
4. Breslin PAS, Huang L. Human taste: Peripheral anatomy, taste transduction, and coding. In: Hummell T, Welge-Lussen A, editors. Taste and smell, an update. Basel: Karger;2006. p.152-90.
5. Brunet LJ, Gold GH, Ngai J. General anosmia caused by a targeted disruption of the mouse olfactory cyclic nucleotide-gated cation channel.(Neuron) 1996;17:681-693.
6. Buck L, Axel R. A novel multigene family may encode odorant receptors: a molecular basis for odor recognition. (Cell) 1991;65(1):175-187
7. Chaudhari N, Landin AM, Roper SD. A metabotropic glutamate receptor variant functions as a taste receptor. (Nat Neurosci) 2000;3:113-119.
8. Cho YK, Li CS, Smith DV. Gustatory projections from the nucleus of the solitary tract to the parabrachial nuclei in the hamster. (Chem Senses) 2002;27:81-90.
9. Firestein S. How the olfactory system makes sense of scents.(Nature) 2001:413:211-218.
10. Fuchs T, Glusman G, Horn-Saban S, et al. The human olfactory subgenome: from sequence to structure and evolution. (Hum Genet) 2001;108:1-13.
11. Getchell ML, Getchell TV. Fine structural aspects of secretion and extrinsic innervation in the olfactory mucosa. (Microsc Res Tech) 1992;23:111-127.
12. Hadley K, Orlandi RR, Fong KJ. Basic anatomy and physiology of olfaction and taste. (Otolaryngol Clin North Am) 2004;37:1115-1126.
13. Kajiya K, Inaki K, Tanaka M, et al. Molecular bases of odor discrimination: reconstitution of olfactory receptors that recognize overlapping sets of odorants. (J Neurosci) 2001;21:6018-6025.
14. Kawamura Y, Kare MR. Umami: (A basic taste.) New York: Marcel Dekker 1987. p.365-385.
15. Kim UK, Drayna D. Genetics of individual differences in bitter taste perception: lessons from the PTC gene. (Clin Genet) 2005;67:534.
16. Kim U, Wooding S, Ricci D, et al. Worldwide haplotype diversity and coding sequence variation at human bitter taste receptor loci. (J Hum Mutat) 2005;26:199-204.
17. Korsching S. Olfactory maps and odor images. (Curr Opin Neurobiol) 2002;12:387-392.
18. Kurahashi T, Lowe G, Gold GH. Suppression of odorant responses by odorants in olfactory receptor cells. (Science) 1994;265:118-120.
19. Kurahashi T, Yau KW. Olfactory transduction. Tale of an unusual chloride current. (Curr Biol) 1994;4:256-258.
20. Leon M, Johnson BA. Olfactory coding in the mammalian olfactory bulb. (Brain Res Brain Res Rev) 2003;42:23-32.
21. Leopold DA, Hummel T, Schwob JE, et al. Anterior distribution of human olfactory epithelium. (Laryngoscope) 2000;110(3 Pt 1):417-421.
22. Li CS, Cho YK, Smith DV. Taste responses of neurons in the hamster solitary nucleus are modulated by the central nucleus of the amygdala.

(J Neurophysiol) 2002 ;88:2979-2992.

23. Li X, Staszewski L, Xu H, et al. Human receptors for sweet and umami taste. (Proc Natl Acad Sci USA) 2002;99:4692-4696.
24. Lobel D, Jacob M, Volkner M, et al. Odorants of different chemical classes interact with distinct odorant binding protein subtypes. (Chem Senses) 2002;27:39-44.
25. MacLeish PR, Shepherd GM, Kinnamon SC et al. Sensory transduction. In: McConnell SK, Roberts JL, Spitzer NC (eds) Fundamental neuroscience. 2nd edition. San Diego: Elsevier science;2003. p.591-629.
26. Malnic B, Godfrey PA, Buck LB. The human olfactory receptor gene family. (Proc Natl Acad Sci USA) 2004;101:2584-2589.
27. McQuiston AR, Katz LC. Electrophysiology of interneurons in the glomerular layer of the rat olfactory bulb. (J Neurophysiol) 2001;86:1899-1907.
28. Menco BP, Morrison EE. Morphology of the mammalian olfactory epithelium: form, fine structure, function, and pathology; in Doty RL (ed):(Handbook of Olfactory and Gustation.) Basel, Dekker, 2003. p.17-49.
29. Menini A, Lagostena L, Boccaccio A. Olfaction: from odorant molecules to the olfactory cortex. (News Physiol Sci) 2004;19:101-104.
30. Menini A. Calcium signalling and regulation in olfactory neurons. (Curr Opin Neurobiol) 1999;9:419-426.
31. Mombaerts P. How smell develops. (Nat Neurosci) 2001;4 Suppl:1192-1198.
32. Mori K, Takahashi YK, Igarashi KM, et al. Mammalian Olfactory Bulb Maps of Odorant Molecular Features. (Physiol Rev) 2006;86:409-433.
33. Noe J, Tareilus E, Boekhoff I, et al. Sodium/calcium exchanger in rat olfactory neurons. (Neurochem Int) 1997;30:523-531.
34. Nowlis GH, Frank ME, Pfaffmann C. Specificity of acquired aversions to taste qualities in hamsters and rats. (J Comp Physiol Psychol) 1980;94:932-942.
35. Pernollet JC, Briand L. Structural recognition between odorants, olfactory-binding proteins and olfactory receptors - First events in odor coding; In Taylor AJ, Roberts DD (eds): (Flavor Perception.) Oxford, Blackwell, 2004. p.86-150.
36. Pfaffmann C. Gustatory nerve impulses in rat, cat and rabbit. (J Neurophysiol) 1955;18:429-440.
37. Rawson NE, Yee KK. Transduction and coding. (Adv Otohinolaryngol) 2006;63:23-43.
38. Ressler KJ, Sullivan SL, Buck LB. A Zonal Organization of Odorant Receptor. (Cell) 1993;73:597-609.
39. Royet JP, Plailly J. Lateralization of olfactory processes. (Chem Senses) 2004;29:731-745.
40. Schild D, Restrepo D. Transduction mechanisms in vertebrate olfactory receptor cells. (Physiol Rev) 1998;78:429-466.
41. Schwob JE. Restoring olfaction: a view from the olfactory epithelium. (Chem Senses) 2005;30(suppl 1): i131-132.
42. Scott TR, Plata-Salaman CR. Taste in the monkey cortex.(Physiol Behav) 1999;67:489-511.
43. Smith DV, John SJ, Boughter JD. Neuronal cell types and taste quality coding. (Physiol Behav) 2000;69:77-85.
44. Smith DV, Li CS, Cho YK. Forebrain Modulation of Brainstem Gustatory Processing. (Chem Senses) 2005;30(suppl_1):i176-177.
45. Smith DV, Shepherd GM. Chemical senses : Taste and olfaction. In: McConnell SK, Roberts JL, Spitzer NC (eds) (Fundamental neuroscience.) 2nd edition. San Diego: Elsevier science;2003. p.631-666.
46. Smith DV, Ye MK, Li CS. Medullary taste responses are modulated by the bed nucleus of the stria terminalis. (Chem Senses) 2005;30:421-434.
47. Smith DV. Taste and smell dysfunction. In: paparella MM, Shumrick DA, Gluckman JL, Meyerhoff WL, editors. (Otolaryngology.) 3rd edition. Philadelphia: WB Saunders Co;1991. p.1911-1934.
48. Zou Z, Li F, Buck LB. Odor maps in the olfactory cortex. (Proc Natl Acad Sci USA) 2005;102:7724-7729.
49. Zou Z, Horowitz LF, Montmayeur JP, et al. Genetic tracing reveals a stereotyped sensory map in the olfactory cortex. (Nature) 2001;414:173-179.
50. Zufall F, Firestein S, Shepherd GM. Cyclic nucleotide-gated ion channels and sensory transduction in olfactory receptor neurons. (Annu Rev Biophys Biomol Struct) 1994;23:577-607.

CHAPTER 04

비강과 부비동 질환의 영상진단

김지훈, 나동규

I 영상진단방법

비강과 부비동의 영상진단방법으로는 단순촬영영상, CT, MRI 영상검사가 사용되고 있으며 이 중 단순 촬영 부비동영상이 가장 기본적인 검사방법이다. 부비동 질환에 대한 영상검사는 진단뿐만 아니라 수술의 결정과 수술 계획을 수립하기 위한 필수적인 검사법으로 활용되고 있으며, 특히 종양환자에서 CT와 MRI 영상에 대한 정확한 평가는 종양의 병기 결정을 위하여 매우 중요하다. 악성 종양의 수술 전 영상 진단 시 종양이 두개기저부(skull base)에 근접되어 있거나 익구개와(pterygopalatine fossa) 부위에 발생하는 경우에는 MRI 영상을 통해 신경주위파급(perineural spread) 및 두개강 침범 유무에 대한 정확한 평가가 중요하다. CT 영상은 골피질의 병변 침윤을 평가하는 데에 가장 우수한 검사법이지만, 골수 침윤 평가 및 연부조직, 신경의 병변 평가에 있어서는 MRI가 우수하다. 질환의 정확한 영상 진단 및 평가를 위해서는 적절한 검사방법이 필수적이다.

1. 단순촬영영상

1) Waters 영상(Occipitonasal view)

환자의 선 자세 또는 엎드린 자세에서 턱을 필름에 붙이고 안와외이도 연장선(orbitomeatal line; OM선)이 필름면과 37° 각도를 갖도록 두부를 뒤로 신전시킨 후 방사선 중심선이 필름과 수직이 되도록 하여 촬영한다. 이때 추체첨(petrous pyramid)이 상악동 최저부 직하방에 중첩되도록 두부를 충분히 신전시킴으로써 보다 좋은 영상을 얻을 수 있다.[44]

Waters 영상은 상악동을 전면에서 가장 잘 평가할 수 있는 영상으로, 전사골동과 전두동의 저부(floor)도 잘 관찰할 수 있다. 또한 접형동이 잘 발달된 경우에는 중앙부에서 관찰할 수 있으며, 이 외에 상악동 내외측벽, 종이판(lamina papyracea)의 전방부, 안와저부(orbital floor)의 전방부, 전두골의 광대돌기(zygomatic process)와 협골의 전두돌기(frontal process)로 이루어진 안와 측벽, 관골궁(zygomatic arch) 등도 관찰할 수 있다(그림 4-1).

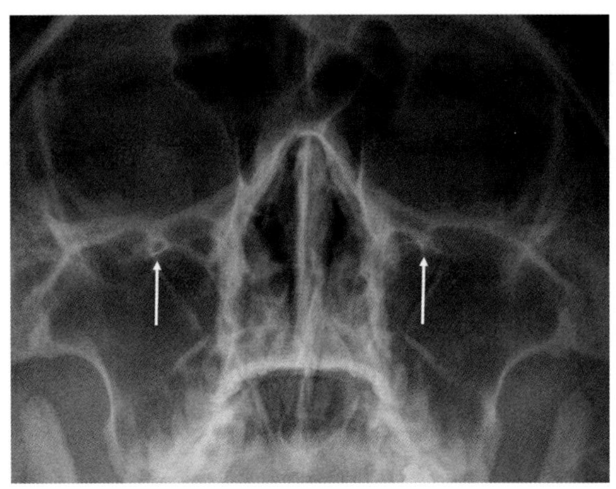

■ 그림 4-1. **정상 Waters 영상.** 상악동이 가장 잘 보이는 영상으로 전두동과 안와윤 등을 확인할 수 있다. 안와 하공(infraorbital foramen, 화살표)이 잘 보인다.

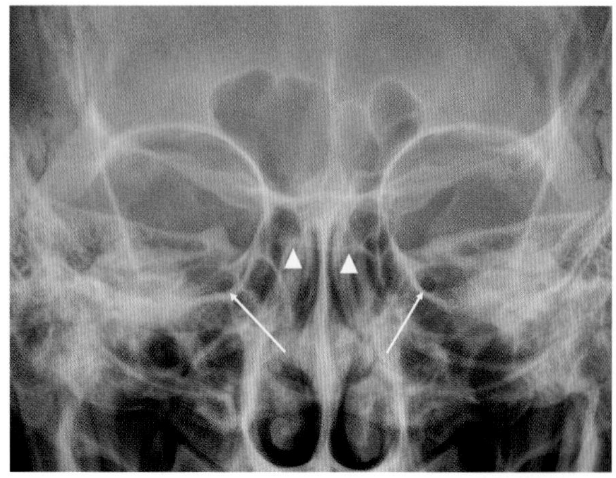

■ 그림 4-2. **정상 Cadwell 영상.** 전두동과 전사골동이 잘 보인다. 터키안 마루(화살표 머리) 및 정원공(화살표) 등이 보인다.

안면부 외상 환자에서 안면골 골절을 확인할 수 있는 중요한 영상이며 공기액체층(air–fluid level)을 확인할 수 있는 영상이다.[22,44]

2) Caldwell 영상(Posteroanterior view)

환자는 좌위(sitting position) 또는 엎드린 자세에서 전두부(frontal area)와 코끝을 필름에 밀착시키고 OM선이 필름에 수직이 되게 한 후에 방사선 중심선은 후두융기로부터 약간 상부에서 코끝 방향으로 OM선과 15° 각도가 되도록 하여 촬영한다. 정확한 자세로 촬영된 영상에서는 추체첨(petrous pyramid)이 안와 하방 1/3 부위에 위치해야 한다. Caldwell 영상은 전면에서 전두동과 사골동을 가장 잘 평가할 수 있는 영상이다.

다른 부비동에 비하여 전두동을 가장 명확하게 평가할 수 있으며, 사골동에 대해서는 전사골동과 후사골동이 중첩해서 보이는 단점이 있으나 사골동 전체의 음영을 파악하는 데 좋으며 Waters 영상과 비교 관찰함으로써 전사골동과 후사골동의 구별이 가능할 수 있다. 상악동 상부는 추체첨과 중첩되어 불분명하지만 안와저부의 후방부, 사골상악판(ethmomaxillary plate), 상악동의 내벽과 하벽 등을 관찰할 수 있다. 접형동은 사골동과 중첩되어 관찰할 수 없지만 접형동 상벽인 접형평면(planum sphenoidale)을 잘 관찰할 수 있다. 또한 원형구멍(foramen rotundum), 계관(crista galli), 상안와열(superior orbital fissure), 비중격, 중·하비갑개 등을 관찰할 수 있다(그림 4-2).[22,44]

3) 측면영상(Lateral view, bitemporal view)

환자는 앉은 자세 혹은 엎드린 자세에서 안면의 측두부(temporal portion)를 필름에 붙이고 두부의 정중선을 필름과 평행하게 한 다음, 방사선 중심선이 필름 중앙부에 외안각(lateral canthus)을 향해 필름에 수직이 되도록 하여 촬영한다. 측면영상 촬영 시 측면에서 머리를 필름 방향으로 5° 회전하여 off lateral 영상으로 측면영상을 촬영함으로써 상악동의 후방벽이 겹치지 않게 되어 후방벽 경계에 대한 평가가 가능하다.

측면 영상에서는 좌우측의 부비동이 중첩되는 문제가 있으나, 전두동의 크기, 깊이, 전후벽의 두께와 접형동의 함기화 정도를 평가할 수 있다. Caldwell 영상에서 편측의 전두동이 혼탁상을 보이는 경우 전두동염이 아닌 두꺼운 전두동 전벽으로 인한 혼탁상일 수 있으므로 측면영상과 비교하여 잘 관찰해야 한다. 또한 터키안(sella turci–

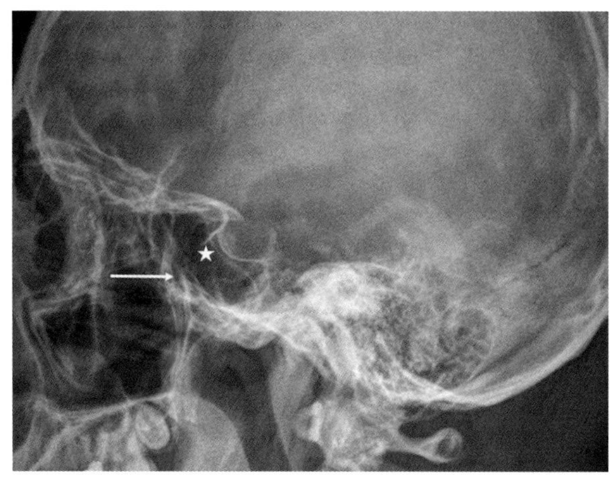

■ 그림 4-3. **정상 측면 영상.** 접형동(별표) 및 터키안 등이 가장 잘 보인다. 안와와 전두동 및 익구개와(*표) 등을 확인할 수 있다.

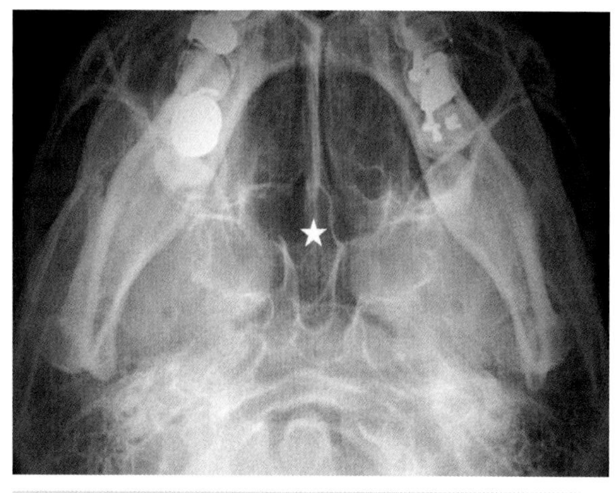

■ 그림 4-4. **정상 기저 영상.** 접형동(별표)이 잘 보이는 영상으로 기저부에 여러 개의 공을 확인 할 수 있다.

ca), 비인강, 연·경구개, 익구개와 등을 관찰할 수 있다. 이러한 영상은 비강 및 비인강 내 이물질, 뇌척수액 비루(CSF rhinorrhea)의 증상을 보이는 두개저 골절이 의심될 때, 아데노이드절제술과 경비뇌하수체절제술(trans-nasal hypophysectomy)에 필요한 영상이다(그림 4-3).[22,44]

4) 기저영상(Basal view, submentovertical submentovertex view)

앉은 자세 혹은 엎드린 자세에서 머리를 최대한 뒤로 신전시켜 두정부(vertex)를 필름에 닿게 하여 안와아래 경계와 외이도 중앙부를 연결하는 안와아래 선(infraorbital line)이 필름과 평행을 이루도록 한 후 방사선 중심선이 필름에 수직이 되도록 턱 끝에서 두정부로 향하게 하여 촬영한다. 경부의 퇴행성 질환이 있거나 비만한 환자에서 자세 잡기가 어려울 때에는 누운 자세로 촬영할 수도 있다. 기저영상은 접형동을 가장 잘 관찰할 수 있으며 후사골동, 상악동의 후외측벽, 타원공(foramen ovale)과 가시구멍(foramen spinosum)을 포함한 중두개와저부(floor of the middle cranial fossa) 등을 관찰할 수 있다(그림 4-4).[22]

5) 코뼈 측면, 축영상(Nasal bone lateral, axial view)

코뼈 측면영상은 환자가 반 엎드린(semiprone) 자세에서 머리의 정중 시상면이 촬영대에 평행하도록 하고 동공간선(interpupuillary line)이 이면에 수직이 되도록 한 다음 필름 중앙이 비근점(nasion)에 위치하도록 하여 촬영한다.

코뼈 축영상은 환자의 치아 사이에 정확하게 교합필름(occlusal film)을 위치시키거나 혹은 턱 아래에 필름을 위치시킨 후 방사선 중심선이 미간치조선(glabelloalveolar line)을 따라 필름면에 정확히 직각이 되도록 하여 촬영한다.

코뼈는 측면영상에서 가장 잘 관찰되는데, 비전두 봉합(nasofrontal suture)이 비근점 부위에서 보이고 비상악 봉합(nasomaxillary suture)이 관찰된다. 간혹 비섬모체신경(nasociliary n.)혹은 혈관이 지나는 열구(fissure)가 코뼈의 측면에서 보일 수 있으나 코뼈의 중앙선을 가로 지르는 그 외의 저음영선(radiolucent line)은 정상에서 보여서는 안 된다.[44]

2. 전산화단층촬영술(Computed tomography; CT)

CT 영상검사는 부비동과 인접한 구조물을 평가하기 위한 가장 우수한 검사법으로 관상면(coronal plane) CT 영상은 개구비도단위(ostiomeatal unit)(이하 OMU)를 가장 잘 평가할 수 있는 영상이다. 부비동 평가를 위한 CT 영상은 관상면 영상이 기본영상이며 추가로 축상면(axial plane) 및 시상면(sagittal plane)이 사용될 수 있다. 이전에는 직접 관상면 영상을 촬영하는 것이 일반적으로 사용되어 왔으며 이 경우 관상면 단층촬영은 복와위(prone position)로 촬영하는 것이 표준방법인데, 앙와위(supine position)로 촬영하는 경우 환자의 두부를 뒤로 과신전(hyperextension) 한 자세에서 갠트리를 경구개에 수직각도로 하여 촬영한다.

나선형(spiral, helical) CT는 짧은 시간만으로 촬영이 가능하고 재구성이 용이하여 복와위(prone position)가 어려운 환자나 협조가 안 되는 소아 환자의 경우를 포함하여 모든 환자에서 축상면으로 영상을 얻은 후에 관상면을 재구성할 수 있다.[16] 최근에는 다중검출기(multidetector) CT를 사용하여 축상면 영상을 얻은 후 관상면 및 시상면을 재구성하는 방법이 많이 활용되고 있는데 보다 빠르고 고해상도의 영상을 얻을 수 있는 장점을 갖는다(그림 4-5).

일반적으로 부비동 평가를 위한 CT는 3 mm의 절편 두께로 촬영한다. 또한 다중검출기 CT로 영상을 얻은 후 삼차원 재구성(3-D reconstruction)하여 안면골과 두개저 사이의 입체구조를 형상화할 수 있다. 단면영상을 컴퓨터 처리한 3차원 재구성영상은 표면해부학적 관찰을 시행할 때나 교정수술을 계획할 때 외과의에게 좋은 지표가 됨으로써 수술 시에 발생하는 합병증을 최소화하는 데 기여한다.

CT는 비부비동과 주변의 구조를 관찰하는 데 가장 좋은 영상으로 뼈, 연조직과 공기음영을 적절히 나타낼 수 있어서 부비동 주변의 정상해부와 병변의 범위를 정확히

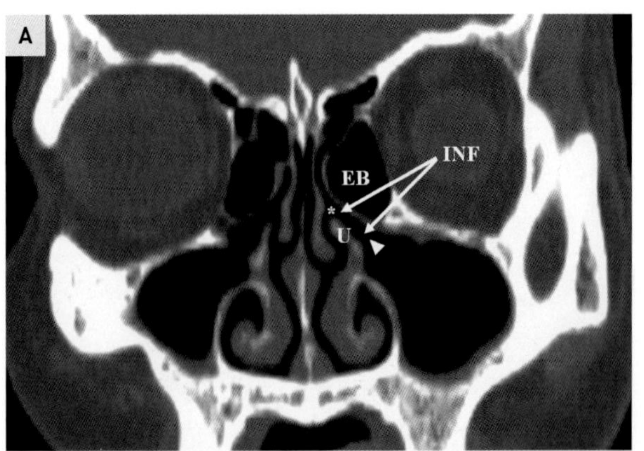

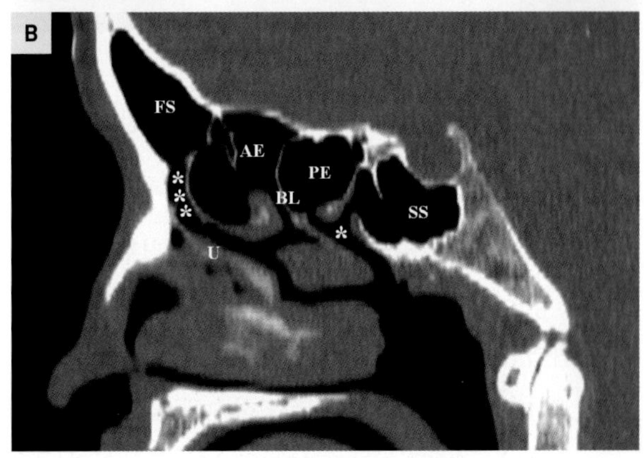

■ 그림 4-5. **나선형 CT를 이용하여 재구성한 비 부비동의 관상면 및 시상면 CT. A)** 관상면 CT에서 ostiomeatal unit의 해부학적 구조물을 잘 구분할 수 있다. 상악동개구(화살촉), 구상돌기(uncinate process; U), 반월열공(hiatus semilunaris; *표), 사골기포(esthmoid bulla; EB), 누두(infundibulum; INF)가 보인다. **B)** 시상면 CT에서 전두동(FS), 전사골동(AE), 후사골동(PE), 접형동(SS)을 한면에서 평가할 수 있으며, 전두와(frontal recess; ***표)와 접형사골와(sphenoethmoidal recess; *표), 중비갑개(middle turbinate; MT)의 기판(basal lamella; BL) 및 구상돌기(uncinate process; U)를 구분할 수 있다. 기판에 의해 전사골동과 후사골동이 나누어짐을 알 수 있다.

구분해낼 수 있다. 특히 부비동 염증질환의 평가를 위한 OMU CT는 OMU의 섬세한 골구조를 명확하게 구분할 수 있는 장점을 가지고 있다. OMU CT는 조영제를 주입하지 않고 주로 골구조를 평가하기 위한 영상검사로 관상면 영상이 기본적인 방법으로 사용되고 OMU의 구조, 사골동과 뇌의 경계, 안와와 부비동의 경계를 적절히 보여줌

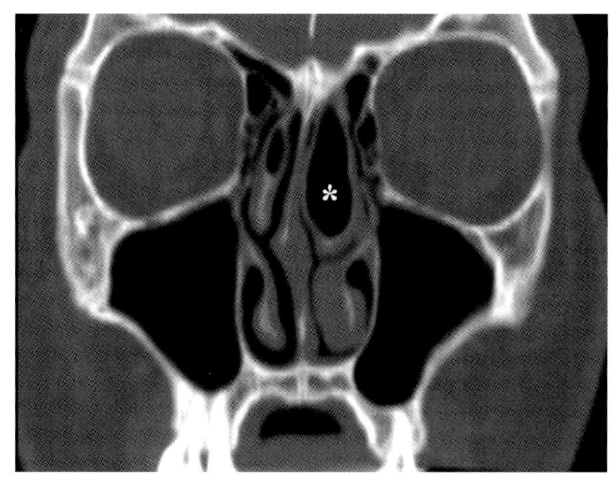

■ 그림 4-6. **기포성 갑개(concha bullosa).** 관상면 CT에서 좌측 중비갑개에 큰 기포성 갑개가 있다(*표).

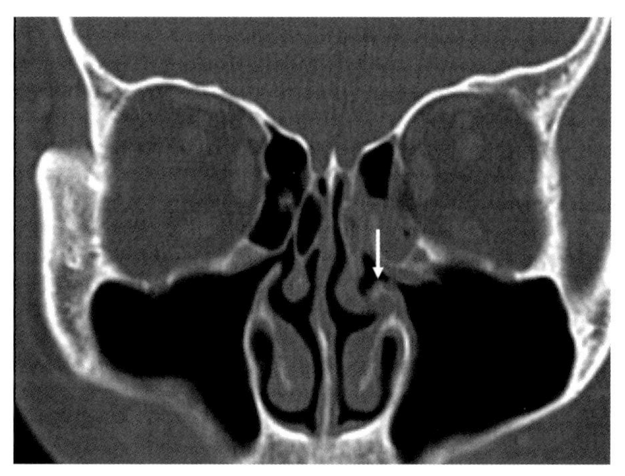

■ 그림 4-7. **구상 돌기의 내측 굴곡변형.** 관상면 CT에서 왼쪽 구상 돌기는 내측으로 굴곡변형을 보이고 있다(화살표).

으로써 부비동 염증질환의 진단 및 내시경 코 수술 전 평가를 위해 흔히 권장되는 영상이다(그림 4-5). 또한 OMU CT영상에서 수술계획 수립에 필요한 다양한 비강 내 구조물의 해부학적 변이 소견들을 평가할 수 있다(그림 4-6, 7, 8, 9, 10, 11). 또한 관상면 CT 영상이 내시경수술이나 통상적인 사골동 비내수술의 접근법과에 유용한 해부학적 정보를 제공하기에 수술환자의 경우는 모두 술전검사로 촬영하는 것이 좋다. 전두동, 접형동, 후사골동 등에 심한 병변이 있어서 수술을 요하는 경우 축상면 CT 영상 또한

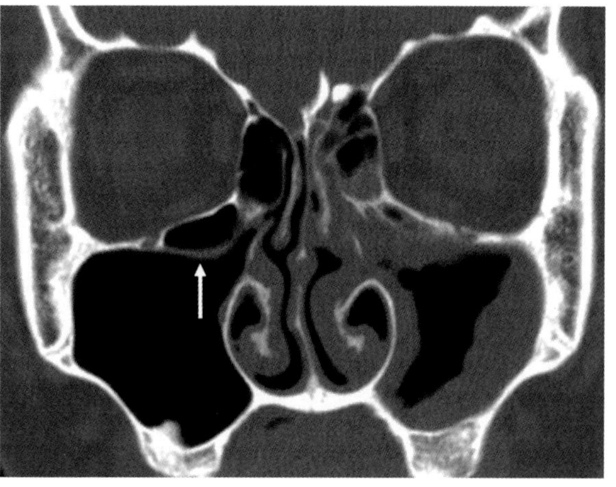

■ 그림 4-8. **Haller cell.** 안와아래 사골 기세포(infraorbital Ethmoid cell)라고도 하며 사골 세포가 안와 아래로 신장되어 상악동 개구부 근처에서 생기는 사골 기세포의 한 변형이다(화살표).

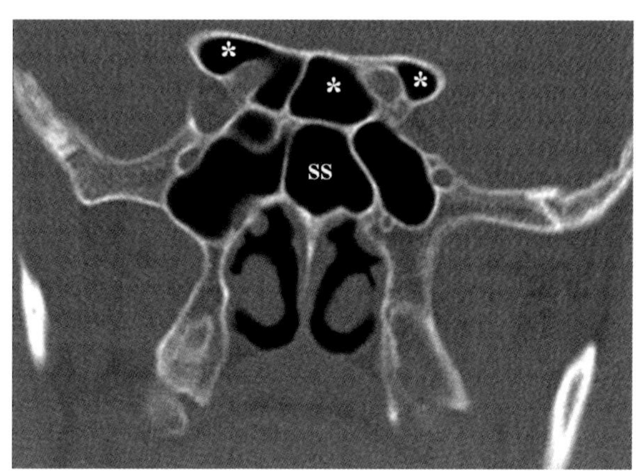

■ 그림 4-9. **Onodi cell.** 후사골동 기세포가 후방으로 접형동(SS) 부위로 신전되어 신경공 근처 혹은 주변으로 위치하는 정상 변이이며, 관상면 CT에서 접형동의 위쪽으로 시신경공을 둘러싸는 세포를 볼 수 있다(*표).

주의하여 평가되어야 한다.[22,44]

조영 증강 CT는 주로 부비동염의 합병증이 의심되는 경우, 부비동염이 광범위할 때, 침습적 진균성 부비동염 등의 염증성 질환이나 종양의 진단 및 병기결정을 위해 사용된다. 악성 종양의 경우 원발성 종양의 병기 결정과 림프절전이 및 재발성 종양의 조기발견에도 유용하다. CT 영상을 통해, 비부비동 악성 종양이 안와, 익구개와, 측두

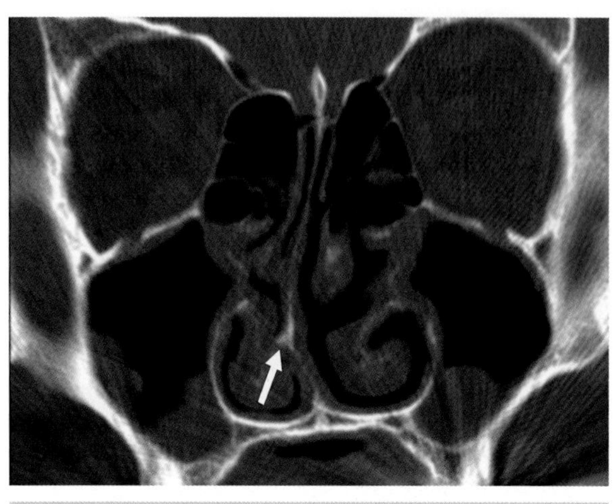

■ 그림 4-10. **비중격만곡증(septal deviation)과 비중격 돌기 spur.** 관상면 CT에서 비중격은 오른쪽으로 휘어져 있으며 비중격 돌기(화살표)가 보인다.

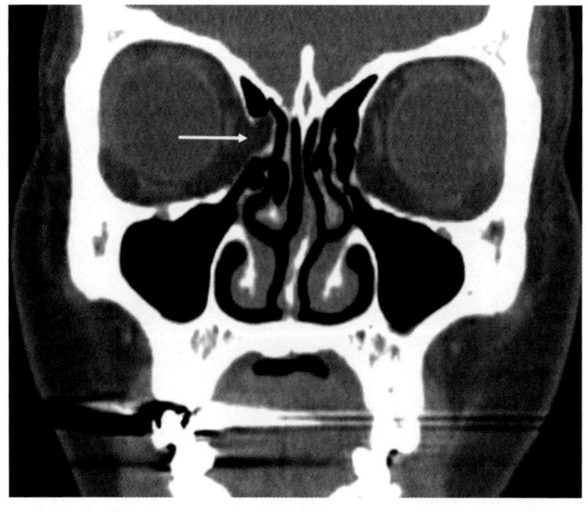

■ 그림 4-11. **종이판I(amina papyracea) 결손.** 관상면 CT에서 오른쪽 안구의 안쪽 벽에 종이판 결손이 있으며, 안와 내 지방이 사골동으로 탈출되어 있다.

하와(infratemporal fossa), 두개강 내로 파급된 것을 진단할 수 있으며, 부인두공간(parapharyngeal space) 또는 피부 쪽으로 돌출된 종괴뿐 아니라 종양에 의한 골파괴나 석회화 침착 등도 잘 관찰할 수 있다. CT에서는 저음영의 안면 연조직의 여러 근육층들이 잘 구분되는데 이러한 층구조가 와해될 때는 종양의 침범을 의심하게 하나 염증질환에 의한 부종이나 수술로 인한 상흔(scar)조직과 감별해야 한다. 악성종양의 경우 기저상태(baseline) CT는 수술 후 경과관찰의 기준이 되며, 연조직음영의 변화나 골벽의 파괴 또는 비후 등의 소견이 보이면, 종양의 재발을 의심하게 된다.

3. 자기공명영상 (Magnetic resonance imaging; MRI)

MRI 영상기법으로는 기본적으로 고해상도 급속 스핀에코 T2강조영상과 조영제 주입 전후의 T1강조영상으로 얻은 축상면과 관상면 영상이 필수적이다. 최소 3~4 mm의 절편두께와 256 x 256 matrix 이상의 고해상도 영상이 적정하다. 두경부 부위의 지방조직은 고신호 강도를 나타내기 때문에 지방조직의 신호강도를 억제하여 병변의 대조도를 증가시키는 지방억제(fat-suppressed) T2 강조영상과 조영증강 T1강조영상 기법들이 두경부의 MRI에 흔히 사용되고 있으나, 자기화율인공물(magnetic susceptibility artifact) 발생이 높은 단점이 있어 적절히 사용되어야 한다.[17,42]

MRI는 CT와 마찬가지로 비부비동의 해부학적 구조와 병변을 관찰하기 위하여 이용되지만, CT를 대체하는 영상검사법이 아니라 CT와는 다른 특성을 가진 검사법이라 할 수 있다. 실제로 MRI는 종양의 연조직 침범 정도와 두개 내 파급을 평가하는 데 있어 CT보다 우월하다. MRI는 CT와 비교하여 연부조직의 대조도가 높아 병변의 존재 유무, 범위 평가에 대한 예민도 및 정확도가 더 높다. 비부비동 악성 종양의 경우 두개저 골수로의 병변 침윤, 신경조직을 따라 파급되는 병변, 두개 및 안와 내로의 병변 침윤에 대한 평가가 중요하며 이를 위해서는 MRI 검사가 필수적이다. 일반적으로 두개저 골피질의 미란은 CT 영상에서 보다 정확히 알 수 있으나 골수 내로의 병변 파급에 대한 영상 진단 및 평가는 CT보다 MRI가 훨씬 우수하다. MRI의 주요 단점은 자기장에 따른 제한점과, 검사 시간이 많이 소요되는 점, 검사 부위 범위가 상대적으로 제한된다는 점 등이다.

MRI 영상에서 병변의 종류에 따른 특성은 다음과 같다. T2강조영상에서 염증은 수분이 많으므로 대개 높은 신호강도를 가지나 종양은 세포밀집도가 높고 수분이 적어서, 상대적으로 낮은 신호강도를 가진다. T1강조영상은 종양으로 인한 종괴와 주변의 해부학적 구조물의 자세한 영상을 제공하고, T2강조영상은 주변조직과 종양을 정확히 구분해 준다. 대체적으로 종양의 신호강도는 염증성 분비물의 저류나 염증으로 인한 용종양 점막(polypoid mucosa) 등의 음영보다는 신호강도가 상대적으로 떨어진다. 만약 T2강조영상에서 높은 신호강도를 보이는 경우라면, 종양이라도 양성 또는 낮은 악성도의 타액선 종양, 일부의 신경초종, 드물게 혈관종과 반전성 유두종 같은 종양이다.[44] 부비동 내의 점액은 단백질의 농축정도에 따라 일정범위까지는 T1강조영상에서 신호강도가 증가하다가 이후 점차 감소하고 T2강조영상에서는 계속 감소한다.

II 비강과 부비동 질환의 영상 진단

비부비동에서는 급성 및 만성 염증성 질환이 가장 흔하지만 이 외에도 종양, 외상, 선천성 질환 등 다양한 병변이 발생한다. 이들 질환을 정확히 진단하고 치료하기 위해서는 적합한 영상검사의 선택, 영상검사 과정의 질 관리 및 영상소견에 대한 적절한 해석이 요구된다. 주요 비부비동질환의 영상 소견을 기술하였다.

1. 선천성 질환

1) 후비공폐쇄(Choanal atresia)

원시구강(stomodeum, primitive mouth)은 볼인두막(buccopharyngeal membrane)에 의해 인두 소화관(pharyngeal gut)과 분리된다. 두개(cranium)와 뇌를 형성하는 외배엽과 중배엽판(mesenchymal plate)에 의해 원시구강이 분리된다. 이러한 중배엽판의 흡수 장애는 골폐쇄(bony atresia)를 초래하고 구인두막이 뚫리지 않아서 막폐쇄(membranous atresia)가 생긴다.[22,44] 후비공폐쇄는 비강에서 발생하는 가장 흔한 선천성 기형으로, 대부분의 후비공폐쇄는 골폐쇄이고 일부가 막폐쇄이다. 양쪽 후비공폐쇄는 신생아에서 발견되고 심한 호흡장애가 있으며, 약 75%에서 다른 선천성 기형을 갖게 된다. CT에서는 후내 상악골이 내측으로 휘어서 서골(vomer)과 붙는 소견을 보이고, 서골의 비후가 동반된다(그림 4-12).[11,23]

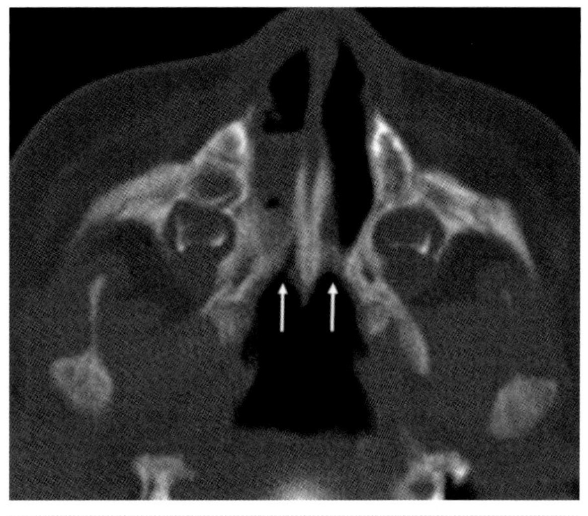

■ 그림 4-12. **양측 골성 후비공 폐쇄.** 생후 7일된 남아로 축상면 CT에서 양측 후내 상악골이 서골(vomer)과 붙어 있는 후비공의 골성 폐쇄가 보인다(화살표).

2) 안면열

안면열(facial cleft)은 항상 안와 격리증(hypertelorism)과 함께 출현한다. 상위군(high group)과 하위군(low group)으로 나눌 수 있으며, 상위군은 열(cleft)이 코나 이마 등에 있고 드물게 윗입술이나 경구개를 침범한다. 하위군은 열이 윗입술 또는 경구개에 있고 종종 코를 침범한다. 입술 혹은 경구개열이 안면열의 대부분을 차지하며, 경구개열은 2,000명 당 1명 정도로 흔하고 대략 50% 정도에서 다른 선천성 기형을 동반한다.[22,24,30] CT영상을 통해 기형 부위와 상태를 수술 전에 평가한다(그림 4-13).

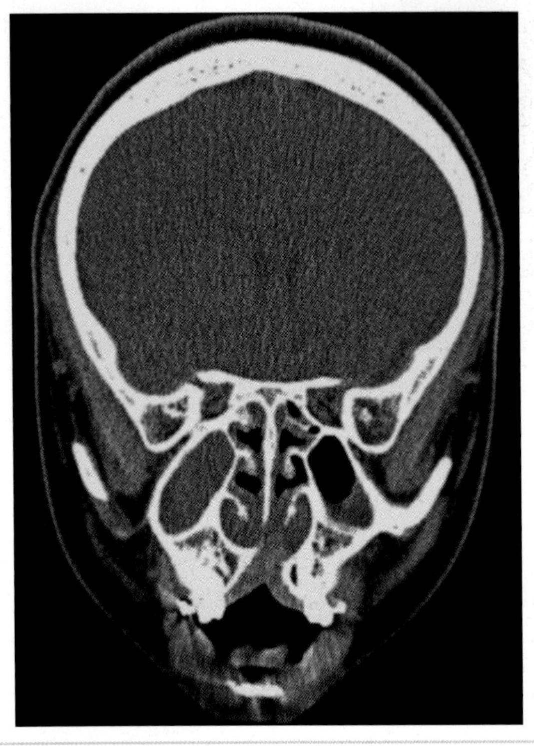

■ 그림 4-13. **구개열.** 관상면 CT영상에서 중앙부에 1 cm 가량의 구개 결손이 있다.

3) 뇌류

뇌류(cephalocele)는 두개강 내 구조물이 두개골 결손 부위를 통해 선천적으로 탈출(herniation)되는 것이며 두개골의 전방부에서 형성되는 뇌류를 전두부(sincipital) 뇌류라고 하고, 전두부 뇌류는 전두간(interfrontal) 뇌류와 전두사골(frontoethmoidal) 뇌류로 분류된다. 전두사골 뇌류는 전두골과 사골 사이의 골결손을 통해 뇌류가 형성되는 것으로 뇌류의 형성 형태에 따라서 전두비(frontonasal), 비사골(nasoethmoidal), 비안와(naso-orbital) 형태로 세분화할 수 있다.[24,30] CT 영상은 골결손을 상세히 평가할 수 있으며 MRI 영상을 통해 뇌류의 뇌조직 상태에 대한 평가가 가능하다(그림 4-14).

4) 비교종

비교종(nasal glioma)은 비내(intranasal) 혹은 비외(extranasal)에 비근(nasal root) 부위 혹은 근처에서 발생하는 선천성 교질(glial) 조직의 종괴이며, 경막게실의 원위부에 뇌실질이 격리(sequestration)되어 생긴다. 비교종은 종양이 아닌 교질이소증(glial heterotopia)으로 분류되며 악성화 가능성은 거의 없다. 비교종은 뇌류와 발

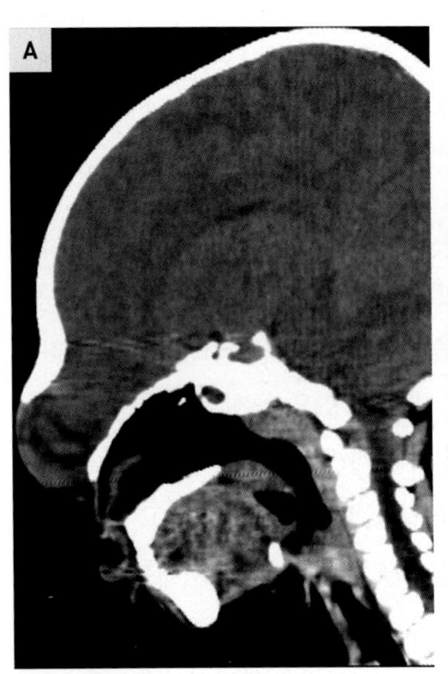

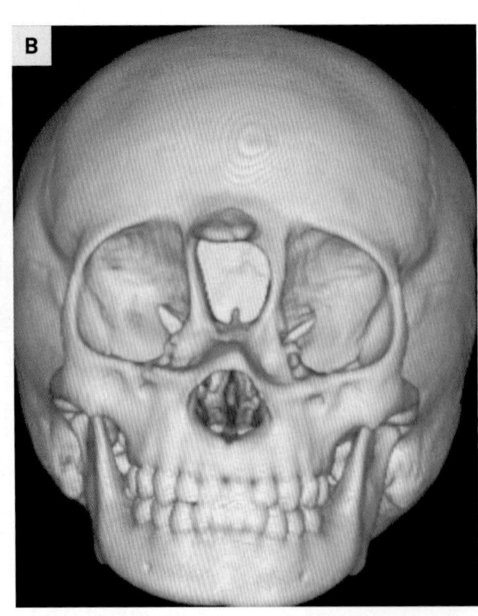

■ 그림 4-14. **전두부 뇌류(sincipital cephalocele)(전두사골형). A)** 2세 남아에서 발생한 전두사골형 뇌류로 CT 시상면 영상에서 뇌류가 전두골과 사골 사이로 탈출되어 있다. **B)** 3차원 CT 에서 안면중앙부 전두골 및 비골 부위에 큰 골결손을 볼 수 있다.

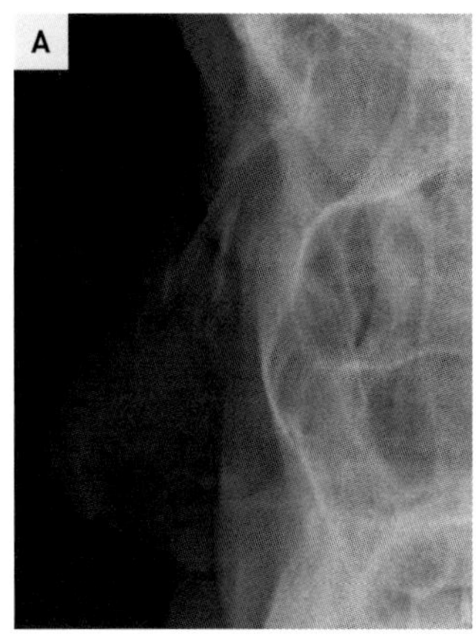

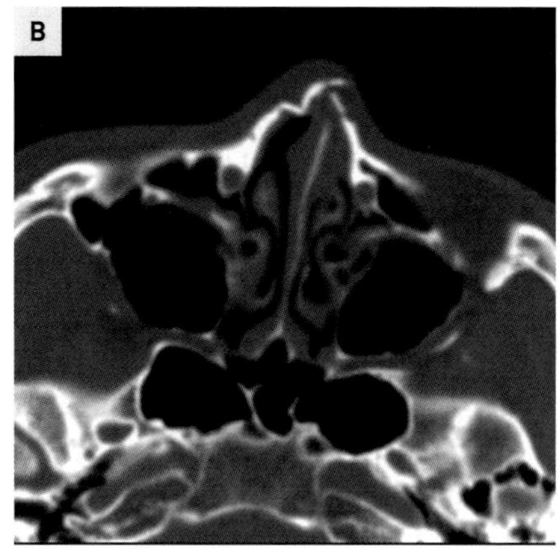

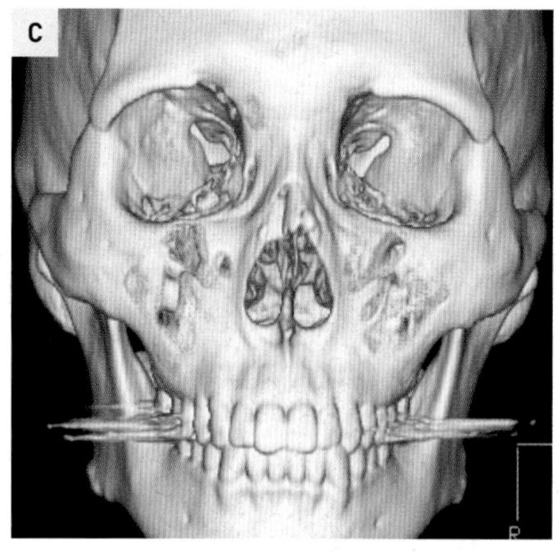

■ 그림 4-15. **비골골절. A)** 비골 측면촬영에서 비골에 분쇄(comminuted) 골절이 있다. **B)** 축상면 CT에서 좌우 비골의 골절 및 함몰과 골절에 의한 비골의 변형이 보인다. **C)** 안면골을 삼차원으로 재구성한 영상에서 비골 골절 형태를 3차원적으로 확인할 수 있다.

생학적으로 하나의 스펙트럼으로 볼 수 있으며, 두개 내의 뇌척수액과 연결되어 있지 않다는 점이 뇌류와의 차이점이다. CT와 MRI 영상을 통해 골결손과 뇌조직과의 연결 상태 및 MR 신호강도를 평가하여 정중선비종괴(midline nasal mass)로 나타나는 뇌류 및 유피종 혹은 유피동과 감별이 가능하다.[18,24,30]

5) 유피종, 유표피종, 유피동

비전 공간의 게실이 코의 피부에 도달하여 퇴화하면 외배엽을 함유한다. 이때에 유피종(dermoid), 유피동(dermal sinus), 유표피종(epidermoid) 등을 만들게 된다. 유피종의 경우 피부개구(opening)가 미간(glabella)에서 비주(columella) 사이에 어디든지 생길 수 있지만, 유표피종은 코끝 중심에서 약간 벗어난 부위에서 발생하고, 유피종은 중심부위의 상부 비배부(nasal dorsum)에서 발생한다. 비공(nasal pit)은 코 주위에 국한되어 있지만 맹공의 팽창, 이열 계관(bifid crista galli), 넓은 비중격 또는 재발성 뇌막염 등이 있을 때 공동로(sinus tract)가 동반되어 있을 가능성이 많다. CT영상을 통해 병변의 위치, 상태 및 골변형 평가에 도움을 받는다.[18,24,30]

2. 외상

가장 흔한 안면골절은 비골골절이며 대부분은 원위부의 얇은 측면 비골을 침범하고 충격이 심한 경우 상악골 전두돌기(frontal process)를 포함하는 비추체(nasal pyramid) 전체가 골절될 수 있다. 비골골절은 단순촬영 영상에서 쉽게 진단되지 못하는 경우가 있으며 3D 영상을 포함한 CT 영상에서 골절 부위 및 형태를 더 정확히 평가할 수 있다(그림 4-15).

하악골절 또한 흔한 골절이며, 하악각(mandibular angle)과 뒷쪽몸(posterior body)에서 흔하다. 하악은 턱관절(temporo-mandibular joint)에서 두개저부(skull base)에 강하게 고정되기에 50% 이상에서 다발성 골절로 나타난다.

안면골 골절은 흔히 다발성, 복합형으로 나타나는데, 대표적인 골절은 안와외향(blow-out), 삼각(tripod), 그리고 Le Fort 골절 등이다. 안와외향골절은 안구의 둔상(blunt trauma)으로 인해 발생하고 주로 안와 저부 및 내측의 골절을 보인다. 그러나 대개 안와연은 유지되어 있으며 종종 안와 지방조직이나 외안근의 탈장으로 복시(diplopia) 및 안구 함몰(enophthalmos)이 동반될 수 있다. 주로 CT 관상면 영상에서 골절 부위와 함몰 및 전위

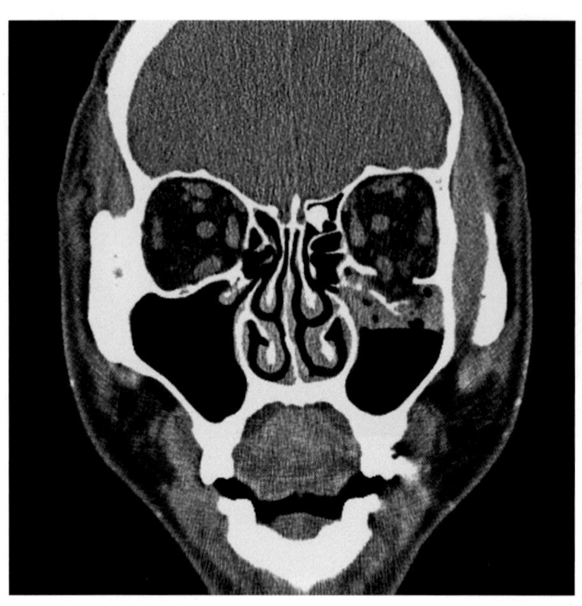

■ 그림 4-16. **파열골절.** 관상면 CT에서 좌측 안구의 하벽이 하방으로 함몰 및 골절되어 상악동으로 전위되어 있고, 주변 상악동에 출혈이 형성되어 있다. 안와 하직근 및 지방 조직이 아래쪽으로 탈출되어 있다.

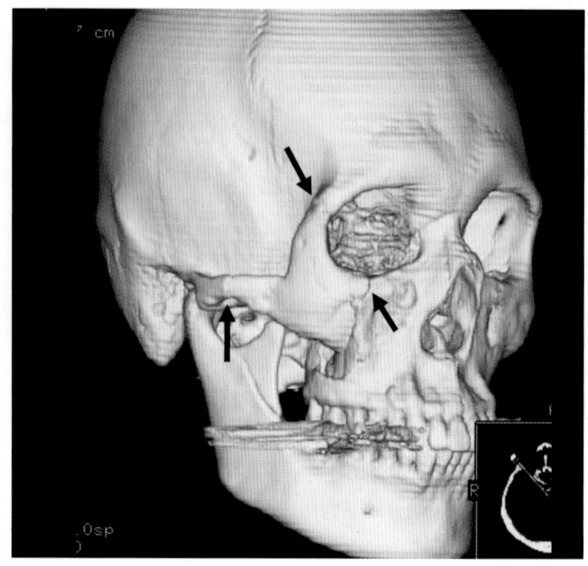

■ 그림 4-17. **삼각 골절.** 3차원 CT에서 오른쪽 전두협골봉합선, 협골궁, 상악골(화살표)에 각각 골절선이 보인다.

상태, 주변 연부조직의 탈장 유무를 진단할 수 있다(그림 4-16). 삼각골절은 안면부위에 경사방향의 외상으로 인해 발생하고, 전두·관골봉합선(frontozygomatic suture line), 관골궁(zygomatic arch) 및 상악골을 침범한다. 관골은 함몰되고 외전된다(그림 4-17). 엄밀히, 전두관골, 접형관골(sphenoidzygomatic), 측두관골(temporozygomatic) 및 상악관골(maxillaryzygomatic) 봉합선을 침범하기에 quadrimalar 골절로도 불리는데, 전두관골 및 접형관골 봉합선을 하나의 봉합선으로 보아, trimalar 골절로 불리기도 하며, 그냥 관골골절(zygomatic fracture)로 불리기도 한다.

Le Fort 골절은 직접적인 안면 전면으로의 강한 충격에 의해 안면 전면의 골절이 뒤쪽으로 익돌기(pterygoid process)까지 연장되는 경우를 일컫는다. Le Fort가 안면골의 대칭적인 골절에 국한하여 기술한 골절로서, 일측성이나 여러 형이 혼합되어 있는 경우가 흔하다. Le Fort Ⅰ형 골절은 상악의 하부를 평행으로 가르는 골절이며 일명 부유구개(floating palate)라고 부른다. 가끔 구개의 중심이 분열되기도 한다. Le Fort Ⅱ형 골절은 추체형(pyramidal) 골절이라고 하며, 상악골에서 상하로 향하고 양쪽 비골을 가로지르고 후방에서 익돌판(pterygoid plate)을 지나는 골절로 일명 부유상악(floating maxilla)이라 부른다(그림 4-18). Le Fort Ⅲ형은 가장 심한 골절로 완전 두개안면분리(craniofacial separation)로 골절선이 양쪽 전두협골봉합을 지나 비골의 상부를 가로지르고 후방에서 익돌기로 향하여 부유안면(floating face)이라 부른다.[33,46]

안면골절에 대하여 CT가 기본 영상검사법으로 사용되며, 나선식 CT를 이용하여 3D 영상을 포함한 축상면, 관상면, 시상면 CT영상을 얻는 것이 가장 적절한 영상법이다. 최근에 활용되는 고해상도 CT영상에 의하면 안면골절의 형태, 위치, 손상 정도에 대한 정확한 평가가 가능하고, 골절뿐 아니라 안면부 연부조직의 외상에 의한 손상 상태도 함께 평가할 수 있다.

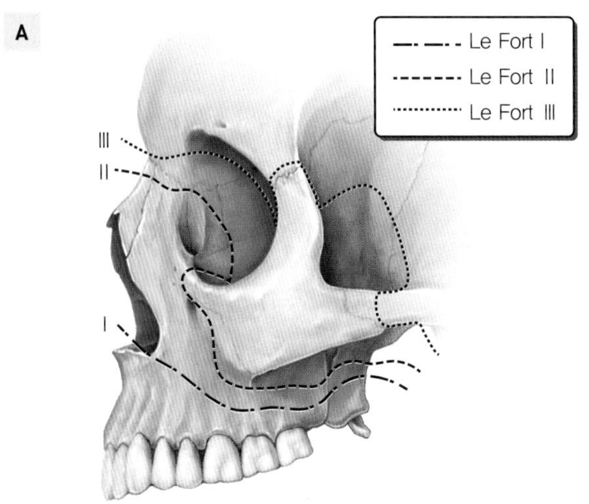

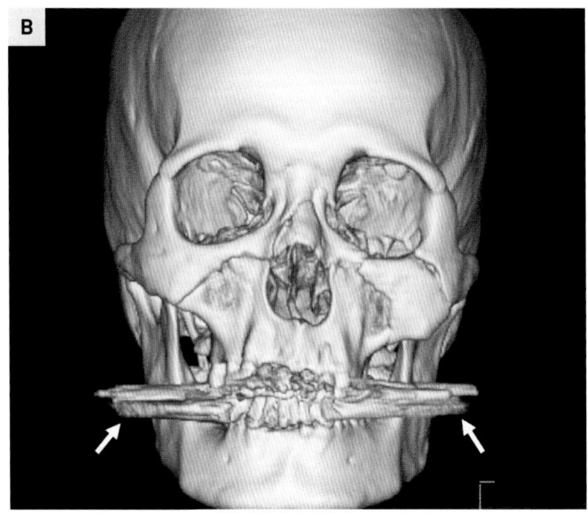

■ 그림 4-18. **Le Fort 골절. A)** 세 종류의 Le Fort 골절을 보여준다. **B)** 양측 Le Fort II형 골절. 3차원 CT에서 양측 상악골에 상하로 향하고 양쪽 비골을 가로 지르는 골절이 보인다. 치아 보철에 의한 인공물이 보인다(화살표).

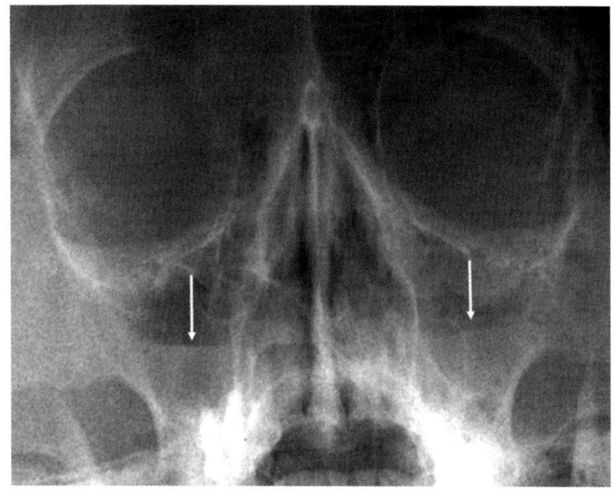

■ 그림 4-19. **급성 상악동염.** Waters 영상에서 양쪽 상악동 내에 점액으로 인해 만들어진 기수면(화살표)이 있다.

3. 염증성 질환

1) 급성 부비동염

임상적으로 부비동염이 의심되는 경우, Waters 영상, Caldwell 영상, 측면 영상 등 세 가지의 기본 단순영상을 촬영하지만, 통상 부비동염의 단순한 경과 관찰을 위한 단순촬영은 Waters 영상만으로도 족하다.

질병의 시기에 따라 영상의학적 소견의 특징이 있다. 급성 부비동염의 최초 소견은 점막비후로 점막이 전체적으로 일률적인 비후를 보이지만, 용종모양으로 불규칙적인 비후을 보이기도 한다. 비후된 점막의 표면은 명확히 구분되기도 하고 분비물 등으로 불분명하게 보일 수도 있다. 상악동의 내측벽은 점막의 비후를 가장 정확히 가늠할 수 있는 부위이고, 파도 형태의 불규칙한 점막비후는 알레르기 비염에서 흔히 볼 수 있는 소견이다. 하지만, 거의 25% 정도에서 증상 없이도 점막비후를 보일 수 있기에 임상적인 해석에 조심하여야 한다.[40] 점막비후 외에도 분비물이나 농에 의한 공기액체층(air-fluid level)을 관찰할 수 있는데 보통 급성 부비동염의 특징적 소견이다(그림 4-19).[29] 그러나 최근에 상악동 천자술(puncture)을 시행하였거나 외상 혹은 응고병증(coagulopathy)에 의한 비출혈 혹은 상악동 내 출혈에 의해 일시적으로 기수면이 보일 수도 있다.[40]

자연공을 포함한 점막의 비후가 진행되면 농성 삼출액(exudate)의 상태를 거쳐서 부비동의 완전혼탁 소견을 보이게 된다. 부비동 단순방사선촬영으로 감염의 활동성 여부나 혼탁의 원인규명 등을 확인할 수는 없다. 혼탁의 원인은 다양하여 급성 감염에 의한 축농의 결과로 올 수도 있고 섬유화(fibrosis)를 동반한 아급성 또는 만성 염증의 결과로도 생길 수 있다.[39] 조영 증강 CT에서는 비후된 점막이 부비동 골벽을 따라 관찰되고 내막이 조영증강되어 나타나게 된다. 점막의 염증을 시사하는 조영증강을 보이는 내막과 구분이 되는 중심부의 저밀도 음영은 보통 저류액을 나타낸다.[41] 만약 비후된 점막이 만성적으로 섬유화되었다면, 조영증강이 뚜렷하지 않게 된다.[40]

2) 만성 부비동염

만성 부비동염에서는 점막층이 두꺼워져 단순촬영에서 부비동이 혼탁하게 보이며 인접한 골의 경화(sclerosis)가 발생하여 부비동의 골벽이 두터워지고 상대적으로 부비동 공간은 축소된다. 간혹 선천적인 부비동 형성저하증(hypoplasia)이 만성 부비동염으로 오인될 수 있어서 유의해야 한다. 또한 단순촬영에서 점막 비후 소견이 보여도 이는 실제 점막이 두터워진 것, 점막하 부위의 부종, 점막표면의 분비물 등 다양한 원인에 의해 비롯될 수 있으므로 해석에 유념해야 한다.

반복적인 부비동염은 부비동의 골벽을 따라 골염(osteitis)이나 신생골 형성을 초래하게 되는데, 특히 상악동에서 흔하다. 만성 부비동염에서 상악동 내 주변부 벽을 따라서 점막하에 석회화 혹은 골화(ossification) 소견이 보일 수 있으며, 진균성 부비동염 특히 진균덩이(fungus ball)에서 보이는 석회화로 오인되어서는 안 된다(그림 4-20).[49] 또한, 신생골 형성을 급성 골수염으로 오인해서는 안 된다. 급성 골수염은 급성 또는 만성 염증에 병발할 수 있으며 특히 전두동염에서 골수염의 소견이 동반되는 경우가 흔하다. 골수염 초기의 양상은 정상적인 전두동의 점막골막(mucoperiosteal lining)의 연속성 소실이다. 만약 초기변화를 간과하면 골파괴와 함께 다양한 크기의 방사선투과성 병소가 나타나게 된다. 골수염은 전두동 이외의 부비동에서는 드물다.[22,43]

때로 CT에서 부비동 내를 채우는 고밀도 및 주변의 낮은 음영 등의 혼합형으로 나타나거나 MRI T2강조영상에서 저신호강도로 보일 수 있는데, 이는 만성 농축분비물에 의한 것으로 이러한 소견은 진균종(mycetoma)이나 부비동 내 출혈 등에서도 나타날 수 있다.[7]

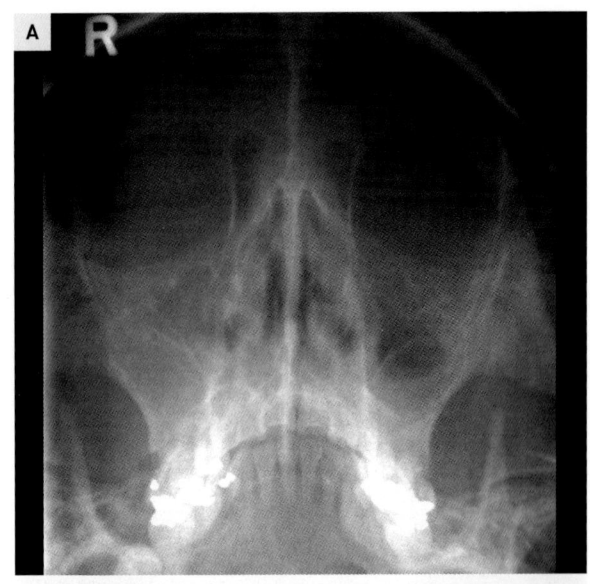

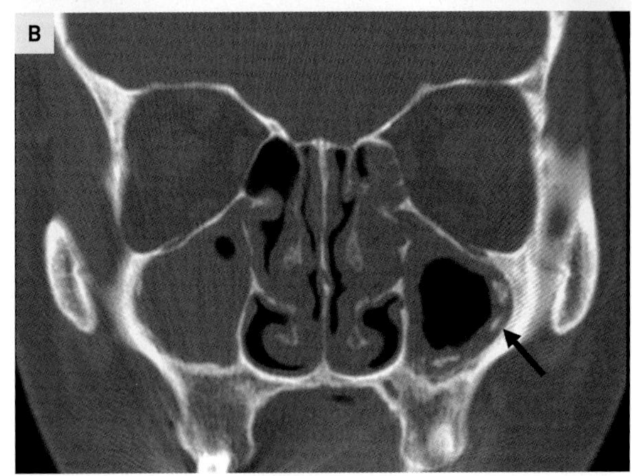

■ 그림 4-20. **만성 부비동염.** **A)** Waters 영상에서 왼쪽 상악동의 점막골막(mucoperiostium)이 전체적으로 비후되어 있고 오른쪽 상악동은 완전 혼탁을 보인다. **B)** 관상면 CT에서 양측 상악동에 염증성 병변이 있고, 왼쪽 상악동에는 주변부를 따라 선형의 석회화(화살표)가 보인다.

부비동내시경수술은 CT의 보편화와 더불어 발전하게 되었다. 수술의 적용이 되는 부비동염의 상태를 골밀도의 관상면 CT로 관찰하게 되며, 만성 부비동염을 누두형(infundibulum), OMU형, 접형사골오목형(sphenoethmoidal recess), 비부비동용종증형(sinonasal polypo-

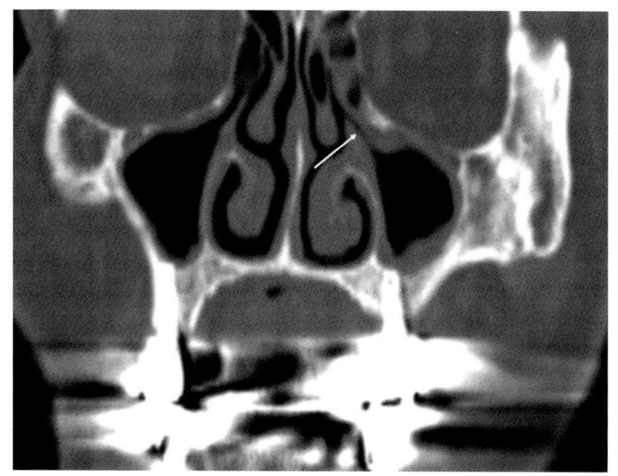

■ 그림 4-21. **누두형.** CT에서 좌측 누두가 비후된 점막으로 막혀 있고(화살표) 동측 상악동에 염증성 병변이 있다.

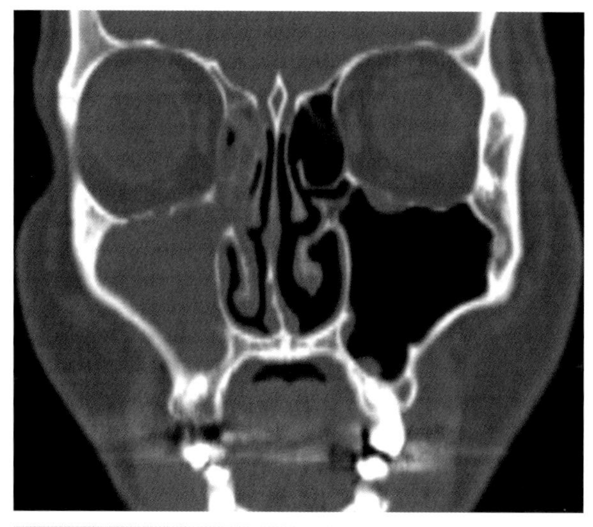

■ 그림 4-22. **개구비도단위형.** 조영증강 CT에서 우측 OMU에 점막 비후가 있고 동측 상악동과 사골동에 염증성 병변이 있다. 우측 상악동의 점막이 염증성 변화에 의해 강하게 조영증강되고, 점막하 비후가 동반되어 있다.

sis)과 미분류(unclassified, sporadic)형 등 다섯 가지로 구분할 수 있다.[1,2,15,29] 누두형은 약 26%이고 상악동 자연공과 누두 내의 폐쇄가 원인으로, 염증이 상악동으로 국한된다(그림 4-21).[15] 개구비도단위형은 약 25%이고 주로 중비도의 폐쇄가 원인이며, 이 부위로 개구하는 상악동, 전두동, 사골동의 염증을 초래한다(그림 4-22).[15] 접사함요

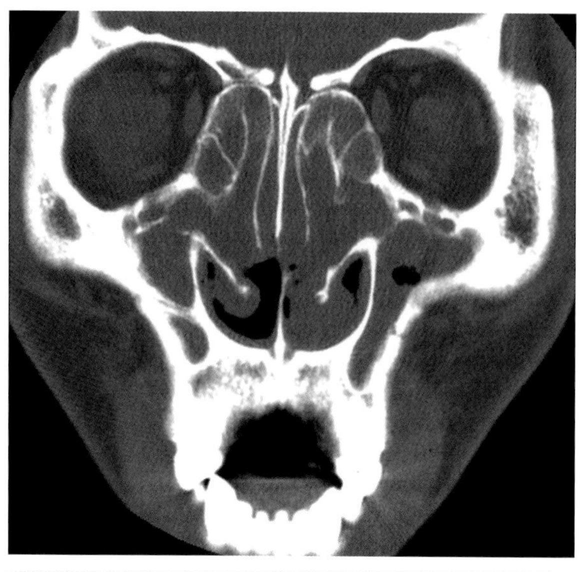

■ 그림 4-23. **비부비동 용종형.** CT에서 양쪽 상악동과 사골동 전체가 혼탁하고 양쪽비강내부로 연조직음영으로 채워져 있다.

형(6%)은 접형동 및 사골동의 염증을 초래한다.[15] 비부비동용종증형(10%)은 비강과 부비동에 미만성 용종이 채워져 누두의 팽창, 사골동의 팽창, 비중격과 사골동 지주(ethmoid trabeculae)가 얇아지는 소견을 보인다(그림 4-23).[8] 상악동 내에 심한 염증이 있는 경우 때로는 자연공을 통하여 염증성 점막조직 일부가 중비도로 밀려 빠져나가기는 소견을 보이며, 간혹 종양과 혼동되기도 한다.

상악동이 일측성으로 염증을 일으키는 경우 대구치 등의 치아의 감염증이나 치근주위농양(periapical abscess) 또는 육아종 등과의 연관성을 의심해야 하며, 반복적인 항생제 투여에도 불구하고 재발하는 경우에는 종양을 감별해야 한다.

부비동염에 동반되는 합병증으로 안와봉와직염(orbital cellulitis), 골수염, 두개내 합병증 등을 들 수 있다. 안와봉와직염의 가장 흔한 염증 원발병소는 사골동이지만, 전두동이나 상악동의 염증에 병발하기도 한다. 종이판(lamina papyracea)과 안와내측골막(periorbita) 사이의 골막하공간은 염증성 삼출액이나 농이 가장 흔히 자리 잡는 공간이다(그림 4-24). 이보다 드물지만 안와내측골

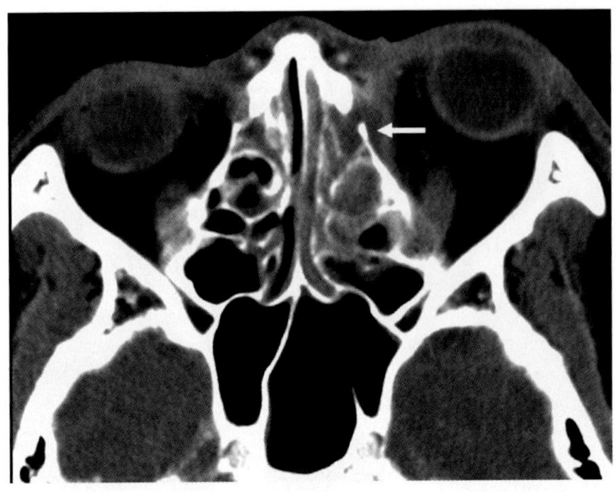

■ 그림 4-24. **안와봉와직염과 골막하 농양.** CT에서 양측 사골동에 염증이 있으며, 안와내측벽의 국소적 골결손과 함께 왼쪽 안와 내에 골막하 농양(화살표)이 있다. 또한, 왼쪽 안구의 연조직 팽창 및 안구 돌출을 보인다.

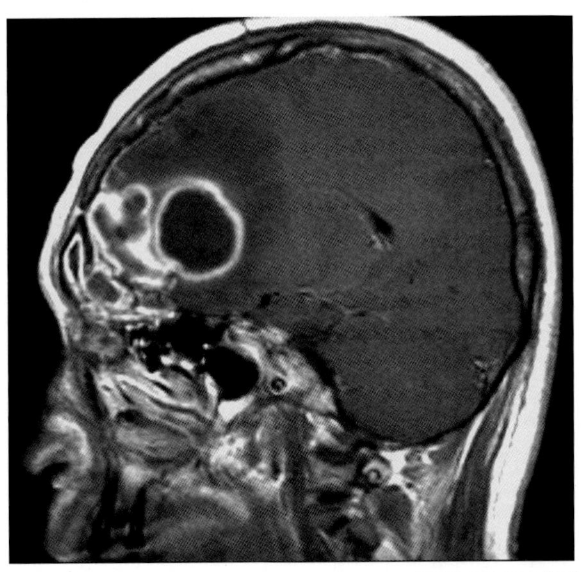

■ 그림 4-25. **부비동성 뇌 농양.** 조영 증강 T1 MR 시상면 영상에서 전두동에 테두리 조영증강을 보이는 병변이 있고, 인접한 전두엽 내의 염증소견 및 인접한 전두엽에 염증성 병변이 보인다.

막을 지나쳐 안와 내 농양(orbital abscess)을 형성할 수도 있다. 부비동염의 두개내 합병증으로 뇌막염, 경막외 또는 경막하농양, 정맥동 혈전증과 뇌농양 등이 나타나기도 한다(그림 4-25).

3) 낭과 용종

부비동의 염증성 질환에서 낭(cyst)과 용종(polyp)을 흔하게 발견할 수 있으며, 저류낭(retention cyst)은 단순 방사선촬영에서 약 10~35%가량 발견된다. 점액성 저류낭은 점막하 점액선의 폐쇄로 발생하며, 낭종의 벽은 관상피(ductal epithelium)와 선의 피막 자체로 이루어져 있다.[40]

저류낭은 모든 부비동에서 발견될 수 있지만, 주로 상악동에서 우연히 발견되는 경우가 많다. 장액성 저류낭은 점막하 조직 내에 장액이 축적되어 발생하는 낭종이다. 점액성 저류낭과 달리 장액성 저류낭의 벽은 부비동 점막으로 이루어져 있고 주로 상악동의 기저부에 호발한다.[34,40] 단순 방사선촬영, CT, MRI에서 저류낭은 완만한 경계를 보이는 구형의 낭종으로 내부는 균질의 연조직 음영으로 보인다(그림 4-26). 단발성 혹은 다발성으로 발생할 수 있으며, 대개 부비강을 모두 채우지 않는 작은 크기의 저류낭들이 많다. 상악동 천장에서 저류낭과 유사한 음영이 발견되고 최근에 외상을 입은 병력이 있는 경우에는 외향골절(blow-out fracture)과 감별할 필요가 있다. Waters 영상에서 안와하관(infraorbital canal)의 골벽이 두꺼우면 저류낭과 감별을 요하며, 양측 비익(nasal ala), 미맹출 치아(unerupted tooth), 입술 등이 상악동 기저부의 저류낭과 유사하게 보일 수 있다. 저류낭은 일반적으로 증상 없이 우연히 방사선촬영으로 발견되는 경우가 많으나, 때로 부비동을 가득 채우고 부비동의 자연공을 폐쇄시키기도 하며, 부비동을 팽창시킬 수도 있다. 저류낭은 CT 영상에서 부비강 내에 잔존하는 공기음영을 찾을 수 있다면, 부비동 점액류와 감별할 수 있다.[34]

점액류(mucocele) 또한 점액분비 호흡기계 상피에 의해 둘러싸인 점액분비물로 전두동, 사골동, 접형동, 상악동의 순서로 호발한다.[40] 초기에는 통상의 부비동염이나 알레르기 비염과 같이 비특이적으로 혼탁을 보일 수 있다. 단순방사선에서 부비동 내에 균질성의 혼탁으로 나타나며, 용종 모양의 점막비후나 저류낭과 구분이 어려울

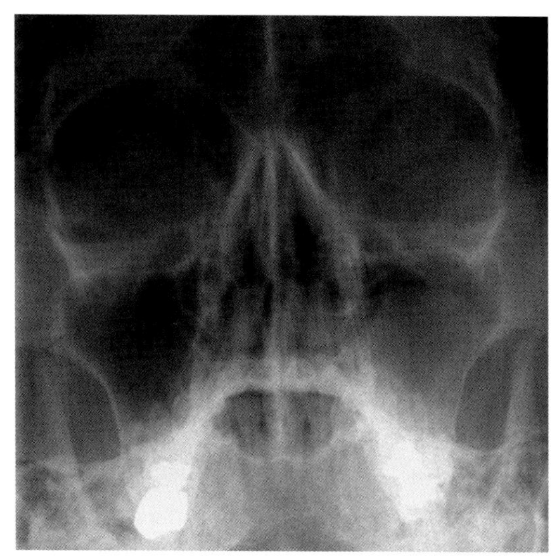

■ 그림 4-26. **저류낭.** Waters 영상에서 좌측 상악동 하부에 저류낭으로 생각되는 원형의 연조직 음영이 있다. 단, 영상소견만으로는 부비동 내의 저류낭과 용종을 구별하기는 어렵다.

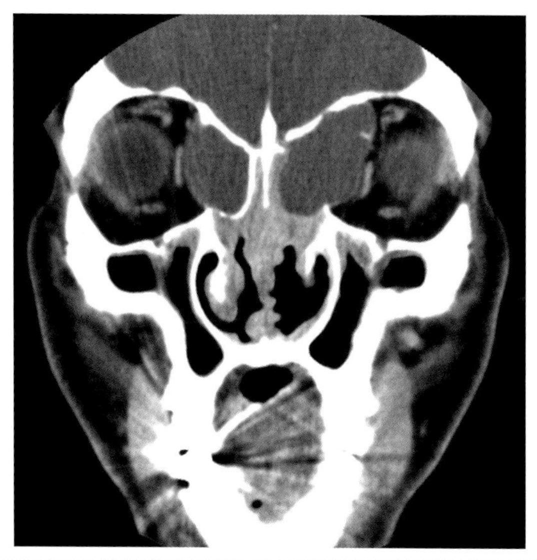

■ 그림 4-27. **점액류.** CT에서 양측 사골동에 팽대를 보이는 연조직 음영이 있고 부비동의 골벽이 미만성 골미란을 보인다. 이로 인해 양측 안구가 바깥쪽으로 밀려 있다.

수 있다. CT에서 점액류는 뇌실질과 같은 농도로 균질의 음영을 보이며 조영제에 의한 조영증강이 없고 크기가 커짐에 따라 부비동 골벽을 팽대시키면서 골미란을 동반하게 된다(그림 4-27). MRI에서는 분비물 내의 단백질 함유

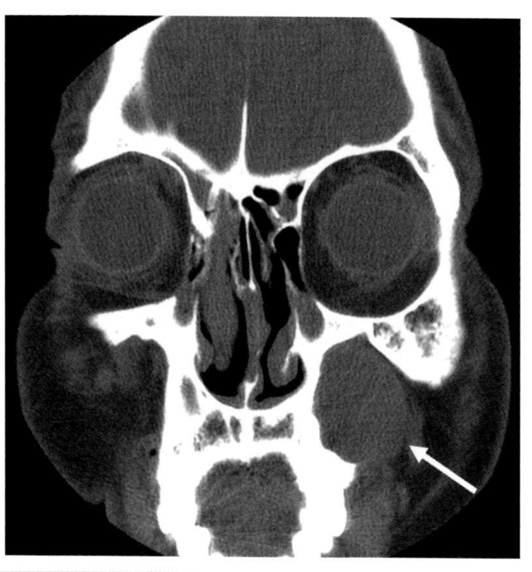

■ 그림 4-28. **술후성 점액류.** CT에서 왼쪽 상악동에 Cadwell-Luc 수술 후의 유착으로 인한 팽륜성의 낭종이 보인다(화살표). 흔히 동측 상악동은 수술 후 변형에 의해 수축되고 골경화를 나타낸다.

량에 따라 T2강조영상에서는 저신호강도를 T1강조영상에서는 고신호강도를 보일 수도 있다. 전두동에 잘 생기는 이유는 비전두동관이 가늘고 협착이 잘 일어나기 때문이다. 이 외에도 골종(osteoma) 혹은 Caldwell-Luc 수술로 인한 점막의 유착 등이 점액류의 원인이 될 수 있다(그림 4-28).

용종(polyp)은 알레르기, 아토피, 염증, 혈관운동의 손상 등으로 인해 Schneider 점막의 고유층(lamina propria) 내에 수분이 축적되어 발생하는데 병리학적으로 신생물은 아니지만 비강과 부비동에 발생하는 종괴 가운데 가장 흔한 종물이다.[40] 용종은 국소 비점막에 반복되는 부종의 결과로 형성되며, 점막하 부종이 계속 증가함에 따라 점차 자라게 된다. 대부분 다발성으로 발생하며, 점차 커지게 되면 결국 비강과 부비동이 완전히 혼탁하게 보이게 된다. 용종은 특히 사골동에서 흔하게 발생한다.[44] 비강의 용종은 알레르기가 원인인 경우가 많고 대개는 다발성이다.[40] 용종은 단순방사선촬영과 CT에서 모두 비특이적 소견을 보이며, 발병한 부비동에 혼탁의 증가를 보인

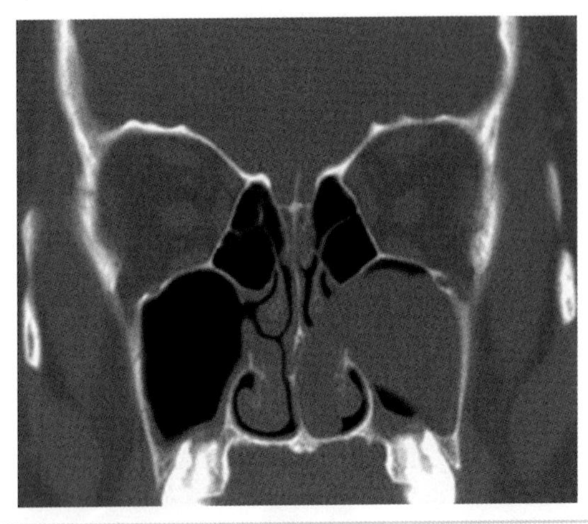

■ 그림 4-29. **상악동후비공비용.** CT에서 좌측 상악동 내에서 부구를 통해 비강 내로 용종이 돌출되어 있다. 중비도가 확장 되어 있고 인접한 내측 골벽에 골미란이 있다.

다. 부비동 내에 발생하는 용종과 저류낭을 영상 소견으로 구분하는 것은 어렵다. 비강 내의 단발성 용종의 경우도 부비동의 OMU 부위의 부분 혼탁을 가져오며 다발성 용종의 경우는 부비동 전반의 혼탁을 초래하게 된다. 심한 용종에서는 골구조의 팽창 및 얇아지는 변형을 초래하게 되며, 특히 사골동의 경우 변형이 쉽게 일어난다. 용종의 팽창으로 인해 시간이 흐름에 따라 안와격리증이나 콧등부위가 넓어지는 소견을 나타내기도 한다. 사골동의 용종은 사골동의 골벽구조를 완전히 침습하기도 하나, 일반적으로 골벽은 보존되고 경우에 따라서는 골경화증(osteosclerosis)을 초래한다.[22,44]

부비동 용종의 한 형태인 상악동후비공비용(antrochoanal polyp)은 비용종의 4~6%를 차지하고 대개 일측성, 단일 용종이 흔하지만 약 8%에서 다발성 용종으로 나타나고 15~40%에서 알레르기의 병력이 동반된다.[40] 상악동후비공비용은 대개 상악동의 개구부 주위에서 발생히지만 비강이나 사골동에서도 기시할 수 있다. 용종이 상악동의 개구부를 통해 후비강으로 종괴를 형성하는 것이 전형적인 CT영상 소견으로 이 경우 비인두로 돌출되는 형태로 보일 수 있다(그림 4-29).

4) 진균성 부비동염

진균성 부비동염(fungal sinusitis)은 급성 침윤성, 만성 침윤성, 진균덩이(fungus ball), 알레르기성 진균성 부비동염의 네 가지 병리 형태로 나눈다. 진균성 부비동염의 가장 흔한 원인은 국균증(*aspergillosis*)이지만, 모균증(*mucormycosis*)은 *Zycomycete*진균에 의한 것으로 대개 당뇨병 환자나 면역이 저하된 환자에서 잘 생기고 비뇌성 진균증(rhinocerebral mycosis)을 잘 일으키는 것으로 알려져 있다. 진균덩이는 침윤적 형태를 보이지 않지만, 침윤성 부비동염은 혈관을 잘 침범하여 혈전증, 허혈이나 출혈성 경색을 일으킬 수 있다.

진균성 부비동염은 상악동과 사골동에서 흔히 발병하며 형태에 따라서 서로 다른 영상 소견을 보인다. 진균덩이의 전형적인 CT 소견은 부비동 내의 중심부에 석회화를 갖는 고음영의 종괴를 형성하고 주변에 만성 부비동염의 형태를 갖는다. 특징적으로 MRI T2강조영상에서 진균덩이는 매우 낮은 신호강도를 갖는다(그림 4-30, 31). 침윤성 진균성 부비동염의 초기 단계에는 CT 및 MRI 영상에서 비강 및 부비동 점막의 비특이적 비후와 미세한 골미란 혹은 부비동 주변 연부조직의 염증성 침윤 및 부종 변화가 나타나며, 병변이 진행되면 전형적인 부비동 골벽의 비후, 골미란 및 골파괴 소견을 나타낸다(그림 4-32, 33).[3,5,37] 혈관침윤에 의한 응고성 괴사로 인하여, 비교적 골벽의 형태는 유지한 채 부비동 안팎으로 조영증강이 소실되는 소견이 침윤성 진균성 부비동염의 특징적으로 관찰되며, 이러한 소견을 보일 때, 환자의 예후가 더 좋지 않은 것으로 보고되고 있다(그림 4-34).[35]

알레르기성 진균성 부비동염은 여러 부비동을 침범하는 것이 흔하며 특징적으로 조영전 CT영상에서 고음영을 나타내고 골미란을 초래할 수도 있다(그림 4-35).[28]

5) 베게너 육아종증

베게너 육아종증(Wegener granulomatosis)은 비강과 상기도에 괴사성 육아종성 혈관염을 일으키고 신장에

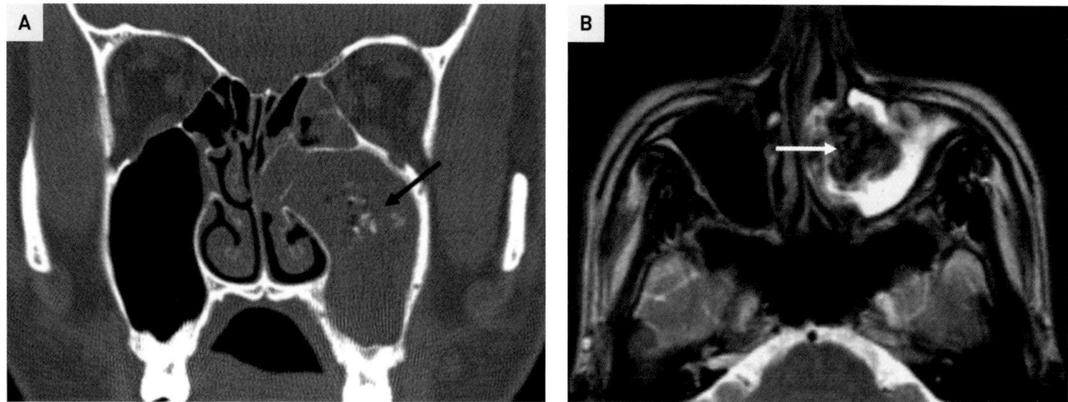

■ 그림 4-30. **진균성 부비동염(진균덩이).** **A)** 관상면 CT에서 좌측 상악동과 사골동 거의 전체에 혼탁이 있고, 비강 내로 돌출되어 있고 인접한 골의 미만성 미란을 보인다. 상악동 염증 조직의 내부 중앙부위에 여러 개의 점상 석회화(화살표)가 있다. **B)** 축상면 T2 MR 영상에서 왼쪽 상악동에 염증에 의한 고신호 강도가 보이며, 그 내부에 저신호 강도를 보이는 원형 형태의 진균덩이에 의한 종괴가 보인다(화살표).

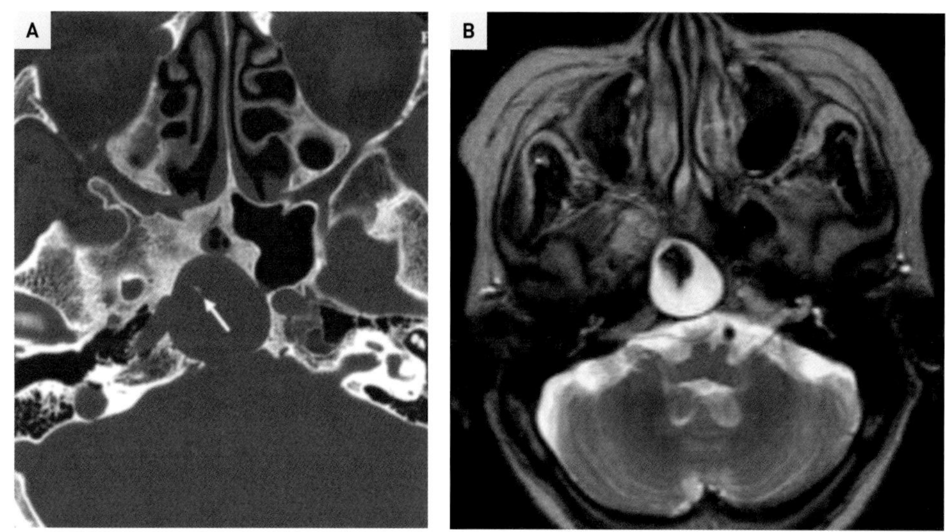

■ 그림 4-31. **진균성 부비동염(진균덩이) 및 접형동 점액류.** **A)** CT에서 접형골 내에 원형의 팽윤성의 병변이 있고 내부에 작은 석회화(화살표)를 동반한 연조직 음영이 있다. 인접된 내경동맥관에서 골미란이 형성되어 있다. **B)** T2강조 MR 영상에서 병변은 고신호 강도를 보이고 CT에서 석회화를 보인 부이에는 국소적인 저음영 병변이 보인다. 진균구에 의해 접형동 개구가 폐쇄되어 이차적으로 점액류가 형성된 경우이다.

사구체신염(glomerulonephritis)을 일으킨다. 초기에는 영상진단이 어렵지만, CT영상에서 부비동 벽의 비후 및 신생골 형성을 보이고, 진행되면 비중격을 잘 침범하여 미만성 궤양과 천공을 일으켜 안장코(saddle nose) 기형을 일으킨다.[40,48]

6) 염증성 가성종양(Inflammatory pseudotumor)

국소적, 전신적으로 원인 질환이 없이 부비동의 골과 연부조직에 비특이적인 종괴를 형성하는 질환으로 골파괴를 동반할 수도 있다. 부비동에 발생하는 경우는 드물며 CT, MRI영상 소견으로는 악성 종양과의 감별이 어렵다

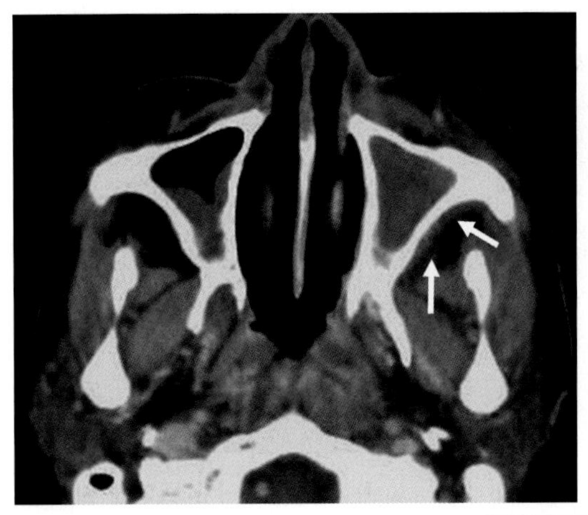

■ 그림 4-32. **급성 침윤성 진균성 부비동염.** 림프종으로 항암치료를 받고 있는 환자로 양측 상악동에 염증성 조직이 있으며 좌측 상악동에 염증이 더 심하고 부비동 주변 연부 조직에 염증성 침윤(화살표)을 보이고 있다.

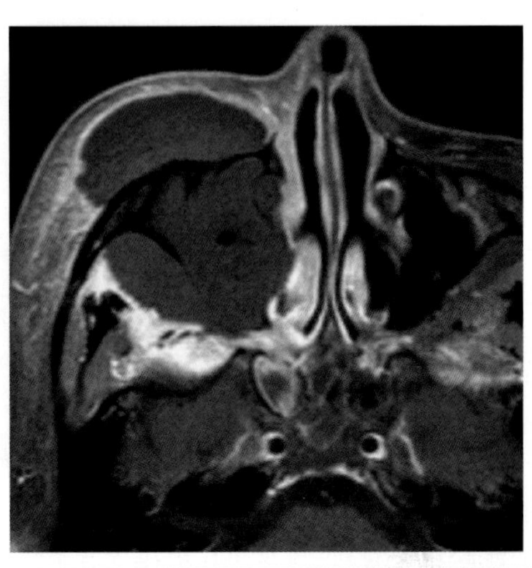

■ 그림 4-34. **급성 침윤성 진균성 부비동염.** 지방억제 축상면 조영증강 T1강조영상에서 우측 상악동의 안팎으로 조영증강의 소실소견이 있는데, 상악동 골벽 자체는 비교적 유지되어 있다.

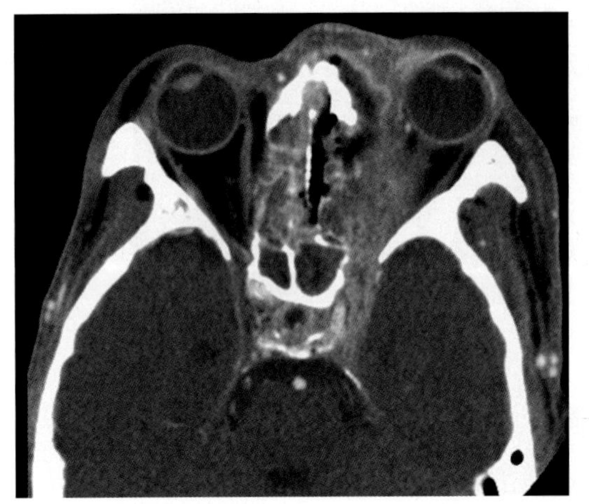

■ 그림 4-33. **급성 침윤성 진균성 부비동염.** 당뇨가 있는 환자로 조영증강 CT에서 양측 사골동과 접형동에 염증이 있으며 왼쪽 사골동에 심한 골파괴가 있고 염증이 왼쪽 안구와 해면동을 광범위하게 침윤하고 있다.

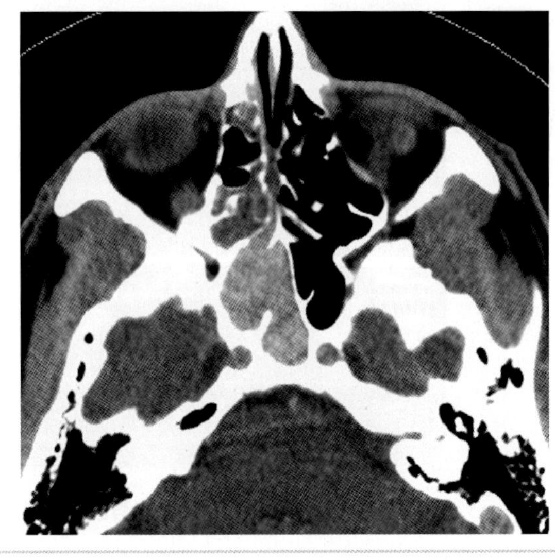

■ 그림 4-35. **알레르기성 진균성 부비동염.** 조영증강전 CT에서 우측 접형동 내에 고음영의 연조직 음영이 있다.

(그림 4-36).[39,44]

7) 기질화 혈종(Organized hematoma)

기질화 혈종은 피포성의(encapsulated) 피떡(blood clot)에 신생혈관과 섬유화가 생긴 것이다. 주로 상악동에 생기며, 혈우병 등 출혈성향의 질환이 있거나, 외상, 혹은 숨겨진 혈관종 등과 관계가 있는 경우도 있지만, 특별히 원인을 모르는 경우가 더 많다. 기질화혈종은 CT나 MRI 영상에서 악성종양처럼 보이는 경향이 있다. 하지만, MRI T2강조영상에서 출혈, 섬유화, 신생혈관 등에 의해 비균질적으로 등신호 및 저신호강도를 보이고, 주로는 신생혈관 부부분이 강하게 조영증강되는 양상을 보이는 것으로 보고되었다(그림 4-37).[20]

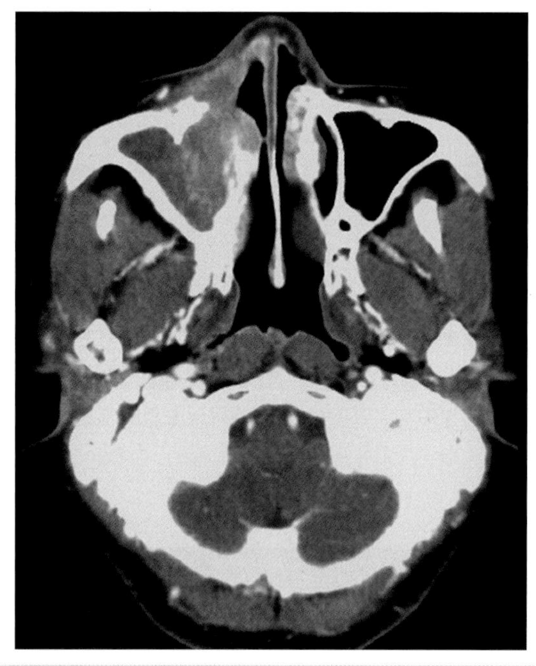

■ 그림 4-36. **염증성 가성종양.** 조영증강 CT에서 오른쪽 상악동과 코의 연부 조직으로 미만성 조영 증강을 보이는 종괴가 있으며, 이 종괴는 상악동의 전내벽을 파괴하고 침윤적인 형태를 보여 악성 종양과 유사한 모양을 보인다.

4. 양성 종양

양성 종양으로는 상피세포에서 발생하는 Schneider유두종이 가장 흔하고 이 외에 소타액선, 신경, 연조직, 골과 연골에서 발생하는 다양한 종양들이 가능하다. 비부비동에서 발생하는 주요 양성 종양의 영상 소견은 아래와 같다.

1) 유두종

비강 및 부비동에서는 세 가지의 서로 다른 조직형태학적 유두종(papilloma)이 발생할 수 있는데, 폴립상(fungiform or exophytic) 유두종, 반전성(inverted) 유두종과 oncocytic *Schneiderian cylindric cell* 유두종이 그것이다. 이 세 가지를 통틀어 *Schneiderian* 유두종이라고 부르기도 한다.[47,50]

폴립상 유두종은 대개 비중격에 단일성 및 편측성의 외장성(exophytic) 용종 형태를 나타내는데 악성 변화는 거의 없다.

반전성 유두종은 불규칙한 용종모양으로 접촉에 의하여 쉽게 출혈하는 양상을 보인다. 종양의 3~24%에서 편평세포암종이 동반되어 있거나 후에 발생할 수 있다.[38] CT에서 이 종양은 특징적으로 중비도 부근의 비강 측벽에서

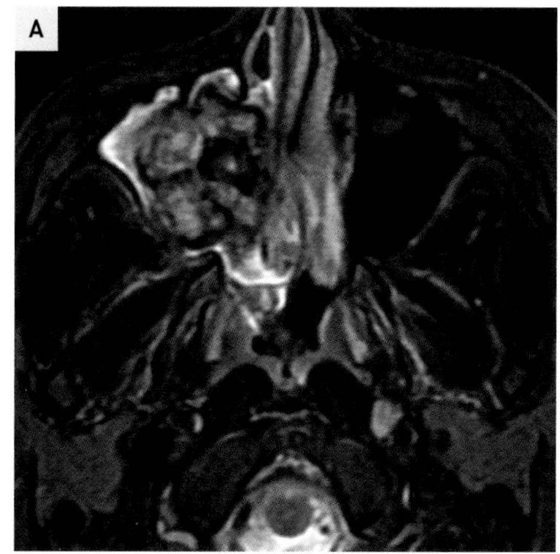

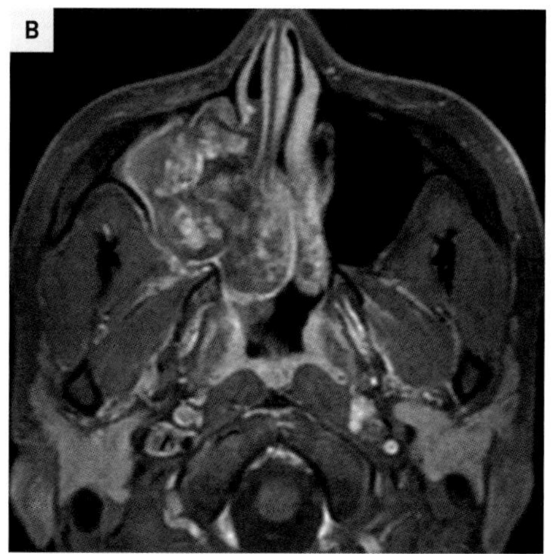

■ 그림 4-37. **기질화 혈종. A)** 지방억제 축상면 T2강조영상에서 우측 상악동에 저신호강도와 등신호강도가 섞여 있는 종괴가 보인다. **B)** 지방억제 축상면 조영증강영상에서 이 종괴는 부분적으로 조영증강되는 소견을 보인다.

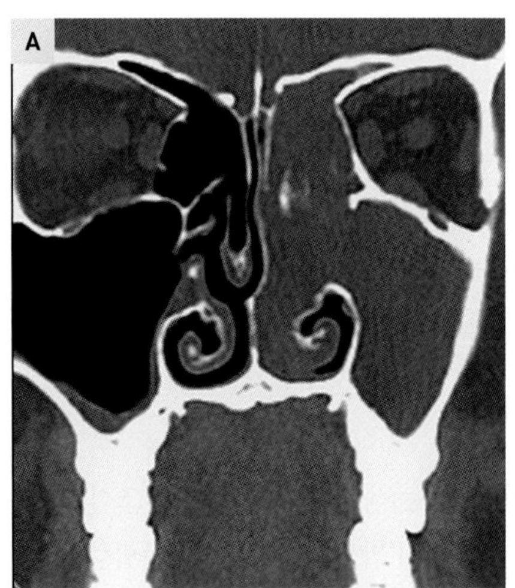

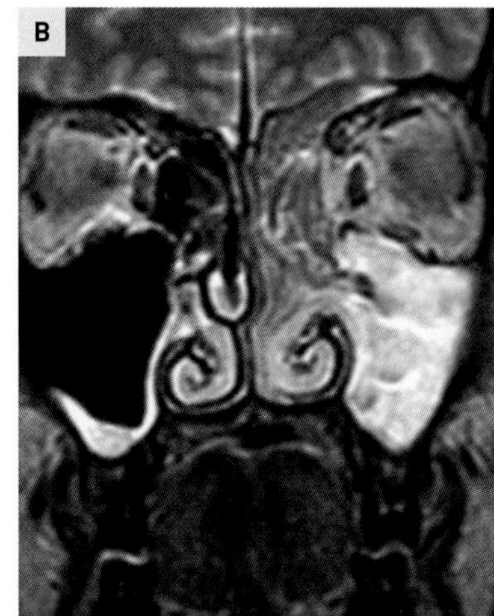

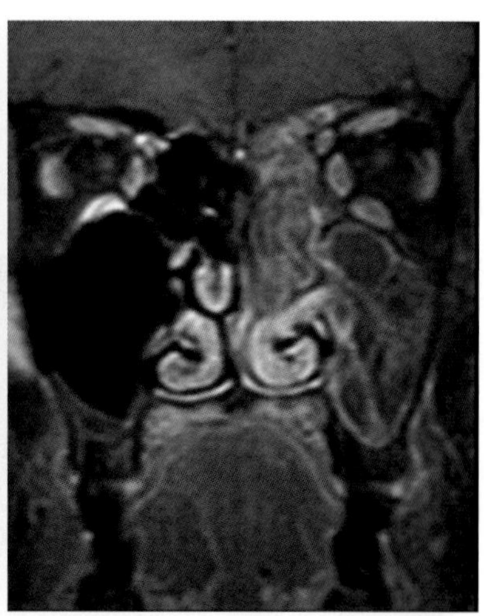

■ 그림 4-38. **반전성 유두종.** **A)** CT영상에서 왼쪽 비강과 상악동 및 사골동을 미만성으로 확장시키는 연조직 음영이 있고 비강내에 골미란이 형성되어 있다. **B)** 관상면 T2강조 MR영상(좌측)에서 구불구불한 대뇌모양의 종괴가 중등도 정도로 불균일한 혼합 신호강도를 보이고, 지방억제 조영증강 T1 강조 MR영상(우측)에서 조영증강되는 연부종괴가 왼쪽 비강외측벽과 사골동에서 보인다. T2강조영상에서 좌측 상악동 내의 염증성 병변과 종양과의 구분이 가능함을 알 수 있다.

기시하여 상악동과 사골동 등 부비동 쪽으로 파급되는 양상을 보이는데, 때로 크기가 커짐에 따라 비강에서 비인강으로 자라서 후비공용종과 유사한 형태를 보일 수도 있다. 침습성이 강한 반전성 유두종의 경우에는 종종 익구개와, 두개강과 안와 내로 침범을 일으키기도 한다. 부비동의 혼탁은 종양 자체에 의한 결과이거나, 종양이 자연공을 막아서 생긴 분비액의 저류에 의한 결과일 수도 있다. MRI 영상에서 반전성 유두종은 구불구불한 대뇌모양(convoluted cerebriform pattern)의 특징적인 소견을 보이며, CT보다 종양의 위치와 침범 범위를 정확히 평가할 수 있고 이차적 부비동 염증 부위와의 구분이 가능하다(그림 4-38).[19,26]

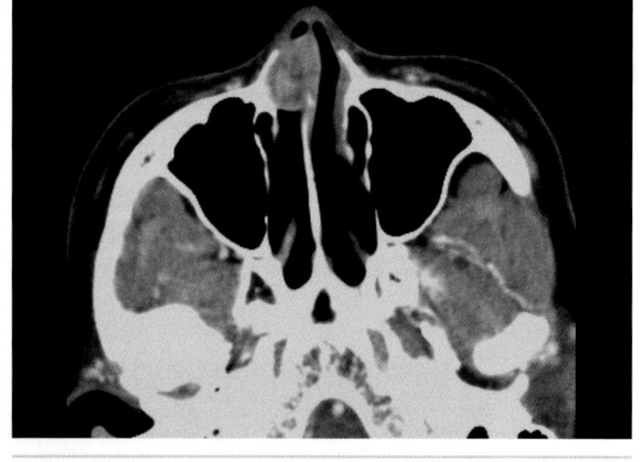

■ 그림 4-39. **다형선종.** 조영증강 CT에서 좌측 비강의 앞쪽에 약간 불규칙한 조영 증강을 보이는 경계가 비교적 좋은 고형성 종괴가 있다.

2) 선종(Adenoma)

대부분이 소타액선에서 기원하는 다형선종(pleomorphic adenoma)이다. 비강 내에서 발생하는 경우는 드물다. 비교적 경계가 좋은 고형성 종괴 형태를 보이며 뼈의 변형을 동반할 수 있는데, 영상소견은 비특이적이다(그림 4-39).[4,12]

3) 혈관종성 용종(Angiomatous polyp)

신성 종양이 아니고 반복되는 외상에 의한 반응성 용종이다. 병리적으로 섬유, 혈관성 조직으로 이루어져 혈관섬유종과의 감별이 필요하다. 연령범위가 다양하고 성별의 차이가 없고, 익구개와를 침범하지 않는 점, 비인강이 아닌 비강에서 발생하고 두개 내 침범을 하지 않는 점, 영

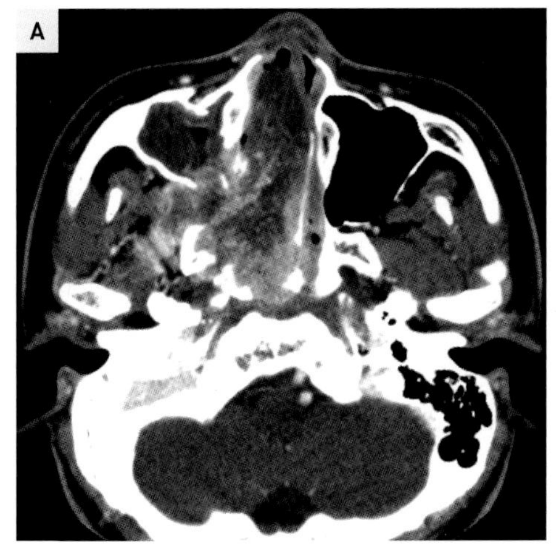

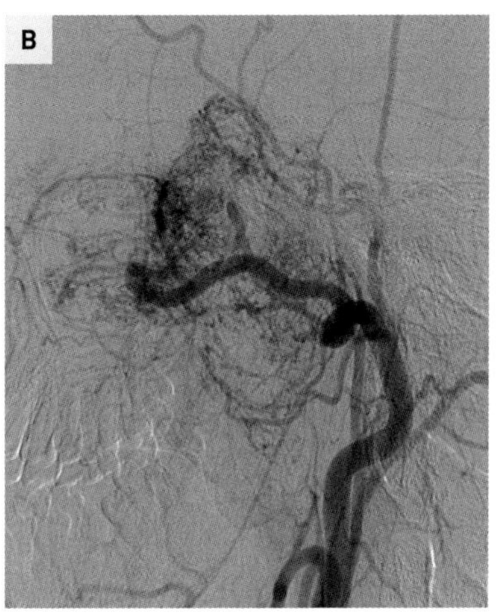

■ 그림 4-40. **약년성 비인두혈관섬유종. A)** 조영 증강 CT에서 우측 비강과 비인두에 불균일한 강한 조영증강을 보이는 침윤성 종괴가 있으며, 동측 익구개와를 침범하여 넓히고 상악동에 골미란을 형성하고 있다. **B)** 외경동맥 조영술에서 종양은 내상악동맥의 분지에서 공급받는 혈관 밀도가 높은 혈관성 종양이다.

상 소견으로는 상대적으로 약한 CT 조영증강 소견, MRI에서 종양 내 혈관 구조물이 없는 점, 혈관조영술 소견상 적은 혈관분포를 보이고 수술 전 색전술이 필요없는 점이 혈관섬유종과의 차이점이다.[38]

4) 비인강혈관섬유종 (Nasopharyngeal angiofibroma)

사춘기 소년에서 주로 발생하는 종양이다. 비폐색, 비출혈, 비루, 후각장애, 청력감퇴 등이 주증상으로, 청력감퇴는 종양에 의해 이관이 폐쇄되어 발생한 중이염이 원인이다. 거의 모든 비인강혈관섬유종은 익구개와 접형구개공(sphenopalatine foramen) 근처의 비강 후방 후비공 조직에서 기시하며 크기가 점차 자라남에 따라 비강의 뒤쪽과 비인강을 채우게 된다. 대개는 비대칭으로 성장하여 대부분은 익구개와 내로 자라 들어가서 익구개와를 넓히게 되고, 동측의 상악동 후벽을 앞쪽으로 밀어내는 양상으로 나타난다(그림 4-40). 이 외에도 비인강의 천정을 통하여 접형동으로 파급되거나 상악동과 사골동으로 파급된다. 심한 경우에는 두개 내로도 파급될 수 있으며 주로 중두개와를 침범한다.[26,38]

CT 및 MRI에서 강한 조영증강을 보이며, 안와나 두개 내 침범 여부를 확인할 수 있다. 역동적 CT를 시행하면 이 종양의 풍부한 혈관분포를 잘 관찰할 수 있다. MRI에서는 중등도의 신호강도를 보이며 종양 안에 여러 개의 종양혈관을 나타내는 신호공백(signal void)을 관찰할 수 있다. 두개 내 파급 등을 포함한 종양의 파급범위를 확인하는 데 CT보다 MRI가 우수하다. 종양의 주공급 혈관은 동측의 내상악동맥(internal maxillary a.)과 상행인두동맥(ascending pharyngeal a.)임이 혈관조영술을 통해 관찰될 수 있으며, 일부에서는 반대측의 외경동맥 또는 드물게 내경동맥의 분지로부터 혈액공급을 받는 것이 확인되기도 한다. 선택적 혈관조영술이 공급혈관을 확인하기 위하여 요구되며, 수술 시 출혈량을 줄이기 위하여 수술 전 동맥색전술을 시행한다(그림 4-40).[38]

5) 신경종(Neuroma)

신경초종(neurilemmoma, schwannoma)과 신경섬유종(neurofibroma)으로 나눌 수 있으며, 부비동에서는 드물다. 매우 서서히 자라므로 주변 골벽과 공(foramina)을 잠식하는 특징이 있다. 신경초종은 피막이 있고 낭성변성(cystic degeneration)을 보이기도 하며, 대다수의 신경초종은 삼차신경에서 기인한다. 후각신경은 정상적으로 Schwann세포가 없기 때문에 후부에는 신경종양이 없다.[22,44] CT에서 연조직의 병변으로 근육조직과 같은 음영을 나타낸다.

신경섬유종은 신경섬유종증(neurofibromatosis) I형

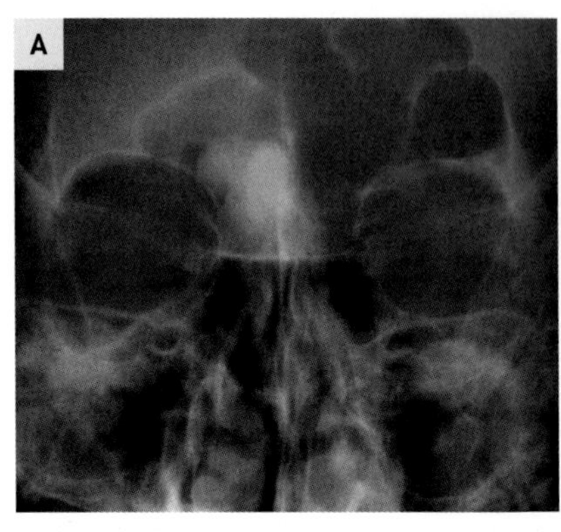

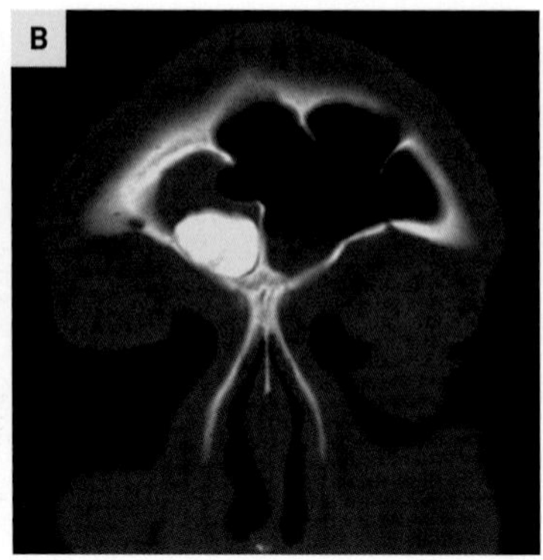

■ 그림 4-41. **골종. A)** Cadwell 영상에서 오른쪽 전두동에 난형의 고밀도를 갖는 종괴가 있고 동측 전두동은 혼탁되어 있다. **B)** 관상면 CT영상에서 정상적인 골과 같은 밀도의 난형 종괴가 있으며 전두동에 염증이 형성되어 있다.

환자에서 종종 동반된다. CT 소견은 매우 다양하게 나타나며 CT에 의해 신경초종과 구분할 수는 없다. 두 종양 모두 석회화가 거의 관찰되지 않는다.[38]

6) 골종

골종(osteoma)은 부비동에 흔히 관찰되는 병변으로 대부분 무증상으로 우연히 발견되는 경우가 많다. 전두동이 가장 흔한 발생부위이며 다음이 사골동이다. 전두동 골종의 17%는 전두동으로부터의 배액을 막는다.[22,44] 병리학적으로 상아질형(eburnated type)과 망상조직형(cancellous type)으로 나눌 수 있다.[26] 골종은 서서히 자라며 경과 관찰을 위한 추적검사가 필요하다. 영상 검사에서 뚜렷한 경계를 보이는 골음영이 부비동 골벽에 넓은 기시부를 갖는 것이 흔하지만, 유경성 형태(pedunculated)를 보이기도 한다(그림 4-41). 망상조직형 골종의 경우, 중심부에 투명성 음영과 주변에 골성 테두리의 형태를 보이는 경향이 있다. 골종도 크기가 커지면 부비동의 자연공을 막게 되어 분비물 저류에 의한 이차 염증이나 점액류를 초래할 수 있으며 팽창과 골미란으로 인하여 주위의 안와나 두개강으로 침범할 수도 있다. 심한 경우 안와근의 마비나 안구돌출증, 뇌척수액 누출이나 두개 내 감염성 합병증까지도 초래할 수 있다.[44]

7) 섬유·골성 질환(Fibro-osseous disease)

이 질환의 영상 소견은 새로이 형성되는 유골(osteoid)이나 석회화된 연골 그리고 종양에 함유된 섬유조직의 함량에 따라 결정된다.

대표적 질환인 섬유성 이형성증(fibrous dysplasia)의 CT 소견으로는 흡수된 정상뼈를 대치한 섬유조직 및 미성숙 무층뼈(woven bone)로 인하여 부비동 공간 전체가 균질의 골음영으로 대체되는 경우도 있고, 침습된 부비동이 내부로부터 증식되는 골종에 의하여 골벽이 얇아지고 주변의 두개강, 안와, 비강, 구강, 근막공간(fascial space)을 침범하기도 한다. 이 질환은 한 개의 뼈를 침범하는 단골성과 여러 개의 뼈를 침범하는 다골성이 있다. 영상에서 불균일한 골과 섬유조직의 혼합형으로 간유리(ground-glass) 같은 음영을 갖고 판간(diploic space)이나 골수강(medullary space)을 팽창시키고 확장시키는 소견을 보인다(그림 4-42).[26,38]

화골 섬유종(ossifying fibroma)은 섬유모세포화(fibroblastic) 및 골화(osseous) 요소로 구성된 양성종양이며, 섬유성 이형성증에 비하여 상대적으로 경계가 명확하고 주변으로 골경화성(osteosclerotic) 윤이 있다. 비균질성으로 단골성이며 더 현저하게 팽대되는 경향이 있다(그림 4-43).[26,45]

8) 치낭(Odontogenic cyst)

(1) 난포성 치아낭(Follicular cyst)

함치성 낭(dentigerous cyst)으로도 불리는 난포성 치아낭은 전체 치낭의 24%를 차지한다. 대개 10대, 20대 젊

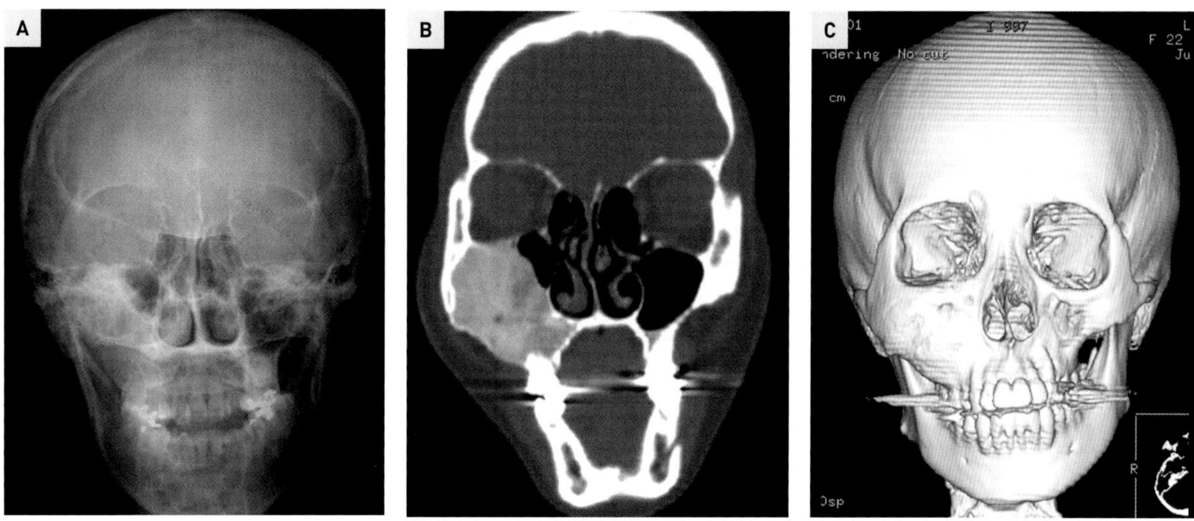

■ 그림 4-42. **섬유성 이형성증.** **A)** Caldwell 영상에서 오른쪽 상악동에 미만성 골밀도의 증가와 골팽대가 보인다. **B)** CT영상에서 오른쪽 상악골에 불투명 유리와 같은 균일한 음영의 팽대성 골병변이 있고 이로 인해 상악동이 변형되어 있다. **C)** 3차원 CT영상에서 오른쪽 상악동의 미만성 팽대가 보인다.

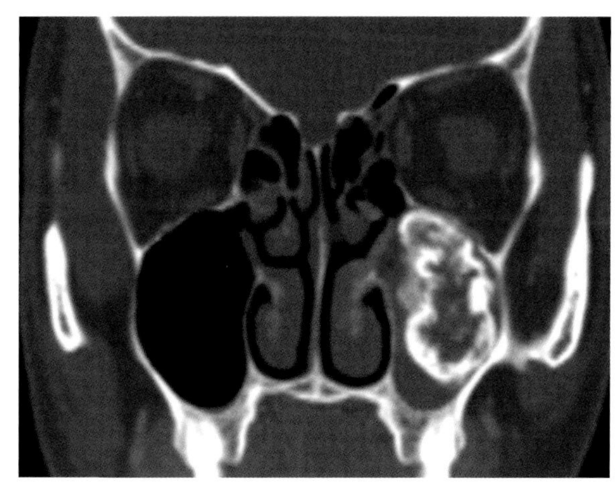

■ 그림 4-43. **화골 섬유종.** 축상면 CT에서 우측 상악동 하부를 채우는 화골 섬유종으로 중심부에 골화가 있고 주변부에 골경화가 있는 경계가 좋은 팽대성 병변이 있다.

은 층에서 발생한다. 이 낭은 미맹출 치아(unerupted tooth)에서 치관(dental crown)이 형성된 이후에 발생하게 된다. 낭이 커짐에 따라 미맹출 치아를 낭이 내포하게 된다. 영상의학적으로 함치성 낭은 정상의 치아 난포(dental follicle)와 감별되어야 한다. 크기가 2 cm 이상으로 커진 경우 미맹출 치아가 함치성 낭으로 변화될 가능성이 높다. 작을 때는 낭이 단방성이지만, 클 때는 여러 개의 낭 형상을 보이며 낭 내의 치아가 원래 위치에서 밀려난 듯한 모양을 보인다. 영구치에서만 발병하고, 하악 제3 대구치(molar), 상악 견치(canine)와 상악 제3 대구치가 흔한 병소이다. 단순촬영영상에서 난포성 치아낭은 미맹출치아 주위로 경계가 좋은 원형 혹은 타원형의 저음영(radioluncent) 형태를 보인다. 낭이 상악동 안으로 확장될 경우 급속도로 팽창할 수 있고, 상악동 골벽을 변형시키기도 하며 종종 상악동 기저부가 낭에 의하여 돌출된 양상을 보일 수 있다. CT영상에서 미맹출 치아를 갖는 낭성 종괴가 특징적인 소견인데, 드물게 상악동 내에서 발생하는 점액류 등의 낭성 종괴와 유사하게 보일 수 있으며 CT에서 보이는 상악동 벽에 의한 이중골벽 소견은 감별에 도움을 준다(그림 4-44).[14,38]

(2) 치주낭(Periodontal cyst)

치근주위낭(periapical cyst) 또는 치근낭(radicular cyst)이라고도 불린다. 가장 흔한 치낭이며 맹출 치아(erupted tooth)가 감염되어 치근단에서 발생하는데 상

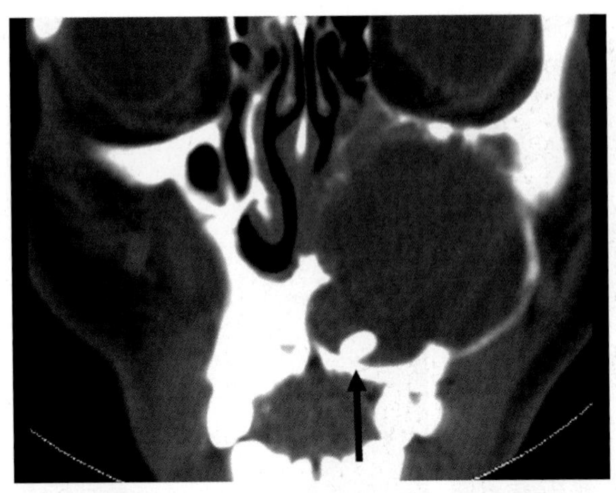

■ 그림 4-44. **함치성 낭dentigerous cyst.** 관상면 CT영상에서 좌측 상악 및 상악동에 미맹출 치아(화살표)를 함유하고 있는 큰 구형의 팽대성 낭성 병변이 있다. 상악동 벽의 골미란이 형성되어 있다.

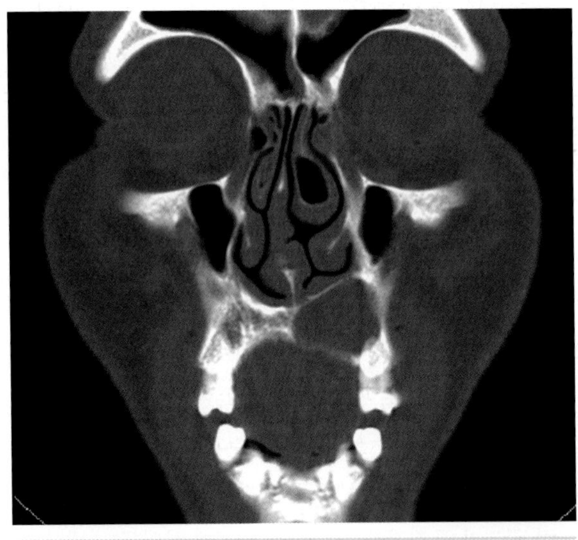

■ 그림 4-45. **치근낭 또는 치주낭.** 관상면 CT영상에서 왼쪽 상악골에 치근단 주위로 얇은 골성 막을 가진 팽창성 낭성 종괴가 있으며 주위 골이 변형되어 있다.

악치에서 가장 흔하게 발병한다. 단순촬영영상에서 치근단 주위에서 대게 1 cm 이하의 크기 원형의 방사선투과 소견을 갖는 단일 낭종 형태로 보이며 CT에서는 치근단에 위치하는 낭성 종괴를 관찰할 수 있다(그림 4-45). 상악동에서 발생하는 치주낭은 상악동 안쪽으로 침범하면서 팽창하여 주변 구조물을 변형시키며 상악동의 기저부 골피질을 위쪽으로 변위시키기도 한다.[38]

(3) 치각화낭

치각화낭(odontogenic keratocyst)은 치판(dental lamina) 혹은 다른 치아 상피(epithelium)에서 발생하는 것으로 생각되며, 대부분 하악체(mandibular body)와 하악지(mandibular ramus)에서 발생하나 상악골에서도 발생할 수 있다. 영상소견은 단일 낭종의 형태로 보이고 매복치(impacted tooth)가 종종 동반된다.[38]

9) 법랑질아세포종(Ameloblastoma)

천천히 성장하는 고형성 또는 낭종성 종양으로 치성기관(odontogenic apparatus)에서 기원한다. 약 80%에서 하악체(mandibular body)와 하악지(mandibular ramus) 부위에서 발생하지만 상악골의 소구치, 대구치 부위에서도 발생한다. 약 50%에서는 함치성 낭의 상피층에서 발생하는 것으로 알려져 있다. 영상 소견은 다양하게 나타날 수 있는데 팽창성의 단일 낭종 형태를 보일 수 있지만 고형성 혹은 다방성(multilocular) 낭종 형태를 보일 수도 있다(그림 4-46, 47).[38]

5. 악성 종양

상피세포에서 기원하는 편평세포암종이 가장 흔하고 대표적인 종양이다. 이 외에 소타액선, 신경초, 연조직, 골과 연골, 조혈성 종양, 전이 암종이 발생할 수 있다. 부비동의 악성 종양은 전체 악성 종양의 약 1%를 차지하며 상기도와 소화관 악성 종양의 3%를 차지하는 드문 종양이다. 부비동 악성 종양의 81%가 상악동에서 발생하며 사골동과 안와로 파급될 수 있다. 사골동에서 두 번째로 흔하게 발생하며 전두동, 접형동의 순이다. 분화 정도보다도 종양의 파급범위가 예후를 결정하는 데 가장 중요한 요인이다. 악성 종양의 조직형으로 편평세포암종 다음으로 미

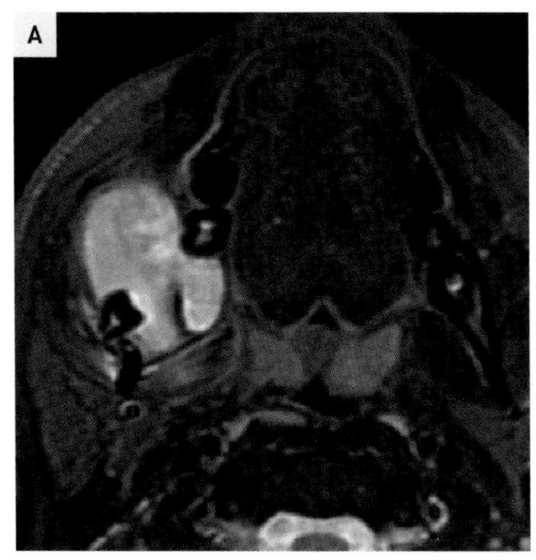

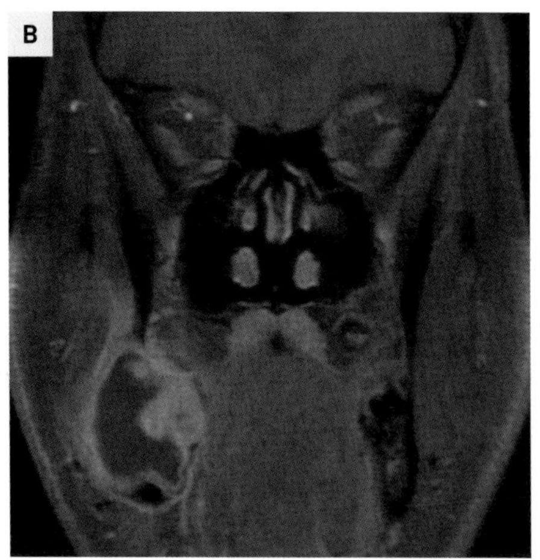

■ 그림 4-46. **단방성 법랑질아세포종. A)** 지방억제 축상면 T2강조영상에서 우측 하악각 부위에 고신호강도의 팽창성 낭성 종괴가 있다. 종괴의 뒤쪽 벽에는 미맹출 치아가 있다. **B)** 지방억제 관상면 조영증강 T1 강조영상에서 낭성종괴의 내측면 벽을 따라서 결절성 조영증강이 보인다.

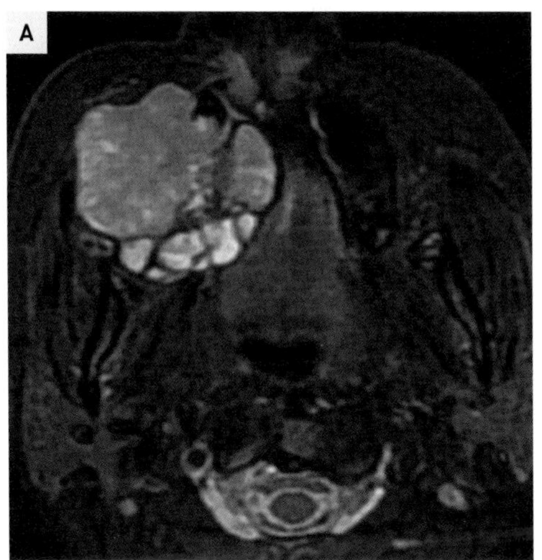

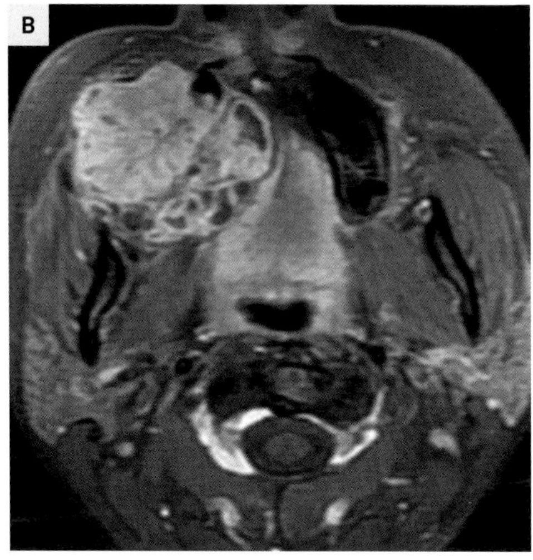

■ 그림 4-47. **다방성 법랑질아세포종. A)** 축상면 T2강조영상에서 우측 하악체 부위에 종괴는 높은 신호강도를 갖고 있다. **B)** 조영증강 관상면 T1강조영상에서 종괴는 전반적으로 조영증강이 잘 되며, 특히 내측에 다방성의 낭을 보이고 있다.

분화암종(undifferentiated carcinoma), 선양낭성암종(adenoid cystic carcinoma)과 선암종(adenocarcinoma)의 순서로 흔하게 발생한다. 드물게 발생하는 악성 종양으로는 악성 림프종, 후각신경아세포종(olfactory neuroblastoma), 형질세포종(plasmacytoma)과 전이성 암종 등이 있다.[22,44]

악성 종양의 진단과 종양의 범위를 결정하기 위한 최선의 영상검사는 CT와 MRI이다. CT는 종양 침범에 의한 골미란 및 변화를 진단하는 데에 우수하지만, 연부조직의 대조도가 MRI보다 상대적으로 낮고 신경주위 혹은 골수질 내로의 종양침범을 평가하는 데에는 제한점으로 가지고 있다. 비조영증강 CT에서 염증성 질환이나 자연공 폐쇄로 인한 점막부종과 종양의 침범에 의한 소견을 감별하기가 어려울 수 있지만, 조영증강 CT를 통해 차별적인 조영증강과 서로 다른 감쇄(attenuation)현상으로 악성 종양과 부비동 내의 저류점액을 구별할 수도 있지만, MRI를 통하여 악성 종양을 구분하는 것이 좀 더 용이한 경우가 많다.

종양이 커짐에 따라 주변 뼈의 변형을 나타내는 경우는 그 양상에 따라 종양의 감별에 도움이 된다. 매우 심한 골파괴를 보이고, 부비동 골벽이나 비강 내에 작은 골편이 관찰된다면, 편평세포암종을 암시하는 소견이다. 육종(sarcoma)이나 림프종, 폐나 유방으로부터의 전이암종 등에서도 심한 골파괴 소견을 보일 수 있지만, 점액종, 반전성 유두종과 일부 소타액선 질환, 신경초종, 골수외 형질세포종, 혈관주위세포종(hemangiopericytoma) 등의 경우에는 골파괴보다는 대개 뼈의 구조를 개조(remodelling)하는 경향이 있다. 골의 침범 및 파괴소견 외에 골밀도의 변화도 중요한 소견으로 대개의 비부비동 종양에서는 골경화(osteosclerosis) 소견을 보이는 예가 드물지만 일부 악성 부비동암, 비인두암과 골육종에서는 관찰될 수 있다.[38]

종양에 의한 석회침착은 비부비동에서는 드문 소견이다. 비부비동에서 몇 개의 분산된 석회침착의 소견은 세균성이든 진균성이든 만성 염증을 의미한다. 하지만, 이런 소견은 골모세포종(osteoblastoma), 골연골종(osteochondroma), 연골종(chondroma), 연골육종(chondrosarcoma)과 후각신경아세포종에서도 관찰될 수 있다. 석회침착이 뚜렷한 병변의 테두리 안에 국한되어 존재하면 거의 양성 섬유골질환을 의심하게 하며, 불분명한 테두리 안에 전반적인 석회 침착이 보이면 육종을 의심케 한다.[44]

CT는 재발의 조기발견에도 유용하다. 수술 후 4~6주에 수술 후 기저상태(baseline) CT를 촬영하고, 적어도 3년간은 6개월 간격으로 조영증강 CT를 촬영하는 것이 바람직하다. 기저상태 CT는 수술 후 경과관찰에 기준이 되며, 연조직 음영의 변화나 골벽의 파괴 또는 비후 등이 관찰되면 종양의 재발을 의심할 수 있다.

MRI에서 비부비동의 악성 종양은 세포의 밀도가 상대적으로 높아서 T2강조영상에서 중등도 이하의 신호강도를 나타내어 신호강도가 높은 양성 질환과 구분이 된다. T2강조영상에서 높은 신호강도를 보인다면, 염증성 질환, 양성 종양 또는 낮은 악성도의 타액선 종양 등일 가능성이 높다.[22,44]

1) 편평세포암종(Squamous cell carcinoma)

상악동에 25~58%로 가장 흔하고 다음은 비강, 사골동의 순으로 발생하며 접형동과 전두동에서의 발생은 드물다.[22] 남자에서 여자보다 두 배로 빈도가 많고 호발 연령은 55~65세이다. 종양이 큰 경우는 괴사나 출혈 등을 동반하는 경우가 많다(그림 4-48, 49).[44]

과거에 사용하였던 방사선 조영제인 thorotrast가 부비동암을 일으키는 대표적인 발암물질로 알려져 있으며, 이 외에 니켈, 목재가구, 라듐 등에 노출되었을 때 부비동암의 빈도가 높아진다. 반전성 유두종과 원주세포 유두종 등의 선생질환, 선행 방사선조사와 면역억제사용 등의 병력이 있는 경우에 부비동암의 발생률이 증가한다.[38]

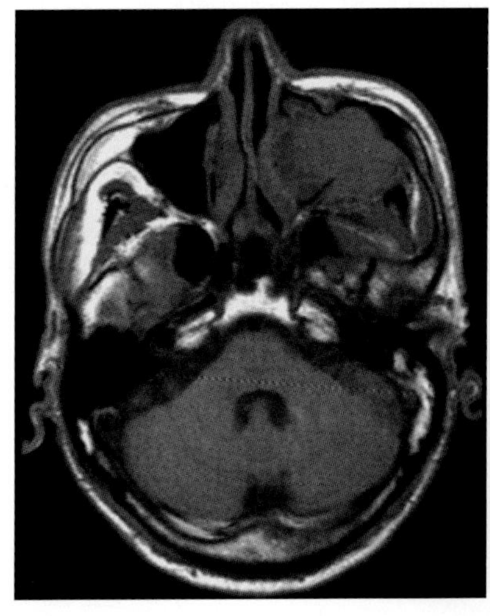

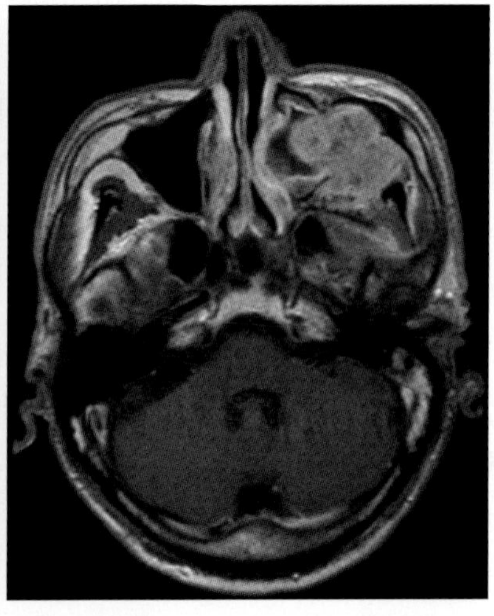

■ 그림 4-48. **상악동의 편평상피암(T4a)**. 축상면 조영증강 전 T1강조 MR영상(왼쪽)과 조영증강 후 T1강조 MR영상(오른쪽)에서 왼쪽 상악동을 침윤하고 있는 강한 조영 증강을 보이는 분엽성의 고형 종괴가 있으며 상악동 외측벽을 파괴하고 측두하와를 침윤하고 있다. MR영상에 기초한 원발성 종양의 병기는 T4a로 진단된다.

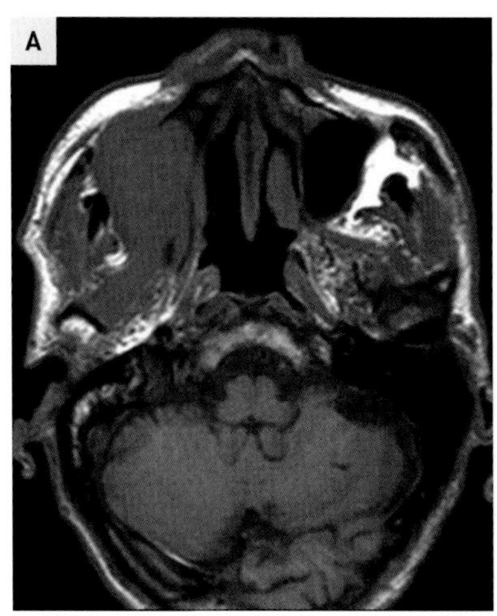

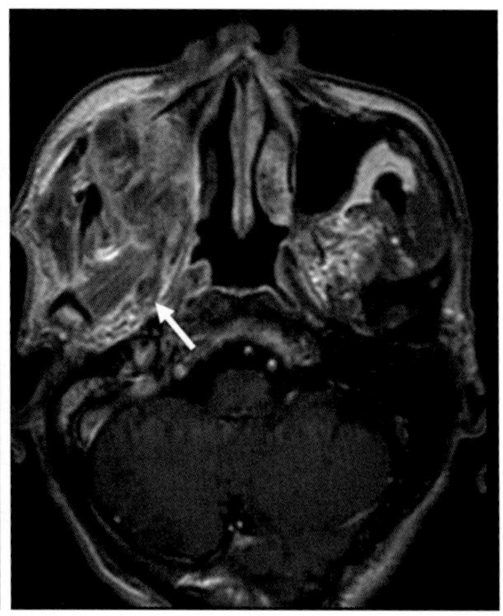

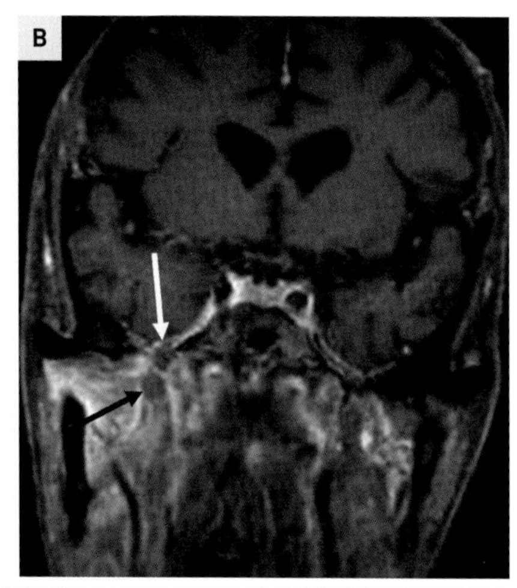

■ 그림 4-49. **상악동의 편평상피암(T4b). A)** 축상면 조영증강전 T1강조 MR영상(왼쪽) 및 조영증강 후 T1강조 MR영상(오른쪽)에서 우측 상악동에서 발생하여 익구개와와 측두하와와 외측 익상근으로 파급된 종괴가 있다. 동측 V3 신경(화살표)은 커져 있고 조영증강을 보인다. **B)** 관상면 지방억제 조영 증강 영상에서 오른쪽 난원공은 커져있고 V3 신경은 조영 증강 및 팽대를 보여 종양에 의해 침윤되었음을 보여준다. MR영상에 기초한 원발성 종양의 병기는 T4b로 진단된다.

약 15%에서 이시성(metachronous) 또는 동시성(synchronous)으로 종양이 발생하는데 두경부에서 40%가 발생하고 나머지 60%는 쇄골(clavicle) 하부의 폐, 소화기, 유방 등에서 발생한다.[44]

2) 선암종(Adenocarcinoma)

선암종은 소타액선 종양이거나 또는 소화관 선종이다. 소타액선 종양은 부비동의 어느 곳에서나 발생한다. 가장 흔하게 발생하는 부위는 구개이고 비강이나 부비동에서도 가능하다. 소타액선의 악성 종양의 종류는 선양낭성암종(adenoid cystic carcinoma), 선암종, 점액표피양암종(mucoepidermoid carcinoma), 포도상선세포암종(acinic cell carcinoma), 다형선종성암종(carcinoma ex pleomorphic adenoma) 등이 있다.[44]

선양낭성암종은 소타액선 종양의 약 35%를 차지한다. 비강보다 상악동에 약간 흔하게 발생한다. 주로 30~60대에서 호발하고 증세로는 종괴 효과와 신경증상이 흔하다. 신경주변 전이(perineural spread)를 잘 하는 것이 특징적이다.[13] 재발을 잘 하여 1년 이내에 약 60%가 재발한다. 충실형(solid) 또는 기저형(basaloid pattern)이 나쁜 예후를 갖는다. 선양낭성암종의 5년 생존율이 약 46%이고 약 반수에서 원격 전이를 한다.[36]

점액표피양암종(mucoepidermoid carcinoma)은 선암종의 종류 중 선양낭성암종, 선암종 다음으로 많다. 소화관형(intestinal type) 선암종은 이름과 같이 대장 선암종과 유사하다. 이 종양은 주로 55~60세의 남자에서 흔하게 발생한다. 유두상(papillary) 선암종은 저등급의 악성도를 보여 비교적 예후가 좋지만, 반지세포(signet cell) 선암종은 예후가 나쁘고 대장이나 위장 선암종과 유사하고 이러한 경우에 이들 종양의 전이를 감별해야 한다.[10] 선암종의 영상소견은 비특이적으로 편평세포암종과의 구분은 불가능하다(그림 4-50, 51).

3) 림프종(Lymphoma)

비호지킨(non-Hodgkin) 림프종의 약 47%가 두경부에서 발생하며 이 중 90%가 림프절 림프종이다. 비림프절 림프종의 발생부위는 갑상선과 편도선이 가장 흔하다. 대부분의 비부비동 림프종은 T세포 림프종으로, 이 경우에 악성도가 높고 혈관침범과 괴사를 잘 동반하고 Epstein-Barr바이러스의 감염과 연관이 있는 것으로 알려져 있

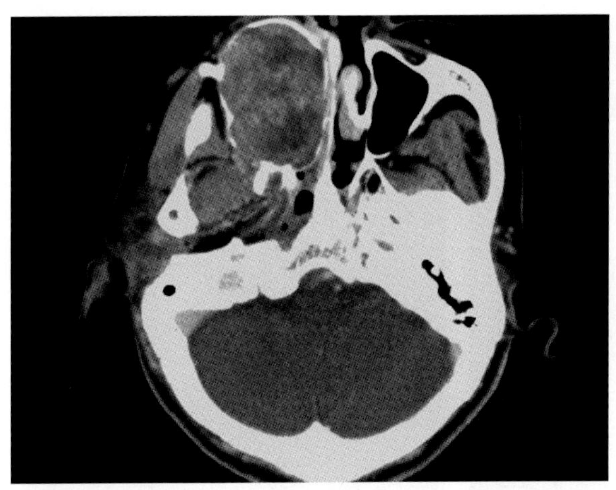

■ 그림 4-50. **선암.** 조영증강 CT에서 우측 상악동을 팽창시키며 여러 군데 골파괴를 동반한 불규칙한 조영증강을 보이는 종괴가 있다. 영상 소견만으로 편평상파암과 감별하기는 어렵다.

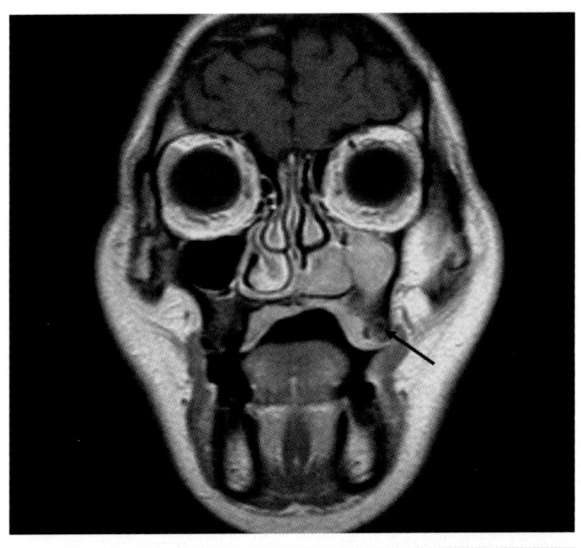

■ 그림 4-51. **선양낭선암종.** 관상면 조영증강T1 MR 영상에서 왼쪽 상악동과 비강을 침범한 조영 증강이 잘 되는 종괴가 있으며 아래쪽으로 상악 치조돌기(upper alveolar process)를 침범하고 있다(화살표).

다. 비림프절 림프종이 림프절을 침범했을 때 5년 생존율은 50%로 떨어진다.

CT, MRI에서 비강에서 발생하는 T세포 림프종은 다른 악성 종양과는 달리 비강벽을 따라 경계가 불분명한 침윤적 형태를 보이는 것이 특징이며 간혹 비특이적 염증성 변화와 구분하기 어려울 수 있다(그림 4-52).[21] 전형적인 림프종은 CT나 MRI에서 부피가 있는 연조직 종괴를 갖고 있고 비교적 균일하게 조영증강되고, 다른 악성종양에 비해 괴사가 적다. 뼈의 변형이나 골미란을 일으키기도 한다(그림 4-53).[27,38]

Burkitt 림프종은 비호지킨 림프종의 한 특수 형태로 주로 소아에 흔하고 Epstein-Barr 바이러스 감염과 밀접한 관련이 있다. 턱, 안와, 뇌막, 경막외공간(extradural space), 비인두, 림프절 등을 침범하고, 비부비동을 침범한 경우는 드물다.[52]

4) 흑색종

흑색종(melanoma)은 태생학적으로 신경능(neural crest)에서 부비동으로 내려온 점막 내의 흑색세포(malanocyte)에서 발생한다. 이 종양은 부비동 종양의 약 3.6%를 차지하고 50~70세에서 호발한다. 가장 흔하게 발생하는 부위는 비중격이다. 약 30%는 비멜라닌 병소(amelanotic lesion)이며, 주요 증상은 비폐색과 비출혈이다. 광범위한 절제가 가장 중요한 치료방법이며 재발이 흔하고 평균생존기간이 약 18~34개월로 예후가 좋지 않다. 흑색종은 뼈를 변형시키고, 풍부한 혈관 때문에 조영증강이 잘 된다.[38] MRI에서 멜라닌흑색종은 T1강조영상에서 고신호강도를 갖는 특징적 소견을 보이지만, 비멜라닌흑색종은 기타 종양과 구분하기 어렵다(그림 4-54).[38]

5) 후각신경아세포종

후각신경아세포종(olfactory neuroblastoma, esthesioneuroblastoma)은 상부 비강의 신경능에서 생기는 드문 종양으로, 두 개의 흔한 연령군이 있는데 첫 번째는 11~20세이고 두 번째는 50~60세이다. 대부분이 일측성이고, 비강 내의 종괴형태로 나타나거나 전방 두개저에 종괴를 형성하여 비강과 두개 내 종괴 형태를 갖는다. CT에서 비교적 균일한 조영증강과 뼈의 변형을 유발하고 가끔 석회화를 동반한다. MRI에서 중등도의 신호를 보이는 약

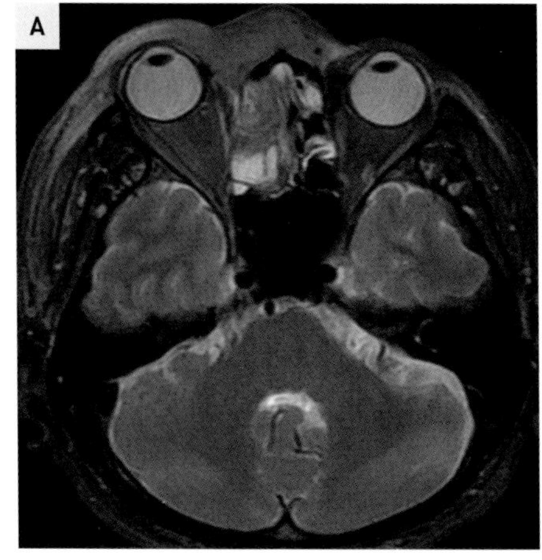

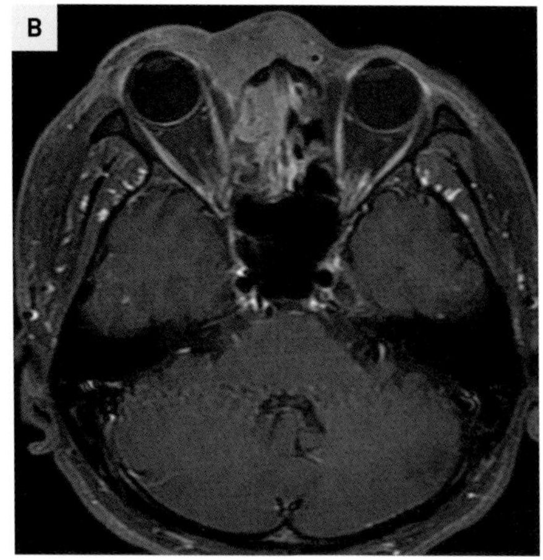

■ 그림 4-52. **비강 T 세포 림프종.** **A)** 지방억제 축상면 T2강조 영상에서 우측에 좀 더 치우쳐 있는 양측 코와 우측 사골동에 등신호강도의 병변이 보인다. **B)** 지방억제 축상면 조영증강 T1강조영상에서 병변은 균질성으로 조영증강된다.

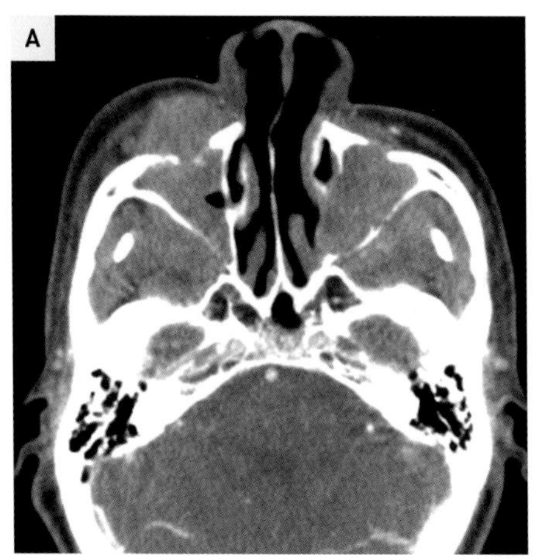

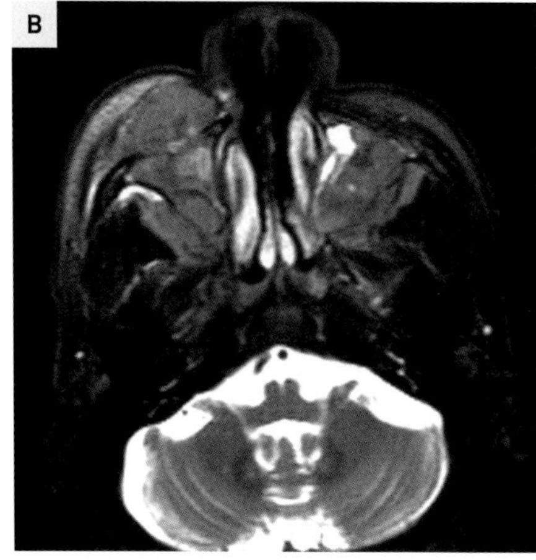

■ 그림 4-53. **부비동 B 세포 림프종.** **A)** 조영증강 CT에서 양측 상악동을 미만성으로 침범한 균질한 미미한 조영 증강을 갖는 침윤성 종괴가 있으며, 오른쪽 상악동 전벽을 뚫고 안면부 연조직에도 종괴를 형성하고 있다. **B)** 지방억제 T2강조 MR영상에서 종괴는 전체적으로 균질한 약간 높은 신호강도를 보인다.

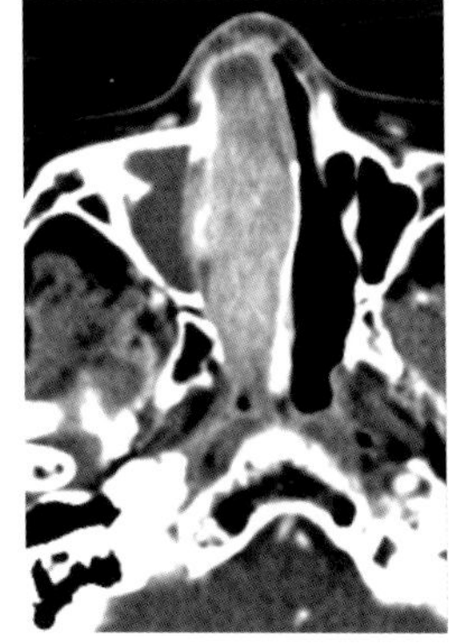

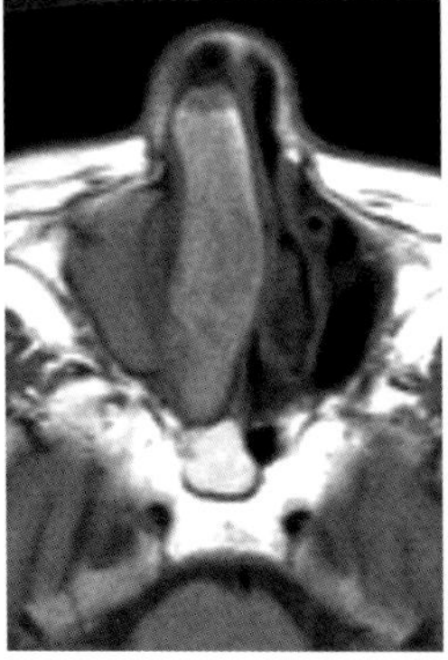

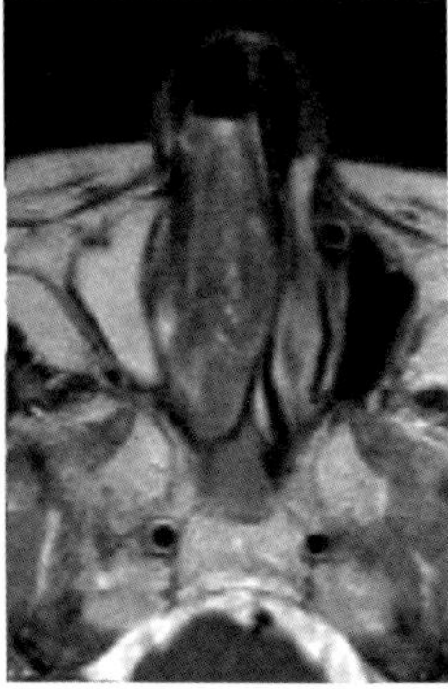

■ 그림 4-54. **비강 흑색종.** 조영증강 CT(좌측)에서 오른쪽 비강에 강한 조영 증강을 보이는 종괴가 있다. 조영전 T1강조 MR영상(가운데)에서 종괴는 전체적으로 높은 신호 강도를 보이며 T2강조 MR영상에서는 낮은 신호 강도를 보인다. 이러한 MR 신호강도는 멜라닌 흑색종의 특징적인 소견으로 멜라닌의 상자성 효과에 의한 신호강도 변화를 보여준다.

간 불균일한 고형종괴로 보이며 조영증강이 잘 된다(그림 4-55).[6,38]

6) 골육종

골육종(osteogenic sarcoma)은 전체 부비동 악성 종양 중 0.5~1%를 차지한다. 원발성으로 생기나 방사선 조사 후에 발생할 수도 있다. 선행 양성 질환으로 Paget 질환, 섬유성 이형성증, 거대세포종양(giant cell tumor), 골모세포종(osteoblastoma), 골경색(bone infarction), 만성골수염 등을 들 수 있다. 골육종의 조직실질은 유골(osteoid) 또는 미숙한 골조직을 생성한다.

20대의 젊은 연령층에 호발하고 원격전이는 드물다.

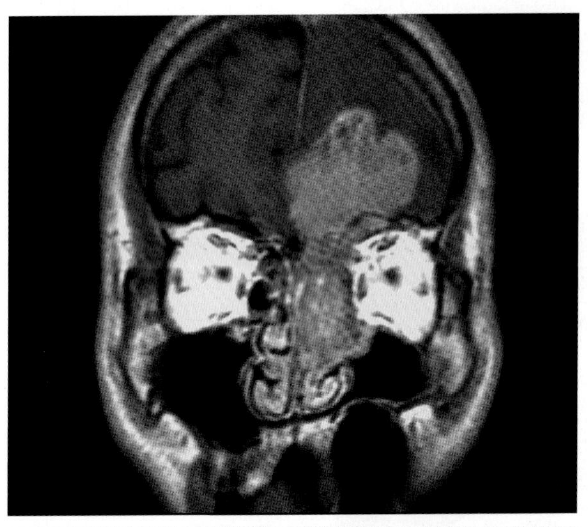

■ 그림 4-55. **후각신경아세포종.** 관상면 조영증강 T1강조 MR 영상에서 왼쪽 비강 내에 비교적 조영증강이 잘 되는 고형 종괴가 있으며, 인접한 사골동을 침범하고 사상판을 지나 두개강 내로 파급되어 커다란 종괴를 형성하고 있다.

골육종은 연조직의 종괴로 때로 골파괴를 동반하며, 대개의 경우 임상양상이 상피암종과 구분되지 않는다. 종양 내에서 석회화나 골형성이 때로는 관찰되는데 이는 골육종을 강력히 시사하는 소견으로, 급속히 성장하는 종양은 '불꽃모양(sunburst)'의 골막반응변화 또한 특징적인 소견이다. 방사선 소견은 골모세포성 종양(osteoblastic tumor)의 정도에 좌우된다. CT에서 현저하게 골파괴를 동반하는 종양으로 나타난다(그림 4-56). 약 25%에서 무정형, 불규칙 석회화가 종양의 중심이나 주변에 나타나고 25%에서 새로이 골 형성을 한다. MR에서 비균일성 신호를 보이고 비골화 부위는 T2 강조영상에서 중등도 신호강도를 보인다.[38]

7) 횡문근육종(Rhabdomyosarcoma)

횡문근육종은 전체 연부조직 육종의 20%를 차지한다. 주로 소아에서 발생하는데 43%가 5세 이하이다. 병리소견에 따라 배아(embryonal), 폐포(alveolar), 다형성(pleomorphic) 횡문근육종으로 나누며 이 중 폐포 횡문근육종의 예후가 가장 좋지 않다. 두경부에서 흔하게 생기는 부위는 안와, 비인두, 중이와 유양돌기, 부비동, 안면, 경부, 후두 등이다. CT나 MRI 소견은 골파괴 및 골변

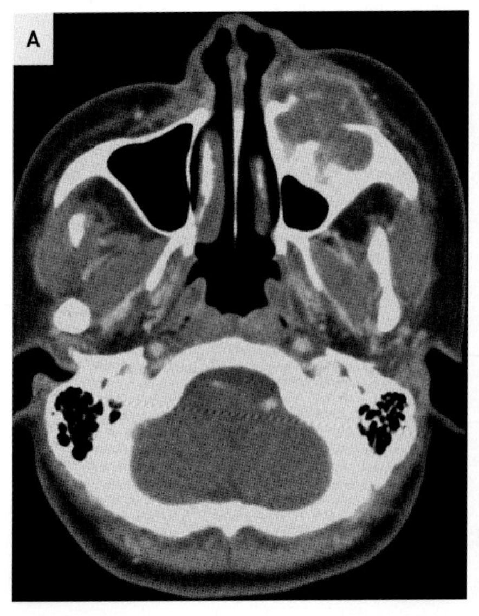

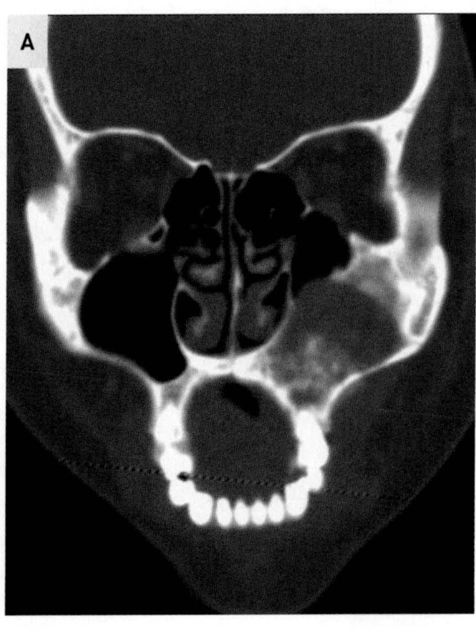

■ 그림 4-56. **골육종.** **A)** 조영증강 축상면 CT에서, 왼쪽 상악동에 전벽을 파괴하고 자라는 고형 종괴가 있다 **B)** 관상면 CT에서 종괴의 내부에 골원성 석회화가 보인다.

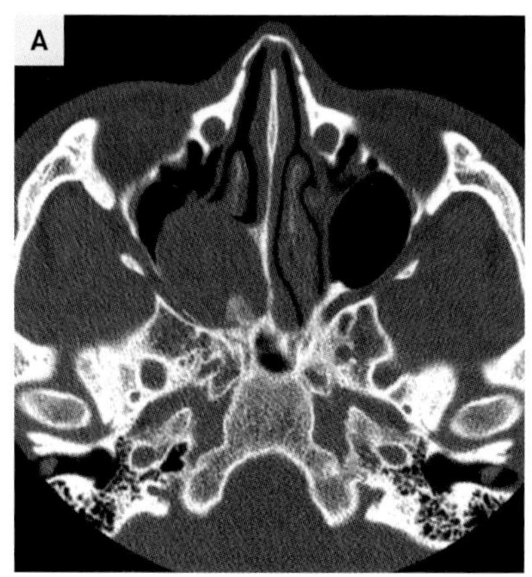

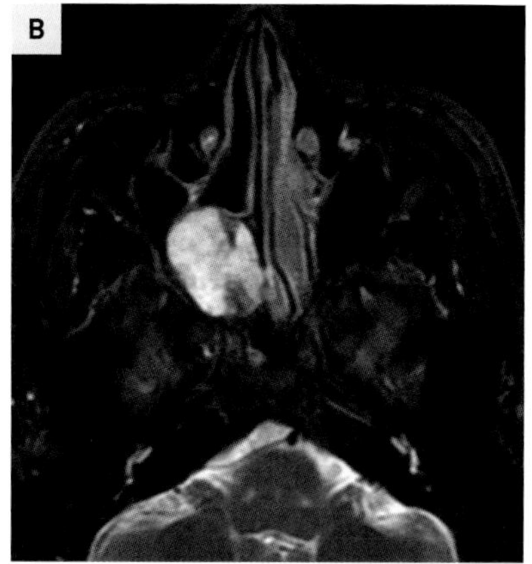

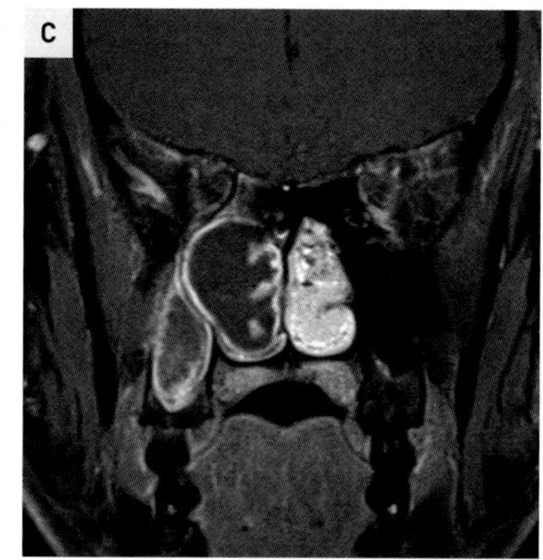

■ 그림 4-57. **연골육종.** **A)** CT에서 우측 상악동에 팽창성 병변이 있으며, 작은 연골성 석회화를 함유하고 있다. **B)** 지방억제 축상면 T2강조영상에서 종괴는 고신호강도를 보인다. **C)** 지방억제 관상면 조영증강 T1강조영상에서 종괴는 부분적으로 결절성으로 조영증강되고 있다.

형이 혼합되어 있는 커다란 종괴를 형성하며 전반적으로 조영증강이 잘 되고 편평세포암과 구별이 힘들다.[38]

8) 연골육종(Chondrosarcoma)

연골육종은 enchondral bone에서 발생되며, skull base나 부비동 혹은 비중격에서 시작될 수 있다 CT에서 특징적인 chondroid calcification을 보일 수 있으며, MRI T2강조영상에서 고신호강도를 보이고, 다양한 정도로 조영증강되는 경향이 있다(그림 4-57).[25,26,38]

9) 악성 섬유조직구종 (Malignant fibrous histiocytoma)

조직구(histiocyte)와 섬유아세포(fibroblast)가 혼합되어 나타나는 종양으로 연조직과 골의 육종이다. 발생부위는 대부분 사지나 후복강, 복부 등이고 3%에서 두경부에 발생한다. 남자에서 흔하고 평균 발생연령은 46세이며 2년 생존율은 약 60%이다. 조직학적으로 점액종성(myxoid), 혈관종성(angiomatoid), 염증성(inflammatory)과 거대세포성(giant cell type)으로 나누어 진다. 영상소견은 골파괴를 동반하는 고형성 종괴로 기타 악성 종양과 유사하다.[32]

10) 전이암(Metastatic cancer)

가장 흔한 원발성 병소는 신장이고 다음으로 폐와 유방이다. 영상 소견으로 원발성 암종과 전이암을 구분하기는 어렵다. 다발성 병변이 있을 때 전이 암종을 의심할 수 있다.[52]

6. 악성 종양의 병기결정

부비동암 전체의 5년 생존율은 약 62%이다. 종양의 악성도보다도 종양의 위치가 예후에 더욱 중요한 영향을 미친다. 부비동을 세 부분으로 나눌 수 있는데 이를 기준으로 치료나 예후에 차이가 있다. Öhngren선 즉, 내안각(medial canthus)에서 하악각(mandibular angle)을 잇는 가상적인 선을 기준으로 종양이 이 선의 상방에 위치하면 예후가 불량하고 하방에 위치하면 양호하다. 악성 종양에 있어서 정확한 병기의 판정은 중요하다. 적절한 치료방법을 선택하고 각 치료방법에 따른 결과를 평가하고 서로 비교함으로써 예후를 미리 예측할 수 있기 때문이다. 부비동암의 약 15%에서 림프절전이를 하고 경부림프절 전이와 원격전이는 비례하는 양상을 보인다.[31]

CT, MRI 영상 검사의 두경부 악성 종양에서의 기본적

표 4-1. 주요 비강과 부비동 질환에 대한 영상의학적인 주요 감별점

	만성 부비동염	진균덩이	점액류	악성 종양
석회화의 유무와 위치	부비동 내 주변부 벽을 따라서	부비동의 비교적 중심부	없다	대부분 없다.
골미란	없다	없다	흔하게 동반된다	대부분 없다.
골파괴	없다	대부분 없다	대부분 없다	흔하게 동반된다
MRI T2강조영상	대부분 저신호강도	대부분 저신호강도	성상에 따라 다양하며, 저신호강도로 보일 수 있다	중등도보다 약간 낮은 신호강도
MRI T1강조영상	중등도 혹은 저신호강도	중등도 혹은 저신호강도	성상에 따라 다양하며, 고신호강도로 보일 수 있다	중등도 신호강도
CT 및 MRI에서 조영증강	잘 되지 않는다	잘 되지 않는다	되지 않는다	잘 된다

역할은 치료 전 종양의 병기결정에 있다. 원발성 종양의 범위(T) 및 림프절 전이(N) 상태를 영상검사를 통해 평가 결정하는 것은 다양한 수술적 혹은 비수술적 치료 방침의 결정에 매우 중요하다.[9] 수술적 치료가 어려운 원발성 종양에서 특히 광범위 침범(T4b)의 여부와 종양의 신경주위 전이 유무를 정확히 진단하는 것은 적절한 치료 결정을 위해 필수적이라고 할 수 있으며(그림 4-47, 48), 이에 관한 정확한 영상진단을 위해서는 적합한 검사방법에 대한 선택과 복잡한 영상해부학에 대한 이해와 다양한 질환들에 대한 지식을 바탕으로 한 전문적 영상 진단이 전제되어야 한다.

7. 비강과 부비동 질환에 대한 영상의학적 주요 감별점

비강과 부비동의 영상진단에 있어, 가장 흔한 질환인 부비동염은 주로 점막 비후 등으로 시작하여, 골경화가 진행되며, 부비동공간이 축소되는 일반적인 경과를 보이지만, 이와는 다른 영상소견을 보일 때, 영상학적인 감별을 위해 주요하게 평가해야 될 부분으로 CT에서의 석회화 유무와 위치, 골미란 혹은 골파괴의 동반 여부, CT 및 MRI에서의 조영증강 여부 및 MRI에서의 신호강도 등이다(표 4-1) (그림 4-20, 27, 30, 31, 48, 49).

참고 문헌

1. Babbel RW, Harnsberger HR. A contemporary look at imaging issues of sinusitis:sinonasal anatomy, physiology, and CT techniques Optimatization of techniques. Semin US, CT, MR 1991;12:526-540.
2. Babbel R, Harnsberger HR, Nelson B, et al. Optimization of techniques in screening CT of the sinuses. AJNR Am J Neuroradiol. 1991;12:849-854.
3. Chang T, Teng MMH, Wang SF et al. Aspergillosis of the paranasal sinuses. Neurogradiol 1992;4:520-523.
4. Clark M, Fatterpekar GM, Mukherji SK, et al. CT of intranasal pleomorphic adenoma. Neuroradiology. 1999;41:591-593.
5. DelGaudio JM, Swain RE Jr, Kingdom TT, et al. Computed tomographic findings in patients with invasive fungal sinusitis. Arch Otolaryngol Head Neck Surg. 2003;129:236-240.
6. Derdeyn CP, Moran CJ, Wippold FJ II et al. MRI of esthesioneuroblastoma. J Comput Assist Tomogr 1994;18:16-21.
7. Dillon WP, Som PM, Fullerton GD. Hypointense MR signal in chronically inspissated sinonasal secretions. Radiology 1990;174:73-78.
8. Drutman J, Babbel RW, Harnsberger HR, et al. Sinonasal polyposis. Semin US, CT, MR 1991;12:561-574.
9. Edge S, Byrd D, Compton C et al. AJCC Cancer Staging Manual. 7th ed. (New York, NY: Springer), 2010:41-56.
10. Franquemont DW, Fechner RE, Mills SE. Histologic classification of sinonasal intestinal-type adenocarcinoma. Am J Surg Pathol 1991;15:368-375.
11. Friedman ER, Robson CD, Hudgins PA. Pediatric Airway Disease. In: Som PM, Curtin HD, editors. Head and neck imaging, 5th ed. St. Louis: Mosby, 2011;1811-1904.
12. Fushiki H, Morijiri M, Maruyama M, et al. MRI of intranasal pleomorphic adenoma. Acta Otolaryngol 2006;126:889-891.
13. Ginsberg LE, DeMonte F. Imaging of perineural tumor spread from

palatal carcinoma. Am J Neuroradiol. 1998;19:1417-22.

14. Han MH, Chang KH, Lee CH, et al. Cystic expansile masses of the maxilla: differential diagnosis with CT and MR. AJNR Am J Neuroradiol. 1995;16:333-338.
15. Harnsberger HR, Babbel RW, Davis WL. The major obstructive inflammatory patterns of the sinonasal region seen on screening sinus CT. Semin US, CT, MR 1991;12:541-560.
16. Heiken JP, Brink JA, Vannier MW. Spiral(helical) CT. Radiology 1993;189:647-656.
17. Hudgins PA. Sinonasal imaging. Neuroimaging Clin N Am. 1996;6:319-331.
18. Huisman TA, Schneider JF, Kellenberger CJ, et al. Developmental nasal midline masses in children: neuroradiological evaluation. Eur Radiol. 2004;14:243-249.
19. Jeon TY, Kim HJ, Chung SK et al. Sinonasal inverted papilloma: value of convoluted cerebriform pattern on MR imaging. Am J Neuroradiol. 2008 ;29:1556-60.
20. Kim EY, Kim HJ, Chung SK et al. Sinonasal organized hematoma: CT and MR imaging findings. Am J Neuroradiol. 2008 ;29:1204-8.
21. Kim TM, Park YH, Lee SY, et al. Local tumor invasiveness is more predictive of survival than International Prognostic Index in stage I(E)/II(E) extranodal NK/T-cell lymphoma, nasal type. Blood. 2005;106:3785-90.
22. Mafee MF. Nasal cavity and paranasal sinuses. In: Valvassori GE, Mafee MF, Carter BL, editors. Imaging of the head and neck. New York:Thieme, 1995;302-327.
23. Mancuso AA, Collins WO. Chonal atresia and nasal pyriform aperture stenosis and infantile upper airway obstruction. In: Mancuso AA, Hanafee WN, editors. Head and neck radiology. Philadelphia: Lippincott Williams & Wilkins, 2010;357-365.
24. Mancuso AA, Collins WO. Developmental craniofacial anomalies: syndromic, clefts, encephaloceles (Brain heterotopicas), and nasal dermoids. In: Mancuso AA, Hanafee WN, editors. Head and neck radiology. Philadelphia: Lippincott Williams & Wilkins, 2010;334-344.
25. Mancuso AA, WERNING JW. Sinonasal primary bone origin tumors In: Mancuso AA, Hanafee WN, editors. Head and neck radiology. Philadelphia: Lippincott Williams & Wilkins, 2010;476-479.
26. Maroldi R., Berlucchi M., Farina D et al. Benign Neoplasms and Tumor-like Lesions. In: Imaging in Treatment Planning for Sinonasal Diseases. Maroldi R. and Nicolai P. editors. Springer-Verlag Berlin Heidelberg 2005, pp 107-158.
27. Maroldi R., Lombardi D., Farina D., et al. Malignant Neoplasms. In: Imaging in Treatment Planning for Sinonasal Diseases. Maroldi R. and Nicolai P. editors. Springer-Verlag Berlin Heidelberg 2005, pp 159-220.
28. Mukherji SK, Figueroa RE, Ginsberg LE, et al. Allergic fungal sinusitis: CT findings. Radiology. 1998 May;207(2):417-422.
29. Nafi A and Zinreich SJ, Radiology of the nasal cavity and paranasal sinuses In: Flint PW, Haughey BH, Lund VJ, editors. Cummings Otolaryngology - Head and Neck Surgery, 5th ed. Philadelphia: Mosby Elsevier; 2010.121-129.
30. Naidich TP, Blaser SI, Lien RJ, et al. Embryology and Congenital Lesions of the Midface In: Som PM, Curtin HD, editors. Head and neck imaging. 5th ed. St. Louis: Mosby, 2011;3-98.
31. Nishijima W, Takooda S, Tokita N et al. Analysis of distant metastasis in squamous cell carcinoma of the head and neck and lesion above the clavicle at autopsy. Arch Otolaryngol Head Neck Surg 1993;119:65-68.
32. Park SW, Kim HJ, Lee JH et al. Malignant fibrous histiocytoma of the head and neck: CT and MR imaging findings. Am J Neuroradiol. 2009;30:71-6.
33. Rosenbloom L, Delman BN, Som PM. Facial fractures. In: Som PM, Curtin HD, editors. Head and neck imaging. 5th ed. St. Louis: Mosby, 2011;491-526.
34. Scuderi AJ, Babbel RW, Harnsberger HR, et al. The sporadic pattern of inflammatory sinonasal disease including postsurgical changes. Semin US, CT, MR 1991;12:575-591.
35. Seo J, Kim HJ, Chung SK, et al. Cervicofacial tissue infarction in patients with acute invasive fungal sinusitis: prevalence and characteristic MR imaging findings. Neuroradiology. 2013 ;55:467-73.
36. Sigal R, Monnet O, de Baere T et al. Adenoid cystic carcinoma of the head and neck: evaluation with MR imaging and clinical-pathologic correlation in 27 patients. Radiology 1992;184:95-101.
37. Silverman CS, Mancuso AA. Periantral soft-tissue infiltration and its relevance to the early detection of invasive fungal sinusitis: CT and MR findings. AJNR Am J Neuroradiol. 1998;19:321-325.
38. Som PM, Brandwein MS, Kassel EE et al. Tumors and Tumor-Like Conditions of the Sinonasal Cavities. In: Som PM, Curtin HD, editors. Head and neck imaging. 5th ed. St. Louis: Mosby, 2011;253-410.
39. Som PM, Brandwein MS, Maldjian C et al. Inflammatory pseudotumor of the maxillary sinus: CT and MR findings in six cases. AJR 1994;163:689-692.
40. Som PM, Brandwein MS, Wang BY. Inflammatory diseases of the sinonasal cavities. In: Som PM, Curtin HD, editors. Head and neck imaging. 5th ed. St. Louis: Mosby, 2011;166-252.
41. Som PM, Dillon WP, Curtin HD et al. Hypointense paranasal sinus foci:differential diagnosis with MR imaging and relation to CT findings. Radiology 1990;176:777-781.
42. Som PM, Lawson W, Fatterperkar GM et al. Embryology, Anatomy, Physiology, and Imaging of the Sinonasal Cavities. In: Som PM, Curtin HD, editors. Head and neck imaging. 5th ed. St. Louis: Mosby, 2011;99-166.

43. Som PM, Lidov M. The significance of sinonasal radiodensities, ossification, calcification, or residual bone? AJNR 1994;15:917-922.

44. Som PM, Shugar JMA, Brandwein MS. Anatomy and physiology. In: Som PM, Curtin HD, editors. Head and neck imaging, 3rd ed. St. Louis: Mosby, 2003;87-147.

45. Sterling KM, Stollman A, Sacher M et al. Ossifying fibroma of sphenoid bone with coexistent mucocele:CT and MRI. J Comput Assist Tomogr 1993;17:492-494.

46. Sun JK, LeMay DR. Imaging of facial trauma. Neuroimaging Clin N Am. 2002;12:295-309.

47. Woodruff WW, Vrabec DP. Inverted papilloma of the nasal vault and paranasal sinuses: spectrum of CT findings. AJR 1994;162:419-423.

48. Yang C, Talbot JM, Hwang PH. Bony abnormalities of the paranasal sinuses in patients with Wegener's granulomatosis. Am J Rhinol. 2001;15:121-125.

49. Yoon JH, Na DG, Byun HS, et al. Calcification in chronic maxillary sinusitis: comparison of CT findings with histopathologic results. AJNR Am J Neuroradiol. 1999 ;20:571-574.

50. Yousem DM, Fellows DW, Kennedy DW et al. Inverted papilloma: evaluation with MR imaging. Radiology 1992;185:501-505.

면역학과 알레르기

김동영, 모지훈

 면역체계의 개요

면역체계는 다양한 병리 기전으로 감염성 미생물로부터 자기를 보호할 뿐 아니라 자기 조직에 대한 손상 반응을 억제한다. 체내에 있는 물질, 즉 자기(self)를 인식하여 보호하고, 그 외의 외부 물질인 비자기(nonself)를 파괴한다. 이런 면역체계의 기본적인 속성은 자기 세포와 다른 병원체의 구조를 인지함으로써 가능하다.

면역체계는 자연면역체계(선천성면역체계, innate immune system)와 획득면역체계(후천성면역체계, adaptive immune system)로 나누어진다. 획득면역체계는 주로 T세포나 B세포가 주 역할을 하며 항원 인식에 대한 특이성, 항원 수용체의 다양성, 복제세포의 빠른 분화, 변화하는 환경에 대한 적응력, 면역 기억력 등의 특징이 있다. 자연면역체계와 획득면역체계는 서로 다른 반응 기전을 가지고 있으며, 자연면역반응이 조기에 숙주의 일차적 방어 역할을 하고, 획득면역반응은 보통 수일 후에 항원특이적 T세포나 B세포가 증식함으로써 생기는데, 서로 협력하여 방어체계를 구축한다.

1. 자연면역체계

자연면역체계(innate immune system)는 면역반응의 첫 번째 방어선으로 점막 또는 피부 표면을 통과하지 못하도록 연결된 상피세포의 치밀이음부(tight junction)와 같은 물리적인 방어벽뿐만 아니라, 생물학적 용액에 포함되어 있는 수용성 단백, 작은 생활성(bioactive) 분자(보체 단백이나 디펜신(defensin) 등) 또는 활성화된 세포로부터 방출되는 사이토카인, 케모카인, 염증매개성 지방질, 생활성 아민, 조직 염증 반응에 관여하는 효소 등의 물질과, 활성화된 식세포를 포함한다. 코의 분비선(nasal gland)에서 분비되는 물질인 락토페린(lactoferrin), 디펜신(defensin), 리소자임(lysozyme) 등도 감염 방어인자로 작용한다.

자연면역체계에 관여하는 세포는 중성구, 단핵구, 비만세포, 호산구, 호염구, 수지상세포 등이 있으며, 이들은 체

표 5-1. Toll like receptors

	위치	PAMP
TLR1	세포표면	Triacyl lipopeptides (bacteria and mycobacteria)
TLR2	세포 내(endosome)	Hemagglutinin protein (viruses), peptidoglycan and LTA (gram-positive bacteria), lipoarabinomannan(mycobacteria)
TLR3	세포표면	ssRNA, dsRNA viruses
TLR4	세포표면	LPS
TLR5	세포표면	Flagellin
TLR6	세포표면	LTA (gram-positive bacteria), zymosan (Saccharomyces)
TLR7	세포 내(endosome)	ssRNA viruses
TLR8	세포 내(endosome)	ssRNA viruses
TLR9	세포 내(endosome)	dsDNA viruses, unmethylated CpG motifs
TLR11	세포표면	Profilins from toxoplasmosis gondii, uropathogenic Escherichia coli

dsDNA, double stranded deoxyribonucleic acid; LPS, lipopolysaccharide; LTA, lipoteichoic acid; PAMP, pathogen-associated molecular patterns; ssRNA, single stranded ribonucleic acid; TLR, Toll-like receptor.

내에 감염이 있을 때 활성화된다. 이 세포들은 세포 표면과 세포 내에서 Toll-like receptor (TLR) 같은 형태인식 수용체(pattern recognition receptor; PRR)를 발현하여, 세균을 인식하고, 혈액응고와 보체의 활성화를 통해 포식작용과 세포자멸사(apoptosis)를 유도하고, 염증(proinflammatory) 신호전달경로를 활성화시킨다. 형태인식수용체는 미생물의 생존에 필요한 여러 형태의 분자를 인식하는데, 이런 서열을 pathogen-associated molecular pattern (PAMP)이라 하며, 바이러스의 RNA와 그람음성 세균의 지질다당질(lipopolysaccharide), 그람양성 세균의 펩티도글리칸(peptidoglycan)과 lipoteichoic acid 등이 이에 속한다.

1) Toll-like receptors

최근 자연면역체계의 가장 큰 발전 중 하나가 형태인식 수용체의 발견이고, 그 중 가장 대표적인 것이 Toll-like receptor (TLR)이다. TLR은 여러 종류의 박테리아, 바이러스, 곰팡이를 PAMP 즉 일정한 패턴으로 인지하여 신호를 세포 내로 전달하게 된다. 이에 의해 각종 사이토카인이 분비되어 면역반응을 일으킨다. TLR은 transmembrane glycoprotein으로 세포 밖의 N-terminal에는 leucine이 많은 구조로 되어 있고, 세포 내의 C-terminal은 IL-1 수용체와 구조적으로 일치하여 Toll/IL-1 receptor (TIR) domain이라고 하는 부위로 이루어졌다. 이 TIR domain은 세포 내에 존재하여 신호전달에 중요한 역할을 한다. TLR은 세포표면이나 세포 내의 endosome에 존재하여 각종 병원체의 자극을 받아들이는 역할을 한다(표 5-1).

인간의 TLR은 TLR1부터 TLR10까지 발견되었으며 서로 다른 PAMP를 인식한다. 대표적인 예를 들면 TLR4는 박테리아 세포벽성분인 lipopolysaccharide, TLR5는 flagellin, TLR9은 CpG sequence 등을 인식하여 신호전달을 한다.[35] TLR이 자극되면 IL-1, IL-6, IL-8, IL-10, IL-12, tumor necrosis factor-α (TNF-α) 등이 유도되며, 특히 수지상세포의 TLR이 자극되면 분화되어 항원제시를 유도하여 T세포가 Th1세포가 되는 것을 촉진시킨다. 따라서 자연면역반응의 일부인 TLR이 자극되면 획득면역체계인 T세포의 반응에 영향을 끼친다. TLR은 말초혈액의 백혈구에서 가장 많이 발현된다. 단핵구, B세포, T 세포, 수지상세포에서 발현이 되며 TLR7,

TLR8, TLR9은 세포 내에서 주로 발현된다.[3]

2) 항미생물 펩티드

항미생물 펩티드(antimicrobial peptide)는 포유류 면역반응에 필수적인 물질로 일차적으로 자연면역체계에 참여하고, 식물, 세균, 곤충과 척추동물을 포함하는 여러 가지 유기물에 대한 최전방의 면역방어에 사용된다. 항미생물 펩티드는 그람양성 세균과 그람음성 세균, 곰팡이와 바이러스를 포함해 광범위한 미생물을 직접 죽이며 숙주 자체와도 상호작용을 한다. 항미생물 펩티드는 구조에 따라서 몇 가지로 분류될 수 있지만 대부분은 양성 전하를 띠며, 소수성 아미노산(hydrophobic amino acid)를 통해 세균막과 상호 작용할 수 있는 일정한 구조적인 특징을 가지고 있다. 일반적으로 포유류는 디펜신(defensin)과 카셀리시딘(cathelicidin) 등의 항미생물 펩티드를 가지고 있다.

(1) 카셀리시딘

카셀리시딘(cathelicidin)은 cathelin 전구물질(cathelin precursor) 영역과 관련이 있으며 포유류에서만 발견되는 물질로 사람 카셀리시딘, LL-37이나 hCAP-18은 사람의 골수에서 분리되었다. LL-37은 광범위 항미생물 작용을 가지고 있으며 비만세포에 대한 화학주성이 있어 세균을 죽이거나 세포성 면역반응을 일으켜, 선천성 면역 반응에 관여하게 된다.[32]

(2) 디펜신

디펜신(defensin)은 항미생물 펩티드로서, 전형적으로 28~44개의 아미노산으로 구성된다. 디펜신은 세균, 곰팡이, 껍질보유 바이러스(enveloped virus)에 대하여 항균 작용을 나타내며 α-디펜신, β-디펜신, 그리고 θ-디펜신의 세 종류로 분류된다.

① α-디펜신

29~35개의 아미노산으로 구성되며, 중성구에서는 여러 종류의 디펜신(defensin)이 발현된다.[21] 지금까지 α-디펜신 1, 2, 3, 4 (HNP 1-4)을 포함한 여섯개의 α-디펜신이 발견되었다. 사람 디펜신-5 와-6 (HD-5, HD-6)으로 알려진 두 개의 α-디펜신은 소장의 Paneth 세포와 여성 비뇨생식기의 상피세포에서 발현된다. HNP-1, -2, -3, -4는 중성구의 아주르친화과립(azurophilic granule)에 존재하고, 세포포식작용이 된 미생물을 제거하는 기능을 한다. HNP 1-3은 S. aureus에 의해 활성화된 단핵세포에서 TNF-α와 IL-1 발현을 증가시키고, 이러한 TNF-α가 활성화된 정맥내피세포에서 VCAM-1 발현은 감소된다.

② β-디펜신

사람에서는 지금까지 네 가지 종류의 β-디펜신이 발견되어 사람 β-디펜신(human β-defensin, HBD 1-4)으로 불리운다. 이들은 광범위 항미생물 작용을 갖고, chemokine receptor 6 (CCR6)에 결합하며, 미성숙 수지상세포와 기억 T림프구에 대한 화학주성이 있다. 이 중 HBD-2은 히스타민을 유리시키고 비만세포에서 프로스타글라딘(prostaglandin) D2의 생산을 촉진시키며, 알레르기 반응에도 관여한다.[9]

(3) 항미생물 펩티드의 조직 분포

모든 β-디펜신은 호흡기에 존재하며 점막하 분비선의 장액세포, 기관과 폐의 상피세포에서 발현이 된다.[20] 카셀리시딘은 전도성 기도상피(conducting airway epithelium), 폐 상피, 그리고 점막하 분비선에 존재한다.[5] 건강한 사람과 질병이 있는 사람 모두의 비부비동 점막에서 이러한 펩티드가 발현될 수 있지만 HBD-1이 정상적인 사람의 하비갑개의 상피세포와 점막하분비선의 상피세포에 존재하며[29] 비용 조직에서 발현되는 반면, HBD-2는 α-디펜신 1, 2, 3의 발현처럼 만성 부비동염 환자의 조직에

서만 발현된다.[28]

2. 획득면역체계

획득면역체계는 표적 항원에 대하여 특이성을 보인다. 이는 T세포와 B세포 표면에 발현되는 항원특이적 수용체가 기본이 된다. 획득면역반응에서 이러한 항원-특이적 수용체는 배선 유전자요소(germline gene element)의 체세포 재조합(somatic rearrangement)을 통해 완전한 형태의 T세포 수용체와 B세포 항원 유전자를 형성한다.

획득면역체계에 관여하는 세포는 일부 자연면역체계와 겹치지만, 주로 항원제시세포, T세포, B세포가 관여한다. 획득면역체계는 기본적으로 항원인식의 방식에 차이가 있다. 획득면역체계에서는 주조직접합체(major histocompatibility complex, MHC)가 항원인식에 중요한 역할을 하는데, MHC는 항원제시세포에 의해 항원과 주조직접합체 복합체의 형태로 T세포에 제시되며 이를 통해 특정한 항원을 인식한다. 초회감작(priming)이란 T세포가 항원제시세포에 의해 처음 항원을 인식하여 활성화되는 것인데, 다음의 과정을 겪는다. 먼저 항원제시세포에 의해 항원과 주조직접합체 복합체가 T세포수용체와 결합하게 되고, 다음으로 보조자극분자(costimulatory molecule)들(T세포의 CD28과 항원제시세포의 B7분자)의 결합으로 인해 T세포가 활성화되고, 보조자극으로 활성화된 T세포는 IL-2라는 사이토카인을 분비하여 더 분화, 자극되게 된다. 일단 초회감작이 된 T세포는 보조자극신호의 도움 없이도 CD4+ T 림프구(조력T세포, helper T cell, Th cell)나 CD8+ T 림프구(세포독성 T세포, cytotoxic T cell)같은 효과기 T세포(effector cell)로 분화할 수 있게 된다.

주조직접합체 1군(major histocompatibility complex class Ⅰ; MHC class Ⅰ)은 체세포 표면에 존재하며, 항원과 주조직접합체 1군 복합체는 T세포 수용체(T cell receptor)에 인식되어 바이러스에 감염된 세포나 자가항원(autoantigen)을 가지는 세포를 제거한다. 세포독성 T세포(cytotoxic T cell)는 항원과 주조직접합체 1군 복합체를 만나면 성숙한 세포독성 T세포로 분화되고 증식되며(CD8+ T림프구), 성숙한 세포독성 T림프구는 감작된 세포와 동일한 바이러스 항원과 주조직접합체 1군 복합체를 가지는 표적세포만 선택적으로 인식하고 제거하게 된다.

주조직접합체 2군(MHC class Ⅱ)은 주로 수지상세포, 대식세포, 단핵구, B림프구 등과 같은 항원제시세포(antigen presenting cell)에서 발현된다. 주조직접합체 2군 세포는 CD4+ T림프구로 항원을 제시한다.

획득면역의 또 다른 필수 요소가 자기(self)와 비자기(nonself)를 구분하는 능력인데, 면역체계의 자기항원(self antigen)에 대한 공격을 회피하는 것을 자기 허용(self-tolerance)이라고 한다. 자기 허용이 실패하는 경우 다양한 자가면역질환이 생길 수 있다. 자기 허용은 주조직적합체(major histocompatibility complex)에 의해 매개되며, 사람의 주조직적합체는 사람 백혈구항원복합체(human leukocyte antigen complex)라고 한다.

3. 면역계 세포

인간의 면역체계는 비장, 흉선, 림프절과 같은 다양한 장기와 골수에서부터 혈액이나 림프체계를 순환할 수 있는 세포들로 구성되며, 면역반응은 여러종류의 백혈구에 의해 유지된다. 많은 백혈구아종들은 전통적인 조직학적 염색을 통하여 구분되지만, 각 백혈구의 표면 표현형에 의해 구분되기도 하는데, 이러한 표면 표현형은 분화된 항원에 붙는 단클론 항체로 정의된다. 이러한 분화된 항원은 cluster of differentiation (CD) 숫자로 표시한다. 난황난(yolk sac)에서 나와 골수로 가는 미분화 줄기세포(pluripotent stem cell)는 면역 체계에서 나오는 모든 세포의 전구세포이며, 림프계열과 골수계열의 줄기세포가 된다(그림 5-1).

림프계열의 줄기세포는 T세포, B세포와 자연세포독성

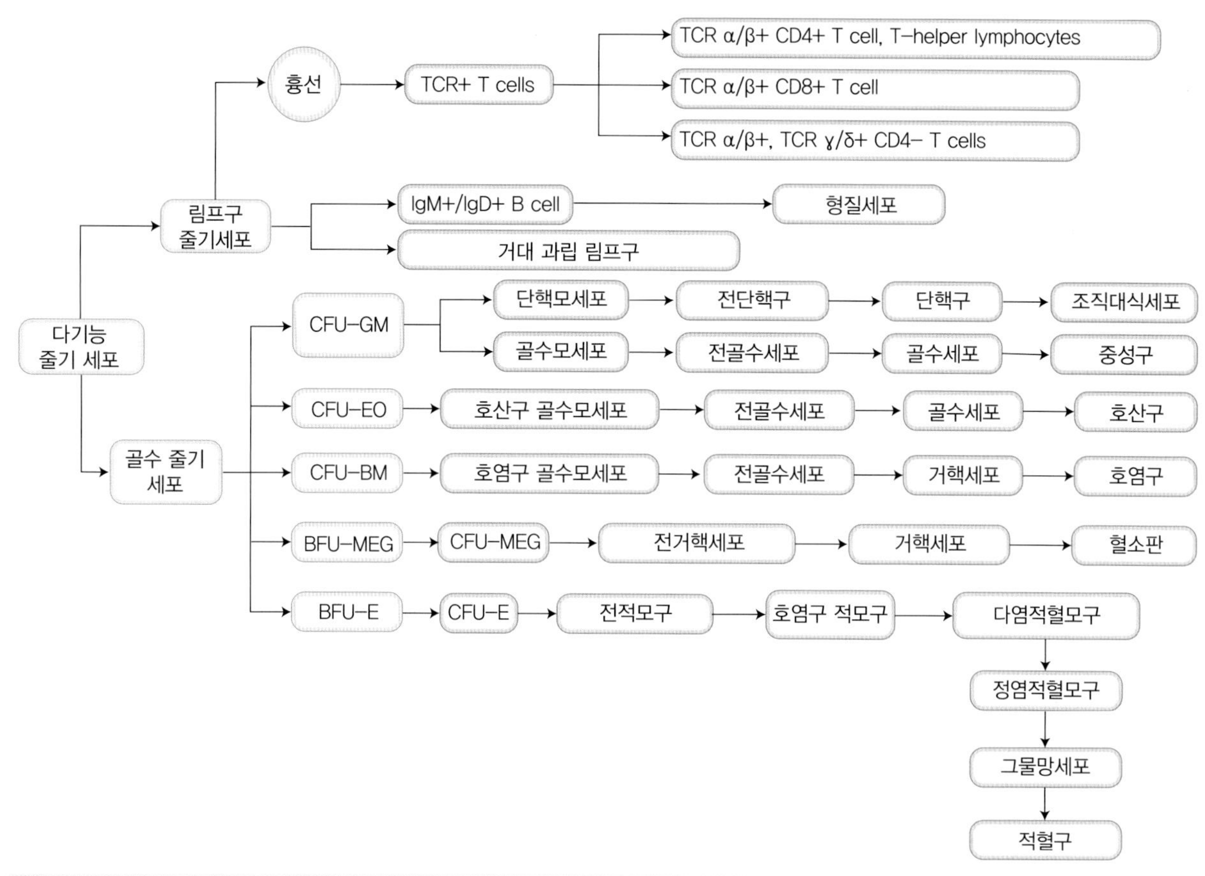

■ 그림 5-1. **면역반응에 중요한 세포들이 줄기세포에서 최종 성숙단계까지 발달하는 과정**

세포(natural killer cell)로 분화한다. T세포는 세포표면에 T세포수용체(TCR)를 발현하는 세포로 정의되며, B세포는 면역 글로불린이 붙어 있는 B세포수용체를 발현하는 세포로 정의된다. 자연세포독성 세포는 형태적으로 큰 과립형 림프구로 정의되며 B세포, T세포와는 달리 표면에 면역글로불린이나 T세포 수용체가 없다. 자연세포독성 세포는 감염된 바이러스나 종양세포를 활성 혹은 억제성 세포표면 수용체의 조합을 통해 인식한다. 림프구는 말초혈액 백혈구의 25%를 차지하는데, 이중 T림프구가 80%, B림프구가 10%, 자연세포독성 세포가 10%를 차지한다.

골수계열 줄기세포는 과립구, 거핵구, 혈소판과 적혈구로 분화한다. 중성구, 호산구, 호염구, 비만세포로 분화하는 과립구 계열의 세포들은 면역계에 중요한 역할을 한다. B세포, 자연세포독성세포로 분화하는 골수계열 줄기세포는 골수에서 분화되지만 이와 달리 T세포 계열의 줄기세포는 골수에서 흉선으로 이동하여 성숙한 T림프구로 분화한다. 림프계열이나 골수계열 줄기세포의 분화는 사이토카인에 줄기세포가 얼마나 노출되는지와 줄기세포에 어떤 수용체가 발현되는지에 따라 좌우된다. 사이토카인은 림프계열과 골수계열 조혈세포 모두 증식시키는 효과가 있고, 특정한 계열의 세포로 분화시키고 성장시킨다. 흉선과 골수에 존재하는 간질세포 또한 IL-4, IL-6, IL-7, IL-11, GM-CSF와 같은 사이토카인을 분비하여, 세포성장과 분화에 영향을 미친다. 또, 세포간질(intercellular matrix)을 형성하고, 세포표면분자들의 발현을 통해 줄기세포의 조절작용에도 관여한다.

1) T림프구

전T세포(pre-T cell)는 골수에서 나와 혈액 내로 들어갈 때 이중음성(double negative, DN) CD4-CD8- 상태인 세포이다. 이중음성세포는 주조직접합체 1군과 2군을 통해 항원을 인식하지 않는다. 이런 흉선세포들은 성장과 분화를 거쳐 이중양성(double positive, DP) CD4+CD8+ 세포가 된다. 이중양성 세포들은 주조직접합체와 충분히 결합하게 되면 양성선택(positive selection)을 거쳐 생존하고 그렇지 못한 경우 세포자멸사하게 된다. 생존한 이중양성세포들은 주조직적합체와 결합하게 되고 이 과정에 관여하지 않은 CD4 또는 CD8 분자 중 하나를 소실하여 CD8+ 세포독성세포(cytotoxic cell)나 CD4+ 조력T세포로 분화된다. 이들 단일 양성세포들은 흉선의 수질로 이동하게 되고 이때 수질에 존재하는 상피세포의 자가항원 및 항원제시세포와 지나치게 강하게 결합하는 경우 음성선택(negative selection)이 될 수 있다. 흉선 수질에서 성숙한 T세포 중에서 자신의 주조직접합체 1군이나 주조직접합체 2군과 낮은 친화도의 단백질 결합을 갖는 경우에 생존하여 남아있을 수 있다. 이 양성선택과 음성선택 과정을 통하여 T세포가 주조직적합체를 통해 충분히 항원을 인지하면서 자가항원에 반응하지 않게 되며, 전체 이중양성세포의 2% 정도만 살아남게 된다. T림프구는 말초 림프구의 60~70%를 구성하며 항원과 쉽게 만날 수 있는 림프절과 비장의 부피질 구역(paracortical area)에 주로 존재한다.

CD4+ T세포는 주조직접합체 2군을 표현하는 항원제시세포와 연관되어 있지만, CD8+ 세포는 주조직접합체 1군과 연관되어 있다. 흉선을 떠난 CD4+세포는 림프기관으로 가게 되고 여기서 항원제시세포와 만나 분화과정을 거친다.

CD4+ 세포는 알레르기 질환 발생에 있어서 중요한 역할을 하며, CD8+ 세포는 바이러스 등에 감염 시 Th1 세포 사이토카인을 분비하여 세포자멸사를 일으키는 세포독성세포로서 작용한다. CD4+ 세포는 조력T세포(helper T cell)라고도 하는데 이 중 Th1/Th2 세포가 처음에 발견되었으며 이 후 Th17세포, 조절T세포가 발견되었다. Th1세포는 자가면역질환, 염증성 잘환, Th2세포는 알레르기 질환에 주로 연관되어 있으며, Th17세포는 Th1세포와 함께 자가면역질환 등의 염증성 질환에서 중요한 역할을 한다고 밝혀졌으며,[48] 조절T세포(regulatory T cell)는 염증의 억제에 관여한다고 밝혀졌다.[39]

Th1세포는 IFN-γ를 생성하고 세포표면 보조자극분자의 자극으로 대식세포를 활성화시켜서 세포내병원균의 제거 및 지연성 과민반응(delayed-type hypersensitivity)에 중요한 역할을 한다. 세포 내 감염에 의해 인터페론이 생성되면 Th1분화의 중요한 전사인자인 T-bet이 활성화 되고 IFN-γ와 IL-12수용체가 발현된다. 수지상세포에서 유리된 IL-12에 의해 T세포는 STAT4가 활성화 되며 IFN-γ생성이 더 증가되어 Th1세포로 분화된다. Th1 세포는 주로 단핵구침윤과 관련되어 있는 만성염증반응과 지연성과민성반응에 주로 관여한다.

Th2세포는 세포외 미생물을 죽이는 데 역할을 하는 IL-4, IL-5, IL-13을 분비하며, B세포에서 항체 생성을 촉진시킨다. Th2 세포는 IL-4를 분비하여 B세포의 성장을 촉진하며 CD40리간드결합을 증가시켜 세포외병원균의 체액성면역반응에 기여한다. 게다가, IL-4, IL-5는 IgE 생성을 촉진하며 호산구성 염증을 증가시켜 기생충 감염의 제거 및 알레르기 반응에 중요한 역할은 한다. Th2반응은 IL-4에 의해 시작되어 STAT6를 활성화시키며 이로 인해 Th2전사인자인 GATA-3가 활성화 되어 Th2 사이토카인이 생성되고 Th1 경로가 억제된다.

Th17세포는 Th1세포만으로 설명할 수 없는 만성염증반응의 중요한 효과기세포이다. 주로 IL-17 (or IL-17A), IL-17F, IL-6, TNF-α, IL-22 같은 사이토카인을 분비하고 주로 호중구의 침윤에 중요한 역할을 하며 TNF-α, IL-1β, IL-6의 사이토카인과 CXCL1, 2, 8 같은 케모카인을 유도하여 염증부위에 호중구를 불러들인다. Th17에 의해 유도된 호중구 염증은 Th1/Th2 관계처럼 Th2염증과 반비례 관계로 생각되고 있으며,[40] 천식동물모델에 IL-17을 투여하면 기관지과민성 및 호산구 침윤이 감소되어 Th2를 조절하는 역할을 하는 것으로 생각된다.[2]

CD4+ T세포의 다른 한 축은 염증반응을 억제하는 조절T세포이다. 자연조절T세포와 유도조절T세포로 나뉘는데, 자연조절T세포는 흉선에서 분화되며 흔히 CD4+CD25+Foxp3+세포로 표시된다. Foxp3가 중요한 전사인자로 염증억제작용에 중요하며, 주로 IL-10과 TGF-β를 분비하여 염증을 억제한다. 유도조절T세포는 1형 조절T세포(Treg type 1), Tr1 또는 3형조력T세포(type3 helper T cells), Th3로 분류된다. Tr1은 Foxp3를 발현하지 않으나 다량의 염증억제사이토카인인 IL-10을 분비하며 흉선 밖에서 분화된다. Th3는 흉선 밖에서 유도되며 주로 TGF-beta의 영향으로 발현되며 Foxp3를 발현하고 있으며 기능적으로 자연조절T세포와 구별이 힘들다. 이들 조절T세포는 면역치료의 기전으로 설명되고 있는데 알레르기면역치료 후 조절T세포의 증가가 면역치료의 항알레르기 기전의 중요한 축으로 설명되고 있다.

활성화 되지 않은 조력T세포는 사이토카인을 분비하지 않고 Th로 표시되며 항원제시세포에 의해 활성화되면 IL-2를 분비하게 되고 이 때 Th0로 표시한다. Th세포가 지속적으로 활성화 자극에 노출되면 Th1 또는 Th2세포로 분화되는데, 이는 활성화 되는 사이토카인에 의해 달라진다. 수지상세포, 대식세포나 NK세포에 의해 분비되는 IL-12는 Th0세포를 Th1으로, NK1.1+T세포나 비만세포에 의해 분비되는 IL-4는 Th0세포를 Th2세포로 분화시킨다. Th세포는 대부분 Th1 또는 Th2반응이 섞여서 나오는 경우가 대부분이지만 장기간 면역반응이 발생하는 경우 Th1 또는 Th2쪽 한 쪽으로 두드러지게 나타나게 된다. Th1세포는 바이러스, *mycobacteria*, *listeria* 같은 세포내병원균의 방어에 중요한 역학을 하며 Th2세포는 기생충, 박테리아, 알레르기유발물질 등의 세포외병원균의 방어에 중요하다

말초혈액 T세포의 약 5~10% 정도가 CD4-CD8-이중음성세포이다. 이들 중 일부는 αβTCR을 가지고 있지만 일부는 γδTCR을 가지고 있다. γδTCR을 가지고 있는 T세포를 γδT세포라고 하는데 주조직적합체 1군, 2군을 이용하여 항원을 인식하지 않고 주조직적합체 1군 연관체인(MHC class I-related chain, MIC)을 이용하여 인식한다.

2) B림프구

B림프구는 골수에서 생성되어 말초 림프조직에 존재하며 림프조직 내의 여포(follicle)에 모여 체내반응에 관여한다. B림프구가 항원에 자극되면 IgM 표면 수용체(IgM surface receptor, BCR) 관련 배위체가 신호전달복합체를 형성하며 모이게 된다. 초기 BCR에서 신호가 발생하여 diacylglycerol (DAG), inositol triphosphate IP_3, 세포내 칼슘 방출과 같은 2차 전령(messenger)을 통하여 신호가 전달되면 B세포는 형질세포로 분화하며, 형질세포는 체액면역을 매개하는 면역글로불린을 분비한다.

3) 중성구

중성구(neutrophil)는 골수모세포(myeloblast)를 생산하는 colony forming unit-macrophage (CFU-GM) 전구세포에서 나온다. 이들은 전골수세포(promyelocyte), 골수세포(myelocyte)로 분화하고, 최종적으로는 성숙한 중성구가 된다. 중성구는 골수에서 성숙이 이루어진 다음에 말초 혈액을 순환하며, 백혈구의 60~65%를 차지한다.

Stem cell factor (SCF), IL-3, IL-6, IL-11와 granulocyte-macrophage colony stimulating factor (GM-CSF)가 중성구 전구체의 성장과 발달을 촉진한다. 중성구에 더 특이적인 영향을 미치는 다른 사이토카인으로는 granulocyte-colony stimulating factor (G-CSF)가 있어, 중성구 전구체를 중성구로 성숙하도록 유도한다.[30] 또한 IL-4도 G-CSF의 유도에 따라 중성구 분화를 촉진한다. 중성구는 세균성 병균에 세포독성을

갖는 많은 산소종(oxygen species)과 손상 후에 조직의 재구성과 회복에 참여하는 효소를 생산한다. 중성구는 세균성 감염과 조직 상해가 있는 부위에 대량으로 축적되어 병원성 미생물을 퇴치하고 항원을 내부적으로 파괴하는 현저한 식균 능력을 갖는다. 따라서 병원성 미생물을 청소하고, 조직 손상을 보수하는 데 중요한 역할을 한다.[12] 중성구는 일정한 케모카인뿐만 아니라 TNF, IL-12 같은 사이토카인을 생산한다. 중성구는 알레르기 유발 후기반응 동안 모여 내피세포에 유착과정과, 혈관외이동, 화학주성, 세포벽 인식, 외부 물질 부착, 탐식작용, 용해소체(lysosome)의 연합 및 분해, 산화대사 산물 방출에 작용한다. 급성 염증반응의 초기 단계에서는 중성구가 증가하며 내피세포 내벽으로 부착이 증가한다.

4) 호산구

호산구는 colony forming unit-eosinophil, CFU-Eo에서 기원하며 호산구 골수모세포(eosinophilic myeloblast), 전골수세포(promyelocyte), 골수세포(myelocyte)로 분화하고, 최종적으로 성숙한 호산구가 된다. 전체 백혈구의 2~5% 정도를 차지하며, 풍부한 세포질 과립으로 특징지을 수 있는데 그 과립에는 기생충 등에 작용하는 여러 가지 효소와 물질 등을 함유하고 있다. 호산구가 활성화되기 위해서는 IL-3, IL-5, GM-CSF 와 같은 성장인자가 필요하다. GM-CSF와 IL-3는 호산구의 성장과 분화를 촉진하며, IL-5는 골수에서 호산구 생산을 증가시키고 말초 조직에서 세포자멸사를 억제하여 생존기간을 증가시키는 것으로 알려져 있다.[45]

호산구는 알레르기 반응에서 매우 중요한 세포로 알려져 있다.[27] 호산구에는 여러 가지 표면 표지자와 수용체가 있는데 이러한 수용체는 호산구의 분화, 조직으로의 이동, 활성화, 여러 가지 매개물질의 합성과 유리에 관여한다. 면역글로불린 수용체로는 IgG, IgE, IgA수용체가 있고, 또 보체에 대한 수용체도 가지고 있다. C1q (CR1), C3b/C4b (CR1), iC3b (CR3), C3a와 C5a를 포함하여 보체 성분 수용체를 갖는다. C3a와 C5a는 호산구 화학주성물질이고, 호산구에서 산소 라디칼 생산을 자극하며 케모카인 수용체를 발현시킨다. 케모카인 수용체도 가치고 있는데, CCR1은 MIP-1α, MCP-3 및 RANTES (regulated upon activation, normal T-cell expressed and secreted)의 수용체이며, CCR3은 eotaxin-1, eotaxin-2, eotaxin-3, MCP-3, 그리고 RANTES 의 수용체이다.[36] GM-CSF, IL-3, IL-5는 호산구의 성숙을 촉진하는데, 호산구는 이에 대한 수용체도 가지고 있다. 또한 호산구는 IL-1, IL-2, IL-4, IFN-γ, IFN-α, TNF-α, SCF, IL-16을 포함하여 여러 사이토카인에 대한 수용체도 갖는다. 또, 탈과립과 호흡기터짐(respiratory burst) 작용을 자극하는 platelet activating factor (PAF)와 leukotriene B4 (LTB4)를 포함하여 몇 가지 지질 매개물질에 대한 수용체도 발현하며, PGE2와 cysteinyl leukotriene 수용체도 갖고 있다.

호산구에서 분비되는 단백질, 과산화효소, 효소는 여러 사이토카인들과 함께 세포독성과 기생충독성 작용이 있는데, major basic protein; MBP, 호산구 과산화효소(eosinophil peroxidase; EPO), 호산구유래신경독소(Eosinophil-derived neurotoxin, EDN), Charcot-Leyden 결정 단백질, 호산구 양이온 단백(eosinophil actionic protein; ECP) 등이 중요한 역할을 한다. 이들은 알레르기반응에서 이중적인 역할을 할지도 모르는데 히스타민, PAF, 헤파린 등을 억제하여 과민반응을 억제할 수도 있고 독성작용을 통해 조직파괴를 증가시킬 수 있어, 추후 이 작용들의 조절에 대해서는 추가연구가 필요하다.

5) 호염기구와 비만세포

호염기구(basophil)는 IgE 수용체에 높은 친화성을 보이며, 히스타민과 사이토카인과 같은 매개체를 함유하고 있고, 매개체의 분비를 통하여 과민반응에 관여한다. 호염기구는 전구체인 colony-forming unit-basophil mast 세포(CFU-BM)로부터 호염기 골수아세포(basophilic myeloblasts), 전골수세포(promyelocytes), 골수세포(myelocyte)를 거쳐 성숙한 호염기구로 성숙하며 비만세포도 같은 전구체로부터 성숙한다. IL-3와 줄기세포인자(stem cell factor)는 호염기구와 비만세포의 성장과 분화를 지속적으로 유도한다. 이들 사이토카인은 CD34+ 원조(progenitor) 세포로부터 호염기구와 비만세포 발달을 유도한다.[26] 줄기세포인자는 인간 비만세포의 기능적인 성숙을 유도하며 신경성장인자와 GM-CSF는 호염기구 성장에 영향을 미치고, IL-5는 호염기구의 분화를 증가시킨다.[13] 호염기구와 비만세포는 형태학적으로 유사하고, IgE (FcεRI)에 대하여 친화성이 높다.

6) 단핵구와 대식세포

단핵구(monocyte)와 대식세포(macrophage)는 colony-forming unit-granulocyte-macrophage (CFU-GM) 전구체에서 발생하여 단핵모세포(monoblast), 전단핵구(promonocyte), 그리고 단핵구로 분화되며 말초 혈액 백혈구의 약 10%를 차지한다. 줄기세포인자stem cell factor; SCF, IL-3, IL-6, IL-11, GM-CSF를 포함한 일부 사이토카인은 주로 분화의 초기 단계에서 CD34+ 줄기세포에서 유래한 골수계열 세포의 발달을 촉진하는 반면에 Macrophage-colony stimulating factor (M-CSF)는 발달 후기에 작용하고 대식세포의 성숙을 유도한다.[22]

성숙한 단핵구는 골수를 떠나 대식세포로 발달할 수 있는 조직으로 들어갈 때까지 혈류에서 순환한다. 조직에서 분화된 대식세포에는 표피의 랑게르한스세포, 간의 Kupffer 세포, 중추신경계의 미세아교세포(microglial cell), 신체의 대부분 조직에 존재하고 이차적 림프조직에 집중되어 있는 수지상세포 등이 포함된다. 이런 세포들은 주조직적합체 1, 2군 모두를 발현하며 처리된 항원은 T세포의 T세포수용체에 의해 인지된다.

중성구와 마찬가지로 단핵구와 대식세포는 면역글로불린이나 보체, 혹은 둘 모두와 결합하여 강력한 식균 작용을 한다. 식균작용은 식균된 외부 물질을 항체로 감싸는 식균증진작용(opsonization)으로 촉진된다. 식균작용 후에 세포내공포(intracellular vacuole)가 외부 물질 주변으로 형성되고, 공포(vacuole) 안으로 유리된 용해소체 효소(lysosomal enzyme)가 외부의 침입물질을 파괴한다. 이들 세포들은 면역반응이 일어난 곳으로 중성구가 이동한 직후에 이동하기 시작하고 만성염증과 감염이 있는 곳에서 장기간 존재한다. 병원성 미생물을 죽이기 위해 산화질소를 이용하고, IL-12와 INF-γ과 같은 사이토카인을 대량 생산하여 획득면역반응에서 조절자 역할을 한다.[46]

7) 대과립성 림프구

대과립성림프구(large granular lymphocyte)는 림프구의 세번째로 중요한 형태로, 자연세포독성세포(natural killer cell)로 알려져 있다. 전형적인 림프구보다 크기가 크고 핵보다는 세포질이 더 많다. 대과립성림프구는 표면 Ig이나 T세포수용체를 발현하지 않아 특이적 반응을 보이지 않는다. 대신 바이러스 감염을 받은 세포나 종양세포에 비특이적 세포독성 작용을 보인다. 이는 IgG Fc 수용체를 통해 활성화되어 항체-의존성 세포독성(ADCC) 반응이 이루어 지며, 이 때 IFN-γ와 같은 사이토카인이 생산되어, 다른 세포들의 증식과 분화에 영향을 미친다. 또 자연세포독성세포는 CD8+ T세포와 비슷한 기전으로 세포독성을 보이기도 한다.

8) 혈소판과 적혈구

혈소판(platelet)과 적혈구(erythrocyte)는 줄기세포 전구체에서 생성된다. 혈소판은 줄기세포 전구체가 Burst Forming Units-megakaryocytes (BFU-MEG)로 분화된 후, Colony Forming Unit-megakaryocyte (CFU-MEG), 전거대핵세포(promegakaryoblast), 거대핵세포(megakaryocyte)를 거쳐 혈소판으로 분화된다.

표 5-2. 전신면역계와 점막면역계의 특징(MALT: mucosa-associated lymphoid tissue, GALT: gut-associated lymphoid tissue)

		전신 면역	공통적 특징	점막 면역
유발장소	항원 수집 및 운반	일반 표면 상피 배출 림프, 말초 림프절, 순환 혈액, 비장, 골수	수지상세포	M 세포를 가진 상피 점막연관림프조직(MALT), Peyer's patch, 충수돌기, 소화기관련 림프조직(Gastric associated lymphoid tissue)
순환하는 림프계열 세포 유입	접착분자, 케모카인/케모카인 수용체		편도, 아데노이드 국소 림프절, postcapillary high endothelial venules (HEVs) PNAd/L-selectin (CD62L), SLC (CCL21), ECLC (CCU9) CCR7	GALT: MadCAM-1/4β7
효과기 부위	기억 및 효과기 T 세포와 B 세포의 귀소	말초 림프조직, 만성 염증부위, 여러 종류의 접착분자 및 케모카인/케모카인 수용체		점막 고유층과 외분비샘: MadCAM-1/4β7(창자), 기타부착분자, TECK (CCL25)/CCR9 (소장), MEC (CCL28)/CCR10
항체 생성		IgG 〉 단량체 IgA 〉 다량체 IgA 〉 IgM	편도와 아데노이드	다량체 IgA 〉 IgM IgG

IL-1, IL-3, GM-CSF, IL-6, IL-11이 혈소판의 성장과 분화에 영향을 미친다.[44]

적혈구는 줄기세포 전구체가 burst-forming units-erythroid (BFU-E)로 분화하여, 적혈구 전구체 BFU-E는 colony-forming unit-erythroid (CFU-E), 전적모구(pronormoblast), 호염기적혈모구(basophilic normoblast), 다염적혈모구(polychromatophilic normoblast), 호산성 적혈모구(orthochromic normoblast), 망상적혈구(reticulocyte)를 거쳐 적혈구로 분화한다. 적혈구의 발달과 분화에 GM-CSF, SCF, IL-9와 적혈구생성인자(erythropoietin) 등의 사이토카인이 중요하다.[14]

9) 수지상세포

수지상세포(dendritic cell)는 골수에서 만들어지는 백혈구로 T세포기억(T-cell memory)과 관용(tolerance)등 다양한 기능이 있다. 수지상세포는 pathogen-associated molecular pattern (PAMP)의 서열을 통해 미생물을 인지하며, 림프절로 이동하여 T세포를 자극할 수 있는 성숙된 수지상세포가 된다. 수지상세포는 또한 손상된 조직에서 만들어진 염증 매개체를 통해 간접적으로 위험 신호를 인지한다.

수지상세포는 대부분 골수전구세포(myeloid progenitor)에서 기원하는 골수형 수지상세포이고, CD11c, CD33, CD13와 같은 세포표면표지자(cell surface marker)를 갖는다. 그외 나머지는 형질세포형 수지상세포(plasamacytoid dendritic cell)이며 CD123 세포표면표지자를 갖고 IL-3와 반응하여 IL-1을 생산한다.

4. 림프 기관(Lymphoid organs)

점막 표면과 피부는 외부 환경을 접하고 있어 면역계가 병균과 외부 항원에 쉽게 반응할 수 있는 곳이다. 일차 림프기관에는 흉선과 골수가 있으며 이곳은 림프구가 줄기세포에서 효과기 세포(effector cell)로 성숙하는 장소이다. 이차 림프기관에는 성숙한 림프구가 존재하고 면역반응이 일어난다. 이차 림프기관은 림프절, 비장 같은 전신면역체계(systemic immune system)와 편도, Peyer's patch 같은 점막면역체계(mucosal immune system)로 나뉜다(표 5-2).

1) 림프절

림프절은 여러 개가 그룹을 형성하거나 일련의 체인같이 형성되어 있다. 주로 수입림프관에서 림프액이 림프절로 유입되며 종국에는 hilus를 통해 혈관으로 합류된다. 주로 항원제시세포와 외부항원이 림프절로 유입되며, 림프절은 피질과 수질로 나누어진다.

피질은 B세포가 많은 1차 또는 2차림프여포가 많다. 1차여포는 주로 활성화되지 않은 B세포가 많으며 배중심(germinal center)이 없는 외투대(mantle zone)로 되어 있으며, 2차여포는 배중심과 외투대로 되어 있다. 배중심에서는 항원자극에 의한 반응으로 면역글로불린의 class switiching, 기억B세포의 형성 등이 일어난다. 배중심에서는 T세포도 있어 B세포의 CD40과 활성화된 T세포의 CD40배위체가 결합하게 된다. 피질의 가장자리인 부피질에는 주로 T세포가 있으며 이외에도 대식세포, 수지상세포, B세포가 존재한다. 림프절의 중심부인 수질은 수질삭(medullary cord)과 수질동(medullary sinus)으로 나뉘는데 수질삭에는 B세포, T세포, 대식세포, 형질세포 등이 존재하는데 이들은 피질에서 유입되는 B세포, T세포와 만난다. 수질의 수출림프관을 통해 성숙한 B세포, T세포, 항체 등이 유출되며 이들은 종국에는 흉관(thoracid duct)을 통해 혈류로 유입된다.

2) 점막면역체계

(1) 편도

편도는 아데노이드, 구개편도(palatine tonsil)와 설편도(lingual tonsil) 등으로 구성되어 있으며 유아기에 완전히 발달한 후 사춘기까지 줄어들게 된다. 구개편도는 인두면을 제외하고는 중층편평상피로 덮인 낭에 둘러싸여 있다. 섬유주(trabeculae)는 피막(capsule)에서 뻗어 나와 편도를 엽으로 나누며 혈관과 신경은 피막을 통해 들어가 섬유주(trabeculae)까지 뻗어 있다. 편도의 표면은 편도 조직 내로 가지를 뻗고 움(crypt)으로 열리는 오목(pit)으로 덮여 있어서 인두로 노출되는 표면을 최대화한다. 각각의 엽은 수많은 배중심(germinal center)이 있는 림프소포(lymph follicle)를 포함하고 있으며, 많은 수의 B세포를 포함한다.[17] 림프 조직은 T세포, 대식세포, 수지상세포와 B세포를 가지고 있는 소포로 둘러싸여 있다. 이러한 구조는 코를 통해 공기로 옮기는 외부 입자가 유입되는 장소(아데노이드)와 음식 입자가 유입되는 장소(편도)에 전략적으로 존재하며, 유기물과 항원을 걸러내고, 점막의 면역성 방어막의 역할을 한다.

(2) Peyer's patch와 림프소포(Lymphoid follicles)

Peyer's patch는 공장과 회장의 점막 내에 림프소포가 모여 있는 곳으로 회장 말단에 가장 많다. 배중심(germinal center)을 갖고 있는 소포의 형성을 포함하여, 이러한 점막면역체계는 출생 수 주 후에 완전하게 발달하게 되고, 사춘기까지 증가하다가 이후에 감소한다.

Peyer's patch의 림프 소포와 유사한 구조를 가진 점막 면역체계의 또 다른 구조인 림프소포는 위장관, 호흡기와 비뇨생식기관의 점막에 산재되어 있다. 림프기관은 장관으로부터 T와 B림프구로 항원제시를 촉진한다. 위장관의 상피세포와는 다르게, Peyer's patch를 덮고 있는 상피세포와 분리되어 있는 림프소포는 융모가 부족하고 배세포(goblet cell)도 적다.

항원의 섭취는 세포내흡수(pinocytosis)를 통해 이루어지는데 상피 내의 특수화된 상피세포(M세포)에 의해 흡수된다. 상피세포는 주조직접합체 2군 항원(M세포 제외)을 발현하지만, IgA 분비를 위한 면역글로불린 수용체는 발현하지 않는다. 상피의 하부에는 CD4+ 세포를 포함한 많은 수의 T세포가 존재하며, 대식세포, 수지상세포와 B세포가 존재한다. M세포가 능동적으로 흡수한 항원은 돔(dome) 영역으로 운반되어, 대식세포와 수지상세포에 의해 T세포 앞에 제시되게 한다.

소포들은 돔(dome) 영역 아래에 위치하고, 휴지기 B세포가 많은 외투층(mantle zone)을 이루며 대부분은 표면에 IgM과 IgD를 발현한다. 대부분의 Peyer's patch 소포들은 활성화된 B세포, 수지상세포, CD4+T세포, 대식세포가 존재하는 배중심(germinal center)을 갖고 있다. 소포 내 영역에는 많은 CD4+ 세포와 CD8+ T세포, 수지상세포, 대식세포와 일부 B세포가 존재한다.

① 장상피내 림프구

장상피내 림프구(intraepithelial lymphocytes)는 상피세포의 기저면(basal surface of the epithelium)에서 발견되고, 상피세포와 함께 존재한다. 표현형적으로나 기능적으로도 점막하 고유층 세포와는 명백하게 구분이 되며, 대부분은 T세포(CD8+ 또는 CD4− CD8−)로 구성되어 있다. 대부분이 TCRαβ를 발현하나 일부는 TCRγδ를 발현하며, 세포독성작용이 있다.[18]

② 점막고유층

상피세포층 바로 아래에 위치한 점막고유층(lamina propria)은 다양한 세포들로 이루어진 느슨하게 구성된 조직이다. 혈장 세포에서는 IgA 항체를 분비하는데,[23] 이러한 IgA는 점막 고유층에서 상피세포로 운반되고 관내강(lumen)으로 분비된다. 점막고유층에는 CD4+ T세포와 CD8+ T세포가 약 2:1의 비율로 존재하는데 장상피내 림프구와는 대조적으로 대부분의 점막고유층 T세포들은 TCRαβ를 발현하며, 그 외에 B세포, 대식세포, 수지상세포, 호산구, 비만세포와 중성구 등이 있다.

5. 면역반응

획득성면역반응의 중요한 두 가지 효과기로 체액성면역반응과 세포성면역반응이 있다. 대표적인 체액성면역반응으로는 항체생성으로 인한 방어로 세포외병원균에 대해 주로 작용하고, 세포성면역반응은 주로 세포내병원균에 작용하는 유용한 효과기이다.

1) 체액성 면역반응

체액성 획득면역체계에서 초회감작을 받은 Th세포는 동일한 항원을 발현하는 B세포와 접촉하며, B세포의 CD40과 활성화된 Th세포 표면에 존재하는 CD40배위체가 결합되면 B세포가 활성화되어 항체를 생산하는 형질세포로 분화된다(그림 5-2).

(1) T세포 의존성과 T세포 비의존성 B세포 반응

체액성 면역은 T세포 의존성(T−cell dependent) 반응과 T세포 비의존성(T−cell independent) 반응으로 구성된다. T세포 비의존성 B세포 반응은 세균낭과 세포벽 성분으로 구성되는 탄수화물과 같은 반복되는 항원 결정자를 갖는 큰 항원과 함께 발생하며, *S. pneumoniae*와 같은 세균에 대한 중요한 보호적 역할을 한다. 병원균은 B세포 표면에서 면역글로불린에 의해 결합되며, 일차적으로 IgM 형태의 항체를 활성화하고 분비시킨다. 분비된 *S. pneumoniae* 항체는 세균의 표면에 부착하여 세균의 옵소닌화(opsonization)를 매개하며 대식세포의 Fc 수용체에 의해서 인식되어 파괴된다. T−세포 의존성 B−세포 반응에서는 항원이 T세포뿐 아니라 B세포도 활성화시키고 T세포가 B세포의 성숙을 돕는 면역 반응을 일으킨다. 이러한 B 세포의 성숙 과정에서 T세포의 사이토카인이 새로 형성되는 면역글로불린의 이소형을 조절하고, 이 과정에서 체세포 변이(somatic mutation)가 일어나게 된다.

(2) 항체-의존성 세포독성

항체−의존성 세포독성(antibody−dependent cellular cytotoxicity), ADCC은 침입하는 외부 유기물(세균과 기생충), 바이러스에 감염된 세포, 종양 세포를 파괴한다. 이 반응은 항체를 이용하여 외부에서 침입하는 유기물에 효과기세포(effector cell)를 부착시키는 방법을 사용한다. 항체는 가변부위와 불변부위로 구성되어 있는데 항체의 가변부위(variable region)는 외부 물질에 대한 특이성을 제공하고, 불변부위(constant region)는 효과기

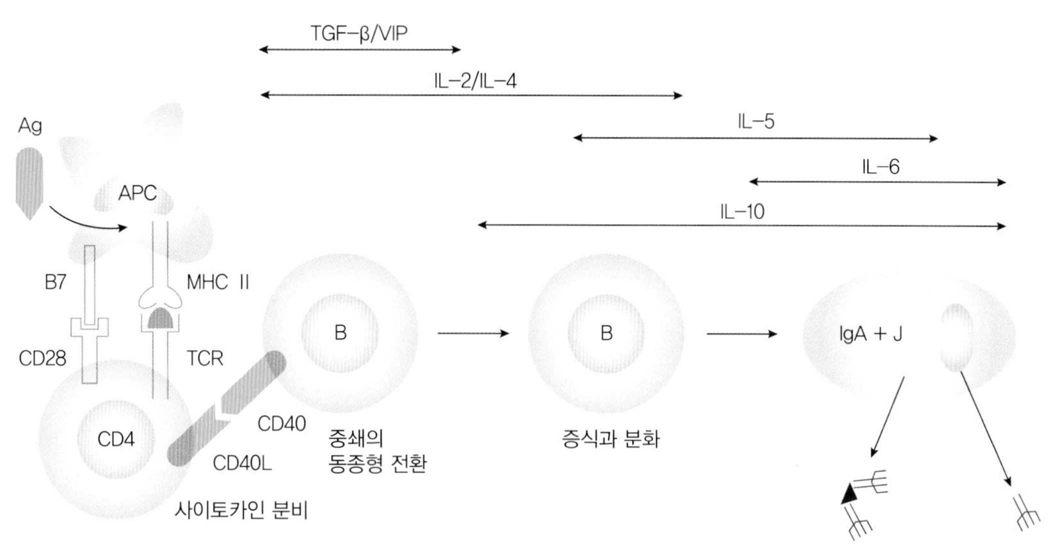

■ 그림 5-2. **점막과 연관된 림프조직에서 B 림프구의 분화과정과 조절.** 대부분의 활성화 T 림프구는 효과기세포(effector cell)로 작용하며 이후에 세포자멸사 과정을 거친다. 그러나, 일부 세포는 분화하여 수년간 숙주 안에 남아 있어 다시 항원에 노출되면 신속하게 방어한다. 이러한 방식으로 획득면역체계는 기억력을 가지게 된다.

세포의 Fc 수용체와 결합하여 효과기세포를 외부물질이 있는 곳으로 모이게 한다.

(3) 면역글로불린

활성화된 B 림프구가 분비하는 항체(면역글로불린)는 폴리펩티드(82~96%)와 탄수화물(4~18%)로 이루어진 당단백(glycoprotein)로서, 전체 혈장 단백의 약 20%를 차지한다. 면역글로불린은 독소 또는 세균이 모이는 면역반응에서 효과기(effector)로 작용한다. 외부 물질을 제거하기 위해 작용하는 대식세포, 중성구, 림프구가 면역글로불린에 의해 활성화되고 또한 보체계를 활성화시킨다. 항체가 비만세포의 Fc 수용체에 결합하면 급성 과민반응이 일어나서 세포들을 감작시킨다.

건강한 사람의 면역글로불린은 9종류의 이소형이 있는데 IgG1, IgG2, IgG3, IgG4, IgM, IgA1, IgA2, IgD, IgE가 있다. 정상 성인에서는 IgG가 면역기억반응(memory immune response)에서 가장 중요하며, 전체 혈장 면역글로불린의 75%를 차지한다. IgG4는 고전경로(classic pathway)로는 보체를 고정할 수 없고, 대체경로(aleternative pathway)를 이용한다.

IgA는 전체 혈장 면역글로불린(immunoglobulin)의 15%를 구성하며 분비되는 체액에 주로 존재하고 IgA1과 IgA2의 두 가지로 분류된다. 위장관과 호흡기계에 존재하는 림프조직의 T림프구는 B세포가 IgM을 IgA로 변환시켜 분비하게 한다. 분비형 IgA는 타액, 눈물, 기관과 코에서 분비되어 국소점막염증에 대한 일차적인 방어작용을 한다. IgA는 세포 내에서 바이러스를 중화시키고 항체를 차단하여 점막장벽을 제공하고, 상피로 이동하여 백혈구의 표면에 부착된 후 보체의 대체경로를 활성화시킨다.

IgM은 혈장 면역글로불린의 10%를 차지하고 보통 900,000 kDa의 분자량을 가진 오량체(pentamer)로 존재하며 초기 면역반응에서 두드러지게 나타난다. IgD와 함께 IgM은 B세포의 표면에 발현되는 중요한 면역글로불린으로 가장 효율적으로 보체를 고정시킨다. 태아는 태어나기 전에 IgM을 생산하고 모체의 IgM은 태반을 통과하지 못하기 때문에 태아 혈장에 있는 특정 조직에 대한 IgM 항체는 자궁 내 감염을 의미하며 감염이 최근에 발생한 것인지를 결정하는 데 사용된다.

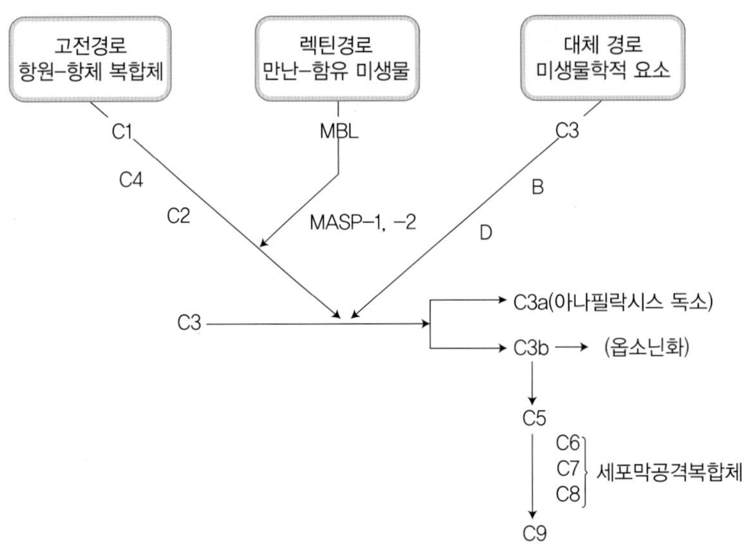

■ 그림 5-3. **보체계.** 보체계에는 3개의 다른 경로가 있다. MBL: mannan-binding lectin, MASP: mannan-binding lectin-associated serine protease.

IgD는 전체 면역글로불린의 0.2%를 구성하며 단량체(monomer)로 B림프구의 표면에 존재한다.

IgE는 전체 혈장 면역글로불린의 0.004%를 차지하지만 친밀도가 높고, 비만세포와 Fc 영역을 통해 결합하기 때문에 알레르기 반응에 중요하다. IgD, IgG와 마찬가지로 IgE는 보통 단량체 형태로 존재한다. 알레르기 환자에서 IgE의 형태는 병태생리에 중요한 역할을 한다. 항원과 결합된 IgE 항체는 비만세포와 호염기구에서 히스타민과 단백분해효소(protease)와 같이 이미 형성되어 있는 염증매개체(preformed inflammatory mediator)를 방출시킨다. 또한 IgE는 비만세포의 생존을 촉진시켜 알레르기 반응에서 비만세포의 탈과립을 증가시킨다. 비만세포의 생존과 성장은 단량체 IgE가 고친밀도 수용체인 FcεRI와 결합할 때 발생한다. 이렇게 알레르기 염증에서 염증유발 세포가 지속적으로 생존하면 항원이 제거된 후에도 증상이 지속된다. IgE는 대식세포, 호염기구, 호산구 및 수지상세포와 결합하며 특히 대식세포에서 FcεRI 교차결합이 일어나면 IL-10이 생산된다.[25] 단핵구도 IL-4와 GM-CSF의 자극에 의하여 대식세포계로 분화한다.

(4) 보체계

보체계(complement system)는 자연면역체계와 획득면역체계에 중요한 효과기로서의 역할을 한다. 세포질 단백으로 구성되어 항원-항체 반응의 체액성 면역에 주로 관여한다. 보체계가 활성화되는 경로에는 고전경로(classic pathway), 렉틴경로(lectin pathway), 그리고 대체경로(alternative pathway)의 3가지가 있으며 이들은 미생물을 파괴하는 공통 경로를 공유한다(그림 5-3).

보체의 생물학적 활성에는 세 가지가 있으며, 첫째로 특정한 보체 단백(complement protein)이 외부 물질에 부착하거나 식균(opsonized)된 후 호중구와 단핵구(monocyte)에 부착되어 있는 보체 단백에 특이한 세포수용체와 결합하여 외부 물질이 포식되는 것을 매개한다. 둘째로 보체 단백으로부터 떨어져 나간 작은 조각이 확산되어 중성구나 대식세포에 부착하여 화학주성이나 세포활성화에 관여한다. 림프구나 항원제시세포에 있는 이와 유사한 수용체는 항원-항체 복합체에 부착하여 포식작용이나 세포자멸사한 세포를 제거하여 면역 반응을 증가시킨다. 마지막으로 보체는 세포막에 소수성(hydrophobic)

마개(plug)를 주입하여 삼투압에 의하여 표적 세포를 파괴한다.

따라서 보체계가 결여되면 심각한 감염질환과 자가면역 질환이 나타날 수 있다. 자연면역체계는 자연세포독성세포(natural killer cell)의 활성화, Toll-like receptor의 활성화와 보체계의 도움으로 염증을 제거하고 조절한다. 그러나 자연면역체계가 병원체를 제거할 만큼의 충분한 염증반응을 일으키지 못하면 획득면역체계가 작동한다.

(5) 사이토카인

사이토카인(cytokine)은 상이한 효과기 세포들 사이에서 상호 작용을 매개하는 작은 분비성 단백질이다. 각각의 사이토카인은 여러 세포에서 다양한 기능을 갖고 있고, 몇몇 사이토카인은 서로 연관된 기능을 갖고 있다. 사이토카인은 상승작용 혹은 대항작용을 갖고 있으며 또 다른 사이토카인의 합성을 유도하거나 억제한다. 사이토카인은 구조에 따라 조혈인자, 인터페론, 그리고 TNF의 3개의 족(family)으로 구분된다(표 5-3).

(6) 케모카인

케모카인(chemokine)은 헤파린에 부착되는 저분자량 분비성 분자의 상위계열로, 면역계 세포에 대한 강력한 화학주성인자로 작용한다. 현재까지 50종류 이상의 케모카인이 알려져 있고 특징적으로 3~4개의 시스테인기(cysteine)를 갖고 있는데 N-말단 시스테인기(N-terminal cystein residue)의 위치에 따라 4개의 족(family)으로 구분된다(그림 5-4).

CXC족은 첫 두 시스테인 사이가 한 개의 아미노산에 의해 분리되며, CC족은 시스테인기들이 서로 인접해 있다. 대부분의 케모카인이 CC와 CXC족에 속한다. C족 케모카인은 첫 번째와 세 번째 시스테인이 없고 보존된 위치(conserved position)에 한 개의 시스테인기를 가지고 있고, CX3C족은 2개의 N-말단 시스테인기가 3개의 아미노산에 의해 분리되어 있다(표 5-4).

표 5-3. 사이토카인의 종류

사이토카인	생산세포	작용
조혈모세포계 적혈구생성인자(erythropoietin)	신장세포, 간세포	적혈구 전구세포 자극
IL-2	T세포	T세포 증식
IL-3	T세포, 흉선표피세포	초기조혈에서 상승작용
IL-4	T세포, 비만세포	B세포 활성, IgE 전환, Th_1세포억제
IL-5	T세포, 비만세포	호산구의 성장 및 분화
IL-6	T세포, 대식세포, 내피세포	T세포와 B세포의 성장 및 분화, 급성기 반응단백 생성, 체온 상승
IL-7	비(非)T세포	전B세포와 전T세포의 성장
IL-9	T세포	비만세포 자극, Th_2세포 자극
IL-11	간질 섬유모세포	조혈작용에서 IL-3과 IL-4의 상호 상승작용
IL-13	T세포	B세포 성장 및 분화, IgE전환대식세포의 염증성 싸이토카인과 Th_1 세포의 생성 억제
G-CSF	섬유모세포, 단핵구	중성구 발달 및 분화를 촉진
IL-15	비(非)T세포	장상피, T세포와 NK세포 성장을 자극
GM-CSF	대식세포, T세포	골수성 단핵구계, 특히 수지상세포의 성장을 자극
OSM	T세포, 대식세포	카포시육종 세포의 성장자극, 멜라닌종 세포성장을 억제
LIF	골수간질, 섬유모세포	IL-6, IL-11, oncostatin M 같은 태생기 줄기세포를 유지

표 5-3. 사이토카인의 종류 <계속>

사이토카인	생산세포	작용
Interferon계		
IFN-γ	T세포, NK세포	대식세포의 활성, MHC분자와 항원제시요소의 표현증가, Ig계전환, Th_2억제
IFN-α	백혈구	항바이러스, I 형 MHC 표현증가
IFN-β	섬유모세포	항바이러스, I 형 MHC 표현증가
TNF계		
TNF-α	대식세포, NK세포, T세포	국소염증,내피활성
TNF-β	T세포, B세포	살균, 내피활성
LT-β	T세포, B세포	림프절 발생
CD40	T세포, 비만세포	B세포활성,class 전환
Fas	T세포	세포자멸사, 칼슘-의존 세포독성
CD27	T세포	T세포증식 자극
CD30	T세포	T세포와 B세포증식 자극
4-1BBL	T세포	T세포와 B세포 동시자극
Trail	T세포, 단핵구	활성T세포와 종양세포의 세포자멸사
OPG-L	골모세포, T세포	파골세포와 골흡수자극
분류되지않는 사이토카인		
TGF-β	연골세포, 단핵구, T세포	세포성장억제, 항염증, B세포에 의한 IgA분비유도
IL-1α	대식세포, 표피세포	열, T세포, 대식세포활성
IL-1β	대식세포, 표피세포	열, T세포, 대식세포활성
IL-1RA	단핵구, 대식세포, 중성구, 간세포	자연 IL-1 활성 길항제
IL-10	T세포, 대식세포, EBV변환, B세포	대식세포기능의 중요한 억제제
IL-12	B세포, 대식세포	활성 NK세포, CD4 T세포를 Th_1 유사세포로 분화유도
MIF	T세포, 뇌하수체세포	대식세포이동억제, 대식세포활성자극, 스테로이드저항유도
IL-16	T세포, 대식세포, 호산구	CD4 T세포, 단핵구, 호염구의 화학유인물질, IL-2자극 T세포의 항세포자멸사
IL-17	CD4기억세포	표피세포, 내피세포, 섬유모세포에 의한 사이토카인 생산 유도
IL-18	대식세포와 Kupffer세포의 활성	T세포와 NK세포에 의한 IFN-생산유도, Th_1 유도와 후기 Th_2 반응 지원

2) 세포매개성 면역반응(Cell-mediated immune response)

초기 림프구 활성화는 2단계로 이루어지며 항원이 첫 번째로 활성화 신호를 제공한다. T림프구를 자극하는 항원은 자기 주조직접합체분자의 항원결합 고랑(groove) 내에 존재하는 올리고펩티드(oligopeptide) 또는 펩티드에 부착하는 불완전한 항원(hapten)이다. 체액 상태의 항원은 T세포 수용체와는 결합하지 않고 B세포를 자극시키고 단단한 기질에 고정되게 된다. T세포의 활성화에 필요한 두 번째 신호는 T세포를 자극하기 위해 항원제시세포의 표면 또는 B세포의 활성화를 위해 T세포의 표면에 발현되는 보조자극분자(costimulatory molecule)이다. 또한 T세포와 B세포가 성장하고 분화하기 위해서는 활성화된 T세포와 항원제시세포에서 분비되는 사이토카인의 자극이 필요하다.

T세포 수용체-αβ (T cell receptor-αβ)를 발현하는 T

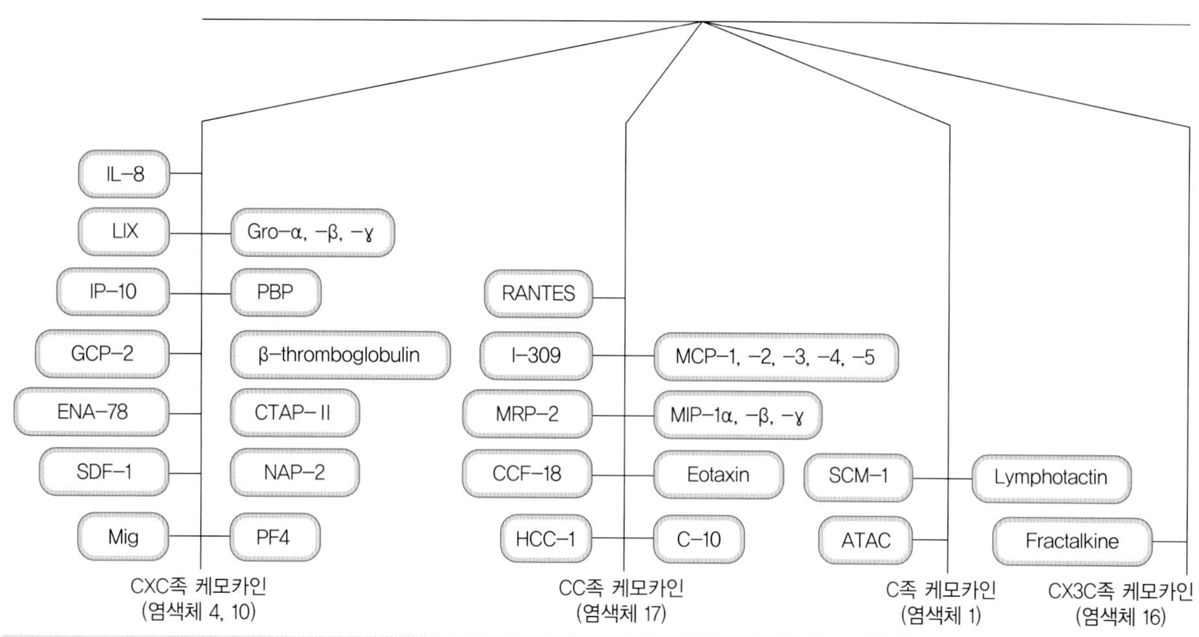

■ 그림 5-4. **케모카인의 분류**

표 5-4. 케모카인의 종류

케모카인의 종류		
체계적 이름 (systematic name)	상용이름-배위자	표적세포
I. CXC 족		
CXCL1	GRO/MGSAα	중성구
CXCL2	GRO/MGSAβ	중성구
CXCL3	GROg/MGSAg	중성구
CXCL4	PF4	섬유모세포
CXCL5	ENA-78	중성구
CXCL6	GCP-2	중성구
CXCL7	NAP-2	중성구
CXCL8	IL-8	중성구, 호염기구, T세포
CXCL9	Mig	활성 T세포
CXCL10	IP-10	활성 T세포
CXCL11	I-TAC	활성 T세포
CXCL12	SDF-1a/b	CD34+골수세포, T세포, 수지상세포, B세포, 활성 CD4세포
CXCL13	BCA-1	원시B세포, 활성 CD4세포
CXCL14	BRAK-boekine	
CXCL15	Unknown	
CXCL16	Unknown	T세포, NK T세포

표 5-4. 케모카인의 종류 <계속>

케모카인의 종류		
체계적 이름 (systematic name)	상용이름-배위자	표적세포
II. CC 족		
CCL1	I-309	중성구, T세포
CCL2	MCP-1/MCAF/TDCF	T세포, 단핵구, 호염구
CCL3	MIP-1α/LD78α	단핵구, 대식세포, T세포, NK세포, 호염구
CCL3L1	LD78β	단핵구, 대식세포, T세포, NK세포, 호염구
CCL4	MIP-1β	
CCL5	RANTES	단핵구, 대식세포, T세포, NK세포, 호염구
CCL6	Unknown	단핵구, 대식세포, T세포, NK세포, 호염기구
CCL7	MCP-3	T세포, 단핵구, 호산구, 호염구, 수지상세포
CCL18	DC-CK1/PARC/AMAC-1	원시 T세포, T세포
CCL19	MIP-3b/ELC/exodus-3	원시 T세포, 성숙수지상세포, B세포
CCL20	MIP-3a/LARC/exodus-1	T세포, 골수 수지상세포
CCL21	6Ckine/SLC/exodus-2	원시 T세포, B세포
CCL22	MDC/STCP-1	미성숙수지상세포, T세포
CCL23	MPIF-1/CKβ8/ CKβ8-1	단핵구, T세포
CCL24	Eotaxin-2/MPIF-2	호산구, 호염기구
CCL25	TECK	대식세포, 흉선세포, 수지상세포
CCL26	Eotaxin-3	
CCL27	CTACK/ILC	T세포
CCL28	MEC	T세포, 호산구
III. C족과 CXC3C족		
XCL1	Lymphotactin/SCM1α/ATAC	T세포, NK 세포
XCL2	SCM-1β	
CXC2C계		
CXC3CL1	Fracktalkine	T세포, 단핵구

림프구는 자신의 T세포 수용체를 인지할 수 있는 주조직 접합체 분자에 따라 두 개의 하부 집단으로 나뉜다. 첫째, CD4+ 혹은 조력T세포를 발현하는 T세포는 주조직접합체 2군(class II MHC) 분자에 결합하는 항원을 인시하는 기능을 가지고 있고, 둘째, CD8+T세포는 주조직접합체 1군(class I MHC) 분자에 결합하는 항원을 인지하는 기능을 가지고 있으며, 세포독성을 가지고 있어 세포-매개성 면역반응에 관여한다(그림 5-5).

(1) CD4+ T세포

주조직접합체 2군(class II MHC) 결합 항원에 감작된 CD4+ 세포들은 활성화되어 IL-2를 분비하고, 양성 길항 작용을 한다. 활성화된 CD4+ 세포는 IL-2를 분비하여 다른 CD4+ 세포나 CD8+ 세포와 상호작용하고, B세포

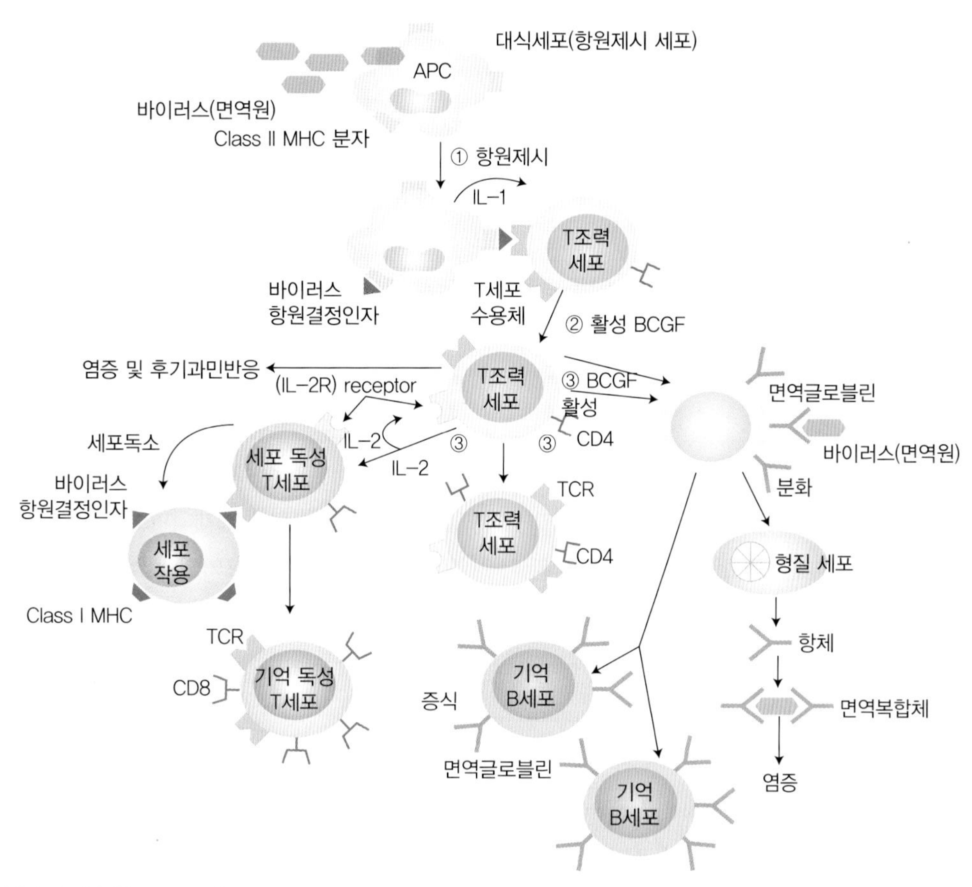

■ 그림 5-5. **세포-매개성 면역반응.** 항원에 노출된 후 일어나는 과정과 이를 조절하는 T세포의 역할

의 성장과 분화를 유도하는 요소(IL-2, IL-4, IL-6)를 분비하여 B세포와 작용한다. 따라서 CD4+ 세포는 항원에 감작된 B세포를 자극하고, 주조직접합체 1군(class I MHC) 결합 항원에 감작된 CD8+ 세포를 자극하여 면역반응을 증폭시킨다.

Th세포는 사이토카인 분비 양상에 따라 Th1세포와 Th2세포로 나누어진다.[31] Th1세포는 IL-2와 IFN-γ와 같은 세포매개성 면역반응에 관여하는 사이토카인을 분비하고, Th2세포는 항체반응을 조절하는 IL-4와 IL-13과 같은 사이토카인을 분비한다. Th1과 Th2 사이토카인 모두를 분비할 수 있는 CD4+ 세포는 Th0 세포로 불리며 Th1과 Th2세포의 전구체가 된다. Th1세포 또는 Th2세포로의 분화는 각각 IL-12와 IL-4가 촉진하는 양성되새김반응(positive feedback loop)에 의해 조절된다.[41] 활성화된 T세포가 생산한 사이토카인은 면역반응을 시작하게 하고 증폭시킬 뿐만 아니라 하향조절을 시킬 수도 있다. 이런 작용을 가지는 사이토카인에는 IL-10과 transforming growth factor-β (TGF-β)가 있으며, 조절T세포(regulatory T cell)에서 분비된다.

이 외에도 CD4+ T세포가 유도하는 특징적인 염증 반응은 지연형 과민반응(delayed type hypersensitivity)이다. 지연형 과민반응은 면역에 민감한 사람에서 항원유발로 자극되며, 임상적으로는 유발반응 24~48시간 후에 국소적인 홍반이나 팽진이 나타난다. 지연형 과민반응에서 가장 중요한 사이토카인은 IFN-γ과 TNF이고 주로 Th1세포에서 분비되며, 이들은 내피세포(endothelial cell)에 백혈구 접착분자(adhesion molecule)의 발현을 증가시켜 백혈구(중성구와 단핵구)가 모여들게 한다. IL-2는 활성화된 T세포에서 분비되고, T세포를 증식시킨다.

(2) CD8+ T 세포와 세포독성

CD8+ 세포는 세포독성 효과기(cytotoxic effector)의 기능이 있다. 세포독성 효과기에 의하여 표적세포를 파괴하기 위해서는 초기에 표적세포의 세포막과 접촉이 이루어진다. 세포독성 효과기가 CD8+ 세포일 때에는 이들 세포들이 표적세포로부터 주조직접합체 1군 분자와 외부 펩티드를 인지한 후 세포막을 통과하는 신호가 발생하며, 두 세포가 부착되어 결합한다. 이러한 비특이적인 부착은 세포독성 효과기세포의 백혈구기능관련 항원-1 (leukocyte function-associated antigen-1; LFA-1)과 표적세포의 세포 간 부착분자-1 (intercellular adhesion molecule-1), ICAM-1 사이의 결합을 통해 이루어지며, 세포독성 효과기세포의 CD2가 표적세포의 LFA-3에 결합하기도 한다. 결합된 후에는 세포독성 효과기세포에서 과립의 세포외 유출(exocytosis)이 일어나 표적세포를 파괴한다. Granzyme, 여러 단백분해효소(protease), 과립 매개물질들은 세포독성 효과기세포에서 유리되어 표적세포로 들어가 내부를 파괴한다. 세포독성 효과기는 다른 과립을 갖고 있고, 바로 재생이 될 수 있으므로 연달아 다른 목표세포들을 용해시킬 수 있다.

세포독성세포 기능의 다른 경로는 세포표면분자인 Fas를 통해 이루어진다. Fas는 세포자멸사를 일으키는 TNF receptor-nerve growth factor receptor-CD40의 상위계(superfamily) 중 하나이다.[24] 표적세포에서 세포표면에 존재하는 Fas 분자가 세포독성 효과기세포의 Fas 배위체로 부착되면 표적세포에서 세포자멸사가 발생한다.

6. 면역병리의 분류

상기 언급한 체액성 및 세포성 면역반응이 과하여 숙주세포 자신을 파괴할 때 질병의 상태가 되며 이를 과민반응 또는 면역병리반응(immunopathologic reaction)이라고 하며 네 가지 형으로 분류한다. I형은 비만세포에 의한 반응으로 IgE의존성(아나필락시스) 또는 IgE비의존성(조영제부작용)으로 나뉘며, II형은 세포독성, 항체매개에 의한 반응으로 IgG또는 IgM에 의해 자가항원을 파괴하는 반응으로 자가면역성용혈성빈혈이 대표적인 예이다. III형은 면역복합체에 의한 반응으로 SLE, 류마티스관절염 등의 질환이 대표적인 질환이고 IV형은 지연성과민반응(delayed type hypersensitivity)가 대표적으로 T세포 또는 NK세포에 의해 매개되며 항체와 무관한 반응이다. IV형과민반응은 사이토카인에 의한 염증반응 또는 T세포에 의한 세포독성반응으로 나뉠 수 있다. 알레르기질환은 이 중 I형 반응과 IV형 반응의 일부로 설명할 수 있다.

II 알레르기 면역학

일반적으로 아토피 질환의 가족력은 알레르기 비염, 천식, 아토피 피부염의 위험인자로 알려져 있다. 천식, 습진, 고초열, 두드러기의 가족력이 있으면서 피부반응 검사에서 양성을 보이는 환자를 아토피 체질로 분류하고 있다. 알레르기 체질의 부모로부터 태어나는 자녀는 일반인보다 알레르기 체질일 가능성이 훨씬 더 높다. 즉, 부모가 모두 알레르기 체질인 경우에 자녀의 50%가 알레르기 체질을 갖고 태어나며 부모 중 한 명이 알레르기 체질인 경우에는 자녀의 30%가 알레르기 체질을 갖게 된다. 따라서 가족력은 알레르기 질환에 이환되는 중요한 위험인자의 하나이며 알레르기 질환이 의심되는 환아의 평가에 있어서도 중요한 문진 사항이 된다.

'위생 가설(hygiene hypothesis)'이란 선진국에서 감염성 질환의 감소가 알레르기와 아토피성 질환이 증가하는 원인이 된다는 것을 말하는 가설이다. 따라서 감염원에 더 많이 노출될수록 이후 아토피 질환에 이환될 확률은 더 낮아질 수 있다. 과거에는 아토피의 과거력이 있는 가정에서는 애완동물을 기르지 말 것을 권유했지만 최근에는 애완동물을 기르는 것이 이후에 천식에 이환될 확률을 낮추는 것으로 알려져 있다.

꽃가루, 잔디, 잡초, 곰팡이 등의 알레르기 항원들은 항원 노출의 첫 단계로서 점막 표면에 부착된다. 항원이 침착되면 수지상세포가 항원을 포획하여 림프절로 이동하고, 그곳에서 항원에 대한 감작을 위해 T세포에 항원을 제시한다. 감작과정에는 여러 사이토카인들이 관여한다.

비만세포는 알레르기 반응에 중요한 역할을 담당하는데, 이들은 함유한 단백분해효소에 따라서 두개의 아형으로 분류된다(표 5-4). 즉, tryptase를 함유한 비만세포(MCT)와 tryptase, chymase를 함유하고 있는 비만세포(MCTC)로 분류된다. 비만세포의 두 아형은 모두 히스타민을 함유하며 코점막에 존재한다. 다른 생산물로는 프로스타글란딘, 류코트리엔 등의 지방 매개체와 eotaxin, RANTES, IL-3, IL-4, TNF-α, GM-CSF, MIP-1α 등의 케모카인 등이 있다. 비만세포는 여러 싸이토카인에 의하여 분화되고 성숙하며 사멸에 이르게 된다.

항원-특이적인 IgE는 점막 표면에 있는 비만세포의 고-친화성 수용기와 결합하는 능력을 갖고 있다. 비만세포가 항원에 노출되면 표면에 있는 항원-특이적인 IgE와 항원사이에 교차결합(cross-link)이 일어나고 탈과립화하여 염증매개물질을 분비한다. 비만세포는 알레르기 반응의 초기반응과 후기반응에 모두 관여한다.

알레르기 비염, 천식, 아토피 피부염과 같은 알레르기 질환은 항원 감작이라는 공통경로를 따라 일어나게 된다. 코에서는 항원감작이 IgE 생산을 유발하고, 이어서 감수성 있는 개체에 항원이 노출되면 알레르기 비염을 일으키는 반응이 시작된다. IgE가 매개된 코점막의 알레르기 반응은 초기와 후기 반응에 모두 나타나며, 그 중 초기 반응은 비만세포가 주된 역할을 담당한다. 비만세포가 활성화되면 재채기, 가려움증, 콧물, 그리고 코막힘 등의 주 증상들이 나타나게 된다. 초기반응보다 수 시간 후에 발생하는 후기반응에서는 B세포, T세포, 호염기구, 호산구 등의 많은 세포들이 모이고 서로 상호작용을 하게 된다. 이러한 상호작용은 코막힘 등의 증상을 나타낼 뿐만 아니라, 또다른 항원-특이적인 IgE를 생산하게 되고 연속된 항원에 대한 초회감작과 과민반응을 일으키게 한다. 알레르기 비염은 외부 항원에 대해 IgE 항체를 통해 매개되는 비점막의 과민성 질환으로 정의된다.

1. 감작과 면역글로불린 E 생산

질병의 초기에는 적은 용량의 항원에 노출되면 특이적인 IgE 항체가 생산된다. 코 점막에서 항원은 대식세포, 수지상세포, 랑게르한스세포 등과 같은 항원제시세포에 둘러싸여 포획되고, 포식용해소체(phagolysosome) 내에서 부분적으로 분해된다. 항원의 일부는 항원제시세포의 표면에서 주조직접합체 2군 분자와 복합체를 이루어 표현이 되면 조력T세포들이 이를 인식하게 된다. 조력T세포의 항원인식과 항원제시세포에서 분비되는 IL-1의 자극에 의하여 활성화된 조력T세포는 사이토카인을 분비하게 되고, 다른 세포의 성장과 분화를 촉진한다(그림 5-6).

CD4+ 세포는 면역 반응에 중요하며 분비되는 사이토카인에 따라 Th1 (IFN-γ), Th2 (IL-4, IL-5, IL-13), Th17 (IL-17)세포로 나뉜다. 이 중 Th2세포가 알레르기 면역반응에 주로 관여하며 IL-4와 IL-5와 같은 사이토카인을 분비한다. IL-4는 B세포에 작용하여 이소형(isotype)이 IgE로 변환하는 것을 촉진시키며 생산을 증가시킨다.[1] 말초 혈액에서 단핵구의 IL-4 생산이 증가하면 혈청 IgE 수치가 높아진다.[50] 그러나 Th1세포에서 분비되는 IFN-γ는 반대 효과를 갖는다. IL-4는 Th2 사이토카인으로 아토피 환자의 항원 특이적인 T세포(clone)에서 선택적으로 나타난다고 보고되었다.[34]

코점막에 항원-특이적인 IgE는 비만세포와 호염기구 표면의 고친화성을 가진 수용체에 부착되어 있고, 다른 세포에서는 저친화성을 가진 수용체에 부착되어 있다. 항

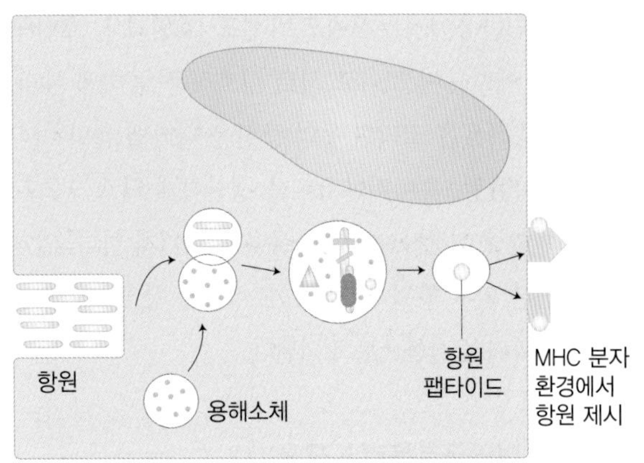

■ 그림 5-6. **항원의 처리와 제시.** 항원은 항원제시세포(antigen presenting cell) 안에서 가수분해 과정을 거치고, 이에 의한 결과로 생기는 올리고펩티드가 주조직접합체의 항원 부착부위에 머물러 있다가 세포 표면에 발현된다.

원에 노출되면 세포의 표면에 있는 IgE 항체는 항원에 대한 수용체로 작용한다. 비만세포에 부착된 IgE가 항원과 교차 결합되면 비만세포에서 염증매개물질이 분비되어 신경, 분비선(gland), 혈관 등을 자극하여 재채기, 가려움증, 콧물, 코막힘 등의 조기 알레르기 반응을 일으킨다.

2. 조기반응

항원에 노출된 직후 몇 분 안에 알레르기 환자에서 면역 반응이 나타나는 것을 조기반응(early response)이라 한다. 처음에 환자는 가려움증을 느끼고, 이어서 재채기, 콧물, 그리고 마지막으로 코막힘이 일어난다(그림 5-7). 조기반응의 대부분은 히스타민의 유리에 의해 알레르기 비염의 증상을 일으키는 신경이 자극되어 나타난다. 아토피 환자에서는 정상인에 비해 혈청 IgE 농도가 100배까지 증가될 수 있고, 히스타민, kinin, tryptase, prostaglandin D_2 (PGD_2), leukotriene C4 (LTC4), leukotriene B_4 (LTB_4), major basic protein (MBP), platelet-activating factor (PAF)와 같은 매개물질 역시 증가한다(그림 5-8).

3. 후기반응

항원에 노출된 수 시간 후에 일부 환자들은 증상의 재발을 경험하는데, 코막힘이 가장 현저하며 이를 후기반응(late response)이라 한다. 항원에 의한 자극 4~10시간 후에 비저항(nasal airway resistance)은 최고조에 달하며, 24시간 후에는 정상으로 돌아온다.

비만세포에서 분비되는 염증매개체 외에도 각종 사이토카인이 증가하는데, 항원감작시 IL-1β, TNF-α GM-CSF가 초기에 증가하고 IL-5, IL-6, IL-8, GM-CSF, TNF, soluble intercellular adhesion molecule-1 (ICAM-1)이 후기에 증가한다. 또 IL-1β, IL-6, IL-8의 계절성비염환자의 비즙에서 증가한다.

비점막 조직에서 면역조직염색을 해 본 결과 IL-4양성세포가 통년성비염환자에서 증가하였고 이들은 대부분 비만세포와 일치하였다. 하지만 IL-5, IL-6, IL-8은 정상인 대조군과 비교했을 때 차이가 나지 않았고 이들은 대부분 T세포보다는 비만세포 또는 상피세포에서 염색이 되었다.[10] 이는 T세포에서는 사이토카인이 세포 내에 축적되지 않고 세포 밖으로 분비되어서 면역염색으로 검출이 안되기 때문이라 생각된다. 계절성비염환자의 비점막에서 비강 내 스테로이드를 투여했을 때 호산구, 비만세포를 억제하였고 IL-4양성세포도 억제하였지만 IL-5, IL-6양성세포는 차이가 없었다.[11]

mRNA분석결과를 보면 알레르기비염환자의 조직에서 IL-3, IL-4, IL-5, GM-CSF의 mRNA는 증가하고 IL-2, IFN-γ의 mRNA는 차이가 나지 않았으며 항원자극을 주었을 때 활성화된 호산구(EG2양성세포) 숫자와 IL-5, IL-4, GM-CSF, IL-3, IL-2와 상관관계를 보였다. 이 때 IL-5 mRNA양성 세포는 83%가 T세포였고 16.4%가 비만세포였다.[49]

면역조직검사와 mRNA결과를 봤을 때 알레르기 환자에서 사이토카인 생산은 T세포와 비만세포에서 대부분 생산되지만 어느 세포에서 얼마나 생성되는지는 기술적인

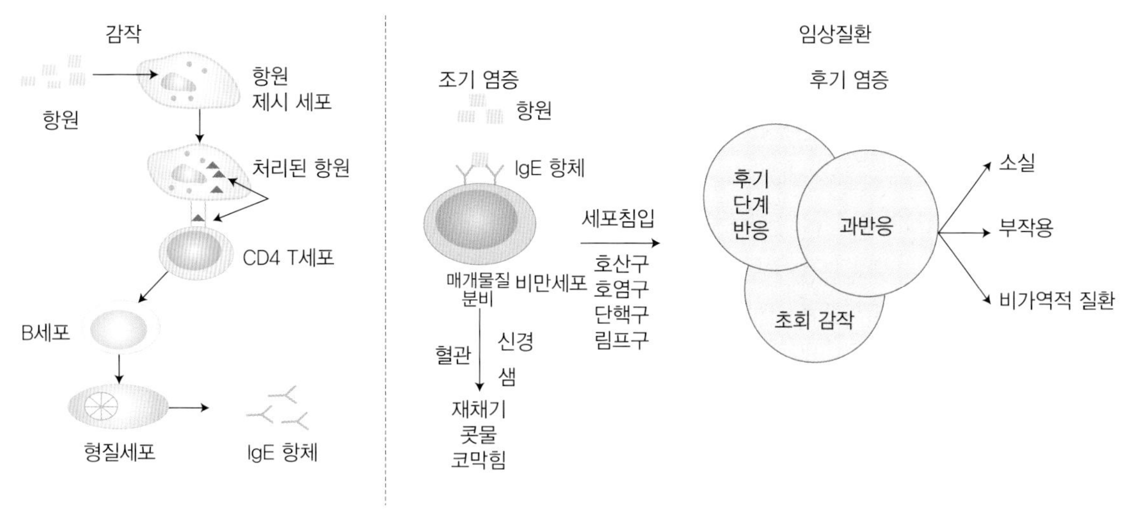

■ 그림 5-7. **알레르기비염의 병태생리.** 알레르기비염 발현의 첫 단계에서는 항원 처리 및 비만세포, 호염기구, 그리고 기타 염증세포에 부착하는 특이적인 IgE 항체가 생산된다. 이후 동일한 항원에 다시 노출되었을 때, 비만세포 표면의 IgE 수용체들은 교차결합하여 비만세포를 탈과립화시키고, 알레르기 질환의 증상을 일으키는 매개물질들을 분비시킨다. 또한, 코 점막에 염증세포들이 모여들고 만성 염증상태가 초래되어 코 알레르기 질환의 특징인 특이적 및 비특이적 자극에 대한 과민반응이 나타난다. 조기 및 후기 염증반응 이외에도 항원에 대한 노출은 특이 IgE 생산의 증가와 항원에 대한 감수성을 지속시키는 이차적 면역반응을 일으킨다.

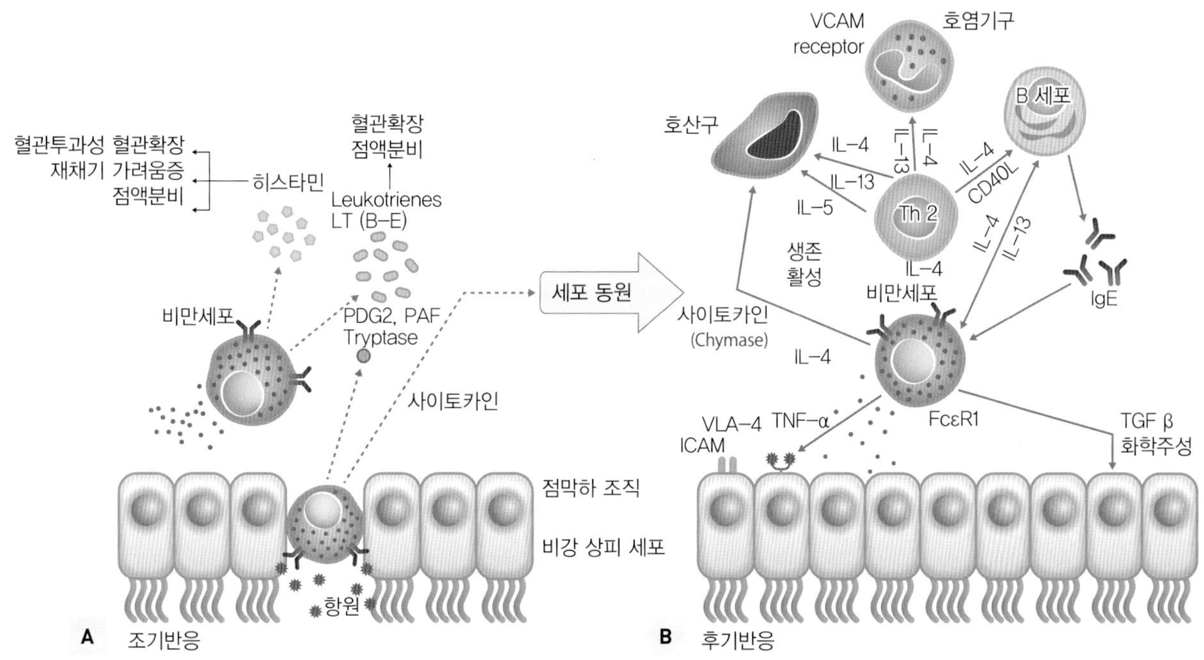

■ 그림 5-8. **조기반응과 후기반응. A)** 조기반응: 항원에 노출되면 비만세포가 활성화되어 매개체 분비로 인한 증상들을 야기한다. **B)** 후기반응: 사이토카인에 의해 점막에 여러 종류의 염증세포가 모여 증상과 자극물질에 대한 과민반응과 priming을 유발하는 매개물질을 분비한다.

한계로 명확히 알기는 어렵다. 항원에 감작된 후 생성되는 대부분의 사이토카인은 Th2 사이토카인으로 이 사이토카인이 알레르기반응에 매우 중요하다. IL-5는 호산구의 분화, 혈관에 접착, 생존능을 향상시키고, IL-4는 비만세포를 성장하게 하고[38] B세포에서 IgE생성하게 촉진하며[33] IL-13은 호산구의 동원, 점액과생성, 기도과민성 등의 염증을 일으키는 데 중요하다.

4. 신경계의 관여

항원유발 조기반응 시에 나타나는 재채기와 가려움증에는 신경계가 관여한다. 코는 구심성과 원심성 신경, 신경절후 자율신경계에 의해 조절된다. 편측 비점막을 히스타민으로 유발시키면 양측으로 분비물 증가와 함께 프로스타글란딘이 증가한다. 코의 분포하는 신경과 신경으로부터 분비되는 신경전달물질은 신경인성염증(neurogenic inflammation)으로 알려진 기전을 통해 알레르기 비염의 병태생리를 조절하는데, 이 기전에는 tachykinins, neurokinin A와 같은 신경펩티드가 관여한다.[19]

신경성장인자(nerve growth factor)는 알레르기 항원에 반응하여 나타나는 초기 물질로, 알레르기 반응을 촉진시키며 항원유발 부위로 호산구와 림프구를 증가시키며, 부분적으로 IL-4, IL-5를 생성하고 비만세포에서 신경전달물질을 분비시켜, 비만세포를 성숙시키고 활성화시킨다. 또한 신경세포를 통해 substance P 같은 tachykinin 생성을 증가시킨다. 알레르기 비염 환자의 코점막에는 신경세포에서 substance P의 양이 증가되어 있다.

5. 염증세포의 유입(Cellular events)

항원에 노출된 후 염증매개체와 더불어 염증세포가 비점막과 비분비물에 유입된다. 대개 비즙에서 호산구의 증가는 항원노출 후 1~2시간 내에 생기고 6~8시간 후에 최고조에 달한다. 호산구에서 분비되는 MBP는 항원노출 후 수 시간 내에 비즙에서 발견되고 그 정도가 호산구의 숫자와 상관관계가 있는 것으로 보아 호산구가 비즙으로 유입되어 MBP를 분비한다고 생각할 수 있다.[7] 호염구는 비즙 세포의 1% 정도이며 비즙의 히스타민 농도와 상관관계가 있는 것으로 보아 후기반응의 히스타민 분비에 호염구가 관여할 것으로 생각된다.[8]

계절성비염환자에서도 비슷한 결과를 발견할 수 있는데 꽃가루철에 비즙에서 MBP와 활동성 호산구가 증가하고 호염구가 증가한다. 비즙과 달리 비점막의 조직검사에서는 비만세포가 많이 증가하는데 보통 꽃가루에 노출된 후 4~5일 지나면 증가하며 주로 비즙보다는 점막의 상피층이나 고유층에 많이 관찰된다. 대부분의 의견이 호염구는 주로 비즙에, 비만세포는 상피층이나 고유층에 많이 관찰된다고 한다. 호산구와 호염구도 점막하층에서 발견되지만 점막하층에서 보이는 대부분의 세포는 림프구와 단핵구이다.[47] 항원노출 후 조력T세포나 CD25양성 T세포가 많이 증가하는 것이 밝혀졌고, 이 중 대부분의 T세포는 Th2세포이다. 또다른 중요한 세포로 랑게르한스세포가 있는데 이는 큰 단핵성 수지상세포로 항원제시세포의 일종이다.[15]

6. 부착분자와 세포동원(Adhesion molecules and cell recruitment)

세포의 이동은 면역반응에서 중요한 요소로 염증세포는 선택적으로 혈류에서 염증장소로 이동한다. 알레르기 염증이 있는 조직으로 이동하는 것도 비슷한 일례로 알레르기철에는 알레르기 환자의 비점막과 비즙에 염증세포가 더 많이 존재한다. 호산구나 T세포 같은 염증세포는 염증세포와 혈관내피세포의 부착분자에 의해 동원되는데 이는 사이토카인에 의해 조절된다.

백혈구의 부착분자는 크게 세 가지 군(family)으로 구분되는데, 인테그린군(integrin family), VLA군(very late antigen family), 실렉틴군(selectin family)으로 구

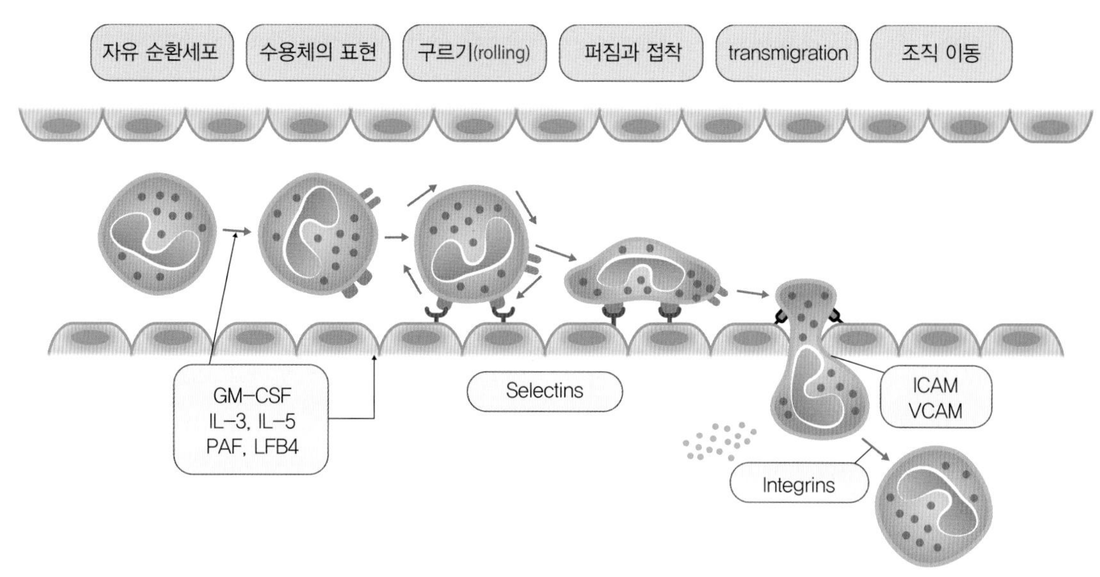

■ 그림 5-9. **세포의 접착과 모집.** 호산구는 혈액 순환 중 혈관내피세포에 접착하여 내피세포 사이로 통과하여 조직 안으로 이동한다. 호산구의 이러한 일련의 과정이 여러 사이토카인과 접착분자에 의해서 조절된다.

분된다.[4] 혈관내피세포의 부착분자로는 ICAM-1 (CD54), ICAM-2, E-selectin, P-selectin (granule membrane protein-140 [GMP-140], CD62), VCAM-1 등이 있다.[43] Leukocyte function-associated antigen-1 (LFA-1)은 ICAM-1 또는 ICAM-2, the macrophage differentiation antigen Mac-1은 ICAM-1, VLA-4는 VCAM-1, carbohydrate structure sialyl-Lewis X는 E-selectin 또는 P-selectin, glycosylation-dependent cell adhesion molecule 1 (GlyCAM-1)은 l-selectin과 결합한다.[4]

백혈구가 염증조직으로 이동하는데 일련의 과정을 거쳐서 이동하게 된다(그림 5-9). 처음에는 가역적으로 혈관세포벽에 달라붙게 되고, 다음 혈과내피세포 표면에서 구르기(rolling)를 하게 된다.[43] 이런 과정들이 부착분자들에 의해 매개되고, 이후 혈관내피세포에서 나온 화학주성물질들에 의해서 백혈구가 활성화되면 백혈구표면의 부착분자의 발현 및 접착능력이 증가한다. 활성화된 백혈구는 혈관벽에 붙게 되고 이후 혈관을 통과해 조직 내로 가게 된다.

7. 알레르기 면역학의 최신 지견

1) Innate lymphoid cell

최근 면역학 분야에서 가장 흥미로운 발견 중의 하나가 innate lymphoid cell (ILC)의 발견이다. ILC은 최근 새로이 발견된 세포군으로 T세포수용체(T cell receptor, TCR) 같은 항원수용체가 없으면서 형태학적으로 림프구 계열 세포의 특징을 지닌 세포를 통칭해서 부른다.[42] 후천성면역에 중요한 역할을 하는 림프구가 아니면서 비슷한 모양으로 비슷한 역할을 하는 선천성면역세포가 존재한다는 점에서 ILC의 발견은 큰 파장을 일으켰다. 이 세포군은 여러 신호에 즉각 반응하여 손상 조직 복구, 조직의 항상성 유지 및 병원체로부터의 면역반응 등 중요한 역할을 하며 크게 3가지 그룹으로 분류될 수 있다. IL-15에 의존하여 interferon 등을 분비하여 표적세포를 죽이는 NK세포, Th17세포의 전사인자인 RORγt+를 발현하여 IL-17과 IL-22를 생산할 수 있으며 주로 IL-7에 의해서 발생하는 RORγt+ ILC, 마지막으로 RORγt+와 무관하게 Th2 사이토카인인 IL-5, IL-13을 생성하며 IL-7에 의해 영향을 받는 Type 2 ILC (ILC2)로 나눌 수 있다.

이 중 ILC2는 nuocytes 등으로도 불리며 IL-25, IL-33에 반응하여 Th2 사이토카인인 IL-5, IL-13을 생성할 수 있으며 원래는 쥐의 장에서 발견되었는데 비용종에도 많이 존재한다고 밝혀졌다. 2001년에 이미 T, B 세포를 제거하여도 Th2 세포를 유도하는 cytokine인 IL-25에 대한 반응이 유지되고 T세포, B세포가 없는 Rag Knockout (KO) 마우스에도 IL-25의 효과가 유지된다는 점을 근거로 IL-25가 T, B세포가 아닌 제3의 세포에 영향을 끼친다고 생각하였다.[16] 이 IL-25에 반응하는 세포군은 최근 T세포, B세포, 또는 NK세포가 아닌 다른 세포로 ILC2라고 규명이 되었으며 IL-25뿐 아니라 Th2 반응을 유도하는 cytokine 중 하나인 IL-33에 의해서도 반응한다고 밝혀졌다.

2) 선천성 사이토카인(Innate cytokine)

IL-25, IL-33, thymic stromal lymphopoietin (TSLP)는 선천성사이토카인이라고 하는데 이는 보통 사이토카인이 T세포에서 분비되는 것과 달리 선천성면역세포(innate immune cell)인 상피세포에서 주로 분비되기 때문이다. 이들 사이토카인은 수지상세포(dendritic cell)의 보조자극분자(costimulatory molecule)인 OX40L 배위체를 증가시켜 강력한 Th2반응을 유도한다. 상피세포가 손상되거나 TLR이 자극되면 상피세포에서는 TSLP, IL-25, IL-33을 생성하게 되고 이들은 감염에 대한 1차 방어역할을 하게 됨과 동시에 Th2 또는 Type 2 반응을 유도하여 알레르기염증을 일으킴으로써 선천성 면역과 후천성면역계의 가교역할을 한다. 전술한 ILC2도 선천성 사이토카인인 IL-25, IL-33에 반응하여 type 2 cytokine인 IL-5, IL-13을 분비하여 알레르기반응을 촉진시킨다. 또 비염환자에서 IL-33과 ST2 (IL-33R)가 혈청과 조직에서 발현이 증가되어 있고, 천식 환자에서 IL-33은 주로 상피세포와 기도평활근세포에서 생성된다고 보고되는 것처럼 알레르기질환에서 선천성 사이토카인의 발현이 증가되어 있다고 보고되고 있다.[37] ILC2가 여러 알레르기염증모델에서 IL-5와 IL-13의 주요생산원이고 IL-13이 type2 기도과민성, 배상세포증식, 점액분비 및 케모카인의 분비 등[6] 천식을 포함한 알레르기질환의 여러 특징에 중요한 역할을 하기 때문에(그림 5-10), ILC2를 조절하여 치료를 시도하는 노력이 있어 왔는데, 주로 IL-25와 IL-33이 주 표적이 되어 왔으며 향후 추가 연구가 필요하다.

4. 결론

점점 알레르기질환이 증가하면서 알레르기질환에 대한 이해가 더욱 필요한 시점이다. 알레르기 반응은 Th2 반응 또는 type 2반응이 주 역할을 하고 있으며 항원 노출 후 조기반응, 후기반응의 과정을 거치게 된다. 최근 선천성면역세포인 innate lymphoid cell과 선천성사이토카인인 IL-25, IL-33, TSLP의 중요성이 부각되고 있으며 새로운 지식에 대한 이해를 넓힘으로써 향후 알레르기비염 등의 새로운 치료법 등이 개발될 수 있을 것이다.

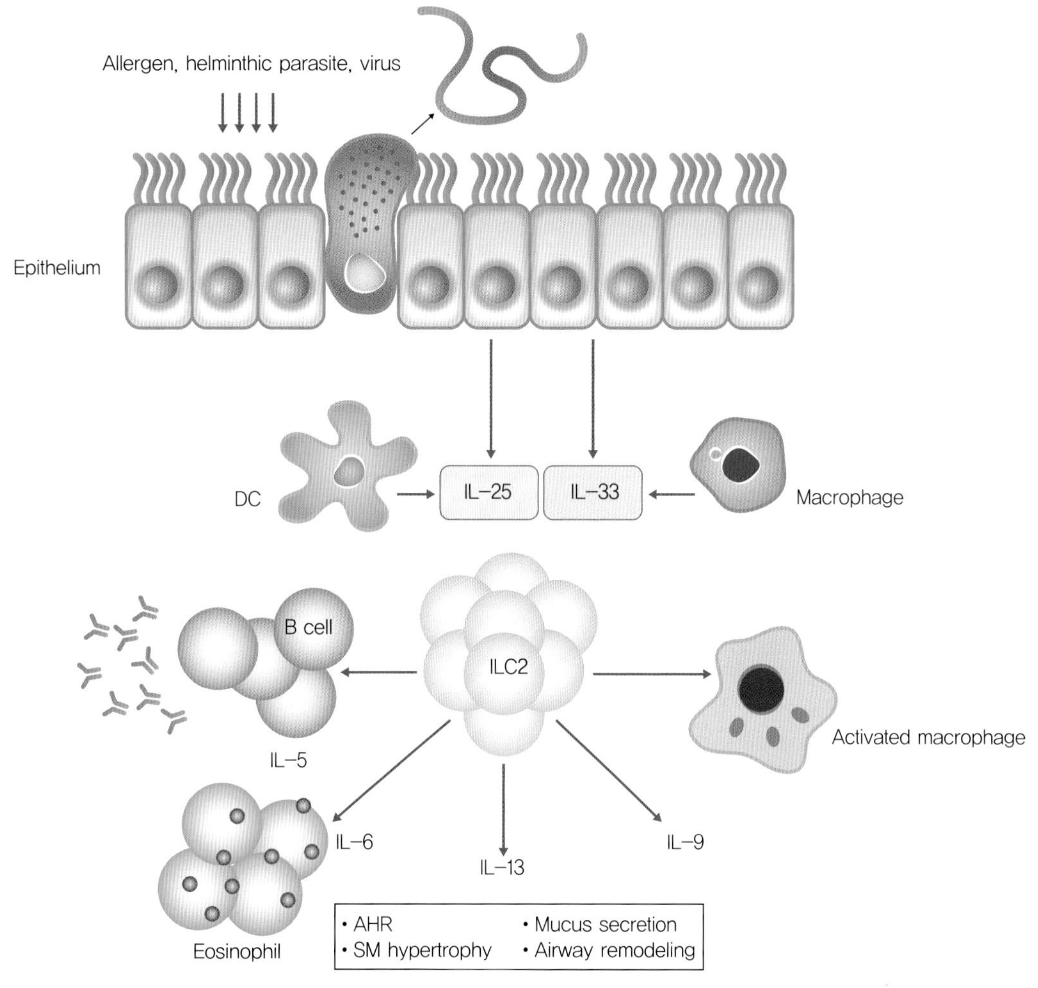

그림 5-10. **Type 2 innate lymphoid cell의 역할**

참고문헌

1. Del Prete G, Maggi E, Parronchi P, et al. IL-4 is an essential factor for the IgE synthesis induced in vitro by human T cell clones and their supernatants. J Immunol 1988;140:4193-4198.
2. Schnyder-Candrian S, Togbe D, Couillin I, et al. Interleukin-17 is a negative regulator of established allergic asthma. J Exp Med 2006;203:2715-2725.
3. Akashi S, Shimazu R, Ogata H, et al. Cutting edge: cell surface expression and lipopolysaccharide signaling via the toll-like receptor 4-MD-2 complex on mouse peritoneal macrophages. J Immunol 2000;164:3471-3475.
4. Albelda SM, Mette SA, Elder DE, et al. Integrin distribution in malignant melanoma: association of the beta 3 subunit with tumor progression. Cancer Res 1990;50:6757-6764.
5. Bals R, Wang X, Zasloff M, Wilson JM. The peptide antibiotic LL-37/hCAP-18 is expressed in epithelia of the human lung where it has broad antimicrobial activity at the airway surface. Proc Natl Acad Sci U S A 1998;95:9541-9546.
6. Barlow JL, Bellosi A, Hardman CS, et al. Innate IL-13-producing nuocytes arise during allergic lung inflammation and contribute to airways hyperreactivity. J Allergy Clin Immunol 2012;129:191-198 e191-194.
7. Bascom R, Pipkorn U, Proud D, et al. Major basic protein and eosinophil-derived neurotoxin concentrations in nasal-lavage fluid after antigen challenge: effect of systemic corticosteroids and relationship to eosinophil influx. J Allergy Clin Immunol 1989;84:338-346.
8. stein LM. Basophil influx occurs after nasal antigen challenge: effects of topical corticosteroid pretreatment. J Allergy Clin Immunol

1988;81:580-589.

9. Befus AD, Mowat C, Gilchrist M, Hu J, Solomon S, Bateman A. Neutrophil defensins induce histamine secretion from mast cells: mechanisms of action. J Immunol 1999;163:947-953.
10. Bradding P, Feather IH, Wilson S, et al. Immunolocalization of cytokines in the nasal mucosa of normal and perennial rhinitic subjects. The mast cell as a source of IL-4, IL-5, and IL-6 in human allergic mucosal inflammation. J Immunol 1993;151:3853-3865.
11. Bradding P, Feather IH, Wilson S, Holgate ST, Howarth PH. Cytokine immunoreactivity in seasonal rhinitis: regulation by a topical corticosteroid. Am J Respir Crit Care Med 1995;151:1900-1906.
12. Chertov O, Yang D, Howard OM, Oppenheim JJ. Leukocyte granule proteins mobilize innate host defenses and adaptive immune responses. Immunol Rev 2000;177:68-78.
13. Denburg JA, Silver JE, Abrams JS. Interleukin-5 is a human basophilopoietin: induction of histamine content and basophilic differentiation of HL-60 cells and of peripheral blood basophil-eosinophil progenitors. Blood 1991;77:1462-1468.
14. Erickson N, Quesenberry PJ. Regulation of erythropoiesis. The role of growth factors. Med Clin North Am 1992;76:745-755.
15. Fokkens WJ, Vroom TM, Rijntjes E, Mulder PG. Fluctuation of the number of CD-1(T6)-positive dendritic cells, presumably Langerhans cells, in the nasal mucosa of patients with an isolated grass-pollen allergy before, during, and after the grass-pollen season. J Allergy Clin Immunol 1989;84:39-43.
16. Fort MM, Cheung J, Yen D, et al. IL-25 induces IL-4, IL-5, and IL-13 and Th2-associated pathologies in vivo. Immunity 2001;15:985-995.
17. Gadol N, Peacock MA, Ault KA. Antigenic phenotype and functional characterization of human tonsil B cells. Blood 1988;71:1048-1055
18. Goodman T, Lefrancois L. Intraepithelial lymphocytes. Anatomical site, not T cell receptor form, dictates phenotype and function. J Exp Med 1989;170:1569-1581.
19. Groneberg DA, Quarcoo D, Frossard N, Fischer A. Neurogenic mechanisms in bronchial inflammatory diseases. Allergy 2004;59:1139-1152.
20. Harder J, Bartels J, Christophers E, Schroder JM. Isolation and characterization of human beta -defensin-3, a novel human inducible peptide antibiotic. J Biol Chem 2001;276:5707-5713.
21. Harwig SS, Ganz T, Lehrer RI. Neutrophil defensins: purification, characterization, and antimicrobial testing. Methods Enzymol 1994;236:160-172.
22. Heyworth CM, Whetton AD, Nicholls S, Zsebo K, Dexter TM. Stem cell factor directly stimulates the development of enriched granulocyte-macrophage colony-forming cells and promotes the effects of other colony-stimulating factors. Blood 1992;80:2230-2236.
23. Husband AJ, Gowans JL. The origin and antigen-dependent distribution of IgA-containing cells in the intestine. J Exp Med 1978;148:1146-1160.
24. Itoh N, Yonehara S, Ishii A, et al. The polypeptide encoded by the cDNA for human cell surface antigen Fas can mediate apoptosis. Cell 1991;66:233-243.
25. Kayaba H, Dombrowicz D, Woerly G, Papin JP, Loiseau S, Capron M. Human eosinophils and human high affinity IgE receptor transgenic mouse eosinophils express low levels of high affinity IgE receptor, but release IL-10 upon receptor activation. J Immunol 2001;167:995-1003.
26. Kirshenbaum AS, Goff JP, Kessler SW, Mican JM, Zsebo KM, Metcalfe DD. Effect of IL-3 and stem cell factor on the appearance of human basophils and mast cells from CD34+ pluripotent progenitor cells. J Immunol 1992;148:772-777.
27. Lacy P, Moqbel R. Immune effector functions of eosinophils in allergic airway inflammation. Curr Opin Allergy Clin Immunol 2001;1:79-84.
28. Lee SH, Kim JE, Lim HH, Lee HM, Choi JO. Antimicrobial defensin peptides of the human nasal mucosa. Ann Otol Rhinol Laryngol 2002;111:135-141.
29. Lee SH, Lim HH, Lee HM, Choi JO. Expression of human beta-defensin 1 mRNA in human nasal mucosa. Acta Otolaryngol 2000;120:58-61.
30. Mendoza JF, Caceres JR, Santiago E, et al. Evidence that G-CSF is a fibroblast growth factor that induces granulocytes to increase phagocytosis and to present a mature morphology, and that macrophages secrete 45-kd molecules with these activities as well as with G-CSF-like activity. Exp Hematol 1990;18:903-910.
31. Mosmann TR, Coffman RL. TH1 and TH2 cells: different patterns of lymphokine secretion lead to different functional properties. Annu Rev Immunol 1989;7:145-173.
32. Niyonsaba F, Iwabuchi K, Someya A, et al. A cathelicidin family of human antibacterial peptide LL-37 induces mast cell chemotaxis. Immunology 2002;106:20-26.
33. Parronchi P, De Carli M, Manetti R, et al. IL-4 and IFN (alpha and gamma) exert opposite regulatory effects on the development of cytolytic potential by Th1 or Th2 human T cell clones. J Immunol 1992;149:2977-2983.
34. Parronchi P, Macchia D, Piccinni MP, et al. Allergen- and bacterial antigen-specific T-cell clones established from atopic donors show a different profile of cytokine production. Proc Natl Acad Sci U S A 1991;88:4538-4542.
35. Poltorak A, He X, Smirnova I, et al. Defective LPS signaling in C3H/HeJ and C57BL/10ScCr mice: mutations in Tlr4 gene. Science 1998;282:2085-2088.
36. Sabroe I, Hartnell A, Jopling LA, et al. Differential regulation of eosinophil chemokine signaling via CCR3 and non-CCR3 pathways. J Immunol 1999;162:2946-2955.
37. Saglani S, Lui S, Ullmann N, et al. IL-33 promotes airway remodeling

in pediatric patients with severe steroid-resistant asthma. J Allergy Clin Immunol 2013;132:676-685 e613.

38. Saito H, Hatake K, Dvorak AM, et al. Selective differentiation and proliferation of hematopoietic cells induced by recombinant human interleukins. Proc Natl Acad Sci U S A 1988;85:2288-2292.
39. Sakaguchi S. Naturally arising Foxp3-expressing CD25+CD4+ regulatory T cells in immunological tolerance to self and non-self. Nat Immunol 2005;6:345-352.
40. Schmidt-Weber CB, Akdis M, Akdis CA. TH17 cells in the big picture of immunology. J Allergy Clin Immunol 2007;120:247-254.
41. Seder RA, Paul WE. Acquisition of lymphokine-producing phenotype by CD4+ T cells. Annu Rev Immunol 1994;12:635-673.
42. Spits H, Di Santo JP. The expanding family of innate lymphoid cells: regulators and effectors of immunity and tissue remodeling. Nat Immunol 2011;12:21-27.
43. Springer TA. Adhesion receptors of the immune system. Nature 1990;346:425-434.
44. Stahl CP, Winton EF, Monroe MC, et al. Differential effects of sequential, simultaneous, and single agent interleukin-3 and granulocyte-macrophage colony-stimulating factor on megakaryocyte maturation and platelet response in primates. Blood 1992;80:2479-2485.
45. Stern M, Meagher L, Savill J, Haslett C. Apoptosis in human eosinophils. Programmed cell death in the eosinophil leads to phagocytosis by macrophages and is modulated by IL-5. J Immunol 1992;148:3543-3549.
46. van Rooijen N, Wijburg OL, van den Dobbelsteen GP, Sanders A. Macrophages in host defense mechanisms. Curr Top Microbiol Immunol 1996;210:159-165.
47. Varney VA, Jacobson MR, Sudderick RM, et al. Immunohistology of the nasal mucosa following allergen-induced rhinitis. Identification of activated T lymphocytes, eosinophils, and neutrophils. Am Rev Respir Dis 1992;146:170-176.
48. Weaver CT, Harrington LE, Mangan PR, Gavrieli M, Murphy KM. Th17: An Effector CD4 T Cell Lineage with Regulatory T Cell Ties. Immunity 2006;24:677-688.
49. Ying S, Durham SR, Barkans J, et al. T cells are the principal source of interleukin-5 mRNA in allergen-induced rhinitis. Am J Respir Cell Mol Biol 1993;9:356-360.
50. Yssel H, Aversa G, Punnonen J, Cocks B, de Vries JE. Regulation of IgE synthesis by T cells and cytokines. Ann Fr Anesth Reanim 1993;12:109-113.

CHAPTER

06

비강과 부비동 질환의 진찰 및 검사법

백병준, 최지호

I 병력청취

환자의 주증상과 부증상, 발병 시기, 수술이나 외상의 기왕력, 가족력, 전신질환의 동반 유무 등을 확인한다.

1. 코막힘

코막힘(nasal obstruction, nasal stuffiness)은 정도의 차이는 있으나 대부분의 비강질환에서 나타나는 증상이다. 코막힘을 호소하는 환자에게서 병력을 청취할 때에는 발생 시기, 증상의 기간, 일측 혹은 양측이 막히는지, 코막힘이 연속적인가 간헐적인가 등을 물어보아야 한다. 또한 코막힘과 동반된 비루가 있는지, 있다면 그 양상은 어떤지, 비출혈 유무 혹은 피가 섞인 분비물이 있었는지, 눈과 관련된 증상, 중이 질환, 천식 같은 호흡기 질환을 앓은 과거력 및 약물사용 유무 등도 물어보아야 한다.

코막힘은 그 원인에 따라 몇 가지로 나눌 수 있다. 첫째, 해부학적 구조 이상에 의한 경우로 비중격 만곡증, 비갑개 비후, 비중격 천공, 비밸브 허탈(valvular collapse), 전비공의 협착, 안비(saddle nose), 후비공 폐쇄(choanal atresia) 등이 해당되며, 둘째, 조직의 과다증식(hyper-plastic growth)이나 종양(neoplasm)에 의한 경우로 아데노이드 증식증, 비용종증(nasal polyposis), 양성 및 악성 종양 등이 해당되고, 그 외 부비동염, 각종 비염, 비중격 혈종, 비중격 농양, 비강 내 이물, 결핵 같은 각종 육아종병(granulomatous disease) 등이 원인이 될 수 있다.[16]

비염의 다양한 원인 중 월경이나 임신 중 혹은 갑상선 기능저하증이나 말단비대증 환자에서와 같이 호르몬과 관련하여 코막힘이 올 수 있으며,[9] 혈압하강제, 혈관확장제, 경구피임제 등의 약물복용으로도 생길 수 있고, 국소 혈관수축제를 장기간 분무했을 때에도 반동현상(rebound phenomenon)으로 인해 오히려 혈관이 확장되어 비강 내 충혈이 더욱 심해질 수 있다. 또한 위축성 비염같이 점막이 위축되어 비강이 넓음에도 불구하고 코막힘이 나타날 수 있는데, 이는 비강을 통과하는 기류의 변화로 와류(turbulent flow)형성이 증가할 수 있다는 점과 비강 점막

내 통증이나 온도를 느끼는 수용체의 위축이나 장애로 인해 비강 내 공기의 흐름을 느끼지 못하여 결과적으로 환자가 코막힘을 호소하는 것으로 알려져 있다.[24]

환자가 일측성 코막힘을 호소하는 경우에는 비강이물, 후비공폐쇄, 비강과 부비동의 양성 혹은 악성 종양, 치성 상악동염, 진균성 부비동염 등을 의심해 보아야 한다.

유·소아에게 코막힘이 있으면 비저항이 높아지고 입으로 숨을 쉬게 되어 혀가 후방에 위치하게 되고 이는 곧 상기도 폐색을 유발하여 결국 코골이 및 수면무호흡증의 한 원인이 될 수 있다. 특히, 소아에서 구호흡이 지속되는 경우에는 상기도염에 잘 걸리게 되고, 상악골의 발육장애로 인해 얼굴이 위아래로 길어지며, 입은 거의 벌리고 있고, 상절치(upper incisor) 돌출, 좁은 상악궁(maxillary arch), 높은 구개궁(high arched palate), class II 부정교합이 나타나는 아데노이드 얼굴(adenoid face)이 되기도 한다.

2. 비루

정상적인 비점막에서 분비되는 코의 분비물은 흡입한 공기의 온도와 습도를 인체에 적합하도록 조절해주며, 비강 내로 들어온 작은 크기의 이물들을 포획하거나 용해시켜 점액섬모수송(mucociliary transport)으로 이물질을 제거하기도 하고, 분비(secretory) IgA, 리소자임(lysozyme), 락토페린(lactoferrine), 보체, 단백분해효소억제제(protease inhibitor) 및 요산, 글루타티온(glutathione), vitamin C 같은 항산화제 등을 함유하고 있어 신체의 특이적 혹은 비특이적 면역반응에 관여한다.[4, 10, 26] 이러한 분비액은 배상세포(goblet cell)와 점막하 장액·점액선에서 분비된 분비물 및 혈관으로부터의 삼출물, 백혈구와 점막세포의 부스러기(cell debris)의 혼합물로서 병적 상태가 되면 증가하거나 성상이 바뀌고 이를 환자가 인지하게 되어 비루(rhinorrhea, nasal discharge) 증상을 호소하게 된다. 비루에는 눈물샘에서 분비된 눈물도 포함된다.

비루를 호소하는 환자에게서 병력을 청취할 때에는 비루의 색깔, 악취 유무, 일측 혹은 양측에서 나오는지, 비루가 나오는 방향(코 앞쪽으로 나오는지, 목 뒤로 넘어가는지) 등을 물어보아야 한다.

머리반사경(head mirror) 혹은 헤드라이트와 비경을 이용하여 전비경검사(anterior rhinoscopy)를 시행할 경우 비강의 앞쪽 1/3을 보게 되는데 비강점막의 색깔이나 분비물의 전반적 상태를 관찰해야 한다. 수양성 비루는 급성 비염의 초기, 알레르기 비염 등에서 볼 수 있다. 점액성 또는 점액농성인 경우는 일반적으로 감염을 의미하며 급성 비염의 이차 감염기, 만성 감염성 비염, 부비동염 등을 생각할 수 있다. 농성 비루가 한쪽에만 있을 때에는 치성 부비동염(odontogenic sinusitis) 또는 비강이나 부비동의 악성 종양을 생각할 수 있으며, 유·소아에서는 이물을 의심해야 한다. 혈성 비루는 악성 종양, Wegener 육아종 등의 질환에서, 악취성 비루는 악성 종양, 치성 부비동염, 비강 이물, 위축성 비염 등의 질환에서 볼 수 있다.[1]

점액분비가 오히려 부족하여 비강 점막이 마르는 증상을 호소하는 경우도 있는데 Sjogren증후군(Sjogren's syndrome)이나 위축성 비염, 건조성 비염(rhinitis sicca) 등에서 볼 수 있다.[37]

후비루(postnasal drip)는 분비물이 인두로 넘어가는 것을 느끼는 증상으로 문진 시 다른 염증성 질환과의 연관성 여부 및 후비루의 양과 빈도에 대하여 알아보는 것이 중요하다. 주로 비강 및 부비동 질환과 관련되어 발생하나 위산역류나 비인강 질환에서도 나타날 수 있다. 특히 혈성 후비루를 호소하는 환자는 비인강암의 가능성을 염두에 두고 비인강을 철저히 진찰해야 한다.[5]

뇌척수액 비루(cerebrospinal rhinorrhea)는 원인에 따라 외상성과 비외상성으로 분류하는데, 사고나 수술과 관련된 외상성이 뇌척수액 비루의 대부분(약 96%)을 차지한다.[21] 수술로 인한 의인성(iatrogenic) 뇌척수액 비루는 내시경 부비동수술이나 뇌하수체종양 절제술 후에 종종 발생한다.[32] 뇌척수액 비루는 두개내압이 증가하는 경우,

즉 기침, 재채기를 할 때 또는 고개를 앞으로 숙일 때 수양성 비루의 형태로 흘러나오며 대부분의 환자들은 뇌척수액 비루의 맛을 약간 씁쓸한 맛 혹은 짠맛으로 표현한다.

뇌척수액은 손상 부위에 따라 흘러나오는 부위가 달라지는데, 전두동 또는 사상판(cribriform plate)이 손상됐을 때에는 중비도로 흘러나와 고개를 앞으로 숙일 때 많이 나오며, 접형동 부위의 뇌하수체가 손상됐을 때에는 접형동의 자연공을 통해 목 뒤로 넘어가는 후비루의 형태로 나타난다. 드물게는 측두골 골절로 뇌척수액이 중이에 고였다가 이관을 통해 목 뒤로 넘어가기도 한다.

3. 후각장애

후각장애(olfactory disturbance)의 종류에는 후각이 완전히 소실된 후각소실(anosmia), 후각이 부분적 소실된 후각감퇴(hyposmia), 존재하는 냄새를 다르게 느끼는 착후각(parosmia), 냄새 나는 물질이 없는데도 냄새를 느끼는 환후각(phantosmia), 후각자극에 과민반응을 보이는 후각과민(hyperosmia) 등이 있다.

후각장애를 발생기전에 따라 전도성(conductive) 후각장애와 감각신경성(sensorineural) 후각장애, 혼합성 후각장애로 나눌 수 있다. 전도성 후각장애는 후각점막이나 후각신경계는 정상이나 기류의 차단으로 후각점막에 후각원(odorant)이 전달되지 못해서 발생하는 경우를 말하며, 원인 질환의 치료로 회복될 수 있다. 감각신경성 후각장애는 후각점막의 손상이나 후각신경계의 이상으로 인하여 발생하는 후각장애로 대개 비가역적이다.

현재까지 알려진 후각장애의 원인은 다양하지만 대부분 상기도 감염, 비부비동 질환, 두부외상 등과 관련되어 나타나는 경우가 많다.[35]

4. 재채기

재채기(sneezing)는 온도나 습도의 변화, 화학적 혹은 물리적 자극에 의해 유발되는 기도의 반사작용이다. 비점막에 분포하는 삼차신경이 자극을 받게 되면 호흡중추를 통해 설인, 미주, 횡격막신경에 자극이 전달되고 이 신경들이 지배하는 근육을 수축시키는 반사작용이 일어난다. 즉 예비적으로 깊은 흡기운동이 일어나고 이어서 호기운동에 들어간다. 연구개가 거상되고 주위 근육이 수축해 코로 가는 공기가 차단되며 자기도 모르게 눈을 감게 되고 횡격막과 복부 근육의 강한 수축으로 성문하 압력이 급격히 증가하면서 강한 호기를 배출하게 된다.[12] 결과적으로 갑자기 격렬하게 소리를 내면서 코와 입을 통해 불수의적으로 공기를 내뿜게 되며 이 때 비강 내의 이물질은 비강 외로 배출되게 된다. 재채기는 알레르기 비염, 혈관운동성 비염 등에서 흔히 나타나고, 찬 공기, 이물, 악취 등과 같이 온도 변화나 물리적, 화학적 자극으로 인해 유발될 수 있으며, 비점막에 대한 자극 이외에도 외이도의 자극, 피부의 냉자극, 밝은 빛, 심인성 원인에 의해서 발생하기도 한다.[8]

5. 안증상

해부학적으로 안와는 부비동과 매우 가깝게 접해있다. 즉 안와의 내측은 사골동 및 접형동, 하측은 상악동, 상측은 전두동으로 둘러싸여 있으며, 대부분의 안와벽이 얇고 골봉합선(suture line), 선천적 골열개(bony dehiscence)가 있기 때문에 부비동염이 안와 내 합병증을 일으킬 수 있다. 부비동염의 합병증으로 안와주위염, 안와봉와직염, 골막하농양, 안와농양, 해면정맥동혈전 등이 발생하여 안검종창, 결막부종, 안구돌출, 안근마비, 시력감퇴 등을 일으킨다.[6] 전두동, 사골동, 접형동에 점액낭종(mucocele)이 발생한 경우에도 안구돌출, 복시, 시력감퇴 등의 안증상을 일으킬 수 있다. 또한 하비도로 개구하는 비루관(nasolacrimal duct)의 입구 부위에 손상을 가한다든지 비강 내 종양 등으로 비루관 입구 부위를 막을 경우 유루(epiphora)가 있을 수 있으며, 비루관을 통하여 비강 내의 염증이 파급되어 결막염 및 누낭염을 일으키는 경우도 있다.

6. 비출혈

비출혈(epistaxis, nasal bleeding)은 대부분 비중격의 전방에 위치한 Little 영역(Little's area)에서 나온다. 이 부위는 전사골동맥(anterior ethmoid artery), 접형구개동맥(sphenopalatine artery), 대구개동맥(greater palatine artery), 상순동맥(superior labial artery)의 분지가 문합되어 Kiesselbach 혈관총(Kiesselbach's plexus)을 형성하는데, 이 부위는 점막하조직이 적고 외상을 받기 쉬우므로 비출혈 중 90% 이상이 이곳에서 발생한다. 후방부 출혈은 하비도 후방에 위치한 Woodruff 영역(Woodruff's area)에서 나온다. 이 부위는 접형구개동맥과 후인두동맥(posterior pharyngeal artery)의 분지가 문합되어 Woodruff 혈관총을 형성하는 부위이다.[38] 후방부 출혈은 동맥경화 혹은 고혈압이 있는 고연령층에서 많이 일어난다. 일반적으로 고령자의 출혈은 중대한 질병의 징후인 때가 많고 지속적인 출혈로 인하여 고도의 빈혈이 올 수도 있으며 때로는 치명적일 수도 있다.

7. 두통과 안면통

두통(headache)은 거의 모든 사람이 경험하는 아주 흔한 증상으로 여러 원인에 의해 발생한다. 코막힘, 비루를 호소하는 환자에서 두통이 동반될 때 그 원인이 비부비동 질환으로 인한 것인지를 문진 및 이학적 검사를 통해 조심스럽게 관찰해야 하며, 두통의 가장 흔한 원인인 편두통이나 그 외 긴장형 두통(tension-type headache), 군발성 두통(cluster headache), 신경통(neuralgia), 경부척추질환, 측두하악관절질환, 혈관질환, 안질환 등과 감별해야 한다.[34]

비부비동 구조물 중 통증에 민감한 부위는 자연공, 비갑개, 전두와, 비중격 부위의 점막이고, 부비동 내의 점막은 비교적 통증에 둔감한 것으로 알려져 있다.[23,29] 이러한 비부비동 내 점막 자극 시 느끼는 통증은 자극 받은 부위에서 떨어진 방사통(referred pain) 형태가 대부분이다.[29]

부비동염으로 인한 통증은 부비동의 부위에 따라 안면부와 두부의 특정부위에 국한되어 나타날 수 있으며 급성기에 주로 나타난다. 상악동염인 경우는 대개 협부 동통과 압통을 동반하며 치아나 이마 부위로 통증이 방사될 수 있다. 사골동염인 경우는 비근점 부위와 안구 후방에 통증을 동반하며 때로 측두골까지 파급될 수 있다. 접형동에 병변이 있을 때에는 눈의 후방에 심한 통증이 있으면서 측두부와 두정부(vertex)로 통증이 방사된다. 전두동염으로 인한 통증은 대개 전두동 부위에 국한되며 두정부위로 방사될 수 있고 심한 경우에는 박동성의 두통을 호소하기도 한다(그림 6-1).[29] 이외에 비성 두통(rhinologic headache)을 유발하는 경우는 비중격 만곡증이나 비중격릉(crest, ridge), 각종 비염으로 하비갑개 비후 등이 있을 때 비강 측벽 점막이나 주위 점막과 서로 접촉함으로써 방사통을 유발하고, substance P 같은 물질이 분비되어 점막의 혈관확장이나 분비를 촉진하게 된다.[7]

8. 비음

비강은 발성할 때 공명기 역할을 하므로 비강 또는 비인강의 상태에 따라 음성이 변할 수 있다. 구음(articulation) 시에 구개인두 폐쇄(velopharyngeal closure)가 정상적으로 일어나면 비음이 생기지 않는다. 어떤 원인으로 인해 비강으로 빠져나가는 공기가 비정상적으로 많아지면 과비음(개방성 비음)(hypernasality, rhinolalia aperta)이 발생하고, 반대로 비강으로 나가는 공기가 적어서 공명이 되지 못하면 저비음(폐쇄성 비음)(hyponasality, rhinolalia clausa)이 생긴다.

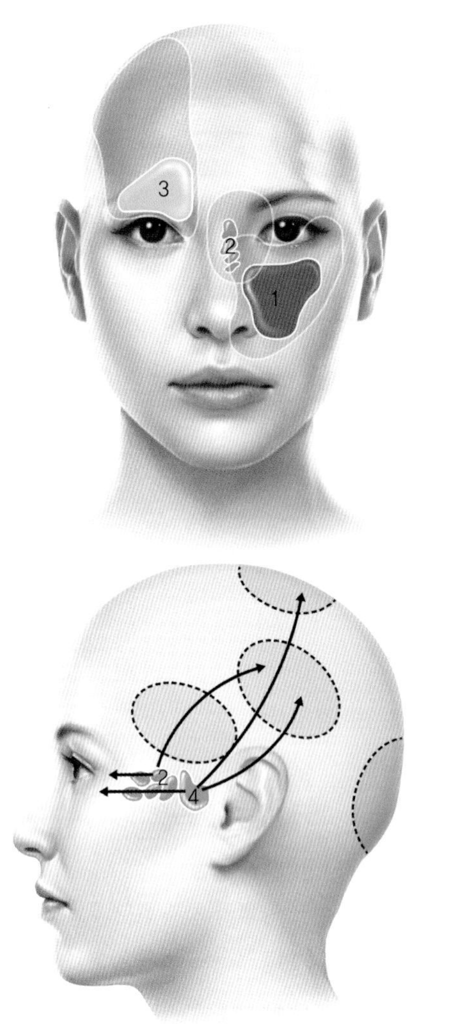

■ 그림 6-1. **부비동 통증 및 방사통 부위.** 1: 상악동 2: 사골동 3: 전두동 4: 접형동

1) 과비음(개방성 비음)

구개인두(velopharynx)의 구조적 또는 기능적 이상으로 인해 구개인두 폐쇄가 불완전하게 되어 발성 시에 비강으로의 공기 배출량이 증가할 때 나타난다. 예를 들어, 구개열(cleft palate), 점막하 구개열(submucous cleft palate)과 같은 선천적 이상, 외상으로 인한 구개천공이나 편도비대, 다운증후군, 중증근무력증(myasthenia gravis), 근이영양증(muscular dystrophy), 외상성 뇌손상(traumatic brain injury) 등에서 발생할 수 있으며 그 외에도 비강 수술(비중격 교정술, 내시경부비동수술), 아데노이드 제거술이나 코골이 수술 후에도 합병증으로 일시적 혹은 영구적인 과비음이 발생할 수 있다.[18, 25]

구개인두부전에 대한 자세한 내용은 별도의 장에 상세히 기술되어 있다.

2) 저비음(폐쇄성 비음)

비강 혹은 비인강이 좁아지거나 폐쇄된 경우 비강으로 빠져나가는 공기량이 감소하여 공명이 없는 소리가 생길 수 있다. 예를 들어, 비후성 비염, 비용 등으로 인해 비강이 좁아진 경우 또는 아데노이드 증식, 후비공 폐쇄, 후비공 용종이나 비인강종양 등으로 인해 비인강이 좁아지거나 폐쇄된 경우에 나타날 수 있다.[2]

II 시진 및 촉진

1. 시진

코의 진찰은 외비에 대한 시진으로부터 시작하는데 정면에서부터 측면으로 시행한다. 시진에서는 우선 전체적인 코의 모양을 관찰하여 비골 골격의 대칭성, 굴곡, 돌출 부위와 피부의 상태를 확인한다. 비배(nasal dorsum)의 형태를 관찰하여 안비, 곡비(hump nose), 사비(deviated nose), 종양으로 인한 외비기형 등을 관찰하고, 비전정(nasal vestibule)에서는 습진, 가피, 절(furuncle) 등의 병변을 찾아볼 수 있다. 피검자의 턱을 들어보게 하여 코의 기저부 주위를 관찰하면 비소엽(lobule)과 비주(columella)를 진찰할 수 있다. 이때 비공의 모양과 비중격 미측연(caudal edge)의 위치를 관찰하는데, 환자로 하여금 부드럽게 숨을 들이 마시게 하면 흡기 시의 비익(ala nasi)의 움직임을 통하여 비강개존도(nasal patency)에 대한 정보를 얻을 수 있다. 코의 첨부를 엄지 손가락으로 부드럽게 들어올리면 막성 비중격(membranous nasal septum), 비강저(nasal floor), 비밸브(nasal valve) 부

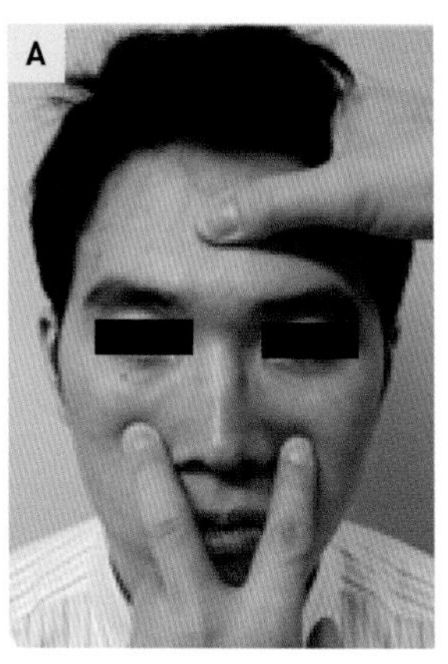

■ 그림 6-2. **부비동 촉진.** **A)** 상악동 촉진, **B)** 전두동 촉진

위를 비경을 넣지 않은 상태에서도 진찰할 수 있다.[3]

2. 촉진

촉진으로써 비근(root of nose), 비배(nasal dorsum), 전두동부, 안와주위 또는 견치와(canine fossa) 등의 골결손, 기형, 경결(induration), 압통 등을 검사한다. 비골골절 환자에서는 촉진 시 염발음(crepitation)이 들릴 수 있다. 상악동 부위나 전두동 부위를 촉진 또는 타진할 때 일부 부비동염 환자에서는 통증이 유발될 수 있는데, 상악동 촉진 시는 견치와 부위를, 전두동 촉진 시는 비교적 골이 얇은 전두동 하벽을 향하여 동시에 같은 압력으로 촉진한다(그림 6-2).[30]

Ⅲ 비부비동검사

1. 비경검사

1) 전비경검사(Anterior rhinoscopy)

전비경검사는 조명을 구비하고 머리반사경(head mirror)이나 헤드라이트를 착용한 상태에서 실시한다. 피검자를 검사자와 비슷한 높이에서 편한 자세로 앉힌다. 비경(nasal speculum)을 왼손으로 잡고 비전정에 삽입하여 부드럽게 벌리며, 이때 비중격을 압박하면 통증을 느끼게 되므로 수직 방향으로 조작한다(그림 6-3). 검사 시 오른손으로 환자의 머리를 부드럽게 잡아 머리 위치를 조절할 수도 있으며, 비익(콧방울, ala nasi)을 검지와 비경 사이에 잡아서 검사자 쪽으로 약간 당겨주면 환자의 불편함을 줄이고 좋은 시야를 얻을 수 있다. 일반적으로 비점막을 수축시키지 않은 상태에서 검사할 수 있지만 점막종창이 심할 경우에는 혈관수축제를 분무한 후 관찰한다. 정상 상태에서의 비점막은 분비액에 의해 적당히 젖어있으며 색깔은 분홍색에 가깝다.

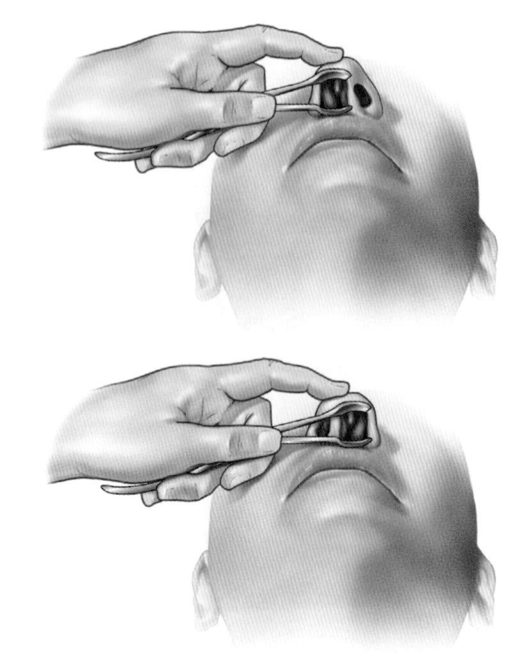

■ 그림 6-3. **전비경 검사법**

전비경검사로 하비갑개, 하비도의 앞쪽 일부, 중비갑개 전단과 중비도, 비강 중반부까지의 비중격의 이상을 관찰할 수 있다. 비밸브 부분은 비경 조작 시 변형될 우려가 있으므로 비경보다는 내시경을 이용하여 관찰하는 것이 바람직하다. 영·유아의 비강을 검사할 때는 비경보다 이경(otoscope)이 더 편리할 수도 있다.

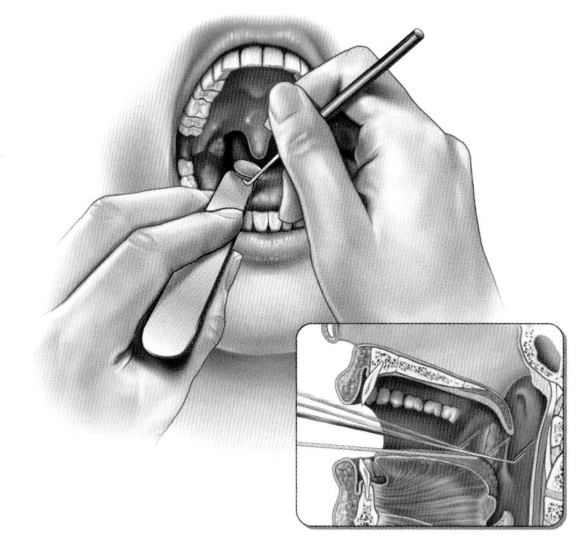

■ 그림 6-4. **후비경 검사법**

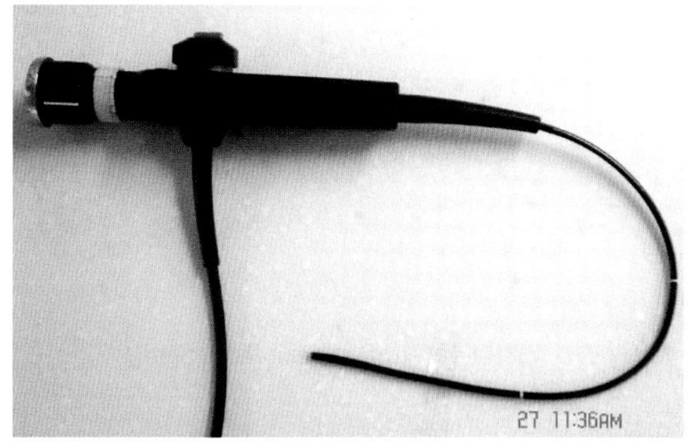

■ 그림 6-5. **굴곡형 내시경**

2) 후비경검사(Posterior rhinoscopy)

검사를 위해서 광원 및 머리반사경 또는 헤드라이트, 후두경(laryngeal mirror), 설압자 등이 필요하다. 이 검사는 어느 정도 협조가 가능한 연령의 환자에게 실시할 수 있다. 검사 시 환자의 입을 벌리게 하고 구호흡과 비호흡을 동시에 지시하며 작은 후두경을 선택하고 김이 서리는 것을 방지하기 위해 가열하거나 알코올에 적신다. 검사 시 설압자를 유곽유두(circumvallate papilla) 앞쪽으로 눌러 구토를 유발하지 않도록 하며 후두경도 가급적 비인강 후벽에 닿지 않게 하고 가능하면 설압자 위에 놓는 것이 좋다.

관찰해야 하는 구조물들은 후비공, 비중격, 상·중·하 비갑개와 이에 상응하는 비도, 이관 입구, 이관 입구와(Rosenmüller fossa), 아데노이드, 비인강 후벽, 비인강 천정 등이다(그림 6-4).

2. 비내시경검사

내시경이 소개된 이후 비강질환의 진단과 치료가 획기적으로 발전하였다. 비내시경검사(nasal endoscopy)는 비강 및 부비동의 여러 해부학적 구조를 정확하게 관찰할 수 있어 수술할 환자의 선택, 약물치료의 경과 파악, 정확한 조직검사, 세밀한 수술 후 치료, 병변의 사진 촬영 등에 유용하게 사용되고 있다. 비강 진찰에 사용되는 내시경에는 경직형과 굴곡형이 있다. 경직형 내시경으로는 2.7 mm, 4.0 mm 직경의 0°, 30°, 45°, 70°, 90°, 120°의 각도를 가진 것이 사용되며, 굴곡형 내시경은 일반적으로 3~4 mm 직경의 내시경이 사용되고 내시경 끝을 필요에 따라 구부릴 수 있으며 시야각은 보통 70~85°이다(그림 6-5). 굴곡형 내시경은 비인강과 인후부까지 동시에 관찰할 수 있고, 경직형 내시경은 해상도가 좋고 다른 기구를 동시에 삽입하여 원하는 대로 조작할 수 있다.

경직형 내시경 검사에는 보통 4.0 mm 직경의 30° 내시경을 이용한다. 내시경을 부드럽게 삽입하여 점막의 열상이나 출혈이 생기지 않도록 한다. 내시경을 이용한 비강 관찰은 다음 세 경로를 통해 체계적으로 시행한다. 제1 경로는 비강저를 따라서 전진하면서 전반적인 비강 내 구조, 분비물의 성질, 점막의 상태 등을 관찰하고 하비도에서는 비루관 입구를 확인하고 이관과 전체적인 비인두를 확인한다. 제2 경로는 내시경을 다시 중비갑개와 하비갑개 사이로 넣어 후방으로 전진하면서 중비도 하연, 천문(fontanelle), 상악동의 부공(accessory ostium) 등을 관찰하고 내시경을 중비갑개의 내측으로 방향을 바꾸어 넣고 후방으로 전진하면서 상비갑개, 접사함요(sphenoethmoidal recess), 접형동 자연공 등을 확인한다. 제3 경로

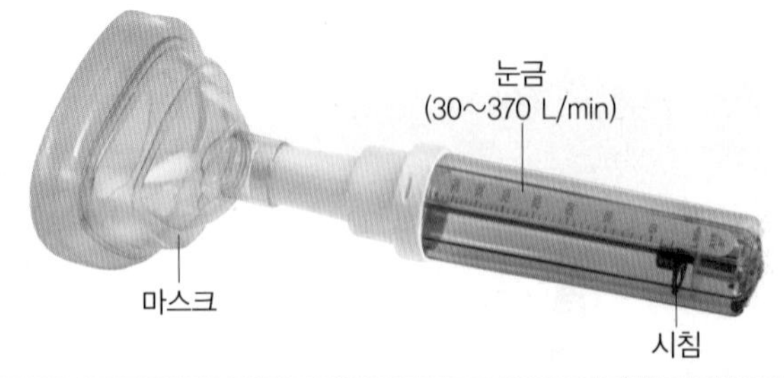

■ 그림 6-6. **비최대유량계(nasal peak flow meter)**

는 중비도 후방에 내시경을 넣고 앞으로 빼면서 비강 측벽과 개구비도단위(ostiomeatal unit)를 관찰하는 과정으로 구상돌기(uncinate process), 사골포(ethmoid bulla), 반월열공(hiatus semilunaris), 사골누두(ethmoid infundibulum) 등을 관찰한다.[17]

3. 코막힘검사

코막힘의 평가로 주관적 방법과 객관적 방법이 있으며, 객관적 방법에는 해부학적 관점에서 평가하는 방법과 생리학적 관점에서 평가하는 방법이 있다. 해부학적 관점에서 코막힘을 평가하는 방법으로는 CT, MRI, 음향비강통기도검사(acoustic rhinometry) 등이 있고, 생리학적 관점에서 평가하는 방법으로는 금속판을 비공 앞에 대어 증기가 맺히는 면적으로 평가하거나 직접 습도감지기를 비공 앞에 대어 평가하는 비습도측정법(rhinohygrometry), 숨을 깊이 들이쉰 후 입을 다문 상태에서 힘껏 코로 숨을 내쉬면서 공기양을 측정하는 최대호기유량(peak expiratory flow) 측정법(그림 6-6), 비강의 저항을 측정하는 비강통기도검사(rhinomanometry) 등이 있다. 코막힘을 평가하는 주관적인 방법으로 NOSE (Nasal Obstruction Symptom Evaluation) 계수(scale)와 VAS (Visual Analog Scale) 등이 있다.[20]

그러나 환자가 주관적으로 느끼는 코막힘과 객관적인 검사의 결과가 정확히 일치하지 않는 경우가 많기 때문에 코막힘을 평가하기 위해서는 환자의 병력, 내시경을 이용한 비강 진찰 및 CT, MRI 같은 영상진단 등의 결과를 종합하여 판단해야 한다.

코막힘을 평가하는 검사에 대한 자세한 내용은 별도의 장에 상세히 기술되어 있다.

4. 후각검사

후각검사에서는 특정한 냄새를 인지(identification)할 수 있는 능력, 냄새의 차이를 식별(discrimination)할 수 있는 능력, 후각의 역치(threshold) 등을 측정한다. 후각검사 중 인지 검사로는 UPSIT (University of Pennsylvania Smell Identification Test), CC-SIT (Cross-Cultural Smell Identification Test)가 있으며, 후각 인지와 후각 역치를 함께 검사할 수 있는 CCCR 검사(Conneticut Chemosensory Clinical Research Center test), T&T 후각계(olfactometer)가 있다. 우리나라에서 한국인에게 익숙한 냄새를 이용하여 개발한 KVSS II (Korean Version of Sniffin Sticks test II)는 후각 인지, 후각 식별, 후각 역치 점수를 합산하여 후각 장애의 정도를 측정하는 검사이다.

이 밖에 객관적 검사로 코에 냄새를 자극한 후에 후각상피에서 나타나는 전위(potential)를 측정하는 전기후각검사(electroolfactogram; EOG), 냄새로 코를 자극한 후에 뇌파의 변화를 측정하는 후각유발전위검사(olfactory evoked potential; OEP), 냄새로 코를 자극한 후에 뇌에 나타나는 자장의 변화를 측정하는 자기뇌촬영술(magnetoencephalograpy; MEG) 등이 있다.[36]

5. 점액섬모기능의 측정

점액섬모기능은 인체 호흡기의 방어작용에서 대단히 중요한 부분을 차지하고, 이상 여부에 따라 다양한 질환이 초래될 수 있다. 점액섬모기능은 일반적으로 섬모의 형태 및 섬모운동횟수(ciliary beat frequency) 분석 또

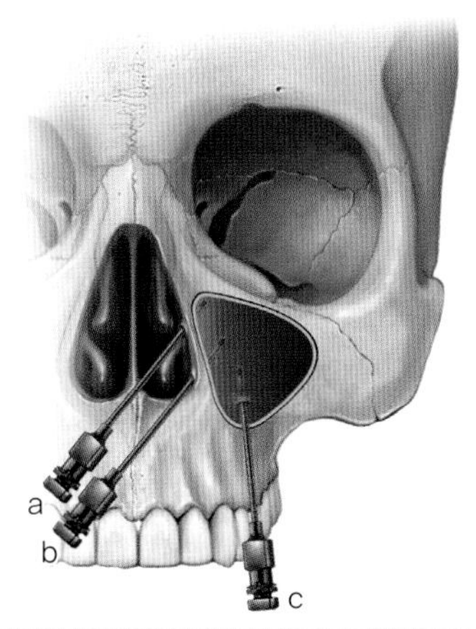

■ 그림 6-7. **상악동의 천자방법.** a: 자연공을 통한 천자, b: 하비도 측벽을 통한 천자, c: 견치와를 통한 천자

는 점액과 섬모운동을 종합적으로 평가하는 점액섬모제거율(mucociliary clearance) 분석을 통해 평가한다.[19] 전자에 속하는 검사는 영화촬영법(cinematography), 빛의 세기 변화를 이용한 광증폭기법(photomultiplier), 차별 간섭 대조 현미경과 초고속 디지털 비디오영상(differential interference contrast microscope and high speed digital video imaging)을 이용한 검사법[31] 등이고, 후자에 속하는 검사는 사카린 검사(saccharine test), 색소검사(dye test), 방사성동위체검사(radioisotopical test) 등이다.

6. 상악동 천자

상악동 천자(puncture)는 상악동의 진단과 치료목적으로 시행되는 시술이다. 중비도의 자연공을 통하는 방법, 하비도를 통하는 방법, 치은순이행부(gingivolabial fold)를 거쳐 견치와(canine fossa)를 통하는 방법이 있는데, 일반적으로 하비도를 통한 접근방법이 이용된다(그림 6-7).

진단 목적으로는 부비동염 시 세균배양 및 감수성 검사를 위한 검체를 확보하기 위해, 또는 부비동 내의 암이 의심될 때 세포검사(cytology)에 필요한 검체를 확보하기 위해 상악동 천자법을 시행한다.[11]

하비도를 통한 상악동 천자의 술식은 다음과 같다. 먼저 환자를 앉힌 상태에서 하비도 측벽을 충분히 마취한 후 17–18G의 굵은 주사침이나 천자침(trocar)을 이용하여 골벽이 가장 얇은 하비도 측벽의 상부, 즉 이상구(pyriform aperture)에서 약 1 cm 거리에 있는 비루관 개구부의 후방에 해당하는 부위를 천자한다. 하비도 측골벽은 하방으로 갈수록 두꺼워지기 때문에 가능한 한 상방을 천자하여야 하는데 천자침의 끝이 동측의 외안각(lateral canthus)을 향하게 하여 무리한 힘을 가하지 않고 골벽을 뚫으면 상악동 내로 들어간다.

천자를 하기 전에 방사선 촬영을 시행하여 상악동의 발육을 확인하는 것이 중요하다. 천자할 때는 무리한 힘을 가하지 않고, 너무 비강입구부 가까운 곳을 천자하여 치근을 손상하지 않도록 주의한다. 공기가 들어가면 공기색전증(air embolism)을 일으키기 때문에 공기가 주입되지 않도록 유의한다. 조작 중에 환자가 갑자기 통증을 호소하거나 환자의 상태가 나빠지면 시술을 즉시 중지한다.

7. 철조법

철조법(transillumination)은 주로 상악동과 전두동의 진찰에 쓰이는 보조 진단법으로, 철조등(transilluminator)을 사용하여 부비동의 상태를 관찰하는 방법이다(그림 6-8). 상악동을 관찰하려면 철조등을 입에 물고 입을 다문 다음에 암실에서 검사한다. 상악동이 정상이면 협부가 철조되어 불그스름하게 보이고, 만일 상악동 속에 병변이 있으면 빛이 차단되어 검게 보인다. 특히, 불그스름하게 보이는 동공의 투과광선과 하안검의 위치에서 보이는 반월형 투과광선이 있는지를 본다. 전두동은 광원을 안와 상연의 내측에 위치시켜 좌우 양쪽의 투명도를 비교하여 평가한다. 전두동 발육부전이 있거나 상악골이 두꺼운 경우 위양성이 나타날 수 있으므로 판정할 때 주의한다.[30]

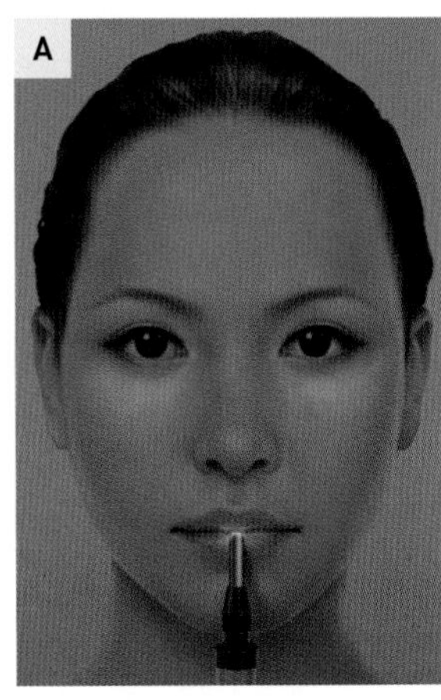

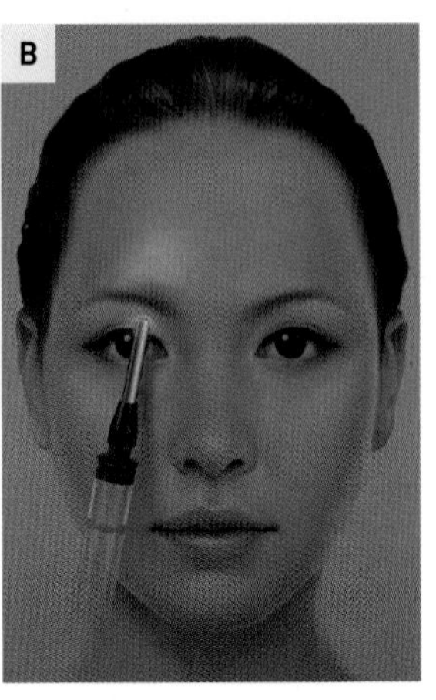

■ 그림 6-8. **상악동 철조법과 전두동 철조법.** **A)** 정상 상악동의 경우 양측 협부와 하안검 부위에서 불그스름하게 투과된 조명을 관찰할 수 있다. **B)** 정상 전두동의 경우 안와 상연과 이마 부위에서 불그스름하게 투과된 조명을 관찰할 수 있다.

8. 비부비동의 영상의학적검사

비강과 부비동의 방사선검사로 단순 부비동 영상이 가장 기본적인 검사방법이지만 환자의 병력과 증상 그리고 질환의 경과와 일치하지 않는 경우가 많아서 좀 더 상세한 정보를 얻기 위해 CT 검사를 많이 시행하는 추세이다. CT는 종양의 진단이나 병기 결정뿐만 아니라 부비동염 환자에 대한 내시경수술 시 해부학적 정보를 제공해주는 매우 유용한 검사방법이다. MRI는 CT와 유사하게 종양의 진단이나 병기결정에 사용되며 조직병변에 대한 대조도가 높기 때문에 적용범위가 넓어지고 있다.

1) 단순방사선검사

단순방사선검사에는 네 종류의 영상이 있다. 첫째, Waters 영상(Waters view)은 상악동과 전사골동을 가장 잘 관찰할 수 있으며, 안와측벽, 협골궁(zygomatic arch) 등을 관찰할 수 있어 안면부 외상 환자에서 안면골절을 확인할 수 있는 중요한 영상이다. 둘째, Caldwell 영상(Caldwell view)은 전두동을 명확하게 관찰할 수 있으며, 전두동과 안와의 경계를 잘 관찰할 수 있다. 셋째, 측면영상(lateral view)은 전두동, 상악동, 접형동의 골경계를 관찰할 수가 있고, 전두동의 전·후 길이, 접형동의 함기화 정도 및 아데노이드를 관찰할 수 있다. 넷째, 기저영상(submentovertical view)에서는 접형동을 잘 관찰할 수 있다. 단순방사선검사는 전두동, 상악동, 접형동에 차 있는 기수위(air-fluid level)를 관찰하는 데는 비교적 정확하나 부비동의 만성 염증 정도는 과소평가하기가 쉽다. 특히 사골동의 염증 정도를 평가하는 데는 부정확한 경우가 많다. 더욱이 미세한 골구조가 중첩되어 있는 경우 개구비도단위(ostiomeatal unit: OMU)를 정확히 평가하는 데는 어려움이 많다.[39]

2) 전산화단층촬영

전산화단층촬영은 비부비동과 주변의 구조를 관찰하는 데 가장 좋은 영상이다. 특히 OMU CT는 개구비도단위의 미세한 골구조를 명확하게 구분할 수 있다. 관상면(coronal) 영상이 가장 기본적인 방법이고 축상면(axial) 영상을 관상면 영상과 종합하여 판독하면 수술 시 각 부비동과 주위 구조물에 대한 유용한 정보를 얻을 수 있다. 또한 CT는 종양의 진단과 병기결정에 유용하며, 조영제 주입으로 인한 조영증강 CT로 종양과 부비동 내의 저류 점액과 구분할 수도 있다.[40]

3) 자기공명영상

자기공명영상은 종양의 연조직 침범정도와 두개 내 파급을 평가하는 데 CT보다 우월하며 CT를 대체하는 영상술이라기보다는 CT와 서로 상호보완적인 검사방법이다. 부비동 내의 분비물은 단백질의 농축 정도에 따라 어느 정도(약 25%)까지는 T1 강조영상에서 신호강도가 증가하다가 이후 점차 감소하고, T2 강조영상에서는 계속 감소한다(그림 6-9).[33]

4) 부비동 초음파 검사

부비동염 진단에서 초음파(ultrasound) 사용의 유효

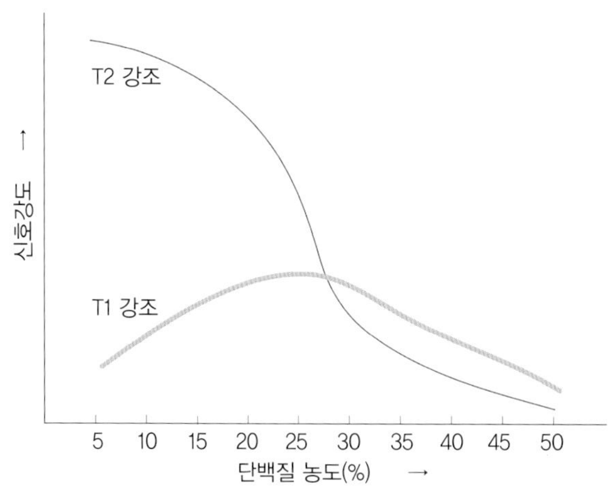

■ 그림 6-9. **단백질 농도와 T1, T2 강조영상의 신호강도와의 관계.** (Data from Som PM, Brandwein MS: Inflammatory diseases. In: Som PM, Curtin HD (eds): Head and neck imaging, 4th ed, St. Louis, Mosby, 2003, p207-208)

성에 관해서는 논란이 있어 왔으나 현재 단독으로 사용할 때는 진단적 가치가 많이 떨어진다고 보고 있다.[14,15] 다만 임신 시 상악동에 관한 검사로는 추천할 만하다.

9. 비강 내 산화질소(Nasal nitric oxide) 검사

산화질소(nitric oxide; NO)는 아미노산의 일종인 아르기닌(arginine)으로부터 산화질소합성효소(nitric oxide synthase)[3가지 아형(isoform)이 있음]에 의해 체내에서 생성되며 상기도 특히 부비동 내에서 농도가 가장 높다.[22]

비강 내 산화질소의 역할은 아직 확실하지 않으나 혈관확장, 기관지확장, 신경전달(neurotransmission), 점액섬모운동조절 등에 관여하는 것으로 알려져 있다.[13,27]

비강 내 산화질소를 측정하는 방법은 숨을 멈춘 상태에서 비강을 통해 공기를 흡인하여 측정(aspiration method)하거나(그림 6-10), 코를 덮는 마스크를 쓰고 코로 숨을 내쉬면서 검사하는 방법(exhaled method)이 있다.

급성 비부비동염, 비용, 원발성섬모이상운동증(primary ciliary dyskinesia), 낭성 섬유증(cystic fibrosis)

■ 그림 6-10. **산화질소(nitric oxide) 검사**

등에서는 비강 내 산화질소가 감소하고 알레르기 비염이나 천식의 경우 정상 혹은 증가되는 것으로 알려져 있으며 만성 비부비동염 환자의 경우 약물치료 혹은 수술적 치료 후에 비강 내 산화질소의 농도가 의미있게 증가하였다고 보고하고 있다.[28] 하지만, 아직까지 임상 적용과 관련된 연구들이 많이 되어있지 않은 상태이며, 주위의 산화질소 수준, 운동여부, 흡연력, 약물 사용 등 다양한 요인들이 검사 결과에 영향을 미칠 수 있으므로 검사를 시행하거나 결과를 해석할 때 이러한 점들을 고려해야 한다.

참고문헌

1. 김종애, 민양기. 코질환의 일반증상. 임상비과학. 대한비과학회 편. 초판. 일조각, 1997, p.122.
2. 김종애, 민양기. 코질환의 일반증상. 임상비과학. 대한비과학회 편. 초판. 일조각, 1997, p.126-127.
3. 장용주, 김충섭, 이봉희. 비강 및 부비동의 검사법. 임상비과학. 대한비과학회 편. 초판. 일조각, 1997, p.63-64.

4. Brandtzaeg P: Immunobarriers of the mucosa of the upper respiratory and digestive pathways, Acta Otolaryngol 1988;105:172-80.
5. Choa G: Nasopharyngeal carcinoma. In: English GM(ed): Otolaryngology, 2nd ed. Philadelphia, Harper & Row, 1985, p.9.
6. Choi SS, Grundfast KM: Complications in sinus disease. In: Kennedy DW, Bolger WE, Zinreich SJ (eds): Diseases of the sinuses: Diagnosis and management, 1st ed. Hamilton, B.C. Decker, 2001, p.169-170.
7. Chow JM: Rhinologic headaches, Otolaryngol Head Neck Surg 1994;111(3):211-8.
8. Everett HC: Sneezing in response to light, Neurology 1964;14:483-90
9. Fokkens WJ: Thoughts on the pathophysiology of nonallergic rhinitis, Curr Allergy Asthma Rep 2002;2(3):203-9.
10. Fokkens WJ, Scheeren RA: Upper airway defence mechanisms, Paediatr Respir Rev 2000;1(4):336-41.
11. Gluckman JL: Conventional surgery for infection of the maxillary sinus. In: Donald PJ, Gluckman JL, Rice DH (eds): The sinuses, 1st ed, New York, Raven Press, 1995, p.247-249.
12. Goldfarb CA, Goldfarb M, Gerwin JM: Intractable sneezing: a case report. Otolaryngol Head Neck Surg 1995;113(3):313-5.
13. Gungor AA, Martino BJ, Dupont SC, Kuo L. A human study model for nitric oxide research in sinonasal disease. Am J Otolaryngol 2013;34(4):337-44.
14. Gwaltney JM Jr, Jones JG, Kennedy DW: Medical management of sinusitis: educational goals and management guidelines. The International Conference on sinus Disease, Ann Otol Rhinol Laryngol Suppl 1995;167:22-30.
15. Haapaniemi J, Laurikainen E: Ultrasound and antral lavage in the examination of maxillary sinuses, Rhinology 2001;39(1):39-42.
16. Jafek BW, Dodson BT: Nasal obstruction. In: Bailey BJ, Calhoun KH, Healy GB, Johnson JT, Jackler RK, Tardy ME, Pillsbury III HC (eds): Head & neck surgery-Otolaryngology, 3rd ed, Philadelpia, Lippincort Williams & Wilkins, 2001, p.300-308.
17. Joe SA, Bolger WE, Kennedy DW: Nasal endoscopy: Diagnosis and staging of inflammatory sinus disease. In Kennedy DW, Bolger WE, Zinreich SJ (eds): Diseases of the sinuses, 1st ed. Hamilton, B.C.Decker, 2001, p.120-121.
18. Kim SD, Park HJ, Kim GH, Wang SG, Roh HJ, Cho KS. Changes and recovery of voice quality after sinonasal surgery. Eur Arch Otorhinolaryngol. 2015;272(10):2853-9.
19. Lale AM, Mason JD, Jones NS. Mucociliary transport and its assessment: a review, Clin Otolaryngol Allied Sci 1998;23(5):388-96.
20. Lam DJ, James KT, Weaver EM: Comparison of anatomic, physiological, and subjective measures of the nasal airway, Am J Rhinol 2006;20(5):463-70.
21. Loew F, Pertuiset B, Chaumier EE, et al: Traumatic, spontaneous and postoperative CSF rhinorrhea, Adv Tech Stand Neurosurg 1984;11:169-207.
22. Lundberg JO, Rinder J, Weitzberg E, Lundberg JM, Alving K. Nasally exhaled nitric oxide in humans originates mainly in the paranasal sinuses. Acta Physiol Scand 1994;152:431-432.
23. McAuliffe GW, Goodell H, Wolff HG: Experimental studies on headache pain from the nasal and paranasal structures, Am Res Nerve and Ment Dis Proc 1942;23;185-208.
24. Moore EJ, Kern EB: Atrophic rhinitis: a review of 242 cases, Am J Rhinol 2001;15(6):355-61.
25. Muntz H, Smith ME, Sauder C. Velopharyngeal Dysfunction. In: Flint PW, Haughey BH, Lund V, editors. Cummings Otolaryngology-Head and Neck Surgery. 6th ed. Philadelphia: Elsevier Saunders, 2015. p.2933-2943.
26. Peden DB, Dailey L, DeGraff W, et al: Hydrogen peroxide effects on rat mast cell function, Am J Physiol 1994;267(Pt 1):85-93.
27. Phillips PS, Sacks R, Marcells GN, Cohen NA, Harvey RJ. Nasal nitric oxide and sinonasal disease: a systematic review of published evidence. Otolaryngol Head Neck Surg 2011;144(2):159-69.
28. Ragab SM, Lund VJ, Saleh HA, Scadding G. Nasal nitric oxide in objective evaluation of chronic rhinosinusitis therapy. Allergy 2006;61(6):717-24.
29. Rebeiz EE, Rastani K. Related Articles: Sinonasal facial pain, Otolaryngol Clin North Am 2003;36(6):1119-26.
30. Saunders WH: The physical examination. In DeWeese DD, Saunders WH, Schuller DE, Schleuning AJ (eds): Otolaryngology-Head and neck surgery, 7th ed. St.Louis, C.V. Mosby Co., 1988, p.25-26.
31. Schipor I, Palmer JN, Cohen AS, Cohen NA: Quantification of ciliary beat frequency in sinonasal epithelial cells using differential interference contrast microscopy and high-speed digital video imaging, Am J Rhinol 2006;20(1):124-7.
32. Schlosser RJ, Bolger WE: Endoscopic management of cerebrospinal fluid rhinorrhea, Otolaryngol Clin North Am 2006;39(3):523-538.
33. Som PM, Brandwein MS: Inflammatory diseases. In: Som PM, Curtin HD (eds): Head and neck imaging, 4th ed, St. Louis, Mosby, 2003, p.205-208.
34. Stammberger H, Wolf G: Headaches and sinus disease: the endoscopic approach, Ann Otol Rhinol Laryngol Suppl 1988;134:3-23.
35. Temmel AF, Quint C, Schickinger-Fischer B, et al: Characteristics of olfactory disorders in relation to major causes of olfactory loss, Arch Otolaryngol Head Neck Surg 2002 ;128(6):635-41.
36. Walla P, Hufnagl B, Lehrner J, et al: Evidence of conscious and subconscious olfactory information processing during word encoding: a magnetoencephalographic (MEG) study, Brain Res Cogn Brain Res 2002;14(3):309-16.
37. Weir N, Golding-Wood DG: Infective rhinitis and sinusitis. In: Kerr AG, Mackay IS, Bull TR (eds): Scott-Brown's Otolaryngology, 6th ed. Oxford, Butterworth-Heinemann, 1997, p.4/8/27-28.
38. Wormald PJ: Epistaxis. In Bailey BJ, Johnson JT (eds): Head & neck

surgery-Otolaryngology. 4th ed. Philadelphia. Lippincort Williams & Wilkins. 2006. p.505-508.

39. Zinreich SJ: Imaging of chronic sinusitis in adults: X-ray, computed tomography, and magnetic resonance imaging. J Allergy Clin Immunol 1992;90(3 Pt 2):445-51.

40. Zinreich SJ, Albayram S, Benson ML, et al: The osteomeatal complex and functional endoscopic surgery. In: Som PM, Curtin HD (eds): Head and neck imaging. 4th ed. St. Louis. Mosby. 2003. p.149-173.

CHAPTER

07

코막힘의 평가

이비인후과학 Otorhinolaryngology - Head and Neck Surgery

정승규, 임대준

코막힘을 주소로 내원한 환자를 평가하기 위해서는 병력을 묻고 신체검사, 영상진단, 그리고 코막힘에 대한 검사 등을 시행하여 그 결과를 종합적으로 판단해야 한다.

I 병력 청취

코막힘을 호소하는 경우 실제 막힘인지 혹은 답답함인지, 바로 누울 때 코 이외에 다른 상기도 부위의 막힘으로 인한 비강 호흡의 어려움인지, 유발 상황이 있는지 등과 같은 자세한 병력 청취가 필요하다. 나이, 성별뿐 아니라 코막힘의 기간, 편측성의 유무, 연중 변화, 하루 중의 변화, 반복성, 다른 동반 증상의 유무를 확인해야 하고, 현재 사용하고 있는 약물, 예전에 수술 받은 병력, 외상이나 고혈압, 내분비 질환과 같은 다른 동반 질환의 유무를 파악 한다.

코막힘은 비염에서와 같은 기능적 코막힘인지 아니면 비용이나 비중격 만곡 등에서와 같은 기계적 코막힘인지 나누어 생각해야 한다. 하지만 실제 환자에서는 두 가지 요소가 동시에 존재하는 경우가 많다.

기능적 코막힘은 만유인력에 의하여 아래쪽으로 누운 방향의 코가 위쪽을 향한 코보다 더 막히는 생리적 현상에서부터 알레르기 비염, 비알레르기 비염, 위축성 비염, 수술 후에 생기는 빈코증후군(empty nose syndrome) 등이 포함된다(표 7-1).

생리적인 현상으로서 임신을 하게 되면 코막힘이 증가한다. 소아의 경우 비전정의 편평상피에서 비강 내의 호흡상피로 이행되는 부위에 가피가 쉽게 형성되어 코가 막히게 되는데, 답답하면 자주 코를 파게 되므로 코피가 나기 쉽다. 바이러스 감염에 의한 감염성 비염은 소위 '감기'로 기능적 코막힘 중에서 빈도가 가장 높다. 비알레르기 비염은 환자의 증상이 유발되는 요건에 따라 표 7-1과 같이 분류된다. 알레르기 비염은 하루 중, 1년 중 증상의 변화가 있으며 찬 공기와 같은 비특이적 자극에 의해서도 증상이 쉽게 유발된다.

전비공에서 비인강까지 어느 한 부분이라도 기계적 막

표 7-1. 기능적 코막힘

생리적 현상 : 체위 코막힘(dependent obstruction), 임신 비염, 소아의 코딱지
감염성 비염
알레르기 비염
비알레르기 비염 : 혈관운동성 비염 또는 특발성 비염, 약물성 비염, 호르몬성 비염, NARES(호산구성 비알레르기성 비염), 직업성 비염, 미각성 비염
위축성 비염
빈코증후군(empty nose syndrome)

힘이 실제로 존재하는 경우에 환자는 코가 막힌다고 호소하게 된다(표 7-2). 기계적 코막힘을 보이는 개개의 질환마다 특징적인 병력을 보이기도 하며 막히는 위치에 따른 공통적인 증상을 보이기도 한다. 비중격 만곡이 있으면 휘어 있는 쪽의 코막힘을 호소하는 경우가 대부분이나 반대쪽이 더 막히는 역설적(paradoxical) 코막힘을 호소하기도 한다. 동반 증상으로 휘어 있는 쪽으로 가피가 쉽게 잘 생기고 습도가 감소하는 계절에는 휘어 있는 쪽에서 간혹 코피가 묻어 나오기도 한다. 2008년 한국 국민 건강 영양 조사에 의하면 인구의 8.8%에서 코막힘이 있다고 하나 비중격 만곡은 조사 대상 전체의 40% 정도에서 관찰되는 흔한 모습으로 코막힘 증상과 연관여부를 잘 판단해야 한다.[11]

양측성 또는 좌우 교대형으로으로 코막힘이 있는 경우는 대개 전신적인 영향에 의한 경우가 많고 편측성 코막힘은 국소적인 원인 때문인 경우가 많다. 편측성 코막힘의 대표적인 예로 신생아에서는 편측성 후비공폐쇄가, 소아에서는 상악동후비강 폴립(antrochoanal polyp) 또는 이물질이 흔하다. 코막힘을 호소하는 사춘기 남자 환자에서 비출혈이 동반되면 혈관섬유종을 의심할 수 있다. 어른에서 편측성 코막힘을 호소한다면 진균성 비부비동염, 반전성 유두종, 그 외에 양성 또는 악성 종양 등이 원인일 수 있다. 편측성으로 병변이 있는 경우 때때로 환자가 피가 섞인 비루가 있다고 호소하기도 한다. 화농성 육아종

표 7-2. 기계적 코막힘을 유발하는 질환

비중격만곡, 비갑개비후, 후비 공폐쇄(choanal atresia), 비강협착
비밸브 문제 (nasal valve problem)
비부비동염
비용, 상악동후비공 비용(antrochoanal polyp)
비중격 농양(septal abscess)
수술후변화
점액낭종(mucocele), 농류(pyocele), 상악동 술후성 협부 낭종(POCC), 유착(synechia)
양성종양
반전성 유두종(inverted papilloma), 화농성 육아종(pyogenic granuloma), 비전치낭(nasoalveolar cyst), 함치성낭(dentigerous cyst), 과잉치(supernumerary teeth), 혈관종(hemangioma), 혈관 섬유종(angiofibroma) , 골종(osteoma) , 기질화혈종(organized hematoma) , 혈관주위 세포종(hemangiopericytoma), 사마귀(wart), 신경섬유종(neurofibroma), 신경원성 종양(neurogenic tumor), 섬유이형성증(fibrous dysplasia), 척색종(chordoma)
악성종양
암종, 반전성 유두종 유래 암종(inverted papilloma with malignancy), 림프종(lymphoma), 흑색종(melanoma), 신경모세포종(neuroblastoma), 육종(sarcoma)
이물질(foreign body)
장난감, 실리콘(silastic block), 코 충전재료(packing materials)
기타
진균덩이(fungal ball), 비석(rhinolith), 동맥류(carotid aneurysm), 아데노이드 증식증(adenoid vegetation)

(pyogenic granuloma) 은 임신했을 때 가장 잘 생긴다고 하나 임신과 관계없는 경우가 더 많으며, 갑자기 출혈이 동반되는 코막힘이 생기는데 수 주 정도 지속된다. 최근에 보고된 기질화 혈종(organized hematoma)의 경우에는 코막힘에 출혈이 동반되지만 화농성 육아종보다 증상이 생긴 기간이 좀 더 길다.[29]

소아에서는 코막힘의 원인으로 비인강에 아데노이드가 비정상적으로 증식하는 경우가 있는데 밤에 잘 때 코골이가 동반되며 바로 누워 잘 때 호흡이 어려워 괴로워하는 증상을 보인다.

II 신체검사

외비의 모습을 관찰하고 비밸브(nasal valve)에 의한 코막힘이 의심되는 경우는 Cottle 검사를 실시한다(그림 7-1). Cottle 검사는 막힌다고 호소하는 측의 뺨을 한두 개의 손가락으로 잡고 부드럽게 외측으로 당겨 비밸브를 벌리는 검사법이다. Cottle 검사에 의해 코막힘이 개선이 된다면 비밸브의 문제로 인한 코막힘으로 진단할 수 있지만, 비밸브 부위에 유착이 있는 경우에는 위음성을 보일 수 있다. 비슷한 방법으로 면봉을 이용해 직접 비밸브 부위를 벌리는 검사도 있다. 비경(nasal speculum)을 이용할 때는 비밸브 부위가 변형되므로 비밸브가 변형되지 않도록 내시경을 이용하여 주변 조직에 닿지 않도록 주의하면서 비소식자(nasal seeker) 등으로 살며시 비밸브 부위를 관찰한다.

비강을 관찰할 때는 내시경을 사용하는 것이 일반적인 추세이며 내시경에 CCD 카메라를 설치하여 모니터를 통하여 확대된 영상을 관찰하면 좋다. 주로 30° 내시경 또는 굴곡성 내시경을 이용하며 비점막 수축 전과 후를 모두 관찰한다. 하비갑개의 염증성 병변으로 인한 코막힘이라면 점막수축 후에 증상의 개선을 볼 수 있으나, 비중격 만곡증이나 하비갑개 골부의 비대 등과 같은 구조적 병변이라면 점막수축에 의한 뚜렷한 증상의 개선이 나타나지 않는다. 비인강을 관찰하기 위해서는 비강 내로 30° 내시경 또는 굴곡성 내시경을 이용하는 방법, 구강을 통하여 90° 내시경을 사용하는 방법 등이 있다.

비강 내에서 관찰해야 하는 항목은 점막의 변화, 해부학적 변이의 유무, 농성 비루의 유무 및 부위, 비용을 포함한 종괴의 존재 여부 등이다.

III 영상진단

영상진단에는 PNS X-ray, 아데노이드 촬영(adenoid view), CT, MRI 등이 있다. 부비동 단순 촬영 방법에는 Waters 영상, Caldwell 영상, 측면영상(lateral view)이 있는데, 그 중 Caldwell 영상이 비중격 골부의 만곡 여부 및 단순한 비폐색의 정도를 보는 데 가장 도움이 된다. 아데노이드 촬영은 비인강 기도의 정도를 보여주는 데 효과적이어서 소아의 아데노이드 증식의 정도를 판단하는 데 도움을 준다.

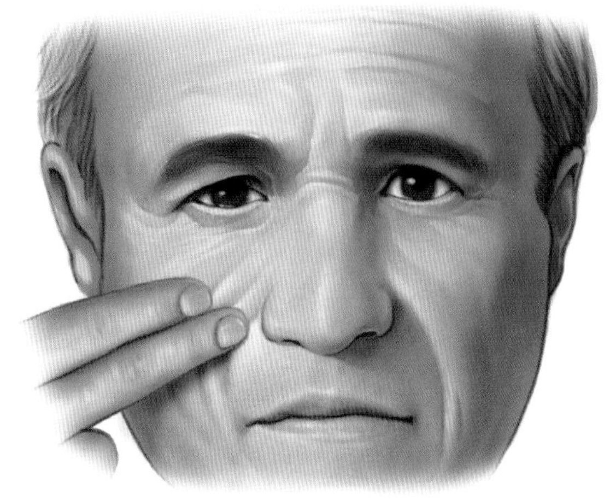

■ 그림 7-1. Cottle 검사방법

부비동 CT는 조영제의 사용 여부에 따라서 관찰하는 항목이 달라진다. 조영제를 사용하지 않고도 진단할 수 있는 것은 비부비동염의 존재 여부, 비중격 만곡 유무, 종괴의 존재 여부와 곰팡이(진균) 덩어리의 존재 여부이다. 부비동 내에 진균 덩어리가 있는 경우 부비동 CT에서 특징적으로 부비동 내 석회화가 관찰된다. 종괴가 있는 경우에는 악성 여부를 알기 위해서 조영제를 이용하여 종괴 내의 혈류의 양을 관찰하게 된다. 예를 들어 농양, 점액류나 저류낭(retension cyst) 등에서는 조영 증강이 나타나지 않으며 반전성 유두종, 화농성 육아종, 악성 종양 등에서는 조영 증강이 잘 나타나게 된다. 종양일 때는 종양의 특성을 좀 더 자세히 알기 위해 MRI도 촬영한다. 특히 림프종과 같이 점막 내에 병변이 있는 경우 매우 효과적이다.

Ⅳ 코막힘의 측정

1. 코막힘 측정방법의 발달

오래 전부터 코막힘을 측정하는 간접적인 방법 중 하나로 금속판에 비강에서 나온 더운 공기가 닿으면 증기가 맺히는 현상을 이용하였다. 1984년에는 여기에 정량적인 요소를 가미한 방법이 보고되었으며 최근에는 습도 센서를 이용한 방법도 보고되었다.[48] 비강호기가 나오는 곳에 금속판을 대면 비강호기의 방향 및 양의 정량화가 가능하다(그림 7-2). 이런 방법으로 일반인,[4] 소아, 후두적출술을 받은 환자에서 비강 주기를 측정한 보고들이 있다. 또한 호기 내의 온도변화를 측정하는 온도 센서 또는 액정 온도계(liquid crystal thermography),[7] 적외선 카메라[12]를 이용한 방법들도 보고되었다. 이러한 간접 방법은 비록 검사자가 측정하는 내용이 비강 통기도를 직접 표현하는 결과는 아니지만 비침습적으로 좌우 비강의 상태를 동시에 측정하고, 환자 비강의 형태에 전혀 변화를 주지 않으며, 환자에게 편안하게 연속적으로 실시할 수 있다. 온도변화를 이용한 장치는 중환자실에서 환자의 호흡 상태를 비침습적으로 측정하기 위한 방법으로 고안되었는데, 현재 수면 다원검사에서 비강 호흡의 유무를 판정하는 데 사용하고 있다.

코막힘을 객관적으로 평가하기 위하여 비강저항을 측정하는 비강통기도검사, 비강 단면적 등을 측정하는 음향비강검사가 개발되었으나 코막힘은 그 외에도 여러 가지 요소의 영향을 받는다. 멘톨을 비강에 분무하면 비저항의 감소 없이 피실험자가 느끼는 코막힘은 감소하고 국소마취제를 비강 내에 분무하면 비저항의 변화 없이 코막힘이 증가하거나 감소되는 등 여러 가지 반응을 보인다. 위축성 비염의 경우, 비점막의 변화로 인해 비저항의 증가 없이도 환자가 느끼는 코막힘은 증가한다. 따라서 객관적인 통기도 검사 결과는 환자의 코막힘이나 비강 기류의 흐름과 정확히 일치하지는 않는다.[25]

■ 그림 7-2. Glatzel 거울

표 7-3. 코막힘을 평가하는 여러가지 방법

주관적인 방법
VAS (Visual Analogue Scale)
NOSE (Nasal Obstruction Symptom Evaluation) Scale
비강 진찰
객관적인 방법
CT
MRI
음향비강검사(acoustic rhinometry)
비강통기도검사(rhinomanometry)
최대흡기유량검사(peak nasal inspiratory flow)
비강입체계(rhinostereometer)
Odiosoft-Rhino
광비강측정법(optical rhinostereometry)
전산유체역학(computational fluid dynamics)

코막힘을 평가하는 방법에는 주관적인 방법과 객관적인 방법이 있다(표 7-3). 주관적인 방법에는 코막힘 증상에 대한 환자 자신의 주관적 평가와, 비경이나 내시경 등을 이용한 비강의 해부학적 구조에 대한 검사자의 주관적 평가가 있다. 객관적인 방법은 비강 단면적, 부피, 3차원적

모양 등 비강의 해부학적 구조를 측정하는 방법과 비강저항과 같은 코를 통한 기류의 속성을 측정하는 방법이 있다. 코막힘 검사는 비강 구조를 바꾸지 않으며, 생리적 호흡을 유지하면서, 검사가 빠르고 쉬워서 피검사자가 검사하는 동안 편안함을 느껴야 하고, 검사치의 반복성이 있고, 임상 응용이 가능해야 한다.

비강에서 가장 큰 저항을 보이는 부분은 비밸브 부위이므로 검사할 때 비밸브가 변형되지 않도록 노력해야 한다. 검사 전에 검사 환경에 익숙해지고 운동에 의한 변화, 외부 공기에 노출되어 나타나는 점막의 변화를 없애고 환자의 상태를 안정시키기 위하여 약 20~30분간 쉬게 한다. 검사는 일정한 온도와 습도가 유지되며 검사에 영향을 줄 수 있는 큰 소리가 없는 환경에서 실시한다. 환자의 상태를 한 번 측정한 결과로는 비주기(nasal cycle) 등에 따라 역동적으로 변화하는 비강의 상태를 표시하기가 어려우므로 일반적으로 3회를 측정하여 측정치의 평균으로 결과를 얻는다. 가능하면 동일한 검사자가 검사를 담당하여 검사자 간의 오차를 줄이기 위해 노력해야 한다.

비강통기도검사(rhinomanometry)는 객관적으로 비강의 저항을 측정하는 방법으로 1980년대부터 사용되어 왔다. 감수성(sensitivity)이 높고 좌우 어떤 쪽에 의한 영향인지를 쉽게 알 수 있지만, 정상과 비정상의 차이가 불분명하고 저항이 높아도 어디가 원인인지 알 수 없으며, 재현성이 낮다. 비강을 통하여 관을 삽입하므로 예민한 환자에서는 예기치 못한 반응을 일으킬 수 있는 등 환자에게 불편하며, 완전히 비강이 막힌 경우는 측정되지 않는다. 후방 비강통기도검사(posterior rhinomanometry)는 어른의 1/3과 소아에서 검사를 참지 못하며 능동적 전방 비강통기도검사(active anterior rhinometry)양측 비강을 동시에 측정할 수 없다.

이런 단점을 개선한 방법이 1990년대 소개된 음향비강검사(acoustic rhinometry)이다.[23] 비강의 단면적과 부피를 보여주는 방식으로 현재 임상에서 가장 많이 사용되고 있다. 비침습적 이어서 피검사의 도움 없이 간단하게 측정할 수 있으며 비강통기도검사에 비해 검사 시간이 짧고 결과의 재현성이 높으며 3세 정도의 소아에서도 실시할 수 있다. 사용하는 접비구(nosepiece)의 종류에 따라 비밸브 부위를 변형하지 않고 단면적을 구할 수도 있으며 가장 좁은 부위의 위치와 면적을 쉽게 알아내어 수술방법을 계획하는 데 많은 도움을 준다. 또한 미리 지정된 공식에 따라 계산된 저항값을 보여주기도 한다. 그러나 나타난 단면적이나 부피로 환자가 느끼는 저항의 정도를 알기 어렵고, 비공에서 멀어질수록 그리고 좁은 부위를 통과한 뒤에는 측정치의 정확도가 떨어진다.[6]

비강통기도검사는 비염과 같은 기능적 코막힘이 있는 환자에서 민감도와 특이도가 높다. 반면에 음향비강검사는 구조적 이상에 의한 기계적 코막힘의 원인을 평가하는 데 민감도와 특이도가 높다.[35] 두 가지 방법은 비강 생리학 연구에 모두 필요하며 상호 보완적으로 사용하는 것이 권장되며[17] 환자 수술의 객관적인 근거를 제시하기 위해 임상적으로도 필요하다.

최대비강기류(peak nasal airflow)를 측정하는 방법은 이전에는 최대호기유량(peak expiratory flow)을 측정하는 방법을 사용하였으나 피검사자의 노력 여하에 따라 검사결과가 많이 달라지는 단점이 있어 현재는 최대흡기유량(peak nasal inspiratory flow)의 측정이 주로 사용되고 있다.[34] 최대흡기유량검사(peak nasal inspiratory flow; PNIF)는 간소한 장비로 간단하게 비폐색의 정도를 측정할 수 있다. 비강통기도검사와 비교할 경우 작은 변화는 측정할 수 없다는 단점이 있지만,[14] 비강통기도검사 결과와 좋은 상관관계를 보이며 알레르기비염 환자의 경과관찰을 위한 검사 등으로 유용하게 사용되고 있다. 소아에서 협조가 되지 않으면 측정이 어려우며, 높은 흡입기류에서 나타날 수 있는 비밸브의 변형에 영향을 받을 수 있다.

비강입체계(rhinostereometer)는 장치에 부착된 현미경을 이용하여 비충혈에 의한 하비갑개 점막 일정 부위의 변화를 mm단위로 측정하는 장치이다. 주로 약제나 항원에 대한 하비갑개의 반응을 보는 데 좋은 방법이다.[30] 비주기를 관찰하는 데 음향비강검사와 높은 상관관계를 보였다는 보고도 있다.[31]

Odiosoft-Rhino는 코로 나오는 소리를 측정하여 소리의 주파수를 단면적으로 변환하는 방법으로 비강기류는 난기류가 심할수록 높은 주파수를 보인다는 이론에 근거한 검사방법이다.[46] 한쪽코를 막고 자발호흡에 의해 만들어지는 소리를 콧구멍으로부터 1 cm 떨어진 위치에서 측정하게 된다. 비강통기도검사와 유사한 결과를 보이며 증상과의 상관관계도 높은 것으로 보고되고 있다.[47]

광비강측정법(optical rhinometry)은 콧등에 장착한 광센서를 이용하여 비강점막에서 혈류의 변화를 측정하는 방법으로 비강유발검사에서 비강통기도검사 및 음향비강검사와 높은 상관관계를 보였다는 보고가 있다.[28]

코막힘의 기전으로 외부 자극에 대한 수용체인 transient receptor potential melastatin family number 8 (TRPM8)의 역할이 거론되고 있는데, 상피가 받아들이는 자극 중에는 물리적인 요소인 점막 냉각, wall shear stress 등이 있으며 이런 수치를 계산하는 전산유체역학(computational fluid dynamics; CFD)을 이용하는 방법이 있다.[43] CT나 MRI 영상과 CFD 소프트웨어를 이용하여 비강기류 모델을 만들고 컴퓨터 가상영상(simulation)을 통해 비강의 각각의 부위에 대한 기류의 패턴(층류 또는 난류), 속도, 압력, 온도변화, wall shear stress 등을 측정한다. 이러한 자료를 바탕으로 비강 공기 흐름과 관련하여 코막힘에 대한 많은 연구들이 진행되고 있으며 향후 코막힘 환자에서 유용한 평가방법으로 사용될 가능성이 있다.[27,50]

이밖에 내경이 다양한 튜브를 통하여 구강호흡을 하는 동안에 코막힘과 비교하는 방법도 소개 되었으며,[36] 비음을 분석하여 코막힘이 있는 환자군에서 정상군에 비하여 2~6 kHz 대역에서 소리의 강도가 증가하고 0.5~1 kHz 에서는 감소되는 소견을 보고하기도 하였다.[42] 비강 주기를 지속적으로 관찰하는 방법으로 장기간 비류측정검사(long term rhinoflowmetry)도 있다.[21]

2. 검사방법

코막힘의 측정은 여러 가지 요소를 고려해서 평가하여야 한다.[32] 환자의 주관적 코막힘을 평가하는 질문으로는 VAS (Visual Analog Scale)와 NOSE (Nasal Obstruction Symptom Evaluation) 방법이 권장 되고 있다.[38] 검사 장비를 이용할 때는 개개 비강을 따로 검사해야 하며 증상이 있을 때 시행하는 것이 좋다.[5,9] 측정방법 중에 음향비강검사가 가장 일반적이며, 비강통기도검사, 그리고 간편한 최대흡기유량검사 등이 권장된다.[10]

1) 주관적인 방법

(1) VAS (Visual Analog Scale)

주관적인 증상을 객관화하기 위한 노력 중 대표적인 방법으로 환자에게 눈금이 없는 10 cm 길이의 선에서 양쪽 끝이 의미하는 내용을 알려주고 환자가 생각하는 정도가 두 가지 내용에 어느 정도 가까운지 환자가 생각하는 지점에 표시를 하면 그 지점까지의 거리를 측정하여 그 정도를 나타내는 방법이다. 코막힘을 포함한 여러 가지 증상의 변화 정도를 객관화하기 위하여 많이 사용되고 있으며 코막힘의 치료방법 중 하나인 하비갑개 라디오주파 치료의 효과를 평가하는 데 사용된 보고도 있다.[37]

코막힘을 평가하기 위한 방법들을 서로 비교한 보고가 많이 있다. VAS를 이용한 주관적인 결과와 비강통기도검사의 결과와 의미 있는 상관관계를 보였다는 보고도 있으며,[24] 비강통기도검사, 음향비강검사 그리고 VAS를 비교한 결과 서로 의미 있는 상관관계가 없다는 보고도 있다.[49] VAS에 의한 코막힘의 정도는 비강통기도검사에 의한 양측 비강의 저항과는 상관관계가 없었으나 개개의 비강을 비교하였을 때 코막힘과 비저항 사이에 상관이 있음이 보고되었다.[40]

표 7-4. NOSE (Nasal Obstruction Symptom Evaluation) Scale

	Not a problem	very mild problem	moderate problem	fairly bad problem	severe problem
Nasal congestion or stuffiness	0	1	2	3	4
Nasal blockage or obstruction	0	1	2	3	4
Trouble breathing through my nose	0	1	2	3	4
Trouble sleeping	0	1	2	3	4
Unable to get enough air through my nose during exercise or exertion	0	1	2	3	4

From Stewart MG, Witsell DL, Smith TL, et al. Development and validation of the Nasal Obstruction Symptom Evaluation (NOSE) scale. Otolaryngol Head Neck Surg 2004;130:157-163. with permission.

(2) NOSE (Nasal Obstruction Symptom Evaluation) Scale

건강과 관련하여 삶의 질(quality of life)을 평가하는 방법은 의학 전반에 걸쳐 점차 중요성이 커지고 있다. 이러한 평가방법들은 환자들이 작성하게 하는 설문지 형태로 증상의 심한 정도와 환자의 삶에 미치는 영향을 나타낸다. NOSE Scale은 코막힘으로 수술 받은 환자들에서 삶의 질을 평가하는 방법으로 개발되었는데,[44] 비중격성형술과 기능적 비성형술에서 유용성이 입증되었다.[38] 지난 한 달 동안 서로 다른 5개의 질문에 대해 환자가 느끼는 정도를 0점에서 4점까지 매기게 된다. 총점은 점수에 5를 곱하여 무증상인 0부터 최고점인 100점까지 나타날 수 있다(표 7-4).

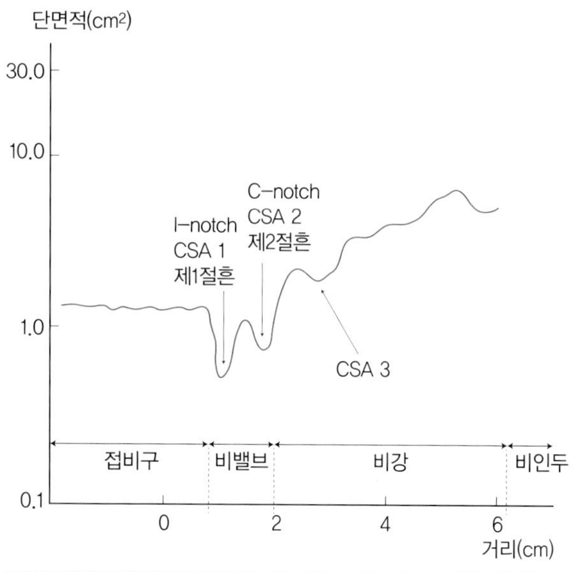

■ 그림 7-3. **음향비강검사 결과**

2) 음향비강검사(Acoustic rhinometry)

반사된 음파를 분석하여 비강의 구조를 파악하는 장비로 비강의 단면적과 부피가 장치 내의 공식에 의하여 산출되어 그래프로 나타난다.[23] 기본적인 검사로 가장 많이 사용되고 있으며, 기초와 임상 연구에도 가장 넓게 사용되고 있다.

(1) 장비와 기술

Spark 발생장치에서 나오는 음파를 이용하여 음파가 진행하는 공간의 단면적의 차이에 의하여 생긴 반사파는 마이크로폰에 의해 수집되며 컴퓨터로 계산되어 거리-면적 그래프의 형식으로 나타나게 된다(그림 7-3).

정확도를 알기 위하여 CT 및 비강통기도검사와 비교한 결과 음향비강검사가 가장 정확하고 재현성이 높았다.[23] 음향비강검사에서 얻은 결과를 CT의 결과와 비교한 보고에 따르면 서로 단면적의 위치가 잘 일치하며 제2 절흔(C-notch)의 전방에서는 유의한 상관을 보였다.[3] 하지만 제2 절흔의 후방에서는 수치가 많이 달라진다. 공식으로 면적을 계산할 수 있지만 물리학적 제한점 등으로 인하여 정확한 계측이 불가능하며, 특히 좁아진 부분의 후방은 측정치가 부정확하다. 온도가 내려가면 측정부위가 가깝게 나타나므로 온도가 일정한 장소에서 검사해야 한다.

(2) 검사방법과 결과

검사에 사용되는 음파통을 환자의 시상면에 일치시키고 경구개와 약 45°의 각도를 이루게 한 후 측정한다(그림 7-4). 각도가 증가하면 면적이 크게 나타나는 경향이 있어 검사 장비와 피검자와 이루는 각도를 일정하게 유지해야 하며, 재현성을 높이기 위하여 머리를 고정하는 장치를 권장하기도 한다. 제작사에서 공급하는 여러 크기의 접비구(nosepiece)를 사용하는 것이 일반적이나 비밸브 부위를 변형하지 않고 측정하기 위해서는 외비공에 맞는 특별한 접비구를 사용하며, 음파가 새는 것을 막기 위하여 봉함재(sealant)를 사용하기도 한다. 환자가 숨을 멈춘 상태에서 측정하며 일정한 결과를 얻기 위하여 가능한 한 일정한 방법으로 측정한다.

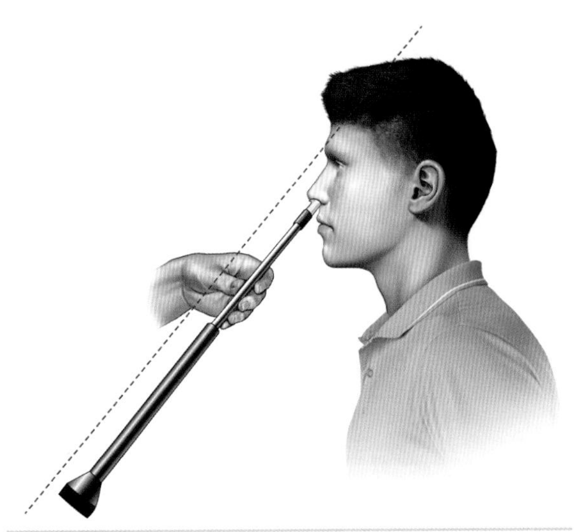

■ 그림 7-4. **음향비강통기도검사를 하는 모습.** 기계에 따라 다소 다르나 검사용관과 피검자가 이루는 각도를 일정하게 해야 한다.

간혹 검사할 때마다 다른 그래프가 나타나는 경우가 있는데, 이때는 여러 개의 검사치 중에 유사한 그래프를 선택한다. 한 번만 측정하면 오차가 크므로 적어도 세 번 이상 측정하여 변이계수(coefficient of variation)가 20% 이내인 수치만 선택하여 평균을 계산하는 방법을 권장하기도 한다.

결과는 거리에 따른 면적의 그래프로 표시되며 측정 기계에 따라 방식이 조금씩 다르다. 일반적으로 x축은 거리를 y축은 단면적을 표시하지만 양측을 대칭으로 보기 위하여 x축과 y축을 바꾸어 표시하기도 한다(그림 7-5). 면적은 등간격 눈금이나 대수 눈금(log scale)으로 표시하는데, 대수 눈금은 등간격 눈금보다 변화의 정도를 보기가 좋다. 거리에 따른 단면적이 표시되므로 그래프 아래

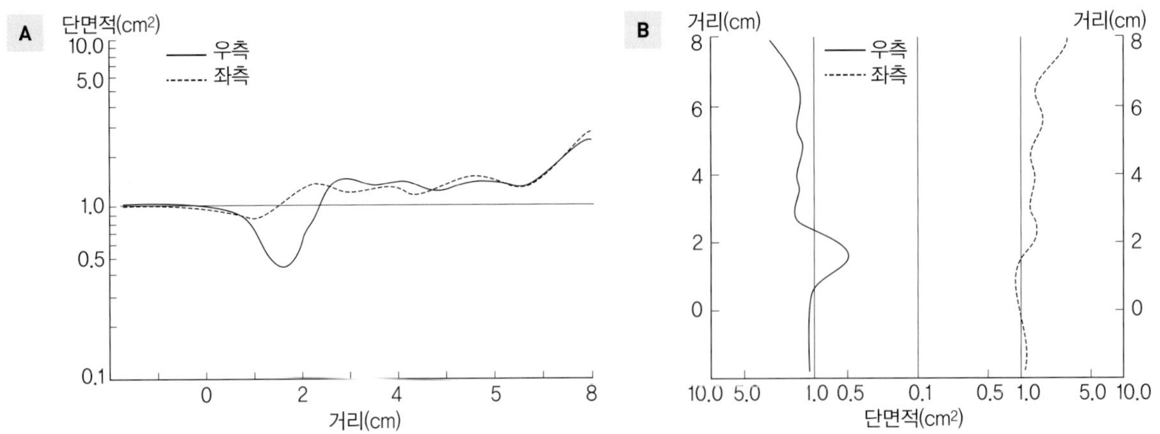

■ 그림 7-5. **음향비강통기도검사의 결과 표시방법.** **A)** 가로축을 거리, 세로축에 단면적을 표시하는 방법으로 양측의 결과가 같이 표시되므로 좌우를 비교하기가 좋다. **B)** 가로축에 단면적, 세로축에 자리를 표시하는 방법으로 진찰할 때와 같은 상황의 면적을 보여준다. 두 방법 모두에서 우측의 앞부분이 좁다.

쪽 부분의 면적은 부피를 나타내게 된다. 부피를 계산하기 위하여 구간을 설정하는데 일반적으로 시작점부터 6~7 cm 구간까지의 비강 부피를 계산하나 장치에서 멀어 질수록 정확도가 떨어지므로 작은 범위를 측정하는 것도 고려해볼 가치가 있다.

일반적으로 W자모양의 2개의 절흔(notch)을 보이게 되며 앞쪽의 제1 절흔은 비강협부(isthmus nasi)에 의하여 생성되므로 I-notch, 제2 절흔은 하비갑개의 전단 부분에 의하여 나타나므로 C-notch라 부른다(그림 7-3). 미국에서는 CSA (cross-sectional area)로 기술하는 것을 권장하여 CSA1, CSA2, CSA3 등으로 기술하는데 CSA3는 중비갑개의 중간 뒤부분(midposterior end)에 해당한다. 측정 기계에 따라서는 W모양으로 2개의 절흔이 나타나지 않고 하나의 절흔만 보이는 경우도 있다. 최소단면적 부위(minimal cross-sectional area; MCA)는 C-notch에 의하여 나타나다가 점막을 수축시키면 I-notch부위로 이동하게 된다. 하지만 이 2개의 notch에 대하여 첫 번째 notch가 측정에 사용되는 접비구의 끝에서 나타나며 두 번째 notch가 소위 비밸브에 의한 것이라는 주장도 있다. 실제로 검사할 때 점막을 수축시킨 후에 MCA가 검사용 접비구의 바로 끝에서 나타나는 경우가 있으므로 너무 W자 모양에 신경을 쓰지 않는 것이 좋다. 각 절흔의 위치가 환자마다 다르므로 3.3 cm, 4.0 cm 등 일정한 거리에서의 단면적으로 표시하여 비교하기도 한다.

점막 수축 전 한 번 측정하고 점막 수축 뒤에 한 번 더 측정하므로 그래프는 좌·우측, 수축제 분무 전·후 이렇게 4개의 그래프가 나오게 된다. 비강은 골과 연골로 구성되어 변화가 없는 해부학적 구조물(structural factor)과 수시로 상태가 변하는 점막(mucosal factor)으로 되어 있다. 점막 수축 전에는 평소의 상태를 나타내며 수축 후에는 점막에 의한 변화와 비주기의 영향을 없앤 상태를 나타낸다. 코막힘의 원인을 찾을 때 이 두 가지 요소를 고려하여야 한다. 두 상태에서 측정된 결과의 차이는 점막에 의한 변화량을 나타낸다(그림 7-6). 이 변화량을 객관적

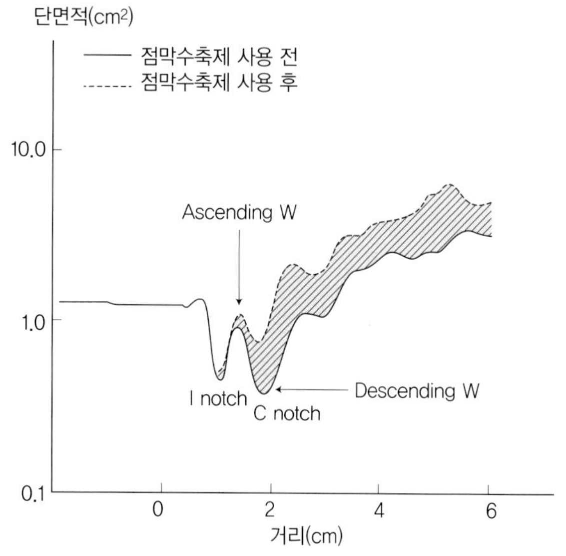

■ 그림 7-6. **점막수축제 사용 전후의 음향비강통기도검사 결과.** 아래의 그래프가 점막수축제 사용 전에 측정한 수치이며 위의 그래프는 점막이 수축된 후에 측정한 결과이다. 두 그래프의 차이가 점막수축의 정도를 보여준다.

으로 표현하기 위해 수축제 사용 후 비강 용적이나 단면적의 변화량인 비충혈지수(Nasal Congestion Index; NCI)를 백분율(%)로 나타내는 방법이 있다. 이때 분모로 수축제 사용 후 측정치 또는 사용 전 측정치를 이용한다.[30] 수축제 사용 전 측정치는 동적으로 변화하는 상태의 한 시점이 되므로 이론적으로 점막의 부종이 제거된 상태의 일정한 면적 또는 부피로 생각되는 수축제 사용 후 측정치를 분모로 사용하는 것이 좋다. 변화량을 계산하면 어느 정도의 점막 부종이 존재하는지를 알 수 있으며 변화량의 정도에 따라 치료의 목표를 정해질 수 있다. 변화량이 30%를 넘어가면 점막에 의한 요소가 큰 것으로 본다.[13]

$$\text{변화율} = \frac{\text{수축 후 측정치} - \text{수축 전 측정치}}{\text{수축 후 측정 치}} \times 100(\%)$$

수축제 사용 전 측정치를 분모로 사용하면 변화 정도가 더 크게 나타나며 가장 좁은 부위나 체적의 변화 정도에 따라 정도를 나누기도 한다.[30]

검사 결과 얻어진 그래프의 해석법은 아직 표준화되어 있지 않으나, 전체적인 그래프의 모양에서 MCA의 위치와 전체의 모양을 판단하게 된다. 일반적으로 MCA가 좌우 어느 쪽에 있는지, 좌우의 차이는 어느 정도인지를 보게 되며 점막 수축 전후의 변화 정도를 판단하는 것이 좋다.

동양인에서 점막 수축제 사용 전 최소 단면적은 0.53~0.63 cm^2로 보고되었다.[18] 정상 한국인의 검사치 및 연령별 검사치도 보고되어 있다.[1] 한국인에서 최소 단면적은 I-notch에 의하여 나타난다고 하며 수축 전 최소 단면적의 크기는 0.53 cm^2로 보고되어 있다.

정상군과 비폐색을 호소하는 군에서 검사치의 범위가 너무 많이 중복되어 정확한 판단은 어려우나 음향비강검사 결과 최소단면적이 0.5 cm^2 이하, 혈관수축제에 의한 변화량이 큰 경우 비폐색이 있을 가능성이 높다.[22]

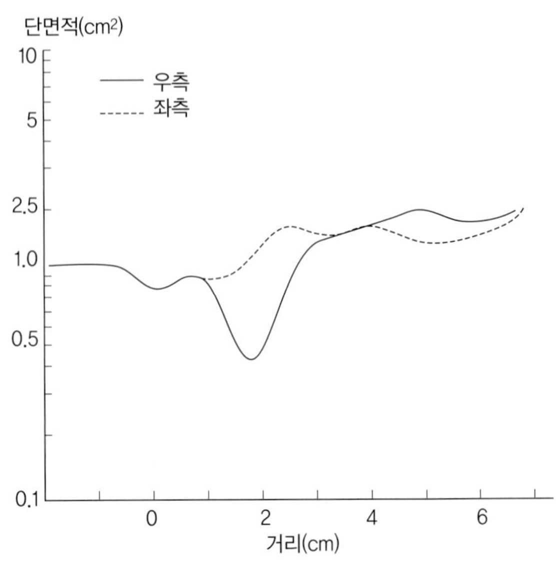

■ 그림 7-7. **오른쪽으로 비중격 만곡이 있는 환자의 음향비강통기도 검사 결과.** 양측 최소 단면적의 차이를 보여준다. 비주기가 있어 항상 일치하는 것은 아니다.

(3) 기초 분야에 대한 연구

성장에 따른 비강의 변화, 인종에 따른 차이점, 비주기의 확인, 체위 변화에 따른 변화 등을 관찰할 수 있다.[2,3] 최소 단면적은 인종에 따라 다르며 동양인과 서양인이 흑인에 비하여 작고 비강의 면적은 동양인, 서양인 그리고 흑인의 순서로 커진다. 하지만 점막 수축제를 사용한 뒤 측정하면 동양인과 서양인은 사용 전후에 차이가 없으나 흑인은 다른 두 인종보다 차이가 크다. 따라서 다른 인종을 검사할 때는 해석에 주의를 요한다.[18]

(4) 임상적 응용

① 코막힘 원인 진단

MCA의 좌우 비교 및 위치에 따라 비중격 만곡을 진단할 수 있다(그림 7-7).[45] 비강 앞부분을 변경시키지 않는 접비구를 사용하면 비폐색의 원인 부위를 비밸브 부위에서도 더 잘 알 수 있다.[39]

② 수술 후 변화의 판정

비중격성형술, 비갑개절제술 그리고 내시경 부비동수술 후 등 수술에 의한 비강의 변화를 객관적으로 측정하기 위해 사용하기도 한다.[26]

③ 약물의 효과 판정

항히스타민제나 혈관수축제의 효과를 관찰할 수 있으며 비강유발검사(nasal provocation test)의 결과를 판단하는 방법으로의 사용한다.[41] 유발 반응의 정도를 볼 때는 유발 전에 점막을 수축시키고 유발 반응 후 변화의 정도를 분율(%)로 표시한다. 하지만 어느 정도의 변화를 의미 있다고 보는지, 어떤 상태에서 시작해야 하는지에 대한 합의점은 아직 명확하지 않다.

④ 기타

수면무호흡증이 있는 환자에서 하비갑개 전단부의 최소단면적이 0.6 cm^2 미만인 경우 CPAP의 적용이 어렵다.[33] 비중격에 천공이 있는 경우는 천공의 후방에서 좌우 비강의 면적이 같이 측정되므로 단면적은 약 2배가 되면서 양측 단면적의 크기가 같아지게 된다(그림 7-8). 후비공폐쇄(choanal atresia)의 진단에도 도움이 되며, 비강 후

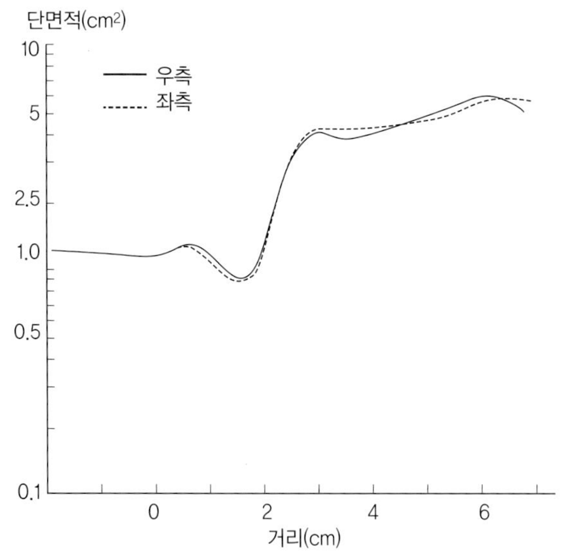

■ 그림 7-8. **비중격 천공이 있는 환자의 음향비강통기도검사 결과.** 좌우의 차이가 있다가 천공이 있는 부분에서 양측 비강의 단면적이 측정되므로 좌우의 차이가 없어지고 단면적이 증가한다.

방에서 면적의 변화로 비인강에서 종괴의 유무를 알 수 있다는 보고도 있다.

3) 비강통기도검사(rhinomanometry)

객관적으로 코막힘을 검사하는 데 유용한 방법이다. 1984년에 발표된 표준화에 대한 보고가 일반적으로 받아들여지고 있지만,[15] 아직도 측정 방식과 결과를 보고하는 방법 등이 완전히 표준화되지는 않았다. 안면마스크를 이용한 능동적 전방 비강통기도검사(active anterior rhinomanometry)가 권장되는 방법이다.[16] 그 후에 비밸브 부위의 변형을 최소화하면서 가장 비관혈적으로 검사하는 방법인 head-out 체적기록법(plethysmography)을 이용한 능동적 후방 비강통기도검사(active posterior rhinomanometry)가 Toronto system에서 소개되었다.[17]

(1) 장비와 원리

비강 전후의 압력 차이와 그 차이로 인해 발생하는 공기 흐름의 양을 측정하여 간접적으로 비강 저항을 구하는 장비로 비강 저항을 구하는 공식으로는 R(저항)=⊿P(압력차)/V(공기체적)를 사용한다. 실제 비강 호흡은 층류(laminar flow)가 아니지만 이 공식은 층류로 가정하고 적용한다. $R = 0.78(P/V)^{1.33}$으로 계산하면 좀 더 정확한 값을 얻을 수 있다. 능동적 전방 비강통기도검사에서는 좌우 비강의 저항을 따로 측정하며, 다음 공식에 따라 비강 전체의 저항을 구한다.

$$1/R_{total} = 1/R_{right} + 1/R_{left}$$

비강 기류의 양에 영향을 주는 요소는 비강의 길이, 단면적, 기류의 특성 등이며 실제 측정할 때는 온도, 습도 등에 의한 기류의 양, 밀도, 점도 등의 변화는 무시한다.

비강을 통한 공기의 흐름은 비전정에 삽입하는 노즐, 안면 마스크 또는 체적기록계에 부착된 호흡유량계(pneumotachometer)를 이용하여 측정한다. 노즐을 사용하면 비밸브 부위를 왜곡하는 단점이 있다. 안면 마스크는 안면 조직을 왜곡시키며, 사용된 마스크의 크기에 따라 저항이 바뀌기는 하지만 노즐을 이용하여 측정한 것 보다는 왜곡이 적다. 체적기록계를 사용하면 안면부에 아무런 영향을 주지 않으며 결과가 일정하고 반복성이 높다. 그러나 체적기록계는 부피가 크고 측정할 때 환자의 도움이 필요하며 사용 전에 예열(warming-up)과 보정(calibration)이 필요하다.

(2) 검사방법의 종류

비강 뒤쪽의 압력을 구하는 방법에 따라 검사하지 않은 쪽의 비강을 통한 전방법(anterior method), 구강을 통하여 비인강에 위치시킨 관을 통하여 압력을 구하는 경구후방법(peroral posterior method), 비강에 소아용 영양관을 넣어 비인강의 압력을 구하는 경비 후방법(pernasal posterior method)이 있다. 호흡의 주체에 따라 분류하면 피검자가 능동적으로 호흡하면서 측정하는 능동법(active method), 자기의 호흡 없이 강제로 공기를 흘려보내 측정하는 수동법(passive method)이 있다.

① 능동적 전방법

주로 사용되는 방법으로, 측정하고자 하는 비강의 반대쪽을 통하여 비인강의 압력을 측정하여 압력차를 계산하는 데 사용한다. 비강 모양을 변형하지 않고 공기가 새지 않게 마스크를 착용하고 비강을 통하는 공기의 흐름을 측정한다. 한쪽을 측정하고 나면 반대쪽에서 같은 과정을 반복한다. 비중격에 천공이 있으면 전방에서 비인강의 압력을 잴 수 없으므로 이 방법을 사용할 수 없다.

② 능동적 후방법

환자가 양측 비강으로 스스로 호흡하면서 안면 마스크를 통하여 양측 비강에서 나오는 공기의 양을 측정한다. 비인강의 압력은 구강 내 혹은 비강 후방에 위치한 압력측정계(pressure detector)로 측정한다. 이 방법은 측정하는 동안 환자가 구인두와 비인두가 열린 상태를 유지해야 하므로 시행 전 교육이 필요하며 약 15%의 환자에서 수행하지 못한다. 비강 통기도를 측정하는 방법 중 가장 비관혈적인 방법으로 head-out 체적기록법(plethysmography)이 있다.[17] 공기의 양은 체적기록계로 측정하고 비인강의 압력은 한쪽 비강을 통해 끝을 비인강에 위치한 소아용 영양관을 사용하는 측정하며, 주로 연구 목적으로 많이 사용된다.

③ 수동적 전방법

소아에서 강제로 공기를 넣어 주면서 측정하는 방법이다. 검사 환경이 실제 비강 생리와 차이가 있을 수 있으며, 측정 도중 반사적인 점막두께의 증가가 생길 수 있어 능동적 검사에 비해 정확하지 않다.

(3) 결과 해석

그림 7-9와 같이 압력-기류 도표(pressure-flow curve)가 만들어지는데, x축은 압력차를 표시하며 단위는 Pascal을, y축은 공기의 흐름을 나타내며 단위는 cm^3/sec을 사용한다. 좌우 및 상하를 대칭되게 사용한다. 우측은 I, III부분에, 좌측은 II, IV부분에 표시하며 흡기는 오른 쪽에, 호기는 왼쪽에 표시하는 것을 권하고 있다(그림 7-9).[15] 공기를 들이마실 때와 내쉴 때의 저항을 좌우에서 따로 구할 수 있다. 도표는 보통 S자 모양의 곡선으로 표시되는데 저항이 클수록 곡선의 기울기가 줄어들어 곡선은 x축에 가까워진다.

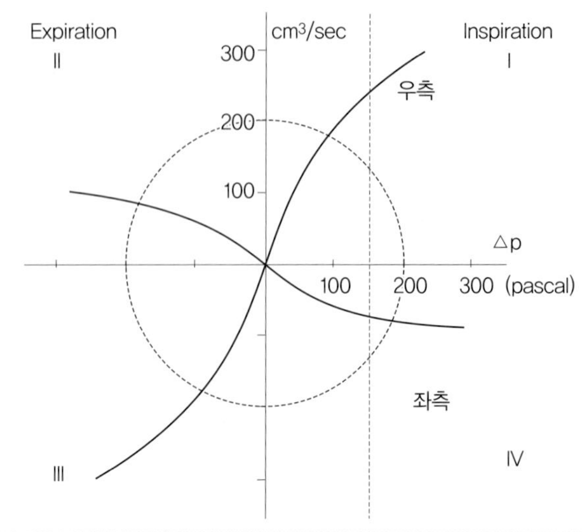

■ 그림 7-9. 비강통기도검사의 결과

결과는 압력에 대한 공기의 흐름인 저항으로 표시되며 단위는 Pascal/cm^3/sec 또는 cmH$_2$O/L/sec (0.1 Pa/cm^3/sec = 1 cmH$_2$O/L/sec)로 표시한다. 저항은 어떤 시점 또는 평균값으로 표시하게 된다. 기준점에 따라 저항이 달라지므로 일반적으로 압력이 150 Pa인 점에서의 저항으로 표시한다. 동양인에서는 150 Pa까지 압력이 형성되지 않기도 하므로 일본에서는 100 Pa에서의 저항값으로 표현하는 것을 권장한다. 경우에 따라서는 특정 반경이나 특정 기류에서 저항값을 측정하기도 하며, 최대 압력과 기류에서 측정하는 최대저항(maximum resistance)을 구하기도 한다. 압력 100 Pa에서 측정한 저항값은 최대저항값이나 평균하여(time averaged) 얻은 저항값보다는 약간 낮았다. 최대저항값은 다른 변수에 비해 코막힘 증상과 가장 상관관계가 높은 것으로 보고되고 있다. 정상인에서 총비강저항은 0.15에서 0.39 Pa/cm^3/

sec 사이로, 평균 0.23 Pa/cm^3/sec로 보고되고 있는데 일반적으로 0.3 Pa/cm^3/sec까지를 상한치로 본다.[19]

점막수축제를 이용하여 비강점막 수축 전과 후의 비강저항을 측정하였을 때 35% 이하의 비강저항 감소가 나타나는 경우는 코막힘의 원인이 구조적 이상이며 비가역적이라고 생각할 수 있다.[8]

(4) 임상적 응용

비폐색에 대한 수술, 비내유발검사 및 알레르기비염의 치료 결과를 객관적으로 평가하기 위한 방법으로 사용된 보고가 있다. 3~6세의 소아에서도 비주기 등을 측정하는 데 무리가 없다는 보고도 있다. 과거에는 음향비강검사법이 응용되는 모든 부분에 사용되었었으나 현재는 예전에 비하여 많이 사용되지는 않는다.

참고문헌

1. 김영기, 노윤성, 강정호 등. 음향통기도검사에 의한 한국인의 성별 연령별비저항 변화. 한이인지 1995;38:711-717.
2. 김인중, 나기상, 박찬일. 비주기에 따른 비강의 단면적 및 용적의 변화: 음향 비강통기도검사에 의한 측정. 한이인지 1995;38:705-710.
3. 민양기, 장용주, 조양선 등. 음향비강통기도검사(Acoustic Rhinometry)의 정확성에 대한 검증. 한이인지 1994;37:300-305.
4. 이정권, 박인용, 윤주헌 등. Glatzel mirror를 이용한 비주기 및 코막힘 측정의 유용성에 대한 고찰. 한이인지 1990;33:482-488.
5. André RF, Vuyk HD, Ahmed A, et al. Correlation between subjective and objective evaluation of the nasal airway. A systematic review of the highest level of evidence. Clin Otolaryngol 2009;34:518-525.
6. Cakmak O, Tarhan E, Coskun M, et al. Acoustic rhinometry: accuracy and ability to detect changes in passage area at different locations in the nasal cavity. Ann Otol Rhinol Laryngol 2005;114:949-957.
7. Canter RJ. A non-invasive method of demonstrating the nasal cycle using flexible liquid crystal thermography. Clin Otolaryngol Allied Sci 1986;11:329-336.
8. Chaaban M, Corey JP. Assessing nasal air flow: options and utility. Proc Am Thorac Soc 2011;8:70-78.
9. Chandra RK, Patadia MO, Raviv J. Diagnosis of nasal airway obstruction. Otolaryngol Clin North Am 2009;42:207-225.
10. Chaves C, de Andrade CR, Ibiapina C. Objective measures for functional diagnostic of the upper airways: practical aspects. Rhinology 2014;52:99-103.
11. Cho YS, Choi SH, Park KH, et al. Prevalence of otolaryngologic diseases in South Korea: data from the Korea national health and nutrition examination survey 2008. Clin Exp Otorhinolaryngol 2010;3:183-193.
12. Chung SK, Dhong HJ, Koh SJ. The shape of expiratory nasal flow. J Rhinol 1998;5:23-26.
13. Chung SK, Jung YS, Dhong HJ, et al. Correlation between nasal obstruction and parameters in acoustic rhinometry. J Rhinol 1997;4:18-22.
14. Clarke RW, Jones AS. The limitations of peak nasal flow measurement. Clin Otolaryngol Allied Sci 1994;19:502-504.
15. Clement PA. Committee report on standardization of rhinomanometry. Rhinology 1984;22:151-155.
16. Clement PA, Gordts F; Standardisation Committee on Objective Assessment of the Nasal Airway, IRS, and ERS. Consensus report on acoustic rhinometry and rhinomanometry. Rhinology 2005;43:169-179.
17. Cole P, Roithmann R, Roth Y, et al. Measurement of airway patency. A manual for users of the Toronto systems and others interested in nasal patency measurement. Ann Otol Rhinol Laryngol Suppl 1997;171:1-23.
18. Corey JP, Gungor A, Nelson R, et al. Normative standards for nasal cross-sectional areas by race as measured by acoustic rhinometry. Otolaryngol Head Neck Surg 1998;119:389-393.
19. Eccles R. Nasal airflow in health and disease. Acta Otolaryngol 2000;120:580-595.
20. Graf P, Hallen H. Clinical and rhinostereometric assessment of nasal mucosal swelling during histamine challenge. Clin Otolaryngol Allied Sci 1996;21:72-75.
21. Grutzenmacher S, Lang C, Mlynski R, et al. Long-term rhinoflowmetry: a new method for functional rhinologic diagnostics. Am J Rhinol 2005;19:53-57.
22. Grymer LF, Hilberg O, Pedersen OF. Prediction of nasal obstruction based on clinical examination and acoustic rhinometry. Rhinology 1997;35:53-57.
23. Hilberg O, Jackson AC, Swift DL, et al. Acoustic rhinometry: evaluation of nasal cavity geometry by acoustic reflection. J Appl Physiol 1989;66:295-303.
24. Hirschberg A, Rezek O. Correlation between objective and subjective assessments of nasal patency. ORL J Otorhinolaryngol Relat Spec 1998;60:206-211.
25. Jessen M, Malm L. Definition, prevalence and development of nasal obstruction. Allergy 1997;52(40 Suppl):3-6.
26. Kim CN, Hong SK, J.A. Lee, et al. Nasal patency assesed by acoustic rhinometry after endoscopic sinus surgery for chronic sinusitis. J Rhi-

nol 1997;4:23-25.

27. Kim SK, Chung SK. An investigation on airflow in disordered nasal cavity and its corrected models by tomographic PIV. Meas Sci Technol 2004;15:1090-1096.
28. Lambert EM, Patel CB, Fakhri S, et al. Optical rhinometry in nonallergic irritant rhinitis: a capsaicin challenge study. Int Forum Allergy Rhinol 2013;3:795-800.
29. Lee BJ, Park HJ, Heo SC. Organized hematoma of the maxillary sinus. Acta Otolaryngol 2003;123:869-872.
30. Mamikoglu B, Houser SM, Corey JP. An interpretation method for objective assessment of nasal congestion with acoustic rhinometry. Laryngoscope 2002;112:926-929.
31. Moinuddin R, Mamikoglu B, Barkatullah S, et al. Detection of the nasal cycle. Am J Rhinol 2001;15:35-39.
32. Moore M, Eccles R. Normal nasal patency: problems in obtaining standard reference values for the surgeon. J Laryngol Otol 2012;126:563-569.
33. Morris LG, Setlur J, Burschtin OE, et al. Acoustic rhinometry predicts tolerance of nasal continuous positive airway pressure: a pilot study. Am J Rhinol 2006;20:133-137.
34. Ottaviano G, Scadding GK, Coles S, et al. Peak nasal inspiratory flow; normal range in adult population. Rhinology 2006;44:32-35.
35. Passàli D, Mezzedimi C, Passàli GC, et al. The role of rhinomanometry, acoustic rhinometry, and mucociliary transport time in the assessment of nasal patency. Ear Nose Throat J 2000;79:397-400.
36. Pontoppidan JM. How we do it: "The oral tube area method": a new method for self-assessment of nasal resistance. Clin Otolaryngol 2005;30:557-560.
37. Porter MW, Hales NW, Nease CJ, et al. Long-term results of inferior turbinate hypertrophy with radiofrequency treatment: a new standard of care? Laryngoscope 2006;116:554-557.
38. Rhee JS, Sullivan CD, Frank DO, et al. A systematic review of patient-reported nasal obstruction scores: defining normative and symptomatic ranges in surgical patients. JAMA Facial Plast Surg. 2014;16:219-225.
39. Roithmann R, Chapnik J, Zamel N, et al. Acoustic rhinometric assessment of the nasal valve. Am J Rhinol 1997;11:379-385.
40. Roithmann R, Cole P, Chapnik J, et al. Acoustic rhinometry, rhinomanometry, and the sensation of nasal patency: a correlative study. J Otolaryngol 1994;23:454-458.
41. Roithmann R, Shpirer I, Cole P, et al. The role of acoustic rhinometry in nasal provocation testing. Ear Nose Throat J 1997;76: 747-750, 752
42. Seren E. Web-based analysis of nasal sound spectra. Telemed J E Health 2005;11:578-582.
43. Sozansky J, Houser SM. The physiological mechanism for sensing nasal airflow: a literature review. Int Forum Allergy Rhinol 2014;4:834-838.
44. Stewart MG, Witsell DL, Smith TL, et al. Development and validation of the Nasal Obstruction Symptom Evaluation (NOSE) scale. Otolaryngol Head Neck Surg 2004;130:157-163.
45. Szucs E, Clement PA. Acoustic rhinometry and rhinomanometry in the evaluation of nasal patency of patients with nasal septal deviation. Am J Rhinol 1998;12:345-352.
46. Tahamiler R, Edizer DT, Canakcioglu S. Nasal expiratory sound analysis in healthy people. Otolaryngol Head Neck Surg 2006;134:605-608.
47. Tahamiler R, Edizer DT, Canakcioglu S, et al. Odiosoft-Rhino versus rhinomanometry in healthy subjects. Acta Otolaryngol 2008;128:181-185.
48. Tatara T, Tsuzaki K. An apnea monitor using a rapid-response hygrometer. J Clin Monit 1997;13:5-9.
49. Tomkinson A, Eccles R. Comparison of the relative abilities of acoustic rhinometery, rhinomanometry, and the visual analogue scale in detecting change in the nasal cavity in a healthy adult population. Am J Rhinol 1996;10:161-165.
50. Zhao K, Pribitkin EA, Cowart BJ, et al. Numerical modeling of nasal obstruction and endoscopic surgical intervention: outcome to airflow and olfaction. Am J Rhinol 2006;20:308-316.

후각과 미각 장애

홍석찬, 배우용

I 후각 장애

1. 후각 용어의 정의

후각장애는 후각 물질에 대한 민감도의 감소와 이상 후각(dysosmia)이라고 하는 질적 변화를 포함한다. 민감도의 감소는 후각이 완전히 상실된 상태인 후각소실(anosmia)과 후각이 정상보다 감소된 상태인 후각감퇴(hyposmia)로 나뉘며, 이상 후각은 존재하는 냄새를 다르게 느끼는 상태인 착후각(parosmia)과 존재하지 않는 냄새를 느끼는 상태인 환후각 혹은 환취(phantosmia)로 나뉜다. 그리고 후각이 정상보다 증가된 상태를 후각과민(hyperosmia)이라고 한다.

2. 분류

기류의 차단(airflow blockage)으로 인하여 후각 점막에 냄새(odorant)가 전달되지 못하여 생기는 후각 장애를 전도성 후각장애(conductive olfactory dysfunction)라고 하며, 후각점막의 손상이나 후각전달 신경계통의 이상으로 인하여 생기는 후각장애를 감각신경성 후각장애(sensorineural olfactory dysfunction)라고 한다. 만성 비부비동염과 같은 몇몇 질환들은 한 때 순수한 전도성 장애로 생각되었지만, 최근에는 감각신경성 장애를 동반한 혼합성 후각장애(mixed olfactory dysfunction)로 인식되고 있다.

3. 원인

1) 폐쇄성 비부비동 질환 (Obstructive sinonasal diseases)

비강과 부비동의 염증성 질환인 비염, 부비동염, 비용(nasal polyp) 등은 전도성 후각장애의 가장 많은 원인을 차지한다. 점막의 염증에 의한 후각부위의 폐쇄는 대개 일시적이나, 만성화되면 지속적인 후각장애를 일으키게 되며 후각 장애가 있는 환자의 약 15%를 차지한다. 일반적으로 비용을 가지고 있는 사람이 더욱 심한 후각장애를 일으켜서 후각소실의 양상을 보이는 반면, 알레르기성 비염만을 가지고 있는 사람은 후각감퇴의 양상을 보인다. 만성 비부비동염은 약물 치료나 수술 요법 등으로 치료가 가능하기 때문에 그것의 존재 여부를 철저하게 밝혀내는 것이 중요하다. 만성 비부비동염에서 후각감퇴와 후각소실은 비폐색, 비루, 후비루와 같은 다른 증상과 함께 만성 비부비동염 진단에 주요 요소이다. 일반적으로 비부비동염에 의한 후각장애는 비폐색, 호흡기 점막 부종, 그리고 후열(olfactory cleft)로 가는 기류의 감소에 의한 전도성 후각장애로 인식된다. 그러나 최근 연구에 의하면 기도 개방성과 후각기능은 심한 비폐색이 있지 않으면 관련이 적고, 전반적인 증상 및 내시경 소견, CT 소견 등이 후각기능과 관련성이 있는 것으로 보고 되고 있다.[20] 또한 비용종 제거를 포함한 부비동내시경수술도 후각기능 개선에는 도움이 되나 제한적일 수 있다.[12] 이러한 결과는 후각장애가 기류 폐쇄뿐 아니라 점막 염증 등이 관여하여 발생하는 감각신경성 후각장애가 동반될 수 있는 것으로 생각된다. 비중격의 변형(septal deformity)[45]이나 하비갑개비후(hypetrophied inferior turbinates)가 심할수록 후각이 감소되었다는 보고가 있으나[28] 이들 병변과 후각 사이의 관련성에 대해서는 더 많은 연구가 필요하다. 비강이나 부비동에 발생하는 여러 가지 종양들은 후열을 완전히 폐쇄하여 전도성 후각장애를 일으킬 수 있다.

2) 상기도 감염(Upper respiratory tract infection)

상기도 감염에 의한 후각장애는 가장 흔한 후각장애의 하나로 상기도 감염이 해결된 후에도 지속적으로 후각장애가 남아 있는 경우를 말한다. 후각수용체세포(olfactory receptor cells)는 외부에 직접 노출되어 있기 때문에 여러 가지 미생물, 특히 바이러스의 침범을 받기 쉽다. 상기도 감염에 의한 후각장애의 원인은 아직 명확하지 않으나 바이러스에 의한 후각신경의 손상에 의한 것으로 알려져 있다. 현재 200종류 이상의 바이러스가 상기도 감염을 유발하지만 이들 바이러스 중 어떤 바이러스가 후각장애와 관련이 있는지는 아직 밝혀져 있지 않다. 바이러스 자체나 바이러스에 대한 면역반응으로 후각상피세포가 직접적으로 손상을 받거나 후각전달 중추신경계를 따라 후구(olfactory bulb) 등이 손상을 받을 수도 있다.[39]

상기도 감염에 의한 후각장애는 주로 감기나 인플루엔자에 의해 발생하고, 상기도 감염의 증상이 사라진 후에 인지하게 된다. 상기도 감염 초기에 발생하는 후각장애는 점막 부종에 의한 전도성 또는 폐쇄성 후각장애로 부종이 감소되면 후각이 회복된다. 그러나 일부 환자의 경우 비강 내 점막 병변이 사라진 후에도 후각장애가 지속되며, 이런 경우 바이러스에 의한 감각신경성 후각장애가 그 원인인 것으로 알려져 있다.[39] 상기도 감염 후 돌발적으로 발생하는 이러한 감염은 특히 다른 때보다 더 심하며, 상기도 감염과 후각장애 사이에 시간적으로 밀접한 관련성이 있어야 한다. 역학적으로 50대 이상의 여성에서 후각장애를 호소하는 경우 바이러스성 후각장애(post-viral olfactory disorder; PVOD)를 진단하는 데 도움이 된다.[24] 상기도 감염에 의한 후각장애는 다른 원인에 의한 후각장애에 비해 후각소실보다는 후각감퇴의 비율이 높은 것으로 보고되고 있다.[2,39]

이상후각은 일반적인 증상으로 대부분 착후각의 형태로 나타나나 환후각의 형태로도 나타날 수 있다. 이것은 부분적으로 불완전한 후각장애와 관련이 있는 것으로 보인다. 또한 많은 환자들은 초기에 미각소실(ageusia)을 호소하며, 1/3 정도는 미각이상(dysgeusia)을 호소한다. 그러나 실제 측정 가능한 미각장애는 드물다.[39] 많은 경우에 상기도 감염의 증상은 비염이나 부비동염과 증상이 비슷하여, 병력청취만으로는 진단을 내리기가 어렵다. 비내시경은 점막 수축 전후에 시행하며, 비부비동염이나 비용종, 종양과 같은 비강 내 병변을 확인하며, 특히 냄새가 전달되는 경로인 후열을 반드시 관찰하여야 한다. 뇌내 병변을 확인하기 위해서는 후각신경 외 다른 중추 신경검사를 포함한 신경학적 검사를 시행해야 한다. 다른 신경학적 증상이 있으나, 후각장애와 상기도 감염과의 관련성을 명확히 밝힐 수 없다면 뇌내 병변을 확인하기 위해서 MRI가 추천될 수 있다. CT 검사는 적절한 병력청취와 비내시경을 함께 시행할 경우 필요치 않을 수 있으나, 기저 비부비동 질환을 확인하는 가장 명확한 방법이 될 수 있다.

상기도 감염에 의한 후각장애 환자의 일부에서는 후각신경의 재생에 의해 후각기능의 자연적인 회복이 가능하며 그러한 회복은 수년에 걸쳐서 일어날 수 있다.[31] 후각장애에 대하여 현재까지 명확하게 밝혀진 효과적인 치료방법은 없으나, 강력한 항염증 약물인 Glucocorticoid를 임상에서 주로 사용하고 있으며 그 효과를 증명하기 위해 노력 중이다. 하지만 대부분의 환자들이 후각장애 후 수개월에서 수년 후에 병원을 방문하기 때문에 고용량의 스테로이드나 항바이러스 요법이 상기도 감염에 의한 후각장애 초기에 도움을 줄 수 있을지는 확실하지 않다. 그 외에도 오랫동안 아연(Zinc)이 후각장애에 효과적인 치료제제로 생각되었으나, 효과는 아직 명확히 밝혀지지 않았다.[39] 또한 상기도 감염에 비강 내 아연 겔(intranasal zinc gluconate gel)을 사용하면 심한 후각 장애를 야기할 수 있으므로 사용을 금한다.[1] 최근 후각기능이 냄새에 대한 반복적인 자극에 의해 조절되며, 여러 냄새에 의한 후각훈련(olfactory training)이 후각 기능의 회복에 도움을 줄 수 있다는 연구가 보고되었다.[2]

3) 두부손상(Head trauma)

두부손상은 후각장애의 주요 원인 중의 하나로 15% 정도 차지하며, 두부손상 환자의 7%에서는 후각소실이 일어난다. 후각기능의 소실은 손상 정도가 심할수록 그리고 외상 후 기억상실의 기간이 길수록 더 흔하다. 후각소실은 전두부의 손상보다는 후두부의 손상에서 많이 발생하나, 대부분의 두부손상이 전두 부위에서 일어나기 때문에 전두부의 손상이 외상에 의한 후각 소실의 가장 흔한 원인이 된다. 외상에 의한 후각장애의 기전은 후사의 전단(shearing of olfactory filaments), 후구의 좌상(olfactory bulb contusion), 전두엽의 손상(frontal lobe injury) 등을 생각해볼 수 있다. 두부손상으로 인한 후각장애의 11%는 비골골절이나 안면부의 좌상에 의하여 발생한다.[49] 불행하게도 많은 두부외상에 의한 후각장애는 특별한 치료가 없고, 예후는 시간이 지날수록 나빠진다. 외상 후 후각소실 환자가 자연적으로 회복될 가능성은 8~39% 정도이다. 후각기능의 회복에는 수일에서 수년이 걸릴 수 있으며, 국한된 부종이나 응혈의 경우에는 회복이 빠르나 신경이 손상된 경우에는 장기간의 회복 기간이 필요할 수 있다. 후각신경이나 후각피질의 손상은 치료될 수 없으나, 일부 전도성 장애는 치료가 가능하다. 비부비동 내 직접적인 손상은 점막 부종이나 혈종, 해부학적 변형을 유발할 수 있고, 스테로이드제와 같은 약물치료나 비중격 교정술, 중비갑개 교정술 등의 수술적 치료가 도움을 줄 수 있다. 또한 외상 후 생기는 비부비동염에 의한 후각장애는 부비동내시경수술을 통해 개선할 수 있다.[14]

4) 화학적 손상(Chemical Injury)

여러 가지 화학물질과 약물들이 후각에 영향을 미칠 수 있다. 작업장에서의 유기 화합물, 비금속성 무기화합물 등에의 노출, 야금술, 먼지 등도 후각장애를 일으킬 수 있다. 환경 독소에 의하여 영구적 손상이 발생한 경우 이를 회복시킬 수는 없으나, 급성 노출 시에는 독소의 원인을 제거하는 것이 후각의 회복에 도움이 된다.[44] 후각에 영향을 미칠 수 있는 약물로는 항암제, 항생제, 항갑상선제, 아편제, 교감신경흥분제, 제산제, 항파킨슨약제 등이 있다(표 8-1).

5) 노령(Aging)

후각기능 감소는 정상 노화 현상으로 발생할 수 있다. 건강한 성인에서 노화는 후각기능 감소의 가장 큰 관련인자로, 흡연보다 더 큰 영향을 미치는 것으로 알려져 있다. 노화와 관련된 후각기능 감소는 65세 이상 노인의 50% 이상에서 나타나고, 남자에서 더 심하다.[12] 노화에

표 8-1. 후각에 영향을 미칠 수 있는 약물

분류	약품
교감신경흥분제	Amphetamines, Phenmetrazine theoclate, Fenbutrazate
근이완제와 항파킨슨제	Baclofen, Chlormezanone, Levodopa
마약	Codeine, Hydromorphone, Morphine
부분마취제	Benzocaine, Procaine, Cocaine, Tetracaine
소독제	Hexetidine
이뇨제와 혈압강하제	Captopril, Diazoxide, Ethacynic acid
지질저하제	Clofibrate
항갑상선제	Carbimazole, Methimazole, Methylthiouracil, Propyl thiouracil, Thiouracil
항기생충제	Metronidazole, Niridazole
항류마티스제	Allopurinol, Colchicine, Gold, Levamisole, D-penicillamine, 5-thiopyridoxine, Phenylbutazone
항생제	Amphotericin B, Ampicillin, Cefamandole, Griseofulvin, Ethambutol, Lincomycin, Sulfasalazine, Streptomycin, Tetracycline, Tyrothricin

의한 후각기능의 변화는 복합적인 원인으로 발생하며, 후각상피세포의 감소, 후구의 광범위한 퇴화, 사상판 구멍의 골화나 폐쇄, 신경변성질환의 초기 단계, 후각 수용체 세포의 반복적인 손상 등이 포함된다.[8] 조직학적으로는 노화에 따라 후각점막 내의 후각상피세포가 호흡상피세포로 점차 대체되게 되며, 이는 후각상피세포의 소실을 반영한다. 지지세포(supporting cells)는 비교적 손실이 적은 반면, 후각 수용체 세포는 손실이 많이 생긴다. Bowman선(Bowman's glands)은 관(duct)이 확장되거나 상피세포가 관 내로 이주한 소견을 보일 수 있다. 또한 상피세포의 두께가 감소하고, 감각신경의 감소를 볼 수 있다. 노령으로 인한 후각장애와 미각장애는 음식에서 얻을 수 있는 즐거움을 감소시킬 뿐만 아니라 영양학적 및 면역학적 결핍을 일으키고 특이한 식이요법에 집착하게 만든다.[37]

6) 내분비·대사 이상 (Endocrine-metabolic disorders)

당뇨병, 애디슨병(Addison's disease) 등은 후각장애와 관련이 있다. 비타민 A의 결핍, 비타민 B1의 결핍(Korsakoff 증후군), 요독증(uremia) 등은 후각소실을 일으킬 수 있다. 만성 신부전 환자에서는 냄새에 대한 역치(odor threshold)가 증가하며, 신장이식 후에는 정상적인 후각을 회복할 수 있으나 투석만으로는 후각장애에서 회복시킬 수 없다.[12] 간경화증이 있는 환자에서도 후각인지 능력이 떨어지는데 이는 병의 정도와 밀접한 관련이 있다.[41]

7) 신경퇴행성 질환, 신경과적 질환 (Neurodegenerative and neurologic diseases)

Alzheimer병이나 Parkinson병 등은 후각장애와 관련이 많다. 후각장애는 이러한 병을 가진 환자에게서 가장 먼저 발견할 수 있는 증상 중 하나이며, 주로 중추성 후각장애에 의하여 일어난다. Parkinson병을 가진 환자들에서는 냄새에 대한 인지능력(odor identification ability)이 손상되며, 항피킨슨병 약을 사용한다 하더라도 큰 영향을 받지 않는다.[7] 경도의 인식장애(mild cognitive impairment)가 있는 환자에서도 후각인지 능력이 정상인에 비하여 손상되기 때문에 초기 치매의 진단에 후각인지 검사를 시행할 것을 주장하는 학자도 있다.[8] 뇌의 여러 부위(편도, 해마, 판개 등)에서 시작되는 단순 부분 발작(simple partial seizure)이 있는 경우 불쾌한 감각을 유발할 수 있다.[6]

8) 종양(Tumors)

반전성 유두종(inverted papilloma), 편평세포암종(squamous cell carcinoma), 감각신경모세포종(esthesioneuroblastoma) 같은 비강 내 종양은 후각상피를 직접 파괴하거나 전도성 장애를 일으킨다. 그 밖에 뇌수막종(meningioma), 후신경교종(olfactory glioma) 같은 전두개와의 종양도 후각장애를 일으킨다. 다른 여러 가지 증상이 나타날 수 있지만, 후각소실이 처음으로 나타나는 증상일 수도 있다. 종양은 후각소실을 일으키는 드문 원인이지만 감별진단 시 꼭 고려해야 한다.

9) 선천성 이상(Congenital disorders)

후각소실과 관련성이 있는 가장 흔한 선천성 이상인 Kallmann 증후군은 불완전 표현형의 상염색체 우성유전(autosomal dominant inheritance with incomplete expressivity)을 하며, 주요 발현증상은 성기능부전(hypogonadotrophic hypogonadism)과 후각소실이다. 때로 두개안면부의 이상, 잠복고환증, 난청, 신장의 이상 등이 나타날 수 있다. 이밖에 Turner 증후군을 가진 사람에서도 후각장애가 나타나는데 성염색체 결여와 관계가 있으며, 생식선기형(gonadal dysgenesis), 저신장증(short stature), 익상경(webbing of the neck), 팔꿈치 관절의 외반(cubitus valgus), 심장기형(cardiac defect), 낮은 후두부 모발선(low posterior hair line) 등 여러 가지 이상이 나타난다.

10) 의인성 원인(Iatrogenic causes)

후각장애는 다양한 의인성 원인에 의해서도 발생할 수 있다. 특히 전두개저(anterior skull base) 수술 후에 후각장애가 많이 발생한다. 후두전적출술 후에도 비강기류의 소실과 함께 후각기능 자체가 저하 또는 소실된다. 두경부의 방사선치료 후에도 후각기능이 저하되는데, 회복되는 기간이나 정도는 개인차가 심하다. 여러 종류의 코 수술도 후각기능에 영향을 줄 수 있는데, 코 수술 후 후각소실을 나타낼 확률은 1.1% 정도이다.[15]

11) 정신질환(Psychiatric diseases)

정신분열증(schizophrenia), 우울증(depressive illness), 후각연상증후군(olfactory reference syndrome), 외상후 스트레스 질환(post-traumatic stress disorder), 혼돈장애(confusional state) 등의 정신과 질환을 가지고 있는 환자에서 환취(olfactory hallucination)가 나타날 수 있다. 많은 정신분열증 환자들은 냄새를 감지하거나 인지하는 능력이 감소하는데, Alzheimer병이나 Parkinson병을 가지고 있는 환자들보다는 정도가 비교적 약하다.

4. 진단

1) 병력청취

환자에게서 병력을 청취할 때에 가장 중요한 것은 환자의 주된 증상을 진지하게 듣고 환자의 문제에 대하여 동정심을 가지고 받아들이는 것이다. 질문은 환자의 주된 증상이 후각장애인지, 미각장애인지 또는 왜곡된 지각(distorted perception)인지를 정확하게 파악하는 것에서 시작한다. 많은 환자들이 미각장애를 함께 호소하지만, 미각기능 자체는 정상인 경우가 대부분이다.

다음으로 중요한 것은 증상의 시작과 관련된 외상, 바이러스성 상기도 감염, 화학물질에의 노출 등의 선행사건들을 주목하는 것이다. 증상의 시작이 급성인 경우는 바이러스나 외상에 의한 손상이 많고, 점진적인 경우는 비강이나 부비동 질환인 경우가 많으며, 서서히 진행성인 경우는 전신 질환이나 종양에 의한 경우가 많다.

이 밖에도 증상이 지속적으로 나타나는지 또는 간헐적으로 나타나는지를 관찰하는 것이 중요하다. 외상에 의한 후각장애는 후각소실인 경우가 많고, 바이러스나 비부비동질환에서는 후각감퇴나 후각소실이 나타난다. 이상후각(dysosmia)은 바이러스에 의한 후각장애에서 자주 나타난다. 이 때 이상후각이 주위에 존재하는 어떤 냄새를 다른 냄새로 느끼는 착후각인지, 아니면 주위에 냄새가 없는데도 냄새가 있다고 느끼는 환후각인지를 감별하는 것이 중요하다. 착후각은 대부분 비부비동 감염에서 생기며, 드물게는 대사성 이상에서도 생긴다.

후각 장애와 관련이 있는 비부비동염, 알레르기비염, 신부전증, 간질환, 당뇨병, 갑상선기능저하증 등과 같은 여러 가지 질환들에 대하여 물어 보아야 하며 코나 부비동의 수술력 등도 확인해야 한다. 가정이나 직장에서의 독성물질 노출 가능성도 고려해야 하며, 환자나 가족들의 신경과적 문제에 대하여도 질문하는 것이 좋다. 이 밖에도 환자가 복용하고 있거나 복용한 적이 있는 약물에 대하여 질문해야 한다.

2) 이학적 검사

철저한 두경부 검사(head and neck examination)를 실시해야 한다. 후각장애가 전도성인지 감각신경성인지를 구별하는 것이 중요하다. 전비경검사(anterior rhinoscopy)를 시행하여 알레르기 비염, 위축성 비염, 감염성 비염, 혈관운동성 비염 등 여러 종류의 비염의 존재 여부를 확인한다. 후열을 막고 있는 질환이 있는데도 전비경검사 결과가 정상인 경우가 있으므로 조심한다. 최근에 비내시경술(nasal endoscopy)이 발달함에 따라 더욱 정확한 비과적 진단이 가능해졌다. 비내시경을 사용함으로써 좁은 후열까지도 관찰하기가 용이해졌다. 비강의 높은 곳에 위치한 비용이나 개구비도단위(ostiomeatal unit; OMU)의 병적 질환도 전도성 후각 장애의 원인이 된다. 이 밖에도 신경과적 검사가 중요한데, 이는 Alzheimer병이나 Parkinson병의 첫 증상으로 후각장애가 나타날 수 있기 때문이다.

3) 후각검사

후각검사는 특정한 냄새의 인지(identification) 여부, 후각의 역치(threshold), 각 냄새의 식별(discrimination) 여부 등을 측정하는 검사이다. 환자에게 단순히 몇몇 냄새를 인지할 수 있는지를 질문하는 것만으로는 충분하지 않으며, 정확한 정신물리적 검사(psychophysical tests)를 시행해야 한다.

미국에서 현재 사용중인 검사방법으로는 UPSIT (University of Pennsylvania Smell Identification Test)와 CCCRC test (Connecticut Chemosensory Clinical Research Center Test) 등이 있다. UPSIT는 40가지의 냄새(microencapsulated odorants)를 연필 등으로 긁은 다음에 냄새를 맡게 하는 방법(scratch and sniff)을 이용한다. 4개의 보기 중에서 1개를 강제로 선택하게 하여 정확하게 맞힌 점수를 산출한 후, 나이와 성별로 된 표에서의 백분위수에 따라 환자의 인지 능력을 측정한다.

최근에는 미국 내의 여러 민족에게 익숙하다고 생각되는 냄새를 12개의 미세캡슐에 넣어 검사하는 CC-SIT (Cross-Cultural Smell Identification Test)도 사용되고 있다. CCCRC test는 부탄올을 이용한 후각역치와 10개의 냄새를 이용한 후각인지의 합산점수(composite score)를 이용하여 후각장애의 정도를 측정한다.

일본에서 현재 사용되는 검사방법은 T&T 후각계(T&T olfactometer)와 Alinamin 검사다. T&T 후각계는 일본인에게 익숙한 5개의 냄새를 여러 농도로 나눈 다음에 환자의 감지역치(detection threshold)와 인식역치(recognition threshold)를 이용하여 후각장애의 정도를 측정한다. Alinamin 검사는 Alinamin (thiamine propyldisulfide)을 정맥내주사를 한 후에 느껴지는 마늘냄새를 처음으로 느끼는 잠복시간(latent time)과 계속하여 느끼는 지속시간(duration time)을 측정하여 후각장애의 정도를 파악한다. 주입된 냄새의 강도에 따라 활성화되는 뇌부위가 다르다.[22] 최근 일본에서 개발된 Jet Stream Olfactometer (JSO)는 CCCRC test와 진단적 가치면에서 매우 밀접한 상관관계가 있다고 보고되었다.[43]

우리나라에서는 한국인에게 익숙한 냄새를 사용한 odor pen을 이용한 KVSS test (Korean Version of Sniffin' Sticks test)가 개발되었다. 이 검사에서는 부탄올을 이용한 후각역치점수, 16개의 냄새를 사용한 후각식별점수, 한국인에게 익숙한 16개의 냄새를 이용한 후각인지점수를 산출하여 이들을 합산한 점수로써 후각장애의 정도를 평가한다.

이 밖에도 전기생리적 검사(electrophysiological tests)로서 냄새로 코를 자극한 후에 직접 후각상피에 나타나는 전위(potential)를 측정하는 전기후각검사(electro-olfactogram; EOG), 냄새로 자극한 후에 나타나는 EEG상의 변화를 측정하는 후각유발전위검사(olfactory evoked potential; OEP), OERP (olfactory event-related potential) 등이 있다. 최근에는 코를 냄새로 자극한 후에 나타나는 자장의 변화를 측정하는 자기뇌촬영술(magnetoencephalography; MEG)도 사용되고 있다. 열 종류의 후각검사에 대한 검사-재검사신빙성(test-retest reliability) 연구에서는 감지역치가 인식역치보다 신빙성이 높았으며, 측정 시 단순상승방법(single ascending procedure)보다는 계단식 상승방법(staircase ascending procedure)의 신빙성이 더 높았다.[5]

4) 방사선 검사

후각장애의 많은 원인들이 병력과 신체검진에서 진단되기 때문에 방사선 검사가 자주 시행되지는 않는다. 환자가 가지고 있는 후각장애의 원인이 전도성이라고 생각될 때는 관상면(coronal) 부비동 CT인 OMU CT를 촬영하면 염증성 질환을 발견하는 데 크게 도움이 된다. 부비동 CT를 통하여 후열을 정확히 파악할 수 있고, 개구비도단위의 미세한 병변도 발견할 수 있다. 단순 부비동 방사선

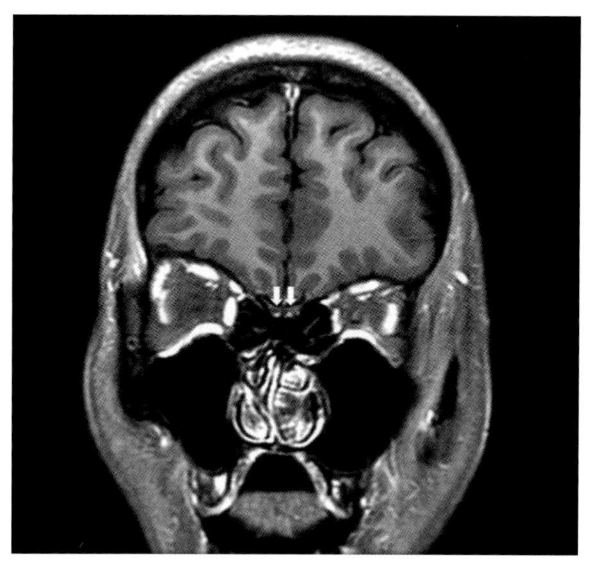

■ 그림 8-1. **T1 강조 MRI 관상면에서 관찰되는 후구(화살표)**

촬영은 사골동과 비강상부를 정확하게 나타내지 못하기 때문에 전도성 후각장애를 진단하는 데에는 적합하지 않다. 이 밖에 점진적으로 진행하는 후각장애의 경우에는 후신경구수막종(olfactory groove meningioma), 안장위(suprasellar) 방향으로 진행된 뇌하수체 종양(pituitary tumors with suprasellar extension), 전두엽 신경교종(frontal lobe glioma), 전뇌동맥(anterior cerebral artery)과 전뇌교통동맥(anterior communicating artery)의 동맥류(aneurysm), 전두개와의 병변 등을 생각할 수 있으며, 이때는 MRI를 촬영하는 것이 두개 내 병변을 발견하는 데 도움이 된다. 후구는 관상면상의 T1 강조 MRI에서 쉽게 관찰되며(그림 8-1),[40] 고해상도의 2 surface-coil MRI를 사용하면 Kallmann 증후군 환자에서 후구와 후삭(olfactory tract)이 없는 것을 확인할 수 있다.[7] 착후각이 있는 환자의 후구가 착후각이 없는 환자보다 부피가 작고 뇌손상과 밀접한 관계가 있다는 보고도 있다.[34] 기능성 자기공명영상(functional MRI; fMRI)을 이용하여 노인들의 후각을 측정하면 활성화되는 뇌부위는 젊은 사람들과 비슷하지만 활성화의 크기와 부피가 작다.[46] 냄새 심상(odor image)과 관련된 뇌부위를 측정

하기 위하여 양전자방출단층촬영술(positron emission tomography; PET)을 활용할 수 있으며,[4] 여러 냄새에 대한 대뇌피질의 처리과정에 대한 연구를 위하여 PET를 사용하기도 한다.[36]

5) 추가 진단방법

병력청취에서 적응증이 밝혀지면 임상병리검사를 시행한다. 예를 들면 갑상선기능저하증과 당뇨병 환자에서 후각장애와 미각장애가 동반된 경우가 많다. 이 밖에 비타민 B12, 아연, 구리의 결핍이 있는 경우 드물게 후각장애와 미각장애를 유발할 수 있다. 정확한 진단을 내리기 위하여 후각점막의 생검을 실시할 수 있는데, 침습적이고 조직을 얻는 데 어려움이 있으며 생검결과를 판독하는 전문가가 필요하기 때문에 주로 연구 목적으로 시행된다.

6) 위후각장애 검사

여러 가지 사고가 발생했을 때, 보험회사의 배상을 염두에 두고 후각장애가 생겼다고 호소할 수 있다. 피검자가 암모니아 혹은 다른 삼차신경 자극 물질에 대해 얼굴을 찡그리거나 눈물을 흘리면서도 반응을 보이지 않을 경우 위후각장애로 추정한다. 이 밖에도 강제적 선택 검사(forced-choice test)에서 피검자가 우연에 의한 확률보다 더 낮은 반응을 보일 경우 위후각장애로 진단한다. 예를 들어, 미국에서 사용되고 있는 UPSIT는 4개의 보기 중에서 1개의 답을 고르는 검사(four-alternative forced-choice test)이기 때문에 후각소실자라 하더라도 정답에 반응할 확률이 25%(10항목)이다. 한국에서 개발된 KVSS 검사는 후각역치능력뿐만 아니라 후각식별능력과 후각인지능력을 포괄적으로 측정하는 검사(comprehensive olfactory function test)이기 때문에 꾀병을 부리기는 어렵다.

그 외에 최근에 발달하고 있는 EOG, OEP, MEG 등의 전기생리적 검사를 시행하면 위후각장애에 대한 객관적 검사가 가능할 것이다.

5. 치료

1) 내과적 치료

(1) 경구용 스테로이드 요법

후각장애의 많은 원인이 비강과 부비동 질환 때문에 생긴다. 경구용 스테로이드는 항염작용(anti-inflammatory property)을 가지고 있기 때문에 비강과 부비동 질환을 가진 환자를 후각장애에서 회복시키는 데 도움이 된다.[11] 경구용 스테로이드를 장기간 사용하면 여러 가지 부작용이 생기며, 반복하여 사용하면 속성내성(tachyphylaxis)도 생기는 것으로 되어있다. 비알레르기성 부비동 질환을 가진 환자에게 다량의 경구용 스테로이드를 단기간 사용하면 후각장애의 치료에 효과가 있으나 상기도 감염에 의한 후각장애의 회복에는 큰 효과가 없다.[39]

(2) 국소용 스테로이드 요법

비용종증 같은 부비동 질환과 관련된 후각장애의 경우 8주~5개월간 장기간 국소용 스테로이드를 사용하면 60~80%에서 후각장애가 개선된다.[3,25] 박테리아성 감염이 동반된 경우에는 국소용 스테로이드를 사용하기 전에 항생제 치료를 선행하는 것이 좋다. 국소용 스테로이드의 적절한 도포를 막는 비강 내의 폐색이 있는 경우에는 국소용 스테로이드를 사용하기 전에 단기간 혈관수축제를 사용하는 것이 효과적이다. 국소용 스테로이드를 사용할 때는 약제의 분산을 증진하기 위하여 Moffat 자세(head-down-forward position)을 취하는 것이 좋다(그림 8-2).[38] 국소용 스테로이드를 사용하기 전에 단기간 동안 경구용 스테로이드를 사용하면 성공률이 높아질 수 있다.[3]

(3) 기타 치료법

상기도 감염에 의한 후각장애 환자의 치료에 있어, 최근 연구에 의하면 여러 냄새에 의한 반복적인 후각훈련이 후각기능의 회복에 도움을 줄 수 있다는 것을 발표 하였다. 현재까지 효과적인 치료방법이 없는 상황에서 후각

■ 그림 8-2. Moffat 자세 (머리를 아래로 숙인 자세)

훈련은 비용적인 측면뿐 아니라, 약물 사용에 대한 부작용이 없는 점, 누구나 쉽게 따라 할 수 있다는 장점을 가진다.[13]

그 외 비타민 A, 비타민 B, zinc sulfate 등을 이용하여 후각장애가 개선되었다는 보고가 있으나 치료 효과는 확실하지 않다.[2,39]

(4) 착후각을 가진 환자의 치료

비강, 부비동, 치은, 편도선 감염에 의한 착후각은 적절히 치료되어야 한다. 착후각을 일으킬 수 있는 약물은 사용을 중단해야 한다. 중추신경계의 병변이 있는 경우에는 적절히 치료하는 것이 중요하다. 본태성 착후각(essential parosmia)을 가지고 있는 20명의 여성에게 cocaine hydrochloride를 4~5회 비강 내 적하하여 완치시켰다는 보고가 있다.[48]

2) 외과적 치료

(1) 비증식성 염증성 비강 질환

만성 비부비동염은 후각감퇴나 드물게는 후각소실, 악취증(cacosmia) 등을 일으킨다. 만성 비부비동염에는 최근에 발달한 부비동내시경수술을 시행하는 것이 좋다.[11] 이 수술의 목적은 가능한 한 정상 점막을 보존하면서, 관련된 부비동의 배액(drainage)과 환기(ventilation)를 증진하고, 점액섬모수송(mucociliary transport)을 용이하게 하는 것이다. 국한성 사골동염(localized ethmoiditis)에 의한 후각장애에 대하여 비내 사골동절제술(endonasal ethmoidectomy)을 실시한 경우 80%에서 후각기능이 호전되고,[47] 30세 이하의 환자들이 50세 이전의 환자들보다 수술 후 후각기능이 더욱 호전된다고 보고되었다.[27]

말초성의 지독한 이상후각이나 착후각이 있는 경우에는 zinc chloride를 사용한 후각상피의 직접적 파괴나 양측전두개두술(bifrontal craniotomy)을 통한 후구의 파괴 혹은 절제를 통하여 치료할 수도 있다.

(2) 증식성 염증성 비강 질환

비용종증을 동반한 만성 부비동염에서 부비동내시경수술은 후각감퇴와 후각소실을 개선하고 후각식별능력을 증진한다.[11] 부비동내시경수술 시 부분적 중비갑개 절제술(partial middle turbinate resection)은 후각에 큰 영향을 미치지 않는 것으로 밝혀졌다.[10] 부비동내시경수술 후 스테로이드를 사용하면 후각소실이 장기간 회복되며,[11] 이 같은 방법은 후각기능의 회복뿐만 아니라 천식 같은 기도반응성 질환(airway reactive disease)에서 전신적 스테로이드의 사용을 감소시킬 수 있다.

(3) 비중격만곡증

심한 비중격만곡증을 가지고 있는 환자에서 후각감퇴가 발생할 수 있으며, 이는 비중격성형술(septoplasty)로 개선된다.[30] 이때 중요한 것은 비강상부의 통로를 충분히 유지하며, 후각부위에 반흔 형성을 피하면서 수술하는 것이다.

(4) 아데노이드증식증

아데노이드증식증은 비후방 후각(retronasal olfaction)에 큰 영향을 끼쳐 후각감소를 유발한다. 이런 경우 아데노이드절제술(adenoidectomy)을 시행하면 후각장애가 개선된다.[18]

3) 영양학적 치료

후각소실이나 후각감퇴를 가진 환자들은 때때로 음식을 먹는 즐거움이 줄어들었다고 호소하는데, 이것은 음식의 풍미(food flavor)를 느끼는 능력이 감소되었기 때문이다. 만약 영양실조(malnutrition)가 의심되면 영양상태를 파악하기 위하여 혈액검사와 요검사 등을 실시한다. 파악된 영양상태에 알맞게 음식을 조절하고 환자가 음식을 즐길 수 있는 방법을 강구한다. 예를 들어 Kallmann 증후군으로 인한 선천성 후각소실을 가진 환자는 셔벗이나 푸딩 같은 균질한 질감의 음식을 좋아하지 않는다. 그러므로 이 같은 환자는 음식의 온도뿐만 아니라 다양한 질감의 음식을 먹게 하는 것이 좋다. 이 밖에 삼차신경을 자극하며 음식에 맵거나 향긋한 맛을 더하는 후추, 고추, 박하, 서양고추냉이 등을 사용하는 것도 좋다. 고혈압이나 당뇨병 환자에게는 짜거나 단 음식은 피하고 식초나 레몬 같은 신맛이 나는 음식을 먹게 한다. 섭식방법은 개인마다 다르다. 먹는 행위에서 만족을 얻으려는 환자의 경우에는 과식할 수 있으므로 체중 증가에 유의한다. 반대로 음식섭취를 회피하는 환자의 경우에는 체중감소나 영양상의 문제점에 유의한다. 착후각을 가진 환자는 후각장애를 악화시키는 음식을 피해야 하며, 방향성 음식(aromatic foods)을 피하고 차가운 음식을 섭취하는 것이 좋다. 그러나 체중 변화나 음식 회피 등이 생겼을 때는 이것이 후각장애나 미각장애로 인한 것인지, 다른 생리적·심리적 요인으로 인한 것인지를 감별해야 한다. 많은 환자들이 비타민이나 무기질을 과량 섭취하는데, 환자에게 일일 권장량 이상을 섭취했을 때 생기는 위험성을 주지시킨다. 후각장애나 미각장애로 고생하는 환자의 영양상태와 삶의 질을 증진하기 위하여 영양사와 상의하여 체중이나 음식 조절, 음식과 관련된 보상 방법을 연구하는 것도 좋은 방법이다.

II 미각장애

1. 미각용어의 정의

미각이 상실된 상태를 미각소실(ageusia)이라 하며, 미각이 정상보다 감소된 상태를 미각감퇴(hypogeusia), 미각이 정상과 다르게 느껴지는 상태를 이상미각(dysgeusia), 미각이 정상보다 증가된 상태를 미각과민(hypergeusia)이라고 한다.

2. 원인

1) 전도성 미각장애 (Conductive gustatory disorders)

방사선치료, Sjögren 증후군, 항콜린성 약물에 의한 구강건조증(xerostomia)이나 타액조직의 외과적 적출 등이 미각장애의 원인이 된다. 구강위행이 나쁜 경우(poor oral hygiene)에도 세균이 증식해 구강 내의 불쾌한 미각에 기여할 수 있다.

2) 감각신경성 미각장애 (Sensorineural gustatory disorders)

(1) 약물의 영향

많은 약물들이 미각에 영향을 미칠 수 있다.[33] 항류마티즘 약제나 항암제제 등이 가장 흔한 원인이다. Penicillamine이나 captopril 등도 미각장애를 일으킬 수 있다. 미각의 신경전도에 관여하는 약물들도 미각에 영향을 미칠 수 있다. 경구용 약제 중에서 phenylbutazone, oxyphedrine, carbamazepine, chlormezanone, acetaminophen, baclofen 등이 미각장애를 일으키며 약제 복용을 중단한 후에 미각이 완전히 회복되는 데는 수 주 내지 수개월이 걸린다고 한다. 고혈압 환자에서 이뇨제로 혈압이 잘 조절되면 소금에 대한 미각역치가 크게 감소한다.[26]

(2) 외상

외상에 의한 미각장애는 두부손상 후의 후각장애에 비하여 훨씬 적다. 미각 소실에 대한 예후도 후각소실에 대한 예후보다 훨씬 좋으며, 단맛에 대한 미각이 가장 먼저 회복된다. 말초성 신경손상의 원인으로는 측두골 골절(temporal bone fracture), 중이수술 시 고삭신경(chorda tympani nerve)의 손상, 두경부수술 시의 설신경(lingual nerve) 손상 등이다. 설신경 손상 후 7~32개월에 문합술을 시행하면 미각기능이 회복 될 수 있다.[32]

(3) 대사성 장애

미각에 영향을 미치는 내분비질환으로는 Addison병, Turner 증후군, 당뇨병, 갑상선기능저하증 등이 있다. 그러나 이러한 질환을 가지고 있는 환자들에게서 미각소실이 주된 호소 증상은 아니다. 처음 진단받은 당뇨병 환자는 특히 포도당에 대한 미각반응이 감소하지만 체신경이나 자율신경의 기능과는 관련이 없다.[29]

(4) 감염

안면신경 마비에서 보이는 고삭신경의 바이러스 감염은 미각에 영향을 미치며, 대개 가역성이다. 슬신경절(geniculate ganglion)에서의 대상포진의 활성화도 미각감퇴를 일으킬 수 있다. 급성 혹은 만성 중이염도 고삭신경에 영향을 줄 수 있다. 구강위생이 안 좋을 때는 구강내 보철물도 감염의 원인이 될 수 있다.

(5) 영양실조

영양실조는 미각에 영향을 미칠 수 있는데, 특히 비타민 B1과 아연의 결핍은 문제를 일으킬 수 있다. 단백질이나 칼로리의 결핍도 미각에 영향을 줄 수 있다. 간경변이 있는 환자에서 미각장애가 생기는데, 이것은 마그네슘결핍증과 관련이 있으며 음식의 선택에는 영향을 미치지 않는다.[21]

(6) 노령

미각도 나이와 더불어 감퇴한다. 하지만 미각의 감퇴는 후각의 감퇴만큼 현저하지 않다. 노인에서의 심한 미각감퇴는 식욕부진, 체중감소, 영양실조 등을 일으킬 수 있다.

(7) 악성 종양

상부 기도소화기계 점막의 편평세포암종은 미각수용체 세포나 신경계통을 직접 파괴함으로써 미각에 영향을 줄 수 있다. 이와 같은 악성 종양과 관련된 영양실조도 미각소실을 일으킬 수 있다. 외과적 수술이나 방사선치료도 미각에 악영향을 준다. 멀리 떨어진 부위에 발생한 악성종양도 화학요법, 방사선치료, 영양실조 등으로 미각에 영향을 미칠 수 있다. 치료 후 5년 내에 50%의 합병증을 일으킬 수 있는 방사선의 최대허용량(maximum tolerance doses)은 구강건조증이 40~65 Gy, 미각장애가 50~65 Gy로,[23] 타액선이 미각기관보다 방사선치료에 훨씬 손상되기 쉽다.[19]

3. 진단

1) 병력청취

미각장애가 있는 환자의 병력을 청취할 때에는 흡연이나 음주 여부, 구강이나 눈의 건조 여부, 두부손상 여부, 방사선치료 여부, 과거나 현재 복용하는 약물 여부, 식사 등에 대하여 질문한다. 구강, 인두, 경부, 타액선 등에 대한 과거의 수술 여부도 질문한다. 중이 질환이나 수술 여부, 타액선 부위의 종창이나 동통 여부도 알아내야 한다. 혀의 화끈거림, 치아나 치은 질환, 구강 보철물이나 이식물, 과거 구강외상 등 구강 내의 이상 여부에 대해서도 질문하는 것이 좋다. 특히 중요한 점은 후각장애가 있는지를 확인하는 것이다. 또한 미각장애가 입 전체에 있는지 특별한 부위에 국한되어 있는지를 밝히는 것도 중요하다.

2) 이학적 검사

두경부에 대한 검사를 철저히 하는데, 특히 구강 내를 자세하게 검사한다. 혀의 상태, 타액의 양과 성질, 위생 상태, 치아의 보철물 및 이식물, 점막의 삼출물, 수포 또는 출혈, 니코틴 구내염, 다른 점막의 병변 등을 철저히 관찰한다. 코의 염증이나 분비물에 유의하면서 코의 병변 유무도 조사한다. 구취(halitosis)에 유의하면 요독증, 간 질환 등의 대사성 이상, 구강 내 감염, 종양 등에 대한 단서를 잡을 수도 있다. 비강, 인두, 후두 등에 대한 내시경 검사는 꼭 필요하다. 이하선, 악하선, 설하선 등 타액선에 대하여는 시진과 촉진을 병행한다.

3) 임상검사

종양, 천포창, 편평태선, 유육종증, 아밀로이드증 등이 의심될 때는 생검을 실시하는 것이 좋다. 감염성 병변이 의심될 때는 호기성, 혐기성, 진균성 미생물에 대한 배양 검사를 실시한다. 혀의 유두(papillae)에 methylene blue를 발라서 착색이 되면 미뢰(taste buds)가 정상이며, 착색이 안되면 구심신경의 차단(deafferentation)을 의심할 수 있다. 당뇨병, 갑상선기능저하증, 간 질환, 신장 질환, 전해질 이상 등이 의심되면 철저히 검사한다.

4) 방사선 검사

임상 소견 상 적응증이 되면 경부, 두개저, 두개강 등에 대한 CT 또는 MRI를 촬영한다.[17]

5) 미각검사

미각장애가 있는 환자에게는 미각검사와 함께 반드시 후각검사를 실시한다. 미각검사는 미각의 4가지 기본 성질, 즉 단맛, 짠맛, 신맛, 쓴맛을 나타내는 물질로 시행한다. 보통 사용되는 물질은 단맛의 자당(sucrose), 짠맛의 소금, 신맛의 구연산, 쓴맛의 키니네 혹은 카페인 등이다. 미각을 자극하는 물질은 여러 가지 농도로 사용하며, 자극 전후에 탈이온화된 물로 입안을 깨끗이 헹군다. 환자에게 자극물의 성질과 느껴지는 강도를 질문한다. 이와 같은 검사로 미각기능의 전반적인 이상을 발견할 수 있다. 만약 이상이 발견되면 미각 감지역치검사(single staircase gustatory detection threshold test)를 시행한다. 만약 특수 부위의 미뢰를 관장하는 신경의 이상이 의심되면 혀의 부분적 혹은 상한적 검사(regional or quadrant testing of the tongue)를 시행한다. 또 다른 검사법은, 농도에 따라 느껴지는 강도의 변화를 측정하는 것으로 역치상 검사(suprathresold testing)이다.

이 밖에 환자가 어떤 자극물질을 다른 자극물질보다 더 강하게 혹은 약하게 느끼는지를 측정하기 위하여 강도 적합검사(magnitude matching test)를 시행할 수도 있다. 전기미각검사법(electrogustometry)은 미뢰의 신경 분포 부위에 양극전류를 주면 시고 금속성의 맛을 느끼고, 음극전류를 주면 쓰고 단맛을 느끼는 것을 이용한 검사이다. 고삭신경, 설인신경, 대천추체신경 등의 신경이 관장하는 미뢰에 대한 양극전류의 역치 표준치가 현재 알려져 있다. 방사선치료 시에 미각기능을 보존하기 위하여 전기미각검사법을 이용하면 도움이 된다.[35] 이외에도 decholin과 saccharin을 정맥 내 미각검사법(intravenous taste test)에 이용한다. 여과지판(filter paper discs)을 이용한 정성적이고 정량적인 임상미각검사법도 개발되었다.[42] 최근에는 임상에서 사용하기 위한 미각유발전위(gustatory evoked potential)에 대한 연구가 진행 중이다. 여러 농도의 초산으로 자극하여 미각유발전위를 측정하는데, 두정부(vertex)에서 가장 뚜렷하게 기록되며, 농도가 높아질수록 진폭은 증가하고 잠복기는 감소한다.[16]

4. 치료

아연 결핍에 의한 미각장애를 치료하는 데 zinc gluconate를 사용한다. Niacin이나 비타민 A의 결핍에 의한 미각장애의 경우에는 비타민을 보충하면 미각기능을 회복시킬 수 있다. 병력청취 시 미각장애를 유발하는 약물이나 식품첨가제를 발견했을 경우에는 이런 물질들을 섭취시키지 않는 것이 좋다. 음식의 풍미를 느끼는 감각이 크게 감소했을 때는 첨가제를 사용하면 음식의 수용성을 증진할 수 있다. 타액대용품(salivary substitutes)을 사용하면 구강건조증 증상을 개선할 수는 있으나 미각을 증진하지는 못한다. 타액선의 기능저하로 인한 구강건조증에 pilocarpine을 경구투여해 효과를 볼 수 있다.[9] 짜고 쓴 맛의 이상미각증(salty and bitter dysgeusia)에는 clonazepam을 사용할 수 있다. 환자에게는 음식을 꼭꼭 오래 씹고, 음식을 골고루 섭취하며, 조미료를 조금 사용해도 도움이 된다고 알려준다.

참고문헌

1. Alexander TH, Davidson TM. Intranasal zinc and anosmia : the zinc-induced anosmia syndrome. Laryngoscope 2006;116:217-220.
2. Bae WY. Postviral olfactory disorder. Korean J Otorhinolaryngol-Head Neck Surg 2010;53:669-74.
3. Banglawala SM, Oyer SL, Lohia S, Psaltis AJ, Soler ZM, Schlosser RJ. Olfactory outcomes in chronic rhinosinusitis with nasal polyposis after medical treatment: a systematic review and meta-analysis. Int Forum Allergy Rhinol 2014;4(12):986-94.
4. Djordjevic j, Zatorre RJ, Petrides M, et al. Functional neuroimaging of odor imagery. Neuroimage 2005;24:791-801.
5. Doty RL, McKeown DA, Lee WW, et al. A study of the test-retest reliability of ten olfactory tests. Chem Senses 1995;20:645-656.
6. Doty RL, Bromley SM. Effects of drugs on olfaction and taste. Otolaryngol Clin North Am 2004;37:1229-1254.
7. Doty RL. The olfactory system and its disorders. Semin Neurol 2009;29:74-81.
8. Eibenstein A, Fioretti AB, Simaskou MN, et al. Olfactory screening test in mild cognitive impairment. Neurol sci 2005;26: 156-160.
9. Fox PC, van der Ven PF, et al. Pilocarpine for the treatment of xerostomia associated with salivary gland dysfunction. Oral surg Oral Med Oral Pathol 1986;61:243-248.
10. Friedman M, Caldarelli DD, Venkatesan TK, et al. Endoscopic sinus surgery with partial middle turbinate resection: effects on olfaction. Laryngoscope 1996;106:977-981.
11. Gaines AD. Anosmia and hyposmia. Allergy Asthma Proc 2010;31(3):185-9.
12. Griep MI, Van der Neipen P, Sennesall JJ, et al. Odor perception in chronic renal No. 17 disease. Nephrol Dial Transplant 1997;12:2093-2098.
13. Hummel T, Rissom K, Reden J, et al. Effects of olfactory training in patients with olfactory loss. Laryngoscope. 2009;119(3):496-9.
14. Ikeda K, Sakurada T, Takasaka T, Okitsu T, Yoshida S. Anosmia following head trauma: preliminary study of steroid treatment. Tohoku J Exp Med. 1995;177:343-51.
15. Kimmelman CP. The risk to olfaction from nasal surgery. Laryngoscope 1994;104:981-988.
16. Kobal G. Gustatory evoked potentials in man. Electroencephalogr Clin Neurophysiol 1985;65:449-454.
17. Kobayakawa T, Endo H, Ayabe-kanamura S et al. The primary gustatory area in human cerebral cortex studied by magnetoencephalography. Neurosci Lett 1996;212:155-158.
18. Konstantinidis I, Triaridis S, Triaridis A, et al. How do children with adenoid hypertrophy smell and taste? Clinical assessment of olfactory function pre-and post-adenoidectomy. Int J Pediatr Otorhinolaryngol 2005;69:1343-1349.
19. Kuten A, Ben-Aryeh H, Berdicevsky I, et al. Oral side effects of head and neck irradiation: correlation between clinical manifestations and laboratory data. Int J Radiat Oncol Biol Phys 1986;12:401-405.
20. Litvack JR, Mace JC, Smith TL. Olfactory function and disease severity in chronic rhinosinusitis. Am J Rhinol Allergy 2009;23(2):139-44.
21. Madden AM, Bradbury W, Morgan MY. Taste perception in cirrhosis: its relationship to circulating micronutrients and food preference. Hepatology 1997;26:40-48.
22. Miyanari A, Kaneoke Y, Ihara A, et al. Neuromagnetic changes of brain rhythm evoked by intravenous olfactory stimulation in humans. Brain Topogr 2006;18:189-199.
23. Mossman K, Shatzman A, Chencharick J. Long-term effects of radiotherapy on taste and salivary function in man. Int J Radiat Oncol Biol Phys 1982;8:991-997.
24. Mott AE, Leopold DA. Disorders in taste and smell. Med Clin North Am 1991;75:1321-53.
25. Mott AE, Cain WS, Lafremiere D, et al. Topical corticosteroid treatment of anosmia associated with nasal and sinus disease. Arch Otolaryngol Head Neck Surg 1997;123:367-372.
26. Nekrasova AA, Suvorov Iul, Musaev ZM. Pathophysiologic role of the level of taste sensitivity to table salt and its determination during treatment of hypertension with diuretics. Biull Vsesoiuznogo Kardiol Nauchm Tsentra AMN SSSR 1984;7:68-72.
27. Ohtori N, Fukami M, Yanagi K, et al. Improvement of olfactory disturbance by endoscopic endonasal surgery for chronic sinusitis. Nippon Jibbinkoka Gakkai Kaiho 1995;98:642-649.
28. Ophir D, Gross-Isseroff R, Lancet D, et al. Changes in olfactory acuity induced by total inferior turbinectomy. Arch otolaryngol Head

Neck Surg 1986;112:195-197.

29. Perros P, Macfarlane TW, Counsell C, et al. Aletered taste sensation in newly-diagnosed NIDDM. Diabetes care 1996;19(7):768-770
30. Pfaar O, Huttenbrink KB, Hummel T. Assessment of olfactory function after septoplasty: a longitudinal study. Rhinology 2004;42:195-199.
31. Reden J, Mueller A, Mueller C, Konstantinidis I, Frasnelli J, Landis BN, et al. Recovery of olfactory function following closed head injury or infections of the upper respiratory tract. Arch Otolaryngol Head Neck Surg 2006;132:265-9.
32. Robinson PP, Smith KG. A study on the efficacy of late lingual nerve repair. Br J Oral maxilofac Surg 1996;34:96-103.
33. Rollin H. Gustatory disturbance as side effect of medical treatment. Laryngol Rhinol Otol(Stuttg) 1979;55:873-878.
34. Rombaux P, Mouraux A, Bertrand B, el al. Retronasal and orthonasal olfactory function in relation to olfactory bulb volume in patients with posttraumatic loss of smell. Laryngoscope 2006;116:901-905.
35. Sato K, Komata R. Quantitative examination of taste deficiency due to radiation therapy. Radiat Med 1984;2:61-70.
36. Savic-Berglund I. Imaging of olfaction and gustation. Nutr Rev 2004;62:S205-207; discussion S224-241.
37. Schiffmann SS. Taste and smell losses in normal aging and disease. JAMA 1997;278:1357-1362.
38. Scott AE. Medical management of taste and smell disorders. Ear Nose Throat J 1989;68:386, 388-390, 392.
39. Seiden AM. Postviral olfactory loss. Otolaryngol Clin N Am 2004;37:1159-66.
40. Suzuki M, Takashima T, Kadoya M, et al. MR imaging of olfactory bulbs and tracts. AJNR Am J Neuroradiol 1989;10:955-957.
41. Temmel AF, Pabinger S, Quint C, et al. Dysfunction of the liver affects the sense of smell. Wien Klin Wochenschr 2005;117(1-2):26-30.
42. Tomita H, Ikeda M, Okuda Y. Basis and practice of clinical taste examinations. Auris Nasus Larynx 1986;13 Suppl 1:S1-15.
43. Tsukatani T, Reiter ER, Miwa T, et al. Comparison of diagnostic findings using different olfactory test methods. Laryngoscope 2005;115:1114-1117.
44. Upadhyay UD, Holbrook EH. Olfactory loss as a result of toxic exposure. Otolaryngol Clin North Am 2004;37:1185-1207.
45. Vainio-Mattila J. Correlation of nasal symptoms and signs in random sampling study. Acta Otolaryngol 1974;Suppl 318:5-48.
46. Wang J, Eslinger PJ, Smith MB, et al. Functional magnetic resonance imaging study of human olfaction and normal aging. J Gerontol A Biol Sci Med Sci 2005;60:510-514.
47. Yamagishi M, Hasegawa S, Suzuki S, et al. Effects of surgical treatment of olfactory disturbance caused by localized ehmoiditis. Clin Otolaryngol 1989;14:405-409.
48. Zilstorff K. Olfactory disturbance: diagnosis and treatment. ORL Digest 1972, p.37-43.
49. Zusho H. Posttraumatic anosmia. Arch Otolaryngol 1982;108:90-92.

CHAPTER

09

비성 두통과 안면통

박용진, 박성국

두통과 안면통은 일차 혹은 이차 의료기관을 찾는 주된 요인이나 연관통(referred pain)이나 다른 질환의 증상으로 중첩되어 나타나는 경우가 많아 진단하기가 까다로운 증상이다. 따라서 근거에 기반을 둔 정확한 진단만이 잘못된 치료, 특히 외과적 치료를 피할 수 있을 뿐 아니라 여러 과의 전문의들과도 일치된 의견을 이끌어 낼 수 있다. 이를 위해서는 완전한 병력청취와 더불어 포괄적인 임상검사가 필수적이다.

완전한 병력 청취를 위해서는 현병력, 과거력, 가족력 및 사회력 등을 세밀하게 물어보아야 한다. 특히 현병력을 물어볼 때는 두통 혹은 안면통이 처음 발생한 나이, 빈도와 기간, 강도, 부위, 성질, 동반 증상, 호전 혹은 악화 요인 등을 포함한 통증의 특징들을 다루어야 한다. 전신검사와 방사선검사를 실시하며, 전신검사로는 귀, 코, 목에 대한 검사 외에 시력, 악관절, 피부를 포함하는 두경부 영역 전체를 검사한다. 급성 두통 진단 시 뇌출혈을 감별하기 위한 선택검사로 CT를 시행할 수 있으나 두통 진단에 가장 필수적인 검사는 MRI이다.

두통 및 안면통 환자의 진단과 치료를 일선에서 담당하는 전문의들은 여러 원인에 기인하는 이 증상들의 감별진단 항목에 대한 깊은 이해와 광범위한 지식을 갖추어야 한다. 이 장에서는 두통과 안면통의 병리기전에 주된 역할을 하는 삼차신경(trigeminal nerve)의 해부와 병태생리학적 지식을 설명하고,[1] 2013년 국제두통학회(International Headache Society; IHS)에서 개정한 두통질환의 분류(3rd Edition (beta version) of International Classification of Headache Disorders; ICHD-3 beta)를 소개하면서 각 질환들의 기전, 진단과 치료에 대해서도 기술한다. 마지막으로 비부비동 질환과 연관된 두통 및 안면통을 다룬다.

I 해부 및 병태생리

1. 감각신경

1) 신경지배

삼차신경은 통증에 민감한 두개 내 구조물들 중 하나로 가장 큰 뇌신경이다. 혼합신경(mixed nerve)으로 저작근(mastication muscles)에 운동근(motor root)을 제공할 뿐만 아니라 두부의 전 2/3에 체성감각(somato-sensory) 신경분포를 한다. 따라서 안면과 두피, 외이와 외이도의 일부, 비강, 구강, 치아, 측두하악골관절(temporomandibular joint), 비인두(nasopharynx)와 전두개 및 중두개와(anterior and middle cranial fossa)의 뇌막에서 오는 자극은 대부분 삼차신경을 통해 전달된다. 특히 비점막 상피와 점막하 부위에 광범위하게 분지를 내고 있는 삼차신경의 침해수용성감각신경(nociceptive sensory nerve)들 중 상악신경(maxillary nerve)이 대부분의 구심성 감각신경을 구성하고 있다(그림 9-1).

이 외에 안면신경(facial nerve), 설인신경(glossopharyngeal nerve), 미주신경(vagus nerve)에서 오는 통증신경도 삼차신경척수로(trigeminal spinal tract)까지 연결되어 통증에 관여한다.

삼차 침해수용성 신경(trigeminal nociceptive nerve)은 중추신경계에서 감각근(sensory root)을 통해 교뇌(pons)로 들어가 삼차신경척수로의 하부에서 돌아 수질(medulla)에 있는 삼차신경척수핵(trigeminal spinal nucleus)의 미부(pars caudalis)에서 끝난다. 미부 사이신경세포(interneuron)는 중앙을 가로질러 삼차시상로(trigeminothalamic tract)로 들어가 배후시상핵(ventral posterior thalamic nucleus)의 내측에서 끝난다. 아프고 강한 열적 자극은 시상(thalamus) 부위에서 평가된다.

두개 내 구조물 중 통증을 전달하는 가장 중요하면서 민감한 구조물은 혈관, 특히 대뇌 및 경막 동맥(cerebral and dural artery)의 전단부와 커다란 정맥 및 정맥동(venous sinus)인 것으로 알려져 있다.[36] 삼차신경은 이러한 뇌혈관 및 경막혈관에 분포하는데, 특히 삼차신경의 제1 분지인 안신경(opthalmic nerve)은 천막상경막(supratentorial dura) 및 이와 연관된 정맥 구조물(예 : 상시상정맥동(superior sagittal sinus)의 대부분에 통증 감각신경으로 분포한다.

2) 침해수용 및 신경성 염증반응

2가지 종류의 신경섬유가 침해수용(nociception) 기능을 매개한다. Aδ 섬유는 처음 시작되는 날카로운 통증을 전달한다. 연이어 전달되는 둔하며 훨씬 더 긴 통증은 무수초성 C 섬유(unmyelinated C fiber)가 전달한다. C 섬유는 원시 감각기로 보이는 신경종말을 가지고 있다. 이러한 화학 반응에 민감한 신경세포(chemosensitive neuron) 및 기계-열에 민감한 신경세포(mechanothermal-sensitive neuron)는 비점막 손상 혹은 알레르기 항원 노출 후 비만세포 탈과립에 따라 분비되는 히스타민(histamine), bradykinin, 세로토닌(serotonin), K^+&H^+ 같은 염증 매개체에 의해 자극받을 수 있다.[7] 또한 아황산가스(SO_2), 오존(O_3), 포름알데히드, 니코틴, 담배연기, 고춧가루의 함유물인 capsaicin과 같은 흡입 물질도 이 신경들을 자극할 수 있다.

말초 침해수용성 신경종말(nociceptive nerve ending)의 탈분극은 축삭(axon)과 광범위하게 분지된 신경가지를 통해 전달된다. 탈분극이 전달되면 분비선과 혈관 근처에서 발견되는 신경분비종말에서 함께 모여 있는 신경펩티드들이 분비된다(그림 9-1). 동일하게 배합된 신경펩티드들은 모든 신경분비종말에서 소포(vesicle)들 속에 싸여 있다가 하나의 신경세포 중추 및 말초 종말에서 방출된다.[17]

감각신경펩티드(sensory neuropeptide)는 표적세포에 있는 특별한 수용체에 작용하여 점막손상에 대해 '신경성 염증'이라 불리는 국소 염증반응을 시작 또는 증폭시킨다.

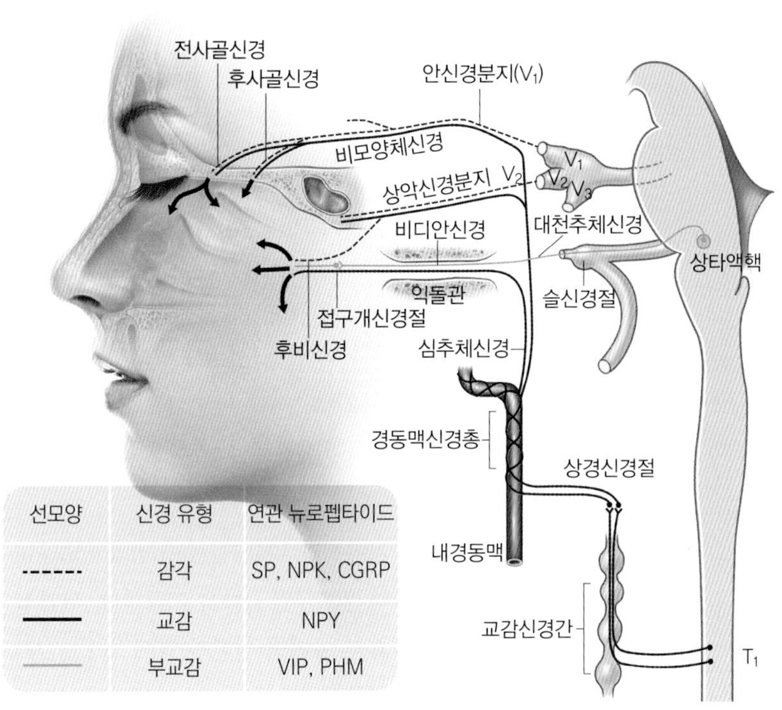

■ 그림 9-1. **비점막의 감각신경과 자율신경의 해부학적 분포와 신경펩티드**

Tachykinin인 substance P (SP)는 결합부위가 광범위하게 분포해 있어 이러한 염증 과정에서 중추 역할을 하는 것으로 알려졌다. Calcitonin gene-related peptide (CGRP)는 장시간 작용하는 중요한 혈관 확장제로 정맥동의 충전에 기여할 수 있다. 이와 같은 신경성 염증으로 발생하는 혈관의 변화는 크게 단백질 삼출의 증가와 혈관 확장으로 요약된다.

2. 교감 및 부교감신경

부교감 신경은 대개 분비선 주위에 많이 분포하는데 이 신경이 자극되면 절후신경 분지에서 아세틸콜린을 분비한다. 이것은 부교감신경 수용체를 자극하여 비즙 분비를 일으키며 어느 정도의 혈관 확장을 일으킨다.

교감신경 섬유들 또한 만성통증증후군(chronic pain syndrome)에서 역할을 한다.[14] 체성 감각 및 운동 신경들은 같은 신경 다발로 함께 이동한다. 교감신경 내에서 교감 구심성 섬유가 이동하지만 그들의 세포체는 등쪽근(dorsal root) 혹은 삼차신경절에 있다. 척수에서 그들이 내측 사이신경세포 집합체를 자극하면 차례로 구심성 교감신경의 외측 각질세포(horn cell)가 자극되며 이들이 원심성 교감 및 체성 전방 각질세포를 자극한다. 이러한 복잡한 신경지배의 혼란이 만성교감성통증증후군을 유발한다.

Ⅱ 두통질환

두통에 대한 용어와 분류방법은 여러 가지가 사용되었으나 1988년 IHS는 이들을 통합하여 국제두통질환분류(ICHD)을 발표하였고, 2004년에 이를 3부, 총 14개의 장으로 개정 분류(ICHD-II)하였다.[23] 이후 2013년 ICHD-III 베타판의 발표와 더불어 2016년까지 임상적용을 하도록 권고하였다.[24] 국내에서도 IHS의 공식 인증 절차를 거

표 9-1. 두통의 분류(K-ICHD-3 beta, 2013)

1부. 원발두통
1. 편두통
2. 긴장형두통
3. 삼차자율신경두통
4. 기타 원발두통
2부. 이차두통
5. 머리나 목의 외상 또는 손상에 기인한 두통
6. 두개 또는 경부의 혈관질환에 기인한 두통
7. 비혈관성 두개 내 질환에 기인한 두통
8. 물질 또는 물질금단에 기인한 두통
9. 감염에 기인한 두통
10. 항상성질환에 기인한 두통
11. 두개골, 목, 귀, 코, 부비동, 치아, 입 또는 기타 얼굴 및 경부 구조물의 질환에 기인한 두통 또는 얼굴통증
12. 정신과질환에 기인한 두통
3부. 통증성 머리신경병증과 안면통
13. 통증성 두개신경병증과 기타 얼굴통증
14. 기타 두통질환

친 한글판 ICHD-3 베타판(K-ICHD-3 beta)이 대한두통학회에서 발표되었다. 이 분류법에 따르면 1부는 원발두통(primary headache), 2부는 이차두통(secondary headache), 3부는 통증성 머리신경병증과 안면통(Painful cranial neuropathies and other facial pains)으로 되어 있다(표 9-1). 또한 위의 3부로 된 분류 외에 부록을 추가함으로써 충분히 검증되지 않은 독특한 두통에 대한 연구 목적의 진단기준이나, 수정할 증거가 불충분하나 선택될 수 있는 대체 진단기준을 제시하고 있다. ICHD-3 베타판에서는 만성편두통이 편두통 분류 중 중요 위치를 차지하였으며, 이차두통의 분류는 전면적인 진단기준의 개정이 있었다. 또한 일부 새로운 진단기준이 주 질환분류나 부록부분에 추가되었고, 비교적 흔하고 중요한 전정편두통(vestibular migraine)이 부록에 수록되었다.

원발두통은 분명한 원인이 없는 두통 질환으로 편두통(migraine), 긴장형두통(tension-type headache), 삼차

표 9-2. 이차두통의 일반적 기준(K-ICHD-3 beta, 2013)

1. 진단기준 3을 충족하는 모든 두통
2. 두통을 유발할 수 있음이 과학적으로 입증된 다른 질환이 진단됨
3. 다음 중 최소한 두 가지로 인과관계가 입증됨:
1) 추정 원인질환의 발병과 시간연관성을 가지고 두통이 발생함
2) 다음 중 한 가지 또는 두 가지 모두:
(1) 두통이 추정 원인질환이 악화되면서 동시에 현저히 악화됨
(2) 두통이 추정 원인질환이 호전되면서 동시에 현저히 호전됨
3) 두통은 원인 질환에 전형적인 특성을 보임
4) 인과관계의 다른 증거가 보임
4. 다른 ICHD-3 진단으로 더 잘 설명되지 않음

자율신경두통(trigeminal autonomic cephalalgias), 기타 원발두통질환을 포함한다. 두통을 유발할 수 있는 것으로 알려진 질환과 함께 발생한 새로운 두통은 언제나 이차두통으로 진단된다(표 9-2). ICHD-3 베타판의 진단기준은 기저질환이 발병할 때나 확진된 직후라도 적용될 수 있다. 이차두통의 진단기준은 두통의 존재, 원인질환의 존재, 인과관계의 증거 이외에도 마지막 기준 항목인 "다른 ICHD-3 진단으로 더 잘 설명되지 않음"을 적용해야 한다.

1. 편두통

1) 역학

편두통은 원발두통 질환 중 가장 대표적인 질환으로 긴장형 두통에 비해 유병률은 낮지만 심한 두통 강도와 여러 가지 동반 증상에 의한 장애 때문에 개인적, 사회적 손실이 가장 큰 두통이다. 최근 연구는 만 20세 이상 한국 성인의 편두통 유병률을 6.5%로 보고하고 있는데, 이는 일본의 편두통 유병률 8.4%와 유사하다.[2,38] 반면 미국에서 백인을 대상으로 시행된 연구 결과는 남녀 모두 유병률이 2배 정도 높았다.[45] 이와 같이 인종별로 유의하게 차이가 나는 이유에 대한 가설 중에서 신경전달물질(neurotransmitter), 특히 세로토닌 대사 및 그 수용체

의 유전학적 차이에 의한다는 설이 유력하다.

가족력이나 쌍생아 연구에 의하면 편두통은 유전질환일 가능성이 높은데, 특히 조짐편두통(migrane with aura)은 유전적 영향을 많이 받는 것으로 보인다.[37]

편두통의 남녀 유병률은 11세 이전까지는 모두 2.5%로 차이를 보이지 않으나, 11세 이후부터는 여자의 유병률이 뚜렷하게 증가하여 사춘기 이후 여성의 유병률은 3 : 1 로 여성에서 많이 발생한다.[46] 또한 여성 환자에서 편두통 발작의 약 60%가 월경과 관련이 있다는 보고도 있다.[48] 이러한 사실들은 성호르몬이 편두통과 연관이 있음을 시사한다.

2) 기전

편두통은 그동안 혈관질환이라 알려졌지만, 통증경로 감작의 중요성과 중추신경계에서 두통 발작이 시작할 것이라는 가능성이 최근 수십 년간 점차 주목되어 왔다. 동시에 편두통 통증의 회로와 삼차신경혈관계(trigemino-vascular system), 말초 및 삼차신경꼬리핵(trigeminal nucleus caudalis,) 중심간뇌회백질(central mesence-phalic grey), 시상에서의 다양한 신경전달 작용이 인식되어 왔다.[13,28]

무조짐편두통(migrane without aura)에서는 피질확산성억제(cortical spreading depression; CSD)가 발생하지 않는다는 많은 문헌들이 있으나, 이에 동의하지 않는 연구들이 최근 보고되고 있다.[15] 이외에도 산화질소(NO)와 5-hydroxytryptamine (5HT), CGRP같은 전달자분자들이 관여되어 있으며, 5HT1B/D 수용체 작용제인 트립탄(triptan)이나 5HT1F 수용체 작용제, CGRP 수용체 대항제와 같은 새로운 수용체-선택적 작용 급성기 약물은 발작의 급성기 치료에 효과적임이 입증되었다.[16,47] 이러한 사실들로 볼 때 무조짐편두통이 신경생물학적질환이라는 사실은 명백하다.

3) 임상증상, 분류(표 9-3) 및 진단기준

편두통은 크게 2가지 아형이 있다. 무조짐편두통은 특정 양상을 보이는 두통과 동반되는 증상을 특징으로 하며, 조짐편두통은 두통 발작 직전에 혹은 발작 시 함께 나타나는 국소 신경학적 증상인, 조짐(aura)이 있는 경우를 의미한다. 일부 환자는 두통 시작 수 시간 내지 수일 이전에 생기는 전구나 회복기 증상을 경험하기도 하는데, 이들 증상은 과도한 흥분이나 기분저하, 우울증, 특정음식에 대한 탐닉, 반복적인 하품이나 피로 그리고 통증을 동반하거나 하지 않는 경부경직 등을 포함한다. 많은 수의 조짐을 동반한 편두통 환자들은 또한 조짐이 없는 발작도 있다. 이러한 환자들은 조짐편두통과 무조짐편두통 진단을 함께 내려야 한다. 즉, 편두통이 한 가지 아형 이상의 진단기준을 충족하는 경우, 각각의 모든 아형으로 진단이 붙여져야 한다.

(1) 무조짐편두통

두통 발작은 4~72시간 지속되며 구역 그리고/또는 구토, 빛공포증과 소리공포증 중에 하나 이상을 동반해야한다. 또한 두통은 다음 네 가지 특징 중 2개 이상을 가져야한다. 즉 위치는 편측성이며, 강도는 중등도 또는 심도로, 박동성이 특징이며, 일상적인 활동(걷거나 계단을 오르는 등)에 의해 악화되거나 이를 회피하게 된다. 따라서 무조짐편두통의 진단기준은 최소 5번 이상의 두통 발작이 있으면서 위에 기술한 임상증상을 충족시켜야 한다. 이외에도 마지막 기준 항목인 “다른 ICHD-3 진단으로 더 잘 설명되지 않음”을 적용해야 한다. 만약 무조짐편두통의 진단기준을 모두 충족하지만 두통 발작이 5번 미만인 경우에는 개연무조짐편두통(probable migrane without aura)으로 진단된다.

무조짐편두통은 흔히 월경주기와 연관을 보이며, 대중약물을 자주 사용하면 악화되는 경향이 있다. 일반적으로 한쪽 두통은 청소년기 후반이나 성인 초기에 나타나며, 소아와 청소년기에서의 편두통은 성인에 비해 양측으

표 9-3. 편두통의 분류(K-ICHD-3 beta, 2013)

1.1 무조짐 편두통(Migraine without aura)
1.2 조짐 편두통(Migraine with aura)
1.2.1 전형조짐편두통(Migraine with typical aura)
1.2.1.1 두통을 동반하는 전형조짐(Typical aura with headache)
1.2.1.2 두통을 동반하지 않는 전형조짐(Typical aura without headache)
1.2.2 뇌간조짐편두통(Migraine with brain stem aura)
1.2.3 반신마비편두통(Hemiplegic migraine)
1.2.3.1 가족반신마비편두통(Familial hemiplegic migraine(FHM))
1.2.3.2 산발반신마비편두통(Sporadic hemiplegic migraine)
1.2.4 망막편두통(Retinal migraine)
1.3 만성 편두통(Chronic migraine)
1.4 편두통합병증(Complications of migraine)
1.4.1 편두통지속상태(Status migrainous)
1.4.2 뇌경색없는 지속조짐(Persistent aura without infarction)
1.4.3 편두통경색증(Migrainous infarction)
1.4.4 편두통유발발작(Migraine aura-triggered seizure)
1.5 개연편두통(Probable migraine)
1.5.1 개연무조짐편두통(Probable migraine without aura)
1.5.2 개연조짐편두통(Probable migraine with aura)
1.6 편두통과 관련된 삽화증후군Episodic syndromes that may be associated with migraine
1.6.1 반복소화기장애(Recurrent gastrointestinal disturbance)
1.6.1.1 주기구토증후군(Cyclic vomiting syndrome)
1.6.1.2 복부편두통(Abdominal migraine)
1.6.2 양성돌발현훈(Benign paroxysmal vertigo)
1.6.3 양성돌발사경(Benign paroxysmal torticollis)

로 오는 경우가 더 빈번하다. 두통은 대개 전두측두부에 분포한다.

(2) 조짐편두통

최소 2번 반복적으로 발작이 발생하며, 수 분간 지속되는 완전히 가역적으로 생기는 조짐이 대개 서서히 발생하고, 이어 편두통 관련 증상이 나타난다. 조짐는 다음 증상 중 1개 이상으로 구성되어야 한다. 즉 완전 가역적인 시각, 감각, 말 그리고/또는 언어, 운동, 뇌간, 망막증상 등이다. 또한 다음 네 가지 중 최소 2개가 있어야 한다. 첫째, 최소 1개의 조짐증상이 5분 이상 걸쳐 서서히 퍼짐, 그리고/또는 두 가지 이상의 증상이 연속해서 발생함. 둘째, 각각의 조짐증상은 5~60분 동안 지속됨. 셋째, 최소한 한 가지의 조짐증상은 편측임. 넷째, 두통은 조짐과 동시에 또는 조짐 60분 이내에 발생함. 이외에도 마지막 기준 항목인 "다른 ICHD-3 진단으로 더 잘 설명되지 않음"을 적용해야 한다.

조짐은 조짐편두통 발작 직전에 혹은 발작 시 발생하

는 복합적인 신경학적 증상으로 두통기에도 지속될 수 있다. 시각조짐은 가장 흔한 형태의 조짐으로 조짐편두통 환자의 90% 이상에서 최소한 몇 번의 발작에서라도 발생한다. 이는 섬광분광을 띠고 있으며, 지나간 자리에는 암점(scotoma)을 남기는 형태로 흔히 나타난다. 감각증상은 다음으로 흔한 증상으로, 따끔거리는 증상이 한 부위에서 시작하여 점차 움직이며, 한쪽 몸통이나 얼굴 또는 혀의 일부 또는 넓은 부위를 침범한다. 지나간 자리에는 무감각해지기도 하며, 무감각이 유일한 증상으로 나타나기도 한다. 드물게 언어장애도 나타나며, 조짐이 운동약화를 포함하면 반신마비편두통(hemiplegic migraine) 또는 그 아형 중 하나로 진단되어야 한다. 이런 다른 종류의 조짐 증상은 대개 시각증상으로 시작하여 감각증상, 이어 실어증의 순서로 연속적으로 발생하는데, 그 반대의 순서인 경우도 보고된다.

(3) 만성편두통

무조짐편두통의 증상 진단기준을 충족 그리고/또는 조짐편두통의 증상 진단기준을 충족하는 발작이 최소한 5번 있었던 환자에서 발생하며, 3개월 동안 한 달에 8일 이상은 다음 한 가지를 충족해야 한다. 첫째, 무조짐편두통의 증상 진단기준. 둘째, 조짐편두통의 증상 진단기준. 셋째, 발생 당시 환자가 편두통으로 판단되었으며, 트립탄이나 에르고트제재로 증상이 완화됨. 이와 같은 진단기준을 충족하며 3개월을 초과하여 최소한 한 달에 15번 발생하는 두통(긴장형두통 그리고/또는 편두통과 유사한)이어야함. 이외에도 마지막 기준 항목인 “다른 ICHD-3 진단으로 더 잘 설명되지 않으며, 일과성허혈발작은 배제됨”을 적용해야 한다.

만성편두통의 진단기준에 유사긴장형두통이 포함되어 있으므로 만성편두통으로 진단되면 긴장형두통이나 그 아형의 진단은 배제된다.

4) 치료

우선 환자에게 편두통 질환의 특성, 유발 요인, 치료 원칙 등을 교육함으로써 환자 스스로 유발 요인을 회피하고 치료적 생활 습관을 가지게 한다.

(1) 급성기 치료 약물

경미한 편두통 발작인 경우에는 비스테로이드 항염제를 사용하나, 중등도 이상의 발작이나 비스테로이드 항염제에 반응하지 않는 경우에는 편두통 특이 약물인 sumatriptan (Imigran)을 포함한 트립탄계 약물을 사용한다. 트립탄계 약물은 뇌막혈관이나 삼차감각신경에 있는 세로토닌 수용체(5HT1D/B)에 선택적으로 결합하여 두개혈관을 수축하고 삼차신경섬유로부터 신경전달물질의 분비를 억제하여 신경성 염증반응을 억제한다. 편두통에 동반되는 오심이나 구토가 심한 경우에는 항구토제를 사용해야 한다. 트립탄은 무해자극통(allodynia)를 가지기 전인 발작 초기에만 사용해야 하며, 전조 혹은 전구 증상이 있을 때 사용은 비효율적일 수 있다. 트립탄계 약물은 안전하고 내성이 좋으며, 부작용은 항상 가벼우며 중단을 필요로 하는 경우는 거의 없다.[31] 그러나 심혈관 질환이 있는 환자에서는 사용 금기이다.[49] 트립탄은 자주 사용하는 경우 약물과용두통의 발생 가능성이 높으므로 주의해야한다.

(2) 예방치료

편두통의 예방을 위해 약제를 최소 6개월간 처방하며, 이후에는 용량을 점차적으로 감량하여 유지하거나 완전히 중단한다. 다음과 같은 경우, 즉 발작이 1개월에 두 번 이상 있을 경우, 발작이 심하여 일상생활을 방해할 때, 환자가 급성 편두통 발작에 대한 약을 사용할 수 없을 때에는 장기적 예방치료를 고려한다. 약물로는 valproic acid (Depakin), amitryptyline, propranolol (Inderal) 등을 사용한다.

2. 긴장형 두통

1) 역학

긴장성 두통은 가장 흔한 원발두통으로 사회경제적으로 중요하다.[11,25] 일차적으로 스트레스나 긴장 등이 주된 원인이 될 수 있으나 피로, 수면부족 및 제시간에 식사하지 않는 것도 유발 요인이 된다.[43] 많은 경우 가족 중에서도 배우자에 비해 제1 세대 가족 구성원에서 긴장성 두통의 발현 위험률이 더 높다는 사실을 보고한 논문도 있는데, 이는 유전적 요인의 가능성을 시사한다.[33]

2) 기전

정확한 기전은 아직 모르나 삽화긴장형두통에서는 말초 통증기전이 주요기전으로 생각되는 반면, 만성긴장형두통에서는 중추 통증기전이 더 중요하다고 간주된다.

3) 임상증상

긴장형두통은 다음과 같은 4개의 특징 중에 2개 이상을 가진다. 위치는 양측성이며, 강도는 경도 내지 중등도로, 비박동성으로 압박감/꽉 조이는 특징이며, 걷기나 계단 오르기 같은 일상적인 신체 활동에 의해 악화되지 않는다. 긴장형 두통의 두통 기간은 다양하여 30분에서 7일까지 지속될 수 있다. 구역이나 구토는 없으며, 빛공포증이나 소리공포증 중 한 가지는 있을 수 있다.

긴장형 두통 환자에서 가장 중요한 이상 소견은 촉진(manual palpation) 시 두개골막 압통이 증가된 것으로 이러한 압통은 두통 발작 사이에도 있으며 두통 발작 도중에도 더 항진되며, 두통의 강도와 빈도에 따라 증가한다. 따라서 촉진은 치료 전략의 유용한 지침이 된다.

4) 분류 및 진단 기준

1988년 초판에서는 긴장형 두통을 삽화성(episodic)과 만성(chronic)으로 분류하기 시작하였고 2004년 개정판을 거쳐 2013년 ICHD-III 베타판에서는 저빈도 삽화성(infrequent episodic)(월 1회 이하), 고빈도 삽화성(frequent episodic)(월 1회 이상), 만성, 개연성으로 나눈다. 고빈도삽화긴장형두통은 무조짐편두통과 공존한다.

(1) 저빈도삽화긴장형 두통

최소 10번 이상의 두통 발작이 1개월 중 1일 미만(1년 중 12일 미만)으로 발생하며 상기 임상 증상의 내용을 충족시켜야 한다. 이외에도 마지막 기준 항목인 “다른 ICHD-3 진단으로 더 잘 설명되지 않음”을 적용해야 한다.

(2) 고빈도삽화긴장형 두통

최소 10번 이상의 두통 발작이 3개월을 초과하여 1개월 평균 1~14일(1년에 12일 이상 180일 미만)의 빈도로 발생하며 상기 임상 증상의 내용을 충족시켜야 한다. 이외에도 마지막 기준 항목인 “다른 ICHD-3 진단으로 더 잘 설명되지 않음”을 적용해야 한다.

(3) 만성긴장형 두통

수 시간에서 수일간 지속하거나 계속되는 두통 발작이 3개월을 초과하여 1개월 평균 15일 이상(1년에 180일 이상) 발생하며 상기 임상 증상 및 다음 두 가지 모두를 충족시켜야 한다. 첫째, 빛공포증이나 소리공포증, 경도의 구역 중 한 가지는 있을 수 있음. 둘째, 중등도나 심도의 구역이나 구토는 없음. 이외에도 마지막 기준 항목인 “다른 ICHD-3 진단으로 더 잘 설명되지 않음”을 적용해야 한다.

5) 치료

비약물요법에는 두경부 근육 이완을 위한 마사지, 스트레칭 운동 및 생체되먹임(biofeedback) 등이 있다. 약물요법으로는 1주일 내에서 제한적으로 사용하는 비스테로이드 항염제와 amitryptyline과 같은 항우울제를 함께 사용하는 것이 가장 효과적인 치료법이다. Caffeine, opiates 및 benzodiazpines 등과 같이 효과는 있으나 의존성인 약물은 사용하지 않는다. 전형적인 긴장성 두통의 증상을 보이는 환자들 중에도 어떤 환자는 비약물요법에 효과적인 반면, 다른 환자는 약물요법에 효과적이므로 각 개인에 알맞게 치료방법을 바꾼다.

만성 긴장형 두통의 예방적 치료에는 amitryptyline이 효과적이다. 사용량은 우울증일 때보다 적은 양을 사용하는데, 진정 효과 때문에 취침 시 하루에 한 번 25~75 mg을 투여한다.

두개주위 근육에 botulinium toxin (Botox)을 주사하는 치료법이 안전하고 효과적이라는 사실이 최근 발표되었으나 통증이 제거되는 기전은 아직 정확히 밝혀지지 않았다.[40]

3. 삼차자율신경두통: 분류(표 9-4)

삼차자율신경두통은 대부분 편측화된 특징적인 두통과 종종 동측으로 동반되는 두개부 부교감자율신경 소견을 공통적으로 보인다. 여러 연구에 따르면 이 증후군들은 정상적인 삼차-부교감신경반사를 자극함으로써 이차적으로 두개교감신경장애의 임상 양상을 보이게 된다.

1) 군발두통(Cluster headache)

(1) 역학 및 기전

발병 연령은 보통 20~40세로, 유병률은 인구 10만 명당 70명으로 남녀 비율은 14대 1로 두통 중 유일하게 남자에서 흔하다.[18] 또한 222명을 대상으로 한 Montagna 등의 연구에 의하면 군발두통은 2.3%에서 가족력이 있으며, 특히 일부에서는 상염색체 우성으로 유전된다고 보고하였다.[29] 급성발작은 후방시상하부회백질의 활성화와 연관된다.[30,41]

(2) 임상증상 및 진단기준

군발두통은 가장 심한 원발두통으로, 극심한 두통이 편측 안와, 안와 상부 그리고/또는 측두부에 15~180분간 지속된다. 발작 빈도는 2일에 1번에서 1일에 8번까지 발생하며, 다음 중 한 가지 또는 두 가지를 동반해야 한다. 첫째, 두통과 동측으로 다음의 증상 또는 증후 중 1개 이상을 동반한다. 즉 결막충혈 그리고/또는 눈물,코막힘 그리고/또는 콧물, 눈꺼풀부종, 이마와 얼굴의 땀, 이마와 얼굴의 홍조, 귀의 충만감, 동공수축 그리고/또는 눈꺼풀처짐. 둘째, 안절부절 못하고 초초한 느낌, 진단기준은 최소 5번의 두통 발작이 상기 임상 증상을 충족시켜야한다. 이 외에도 마지막 기준 항목인 "다른 ICHD-3 진단으로 더 잘 설명되지 않음"을 적용해야 한다.

(3) 분류

군발두통은 삽화성과 만성으로 분류되는데 삽화성은 군발두통의 진단기준을 충족시키면서 최소 2개의 발작이 몰려 나타나는 군발 기간이 7일에서 1년(치료받지 않았을 때)까지 지속되며,1개월 이상 통증이 없는 관해기로 분리됨. 만성은 군발두통의 진단기준을 충족시키면서 관해기가 없거나 1개월 미만인 두통발작이 최소 1년 동안 지속된다.

표 9-4. 삼차자율신경두통(K-ICHD-3 beta, 2013)

3.1 군발두통Cluster headache
3.2 돌발반두통Paroxysmal hemicrania
3.3 단기지속편측신경통형두통발작Short-lasting unilateral neuralgiform headache attacks
3.4 지속반두통Hemicrania continua
3.5 개연삼차자율신경두통Probable trigeminal autonomic cephalalgia

(4) 치료

군발성 두통의 치료는 약물 치료와 알코올 및 낮잠을 회피하는 회피 요법이 있는데, 약물치료에는 두통 발작 초기에 사용하는 급성치료법과 장기간 사용하는 예방요법이 있다. 급성치료법에는 sumatriptan (Imigran) 6 mg을 피하주사하거나, 100% 산소를 15분 동안 8~10 L/min 속도로 흡입시키는 방법이 있다. 예방요법 중에 가장 효과가 있는 약물은 verapamil (Isoptin), prednisone, lithium 등이다.

4. 통증성두개신경병증과 기타 안면통증(표 9-5)

두부에서는 삼차신경, 설인신경, 중간신경(nervus intermedius), 미주신경, 후두신경(occipital nerve) 등이 압박 및 자극을 받거나, 뒤틀리거나 추위에 노출될 때, 중추신경로를 손상하는 병변이 발생했을 때 칼로 찌르는 것 같은 지속적인 통증이 신경지배 영역에서 발생한다.

*용어 정의: 통증(pain)(실제 또는 잠재적인 손상에 의해 야기되는 불쾌한 감각이나 기분), 신경통(neuralgia)(신경에 따라 분포하는 통증), 신경병증(neuropathy)(신경의 기능장애 또는 병적변화), 신경병통증(neuropathic pain)(체성감각신경의 병변이나 질환으로 발생되는 통증)

1) 삼차신경통(Trigeminal neuralgia)

(1) 임상 증상 및 진단

고전적삼차신경통과 통증성삼차신경병증으로 분류되며, 고전적삼차신경통은 보통 삼차신경의 상악 및 하악 분지를 따라 나타난다. 통증은 절대로 반대편으로 넘어가지 않으나 양측에서 발생하는 경우도 드물게 있다. 통증 발작 후에는 통증이 유발되지 않는 불응기가 흔히 있다. 통증이 아주 심하면, 침범된 쪽의 얼굴근육의 수축을 유발하기도 한다(발작삼차신경통(tic douloureux)). 눈물이나 눈충혈 같은 가벼운 자율신경증상이 있을 수도 있다. 통증 발작의 기간은 시간이 지나면서 점점 길어지고 심해진다. 통증발작사이에 대부분의 환자는 증상이 없다. 고전적삼차신경통이 삼차신경의 신경혈관압박, 가장 흔하게는 상소뇌동맥에 의해 발생한다는 최근 증거가 있어,[42] 대부분의 환자의 경우 이를 확인하기 위해 반드시 영상검사(MRI가 선호됨)를 시행해야 한다.

표 9-5. 통증성두개신경병증과 기타 안면통증(K-ICHD-3 beta, 2013)

13.1. 삼차신경통 Trigeminal neuralgia 13.1.1 고전적삼차신경통 13.1.2 통증성삼차신경병증
13.2. 설인신경통 Glossopharyngeal neuralgia
13.3. 중간(안면)신경통 Nervus intermedius neuralgia
13.4. 후두신경통 Occipital neuralgia
13.5. 시신경염 Optic neuritis
13.6. 허혈눈운동신경마비에 기인한 두통Headache attributed to ischaemic ocular motor nerve palsy
13.7. Tolosa-Hunt증후군 Tolosa-Hunt syndrome
13.8. 부삼차신경-눈교감(Raeder,s)중후군Paratrigeminal oculosympathetic (Raeder,s) syndrome
13.9. 재발통증성안근마비신경병증 Recurrent painful ophthalmoplegic neuropathy
13.10. 구강작열감증후군 Burning mouth syndrome (BMS)
13.11. 지속특발얼굴통증 Persistent idiopathic facial pain (PIFP)
13.12. 중추신경병통증 Central neuropathic pain

(2) 분류 및 진단기준

① 고전적삼차신경통

삼차신경의 1개 이상의 분지를 침범하며, 삼차신경분포를 넘어 퍼지지 않는다. 또한 다음 네 가지 통증의 특성 중 최소한 세 가지를 충족시켜야 한다. 첫째, 1초에서 2분까지 순간적으로 지속되는 돌발발작이 반복됨. 둘째, 심한 강도. 셋째, 전기충격 같거나 쏘거나 찌르거나 또는 날카로운 양상. 넷째, 침범된 쪽 얼굴에서 무해한 자극이 유발됨. 진단기준은 이와 같은 임상 증상들을 충족시키는 편측 얼굴통증발작이 최소 3번 발생하며, 신경학적결손의 임상증거가 없어야 한다. 이외에도 마지막 기준 항목인 "다른 ICHD-3 진단으로 더 잘 설명되지 않음"을 적용해야 한다.

② 통증성삼차신경병증

다른 원인 혹은 신경손상에 의해 발생하는 하나 또는 그 이상의 삼차신경분비영역의 두통이나 안면통으로, 통증은 원인에 따라 양상과 강도가 매우 다양하다. 원인으로는 급성대상포진, 외상, 다발경화증, 공간점유병소 등이 있다.

(3) 치료

약물치료로 carbamazepine (Tegretol), valproic acid (Depakin), baclofen, phenytoin 등을 적어도 2주 이상 사용해야 한다. 보조적으로 삼환계 항우울제나 비스테로이드 항염제를 사용하며 약물치료에 효과가 없는 환자에 대해서는 삼차신경분지절단술(trigeminal rhizotomy)을 하기도 한다.

2) 설인신경통

통증의 특징이나 기간이 삼차신경통과 비슷하다. 통증은 설저(base of tongue,) 편도와(tonsillar fossa), 인두, 또는 아래턱뼈각 그리고/또는 귀안이며, 연하, 기침, 말하기 또는 하품에 의해 촉발된다. 치료는 삼차신경통과 동일하다.

Ⅲ 비성 두통과 안면통

비성 두통과 안면통은 다양한 원인에 의해 생길 수 있으므로 통증의 성격, 부위, 빈도, 통증과 연관된 증상을 완전히 이해함으로써 정확한 진단을 내릴 수 있다. 정확한 진단에 도움이 되려면 혼용되어 쓰이는 두통과 안면통을 정확히 구별해야한다. 즉 두통은 두정(vertex), 두정부(parietal), 측두부(temporal), 후두부(occipital) 및 안와후부 (retroorbital region)와 연관된 통증인 반면, 안면통은 상부는 이마, 측부는 교근(masster)부위, 하부는 턱에 의해 경계 지어진 부위에 국한된 통증을 지칭한다. 전두부는 두통과 안면통에 공통으로 해당된다.

비성 두통은 비부비동 질환에 기인하고, 그 질환의 다른 증상 그리고/또는 임상 징후와 연관된 두통으로 전체 두통의 15% 정도를 차지한다.[35] 흔히 사용하던 '부비동 두통(sinus headache)' 이란 용어는 원발두통 또는 코나 부비동 구조물과 연관된 두통 둘 다에 적용되기 때문에 더 이상 사용하지 않는다.

비성 두통의 병인은 점막 접촉뿐만 아니라 부비동의 자연구를 통한 배설 장애로도 생길 수 있다.[27] 따라서 비내시경 및 부비동 CT 검사로 하비갑개 또는 중비갑개와 이웃하는 비중격 박차(septal spur), 중비갑개 또는 상비갑개의 수포성 갑개(concha bullosa), 비후된 또는 반대로 굽은 중비갑개, Haller 봉소, 작은 누두 폭(small infundibular width), 상악동의 불완전 확장(atelectic maxillary sinus) 등의 구조적 이상 유무를 확인한 후 선행적인 약물치료로도 두통의 호전이 없다면 병변 및 접촉점 부위 수술을 고려해야만 한다.[34] 최근 점막 접촉성 두통을 가진 환자에서 수술적 치료가 만족스러운 결과를 보이고 있다.[4,9,10]

만성 안면통의 가장 많은 원인은 비성이 아니라는 증거

가 증가하고 있다.[5] 코막힘, 비루, 후각감퇴 등의 증상과 비내시경, 부비동 CT에 부비동염의 증거가 있으면서 안면통을 호소하는 경우 비성 안면통을 고려할 수 있으나, 만성 비부비동염에서 안면통은 흔한 증상이 아니며 안면통을 호소하는 환자의 20%만이 비내시경으로 농성 부비동염 또는 비용을 확인할 수 있다.[20,50]

비충혈과 재채기가 주된 증상인 "Dry" 혈관운동성비염(vasomotor rhinitis) 혹은 자극성 비염(irritant rhinitis) 환자들은 무해한 자극(악취)에 감각신경 민감도가 증가되어 있다. 그들이 호소하는 것은 결국 통각과민 혹은 증가된 통증과 불편함으로 나타나는 무해자극통증이다. 국소용 비 capsaicin이 이러한 환자들에서 유익했다는 보고는 침해수용성신경 기능이 증가되었음을 의미한다.[12]

1. 기전

비부비동 점막에 대한 기계적, 화학적 자극은 국소 통증 혹은 연관통(자극된 부위와는 다른 부위에서 느끼는 통증)을 일으킬 수 있는데, 대부분의 비성 통증은 연관통으로 비박동성으로 쑤시면서 흩어져 나타나는 특징을 가지며 눈물, 빛공포증, 통각과민(hyperalgesia)과 연관되어 나타나기도 한다. 비부비동 구조물 중 가장 통증에 민감한 부위는 비갑개(turbinate), 자연공(natural ostium), 비전두관(nasofrontal duct) 등이며, 통증에 민감도가 낮은 부위는 부비동 점막이다.[39] 따라서 통증에 민감한 부위의 점막에 해부학적 기형이나 비질환 등에 의해 접촉 부위가 생기면 이들이 통증의 유발 부위가 될 수 있다.

점막 접촉성 두통의 발생기전으로는 다양한 원인에 의해 비부비동의 점막 표면 사이의 접촉으로 발생한 압박이 C-섬유를 통해 SP가 매개하는 통증을 유발하며, CGRP와도 연관이 있다고 보고하였으나 아직 논란의 여지가 있다.[22,44]

부비동의 조직학적 신경분포는 비점막의 그것과 유사하나 부비동염에서 신경 기전의 역할은 논쟁의 대상이다. 상악동에 투여된 히스타민은 부비동비반사(sino-nasal reflex) 혹은 부교감 반사를 자극할 수 없는데 이것은 감각신경이 활성화 되지 않았음을 의미한다.[8] Capsaicin 자극은 정상인에서 SP, CGRP 및 NKA 분비를 일으킨다. 급성 알레르기 비염 환자에서는 이들 신경펩티드가 훨씬 고농도로 분비되나, 비용 환자에서는 어떠한 신경펩티드 분비도 없었다.[21] 이것은 비용이 신경을 가지고 있지 않으므로 당연한 일이다.

압통(통각과민)은 급성 부비동염의 주된 진단적 징후이다. 피부 혹은 골막의 가벼운 촉각(touch)은 커다란 직경의 말이집 Aβ 신경섬유를 활성화한다. 부비동염이 있는 동안 후각(dorsal horn)에 있는 신경 종말과 사이신경세포는 민감해지며 가벼운 촉각에 대한 감각은 통증 징후로 대체된다. 한 연구에서 정상인, 급성 부비동염 환자, 만성 피로 증후군(chronic fatiguesyndrome) 환자를 대상으로 상악 부위에 압력을 가하고 통증을 느끼는 역치를 측정한 결과 정상인, 급성 부비동염 환자, 만성 피로 증후군 환자 순으로 높았다.[32] 또한 이마에 압통을 동반한 두통이 있을 경우 전두동의 골수염을 반드시 의심해 보아야한다.

2. 분류 및 진단 기준

비성 두통은 2013년 ICHD-III 베타판의 분류에 따르면 이차두통 중 '코 또는 부비동에 기인한 두통'으로 분류되며, 이는 다시 '급성 비부비동염에 기인한 두통'과 '만성 또는 재발 비부비동염에 기인한 두통'으로 분류된다. 또한 부록에 '비점막, 비갑개 또는 비중격질환에 기인한 두통'이 추가되어 있다.

1) 급성 비부비동염에 기인한 두통

2013년 IHS분류에 따르면 진단 기준은 급성 비부비동염의 임상, 비내시경 그리고/또는 영상 증거가 있으며, 다음 중 최소 두 가지로 인과관계가 입증되어야만 한다. 첫째, 두통이 비부비동염의 발병과 시간 연관성을 가지고 발생함. 둘째, 비부비동염의 악화와 동시에 두통이 현저히 악화 그리고/또는 비부비동염의 완화나 사라짐과 동시에 두통의 현저한 완화나 사라짐. 셋째, 두통이 비부비동에 가해진 압력에 의하여 악화됨. 넷째, 편측성 비부비동염일 경우 두통이 그의 동측에 국한됨. 이외에도 마지막 기준 항목인 "다른 ICHD-3 진단으로 더 잘 설명되지 않음"을 적용해야 한다.

급성 비부비동염에 의해 나타나는 비성두통 및 안면통은 발생 기간이 비교적 짧고, 대부분 감기가 선행되며 두통 및 안면통 이외의 다른 비부비동 증상도 보인다. 따라서 임상적으로 쉽게 진단할 수 있으나 정확한 진단을 위해서는 세밀한 비내시경 검사와 방사선학 검사가 뒤따라야 한다. 비과학회에서 제시한 급성 비부비동염의 진단 기준에 따르면 최소 2개의 주요소 혹은 최소 1개의 주요소와 2개의 부요소가 있어야 하는데, 이들 중 안면통은 주요소에 속하나 두통은 부요소에 속한다.[26]

급성 비부비동염에서는 두통 이외에도 침범된 부위에 안면통이 동반된다. 급성 전두동염에는 이마에 두통이 있으며 두정 혹은 안와후방으로 방사될 수 있다. 급성 상악동염에서는 협부의 통증이 있으며 상악치아 혹은 이마로 방사될 수 있다. 급성 사골동염에서는 비근부와 안와후방에 두통이 있으며 측두부로 방사될 수 있다. 급성 접형동염에서는 두통이 후두부, 두정부, 안와후방 혹은 이마에 있을 수 있다. 그러나 이러한 안면통의 위치에 따라 어떤 부비동이 침범되었는지를 알 수 있을 정도로 특이적이지 않다.

2) 만성 또는 재발성 비부비동염에 기인한 투통

2013년 IHS분류에 따르면 진단 기준은 현재 또는 이전의 비부비동염 감염이나 다른 염증 과정의 임상, 비내시경 그리고/또는 영상 증거가 있으면서, 다음 중 최소 두 가지로 인과관계가 입증되어야만 한다. 첫째, 두통이 만성 비부비동염의 발병과 시간 연관성을 가지고 발생함. 둘째, 두통이 부비동의 울혈, 배농, 그리고 만성 비부비동염의 다른 증상의 정도에 따라 악화와 완화를 반복함. 셋째, 두통이 비부비동에 가해진 압력에 의하여 악화됨. 넷째, 편측의 비부비동염일 경우 두통이 그와 동측에 국한됨. 이외에도 마지막 기준 항목인 "다른 ICHD-3 진단으로 더 잘 설명되지 않음"을 적용해야 한다.

만성 비부비동염 환자는 비부비동염이 없는 환자에 비해 만성 두통이 9배나 많으며, 두통의 이환률은 비용이 동반된 만성 비부비동염 환자보다 비용을 동반하지 않은 만성 비부비동염 환자에서 높다.[3,6] 만성 부비동염과 연관된 두통은 양측, 경증과 중증의 강도, 그리고 머리의 압박/조임과 관련이 있다.

3) 비점막, 비갑개 또는 비중격질환에 기인한 두통

2013년 IHS분류 부록에 수록된 '비점막, 비갑개 또는 비중격질환에 기인한 두통'의 진단 기준은 비강 내의 비대 또는 염증에 대한 임상, 비내시경 그리고/또는 영상증거가 있으면서, 다음 중 최소 두 가지로 인과관계가 입증되어야만 한다. 첫째, 두통이 코질환의 발생과 시간 연관성을 가지고 발생함. 둘째, 두통이 코질환의 호전(치료 여부와 상관없이) 또는 악화와 동시에 현저히 호전 또는 악화됨. 셋째, 두통이 병변 부위의 점막 국소마취에 의하여 현저히 호전됨. 넷째, 두통이 병변의 동측에 나타남. 이외에도 마지막 기준 항목인 "다른 ICHD-3 진단으로 더 잘 설명되지 않음"을 적용해야 한다. 이러한 비점막 접촉점 두통은 비성 두통의 진단에서 논쟁의 여지가 있는 질환으로 중비갑개 두통 증후군(middle turbinate headache syndrome)이라고도 한다. 이러한 두통은 눈 주변에 위치하며 편측성이고 간헐적이며 간혹 코막힘과 함께 나타나기도 한다.

3. 비성 두통과 편두통

비부비동 질환과 편두통은 분명히 다른 질환이나 비부

비동 질환에 의한 비성 두통은 IHS 편두통 기준을 충족시킬 수가 있다. 즉 서로 공존할 수 있다는 사실이다. 비성 두통은 일반적으로 압박성의 둔한 통증으로 해부학적 기형에 의한 편측 통증인 경우를 제외하면 대개 양측으로 생기며, 밤새 진행된 비충혈로 인해 아침에 악화되고 낮 동안 호전된다. 그러나 시간 경과에 따른 이러한 통증 완화증상은 약물과용두통(medication overuse headache) 환자에서도 보일 수 있다. 결론적으로 비부비동 질환에 의한 비성 두통은 코막힘 혹은 비충혈과 연관이 있으나 오심, 구토, 빛공포증이나 소리공포증과는 항상 연관이 없다.

IHS에서 정의한 편두통을 가진 환자의 42%가 내과의사로부터 '부비동 두통' 진단을 받았다는 사실은 편두통을 비성 두통으로 오진하는 일이 흔히 일어날 수 있다는 것을 보여준다.[19] 이러한 일의 원인으로는 편두통 환자에서 코막힘, 수양성 비루 등의 비알레르기 증상이 흔히 날씨 변화 등의 두통 유발요인과 함께 동반되어 나타날 수 있기 때문이다.

참고문헌

1. 박용진. 비점막 신경의 기능적 활성. 한이인지 2004;47:287-292.
2. 이태규, 정경천, 최재욱. 한국 성인에서의 편두통 유병률 연구.(두통)2000;1:57-66.
3. Aaseth K, Grande RB, Kvaerner K, et al. Chronic rhinosinusitis gives a ninefold increased risk of chronic headache. The Akershus study of chronic headache. Cephalagia 2010;30:152-160.
4. Abu-Samra M, Gawad OA, Agha M. The outcomes for nasal contact point surgeries in patients with unsatisfactory response to chronic daily headache medications. Eur Arch Otorhinolatngol 2011;268:1299-1304.
5. Agius AM, Soma A. Rhingenic and nonrhinogenic headaches. Curr Opin Otoaryngol Head Neck Surg 2015;23:15-20.
6. Banerji A, Piccirillo JF, Thawley Se, et al. Chronic rhinosinusitis patients with polyp or polypoid mucosa have a greater burden of illness. Am J Rhinol 2007;21:19-26.
7. Baraniuk JN. Neural control of human nasal secretion. Pulm Pharmacol 1991;4:20-30.
8. Baroody FM, Gungor A, deTineo M, et al. Comparison of the response to histamine challenge of the nose and the maxillary sinus: effect of loratadine. J Appl Physiol 1999;87:1038-1047.
9. Behin F, Behin B, Bigal ME, et al. Surgical treatment of patients with refractory migraine headaches and intranasal contact points. Cephalalgia 2005;25:439-443.
10. Bektas D, Alioglu Z, Akyol N, et al. Surgical outcomes for rhinogenic contact point headaches. Med Prince Pract 2011;20:29-33.
11. Bendtsen L, Jensen R. Tension-type headache: The most common, but also the most neglected, headache disorder. Curr Opin Neurol 2006;19:305-309.
12. Blom HM, Van Rijwij JB, Garrelds IM, et al. Intranasal capsaicin is efficacious in non-allergic, noninfectious perennial rhinitis. Clin Exp Allergy 1997;27:796-801.
13. Bolay H, Reuter U, Dunn AK, et al. Intrinsic brain activity triggers trigeminal meningeal afferents in a migraine model. Nat Med 2002;8:110-112.
14. Calliet R. Head and Face Pain Syndromes. Philadelphia: FA Davis, 1992, p.117-122.
15. Charles A, Brennan K. Cortical spreading depression-new insights and persistent questions. Cephalalgia 2009;29:1115-1124.
16. Costa C, Tozzi A, Rainero I, et al. Cortical spreading depression as a target for anti-migraine agents. J Headache Pain. 2013;23:14-62.
17. Dale HH. Pharmacology and nerve endings. Proc R Soc Med 1935;68:319-324.
18. D'Alessandro R, Gamberini G, Benassi G, et al, Cluster headache in the Republic of SanMarino. Cephalalgia 1986;6:159-162.
19. Diamond ML. The role of concomitant headache types and non-headache co-morbidities in the underdiagnosis of migraine. Neurology 2002;58(suppl 6):S3-9.
20. Eweiss AZ, Lund VJ, Barlow J, et al. Do patients with facial pain in chronic rhinosinusitis with nasal polyps suffer with facial pain? Rhinology 2013;51:231-235.
21. Gungor A, Baroody FM, Naclerio RM, et al. Decreased neuropeptide release may play a role in the pathogenesis of nasal polyps. Otolaryngol Head Neck Surg 1999;121:585-590.
22. Harrison L, Jones NS. Intranasal contact points as a cause of facial pain or headache: a systemic review. Clin Otolaryngol 2013;38:8-22.
23. Headache Classification Subcommittee of the International Headache Society. The International Classification of headache disorders. 2nd Ed. Cephalalgia 2004;24(suppl 1):1-160.
24. Headache Classification committee of the International Headache Society. The International Classification of headache disorders. 3rd Ed. Cephalalgia 2013;33:629-808.
25. Jensen R. Pathophysiological mechanisms of tension-type headache: a review of epidemiological and experimental studies. Cephalalgia. 1999;19:602-621.

26. Lanza DC, Kennedy DW. Adults rhinosinusitis defined. Otolarygol Head Neck Surg 1997;117(pt2):S1-7.
27. Mariotti LJ, Setliff RC, Ghaderi M, et al. Patient history and CT findings in predicting surgeical outcomes for patients with rhinogenic headache. Ear Nose Throat J 2009;88:926-929.
28. May A, Goadsby PJ. The trigeminovascular system in humans: pathophysiologic implications for primary headache syndromes of the neural influences on the cerebral circulation. J Cereb Blood Flow Metab. 1999;19:115-127.
29. Montagna P, Mochi M, Sangiorgi S, et al. Heritability of cluster headache. Eur J Neurol 1998;5:343-5.
30. Naegel S, Holle D, Obermann M. Structural imaging in cluster headache. Curr Pain Headache Rep. 2014;18:415
31. Nappi G, Sandrini G, Sances G. Tolerability of the triptans: clinical implications. Drug Saf 2003;26:93-107.
32. Naranch K, Park YJ, Repka-Ramirez SM, et al. A tender sinus does not always mean sinusitis. Otolaryngol Head Neck Surg 2002;127:387-397.
33. Ostergaard S, Russell MB, Bendtsen L, et al. Comparision of first degree relatives and spouses of people with chronic tension headache. BMJ 1997;314:1092-1093.
34. Pasha R, Soleja RQ, Ijaz MN. Imaging for headache. What the otolaryngologist looks for. Otolaryngol Clin N Am 2014;47:187-195.
35. Rasmussen BK, Olesen J. Symptomatic and nonsymptomatic headaches in a general population. Neurology 1992;42:1225-1231.
36. Ray BS, Wolff HG. Experimental studies on headache: pain sensitive structures of the head and their significance in headache. Arch Surg 1940;41:813-856.
37. Russel MB, Olesen J. Increased familial risk and evidence of genetic factor in migraine. BMJ 1995;311:541-544.
38. Sakai F, Igarashi H. Prevelance of migraine in Japan: A nationwide survey. Cephalalgia 1997;17:15-22.
39. Schor DI. Headache and facial pain-the role of the paranasal sinuses: a literature review. J Craniomandibular Practice 1993;11:36-47.
40. Silberstein SD, Lipton RB. Chronic daily headache. Curr Opin Neurol 2000;13:277-283.
41. Sillay KA, Sani S, Starr PA. Deep brain stimulation for medically intractable cluster headache. Neurobiol Dis. 2010;38:361-368.
42. Sindou M, Howeidy T, Acevedo G. Anatomical observations during microvascular decompression for idiopathic trigeminal neuralgia (with correlations between topography of pain and site of the neurovascular conflict). Prospective study in a series of 579 patients. Acta Neurochir (Wien). 2002;144:1-12.
43. Spierings ELH, Ranke AH, Honkoop PC. Precipitating and aggravating factors of migraine versus tension-type headache. Headache 2001;41:554-558.
44. Stammberger H, Wolf G. Headaches and sinus disease: the endoscopic approach. Ann Otol Rhinol Laryngol Suppl 1988;134:3-23.
45. Stewart WF, Lipton RB, Celentano DD, et al. Prevalence of migraine headache in the United States. Relation to age, income, race and other sociodemographic factors. JAMA 1992;267:64-69.
46. Stewart WF, Schechter A, Rasmussen BK. Migraine prevalence: A review of population based studies. Neurology 1994;44 (suppl 4):S17-S23
47. Weiller C, May A, Limmroth V, et al. Brain stem activation in spontaneous human migraine attacks. Nat Med 1995;1:658 660.
48. Welch KM. Migraine and ovarian steroid hormones. Cephalalgia1997;17 (suppl 20):12-16.
49. Welch KM, Mathew NT, Stone P, et al. Tolerability of sumatriptan: clinical trials and post-marketing experience. Cephalalgia 2000;20:687-695.
50. West B, Jones NS. Endoscopic-negative, computed tomography-negative facial pain in nasal clinic. Laryngoscope 2001;111:581-586.

CHAPTER

10

비출혈

김용복

비출혈(epistaxis)은 그리스어 epistazo에서 유래하여 이는 비강으로 부터의 출혈을 뜻하며 epi는 위(above, over), stazo는 떨어진다(to drip) 의 의미로서 비공, 비강, 비인강으로부터의 출혈을 말한다.[1,39,42]

I 역학

비출혈은 대부분 자가 치료로 해결되고 정확한 보고가 이루어지지 않았으나, 전 세계적으로 인구의 약 60% 이상에서 비출혈을 경험하게 되며 이중 약 6~10%는 전문적인 치료를 필요로 한다.[5,17,19,22,34] 열 살 이하와 쉰 살 이상에서 최고의 분포(peak incidences)를 보이고 여성보다 남성에서 더 많은 경향을 나타낸다.[1] 비출혈은 그 원인을 알 수 없는 경우가 가장 많고, 외상, 종양, 비강 부비동 수술 후, 약물, 비강 내 이물 등에 의하여 동반되기도 한다.[20] 비출혈은 일반적으로 상악동 개구부를 기준으로 두 가지 형태 즉, 전비출혈(anterior nasal bleeding)과 후비출혈(posterior nasal bleeding)의 형태를 보이며 (McGarry et al.), 비루관(nasolacrimal duct)을 통하여 안와 밖으로 출혈을 보이는 경우도 있다.[6,29,32,33] 전방 출혈은 접근하기 쉽고 치료하기 비교적 용이하지만, 후방 비출혈은 출혈 부위를 관찰하기 어려워 치료가 쉽지 않은 경우가 많으며, 비출혈로 인한 혈액이 위로 넘어가면 오심 구토의 원인이 된다.[1] 상당한 양의 출혈은 경각심을 가져야 하며, 수혈이 필요한 경우도 있을 수 있고, 드물지만 이로 인한 사망 가능성을 수반하기도 한다.[32,33]

II 해부학적 고찰(그림 10-1, 2)

비강 점막은 풍부한 혈관으로 구성되어 있으며 이는 다량의 혈액이 공급된다는 의미이다.[15] 혈관은 내외 경동맥(internal, external carotid arteries)으로부터 혈액을 공급받으며 내악동맥(internal maxillary artery), 전후사골동맥*(anterior, posterior ethmoidal arteries),

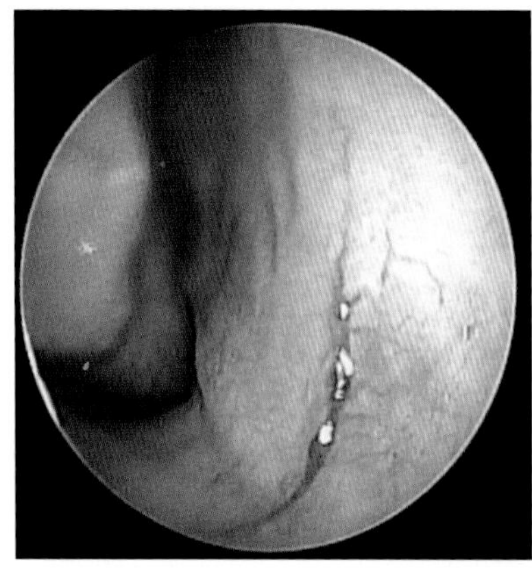
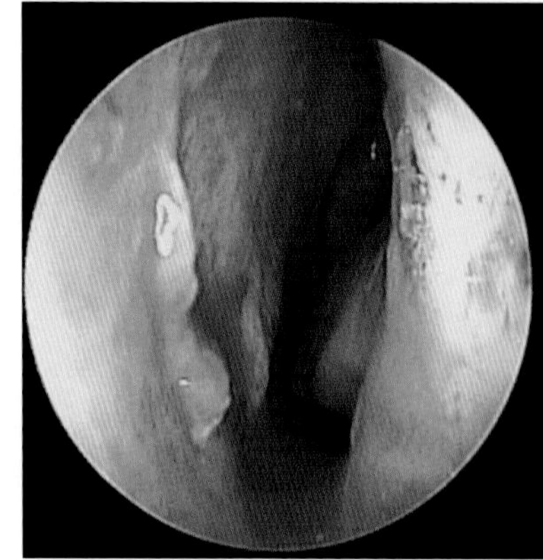
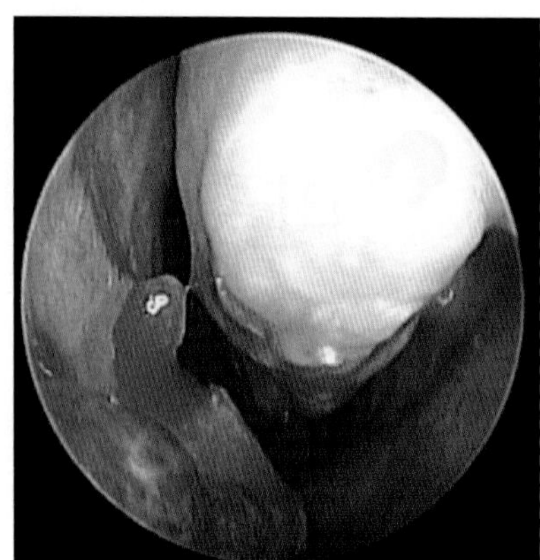

■ 그림 10-1. 비내시경으로 관찰되는 비출혈의 다양한 형태

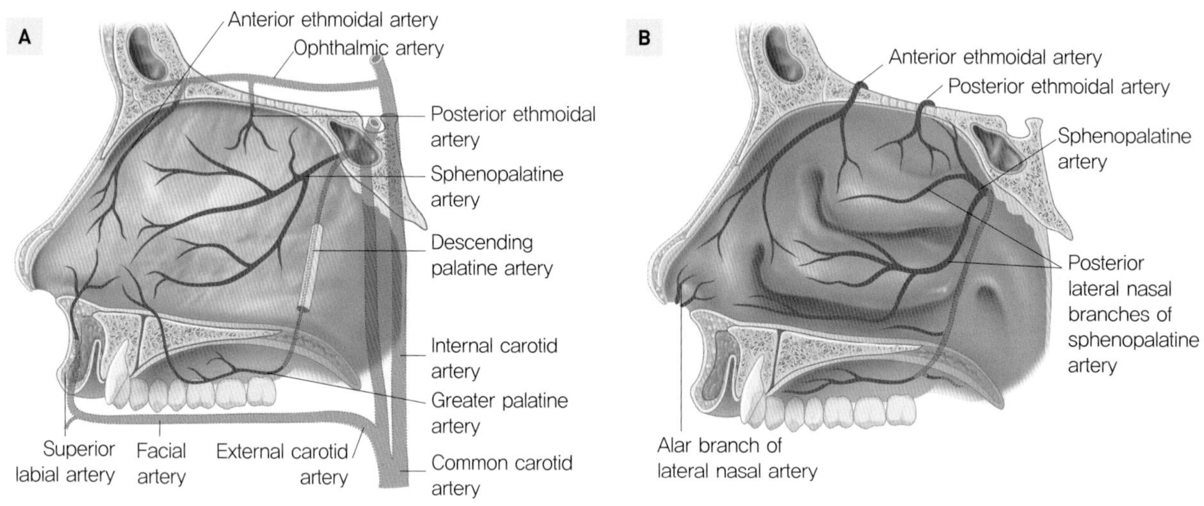

■ 그림 10-2. 비강 내부의 동맥혈관 분포

접형구개동맥(sphenopalatine artery)이 주요 동맥으로 역할을 한다.[3] 비출혈의 90% 이상은 비중격의 전하부에서 나타나는데 이 부위는 비중격 연골 부위로 안동맥(ophthalmic artery)의 분지인 전후사골동맥, 내악동맥의 분지인 접형구개동맥, 대구개동맥(great palatine artery) 안면동맥의 분지인 상순동맥의 비중격 분지(septal branch of the superior labial artery) 등이 문합을 이루는 부위로 독일의 이비인후과 의사 Wilhelm Kiesselbach의 명명에 따라 Kiesselbach plexus 또는 Little's area라 한다.[22]

약 5~10%의 비출혈은 후비강에서 나타나는데, 후비출혈은 비중격보다는 비강의 외측 벽에서 발원하며 내악동맥의 분지(branches of the internal maxillary artery)인 후비동맥(posterior nasal artery), 접형구개동맥, 상인두동맥(ascending pharyngeal artery) 등이 만나는 중비갑개의 후방에서 발생하며 이 부위를 Woodruff's plexus라 한다.[39] Woodruff's plexus는 하비도의 후방 또는 중비갑개의 후방에 위치하는 혈관총(vascular plexus)으로 양측 비공의 출혈과 구강으로 다량의 혈액이 넘어가는 경우 후비출혈이 지속되고 지혈이 어려워진다.[8]

1. 안면동맥

안면동맥의 분지인 상순동맥은 비강 내로 들어와 비중격의 전방부에 혈액을 공급한다.

2. 내악동맥

내악동맥은 외경동맥의 분지로 익상악와로 들어와 접형구개동맥, 하행구개동맥 등의 여러 분지로 나뉜다.

1) 접형구개동맥

접형구개공(sphenopalatine foramen)에서 분지해 비강으로 들어오며, 내측분지는 비중격동맥(nasal septal artery)을 이루어 비중격후방을 통해서 비중격에 혈액을 공급한다. 접형구개동맥의 외측 분지는 주로 중, 하비갑개에 혈액을 공급하며, 일부 상비갑개에 혈액을 공급한다.

2) 하행구개동맥(Descending palatine artery)

하행구개동맥은 하비갑개의 외측에서 대구개 신경과 함께 익구개관(pterygopalatine canal)을 통과하여 대구개동맥(greater palatine artery)이 된다. 대구개동맥은 절치공을 통과하여 비중격 전방부에 혈액을 공급한다.

3. 사골동맥

사골동맥은 내경동맥의 분지인 안동맥(ophthalmic artery)이 상안와열(superior orbital fissure)을 통해 안와에 들어간 뒤 전, 후 사골동맥으로 나뉜다. 이 동맥들은 사골동을 거쳐 전두개와(anterior cranial fossa)로 들어간 뒤 다시 사상판(cribriform plate)을 통해서 비강 내로 들어오며, 비강 내에서 외측, 내측 분지로 나뉜다.

III 병리학적 고찰

비출혈은 풍부한 혈액이 공급되는 점막의 미란(erosion)으로 혈관이 노출되거나 파열(rupture)되어 나타난다.[1,4] 파열은 자발적으로 나타나기도 하지만 외상에 의하여 시작되는 경우도 있다. 일반적으로 고혈압이 있는 경우 자발성 비출혈(spontaneous bleeding)의 지속 시간이 연장되기도 한다.[1-6] 항응고제의 복용이나 지혈의 이상 질환자에서는 출혈이 촉진되거나 지연되기도 한다. 자발성 비출혈은 노인에게서 더 흔히 나타나는데 이는 비강 점막이 건조하고 얇으며 혈압이 상승되기 때문으로 보인다. 또한 노인의 혈관은 수축성이 낮고 출혈을 조절하는 기능이 저하되어 있는 경우가 있어서 비출혈이 지속되는 원인이 된다.[1] 비출혈의 90% 이상이 나타나는 Little's area에는 내외경동맥으로부터 동맥혈을 공급받고, 동맥출혈은 압력이 높아 뿜어져 나오며(pumping), 모세혈관과 정맥총(capillaries and venous plexus)의 출혈은 지속적으로 스며나오는(oozing) 양상을 보인다.[22] 또한 전비출혈은 하비갑개의 전단(anterior to the inferior turbinate)에서 발생할 수 있다.

후비출혈은 그 양이 많아서 출혈된 혈액의 하기도 흡인(aspiration of blood)이 쉽고, 기도 확보와 지혈에 어려움을 초래할 수 있다.[22]

원인(표 10-1)

비출혈의 원인으로는 국소적 원인과 전신적 원인 그리고 잘 알 수 없는 특발성 원인 등으로 분류할 수 있다. 국소적 원인은 특발성을 제외하면 가장 빈번한 원인으로 외상, 이물, 건조한 환경에서 장기간 노출된 경우 발생 하고 비중격 이상, 염증, 종양 또한 중요한 원인이 된다. 전신적 원인으로는 감염성 질환, 심장질환, 혈관질환, 혈액질환 등이 있다.

표 10-1. 비출혈의 원인

특발성
국소적 원인
외상: 비골골절/코 후비기/이물/수술 후/의인성(iatrogenic)
종양: 혈관종(hemangioma)/혈관섬유종(angiofibroma)/ 유두종(papilloma)/화농성 육아종(pyogenic granuloma)/ 혈관주위세포종(hemangiopericytoma)/ 악성 종양(malignant tumor)
염증성 질환: 육아종성 질환/급성 상기도염/만성 부비동염
비중격 이상: 비중격 기형(septal deformity, spurs) 비중격 천공(septal perforation)
환경적 요인: 건조한 환경/흡연/화학물질/오염물질
약물
전신적 원인
고혈압(hypertension)
응고장애(coagulopathy)
백혈병(leukemia)
동맥경화증(arteriosclerosis)
유전성출혈모세혈관확장증(hereditary hemorrhagic telangiectasia)

1. 국소적 원인(Local factors)

1) 외상(Trauma)

안면부의 날카로운 충격, 비골골절에 동반하는 점막 손상, 반복적으로 코안을 후비는 경우 비출혈을 일으킬 수 있다. 안면부나 비부의 급성외상이라도 점막의 손상이 경미할 경우 별도의 처치없이 지혈되기도 하지만 광범위한 안면 외상의 경우 비강 폐쇄(nasal packing)를 필요로 하며 지연성 비출혈은 외상성 동맥류(traumatic aneurysm)를 의심할 수 있다. 비부비동 수술 중에 점막의 열상 또는 중요 혈관의 손상 정도에 따라 경도 또는 상당량의 출혈이 있을 수 있다.[22]

2) 이물(Foreign bodies)

비위관(nasogastric tube), 비기도관(nasotracheal tube) 등에 의하여 드물게 비점막 손상을 일으킬 수 있다. 어린이의 경우 각종 장난감, 철물, 플라스틱, 유리 조각 등에 의하여 비점막의 손상을 일으킬 수 있다.

3) 건조한 환경(Dry weather)

건조한 기후와 추운 환경에서 특히 실내 난방 기구의 사용은 비점막의 수분을 탈취(dehumidification)하여 비점막을 과민하게 하고 비출혈의 원인이 된다.[22]

4) 비중격 이상소견(Septal abnormality)

편위된 비중격(deviated nasal septum)과 돌출된 골편(spur)은 비강의 기류에 변화를 초래하고 건조한 환경으로 비출혈을 일으킬 수 있다. 대개 돌출된 골편의 앞부분에서 출혈이 나타나며, 비중격 천공의 가장자리에서 출혈되는 경향을 보인다.

5) 염증(Inflammation)

세균, 바이러스, 알레르기 등에 의한 급성 상기도염(acute upper respiratory infections,) 만성비부비동염은 비점막에 염증을 일으켜 출혈의 원인이 된다. 이 경우 경도의 비출혈이나 비분비물에 혈액이 실처럼(blood-streaked nasal discharge) 보이기도 한다.

결핵, 매독, 유육종증(sarcoidosis), 베게너 육아종(Wegener's granulomatosis), 비경화증(rhinoscleroma) 등의 육아종성 질환은 비점막을 약화(friable)시키고 가피를 형성하여 반복적이고 지속적인 비출혈의 원인이 된다.

6) 종양(Tumors)

양성, 악성 종양은 대개 일측성 비폐색, 비부비동염, 비출혈 증상을 보인다. 어린이의 경우 비강, 안와 혹은 부비동에서 발생한 비강 내 횡문근육종(intranasal rhabdomyosarcoma)이, 또 청소년기 남성에게서 혈관 섬유종(juvenile nasal angiofibroma)이 발생하였을 때에는 다량의 비출혈이 첫 증상으로 나타날 수 있다. 비인강암(nasopharyngeal carcinoma) 또한 출혈이 가장 우선되는 증상으로 보일 수 있다.

7) 기타 가능한 원인(Other possible factors)

흡입 약제(insufflated drugs), 후각 점막을 건조하게 하는 nasal cannula O2, 특히 스테로이드 비강 분무제(nasal spray)의 장기간 사용이나 잘못된 사용방법, 스쿠버 다이빙 중 상승할 때나 비행 중 하강할 때 중이강에 기압성 외상(middle ear barotrauma), 비소 등이 포함된 단백질 보충제(tainted whey portein supplements contained arsenic)의 사용 등에 의하여 비출혈이 발생할 수 있다.

2. 전신적 원인(Systemic factors)

1) 빈도높은 원인(Most common factors)

(1) 감염성 질환(Infectious diseases)

비점막의 부종, 울혈, 건조증 등을 유발하여 비점막의 손상을 일으켜 출혈의 원인이 될 수 있다.

(2) 고혈압(Hypertension)

비출혈과의 연관성이 자세히 알려져 있지 않으나 비출혈 환자에서 혈압이 상승되어 있는 경우가 많으며 고혈압 환자에게서 비출혈이 많은 이유는 장기간 지속된 질환으로 혈관의 탄력성이 감소한 것이기 때문이라고 판단하기도 한다. 고혈압 자체가 비출혈을 일으키는 경우는 매우 드물지만 비출혈과 관련된 불안증이 혈압을 상승시키기도 하므로 혈압을 떨어뜨리고 불안증을 감소시키면서 지혈 치료를 시행하여야 한다. 백일해(pertussis), 낭포성 섬유증(cystic fibrosis)으로 과도한 기침을 하는 경우 비강의 정맥압이 상승하면서 비출혈을 일으킬 수 있다.

(3) 그 외 비출혈을 일으킬 수 있는 전신적 원인

① 알콜: 혈관을 확장시켜 출혈의 원인이 될 수 있다.

② 빈혈.

③ 혈액질환은 작은 외상이나 수술 후 지혈이 지연되거나 쉽게 멍이 드는 등의 가족력이 있는 개인의 경우 선천성 혈액 응고 장애를 확인하여야 한다. 여기에는 혈우병(hemophilia), von Willebrand disease 등이 있다.

④ 결체조직질환(connective tissue disease),

⑤ 각종 약물 aspirin, antihistamine, warfarin, ibuprofen, clopidogrel, prasugrel, isotretinoin, desmopressin, 인삼 등도 출혈의 원인이 되므로 병력 청취에 신중하여야 한다.

⑥ 각종 동물의 독성 물질에 접촉하였는지 확인하여야 한다.

⑦ 간경화로 인한 혈액응고 인자, II, VII, IX, X의 결핍에 의하여 비출혈을 일으킬 수 있다.

⑧ 심부전(heart failure) 환자는 정맥압의 상승을 초래하여 비출혈을 일으킬 수 있다.

⑨ 혈액종양, 특발성 혈소판 감소성 자반증(idiopathic thrombocytopenic purpura)

⑩ 임신으로 드물게는 혈압과 호르몬의 변화를 일으키는 경우 비출혈을 일으킬 수 있다.

⑪ 동맥경화성 혈관 질환은 특히 노인에게서 비출혈의 빈도를 높게 나타나게 하는 원인이 된다. 반복적 비출혈을 보이는 선천성 출혈성 혈관확장증(Osler-Weber-Rendu syndrome)은 상염색체 우성의 유전성을 보이며 모세혈관부터 동맥에 이르기까지 모든 혈관에 영향을 미쳐 혈관 확장과 동정맥 기형의 원인이 되며 병리학적으로 혈관의 근육층이나 탄력층의 결핍 소견을 보인다. 따라서 작은 외상에 쉽게 출혈되며 또 자연 지혈되지 않는다. 혈관 기형은 호흡기, 위장관, 비뇨생식 계통 등 여러 장기에도 영향을 미치며 다양한 정도의 재발성 비출혈을 일으

킨다.

⑫ 후천적 혈액응고 장애는 혈소판 감소증(thrombocytopenia), 지속적 혈액응고인자 감소를 일으키는 간질환 등이 있고 질병으로 인한 경우와 질병 치료를 위하여 약물 복용 후 발생하는 경우로 나뉜다. 알콜 중독은 비록 간질환이 없더라도 응고 장애와 비출혈의 원인이 된다. 경구용 항응고제 또한 비출혈의 원인이 될 수 있다.

⑬ 종격동 종양에 의한 정맥압 상승 등이 비출혈의 원인으로 작용할 수 있다.

⑭ 편두통을 앓고 있는 어린이에게서 반복적인 비출혈을 보이는데 이는 삼차신경혈관계(trigeminovascular system)의 한 부분인 Kiesselbach 혈관총이 편두통의 발생 병리 기전에 영향을 받기 때문이다.[1,19]

⑮ 비출혈의 원인을 모두 찾을 수 없으며 약 10%에서는 그 원인을 알 수 없다.[10,33]

⑯ 일부의 보고에 의하면 비출혈로 인한 응급실 방문과 공기오염이 관계가 있다고 주장하였는데 이는 10 마이크로미터 크기의 입자와 오존의 증가가 비출혈과 관련이 있음을 지적하고 있다.[11]

따라서 향후 대기 환경의 인자인 기온, 기압, 강우, 습도, 풍속, 일광 시간 등이 비출혈에 영향을 미치는지에 대한 연구가 필요하다고 지적하고 있다.[6,13,18]

V 비출혈에 대한 임상적 접근

상당한 출혈이 있거나 혈액역학적으로 불안정한 상태를 조절하기 위하여 반드시 환자의 병력에 대하여 청취하여야 한다.[15]

출혈의 정도와 기간, 최초 출혈 부위를 구분하여야 한다. 또 비출혈의 과거력, 고혈압, 간 또는 기타 전신적 질환 유무, 가족력, 경미한 수술 후 출혈이 지속되었거나 잘 멈추지 않았는지 등을 문진하여야 한다. 비록 스스로 지혈이 되었다 하더라도 반복적인 비출혈은 비강의 병리학적 문제가 있을 수 있기 때문이다.[1,19]

아스피린, 비스테로이드성 소염제, 와파린, 다이클로피딘(혈압 강하제), 다이피리다몰(관상동맥 혈관확장제) 등의 사용 등을 파악하여야 하는데 이들 약제는 비출혈을 일으킬 뿐 아니라 치료를 어렵게 할 수 있기 때문이다.[18]

VI 비강 검사(Physical examination)

비강은 철저하고 꼼꼼하게(thorough and methodical) 진찰하여야 한다. 코를 풀어내는 것은 국소적 섬유소용해(fibrinolysis)의 효과를 낮추고 응고된 혈액의 제거로 보다 자세하게 비강을 관찰할 수 있으며, 비강진찰 전에 혈관 수축제를 도포하면 출혈 감소와 정확한 출혈 부위 파악에 도움이 된다. 또한 국소 마취제는 진찰 과정과 비강 팩킹 동안 통증을 줄여줄 수 있다.

비경은 부드럽게 적용하고 상하로 벌려 비강을 관찰하면 약 90%의 비출혈이 전비출혈이므로 출혈 부위 진단이 가능하다. 전비출혈 부위 확인에 실패하였거나 양측 전비공의 출혈, 인두 후방에서 보이는 출혈은 후비출혈이 있음을 의미한다. 또한 다량의 비출혈은 환자의 각혈(hemoptysis) 또는 토혈(hematemesis)과 혼동을 일으킬 수 있어 감별이 필요하다.

VII 치료

치료에 앞서 가운, 장갑, 눈 보호용 안경 등을 갖추어야 하며 적당한 직경의 광원으로 비강을 잘 볼 수 있도록 준비한다. 환자는 편안하게 앉은 자세를 취하도록 하고 턱 밑에 단지를 받치도록 한다. 항상 기도 확보, 호흡, 혈

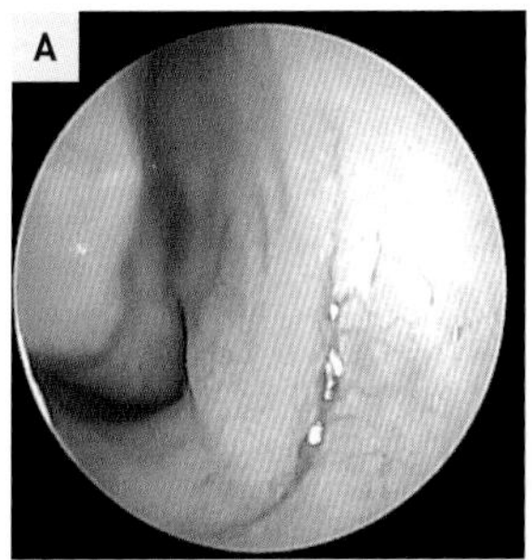

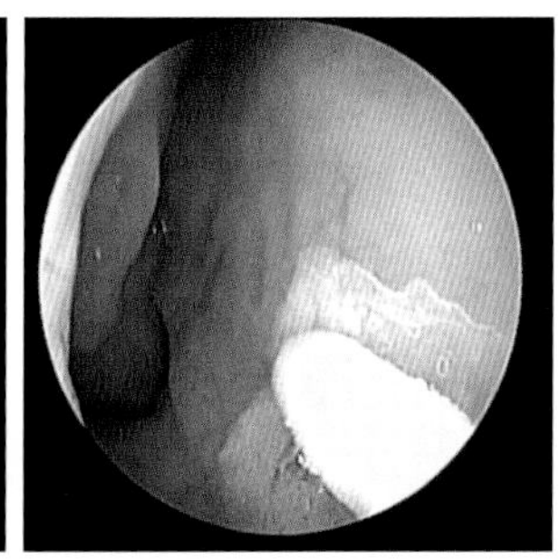
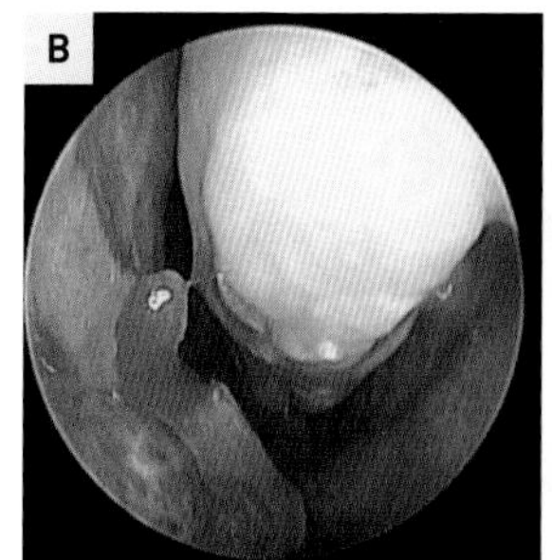

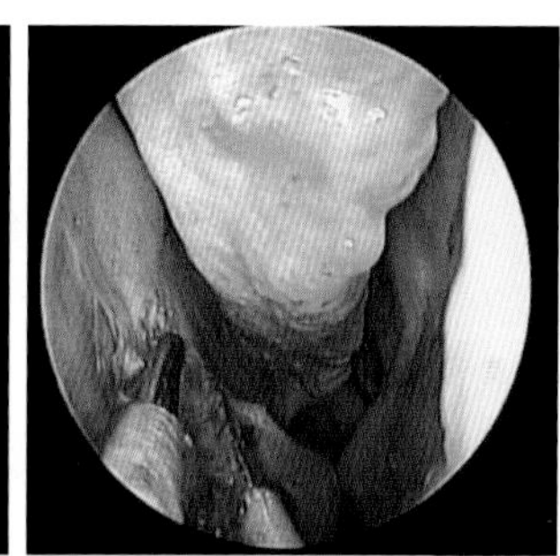

■ 그림 10-3. 비출혈 지혈술. **A)** 화학적 소작(AgNO3), **B)** 전기 소작(Bipolar cauterization)

액 순환(airway, breathing, circulation)을 유지하도록 하여야 하며 드물게 상당한 비출혈이 있는 경우 기관삽관이 필요할 수 있다. 비교적 안정된 상태의 환자에게는 스스로 콧망울 부위가 비중격에 닿도록 약 10분 동안 쥐게 하여 지혈을 유도할 수 있다.[23] 상당량의 비출혈이 있는 환자는 혈액 보충용 수액을 공급하기 위하여 정맥내주사를 유지하여야 하며 심장 활력 징후의 계측과 산소 포화도를 지속적으로 측정하여야 한다. 빈번하게 혈압이 상승되는 환자에게는 진통제나 진정제를 투여하여 혈압을 낮추어야 한다. 항고혈압 치료를 하여야 하는 경우도 있으며, 활력 징후에 영향을 미칠 수 있는 양의 출혈은 방지하여야 한다.

고혈압이 비출혈의 직접적인 원인인 경우도 있으며 비출혈과 관련된 불안증으로 혈압이 상승할 수 있으므로 혈압을 정상화하고 불안증을 해소시켜야 한다. 지혈과 점막의 수축을 위하여 4% 국소용 코카인 또는 4% 리도카인과 1:10만으로 희석한 국소용 에피네프린 용액에 적신 국소마취제와 혈관수축제를 적신 거즈를 이용하여 비강에 약 10~15분 유지한다.

출혈 부위가 확인되면 국소 마취 후 부드러운 동작으로 화학적 소작을 시도하는데 질산은(silver nitrate)을 묻힌 면봉으로 점막에 굴리면서 회색의 가피가 형성될 때까지 시행한다(그림 10-3A). 비중격의 괴사 또는 천공을 예방하기 위하여 한 번에 한 면만 소작하며 효과적인 소작은 지혈이 이루어진 후에 실시하여야 한다. 전기 소작기(electrocautery device)를 이용한 열 소작(thermal cauterization)(그림 10-3B)은 상당한 출혈이 있는 경우 사용할 수 있으며 부분 또는 전신 마취하에 시행하여야 한다.

국소 압박 또는 소작으로 지혈이 되지 않는 경우 비강을 채우는 팩킹(packing)을 시행하여야 한다(그림 10-4). 여기에는 전통적 방법으로의 팩킹, 미리 제조된 비강용 해면(prefabricated nasal sponge), 비출혈용 풍선(epistaxis balloon), 흡수성 소재(absorbable material) 등을 이용할 수 있다.[2,7,9,30,34]

Oxymetazoline은 항울혈(decongestant) 기능이 있으며 alpha adrenergic agonist로 alpha adrenergic receptor를 자극하고 비강 점막의 소동맥(arteriole)에 작용하여 혈관 수축을 일으킨다. 수초 내에 흡수되어 약 6시간 작용하며 신장을 통하여 체외로 배출된다. Oxymetazoline은 울혈된 비점막의 일시적 완화를 위하여 처방하며 6세 미만의 경우 안전성과 효과가 정립되지 않았다. 6세 이상의 경우 각 비공에 2~3 gtt/sprays로 사용하고 24시간에 2 doses를 초과하지 말아야 하며 3~5일 이상 사용을 금지한다. 사용 후 나타날 수 있는 증상은 수면장애(insomnia), 두통, 작열감(burning), 따가움(stinging), 건조함, 재채기, 반사적 울혈(rebound congestion) 등이 있다. 고혈압, 심부전, 관상동맥질환, 당뇨, 갑상선 기능 항진증, 전립선 비대증 등의 환자에서는 주의를 요한다. 임신과 관련하여 category C에 해당하며 모유로 배출되는지는 알려져 있지 않다.

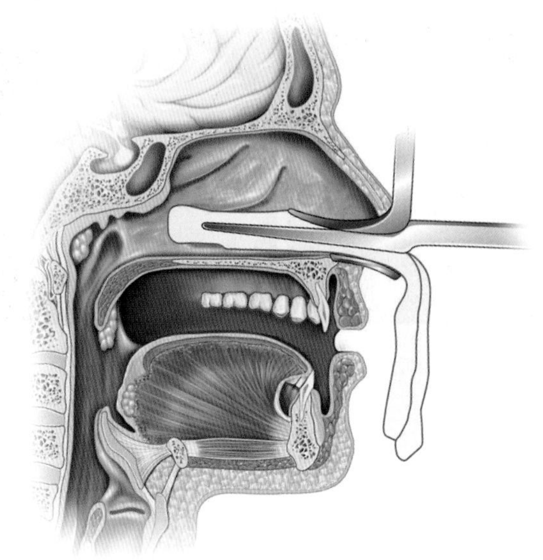

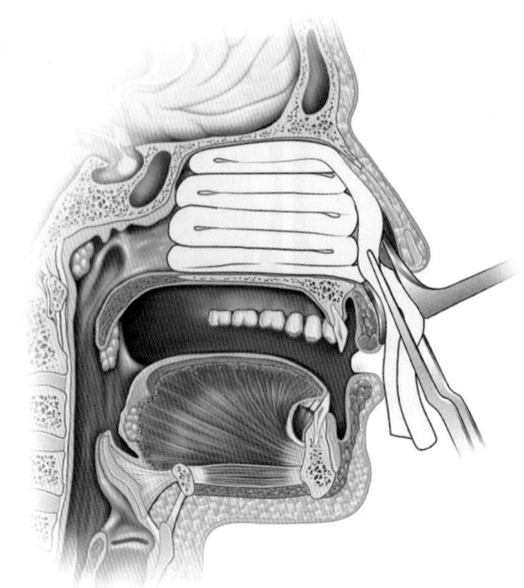

■ 그림 10-4. **기존 바셀린 거즈를 이용한 비강 팩킹**

1. 기존 바셀린 거즈를 이용한 비강 팩킹 (Petrolatum gauze packing)

바셀린 거즈를 이용한 지혈은 전비공을 통하여 팩킹하는데 비강에 충분히 채워지지 않아 효과적인 지혈이 이루어지지 않는 경우도 있으며 최근 신속하고 쉽게 이용할 수 있는 지혈용 솜뭉치(tampon), 해면, 풍선 등으로 광범위하게 대체되고 있다. 전비공에 불충분하게 채워진 바세린 거즈는 지혈을 위한 팩킹보다는 마개 정도의 역할에 머무를 수 있다. 따라서 경험이 부족한 경우 비강용 솜뭉치나 풍선 등을 이용하는 것이 더 효과적이다.

바셀린 거즈 띠는 끝단으로부터 약 6인치 부위를 고정집게(bayonet forceps)로 잡아 가능한 한 비강의 후방까지 밀어 넣고 한쪽 끝은 비공에 보이도록 한다. 고정집게를 오므려 삽입된 거즈를 비강바닥에 꼭꼭 눌러준다. 다음 전비공으로부터 약 4~5인치 부위의 거즈띠를 고정집게로 잡고, 비경의 아랫날을 이용하여 이미 비강에 삽입한 거즈띠를 비공 바닥에 대고 누르면서 거즈띠를 비강에 삽입하고 고정집게로 눌러준다. 거즈띠로 전비공이 아래에서부터 위로 층을 이루어 완전히 채워질 때까지 이러한 과정을 시행한다.

2. 압축시킨 해면을 이용한 비강 팩킹 (Packing with compressed sponge)

비공을 통하여 삽입이 용이하도록 압축된 해면(예, Merocel)의 모양을 다듬고 외과용 윤활제(surgical lubricant)나 항생연고(antibiotic ointment)로 도포한 다음 고정집게로 전장을 잡아 비강의 바닥을 따라 삽입한다. 혈액이나 소량의 식염수로도 해면이 팽창하여 비강을 채우고 지혈을 시킨다.

3. 비출혈용 풍선을 이용한 비강 팩킹 (Packing with epistaxis balloons)(그림 10-5)

풍선형 지혈 치료 도구인 전비출혈 풍선(예, Rapid Rhino)은 카복시셀룰로스 외피(carboxycellulose layer)가 혈소판의 응고를 촉진시킨다. 풍선은 비강을 폐쇄시키기에 알맞고 삽입과 제거가 용이하며 환자를 편안하게 한다. 외피를 식염수 등으로 적신 후 비강의 바닥을 따라 삽

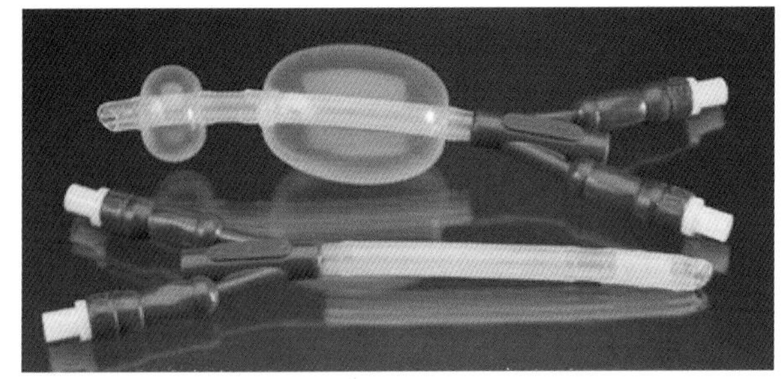

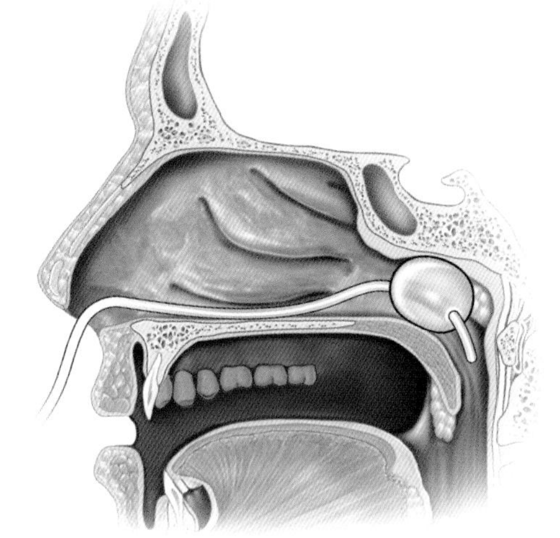

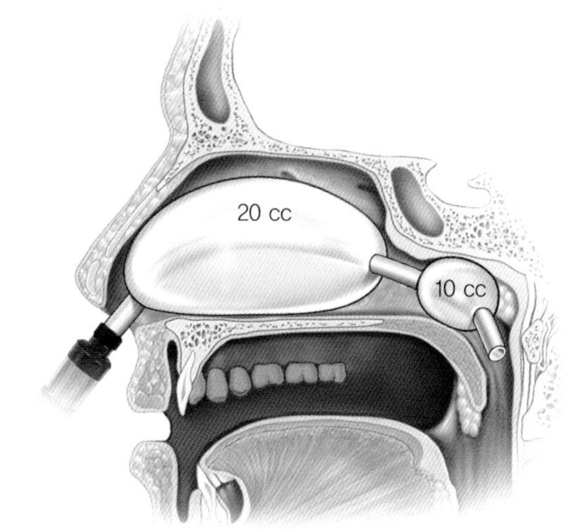

■ 그림 10-5. **비출혈용 풍선을 이용한 비강 팩킹**

입하고 20 cc 주사기를 이용해 공기를 주입한다.

후비출혈용은 이중 풍선으로 이루어진 장치(double-balloon device)를 이용하는데 전비공을 통하여 후비공용 풍선을 밀어 넣은 다음 약 4~5 ml의 멸균 생리 식염수로 풍선을 만들고 부드럽게 전비공쪽으로 당겨 풍선이 후비공에 밀착하도록 한다. 인두 후방의 출혈을 지혈시킨 후 지혈이 완전히 이루어질 때까지 각 장치의 최대 용량에 한하여 전비강용 풍선을 멸균 식염수로 채운다.[10]

4. 도뇨관(Foley catheter)을 이용한 지혈

도뇨관은 12-15 French, 30 ml 크기를 이용하여 도뇨관의 끝이 비인강에서 보도록 비강 바닥을 따라 삽입한다. 약 15 ml의 멸균 식염수로 부풀린 후 후비공에 단단히 고정되도록 부드럽게 전비공 쪽으로 당긴 후 제대용 겸자(umbilical clamp)로 고정한다. 비익과 비주의 압박 괴사를 예방하기 위하여 겸자 안쪽에 완충용 거즈를 이용한다.

5. 흡수성 물질을 이용한 비강 팩킹 (Packing with absorbable materials)

Oxidized cellulose (Surgicel), Gelatin foam (Gelfoam), Gellatin과 thrombin 중합체(FloSeal) 등은 출혈 부위에 직접 작용하여 혈괴(clot)를 촉진하고 점막이 건조해지거나 추가적인 외상을 예방하여 전비출혈 치료에 사용된다. 흡수성 물질은 불규칙한 비강 면에 적합하여 사용하기 편하고 환자에게 안정감을 제공한다.

1) 환자 관리

후비공을 통한 비출혈 치료의 경우 다발성 합병증 발생 가능성이 있고 지속적인 활력 증후 측정이 필요한 경우가 있어 입원 치료의 대상이 될 수 있다. 후비공 팩킹은 환자에게 불편할 뿐 아니라 저산소증, 저호흡증을 보일 수 있다. 노인 환자, 심질환자, 만성폐쇄성 폐질환자는 산소공급과 감시장치를 부착하여야 한다.

2) 수술적 치료

후비출혈이 심각하거나 치료되지 않는 경우 약 30%에

서 수술적 치료를 필요로 하며, 비출혈과 관련된 동맥의 중재적 색전술(interventional embolization)과 외과적 혈관 결찰술(surgical ligation) 등이 필요할 수 있다.

(1) **중재적 색전술**(그림 10-6)

비폐색의 치료 등에 반응하지 않는 원인 불명의 비출혈을 특히 난치성 특발성 비출혈(intractable idiopathic epistaxis)이라 한다.[6-1] 전비공, 후비공을 통한 비폐색, 국소 혈관 수축제를 이용한 약물 치료에 반응하지 않는 다루기 어려운 비출혈 환자에게 외과적 또는 혈관 내 치료 방법은 1974년 Sokoloff 등에 의하여 소개되었으며 내악동맥 색전술의 경우 13~26%에서 재출혈을 보였다.[21,37,38]

내악동맥 색전술은 국소마취하에 실시할 수 있으나 구인두의 과다한 출혈로 기도 유지가 어려운 경우는 전신마취하에 실시할 수 있다.

선택적 동맥 색전술의 장점은 입원 기간이 짧고, 국소마취로 시술이 가능하며, 수술적 치료에 실패하거나 수술적 치료가 어려운 경우에도 성공률이 비교적 높다는 점이다.[36,49]

색전술의 성공률은 71%에서 95%까지 보고되고 있다. 합병증 발생률은 약 27%이다. 발생할 수 있는 합병증으로는 뇌경색, 반신마비, 동안신경 마비, 실명, 피부괴사, 안면신경마비, 안면부 통증 및 부종, 그리고 서혜부 혈종 등이 있다.

색전술의 시행방법은 19게이지 주사침으로 서혜부 대퇴동맥에 접근한 후 6 French Envoy (TM) 유도용 도뇨관(guide catheter Cordis Corp., Miami Lakes, Florida)을 주입하여 외경동맥의 근위부(proximal segment of External Carotid Artery)에 위치시킨다. Transcend (TM) (Boston Scientific/Target Therapeutics, Freemont, California) 0.010 혹은 0.014 미세철심(microwire)을 따라 Prowler (TM) 10 혹은 14(Cordis Corp) 미세도뇨관을 내악동맥에 삽입한다.

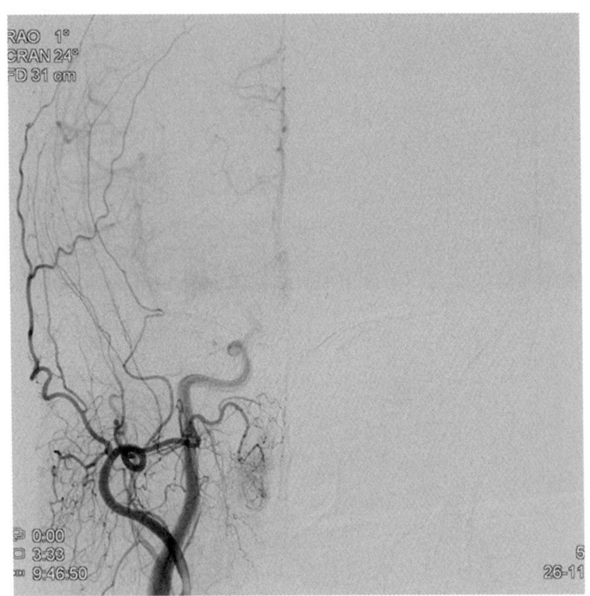

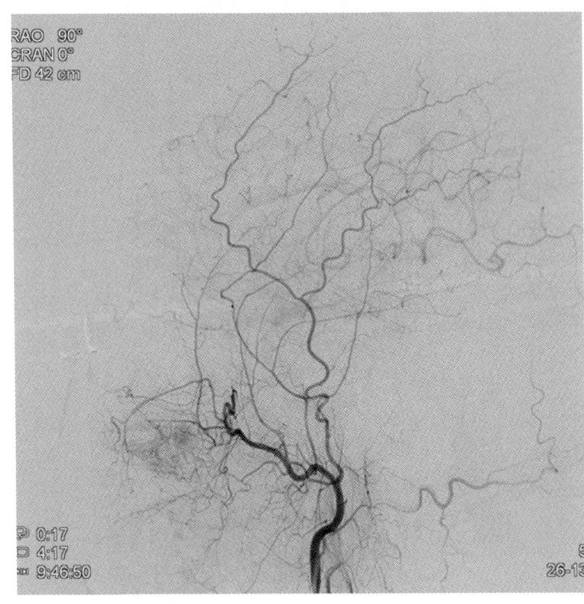

■ 그림 10-6. **비출혈에 대한 중재적 혈관 색전술 시행**

이후 투시 촬영을 하면서 미세도뇨관을 통하여 300~700 마이크론 크기의 Trisacryl gelatin microsphere (Embosphere: BioSphere Medical Inc., Rockland, Massachusetts) 혹은 50~350 마이크론 크기의 polyvinyl alcohol (PVA)(International Therapeutics Corp., San Francisco, California)을 혼합한 희석용 조영제를 주입한다. 내악동맥 색전술 후 혈관 폐색

의 정도를 확인하기 위하여 혈관조영을 하고 색전이 확인된 이후에 비강의 팩킹을 제거한다. 반복적인 비출혈, 혈액역학에 이상이 없을 경우 퇴원을 권유할 수 있다.[17,42,43,44,45,46,47,48]

(2) 외과적 혈관 결찰술(Surgical arterial ligation)

전비공, 후비공을 통한 비폐색, 풍선 솜뭉치, 내시경을 통한 전기 소작 등으로도 비출혈이 지속되는 경우 지혈을 위한 방법중 혈관 결찰(vascular ligation)을 고려할 수 있으며 외경동맥, 내악동맥, 접형구개동맥, 전사골동맥을 대상으로 실시할 수 있다.[12,25,27,36,44,46]

① 외경동맥의 결찰은 노인이나 심약한 환자에 적용할 수 있으며 국소 마취하에 실시할 수 있다.[34] 양측의 외경동맥이 비출혈의 원인이라 하여도 양측 외경동맥 모두를 결찰할 수 없다.

② 난치성 특발성 비출혈의 경우 내악동맥의 조기 결찰이 선택적 치료로 효과적이나 다음과 같은 경우 치료에 실패할 수 있다.
- 불완전한 결찰
- 주혈관이 아닌(non-dominant) 동맥 결찰
- 내악동맥을 확인하지 못한 경우
- 부분적으로 막힌 내경동맥 결찰 부위를 통하여 혈액이 흐르는 경우
- 후사골동맥의 출혈
- 우회로(collateral circulation)를 통한 혈관재생(revascularization)
- 동맥의 분지를 모두 제거하지 못한 경우

③ 접형구개동맥 결찰술(그림 10-7)

최근에는 경상악동 접근법보다 비내시경을 이용한 결찰술이 더 많이 시행된다. 내시경으로 관찰한 뒤, 소작술 혹은 비강 팩킹으로 조절이 되지 않는 후방 출혈의 경우, 접형구개동맥의 결찰술이 최선의 치료가 될 수 있다.

수술방법은 뒤숫구멍(posterior fontanelle)에 절개를 가한 뒤, 점막과 골막 피판을 들어 올리고, 사골능(crista ethmoidalis)의 뒤에서 나오는 전접형구개동맥의 분지를 확인하여 잘 박리한 뒤 클립 등을 이용하여 결찰한다.[3,8,16]

④ 전사골동맥 결찰술

심한 안면부외상, 두개골 골절 시 발생할 수 있으며, 비사골골절과 연관된 전사골동맥의 출혈의 경우 보존적 치료로 지혈이 안 되는 경우에 결찰술이 필요할 수 있다. 전사골동맥은 또한 부비동내시경수술 시 손상이 되어 출혈이 일어나기도 하며, 안와 혈종(orbital hematoma)을 초래하기도 한다. 전사골동맥은 대부분 제2 기판(lamella)과 제3 기판 사이에 위치하며, 전두와(frontal recess)의 중요한 지표가 된다. 부비동내시경수술을 이용한 전사골동맥의 결찰은 부비동내시경수술 중 혈관이 손상될 경우, 장간막(mesentary) 형태로 전사골동맥이 주행할 때 시행하는 것이 좋다고 알려져 있으며, 내시경 수술 시 전사골동맥을 찾으려 하는 것은 전사골동맥의 손상을 초래할 수 있어 바람직하지 않다.[31]

6. 기타

비강 팩킹은 부비동의 통기를 방해하여 부비동염 혹은 toxic shock syndrome의 원인이 될 수 있으므로 48~72시간 후 상황에 따라 제거하여야 한다.

광범위 항생제(cephalosporine 등)는 세균성 감염의 예방과 치료에 도움이 될 수 있으며 균주 검사를 통한 항생제 사용이 필요할 수 있다.

경구용 진통제 등의 약물은 진정 효과도 보이기 때문에 환자의 안정과 통증 해소에 필요하며 환자가 객담 배출을 수월하게 할 수 있도록 하고, 치료에 잘 협조할 수 있도록 도와준다. 비출혈 환자의 경우 아스피린이나 아스피린 포함 약제 등은 피하도록 하여야 한다.

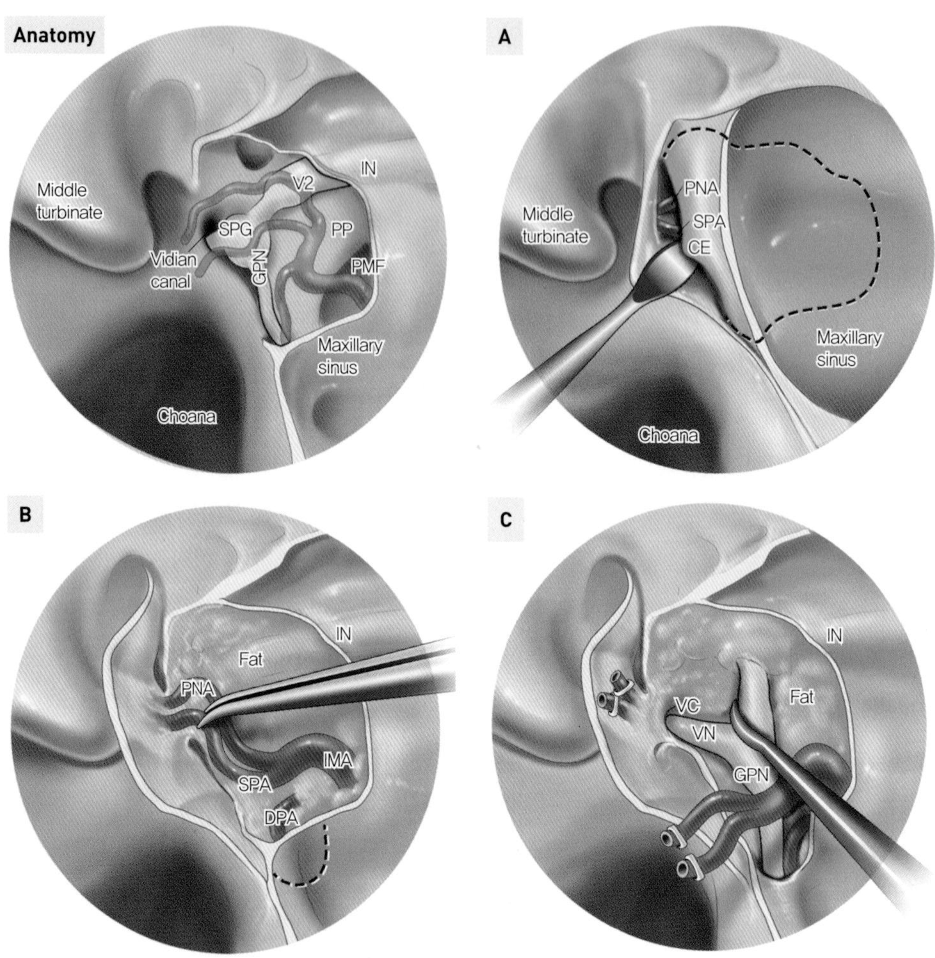

■ 그림 10-7. **비내시경을 통한 접형구개동맥 결찰술.** CE: crista ethmoidalis, DPA: descending palatine artery, GPN: greater palatine nerve, IMA: internal maxillary artery, PMF: pterygomaxillary fissure, PNA: posterior nasal artery, SPA: sphenopalatine artery, SPG: sphenopalatine ganglion, VC: vidian canal, VN: vidian nerve

뜨거운 물을 이용한 비강 세척(Hot water irrigation)은 지속적인 후비강 출혈 시에 점막 부종을 일으켜, 국소 지혈 효과와 국소 부위의 혈류 감소 효과를 볼 수 있다. 국소 마취를 한 후, 풍선 카테터를 후비공에 위치시켜 후비공을 차단한 뒤, 46~50℃ 물로 세척한다.

와파린을 복용하는 경우 조절 불가능한 출혈이 있는 경우 일시적으로 사용을 중단하거나 다른 약제로 변경할 수 있으나 일반적으로 지속적으로 사용한다.

반복적인 비출혈은 종양 등 심각한 병리 상태에서 나타날 수 있으므로 완벽한 검사를 시행하여야 한다.[13,19]

참고문헌

1. Ando Y, Iimura J, Arai S, Arai C, Komori M, Tsuyumu M, et al. Risk factors fo recurrent epistaxis: Importance of initial treatment. (Auris Nasus Larynx). 2013 Jun 19.
2. Badran K, Malik TH, Belloso A, Timms MS. Randomized controlled trial comparing Merocel and RapidRhino packing in the management of anterior epistaxis. (Clin Otolaryngol). 2005 Aug. 30(4):333-337.
3. Breda S D, Choi I S, Persky M S, Weiss M. Embolization in the treatment of epistaxis, after failure ot internal maxillary artery ligation. Laryngoscope. 1989. 99(8 Pt 1):809-813.
4. Brinjikji W, Kallmes DF, Cloft HJ. Trends in Epistaxis Embolization in the United States: A Study of the Nationwide Inpatient Sample 2003-2010. (J Vasc Interv Radiol). 2013 May 3.
5. Buiret G, Pavic M, Pignat JC, Pasquet F. Gelatin-thrombin matrix: a

new and simple way to manage recurrent epistaxis in hematology units. (Case Rep Otolaryngol). 2013. 2013:851270.
6. Chlosser RJ. Clinical practice. Epistaxis. (N Engl J Med). 2009 Feb 19. 360(8):784-789.
7. Cook PR, Renner G, Williams F. A comparison of nasal balloons and posterior gauze packs for posterior epistaxis. (Ear Nose Throat J). 1985 Sep. 64(9):446-449.
8. Cooke Et. An evaluation and clinical study of severe epistaxis treated by arterial hgation. J Laryngol Otol. 1985. 99(8):745-9. doi: 10.1017/S0022215100097607.
9. Corbridge RJ, Djazaeri B, Hellier WP, Hadley J. A prospective randomized controlled trial comparing the use of merocel nasal tampons and BIPP in the control of acute epistaxis. (Clin Otolaryngol Allied Sci). 1995 Aug. 20(4):305-7. Chap 40.
10. Cullen MM, Tami TA. Comparison of internal maxillary artery ligation versus embolization for refractory posterior epistaxis. Otolaryngol Head Neck Surg. 1998118:636-642.
11. Cummings CW. Epistaxis. (Cummings: Otolaryngology: Head and Neck Surgery). 4th ed. Philadelphia, Pa: Elsevier, Mosby 2005.
12. della Faille D, Schmelzer B, Vidts G, et al. Posterior epistaxis: our experience with transantral ligation and embolisation. Acta Otorhinolaryngol Belg. 199751:167-171.
13. Douglas R, Wormald PJ. Update on epistaxis. (Curr Opin Otolaryngol Head Neck Surg). 2007 Jun. 15(3):180-183.
14. Elahi MM, Parnes LS, Fox AJ, Pelz DM, Lee DH. Therapeutic embolization in the treatment of intractable epistaxis. Arch Otolaryngol Head Neck Surg. 1995121:65-69.
15. Elden I, Montanera W, Terbrugge K, Willinsky R, Lasjuanias P, Charles D. Angiographic embolization for the treatment of epistaxis: a review of 108 cases. Otolaryngol Head Neck Surg. 1994111:44-50.
16. Ellis D A, LeLiever W C. Indications for internal maxillary artery ligation in the treatment of epistaxis. J Otolaryngol. 19809(3):228-232.
17. Fuchs FD, Moreira LB, Pires CP, et al. Absence of association between hypertension and epistaxis: a population-based study. (Blood Press). 2003. 12(3):145-148.
18. Gifford TO, Orlandi RR. Epistaxis. (Otolaryngol Clin North Am). 2008 Jun. 41(3):525-36, viii.
19. Herkner H, Havel C, Mullner M. Active epistaxis at ED presentation is associated with arterial hypertension. (Am J Emerg Med). 2002 Mar. 20(2):92-95.
20. Jackson KR, Jackson RT. Factors associated with active, refractory epistaxis. Arch Otolaryngol Head Neck Surg. 1988114:862-865.
21. Karras DJ, Uf berg JW, Harrigan RA, et al. Lack of relationship between hypertension-associated symptoms and blood pressure in hypertensive ED patients. (Am J Emerg Med). 2005 Mar. 3(2):106-110.
22. Kemal O, Sen E. Does the weather really affect epistaxis?. (B-ENT). 2014. 10(3):199-202.
23. Lasjaunias P, Berenstein A. Surgical Neuroangiography, Springer Berlin Heidelberg New York. 19871:383-387.
24. McDonald TJ. Nosebleed in children BAckground and techniques to stop the flow. Postgiad Med. 198781(1):217-224.
25. Metson R, Lane R. Internal maxillary artery hgation for epistaxis an analysis of failures. Laryngoscope. 198898(7):760-4. doi: 10.1288/00005537-198807000-00015.
26. Moreau S, De Rugy MG, Babin E, Courtheoux P, Valdazo A. Supraselective embolization in intractable epistaxis: review of 45 cases. Laryngoscope. 1998108:887-888.
27. Nair K K. Transantral hgation of the internal maxillary artery. LAryngoscope. 198292(9 pt 1):1060-1063.
28. Oguni T, Korogi Y, Yasunaga T, et al. Superselective embolisation for intractable idiopathic epistaxis. Br J Radiol. 200073:1148-1153.
29. Pollice PA, Yoder MG. Epistaxis: a retrospective review of hospitalized patients. Otolaryngol Head Neck Surg. 1997117:49-53.
30. Pope LE, Hobbs CG. Epistaxis: an update on current management. (Postgrad Med J). 2005 May. 81(955):309-314.
31. Schaitkin B, Strauss M, Houck JR. medial versus surgical therapy a comparison of efficacy, complications, and economic considerations. Laryngoscope. 198797(12):1392-6. doi: 10.1288/00005537-198712000-00003.
32. Schlosser RJ. Clinical practice. Epistaxis. (N Engl J Med). 2009 Feb 19. 360(8):784-789.
33. Shaheen O H. Arterial epistaxis J. Laryngol Otol. 197589(1):17-34.
34. Singer AJ, Blanda M, Cronin K, et al. Comparison of nasal tampons for the treatment of epistaxis in the emergency department: a randomized controlled trial. (Ann Emerg Med). 2005 Feb. 45(2):134-139.
35. Siniluoto TM, Leinonen AS, Karttunen AI, Karjalainen HK, Jokinen KE. Embolization for the treatment of posterior epistaxis. An analysis of 31 cases. Arch Otolaryngol Head Neck Surg. 1993119:837-841.
36. Small M, Maran A G. Epistaxis and arterial hgation. J Laryngol Otol. 198498(3):281-4. doi: 10.1017/S0022215100146572.
37. Sokoloff J, Wickbom I, McDonald D, Brahme F, Goergen TC, Goldberger LE. Therapeutic percutaneous embolization in intractable epistaxis. Radiology. 1974111:285-287.
38. Strong EB, Bell DA, Johnson LP, Jacobs JM. Intractable epistaxis: transantral ligation vs. embolization: efficacy review and cost analysis. Otolaryngol Head Neck Surg. 1995113:674-678.
39. Szyszkowicz M, Shutt R, Kousha T, et al. Air pollution and emergency department visits for epistaxis. (Clin Otolaryngol). 2014 Dec. 39(6):345-351.
40. Teymoortash A, Sesterhenn A, Kress R, et al. Efficacy of ice packs in the management of epistaxis. (Clin Otolaryngol Allied Sci). 2003 Dec. 28(6):545-547.
41. Tseng EY, Narducci CA, Willing SJ, Sillers MJ. Angiographic embolizat ion for epista x is: a rev iew of 114 cases. Laryngoscope. 1998108:615-

619.
42. Van Wyk FC, Massey S, Worley G, Brady S. Do all epistaxis patients with a nasal pack need admission? A retrospective study of 116 patients managed in accident and emergency according to a peer reviewed protocol. (J Laryngol Otol). 2007 Mar. 1(3):222-227.
43. Vitek J. Idiopathic intractable epistaxis: endovascular therapy. Radiology. 1991181(1):113-116.
44. Waldron J, Stafford N J. Ligation of the external carotid artery tot severe epistaxis. J Otolaryngol. 199221(4):249-251.
45. Wehrli M, Lieberherr U, Valavanis A. Superselective embolization for intractable epistaxis: experiences with 19 patients. Clin Otolaryngol Allied Sci. 199813:415-420.
46. Wormald P J, Wee DT, Hasselt CA. Endoscopic ligation of the sphenopalatine artery tor refractory posterior epistaxis. Am J rhinol. 200014(4):261-264.
47. Yilmaz M, Mamanov M, Yener M, Aydin F, Kizilkilic O, Eren A. Acute ischemia of the parotid gland and auricle following embolization for epistaxis. (Laryngoscope). 2013 Feb. 23(2):366-368.

CHAPTER 11

외비와 비강질환

이비인후과학 Otorhinolaryngology - Head and Neck Surgery

박석원

I 외비의 질환

넓은 의미에서의 외비의 질환은 선천기형, 선천종물, 피부질환 및 종양을 포괄한다. 이 중 선천기형 및 선천종물은 본 교과서에서 별도의 단원으로 기술하므로 여기서는 자세히 다루지 않는다. 피부질환의 경우 외비에 발생 가능성이 높은 주요 질환을 간략하게 다룬다.

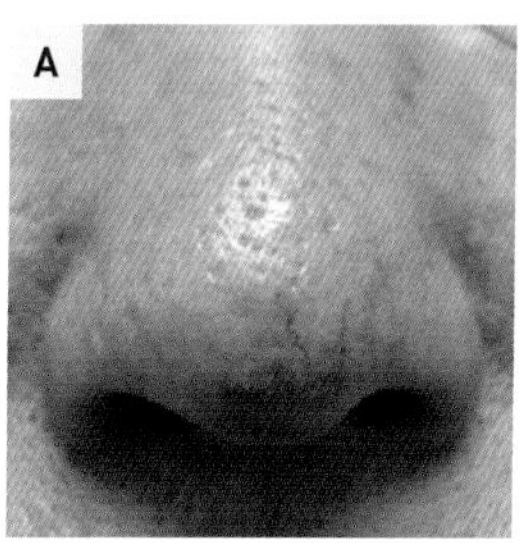

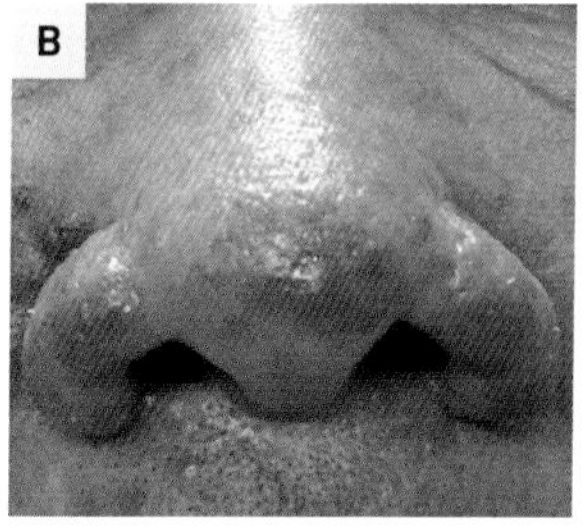

■ 그림 11-1. **장미증.** A) 홍반모세혈관확장형, B) 류형

1. 장미증, 주사(Rosacea)

'주사'라는 병명으로 흔히 알려져 있지만 최신 의학용어로는 어원에 충실한 '장미증'으로 불리우는 질환이다. 외비에 발생한 경우 '딸기코'로 불리며, 일시적 또는 영구적인 안면홍조, 모세혈관확장, 구진, 농포 등이 코, 뺨, 전두부 등 안면의 요부에 발생하는 만성 피부질환이다(그림 11-1).[19] 장미증의 미국 피부과학회 표준분류에 따르면 홍반모세혈관확장형(erythematotelangiectatic), 구진농포형(papulopustular), 류형(딸기코종형, phymatous), 안형(ocular)의 4가지 아형(subtype)과 육아종형 변이형(granulomatous variant)을 규정하고 있다.[55] 주로 30대 이상의 성인에 발생하고 여성에 더 잘 생긴다. 병인은 현재까지도 명확하지 않으나 유전적 소인, 내분비 이상, 혈관운동 부조, 자외선 노출 등에 의해 야기되는 피부혈관 항상성의 이상에 기인한다는 설이 가장 유력하다.[19] Drinker's nose라는 세속적인 별명에도 불구하고 음주가 실제로 외비에서 발생하는 장미증의 원인인지는 확실하지 않다. 위장관의 *Helicobacter pylori* 감염과 장미증 발병의 관련설, 털집진드기(피부모낭충, *Demodex folliculorum*) 원

인설 등도 꾸준히 제기되고 있으나 아직은 논란이 많다.[19] 치료로는 우선 일광 및 열 차단과 화장금지, 금주가 권장된다. 국소도포 약제로는 마크롤라이드계 항생제 연고, 메트로니다졸 크림(0.75~1%), sodium sulfacetamide(10%), azelaic acid(15%), 트레티노인 등을 병변에 바른다. 심한 경우에는 테트라사이클린, 마크롤라이드계 항생제, 메트로니다졸, 이소트레티노인 등을 경구투여할 수 있다. 레이저로 치료하는 방법도 있다.

2. 비류(Rhinophyma)

딸기코종이라고도 부른다. 류(phyma)는 류형 또는 육아종형 변이형의 장미증에서 진행한 형태의 병변으로서,[19] 충혈이나 부종이 반복되면서 피지선과 피하결체조직, 혈관 등의 과형성으로 피부가 두꺼워지고 표면에 우툴두툴한 결절들이 종괴처럼 생기는 것이다. 외비에서 발생하는 것이 비류이고, 그 밖에도 발생 부위에 따라 턱(gnathophyma), 전두부(metophyma), 외이(otophyma), 안검(blepharophyma) 등으로 칭한다.[19] 장미증과는 달리 주로 40대 이상의 남성에게서 발생한다. 코에는 외비 하부 1/3에 주로 발생한다.[52] 약물로 호전되지 않으므로 외과적 치료가 필수적이며 최근에는 주로 레이저나 고주파 전기수술 등이 이용된다.[7,52]

3. 코의 모낭염(Nasal folliculitis) 및 코종기(Nasal furuncle, nasal boil)

외비, 비전정, 인중 등에서 발생하는 급성 화농성 세균 감염질환의 가장 흔한 원인균은 황색포도상구균(*Staphylococcus aureus*)이며, 이로 인해 발생하는 질환은 모낭에 발생하는 모낭염 또는 모낭을 포함하는 주위 진피조직으로 화농이 확장된 종기이다.[18] 코를 쓰다듬거나 후비거나 풀거나 코털을 뽑는 등 손으로 코를 자꾸 만지는 행동이 감염 및 악화의 원인이 될 수 있다. 발적, 통증과

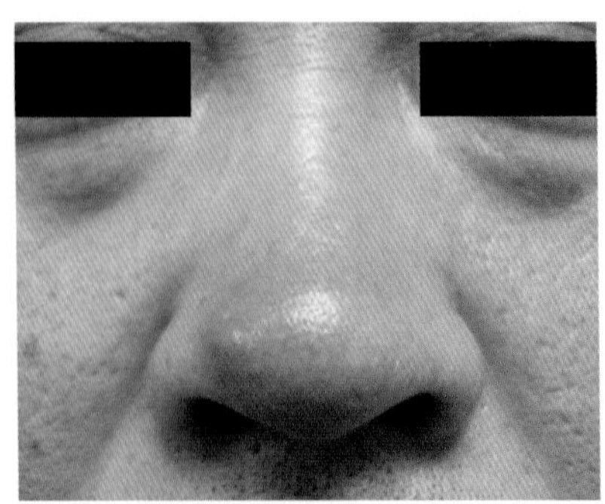

■ 그림 11-2. **외비의 종기(루돌프 징후)**

압통이 있으며 화농성의 분비물과 가피, 심하면 병변 주위 부종 및 연조직염(cellulitis)이나 발열, 오한 등의 전신 증상이 나타날 수도 있다. 종기로 인해 코끝이 발갛게 부어오르는 현상을 일컬어 루돌프 징후(Rudolph sign)라고도 칭한다(그림 11-2).[20] 농포가 터져 나온 후에는 대개 이러한 증상들이 급격히 감소한다.

화농이 심하지 않은 모낭염의 경우에는 소독과 mupirocin, fusidic acid 등의 국소 항생제 연고 도포만으로 치료될 수도 있고, 특별히 면역기능에 문제가 있지 않다면 경구항생제 투여 등은 대개 필요하지 않다. 화농이 심하거나 종기로 진행하면 황색포도상구균 감염을 치료하는 항생제의 투여와 적절한 시기에서의 농포의 절개-배농이 필요하다.[18] 발열 등의 전신증상을 보이는 경우는 세균배양이 필요하다.

양측 구각과 미간을 꼭지점으로 하는 얼굴 중앙의 삼각형을 안면위험삼각(danger triangle of the face)이라 하는데 외비, 비전정, 인중등 부위는 모두 이에 포함된다. 이 부분의 정맥계는 하안정맥이나 안각정맥-상안정맥을 통해 해면정맥동과 교통한다. 따라서 종기가 심하게 화농하면 정맥교통로를 역행하여 염증이 안와나 해면정맥동으로 파급될 수 있으므로 매우 주의해야 하며 항생제 투여가 필수적이다.[48] 또한 모낭염이나 종기를 짜내어 배농하려고 해서는 절대로 안 된다. 종기와 다른 종류의 병변이지만 위험삼각지역에서 여드름이나 면포(comedo) 등이 심하게 화농하는 경우에도 마찬가지로 주의를 요한다.

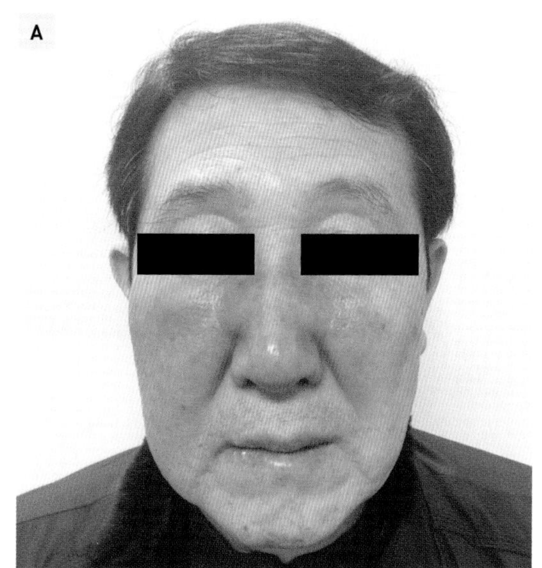

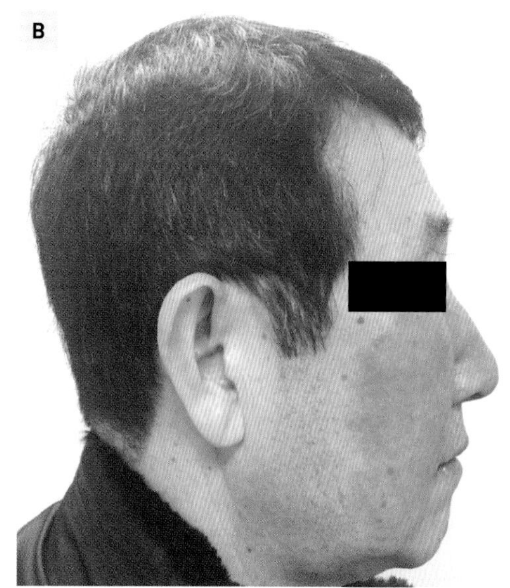

■ 그림 11-3. **단독**

4. 단독(Erysipelas, St. Anthony's fire) 및 연조직염 (Cellulitis)

단독은 A군 (β)-용혈성 연쇄상구균의 외독소가 진피와 표재림프선을 침해하여 발생하는 표층형 연조직염이다. 연조직염(cellulitis)은 피하연부조직 및 결체조직의 감염성 염증으로 주 병원체는 황색포도상구균 및 연쇄상구균이며 과거 봉소염, 봉와직염 등으로 불리웠다. 단독과 연조직염과의 명확한 구분이 어렵기도 하고 치료법에서도 큰 차이를 보이지 않으므로 근래에는 비괴사감염(non-necrotizing infection)이라는 범주에 묶어 연조직염과 단독을 유사질환으로 간주하는 경향이 강하다.[4,39] 굳이 구분하자면 팔다리에는 연조직염이 잘 생기고 안면에는 단독이 잘 생긴다.[4] 참고로 단독은 하지에 많이 발생하며 안면에 발생하는 경우는 10% 이하라는 문헌도 있으나[41] 이는 연조직염과 단독을 명확히 구분하지 않아서 얻어진 수치로 보인다.

50대 이상의 남성에게서 좀 더 많이 발생한다. 발적은 수 시간 동안 가려움증이나 불쾌한 전조증상이 나타난 후 발생하는데, 오렌지색에 가까운 밝은 적색이 특징적으로 나타나며 압통과 국소열이 있다. 단독에서의 발적의 가장자리는 융기되어 정상부위와 뚜렷이 구분되는데 이는 연조직염과의 차이점으로 볼 수 있다. 안면에서의 발생 시 편측성으로 발생하나 종종 외비 및 이마를 포함하여 반대측 얼굴까지 광범위하게 대칭적으로 침범한다(그림 11-3).[39] 심하면 귀나 입술이 붓고 고열, 오한, 두통, 근육통 등의 전신증상이 동반되기도 한다. 홍반은 3~6일째에 가장 심하게 되고 간혹 수포를 형성하여 이것이 터지면서 가피를 형성하기도 한다. 단독 자체가 남성에게 더 잘 생기는 데 비해 수포를 형성하는 경우는 여성이나 당뇨환자에서 주로 볼 수 있으며 치료기간도 더 길어진다.[4]

진단은 주로 임상 양상으로 가능하다. 치료는 페니실린, 마크롤라이드, 1세대 세팔로스포린 등의 항생제를 사용하고, 국소적으로 냉습포나 항생제 연고를 도포한다.[39] 항생제가 없던 시절에도 7~10일 정도 경과하면 자연히 치유되는 경우가 종종 있었으며 항생제의 발달 이후에는 후유증 없이 치료가 잘 되는 질환임에도 불구하고 노약자에게서는 빠르게 진행하여 환자를 위험하게 만들 수 있다.[39]

단독이나 연조직염 모두 발생했던 곳에 재발하는 경향이 있으며, 재발이 잦은 경우는 림프관의 만성적 폐색이 있는 경우로 장기적으로는 피부의 비후성 섬유화가 올 수

있다.[17]

5. 보통루푸스(Lupus vulgaris, tuberculosis luposa)

결핵균에 의한 다양한 피부결핵 질환 중 가장 흔한 형태로 유럽의 보고로는 두경부에 90% 발생하며 주로 외비를 포함한 안면을 침범한다고 하나[50] 아시아에서는 사지나 몸통에서도 잘 생긴다.[49] 루푸스(lupus)는 라틴어로 늑대라는 뜻의 단어인데, 주변 확장성의 조직 파괴와 중앙부위의 위축으로 비첨이 앵무새 부리모양으로 되며 안면 전체적으로는 안검외반, 켈로이드, 림프부종 등을 동반하여 외모가 추해지는 것이 마치 이리나 늑대와 흡사하다고 해서 붙여진 병명이다. 예전에는 이리라는 뜻의 낭(狼)과 '보통, 평범'이라는 뜻의 심상(尋常)이라는 한자어를 사용해 '심상성낭창(尋常性狼瘡)'이라는 병명으로 칭하였다. 병변은 다수의 적갈색의 구진이 뭉쳐서 판(plaque)을 형성하는 모양이며 유리판을 이용한 압시법(diascopy)으로 보면 황갈색의 사과젤리의 색조를 띠는 결절(apple jelly nodule)이 특징이다.[50] 진단은 임상양상으로도 가능하지만 매독, 나병, 홍반루푸스, 사르코이드증 등 다른 질환과의 감별을 위해서는 조직검사상의 치즈화괴사(caseous necrosis) 확인과 중합효소연쇄반응 등이 필요하다.[4] 조직검사에서 결핵균을 발견하기는 어려우며, 결핵균 배양은 6% 정도에서만 양성을 보이므로 큰 의미가 없다.[4] 치료는 초기의 작은 병변에 대해서는 외과적 절제를 시행하며, 진행된 병변에 대해서는 항결핵제 복합투여를 9개월간 시행한다.[4]

6. 선천성 종물

외비 주변에서 볼 수 있는 선천성 종물로 유피낭종(dermoid cyst), 교종(glioma), 뇌류(encephalocele), 수막류(meningocele) 등이 유소아에서 발견되고, 성인에서는 코입술낭종(nasolabial cyst)이 있다.

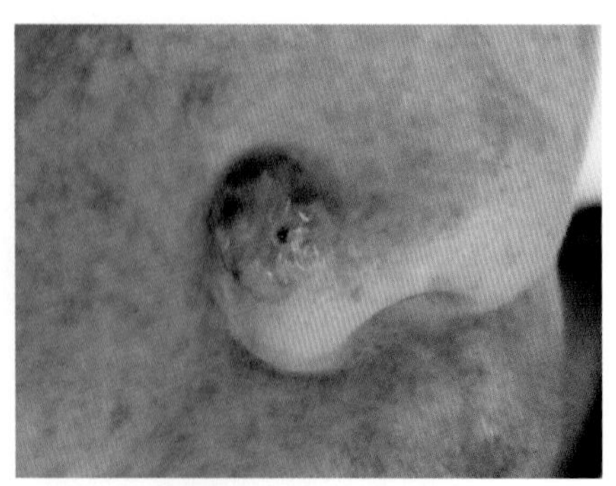

■ 그림 11-4. **기저세포암종**

7. 피부종양

표피, 부속기, 진피 등에서 다양한 피부종양이 발생할 수 있다. 그 중 외비 주변 안면중앙부에서 발생 가능성이 많은 것으로는 양성 종물로 혈관종(hemangioma), 피부섬유종(dermatofibroma), 신경섬유종(neurofibroma), 털상피종(trichoepithelioma) 등이며 악성으로는 기저세포암(그림 11-4), 편평상피암이 있다. 비전정에서는 편평유두종(squamous papilloma)이 간혹 발생한다.

Ⅱ 비전정의 질환

비전정에 황색포도상구균을 보유하고 있는 확률이 일반인에서 20~25%라는 보고가 있다. 균 보유자의 경우 비전정 질환의 재발률이 높으며, 더 나아가서는 병원성 감염의 근원지가 될 수 있다. 따라서 최근에는 병원성 감염을 줄이고자 비전정에서의 황색포도상구균 보균상태를 개선하려는 연구들이 잇따르고 있다.

1. 비전정염, 비전정습진 (Nasal vestibulitis, vestibular eczema)

비전정의 피부부위에 발생한 피부염이다(그림 11-5). 습진은 조직학적으로 해면화(spongiosis)를 동반하는 표재

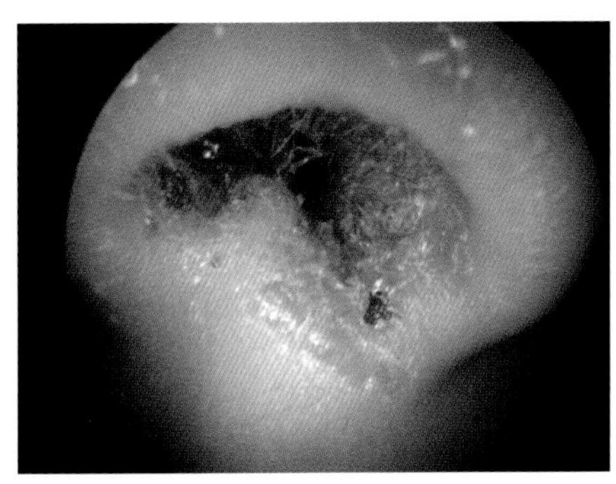

■ 그림 11-5. **비전정염**

피부염(superficial dermatitis)이라 정의하며 임상적으로는 홍반, 인설, 진물, 물집, 과다각화증, 열창(fissure), 태선화(lichenification) 등 다양한 형태로 나타난다.[1] 통상적으로 피부염과 동의어로 사용하고 있으나 피부과학 전공자들 사이에서도 용어의 임상적 적용에 아직 완전히 의견일치가 이루어지지 않았다.[1] 예전에는 비전정염과 비전정습진을 별도의 질환으로 기술하기도 하였으나 전술한 이유로 인해 둘은 임상적으로 뚜렷하게 구분되지 않는다. 비전정염은 피부과적으로 적용하는 습진의 병인론적인 분류중 외인성 습진, 그 중에서도 주로 자극접촉피부염(irritant dermatitis)이나 감염습진양피부염(infectious eczematoid dermatitis)에 해당한다.

자극접촉피부염에 해당하는 비전정염은 비염이나 부비동염으로 인해 비루가 주 증상인 경우 비루의 지속적인 접촉에 의한 만성 자극이 원인이 되어 발생한다. 코를 푸는 행위나 비염에 따른 소양감으로 코를 비비는 행위 등은 이러한 피부염을 더 악화시키게 된다. 비전정의 피부에 발적과 종창이 생기고 동통, 소양감, 작열감이 있다. 때로는 상피의 결손이 생기고 가피로 덮이기도 하며, 가피에 의해 비폐색이 유발되기도 한다.

감염습진양피부염은 이미 존재하는 피부감염이 있을 경우 그 감염성 삼출액이 인접피부에 접촉되어 발생하는 것이다. 비전정에서는 접촉피부염에 이차감염이 발생하거나 비전정종기 등의 세균감염성 질환에 속발되는 경우에 볼 수 있으며, 화농성 가피를 형성하며 병변이 비전정에서 주변 피부로 퍼져나간다. 물론 이때의 감염원은 대부분 황색포도상구균이다.

염증이 장기화되면 피부가 비후되면서 열창이 생기며 그 위로 가피가 덮인다. 열창은 피부의 유두상피가 파괴되어 하부의 진피가 노출되는 것이며 열창이 완전치유되기 전에 가피가 제거되면 다시 진피가 노출되고 삼출액으로 인해 가피가 형성되는 악순환을 겪게 되어 치료가 지연된다.[1]

가장 중요한 것은 원인이 되는 비염이나 부비동염을 치료하는 것이다. 국소적으로는 소독, 세척, 살균 항생제 연고 도포 등이 효과적이다. 삼출성 병변을 완화하기 위하여 과망간산칼륨이나 아세트산알루미늄용액(Burrow's solution)을 도포하는 것도 좋다. 세균 감염 상태가 아니면 스테로이드 연고 도포가 유용할 수 있다. 환자에게 절대로 가피를 무리하게 제거하지 않도록 주의를 시킨다.

2. 비전정 모낭염 및 종기 (Vestibular folliculitis or furuncle)

비전정에 생기는 모낭염과 종기이며 일반적인 증상과 치료에 대한 부분은 코종기 부분에서 자세히 설명하였다.

Ⅲ 비강의 질환

본 단원에서는 다른 단원에서 기술될 통상적인 비염과 종양의 부분을 제외하고 이물과 육아종성 질환 등을 집중적으로 다룬다.

1. 비강이물(Nasal foreign body)

1) 생동성 이물(Animate foreign body)

생동성 비강이물로는 파리의 유충에 의한 구더기증(myiasis)이 가장 대표적이며 주로 열대기후 지역에서 위생상태가 불량한 사람들에게 발생하는 것으로 알려져 있고 국내에서는 과거 보고된 증례가 없었으나 2009년 이후 6년간 3건의 증례가 보고되었으며 세 증례 모두 혼수상태의 고령 환자라는 공통점이 있다.[5,6,37] 회충(*Ascaris lumbricoides*)도 생동성 비강이물이 될 수 있다. 회충이 폐에서 위장관으로 이동하는 단계에서 기침을 통하여 코로 이동한 후 비루관으로 진입을 시도하여 비루관 폐쇄를 일으킨 증례가 외국문헌에서 보고된 바 있다.[44]

2) 비생동성 이물(Inanimate foreign body)

대부분의 비강이물은 비생동성 이물이며, 코 안에 들어갈 수 있는 크기의 물체라면 무엇이든지 이물이 될 가능성이 있다. 일반적인 비강 내의 이물에 의한 전형적 증상은 편측 비폐색 및 화농성 비루이다. 이런 증상을 보이는 모든 사람에게서 비강이물을 의심해 볼 필요가 있으며 특히 유소아 및 정신지체자에서 이런 증상이 지속되는 경우 이물의 가능성을 심각하게 의심해야 한다. 비부비동이나 아데노이드 수술을 받은 수일 후에 이러한 증상을 호소하는 경우는 팩킹 잔유물 등 의인성 이물의 가능성을 염두에 두어야 한다. 진단은 전비경이나 비내시경 검진으로 용이하게 되며, 간혹 부비동의 상태를 평가하기 위해 방사선 촬영을 요할 수도 있다.

비강에서 이물이 가장 많이 위치하는 곳 두 군데로는 첫째로 코밸브 뒤부터 중비갑개 전단 사이의 공간, 둘째는 하비도이다.[36] 그러나 이물의 종류와 위치를 알더라도 의외로 쉽게 제거하기 어려운 경우가 있으며 이유는 다음과 같다. 첫째, 환자들은 대부분 유소아나 정신지체자로서 이물 제거에 적합한 협조를 얻기가 어렵다. 둘째, 꽤 큰 이물질이 코밸브 뒤에 꽉 끼어 있는 경우에는 쉽게 제거되지 않을 수가 있다. 셋째, 제거를 시도하다가 오히려 이물을 후방으로 후진시키거나 극단적으로는 후비공을 통과시켜 기도로 들어가 기도이물이 되는 곤란한 상황을 초래할 수도 있다. 특히 장난감 총알 등 동그란 공 모양의 매끄러운 이물인 경우에는 겸자(forceps)로 잘 잡히지 않아 이런 가능성이 더 높다. 따라서 비강 이물의 제거는 아무리 간단해 보이는 증례라도 항상 술자의 신중을 요하며, 협조가 나쁜 환자인 경우 종종 진정이나 전신마취가 필요할 수 있으므로 보호자에게 충분한 사전설명을 하고 제거에 임하는 것이 좋다. 공 모양의 이물은 일반적인 겸자로 잘 제거되지 않으면 후방에서 전방으로 당길 수 있도록 끝이 굽은 갈고리(hook)류를 사용하는 것이 이물의 후방이동을 방지할 수 있다.[15] 별다른 증상이 없는 이물이라 하더라도 차후 비석(rhinolith)이나 주변의 육아조직을 형성하여 문제를 일으킬 수 있으므로 반드시 제거해야 한다. 환자가 유소아인 경우 기구를 사용하여 이물을 제거하기 전에 부모가 환아와 입을 맞추고 호기를 불어넣어 이물이 코로 나오도록 시도하는 Parent's kiss (Mother's kiss) 방법을 우선적으로 시행해 볼 수도 있다. 이는 시행이 쉽고, 협조가 되지 않는 환아를 강제적으로 속박하거나 마취를 하지 않아도 된다는 장점이 있으며 성공률은 64%라는 연구보고가 있다.[46]

다른 종류의 물질과는 달리 단추형 건전지가 비강이물인 경우는 응급상황으로 간주하여 최대한 빨리 제거해주어야 한다. 대개 이산화망간을 쓰는 알칼리 건전지인데, 건전지에서 발생하는 전류나 유출되는 알칼리액에 의해 접촉면의 액화괴사(liquifactive necrosis)가 발생한다. 점막괴사에 이어지는 연골의 괴사 등이 삽입 후 수 시간 내에 발생하므로 조금만 늦어도 비중격 천공, 비내 유착, 비전정 협착 등의 심각한 후유증을 남기게 된다.[40] 제거 후에는 접촉했던 비점막이나 비전정피부의 손상이 있는지를 확인하고 필요하면 괴사조직을 제거해주는 작업과 세척 및 유착 방지 작업을 병행해야 한다(그림 11-6).

2. 비갑개 비후(Turbinate hypertrophy)

흡기 및 호기 시의 비강 내에서의 기류는 층류이며, 비강이 필요 이상으로 넓어지는 경우 기류의 저항은 줄지 않으며 오히려 와류가 형성되어 점막의 건조나 가피 형성

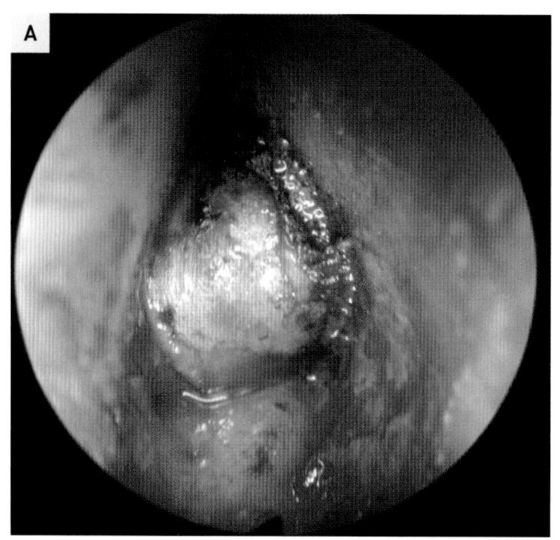

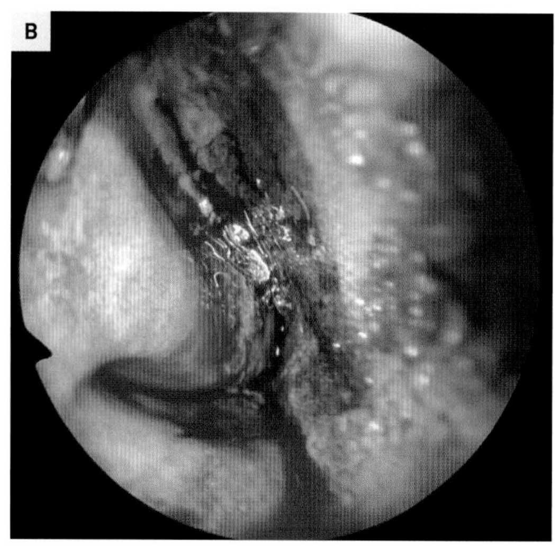

■ 그림 11-6. **만 4세 소아 우측 비강에 들어간 단추형 전지 이물.** **A)** 삽입 후 4시간째의 상태, **B)** 접촉면 점막의 괴사(제거 직후 모습)

을 초래하게 된다.[29] 와류는 기류통과에 기여하지 못하는 사강(dead space)의 존재로 인한 것이며 장기적으로는 사강을 채워 와류를 줄이기 위해 비점막의 보상성 비대가 발생한다. 이는 임상적으로는 주로 하비갑개나 중비갑개에서 발생하며 비갑개 골부의 결손이 있는 경우 마주보는 비중격의 점막이 비대해지는 경우도 흔하다. 과거에는 비갑개 비후가 정맥동의 증가와 확장에 의한 것으로 알려져 왔으나 최근에는 정맥동이 비후에 기여하는 부분이 적고 오히려 골부의 비후가 주로 기여한다거나,[12] 비후에 염증세포 침윤이 동반된다는 연구보고가 있는 등[11] 비갑개 비후의 자세한 발생 과정은 아직 명확히 밝혀지지 않은 상태이다.

비후성 비염이라는 용어가 임상적으로는 아직도 흔히 사용되고 있으며 상당부분 비갑개 비후와 혼용되는 경향이 있고 과거 외국 교과서에서도 그렇게 다뤄왔다. 하지만 만성 비염이 장기화되어 발생하는 점막 비후와 기류 이상으로 발생하는 비갑개 비후와는 구별되어야 한다. 사실 비후성 비염이라는 병명은 비염의 발생원인과 상관없이 비폐색 증상이 있는 환자의 비강에서 비후현상이 관찰되는 경우에 붙일 수 있는 병명이므로, 발생원인에 따라 불리우는 다른 비염의 명칭들과는 명명방법이 동떨어져 있다. 따라서 최근에는 비후성 비염이라는 병명을 잘 사용하지 않고 비갑개 비후라고만 부르되 단지 비갑개 비후를 비염과 관련이 있는 국소적 인자 중 하나로 분류하고 있다.[35]

전술한 바와 같이 비갑개 비후는 보상성 생리기전에 의한 부분이 많으므로, 수술적 치료를 적용함에 있어서 단지 육안적인 비후소견에 의해 결정할 것이 아니라 비후가 환자의 증상에 대한 원인으로 실제 작용하는지를 신중히 평가해야 하며, 또한 수술이 필요한 경우 비후에 주로 기여하는 부분이 골부인지 연조직인지를 평가하여 어떤 방법을 적용할지를 결정해야 한다. 골부에 대해서는 외측방으로의 인위적 골절이나 점막하 골부 절제를 시행할 수 있다. 연조직에 대해서는 조직을 제거하여 통기도를 늘리는 방법과 조직을 수축시켜 통기도를 늘리는 방법의 두 가지로 크게 나뉜다. 전자에는 골부절제에 일부 포함되거나 독립적인 단순 점막 절제, 미세흡입분쇄기(microdebrider)를 이용한 점막하 절제 등이 있는데 이는 출혈에 대한 후속조치가 필수적이라는 단점이 있다. 후자에는 전기 소작기나 화학약품을 이용한 비갑개 소작, 점막하 가열, 레이저, 라디오주파 등을 이용하는 조직 수축 방법들이 있다. 이들의 치료성적에 대해서는 아직도 다양한 임상연구들이 보고되고 있으며, 점막을 건드리지 않고 점막하에서 직접 작용하는 방법들이 점액섬모 수송능 보존 및 치료기간 단축 차원 등에서 더 우수한 편이다.

3. 빈코증후군(Empty nose syndrome)

빈코증후군은 비갑개를 완전히 절제하거나 과도하게 축소시키는 수술을 한 환자들에게서 드물게 나타날 수 있는 후유증 중 하나이며, 의인위축비염(iatrogenic atrophic rhinitis)과 일부 증상이 유사한 점이 있어 혼용되어 기술되어 왔으나 근자에는 독립적인 질환으로 다루는 경향이 강해지면서 연구보고가 점차 늘고 있다. 역설적 비폐색, 호흡곤란, 비강 및 인두 건조감, 후각감퇴, 우울감 등이 대표적 증상이며, 특히 우울감과 관련해서는 코로 숨이 쉬어지지 않는 느낌에 기인한 불안감이 있고 구강호흡으로도 불안감이 해소되지 않으며 그로 인해 도무지 다른 일에 집중을 할 수 없는 비성 주의산만(aprosexia nasalis) 상태가 되기도 한다.[16,32] 비갑개가 과도하게 절제된 환자들에게서 모두 빈코증후군이 나타나는 것은 아닌데, 이러한 발병의 차이는 비갑개를 절제할 때 손상된 지각신경이 재생되며 상위 신경에 연결되는 과정의 개인적 차이에 기인하는 것으로 보는 견해가 있으며,[51] 환자와 정상인 간에는 변연계의 차이가 있을 가능성도 있다.[24] 생리식염수를 적신 솜을 비강 내 수술대상 공간에 20~30분간 넣어 둔 상태에서 환자의 증상이 호전되는지를 점검하는 cotton test가 진단 및 치료 예후 판정에 유용하다.[32] 치료는 위축비염에 대한 것과 거의 같지만 비강 세척, 가습 및 윤활제 도포 등 비수술적 치료는 효과가 적으며 자가연골이나 생체조직, 기타 인조물질들을 비갑개, 비중격 또는 비강저의 점막하에 넣어 공간을 좁혀주는 비내미세교정술(endonasal microplasty)과 같은 수술이 효과적이다.[34]

4. 비석(Rhinolith)

비석은 비강이나 부비동에서 비석을 유발하는 핵(nidus) 주위로 칼슘이나 마그네슘과 결합한 인산염(phosphate), 탄산염(carbonate), 수산염(oxalate) 등의 무기물질들이 침착하여 둘러싸이면서 형성되는 것으로 알려져 있다.[45] 이들 무기염류는 비점막의 분비물이나 눈물 등에서 공급되는 것으로 추정된다. 발생 요인에 따라서는 외부 이물이 핵이 되는 외인성과 응고혈, 골편, 분비물등이 핵이 되는 내인성이 있으며 외인성이 내인성보다 더 많다고 하며[22] 외인성의 경우 흡기 시 전비공 또는 재채기나 역류 시 후비공을 통해 유입된 이물이 환자가 인지하지 못한 상태로 비내에 잔존하여 발생한다.[8] 발생부위는 비강저가 가장 많으며 드물게 부비동 내에 생기는 경우도 있어 sinolith, antrolith 등으로 불리우기도 한다.[27,45]

거의 한 쪽에 발생하며, 증상으로는 일측 코막힘과 악취가 나는 비루가 전형적인 증상이다.[45] 기타 비석과 접하는 부분에 발생하는 육아조직과 연관된 가피나 비출혈, 비석으로 인해 초래된 부비동염에 해당하는 농성비루, 두통, 안면압통, 그리고 누낭염 등 비루관폐쇄 증상 등이 있을 수 있다.[22,45] 때때로 무증상인 환자가 우연히 비과적 검진이나 방사선 촬영을 통해 비석의 존재를 알게 되는 수도 있다.[8]

진단은 육안으로 보이는 경우 비교적 쉽게 이뤄지나, 간혹 종양과의 감별이 어려울 수도 있고 부비동 등 주변 비내 구조물과의 관계를 확인할 필요가 있어 궁극적으로는 CT촬영이 필요하다. 부비동 내 비석의 진단은 전적으로 방사선 촬영에 의존하며, 진균부비동염에서 자주 보이는 석회화와의 감별이 필요하다.

치료는 완전제거인데, 주변 육아조직에서의 출혈 등이 수반되는 등의 이유로 외래에서 간단하게 시행할 수 있는 수준을 넘는 경우가 많다. 크기가 크더라도 대부분 쉽게 부서지므로 비강 내에만 국한되어 있는 경우는 내시경하 조작으로 완전제거가 충분히 가능하다. 근자에는 부비동 내시경수술의 술기가 발달하여 부비동에 있어도 대개는 비내수술로 해결이 가능하지만 국내에서는 전두동의 비석이 내시경만으로 제거되지 않아 골성형 전두동 수술을 시

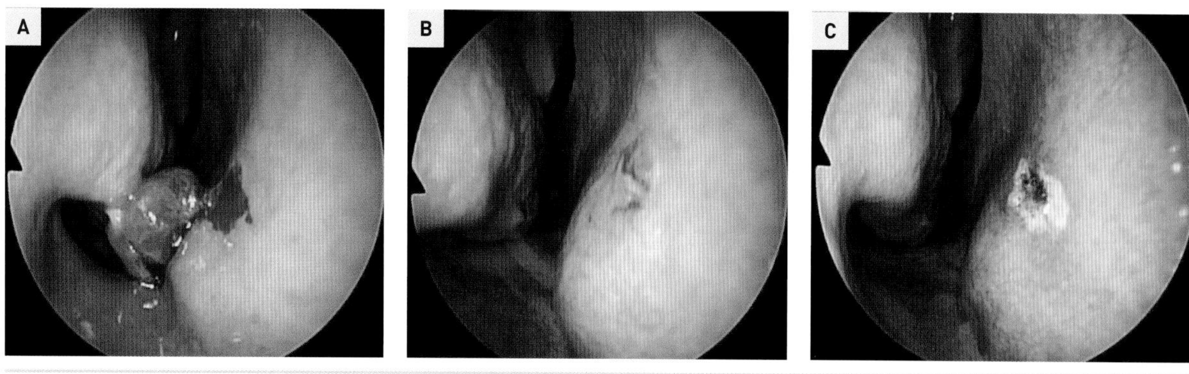

■ 그림 11-7. **소엽모세혈관종.** A) 비중격에서 기시한 우측 하비도의 종괴, B) 제거 직후, C) 비중격 기시부의 전기소작 처리

행했던 예가 보고된 바 있다.[2]

5. 소엽모세혈관종(Lobular capillary hemangioma)

피부나 점막에서 발견되는 양성 혈관성 종양으로 과거에는 육아종성 염증에 의한 종괴로 여겨 화농육아종(pyogenic granuloma)이라고 칭하였으며 이는 현재도 임상적으로 통용되는 병명이지만 잘못 붙여진 병명(misnomer)이므로 가급적 쓰지 않는 것이 좋다. 코에서는 비중격 점막에서 주로 목이 있는(pedunculated) 형태로 발생하며 비갑개 등 측벽이나 비강저에서도 발생한다(그림 11-7). 원인은 정확히 밝혀져 있지 않으나 점막의 미세한 손상이 원인이라는 설이 유력하며 여자의 경우 임신 중이나 피임약 복용 중에 발생률이 의미있게 증가하는 등 호르몬 변화에 의한 영향도 뚜렷하다.[47]

주 증상은 반복적인 편측 비출혈이며, 빠르게 크기가 자라는 출혈성 비강 종괴를 관찰하였다면 반드시 의심해 봐야 한다.[47] 발견 시 단순 육아조직, 비용, 혈관섬유종, 유두종, 악성종양으로 오인되는 수가 있다.

진단은 조직학적 검사를 통해 이루어지며, 치료는 병변과 기저부의 연결부분에서의 완전 절제인데 이는 병변이 크지 않을 경우 진단 목적으로 시행하는 생검 단계에서도 가능하므로 생검 자체로 치료가 종료되는 경우도 있다. 출혈의 부담을 덜기 위해 국소전기 소작이나 레이저를 사용하는 것도 좋으며 간혹 스테로이드 주사가 시행되기도 한다. 크기가 상당히 큰 경우라 해도 술 전 색전술의 시행은 필요하지 않다.[47]

6. 육아종증다발혈관염 (Granulomatosis with polyangiitis; GPA)

상·하기도와 신장을 침범하는 전신적인 혈관염이다. 본 질환은 1936년에 이 질환의 병리소견을 처음 자세히 기술한 독일의 병리학자 Friedrich Wegener의 이름을 딴 베게너육아종증(Wegener's granulomatosis)이라는 병명으로 오랫동안 불려왔다. 그러나 이미 Kinger라는 학자가 1931년에 이 질환을 결절다발동맥염(polyarteritis nodosa)의 변이형으로 Wegener보다 먼저 기술한 바 있다는 사실, 그리고 결정적으로 Wegener가 제2차 세계대전 당시 나치에 협력했었다는 사실이 알려지면서 학자들 간에 더 이상 베게너육아종증이라는 병명을 써서는 안 된다는 의식이 대두되었다. 학자들은 병명에 최초 발견자의 이름을 붙이는 것보다 질환의 병태생리적 핵심을 표현하는 것이 더 좋다는 데 공감하였으며 2011년에 미국 류마티스학회, 미국 신장학회, 유럽 류마티스학회가 공동으로 '육아종증다발혈관염'이라는 병명을 베게너육아종증의 대체 병명으로 채택하였고[23] 최근의 관련 문헌들은 거의 대부분 이를 따르고 있다.

북유럽 코카시안의 발병률이 매년 인구 100만 명당 5~10명 정도로 가장 높으며, 기타 인종이나 지역에서는 그보다 발병률이 낮다.[54] 어느 연령대에서나 발생하며 남녀비는 동등하다.

본 질환의 주 병리소견은 소혈관의 육아종성 염증이며 섬유모세포의 증식과 거세포 및 백혈구 침윤이 동반된다. 침윤된 장기는 혈관염으로 인해 혈류공급에 제약을 받아 괴사가 생기게 된다.[30]

발병원인이나 기전은 아직 명확하지 않으나 환자에서 검출되는 항호중구세포질항체(antineutrophil cyto-plasmic antibody; ANCA)와 관련하여 자가면역질환의 일종이라는 견해가 우세하다. ANCA에는 2가지 종류가 있는데 세포질에서 과립형으로 염색되는 것을 c-ANCA, 핵주변에서 염색되는 것을 p-ANCA라고 한다. 전자는 주로 proteinase 3 (PR3)이라는 serine protease에 대한 IgG 항체이고 후자는 주로 myeloperoxidase (MPO)에 대한 IgG 항체이다. 육아종증다발혈관염에서는 c-ANCA/PR3가 양성일 때 진단적 의미가 있다. 검사는 호중구에서의 면역형광염색 양상을 직접 볼 수도 있고 세포추출물이나 혈청을 대상으로 ELISA 등을 시행할 수도 있다. ANCA가 양성인 전신 소혈관염(ANCA-associated systemic small vessel vasculitides)에는 육아종증다발혈관염(GPA) 이외에도 현미경다발혈관염(microscopic polyangiitis; MPA)과 과거에 Churg-Strauss 증후군으로 불리우던 호산구육아종증다발혈관(eosinophilic granulomatosis with polyangiitis; EGPA) 등이 있다.[28] 그러나 MPA나 EGPA는 GPA와 달리 anti-MPO인 p-ANCA가 주로 양성이며, MPA에는 코 등의 상기도 침범이 잘 나타나지 않고, EGPA에서는 상기도 알레르기의 양태가 주로 나타나며 신장보다는 심장을 침범하는 경우가 훨씬 많다.[53]

임상적으로는 비강 이외에도 폐실질과 신장을 침범할 수 있고 관절, 눈, 피부, 신경 등을 침범하기도 한다. 보통 열, 피로감, 체중감소 등 매우 일반적인 전신증상이 발생하며, 초기에 코 및 상기도 침범 증상이 폐나 신장 증상에 앞서 나타나는 경우가 가장 흔하다. 과거에는 코 등 특정기관에만 침범되어 있는 경우를 국한형(localized, limited), 전신적으로 복수의 장기가 침범된 경우를 전신형(generalized)으로 구분했으나 현재는 localized, early systemic, generalized, severe, refractory로 세분한다.[43]

코 증상은 코막힘, 가피형성, 코피, 비루 등이다. 반수의 환자에서 재발성 부비동염이 나타나는데 초기에는 단순한 만성 부비동염으로만 여겨지는 수도 많다. 더 심하면 비중격의 미란, 천공 등이 발생하며 연골부나 골부의 괴사로 인해 안장코(saddle nose)나 비공협착 등의 외비기형이 초래되기도 한다(그림 11-8). 그러나 외비기형의 존재여부와 질환의 전신적인 활동도와는 상관관계가 없다. 코에서 이러한 양태를 보이는 질환으로 육아종증다발혈관염과 감별해야 할 질환으로는 NK/T세포 림프종, 코의 결핵이나 나병 등의 육아종성 염증질환, 재발성 다발성 연골염, 사르코이드증, EGPA 등이 있다.[33]

코 이외의 다른 이비인후과 영역에서도 증상이 나타난다. 이과적으로는 중이염이 가장 흔하나 주로 속발성이며 원발성으로 중이에 이환되는 경우는 이과적 증상을 가진 환자의 10%이다.[42] 난청은 주로 전음성 난청이며 간혹 감각신경성 난청이 생기기도 한다. 전정장애나 안면신경마비가 발생하기도 하지만 드물다.[42] 구강에서는 점막궤양, 치은염 등이 발생하며, 만일 딸기양 치은비후(strawberry gum hyperplasia)가 있으면 육아종증다발혈관염일 가능성이 매우 높다.[14] 타액선이 침범되어 쇠그렌증후군과 유사한 증상이 나타나기도 한다. 후두가 침범되기도 하는데 가벼운 쉰목소리부터 심각한 호흡곤란에 이르기까지 증상이 다양하며 특히 소아환자들 중 50%에서는 성문하 협착이 있다.[26]

폐 침범 증상은 기침, 객혈, 늑막염, 호흡곤란, 폐렴 등이다. 초기에 폐증상이 나타나는 확률은 45%이고 궁극적으로는 환자의 90%에서 폐가 침범된다. 신장 침범은 초기에는 증상이 없이 혈중 크레아티닌 수치 상승만 15%에서 온다. 사구체신염이 진행되면 증상이 나타나며 궁극적으로는 환자의 75%에서 신장이 침범된다. 특히 만성 신부전증이 본 질환의 주된 사망원인이므로 신장 침범 여부는 예후에 가장 중요한 인자이다.[10]

의심스러운 증례가 있으면 놓치지 않고 검사를 시행해야 한다. c-ANCA의 혈중 농도 측정은 민감도와 특이도가 높아 진단적인 가치가 높은 검사이며 또한 질병의 활동도를 반영하므로 환자의 경과 추적관찰에도 유용하다.[33] 그러나 확진은 조직검사로 이루어지며 괴사나 급성 염증 소견에 의해 진단에 필요한 육아종성 혈관염 소견이 가려질 수 있으므로 여러 차례에 걸쳐 충분한 양의 조직을 생검하는 것이 좋다. 그 밖에도 적혈구침강 속도 증가, 혈중 크레아티닌 수치 상승 또는 크레아티닌 청소율 저하 등이 나타날 수 있다.[33]

치료는 부신피질호르몬, cyclophosphamide, methotrexate 등으로 면역을 억제시키는 치료가 근간이다.[21] 항생제인 trimethoprim-sulfamethoxazole (Bactrim) 투여도 시도되고 있으나 효과에 대해서는 이견이 있고, 항 TNF-α 주사나 혈장분리교환술(plasmapheresis) 등도 치료법으로 소개되었었다.[31] 항CD20 항체이며 림프종 치료약제인 rituximab (Mabthera)이 21세기 초반부터 육아종증다발혈관염 치료에 사용되어 왔고 2011년에 육아종증다발혈관염 치료목적의 rituximab 투여가 미국 FDA의 승인을 받았다.[25] 치료하지 않으면 발병 후 평균 생존기간이 5개월에 불과하지만 치료를 하면 90% 정도에서 완전관해에 도달한다. 그러나 재발이 잦은 편이고, 5년 생존률은 80%, 10년 생존률은 75%로 보고되고 있다.[10,38]

7. 기타 육아종성 질환

대부분의 육아종성 질환들은 초기 증상이 코막힘, 콧물, 점막종창 등 비특이적이어서 조기에 진단을 내리기가 어렵다. 진행하여 혈성 삼출액과 심한 가피가 형성되고 궤양, 비중격 천공, 외비 변형 등이 생기는 경우에는 육아종성 질환의 가능성을 강력히 의심할 수 있으나 이런 징후를 보고 육안으로 어떤 질환인지를 감별해 내는 것은 실제적으로 매우 어려우며, 조직검사를 비롯한 각종 검사에 의존해야 한다(표 11-1). 일반적인 비염의 치료에 잘 반응하지 않고 병변이 진행하는 경우에는 육아종증다발혈관염이나 NK/T세포 림프종, 또는 아래에 소개하는 질환들을 의심해야 한다. 특히 육아종성 질환들은 환자의 면역 저하와 연관이 있을 가능성이 많으므로 인간면역결핍바이러스(human immunodeficiency virus; HIV)에 감염되었을 가능성 등을 같이 고려해야 한다.

1) 제3종 법정전염병

(1) 코의 결핵(Nasal tuberculosis)

코의 결핵은 흔하지는 않지만 국내 결핵이 2014년에 인구 십만 명당 유병률 143명, 발병률 97명으로 OECD 국가 평균의 8배에 달하는 상황을 반영하듯 국내 문헌에 아직도 꾸준히 증례가 보고되고 있어 임상의들의 주의를 요한다. 폐결핵이 선행하는 경우가 많으나 폐결핵 없이 일차적으로 발생하기도 한다. 증례를 후향적으로 분석한 국내외 문헌에 따르면 나이는 10대부터 노인층까지 광범위하게 분포하며 여자가 남자보다 3배 정도 많다.[3,13] 코막힘이 가장 흔한 증상이며 콧물, 가피형성, 코피, 열창 등이 있고 심하면 비중격 연골부의 천공이 발생한다. 과립상의 조직증식, 궤양, 선홍색의 결절성 비후를 보이면 코의 결핵을 의심할 수 있다. 코의 분비물에서 도말이나 배양으로 결핵균을 증명할 확률이 낮으므로 조직검사와 중합효소연쇄반응 등의 검사가 필요하다. 치료는 장기간의 항결핵제 복합투여이다.

(2) 코의 매독(Nasal syphilis)

코의 매독은 항생제의 발달과 혈청검사를 통한 선별법의 발달로 매독이 감소하는 추세에 따라 국내 보고 증례가 매우 희귀하다. 비강 소견만으로는 다른 육아종성 질

표 11-1. 주요 비강 육아종 질환들의 비교

	임상적 의심증후	조직검사상의 특징	확진수단	기타 유용한 진단수단
육아종증다발혈관염	-	소혈관의 육아종 병변	조직검사	c-ANCA/PR3
NK/T 세포 림프종	빠른 병세 진행	다형성, 혈관중심성 침윤 및 괴사	조직검사(면역조직화학염색)	In situ hybridization for EBV
코의 결핵	호흡기 결핵 기왕력	치즈화괴사를 동반한 육아종 병변	조직검사 * 균체도말: 발견확률이 낮음	PCR
코의 매독	비중격 골부 천공	육아종 병변(비특징적)	혈청검사 (RPR, VDRL, FTA-ABS) 균체도말(암시야 현미경)	PCR
코의 나병	지각감퇴	포말세포(foamy histiocyte) 위주의 육아종 병변.	균체도말	PCR

환과 비슷하여 감별이 어렵다. 감염 후 6~10주가 지난 이차 매독인 경우에는 인두의 점막반점, 피부의 장미진, 림프절 비대 등이 동반되며 민감도가 높은 혈청검사들로 충분히 진단이 가능하다. 삼차 매독이나 선천성 매독의 경우에는 고무종(gumma)이 출현하고 골부의 이환으로 외비함몰, 안비, 비중격 천공, 비점막 위축 등의 비변형이 나타난다. 조직검사와 혈청검사를 병행하면 좋다. 치료에는 페니실린이 사용된다.

(3) 코의 나병(Nasal leprosy)

*Mycobacterium leprae*의 감염에 의해서 생기는 나병은 잠복기가 수년 내지 10년 이상으로 길다. 환자 면역상태의 영향에 따라 결핵형(tuberculoid), 나종형(lepromatous), 중간형(borderline)의 3가지 유형으로 분류해 왔으나 근자에는 근결핵형(borderline tuberculoid), 근나종형(borderline lepromatous) 등을 추가하여 더 세분화하고 있다.[4] 이 중 비점막에 이환되는 것은 나종형이다. 나종형으로 발병하는 환자의 대다수가 발병초기에 비점막이 이환되며 이때는 균을 다수 포함하는 비루로 인해 타인에 대한 전염력도 강하다.[9] 초기에는 콧물, 코막힘 등 일반적인 비염 증상이 발현되지만 진행하면 가피, 비출혈 및 비중격 천공, 비점막 위축, 비변형, 섬유성 비공폐쇄 등의 현상이 나타난다. 균의 신경침윤으로 인한 외비나 비점막의 지각감퇴나 후각감퇴가 있을 수 있다는 점이 다른 육아종성 비강질환과 구별되는 증상이다.[9] 검사로는 비즙도말검사에서 균체가 확인되면 확진이 가능하며 그 밖에도 레프로민 검사, 조직검사 등을 시행하나 면역력이 낮은 나종형나병에서 레프로민검사는 종종 음성으로 나타난다는 점에 유의해야 한다. 치료에는 엽산 길항제인 dapsone과 미콜산 합성억제제인 rifampicin이 대표적 치료약이다. 코의 나병도 적극적인 환자 격리 정책에 따른 나병의 유병률 감소 추세에 따라 국내 보고 증례가 드물다.

2) 기타

열대성 세균의 감염에 의한 비강질환들로 *Klebsiella rhinoscleromatis*가 일으키는 코경화증(rhinoscleroma), *Burkholderia mallei*가 일으키며 말, 나귀 등 기제류 동물과 사람에게 공통으로 발병하는 마비저(glanders), *Burkholderia pseudomallei*가 일으키며 기제류, 우제류, 설치류 등과 인수공통감염이 되는 유비저(melioidosis), *Treponema pertenue*에 의한 요스(yaws) 등이 비강에 육아종성 병변을 초래할 수 있다. 비강에서의 코경화증은 국내 보고 증례가 수차례 있으며, 유비저는 국내에 보고된 전신 및 호흡기 감염 증례들이 있으나 코에 발현된 증례는 아니며 마비저 및 요스는 국내 감염례 보고가 없다. 세균이 아닌 원생생물에 의한 감염질환인

리슈만편모충증(leishmaniasis)도 감별대상에 포함되나 역시 국내에서 보고된 감염 증례는 없다. 아스페르길루스증(aspergillosis), 방선균증(actinomycosis) 등 진균류에 의한 비강 감염도 감별대상에 포함된다. 요스, 유비저, 리슈만편모충증은 현재 우리나라에서 제 4종 법정전염병으로 분류되어 있다.

8. 비강 NK/T 세포 림프종(Nasal NK/T cell lymphoma)

과거 20세기에 치사중간선육아종(lethal midline granuloma), 다형망상증(polymorphic reticulosis) 등으로 불리우던 질환으로 과거에 불리던 명칭과는 달리 조직학적 소견상 육아종이 아니며 현재는 T림프구 계열의 림프종임이 알려져 있다. 코막힘, 농성 또는 혈성 비루 및 가피, 궤양 및 비중격 천공 등을 보이므로 비슷한 증상들을 보이는 육아종증다발혈관염 등의 질환과 감별이 필요하다. 일반적으로 육아종증다발혈관염보다는 진행속도나 침윤 범위 등이 더 빠르고 광범위하다. 조직검사로 확진하며, 확진된 후에는 림프종의 병기확정을 위한 추가적인 검사들이 요구된다. 치료에는 방사선요법이나 항암요법이 적용된다. 자세한 내용은 비부비동의 악성종양 단원에서 다뤄진다.

9. 종양

다양한 유형의 선천성 종물이나 종양이 비강에 발생할 수 있다. 이들은 별도로 기술되는 악안면의 선천성 질환, 비부비동의 양성 및 악성 종양 단원에서 자세히 소개된다.

참고문헌

1. 김규한, 박천욱, 은희철 등. 습진. In: 대한피부과학회 교과서편찬위원회 편저: 피부과학, 6판. 서울: 대한의학; 2014. p.197-246.
2. 김범규, 김현성, 정태기 등. 전두동에 발생한 비석 1례. 대한이비인후과학회지 1998;41:657-60.
3. 박찬희, 김현이, 나기상 등. 비강 및 부비동에 발생한 결핵. 대한이비인후과학회지 2003;46:979-983.
4. 안효현, 박석돈, 김경문 등. 감염피부질환. In: 대한피부과학회 교과서편찬위원회 편저: 피부과학, 6판. 서울: 대한의학; 2014. p.355-525.
5. 한정욱, 석상혁, 임준식 등. 구뇌경색으로 장기간 누워 지내는 환자에서 발생한 비강 구더기증의 내시경적 제거술 1예. J Rhinol 2015;22:51-54.
6. 허성재, 이미진, 박창묵 등. 혼수상태의 환자에서 발생한 병원 감염성 비강 구더기증 1예. 대한이비인후과학회지 2013;56:664-666.
7. Aferzon M, Millman B. Excision of rhinophyma with high-frequency electrosurgery. Dermatol Surg 2002;28:735-738.
8. Barros CA, Martins RR, Silva JB, et al. Rhinolith: a radiographic finding in a dental clinic. Oral Surg Oral Med Oral Pathol Oral Radiol Endod 2005;100:486-490.
9. Barton RP. Clinical manifestation of leprous rhinitis. Ann Otol Rhinol Laryngol 1976;85:74-82.
10. Berden A, Göçeroglu A, Jayne D, et al. Diagnosis and management of ANCA associated vasculitis. BMJ 2012;344:e26.
11. Berger G, Gass S, Ophir D. The histopathology of the hypertrophic inferior turbinate. Arch Otolaryngol Head Neck Surg 2006;132:588-594.
12. Berger G, Hammel I, Berger R, et al. Histopathology of the inferior turbinate with compensatory hypertrophy in patients with deviated nasal septum. Laryngoscope 2000;110:2100-2105.
13. Butt AA. Nasal tuberculosis in the 20th century. Am J Med Sci 1997;313:332-335.
14. Cadoni G, Prelajade D, Campobasso E. Wegener's granulomatosis: a challenging disease for otorhinolaryngologists. Acta Otolaryngol 2005;125:1105-1110.
15. Chan TC, Ufberg J, Harrigan RA, et al. Nasal foreign body removal. J Emerg Med 2004;26:441-445.
16. Chhabra N, Houser SM. The diagnosis and management of empty nose syndrome. Otolaryngol Clin N Am 2009;42(2):311-330.
17. Chlebicki MP, Oh CC. Recurrent cellulitis: risk factors, etiology, pathogenesis and treatment. Curr Infect Dis Rep 2014;16:422.
18. Craft N. Superficial cutaneous infections and pyodermas. In: Goldsmith LA, Katz SI, Gilchrest BA, Paller AS, Leffell DJ, Wolff K, editors. Fitzpatrick's Dermatology in General Medicine. 8th ed. New York: McGraw-Hill; 2012. p.2128-2147.
19. Crawford GH, Pelle MT, James WD. Rosacea: I. Etiology, pathogenesis, and subtype classification. J Am Acad Dermatol 2004;51:327-341.
20. Dahle KW, Sontheimer RD. The Rudolph sign of nasal vestibular furunculosis: questions raised by this common but under-recognized nasal mucocutaneous disorder. Dermatol Online J 2012;18:6.
21. Erickson VR, Hwang PH. Wegener's granulomatosis: current trends

in diagnosis and management. Curr Opin Otolaryngol Head Neck Surg 2007;15:170-176.

22. Ezsias A, Sugar AW. Rhinolith: an unusual case and an update. Ann Otol Rhinol Laryngol 1997;106:135-138.
23. Falk RJ, Gross WL, Guillevin L, et al. Granulomatosis with polyangiitis (Wegener's): an alternative name for Wegener's granulomatosis. Ann Rheum Dis 2011;70:704. / Arthritis Rheum 2011;63:863-4. / J Am Soc Nephrol 2011;22:587-588.
24. Freund W, Wunderlich A, Stöcker T, Schmitz B, Scheithauer M. Empty nose syndrome: limbic system activation observed by functional magnetic resonance imaging. Laryngoscope 2011;121(9):2019-2025.
25. Geetha D, Kallenberg C, Stone JH, et al. Current therapy of granulomatosis with polyangiitis and microscopic polyangiitis: the role of rituximab. J Nephrol 2015;28:17-27.
26. Gluth MB, Shinners PA, Kasperbauer JL. Subglottic stenosis associated with Wegener's granulomatosis. Laryngoscope 2003;113:1304-1307.
27. Grant DG, Hussain A, Burgel R. Frontal sinolith. J Laryngol Otol 1998;112:570-572.
28. Gross WL, Reinhold-Keller E. ANCA-associated vasculitis (Wegener's granulomatosis, Churg-Strauss syndrome, microscopic polyangiitis). 1. Systemic aspects, pathogenesis and clinical aspects. Z Rheumatol 1995;54:279-290.
29. Grutzenmacher S, Robinson DM, Grafe K, et al. First findings concerning airflow in noses with septal deviation and compensatory turbinate hypertrophy--a model study. ORL J Otorhinolaryngol Relat Spec 2006;68:199-205.
30. Guilpain P, Chanseaud Y, Tamby MC, et al. Pathogenesis of primary systemic vasculitides (I): ANCA-positive vasculitides. Presse Med 2005;34:1013-1022.
31. Hellmich B, Lamprecht P, Gross WL. Advances in the therapy of Wegener's granulomatosis. Curr Opin Rheumatol 2006;18:25-32.
32. Houser SM. Surgical treatment for empty nose syndrome. Arch Otolaryngol Head Neck Surg. 2007;133(9):858-863
33. Jackson RS, McCaffrey TV. Nasal manifestations of systemic disease. In: Flint PW, Haughey BH, Lund V, Niparko JK, Robbins KT, Thomas JR, Lesperance MM, editors. Cummings Otolaryngology Head and Neck Surgery. 6th ed. Philadelphia: Elsevier-Saunders; 2015. p.201-207.
34. Jang YJ, Kim JH, Song HY. Empty nose syndrome: radiologic findings and treatment outcomes of endonasal microplasty using cartilage implants. Laryngoscope. 2011;121(6):1308-1312.
35. Joe SA, Liu JZ. Nonallergic rhinitis. In: Flint PW, Haughey BH, Lund V, Niparko JK, Robbins KT, Thomas JR, Lesperance MM, editors. Cummings Otolaryngology Head and Neck Surgery. 6th ed. Philadelphia: Elsevier-Saunders; 2015. p.691-701.
36. Kalan A, Tariq M. Foreign bodies in the nasal cavities: a comprehensive review of the aetiology, diagnostic pointers, and therapeutic measures. Postgrad Med J 2000;76:484-487.
37. Kim JS, Seo PW, Kim JW, et al. A nasal myiasis in a 76-year-old female in Korea. Korean J Parasitol 2009;47:405-407.
38. Koldingsnes W, Nossent H. Predictors of survival and organ damage in Wegener's granulomatosis. Rheumatology (Oxford) 2002;41:572-581.
39. Lipworth AD, Saavedra A, Weinberg AN, et al. Non-necrotizing infections of the dermis and subcutaneous fat: cellulitis and erysipelas. In: Goldsmith LA, Katz SI, Gilchrest BA, Paller AS, Leffell DJ, Wolff K, editors. Fitzpatrick's Dermatology in General Medicine. 8th ed. New York: McGraw-Hill; 2012. p.2160-2169.
40. Loh WS, Leong JL, Tan HK. Hazardous foreign bodies: complications and management of button batteries in nose. Ann Otol Rhinol Laryngol 2003;112:379-383.
41. Lopez FA, Lartchenko S. Skin and soft tissue infections. Infect Dis Clin North Am 2006;20:759-772.
42. McCaffrey TV, McDonald TJ, Facer GW, et al. Otologic manifestations of Wegener's granulomatosis. Otolaryngol Head Neck Surg 1980;88:586-593.
43. Mukhtyar C, Guillevin L, Cid MC, et al. EULAR recommendations for the management of primary small and medium vessel vasculitis. Ann Rheum Dis 2009;68:310-317.
44. Mwanza JC. Lacrimal drainage obstruction by (Ascaris lumbricoides). Bull Soc Belge Ophtalmol 2004;293:71-73.
45. Nass Duce M, Talas DU, Ozer C, et al. Antrolithiasis: a retrospective study. J Laryngol Otol 2003;117:637-640.
46. Purohit N, Ray S, Wilson T, et al. The 'parent's kiss': an effective way to remove paediatric nasal foreign bodies. Ann R Coll Surg Engl 2008;90:420-422.
47. Puxeddu R, Berlucchi M, Ledda GP, et al. Lobular capillary hemangioma of the nasal cavity: A retrospective study on 40 patients. Am J Rhinol 2006;20:480-484.
48. Rohana AR, Rosli MK, Nik Rizal NY, et al. Bilateral ophthalmic vein thrombosis secondary to nasal furunculosis. Orbit 2008;27:215-217.
49. Scollard DM, Dacso MM, Abad-Venida ML. Tuberculosis and leprosy: classical granulomatous diseases in the twenty-first century. Dermatol Clin 2015;33:541-562.
50. Sethi A. Tuberculosis and infections with atypical mycobacteria. In: Goldsmith LA, Katz SI, Gilchrest BA, Paller AS, Leffell DJ, Wolff K, editors. Fitzpatrick's Dermatology in General Medicine. 8th ed. New York: McGraw-Hill; 2012. p.2225-2241.
51. Sozansky J, Houser S. Pathophysiology of empty nose syndrome. The Laryngoscope. 2015;125(1):70-74
52. Stucker FJ, Lian T, Sanders K. The ABCs of rhinophyma management. Am J Rhinol 2003;17:45-49.
53. Watts RA, Scott DG. ANCA vasculitis: to lump or split? Why we

should study MPA and GPA separately. Rheumatology (Oxford) 2012;51:2115-2117.

54. Watts RA, Scott DG. Epidemiology of the vasculitides. Curr Opin Rheumatol 2003;15:11-16.

55. Wilkin J, Dahl M, Detmar M, et al. Standard classification of rosacea: report of the National Rosacea Society Expert Committee on the Classification and Staging of Rosacea. J Am Acad Dermatol 2004;50:907-912.

CHAPTER 12

비중격 질환

김경수, 정진혁

I 비중격만곡(Septal deviation)

비중격만곡은 일측 비강의 비폐색을 유발하는 흔한 원인으로 정상인에서도 비중격이 곧은 경우는 드물고 약간의 만곡은 존재한다. 세계적으로 전반적인 발생률은 약 68%이며 2011년 조사한 제5기 국민건강영양조사에서 12세 이상 한국인의 비중격만곡 유병율은 51.1%(남자 60.2%, 여자 41.8%)로 보고되었다.[1,4]

1. 원인

1) 선천성 혹은 발달성 기형

비중격만곡은 자궁 내 태아 혹은 제왕절개로 출산한 신생아에서도 관찰되며 발달 이상은 태생기의 성향, 비중격의 성장력, 골과 연골의 성장력의 차이, 가계력 등의 유전 성향, 인접 부위와 외부환경의 영향, 즉 콧등, 구개, 아데노이드 및 사골의 발육이상으로 인해 발생할 수 있다. 또한 치열, 치조돌기의 뚜렷한 비대칭 및 구순열 등에 의해서도 발생할 수 있다.

2) 후천성 혹은 외상성 기형

비중격만곡은 코나 얼굴의 가해진 외상에 의해 발생할 수 있다. 또한 임신과 출산 동안 자궁 내에서 혹은 좁은 골반을 통과하면서 외상이 발생할 수도 있는데 이는 영유아기에 비중격만곡을 일으키기도 하지만 초기에는 나타나지 않다가 사춘기에 코가 급속히 성장할 때 확실히 나타나기도 한다.[23] 성장 초기에 발생한 아주 미미한 외상은 쉽게 간과되지만 비중격 연골에 미세골절을 유발시킬 수 있는데, 이후 미세 골절의 치유과정에서 비중격연골을 휘게 할 수도 있고 성장기에 연골세포의 성장을 방해해서 전체 코 구조의 비대칭적인 성장을 가져올 수 있다.

3) 기타

그 외에 비갑개 비후, 수포성 갑개(concha bullosa), 비용(nasal polyp), 비강 내 종양 또는 이물 등이 오랫동안 비중격을 압박함으로써 생길 수도 있다.[36]

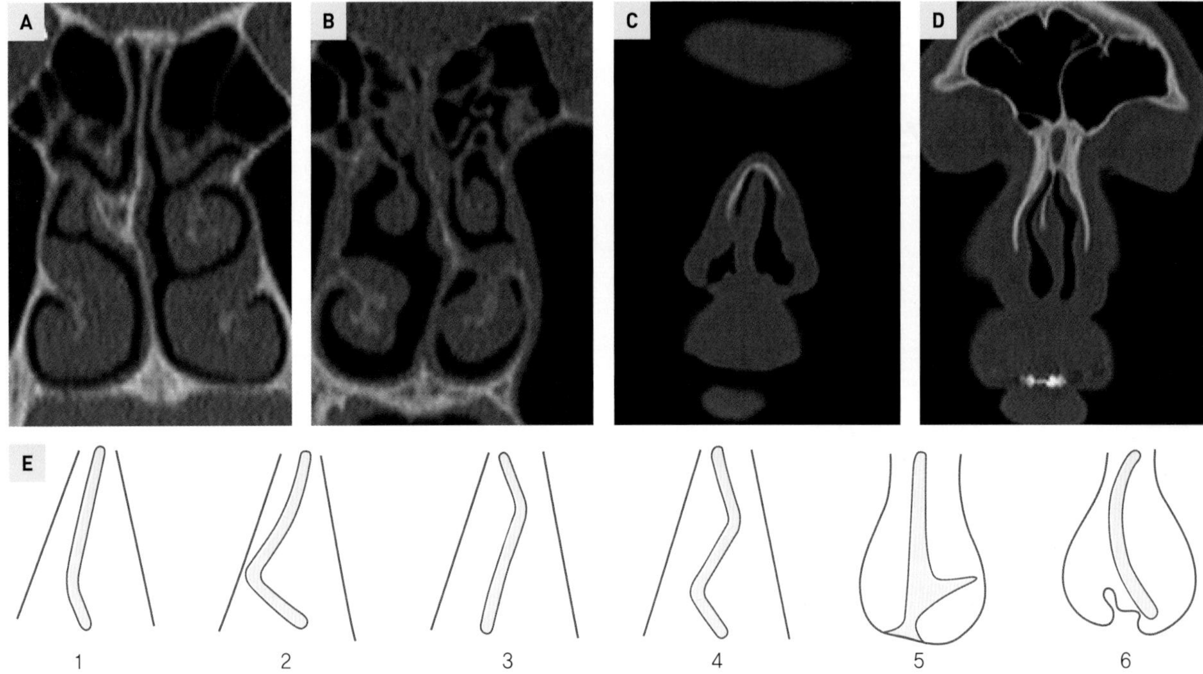

■ 그림 12-1. **만곡 부위에 따른 비중격만곡의 분류.** **A)** 극(spur)이 국소적으로만 있는 만곡, **B)** 중간 혹은 후방 비중격만곡, **C)** 미부 비중격만곡(caudal septal deviation), **D)** 상부 혹은 배부 비중격만곡(high or dorsal septal deviation), **E)** Mladina의 분류 : 1~4형은 두미(cranio-caudal) 방향으로 볼 때의 형태이고, 5~6형은 전후(antero-posterior) 방향으로 볼 때의 형태이며, 7형은 1~6형의 혼합형이다.

2. 분류

비중격만곡의 형상으로는 C자형 혹은 S자형 만곡과 같은 평면 개념의 만곡, 능(crest) 혹은 능선(ridge)과 같은 선 개념의 만곡, 가시(spine) 혹은 극(spur)과 같은 점 개념의 만곡 등이 있고 흔히 혼합되어 나타난다.

부위에 따라 나누기도 하는데 능이나 극이 국소적으로만 있는 만곡, 중간 혹은 후방 비중격만곡, 미부 비중격만곡(caudal septal deviation), 상부 혹은 배부 비중격만곡(high or dorsal septal deviation) 등으로 나뉜다(그림 12-1A-D).[5] 이들이 혼합된 형태도 흔하며 부위에 따라 수술적 교정이 쉽거나 어려울 수 있어 다양한 수술적 기법이 사용된다. 1987년 Mladina는 비중격기형을 주요 특성에 따라 7가지로 분류하였는데 1~4형은 두미(cranio-caudal) 방향으로 볼 때의 형태이고, 5~6형은 전후(antero-posterior) 방향으로 볼 때의 형태이며, 7형은 1~6형의 혼합형이다. Mladina는 3,5,6형의 원인은 선천성이고 1,2형의 원인은 외상이며 4,7형은 이 두 가지가 복합되어 나타난다고 하였다(그림 12-1E).[23]

3. 증상과 징후

만곡된 비중격을 가지고 있어도 평소에는 모르고 지내다가 비점막을 충혈시키는 약물이 투여되거나 심한 상기도감염 후에 증상을 느끼기 시작하는 경우가 많다. 만곡이 심하면 비강의 생리작용에 영향을 주어 비폐색, 점막 변화, 신경학적 변화 등이 생긴다.

비폐색은 만곡된 쪽에서 대부분 관찰되며 반대측에서도 하비갑개의 비후성 변화로 종종 비폐색이 있다. 간혹 만곡의 반대측, 즉 오목한 쪽(넓은 쪽)의 코막힘 증상을 호소하는 경우가 있는데, 이는 좁아진 쪽에서는 줄어든 비강 내 기류에 환자가 장기간 적응해 이상을 느끼지 못하다가 비주기(nasal cycle)에 따라 비중격의 넓은 쪽의 비점막이 충혈되면 상대적으로 코막힘을 느끼기 때문이다. 이러한 현상을 역설적 비폐색(paradoxical nasal obstruction)이라고 한다.[18]

점막의 변화는 흡인된 기류가 만곡된 비중격으로 인해 비정상적으로 변위되어 점막의 일부분에 집중되어 과도한 건조효과를 일으켜서 가피가 형성되고 이 가피를 제거하면 궤양이 형성되거나 출혈이 일어난다. 이로 인해 방어점액막층(defense mucus layer)이 소실되고 감염에 대한 저항력이 떨어져 비염을 잘 일으키게 된다. 또한 만곡이 심하면 Bernoulli 현상에 의해 형성된 음압이 주위 점막에 부종을 일으켜 비폐색을 더욱 심하게 하고 그 결과 비강의 배액(drainage)과 환기(ventilation) 장애를 일으켜서 비염 및 부비동염이 발생할 수 있다(그림 12-2).

신경성 변화는 만곡된 비중격에 의해 인접한 점막의 지각신경, 특히 전사골신경(anterior ethmoid nerve)이 압박되어 통증을 일으키는데 이런 상태를 전사골신경증후군(anterior ethmoid nerve syndrome)이라고 한다.[28] 이 밖에 비중격만곡은 비폐반사(nasopulmonary reflex)와 비성반사(nasal reflex)도 변화시킬 수 있다.

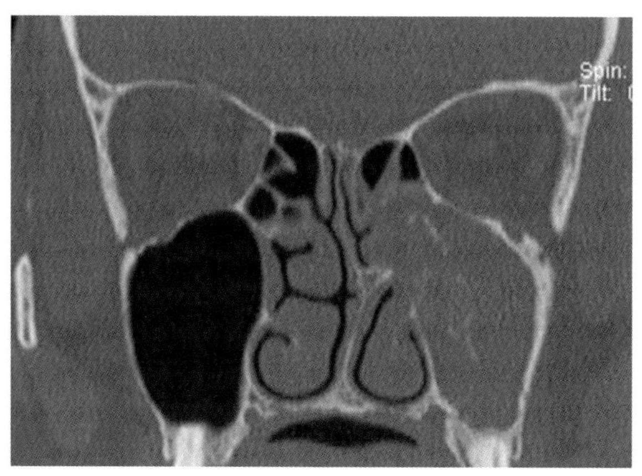

■ 그림 12-2. **비중격만곡에 의해 발생한 곰팡이성 부비동염(fungal sinusitis).** 곰팡이성 부비동염의 원인으로 비극(spur)이 좌측 중비도 및 상악동 자연공을 막아 발생한 것으로 생각할 수 있다.

그 외에 비염 및 부비동염이 동시에 있으면 비루, 후비루 등의 증상이 나타날 수 있고 만곡이 심할 경우 후각장애도 올 수 있다. 반사신경증으로 두통이나 편두통이 생길 수 있으며, 비중격만곡의 볼록한 쪽의 앞부위, 특히 Little's area는 충혈이 되기 쉽고 자극받기도 쉬워 비출혈이 자주 생긴다. 두중감(head dullness), 수면장애, 기억력 감퇴, 주의 산만, 비성 등이 있을 수 있으나 뚜렷하지 않다. 더욱이 다른 비질환이 공존할 때는 판단하기가 더욱 모호해진다.

비중격만곡이 현저할 때는 사비(deviated nose) 또는 외비공협소(stenosis of the nostril) 등과 같은 외비의 기형을 동반하는 수가 있으며,[31] 비강에서는 만곡된 반대편의 중비갑개나 하비갑개의 대상성 비대(compensatory hypertrophy)를 볼 수 있다. 한편 비중격만곡은 중이강, 중이, 인두 및 후두 등의 주위 조직에까지 영향을 미칠 수 있다.

4. 진단

외비 형태의 이상 유무를 살핀 후 전비경검사(anterior rhinoscopy)로 비중격과 비강의 앞부분을 관찰한다. 전비경검사를 할 때 사용하는 비경은 비전정(nasal vestibule)부위와 비판(nasal valve)을 일그러뜨릴 수 있기 때문에 처음부터 비전정 부위를 비경으로 누르지 말고 비전정 형태와 비중격 미부의 전위여부를 점검한 다음 비강내를 관찰한다. 비판 부위는 비강 내에서 가장 좁은 부위이기에 이 부위에 문제가 있으면 코막힘 증상이 생기므로 잘 관찰해야 한다. 또한 비강을 관찰할 때는 반드시 혈관수축제로 비점막을 수축하기 전과 후를 비교 검사해야 하비갑개나 비중격의 점막비후에 의한 코막힘을 감별할 수 있고 후방의 비중격만곡을 놓치지 않고 발견할 수 있다.

비내시경 검사를 이용하면 밝고 확대된 시야에서 후방까지 자세히 관찰할 수 있으며 비내시경 사진을 찍어 비중

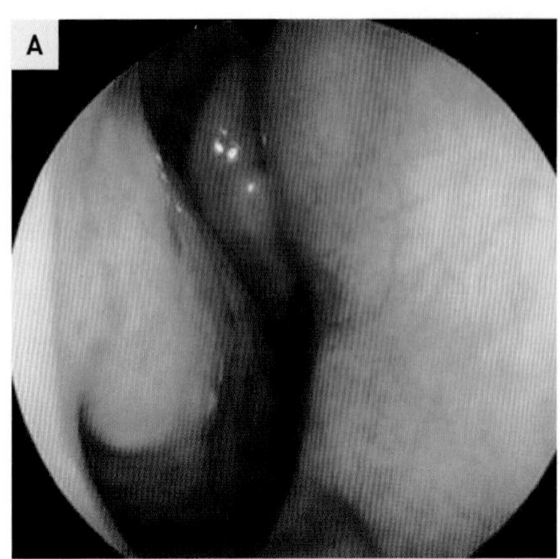

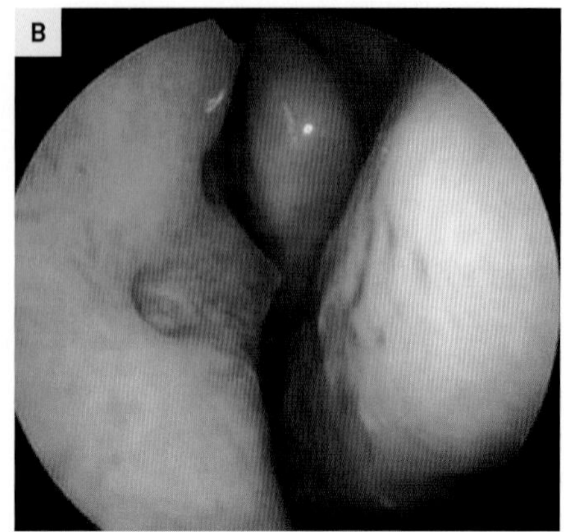

■ 그림 12-3. **비내시경으로 좌·우를 비교한 비강 소견.** 비내시경으로 사진을 찍어 보관하면 비중격만곡의 정도와 양측 비강의 좁아진 정도를 비교하면서 환자에게 설명해 줄 수 있고 수술 전, 후를 비교해 볼 수 있는 장점이 있다.

격만곡의 정도와 양측 비강의 좁아진 정도를 비교하면서 환자에게 설명해 줄 수 있고 수술 전, 후를 비교해 볼 수 있는 장점이 있다(그림 12-3). 비강 내부를 관찰할 때는 비중격만 보지 말고 주위 구조를 같이 관찰해야 비폐색을 유발하는 동반 질환 여부를 확인하고 감별진단을 할 수 있다. 감별해야 할 질환으로는 비중격 및 하비갑개 비후, 중비갑개 위치이상, 사골포(ethmoid bulla), 비용, 골종(osteoma), 혈종(hematoma) 등이 있다.

환자의 뺨을 외측으로 당기거나 비익(ala)을 엄지와 검지로 당겨 전비공(anterior nostril)과 비판을 열어 주면서 흡기시켰을 때 환자의 코막힘이 나아지는지 확인하는 Cottle 검사를 할 수 있다. 이 검사는 비폐색이 비판 부위에 있는지를 확인하는 데 유용한 검사법으로,[32] 특히 흡기 시에만 비판에 코막힘이 있는 환자(inspiratory nasal valve obstruction)에서 유용하고 편측에 고정된 코막힘이 있고 Cottle 검사로 개선된다면 미부 비중격만곡(caudal septal deviation)이 코막힘 형성에 중요하게 작용함을 의미한다.[6]

그 외에 음향통기도검사(acoustic rhinometry)로 객관적으로 코막힘을 기록할 수도 있고 PNS X-ray나 CT 촬영을 하여 만곡의 정도나 비갑개 비후의 정도, 동반된 다른 비부비동 질환을 감별할 수 있고 알레르기 피부반응검사나 혈액검사를 통해 알레르기비염의 동반 여부를 확인할 수 있다. 외비성형술을 같이 하지 않는 경우 수술 전 얼굴 사진 촬영을 잘 하지 않는데 비중격만곡을 수술하는 경우에도 얼굴 사진 촬영을 해두면 수술 후 생길 수 있는 외비 형태 이상을 비교할 수 있어 도움이 된다. 접촉점 두통(contact point headache)의 원인으로 비중격만곡이 의심된다면 접촉 부위에 국소마취제를 묻힌 솜을 두어 증상의 호전 여부를 보아 진단에 도움을 준다.[11]

5. 치료

비중격만곡이 있더라도 증상이 없거나 합병증, 기능적 장애가 없는 경우에는 특별한 치료가 필요 없다. 치료가 필요한 경우 일차적으로 비점막 혈관수축제의 경구 복용, 생리식염수의 비강 분무, 비전정과 비판 부위의 안연고 도포 등을 시도하며, 이 같은 치료에도 호전이 없다면 수술적 치료를 고려할 수 있다.

1) 비중격 수술의 적응증

일반적인 수술의 적응증은 다음과 같다.[4]

① 비중격기형으로 인한 코막힘, 재발성 비출혈, 두통, 때로는 코골이와 같은 증상이나 비강 내 기능적 장

애가 있을 때

② 다른 비내 수술을 방해하는 요인이 될 때
③ 만성 비부비동염과 같은 주위 기관의 합병증을 유발하거나 유발할 가능성이 있을 때
④ 다른 부위의 수술에 필요한 연골이나 골편을 얻을 때
⑤ 비중격을 통하여 뇌하수체 적출술을 시행할 때
⑥ 기능적 또는 미용적 외비성형술의 동반수술로서 시행할 때
⑦ 증상을 동반하는 비중격천공이 있을 때

2) 소아에서의 비중격 수술

소아에서 비중격연골은 코 및 상악골의 성장에서 중요한 역할을 하기 때문에 광범위한 연골절제를 포함하는 비중격 수술을 해서는 안 된다. 아데노이드 절제술이나 하비갑개 수술로써 호전되지 않은 심한 비폐색이 있을 경우에는 비중격연골을 최소한 절제하는 보존적인 비중격성형술을 시행하는 것이 좋으며 근치적 외과수술은 비중격의 성장이 완성되는 17세 이후에 하는 것이 좋다.[21] 소아에서 보존적 비중격성형술을 시행할 때는 점막성 연골막에 손상을 주지 않도록 주의해야 한다.

3) 비중격 수술의 변천

비중격교정술의 기본 개념은 19세기말부터 시도되어 많은 발전이 있어왔다. 최근에는 내시경을 이용하여 더욱 세심한 비중격 수술이 이루어지고 있다. 현재의 비중격교정술은 합병증은 줄이면서 더 확실한 비중격만곡의 교정을 가능하게 하고 있다.[11]

초기에는 점막을 포함해서 만곡된 부위를 제거하는 수술이나 겸자로 양측을 압박하는 아주 원시적인 수술이 시도 되었고 이후 많은 현대적인 수술법이 도입되어 발전되어 왔다. 그 중 양측 비중격연골막을 박리하여 비중격 연골의 일부를 제거하는 점막하 비중격절제술(submucous resection of the septum)이 오랜 기간 사용되었다. 그러나 이 수술법은 모든 부위의 만곡을 다 해결할 수 없는 점과 과도한 절제로 안장코(saddle nose)를 초래할 가능성이 높고 이 밖에 비중격천공, 점막의 위축성 변화 등의 합병증을 잘 일으킬 수 있고 또한 2차 수술을 할 수 없어 현재는 일부 술자 이외에는 잘 이용되지 않고 있다.

그 이후 이런 단점을 보완하는 수술로 비중격연골의 생체역학적 특성을 이용한 수술 개념이 도입되어 오랫동안 점막하절제술을 대치하는 방법으로 사용되어 왔다. 이는 비중격연골의 휘어짐을 교차절개(cross-hatching

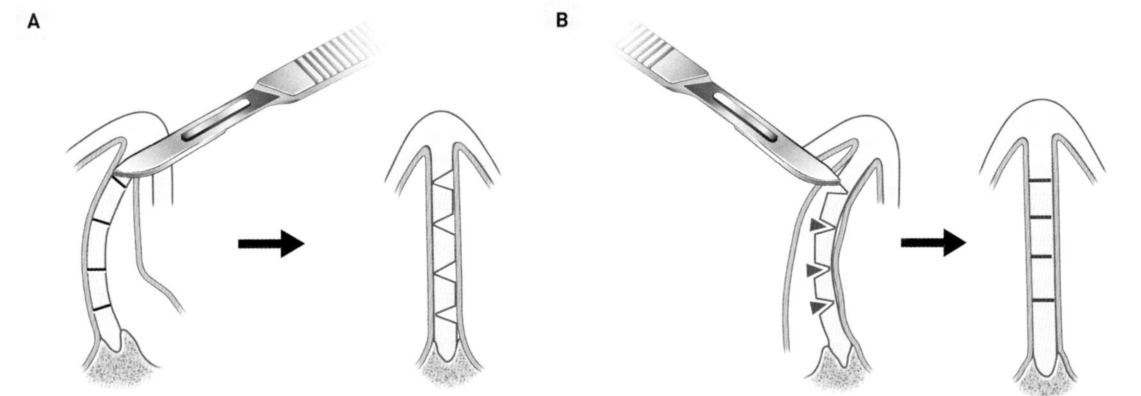

■ 그림 12-4. **비중격연골의 단순 전층절개와 설상절제. A)** 연골 오목면을 절개할 때는 단순 전층절개를 하여 연골 내부의 압력체계(internal stress system)를 변형함으로써 만곡된 연골을 교정할 수 있다. 일반적으로 반대쪽 연골막이 붙은 상태에서 연골 오목면에 가한 전층절개가 부분층절개보다 만곡된 연골을 바로 펴는 데 더 효과적이라고 알려져 있다. **B)** 연골의 볼록면을 절개할 때는 설상절제를 하여 만곡된 연골을 교정할 수 있다. 이때 오목면의 점막연골막은 붙어 있어야 한다.

incision)를 넣어 이차적인 치유과정에 의해 펴지도록 기대하는 술식으로 연골의 오목면에는 단순 전층 절개를, 볼록면에는 쐐기절제(wedge resection)를 함으로써 연골을 펼 수 있다고 하여 많이 시행하였다(그림 12-4). 그러나 휘어진 연골을 펴기 위해서 연골에 절개를 가하여 이것이 펴지기를 바라는 것은 매우 예측하기 힘든 수술법으로 연골면에 일정한 깊이를 갖는 균등한 절개를 가하기 어렵고, 이러한 연골면 절개가 연골을 약화시켜 지지구조에 장애를 줄 수 있다고 하여 현재에는 단독으로 사용되는 경우는 드물고 다른 술식과 동시에 하는 술식으로 시행되고 있다.[5]

4) 비중격 수술의 종류

(1) 일반적인 비중격교정술(Septoplasty)

현재 사용되고 있는 비중격교정술의 술기에서 비중격 절제도 여전히 사용되고 있지만 최근에는 비중격의 보존(preservation)과 재배치(realignment)가 더 강조되고 있다.[11] 즉 코의 구조를 보존하면서 비폐색을 개선하는 것을 목표로 하고 있다.

비중격교정술은 표준화된 단일 방법은 없고 각 환자의 필요에 맞게 진행한다.[3] 일반적으로 연골부의 교정과 골부의 교정으로 나누어 생각하는 것이 좋고 대개 마취, 절개, 점막판 박리, 비중격 골부의 분리 및 교정, 비중격 연골부의 교정, 고정 및 마무리의 순으로 진행된다.

① 마취

수술은 국소마취나 전신마취하에 모두 가능하며, 소아나 예민한 성인, 비중격에 대한 재수술, 내시경 부비동 수술을 동시에 하는 경우 전신마취로 하는 것이 좋다. 출혈을 예방하기 위해 국소마취나 전신마취 시 수술 10-15분 전에 4% lidocaine과 1:1000 epinephrine의 혼합용액으로 국소도포마취를 시행한 후 1% lidocaine에 1:100,000으로 희석된 epinephrine 혼합용액으로 수술부위에 침윤마취한다. 이때 정확히 점막 연골막하(submucoperichondrial plane)로 주사하면 주사액에 의한 수력박리(hydraulic dissection)로 자연스럽게 박리되어 수술 시 박리를 쉽게 할 수 있다(그림 12-5). 침윤마취는 절개를 가할 비중격 전단부에 먼저하고 후미부의 수력박리를 위해 점막이 창백해질 때까지 적절한 용량으로 충분한 양을 주사한다. 반대측 점막에도 주사하고 상악능(maxillary crest) 주위의 비중격 하부 및 비강저에도 주사한다.[20] 주사 후 바로 시작하지 말고 약 10분 정도 기다렸다가 수술하는 것이 절개 시 출혈이 적어 시야를 좋게 할 수 있다.

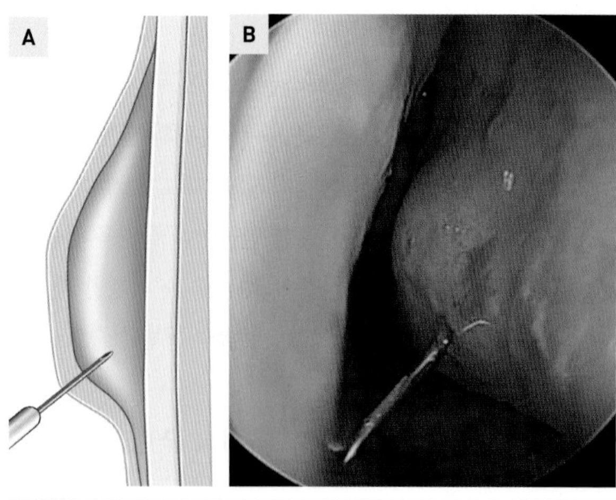

■ 그림 12-5. **수력박리(hydraulic dissection)를 위한 침윤마취.** 정확히 점막 연골막하(submucoperichondrial plane)로 주사하면 주사액에 의한 수력박리(hydraulic dissection)로 자연스럽게 박리되어 수술 시 박리를 쉽게 한다.

② 절개

비중격의 양측 중 어느 쪽 비강으로 접근하느냐는 술자의 선호도와 관련이 있다. 즉, 만곡 부위와 관계없이 우측 손잡이인 경우 환자의 좌측 비강으로 접근하는 것이 더 편할 수 있다. 그러나 비중격 미부가 심하게 휜 경우 이의 교정을 위해서는 만곡의 오목면(concave side)에 절개를 하여야 미부 연골을 펴기 위한 여러 조작을 가할 수 있어 오목면에 절개를 하는 것이 더욱 합리적이다. 절개할 때 비경을 적절히 잘 위치시켜 비중격 미부를 덮고 있는 절개 부위의 점막을 팽팽하게 하면 비중격 연골까지

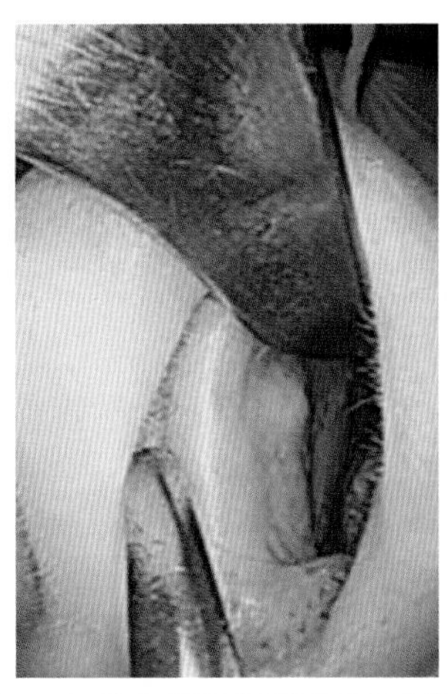

■ 그림 12-6. **비중격 미부 확인과 절개를 위한 비경의 위치.** 비경을 적절히 잘 위치시켜 절개 부위의 점막을 팽팽하게 하면 절개 후 박리 시 연조직의 층을 더 잘 보고 구분할 수 있게 한다.

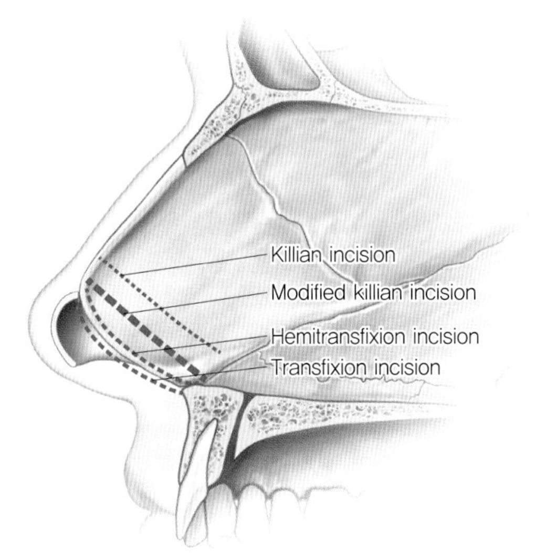

■ 그림 12-7. **비중격교정술의 절개 종류**

접근하기 위한 박리 시 연조직의 층을 더 잘 보고 구분할 수 있다(그림 12-6).[11]

절개위치는 수술방법, 만곡 부위 등에 의해 달라질 수 있다(그림 12-7). 비중격만곡이 골-연골 접합부의 후방에 존재하고 중등도의 만곡이 국소적으로 있을 경우에는 위치에 따라 Killian incision(비중격 연골 전단부에서 1~2 cm 후방에 절개)이나 Modified Killian incision(비중격 연골 전단부에서 2~3 mm 후방에 절개)을 가하여 비중격 전단부를 제외하고 절개 이후의 비중격 교정을 하게 되는데, 특히 비중격 연골을 채취할 경우에는 많은 양의 연골을 노출시켜야 하므로 주로 Modified Killian incision을 사용한다. 반관통 절개(hemitranfixion incision)는 비중격 전단부 일측 점막에 바로 절개를 가하여 점막 아래로 전비극과 이상구를 향하여 절개를 연장시켜 비중격 연골 및 하부의 골 전체를 노출시킬 수 있으므로 비중격 미부(caudal septum)의 만곡이나 전체적인 만곡이 있을 때 적용할 수 있는 절개법이다. 연골 박리의 편의성을 위해 연골 전단부에서 1~2 mm 후방에 절개를 넣어 수술하는 경우도 있다. 반관통 절개법의 경우 절개 부위의 점막이 두꺼워 쉽게 찢어지지 않고 찢어져도 쉽게 봉합할 수 있는 장점이 있다.

절개는 입구부터 비강 저부까지 크게 넣어주는 것이 점점 큰 비경을 넣었을 때 넓게 벌어져 시야를 좋게 하고 박리 시 점막이 찢어질 확률을 적게 한다. 만약 외비성형술을 같이 시행할 경우 관통절개(transfixion incision)를 하여 외비성형술 절개와 연결할 수 있다. 내시경을 이용한 제한된 부위의 비중격교정술인 경우 제거될 비극(nasal spur)위에 바로 평행하게 절개를 가한다.[14]

③ 점막판의 박리

먼저 절개 부위에서 점막연골막(mucoperichondrium)을 확인한 후 D-knife를 사용하여 점막연골막을 조심스럽게 박리한다(그림 12-8A). 연골막이 연골에 단단하게 붙어 있기 때문에 처음에는 박리가 어려울 수 있으나 제대로 연골막을 찾아 연골막 하층의 박리면으로 박리를 시작하면 그 뒤는 쉽게 박리가 된다. 연골과 연골막 사이가 박리되면 하얗고 매끄러운 표면의 연골이 바로 보이게 되나(그림 12-8B) 박리면이 틀리면 연골 표면에 분홍색의 거친 막이 남아 있게 된다(그림 12-8C). 이 박리면을 찾지 못하면 힘을 주어도 박리가 잘 안 되고 점막이 쉽게 찢어

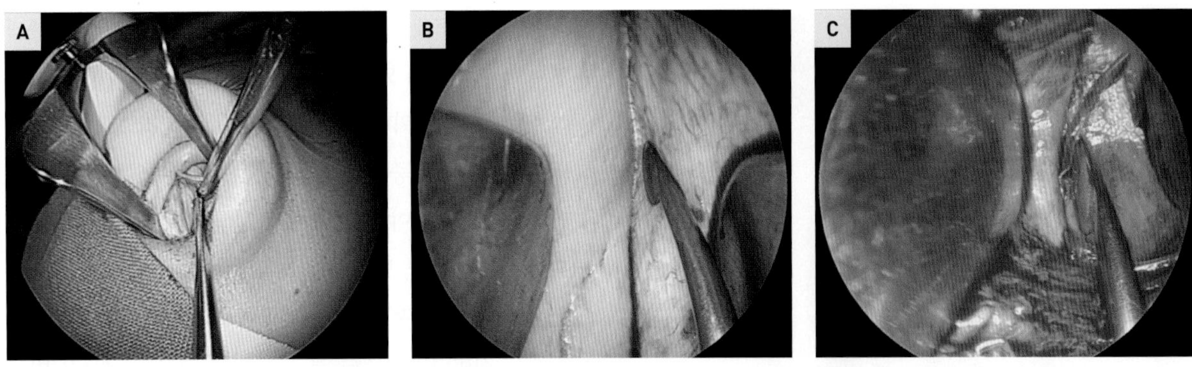

■ 그림 12-8. **점막판의 박리.** **A)** 칼로 연골에 흠집을 내고 D-knife로 연골에 붙여 연골막을 박리한다. **B)** 정확히 연골막하를 박리하면 출혈이 거의 없고 저항없이 박리되며 하얗고 매끄러운 표면의 연골이 보인다. **C)** 박리면이 틀리면 연골 표면에 분홍색의 거친 막이 남아있게 된다.

져 천공의 가능성도 있으므로 처음 박리할 때는 조금 시간이 걸리더라도 박리면을 확실하게 찾도록 한다. 제대로 박리면을 찾으면 이 층은 무혈관층(avascular plane)이어서 출혈도 거의 없이 쉽게 박리가 된다. 내시경을 이용한 비중격교정술의 경우에도 이 단계까지는 헤드라이트와 비경을 가지고 초기 박리를 하며 일단 연골막하 박리면을 찾고 작은 공간을 만들면 이후 내시경을 보면서 박리를 진행하면 된다.

박리면을 따라 Freer 거상기로 후방으로 박리를 진행하면 사골 수직판(perpendicular plate of ethmoid)과 서골(vomer)을 확인할 수 있다. 비중격연골과 이들 골 부위의 경계부에서는 저항이 별로 없으므로 점막골막(mucoperiosteum)이 쉽게 박리된다. 이렇게 박리되어 생긴 하나의 공간을 동측의 전방터널(anterior tunnel) 혹은 상방터널(superior tunnel)이라 부른다(그림 12-9A).

그 후 아래쪽에서 비중격 하부와 비강저의 점막골막을 박리하여 또 하나의 공간을 만드는데 이를 동측의 하방터널(inferior tunnel)이라 부른다. 이후 동측의 전방터널과 하방터널을 연결하여 하나의 공간으로 만든다(그림 12-9B). 이때 상악능과 비중격연골의 경계부에는 마치 관절과 같은 섬유막(joint-like capsule)이 형성되어 있어 박리할 때 상당한 저항을 느끼게 된다. 따라서 이 부분을 박리할 때는 D-knife와 같은 예리한 거상기로 하방에서 상방으로 박리하는 것이 편리할 때도 있다.

이어 비중격연골과 사골 수직판-서골의 연결 부위를 분리시킨 후 반대편 사골 수직판과 서골의 점막골막을 후방으로 박리한다(그림 12-9C). 이때 주의할 점은 너무 상방으로 가서 keystone area를 분리시키지 말고 꼭 보존하여야 한다는 것이다. 그리고 연골과 사골 수직판-서골의 연결 부위에 심한 만곡이 있거나 비극(nasal spur)이 있어 분리할 때 찢어질 위험이 높을 경우는 L-strut을 보존하면서 연결 부위보다 약간 앞쪽의 연골부위에 D-knife로 수직으로 절개를 가하여 연골편을 일부 제거하고 반대편 박리면을 찾아 점막골막을 박리하면 점막이 찢어지지 않고 쉽게 반대편 후방 박리를 할 수 있다. 극(Spur)이 비중격연골과 상악능 혹은 서골과 만나는 부위에 잘 생기는데 이 부위를 박리할 때 점막이 얇아져 있어서 때로는 불가항력적으로 찢어지기도 한다. 특히 이 부위는 비중격의 연골막과 상악능의 골막이 연결되어 있지 않고 교차되어 단단히 붙어 있어 아주 세심하게 박리해야 한다. 이때 상악능과 평행하게 뒤로 뻗어 있는 비중격 연골의 가늘고 긴 띠(strip)모양의 연골을 제거하면 박리하는 데 많은 도움이 된다.[11] 일단 이 연골 띠를 제거하고 나면 상악능을 쉽게 볼 수 있고 박리가 쉬워진다.

이 과정이 끝나면 비중격연골을 상악능으로부터 탈구시킨 후 Pierce 비중격 거상기를 사용하여 반대측에 하방터널

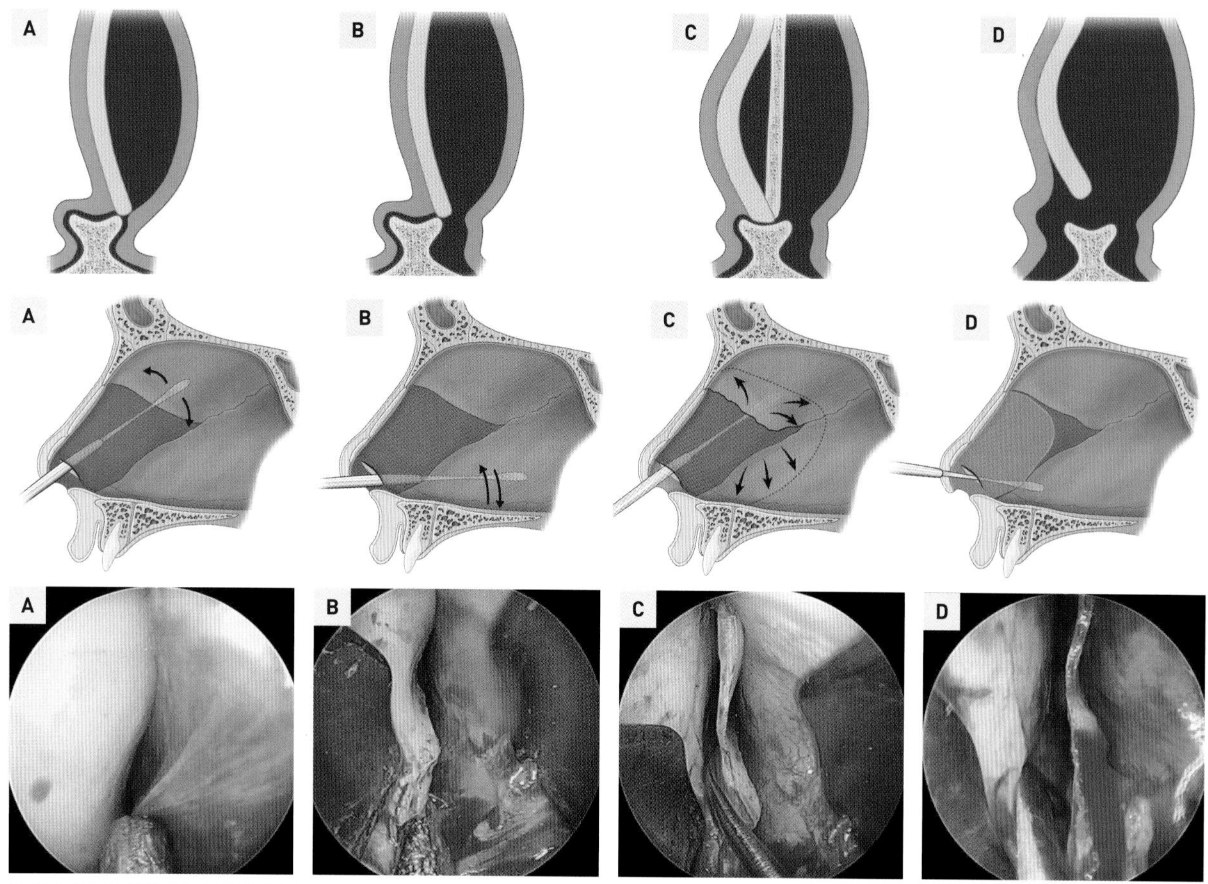

■ 그림 12-9. **비중격교정술에서 터널의 박리.** **A)** 오목면의 비중격연골, 사골 수직판, 서골에 전방터널(anterior tunnel)을 만든다. **B)** 오목면의 비중격하부와 비강저의 점막골막을 박리하여 하방터널(inferior tunnel)을 만든후 오목면의 전방터널과 하방터널을 연결시켜 하나의 터널(common tunnel)을 만든다. **C)** 거상기를 사용하여 연골을 사골 수직판에서 분리하고 이 분리된 틈을 통하여 사골 수직판과 서골의 반대편 점막골막판을 박리한다. **D)** 잉여 연골을 절제하고 상악능을 넘어 반대측에 하방터널을 만든다.

을 만든다(그림 12-9D). 이러한 방법이 Cottle 등이 소개한 상악-전상악접근법(maxilla-premaxilla approach)이다.[10]

④ 비중격 골부의 교정

좌·우측 점막골막 박리로 양측이 모두 노출된 사골수직판과 서골의 만곡된 골부는 Jansen-Middleton cutting forceps 등을 이용하여 제거하거나 골절시킨 후 정중앙에 위치를 잡아준다. 사골수직판의 위쪽을 제거할 때 겸자로 잡고 비틀 경우 간혹 사상판(cribriform plate)의 골절로 뇌척수액 비루가 생길 수 있으므로 먼저 가위나 through-cutting 겸자로 위쪽을 잘라서 사상판에 힘이 가해지지 않게 한 후 아래쪽을 제거하도록 한다(그림 12-10A).[24] 상악능이 원인이 되어 비중격이 정중앙에 위치하지 못하거나 옆으로 돌출된 경우는 끌(chisel), 절골기(gouge), 골도(osteotome) 등으로 제거한다(그림 12-10B). 이때 절치관(incisive canal)을 통과하여 비중격으로 오는 대구개동맥(greater palatine artery)의 종분지(terminal branch)가 손상되어 심한 출혈이 있을 수 있으므로 주의하여야 한다. 이 부위의 심한 출혈은 전기소작으로 지혈해야 하는데 과도한 전기소작은 상악절치(upper incisor) 부위에 감각이상이 남을 수 있으니 주의하여야 한다(그림 12-11). 이 부위의 혈관이 수술 중 수축하고 있

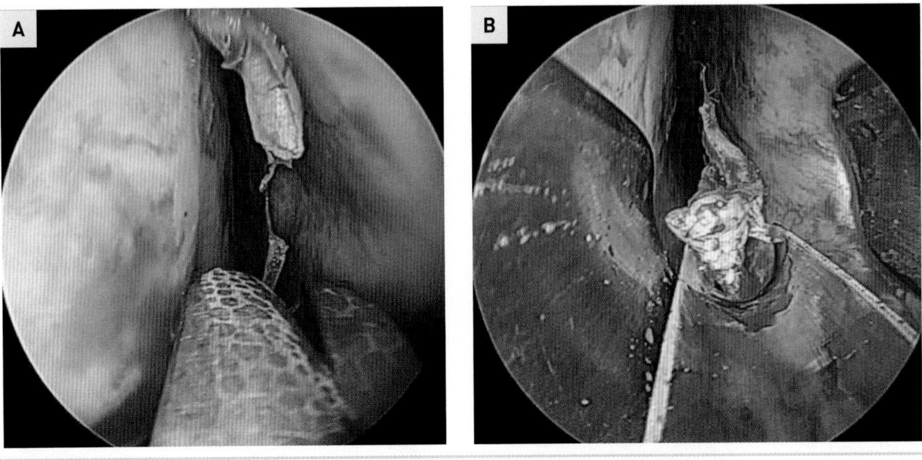

■ 그림 12-10. **사골수직판 위쪽 절제와 절골기를 이용한 상악능 절제.** **A)** 사골수직판의 위쪽을 제거할 때 사상판(cribriform plate)의 골절로 뇌척수액 비루가 생기지 않도록 위쪽에 가위나 through-cutting forceps으로 상부를 잘라서 사상판에 힘이 가해지지 않게 한 후 아래쪽을 제거하도록 한다. **B)** 상악능을 제거할 때는 끌(chisel), 절골기(gouge), 골도(oteotome) 등으로 제거한다.

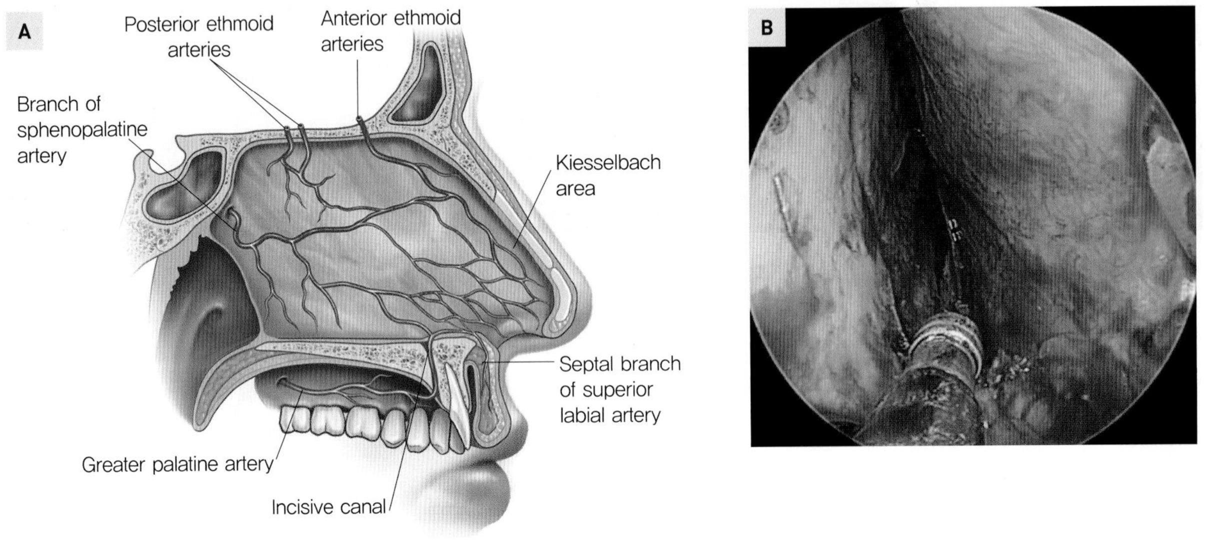

■ 그림 12-11. **상악능 절제 시 하방 출혈의 전기소작.** 상악능 절제 시 절치관(incisive canal)을 통과하여 비중격으로 오는 대구개동맥(greater palatine artery)의 종분지(terminal branch)가 손상되어 심한 출혈이 있을 수 있으므로 전기소작으로 지혈한다.

다가 지연성 출혈을 일으키기도 하므로 수술 중 심한 출혈이 있을 경우에는 반드시 적극적인 지혈을 하는 것이 좋다.

⑤ 비중격연골의 교정

비중격연골은 연골 절제와 scoring, shaving, suturing 등의 술기로 교정하는데 미부와 배부의 만곡은 일반적인 비중격교정술로는 교정하기가 어렵다.

먼저 비중격연골 하부 및 후방부를 골부로부터 분리하여 비중격연골이 움직일 수 있게 한다. 가동성 있는 휜 연골 부위를 편 후 정중선에 위치시켜 보면 연골의 길이가 길어져 골부와 겹치는 부분이 생기게 되는데 이것을 잉여

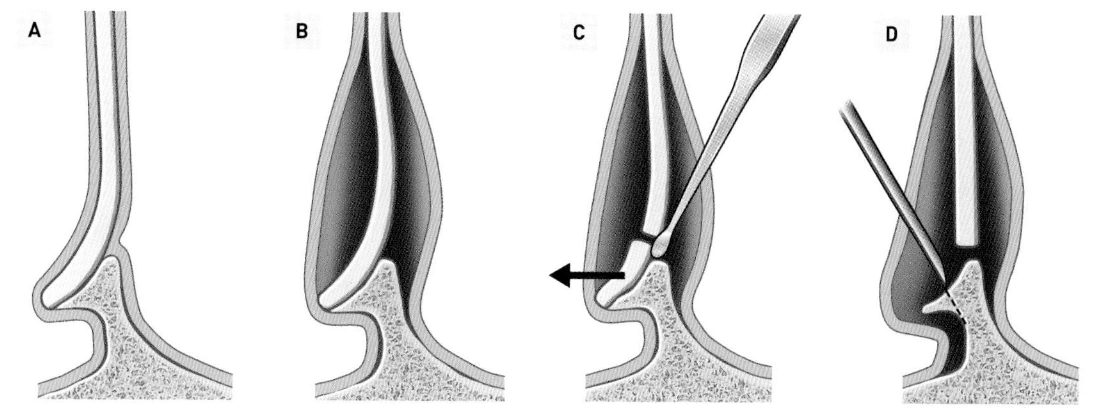

■ 그림 12-12. **잉여 연골과 상악능의 교정.** 연골이 상악능에서 탈구된 경우 잉여연골을 제거하고, 휜 상악능도 일부 절제한다.

연골(excess cartilage)이라고 하며 이것을 제거하면 만곡된 연골을 편평하게 교정할 수 있다. 연골부의 잉여연골이 가장 잘 생기는 곳은 아래로는 상악능과 접하는 부위와 후방으로는 골부 비중격과 만나는 부위인데 이런 부위의 잉여 연골을 적절히 제거하지 않으면 수술 후 만곡이 남게 되므로 적절한 제거가 반드시 필요하다(그림 12-12). 그러나 완벽하게 곧은 비중격을 얻으려고 과도한 절제나 필요 이상의 비중격수술을 시행하지 않아야 한다. 연골을 절제하더라도 배부와 미부에 1~1.5 cm 폭의 L-자 모양의 연골(L-strut)은 반드시 남겨야 안장코(saddle nose)를 방지할 수 있다(그림 12-13).

만곡된 비중격연골에는 이전 방식의 비중격교정술에서 주로 시행하였던 교차절개(cross-hatching incision)를 하기도 하는데 오목면에는 단순절개를, 볼록면에는 쐐기절제를 하는데 이때 전후절개의 방향이 배부와 평행이 되도록 해야 안장코를 방지할 수 있다(그림 12-14).[22]

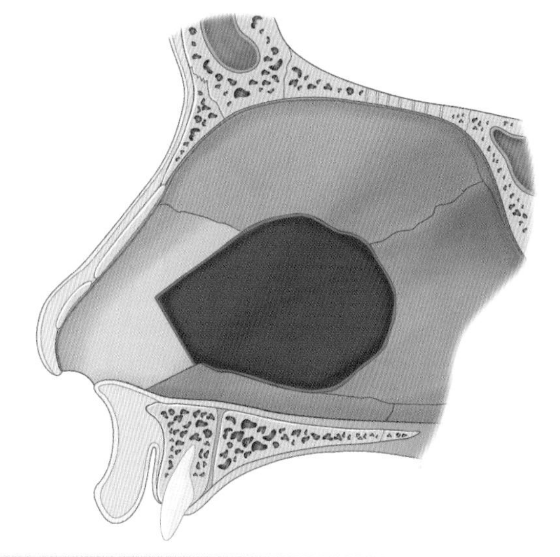

■ 그림 12-13. **L-strut의 보존.** 비중격 교정술을 시행할 때는 L- strut을 보전해야 안장코를 방지할 수 있다.

⑥ 연골 고정

적절한 연골과 골의 절제로 연골의 가동화가 이루어지고 펴진 경우 연골을 정중앙에 위치시켜야 한다. 이때 전비극 부위의 연골이 과도하게 길면 전비극으로부터 비중격연골을 분리시키고 과도한 잉여연골을 제거한 후 '8자형 봉합'으로 전비극에 고정한다(그림 12-15). 전비극 골에 고정이 어려운 경우 주위 골막에 고정시키면 쉽게 고정할 수 있다. 전비극 부위의 비중격연골을 너무 많이 잘라내면 미부 비중격(caudal septum)이 짧아져 안장코 변형이 올 수 있으므로 매우 조심스럽게 조금씩 잘라가며 높이를 확인해야 한다.

⑦ 마무리

출혈부위가 있으면 지혈하고, 찢어진 점막이 있으면 봉합한다. 특히 비중격 점막 양쪽의 같은 부위가 찢어지면

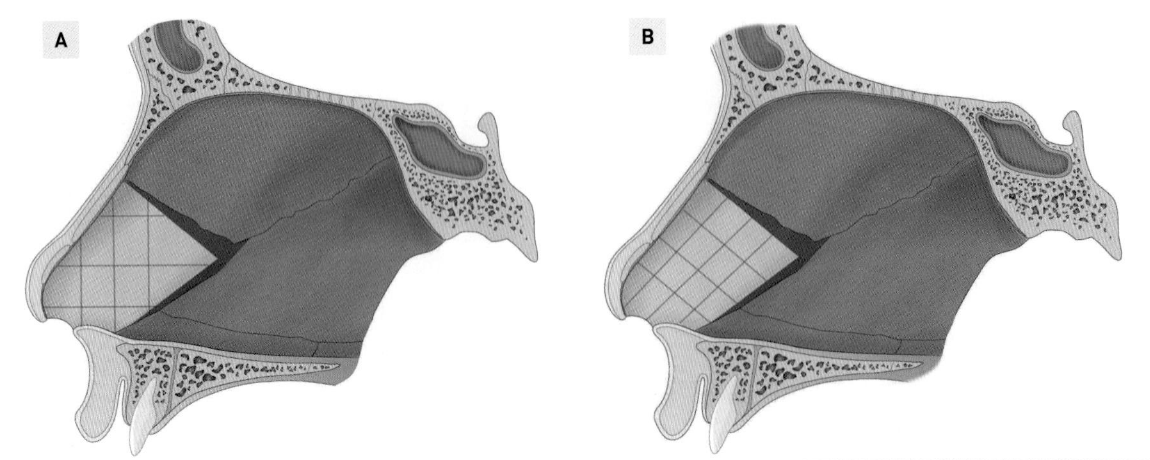

■ 그림 12-14. **비중격연골의 교차절개(cross-hatching incision).** **A)** 교차절개의 전후 절개 방향이 비강저와 평행하면 비중격연골의 배부에 작은 삼각형의 연골 조각이 생겨 자연흡수될 수 있기 때문에 안장코가 초래될 수 있다. **B)** 따라서 오목면 전체에 교차절개를 할 때는 전후 절개의 방향이 배부와 평행이 되도록 해야 안장코를 방지할 수 있다.

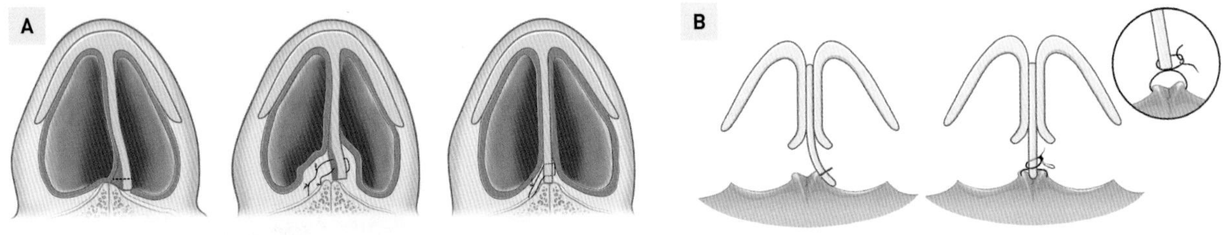

■ 그림 12-15. **비중격연골의 고정.** **A)**잉여연골을 절제한 후에도 정중앙에서 벗어난 연골은 휘어진 반대측의 골막과 휜 연골을 봉합하여 고정한다. **B)**비중격미부는 전비극에 '8자 봉합'으로 고정한다.

수술 후 천공의 가능성이 크므로 제거한 연골이나 골 조각을 그 사이에 넣고 봉합해야 한다(그림 12-16A). 비중격 지지기능이 약화되었다고 판단될 때는 이미 제거한 연골이나 골 조직을 다시 삽입하여 비중격을 강화시킬 수 있다.

절개 부위를 5-0 vicryl 봉합사로 봉합한다(그림 12-16B). 비중격의 위치와 안정성을 유지하기 위하여, silastic 판을 비중격 양쪽에 대고 비중격연골에 봉합고정하기도 한다(그림 12-16C). 또한 silastic 판은 팩킹 제거 후 비강을 치료할 때 열상이 있었던 부위가 또 손상되지 않도록 보호해주고, 동시에 수술한 동측 비갑개와 비강측벽 부위가 비중격 점막이 열상 부위와 접촉하여 유착이 발생하지 않도록 막아주는데 보통 5~10일간 유지한 후 제거한다. 수술 후 혈종을 방지하기 위해 팩킹을 하고 1~3일 후 제거한다. 팩킹 대신 through and through quilting suture를 시행하기도 하는데 전체 비중격 피판을 앞에서부터 뒤로, 그리고 다시 앞으로 오면서 continuous 5-0 plain stitch로 매트리스 봉합(mattress suture)을 시행한다(그림 12-17).[26]

비중격수술 시 비후된 하비갑개에 대한 수술을 동시에 시행하는 경우가 많으며 때로는 만곡의 반대측에 대상성으로 비후되거나 수포성 갑개(Concha bullosa)가 있는 중비갑개를 동시에 수술해야 할 때도 있다.

(2) 미부 비중격만곡의 수술(Caudal septal deviation)

비중격만곡이 골부에 국한된 경우는 만곡된 골부를 제거하면 쉽게 교정되고 결과도 좋다. 그러나 연골부의 만

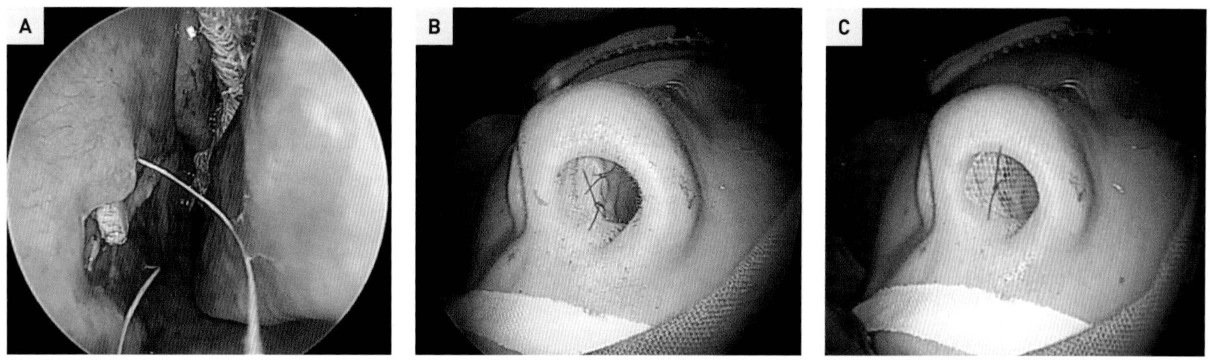

■ 그림 12-16. **찢어진 점막의 봉합 및 절개 부위 봉합과 silastic 판 고정.** **A)** 비중격 점막 양쪽의 같은 부위가 찢어지면 수술 후 천공의 가능성이 크므로 제거한 연골이나 골 조각을 그 사이에 넣고 봉합한다. **B)** 절개 부위를 5-0 vicryl 봉합사로 봉합한다. **C)** 비중격의 위치와 안정성을 유지하기 위하여, silastic 판을 비중격 양쪽에 대고 비중격연골에 봉합고정한다.

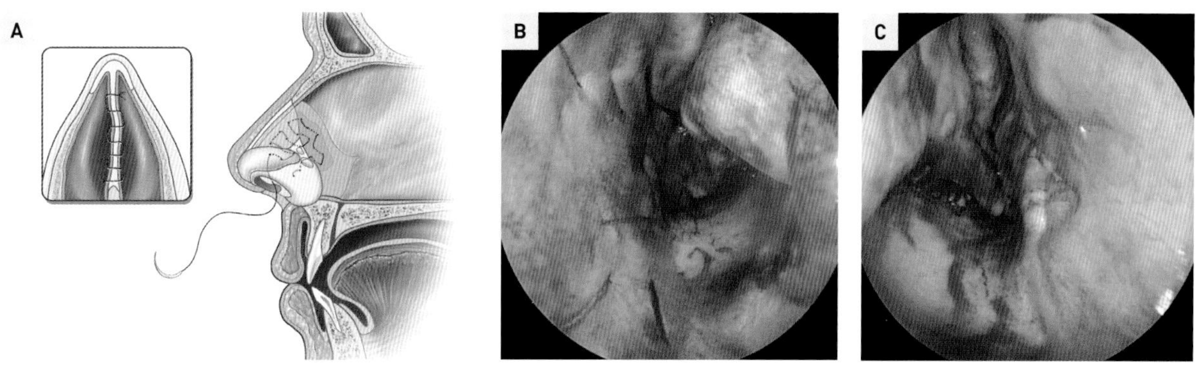

■ 그림 12-17. **Quilting suture.** 비중격 혈종을 방지하기 위해 팩킹 대신 through and through quilting suture를 시행하기도 한다.

곡이 앞쪽에 있을수록 수술 결과가 만족스럽지 않으며 일반적인 비중격교정술로만은 교정되지 않는다. 특히 이 부반적인 비중격교정술 후 지속적인 코막힘의 원인이 되기도 한다.

미부 비중격만곡은 미부 비중격의 탈구 여부에 따라 분류하기도 한다. 탈구된 미부 연골은 주변의 골막 혹은 연조직과 단단하게 붙어 있으므로 세심하게 박리하여 자유롭게 하고 똑바로 펴졌을 때를 기준으로 잉여부분을 절제한 다음 교차절개를 넣어 펴고, 이처럼 재조형된 연골을 3-0 vicryl 봉합사를 사용하여 전비극을 싸고 있는 골막에 봉합-고정한다. 이 때 미부 연골이 약한 경우나 잘 펴지지 않을 때는 제거한 비중격연골이나 사골수직판이나 또는 서골을 이용해서 연골편 이식(batten graft)으로 강화하여 펴주면 더 좋은 결과를 얻을 수 있다(그림 12-18).[9,34] 연골편 이식을 삽입할 때 미부 L-strut에 scoring incision을 넣을 수도 있고, 절개 없이 시행할 수도 있다. 이러한 과정은 반관통절개(hemitransfixion incision)를 한 경우 비중격연골 앞쪽으로 박리하여 반대쪽으로 넘어가 양쪽으로 박리하여 시행할 수 있고 처음부터 관통절개(transfixion incision)로 할 수도 있다.

비중격교정술은 태생적으로 코의 외부 변형을 유발할 수 있는 수술이다. 그 동안 안장코(saddle nose)는 코 초석(keystone area)의 손상이 있거나 L-strut을 지나치게 작게 남겼을 때 발생된다고 강조되었다. 최근 미부 비중격

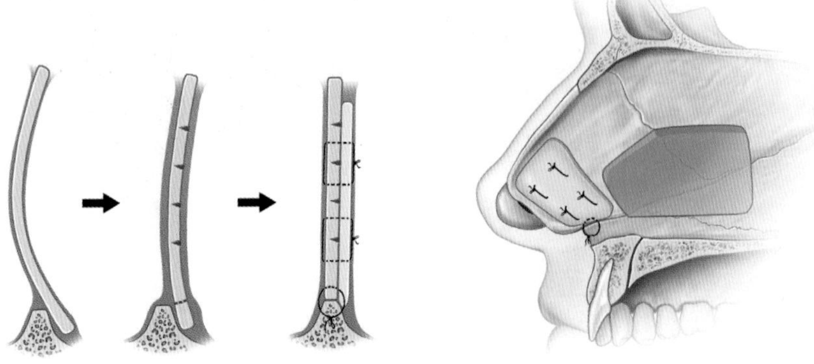

■ 그림 12-18. **Batten graft.** 미부 연골이 약한 경우나 잘 펴지지 않을 때는 제거한 비중격연골이나 사골수직판이나 서골을 이용해서 batten graft로 강화시키면서 펴준다.

만곡 교정의 중요성이 대두되었지만 여러 술자들이 수술 후 외비 변형의 두려움으로 인해 미부 비중격만곡 교정을 시도하지 않는 경우도 있다. 하지만 미부 비중격 교정술 전후 환자의 얼굴 사진 촬영을 통한 각도 지표의 변화를 보고한 연구에 의하면, 수술 전과 수술 후 6개월째 비첨각(nasal tip angle), 코이마각(nasofrontal angle), 코입술각(nasolabial angle), 코기둥얼굴각(columellofacial angle) 등 비각도 지표의 변화는 통계적인 차이를 보이지 않았다. 이러한 결과는 미부 비중격교정술이 외비 변형을 유발하지 않는다는 의미이므로 심한 미부 만곡이 있는 경우 미부 비중격교정술을 시행하는 것이 환자의 만족도를 높이게 된다.[13]

최근 국내외 연구진들이 다양한 새로운 방법을 제시했는데 만곡된 미부 연골의 L-strut을 가장 휘어진 부분에서 수평으로 자른 다음 겹쳐지는 연골을 봉합하여 고정하고 지지가 충분하지 않으면 연골편 이식을 대주는 cutting and suture technique을 고안하였다(그림 12-19).[16] 이 방법은 이전 수술로 인해 비중격 연골이 부족한 재수술의 경우와 외비의 미부 만곡(caudal deviation)과 비폐색을 동시에 교정하는 경우 유용하다. 특히 이 방법은 연골의 bending memory를 완전히 제거할 수 있기 때문에 연골이 갖고 있는 원래의 모양으로 돌아가려는 강한 힘 때문에 주로 발생하는 재발의 위험이 적다.

이러한 여러 술식으로도 해결이 되지 않는 심한 미부 비중격만곡은 외부 접근법(external approach)을 통해서 전비중격재건술(total septal reconstruction)을 시도해 볼 수 있다.

(3) 상부 비중격만곡의 수술(High septal deviation)

비중격의 배부(dorsal part)의 만곡은 외비의 만곡과 주로 동반된다. 외비의 비대칭이 심하지 않다면 비내접근법으로 교정할 수 있는데 상부 1~1.5 cm 정도의 L-strut을 남겨두어 코 초석(keystone area)을 손상하지 않으면서 비폐색을 해결할 정도로만 수술할 수 있지만 교정이 쉽지 않은 경우도 많다. 이에 최근에 다양한 술식이 시도되고 있는데 사골 수직판과 비중격 연골을 불완전 굴곡골절(green stick fracture) 시킨 후 양측을 변형 매트리스 봉합(modified mattress suture)으로 교정하거나(그림 12-20A)[17] 만곡이 가장 심한 부위의 상부만곡은 남기고 전층 점막 절개를 가하여 비강 하부 기도를 확보하는 술식 등이 있다(그림 12-20B).[15]

심한 외비 비대칭이 동반된 경우는 외비 접근법을 이용해야 하며 상외측 연골(uppor lateral cartilage)을 비중격으로부터 완전히 분리시킨 후 양측 혹은 편측에 펼침이식(spreader graft)을 시행하여 교정할 수 있다.

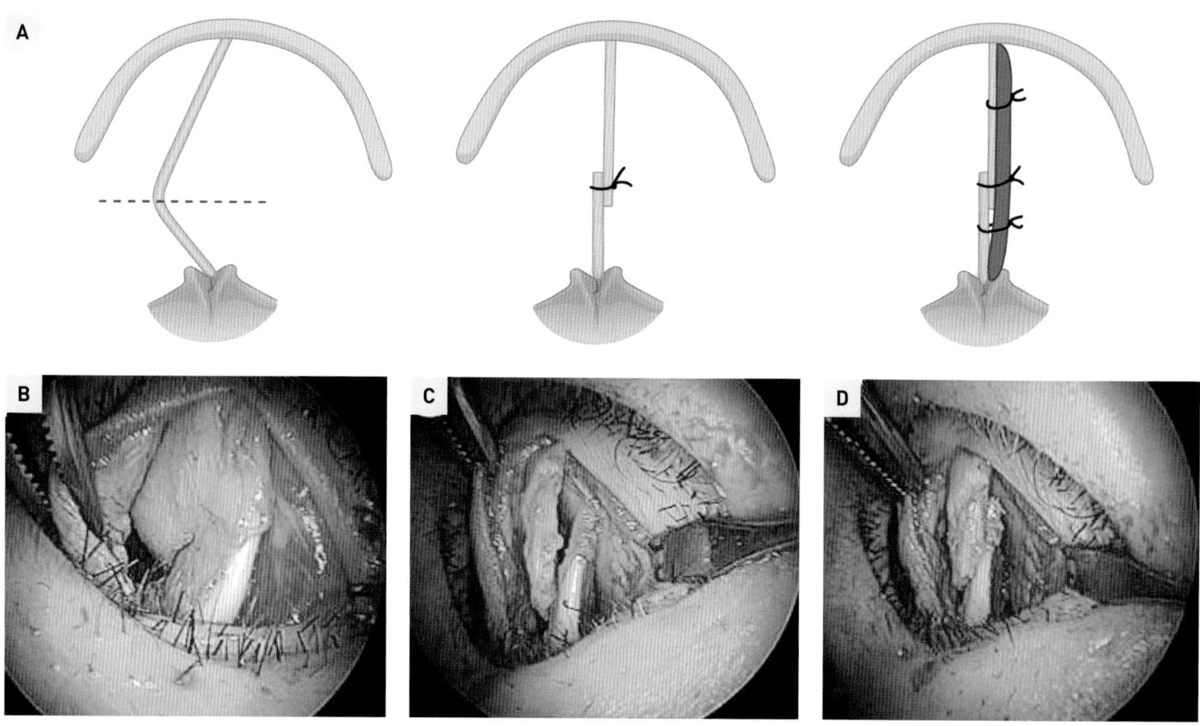

■ 그림 12-19. **Cutting and suture technique.** **A)** 만곡된 미부 연골의 L-strut을 가장 휘어진 부분에서 수평으로 자른 다음 겹쳐지는 연골을 봉합하여 고정하고 지지가 충분하지 않으면 연골편 이식 batten graft을 대준다. **B)** 우측 비강에 반관통절개를 한 후 비점막을 박리하고 후부의 만곡을 교정한 다음의 사진으로 비중격 미부의 만곡이 관찰된다. **C)** 만곡된 부분을 절제하여 미부 연골이 상, 하부로 곧게 된 모습. **D)** 절제된 상하의 미부 연골을 봉합한 모습.

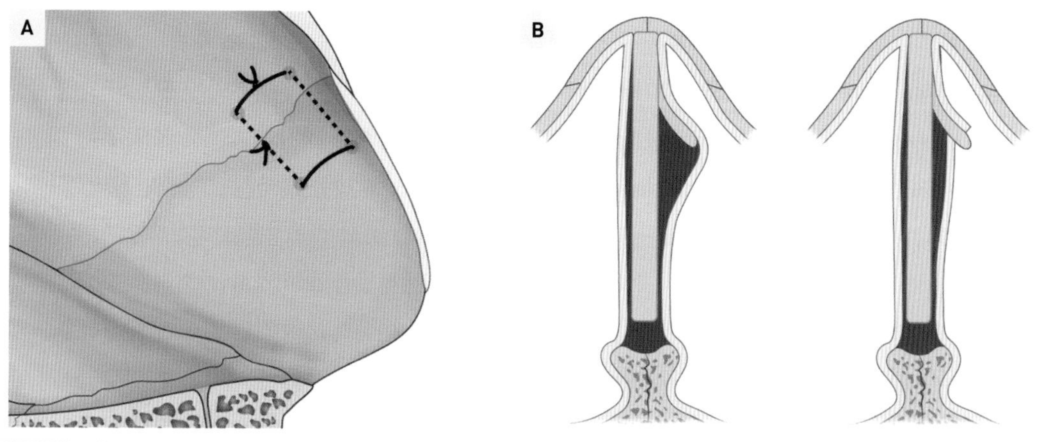

■ 그림 12-20. **상부 비중격만곡(high septal deviation)의 수술법.** **A)** Modified mattress suturing technique. **B)** Full-thickness horizontal mucosal incision technique.

(4) **전비중격재건술**(total septal reconstruction)

미부 비중격이 완전히 꺾여 있거나 심한 비후가 있는 심한 기형이 있을 때는 비중격연골과 일부 사골 수직판을 제거하여 비강 밖으로 완전히 분리한 후 절개, 봉합 또는

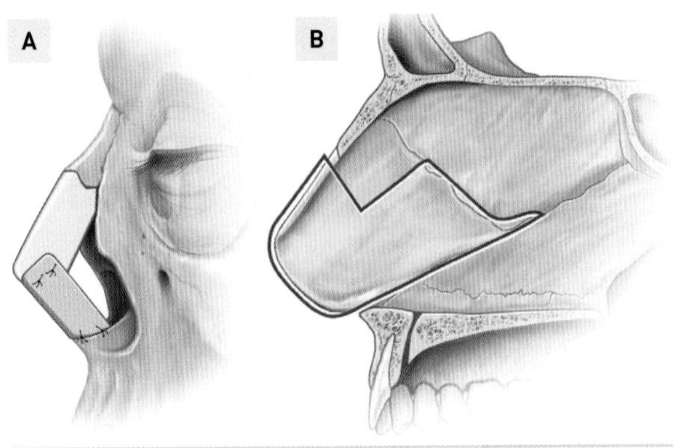

■ 그림 12-21. **전비중격재건술. A)** 전체 비중격연골을 체외로 꺼낸 다음 휘어진 부분은 절제하고 이를 곧게 펴서 L모양의 지주(strut)를 만들어 다시 원위치하여 정중앙에 위치시킨 다음 고정한다. **B)** 비중격연골을 제거할 때 keystone 부위는 일부 남겨 놓고 제거하여 나중에 고정할 때 고정을 쉽게 하게 하기도 한다.

드릴 등을 이용하여 새로운 반듯한 비중격을 만들어 다시 넣어주는 방법으로 체외 비중격교정술(extracorporeal septoplasty)이라고도 한다.[12] 주로 개방성 외비성형술 접근법(external rhinoplasty approach)으로 주로 시행하며 새로 만들어진 비중격의 상부는 상외측 연골 사이에 넣어 고정시키고 하부는 전상악(premaxilla)에 단단히 고정 봉합한다. 비중격연골을 제거할 때 코 초석(keystone area) 부위는 일부 남겨 놓고 제거하여 나중에 고정할 때 고정을 쉽도록 변형해서 시행하기도 한다(그림 12-21).[5]

(5) 내시경 비중격교정술(Endoscopic septoplasty)

전통적으로 비중격교정술은 헤드라이트를 쓰고 비경을 이용하여 수술을 해왔다. 최근에는 내시경이 비중격 수술에 사용되기 시작했는데 내시경에 의해 확대되고 밝은 시야를 얻을 수 있어 박리가 쉽고 모니터 사용으로 수술 기술을 배우기 쉬우며 수술팀의 적극적인 참여를 유도할 수 있고 내시경 부비동 수술과 같이 시행할 때 수술의 전환이 쉽다는 장점이 있다. 또한 재수술의 경우 내시경을 이용하여 제한된 부위만을 박리하는 수술을 할 수 있어 유착이 되어 있는 앞쪽 부위의 박리를 피할 수 있다.[14] 헤드라이트로 수술하든 내시경으로 수술하든 기본적인 술기와 원칙은 같다.

비극(nasal spur)만 단독으로 있거나 이전에 비중격교정술을 받은 적이 있는 환자가 국소 부위의 만곡만을 가지고 있다면 내시경을 이용하여 극히 제한된 부분만 박리해서 그 부위만 제거하는 국한된 비중격교정술(limited septoplasty)을 시행할 수도 있다. 국한된 비중격교정술은 일차 수술인 경우 박리를 최소화할 수 있어서 술 후 치유기간을 단축시킬 수 있고 재수술의 경우 제거된 비중격 연골 부위는 양측 점막이 아물어 붙어 다시 박리하기 어려운데 이 부위를 피해서 후방 점막의 만곡 부위 바로 앞에 절개를 넣어 만곡된 부위만 박리하고 제거할 수 있다. 아주 국한된 부위만 제거할 경우 팩킹 없이도 잘 아무는데 quilting suture나 하나의 매트리스 봉합을 할 수도 있다. 비극만 있는 환자에서는 비극의 돌출부(apex)를 따라서 절개를 하고 비극의 위 아래로 점막골막을 들고 반대측 점막이 찢어지지 않게 조심하면서 겸자로 비극을 제거할 수 있으며 때로는 절골도를 이용하여 기저부를 따라 제거할 수도 있다. 일반적으로 절개한 점막은 봉합 없이도 잘 아문다(그림 12-22).

(6) 비성형수술과 비중격 수술

비중격은 외비의 골부와 연골부의 가장 중요한 지지구조이며 비주와 비첨의 지지를 도와주는 역할을 한다. 비성형수술을 받는 환자는 비중격만곡이 동반된 경우가 많은데, 수술 시 비중격을 교정하지 않으면 비폐색이 발생하거나 비성형술의 효과를 감소시킬 수 있다. 따라서 코의 미용뿐 아니라 기능적인 장애가 비성형수술 후에 생기지 않도록 비중격 수술을 고려해야 하며 만곡증이 있으면 비중격교정술을 동시에 시행해야 된다. 또한 비중격교정술은 연골성 비배부의 높이를 낮추는 데 좋은 방법이며 이식편을 얻기 위해서도 시행할 수 있다.

외비의 형태 이상이 비중격만곡과 동반된 경우가 많은데, 특히 앞쪽 비중격만곡이 원인이 되어 비첨의 변형이 일어난 경우는 개방성 접근법으로 접근하여 상외측연골

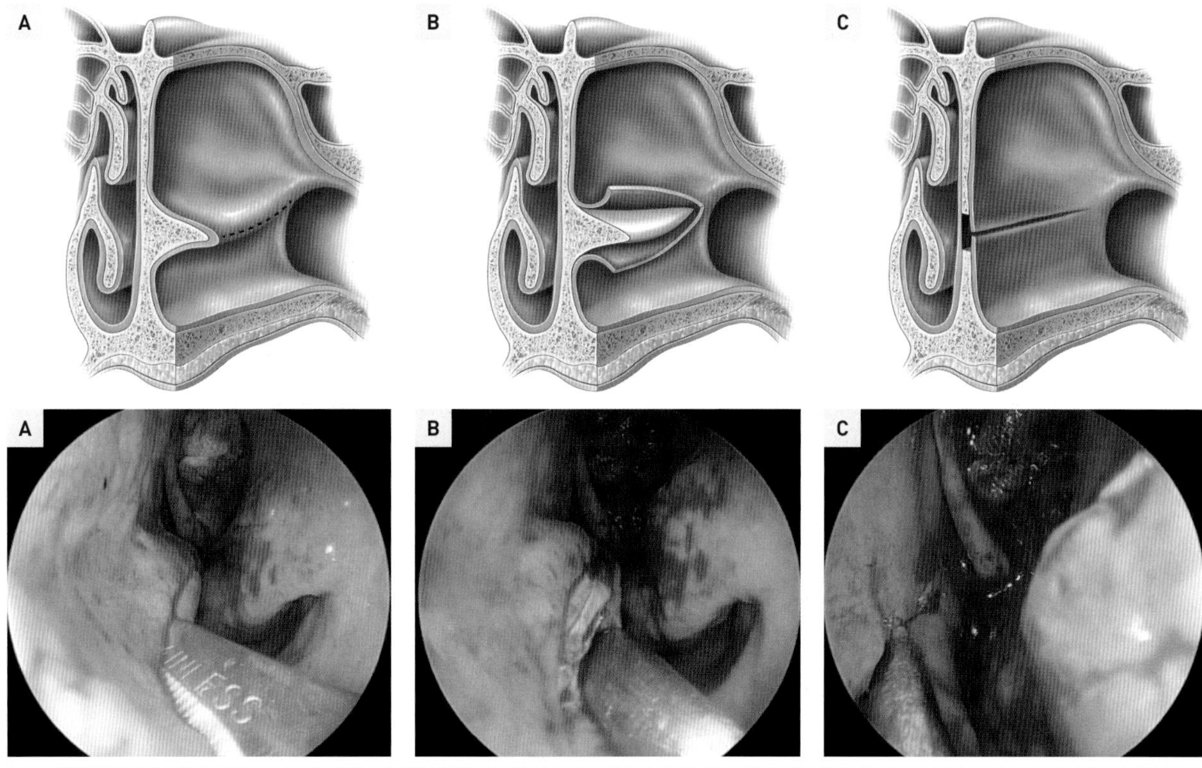

■ 그림 12-22. **내시경을 이용한 국한된 비중격교정술(limited septoplasty). A)** 내시경하에서 비중격극(septal spur) 위에 바로 수평 절개를 가한다. **B)** 비중격극의 위,아래 점막연골막피판을 박리한다. **C)** 비중격극을 제거한 다음 피판을 원위치한다.

과 하외측연골 그리고 비중격을 분리한 후 앞쪽의 비중격 만곡을 교정하고 각 구성요소를 모두 원래대로 복구해주면 외비의 변형이 교정된다. 또한 비중격의 배부 만곡(dorsal deviation)의 경우 외비 만곡과 동반되는 경우가 많은데 이때도 상외측연골과 하외측연골 그리고 비중격을 분리한 후 양측에 펼침이식(spreader graft)을 시행함으로써 외비 만곡도 함께 교정할 수 있다.

5) 합병증

가장 흔한 비중격수술의 합병증은 주관적 비폐색 증상의 지속이다. 비중격교정술 후에도 코막힘을 호소한다면 교정이 불완전하게 되었는지 확인해야 하는데 미부 만곡(caudal deviation)의 불완전 교정이나 비판(nasal valve)부위의 문제가 있는 경우가 많다.[8] 교정이 제대로 되었다면 코막힘의 다른 원인을 간과하였을 수 있으므로 가능한 원인을 찾아야 하는데 하비갑개의 처치가 불충분했거나 알레르기비염이나 부비동염이 원인일 수도 있다.[5]

드물지만 일부 환자에서는 심한 출혈이 발생할 수 있는데 비중격 하부의 상악능(maxillary crest)을 제거한 경우에 골부에서 박동성 출혈이 발생하는 경우가 있으므로 주의하여 지혈해야 한다. 점막이 찢어진 곳이나 절개부위를 통해 지속적인 출혈이 있을 수 있으며 이때에는 반드시 출혈부위를 확인하고 지혈을 한 다음 봉합과 팩킹을 다시 시행해야 하며 그렇지 않으면 수술 후 비중격혈종이 생긴다. 절개면을 봉합하기 전 fibrin glue 같은 지혈제를 박리면 사이로 넣으면 위와 같은 합병증 방지에 도움이 될 수 있다.[30]

비중격혈종(septal hematoma)은 비교적 흔한 합병증으로 quilting suture나 비강 팩킹을 하지 않았을 때 잘 발생한다. 비록 감염이 동반되지 않더라도 연골과 연골막 사이가 분리되어 연골의 혈류가 차단되므로 서서히 연골이 녹아 흡수된다. 혈종이 발생하면 부종 및 통증이 생기며, 심한 동통을 호소할 수 있다. 팩킹을 제거한 후에도 코막힘을 호소하면 혈종을 의심하여 잘 살펴보아야 한다.

수술 후 감염은 흔하지 않으나 비강 속에 상존하는 병원균에 의해 발생할 수 있으며, 이때에는 적절한 항생제를 투여한다. 비중격 혈종이 적절히 치료되지 않은 상태에서 감염이 되면 비중격 농양이 생기는데 후유증으로 안장코 변형을 남길 수 있으므로 적극적인 절개, 배농 및 항생제 치료를 해야 한다.

수술 후 코막힘의 다른 원인으로 비중격과 비갑개 사이의 유착이 있다. 비중격수술과 비갑개 혹은 비강 측벽 수술을 동시에 했을 경우 유착의 가능성이 더 크며, 반흔 조직은 비중격을 당겨 만곡을 초래할 수 있다. 또한 수술 전에는 만곡된 쪽에 코막힘이 있었던 환자가 수술 후 비중격이 교정되어 중앙에 위치하면서 비갑개의 대상성 비후 때문에 오히려 반대쪽의 코막힘을 호소하는 경우도 있다.

비중격천공(septal perforation)은 비중격수술 후 생기는 경우가 가장 흔하다. 특히 비중격의 대칭되는 양측의 점막이 찢어졌을 때 발생할 수 있으며 혈종, 농양으로 인한 연골 혈액순환의 장애가 생기거나 너무 단단한 팩킹이나 점막판 봉합으로 혈류공급이 차단되었을 경우에도 생길 수 있다. 양측 점막이 찢어졌을 때에는 반드시 적어도 한쪽 점막은 봉합해 주어야 하며 찢어진 양측 점막 사이에 제거한 연골이나 골편, 근막 등을 넣어 주는 것이 안전하다.

외비 변형도 생길 수 있는데 비중격 전단부를 너무 과도하게 절제하거나 비배부의 지지가 약해질 때 비첨 하수(tip ptosis), 안장코(saddle nose) 등의 코 모양의 변화가 생길 수 있다. 이를 방지하기 위하여 코 초석(keystone area) 부위가 손상되지 않도록 주의하고 상부와 전단부의 L-strut을 충분히 남겨서 가능한 한 보존적 수술을 시행하며, 부득이하게 연골을 제거한 경우에는 교정 후 골, 연골을 다시 삽입하여 지지를 보강해야 한다. 또한 미부 비중격이 전비극(anterior nasal spine)에 붙는 부위를 수술할 경우 잉여연골을 너무 많이 제거하여 과도하게 짧아지지 않도록 유의해야 한다.

이 외에도 전상악골의 점막 박리나 전기소작 때문에 신경이 손상되어 구개 전방부 점막이나 상악절치에 감각이상이 생길 수 있으며, 비중격 상부 점막의 후각신경 손상이나 원인 미상의 후각 장애가 생길 수 있다.[6] 지혈 팩킹 혹은 silastic판에 의한 독성쇼크증후군(toxic shock syndrome), 반창고에 대한 피부 알레르기 반응도 있다. 드물지만 사골 수직판 손상에 의한 뇌척수액 비루와 이에 의한 두개내 합병증, 안구 합병증 등이 생길 수 있다.

II 비중격혈종

1. 원인

비중격연골과 연골막 사이에 출혈이 일어나서 혈액이 고이는 것으로 비중격의 손상, 특히 비중격골절 및 비중격교정술 후 많이 생기며 여러 가지 혈액질환으로 출혈이 발생해서 생기기도 한다(그림 12-23).

2. 증상

주증상은 비폐색이며 콧등에 압박감, 전두통, 혈성 비루 등도 생길 수 있다. 국소적으로는 비중격의 한쪽 또는 양쪽에 평활한 종창이 있고, 혈종의 크기가 매우 커지면 외비의 변형도 올 수 있다. 비중격연골은 연골막을 통하여 영양공급을 받는데 혈종으로 인하여 영양공급이 되지 않는 상태로 연골은 약 3일간 생존 가능하며 이후에는 연골세포가 괴사되고 연골이 흡수되어 외비의 기형, 즉 안장코를 초래할 수 있다. 작은 혈종의 경우 연골의 괴사는 초래하지 않더라도 서서히 흡수되고 섬유화를 일으켜 비중격의 비후를 초래한다.

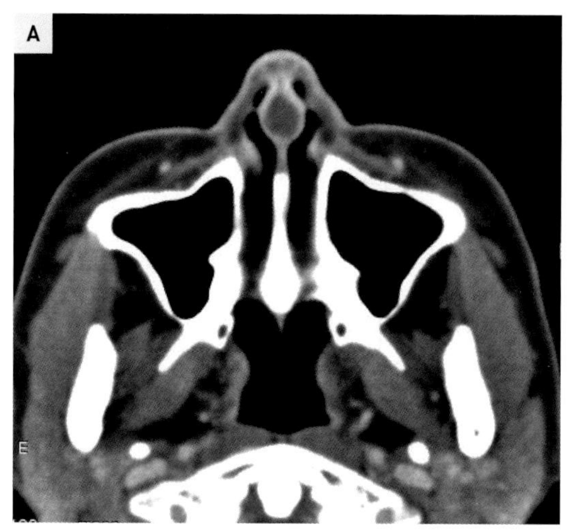

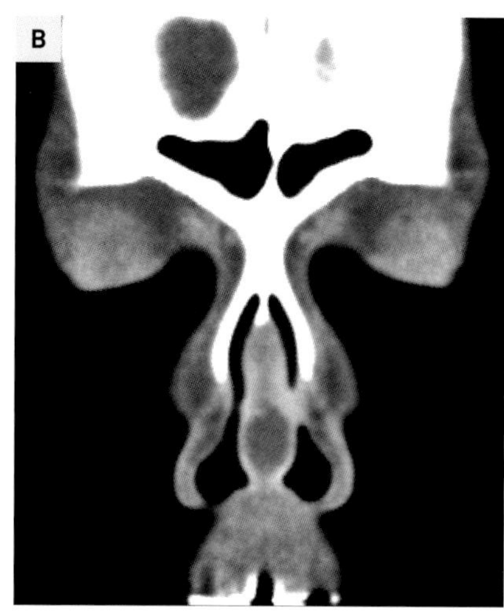

■ 그림 12-23. **비중격혈종의 CT 소견.** 비중격 앞쪽에 양측으로 팽창된 종창 소견이 보이며 내부에 저음영의 혈액이 고인 소견이 보인다.

3. 진단

외상이나 비중격교정술 혹은 혈액질환의 병력이 있고, 면봉 등으로 혈종을 촉진하면 평활하고 부드러운 느낌이 있으며 비교적 압통은 없고 점막 색깔은 정상이다. 시험천자(aspiration)로 혈액이 증명되면 확실하다.

4. 치료

최선의 치료법은 외과적 배액술(drainage)이다. 특히 조기에 배액을 시행해야 연골의 괴사를 막을 수 있다. 작은 혈종은 주사기로 반복하여 혈액을 흡인제거하고 큰 혈종은 한쪽 점막하부에 비강의 저부와 평행하게 절개를 하거나 긴 반관통절개를 한 후 혈액과 혈괴를 제거한다(그림 12-24). 이때 연골이 없는 부위의 양면절개는 비중격천공을 일으킬 위험이 있으므로 절대 시행하지 않는다. 비중격교정술 후 발생한 혈종은 절개를 가하였던 부위를 다시 개방하여 혈액을 제거할 수 있다.

혈액 및 혈괴를 제거한 후 양쪽 비중격 점막을 팩킹으로 압박하여 혈액이 다시 고이는 것을 방지하고 팩킹은 24~48시간 후에 제거한다. 필요하면 다시 내용물을 흡인

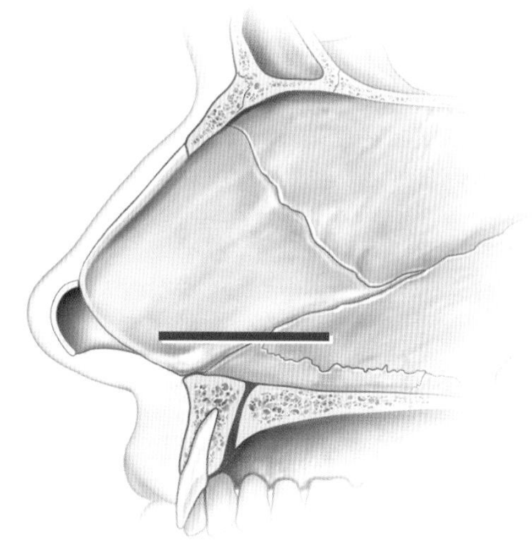

■ 그림 12-24. 비중격 혈종 시 절개 배농 위치 큰 혈종은 한쪽 점막하부에 비강의 저부와 평행하게 절개를 하여 혈액과 혈괴를 제거한다.

제거하고 감염을 방지하기 위해서 항생제를 투여한다.

5. 합병증

비중격혈종이 적절히 치료되지 않으면 안장코와 같은 외비기형, 섬유화에 따른 비중격비후와 비중격농양, 비중

격천공 등을 초래할 수 있다.

Ⅲ 비중격농양

1. 원인

비중격농양은 비중격혈종의 화농으로 인해 발생하는 경우가 대부분이다. 원인균은 주로 포도상구균이고 연쇄상구균, 쌍구균 등도 원인이 된다. 이 외에도 비전정(nasal vestibule)이나 윗입술의 농가진과 같은 염증이 혈행으로 파급되어 생기거나, 급성 감염병이 혈행을 통해 감염되어 생기는데 주로 점막하에 형성된다.

2. 증상

비중격농양은 대개 수상 후 수일 내지 10일 후에 발생한다. 발열, 오한, 빈맥을 동반하며 코막힘, 전두통, 비배부 동통과 압통, 전신쇠약감, 비루 등의 증상이 나타난다. 국소적으로 한쪽 또는 양쪽의 비중격연골부에서 평활한 종창과 파동을 볼 수 있으며, 이차 세균감염이 동반되면 연골의 광범위한 괴사가 초래된다.

3. 치료

비중격 농양은 절개배농(incision and drainage)으로 치료한다. 가능하면 조기에 배농하고 전신 및 국소적으로 항생제를 강력하게 투여하여 화농성 염증의 진행과 골, 연골의 괴사를 방지해야 한다.

4. 합병증

일반적으로 예후는 양호하지만 아주 드물게 해면정맥동 혈전증(cavernous sinus thrombophlebitis), 뇌막염, 패혈증 등의 합병증으로 발전하여 사망하는 예도 있다. 외비의 연골성 배부는 비중격연골에 의해서 지지되므로 연골의 괴사로 인해 비중격연골이 결여되면 코끝 위쪽 부위가 내려앉을 수 있다.

Ⅳ 비중격궤양

각종 만성 질환, 특히 건성 전비염(rhinitis sicca anterior), 매독, 나병 등에서 볼 수 있고, 염산, 초산, 크롬산 등 화학약제를 취급하는 사람에서 많이 생긴다. 증상으로는 가피형성과 반복되는 비출혈이며 때로는 건조감, 소양감이 있어 코를 자주 후비는 경향이 있다.

치료는 단순성 궤양에 대하여는 질산은 등으로 소작하고 무자극성 항생제 연고를 바른다. 비중격궤양과 천공은 일반적으로 같은 병리적 과정 중의 이행단계이며, 외상으로 인한 경우를 제외하고는 궤양이 비중격천공에 선행한다. 그러므로 비중격궤양을 적절히 치료하여 비중격천공의 발생을 예방하여야 한다.

Ⅴ 비중격천공

어떤 원인에 의해 비중격의 연골부 또는 골부가 점막과 함께 결손되어 양측 비강이 직접 교통이 되는 경우를 말한다. 최근 비과 수술이 증가하여 비중격 손상의 빈도가 높아지고 있어 비중격 천공의 발생률 또한 증가하고 있다.[2]

1. 원인

비중격의 점막연골막 내의 미세혈관들은 양쪽에서 비중격연골에 산소 및 영양 공급을 하고 있어서 한쪽 점막의 손상은 별 문제 없이 치유되나 양쪽에 동시에 손상이

표 12-1. 비중격 천공의 원인들

외상	염증 혹은 감염	종양	기타
비중격교정술	Wegener 육아종증	NK T-cell lymphoma	산업성(중금속, 약물, 분진)
반복적 소작술	매독	악성종양	코카인 중독
코 후비기	결핵	전이암	국소 스테로이드 제제
비강이물(수은전지)	홍반성 루푸스(SLE)		국소 비점막혈관수축제
L-tube	칸디다증		특발성
O_2 cannula	나병		
	유육종증(Sarcoidosis)		
	AIDS		
	기타 감염성 질환		

발생하는 경우 중간의 연골에 괴사가 일어나서 비중격 천공이 발생하게 된다.

비중격 천공은 외상, 내과적 전신질환, 종양 등 다양한 원인에 의해 발생할 수 있다(표 12-1).

이들 중 가장 흔한 것은 비중격 수술, 특히 비중격 점막하절제술의 합병증으로 발생하는 의인성이다. 비중격 점막하절제술에 의한 천공 발생률은 6.91%, 비중격교정술에 의한 발생률은 0.86%로 보고되고 있다.[27] 동일 부위의 양측 점막 손상 없이도 수술 중 비점막 수축제를 한 곳에 너무 오래 둔 경우, 봉합을 너무 힘을 주어서 한 경우, 비강 팩킹을 너무 오래 둔 경우에도 발생할 수 있다.

비중격의 반복적 소작술도 천공을 일으키며 주로 양측을 함께 소작했을 때 더 많이 발생한다. 그러므로 양측에 소작 처치를 할 때는 3~4주 정도의 치료 간격을 두는 것이 중요하다. 소아에서는 수은전지에 의한 비중격천공도 간혹 발생한다.

염증 및 감염성으로는 매독, 결핵, 홍반성 루푸스, 칸디다증, 나병, 비중격 농양, Wegener 육아종증, Sarcoidosis, 디프테리아, 장티푸스, 성홍열 등이 있고 악성 종양이나 백혈병이 있을 때도 발생할 수 있으며 코카인 같은 흡인성 자극제나 크롬, 수은, 납, 구리 등 중금속에 의해서도 발생할 수 있다. 국소 스테로이드의 장기간 사용이나 국소 비점막혈관수축제도 천공을 유발할 수 있으며 특별한 원인 없이 발생하는 경우도 있다.

2. 증상

비중격천공 환자의 대부분은 무증상이나, 비출혈, 가피형성, 비폐색, 휘파람 소리, 비루, 콧등 처짐 등을 호소할 수 있다.[19] 가피가 큰 경우 비폐색을 호소하며 이를 제거하면 비출혈이 일어난다(그림 12-25).

비중격천공 시 비강의 기능에 영향을 주고 증상을 일으키는 요인은 천공의 크기와 위치이다. 천공의 크기가 클수록, 천공의 위치가 앞쪽일수록 증상이 더 심하고 뒤쪽 골부에 있으면 증상이 없는 경우도 있는데 이는 후방으로 갈수록 흡입된 공기가 비강의 점막과 비갑개에 의해 급속히 가습되기 때문이다. 일반적으로 천공은 골부를 침범하는 매독을 제외하고는 대개 앞쪽, 즉 비중격 연골부에 있다. 천공의 가장자리가 정상적인 점막으로 치유되지 않고 위축된 점막으로 재생되거나 노출된 연골에서 연골염이 발생하는 경우에 가피와 출혈의 정도가 증가한다.

3. 진단

외상성 및 직업성 천공에서는 병력이 중요하다. 일반적인 비경검사나 비내시경검사로 대부분 천공을 쉽게 확인

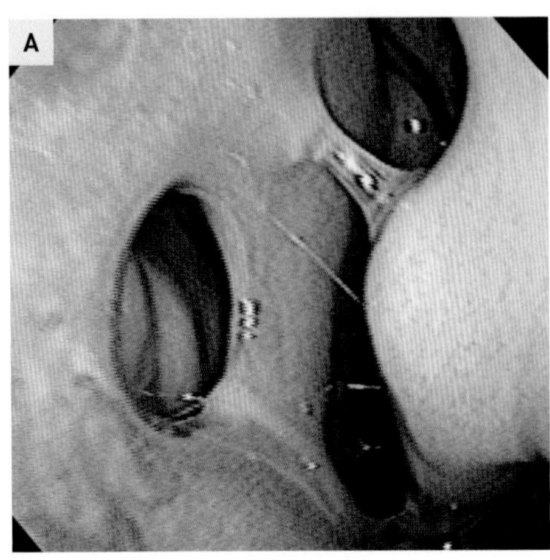

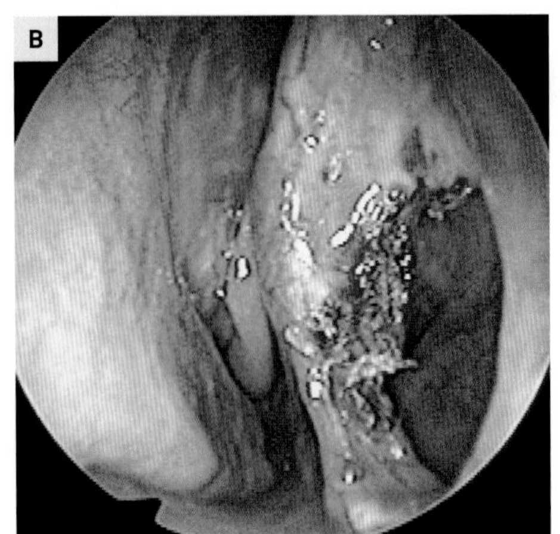

■ 그림 12-25. **비중격천공의 내시경 사진.** **A)** 건강한 점막으로 잘 치유되어 딱지나 출혈의 흔적이 없는 작은 천공, **B)** 연골이 노출된 천공연으로부터 반복적인 가피와 출혈을 보이는 큰 천공

할 수 있다. 천공 가장자리가 비후되어 있으면 악성질환을 감별하기 위해서 조직검사가 필요하고 골부에 천공이 있으면 매독에 대한 혈청검사가 필요하며 Wegener 육아종증이 의심되면 조직검사, ESR 및 ANCA 검사를 해야 된다.

4. 예방

비중격궤양 상태에서 천공까지 진행되지 않도록 하는 것이 중요하다. 유발요인이나 원인질환을 찾아서 제거해야 하며 직업적 요인이 문제되는 경우 정기적인 검진을 통해 예방하는 데 노력하여야 한다. 가장 많은 원인인 비중격 수술이 문제인데, 대개 한쪽 점막만 찢어진 경우에는 천공이 발생하지 않으나 비중격 양측의 동일한 부위 혹은 가까운 곳의 점막이 찢어진다면 천공이 발생할 수 있으므로 주의하여야 한다. 만약 양측에 결손이 생기면 연골이나 골편, 근막 등의 이식물을 파열된 점막피판 사이에 삽입하고 파열된 부분을 봉합하여 천공을 예방하는 것이 좋다. 점막이 찢어진 경우나 찢어져 봉합한 경우는 silastic 판을 양쪽에 위치시켜 상처 치유에 도움을 주는 것이 좋다.

외래 관찰 도중 천공이 발견된 경우 천공 부위의 딱지를 물리적으로 무리하게 제거하면 그 크기가 더욱 커지게 되므로 식염수 세척이나 연고 도포 등으로 습윤 상태를 유지하여 자연 제거가 되도록 한다.

5. 치료

증상이 없다면 특별한 치료가 필요 없다. 그러나 증상이 있는 경우는 유발요인이나 원인 질환을 찾아서 제거하고 보존적 치료를 해서 증상이 완화되는지 본다. 그럼에도 불구하고 증상이 지속되거나 환자가 불편해 하는 경우는 천공을 막아주는 수술적 치료를 고려해야 한다.

1) 비수술적 치료

비수술적 방법은 천공으로 인한 증상의 완화를 목적으로 한다. 가피가 많이 생기는 경우 생리식염수로 비강을 자주 세척하여 가피를 제거함으로써 점막 손상을 방지해준다. 코가 건조할 경우에는 코안에 연고 도포를 하고 코를 심하게 풀거나 후비는 것을 금하고 적절한 습도를 유지해 주는 것이 좋다. 그 외에 실리콘으로 만든 비중격 단추를 삽입하는 방법도 있는데[25] 이는 주로 재건수술에 실패하였을 때, 수술에 따르는 위험성이 높을 때, 활동성 육아질환 혹은 혈관질환이 있을 때 사용할 수 있다. 그러나 국소적 자극, 코막힘, 분비물의 증가, 가피형성, 이차감염, 3 cm 이상으로 천공연이 클 때 생기는 이탈 등의 단점이 있다.

2) 수술적 치료

수술은 천공을 막는 것뿐만 아니라 정상적인 비강의 기능 및 생리의 복구에 그 목표를 두어야 한다. 수술을 할 때 고려해야 할 점은 천공의 크기와 위치, 좋은 수술시야의 확보, 건강하고 충분한 점막피판의 확보, 어떤 종류의 이식편을 사용할 것인가 등이다. 특히 천공의 크기는 수술의 성공에 가장 많은 영향을 미친다. 수술의 접근법은 크게 비내접근법과 외부 접근법으로 나눌 수 있다.

비내접근법은 천공의 크기가 작거나 앞쪽에 위치할 때 주로 사용되나 최근에는 내시경을 이용하여 천공이 크거나 후방에 있어도 비내접근법으로 성공률을 높이고 있다. 2~3 cm 이상의 크기가 큰 천공을 재건하는 것은 기술적으로 어려우며 비내접근법은 수술시야가 좋지 않아 외부접근법을 사용한다. 이때는 개방성 외비성형술접근법(external rhinoplasty approach), 외측 비익절개법(lateral alotomy approach), 측비절개접근법(lateral rhinotomy approach), 안면중앙부노출법(midfacial degloving approach) 등의 방법을 이용할 수 있다. 상부천공에는 개방성 외비성형술접근법을 많이 사용하는데 수술시야가 좋고 양손 수술이 가능하며 동반된 외비변형을 동시에 해결할 수 있는 장점이 있다. 보다 넓은 시야가 필요하면 안면중앙부노출법을 시행할 수 있으며 이 방법은 3 cm 이상의 큰 천공, 비내접근법이 곤란한 후상부 천공, 수술 후 재천공된 경우 등에 시도할 수 있다.[7]

비중격 점막은 피부조직과는 달리 탄력 섬유가 없기 때문에 천공의 크기가 작더라도 비중격 점막을 연골에서 박리 후 당겨 직접 봉합하는 것은 실패할 가능성이 매우 높다. 따라서 점막을 연골이나 골막에서 충분하게 거상하고 상부나 하부에 적절한 절개를 가하여 피판의 형태로 가동성을 확보한 후 긴장(tension) 없이 결손 부위를 봉합하여야 한다. 천공의 크기가 수술 전에 성공 여부를 판단하는 데 중요한데 앞뒤 방향의 크기보다는 상하 방향의 천공의 크기가 더 중요하며 상하로 천공이 큰 경우가 수술이 더 어렵다.

수술은 다양한 점막 피판을 사용하는데 일측성 혹은 양측성 전진 피판, 하비갑개 피판, 구순협부피판(labio-buccal flap), 피부 피판 등이 있다. 일반적으로 실제 천공의 크기보다 연골의 결손이 더 큰 경우가 많은데 이렇게 연골이나 골이 없는 천공 주위는 양측 점막을 박리할 때 쉽게 찢어져 박리 후에 천공의 크기가 더 커질 수 있으므로 조심스럽게 양측 점막을 분리해야 한다. 점막 봉합 전에는 천공의 가장 자리의 육아조직은 모두 제거하여 다듬고 긴장이 없는 상태에서 단순 단속봉합(simple interrupted suture)을 한다.

현재 비중격 점막이나 비강저부 점막의 전진피판(advancement flap)과 회전피판(rotation flap)(그림 12-26)을 가장 많이 사용한다. 전진 피판의 경우 일측성 혹은 양측성으로 시행할 수 있으며 양측성으로 시행하는 경우가 비중격의 세 층을 모두 재건하는 것으로 가장 이상적이다.

전진 피판은 천공을 중심으로 하부(inferior based) 및 상부(superior based) 피판으로 나눌 수 있으며 상부보다는 하부에 더 큰 피판을 만들 수 있어서 더 중요한데 충분한 양을 전진시키기 위해 하비갑개 아래쪽 측부에서 비강에 평행하게 절개를 만들고 비강저에서 점막을 박리하여 가동성을 높이는 것이 좋다. 상부 피판의 경우 상외측연골의 직하방에 절개를 넣으면 크게 얻을 수 있다.

일측성 전진피판(그림 12-27A)은 일측에서 하부(inferior based)및 상부(superior based) 피판을 이용하여 천공을 완전히 봉합하여 막고 양측 점막 천공 사이에는 측두근막과 같은 이식물을 삽입한 다음 반대편 점막 천공은 그대로 두어 이차적 치유에 의한 점막 재생을 기대하는 방법이다. 이와 같이 일측만 막을 경우에는 수술 후 반

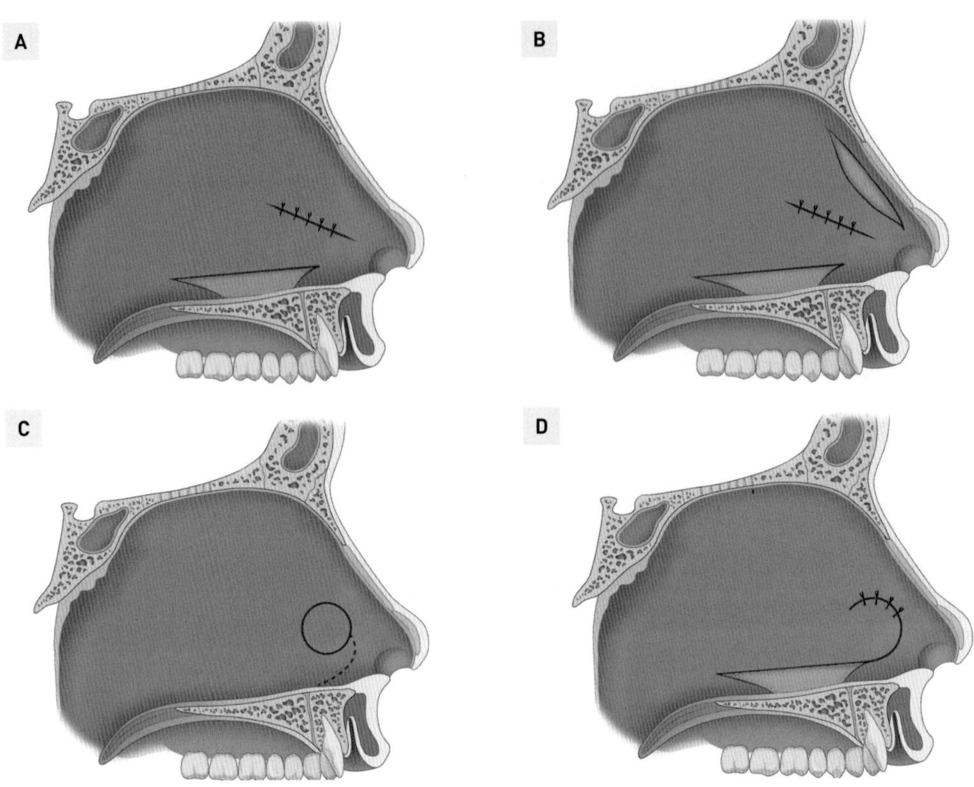

■ 그림 12-26. **하부 및 상부 절개에 의한 전진피판(advancement flap)과 회전피판(rotation flap).** **A)** Inferior based flap을 이용한 천공봉합, **B)** Inferior based flap과 superior based flap을 모두 이용한 천공봉합, **C) D)** 피판을 회전 후 봉합하는 방법으로 앞쪽의 작은 천공의 재건에 유리하다.

드시 silastic 판을 3주 정도 유지시켜 노출된 이식편이 건조해지지 않도록 해야 한다.

양측성 전진피판(그림 12-27B)의 경우 반드시 상부 피판은 한쪽만 사용되어야 하는데 양측에서 동시에 시행하면 그 부위의 혈류 공급에 장애가 생겨 새로운 천공이 발생할 수 있다. 상부 피판의 조작은 개방성 외비성형술 접근법으로 더욱 쉽게 할 수 있다.

천공이 큰 경우에는 하부 피판의 앞쪽으로 절개선을 연장하여 반관통절개와 연결시켜 피판의 가동성을 향상시킬 수 있다(그림 12-27C). 이 방법을 양측 비강에서 동시에 사용하면 비중격연골 앞쪽 부위의 혈류공급 차단으로 새로운 천공이 발생할 수 있어 주의해야 한다.

하비갑개 피판도 이용할 수 있는데 하비갑개의 뒷부분 점막을 하비갑개 골부로부터 박리하여 anterior based flap의 형태로 만들어 천공부위에 붙여 주고 피판이 잘 생착된 후 pedicle을 분리하는 2차 수술을 한다. 일반적으로 일차수술에 실패하였을 때 사용해 볼 수 있다.[33]

아주 큰 천공의 경우 주변 피판을 포함하는 복합 재건(composite reconstruction)이나 유리 피판(free flap)을 고려하기도 한다.

비점막의 재건 시 비중격 점막편 사이에 이식물을 삽입하면 성공률을 높일 수 있다. 이식물로는 측두근막이 가장 많이 사용되고 동종 가공 근막(homologous processed fascia)도 사용 가능하며 그 외 두개골막, 유양돌기골막, 비중격연골, 이개연골, 이주연골, 중비갑개, 사골수직판, 서골, 장골릉(iliac crest), 무세포 진피 동종이식(acellular dermal allograft)등을 사용할 수 있다.

수술 후에 피판과 점막을 보호하고 촉촉하게 유지하여

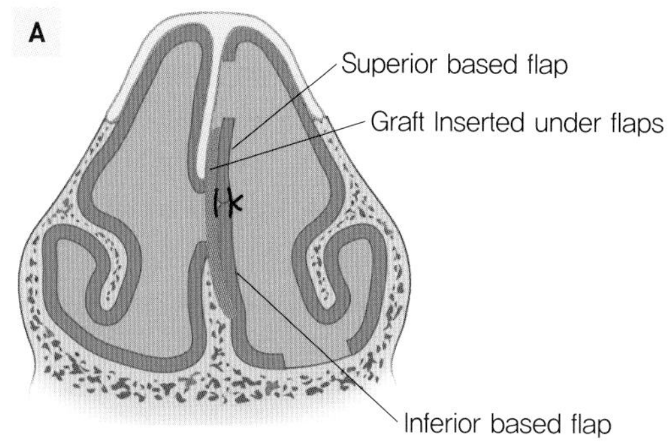

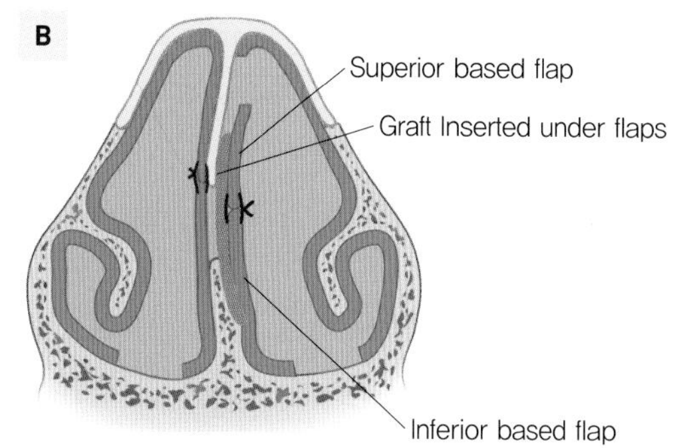

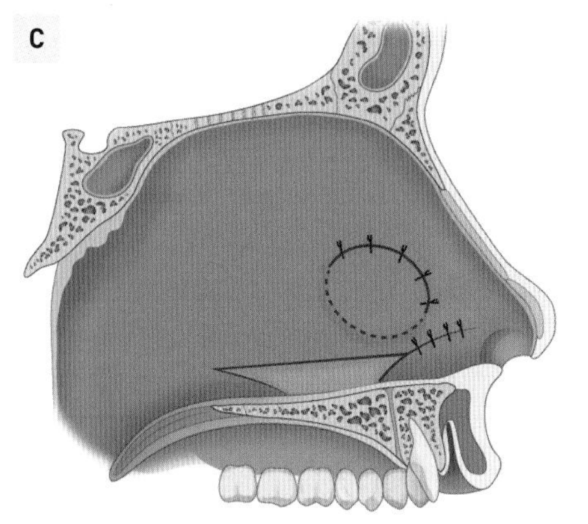

■ 그림 12-27. **일측성 및 양측성 전진피판(advancement flap).** **A)** 일측성 전진피판으로 일측에서 하부 및 상부 피판을 이용하여 한쪽만 막는다. **B)** 양측성 전진피판으로 양측에서 전진피판을 만들어 재건하는 방법으로 가운데 이식물을 넣는다면 가장 확실한 재건이 된다. 이때 상부에는 한쪽에만 넣어 비중격이 영향 공급이 양측으로 차단되어 괴사되지 않도록 한다. **C)** 하부 피판의 앞쪽으로 절개선을 연장하여 반관통절개와 만나게 하면 점막피판의 가동성을 증가시킬 수 있다.

치유과정을 촉진하도록 silastic 판을 비중격 양측에 고정하고 패킹은 너무 강하게 하지 않도록 한다.

비중격 천공 수술의 성공에 미치는 요인은 천공의 원인, 크기, 일측 혹은 양측 점막 피판의 사용 여부, 양측 점막 사이에 삽입된 이식물의 종류, 술자의 기술 등 다양하지만 이중에서 천공의 크기가 가장 큰 영향을 미치는데 보통 2 cm 이상의 크기인 경우 실패율이 높아진다. 수술 후에 천공이 재발하더라도 이전보다는 작아져서 증상이 소실되는 경우가 많으므로 완전히 막을 수 없는 경우라면 가능한 앞쪽을 막아 천공이 더 뒤쪽으로 위치하도록 하여 환자의 증상을 줄이도록 한다.

Ⅵ 비중격비후

비중격비후는 알레르기성 비염과 같은 만성 비염을 장기간 앓아 온 환자에서 종종 볼 수 있다. 이는 대개 연조직의 심한 비후 때문이며 때때로 후각 장애와 코막힘 등을 초래한다. 일반적으로 비중격 상부에 발생하나 서골의 후부에서도 점막비후를 볼 수 있다. 또한 비중격연골과 사골 수직판 사이에서 구조적 비후를 관찰할 수 있다.

최근에는 하비갑개의 상부 및 중비갑개의 전방부 비중격에 다른 부위에 비해 뚜렷하게 두껍게 나타나는 부위를 'Septal turbinate' 혹은 'Septal swell body'라고 부르기 시작했는데 아직 명확하게 밝혀지지는 않았지만 조직학적으로 하비갑개와 유사하게 정맥동(venous sinusoid)과 분비샘 조직(glandular tissue)이 존재하는 것으로 보고하면서 하비갑개와 유사한 공기 흐름의 조절과 생리적 기능을 하는 것으로 추측하고 있다. 이 부위의 비후도 비판부위를 좁아지게 하여 코막힘을 유발할 수 있다.[35]

비중격비후와 Septal turbinate 비후의 치료는 국소마취하에 비후된 점막을 전기소작하거나 무선주파(radio–

frequency)수술을 하기도 하며 조직절삭기(microdebrider)로 절제하기도 한다. 때로는 비중격교정술을 하여 점막만 남기고 제거하기도 하나 재발이 흔하다.

Ⅶ 비중격-비갑개 유착

일명 비강유착증이라고도 하는데 하비갑개와 비중격 사이가 유착된 상태를 말한다. 주로 비갑개절제술, 비용절제술, 비중격교정술 등 비강 내 수술 후나 비갑개의 소작이나 또는 골절 등 외상 후에 잘 생긴다. 그 밖에 비강 내 궤양성 질환, 즉 매독, 낭창, 디프테리아 등이 발생한 후에 생기며 때로는 선천성으로 골성 유착이 있을 수 있다. 외상 후 상피가 결손된 상태에서 양쪽에 육아조직이 형성되고 이것이 서로 융합하여 상피화된 반흔조직이 발생하여 비강을 가로막게 된다.

유착이 심하지 않으면 별 증상이 없으나 광범위하면 비폐색과 긴장감, 두통, 재채기 등의 반사신경 증상이 있을 수 있다. 진단으로는 전비경검사나 비내시경 검사로 반흔조직으로 된 유착을 확인한다.

치료로 국소마취하에 비갑개 가위나 혹은 through cutting 겸자로 유착 부위를 절제한다. 절제면은 적절히 지혈하고 중간에 silastic판 등을 삽입하여 재유착을 방지한다. 최근에는 수술 후 흡수성 유착 방지제를 사용하기도 한다.[29]

참고문헌

1. 국민건강통계 국민건강영양조사 제5기 2차년도 보고서, 2011, 보건복지부 질병관리본부.
2. 김정수. 비중격 천공. In: 대한안면성형재건학회 편. 얼굴성형재건. 서울, 대한민국, 군자출판사, 2014, p.275-286.
3. 김진국. 비중격 수술. In: 대한안면성형재건학회 편. 얼굴성형재건. 서울, 대한민국, 군자출판사, 2014, p.255-270.
4. 서세훈, 민양기, 나한조, 비중격질환. 민양기 편. 임상비과학. 서울: 일조각, 1997, p.263-280.
5. 장용주. Septoplasty. In: 장용주 편. Rhinoseptoplasty. 서울, 대한민국, 군자출판사, 2013. p.69-84.
6. Altundag A, Salihoglu M, Tekeli H, et al. Lateralized differences in olfactory function and olfactory bulb volume relate to nasal septum deviation. J Craniofac Surg 2014;25(2):359-362.
7. Belmont JR. An approach to large nasoseptal perforations and attendant deformity. Arch Otolaryngol 1985;111:450-455.
8. Bloom JD, Kaplan SE, Bleier BS, et al. Septoplasty complications: avoidance and management. Otolaryngol Clin North Am. 2009;42(3):463-481.
9. Chung YS, Seol JH, Choi JM, et al. How to resolve the caudal septal deviation?: Clinical outcomes after septoplasty with bony batten grafting. Laryngoscope 2014;124(8):1771-1776.
10. Cottle MH, Fischer GG, Gaynon IE, et al. The maxilla-premaxilla approach to extensive nasal septum surgery. Arch Otolaryngol 1958;68:301-313.
11. Goyal P, Hwang PH. Surgery of the septum and turbinates. In: Kennedy DW, Hwang PH (eds), Rhinology: Diseases of the nose, sinuses and skull base. New York, USA, Thieme, 2012, p.444-456.
12. Gubisch W, Constamtinescu MA. Refinement in extracorporal septoplasty. Plast Reconstr Surg 1999;104:1131-1139.
13. Habesoglu TE, Kulekci S, Habesoglu M, et al. Comparative outcomes of using fibrin glue in septoplasty and its effect on mucociliary activity. Otolaryngol Head Neck Surg. 2010;142(3):394-399.
14. Hwang PH, McLaughlin RB, Lanza DC, et al. Endoscopic septoplasty: indications, technique, and results. Otolaryngol Head Neck surg 1999;120:678-682.
15. Hyun DW, Kin YS, Lee JG, et al. Full thickness horizontal mucosal incision to correct high septal deviation: Our experience in ten patients. Clin Otolaryngol 2012;37(3):223-228.
16. Jang YJ, Yeo NK, Wang JH. Cutting and sutrue technique of the caudal septal cartilage for the management of caudal septal deviation. Arch Otolaryngol Head Neck Surg 2009;135(12):1256-1260.
17. Kang JM, Nam ME, Dhong HJ, et al. Modified mattress suturing technique for correcting the septal high dorsal deviation around the keystone area. Am J Rhinol Allergy 2012;26(3):227-232.
18. Kim HY, Dhong HJ, Hong SD, et al. Paradoxical nasal obstruction: analysis of characteristics using acoustic rhinometry. Am J Rhinol. 2007;21(4):408-411.
19. Kridel RW. Considerations in the etiology, treatment, and repair of septal perforations. Facial Plast Surg Clin North Am. 2004;12(4):435-450.
20. Kridel R. Strum A. Nasal septum. In: Flint PW, Haughey BH, Lund VJ et al, editors. Cummings Otolaryngology-Head and Neck Surgery. 6th ed. Philadelphia: ELSEVIER SAUNDERS; 2014. p.474-492.
21. Lawrence R. Pediatric septoplasy: a review of the literature. Int J Pedi-

atr Otorhinolaryngol. 2012;76(8):1078-1081.
22. Min YG, Chung JW. Cartilaginous incisions in septoplasty. ORL J Otorhinolaryngol Relat Spec 1996;58:51-54.
23. Mladina R. The role of maxillar morphology in the development of pathological septal deformities. Rhinololy 1987;25:199-205
24. Onerci TM, Ayhan K, Oğretmenoğlu O. Two consecutive cases of cerebrospinal fluid rhinorrhea after septoplasty operation. Am J Otolaryngol 2004;25(5):354-356.
25. Osma U, Cüreoğlu S, Akbulut N, et al. The results of septal button insertion in the management of nasal septal perforation. J Laryngol Otol 1999;113(9):823-824.
26. Quinn JG, Bonaparte JP, Kilty SJ. Postoperative management in the prevention of complications after septoplasty: a systematic review. Laryngoscope 2013;123(6):1328-1333.
27. Schwab JA, Pirsig W. Complications of septal surgery. Facial Plast Surg 1997;13:3-14.
28. Shalom AS. The anterior ethmoid nerve syndrome. J Laryngol Otol 1963;77:315-318.
29. Shim HS, Lee YW, Lee YM, et al. Evaluation of resorptable materials for preventing surgical adhesion on rat experiment. J Korean Surg Soc 2002;63:179-186.
30. Song KJ, Lee EJ, Kim KS, et al. The effect of caudal septoplasty on nasal angle parameters: a report on 69 cases. Clin Otolaryngol. 2015;Jun [Epub ahead of print].
31. Sykes JM, Kim JE, Shaye D, et al. The importance of the nasal septum in the deviated nose. Facial Plast Surg. 2011;27(5):413-421.
32. Tikanto J, Pirilä T. Effects of the Cottle's maneuver on the nasal valve as assessed by acoustic rhinometry. Am J Rhinol. 2007;21(4):456-459.
33. Watson D, Barkdull G. Surgical management of the septal perforation. Otolaryngol Clin North Am 2009;42(3):483-493.
34. Wee JH, Lee JE, Cho SW, et al. Septal batten graft to correct cartilaginous deformities in endonasal septoplasty. Arch Otolaryngol Head Neck Surg 2012;138(5):457-461.
35. Wexler D, Braverman I, Amar M. Histology of the nasal septal swell body (septal turbinate). Otolaryngol Head Neck Surg. 2006;134(4):596-600.
36. Yiğit O, Acioğlu E, Cakir ZA, et al. Concha bullosa and septal deviation. Eur Arch Otorhinolaryngol. 2010;267(9):1397-1401.

CHAPTER

13

알레르기 비염의 병인 및 진단

○ 이비인후과학 Otorhinolaryngology - Head and Neck Surgery

이봉재, 정영준

알레르기 비염은 비점막이 외부 물질에 대해 IgE 항체 매개성의 과민반응을 보이는 질환으로 전세계적으로 10~30%의 유병률로 보고되고 있다.[21] 국내 유병률에 대해서는 2009년도 국민건강영양조사에 의하면 의사로부터 알레르기 비염을 진단받은 19세 이상 성인의 유병률은 11.4%였으며, 20대에서 가장 높은 유병률(16.5%)을 보였다. 이는 2001년의 2.7%, 2005년의 8.3%에 비해 뚜렷이 증가하는 경향을 보였다.[24] 피부반응검사 결과가 양성인 사람에서도 증상이 없는 경우가 드물지 않으므로 피부반응검사 결과가 양성인 것만을 가지고 알레르기 비염의 유병률을 추정할 수는 없으며, 알레르기 비염 반응을 일으키는 원인항원과 증상의 인과관계를 증명할 수 있는 경우에 한해 알레르기 비염으로 진단이 가능하다. 환경오염, 공해의 증가 등에 따라 알레르기 비염이 세계적으로 점차 증가하는 추세이며, 알레르기 비염 환자 중 약 반수 이상은 알레르기성 천식, 약물 알레르기, 두드러기, 접촉성 피부염, 알레르기 비염 등의 가족력을 가지고 있다.[18]

I 알레르기 비염의 분류

알레르기 비염은 오랜 기간 동안 전통적으로 항원에 노출되는 기간에 따라 특정 계절에 증상이 발생하는 계절성 알레르기 비염(seasonal allergic rhinitis)과 연중 증상이 지속되는 통년성 알레르기 비염(perennial allergic rhinitis)으로 구분되어 진단되어 왔다. 일반적으로 통년성 알레르기 비염은 집먼지진드기, 옥내 곰팡이(indoor molds), 동물의 비듬(animal dander), 그리고 바퀴벌레 같이 계절에 관계없이 공기에 존재하는 항원(aeroallgergen)에 의해 발생하며, 계절성 알레르기 비염은 수목화분(tree pollen), 목초화분(grass pollen), 잡초화분(weed pollen), 그리고 옥외 곰팡이(outdoor molds) 등과 같이 특정 계절에 증상을 유발시키는 항원들에 의해 유발되는 경우 진단할 수 있다.

하지만, 알레르기 비염을 계절성과 통년성으로 구분하는 전통적인 분류법이 환자의 증상과 일치하지 않는 경우가 많고 치료방침을 결정하는 데 적합하지 않은 면이 있었기 때문에, 2001년 ARIA (allergic rhinitis and its impact on asthma)그룹, 유럽알레르기학회(European allergy and clinical immunology; EAACI) 및 세계알레르기기구(world allergy organization; WAO)에서 WHO의 지원을 받아 알레르기 비염을 증상 지속기간에 따라 간헐성(intermittent)과 지속성(persistent)으로 분류하고, 증상의 경중에 따라 경증(mild)과 중등도-중증(moderate-severe)으로 구분하는 새로운 분류법을 제안하였다.[6] 증상 지속 기간이 1주일에 4일 미만이거나 1년에 4주 미만인 경우를 "간헐성", 증상 지속 기간이 1주일에 4일 이상이면서 1년에 4주 이상인 경우를 "지속성"이라고 정의하였다. 비염 증상으로 인해 ① 수면장애 ② 일상생활, 레저 혹은 운동 시 지장을 느끼거나 ③ 학교 혹은 직장생활을 하기에 불편하거나 ④ 증상의 정도가 심한 불편을 느끼는 정도면 "중등도-중증"으로 분류하였고, 위에 열거한 증상이 한 가지도 없는 경우를 "경증"으로 정의하고 치료방침을 정할 때 참고하도록 하였다(표 13-1).[6] 이 분류법은 환자 증상에 중점을 두고 근거중심의학(evidence-based medicine)에 따른 치료방침을 제시한 것으로, 유의할 점은 간헐성과 지속성이라는 개념이 각각 계절성과 통년성과 같은 의미가 아니기 때문에 서로 혼용되어 사용될 수 없다는 점이다.

최근에는 알레르기 비염의 전형적인 증상을 보이는 환자들에서 혈액이나 피부 반응 검사 등의 알레르기 검사에서는 음성이지만, 비강 내 항원유발검사에서 양성 반응을 보이는 새로운 임상 표현형을 국소 알레르기 비염(local allergic rhinitis)으로 별도로 구분한다.[25] 이는 특이 항원에 반응하여 국소적으로 비강에서 IgE를 생성하여 발생하는 것으로 추정되며, 많은 환자들이 노년기에 발생한다. 알레르기 반응 검사에서 전신적인 아토피가 없으면서 비특이적(nasal-specific) IgE가 검출되거나 비강 유발 반응에서 양성을 보일 때 진단될 수 있다.

II 유발인자

1. 나이와 가족력

환자의 75% 정도가 25세 이전에 증상이 시작되는 것으로 판단할 때, 항원에 대한 감작(sensitization)은 소아기에 일어나는 것으로 추정된다.[11] 알레르기 질환은 유전적 소인에 의해서 영향을 받기 때문에 알레르기 질환의 가족력이 있는 경우 그 유병률이 증가한다. 부모 중 한쪽에 알레르기가 있을 때 자녀가 알레르기 질환에 걸릴 가능성은 50% 정도이며, 부모 모두가 알레르기 질환을 가지고 있다면 확률은 75%로 증가한다.[20] 아토피성 피부염, 기관지 천식, 알레르기 비염을 3대 알레르기 질환이라 하며, 어릴 때부터 순차적으로 발병하기 때문에 이런 일련의 발병을 알레르기 행진(allergic march)이라 한다. 일반적으로 나이가 들어감에 따라 증상은 약해지며, 알레르기 피부반응의 반응 정도도 감소한다. 모유 수유가 알레르기 질환에 대해 예방효과를 보이지 않고 오히려 발생빈도를 증가시킨다는 연구들이 최근에 보고되고 있으나, 모유 수유가 알레르기 질환의 발생에 어떤 영향을 미치는지에 대해선 아직까지는 명확하진 않다.[19,26]

표 13-1. ARIA에 의한 새로운 알레르기 비염의 분류

증상 기간	간헐성	1주일에 4일 미만의 증상이 있거나 4주 미만의 증상이 있는 경우
	지속성	1주일에 4일 이상 증상이 있고, 4주 이상 증상이 지속되는 경우
증상 중증도	경증: 비염 증상은 있으나 우측 항목에 해당되는 경우가 없을 때	수면장애, 일상생활, 레저, 운동 시 불편함
	중등도-중증: 비염 증상이 있으면서 우측 항목 중 1개 이상 해당되는 경우	학교나 직장생활의 불편함. 심하게 불편한 증상

2. 항원

알레르기에 대한 유전성이 있는 사람 중 얼마나 많은 사람이 알레르기 환자가 되는지는 확실하지 않다.[17] 아토피성향을 가지고 태어났다면 감작이 일어나는 영유아기에 항원에 대한 노출을 피하는 것이 중요하다. 알레르기질환의 가족력이 있거나 제대혈액(umbilical cord blood)에서 IgE가 증가된 영·유아에게는 생후 최소한 6개월간은 모유를 먹이고, 집안의 애완동물을 없애는 등 항원 회피요법을 하면 질환의 경과를 변화시킬 수 있다.[7,8]

3. 인종과 사회계층

상류층의 생활양식이 알레르기 비염이나 아토피를 유발하는 인자라는 보고들이 많으며, 싱가포르 국민 중 말레이계보다 중국계에서 천식이나 아토피가 적게 생기는 것으로 보고되어 인종과 알레르기 질환의 연관성이 의심된다.[9] 농촌지역이 항원으로 작용할 수 있는 동·식물이 생활환경 주변에 많음에도 불구하고 알레르기 질환의 유병률이 인근 도시지역의 유병률보다 낮은 점은 환경 및 생활 양식의 차이에서 비롯되는 것으로 알려져 있다. 정신적인 스트레스 또한 기존의 알레르기 질환을 악화시킬 뿐만 아니라, 알레르기 질환의 빈도를 증가시킬 수 있는 것으로 보고된다.[10]

4. 기후 변화와 대기 오염

지구의 온난화는 대기 중 유해물질 농도를 증가시키고, 꽃가루 등과 같은 항원 양을 변화시켜 유병률과 중등도를 증가시킬 수 있다. 또한, 새집증후군의 원인인 건축재료 내에 포함된 유해물질로 인하여 알레르기 비염과 같은 기존의 알레르기 질환이 악화될 수 있다.[2,23]

Ⅲ 주요항원

알레르겐(allergen)은 IgE 매개반응을 유발할 수 있는 항원 역할을 하는 외부물질이다. 알레르기 비염을 유발하는 원인 항원은 집먼지 진드기(house dust mite), 애완동물 털이나 비듬, 바퀴벌레(cockroach) 등의 실내 항원과 쑥(mugwort), 돼지풀(ragweed) 등의 꽃가루 같은 실외 항원으로 구분한다. 드물지만 음식물, 음식물 첨가제, 약물 등도 알레르기 비염을 유발할 수 있다. 일반적으로 실내 항원에 의한 알레르기 비염의 증상은 지속성인 반면, 꽃가루에 의한 비염의 증상은 꽃이 피는 계절과 관계가 있기 때문에 화분력(pollen calendar)을 참고하면 증상의 발생을 예측할 수 있다. 미국에서는 주요 항원이 꽃가루인 반면, 국내에서는 집먼지 진드기이며 많은 환자들이 한 가지 이상의 항원에 감작되어있다.[4]

1. 집먼지 진드기(House dust mite)

한국에서 알레르기 비염의 가장 중요한 원인 항원은 집먼지 진드기로 알레르기 비염 환자의 약 80%가 피부반응검사에 양성 반응을 보인다.[4] 집먼지 진드기는 거미강에 속하는 절지동물로 국내에서는 북아메리카 집먼지 진드기(Dermatophagoides farina)와 유럽 집먼지 진드기(Dermatophagoides pteronyssinus)가 많이 발견된다. 집먼지 진드기가 번식하기에 가장 좋은 조건은 25.0℃ 정도의 온도와 80% 정도의 상대습도이다. 70.0℃ 이상이나 −17℃ 이하에서는 살 수 없으며, 상대습도가 60% 이하로 떨어지면 번식하지 못하고, 40~50% 이하에서는 1일 이내에 사멸한다. 그러나, 약충 상태에서는 온도와 습도에 대한 저항력이 강하므로 재번식의 원천이 될 수 있다. 사람의 피부에서 떨어지는 인설을 먹고 사는 집먼지 진드기는 먼지 1 gm당 100마리 이상이면 감작을 일으켜 알레르기 질환을 유발할 수 있다. 침대 매트리스, 양탄자, 천으로 된 소파, 옷, 이부자리, 자동차 시트 등에 많으며, 이런 곳에서 채취한 먼지 1 gm 중 수백 혹은 수만 마리의 집먼지 진드기가 발견된다.

한국의 겨울은 비교적 길고 건조하며 전통 가옥은 온돌로 되어 있어 진드기의 번식에 부적합했지만, 주거환경이 아파트형으로 변하면서 겨울철에도 난방이 잘되고 가습기의 사용이 증가하면서 겨울에도 진드기가 번식하기 쉽다. 8월에 집먼지 진드기의 밀도가 가장 높고 5월에 가장 낮지만 5월에도 알레르기 질환을 유발하기에 충분한 양이므로 연중 증상이 유발된다.

2. 화분(Pollen)

집먼지 진드기 다음으로 중요한 항원은 화분(꽃가루)이다. 바람에 의해 가루받이가 일어나는 풍매화의 꽃가루는 크기가 작아서 바람을 타고 먼 거리를 이동하므로 주위에 나무가 없더라도 얼마든지 꽃가루 알레르기(화분증, pollinosis)를 일으킬 수 있으며 실제로 충매화보다 훨씬 더 흔한 알레르겐이다. 대기 중에 분포하는 꽃가루는 계절과 지역에 따라 분포가 달라지는데, 온대 지방에 속한 한국에서는 봄철에 수목화분(tree pollen)이, 초여름부터 초가을까지는 목초화분(grass pollen)이, 늦여름부터 가을까지는 잡초화분(weed pollen)이 많이 날리며, 장마철과 겨울에는 꽃가루가 발견되지 않는다. 서울에서 측정한 한국의 공중 화분력을 살펴보면 연중 2회의 절정기가 있다. 첫 번째 절정기는 3월부터 5월까지로, 수목화분인 오리나무(alder), 포플러(poplar), 버드나무(willow), 참나무(oak tree), 소나무(pine tree)의 순서로 나타난다. 두 번째 절정기는 8월 중순부터 10월까지로, 잡초화분인 쑥(mugwort), 두드러기쑥(돼지풀, ragweed), 환삼덩굴(hop Japanese)이 주종을 이룬다. 그 외 목초화분으로는 큰조아제비(timothy), 호밀풀(ryegrass), 왕포아풀(meadow grass), 새포아풀(bluegrass) 등이 있다. 가로수로 많이 심었던 현사시나무는 봄에 솜털 같은 물질을 공기 중에 많이 날린다. 일반인들은 이를 알레르기 비염을 유발하는 꽃가루로 잘못 알고 있는데 사실은 꽃가루가 아니라 씨앗으로, 단지 눈과 코에 들어가 직접적인 자극을 줄 뿐이다. 여러 가지 꽃가루 중에서도 한국에서는 가을철에 날리는 쑥이나 돼지풀 등 잡초화분에 대한 알레르기가 흔하다. 꽃가루에 의한 알레르기 비염은 원인 꽃가루가 날리는 계절에 증상이 나타나거나 악화되며, 증상의 경중은 대기 중의 꽃가루 양과 관계가 있다. 꽃가루가 날리기 시작하면 즉시 증상이 시작되며 꽃가루가 소실되면 2~3주에 걸쳐 서서히 증상이 소멸된다. 또한 대기 중의 꽃가루 양은 기후와 밀접한 관계가 있어 비가 오면 대기 중의 꽃가루가 매우 감소하고, 건조하고 바람 부는 날이면 대기 중 꽃가루가 증가하므로 증상도 이에 따라 변한다. 이렇게 대기 중의 꽃가루가 호흡을 통해 흡입됨으로써 호흡기 알레르기 증세가 나타나는 것이 대부분이지만, 건강식품으로 꽃가루를 먹고 나서 전신적인 알레르기 증세를 보일 수도 있으므로 꽃가루에 알레르기가 있는 환자들은 특히 주의해야 한다.

3. 곰팡이(Fungus)

대기 중의 곰팡이는 뛰어난 적응력 때문에 지역에 관계없이 존재한다. 그러나, 습도와 산소가 곰팡이의 성장에 필수적이므로 고산의 건조한 지역에서는 그 분포가 감소한다. 곰팡이 균은 집 내·외부에 모두 분포하며 연중 비슷한 정도로 증세를 유발한다. 그러나 7, 8월에 분포 정도가 절정에 달하므로 일시적으로 증상을 악화시키기도 한다. 현재까지 알레르기 질환을 일으키는 가장 흔한 곰팡이로 *Cladosporium*, *Alternaria*, *Aspergillus*, *Penicillium*과 *Mucor*속 곰팡이가 알려져 있다. 이 중 *Cladosporium*과 *Alternaria*는 사계절이 뚜렷한 온대지방의 늦여름과 초가을에 토양이나 과일껍질 등에서 흔히 볼 수 있는 옥외 곰팡이이며, *Aspergillus*와 *Penicillium*은 습한 지하실, 실내 화초나 목욕탕 등 실내에서 잘 자라는 옥내 곰팡이다.

4. 동물의 털, 비듬

동물의 털과 비듬도 알레르기 비염의 원인이 된다. 개나 고양이 같은 애완용 동물의 털, 양, 여우, 밍크, 오리의 가죽, 실험용 쥐, 토끼에 이르기까지 인간 주위의 여러 동물에서 발생되는 알레르기 원인 물질은 매우 다양하다. 일반적으로 동물과 관련된 알레르기라 하면 털에 의한 것으로 생각하지만 실제로는 피부에서 박리되어 나오는 비듬, 타액, 눈물, 오줌, 대변 등 여러 종류의 물질이 알레르기 질환의 원인이 될 수 있다. 동물실험실 종사자에게 알레르기반응을 일으키는 동물로는 쥐와 토끼가 가장 흔하다. 요즘은 흰 쥐나 기니피그 등을 애완용으로 키우므로 일반인에게도 실험실 종사자와 같은 알레르기 질환이 발생할 수 있다. 또 위생이 불결한 지역에서는 쥐가 많아서 쥐의 오줌 단백질 성분에 대한 알레르기 증상이 생기기도 한다. 동물과 직접 접촉하지 않더라도 도둑고양이의 비듬에 대한 알레르기가 생길 수 있으며, 건물 내 한 곳에서 동물을 기르고 있으면 내부 공기가 순환되므로 다른 곳에 있는 사람까지 영향을 받을 수 있다. 알레르기의 원인이 되는 동물이 있으면 원칙적으로 접촉을 피해야 하며, 동물과 격리하면 대개 3~6주에 걸쳐 증세가 서서히 호전된다.

5. 기타 항원

바퀴벌레(cockroach)의 몸통 껍데기, 시체 부스러기, 배설물이 먼지 속에 섞인 상태로 호흡을 통해 흡입됨으로써 알레르기 비염이 발생한다. 한국에 주로 분포하는 바퀴벌레는 독일바퀴, 이질바퀴, 검정바퀴, 집바퀴 등이다. 겨울에도 비교적 따뜻하고 습도가 유지되는 아파트와 공동주택생활이 많아지면서 중요성이 높아지고 있다. 바퀴벌레는 어둡고 습기가 있고 음식찌꺼기가 많은 곳에 서식하므로 집안을 청결히 하고, 살충제 등으로 바퀴벌레를 제거하는 것만으로도 증상이 호전될 수 있다. 특정 직업과 관련된 특정 물질에 폭로되어 반복적으로 흡입하면 직업성 알레르기 비염이 발생한다.

 Ⅳ 증상과 징후

코막힘, 재채기, 수양성 비루, 가려움증을 알레르기 비염의 전형적인 4대 증상이라 한다. 항원이 코에 들어오면 증상은 주로 가려움증, 재채기, 수양성 비루 및 코막힘 순서로 나타난다. 초기 급성기 반응은 비만세포에서 분비되는 히스타민, 프로스타글란딘, 류코트리엔 등의 화학적 매개체로 인해 발생하며 항원 유입 후 1~2분 만에 시작하여 대체로 1시간 내에 증상이 소실된다. 재채기와 수양성 비루는 보통 아침 기상 시에 심했다가 오후가 되면서 감소하며 오히려 코막힘 증상은 지속된다. 가려움증은 코뿐 아니라 눈, 목, 귀 등에도 발생하므로 치료 시 고려해야 한다. 항원자극 4~11시간 후 항원 자극부위로 호산구를 비롯한 여러 종류의 염증세포가 몰려들어 이들이 분비하는 다양한 매개물질에 의하여 염증반응이 일어나고 만성적인 증상을 유발하는 후기 반응이 속발한다. 후기 반응은 알레르기 비염 환자들이 만성적으로 호소하는 코막힘의 주된 기전이다. 알레르기 비염 환자가 호소하는 주증상 중 코막힘이 가장 흔한 증상으로 절반 이상을 차지하며, 그 외 콧물과 재채기가 흔하다.[4] 그 밖에 눈물, 두통, 후각감퇴, 폐쇄성 비음 등의 증상이 있다.

 Ⅴ 진단

1. 병력 청취

진단을 위해서는 증상, 가족력, 주변환경과 이전의 치료 경력에 대한 자세한 문진이 필요하다.[12] 전형적인 증상들이 항원에 노출된 후에 반복적으로 나타나는데, 가려움증이 알레르기 병인임을 가장 잘 시사하는 증상으로

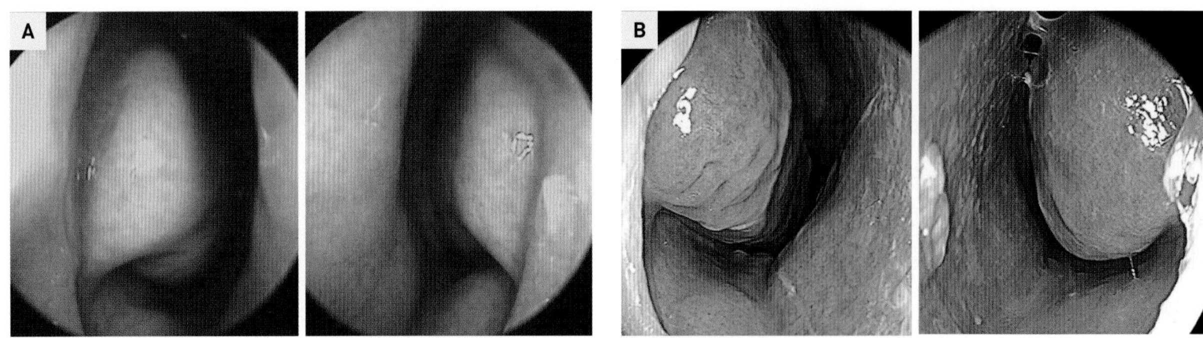

■ **그림 13-1. 알레르기 비염 환자의 비점막 소견. A)** 하비갑개 점막이 비후되어 있고 수양성 혹은 점액성 분비물이 고여 있다. 초기 염증반응에서는 점막이 창백하게 보이고, **B)** 후기 반응에서는 붉은 색깔을 띤다.

코뿐만 아니라 구개, 인후, 눈과 귀에도 증상을 일으킨다. 비루는 일반적으로 투명하며, 화농성인 경우에는 바이러스성 상기도 감염이나 세균성 비부비동염과 같은 다른 병인들을 고려해야 한다. 코막힘은 양측성일 수 있으며, 비주기의 영향으로 편측성 코막힘이 교대로 생길 수 있다. 코막힘이 지속적이면서 고정된 경우에는 비중격 만곡증이나 비용과 같은 다른 비강 내 질환의 동반 가능성을 생각해야 한다. 코막힘이 심한 경우에는 후각 기능의 저하를 유발할 수 있으며, 흔히 이를 미각 저하로 호소하기도 한다. 눈가려움증, 눈물, 결막충혈과 같은 안구 증상들이 흔히 발생할 수 있으며, 이관 기능 이상 증상들을 가끔 호소하기도 한다. 또한, 피로감과 구호흡, 코골이를 포함한 수면장애 등 전신 증상들이 동반되기도 한다. 코막힘을 유발하는 약물복용 여부, 갑상선 기능저하증, 임신 여부 등에 관한 사항, 동반된 천식을 의심케 하는 기침, 천명(wheezing), 호흡곤란 등의 증상이 있는지 혹은 아스피린을 포함한 소염진통제에 대한 부작용을 경험한 적이 있는지 평가한다. 또한, 코막힘과 비루를 동반하는 다른 질환과의 감별을 위한 세심한 병력 청취가 필수적이다.

알레르기 비염, 천식, 그리고 아토피성 피부염 등과 같은 알레르기 질환에 대한 가족력에 대한 평가가 필요하다. 왜냐하면 알레르기 비염 환자의 약 40%는 3촌 이내의 가까운 가족에게 알레르기 질환이 있으며,[4] 가족력이 있는 환자의 비증상(nasal symptom)은 알레르기 비염이 원인일 가능성이 높기 때문이다. 추가적으로 알레르기 검사 결과 및 과거 치료 경험과 효과에 대한 추가적인 문진도 시행해야 한다.

일단 알레르기 증상이 발현된 경우에는 특정 항원 이외에도 갑작스런 온도 변화, 찬 공기, 페인트, 담배연기, 공해 물질 등의 비특이적 자극이 알레르기 증상을 더 악화시키는데, 이를 비특이적 과반응성(nonspecific hyper-responsiveness)이라 한다. 따라서, 진단을 위한 병력 청취를 할 때에는 가족 중 흡연자가 있는지, 집안에 카펫 등이 있는지, 냉·난방은 어느 정도로 하는지, 곰팡이가 있는지, 애완 동물을 키우는지 여부 등 여러 환경적인 요인과 항원들의 패턴을 잘 이해해야 한다.

2. 비경검사를 포함한 신체검사

알레르기 비염이 의심되는 모든 환자들에 대해서 귀, 코, 인후에 대한 검진이 필수인데, 이는 진단에 도움이 될 뿐만 아니라 다른 문제들을 발견하는 데 도움이 되기 때문이다. 창백하고 부종성의 비점막과 이를 덮고 있는 얇고 투명한 분비물이 흔히 관찰되는 알레르기 비염 소견이지만, 실제로는 분홍색이나 붉은색을 띠는 경우도 많다(그림 13-1). 또한, 환자의 증상이 없을 때에는 거의 정상적인 비점막 소견을 보이는 경우도 있다. 급성기에는 비점막이 창백하고 수양성 비루가 많은 반면, 후기반응 때는 오히려 염증반응에 의해 붉은 색조를 띠게 된다. 따라서, '알레르기 비염을 확정할 수 있는 고유의 특징적인 비점막 소견은 없다'라는 점을 명심해야 한다. 비점막의 충혈을 제거한 후 비강을 관찰하면 비점막 충혈의 가역성을 평가할 수 있고, 중비도에 존재하는 병변의 유무를 평가하는 데 용이하다. 만성적인 코막힘으로 인한 비강 내 정맥 저류가 유발된 결과로 안구주위 피부색이 검푸르스름하게 변하고 눈꺼풀의 울혈이 발생하는데 이를 알레르기 빛(allergic shiner)이라고 한다. 코가 가려워 손으로 코를 자주 문지르는 행동은 마치 경례를 하는 것처럼 보여 알레르기 경례(allergic salute), 그 결과로 콧등에 가로 주름이 생긴 것을 알레르기 주름(allergic crease)이라고 한다.[32] 만성적인 코막힘으로 인해 구호흡(mouth breathing)을 하게 되면 얼굴의 모양이 길어지는 아데노이드형 얼굴(adenoid face) 형태를 보이게 된다.

3. 실험실 검사(In vitro test)

1) 혈청 총 IgE 검사(Serum total IgE)

혈청 총 IgE는 알레르기 비염 환자의 30~40%에서 증가되어 있고, 알레르기 비염이 없는 환자나 정상인에서도 증가될 수 있다. 따라서, 혈청 총 IgE는 알레르기 비염의 진단에 제한적인 유용성을 지닌다. 혈청 총 IgE는 혈액 호산구 수와 마찬가지로 침범된 기관의 크기와 상관성이 있어 알레르기 비염에서의 증가는 천식이나 아토피성 피부염보다 현저하지 않다. 또한, 연령에 따른 IgE의 정상치가 다르고 정상인과 알레르기 환자 사이에 중첩되는 영역이 많기 때문에, 진단적 가치보다는 전반적인 경향을 짐작하는 데 도움이 된다. 검사법으로는 PRIST (paper radioimmunosorbent test)법이 가장 많이 쓰이고, 단위는 international unit (IU)/mL으로 1 IU는 IgE 2.4 ng에 해당한다. 정상 상한치는 신생아에서 0.5 IU/mL, 2세 이하에서는 20 IU/mL, 2~6세에서 100 IU, 6~16세에서 150~200 IU, 성인에서 100 IU이다. 혈청 총 IgE는 알레르기 질환 이외에도 기생충 감염증, Hodgkin병, Wiskott-Aldrich증후군, IgE 생산 골수종(IgE producing myeloma)에서도 증가하기 때문에, 이 검사 단독으로는 진단적 가치가 높지는 않다.

2) 특이 IgE 항체 검사(Specific IgE antibody)

특정 항원에 대한 혈청 내 특이 항체를 검출하는 검사법으로 반정량적이며 결과를 해석하는 방법도 연구기관에 따라 차이가 있지만, 알레르기 비염을 진단하는 데 유용하다. 비록 피부반응검사보다 민감도는 떨어지지만, 피부반응검사나 임상소견과의 상관성이 좋다. 피부반응검사에 비해 안전하고 재현성이 높으며, 항히스타민제 등 약물들에 의해 영향을 받지 않는다. 그러나, 결과가 나올 때까지 시간이 걸리고 비싸다는 단점이 있다. 따라서, 이 검사가 피부반응검사를 대체할 수는 없으며 피부반응검사의 결과가 불확실하거나 환자가 피부반응검사에 영향을 미치는 약을 복용하였을 때에 시행한다. 최초로 개발된 RAST (radioallergosorbent test)는 개별 항원에 대한 검사인 반면, MAST (multiple allergen simultaneous test)는 수십 종의 항원을 동시에 측정할 수 있어 경제적이며 선별검사(screening test)로도 이용할 만하다. immunoCAP 시스템은 MAST에 비해 훨씬 정량적인 측정이 가능하다는 장점이 있다.

3) 혈액 호산구와 호산구 양이온단백(Eosinophil cationic protein; ECP)

호산구는 골수에서 만들어져 혈행을 거쳐 알레르기 반응이 있으면 활성화되어 조직으로 이동한다. 호산구증다증(eosinophilia)은 알레르기 질환의 특징적 소견이며, 혈액 호산구수는 알레르기 반응의 정도 및 침범된 기관의 크기와 관계가 있다. ECP는 활성화된 호산구에서 분비되는 과립단백으로 혈청 ECP는 순환하는 활성 호산구와 비례하며, 항원유발반응검사로 혈청 ECP가 증가하고 알레르기 비염, 기관지 천식, 아토피성 피부염 등이 활동성일 때 증가한다.[1,29] 혈액 호산구의 정상 상한치는 성인이 아침에 350~400/mm³,오후에 400~450/mm³이며, 소아는 성인보다 50~100/mm³ 정도 많다. 호산구증다증은 알레르기 질환 이외에도 기생충 감염증, Hodgkin병, 결절성 다동맥염(polyarteritis nodosa) 등의 질환에서도 관찰된다. 기관지 천식이나 아토피성 피부염에서는 호산구의 증가가 뚜렷한 반면, 알레르기 비염에서는 혈액 호산구 수의 진단적 가치가 많이 떨어진다.

4) 비세포 검사(Nasal cytology)

채취방법으로 면봉도말법(cotton swab), imprint법, brush법, 소파검사법(scraping) 등이 있다. 면봉도말법은 쉽게 할 수 있지만, 콧물에 들어 있는 탈락된 세포만 관찰하기 때문에 비점막의 상태를 반영하지 못한다. 표본을 앞부분에서 채취하면 편평상피세포가 많이 채취되므로 중비도 혹은 후방에서 채취해야 한다. 전체 백혈구 중 호산구 비율이 10% 이상일 때 호산구증다증으로 판독하며, 알레르기 비염이나 호산구증다성 비알레르기 비염 (eosinophilic non-allergic rhinitis; ENR, non-allergic rhinitis with eosinophilia syndrome; NARES)에서 관찰된다.[16] 스테로이드제를 경구 혹은 국소로 투여 중인 경우에는 호산구가 현저히 감소하므로 판독 시 주의해야 한다. 하지만, 최근에는 일반적으로 연구 목적으로 이용되고 있다.

4. 생체검사(In vivo test)

1) 피부반응검사(Skin test)

피부반응검사는 침습적이나, 원인 항원을 규명할 수 있는 기본적이면서 경제적이고 진단적 가치가 높은 검사법이다. 알레르기의 원인으로 짐작되는 항원 추출물을 피부에 주입하면 비만세포 표면에 붙어있는 IgE 항체와 결합하여 비만세포를 활성화하고 과립에서 분비된 히스타민 등의 화학매개물질이 팽진(wheal)과 홍반(erythema)을 생성한다.

(1) 검사방법

피부단자검사(skin prick test)와 피내검사(intradermal test)가 있다. 피부단자검사는 글리세린으로 처리된 항원액 한 방울을 피부에 떨어뜨리고 27게이지 정도의 가는 바늘로 표층을 들어올려서 항원액이 스며들게 하는 검사이다. 단시간 내에 출혈이나 통증 없이 시행할 수 있고 주입되는 양이 매우 적어, 아나필락시스의 위험성이 적으며 특이성이 뛰어난 검사방법이다. 피내검사는 수용성 항원액 0.02~0.05 mL를 26-27게이지 바늘로 피부 상피층 바로 밑에 주사하여 2~3 mm의 작은 물집을 만드는 검사이다. 항원액은 피부단자시험에 사용하는 것보다 1,000~10,000배 희석된 용액을 사용한다. 민감도는 더 좋지만, 피부단자시험보다 시간이 걸리고 국소 부작용이 흔하며 위양성 반응을 유도할 수 있다. 따라서, 흡입성 항원(inhalant allergen)에 대한 선별검사로는 일반적으로 쓰이지 않으며, 임상적으로 면역요법의 대상이 되는 환자에서 초회 주사량을 정하기 위한 기초단계로 이용된다. 병력 청취상 알레르기 비염이 의심되면 일반적으로 흔한 원인 항원인 집먼지 진드기, 꽃가루, 곰팡이, 개, 고양이의 털과 비듬, 바퀴벌레 등의 항원에 대한 피부단자시험으로 선별검사(screening test)를 시행한다. 0.1% 혹은 1% 히스타민액을 양성 대조액(positive control)으로, 항원희석액(diluent) 또는 생리식염수를 음성 대조액으로 사용한다. 15~20분 후에 팽진과 홍반의 크기를 측정하여 히스타민 양성대조와 비교한다(그림 13-2). 양성 대조액은 약물이나 질병 또는 피부반응 자체가 미약한 사람이나 시술상의 문제로 위음성이 나오는 경우를 파악하는 상대 지표이며, 음성 대조액은 피부묘기증(dermographism)의 경우와 같이 비특이적 자극에도 강한 반응을 보이는 경우에 이를 객관적으로 확인하는 데 도움이 된다. 한국에서는 꽃가루에 대한 계절성 알레르기 비염의 빈도가 낮으므로 처음부터 수십 종의 화분항원으로 검사하는 것보다는

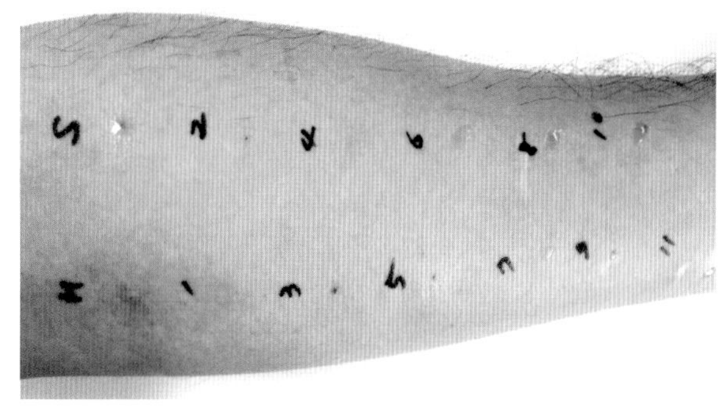

■ 그림 13-2. **피부단자검사(skin prick test).** 항원액을 피부에 떨어뜨린 후 27게이지 침으로 상피층과 진피층 경계부를 찔러 살짝 들어올린다. 15~20분 후 팽진과 발적을 측정한다(H: 히스타민 양성대조).

여러 종의 화분이 혼합된 수목화분 혼합액, 잡초화분 혼합액, 목초화분 혼합액 등으로 종류를 간소화해 검사한 다음, 이에 대해 양성반응이 나오면 각각의 화분에 대한 검사를 추가적으로 시행하는 것이 경제적이며 시간을 절약할 수 있다.

(2) 결과에 영향을 미치는 인자

항원 용액의 역가에 따라 반응도가 변하기 때문에, 검사 결과에 영향을 미칠 수 있는 인자 중에 항원액의 질적인 관리가 가장 중요하다고 할 수 있다. 피부반응검사는 복용 중인 약제에 의해 영향을 받는다.[14] 항히스타민제는 피부반응도를 현저하게 저하시킨다. Hydroxyzine과 같은 1세대 항히스타민제는 2일 이상, Cetirizine과 loratadine과 같은 2세대 항히스타민제는 7일간 검사 전에 투여를 중단해야 한다. 검사 4주 전에 복용을 중단해야 했던 astemizole은 치명적인 심장 부정맥을 초래할 수 있어 시장에서 퇴출되어 대부분의 국가에서는 사용하지 않는다.[3] Ranitidine,imipramine,phenothiazine 등도 피부반응도를 감소시킨다.[15] 천식치료를 위해 투여하는 전신용 스테로이드제는 거의 영향을 미치지 않지만, 검사부위에 피부연고제를 바른 경우에는 상당한 영향을 미친다. Montelukast 등 류코트리엔 수용체 길항제(leukotriene receptor antagonist)는 피부반응검사에 영향을 주지 않기 때문에, 검사 전에 약을 중단할 필요는 없다.[28] 유아기나 50세 이후의 노년층에서는 피부반응도가 감소하므로 히스타민 양성대조와 비교하여 정량하는 것이 바람직하다.[27] 소아들은 여러 항원에 시행하는 피부단자검사를 잘 참지 못하는 경우도 있다. 피부습진(eczema) 등 피부질환이 있는 경우도 검사에 영향을 주며, 피부묘기증 환자에서는 위양성을 보일 수 있다. 주로 환자의 등이나 전박에 검사하는데 등이 더 민감하다.[22] 전박부에 시행하는 경우에는 손목의 반응도가 낮다. 관절에 가까운 부위는 피하고 각 항원 간의 간격을 2 cm 이상 둔다. 일중 변화도 보이는데, 아침에 반응도가 낮고 저녁에 높게 나타나지만 임상적 의미는 별로 없다.[30]

(3) 결과의 판독

검사한 지 15~20분 후 솜으로 시약을 가볍게 닦아내고 팽진과 홍반의 크기를 측정한다. 장경의 크기를 mm 단위로 측정하고 장경에 수직인 단경을 측정하여, 장경과 단경의 평균값을 반응의 크기로 하여 양성대조 시약에 대한 반응 크기와 비교한다. 현재 널리 쓰이는 기준은 양성대조와 동일한 크기의 반응을 3+, 양성대조의 2배 이상 혹은 허족(pseudopod)이 발생하면 4+, 50% 크기는 2+, 25%는 1+, 반응이 없거나 음성대조와 같으면 음성으로 한다. 일반적으로 음성 대조액에 대해 아무런 반응을 보이지 않으면서 항원에 의한 팽진의 직경이 3 mm 이상이거나 3+ 이상의 반응을 보였을 때 원인 항원으로 간주한다. 상황에 따라 반응이 서로 다르게 나타날 수 있으므로 항원 단독에 의해 나타나는 팽진과 발적의 크기만으로 판정하기보다는 양성 대조액과 비교하여 판정하는 것이 더 바람직하다. 알레르기 비염 증상이 없으면서 피부반응검사 결과가 양성으로 나오는 경우는 무증상 알레르기(sub-clinical allergy)로 간주한다. 소아에서는 무증상 알레르기군이 향후 임상 증상을 나타낼 수 있다는 것을 염두에 둘 필요는 있다.

2) 유발검사(Provocation test)

유발검사에는 원인항원을 투여하는 항원유발검사와 비특이적 과반응성을 관찰하기 위한 히스타민유발검사가 있다. 항원유발검사는 피부반응검사에서 양성반응을 보인 항원을 선정하여 항원액을 묻힌 여과지 원판(filter paper disc)을 비점막에 붙이거나 paper disc법, 일정량을 분무하는 검사이다(분무법).[31] 항원 투여 후 발생하는 재채기 횟수, 분비물 양, 비강통기도검사(rhinomanometer) 혹은 음향비강통기도검사(acoustic rhinometry)로 비저항 혹은 비강 부피를 측정하여 항원 투여 전의 상태와 비교한다.[13] 분비물을 채취해 화학매개물질을 측정할 수 있고, 콧물 속 염증세포의 분포를 연구할 수 있다. 항원유발검사는 비염의 병태생리, 새로운 항원의 확인, 약물 혹은 면역요법의 효과 등을 판정하는 데 유효하지만, 임상에서 일상적으로 시행하기에는 시간적, 경제적 제약들이 따르는 단점이 있다.[5]

5. 감별진단

급성 비염에 걸리면 알레르기 비염에서는 볼 수 없는 발열과 전신 근육통 등의 증상이 수반되는 경우가 많으며, 재채기를 하지만 횟수가 비교적 적고 하루 종일 지속된다. 맑은 콧물보다는 끈끈한 분비물이 나오며 시간이 경과할수록 농성 비루로 변하다가 1주일 정도 지나면 대부분 회복된다.

재채기, 콧물, 코막힘 등의 만성적인 증상을 보이는 질환으로 알레르기 비염 이외에도 혈관운동성 비염(vasomotor rhinitis, idiopathic rhinitis)과 호산구증다성 비알레르기 비염(eosinophilic nonallergic rhinitis, nonallergic rhinitis with eosinophilia syndrome)이 있다. 이들은 증상에서도 차이가 나지만 피부반응검사, 콧물도말검사 등을 통하여 구분하며 치료에 대한 효과도 다르므로 증상만 가지고 알레르기 비염으로 단정하고 치료하는 것은 적절하지 않다.

참고문헌

1. 강훈, 차미경, 박철종 등. 아토피 피부염에서 Eosiinophil Cationic Protein의 변화. 알레르기 1994;14(2):227-234.
2. 박찬흠, 고영길, 이준호 등. 새집증후군이 비점막과 비증상에 미치는 영향. 대한이비인후과학회지 2011;54(4):265-270.
3. Almind M, Dirksen A, Nielsen NH, et al. Duration of the inhibitory activity on histamine-induced skin weals of sedative and non-sedative antihistamines. Allergy 1988;43(8):593-596.
4. Bang JH, Kim YJ, Shin HS, et al. Clinical analysis of allergic rhinitis in Seoul. Journal of Rhinology 1996;3(2):130-134.
5. Bascom R, Pipkorn U, Proud D, et al. Major basic protein and eosinophil-derived neurotoxin concentrations in nasal-lavage fluid after antigen challenge: effect of systemic corticosteroids and relationship to eosinophil influx. J Allergy Clin Immunol 1989;84(3):338-346.
6. Bousquet J, Van Cauwenberge P, Khaltaev N. Allergic rhinitis and its impact on asthma. J Allergy Clin Immunol 2001;108(5 Suppl):S147-334.
7. Chandra RK. Prospective studies of the effect of breast feeding on incidence of infection and allergy. Acta Paediatr Scand 1979;68(5):691-694.
8. Chandra RK, Puri S, Cheema PS. Predictive value of cord blood IgE in the development of atopic disease and role of breast feeding in its prevention. Clin Allergy 1985;15(6):517-522.
9. Chong TM. Pattern of bronchial asthma in Singapore. Singapore Med J 1972;13(3):154-160.
10. Dave ND, Xiang L, Rehm KE, et al. Stress and allergic diseases. Immunol Allergy Clin North Am 2011;31(1):55-68.
11. Evans RI. Epidemiology and natural history of asthma, allergic rhinitis, and atopic dermatitis. In: Middleton EJ, Reed CE, Ellis EF, editors. Allergy: Principles and Practice. 4th ed. St louis: Mosby Year Book;1993. p.pp.1109-1136.
12. 1Franzese C. Diagnosis of inhalant allergies: patient history and testing. Otolaryngol Clin North Am 2011;44(3):611-23, viii.
13. Gleeson MJ, Youlten LJ, Shelton DM, et al. Assessment of nasal airway patency: a comparison of four methods. Clin Otolaryngol Allied Sci 1986;11(2):99-107.
14. Heinzerling L, Mari A, Bergmann KC, et al. The skin prick test - European standards. Clin Transl Allergy 2013;3(1):3.
15. Kaufman HS, Rosen I, Shaposhnikov N, et al. Nasal eosinophilia. Ann Allergy 1982;49(5):270-1.
16. Lans DM, Alfano N, Rocklin R. Nasal eosinophilia in allergic and nonallergic rhinitis: usefulness of the nasal smear in the diagnosis of allergic rhinitis. Allergy Proc 1989;10(4):275-80.
17. Lynch NR, Medouze L, Di Prisco-Fuenmayor MC, et al. Incidence of atopic disease in a tropical environment: partial independence from intestinal helminthiasis. J Allergy Clin Immunol 1984;73(2):229-33.
18. Mabry RL, Marple BF. Allergic rhinitis. In: Cummings CW, Haughey BH, Flint PW, Harker LA, editors. Otolaryngology: Head and Neck Surgery. 4th ed. Philadelphia: Elsevier Mosby;2005.

19. Matheson MC, Allen KJ, Tang ML. Understanding the evidence for and against the role of breastfeeding in allergy prevention. Clin Exp Allergy 2012;42(6):827-851.
20. McKee WD. The incidence and familial occurrence of allergy. J Allergy 1966;38(4):226-235.
21. Meltzer EO, Blaiss MS, Derebery MJ, et al. Burden of allergic rhinitis: results from the Pediatric Allergies in America survey. J Allergy Clin Immunol 2009;124(3 Suppl):S43-70.
22. Nelson HS, Knoetzer J, Bucher B. Effect of distance between sites and region of the body on results of skin prick tests. J Allergy Clin Immunol 1996;97(2):596-601.
23. Norback D. An update on sick building syndrome. Curr Opin Allergy Clin Immunol 2009;9(1):55-59.
24. Korea Centers for Disease Control and Prevention. The Fourth Korea National Health and Nutrition Examination Survey (KNHANES IV-3) 2009. Seoul.
25. Rondon C, Campo P, Togias A, et al. Local allergic rhinitis: concept, pathophysiology, and management. J Allergy Clin Immunol 2012;129(6):1460-1467.
26. Sears MR, Greene JM, Willan AR, et al. Long-term relation between breastfeeding and development of atopy and asthma in children and young adults: a longitudinal study. Lancet 2002;360(9337):901-907.
27. Shaaban R, Zureik M, Soussan D, et al. Rhinitis and onset of asthma: a longitudinal population-based study. Lancet 2008;372(9643):1049-1057.
28. Simons FE, Johnston L, Gu X, et al. Suppression of the early and late cutaneous allergic responses using fexofenadine and montelukast. Ann Allergy Asthma Immunol 2001;86(1):44-50.
29. Venge P, Henriksen J, Dahl R. Eosinophils in exercise-induced asthma. J Allergy Clin Immunol 1991;88(5):699-704.
30. Vichyanond P, Nelson HS. Circadian variation of skin reactivity and allergy skin tests. J Allergy Clin Immunol 1989;83(6):1101-1106.
31. Wolthers OD, Pedersen S. Short-term growth in children with allergic rhinitis treated with oral antihistamine, depot and intranasal glucocorticosteroids. Acta Paediatr 1993;82(8):635-640.
32. Woodbury K, Ferguson BJ. Physical findings in allergy. Otolaryngol Clin North Am 2011;44(3):603-10, viii.

CHAPTER 14

알레르기 비염의 치료

이비인후과학 Otorhinolaryngology - Head and Neck Surgery

김수환, 김태훈

I 치료

알레르기 비염에 대한 많은 연구가 진행되면서 새로운 종류의 약물, 면역치료 등 과거와 비교하여 다양한 치료법들이 개발되고 발전되었다. 알레르기 비염의 치료는 가능한 한 원인 항원에 대한 노출을 줄이는 환경요법과 약물요법, 면역요법, 수술요법으로 대별할 수 있다. 가장 확실하고 근본적인 치료법은 항원의 침입을 원천적으로 막는 것이지만 실질적으로는 한계가 있다. 알레르기 비염의 원인 항원이 일상 생활환경에 산재해 있기 때문에 항원에 대한 노출을 근본적으로 차단하기는 어렵지만 환경요법과 약물요법을 병행하면 만족스러운 임상효과를 기대할 수 있다(표 14-1).

1. 회피요법

알레르기 비염의 일차적인 치료방법은 항원의 회피요법이다. 항원이 없어진다면 알레르기 비염의 증상이 사라질 수도 있지만 실생활에서 알려진 항원들로부터 완벽하게 회피한다는 것은 불가능하다. 하지만 항원 노출을 줄임으로써 알레르기 증상을 완화시키고 약물 사용량을 감소시킬 수 있다.

표 14-1. 알레르기 비염의 치료

알레르기 비염의 치료
예측과 예방(prediction and prevention)
회피요법(avoidance)
약물요법(pharmacotherapy)
면역요법(immunotherapy)
수술요법(surgical treatment)
기타

1) 집먼지 진드기

집먼지 진드기(*Dermatophagoides pteronyssinus*, *Dermatophagoides farinae*)는 가장 흔한 실내 항원이다. 집먼지 진드기는 사람의 피부에서 탈락된 피부세포나 털, 먼지에 있는 유기물질을 주식으로 하며 사람에서 하루에 발생하는 비듬이 수천 마리의 진드기를 3개월간 먹여 살릴 수 있다. 집먼지 진드기의 본체와 배설물이 주된 항원으로 공기 중으로 전파된다. 따라서 실내를 잘 청소하고 먼지를 닦아내서 청결을 유지하는 것이 중요하다.

집안의 집먼지 진드기를 줄이려면 양탄자나 두꺼운 커튼, 천으로 된 소파, 담요 등을 제거하고 진드기가 통과할 수 없는 특수커버(impermeable cover)로 침대, 이불, 베개를 싸는 방법이 도움이 된다. 집먼지 진드기 생존의 최적 생존조건은 온도 20°C 이상(25~28°C), 상대습도 75~80%이기 때문에 실내의 온도와 습도를 20°C, 45% 이하로 조절하면 진드기의 번식을 억제할 수 있다.[9] 60°C 이상의 뜨거운 물로 침구류를 세탁하는 것도 집먼지 진드기를 감소시키는 방법이다. 스팀세탁기나 60°C 이상의 뜨거운 물로 침구류를 세탁한 결과 집먼지 진드기가 100% 사멸하였으며 항원이 30°C의 물로 세탁할 때에 비하여 현저히 감소하였다는 연구가 있다(27% vs 0.6%).[16] 또한 집먼지 진드기 비투과성 커버, 특수 필터(HEPA filter)가 장착된 진공청소기, 진드기 살충제(acaricides)의 사용이 진드기를 감소시키는 데 이용될 수 있다.[62] HEPA filter가 장착된 진공청소기의 사용 후에는 일회용 종이수거봉지를 사용하고 환자는 청소 후 2시간이 지난 다음에 들어오게 한다. 집먼지 진드기 회피요법은 하나의 회피조치만으로는 큰 의미가 없으며 여러 회피요법을 병행해야 효과를 기대할 수 있다. 집먼지 진드기 회피요법으로는 알레르기 비염의 증상을 완화할 수 없다는 주장들도 있지만 최근 과거 연구방법의 오류를 지적하는 주장들이 발표되고 있으며 또 일반적인 개념과 달라 이론의 여지가 있다.

2) 동물 항원

동물 항원에 알레르기가 있는 경우에는 동물을 피하는 것이 최선이며 어려운 경우에는 노출되는 것을 최소화한다. 집먼지 진드기 다음으로 흔한 원인이 동물 항원이며 대표적으로 고양이 항원과 개 항원이 있다. 고양이 항원은 고양이의 피지선에서 생성되어 피부, 털, 소변, 땀, 타액에 존재한다.[7] 접착성이 강하고 직경 2.5 μm 이하의 작은 입자로 존재하여 탈락 후 6시간동안 공기 중에 떠다닌다.[7] 또한 벽, 가구 등에 붙어서 오래 존재하기 때문에 고양이를 기르지 않아도 동네에서 돌아다니는 고양이 때문에 증상이 발생할 수 있다. 고양이를 집에서 없애도 고양이 항원은 6주 이상 존재하며 6개월 동안은 항원이 잔류한다. 개 항원은 침, 피부, 소변에 존재하며 고양이 항원보다는 항원성이 덜하다. 동물을 만진 후에는 손 씻기를 잘해야 하며 동물은 가능하면 실외에서 키운다.

3) 곰팡이

알레르기를 유발하는 대표적인 곰팡이 항원은 *Cladosporium herbarum*, *Alternaria alternata*, *Aspergillus fumigatus*, *Penicillium notatum* 등이 있다. 곰팡이 포자는 습하고 그늘진 곳에 존재하는데 지하실, 주방, 목욕탕, 세탁장 등에 주로 있으며 이 외 실내 식물, 헌책, 신문지, 가구, 가습기, 쓰레기통, 음식 저장소, 침구류 등에 있다. 실내 화분은 치우고 통풍과 습기제거로 번식을 억제하고 곰팡이 살균제를 분무할 수 있다. 곰팡이가 핀 곳은 표백제로 제거하고 옷, 책, 카펫 등에 곰팡이가 생겼을 경우 제거한다. 물이 새는 곳은 고치고 제습기를 사용하는 것이 도움이 된다. 가습기는 집먼지 진드기나 곰팡이에 대한 알레르기가 있을 때는 사용하지 않는 것이 좋다.

4) 꽃가루

꽃가루는 전파경로에 따라 풍매화(anemophilous)와 충매화(entomophilous)로 구분된다. 풍매화 화분은 바람을 타고 멀리는 수백 킬로미터까지 날아가 사람을 감작시킬 수 있다. 충매화 화분은 곤충을 통하여 전파된다. 우리나라는 겨울을 제외한 2월~11월까지 지속적으로 꽃가루가 날리고 있다. 3~5월은 수목류, 5~9월은 목초류, 8~10월은 잡초류가 날린다. 수목류의 경우 소나무, 참나무, 오리나무, 자작나무 등이 주를 이루며 잡초류의 경우에는 환삼덩굴, 쑥, 돼지풀이 주요항원이다. 수목류는 국내 전 지역에서 농도가 매우 높게 나타나나 알레르기 발현성(allergenicity)은 잡초류가 더 높다. 수목류의 경우 소나무가 5월 중순에 매우 높은 농도로 나타나며 참나무, 자작나무 등도 4~5월 기간에 그 농도가 높다. 소나무의 화분은 매우 높은 농도로 나타나지만 알레르기를 유발할 가능성은 매우 낮으며, 자작나무, 느릅나무 등과 같은 수목류와 돼지풀 등과 같은 잡초류는 그 발생량은 적으나 알레르기를 유발할 가능성이 매우 높아 주의를 요한다. 수목 화분은 비산 거리가 짧아서, 도심에 생활하는 경우에는 수목류보다는 목초류나 잡초류에 의한 알레르기가 생기기 쉽다. 또, 수목류 꽃가루는 목초류나 잡초류에 비해 각 종간의 교차반응이 적고 항원이 단순하다.

꽃가루 입자의 크기는 15~50 μm로 공기 중에 부유하여 덥고 건조한 날, 하루 중에는 오전 5시부터 오전 10시까지 농도가 최고조에 오른다. 꽃가루에 대한 노출을 감소시키는 방법으로 지역적으로 일기예보와 함께 대기 중 꽃가루의 농도를 예보하고 있다. 국내 꽃가루 예보는 화분알레르기연구회 홈페이지(www.pollen.or.kr)에서 확인할 수 있다. 꽃가루가 많은 지역에 가지 않도록 하고, 꽃가루의 농도가 높은 아침부터 오후 3시까지는 가급적 창문을 닫고 집안에 머물며 운동은 주로 늦은 오후나 저녁에 하는 것이 좋다. 집에 돌아오면 옷을 세탁하고 샤워를 하며 옷은 옷징에 두고 침실에는 두지 않는다. 자동자에도 특수필터가 장착된 공기청정기를 갖추고 밖에 나갈 때는 마스크를 하며 안경을 착용하여 결막염을 예방한다. 꽃가루가 날리는 기간이 그리 길지 않다면 꽃가루가 없는 지역으로 여행을 하는 것도 방법이다.

5) 바퀴벌레

바퀴벌레 항원은 소화기 분비물이나 키틴(chitin) 껍질에 존재하며 주로 미국 바퀴와 독일 바퀴가 주종을 이룬다. 바퀴벌레의 먹이가 되는 음식물 부스러기가 노출되지 않도록 음식을 남기지 않고 빨리 버린다. 마루를 잘 닦고 싱크대 및 주방기기를 표백제로 씻고 잘 청소한다. 외부로부터 바퀴벌레가 들어오지 못하게 밀봉을 하고 이웃집과 협조하여 집단적으로 동시에 바퀴벌레를 퇴치한다. 바퀴, 모기, 개미, 파리 등의 곤충을 퇴치하려면 분무식 살충제보다는 충체를 직접 제거할 수 있는 독성미끼, 붕산, 끈끈이 덫을 사용한다.

6) 비항원성 실내 오염원 및 대기오염

산업화된 나라에서 사람은 80% 이상의 시간을 실내에서 보내기 때문에 실내 공기 오염원이 중요하다. 가장 중요한 오염원은 담배연기이며 난방과 취사에 사용하는 연료의 연소(일산화탄소, 아황산가스, 질소산화물), 내장재(휘발성 유기복합제, 포름알데하이드), 장식등에서 발생하는 물질 등이 있다.[63] 실내오염은 코를 자극하고 기도과민성을 증가시켜 비염증상을 유발하거나 악화시킨다. 예방법은 오염원을 줄이고, 충분히 환기시키고, 실내흡연을 금지하는 것이다. 대기오염 중 알레르기 질환에 영향을 주는 물질로는 일산화탄소, 이산화질소, 아황산가스, 대기분진, 휘발성 유기화합물, 오존 등이 있다. 대기오염이 심해지면 외부활동을 가능한 한 줄인다.

2. 약물요법

항알레르기 약제를 선택할 때는 원인과 병태생리를 고려해야 한다. 예를 들면 꽃가루에 대한 알레르기 비염 환자에게는 화분계절이 시작되기 수일 전부터 약물을 투여하는 것이 효과적이다. 증상의 정도, 알레르기와 연관된 질환도 염두에 두어야 한다. 알레르기 비염환자의 분류와 치료는 ARIA (Allergic Rhinitis and its Impact on Asthma) guideline의 권고안을 따르고 있다.[9] ARIA guideline에서는 비증상이 주 4일 미만 또는 4주 미만으로 발생할 경우를 간헐성(intermittent), 증상이 주 4일 이상 그리고 연속된 4주 이상 발생할 경우를 지속성(persistent)으로 분류하였다. 또한 수면에 장애가 있거나

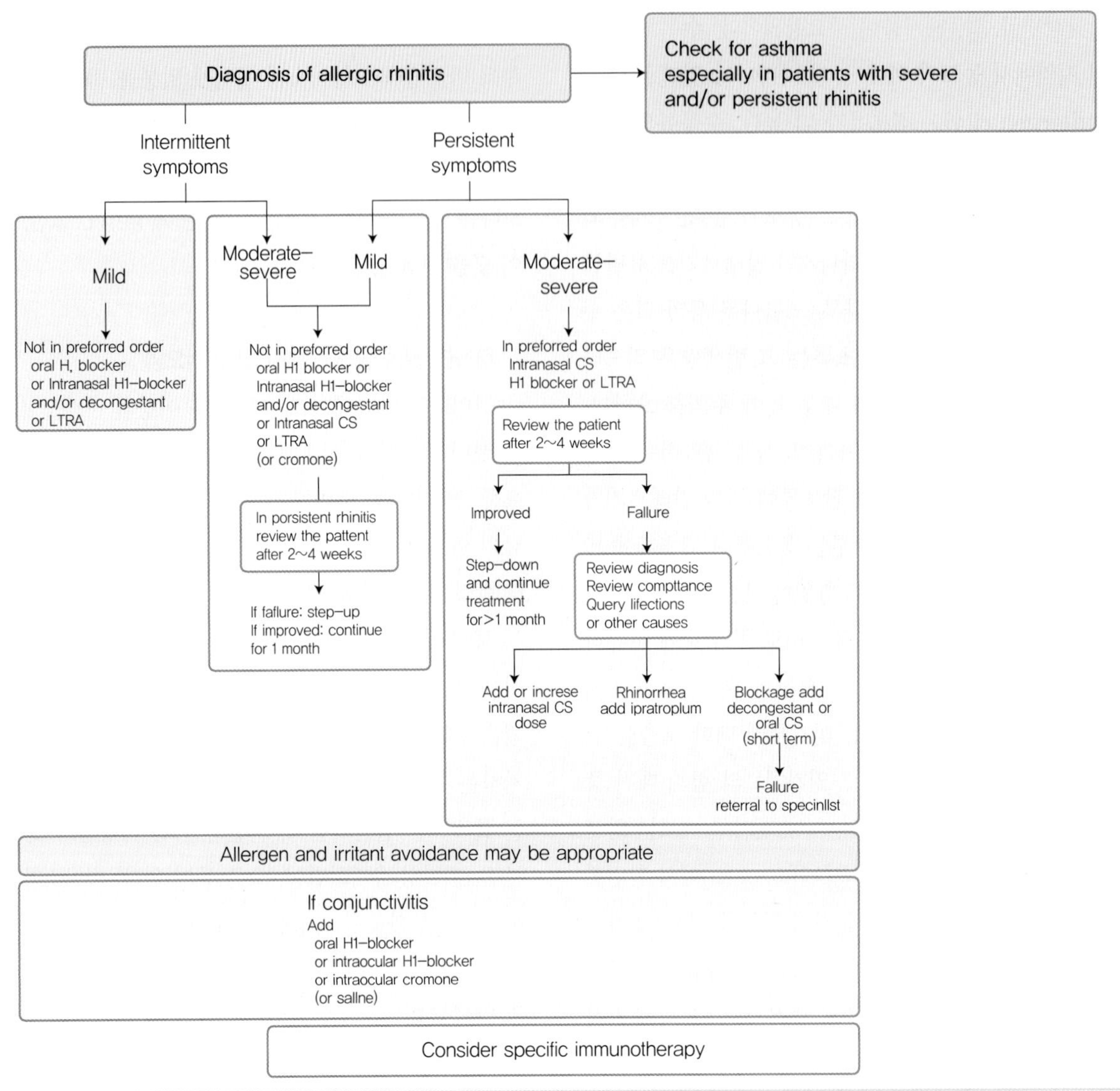

■ 그림 14-1. **ARIA 가이드라인에 따른 알레르기 비염의 치료**

일상생활 활동에 지장이 있거나 직장이나 학교에서 문제가 생기거나 다른 불편한 증상 중 한 가지라도 있으면 중고등도(moderate-severe), 한 가지도 없으면 경증(mild)으로 분류하였다. 이를 토대로 치료 약제의 선택 및 치료 방침을 권고하고 있다(그림 14-1). 그러나, 이 권고안을 각 나라마다 특성에 맞게 권고안을 수정하고 있으며 우리나라에도 지역적, 사회적 특성에 맞는 권고안이 필요한 실정이다.

대부분의 지속성 알레르기 비염 환자는 지속적인 후기 반응 때문에 만성적인 코막힘을 주소로 하며 호산구증다증이 있으므로, 국소용 스테로이드제 같은 항염작용이 있는 약제를 처방하며 신속한 효과를 도모할 때는 항히스타민제나 국소용 혈관수축제를 처방한다. 처음 약물을 선택할 때는 효율성이 좋으며, 부작용이 적고 치료기간이 장기적이므로 가격이 너무 비싸지 않은 약제를 병합요법보다는 단독요법으로 선택함을 원칙으로 한다. 또한 가급적 하루에 한 차례 투여하는 약제를 처방하면 환자의 순응도가 좋을 것이다.

현재 알레르기 비염 치료에 쓰이는 대표적인 약제로는 항히스타민제와 국소용 스테로이드제이며 혈관수축제, 항콜린제, 류코트리엔조절제, 비만세포안정제 등이 특정 증상에 대하여 보조적으로 쓰인다.[9]

1) 항히스타민제

히스타민은 알레르기 비염에서 비만세포와 호염기구에서 분비되는 중요한 매개물질로 혈관을 확장시키고 투과성을 증가시키며 비점막의 감각신경 말단을 자극하여 가려움증, 재채기, 콧물을 유발한다.

히스타민은 H1, H2, H3 세 가지 수용체가 알려져 있으며 코에서는 주로 H1 수용체를 통하여 효과가 발생하는 것으로 알려져 있으며 H2 수용체가 관여한다는 보고도 있다.[59]

항히스타민제는 화학적으로 ethanolamine, ethylenediamine, alkylamine, piperazine, piperidine, phenothiazine의 여섯 군으로 구분된다. 위와 같은 분류는 작용시간 및 약물학적 특성이 각 군별로 특이한 것이 아니므로 특별한 의미는 없다. 하지만 약제에 대한 효과가 떨어지는 빠른 내성(tachyphylaxis)이 생겼을 때 동일 부류의 약물보다는 다른 군의 약물로 전환하는 것이 효과적일 수 있다.

(1) 1세대 항히스타민제

① 약리작용

1세대 항히스타민제는 신속히 흡수되어 H1 수용체에 빠르게 작용한다. 이 약제들은 지용성이어서 혈액-뇌관문(blood-brain barrier)을 쉽게 통과하여 중추신경 진정작용, 항부교감신경작용, 소화기, 심장에 대한 효과 등을 나타낸다. 흔히 사용되는 1세대 항히스타민제는 다음과 같다(표 14-2).

표 14-2. 1세대 항히스타민제의 분류

Classification	Generic name
Ethanolamines	Clemastine, Pyrilamine, Diphenhydramine, Doxylamine, Carbinoxamine
Ethylenediamine	Tripelennamine
Alkylamine	Chlorpheniramine, Brompheniramine, Triprolidine
Piperazine	Hydroxyzine, Meclizine, Cyclizine
Phenothiazine	Promethazine, Trimeprazine
Piperidine	Cyproheptadine

② 임상효과

1세대 항히스타민제는 히스타민 유발 증상(재채기, 가려움증, 콧물)에 효과가 있고 코막힘에는 상대적으로 효과가 떨어진다. 항히스타민제는 생리학적 길항제가 아니라 약리학적 길항제이므로 히스타민에 의하여 발생한 조직변화를 되돌릴 수 없기 때문에 치료 효과를 높이기 위해서는 항히스타민제를 항원노출 2~5시간 전에 미리 사용하는 것이 좋다. 항히스타민제 단독 투여로 알레르기비염 증상이 사라지지 않는 경우가 많은데, 이는 히스타민뿐만 아니라 류코트리엔, 프로스타글란딘, 키닌 등의 다른 염증매개체도 염증반응에 관여하기 때문이다. 1세대 항히스타민제들은 각 군 사이에 치료효과는 큰 차이가 없으나, chlorpheniramine과 hydroxyzine은 다른 1세대 항히스타민제와 비교했을 때 더 효과적이라고 하며, 2세대 항히스타민제와 비교하여 항콜린 효과가 강하기 때문에 콧물에 대한 효과가 좋다.

③ 부작용 및 상호작용

1세대 항히스타민제는 중추진정, 수면작용, 위장장애, 현기증, 두통 및 항콜린 작용으로 인한 구강건조감 등의 부작용이 심할 뿐 아니라 효과의 지속시간이 짧아 그 처방이 점점 줄어들고 있는 추세이다. 의식상실, 경련, 운동장애, 학습능력의 저하, 반응시간의 지연, 집중력 저하가 발생하며 졸림증이 없어도 인지기능의 저하가 나타날 수 있다. 이러한 부작용들로 인하여 1세대 항히스타민제는 비용효과 면에서도 유리하지 않다. 항콜린, 항무스카린성 효과에 따른 빈맥, 발기부전, 녹내장, 두통, 소변의 저류, 배뇨곤란, 시야 흐림, 입마름, 변비 등도 나타날 수 있다. 또한 권장용량 초과일 경우 prolonged QT interval이 나타날 수도 있음이 확인되었다. 그러므로 1세대 항히스타민제는 당뇨병, 녹내장, 전립선비대, 심장질환, 천식이 있는 환자에게 처방 시 주의를 요하며, 운전이나 위험한 작업을 하는 사람에게도 주의하여 투여하여야 한다. 소아에서는 성인에 비해 중추억제작용이 적으며 때로는 흥분작용을 보이는 경우도 있다. 항히스타민제는 MAO억제제(monoamine oxidase inhibitors), 삼환계 항우울제(tricyclic antidepressants), narcotics, 알코올, barbiturate, 항파킨슨제 등과 같은 중추신경계에 작용하는 약들과 상호작용에 의한 부작용을 일으킬 수 있으므로 병용투여 시 주의하여야 한다. 또한 경구피임제, progesterone, reserpine, thiazide 이뇨제 및 항응고제의 효과를 저하시킬 수 있다.

(2) 2세대 항히스타민제

① 약리작용

2세대 항히스타민제는 1세대 항히스타민제의 부작용과 약물상호작용을 보완하여 개발되었다. 지방 불용성으로 혈액-뇌관문을 쉽게 통과하지 않고 중추신경계 수용체에 대한 결합력이 약하여 1세대 항히스타민제보다 진정작용, 항콜린 작용이 없어 녹내장, 당뇨, 전립선비대, 심장, 갑상선 질환 환자에서도 비교적 안전하게 사용될 수 있다. 코막힘에도 효과가 비교적 우수하며 다른 약물과의 상호작용이 심하지 않다(표 14-3).

② 임상효과

2세대 항히스타민제들은 작용시간이 대개 복용 한 시간 이내로 빠르고 길어서 하루 1회 혹은 2회 복용만으로도 충분하며 cetirizine, loratadine, acrivastine 등은 신속하게 배설되므로 복용 후 4일이 지나면 알레르기 피부반응검사를 할 수 있다. 또한 1세대 항히스타민제에 비하여 빠른 내성이 없기 때문에 동일 약물을 장기간 사용할 수 있다. 대체적으로 지속적으로 복용하는 것이 가장 효과적인 것으로 알려져 있으나 필요에 따라서 간헐적으로 복용하는 것도 증상을 유의하게 감소시키는 것으로 알려져 있다.[44] 최근에 개발된 fexofenadine, levocetirizine, desloratadine 등 일부 항히스타민제는 3세대 항히스타민제로도 불리는데, 기존 항히스타민제의 대사물질이거나 유사체로 동일한 효과를 내면서도 부작용이 적다는 장점이 있다. Fexofenadine은 terfenadine의 대사물이며, desloratadine은 loratadine, levocetirizine은 cetirizine을 모체로 개발된 약으로 효능을 증대시키고, 부작용을 줄이며, 약효가 빨리 나타나고 오래 지속되게 하는 것이 목적이다. Fexofenadine은 terfenadine의 심각한 부작용인 심독성이 없는 약제로 호산구를 비롯한 염증세포의 침윤도 억제한다. 성인 환자에게 1일 120 mg을 1회 투여하며 30 mg 정제는 소아에게 투여하기 편하다. 졸음 현상이 드물기 때문에 미국에서는 군 조종사들에게 복용이 허용되어 있다. Cetirizine은 고전적 항히스타민제인 hydroxyzine의 대사물로 항히스타민 효과뿐 아니라 호산구의 유입을 억제하는 효과가 있어서 피부 및 호흡기 알레르기 질환에 효과가 뛰어나다. 2세대 항히스타민제로 1일 10 mg을 1회 투여하며 신장을 통하여 배설되므로 신기능장애 환자에서는 주의해야 한다. Levocetirizine은 cetirizine의 2가지 대사물 중 하나로 보다 강

표 14-3. 2세대 항히스타민제의 분류

Classification	Generic name
Alkylamine	Acrivastine
Piperazine	Cetirizine
Piperidine	Astemizole, Fexofenadine·Ketotifen, Loratadine, Terfenadine, Ebastine, Epinastine
Phenothiazine	Mequitazine
Miscellaneous	Azelastine, Emedastine, Levocetirizine, Desloratadine

력한 항히스타민 효과가 있으며 졸음이 적다는 장점이 있다. Loratadine은 고전적 약제인 azatadine에서 개발되었지만 졸음 현상을 포함한 고전적 항히스타민제의 부작용이 거의 없다. 반감기가 17~24시간으로 10 mg 복용으로 효과가 24시간 지속된다. 미국에서 군조종사에게도 허용되는 약제로 cetirizine과 함께 임신범주(pregnancy category) B에 속한다. Ebastine은 흡수 후 2종의 활동성 대사물로 분해되어 작용하며, 졸음 없이도 항히스타민 효과가 우수하다. 10 mg을 1일 1회 투여한다. 심독성은 보고된 바 없지만 대사물인 carebastine보다는 원형 물질인 ebastine의 심독성에 대한 안전성이 완전히 확립되지 않은 상태이다. Mizolastine은 졸음이 없는 항히스타민제로 1일 10 mg을 1회 투여한다. 계절성 알레르기비염 예방효과가 뛰어나고 통년성 알레르기 비염 환자의 약 70%에서 증상이 개선된다.

③ 부작용 및 상호작용

Cetirizine, fexofenadine, azelastine을 제외한 모든 약물은 cytochrome P450 효소에 의해 대사되므로 간기능의 이상을 유발하거나 cytochrome P450 활동을 방해하는 약물은 항히스타민제의 대사반감기를 지연시킬 수 있다. 이러한 경우 항히스타민제의 축적을 유발시켜 torsades de pointes와 같은 치명적인 심실 부정맥이 유발될 수 있다. 이러한 부작용은 특히 처음 개발된 2세대 항히스타민제인 terfenadine, astemizole에서 드물게 보고되고 있으므로 처방 시 주의가 필요하며, loratadine, desloratadine, fexofenadine, cetirizine, levocetirizine에서는 심독성이 보고된 바는 없다. 간의 cytochrome P450 효소에 의한 항히스타민제의 대사를 방해하는 약제로는 azole계 항진균제(fluconazole, itraconazole, miconazole), macrolide 항생제(erythromycin, clarithromycin) 및 ciprofloxacin, cefaclor, 자몽과 같은 것이 있다. 그러므로 간기능의 이상, 저칼륨혈증, 저칼슘혈증, 선천성 QT 증후군을 보이는 환자에서 또는 이상에서 열거된 약들과의 병용 처방이 필요한 경우에 주의하여야 한다. Cetirizine은 다른 항히스타민제와 달리 간에서 대사되지 않고 주로 소변으로 배출된다. Ketotifen, astemizole 등은 식욕을 증진시켜 체중증가를 유발할 수 있다.

(3) 비강 내 항히스타민제

① 약리작용

비강 내 항히스타민제는 코 점막의 H1수용체를 차단하는 작용뿐 아니라 항염증작용을 동시에 가지고 있다.

② 임상효과

비강 내 항히스타민제는 작용시간이 매우 빠른 것이 특징이다. 종류에 따라 다르지만 통상 비강 내 항히스타민제는 15~30분 이내에 작용하며 필요시에만 사용할 수 있는 장점이 있다. 경구 항히스타민제와 비교하여 비슷하거나 우월한 비증상 억제작용을 하는 것으로 알려져 있다.[21] 경구 항히스타민제 치료가 실패한 환자에게 효과적이며 특히 비폐색 개선 효과가 더 뛰어나다.[31]

비강 내 항히스타민제로 생산되는 약제는 azelastine과 olopatadine이 있다. Azelastine은 phthalazinone의 유도체이며 하루에 2회 분무로 소양감, 비루, 코막힘의 증상개선에 효과적이나, 쓴 맛이 있어 처음 사용 시 거부감을 일으킬 수 있고 성인 및 6세 이상의 소아에게 사용할 수 있다. Olopatadine은 하루에 2회 양측 비공에 2번씩 분무하여 안정적이고 효과적인 약효를 기대할 수 있다.

③ 부작용 및 상호작용

비출혈, 궤양, 재채기와 같은 국소적 부작용이 발생할 수 있다. 전신적인 부작용의 발생이 낮으나, 드물게 많은 양을 삼키게 되면 진정작용을 일으킬 수 있으나 (0.9~11.5%) 경구 항히스타민제(1.3~14%)보다는 낮다. 약제에 대한 과민반응이 있는 환자에서 금기증이며, 진정작용의 가능성 때문에 술이나 진정제와 같이 사용하는 것

표 14-4. 비강 내 스테로이드제의 분류

분류	성분명	상품명	사용 가능 연령	생체이용률
1세대	beclomethasone	Rinoclenil	6세 이상	44%
	flunisolide			40~50%
2세대	budesonide	Desona		10~34%
3세대	fluticasone propionate	Flixonase	4세 이상	<2%
	mometasone furoate	Nasonex	2세 이상	<1%
	fluticasone furoate	Avamys	2세 이상	<1%
	triamcinolone acetonide	Nasacort	2세 이상	Not available (oral:10.6%)
	Budesonide dipropionate	Pulmicort	6세 이상	Oral(10.7%)
	Ciclesonide	Omnaris	6세 이상	<1%

은 피하는 것이 좋다.

2) 스테로이드제

스테로이드제는 알레르기 비염의 치료에 있어서 현재까지 알려진 약제 중 가장 강력하다. 스테로이드제를 전신적으로 투여하면 강력한 항염증 작용으로 비염의 치료에 매우 효과적이다. 그러나 스테로이드제를 전신적으로 장기간 투여하면 부신피질억제, 성장장애, 골다공증 등의 심각한 부작용이 발생하여 일상적인 비염의 치료에는 거의 사용하지 않는다. 국소형 스테로이드제는 경구용 혹은 주사용 스테로이드제의 전신적 부작용을 피할 수 있으며 전신적 투여 못지않은 효과가 있다. 비강 내 스테로이드제는 중등도 이상의 비염에서 일차약제로 쓰인다.

(1) 비강 내 스테로이드제

비강 내 스테로이드제는 적정한 용량을 사용하였을 때 부작용을 최소화하면서 증상을 가장 효과적으로 조절할 수 있는 단일제이며, 다양한 종류의 제품들이 국내에서 시판되고 있다. 비강 내 스테로이드는 생체이용율(bio-availability)에 따라 1~3세대로 구분될 수 있고, 1세대 비강 내 스테로이드제는 2세대와 3세대에 비해 생체이용율이 높은 동시에 전신적 부작용(systemic side effect)도 높다(표 14-4).

① 약리작용

비강 내 스테로이드제의 작용기전은 염증에 관여하는 사이토카인 유전자를 변환시켜 호산구, 호중구와 림프구 등의 염증세포가 항원 자극부위로 모여드는 것을 억제하는 것이다. 비강에서 흡수된 스테로이드는 염증세포의 세포질 내에 있는 글루코코티코이드 수용체에 결합하여 항염증유전자를 활성화시키는 동시에 여러 종류의 사이토카인과 케모카인 유전자의 활성을 막아 염증을 억제하게 된다. 또한 혈액 내의 T 세포의 수를 줄이며 활성화를 억제하고 IL-2와 IL-2 수용체 생산을 억제하는 동시에 IL-4 생산도 감소시켜 혈액과 조직 내의 호산구를 줄이며 IL-5에 의한 호산구의 수명연장 작용을 억제하고 GM-CSF의 생산을 줄인다. 코 점막의 비만세포와 호산구, 호염기구의 수를 감소시키며 과민반응과 혈관투과성을 감소시키고 비만세포로부터 화학매개체의 분비를 감소시킨다.[50] 이 밖에 혈액 내의 대식세포와 단핵구의 수를 줄이고 IL-1, IFN-γ, TNF-α, GM-CSF의 생성을 억제한다. 또한 비강 내 스테로이드제의 투여는 알레르기에 의한 안구증상을 호전시킨다.[25]

투여 후 즉각적으로 효과가 나타나지 않는 것이 국소용 스테로이드제의 단점이다.

표 14-5. 국소 스테로이드제의 무효원인과 처치

원인	처치법
스테로이드제에 반응하지 않는 질환	다른 치료법으로 전환
코가 막혀서 약이 도달하지 못할 때	국소용 혈관수축제, 전신적 스테로이드제의 일시적 사용 혹은 수술로 해결한 다음 투여
즉시 효과 기대	환자 교육(1주 만에 최대 효과)
전신적 부작용에 대한 두려움	환자 교육(매우 드물다)
국소 부작용(딱지, 충혈)	연고제 도포, 타제형으로 전환
분무 직후 재채기	계속 분무하면 소실
분무 시 숨을 들이쉼	분무 시 호흡정지
의사 지시 불이행	환자 교육, 부모의 관심

② 임상효과

현재 많이 쓰이는 비강 내 스테로이드제로는 fluticasone propionate, fluticasone furoate, mometasone furoate, ciclesonide 등이 있다. 이들 약제는 하루 1회 투여로 효과가 24시간 지속된다. 비강 내 스테로이드제는 알레르기 비염과 비알레르기 비염에서 코막힘, 재채기, 가려움증, 콧물에 효과적이다. 다수의 비교연구 결과 비강 내 스테로이드제는 코막힘을 포함한 코 증상의 개선에 경구항히스타민제보다 우월하며 항 류코트리엔제, 비만세포 안정제, cromolyn보다도 우월하다.[5]

비강 내 스테로이드는 비염 이외에도 비용(nasal polyp), 본태성 무취증(essential anosmia), 부비동염에 대한 내시경 수술 후 육아조직의 발생을 억제할 목적으로도 쓰인다. 비강 내 스테로이드제 사용 시 권장되는 용량은 원칙적으로 연령에 허용된 최대용량으로 시작하며 일단 증상이 조절되면 일주일가량의 유지 후 감량한다. 일반적으로 증상이 심한 만성 환자에서는 매일 사용이 요구되나, 증상이 경하거나 소아의 경우 격일의 사용이나 필요시의 사용 등과 같이 용량을 낮추어도 효과적인 증상조절 효과가 있다.

국소용 스테로이드제는 투여 후 12시간이 되어야 효과가 나타나고, 대부분의 알레르기 비염 환자가 하루 중 아침에 재채기와 콧물 등의 증상이 심하므로 아침보다는 저녁시간에 약제를 투여하여 증상을 예방하는 것이 유리하다. 처음 사용하는 환자에게는 고개를 약간 숙이고 호흡을 중단한 상태에서 분무방향이 콧속과 평행되게 또는 약간 바깥쪽으로 향하여 분무하라고 자세히 가르쳐주어야 한다. 비중격을 향해 지속적으로 분사하는 경우 점막에 손상을 주거나 비출혈의 원인이 된다. 심하게 울혈된 코에서는 약제가 비점막에 고루 묻지 않으므로 국소용 혈관수축제나 경구용 스테로이드제를 단기간 투여하여 우선 콧속에 공간이 확보된 후 분무한다. 그 외에도 1~2회 분무 후 효과가 없다고 자의로 중단하는 환자도 흔히 있는데, 국소용 스테로이드제는 분무 후 5~14일 만에 최대효과를 보이므로 최소한 5일간 사용한 다음 효과를 판정해야 한다고 교육한다(표 14-5).

③ 부작용 및 상호작용

비강 내 스테로이드제는 전신적인 흡수가 거의 없으며 일부 흡수된다고 하더라도 신속히 대사되어 배설되므로 전신적인 합병증은 매우 드물다. 국소적 부작용으로는 비강의 건조감, 통증, 국소 자극 증상, 비출혈 등이 있다.[49] 비중격 점막 손상이 발생한 경우 연고를 도포하면 도움이 된다. 대부분의 부작용은 사소하지만 아주 드물게 비중격 천공을 일으켰다는 보고도 있다.[56] 또한 1~5년간 비강 내 스테로이드를 분무한 환자의 비점막 조직 생검에서 위축이나 유의한 조직학적 변화는 발견되지 않았다.[34]

비강을 통해 체내로 흡수된 스테로이드가 시상하부-

뇌하수체-부신축과 소아의 성장에 미치는 영향에 대한 보고들이 있다.[28-29] 1세대 비강 내 스테로이드제인(beclomethasone)의 사용이 소아의 성장저하에 영향을 미쳤다는 연구결과가 있다. 하지만 2세대와 3세대 비강 내 스테로이드제의 경우 적절한 용량을 사용하였을 때 전신 영향이 없거나 극히 제한적이었다고 보고하고 있다. 비강 내 Triamcinolone acetonide, fluticasone propionate, mometasone furoate, budesonide를 사용한 연구에서 이들 약제가 소아의 성장에 미치는 영향은 없었다.[67-58] 또한 비강 내 스테로이드제가 백내장과 녹내장을 유발시킨다는 보고가 있었으나 최근의 보고들에 따르면 질환의 발생을 유의하게 증가시키지 않는 것으로 밝혀졌다.[26]

비강 내 스테로이드제의 안전성은 밝혀져 있지만 천식이나 아토피를 동반한 환자의 경우 이미 사용 중인 약물들로 인해 전신적인 스테로이드의 효과가 증대될 수 있으므로 유의하여야 한다.

Fluticasone과 CYP3A4 효소 억제제(ritonavir, itraconazole, nefazodone)를 동시에 사용하였을 때 부신 억제가 초래될 수 있다는 보고가 있어 CYP3A4 효소 억제제와 fluticasone을 비롯한 다른 비강 내 스테로이드제를 동시에 사용할 경우 용량을 최소화하여 사용하거나 쿠싱증후군(Cushing's syndrome)의 증상과 징후에 관한 면밀한 관찰을 해야 한다.

(2) 경구 스테로이드제

경구 스테로이드제 투여는 알레르기비염의 일차요법이 아니며 비강 내 스테로이드제나 항히스타민제를 사용해도 효과가 없을 때 시도해 볼 수 있다. 부신피질 호르몬의 기본 약리작용은 알레르기 지연반응에 작용하는 것으로 특히 코막힘과 후각소실에 대한 효과가 좋은 것으로 알려져 있다. 스테로이드제의 경구투여에 따른 부작용의 위험성은 투여기간과 관계가 있으므로 비염의 치료에서는 2주 이내의 단기요법이 원칙이다. 투여하는 간격도 3개월 이상 두어야 한다. 약제의 종류에는 dexamethasone, hydrocortisone, methylprednisolone, prednisolone, prednisone, triamcinolone 등이 있다.

경구용 prednisolone은 계절성 알레르기비염이 다른 치료로 호전되지 않고, 증상의 발현이 심한 환자에게 아침에 5~10 mg을 먹도록 하는 방법으로도 이용될 수 있다. 코막힘이 심한 경우에 효과적이며 코가 완전히 막혀 있을 때는 국소용 스테로이드제를 분무해도 비점막에 이르지 못하기 때문에 전신용 스테로이드제를 단기간 투여하여 공간을 확보한 다음 국소용 스테로이드제를 투여하는 것이 효과적이다. 부비동염이 동반된 경우 항생제와 함께 투여하면 회복이 빠르며 비용이 동반된 환자들에게 단기간 사용할 수도 있다.

스테로이드제의 경구 투여의 금기증으로는 포진성 각막염, 결핵, 진행된 골다공증, 심한 고혈압, 당뇨병, 위궤양 등이 있다. 특히 산모나 소아 비염에서는 사용을 제한해야 한다. 임신 3개월 이전의 산모에 대한 투여는 피해야 한다. 흔하게 사용하는 NSAIDs 병용 시 위장장애를 유발하고 이뇨제, 강심제 병용 시는 저칼륨혈증, 제산제 병용 시는 스테로이드의 흡수율의 저하, 와파린과 병용 시는 항 응혈작용의 감소를 일으킬 수 있다.

비갑개 점막에 스테로이드제를 국소 주사하는 방법은 국소용 스테로이드제가 도입된 후로 현재는 거의 쓰이지 않고 있는데, 드물지만 실명의 위험성이 있는 것이 기피하는 이유 중의 하나이다.[17]

3) 류코트리엔 수용체 길항제

알레르기비염의 염증반응에서 아라키돈산의 대사산물인 cysteinyl leukotrienes (LTC4, LTD4, LTE4)도 중요한 부분을 담당하는 염증매개체이다. 특히 알레르기비염 환자에서 코막힘은 지연형 반응시기에 주로 나타나며 지연반응 시 환자의 비분비물에서 류코트리엔 C4가 증가된다. 류코트리엔은 코 점막의 용량혈관(capacitance vessel)의 평활근을 이완시키고 코 점막의 민감도를 증가시키고, 혈관투과성, 비강기도의 저항을 증가시킨다. 따라서 그 수용체 길항제인 LTRA는 코막힘의 개선에 효과가 있다.

현재까지 다른 약제와 비교한 LTRA 효과에 대한 의견은 다양하다.[39-52] 그러나, 천식이 동반된 환자에서의 사용은 양쪽 질환 증상의 개선에 도움이 되는 것으로 알려져 있다.[46] LTRA의 종류에는 pranlukast, zafirlukast, montelukast가 있다. 최근 미국 이비인후과학회의 2015년 Guideline에 의하면 대표적 항 알레르기약제의 효과를 표 14-6과 같이 보고 하였다.

4) 항울혈제

경구용 항울혈제는 교감신경 수용체에 작용하여 코 점막 혈관수축을 유발시켜 코막힘을 개선시켜준다. 국소 항울혈제는 전신적인 교감신경 항진작용 없이, 비갑개 정맥총의 전방 혈관 괄약근을 수축시켜 작용을 나타내다.

경구용 항울혈제의 종류는 ephedrine, pseudoephedrine, phenylpropanolamine, phenylephrine 등이 있다. phenylpropanolamine은 감기약의 한 성분으로 많이 포함되었지만 근래 뇌출혈을 일으킨 예가 보고되어 사용이 금지된 상태이다. 서방정(sustained release preparation)으로 제조된 pseudoephedrine은 astemizole, ebastine,fexofenadine 등 히스타민제와 복합 제조하여 많이 쓰이고 있으며 항히스타민제의 결점인 졸음을 줄이고 코막힘을 개선하는 것이 목적이다.[47]

국소 항울혈제는 카테콜아민(catecholamine)에 속하는 phenylephrine, epinephrine이 있고 이미다졸린의 유도체(imidazole derivative)인 옥시메타졸린(oxymetazoline), 자일로메타졸린(xylometazoline), 나파졸린(naphazoline)으로 구분되며 경구용 항울혈제에 비해 작용 시작이 빠르고 효능이 좋고 혈관을 수축시키는 효과가 강하여 투여 2~5분 만에 코막힘 증상을 개선시켜준다. 하지만 국소제의 경우 경구용에서는 없는 부작용인 교감신경 수용체의 하향조절을 통해 3~7일간의 사용 후 반동적인 비강충혈을 일으킬 수 있어 궁극적으로 약물 유발성비염(rhinitis medicamentosa)을 일으킬 수 있으므로 알레르기비염의 장기적인 치료에는 추천되지 않으며, 코막힘이 지속될 경우 다른 치료를 고려해야 한다.

경구용 항울혈제의 부작용으로는 불안, 불면, 두통, 배뇨장애, 심계항진, 식욕감퇴, 진전, 수면장애 등이 있다. 따라서 고혈압, 갑상선기능항진증, 심장질환, 부정맥, 당뇨, 녹내장, 전립선 비대, 위궤양 환자에서는 피하는 것이 좋고, 1세 이하의 소아, 60세 이상의 성인, 임산부에서도 처방을 제한하는 것이 권장된다. MAO억제제, β-adrenergic blockers, methyldopa, indomethacin, digitalis, theophylline 등과 약물상호작용에 의한 부작용을 일으킬 수 있으므로 병용투여는 피해야 한다. 고혈압 환자에게 경구용 항울혈제의 처방이 반드시 필요할 경우 pseu-

표 14-6. 항 알레르기약제의 효과[60]

	Recommendations For Symptoms				Recommendations for Exposure to Allergen			Recommendations for Symptom Frequency		Recommendations for Symptom Severity		
Medication Class	Congestion	Rhinorrhea	Sneezing	Nasal Itching	Seasonal	Perennial	Episodic	Intermittent	Persistent	Mild	Severe	Patient Preference
Intranasal Steroids	+++	+++	+++	+++	++	++	+	++	++	++	++	Large
Oral Antihistamines	+	++	++	++	+	+	+	++	+	+	No	Large
Intranasal Antihistamines	++	++	++	++	++	+[b]	++	++	+[b]	++	+	Large
Leukotriene receptor antagonist	+	+	+	+	+	+	No	No	Yes	Yes	Not as mono-therapy	Low

[a] The plus symbols indicate the relative effectiveness for each medication class for the various symptom: for example, most effective for congestion(+++) but also effective for each of the other symptoms(+)

[b] One of the intranasal antihistamines available in the United States (Astepro) is indicated for perennial/persistent AR

doephedrine은 phenylephrine보다 혈압상승을 일으키는 경우가 적어 처방할 수도 있다. 일반적으로 경구용 항울혈제는 국소 항울혈제보다 점막수축효과가 약한 대신, 국소제제에서와 같이 2차적인 반동성 울혈을 일으키지 않는다는 장점이 있으나, 2~3주 이상 장기 투여하지 않는 것이 좋다. 국소용 혈관수축제의 부작용은 재채기, 자극감, 건조증상이며 장기간 투여하면 비점막의 궤양, 섬모운동 장애 등을 일으켜 비가역적인 만성 비후성 비염이나 부비동염을 유발할 수 있다.

5) 비만세포안정제

비만세포 안정제(mast cell stabilizer)는 비만세포의 세포막을 안정화하여 화학매개체의 유리를 억제하는 약물이다. 크로몰린 소디움(cromolyn sodium)은 국소용, 암렉사녹스(amlexanox)는 국소 및 경구용, 트라닐라스트(tranilast)와 페미로라스트 칼륨(pemirolast potassium)은 경구용으로 사용한다. 충분한 효과를 내기 위해서는 1~2주간의 지속적인 사용이 필요하다. 또한 알레르기 물질에 노출되기 전에 사용해야 효과적이기 때문에 사전에 분무하면 알레르기 증상의 억제를 기대할 수 있다. 대부분의 연구에서 계절성 알레르기 비염의 치료에 효과를 보였으나 비강 내 스테로이드제나 2세대 항히스타민제에 비하여 효과가 떨어지는 것으로 나타나 있다. 계절성 알레르기 비염의 경우, 증상 발생 시기를 예측할 수 있으므로 알레르기 비염의 예방약제로 사용이 가능하다. 크로몰린 소디움의 가장 큰 장점은 안전성으로, 아직까지 특별한 부작용이나 동물 실험상 기형을 유발했다는 보고가 없어 소아와 임산부에서도 사용이 가능한 안전한 약물이다.

6) 항콜린제

비강 내 항콜린제의 주요작용은 분비선 조직의 아세틸콜린 수용체에 경쟁적으로 결합하여 아세틸콜린의 작용과 substance P의 분비를 억제시킴으로써 나타난다. 약제로는 ipratropium bromide, oxitropium bromide, tiotropium bromide, glycopyrrolate가 있으며 이들은 무스카린 수용체 muscarinic cholinoceptors를 억제한다. 콜린수용체는 콧물 생산에 중요한 기능을 하며 혈관의 조절에는 관여하지 않는다. 그러므로 비염의 주된 증상인 비루를 감소시키지만 코막힘, 재채기, 소양감 등의 증상에 대한 효과는 거의 없다. 항히스타민제나 비강 내 스테로이드를 사용한 후에도 콧물이 지속되는 환자들에게서 콧물을 감소시킬 목적으로 병합 사용하는 경우가 흔하며 콧물을 주 증상으로 호소하는 비알레르기비염, 혈관운동성비염과 식사와 관련된 미각성 비염(gustatory rhinitis)의 치료에 사용된다. 부작용은 경도의 일시적 건조감과 비출혈이다.

7) 병합요법

병합요법의 목적은 상승작용이 있는 약제들끼리의 병합요법을 사용해 단일요법에 반응하지 않는 환자를 치료하기 위함이며 효과가 없는 병합요법을 숙지하여 약제의 남용을 방지하고자 하는 데 있다.

(1) 비강 내 스테로이드제와 경구 항히스타민제

비강 내 스테로이드제에 반응이 없거나 효과가 적은 환자들에게 경구 항히스타민제의 추가 처방은 추천되지 않는다. 성인들은 대상으로 한 여러 대규모 연구에서 비강 내 스테로이드제와 경구 항히스타민제 병합요법을 사용한 군과 비강 내 스테로이드제만 사용한 군의 비증상 개선효과는 유의한 차이가 없는 것으로 밝혀졌다.[22]

(2) 비강 내 스테로이드제와 비강 내 항히스타민제

비강 내 스테로이드제와 비강 내 항히스타민제 병합요법은 비강 내 스테로이드제, 비강 내 항히스타민제 단독요법보다 효과적이다.[45] 이러한 효과는 다양한 비강 증상에 효과적으로 비강 내 스테로이드제 혹은 비강 내 항히스타민제 단독요법 사용 후 증상이 조절되지 않는 환자에 있어서 추천된다.

(3) 비강 내 스테로이드제와 항류코트리엔제

비강 내 스테로이드제를 사용 중인 환자에게 항류코트리엔제의 병합요법은 추천되지 않는다. 최근 비강 내 스테로이드제와 항류코트리엔제의 병합용법과 비강 내 스테로이드제 단독요법 간 효과의 차이를 분석한 연구에서 효과의 차이는 없었다고 보고되고 있다.[15]

(4) 비강 내 스테로이드제와 비강 내 옥시메타졸린

비강 내 스테로이드제와 비강 내 옥시메타졸린 병합요법은 비증상을 조절하는 데 있어서 비강 내 스테로이드제, 비강 내 옥시메타졸린 단독요법보다 효과적이다.[27-40] 비강 내 옥시메타졸린은 약물유발성비염(rhinitis medicamentosa)이 발생할 수 있기 때문에 3일 이내의 단기요법이 추천된다.

(5) 경구 항히스타민제와 경구 항울혈제

경구 항히스타민제 경구 항울혈제 병합요법은 경구 항히스타민제, 경구 항울혈제 단독요법보다 효과적이다. 500명 이상이 포함된 여러 Randomized, placebo-controlled trial에서 이와 같은 효과가 입증 되었다.[6] 경구 항울혈제와 2세대 경구 항히스타민제의 병합요법은 수면장애, 두통, 구강 건조, 불안 등의 부작용을 증가시키는 것으로 나와 있다. 경구 항울혈제는 4세 이하의 소아에게는 사용이 추천되지 않고 있으며 120 mg, 12시간 서방형 제제는 12세 이하의 소아에게 추천되지 않는다.

(6) 경구 항히스타민제와 경구 항류코트리엔제

아직까지 경구 항히스타민제와 경구 항류코트리엔제 병합요법이 단독요법에 비해 효과가 있는지에 대해서는 논란이 있으며 현재 통상적인 병합요법으로는 추천되지 않는다. 다수의 연구에서 병합요법의 효과는 경구 항히스타민제 단독요법과 동일하다고 보고되었다. 하지만 다른 문헌에서는 단독요법보다 효과적이며 특히 저녁 증상의 개선에 항류코트리엔제 단독요법보다 효과적이라는 보고도 있다.[18] 하지만 본 병합요법은 비강 내 스테로이드제 단독요법보다 효과가 동등하거나 더 떨어진다.[68]

8) 눈 증상에 대한 약제

알레르기 비염 환자의 약 80%에서 알레르기 결막염의 증상이 있어서 눈의 가려움증, 충혈 등을 호소한다. Phenylephrine이나 tetrahydrozoline과 같은 혈관수축제는 α-수용체를 통하여 충혈을 완화하고 눈꺼풀의 부종을 감소시킨다. Levocabastine 안용액은 작용개시가 빠르고 지속시간이 길어 눈의 가려움을 해소하는 데 효과적이다. Azelastine 점안액도 알레르기 결막염에 쓰이고 있다. 그밖에도 olopatadine hydrochloride, ketotifen fumarate, pemirolast potassium, nedocromil sodium을 성분으로 하는 점안액도 있다. 비스테로이드성 소염제인 ketorolac도 눈의 가려움증, 충혈에 효과적이다. 앞에 열거한 약제에 반응하지 않는 증상은 국소용 스테로이드제로 치료하는데 국소 합병증을 일으킬 수 있으므로 주의해야 한다.

9) 특수상황에서의 약제

(1) 소아

① 항히스타민제

1세대 항히스타민제는 진정작용으로 인한 학업능력 저하로 학동기에는 사용을 추천하지 않고 2세대 항히스타민제가 항콜린작용, 진정작용 등의 부작용이 적으며 1세대와 동등한 효능을 나타내어 추천된다.[9]

② 비점막수축제

경구용 비점막 수축제는 2세 이상 사용 가능하고 국소용 비점막수축제는 다른 약제 치료에 반응하지 않는 심한 코막힘 증상이 있는 경우로 제한하며 연속해서 4일 이상 사용해서는 안 된다.[20]

③ 비만세포 안정제

부작용이 크지 않으나 즉각적인 증상 소실이 뚜렷하지 않으며 1일 4회 사용해야 한다. 증상 최대 개선에 1주 정도가 필요하며 2세 이상 사용 가능하다.[9]

④ 비강 내 스테로이드제

증상을 효과적으로 호전시키며 1년까지 사용하여도 성장 장애는 없으며 약제에 따라 2세 혹은 6세 이상에서 사용 가능하다.[19]

⑤ 류코트리엔 수용체 길항제

천식과 비염이 같이 있는 경증 환자에서 도움이 될 수 있다.[8]

⑥ 항콜린제

7세 이상에서 콧물이 심한 경우 사용 가능하다.[69]

(2) 임산부

임신기간 중 발생하게 되는 비염증상에 대한 치료는 임신 중인 산모와 태아에 미칠 수 있는 영향을 고려하여 신중하게 처방해야 한다. 특히, 임신 첫 3개월(first trimester)에는 인체기관의 발달에 영향을 미칠 가능성이 있기 때문에 약물 치료는 가능한 한 자제하는 것이 좋다.[14] 현실적으로 FDA risk categories 등을 고려하여 약제를 선택하게 된다.

① 비강습윤제 또는 비강세척

임신 중 비염으로 인한 증상이 있는 산모에서 비교적 안전하게 우선적으로 고려할 수 있는 치료법이다. 알레르기 비염을 가지는 산모의 경우 하루에 2~3회 고장성 혹은 등상성 식염수를 이용하여 비강세척을 시키면 비염 증상이 좋아지고 장기간 사용하여도 별다른 부작용은 없다.[12]

② 항히스타민제

Category B로 분류되어 있는 cetirizine이나 loratadine과 같은 2세대 항히스타민제가 주로 사용되고 있으나, 임신 첫 3개월은 피하는 것이 좋다.[13]

③ 비강 내 크로몰린 소디움

임신기간 중 비교적 안전하게 사용할 수 있는 category B 약제이나 하루에 4번씩 코 안에 뿌려야 하며 다른 약제에 비하여 상대적으로 효과가 떨어진다.[14]

④ 비강 내 스테로이드제

안정성과 효과를 고려할 때 임신기간 중 사용될 수 있다. 임신기간 중 비강 내 스테로이드제가 심각한 기형, 조산, 저체중아 출산과 같은 부작용의 위험을 증가시키지 않는다고 알려져 있으며, 비강 내 분무가 약리적인 면에서 전신에 걸친 영향이 적다는 점을 고려하면, 임신 중 비강 내 스테로이드제 사용이 큰 무리는 없다.[35] 그러나 대부분의 비강 내 스테로이드제는 category C로 분류되어 있으며 category B에는 budesonide가 있다. 실제 처방 시 반드시 환자와 함께 치료 시 얻게 되는 이득과 약제의 위험성에 대한 논의를 충분히 해야 하며, 처방용량도 최소한으로 해야 한다.

⑤ 경구용 및 국소 항울혈제

Phenylephrine과 pseudoephedrine은 배벽갈림증(gastroschisis)과 소장폐색(small intestinal atresia)과 같은 선천성 기형과 연관될 수 있다는 보고가 있어 임신기간 중 특히 첫 3개월 동안에는 사용해서는 안 되며 이러한 기형유발에 대한 위험성은 특히 acetaminophen이나 salicylates 같은 약을 함께 복용하는 경우에 증가하는 것으로 알려져 있다.[36] 국소 항울혈제의 안정성에 대해서는 아직까지 연구결과가 부족한 상태이다.

(3) 운동선수

운동선수에게 처방할 수 있는 알레르기비염 약물은 한국도핑방지위원회(Korea Anti-doping Agency, KADA, www.kada-ad.or.kr), 세계도핑방지기구(World Anti-doping Agency, WADA, www.wada-ama.org), 국제올림픽위원회(IOC, International Olympic Committee) 등에 제시되어 있다.[37]

① 항히스타민제

세계도핑방지기구에서 허용약물로 분류되어 있으나 일부종목의 국제경기연맹에서는 금지약물로 되어 있기 때문에 해당종목에 따른 확인이 필요하다. 1세대 항히스타민제 복용 시 발생할 수 있는 졸림과 항콜린작용 같은 부작용을 피하기 위해 주로 2세대 항히스타민제가 추천되고 있다.

② 스테로이드제

경구용 스테로이드제는 국내는 물론 국제올림픽위원회와 세계도핑방지기구위원회에서 모두 경기기간 중 복용이 금지되어 있으며 치료를 위해 불가피하게 사용하는 경우 치료목적사용면책 승인을 요구하고 있다. 국소용 스테로이드제는 허용약물로 분류되어있지만 세계도핑방지기구에서는 축약형 치료목적사용 면책 승인을 요구하고 있고 국제올림픽위원회에서는 약물사용에 대한 신고를 최소한 올림픽개최 2주 전에 미리 할 것을 권유하고 있다.

③ 경구용 항울혈제

Pseudoephedrine을 제외한 ephedrine, methylephedrine 등은 경기기간 중 피해야 할 대표적인 금지약물이며, 소변검사에서 10 ug/ml 이상 검출 시 기준초과로 판정된다.

④ 그 외 약물

류코트리엔 수용체 길항제, 크로몰린 소디움, 비강 내 항콜린제 등은 평상시는 물론 경기기간 중 사용이 허용된 대표적인 알레르기비염 치료제이다.

10) 국소 알레르기 비염에서의 약제

국소 알레르기 비염 환자들은 대개 비강 내 국소 스테로이드 분무제 및 경구 항히스타민제에 잘 반응하는 것으로 알려져 있다.[38-48]

3. 면역요법

면역요법은 알레르기의 면역학적 기전을 이용하여 근본적으로 알레르기 질환을 치료하기 위해 고안된 방법이다. 1911년 Leonard Noon에 의해 처음으로 시행되었으며 100년 이상의 역사를 갖고 있다. 면역요법은 IgE에 의해 매개되는 알레르기 증상 및 염증반응을 일으키는 원인 항원을 환자에게 소량부터 반복적, 점진적으로 증량 주입하여 알레르기 유발 항원에 대한 면역반응을 변화시킴으로써 알레르기 증상 및 염증반응을 호전시키는 방법이다.[57]

면역요법의 기전은 아직 명확하게 밝혀지지 않은 상태이나, 피하면역요법의 기전이 설하면역요법에 비해 비교적 잘 알려져 있다. 피하면역요법을 기준으로 한 기전으로는 알레르기 유발 항원에 대한 체액성 및 세포성 면역 반응을 변화시키고 말단 기관의 민감도를 감소시키며, 면역요법 시작 초기에는 T 세포 관용(T cell tolerance)으로 정의되는 조절 T 세포(Treg cells)의 증가와 이에 따른 Th2 세포의 감소가 나타난다. 면역요법이 지속되는 경우, 항원에 대한 Th2 에서 Th1 면역 반응으로의 면역반응 치우침(immune deviation)이 발생하게 된다. 또한 특이 IgE 농도는 치료 초기에는 증가하다가 점차 감소하며, 특이 IgG4, IgG1, IgA 농도는 증가하는 양상을 보인다.[32]

면역요법의 장점은 다른 치료로 할 수 없는 알레르기 질환의 자연 성상(natural history)을 변화시킬 수 있다는 것이다. 일반적으로 알레르기비염 환자의 16~40%에서 천식으로 진행하며, 알레르기 검사상 수년 후에 새로운 감작이 발생한다. 면역요법을 통해 천식으로의 진행과 새로운 감작을 막을 수 있음을 임상시험을 통해 증명되었다.

피하면역요법의 적극적인 고려대상은 1) 항히스타민제나 국소 약물이 증상을 충분히 조절하지 못하는 환자, 2) 약물요법을 더 이상 받고 싶어 하지 않는 환자, 3) 약물요법에서 부작용을 보이는 환자, 4) 장기간의 약물요법에 걱정스러워하는 환자이며, 설하면역요법의 적극적인 고려대상은, 위의 1) ~ 4)에 더하여 5) 피하면역요법 시행 중 부작용으로 전신 반응이 나타난 환자, 6) 피하면역요법에 순응도가 낮거나 주사치료를 거부하는 환자이다. 면역요법의 대상이 되는 모든 환자에서 면역요법에 따른 이득과 위험성을 잘 고려해야 한다.[11]

면역요법의 금기증으로는 고혈압, 관상동맥질환 등으로 베타-차단제(β-blocker), ACE 억제제를 복용하여 응급 시 에피네프린의 사용이 불가능한 환자, 순응도가 낮은 환자, 악성종양이나 심한 면역질환이 있는 환자, 심하거나 조절되지 않는 천식이 있는 환자 등이며 5세 이하의 소아 환자에서는 잘 시행되고 있지 않으나, 설하면역치료는 5세 미만의 어린이에도 적용될 수 있다. 임신한 여성에서 면역요법의 유지는 가능하나 시작은 금기이다.[11]

두 가지 이상의 항원에 대하여 면역요법을 시행할 때 혼합물을 이용하게 되는데 이 때 항원 상호간의 교차반응, 단백분해 효소에 의한 항원의 분해 가능성을 고려해야 하며, 여러 종류의 꽃가루에 동시에 감작된 경우는 항원간의 교차 항원성을 고려하여 교차반응하는 꽃가루 항원 중에서 같은 속(genus)이나 아과(subfamily)에 속하는 꽃가루 하나를 선택하여 면역요법을 시행할 수 있다.

1) 피하면역요법

피하면역요법은 소아와 성인 모두에서 곤충독 아나필락시스 및 꽃가루, 곰팡이, 고양이, 개, 집먼지 진드기, 바퀴 등에 의한 알레르기비염과 천식의 치료에 효과적임이 입증되었다. 항원 초기요법은 일반적으로 유지용량의 1:10,000~1:1,000에서 처음 치료를 시작하며, 주 1~2회 외래에 방문해서 한 번 방문 시 1회 면역치료를 접종하여 환자에 따라 3~6개월이 걸린다. 유지용량에 도달하면 알레르기비염 환자에서는 2~4주 간격으로 유지용량의 투여가 권장된다. 벌독 면역요법을 받는 경우 주사 간격은 8주까지 연장할 수 있다.[11]

환자들은 면역요법을 받는 동안 적어도 6개월이나 12개월에 한 번씩 효과판정, 안정성 강화 및 부작용 감시, 순응도 판정, 면역요법 중단 가능 여부 등을 판단하기 위해 재평가를 한다. 면역요법이 효과적이면 치료기간은 3년 이상 지속하며 일부는 중단하고도 지속적인 관해상태를 유지할 수 있으나 일부는 재발할 수 있다. 하지만, 3년 이상 충분한 기간 동안 치료하면 이를 중단하더라도 치료효과가 장기간 지속되며, 향후 천식으로 진행되는 위험을 줄여준다.[10] 또한 면역요법은 이미 한 종류의 항원에만 감작된 환자에서 새로운 항원에 감작되는 것을 예방할 수 있다. 흡입 항원에 대한 면역요법의 효과적인 치료기간은 아직 명확하게 제시되지는 않지만, 3~5년을 적당한 기간으로 제시한다. 그러나 면역요법을 1년 이상 받았어도 증상의 호전이 없는 경우에는 증상을 유발하는 다른 항원의 존재, 환경에서 항원의 증가, 비특이적 자극인자 등 효과가 감소할 수 있는 원인을 찾아보고 특별한 원인이 없을 경우 면역 요법의 중단을 고려할 수 있다.[64]

면역요법에 의한 국소 부작용은 주사부위의 가려움, 부종 등이며 대개는 냉찜질 등으로 가라앉는 경우가 많으나 빈번하게 광범위 국소반응이 발생하는 환자들에서 전신반응이 일어날 위험성이 높으므로 주의해야 한다. 전신부작용으로는 비염이나 천식의 발작, 복통, 구토, 두통이나 관절통, 아나필락시스 등이 있으며 대부분의 경우 면역요법 주사 후 전신부작용이 발생하기까지 걸리는 시간은 30분 이내이다. 그러므로 피하주사 후에 환자가 병원에서 30분 이상 대기하여 부작용 발생 여부를 확인 받은 후에 귀가하도록 하고, 면역주사실에는 응급 상황에 대처할 수 있도록 1:1,000 에피네프린, 산소, 정맥주사액, 항히스타민제를 항상 준비해 놓아야 하며, 부작용 발생 시 투여해야 한다. 지난번 접종 시 부작용이 발생하였거나 급성 천식발작, 감기 등 다른 질환이 발생하였을 때에는 접종 용량을 줄여야 한다.[11]

2) 설하면역요법

설하면역요법의 효과에 대해서 초기에는 많은 논란이 있었으나, 2008년 ARIA 그룹에서는 자작나무(birch), 사이프러스(cypress), 잔디 꽃가루(grass), 올리브(olive), 개물통이(Parietaria) 그리고 집먼지 진드기에 의한 알레르기비염과 천식에서 설하면역요법의 효과를 인정하고 있다. 설하면역요법의 장점은 안정성과 편리성에 있다. 설하면역요법의 치료대상은 알레르기 증상이 있고 알레르기 검사상 항원을 확인할 수 있으며 이항원이 임상증상과 연관되어야 한다. 나이제한은 없고 알레르기 검사상 단일항원감작(monosensitize)인 환자가 치료에 이상적이나 복수항원 감작(polysensitize)도 가능하다. 환자가 공복 상태에서 혀 밑에 직접 투여하게 되고, 최소 2분 이상 머금고 있어야 한다고 교육하며, 바로 삼키면 효과가 떨어진다는 설명을 해주어야 한다.[11,23]

면역요법을 받는 동안 적어도 2~3개월에 한 번씩 추적 관찰을 통해, 환자의 증상변화를 확인하며, 종료 후 시속 효과를 고려해 3~5년을 최소 권장기간으로 제시하고자 한다. 피하면역요법과 마찬가지로 설하면역요법에서도 천식의 발병률을 낮추는 효과가 있으며, 새로운 항원에 감작되는 것을 예방하는 효과도 있다.[23]

설하면역요법은 비교적 안전하지만, 환자가 가정에서 직접 투약하기 때문에 발행할 수 있는 부작용과 대처방안에 대해 반드시 환자에게 미리 설명해 주어야 한다. 가장 흔한 부작용은 구강 내 가려움 및 부종과 같은 국소 자극 증상과 구역, 구토, 설사, 복통과 같은 위장관계 부작용으로 모두 보존적인 치료로 호전되거나, 저절로 호전되는 양상을 보인다. 심한 전신반응의 대부분은 천식 증상의 악화이며, 현재까지 설하면역요법 후 아나필락시스가 발생한 경우는 극히 드물며 이로 인한 사망 례는 보고된 바 없다. 기존에 전신부작용으로 피하면역요법을 중단한 경험이 있는 환자에서는 설하면역요법에서도 유사한 부작용이 발생할 수 있다.[23] 피하면역요법과 설하면역요법의 효과를 비교한 연구결과 피하면역요법의 효과가 설하면역요법에 비해 강하지만 통계적으로 유의하지는 않다. 현재까지 설하면역요법에 관한 많은 연구가 있었지만 잘 디자인된 임상연구는 1990년대에 시작되었고 2000년도 이후에 잘 디자인된 메타분석이 나왔으나 대부분 효과와 부작용에 대한 연구였고 아직도 적절한 치료농도, 치료 후 효과지속 시간, 예방적 효과, 정확한 작용기전은 잘 모른다.

설하면역요법의 안정성으로 인해 소아에서 사용될 수 있다. 소아에서는 3세 이상에서 안정성이 5세 이상에서 효과가 입증되었으며, 천식을 동반한 알레르기비염에서 효과가 입증되어 있으나 소아천식의 단독치료로 설하면역요법이 사용될 수 없으며 더 많은 임상시험이 필요하다.

4. 수술요법

알레르기비염 환자에 대한 수술적 치료로는 주로 코막힘을 해결하기 위한 수술 즉 하비갑개의 부피를 감소시키는 다양한 술식이 사용되고 있다. 이외에도 비중격 만곡증이 동반된 경우 비중격 성형술도 같이 시행되고 있으며 과도한 비루를 개선하기 위한 수술 등도 시행되고 있다.

1) 하비갑개 수술

비갑개의 수술에 대한 내용은 다른 장에 구체적으로 기술되어 있으므로 간략하게 기술한다.

수술방법은 크게 하비갑개 점막을 보존하는 술식(외향골절, 비갑개성형술, 라디오파 절제술, 점막하 투열요법 등)과 일부 보존하는 술식(비갑개 부분절제술, 레이저 비갑개성형술, 전기소작술, 화학소작술 등)으로 구분할 수 있다.[30-3] 일반적으로 비갑개 수술 후의 증상 호전의 기전은 상처 치유 과정에서 점막하 내 섬유화 및 반흔조직 형성으로 인해 비갑개 점막의 부피 감소가 나타남으로써 비강 통기성(nasal patency)이 증가함은 물론 항원과의 접촉 면적이 감소되고 점막하 내의 혈관이나 분비선의 수가 감소되며 또한 자율신경과 감각신경들의 손상을 초래하여 코막힘 이외에도 재채기, 콧물, 비소양감 같은 알레르기 증상들을 개선시킬 수 있는 것으로 알려져 있다.

2) 알레르기비염에서의 비중격 성형술

알레르기비염 환자에서 비중격 만곡증이 동반된 경우 하비갑개 성형술과 함께 비중격 성형술을 시행하면 증상 개선이나 원활한 비강 내 분무제 투여 등 치료에 도움을 줄 수 있다.[41]

3) 과도한 비루를 개선하기 위한 수술

점액을 분비하는 점액선은 주로 부교감신경의 흥분에 의하여 조절된다. 혈관운동성 비염이나 알레르기비염 환자의 과도한 비루를 해결하기 위해 시행되어져 왔던 익돌관신경절제술(vidian neurectomy)은 수술 후 눈물분비의 감소나 건조각결막염 등 심각한 부작용을 유발하기 때문에 잘 사용하지 않고 있다.

5. 미래치료방법에 대한 전망

기존의 항히스타민제와 비강 스테로이드 제제를 복합하여 비강투여 하는 제제들과 용해성을 변화시키거나, 두 가지 작용을 하는 새롭게 만들어진 항히스타민제제들이 현재 임상에 적용되고 있다.[55] 생물학적 제제는 현재까지 알려진 알레르기 반응의 면역학적 기전을 이용하여 만든 제제로서 IgE, Th2를 증진시키는 사이토카인들을 타겟으로 한다. IgE 단일클론항체 제제인 omalizumab이 대표적이며, 현재 알레르기 비염에 있어서는 IgE, IL-4, 5, 13, OX40 ligand 등이 임상시험 중에 있다.[54]

면역 치료에 있어서는 기존의 항원에 omalizumab과 같은 단일클론 항체를 추가하여 효과를 높이는 방법, glutaraldehyde나 formaldehyde로 알레르기 항원을 화학적으로 변형시킨 allergoid들을 이용하는 방법, 몇 개의 정제된 항원을 복합체로 만들거나 항원의 펩티드 조각을 이용해 면역 치료에 이용하는 분자 변형 항원을 이용한 방법을 통한 면역치료방법이 개발되고 있다(표 14-7).[53] 또한 기존의 피하와 설하면역 이외에도 투여 방법을 다양화하고자 하는 시도도 이어지고 있다.[53]

표 14-7. 알레르기 질환에 현재 사용되고 있거나 연구 중인 면역치료

Treatment	Allergens	Diseases
SCIT	Pollen, mold, dust mite, animals, venom	Allergic rhinitis, asthma, hymenoptera allergy
Addition of omalizumab	Ragweed, birch, cat, dog, dust mite	Allergic rhinitis, asthma
Allergoid modification	Grass, tree, dust mite	Allergic rhinitis, asthma
Allergoid +TLR-4 agonist	Grass, tree, ragweed	Allergic rhinitis
Immunostimulatory DNAsequences (CpG)	Ragweed	Allergic rhinitis, asthma
CpG+VLP	Dust mite, pollen	Allergic rhinitis, asthma
Wild-type recombinant	Grass, tree	Allergic rhinitis
Hypoallergenic recombinant	Tree, grass, dust mite, venom	Allergic rhinitis, hymenoptera allergy
Peptide	Animal, venom, grass, dust mite, weed	Allergic rhinitis, hymenoptera allergy
Oral immunotherapy	Food	Food allergy
SLIT	Pollen, mold, dust mite, animals, venom	Allergic rhinitis, asthma, hymenoptera allergy

Casale TB, Stokes JR. J Allergy Clin Immunol. 2011;127:8-15 인용

참고문헌

1. Akdis M, Akdis CA. Mechanisms of allergen-specific immunotherapy. J Allergy Clin Immunol 2007;119:780-791.
2. Allen DB, Meltzer EO, Lemanske RF Jr, et al. No growth suppression in children treated with the maximum recommended dose of fluticasone propionate aqueous nasal spray for one year. Allergy Asthma Proc. 2002;23:407-413.
3. Amlani SI, Nadarajah T, McIvor RA. Montelukast for the treatment of asthma in the adult population. Expert Opin Pharmacother. 2011 Sep;12(13):2119-2128.
4. Anderson MC, Baer H, Ohman JL. A comparative study of the allergens of cat urine, serum, saliva, and pelt. J Allergy Clin Immunol 1985;76:563-570.
5. Benninger M, Farrar JR, Blaiss M, et al. Evaluating approved medications to treat allergic rhinitis in the United States: an evidence based review of efficacy for nasal symptoms by class. Ann Allergy Asthma Immunol. 2010;104(1):1139-1150.
6. Berkowitz RB, McCafferty F, Lutz C, et al. Onset of action of fexofenadine hydrochloride 60mg/pseudoephedrine hydrochloride 120mg in subjects aged 12 years with moderate to severe seasonal allergic rhinitis: a pooled analysis of two single-dose, randomized, double-blind, placebo-controlled allergen exposure unit studies. Clin Ther. 2006;28(10):1658-1669.
7. Bischoff E, Liehenherg B, Fisher A, et al. Removal of the dust mites ancl mite excreta by vaccum cleaning-new exact determination of mite numbers. J Allergy Clin Immunol 1989;83:263- 266.
8. Bousquet J, Demoly P, Michel FB. Specific immunotherapy in rhinitis and asthma. Ann Allergy Asthma Immunol 2001;87:38-42.
9. Bousquet J, Khaltaev N, Cruz AA, et al. Allergic Rhinitis and its Impact on Asthma (ARIA) 2008 update (in collaboration with the World Health Organization, GA(2)LEN and AllerGen). Allergy. 2008;63(suppl 86):8-160.
10. Boyman O, Kaegi C, Akdis M, et al. EAACI IG Biologicals task force paper on the use of biologic agents in allergic disorders. Allergy. 2015;70:727-754.
11. Braido F, Arcadipane F, Marugo F, et al. Allergic rhinitis: current options and future perspectives. Curr Opin Allergy Clin Immunol. 2014;14:168-176.
12. Buyuklu F, Cakmak O, Hizal E, et al. Outfracture of the Inferior Turbinate: A Computed Tomography Study. Plast Reconstr Surg. 2009;123:1704-1709.
13. Caffier PP, Scherer H, Neumann K, et al. Diode laser treatment in therapy-resistant allergic rhinitis: impact on nasal obstruction and associated symptoms. Lasers Med Sci. 2011;26:57-67.
14. Canonica GW, Bousquet J, Casale T, et al. Sub-lingual immunotherapy: World Allergy Organization Position Paper 2009. Allergy 2009;64:1-59.
15. Carr W, Bernstein JP, Lieberman P, et al. A novel intranasal therapy of azelastine with fluticasone for the treatment of allergic rhinitis. J Allergy Clin Immunol. 2012;129:1282-1289.
16. Choi SY, Lee IY, Son JH, et al. Effect of steam drum laundry machine for removal of allergens. J Asthma Allergy Clin Immunol 2006;26:289-862.
17. Christodoulopoulos P, Cameron L, Durham S, et al. Molecular pathology of allergic disease, II: upper airway disease. J Allergy Clin Immunol. 2000;105:211.
18. Ciebiada M, Barylski M, Gorska Ciebiada M. Nasal eosinophilia and serum soluble intercellular adhesion molecule 1 in patients with allergic rhinitis treated with montelukast alone or in combination with desloratadine or levocetirizine. Am J Rhinol Allergy. 2013;27(2):e58-e62.
19. Cox L, Nelson H, Lockey R, et al. Allergen immunotherapy: a practice parameter third update. J Allergy Clin Immunol 2011;127:S1-55.
20. Di Lorenzo G, Pacor ML, Pellitteri ME, et al. Randomized placebo-controlled trial comparing fluticasone aqueous nasal spray in monotherapy, fluticasone plus cetirizine, fluticasone plus montelukast and cetirizine plus montelukast for seasonal allergic rhinitis. Clin Exp Allergy. 2004;34(2):259-267.
21. Dizdar EA, Sederel BE, Keskin O, et al. The effect of regular versus on-demand desloratadine treatment in children with allergic rhinitis. Int J Pediatr Otorhinolaryngol. 2007;71(6):843-849.
22. Eli OM. Efficacy and Patient Satisfaction with Cromolyn Sodium Nasal Solution in the Treatment of Seasonal Allergic Rhinitis: A Placebo-Controlled Study. Clin Ther. 2002 Jun;24(6):942-952.
23. Ellegard E, Karlsson G. Nasal congestion during pregnancy. Clin Otolaryngol Allied Sci. 1999;24:307-311.
24. Ellegard EK. Clinical and pathogenetic characteristics of pregnancy rhinitis. Clin Rev Allergy Immunol. 2004;26:149-159.
25. Erin EM, Leaker BR, Zacharasiewicz AS, et al. Single dose topical corticosteroid inhibits IL-5 and IL-13 in nasal lavage following grass pollen challenge. Allergy. 2005;60:1524-1529.
26. Ernst P, Baltzan M, Deschenes J, et al. Low-dose inhaled and nasal corticosteroid use and the risk of cataracts. Eur Respir J. 2006;27:1168-1174.
27. Esteitie R, deTineo M, Naclerio RM, et al. Effect of the addition of montelukast to fluticasone proprionate for the treatment of perennial allergic rhinitis. Ann Allergy Asthma Immunol. 2010;105:155-161.
28. Fokkens WJ, Rinia B, van Drunen CM, et al. No mucosal atrophy and reduced inflammatory cells: active-controlled trial with yearlong fluticasone furoate nasal spray. Am J Rhinol Allergy. 2012;26:36-44.
29. Fowler PD, Gazis AG, Page SR, et al. A randomized doubleblind study to compare the effects of nasal fluticasone and betamethasone on the hypothalamo-pituitary-adrenal axis and bone turnover in patients with nasal polyposis. Clin Otolaryngol Allied Sci. 2002;27(6):489-493.

30. Garavello W, Somigliana E, Acaia B, Gaini L, Pignataro L, Gaini RM. Nasal lavage in pregnant women with seasonal allergic rhinitis: a randomized study. Int Arch Allergy Immunol. 2010;151:137-141.
31. Kaliner MA, Berger WE, Ratner PH, et al. The efficacy of intranasal antihistamines in the treatment of allergic rhinitis. Ann Allergy Asthma Immunol. 2011;106:S6-S11.
32. Kim YH, Kim BJ, Bang KH, Hwang Y, Jang TY. Septoplasty improves life quality related to allergy in patients with septal deviation and allergic rhinitis. Otolaryngol Head Neck Surg. 2011;145:910-914.
33. Korea Anti-doping Agency, KADA, Available at: http://www.kada-ad.or.kr, accessed on 1 January 2011, 2011.
34. Lanier B, Kai G, Marple B, et al. Pathophysiology and progression of nasal septal perforation. Ann Allergy Immunol. 2007;99:473-480.
35. Lee JY, Lee JD. Comparative study on the long-term effectiveness between coblation- and microdebrider-assisted partial turbinoplasty. Laryngoscope. 2006;116:729-734.
36. Li KK, Powell NB, Riley RW, et al. Radiofrequency volumetric tissue reduction for treatment of turbinate hypertrophy: a pilot study. Otolaryngol Head Neck Surg. 1998;119:569-573.
37. Lin HC, Lin PW, Friedman M, et al. Long-term results of radiofrequency turbinoplasty for allergic rhinitis refractory to medical therapy. Arch Otolaryngol Head Neck Surg. 2010;136:892-895.
38. Liu CM, Tan CD, Lee FP, et al. Microdebrider-assisted versus radiofrequency-assisted inferior turbinoplasty. Laryngoscope. 2009;119:414-418.
39. Mabry RL. Intranasal corticosteroicl injection: inclications, tecbniques and complications . Otolaryngol Head Neck Surg 1979;87:207-211.
40. Meltzer EO, Bernstein DI, Prenner BM, et al. Mometasone furoate nasal spray plus oxymetazoline nasal spray: short-term efficacy and safety in seasonal allergic rhinitis. Am J Rhinol Allergy. 2013;27(2):102-108.
41. Meltzer EO. Ipratropium nasal spray in children with perennial rhinitis. Ann Allergy Asthma Immunol. 1997 May;78(5):485-491.
42. Meltzer EO. The role of nasal corticosteroids in the treatment of rhinitis. Immunol Allergy Clin North Am. 2011 Aug;31(3):545-560.
43. Mori S, Fujieda S, Igarashi M, et al. Submucous turbinectomy decreases not only nasal stiffness but also sneezing and rhinorrhea in patients with perennial allergic rhinitis. Clin Exp Allergy. 1999;29:1542-1548.
44. Mosges R, Konig V, Koberlein J. The effectiveness of modern antihistamines for treatment of allergic rhinitis—an IPD meta analysis of 140,853 patients. Allergol Int. 2013;62:215-222.
45. Nasser M, Fedorowicz Z, Aljufairi H, et al. Antihistamines used in addition to topical nasal steroids for intermittent and persistent allergic rhinitis in children. Cochrane Database Syst Rev. 2010;(7):CD006989.
46. Nayak A, Langdon RB. Montelukast in the treatment of allergic rhinitis: an evidence-based review. Drugs. 2007;67:887-901.
47. Papadopoulos NG, Philip G, Giezek H, et al. The efficacy of montelukast during the allergy season in pediatric patients with persistent asthma and seasonal aeroallergen sensitivity. J Asthma. 2009;46:413-420.
48. Passali D, Passali FM, Damiani V, et al. Treatment of inferior turbinate hypertrophy: a randomized clinical trial. Ann Otol Rhinol Laryngol. 2003;112:683-688.
49. Patel P, D'Andrea C, Sacks HJ. Onset of action of azelastine nasal spray compared with mometasone nasal spray and placebo in subjects with seasonal allergic rhinitis evaluated in an environmenta exposure chamber. Am J Rhinol. 2007;21:499-503.
50. Pipkorn U, Proud D, Lichtenstein LM, et al. Inhibition of mediator release in allergic rhinitis by pretreatment with topical glucocorticosteroids. N Engl J Med. 1987;316:1506.
51. Ratner PH, Ehrlich PM, Fineman SM, Meltzer EO, Skoner DP. Use of intranasal cromolyn sodium for allergic rhinitis. Mayo Clin Proc. 2002 Apr;77(4):350-354.
52. Rodrigo GJ, Yanez A. The role of antileukotriene therapy in seasonal allergic rhinitis: a systematic review of randomized trials. Ann Allergy Asthma Immunol. 2006;96:779-786.
53. Rondón C, Doña I, López S, Campo P, Romero JJ, Torres MJ, et al. Seasonal idiopathic rhinitis with local inflammatory response and specific IgE in absence of systemic response. Allergy 2008;63(10):1352-1358.
54. Rondón C, Fernúndez J, López S, Campo P, Doña I, Torres MJ, et al. Nasal inflammatory mediators and specific IgE production after nasal challenge with grass pollen in local allergic rhinitis. J Aller\-gy Clin Immunol 2009;124(5):1005-11.e1.
55. Rondón C, Romero JJ, López S, Antúnez C,tín-Casañez E, Torres MJ, et al. Local IgE production and positive nasal provocation test in patients with persistent nonallergic rhinitis. J Allergy Clin Im\-munol 2007;119(4):899-905.
56. Rosenblut A, Bardin PG, Muller B, et al. Long-term safety of fluticasone furoate nasal spray in adults and adolescents with perennial allergic rhinitis. Allergy. 2007;62:1071-1077.
57. Sapci T, Sahin B, Karavus A, et al. Comparison of the effects of radiofrequency tissue ablation, CO_2 laser ablation, and partial turbinectomy applications on nasal mucociliary functions. Laryngoscope. 2003;113:514-519.
58. Schenkel EJ, Skoner DP, Bronsky EA, et al. Absence of growth retardation in children with perennial allergic rhinitis after one year of treatment with mometasone furoate aqueous nasal spray. Pediatrics. 2000;105:E22.
59. Secher C, Kirkegaard J, Borum P, et al. Significance of H1 and H2 receptors in the human nose: rational for topica use of combined antihistamine preparations. J Allergy Clin Immunol 1982;70:211-218.
60. Seidman MD, Gurgel RK, Lin SY, Schwartz SR., Baroody FM, Bon-

ner JR, Ishman SL, et al. Clinical practice guideline: allergic rhinitis. Otolaryngol Head Neck Surg. 2015; 152(1S): S1-S43.

61. Seto A, Einarson T, Koren G. Pregnancy outcome following first trimester exposure to antihistamines: meta-analysis. Am J Perinatol. 1997;14:119-124.
62. Sheikh A, Hurwitz B, Nurmatov U, et al. House dust mite avoidance measures for perennial allergic rhinitis. Cochrane Database Syst Rev. 2010;(7):CD001563.
63. The Korean Rhinologic Society. Guidelines for Allergic Rhinitis, 2012.
64. Thomas B. Casale, MD, Jeffrey R, et al. Future forms of immunotherapy. J Allergy Clin Immunol 2011;127:8-15.
65. Tran NP, Vickery J, Blaiss MS. Management of rhinitis: allergic and non-allergic. Allergy Asthma Immunol Res. 2011 Jul;3(3):148-156.
66. Wallace DV, Dykewicz MS, Bernstein DI, Blessing-Moore J, Cox L, Khan DA, et al. The diagnosis and management of rhinitis: an updated practice parameter. J Allergy Clin Immunol. 2008;122:S1-84.
67. Wolthers OD, Pedersen S. Short-term growth in children with allergic rhinitis treated with oral antihistamine, depot and intranasal glucocorticosteroids. Acta Paediatr. 1993;82:635-640.
68. Yamamoto H, Yamada T, Sakashita M, et al. Efficacy of prophylactic treatment with montelukast and montelukast plus add-on loratadine for seasonal allergic rhinitis. Allergy Asthma Proc. 2012;33(2):e17-e22.
69. Zuberbier T, Bachert C, Bousquet PJ, et al. GA(2) LEN/EAACI pocket guide for allergen-specific immunotherapy for allergic rhinitis and asthma. Allergy 2010;65:1525-1530.

CHAPTER 15

비알레르기 비염

김경래, 이재용

I 서론

비염은 비강을 덮고 있는 점막의 염증성 질환을 말하며, 비충혈(nasal congestion)과 코막힘(nasal stuffiness), 비루(rhinorrhea), 재채기(sneezing), 가려움증(itching), 후비루(postnasal drip) 등을 특징으로 하고 몇 개의 증상이 동반되어 나타날 수 있다. 비염은 일반적으로 알레르기 비염과 비알레르기 비염(non-allergic rhinitis)으로 분류된다. 알레르기 비염은 특이 항원에 의하여 증상이 나타나는 반면에, 비알레르기 비염은 특정한 항원이 아닌 감염, 호르몬, 직업 및 여러 다른 원인으로 발생할 수 있다.[6,8,39]

알레르기 비염과 비알레르기 비염은 증상, 치료, 학업 및 근무 환경에 대한 영향 등이 거의 비슷한 양상을 보이며, 많은 예에서 이 두 질환은 서로 구별하기 어렵고 공존하기도 한다.[37] 만성 비염으로 알레르기 클리닉을 방문한 975명의 환자에서 43%의 환자는 단순 알레르기 비염으로, 23%의 환자는 비알레르기 비염으로, 34%의 환자는 알레르기 비염과 비알레르기 비염의 혼합형으로 진단되었다. 따라서 만성 비염 환자의 57%는 어느 정도 비알레르기 비염의 특성을 갖고 있다고 할 수 있다.[5]

비알레르기 비염을 정의하기는 힘들다. 증상은 비특이적이며 환자들마다 표현하는 양상이 다르다. 대부분은 비루, 코막힘, 재채기 등을 호소하며, 알레르기 검사 및 비즙 도말검사에서 음성을 보인다.[6,21] 이런 환자군은 혈관운동성 비염으로 진단되곤 하지만, 아직 이런 증후군에 대한 명확한 진단이 확립되지 않은 상태이다.[18] 비알레르기 비염은 20대 이후에 빈도가 높고 여성에 많으며 계절성보다는 통년성인 경우가 흔하다.[6] 진단을 할 때는 비강 내의 염증반응 자체를 입증하는 것은 현실적으로 어려우므로 통상적으로 가려움증, 재채기, 비루, 코막힘 등의 증상 유무에 근거를 두고 진단한다.[2] 따라서, 비알레르기 비염이란 간헐적 비루, 비충혈감, 코막힘 등 알레르기와 무관하게 생기는 비과적 증세를 포괄하는 용어로 봐야할 것이다.[6,21] 가려움증이나 재채기 등은 알레르기 비염에서 더 흔하게 나타난다.[8,39]

Ⅱ 병리

비점막의 신경분포는 매우 분화되어 있고 복잡하며, 점막 내의 혈관 운동 및 점액 배출은 자율신경계에 의해 조절된다. 교감신경계가 자극되면 norepinephrine, neuropeptide Y가 분비되어 혈관수축을 일으키고, 부교감신경계가 자극되면 acetylcholine, VIP, nitric oxide 등을 분비하여 혈관을 이완시키고 비점막의 분비선을 자극하여 점액 배출을 증가시킨다.[8,37] 이는 교감신경이나 부교감신경 중 한쪽의 원심성 섬유(afferent fiber)만 자극되어도 양측의 반응을 일으킨다.[39]

비점막의 감각은 주로 삼차신경이 담당하는데, C-fiber는 통증이나 온도에 반응하는 감각신경으로서 비알레르기 비염과 가장 밀접한 관계를 갖는다.[14] Histamine이나 bradykinin과 같은 염증매개물질에 의해 자극되고, 최근 연구에 의하면 니코틴, 매연, 포름알데하이드(formaldehyde), 캡사이신(capsaicin) 등을 흡입할 때도 자극된다고 알려져 있다.[14,37] C-fiber가 자극되면 substance P나 calcitonin gene-related peptide 등과 같은 신경전달물질이 분비되어 혈관 투과성을 증가시키고 분비선을 자극한다. 그 결과로 비점막 내 분비선, 혈관내피세포와 상피세포가 영향을 받아 비충혈감, 가려움증, 비루 등이 유발된다.[14]

비점막의 구성 요소 중 어느 것이라도 기능 이상이 있으면 비알레르기 비염을 유발할 수 있다.[6,21] 정상 생리작용의 일환으로 원심성 부교감신경의 자극은 분비선을 자극시켜 점액을 배출하고, 교감신경의 자극은 비점막의 충혈을 감소시킨다. 그리고 구심성 섬유(efferent fiber)의 과반응도 원심성 섬유의 신경자극에 대한 과장된 반응을 일으켜 모세혈관 투과성을 증가시킴으로써 점액의 과다배출 및 비점막 충혈을 일으킨다.[14,37] 비알레르기 비염의 비특이적이고 혼동스러운 다양한 증상의 발현기전은 앞서 기술된 점막 조절의 복잡한 상호작용으로 인하여 정확하게 파악하기가 힘들다.[35]

표 15-1. 비염의 분류

1. 알레르기 비염(allergic rhinitis)
(1) 계절성(seasonal) (2) 통년성(perennial)
2. 감염성 비염(infectious rhinitis)
(1) 급성(acute)
(2) 만성(chronic)
3. 기타
(1) 원발성(idiopathic)
(2) 호산구증다증과 관련된 비알레르기 비염 (NARES, non-allergic rhinitis with eosinophilia syndrome)
(3) 직업성(occupational)
(4) 호르몬성(hormonal)
(5) 약물성(drug induced)
(6) 자극성(irritant)
(7) 음식물(food)
(8) 정서적(emotional)
(9) 위축성(atrophic)

Ⅲ 분류

비염을 분류하는 방법에는 여러 가지가 있으나 그 중 원인과 병태생리에 따라 비염을 구분한 international rhinitis management working group의 분류가 자주 이용된다(표 15-1).[20] 알레르기 비염을 제외한 감염성 비염과 기타 비염이 비알레르기 비염의 범주에 해당된다.

1. 감염성 비염

인플루엔자(*influenza*)를 포함한 바이러스 또는 세균에 의한 급성 비염, 만성 비염, 그리고 그 외 일반적인 세균이 아닌 특수 세균 감염에 의한 비염으로 구분할 수 있다.

1) 급성 비염(Acute rhinitis, common cold, acute coryza)

급성 비염은 흔히 코감기라고 알려진 매우 빈번한 비강

내 염증 질환으로 가을에서 봄에 이르는 시기까지 많이 발생한다. 상대적으로 미숙한 면역력으로 인하여 5세 미만의 어린이에서 호발하며 성인이 될 때까지 서서히 그 빈도가 줄어든다.

원인으로는 낮은 온도나 습도, 과로, 스트레스, 영양부족, 비타민 결핍, 비즙의 산도(pH) 변화 혹은 면역기능 저하 등이 있다. 또한 급성 비염을 일으키는 중요한 감염원으로 소아에서는 만성 아데노이드염, 만성 편도선염, 부비동염 등이 있고 성인에서는 부비동염, 편도선염 등을 들 수 있다.[25,42]

감기 환자와 직간접적인 접촉을 하거나 환자의 재채기, 기침을 통한 기화성 분비물이 비강으로 들어가 전염되며 비점막에 염증을 초래한다. 대부분은 바이러스가 주원인이며, 특히 *picorna* 바이러스 과에 속하는 *rhinovirus*가 가장 흔하다. 바이러스는 점액섬모수송을 통하여 아데노이드 부위의 상피세포로 침투하여 8~10시간 안에 매우 빠른 복제를 하게 된다.[3]

초기에는 일시적인 혈관수축이 일어나고 이후 혈관확장과 점막부종이 발생하며, 혈관 투과성이 증가한다. 이어서 점막하 분비선이 자극되어 비강분비물이 증가하며 비점막 상피세포의 탈락과 백혈구 침윤 등이 나타난다. 탈락된 상피세포는 염증반응 후 시간이 지남에 따라 재생되어 정상적인 상피세포로 회복된다.[42]

임상적으로 1일에서 3일의 잠복기 후에 전구기(prodromal stage) 혹은 건조기가 따른다. 환자는 두통을 동반한 오한, 근육통, 식욕 상실 등의 전신 증상을 호소하고, 비강의 자극감과 재채기가 나타난다. 분비기 또는 발적기(hyperemic stage)에는 심한 수양성 비루, 코막힘, 후각 감퇴 등의 증상이 발생한다. 그 후 세균감염 없이 점액기(mucous stage)에 증상이 호전되거나, 이차 세균감염으로 인하여 점액농성 분비물이 나오면서 코막힘이 심해질 수도 있다. 이 시기에 적절한 치료를 병행하지 않으면 인두, 중이, 편도 등의 감염이 병발할 수 있다.[25]

전신 증상이 있을 경우 해열제나 진통제가 임상적으로 도움이 될 수 있으며, 전구기나 발적기에 경구용 혈관수축제(decongestant)와 ipratropium bromide와 같은 국소용 항콜린제를 사용하면 코막힘과 비루 증상을 경감시킬 수 있다. 항생제는 보통 이차적인 세균감염이 동반되었을 경우 사용한다.[21,25]

인플루엔자에 의한 급성 비염은 잠재적으로 심각한 바이러스성 질환으로서, 면역력 저하나 고령 등 전신적으로 취약한 사람들에게 의미있는 이환율과 사망률을 보이는 유행성 상기도 감염이다. 섬모상피의 손상이 더 심해서 이차 세균 집락화를 더욱 쉽게 한다. 후각상피의 손상으로 후각저하가 발생할 수 있으며, 영구적 손상일 경우 후각소실을 일으킨다. 백신이 개발되어 감염에 취약한 환자들에게 사용되고 있으나 변이를 일으킬 가능성이 있는 바이러스에는 그 효과가 제한적이다.[25]

진단은 초기의 경우 주로 환자의 주관적인 증상에 의존하며, 전비경 검사나 내시경 검사를 시행하여 비강 내 점막의 충혈이나 종창, 비루를 확인한다. 농성비루가 관찰되면 적절한 항생제의 투여가 필요하며 투여하기 전에 세균배양검사를 시행하는 것이 좋다. 이차적인 세균감염이 의심되면 부비동염으로의 진행여부를 확인하고자 부비동 단순촬영이나 전산화단층촬영 등을 시행하고 부비동 이외의 합병증 여부를 판단하기 위해 흉부 방사선촬영을 시행할 수 있다.[42]

바이러스에 의한 급성 비염에 주로 사용되는 치료법은 증상에 대한 해열진통제와 진정제의 사용, 충분한 휴식과 수분 섭취, 국소 찜질이나 온욕, 적당한 습도(45%)와 온도 조절(18~20℃)을 통한 적절한 환경 조성, 규칙적인 식사를 통한 충분한 영양공급 등의 일반적인 대증요법이다. 항히스타민제 단독 사용은 초기에 발생하는 비루와 재채기 증상 완화에 도움이 된다. 혈액의 울혈로 인한 점막부종 때문에 코막힘이 심해지면 국소용 혈관수축제를 수일간 사용할 수 있지만 약물성 비염을 유발할 수 있으므로 5일 이상의 사용은 피해야 한다. 점막의 부종이 심한 경우에는 국소용 스테로이드제도 부분적으로 도움이 된다.

경구용 항생제는 특별한 합병증이 없는 한 사용하지 않는 것이 원칙이다.[6,22]

예방이 항상 중요하여 감기 유행시기에는 사람들이 많이 모이는 혼잡한 곳 등은 되도록 피하고 외출 시에는 마스크와 장갑을 착용하며 손소독제를 사용하는 것이 도움이 된다. 귀가하면 손을 반드시 씻고 가글 및 구강세척을 하도록 한다. 스트레스 상황을 만들지 않도록 주의하며 충분한 수분과 영양을 섭취하는 것이 필수적이다. 예방접종은 호흡기계 바이러스 항원이 다양하기 때문에 효과적이지 못하다.

2) 만성 비염(Chronic rhinitis)

만성 비염은 원인에 따라 감염성(infectious)과 비감염성(non-infectious)으로 나눌 수 있으나 임상적으로 구분하기는 어렵다.[1] 전신 질환이나 일부 국소적인 병변, 비강구조 이상, 비강종양, 자율신경계의 불균형, 호르몬 이상, 약물, 정서불안 등에 의해서도 비과적 증상 및 만성 비염이 유발될 수 있다. 때에 따라서는 만성 비염 증상이 비강 악성종양의 최초 징후가 될 수도 있다. 표 15-2는 만성 비염을 유발할 수 있는 국소 요인을 보여준다.[21]

세균에 의해 유발되는 만성 감염성 비염은 급성 비염에 대한 치료가 불완전하여 반복적으로 발생하는 경우나, 부비동염이나 편도조직의 만성 염증으로 비염이 오랫동안 지속되는 경우, 전신적 영양상태나 면역상태가 불량하여 비염이 치유되지 않는 경우에 나타날 수 있다. 이는 어린이에게서 흔히 관찰되며 만성 부비동염과 함께 병발할 때가 많다. 비강 내에 화농성 분비물이 관찰되지만 그 외의 급성 증상은 없다. 치료는 적절한 항생제 투여로 충분하며, 만성 비후성 비염(chronic hypertrophic rhinitis)이나 고질적인 만성 부비동염 등의 합병증이 있을 때는 수술을 고려할 수 있으나 어린이에게는 수술보다 주로 보존적 치료를 한다.[2]

만성 비후성 비염은 원인에 상관없이 만성 비염의 염증 상태가 지속적으로 장기간 진행되어 발생한 결과라 하겠

표 15-2. 만성 비염을 유발할 수 있는 국소 요인들

Anatomic factors
Septal deviation
Hypertrophic turbinates
Nasal valve collapse
Adenoid hypertrophy
Choanal atresia/stenosis
Septal perforation
Cleft palate
Infectious and inflammatory sources
Acute rhinitis (viral, bacterial)
Acute and chronic sinusitis
Sinonasal polyposis
Samter's triad
Rhinoscleroma
Neoplasms
Inverting papilloma
Malignancy

다. 만성적인 코막힘이 있으며 비루, 후각 장애 등을 동반할 수 있다. 점막 비후와 달리 비갑개의 골 비후가 있는 경우는 국소용 혈관수축제에 잘 반응하지 않는다. 치료로는 경구용 점막수축제, 국소용 스테로이드제 등의 약물적 치료도 있지만 효과가 미미한 경우 수술을 시행한다. 수술로는 비갑개성형술(turbinoplasty)이나 비갑개절제술(turbinectomy) 등의 비강통기도 개선술이 가장 많이 사용되며, 비중격교정술과 같이 행해지는 경우가 흔하다. 그 외에 고주파(radiofrequency), 미세절삭기(microdebrider), 레이저, 전기소작법 등을 이용한 점막수술이 있다.[16,23,25,30]

3) 특수 세균에 의한 감염

요즈음은 극히 보기 드문 형태로서 비 디프테리아, 비결핵, 비매독, 비임질, 비낭창(nasal lupus vulgaris), 비라(nasal leprosy), 비저(glanders), 비경화증(rhinoscleroma) 등이 있다.[2]

(1) 위막성 비염(Pseudomembraneous rhinitis)

디프테리아균, 포도상구균, 연쇄상구균 등에 의해 발생하며 비점막 표면에 섬유성 위막(pseudomembrane)을 형성하는 비염을 일컫는 것으로 비 디프테리아가 대표적 질환이다. 비 디프테리아는 영양상태가 좋지 않거나 면역력이 저하된 소아에서 호발하며 보통 양측성으로 발생한다. 증상으로는 심한 코막힘을 호소하고 초기에는 수양성 비루가 있으나 후기에는 농성 또는 혈성 비루가 생긴다. 비강 검사에서 비점막은 대개 종창되어 있으며 하비갑개, 비강 저부, 비중격 등에 회백색의 굳건한 막이 덮인 소견을 보인다. 이 위막은 섬유소와 탈락된 세포로 형성되고, 섬유소의 섬유 성분이 점막하층까지 침투되어 잘 떨어지지 않으며, 제거할 경우 출혈이 발생하게 된다. 병리학적으로는 만성 염증에서 관찰되는 대부분의 변화가 일어나며 극심한 조직 손상을 보인다.[42]

확진을 위하여 분비물의 세균검사가 필요하며, 디프테리아균으로 진단되면 균의 독성검사를 반드시 시행하여야 한다. 치료는 전신적인 페니실린 또는 에리스로마이신 투여와 비강세척이 도움이 된다. 급성 감염의 경우에는 추가로 항독소를 투여하는 것이 좋으며 만성의 경우는 일반적으로 항독소가 필요하지 않다.[2,42] 환자는 비강 내에서 세균 음성이 나올 때까지 격리되어야 한다.

(2) 비결핵(Nasal tuberculosis)

Mycobacterium tuberculosis 감염에 의해 발생하는 매우 드문 질환으로서 결절형(nodular form) 또는 궤양형(ulcerative form)으로 나타난다. 환자는 여성과 고령인 경우가 많으며, 비중격의 연골부가 가장 흔한 발생부위이지만 하비갑개 등 비강 측벽에도 이환될 수 있다. 폐결핵이나 후두결핵에 의해 이차적으로 감염되어 발생하는 경우가 대부분이며, 감염 환자의 분비물 입자 흡입으로 인한 비점막의 일차적 감염도 가능하다. 증상으로는 코막힘, 혈성 또는 점액농성 비분비물의 증가, 경한 통증 등을 호소할 수 있고, 비강 검사에서 비중격의 연골부에 궤양이 없는 연한 적색의 결절성 비대소견을 보인다. 병의 경과는 빠르고 궤양 형성 시 주위는 예리하게 함입, 잠식되며 비강 저부나 하비갑개로 병변이 퍼질 수 있다. 진단은 폐결핵 유무를 먼저 검사하는 것이 중요하며, 비분비물의 세균학적 검사로 결핵균을 증명하고, 생검에 의하여 확진한다.[2,42] 치료로 비강세척 및 청결과 함께 항결핵약제를 투여한다. 약제 투여 시 청각 및 전정기관의 이상에 유의하도록 한다.

(3) 비매독(Nasal syphilis)

*Treponema pallidum*에 의한 비강의 이차 감염으로 현재는 매우 드물다. 일차 매독(primary syphilis)은 외비나 비전정 내부에 발생하며, 손톱이나 의료기구 등에 의해 감염되고, 균에 노출된 후 3~4주에 작고 붉은 구진이 점차 자라면서 종종 단단한 경계를 가진 무통성의 궤양을 형성한다. 자각증상으로 권태감과 발열이 있으며 6~10주 후 대부분 자연 소실된다. 단단하고 무통성인 결절과 조기에 림프절 비대가 발견될 때 의심해야 한다.[42]

이차 매독(secondary syphilis)은 가장 감염성이 높은 시기로 감염 4~10주 후에 발생한다. 이 시기에 종종 발열, 근육통, 관절통 등의 증상이 나타나지만 대부분의 경우 비루 이외의 코증상은 없어서 비점막 상태만으로는 진단하기 어려우며, 림프절 비대 및 구진성 발진과 같은 이차적 병변이나 혈청학적으로 진단이 가능하다.[2,42]

삼차 매독(tertiary syphilis)은 코에서 가장 흔히 발견되는 단계로서 감염 약 1~5년에 시작되며 고무종(gumma)이나 비점막, 골막, 골 등의 파괴소견을 보인다. 비중격의 골부가 가장 흔히 침범되는 부위이다. 초기 증상으로 통증 및 부종이 발생한 후 악취가 나는 비분비물, 출혈, 가피 등이 보인다. 그 후 점차적으로 통증은 적어지고 후각은 감소한다. 간혹 비중격천공이 발생할 수 있으며 천공은 서골이나 사골동 근처의 뒤쪽 골부에서 주로 발생한다. 결국 이러한 병변들은 반흔 조직을 심하게 형성하면서 이차적인 위축성 비염의 양상을 띠게 된다. 일반적으로 비점막수축제에 반응하지 않으며 방사선학적 검사에서 골피질의 혼탁소견이 관찰된다. 매독 혈청검사에서 90%의 양성률을 나타내며 조직검사에서 매독에 특징적인 소견을 보이는 것으로 진단이 가능하다.[2,42]

초기 혹은 신생아 선천성 매독은 구진성 발진, 비루 등이 특징적이며, 후기 선천성 매독에서는 안장코(saddle nose), 각막염, 치아 이상, 청력저하, 전정기관 이상 등이 나타나기도 한다. 혈청학적으로 매독 양성인 산모에게서 태어난 아기는 출생 시 면밀한 이학적 검사와 정량적 혈청학적 검사를 시행해야 한다.[2,42]

다른 육아종성 질환과 감별이 필요하고 치료는 페니실린으로 한다.[42]

(4) 비임질(Nasal gonorrhea)

*Neisseria gonorrhea*에 의한 감염으로, 비점막은 임질에 대해 강한 저항성을 지니기 때문에 발생률이 매우 적다. 유아에서 지속적인 농성 비루가 있는 경우 의심할 수 있으며 페니실린이나 co-trimazole 등이 효과적인 치료제이다.[2,42]

(5) 비라(Nasal leprosy)

나(한센)병은 *Mycobacterium leprae*에 의해 발생하는 만성 육아종성 질환으로서, 결핵형(tuberculoid)과 나종형(lepromatous) 나병의 2가지 형태가 코에서 발생하는 것으로 알려져 있다. 주로 비루나 가래 등의 분비물을 통해 전염되며, 비점막 등 상기도가 주된 전파 경로이다. 잠복기는 보통 10년 이상인 것으로 알려져 있는데, 결핵형은 3~5년, 나종형은 9~11년 정도 걸린다는 보고도 있다.[2,32]

결핵형은 피부나 비전정에 반점을 일으킬 수 있으나 비점막을 침범하지는 않는다. 반면에 나종형은 피부와 점막, 신경에 미만성의 침습이 있고 하비갑개의 전하방에 결절성 비후가 발생한다. 비중격은 진행성으로 침범되고 연골부의 천공이 발생하며 외비변형 및 폐쇄증이 발생할 수 있다. 치료제로는 댑손(Dapsone)이 전세계적으로 많이 쓰이나 내성균이 많아 최근에는 rifampin과 clofazimine을 복합하여 사용하며, 플루오르퀴놀론(fluoroquinolone)이나 미노사이클린(minocycline) 등을 이차 약제로 사용할 수도 있다.[2,25,32]

2. 기타 비염

1) 특발성 비염(Idiopathic rhinitis)

정확한 이유를 알 수 없는 비점막의 염증반응을 말한다. 발병 원인이 될 수 있는 알레르기 동반여부, 감염, 직업 및 환경적 요인, 약물, 호르몬 변화, 고령으로 인한 생리적 변화, 자가면역질환(autoimmune disorder) 등을 신중하게 찾아본 후 원인을 알 수 없으면 진단이 가능하다. 통년성 비알레르기 비염(perennial non-allergic rhinitis), 비알레르기성 비감염성 비염(non-allergic, non-infectious perennial rhinitis), 혈관운동성 비염(vasomotor rhinitis), 내인성 비염(intrinsic rhinitis) 등의 용어와 혼용되어 사용되기도 하였다.[6]

주로 코막힘과 비루를 호소하며 재채기, 가려움증은 비교적 드물다. 자세한 문진과 검사를 통해 비염을 일으킬 수 있는 다양한 원인들을 배제함으로써 진단하며, 내시경을 이용하여 구조적 문제점이 있는지 확인하여야 한다.

치료는 증상을 완화시킬 수 있는 약물요법과 수술적 방법을 이용한다. 경구용 항히스타민제나 국소용 항히스타민제인 azelastine과 olopatadine은 증상을 호전시키며,[24] 국소용 스테로이드제 역시 증상을 완화시킬 수 있다. 만약 수양성 비루가 가장 심각하거나 유일한 증상일 경우 ipratropium bromide와 같은 국소용 항콜린제가 도움이 된다.[21,22] 경구용 혈관수축제는 코막힘 증상 완화에 도움이 되지만 심장 혈관계 및 중추 신경계 질환이 있는 경우 주의해서 사용해야 한다. 국소용 혈관수축제는 장기간 사용하면 약물성 비염 등의 부작용이 발생할 수 있으므로 가능한 피하는 것이 좋다.[29,31]

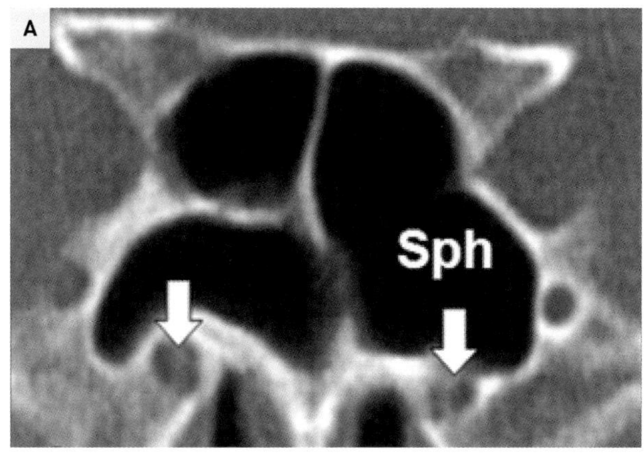

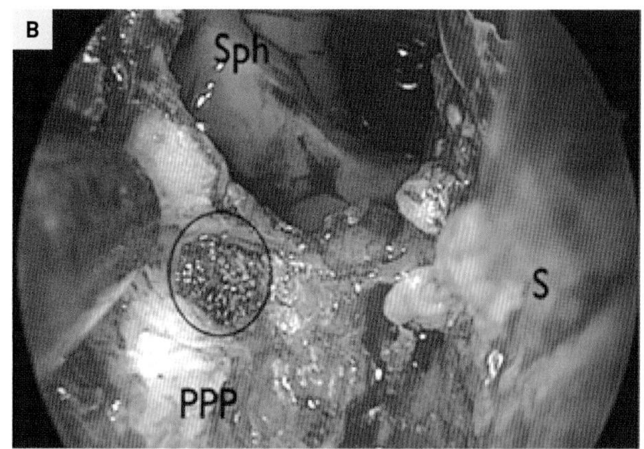

■ 그림 15-1. **A) 비디안신경의 위치(화살표)를 나타내는 관상 전산화단층촬영, B) 비디안신경절제술.** Sph: sphenoid sinus, S: septum, PPP: perpendicular plate of palatine bone, black circle = vidian nerve stump in vidian canal (Hsu CY, Shen PH, Weitzel EK. Endoscopic vidian neurectomy assisted by power instrumentation and coblation. J Chin Med Assoc 2013;76:517-20).

수술적 치료는 약물치료에 실패했거나 증상이 심한 환자에게 시행한다. 치료방법은 크게 비강통기도 개선술과 비루 개선술로 나눌 수 있다. 화학물질이나 전기를 이용한 소작술(cauterization), 점막하 스테로이드 주사법, 전기소작기를 이용한 하비갑개의 점막하 투열요법(submucosal diathermy) 등은 증상의 호전이 일시적이며 점액섬모운동을 손상시키는 등의 부작용이 있어 요즘에는 잘 사용되지 않고 있다. 비갑개의 부분 절제술은 비갑개골이 과증식(hypertrophy)된 경우 유용한 수술법이다. 레이저를 이용한 하비갑개 소작술은 수술 1년 후에도 77~90%에서 증상 호전을 보인다. 수술 후에는 비강 내 가피가 형성되므로 매주 이를 제거해 주어야 하며, 보통 수술 후 4~8주에는 정상점막으로 돌아온다.[16] 최근에는 고주파 혹은 미세절삭기를 이용하여 점막하 연부조직의 부피를 줄여주는 술식이 시도되고 있다.[23,30] 또한 동물실험 등에서 Botox (botulinum toxin type A)를 점막하에 주사하는 시도도 있다.[34] 심한 비루를 호소할 때에는 비디안신경절제술(vidian neurectomy)(그림 15-1)을 시행할 수 있으며 과거 내시경이 발달하지 않았을 때에는 구강을 통한 접근법을 시행하였고 이후에는 내시경을 이용한 수술이 보고되고 있다. 하지만 치료효과에 대한 정확한 결과는 보고자마다 논란이 있으며 합병증으로 일시적 혹은 영구적 안구마비, 누액감소, 감각이상 등이 발생할 수 있다.[17,19]

2) 혈관운동성 비염(Vasomotor rhinitis)

자율성 비염(autonomic rhinitis)이라고도 불리며 자율신경계의 이상으로 인해 발생하는 만성적인 비염이다. 병리생리학적으로 비점막 내의 자율신경계 불균형에 인한 것으로 추정되는데, 즉 비점막에 대한 과도한 부교감신경 자극 또는 상대적으로 교감신경 능력의 저하 때문으로 여겨진다.[18,28] 특발성 비염과는 발생기전에 차이를 보이나 임상적으로 두 질환을 감별하기는 매우 어렵다.

환자들은 일반적으로 상기도의 과반응성을 보이는데 이것은 온도나 습도, 담배연기나 강한 향기와 같은 자극에 노출되었을 때와 같은 비특이적인 환경 변화에 정상 방어기전이 과장되어 반응하는 것을 말한다. 증상을 악화시키는 요인은 알레르기 비염과 달리 비특이적인 것으로, 담배연기, 공해, 분무제, 강한 향수, 심한 악취 등의 자극물질, 너무 높거나 낮은 체온, 습도, 공기순환 저하 등의 물리적, 환경적 요인과 스트레스, 불안감, 피로와 같은 심리적인 요인이 있다.[43] 알레르기 피부검사는 음성이거나 증상과 연관이 없는 것이 보통이다. 주요 증상으로는 자극에 의한 수양성 비루가 나타나며, 그 외에는 혈관확장, 부종, 점액의 과다분비, 코막힘, 드문 재채기, 안면 압박감, 부비동 자연공의 폐쇄로 인한 두통 등이 있다.[6] 계절적으로 증상의 차이는 없으며 안구 증상도 거의 없다.

수양성 비루를 감소시키는 ipratropium bromide와 같은 국소용 항콜린제가 효과적이며, 국소용 스테로이드제와 국소용 항히스타민제도 효과가 있는 것으로 밝혀져 있다.[28,43] 약물치료에 반응하지 않을 때는 특발성 비염에서와 같은 수술적 치료를 시도할 수 있다.

3) 호산구증다증과 관련된 비알레르기 비염

비즙에서의 호산구증다의 유무에 따라 비알레르기 비염을 호산구성 비염(eosinophilic rhinitis)과 비호산구성 비염(non-eosinophilic rhinitis)으로 분류할 수 있다.[8] 호산구 증식증을 동반한 비알레르기성 비염(NARES, non-allergic rhinitis with eosinophilia syndrome)은 20여년 전에 기술되었으나 그 범위는 논란이 되어왔다. 비즙 내 호산구 증식증과 재채기, 가려움증, 비루, 코막힘이 있으나 알레르기 반응이 없는 것을 특징으로 하는 원인불명 비염의 한 형태로 간주된다.[6,21]

호산구성 비염은 비호산구성 비염에 비해 방사선학적 검사상 부비동의 점막비후가 현저하고, 아스피린 과민성을 보일 수도 있으며, 천식이나 비용종증과 연관될 수 있다. 비즙 도말검사에서 호산구가 25% 이상이고 알레르기의 병력이 없으며, 피부반응검사에 음성이고 정상적인 혈중 IgE 농도를 보이면서 국소용 스테로이드제에 반응할 때 진단이 가능하다.[6,21,25]

항히스타민제나 혈관수축제는 뚜렷한 치료효과가 없으며, 스테로이드를 사용하면 증상이 호전되고 비점막의 호산구 침윤도 감소한다.[21,25]

4) 직업성 비염

작업장의 공기 내 물질은 상기도에 영향을 미칠 수 있으며 알레르기 반응이나 비알레르기성 과민반응을 일으킬 수 있다.[6,21] 산 무수물이나 백금염, 용매같은 화학물질, 또는 낟알이나 목재로부터 나오는 분진 등도 자극물이 될 수 있다. 오존이나 이산화황, 이산화질소, 휘발성 유기화합물, 포름알데하이드 등이 원인이 될 수 있다는 주장도 있다.[6,8]

자세한 병력청취는 원인을 추정할 수 있고 의심되는 자극 물질을 제거한 후 증상 호전이 있는 것으로 확진된다. 임상 증상은 대개 비특이적이기 때문에 직접적인 비유발검사(nasal provocation test)를 통해 확인이 필요하다. 코막힘, 수양성 비루와 함께 직업성 천식이나 결막염, 피부염이 동반될 수 있다. 진단을 위하여 의심되는 물질을 조심스럽게 증량하면서 환기가 되는 방안에서 노출시키며 검사하는 것이 필요하다. 치료는 회피요법(avoidance)이나 공기여과(air filtration)가 이용된다. 또한 여과마스크가 효과적인 예방법이 될 수 있다.[21]

5) 호르몬성 비염

내분비계 호르몬의 변화가 코에 영향을 미칠 수 있다. 생리 중이나 임신 시에 일부 여성은 심각한 코막힘, 수양성 비루, 때때로 심한 비출혈을 경험하기도 한다. 임신 말기에 더욱 심해지는데 이것은 혈중 에스트로겐 수치와 연관되어 있으며, 출산과 함께 증상이 소실된다. 폐경 후 호르몬의 변화는 비점막의 위축을 가져올 수 있다.[25] 임신 중 약물의 사용은 되도록 삼가하는 것이 좋겠지만, 증상이 충분히 억제될 수 있다면 약물치료를 고려할 수 있다.[36] 약물을 사용하기 전에 안전하고 효과적인 증상 완화 방법은 생리식염수 세척이다. 효과가 적은 경우 국소용 스테로이드제가 주로 이용되며, 지금까지 그로 인한 기형유발이나 다른 부작용을 일으켰다는 증거는 아직 없다.[26] 경구용 혈관수축제는 이론적으로 태반과 태아에 혈관 질환을 일으킬 수 있으나, 경구용 슈도에페드린 제제는 허용용량 한도 내에서 임신 중에도 널리 처방되고 있다. 그러나 이들 약물들은 사람에서 아직 연구가 시행되지 않은 경우가 많으므로 과용되지 않도록 주의하고 꼭 필요한 경우가 아니라면 피하는 것이 좋다.

특정한 내분비 질환, 특히 갑상선 기능저하증과 말단비대증에서는 코막힘과 분비물이 발생할 수 있다. 갑상선 기능저하증은 일반적으로 교감신경 기능이 저하되고, 상대적으로 부교감신경 기능이 두드러져 비강에서 혈관확장을 유도하여 비증상이 나타난다. 이런 경우는 우선 갑상선 호르몬이상을 교정한 후에 남아있는 비강 내의 병적 상태를 교정한다.[12,13]

6) 약물성 비염

표 15-3과 같이 여러 약물이 비증상을 일으키는 것으로 알려져 있다.[2] 아스피린은 비점막의 급성 염증반응을 유발하여 비충혈과 비루를 증가시키는 전형적인 예로서, 비용종증 및 비알레르기성 천식과도 연관이 있으며 이런 경우에는 아스피린과 비스테로이드성 항염증제(NSAID, non-steroidal antiinflammatory drug)를 회피하는 것이 중요하다. 심혈관계 약인 레저핀(reserpine), 구아네틴(guanethine), 펜톨아민(phentolamine), 메틸도파(methyldopa), 안지오텐신-전환효소(ACE) 억제제, 알파 아드레날린 수용체 길항제 등이 코에 영향을 미치며 코막힘을 유발하는 것으로 알려져 있다. 또한 외용 안구제제 중 베타 차단제, 클로르프로마진(chlorpromazine)과 경구용 피임제가 호르몬의 변화를 일으켜 증상이 발생할 수 있다. 마약으로 많이 사용되는 코카인은 잦은 비루 및 코막힘, 후각저하, 비중격천공 등을 일으킬 수 있다.[2,9]

일반적으로 약물성 비염(drug induced rhinitis, rhinitis medicamentosa)이라 함은 비점막수축제나 항고혈압제, 발기촉진제, 항정신성 약물 등 여러 종류의 전신약물 투여 후 올 수 있는 코막힘 현상을 총칭한다.[6] 특히 국소용 혈관수축제는 강력한 혈관수축 효과가 있으며, 지속적으로 사용하면 반동성 혈관확장(reactive vaso-dilatation)과 충혈, 조직 내 부종이 생기는 것으로 알려져 있다.[31] 비점막 혈관계와 점액분비에 대한 교감신경계의 반응이 감소하며, 그 결과 혈관수축이 감소하고 혈관확장이 증가한다. 어떠한 국소용 혈관수축제라도 장기간 사용할 때는 위와 같은 현상이 나타날 수 있다. 국소용 혈관수축제의 코막힘에 대한 효과는 즉각적이지만 부작용이 있기 때문에 급성기에 최단기간 사용하고 중단하는 것이 바람직하며, 5일 이상 사용하는 것은 피해야 한다.[29,31] 국소용 혈관수축제에 의한 약물성 비염에서 나타나는 병리학적 변화는 표 15-4에 정리하였다.[31]

약물성 비염의 치료는 환자 교육, 해당 약물의 즉각적인 사용금지가 우선적이다.[29] 환자에게는 부비동염이나 중이염, 그리고 일반 감기 등에는 혈관수축제가 확실한 치료효과가 있는 약물이 아니라는 것을 충분히 설명하고,

표 15-3. 약물성 비염과 관련된 약물

Systemic
Antihypertensive agents
- Methyldopa
- Guanethidine
- Reserpine
- Hydralazine
- Prazosin
- β-Blockers
Oral contraceptives
Non-steroidal antiinflammatory agents
Antithyroid drugs
Iodides
Tricyclic antidepressants
Tranquilizers
- Thioridazine
- Alprazolam
- Chlordiazepoxide
Phosphodiesterase type-5 inhibitors
- Sildenafil citrate
- Tadalafil
Topical
Vasoconstrictors
- Oxymetazoline
- Xylometazoline
- Phenylephrine
- Ephedrine
Cocaine

표 15-4. 국소용 혈관수축제에 의한 약물성 비염에서 관찰되는 병리학적 변화

1. 비점막 섬모 감소와 구조적 변화
2. 점액분비의 증가
3. 편평상피이형화(squamous metaplasia)
4. 배세포의 과증식(goblet cell hyperplasia)
5. 섬모원주상피에서 편평상피로의 전환
6. 표피세포층에서의 epidermal growth factor receptor의 증가
7. 림프구, 형질세포 및 섬유모세포수의 증가

만일 사용하게 되면 반드시 단기간만 사용할 것을 권유한다. 혈관수축제로 인한 약물성 비염은 약 2~3주 동안 약물 사용을 중지하면 정상적인 비주기(nasal cycle)가 회복되면서 증상이 소실된다.[31] 약물을 중단하였음에도 불구하고 증상이 지속된다면 증상 완화를 위한 경험적 치료가 필요하다. 항히스타민제-혈관수축제 복합제를 대체약물로 사용할 수 있으나 전신적인 혈관수축제 투여는 고혈압을 유발할 수 있으므로 고혈압의 기왕력이 있는 환자에서 주의가 필요하다. 국소용 스테로이드제가 가장 많이 사용되는 약제로서 비점막의 부종 및 염증을 줄이고 충혈을 감소시키는 효과를 기대할 수 있다. 만약 국소용 스테로이드제 단독으로 효과가 없다면 국소용 항히스타민제를 병용할 수 있으며, 국소용 혈관수축제 사용을 점차 줄이면서 경구용 스테로이드제를 약 5~7일 정도 단기간 사용하는 것을 고려해 볼 수 있다. 점막하 스테로이드 국소주입술도 유용한 방법이나 실명 등의 부작용에 주의하여야 한다. 국소용 혈관수축제를 수개월간 사용한 경우는 비점막 혈관계에 비가역적인 변화를 일으키므로 비갑개에 대한 수술적 치료를 고려해야 한다.[29]

7) 위축성 비염(Atrophic rhinitis)

위축성 비염은 비정상적으로 넓어진 비강 통기도를 보이나 심한 코막힘을 호소하는 역설적 코막힘(paradoxical nasal stuffiness) 현상을 보이고, 점액섬모기능이 정체되는 질환이다. 원인에 따라 원발성(primary)과 이차성

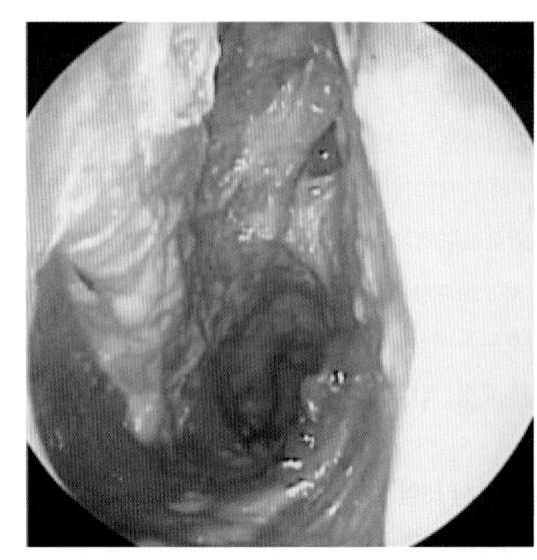

■ **그림 15-2. 원발성 위축성 비염 환자의 우측 비강 내시경 사진**

(secondary)으로 나뉜다.[6] 건조성 비염(rhinitis sicca), 빈코증후군(empty nose syndrome), 그리고 취비증(ozena) 등으로도 불려 왔다.[7,27]

원발성 위축성 비염은 대부분 *Klebsiella ozaenae*의 감염과 연관된 것으로 알려져 있으나 환경이나 일반적인 건강 상태와도 연관이 있다. 비갑개의 골부위 소실과 함께 점막의 진행성 위축이 특징적이며, 악취가 나는 공동을 형성한다(그림 15-2).[27] 원발성 위축성 비염은 사회 보건환경이 양호한 국가에서는 드물다. 비강 양측을 모두 침범하며 사춘기 이후에 발생하고 여성에게 더 흔하다. 이것은 호르몬 불균형이 원인으로 추정될 수도 있지만 바이러스에 의해 유발되는 자가면역학적 현상으로 설명하기도 한다.[6,27]

이차성 위축성 비염은 과도한 수술, 외상, 방사선치료, 만성 육아종성 질환에 의해 발생한다.[21] 원발성 비염에 비해 악취는 적고 가피의 발생도 상대적으로 적은 편이다.[27]

위축성 비염의 조직병리학적 소견으로는 코 내부 모든 부분의 위축성 변화로 대표되는데, 정상호흡상피인 섬모원주상피가 편평상피이형화(squamous metaplasia)를 일으켜 편평상피로 대체되는 것이 특징적이다. 섬모, 점막하 분비선, 배세포(goblet cell)가 감소하고, 모세혈관의

확장과 혈관막의 비후가 나타나며, 점막고유층과 점막하층에 염증세포 침윤, 육아조직 형성, 섬유화 등이 발생하여 점막의 재생이 잘 이루어지지 않는다. 또한 점액섬모기능이 저하되어 분비물이 정체되고 비강 내 습도가 감소하며 악취를 풍기는 가피가 형성된다.[27]

증상으로는 코막힘, 비강 건조감, 가려움증, 다량의 가피, 악취가 나는 비루, 비출혈, 안면통 및 두통이 있으며 그 외에 후각소실이 동반되기도 한다. 때로는 비증상 대신에 인두의 건조감, 가려움증, 기침, 음성변화 등과 같은 인두증상만을 보이는 경우도 있는데 이것은 위축성 비염과 자주 동반되는 건조성 인두염(pharyngitis sicca) 때문이다.[6,27]

환자의 증상을 완화시키는 것이 가장 중요한 치료 원칙이다. 기저 질환의 조절 및 치료, 생리식염수나 알칼리 용액을 이용한 세척, 규칙적인 가피 제거가 필요하다. 25% 포도당과 글리세린 용액과 같은 윤활제를 넣어주고, 연고도포가 가습에 도움이 되기도 하며, 염증이나 악취가 심할 경우 국소 항생제 용액을 사용해 볼 수 있다. *Klebsiella*에 대한 항생제는 장기적으로는 별로 효과적이지 않으나, 플루오르퀴놀론과 메트로니다졸(metronidazole)이 사용될 수 있다.[27] 혈관수축제와 항히스타민제는 점막을 건조시키므로 반드시 피해야 한다.

공동을 줄이기 위해 수술적 방법이 사용될 수 있으나 효과는 제한적이다. 수술치료의 목표는 1) 비강의 용적을 줄여 와류(turbulent flow)로 인해 발생되는 비강 건조감과 가피를 감소시키는 것, 2) 정상 비점막으로의 재생을 돕는 것, 3) 건조한 비점막에 윤활능력을 증가시켜 비강의 분비기능을 향상시키는 것, 4) 비강의 혈류를 증진시키는 것 등이다.[10,27]

비강을 줄이는 방법으로 비강의 외벽을 내측으로 이동시키는 Lautensläger 수술방법 등이 시도되었고, 최근에는 비강의 하벽, 외측벽, 또는 비중격의 점막을 박리한 후에 teflon strip, hydroxyapatite, silastic 등의 인공삽입물질이나 골 또는 연골을 삽입하는 방법도 이용되고 있다.[10] 비점막의 재생을 돕기 위하여 작은 피부 피판으로 비공을 막는 술식이 Young에 의해 제안되었으며,[44] 이는 어느 정도 도움이 될 수는 있으나 다시 개방하게 되면 재발할 수 있다. 또한 상악동 근치술을 시행하면서 상악동 내의 점막을 비강으로 옮겨서 비강의 용적을 줄이고 혈류와 점액을 증가시키고자 하는 노력이 있었고, 비강의 혈류개선을 위해 성상신경절 차단이나 경부 자율신경절 절제술이 이용되기도 한다.[10]

8) 노인성 비염

연령이 증가하면서 비강의 생리적, 구조적인 문제가 발생하여 코의 건조감을 유발하게 된다. 비점막의 분비선 감소로 인해 점액분비가 감소하며 상피세포가 위축되고 수가 감소한다. 또한 섬모의 밀도가 저하되고 비갑개에서의 혈류감소와 점액분비의 감소로 건조감과 가피를 형성하게 되며, 후각신경의 감소로 인한 후각감퇴가 발생한다. 점막의 퇴행성 변화 및 비강 내 기류변화가 점막기능 저하와 더불어서 공기의 습도, 온도 조절능력을 감소시키고, 점막 내 혈관을 조절하는 자율신경계의 기능 저하로 수양성 비루의 빈도가 증가하기도 하여 혈관운동성 비염과 감별을 요한다. 또한 비첨부 연골부의 약화로 인한 이완으로 비내 밸브의 공간이 좁아지게 되는 구조적인 문제가 생긴다.[41]

진단은 다른 질환과의 감별을 통해 이루어지고 연령을 고려한다. 끈적한 후비루, 코불편감, 기침 등을 동반하며, 특히 고령의 환자는 다른 약제를 장기 복용하는 경우가 많으므로 사용약제의 부작용 여부를 확실하게 파악하여야 한다. 또한 방사선 검사를 통하여 부비동염과의 감별이 필요하다.[4]

치료는 환자로 하여금 연령에 의한 자연적인 현상이라는 것을 주지시켜 안심시키는 것이 중요하다. 원인인자가 있다면 제거하거나 교정하고, 비강 내 습도를 조절하려는 노력을 하며, 점액섬모기능을 향상시키는 데 초점을 둔다. 생리식염수 분무제를 사용하여 습도를 조절하고, 점액용해제를 사용하여 끈적한 콧물을 묽게 만드는 것이 도움을 줄 수 있다.[6] 식사, 온도 변화 및 운동과 관련되어 나타나는 맑은 콧물은 ipratropium bromide를 사용하여 조절한다. 노인 환자에게서는 약물사용 시 주의를 기울여야 한다. 항히스타민제를 사용하는 경우 1세대 약물은 비강 건조증을 악화시킬 수 있으므로 2세대 이상의 약물을 사용해야 한다. 국소용 스테로이드제는 안구의 압력을 상승시켜 녹내장(glaucoma)을 유발하거나 악화시킬 수 있어 주의가 필요하다. 경구용 혈관수축제나 비강 내 혈관수축제의 사용은 부작용이 많아 주의를 요한다. 고령의 환자이므로 수술적인 교정보다는 보존적인 치료를 우선 생각하고 수술을 시행하더라도 보존적으로 시행한다.[4,11]

9) 음식물 유발성 비염

음식물도 다양한 방법으로 비증상을 유발할 수 있다. 음식물 알레르기는 비염의 흔한 원인은 아니며, 음식물 자체나 착색료 혹은 보존료에 대한 과민반응으로 증상이 발생한다.[38] 알코올 음료는 생리학적인 혈관확장으로 코막힘을 발생시키거나, 포함하고 있는 많은 성분으로 알레르기나 비알레르기 반응을 보일 수 있다.

미각성 비루는 향신료가 강한 음식에 의해 유발될 수 있으며 붉은 고추의 캡사이신 때문에 발생한다. 이 물질은 감각신경을 자극하고 타키키닌(tachykinin)과 같은 신경펩타이드의 방출을 유도한다. 구개에 있는 감각신경이 콜린성 반사를 유발하여 증상이 나타나는 것으로 알려져 있으며, 치료는 0.03% ipratropium bromide 비강 분무제를 식사 10분 전에 뿌려주면 된다.

10) 자극성 비염

외부 온도나 기압의 급격한 변화도 비염 증상을 유발할 수 있다. 특히 찬 공기의 비점막에 대한 영향은 천식 연구에서 많이 언급되어 왔는데, 찬 공기는 비점막의 건조를 유발하고, 비루, 비충혈, 재채기 등의 증상을 일으킨다. 또한 점액의 점성도를 증가시켜서 염증 매개체와 부교감신경 자극에 의한 비염 증세를 나타낸다. 찬 공기에 의해 증가된 점액의 점성에 의해 점막표면의 비만세포는 매개체를 분비하는데, 이 매개체는 상피, 혈관운동, 분비선에 변화를 일으켜 점액이동을 증가시키고 점액의 점성도를 떨어뜨려 항상성을 유지하는 것으로 생각된다.[40] 기압에 의한 비염은 압력 변화에 의한 비충혈 현상 때문으로 생각되나 아직 자세한 기전은 알려져 있지 않다.

이 외에도 담배연기, 매연, 강한 향수, 심한 악취, 분진이나 화학물질, 자극적인 음식물 등이 비증상 발생과 연관이 있지만 혈관운동성 비염, 직업성 비염, 음식물 유발성 비염에서 이미 언급하였으므로 구체적인 설명은 생략하기로 하겠다.

11) 정서적 원인에 의한 비염

성적 각성(sexual arousal)과 스트레스는 코에 영향을 미치는 데 신혼부부에서 소위 '밀월비염(honeymoon rhinitis)'이라는 비염을 일으킬 수 있다. 이는 자율신경의 자극에 의한 것으로 치료는 필요하지 않다.

감정적 요소인 불안, 적개심, 죄책감, 좌절, 분개 등은 자율신경계에 의한 비혈관 조절을 방해하여 코막힘과 비루를 유발하며 기존의 비강 질환을 악화시킨다. 또한 정서적 원인에 의한 비염 환자 중 비충혈로 인한 코막힘과 편두통이 동반되는 경우도 있으며, 이런 환자에서는 부비동염에 의한 두통과의 감별이 중요하다. 치료는 스트레스나 불안을 유발하는 요인을 제거하고 직접 비점막의 충혈을 처치한다.[25]

12) 전신질환에 의한 비염

전신질환이 만성 비염 증상으로 나타날 수 있으므로 치료에 반응하지 않는 만성 비알레르기 비염의 경우 전신질환 여부를 확인해야 한다.[6] Wegener 육아종증, 사코이드증(sarcoidosis), 홍반성 루푸스, 만성 재발성 연골막염과 같은 자가면역질환과 결핵, 매독 및 만성 진균성 감염과 같은 염증성 질환을 고려해야 한다. 혈액암이 비염의 형태로 증상이 발현될 수 있고, 대표적으로 NK/T세포 임파종 또는 만성 임파구성 백혈병이 비염 증상으로 나타날 수 있다.[6,21]

파킨슨병의 경우 교감신경계의 조절장애로 인해 콧물이 많이 분비되는 혈관운동성 비염형태로 나타날 수 있으며,[15] ipratropium bromide에 반응하는 경우가 많다.

위식도 역류가 특히 소아에서의 비알레르기 비염 증상을 일으키는 원인으로서 그 역할이 증가하는 것으로 여겨지고 있고 그에 대한 연구도 진행되고 있다.[33]

참고문헌

1. 노관택. 이비인후과학. 일조각, 2004, p.200-204.
2. 이정권, 김경수. 비강질환. 대한비과학회 편. 임상비과학. 일조각, 1997, p.149-168.
3. 장용주. Rhinovirus에 의한 감기의 병태생리와 치료. 대한이비인후과학회지 2003;46:93-99.
4. 최종욱. 노인성 이비인후과 질환의 특성과 치료. 대한의사협회지 2005;48:210-217.
5. Berger WE, Shoheiber O, Ledgerwood GL, et al. New challenges to old standards in the treatment of rhinitis. J Manag Care Spec Pharm 2001;7:S4-13.
6. Chan TV. Nonallergic rhinitis. In: Johnson JT, Rosen CA, editors. Bailey's Head and Neck Surgery-Otolaryngology. 5th ed. Baltimore: Lippincott Williams & Wilkins;2014. p.469-488.
7. Chhabra N, Houser SM. The diagnosis and management of empty nose syndrome. Otolaryngol Clin North Am 2009;42:311-330.
8. Corren J, Baroody FM, Pawankar R. Allergic and nonallergic rhinitis. In: Adkinson NF Jr., Bochner BS, Burks AW, et al, editors. Middleton's Allergy: Principles and Practice. 8th ed. Philadelphia: Elsevier;2014. p.664-685.
9. Dax EM. Drug dependence in the differential diagnosis of allergic respiratory disease. Ann Allergy 1990;64:261-263.
10. Dutt SN, Kameswaran M. The aetiology and management of atrophic rhinitis. J Laryngol Otol 2005;119:843-852.
11. Edelstein DR. Aging of the normal nose in adults. Laryngoscope 1996;106:1-25.
12. Ellegard EK, Karlsson NG, Ellegard LH. Rhinitis in the menstrual cycle, pregnancy, and some endocrine disorders. Clin Allergy Immunol 2007;19:305-321.
13. Eyigor H, Basak S, Kozaci D, et al. Pathogenesis of rhinitis in rats with experimentally induced hypothyroidism. Clin Lab 2012;58:1263-1268.
14. Fokkens WJ. Thoughts on the pathophysiology of nonallergic rhinitis. Curr Allergy Asthma Rep 2002;2:203-209.
15. Friedman JH, Amick MM, Chou KL. Rhinorrhea and olfaction in Parkinson disease. Neurology 2008;70:487-489.
16. Fukutake T, Yamashita T, Tomoda K, et al. Laser surgery for allergic rhinitis. Arch Otolaryngol Head Neck Surg 1986;112:1280-1282.
17. Golding-Wood PH. Vidian neurectomy: Its results and complications. Laryngoscope 1973;83:1673-1683.
18. Hadley JA. Vasomotor rhinitis remains a true clinical problem. Arch Otolaryngol Head Neck Surg 2003;129:587-588.
19. Halderman A, Sindwani R. Surgical management of vasomotor rhinitis: A systematic review. Am J Rhinol Allergy 2015;29:128-134.
20. International Rhinitis Management Working Group. International consensus report on the diagnosis and management of rhinitis. Allergy 1994;49:1-34.
21. Joe SA, Liu JZ. Nonallergic rhinitis. In: Flint PW, Haughey BH, Lund VJ, et al, editors. Cummings Otolaryngology-Head and Neck Surgery. 6th ed. Philadelphia: Elsevier;2015. p.691-701.
22. Jones AS. Intrinsic rhinitis. In: Kerr AG, editor. Scott-Brown's Otolaryngology. 6th ed. London: Butterworth-Heinneman;1997. p.4/9/1-17.
23. Lee JY, Lee JD. Comparative study on the long-term effectiveness between coblation- and microdebrider-assisted partial turbinoplasty. Laryngoscope 2006;116:729-734.
24. Lieberman P, Meltzer EO, LaForce CF, et al. Two-week comparison study of olopatadine hydrochloride nasal spray 0.6% versus azelastine hydrochloride nasal spray 0.1% in patients with vasomotor rhinitis. Allergy Asthma Proc 2011;32:151-158.
25. Lund VJ. Acute and chronic nasal disorders. In: Snow JB, Wackym PA, Ballenger JJ, editors. Ballenger's Otorhinolaryngology: Head and Neck Surgery. 17th ed. Connecticut: PMPH-USA;2009. p.557-566.
26. Mazzotta P, Loebstein R, Koren G. Treating allergic rhinitis in pregnancy. Safety considerations. Drug Saf 1999;20:361-375.
27. Moore EJ, Kern EB. Atrophic rhinitis: A review of 242 cases. Am J Rhinol 2001;15:355-361.
28. Pattanaik D.( )Lieberman P. Vasomotor rhinitis. Curr Allergy Asthma Rep 2010;10:84-91.
29. Peter Graf. Rhinitis medicamentosa: A review of causes and treatment. Treat Respir Med 2005;4:21-29.
30. Prokopakis EP, Koudounarakis EI, Velegrakis GA. Efficacy of inferior turbinoplasty with the use of CO_2 laser, radiofrequency, and electrocautery. Am J Rhinol Allergy 2014;28:269-272.
31. Ramey JT, Bailen E, Lockey RF. Rhinitis medicamentosa. J Investig Allergol Clin Immunol 2006;16:148-155.
32. Reibel F, Cambau E, Aubry A. Update on the epidemiology, diagnosis, and treatment of leprosy. Med Mal Infect 2015;45:383-393.

33. Roberts G, Xatzipsalti M, Borrego LM, et al. Paediatric rhinitis: Position paper of the European Academy of Allergy and Clinical Immunology. Allergy 2013;68:1102-1116.
34. Rohrbach S, Laskawai R. Minimally invasive application of botulinum toxin type A in nasal hypersecretion. ORL J Otorhinolaryngol Relat Spec 2001;63:382-384.
35. Sanico A, Togias A. Noninfectious, nonallergic rhinitis (NINAR): Considerations on possible mechanisms. Am J Rhinol 1988;12:65-72.
36. Schatz M, Zeiger RS. Diagnosis and management of rhinitis during pregnancy. Allergy Proc 1988;9:545-554.
37. Settipane RA, Lieberman P. Update on nonallergic rhinitis. Ann Allergy Asthma Immunol 2001;86:494-507.
38. Sicherer SH, Sampson HA. Food allergy. J Allergy Clin Immunol 2010;125:S116-125.
39. 39. Spector SL. Allergic and nonallergic rhinitis: Update on pathophysiology and clinical management. Am J Ther 1995;2:290-295.
40. Togias AG, Proud D, Lichtenstein LM, et al. The osmolality of nasal secretions increases when inflammatory mediators are released in response to inhalation of cold, dry air. Am Rev Respir Dis 1988;137:625-629.
41. Victor DJ. Rhinological disorders in the elderly. J Otolaryngol 1986;15:228-230.
42. Weir N, Golding-Wood DG. Infective rhinitis and sinusitis. In: Kerr AG, editor. Scott-Brown 's Otolaryngology. 6th ed. London: Butterworth-Heinneman;1997. p.4/8/1-49.
43. Wheeler PW, Wheeler SF. Vasomotor rhinitis. Am Fam Physician 2005;72:1057-1062.
44. Young A. Closure of the nostrils in atrophic rhinitis. J Laryngol Otol 1967;81:515-524.

CHAPTER

16

비갑개의 수술

이경철, 심우섭

I 서론

비강을 통한 호흡기류는 비강의 측벽에 위치하는 비갑개를 따라 흐름이 일정한 층류(laminar flow)를 형성하고, 이 중 50% 이상이 비강저를 따라 기류를 형성한다.[13] 그러므로 비강저에 위치한 하비갑개의 비후가 있으면 기류의 저항이 생겨 코막힘이 발생할 수 있다. 이러한 하비갑개의 비후는 점막의 비후와 비갑개골의 비대로 나눌 수 있다.

점막의 비후를 일으키는 원인으로 알레르기 비염, 혈관운동성 비염, 만성 감염성 비염 등을 들 수 있는데, 만성적인 자극이 정맥총의 울혈 및 점막 내 섬유화와 염증 과정을 유도하고 이러한 상태가 지속되어 비갑개 점막의 비후가 발생한다.[5]

비갑개골의 비대를 일으키는 대표적인 원인으로 대상성 하비갑개 비후를 들 수 있다. 이는 과다한 공기 흐름으로 인해 비강 내의 건조와 가피형성이 생기는 것을 막기 위한 생리 현상으로,[26] 이러한 보상 작용은 하비갑개뿐만 아니라 중비갑개에서도 일어날 수 있다.[6,9] 점막 비후에 의한 하비갑개 비후인 경우에는 국소적 혈관 수축제에 좋은 반응을 보이나, 비갑개골의 비대로 인한 경우에는 국소 약물에 잘 반응하지 않으며,[13] 수술적인 치료가 필요한 경우가 많다.

하비갑개 비후의 치료에는 보존적 치료와 외과적 치료법이 있다. 보존적 치료로는 비점막 혈관수축제의 경구복용, 국소 스테로이드제의 비강 분무, 스테로이드의 하비갑개 주사 등이 있으며, 이에 반응을 보이지 않을 경우 수술적 치료를 고려하게 되는데, 하비갑개의 외측 골절전위(lateral fracture displacement), 전기 혹은 약물 소작, 점막하 온열수술, 하비갑개 성형술, 하비갑개의 부분 혹은 전절제술 등을 시행할 수 있다(표 16-1)(그림 16-1).[7]

하비갑개 수술의 목적은 비강 기도를 넓혀 호흡을 원활하게 하기 위한 것이다. 이때 수술에 따른 출혈이나 비가역적인 비강 건조, 가피 형성, 악취 등의 합병증이 발생하지 않도록 하는 것이 중요하다.

하비갑개의 골절전위는 Killian이 1904년 하비갑개 전

표 16-1. **하비갑개 비대의 수술적 치료**

방법	소개된 시기	현재 사용	사용하지 않음
전기 소작	1845-1880	+	
화학 소작	1869-1890	+	
하비갑개 절제술	1882	+	
외측 전위	1904	+	
비갑개골의 점막하 절제	1906-1911	+	
하비갑개 부분 절제술	1930-1953	+	
코티코스테로이드 주입	1952		+
경화제 주입	1953		+
비디우스 신경절제술	1961		+
냉동요법	1970		+
하비갑개 성형술	1982	+	
레이저 절제술	1977	+	
Powered instruments	1994	+	

절제술의 대안으로 시행한 시술로, 하비갑개를 거상기(elevator)나 장비경(long bladed speculum)을 이용하여 외측으로 전위시키는 것이다. 간단하게 시행할 수 있고, 특별한 합병증이 동반되지 않는 장점이 있으나 효과가 크지 않기 때문에 다른 비중격 수술의 보조적인 시술로 행해지고 있다.[10,20] 하비갑개의 용적을 줄이는 술식으로 수술용 칼, 전기소작(electrocautery), 냉동요법(cryosurgery), 레이저, 무선주파(radiofrequency) 절제술 등이 이용되는데, 울혈된 조직을 제거하되 최대한 점막을 보존하고 과다 출혈을 예방하기 위해 주요 혈관들은 보존하여야 하며 분비선 조직들을 최대한 보존하는 방법으로 이루어져야 한다(표 16-2).[1,4]

하비갑개의 점막뿐 아니라 골부의 비후를 동반하는 경우에는 골부와 외측 점막을 절제한 후 내측 점막으로 절

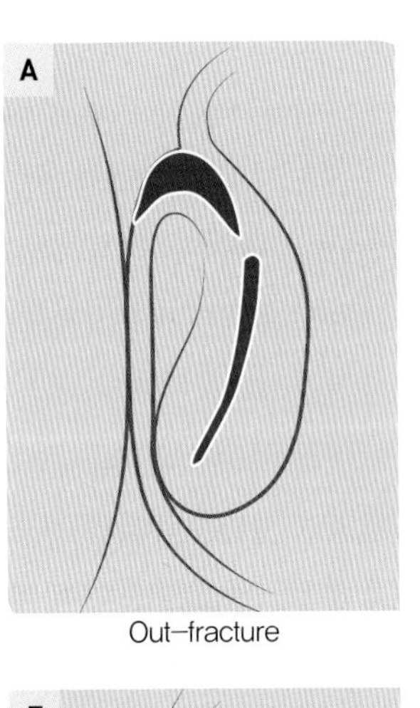

Out-fracture

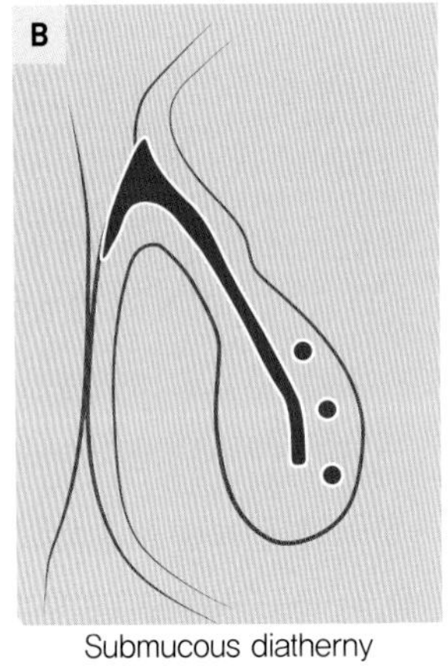

Submucous diatherny

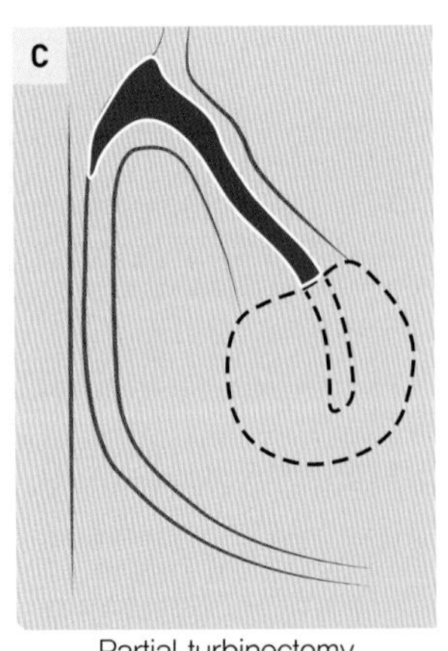

Partial turbinectomy

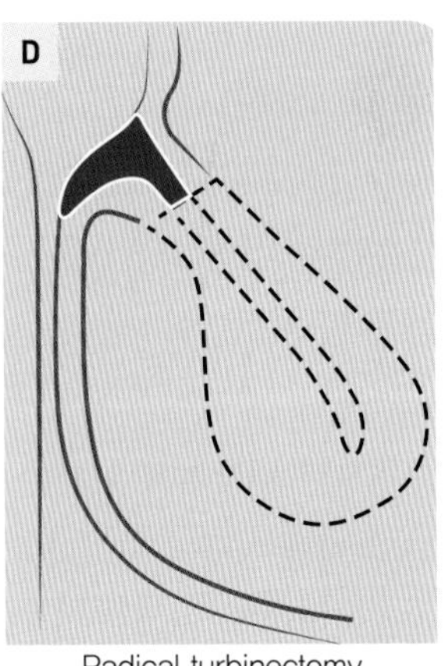

Radical turbinectomy

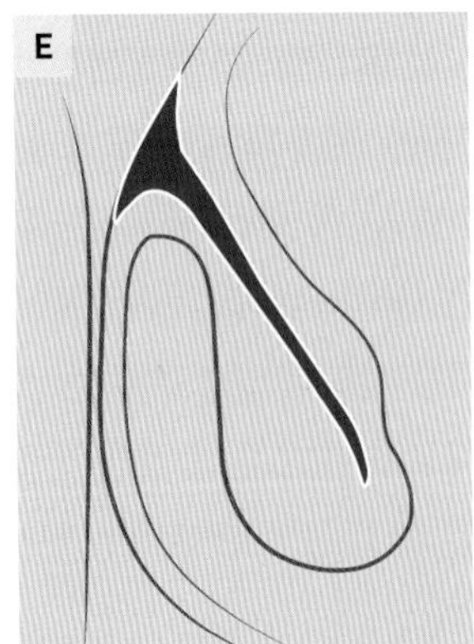

Linear electrocautery

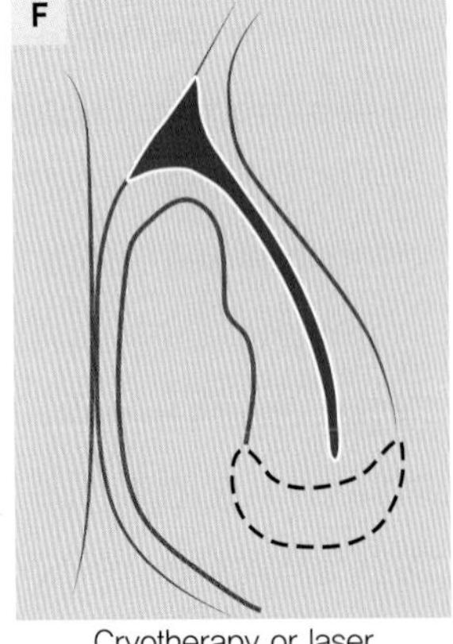

Cryotherapy or laser turbinectomy

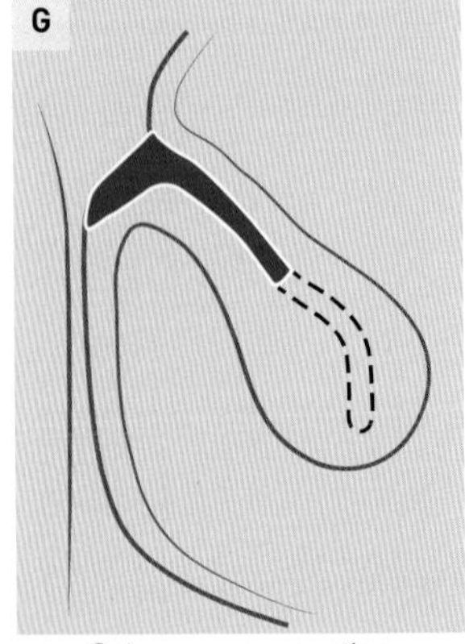

Submucous resection

■ 그림 16-1. **하비갑개 수술.** **A)** 외향골절, **B)** 점막하 열치료, **C)** 하비갑개 부분절제술, **D)** 하비갑개 전절제술, **E)** 전기소작술, **F)** 냉동요법 또는 레이저 절제술, **G)** 하비갑개 점막하 절제술

표 16-2. 하비갑개 치료법에 따른 술 후 결과 (Passali et al., 1999, 2003)

술식	술후 증상	장기 효과	점액섬모수송 시간	비강의 부피 (음향 통기도)	합병증
전기소작술	호전	불량	연장	장기 효과 불량	+
냉동요법	호전	불량	연장	장기 효과 불량	+
레이저 절제술	호전	양호	연장	장기 효과 불량	+
점막하 절제술	호전	양호	정상	양호	+
점막하 절제술+외측 전위	호전	양호	정상	양호	0
비갑개 절제술	호전	양호	연장	양호	0

제면을 덮는 전통적인 하비갑개 성형술이나 하비갑개 부분절제술, 점막하 절제술 등을 시행할 수 있으며,[2] 점막의 비후만 있는 만성적인 비후성비염이나 알레르기 비염의 경우 최근 레이저와 무선주파를 이용한 코블레이터(coblator)가 수술에 많이 이용되고 있다.[12]

1. 마취

수술은 주로 국소마취하에 외래에서 시행하게 되거나 수술장에서 비중격수술과 함께 시행하게 되기도 한다. 앉은 자세에서, 1:100,000 에피네프린과 2% 리도카인을 섞은 용액을 면거즈(cotton pledget)에 묻혀 하비갑개의 앞쪽과 내측면을 따라 약 10~15분간 비강에 넣어둔다. 1:100,000 에피네프린이 섞인 2% 리도카인으로 양측 경구개 접형구개신경절 마취(transpalatal sphenopalatine ganglion block)를 시행하기도 한다. 이후 2% 리도케인을 하비갑개의 앞쪽 면에 약 3~5 ml 주사한다.[4,19]

충분한 마취를 통해 환자의 통증과 출혈을 줄일 수 있을 뿐 아니라, 마취에 의해 하비갑개의 직경이 커지는 효과가 있어 무선주파를 이용하는 경우 점막의 손상을 막아주는 역할을 할 수 있다. 또한 점막하 비갑개 성형술 시 수술 부위의 수력박리(hydrodissection)와 점막의 거상을 도와주는 역할을 한다.[4]

2. 수술

1) 하비갑개 전절제술

하비갑개 절제술은 1882년 Jarvis가 cold wire snare를 이용하여 하비갑개의 일부를 절제한 것이 기원으로 1890년대에 하비갑개 전절제술의 성공적인 수술 결과가 소개되기도 하였으나, 1900년대에 이르러 술 후 위축성 비염 등의 문제점이 나타나기 시작하였다.

술식은 1:100,000 에피네프린과 2% 리도카인을 섞은 용액에 묻힌 면거즈를 코 안에 넣었다 제거하고, 하비갑개에 마취 주사한 후 내측 전위를 시키는데, 내측 전위를 시킴으로써 수술을 시행하는 데 더욱 용이한 접근이 가능하고 출혈을 줄일 수 있을 뿐 아니라 비갑개의 후하부의 마취도 가능해지는 장점이 있다. 그 후 비갑개 가위(turbinate scissor)를 이용하여 하비갑개를 절제하고 흡인 전기소작기를 이용하여 절제된 비갑개의 기저부를 지혈한다. 팩킹은 약 3~4일간 유지한다.[16]

여러 연구에서 위축성 비염을 동반한 악취와 비강 건조, 가피 형성, 출혈 등이 술 후 합병증으로 발생할 수 있음이 밝혀졌다. 여전히 효과적인 술식이라는 보고도 있으나,[10,23] 하비갑개 절제에 이용되는 여러 술식 중 가피 형성과 유착, 출혈, 위축 등의 합병증이 가장 흔히 나타나는 것으로 조사되었다.[20,23] 이러한 이유로 현재 흔히 사용되는 술식은 아니며, 보다 보존적인 술식이 행해지고 있다.

2) 하비갑개 부분절제술

하비갑개 부분절제술은 비갑개의 기본골격은 유지하면서 하비갑개의 일부만을 제거하는 술식으로, 하비갑개의 전절제로 야기될 수 있는 위축성 비염 등의 합병증을 피하기 위해 시행되고 있다. 비후된 연부조직의 신속한 제거가 가능하고, 코막힘 등의 증상 완화에 도움이 되는 것으로 확인되고 있으며, 이용되는 도구는 다양하나 최근에는 microdebrider를 이용하는 경우가 많다.[24]

3) 점막하 비갑개 절제술

비갑개 전절제술 시행 후에 나타나는 합병증을 줄이는 방안을 강구하던 중 하비갑개의 부피를 줄이는 보다 보존적인 술식에 대한 연구를 시행하기에 이르렀다. 이러한 비갑개 전절제술의 대안으로 하비갑개골의 점막하 절제술(submucous resection of turbinate)이 소개되었고, 1911년 Freer에 의해 보다 명확한 술식이 확립되었다. 이후 여러 연구에서 좋은 술 후 성공률이 보고되었고, 하비갑개 성형술(inferior turbinoplasty)이라는 용어로 술식이 재정립되었으며,[12] 비강 기능의 보존 측면에서 가장 좋은 결과를 보였다.[19]

술식은 다음과 같다. 비갑개 및 외측 비강벽을 마취하고 혈관수축제를 사용한 후에 하비갑개의 절제를 시행한다. 뒤쪽에서 앞쪽으로 하비갑개의 아래면을 따라 수직 절개선을 그은 후, 날카로운 거상도구를 이용하여 골부의 양측으로부터 점막을 들어올린다. 하비갑개골을 골절시키고 비갑개 가위를 이용하여 제거한다. 위, 아래쪽의 mucoperiostium flap을 조심스럽게 보존하고, 잘려진 하비갑개의 외측방향으로 위치시킨 후 약 24~48시간 동안 팩킹하여 치유되기를 기다린다.[4]

4) 흡입절삭기를 이용한 하비갑개 수술

최근 흡입 절삭기(microdebrider)와 같은 도구(powered instrument)가 하비갑개 수술에 이용되기 시작하였다.[21] 흡입 절삭기는 불필요한 점막 절제로 인한 합병증을 줄이고 점막을 보호하는 데 있어 기존의 치료법보다 여러 장점을 가지며, 빠르고 효율적인 방법으로 많은 술자에 의해 사용되고 있다.[12]

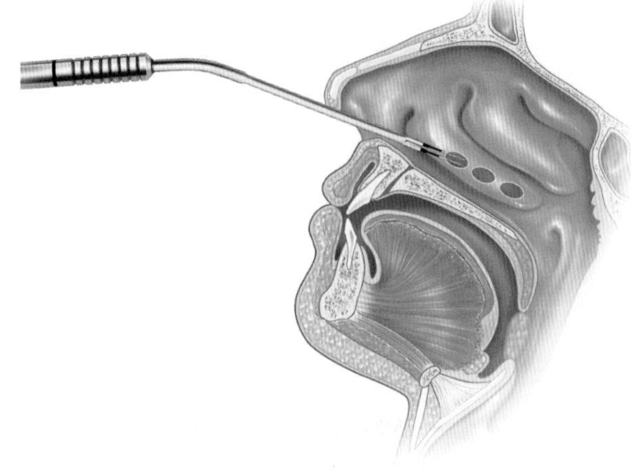

■ 그림 16-2. **미세절삭기를 이용한 하비갑개 수술(비갑개 내부 접근법)**

하비갑개의 외측 및 하부 경계 부위를 직접 절삭하는 경우도 있으나, 앞쪽면에 수직 절개를 넣고, 비갑개골부의 내측면을 조심스럽게 박리하여 점막하 포켓을 만든 후 절개부위를 통해 직선형 흡입절삭기를 삽입하여 비갑개 내부의 연조직을 절제하는 경우가 일반적이다. 이 때 점막하층으로부터 외측방향으로 칼날을 위치하도록 하여 점막의 손상에 주의해야 하고 필요시 흡인 전기소작기로 지혈을 하나 절개선을 다시 닫을 필요는 없다. 하비갑개의 크기 감소는 시술 직후 바로 알 수 있으며 약 24시간 가량 비강 팩킹을 유지한다(그림 16-2).[10,20]

Friedman[10]의 연구에 따르면, 120명을 시술한 결과 약 75%에서 증상의 완전 관해를 보였으며 나머지에서 경도의 코막힘 등을 호소하였고 유착이 약 5%에서 발견되었으나 가피와 악취, 비루관 손상 등은 관찰되지 않았다.

5) 레이저 하비갑개 성형술

1977년 하비갑개 수술에 처음으로 아르곤 레이저가 도입된 이후,[12] CO_2 laser, KTP laser, Nd-YAG laser, diode laser, Ho-YAG laser 등이 차례로 사용되었다. 아

르곤 레이저와 KTP 레이저는 헤모글로빈과 멜라닌과 같은 물질에 흡수되는 성질이 있고, 응고되는 깊이는 약 2 mm로 알려져 있다. Diode 레이저와 Nd-YAG 레이저는 물이나 조직 단백질, 혈액에 잘 흡수되지 않으므로 조직 깊은 곳까지 에너지를 전달하는 데 용이하다. 반면 CO_2 레이저는 물에 흡수가 잘 되어 조직 표면의 절제가 가능하고, Ho-YAG 레이저는 물에 잘 흡수되고 지혈이 잘 되는 특징이 있다.[7]

레이저는 조직에 흡수되는 간섭성의 빛을 생성하는데, 흡수의 정도는 레이저의 파장(wavelength)에 따라 달라진다. 또한 레이저의 직경(diameter)은 레이저 빔(beam)의 spot 크기에 의존한다. 그러므로 레이저는 종류나 파장, 직경 등 여러 가지 기준에 따라 다른 방법으로 사용될 수 있으며, 연속성(continuous)과 파동성(pulsed) 방식이 이용된다. 연속성 방식은 조직의 광범위한 부분에 손상을 줄 수 있으므로 대부분은 파동성 방식을 이용한다. 에너지는 CO_2 laser와 같이 직접적으로 전달될 수 있으며, 그 외 다른 레이저와 같이 광학 섬유(optical fibre)를 이용해 전달될 수도 있다.

CO_2 레이저를 이용한 하비갑개 성형술은 전통적인 방법에 비하여 하비갑개를 감소시키는 양은 적지만 코막힘의 개선 정도에서는 비슷한 효과를 보인다.[15,16] 환자가 앉은 자세에서 1:1000 에피네프린과 2% 리도카인이 섞인 용액을 묻힌 면거즈를 30분간 비강 속에 넣어 둔 후 제거하고 CO_2 레이저를 사용하여 4-7 Watt 강도에서 연속, 비초점 및 비접촉 양식으로 하비갑개 전방 1/3부위의 점막 표면에 레이저를 조사한다. 우선 직선형 팁으로 하비갑개 전단을 조사한 다음 측면부를 조사한다.[3] 이러한 레이저 수술법은 점막의 생리기능을 비교적 보존하면서 비폐쇄 증상을 개선하는 유용한 방법이다.[15,16]

레이저는 새로운 하비갑개 수술 방식이 아니라 하나의 수술 도구이며, 일반 하비갑개 수술과 같이 부분 절제를 하거나 점막을 거상한 후 점막하 조직만 제거할 수 있다. 대개 부분 마취, 통원 수술로 시행되고, 술 후 출혈은 흔치 않으므로 비내 팩킹은 시행하지 않는다. 레이저로 제거하는 하비갑개의 조직의 부피가 충분하지 않을 경우 증상의 호전에 큰 도움이 되지 않고, 많은 부위를 제거할 경우 기능적인 손상이 크다는 단점이 있어 최근 보존적인 추세로 가고있는 하비갑개 수술에서 유용성이 떨어진다고 주장하는 경우도 있는 반면,[12] Lagerholm 등[17]은 CO_2 레이저 하비갑개 성형술을 시행하여 증상의 호전을 보이고, 부작용은 관찰되지 않아 간단하게 외래에서 시행할 수 있는 안전하고 유용한 술식으로 주장하는 등 레이저를 이용한 성공적인 치료도 보고되고 있다.[14]

이미 알려진 바와 같이 레이저를 이용하여 알레르기 비염을 치료한 연구가 활발히 진행되고 있다. 집먼지 진드기로 인해 알레르기 증상이 있는 것으로 확인된 환자들의 하비갑개를 CO_2 레이저로 치료한 후 코막힘, 비루 등의 증상이 호전되고, 통기도검사에서도 객관적으로 효과가 확인되었다. 집먼지 진드기로 인한 통년성 알레르기 비염뿐만 아니라, 계절별로 증상의 악화를 보이는 계절성 알레르기 비염 환자에게도 CO_2 레이저 치료를 한 결과 증상의 호전이 확인되어, 레이저가 특징적인 알레르기 증상을 보이는 비염 환자에게 훌륭한 보조적인 치료가 될 수 있다.[16,22]

6) 고주파 하비갑개 절제술

고주파(radiofrequency)는 코골이 환자에서 연구개나 설근부의 부피를 줄이는 데에 주로 이용되어 왔으나 최근 이를 이용한 하비갑개 축소술이 효과적인 치료법으로 인정되고 있다. 무선주파는 탐침을 통하여 조직 내로 고주파의 교차 전류를 흘려 보냄으로써 이온 간 이동을 발생시켜 조직을 47도 이상으로 열을 가하여 단백질 응고와 조직 괴사를 유발한다.[17] 무선주파는 전통적인 점막하 투열요법(submucosal diathermy)인 전기소작(450~600℃)이나 레이저(300~600℃)에 비해 상대적으로 낮은 40~100℃의 저온의 열을 발생시킴으로써 병변 주위에 대한 열 손상이 적고, 또한 하비갑개 점막하층에서 작용하므로 점막층 손

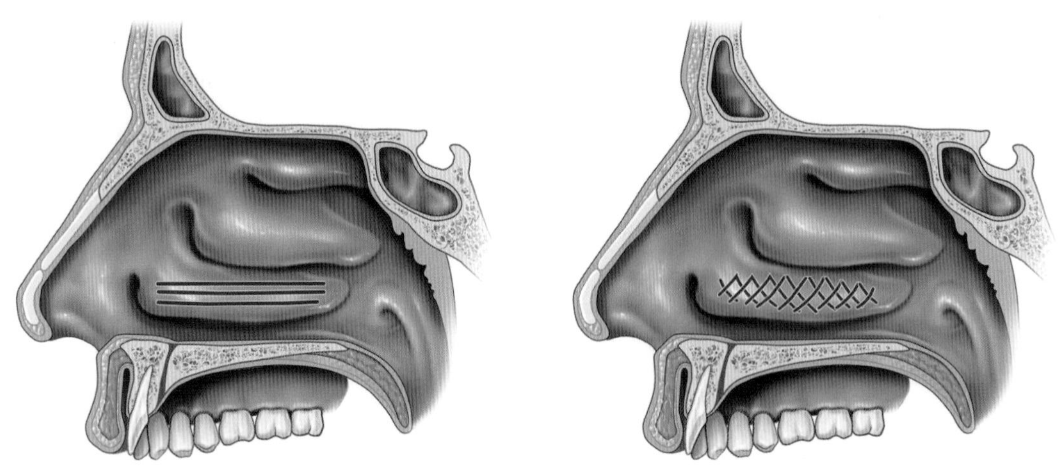

■ 그림 16-3. **고주파를 이용한 하비갑개 수술.** 좌측은 일자형, 우측은 격자형으로 소작하는 방법

상을 최소화할 수 있다고 알려져 있다.[8,25]

시술 약 12일 후 콜라젠이 침착하기 시작하고, 3주 후 열손상 부위의 만성 염증과 섬유화 및 위축 과정이 진행되면서 조직의 부피가 감소한다. 즉, 저온의 열이 발생하여 조직이 흡수됨으로써 하비갑개 비후를 감소시켜 증상이 개선되고 점막의 생리기능 및 상피가 보존될 수 있기 때문에 회복이 빠르다.[7] 이러한 시술은 단극(unipolar), 양극(bipolar)으로 모두 가능하고 하비갑개의 전방부나, 경우에 따라서는 중간부위에도 시행할 수 있다(그림 16-3).

Chang 등은 Somnus Medical Technology (Sunyvle, CA)에서 정한 기준으로 300~450 J의 에너지를 60~150초 이상, 75~85℃가 넘지 않는 범위에서 무선주파를 가하고, 탐침을 제거한 후 지혈솜을 유지시키도록 하였다.[7] 부피 감소가 더 잘 되는 이유로 bipolar를 선호하기도 하나 아직 어떤 술식이 더 우위에 있다는 결론은 논쟁 중이다.

Harsten은 158명을 대상으로 bipolar probe를 이용하여 하비갑개 절제술을 시행하여 3~30개월 동안 관찰한 결과 약 85%의 환자에서 증상 호전을 보였다.[11]

Kasey의 연구에서도 22명의 환자를 대상으로 무선주파 치료를 시행한 결과 21명에서 증상 호전이 입증되었고, 다른 부작용은 관찰되지 않았다.[18] 이처럼 무선주파를 이용한 하비갑개 절제술은 간단하게 시행할 수 있고, 점막의 보존을 통한 섬모 기능을 유지할 수 있을 뿐만 아니라 코막힘 등의 증상 호전을 장기간 유지할 수 있는 장점이 있어 최근 많이 이용되고 있다. 그러나 점막하에 전극을 위치하여 이루어지는 술식 자체의 특징과 시술 직후 부피 감소 효과를 확인하기 어렵고 3주 이후의 섬유화 및 위축을 기다려야하므로 과소 혹은 과다한 치료의 가능성이 있다는 단점이 있다.

참고문헌

1. 김성원, 박현진, 전범조, 안국진, 이승균, 김수환 등. 대상성 하비갑개 비후를 동반한 비중격 만곡. 대한이비인후과학회지 2005;48:46-50.
2. 이재용, 이승원, 신재민, 김효진, 김기현, 변장열 등. 코블레이터와 회전식 흡입기를 이용한 하비갑개 수술의 장기적 효과에 대한 연구. 대한이비인후과학회지 2006;49:510-6.
3. 홍순관, 윤선옥, 박수경, 손지연, 김은아, 조윤희 등. 레이저 대 Coblation 하비갑개 성형술 : 수술 성적에 의한 비교 연구. 대한이비인후과학회지 2002;45:589-93.
4. Friedman M, Vidyasagar R. Turbinate Hypertrophy. In: Bailey BJ, Johnson TJ, editors. Head & Neck surgery otolaryngology. 4th edit. Philadelphia: Lippincott Williams & Wilkins; 2006. p.328-30.
5. Berger G, Gass S, Ophir D. The histopathology of the hypertrophic inferior turbinate. (Arch Otolaryngol Head Neck Surg.) 2006 Jun;132(6):588-94.

6. Brain D. The nasal septum. In: Mackay Is, Bull TR, eds. Scott-Brown's Otolaryngology, ed 5. London : Butterworth & Co. Ltd. Rhinology, vol 4, 1987:154-179.
7. Chang CWD, Ries WR. Surgical treatment of the inferior turbinate: new techniques. (Cur Opin Otolaryngol Head & Neck Surg) 2004;12:53-57.
8. Coste A, Yona L, Blumen M, Louis B, Zenah F, Rugina M, at al. Radiofrequency is a safe and effective treatment of turbinate hypertrophy. (Laryngoscope)2001;111:894-899.
9. Elahi MM, Frenkiel S, Fageeb N. Paraseptal structural changes and chronic sinus disease in relation to the deviated septum. (J Otolaryngol) 1997;26:236-240.
10. Friedman M, Tanyeri H, Lim J, Landsberg R, Caldarelli D. A safe, alternative technique for inferior turbinate reduction. (Laryngoscope)1999; 109: 1834-1837.
11. Harsten G. How we do it: Radiofrequency-turbinectomy for nasal obstruction symptoms. (Clin Otolaryngol) 2005;30:64-78
12. Hol MKS, Huizing EH. Treatment of inferior turbinate pathology: a review and critical evaluation of the different techniques. (Rhinology) 2000;38:157-166.
13. Jafek BW, Dodson BT. Turbinate Hypertrophy. In: Bailey BJ, Calhoun KH, editors. Head & Neck surgery-otolaryngology. 3nd ed. Philadelphia: Lippincott Williams & Wilkins; 2001. p.303-304.
14. Janda P, Sroka R, Baumgartner R, Grevers G, Leunig A. Laser treatment of hyperplastic inferior nasal turbinates: A review. (Lasers in Surg Med) 2001;28:404-413.
15. Katz S, Schmelzer B, Vidts G. Treatment of the obstructive nose by CO_2-laser reduction of the inferior turbinates: Technique and results. (Am J Rhinol) 2000;14:51-55.
16. Kubota I. Nasal function following carbon dioxide laser turbinate surgery for allergy. (Am J Rhinol) 1995;9:155-161.
17. Lagerholm S, Harsten G, Emgard P, Olssen B. Laser-turbinectomy: long-term results. (J laryngol otol)1999;113:529-531.
18. Li KK, Powell NB, Riley RW, Troell RJ. Radiofrequency volumetric tissue reduction for treatment of turbinate hypertrophy: A pilot study. (Am Acad Otolarygol Head Neck Surg)1998;119(6):569-573.
19. Passali D, Lauriello M, Anselmi M, Bellussi L. Treatment of hypertrophy of the inferior turbinate: Long-term results in 382 patients randomly assigned to therapy. (Ann Otol Rhinol Laryngol) 1999;108:569-575.
20. Sapci T, Sahin B, Karavus A, Akbulut UG. Comparison of the effects of radiofrequency tissue ablation, CO_2 laser ablation and partial turbinectomy applications on nasal mucociliary functions. (Laryngoscope) 2003;113: 514-519.
21. Setliff RC, Parsons DS. The Hummer : New instrumentation for functional endoscopic sinus surgery. (Am J Rhinol)1994;8(6):275-277.
22. Takeno S, Osada R, Ishino T, Yajin K. Laser surgery of the inferior turbinate for allergic rhinitis with seasonal exacerbation:An acoustic rhinometry study. (Ann Otol Rhinol Laryngol) 2003;112(5):455-460.
23. Talmon Y, Samet A, Gilbey P. Total inferior turbinectomy: Operative results and technique. (Ann Otol Rhinol Larygol) 2000;109:1117-1119.
24. Wexler A, Braveman I. Partial inferior turbinectomy using microdebrider. (J Otolaryngol) 2005;34(3):189-193.
25. Woloszko J, Gilbride C. Coblation technology: plasma mediated ablation for otolaryngology application. Sunnyvale, California: Arthrocare Corp;2000.
26. Younger RAL, Denton AB : controversies in turbinate surgery. (Facial Plast Surg Clin North Am) 19997:311.

CHAPTER 17

비부비동염

김진국, 윤주헌

부비동염과 비염은 거의 모든 경우에 같이 존재하므로 비부비동염이라는 용어가 더 적합하다. 상기도 감염 시 87%에서 부비동이 침범되며 이 중 0.5~2%는 급성 세균성 비부비동염으로 진행된다.[27] 감염성 비부비동염의 경우 대부분 감기로 알려진 급성 바이러스성 질환이 원인이며 감기에 걸린 성인의 2% 이내, 소아의 30%까지 세균성 비부비동염으로 진행할 수 있다. 만성 비부비동염은 아직 그 정의나 연구된 대상 인구의 차이로 인해 유병률이 연구마다 크게 다르지만 미국의 조사에 의하면 성인의 급성 및 만성 비부비동염의 유병률이 약 16% 정도이고, 만성 비부비동염은 1~2%이다.[4,43]

2008년 우리나라에서 실시한 국민건강영양평가에서 만성 비부비동염의 전 연령대의 유병률은 7.12%이고,[17] 이는 1991년의 조사보다 높아졌다.[37] 같은 조사에서 성인 만성 비부비동염의 유병률은 8.4%였다.[3] 비부비동염은 전 세계적으로 진단과 치료에 많은 비용이 소요되고 있으며 흡연, 환경오염, 알레르기 비염 등으로 인해 유병률이 높아지고 있다.[7]

I 정의와 분류

비부비동염은 부비동 점막의 염증성 질환을 통칭하는 것으로, 증상이 상당히 다양하며 신체검사 소견과 방사선 소견, 병리 소견이 일치하지 않는 경우가 많아 임상적인 정의와 분류가 아직 통일되지 못했다. 임상적으로 이환기간에 따라 급성, 아급성, 만성 비부비동염으로 분류한다. American Academy of Otolaryngology–Head and Neck Surgery guide line 에서도 같은 분류를 따랐다.[41] 반면 EPOS 2012 (European position paper on rhinosinusitis and nasal polyps)에서는 12주를 기준으로 급성과 만성 비부비동염을 정의하였다.[26] 급성 비부비동염은 부비동이 밀폐된 상태에서 세균의 과증식으로 인해 부비동 점막의 염증이 진행되어서 발생한다.[13] 이환기간이 4주 이내로 후유증이 남지 않고 완전 회복되며 내과적 치료로 회복이 가능하다. 급성 비부비동염은 원인, 진행 및 시간 경과에 따라 세균성 급성 비부비동염과 바이러스성 비부비동염으로 구분한다. 아급성 비부비동염은 급성 비부비동염이 회복되지 않고 4주 이상 12주까지 지속되는 경우를 말하나 최근에는 병기간의 모호성 등으로 분류에서 제외하기도 한다.

만성 비부비동염은 급성 비부비동염이 회복되지 않고 12주 이상 지속되는 경우를 말한다. 장기화된 부비동의 염증으로 인해 점막의 비후, 섬모수의 감소 및 기능의 저하, 배상세포 증식 등의 변화가 나타난 상태로서 염증과정이 비가역적이어서 일반적으로 내과적 치료에 반응하지 않아 외과적 치료를 요하게 된다.[14,39] 이 외에도 7~10일 이상 지속되는 비부비동염 증상이 1년에 4회 이상 발병하는 경우를 재발성 비부비동염이라고 하며 만성 비부비동염의 급성 악화는 만성 비부비동염이 치료로 호전된 후 갑자기 비부비동염이 악화되는 경우를 말한다.

2015 American Academy of Otolaryngology–Head and Neck Surgery guide line에서는 부비동염을 급성 비부비동염(acute rhinosinusitis), 아급성 비부비동염(subacute rhinosinusitis), 만성 비부비동염(chronic rhinosinusitis)으로 분류하고 급성 비부비동염을 바이러스성 비부비동염(viral rhinosinusitis), 급성 세균성 비부비동염(acute bacterial rhinosinusitis), 재발성 급성 비부비동염(recurrent acute rhinosinusitis)으로 세분하였다.

II 급성 비부비동염

1. 원인과 병원균

1) 원인

부비동이 정상적으로 기능하려면 자연공의 개방, 섬모의 정상적 움직임, 정상적인 분비물의 생성이 함께 이루어져야 한다. 그러나 자연공의 폐쇄, 섬모수의 감소와 기능장애, 분비물의 과다 생산이나 점도의 변화가 발생하면 부비동 내에 분비물이 저류하게 된다. 이 중 비부비동염 발생의 가장 중요한 인자는 자연공의 폐쇄이다. 대부분의 급성 비부비동염은 바이러스에 의한 감염이나 알레르기 비염이 선행한 후 이차적인 세균 감염이 속발하여 발생하는 것으로 알려져 있는데 다음의 인자들이 선행인자로 작용한다.[2]

(1) 급성 비염

급성 비부비동염의 가장 흔한 원인은 바이러스성 비염에 속발하는 세균 감염으로, 바이러스나 세균에 의해서 생긴 비점막의 감염이 부비동 점막으로 파급되어 부종이 초래되어 발생한다. 자연공의 협착이나 폐쇄 그리고 점액섬모운동(mucociliary transport)에 의한 정화작용(clearance mechanism)의 저하로 발생된다.

(2) 치아감염

상악 대구치(molar)와 소구치(premolar)의 충치나 발치에 의하여 염증이 파급되어 급성 상악동염이 생길 수 있으므로 급성 비부비동염에서는 치아나 잇몸의 상태를 자세히 관찰해야한다.

(3) 외상

코나 안면 중앙부의 외상이 개구비도단위(ostiomeatal unit; OMU)의 해부학적 구조를 바꿀 수 있고, 상악골, 사골, 전두골의 골절로 부비동에 혈괴가 저류되면 쉽게 감염된다. 비행, 수영, 잠수에 의한 기압외상(barotrauma)으로 비부비동염이 발생하기도 한다. 비행기가 하강할 때 부비동 내에 음압이 형성되어 점막의 부종이나 정맥확장 등이 생길 수 있는데 이때 자연공이 폐쇄되기도 하고 급격한 압력 변화로 부비동 점막이 박리되어 혈종을 형성하기도 한다. 특히 전두동은 모양이 가늘고 길며 자연공이 골관이고 부공이 없어 기압외상에 영향을 많이 받는다.

(4) 해부학적 폐쇄

비중격과 비갑개의 기형, 사골포(ethmoidal bulla), 구상돌기(uncinate process)의 이상비대 등은 비강과 부비동의 환기와 배액을 저하시킬 수 있다. 비중격만곡에 의해서 좁아진 비강의 중비도는 협소하여 외부의 자극은 적게 받으나 급성 염증이 있을 때 환기와 배액이 잘 안 되어 염증의 완화가 지연될 수 있다.

(5) 악안면기형

구개열(cleft palate)에서는 만성 비부비동염이 잘 생기며 후비공폐쇄(choanal atresia)의 경우에도 비강의 배액장애로 비부비동염이 호발한다.

(6) 상기도감염

편도염, 인두염 등의 상기도 감염에 속발되는 부종이 부비동의 자연공을 폐쇄해 비부비동염이 발생한다.

(7) 전신상태

영양결핍, 장기간의 스테로이드 치료, 조절되지 않는 당뇨, 혈액질환, 항암치료 또는 대사결핍을 초래하는 다른 인자가 있는 경우에도 비부비동염이 호발한다.[48]

(8) 원발성 섬모운동 이상증(primary ciliary dyskinesia)

섬모의 부정위(disorientation)와 dynein arm에 기형이 있는 선천성 질환인 무운동성 섬모증후군(immotile cilia syndrome)이나 섬모운동이상증(ciliary dyskinesia) 등은 섬모운동에 장애를 초래해 비부비동염이나 기관지염을 일으킨다.

(9) 기타

비용종, 비강 이물, 팩킹 등이 부비동의 환기를 저하시켜 비부비동염을 발생시키며, 오염된 물에서 수영하는 경우에도 비부비동염이 발생할 수 있다.

2) 병원균

원인균으로는 바이러스, 세균, 진균 등이 있다. 바이러스성 비부비동염은 급성 비부비동염의 약 50%를 차지하고, 상기도 감염과 동시에 발생하며 배양에서는 음성으로 나타난다. 원인 바이러스로는 rhinovirus, parainfluenza, echo, coxackie, respiratory syncytial virus 등이 흔하다. 급성 세균성 비부비동염의 경우 성인에서의 원인균은 *Streptocococcus pneumoniae, H influenzae, Moraxella catarrhalis*가 흔하고 *Moraxella catarrhalis*는 소아에서 더 흔하게 발견된다. *Streptocococcus pneumoniae*는 20~43%를 차지하여 가장 흔하며 *Haemophilus influenzae*가 22~35%, *Moraxella catarrhalis*는 2~10% 그 외에 *Staphylococcus aureus* 10% 등이다. 소아에서는 *Streptococcus pneumoniae, Moraxella catarrhalis, Haemophilus influenzae, Streptococcus pyogenes* group A, C *Streptococcus pyogenes α-hemolytic* type 등이 원인균으로 알려져 있다.[10] 분비물에 악취가 있으면 *Peptostreptococcus, Fusobacterium, Prevotella, Bacteroides* 등의 혐기성 세균에 의한 감염이며(6~10%) 대개 치성감염과 동반된다. 치성감염에 의해 급성 비부비동염으로 발전된 경우 80% 이상이 혐기성 세균에 의한 감염이나 혼합감염으로 보고되고 있다.[11]

진균에 의한 질환으로는 모균증(mucormycosis), 칸디다증(candidiasis), 아스페르길루스증(aspergillosis) 등이 있으나 매우 드물며 전신쇠약자, 당뇨병, 면역억제제를 장기간 사용한 환자 등에서 볼 수 있다.

2. 병태생리

비부비동염은 세 가지 인자, 즉 자연공의 개방, 섬모의 기능, 분비물의 성상에 영향을 받을 수 있으며, 이 중 하나 또는 그 이상의 변화에 의하여 비부비동염이 발생하게 된다.

자연공의 폐쇄는 감염이나 알레르기에 의한 비용종, 비점막의 부종, 여러 다른 구조적 인자, 즉 기포성 갑개

(concha bullosa), Haller 봉소, 비중격만곡, 술 후 유착 등에 의해서 일어나며, 일단 자연공이 폐쇄되면 부비동 내에 환기장애가 생겨서 부비동의 산소분압이 저하되고 분비물이 축적되어서 세균의 증식이 활발해져 비부비동염을 일으킨다.

부비동과 비내로 분비된 점액은 섬모 작용에 중요한 역할을 하는데, 점액 구성의 변화나 추위, 알레르기 물질, 공해 물질 등에 의해 점액 분비량이 증가하면 섬모의 기능이 저해된다. 섬모의 기능 변화는 분비물의 저류를 일으키는데, 섬모의 기능은 찬 공기나 바이러스, 세균 등에 의한 섬모독소(ciliotoxin), 사이토카인(cytokine)이나 다른 염증 매개체 등과 원발성 섬모운동이상증 등에 영향을 받는다. 마지막으로 자극성 물질이나 오염 물질, 수술, 만성 질병, 바이러스나 세균 등에 의한 섬모세포의 감소도 비부비동염 발생에 중요한 역할을 한다.[15]

염증과정은 혈관기(vacular phase) 또는 증식기(proliferative phase), 삼출기(exudative phase), 회복기(reparative phase)의 세 가지 단계로 나타난다. 염증 초기에는 점막부종, 혈관의 충혈, 약간의 중성구 침윤 등이 생기며 장액성 물질이 배출된다. 이 시기에 이차 세균감염이 생기면 중성구가 더 많이 침윤되며 분비물은 점액농성으로 변한다.

자연공을 통하여 분비물이 충분히 배출되면 점막의 부종이 감소되고 상피가 재생하면서 정상적인 조직상과 기능을 회복한다. 만일 분비물의 배설장애가 있으면 분비물이 부비동 내에 축적되고 화농성 감염이 일어나며 광범위한 점막 침범을 동반한 급성 비부비동염으로 발전하게 된다.

3. 증상

급성 비부비동염의 증상으로 상기도 감염 시 나타나는 4주 이하의 비폐색, 화농성 비루와 안면부 통증, 압박감 등의 증상 및 전신 증상으로 발열, 권태감, 기면 등이 나타난다. 주 증상은 침범된 부위의 동통과 압통으로, 주로 전두부의 동통을 유발하나 침범된 부위에 따라 다를 수 있다. 급성 상악동염에서는 협부통과 상악 치열의 치통이 나타나며, 급성 전두동염에서는 오전에 심했다가 오후에 소실되는 이마 주위의 동통과 압통이 나타난다. 급성 사골동염에서는 비근부와 안와 깊숙한 곳의 동통을 호소하고 안구운동 시 동통이 심화되는 양상을 보인다. 급성 접형동염에서는 범부비동염 형태로 여러 증상이 나타나나 안와 깊숙한 부위, 후두부(occiput), 두정부(vertex), 양측 측두부(bitemporal area)의 동통이 나타난다.[24]

급성 바이러스성 비부비동염은 세균성의 경우와 마찬가지로 1~2일간의 인후통 후에 기침 및 비루가 나타나며 증상이 10일을 넘지 않는다.

비루는 급성 화농성 비부비동염 시 점액화농성의 녹황색 분비물로 나타나는데 편측 혹은 양측성으로 나타나며 악취를 동반하기도 한다. 이러한 급성기 증상들은 만성화되면 두통이나 침범부위의 동통과 발열 등의 증상은 소실되고 점액농성의 비루와 경도의 비폐색 증상만이 남는다.

그 외에도 안와는 삼면이 부비동으로 이루어져 있으므로 안구증상이 나타날 수 있다. 안와주위종창은 사골동염, 전두동염, 상악동염일 때 발생하며 급성 비부비동염의 합병증으로 실명이 초래될 수도 있다.[22]

소아 비부비동염에서는 전형적인 두통이 덜하고 대신 감기와 같은 증상이 7일 이상 지속되면서 저녁에 심해지는 기침과 미열, 점액화농성 비루가 나타난다. 급성 화농성 비부비동염이 재발하면 국소 또는 전신적인 원인인자를 조사해야 한다.[28,32]

4. 임상소견

급성 상악동염에서는 협부의 가벼운 열감이나 종창이 있다. 급성 전두동염에서는 상안검의 종창과 내안각 부위의 압통이 있을 수 있으며, 급성 사골동염에서는 합병증이 없는 한 안면부의 외부소견은 없으나 소아에서는 지판

(lamina papyracea) 결손이 있으면 안구 내로 감염이 파급되어 안검부종과 열감이 있을 수 있다.[22]

전비경검사에서 점막의 발적과 부종이 관찰되며 점액 화농성의 분비물을 관찰할 수도 있다. 이러한 분비물의 배출 부위를 관찰하면 어느 부위에 비부비동염이 있는지 결정하는 데 도움이 된다. 급성 전두동염일 때는 중비갑개 전단 상부에서 분비물이 관찰되며 급성 상악동염일 때는 중비도의 후단에서 관찰된다. 급성 후사골동염과 접형동염에서는 상비도에서 나오는 분비물이 후열(olfactory fissure)을 따라 유출되는 양상을 관찰할 수 있다. 보통 비점막 부종 및 비루가 7~14일 이상 지속되면 비부비동염의 원인이 세균성일 가능성이 높다.

비인두를 자세히 검사하여 아데노이드, 종양, 후비공 폐쇄, 후비루 등의 유무를 확인해야 한다.[24]

5. 진단

환자의 증상, 병력은 급성 비부비동염 진단의 중요한 단서이다. 또한 신체검사에서 압통, 비강 내 화농성 혹은 점액성 비루의 저류, 특히 인두검사 시 관찰되는 후비루는 급성 비부비동염의 진단에 중요한 단서가 되며, 비점막은 홍조를 띠고 인두는 중등도로 충혈되어 있다.[2,19]

비강검사에 사용되는 기구는 비경, 현미경 그리고 강직형 내시경(rigid endoscope)이나 굴곡형 비인두경(flexible naso-pharyngoscope)이다. 비내시경검사는 혈관수축제를 분무하기 전과 후에 각각 시행한다. 화농성 비루가 각 부비동 자연공을 통하여 배설되는 것을 확인하면 침범된 부비동의 위치를 보다 정확히 알 수 있다. 국소 마취하에 상악동 천자를 하여 세균배양을 하기도 한다.[32]

철조법(transillumination)은 상악동염과 전두동염을 진단하는 데 쓰이는 보조 진단법으로 철조등(transilluminator)을 사용하여 부비동의 상태를 관찰하는 방법이다. 부비동이 정상이면 협부가 철조되어 적색으로 빛나 보이고, 부비동 속의 병변이 심할 때에는 빛이 차단되어 검게 보인다. 철조법은 청소년이나 성인에서는 유용하나, 10세 이하의 소아에서는 연조직과 골조직의 두께가 두꺼워 임상적으로 유용하지 않다.[2]

단순 방사선 검사는 진단을 뒷받침하는 보조적인 검사로서 Waters 영상, Caldwell 영상, 측면영상이 필요하다. Caldwell 영상은 사골동을, Waters 영상은 상악동을, 측면영상은 전두동과 접형동을 보는 데 유용하다. 침범 된 부비동에서는 부비동 내 기수위(air-fluid level), 부비동의 혼탁 혹은 부비동 점막의 비후소견을 관찰할 수 있다. 부비동 내 기수위의 관찰은 비루의 동내 저류를 시사하는 소견으로 비부비동염 진단에 중요한 소견이다. 부비동 내 기수위나 혼탁이 없을 때에는 점막부종의 정도를 측정하는데 부비동 내 점막의 두께가 성인에서 5 mm, 소아에서 4 mm 이상이면 부비동 내에 농이 차 있거나 세균배양 결과가 양성으로 나올 가능성이 높다.[2]

부비동 CT는 부비동 점막의 병변과 부비동의 해부학적 구조를 잘 보여주며,[27] 합병증이 있거나 의심될 때, 당뇨 또는 면역 결핍 등의 동반 질환이 있는 경우, 충분한 약물치료 후에도 증상이 호전되지 않을 때, 종양이 의심될 때, 수술이 필요하다고 판단될 때에 시행한다. 급성 비부비동염의 합병증이 의심되거나, 부비동 외 침범이 있을 때, 부비동의 종양이나 진균성 감염의 감별 등에 조영증강 CT나 MRI가 부비동 질환의 진단에 사용될 수 있다. 최근에 소개된 cone beam CT는 적은 방사선 조사량으로 traditional CT와 같은 적응증으로 사용할 수 있다.

상악동 검사 때 초음파검사도 사용되는데 민감도와 특이도는 떨어지나 점막 비후와 분비물의 저류를 감별할 수 있으며, 급성 비부비동염을 추적 관찰할 때에는 도움이 된다.[1] 그러나 아직까지 소아 비부비동염 진단에서 초음파의 가치를 평가하기에는 경험이 충분하지 않다.

상악동 천자는 하비갑개 아래에서 비측벽을 통해 바늘을 직접 삽입하여 시행하는데 이 부위는 부비동 자연공과 영구치에 손상을 주지 않아 소아에서도 선호되며, 환자의 협조를 얻기 어려울 때에는 전신 마취하에 실시하기도 한다.[2] 흡인하여 얻은 분비물로 그람 염색과 호기성 배양과 혐기성 배양을 실시하며, 분리한 세균에 대해 항생제 감수성 검사를 실시한다. 천자와 흡인의 대상은 내과적 치료에도 반응하지 않거나 면역결핍 환자에서의 부비동 질환, 두통이나 안면통 같은 심한 증상, 초진 시 안와 내 또는 두개 내 화농과 같은 생명을 위협하는 합병증이 있는 경우 등이다.[35] 그러나 상악동 천자가 꼭 필요한 경우는 전체 환자의 1~2% 정도에 불과하다.[44]

6. 치료

급성 비부비동염을 적절히 치료하지 않으면 심각한 합병증이 생길 수 있다. 치료 시에 고려해야 할 원칙은 첫째, 적절한 항생제를 충분한 기간 동안 투여해야 하며, 둘째, 부비동 내의 염증성 분비물을 배액하고 환기를 시켜야 하며, 마지막으로 질환의 선행요인을 교정하고 치료해야 한다. 또한 부비동 내의 약물농도가 인체의 다른 조직에 비해 낮으므로 치료 시에 이 점을 고려하여 항생제를 사용한다. 외과적 치료는 가급적 급성기에는 하지 않으나 심한 합병증이 병발한 경우에는 이를 고려한다.[20]

내과적 치료의 중요한 부분을 차지하는 것이 항생제 치료로, 그람 음성균과 양성균에 항균력을 가진 penicillin계통인 amoxicillin나 amoxicillin과 clavulanate의 합성약물인 Augmentin®을 우선적으로 5~10일 사용한다.[14] (AAO) Amoxicillin은 급성 비부비동염의 흔한 원인균인 *H.Influenzae*와 *M.catarrhalis*에 대하여 사용할 수 있으나, 최근 항생제의 남용으로 인해 나타난 β-lactamase를 생성하는 세균이 원인균인 경우에는 β-lactamase에 저항성을 띤 약물을 사용한다.[18,23] Amoxicillin이외에도 erythromycin이나 Bactrim®을 일차 약물로 사용할 수 있다. 그러나 erythromycin과 Bactrim®을 장기간 사용할 때에는 부작용 발생 여부를 주의 깊게 관찰하여야 한다. 이러한 약물에 잘 반응하지 않으면 이차 약물로 macrolide 계통의 clarithromycin이나 azithromycin 또는 quinolone계 약물로 levofloxacin, ciprofloxacin과 cephalosporin계 약물 등을 사용할 수 있다. 혐기성 세균이 의심될 때는 metronidazole이나 clindamycin을 사용할 수 있다.[14]

이상과 같은 항생제를 적절하게 사용하면 항생제를 사용한지 48~72시간 내에 임상증상이 호전되기 시작한다. 항생제는 증상이 소실된 이후에도 최소 3~7일간 사용하고, 전체 치료기간은 짧게는 10일에서 길게는 3주 이상까지도 권장하는데 이렇게 장기간의 치료가 필요한 이유는 재발이나 만성 비부비동염으로 진행하는 것을 막기 위해서이다.[8] 일차 약제에 반응이 없을 때는 이차 약제로 바꾸어 투여하는 것이 좋다. 대부분의 경우 경구 투여만으로 충분하지만 안와 내나 두개강 내의 합병증이 발생하였을 때에는 ceftriaxone같이 혈액뇌장벽(blood-brain barrier)을 통과하는 약물을 사용한다.

비강과 부비동의 자연공의 점막을 수축시켜 부비동의 배액과 환기를 향상시킬 목적으로 사용하는 혈관수축제는 3일 이상 사용하지 않는 것이 좋다.[2,14] 항히스타민제는 분비물의 저류를 초래하기 때문에 일반적으로 사용하지 않으나 선행요인이 알레르기 비염인 경우에는 사용할 수도 있다. 진통제는 환자의 동통을 경감할 목적으로 사용하며 진해 거담제도 부비동 내의 분비물 배액에 도움이 된다.[14]

이러한 약물치료법 외에 급성기를 지난 아급성기의 환자에게 사용할 수 있는 방법으로 부비동 세척법이 있는데 주로 상악동 세척법이 이용된다.[1] Proetz 치환법은 일반적으로 접근하기 어려운 접형동이나 후사골동의 세척에 이용된다. 먼저 환자의 자세를 앙와위로 한 후 턱의 끝과 외이도가 수직선상에 놓이도록 하여 접형동과 후사골동의 자연공이 비강 내에서 가장 아래쪽에 위치하게 한 후 생리 식염수에 0.1 ~ 0.5%의 ephedrine sulfate를 첨가한 액체를 2 mL 정도 주입한다. 부비강 내의 공기를 액체로 치환시키기 위하여 환자에게 '크' 소리를 내게 하면서 한쪽 콧구멍을 막고 반대쪽 콧구멍을 통하여 간헐적으로 음

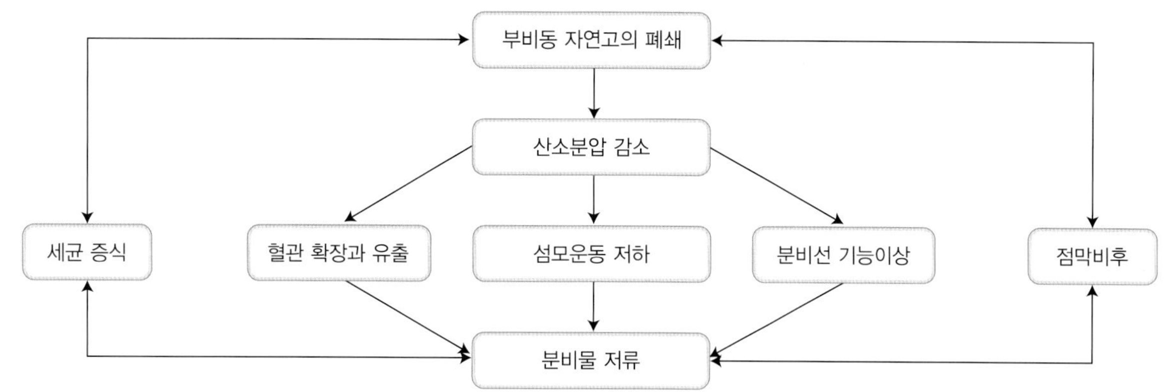

■ 그림 17-1. **부비동의 자연공이 폐쇄되어 생기는 악순환**

압을 걸어주어 공기를 빼낸다.

외과적 치료법은 합병증이 발생하거나 또는 발생이 임박한 경우, 환자가 매우 심한 동통을 호소하는 경우나 적절한 항생제 치료에도 불구하고 더 나빠질 때 사용한다. 이때 부비동 내에서 얻은 분비물로 반드시 세균배양검사를 하여 원인균을 동정한다.

III 만성비부비동염

1. 원인

부비동이 정상기능을 유지하기 위해서는 부비동 자연공의 개방, 정상적인 점액섬모기능, 정상적인 분비물의 생성이 중요한 인자로 작용하게 되는데 이러한 요인들이 손상을 받을 때 비부비동염이 발생하게 된다. 급성 비부비동염은 감염에 의한 결과라고 널리 알려져 있으나, 만성 비부비동염은 여러 가지의 요인에 의해 유발된 염증성 질환으로 이해되고 있다.

1) 자연공의 폐쇄

전두동, 상악동 그리고 전사골동은 주로 중비도의 누두(infundibulum)로 배출되기 때문에 개구비도단위(ostiomeatal unit; OMU)의 개방은 부비동 기능이 정상화되는 데 절대적인 조건이다. 자연공이 폐쇄되면 비강과 부비동의 기체교환에 장애가 발생한다. 일반적으로 상악동의 정상기능을 위해서는 자연공의 크기가 최소한 5 mm여야 한다. 정상에서는 산소분압이 16% 정도이나 자연공이 폐쇄되면 11% 이하로 떨어지게 되고 이산화탄소가 증가하게 된다. 산소분압이 떨어지면 백혈구의 화학주성(chemotaxis), 포식작용(phagocytosis), 탈과립(degranulation)이 증가하며 pH의 감소로 인하여 섬모운동이 저하된다. 이러한 요인들은 부비동 내 분비물을 저류시키고 세균의 증식을 용이하게 하여 비부비동염을 발생시킨다(그림17-1). 자연공의 폐쇄는 비강 구조물의 해부학적 이상으로 인하여 발생할 수 있다. 해부학적 이상으로는 기포성 갑개(concha bullosa), 비중격만곡, 역곡중비갑개(paradoxical middle turbinate), Haller 봉소, 비제봉소(agger nasi)의 함기화, 구상돌기(uncinate process)의 기형 등이 있다.[6,50] 비강, 비인강, 인두의 감염에 의한 점막의 충혈과 부종, 알레르기 염증에 의한 점막의 부종, 기타 종양이나 외상 등도 자연공의 폐쇄를 유발할 수 있다.

2) 알레르기

만성 비부비동염 발생의 원인으로서 알레르기의 역할에 대해서는 논란이 많다. 만성 비부비동염 환자의 80%에서 알레르기 질환이 동반되었고, 만성 천식 환자의 약

1/3에서 만성 비부비동염이 동반되었으며, 악화된 만성 비부비동염 수술 환자에서 알레르기 치료의 실패가 많았다는 보고가 있는 반면에 만성 비부비동염 환자에서 알레르기군과 비알레르기군 간의 차이가 없다는 상충된 보고도 있어 아직은 논란이 많다. 치료되지 않은 알레르기 환자에서 비강 내로 알레르기 유발항원이 흡입되면 점막의 부종이 발생하여 부비동의 배액과 환기를 저해하는 것으로 추정된다.

3) 면역 결핍

IgG 아군결핍증(IgG subclass deficiency), 선택적 IgA 결핍증(selective IgA deficiency), C4 결핍증(C4 deficiency), IgM 결핍증(IgM deficiency), X염색체 연관 감마글로불린 결핍증(X-linked agammaglobulinemia) 등의 면역 결핍증 환자에서 만성 비부비동염의 발병률이 높다.[50] 만성 비부비동염이 잘 치료되지 않는 경우, 특히 소아일 때는 면역 결핍에 대한 검사를 시행해야 한다. 후천성면역결핍증(acquired immunodeficiency syndrome; AIDS) 환자의 75%에서 비부비동염이 발생하는 것으로 보고되며 주로 상악동과 사골동을 침범한다.[21]

4) 섬모운동이상

선천적인 섬모의 이상, 즉 섬모의 dynein arm의 부족이나 결핍으로 나타나는 일차성 섬모운동이상증(primary ciliary dyskinesia), Kartagener 증후군, 섬모는 정상이나 섬모운동 이상을 나타내는 Young 증후군 등은 만성 비부비동염을 동반한다.[22] 저산소증, 낮은 pH, 염증성 매개물질, 일부 박테리아독소 등은 섬모운동을 저하시킨다. 흡연, 탈수, 아트로핀, 항히스타민제 등의 약물도 섬모운동의 저하를 초래한다.

5) 점액분비 이상

점액분비의 과다 혹은 저하는 점액섬모수송에 이상을 초래할 수 있다. 주요 질환인 낭포성 섬유증(cystic fibrosis)은 국내에서는 매우 드물다.

6) 세균 감염(Bacterial infection)

만성 비부비동염의 염증을 일으키는 원인으로서 병원균의 직접적 혹은 간접적인 영향에 대해서는 아직 확실히 밝혀져 있지 않다. 이론적으로는 비부비동 내에 존재하는 병원균이 만성적인 염증을 유발하고 지속시키며, 염증성 상태를 악화시킨다고 생각된다.

(1) 생물막(Biofilm)

생물막은 미생물이 스스로 분비한 다량의 기질(polymeric matrix)속에 형성된 미생물들의 삼차원적 구조물로서 고체 표면 위에 막 형태로 형성된다. 병원균에 의한 생물막은 모든 종류의 고체 표면과 살아 있는 생물의 조직에서 형성될 수 있다. 생물막은 표면에 강하게 부착되어 있어 제거하기가 어렵고 생체 내에서는 접촉에 의한 만성 염증의 원인이 된다. 생물막 속의 미생물은 부유생활(planktonic life)을 할 때에 비해 항생제, 면역세포의 공격 등에 대해 저항력이 훨씬 강하기 때문에 치료가 극히 어렵다. 만성 비부비동염에서는 생물막이 비감염성 염증성 과정을 악화시키는 역할을 할 것으로 생각되며, 특히 부비동 수술 후 비부비동염이 재발했을 때 염증 악화에 중요한 역할을 하는 것으로 추정된다.[5]

(2) 세균 초항원(Bacterial superantigen)

초항원(superantigen)은 체내의 면역체계를 대상으로 T세포의 활성화와 생성을 유도하는 세균 또는 바이러스에서 유래한 독소이다. 일반적인 항원 처리(antigen processing)는 항원 제공세포(antigen presenting cell)에 의하여 항원을 잘게 부순 다음, 자기 주조직적합 복합체(major histocompatibility complex; MHC) I군을 이용하여 T세포에 건네주는 방법인 데 반하여, 초항원체는 이 같은 처리 과정 없이 MHC II군에 직접 붙어서 T세포 수용체에 순차적으로 전해지는 방법으로 CD4+, CD8+

MHC II군 의존 T세포를 활성화한다.[5,34] 일반적인 항원 반응 시에는 0.01% 미만의 T세포 활성화가 일어나는 반면, 초항원은 5~30%의 강력한 반응을 일으킨다. 결과적으로 IL-2의 고갈, T세포 면역 반응력의 감소, 부적절한 사이토카인(cytokine)의 방출, T세포의 면역성 결여 등을 초래하여 인체의 면역체계를 약화시켜 세균과 바이러스의 침입을 용이하게 한다.

최근에는 초항원이 항원으로 작용하여 전신적 또는 국소적 IgE 반응과 히스타민(histamine) 방출을 일으킨다는 연구 결과들이 보고되고 있다. 그 예로 아토피 피부염(atopic dermatitis), 만성 비부비동염과 비용종증에서 Staphylococcus 외독소(exotoxin)에 대한 특이 IgE가 발견되었고, 이로 인한 전형적인 알레르기 반응이 위에서 설명한 염증 반응과 더해져서 질병의 정도가 심해진다고 추정되고 있다.[34]

*Staphylococcus aureus*는 T세포 활성화에 직접적으로 관여할 뿐 아니라 B세포, 호산구(eosinophil), 대식세포(macrophage), 비만세포(mast cell), 상피세포(epithelial cell)에도 작용하여 직접적으로 영향을 미쳐서 비강 내의 상피 손상과 비용의 발생을 조장한다.[34]

(3) 부비동 골염(Osteitis)

만성 비부비동염 시 임상적, 방사선학적, 조직학적으로 병변 주변 부비동의 골염이 동반된다는 사실은 이미 알려져 있으며 이는 당연히 동반되는 소견이라고 여겨졌다. 그러나 최근에는 이러한 골염이 단순한 동반 소견이 아니라 골 내의 하버시안 시스템(Haversian system)을 통하여 만성 비부비동염의 염증을 주변으로 파급시킴으로써 질병의 경과에 중요한 영향을 미친다고 추정된다.[9,31,38]

(4) 병원균

만성 비부비동염의 주요 원인균은 보고에 따라 다양하나 주로 *Staphylococcus aureus*, *coagulase-negative staphylococcus* 등이며,[29,46] *Pseudomonas aeruginosa*, *Klebsiella pneumonia*, *Proteus mirabilis* 등의 그람 음성균도 자주 발견된다.[29] 혐기성 균의 검출률은 4%부터 90%까지 매우 다양하게 보고되었다.[47] 만성 비부비동염 환자에서 검체를 채취하려면 부비동 내의 분비물을 직접 채취하여야 하나 통증이나 복잡성, 합병증, 마취 등의 문제점 때문에 제한적으로 실시된다. 임상에서는 흔히 중비도에서 분비물을 채취하여 검사하는데, 중비도와 부비동 내의 검체 배양검사 결과가 어느 정도 일치하는 것으로 보고되었다.

치성감염에 의한 급성 비부비동염이 만성 비부비동염으로 진행된 경우 급성기와 만성기의 원인균은 큰 차이가 없으며, 호기성균 감염이 약 10%, 혐기성균 감염이 40~50%, 혼합감염(polymicrobial infection)이 40~50%로 보고되고 있다.[11] 최근에는 만성 비부비동염에서 혐기성균이 원인이 된다는 보고가 많다. 비부비동염을 일으키는 원인은 시간에 따라서 달라지는데 처음 8~10일까지는 주로 바이러스에 의해 증상이 나타나지만, 10일 이후에는 호기성 균주에 의한 비부비동염 증상이 나타나며, 3개월이 지나면 혐기성 균주인 *Peptostreptococcus*, *Prevotella*, *Fusobacterium*, *Eubacterium* 등이 주로 원인균으로 보고되고 있다.[12,25]

특히 약물에 잘 반응하지 않거나 자주 재발하는 경우에는 혼합감염의 가능성을 고려해야 한다(표 17-1).

(5) 증상

만성 비부비동염의 전형적인 자각증상은 비폐색감, 점액 농성비루, 후비루, 안면통, 두통, 후각장애, 기침 등이다. 급성 비부비동염에 비해서 발열이나 안면통, 두통 등의 통증은 드문 편이다. 만성 비부비동염의 증상은 매우 다양하다. 특히 두통의 양상이나 부위는 특징 없이 매우 다양하게 나타날 수 있다. 기타 부수적인 증상으로 피곤함, 집중력 저하, 치통, 이충만감(ear fullness), 구취(halitosis), 자성강청(autophonia) 등이 있다.

표 17-1. 급성과 만성 부비동염의 원인균

급성 부비동염	만성 부비동염
Bacteria	Bacteria
Streptococcus pneumoniae Haemophilus influenzae group A Streptococcus Stapphylococcus aureus Neisseria species Gram-negative bacilli Klebsiella species Branhamella catarrhalis Pseudomonas species	Streptococcus pneumoniae Haemophilus influenzae Staphylococcus aureus Branhamella catarrhalis Gram-negative bacilli Pseudomona aeruginosa Klebsiella pneumoniae Proteus mirabilis
Anaerobic bacteria	Anaerobic bacteria
Fusobacteria Anaerobic streptococci Bacteroides species	Peptostreptococcus Bacteroides Veillonella Prevotella Fuxobacterium Corynebacterium
Viruses	Polymicrobial infection
Rhinovirus Influenza virus Parainfluenza virus	

2. 임상소견

만성 비부비동염은 급성 비부비동염에 비해서 병력이 애매모호하고 이환기간이 불확실한 경우가 많다. 평상시에는 특별한 이상이 없다가 상기도 감염과 함께 불규칙하게 부비동 증상이 반복해서 나타나는 재발성 급성 비부비동염(recurrent acute rhinosinusitis), 증상의 차이는 있지만 만성적으로 지속해서 나타나는 지속성 만성 비부비동염(de novo chronic rhinosinusitis), 만성적인 비부비동염 증상이 있다가 갑자기 증상이 더욱 악화되는 만성 비부비동염의 급성 악화(acute exacerbation for chronic rhinosinusitis) 등 다양한 양상을 보일 수 있다.

3. 진단

만성 비부비동염은 병력, 내시경을 포함한 신체검사 소견, 방사선 소견 등을 종합하여 진단을 내릴 수 있으며 때로 내과적 치료에 반응이 미약할 때에는 세균배양검사로 원인균을 확인해야 한다.

1) 신체검사소견

전비경검사에서 비강 점막의 부종, 발적이나 비강 내 점액성 화농성 비루를 관찰할 수 있다. 비강과 중비도, 비인두에서의 농성 비루 여부, 비중격만곡, 중비갑개와 하비갑개 비대 등의 해부학적 구조 이상, 비용 유무 등을 관찰한다. 안와 내측부위(전두동이나 사골동), 협부(상악동)의 압통을 호소하는 환자도 있다.

2) 내시경 검사소견

내시경검사에서 만성 비부비동염을 의심할 수 있는 중요한 소견으로는 중비도의 폐쇄 여부, 비루의 성상, 위치, 해부학적 구조의 이상 등이 있다. 중비도의 폐쇄는 점막의 부종이나 해부학적 구조의 이상이 병행될 때 자주 발견된다. 내시경으로 관찰할 수 있는 해부학적 구조의 이상으로는 구상돌기(uncinate process)의 내측편위(medialization)가 가장 흔한 소견이며 중비갑개의 비후, 역곡중비갑개(paradoxical middle turbinate)나 중비갑개 점막의 폴립양 변화 등이 있다.

화농성 비루가 분비되는 부위를 통해서 간접적으로 침범된 부비동을 추측할 수 있다. 비루가 전두함요(frontal recess)에 위치할 때는 전두동염이나 전사골동염, 반월열공(semilunar hiatus) 내에 위치할 때는 상악동염이나 전사골동염, 상비도나 접사함요(sphenoethmoidal recess)에 위치할 때는 후사골동염이나 접형동염을 의심할 수 있다. 후비경검사에서 비루가 이관융기(torus tubarius)의 뒤쪽을 흐를 때는 후사골동이나 접협동의 병변, 이관융기의 앞쪽으로 흐를 때는 상악동, 전두동, 전사골동의 병변을 의심한다. 전비경으로는 관찰할 수 없는 작은 비용이나 미세한 비루가 전두와나 후천문(posterior fontanelle)에서 발견되기도 한다.

3) 방사선검사

단순방사선 검사는 가격이 저렴하여 비부비동염의 진단에 가장 흔하게 이용되나 증상이나 CT 소견과 일치하지 않는 경우가 많고,[18,40] 특히 소아로 갈수록 이런 현상이 두드러진다. 단순한 상기도염에서도 부비동의 혼탁이 나타날 수 있으며 반대로 단순방사선 검사에서 정상이지만 CT에서 병변이 발견되는 수도 많다. 비부비동염의 경우 치료 경과를 보기 위하여 촬영하는 경우에 증상이 소실된 후에도 상당기간 동안 단순방사선 검사에서 병변이 보일 수 있다. 따라서 만성 비부비동염을 진단할 때 단순히 방사선검사 소견에만 의존하는 것은 위험하며 증상, 내시경 소견을 종합하여 진단을 내리는 것이 옳다. 내시경수술이 보편화되면서 CT는 해부학적 이상이나 병변의 정도를 진단하는 데 표준으로 인정되고 있다. 그러나 증상이 없는 경우나 단순한 상기도염에 의해서도 병변이 나타날 수 있으며, 병변이 급성인지 만성인지 감별할 수 없다. 특히 만성 비부비동염을 진단할 때는 충분한 약물치료 후 시행하여야 정확한 정보를 얻을 수 있다. MRI는 연조직에 대한 해상도가 높지만 가격이 비싸고, 시간이 오래 걸리며, 주변 골조직을 볼 수 없다는 제한점 때문에 일반적인 비부비동염의 진단에는 사용되지 않으며 주로 부비동 종양과 감별진단할 때나 합병증이 발생한 비부비동염을 진단할 때 주로 이용된다. 특히 비부비동염의 두개내 침범이 있을 때에는 매우 유용하다.

4) 상악동 내시경검사

상악동 내시경검사는 일반적으로 시행되는 검사법은 아니지만 상악동의 병변을 확인하거나 세균배양을 위한 분비물을 얻기 위하여 혹은 치료의 일환으로서 시행할 수 있다. 하비도를 통해서도 시행할 수 있으나 자연공 부위나 함요(recess) 부위를 관찰하려면 견치와를 통한 방법을 사용하는 것이 좋다. 협치은협구(gingivobucccal sulcus)를 마취한 다음 투관침(trocar)을 반대편 눈의 내안각(medial canthus) 쪽으로 돌리면서 천사한 다음 30° 혹은 70° 내시경을 이용하여 관찰한다.

4. 치료

만성 비부비동염은 높은 유병률과 다양한 치료적 접근에도 불구하고 오랫동안 완치가 어렵고 재발이 잦은 난치성 질환으로 인식되어 왔으나, 80년대 중반에 부비동내시경수술과 다양한 항생제요법이 개발되면서 치료방법이 크게 진보하였다. 만성 비부비동염 치료의 기본은 크게 보존적 요법과 수술요법으로 나뉘며, 전자는 다시 항생제를 포함한 약물요법과 보조요법으로 나뉜다.

약물요법에서는 일차적으로 항생제와 혈관수축제를 사용하고 원인과 증상에 따라 보조적으로 거담제(점액용해제), 혈관수축제, 진통제, 항히스타민제, 스테로이드제 등을 병행한다.

항생제의 경우 일차 약제로 amoxicillin과 ampicillin의 3~4주 투여법이 널리 이용되어 왔으나 근래에는 β-lactamase를 생산하는 호기성 또는 혐기성 균이나 복합감염에도 효과적으로 작용하는 항생제를 사용한다. 경험적 치료를 해야 할 경우 급성 비부비동염의 경우와 유사하나 *S. aureus*와 β-lactamase를 생산하는 병원균에 효과적인 항생제를 선택해야 한다. 급성 비부비동염과는 달리 원인 균주에 효과가 없는 amoxicillin과 TMP/SMX는 사용하지 않는 것이 좋다. 약제로는 clindamycin, metronidazole, fluoroquinolone과 macrolide 복합제 등의 광범위 항생제를 적정량으로 4~6주간 사용한다. Kim 등의 보고에 따르면 비용을 동반한 만성 비부비동염 환자의 대부분에서 단일 세균만이 분리되었으며, 이 중 대부분의 환자에서 호기성 세균이 원인균으로 나타났다. 실제 만성 비부비동염 환자의 치료 시 호기성 세균 위주의 narrow spectrum의 단일 항생제 사용이 적절하다는 보고가 있다.[33] Macrolide계 항생제를 만성 비부비동염의 급성 악화 시 사용하여 효과를 보았다는 보고가 있으며, macrolide계 항생제의 면역조절 작용 및 항염작용을 이용하여 적정량의 1/2~1/3 용량으로 3개월 이상 투여하는 macrolide 소량장기투여법이 사용되고 있다.[8,16,45,49] 항생제의 장기 사용은 저항성을 증가시켜 감염의 만성화를 조장할 수 있으며, 장내 세균총의 변화를 가져와 *Clostridium difficile*의 증식을 유발해 외막성 대장염(pseudomembranous colitis)이 발병하여 만성 설사와 복부 불쾌감이 생긴다.

항생제 외에 보조적 치료는 건조한 점막을 가습시키고 점액의 점성을 낮춤으로써 원활한 배액과 섬모운동을 촉진하고 가피형성을 억제하며, 점막충혈을 완화해 증상을 줄일 목적으로 시행된다. 이러한 목적의 치료방법으로는 생리식염수 비강세척 또는 propylene glycol이나 olive oil 등의 습윤제 등을 첨가한 증기 흡입, 국소온열요법, 수렴제 사용 등이 있다.

만성 비부비동염에서 부가적 치료의 비중은 급성 비부비동염 때보다 높다. 점막의 부종이나 염증반응의 고착화를 막기 위해 국소 스테로이드 제제를 사용하는데, 이는 약물성 비염이 발현할 우려 없이 국소 비충혈 제거제의 사용기간을 1주 이상까지 유지할 수 있는 효과도 있다. 미생물 검사에서 균주가 배양되지 않는 경우에는 저용량의 스테로이드를 격일로 내복 투여하는 것도 유효한 부가적 치료 수단이 될 수 있다.[30] 혈관수축제는 점막 부종을 감소시켜 증상이 호전될 수는 있으나 비부비동염 개선에 유의한 효과는 없다고 보고되었으며, 점막의 혈류를 감소시켜서 염증을 악화시킬 수 있고 장기간 사용하면 반동성 충혈이 나타날 수 있으므로 제한적으로만 사용해야 한다.[36,42]

만성 염증성 비부비동 질환의 수술적 치료의 발전에 크게 기여한 부비동내시경수술은 Messerklinger의 점막의 점액섬모수송운동(mucociliary transport) 연구에 기초하고 있다. 즉, 일차 병변부위인 개구비도단위(ostiomeatal unit; OMU)의 질환을 제거하면 부비동의 자연공으로 충분한 배액과 환기가 이루어져 병적 점막이 정상 점막으로 환원된다는 것에 근거한다. 병적 점막을 모두 제거하는 기존의 고식적 수술에 비해 점막을 최대한 남기는 보존적 개념으로서, 점차 적응증이 확대되고 있으며 전통적인 방법들은 극히 제한적으로 사용되고 있다. 수술적 치료는 내과적 치료에 효과가 없고 CT 촬영을 통하여 비강이나 부비동의 병변이 확인된 경우에 시행하는 것이 적절하다. 또한 수술에 의해 부비동 자연공의 기능이 정상화된 후 환기와 배액이 원활해짐으로써 섬모 기능이 촉진되고 점막의 염증이 소실되기 위해서는 항생제를 포함한 약물요법을 수술 전후에 병행해야 한다.

참고문헌

1. 대한비과학회. 비부비동염 치료가이드라인 2005;1:8-27.
2. 민양기. 임상비과학. 일조각, 1997. p.281-307.
3. Ahn JC, Kim JW, Lee CH, et al. Prevalence and Risk Factors of Chronic Rhinosinusitus, Allergic Rhinitis, and Nasal Septal Deviation: Results of the Korean National Health and Nutrition Survey 2008-2012. JAMA Otolaryngol Head Neck Surg. 2016 Feb; 142(2): 162-7. doi: 10.1001/jamaoto.2015. 3142.
4. Anand VK. Epidemiology and economic impact of rhinosinusitis. Ann Otol Rhinol Laryngol Suppl. 2004 May;193:3-5.
5. Benninger MS, Ferguson BJ, Hadley lA, et al. Adult chronic rhinosinllsitis: definitions, diagnosis, epidemiology, and pathophysiology. Otolaryngol Head Neck Surg 2003;129(3 suppl): SI-32.
6. Benson ML, Ollverio PJ, Zinreich SJ. Imaging techniques: conventionall radiography, computed tomography, magnetic resonance and ultrasonography of the paranasal sinuses. In: Gershwin ME, Incaudo GA, eds. Diseases of the Sinus: a comprehensive textbook of diagnosis and treatment. Totowa: Humana Press, 1996, p.63-83.
7. Benson V, Marano MA. Current estimates from the National Health Interview Survey, 1995. Vital Health Stat 10 1998;199:1-428.
8. Bent JP III, Smith RJH. Intraoperative diagnosis of primary ciliary dyskinesia Otolaryngol Head Neck Surg 1997;116:64-67.
9. Bolger WE, Leonard D, Dick EJ, et al. Gram negative sinusitis: a bacteriologic and Histologic study in rabbits. Am J Rhinol 1997; 11: 15-25
10. Brook I. Microbiology and management of sinusitis. J otolaryngol 1996;25:4:249-256.
11. Brook I. Microbiology of acute and chronic maxillary sinusitis associated with an odontogenic origin. Laryngoscope 2005;115:823-825.
12. Brook I. The role of anaerobic bacteria in sinusitis. Anaerobe 2006;12:5-12.
13. Brook I, Gooch WM, Jenkins SG, et al. Medical managememt of acute bacterial sinusitis. Recommendations of a clinical advisory committee on pediatric and adult sinusitis. Ann Otol Rhinol Laryngol Suppl. 2000;182:2-20.
14. Calhoun KH, Deskin WR, Johnson JT, et al, eds. Bailey"s Head and Neck Surgery: Otolaryngology, 2nd ed. Philadelphia: Lipponcott-Raven, 1998, p.441-446.
15. Cauwenberge P, Ingels K. Effects of viral and bacterial infection on nasal and sinus mucosa. Acta Otolaryngol 1996;116:316-321.
16. Cervin A. The anti-inflammatory effect of erythromycin and its derivatives, with special reference to nasal polyposis and chronic sinusitis. Acta Otolalγngol 2001;121:83-92.
17. Cho YS, Choi SH, Park KH, et al. Prevalence of otolaryngologic diseases in South Korea: data from the Korea national health and nutrition examination survey 2008. Clin Exp Otorhinolaryngol. 2010 Dec; 3(4):183-93.
18. Cohen R. The antibiotic treatment of acute otitis media and sinusitis in children. Diagn Microbiol Infect Dis 1997;27:35-39.
19. Cummings CW, Fredrickson JM, Harker LA, et al, eds. Otolaryngology: Head and Neck Surgery, 3rd ed. St Louis:Mosby Year Book, 1998, p.1107-1118.
20. Diaz I, Bamberger DM. Acute sinusitis. Semin Respir Infect 1995;10:14-20.
21. Dombi VH, Walt H. primare ciliary dyskinesia, immotilecilia syndrome, and Kartagener syndrome: diagnostic criteria. Schweiz Med Wochenschr 1996;126:412-433.
22. Eustis HS, Mafee MF, Walton C, et al. MR imaging and CT of orbital infections and complications in acute rhinosinusitis. Radiol Clin of North Am 1998;36:1165-1183.
23. Fagnan LJ Acute sinusitis: a cost effective approach to diagnosis and treatment. Am Farm Physician 1998;58:1795-1802.
24. Ferguson Bj. Acute and chronic sinusitis:how to ease symptom and locate the cause. Sinusltis 1998;97:45-48.
25. FInegold SM, Flynn MJ, Rose FV, et al. Bacterologic findings associated with chronic bacterial maxillary sinusitis in adults. Clin Infect Dis 2002;35:428-433.
26. Fokkens WJ, Lund VJ, Mullol J et al. European Position Paper on Rhinosinusitis and Nasal Polyps 2012, Rhinology. 2012, Vol 50.
27. Gwaltney JM. Acute community-acquired sinusitis. Clin Infect Dis 1996;23:209-225.
28. Incaudo GA, Wooding LG. Diagnosis and treatment of acute and subacute sinusitis in children and adults. Clin Rev Allergy Immunol 1998;16:157-204.
29. Jiang RS, Hsu CY, Leu JF. Bacteriology of ethmoid sinus in chronic sinusitis. Am J Rhinology 1997;11:133-137.
30. Kaliner M. Medical management of sinusitis. Am J Med Sci 1998;316:21-28.
31. Kennedy DW, Senior BA, Gannon FH, et al. Histology and histomorphometry of ethmoid bone in chronic rhinosinusitis. Laryngoscope 1998;108:502-507.
32. Kerr AG, ed. Scott-Brown's Ololaryngology, 6th ed. Oxford: Butterworth-Heinemann, 1997, p.18-25.
33. Kim HJ, Lee K, Yoon JH, et al. Bateriological findings and antimicrobial susceptibility in chronic sinusitis with nasal polyp. Acta Otolaryngol 2006;126:489-497.
34. Kristin AS, Leslie G, Robert CK, et al. Chronic Rhinosinusitis and Superdntigens. Otolaryngol Clin North Am 2005;38:1215-1236.
35. Law DE. A practical guide for the diagnosis and treatment of acute sinusitis. Can Med Asso 1997;15:51-59.
36. Lindbaek M. Acute Sinusitis guide to selection of antibacterial therapy. Drugs 2004;64:805-819.
37. Min YG, Jung HW, Kim HS, et al. Prevalence and risk factors of chronic sinusitis in Korea: results of a nationwide survey. Eur Arch Otorhinolaryngol. 1996;253(7):435-9.

38. Perloff JR, Gannon FH, Bolger WE, et al. Bone involvement in sinusitis: an apparent pathway for the spread of disease. Laryngosope 2000;110:2095-2099.
39. Poole MD. A focus on acute rhinosinusitis in adults: changes in disease management. Am J Med 1999;106:38S-47S.
40. Roberts DN, Hampal S, East CA, et al. The diagnosis of inflammatory sinonasal disease. J Laryngol Otol 1995;109:27-30.
41. Rosenfeld RM, Piccirillo JF,Chandrasekhar SS. et al. Clinical Practice guideline (Update): Adult Sinusitis; Otolaryngology-Head and Neck Surgery, 2015, Vol. 152(2S) S1-S39.
42. Scheid DC, Hamm RM. Acute bacterial rhinosinusitis in adults: part II. Treatment. Am Fam Physician 2004;70:1697-1704.
43. Shashy RG, Moore EJ, Weaver A. Prevalence of the chronic sinusitis diagnosis in Olmsted County, Minnesota. Arch Otolaryngol Head Neck Surg. 2004 Mar;130(3):320-323.
44. Smith TL, Rhee JS, Nattinger AB, et al. Objective testing and quality-of-life evaluation in surgical candidates with chronic rhinosinusitis. AmJ Rhinol 2003;17:351-356.
45. Stein GE, Goldstein EJ. Clinical medicine. mini-review. Review of the in vitro activity and potential clinical efficacy of levofloxacin in the treatment of anaerobic infection. Anaerobe 2003;9:75-81.
46. Suzuki K, Nishiyama Y, Sugiyama K, et al. Recent trends in clinical isolates from paranasal sinusitis. Acta Otolaryngol suppl 1996;525:51-55.
47. Takeuchi N, Ichimura K. Status of long-term admission of macrolide antibiotics in small dosages: a survey based on questionnaires. Jpn J Antibiot 1997;50:8-10.
48. Talmor M, Li P, Barie PS. Acute paranasal sinusitis in critically ill patients: guidelines for prevention, diagnosis, and treatment. clin Infect Dis 1997;25:1441-1446.
49. William R Bishai. Macrolide immunomodulatory effects and symptom resolution in acute exacerbation of chronic bronchitis and acute maxillary sinusitis: a focus on clarithromycin. Expert Rev Anti infect Ther 2006;4:405-416.
50. Yoshida SH, Gershwin ME. Immunity, infection, and nasal disease. In:Gershwin ME, Incaudo GA,eds. Diseases of the Sinuses; A Comprehensive Textbok of Diagnosis and Treatment. Totowa:Humana press, 1996, p.367-380.

CHAPTER

18

진균성 부비동염

이비인후과학 Otorhinolaryngology - Head and Neck Surgery

신승헌

I 진균 감염의 병태생리

진균성 부비동염은 공기 중에 존재하는 진균이 호흡을 통해 비강과 부비동의 점막에 부착되어 발생한다. 1893년 Mackenzie가 상악동 내 진균구를 보도한 이후 최근 수년간 발병빈도가 지속적으로 증가하고 있다.[20] 이는 광범위한 항생제의 남용, 영상진단 장비의 발달, 진균 배양과 분자생물학적 진단 기술의 발달, 악성종양 및 면역 기능 저하를 동반하는 환자의 증가, 이식 환자의 증가 등이 원인으로 알려져 있다. 진균성 부비동염은 적절한 항생제 치료에도 잘 반응하지 않는 급성 또는 만성 부비동염이나, 방사선 검사와 일치하지 않는 심한 통증을 호소하는 환자 등에서 의심할 수 있다.

진균성 부비동염은 진균에 의한 비부비동 점막의 단순한 자극에서부터 생명에 위협을 주는 치명적인 질환까지 다양하게 나타난다. 공기 중에 존재하는 진균이 호흡을 통해 상기도 및 하기도로 들어오게 되므로, 호흡기는 진균에 항상 노출되어 있는 상태로 호흡기 점막에서 만들어진 glycoconjugate, 방어 단백물질과 효소 및 상피세포의 tight junction 등의 물리적 장벽에 의해 보호받고 있다.[10] 호흡기로 들어온 진균이 병원성을 나타내기 위해서는 첫째, 점액섬모운동 능력의 손상으로 흡입된 진균의 배출 장애가 생겨 호흡 상피세포와 접촉시간이 길어지는 경우, 둘째, 침입한 진균의 제거를 위해 비강 상피에 존재하는 살진균성 단백물질의 이상이 있는 경우로 진균에서 분비되는 단백질분해효소에 의해 국소적 염증반응이 유발된다. 셋째, 진균에 의해 보체 체계와 항원-항체 반응이 억제되고, 탐식 세포에 의한 진균의 탐식작용이 진균에서 분비되는 gliotoxin, 균사 독소 등에 의해 억제되는 경우이다. 마지막으로 진균에서 분비되는 단백분해효소들이 진균의 조직 내 침투를 용이하게 하여 여러 가지 질병을 일으키게 된다.[18,27] 진균성 부비동염의 발병기전에 대한 연구가 활발히 이루어지면서 보다 합리적인 분류, 적절한 치료방법의 결정과 예후 예측이 가능해졌다.

Ⅱ 진균성 부비동염의 진단

진균 감염의 진단은 1) 환자에서 얻어진 검체에서 현미경을 이용하여 진균을 확인하거나, 2) 진균의 배양, 3) 방사선학적 검사, 4) 혈청학적 검사, 및 5) 중합효소 연쇄반응 등의 분자생물학적 검사법 등으로 가능하지만 임상적으로 1)–3)의 방법을 흔히 사용한다.[3] 진균은 potassium hydroxide (KOH)염색만으로 동정이 가능할 수 있으나, Gomori methenamine silver (GMS)염색, periodic acid–Schiff (PAS)염색 등의 특수 염색이 필요할 수 있으며, Sabouraud's agar나 potato dextrose–corn meal agar 등을 이용하여 배양할 수 있다. 전산화단층촬영에서 부비동염이나 비용보다 음영이 감소하고 국소적인 고음영 부위를 보이며, 자기공명영상에서는 T1–강조영상에서 음영이 중간 또는 약간 감소하는 정도이지만 T2–강조영상에서는 더 어둡게 보인다.

Ⅲ 진균성 부비동염의 분류

진균성 부비동염은 크게 환자의 면역학적 상태와 조직병리학적 기준에 따라 비침습성과 침습성으로 나눌 수 있다. 비침습성은 진균이 비즙 내에 존재하며, 만성 부비동염의 증상을 가지는 경우가 많으며, 비즙은 땅콩버터 같은 색을 가지면서 점도가 높고 악취를 동반하는 경우가 많다. 침습성은 진균이 점막, 점막하, 혈관, 골 조직 내에서 발견되며 염증세포의 침윤과 함께 광범위한 조직괴사를 동반한다.[26]

침습성에는 급성 전격성과 만성 침습성, 만성 육아종성이 있으며, 비침습성에는 진균구와 알레르기성 진균성 부비동염이 있다. 침습성 부비동염 중 급성 전격성 침습성 부비동염은 심각한 면역 기능장애가 있는 환자에서 발생하는 치명적인 질환으로, 조기에 수술적 제거와 전신적 항진균제의 투여가 필요하므로 진균성 부비동염의 치료에 있어서 먼저 침습성과 비침습성을 구별하는 것이 중요하다(표 18-1). 호산구성 진균성 부비동염은 진균에 대한 과반응에 의해 발병하며 알레르기 반응과 관련이 있는 알레르기성과 비알레르기성 진균성 부비동염으로 분류할 수 있다.

1. 급성 전격성 진균성 부비동염 (Acute fulminant invasive fungal sinusitis)

1) 임상양상

전격성 진균성 부비동염은 Aspergillus flavus와 Pseudallescheria doydii 등이 원인 진균이며, 백혈병(leukemia), 임파종(lymphoma), 재생불량성 빈혈(aplastic anemia), 후천성면역결핍증, 장기이식 환자 등 면역기능이 저하된 환자, 항생제의 장기간 사용이나 방사선 치료에 의한 기회감염으로 발생한다.[6] 초기 심한 열(spiking fever)을 특징으로 하며, 적절한 항생제를 사용하여도 원인을 알 수 없는 열이 48시간 이상 지속되는 경우가 많다. 안면부 통증, 두통, 피가 섞인 비루, 가피형성과 비강점막의 색깔변화 등의 소견을 보이는데, 혈액 순환장애에 의한 비강점막 색깔변화는 회색, 녹색, 검정색, 흰색 등 다양하게 나타나며 육아조직과 점막 궤양이 나타날 수 있다. 점막이 흰색으로 변하는 것은 진균이 혈관을 침범하여 조직허혈(tissue ischemia)에 의한 현상이고, 점막이 검어지는 것은 조직괴사에 의한 현상으로 후기에 주로 나타난다. 이러한 점막의 변화는 중비갑개에서 빈발하고 비중격, 구개, 하비갑개의 순으로 나타난다. 비강 점막 출혈이 감소하고 무감각해지는 경우 진균 감염을 의심할 수 있다. 초기에 진단과 치료가 적절히 이루어지지 않는 경우 안구, 뇌, 폐, 간, 비장 등으로 감염이 퍼지고 시력감퇴, 안근마비, 국소 뇌신경증상, 발작성 경련 등이 나타나게 된다. 따라서 면역기능이 저하된 환자에서 전격성 진균성 부비동염이 의심되는 경우 신속하고 적극적인 진단과 치료를 시행하여야 한다.

표 18-1. 진균성 부비동염의 임상의학적 특징

	급성 전격성	만성 침습성	만성 육아종성 침습성	진균구	알레르기성 진균성
대표적 진균	Mucorales Aspergillus fumigatus	Aspergillus fumigatus	Aspergillus flavus	Aspergillus fumigatus Dematiaceous fungi	Bipolaris sp.
지역특성	비특이적	비특이적	아프리카, 동남아시아	다습지역	다습지역
개체특성	면역결핍환자	정상 면역자 혹은 면역결핍환자	정상 면역자	정상면역자	정상면역자
동반질환	당뇨, 악성종양, 면역억제제 사용	당뇨 혹은 정상인		만성 비부비동염, 비용	천식, 만성 비부비동염
임상양상	급성, 열, 기침, 코피, 두통, 의식 변화	만성, 일측 안검하수 안와 첨부 증후군	안와, 뺨, 비강이나 부비동의 종괴, 일측성 안구돌출	일측, 코막힘 적갈색 분비물	범비부비동염, 비용, 안검하수
조직 소견	조직 및 혈관 내 진균 광범위 괴사, 호중구 증가	진균의 점막 침범과 림프구, 거대세포, 괴사성 육아종 침윤	광범위한 섬유화, 비건락성 육아종, 거대세포내 균사	농축된 균사덩어리	알레르기성 점소, 균사 Charcot-Leyden crystal
치료	광범위 절제 항진균제요법	광범위 절제 항진균제요법	수술 단독 혹은 항진균제요법 병용	제거 및 환기	조직제거 및 환기 스테로이드, 면역치료
예후	Fair when limited	양호하나 재발가능	재발이 흔함	아주 우수함	빈번히 재발함

2) 진단

진단에 있어서 전산화단층촬영이 결정적인 정보를 제공하지는 못하지만 염증의 범위, 수술 범위 결정 및 골 구조의 변화를 관찰하는 데 도움을 준다.[7] 전산화단층촬영에서 일측 비강 점막 비후와 상악동 주위 지방면(periantral fat plane)의 혼탁 소견이 침습성 비부비동염의 초기에 특징적으로 나타날 수 있다. 하지만 진균성 질환이 혈관을 따라 진행하기 때문에 부비동 골조직의 손상 없이 안구나 두개 내로 침범할 수도 있다. 자기공명영상은 연조직 이상과 혈관폐쇄, 두개 내 침범이 의심되는 경우 도움이 되며, T1과 T2 영상에서 조영증강이 거의 되지 않는 저신호강도의 소견을 보인다. 신뢰할 만한 유일한 진단법은 조직학적 검사이다. 면역기능이 저하된 환자에서 열이 지속적으로 나는 경우 내시경을 이용한 정상 및 병변 부위의 조직검사를 시행하여야 하며, 점막, 점막하 및 골조직으로 진균의 침습소견이 있으며, 혈관 침범과 괴사조직이 있는 경우 확진할 수 있다. 진균 배양검사에서 음성으로 나올 수 있으며, 양성인 경우에도 진균이 표재성으로 존재할 수 있으므로 그 임상적 의의를 조심해서 판정해야 한다.

3) 모균증(Mucormycosis)

모균증은 전격성 부비동염과 유사한 임상양상을 보인다. 당뇨병을 가진 환자에서 흔히 발생하지만 호중구감소증 등의 면역기능이 저하된 환자나 정상인에서도 발생할 수 있다. Zygomycetes강에 속하며 Mucoraceae과에 속하는 *Rhizopus*, *Rhizomucor*, *Mucor* 등이 원인으로 Zygomycosis라고 불리기도 하며, 비부비동에 시작하여 안와와 뇌로 빠르게 진행되므로 rhinocerebral mucormycosis라고도 한다. 진균이 비부비동 점막에 닿아 조직 내로 침투하게 되며, 특히 혈관내피에 위치하여 혈전을 형성하고 허혈성 경색과 출혈성 괴사가 일어나 병변이 넓게 퍼지게 된다.

Rhizopus, *Mucor*, *Absidia* 등은 현미경적 소견으로 중격이 없거나 극히 드문 균사가 거의 90도 각도로 분지되어 있다. 이들은 건강한 사람의 구강과 비강, 인두의 점

막, 대변 등에서 흔히 배양되지만 일반적으로 감염의 원인이 되지는 않는다. 그러나 당뇨병이나 정맥 내 약물투여 남용자, 면역억제 치료 중인 환자 등의 경우 급속히 진행하여 치명적인 결과를 초래한다.

모균증은 공기 중의 포자가 비강을 통하여 비강, 인후, 부비동의 점막에 부착된 후 또는 개방창으로 침범하여 부비동염, 안와염을 유발한 후 혈관을 통하여 내경동맥과 안동맥의 혈전을 일으키며 이어 정맥과 림프관을 통과하여 증상을 일으킨다. 초기 발열이 가장 흔한 증상이며, 비강 내 소견은 비갑개 충혈과 비강폐쇄이며 진행하면서 비갑개 괴사와 혈성 분비물을 형성하며 안와를 침범하면 안구통, 결막부종, 충혈, 안구돌출 등이 나타나고 병변이 진행하면서 비강과 안검의 괴사성 변화가 현저해지며 하비갑개가 검게 보이고, 비중격의 천공이 동반되는 경우도 있으며 해면정맥동, 내경동맥, 뇌를 침범하는 경우 반신마비와 혼수가 나타날 수 있다.[11,15]

모균증은 다양한 임상양상으로 나타나 비두부형, 폐형, 전신형, 국소성 대뇌형, 심내막형 그리고 피부형으로 분류하는데 이 중 이비인후과에서 중요한 비두부형은 부비동의 구조물들이 침범되고 이어 전격적 뇌막염과 뇌염으로 진행되는 것으로 주로 당뇨병의 합병증인 케토산혈증이 동반된 환자에서 주로 나타난다. 케토산혈증을 동반한 당뇨병 등 면역기능이 떨어진 환자의 비강에서 검은색의 하비갑개의 괴사 소견이 보이면 의심할 수 있고, 조직검사로써 phycomycetes의 특징적인 분지와 중격이 없는 균사가 확인되면 확진된다.

4) 치료

치료는 원칙적으로 전신적인 대사이상의 교정과 더불어 침범부위의 광범위한 외과적 절제를 기본 원칙으로 한다. 초기단계의 경우 항진균제에 반응을 잘하지만 대부분의 경우 가능한 빠른 시간 안에 활력을 잃은 조직의 외과적 절제와 병변이 있는 부비동의 환기가 되도록 하여야 한다. 따라서 1) 동반된 면역장애 질환의 치유, 2) 즉각적인 전신 항진균제 사용, 3) 괴사조직의 광범위한 절제가 중요하다. 수술은 병변 내 진균의 양을 줄여 염증반응을 약화시키고, 골수 기능의 회복을 유도하며, 진단적 목적의 조직검사와 배양검사를 가능하게 한다. 내시경 수술이나 Caldwell-Luc 수술 등으로 피가 나는 깨끗한 조직이 보일 때까지 침윤된 골과 괴사된 연조직을 과감하게 제거하되, 뇌막이나 안와골막과 같은 염증 파급에 장벽역할을 하는 구조물은 가능한 보존하여야 한다. 수술 후에는 amphotericin B (1.0~1.5 mg/kg/day)를 4~6주간 사용하여야 하며 급성기가 지난 후에는 itraconazole (400 mg/day)을 사용할 수 있다.[14] Amphotericin B는 대부분의 진균과 효모에 효과를 나타내는 광범위 항진균제이지만 소화기 내로 흡수가 좋지 않아 반드시 정맥주사가 필요하고, 뇌척수액과 같은 체액으로의 침투력이 떨어지며, 용량이 많아질수록 신독성이 증가하는 단점이 있다. 특히 고용량에 따른 신독성은 장기간 치료를 하지 못하는 이유가 되며, amphotericin B 치료 중에 혈중 BUN, creatinine, electrolyte, CBC 등을 정기적으로 측정하여야 한다. 그 외에도 아나필락시스, 열, 구역 등도 발생 가능하다. 초기 반응이 좋지 않은 경우 rifampin이나 5-flucytosine을 첨가하기도 한다. 신장기능 이상 등으로 amphotericin B를 사용할 수 없는 환자는 liposomal amphotericin B (4 mg/kg/day)를 사용할 수 있으나 고가라는 단점이 있다. Amphotericin B의 전반적인 치료효과는 50% 정도이며, 환자의 면역상태에 따라 병의 진행속도가 결정된다. 전격성 진균성 부비동염의 사망률은 50~80%로 알려져 있으나 최근 신속한 진단과 치료로 사망률이 낮아지고 있다.[13,15,22] 진균의 배양이나 병리학적 검사로 원인 진균이 확인되는 경우 Mucorales는 amphotericin B를 Aspergillus인 경우는 voriconazole을 우선적으로 선택한다. Fusarium이나 Scedosporium의 경우 azole계 항진균제에 내성을 보이기도 한다. Hyperbaric oxygen therapy가 허혈성 산혈증을 호전시켜 효과적이라는 보고가 있으나 효용성에 대한 논란은 지속되고 있다. 국소 치료법으로

Amphotericin B 50 mg을 증류수 10 ml에 녹여 각 비공에 4 mℓ씩 하루에 2~6회 분무하여주기도 한다. 당뇨병을 가진 경우 60~90%, 백혈병의 경우 20~50%의 생존률을 보인다.[9]

2. 만성 침습성 진균성 부비동염 (Chronic invasive fungal sinusitis)

1) 임상양상

만성 침습성 진균성 부비동염은 급성 전격성 진균성 부비동염보다 진행이 느리고 괴사가 덜한 것이 특징이며 당뇨, 스테로이드 치료, 면역기능 억제 환자에서 호발하지만 면역기능이 정상인 사람에서도 발생 가능하다. 수개월에서 수년에 걸쳐서 진행하는 만성적이고 재발성의 질환으로 비특이적인 만성 부비동염이 여러번의 약물치료나 수술에도 불구하고 진행성의 양상을 보인다면 의심해 보아야 한다.[22]

2) 진단

Aspergillus fumigatus가 가장 흔히 동정되며, 진단은 조직검사를 통해 이루어진다. 조직검사에서 진균의 점막 침범과 림프구, 거대세포, 괴사성 육아종의 만성적인 침윤 등이 관찰되는 서서히 조직을 파괴하는 질환으로 육아종성 비부비동염과는 달리 조직 내 염증 침윤은 드물고 혈관을 침범하는 균사 덩어리를 특징으로 한다.

주위 골조직을 미란시켜 안구나 두개강 내로 감염을 확산시키기도 하는데, 해면동 내부에 위치한 신경의 기능상실을 야기하여 시각장애, 외안근 마비와 안구주변의 통증을 유발하는 안와 첨부 증후군(orbital apex syndrome)이 나타나는 경우도 있다. 전산화단층촬영에서 부비동 내 고음영 부분이 나타나고 부비동 벽의 파괴, 반점모양의 음영(mottled lucency)과 불규칙한 골 모양을 볼 수 있으며, 부비동 바깥으로 병변이 진행된 경우 악성종양으로 오인할 수도 있다. 만성 염증에 의한 부비동 골벽의 경화성 변화를 보이기도 한다. 자기공명영상에서 T1영상에서 저신호강도, T2 영상에서 더욱 약한 신호강도를 보인다.[1]

3) 치료

치료는 급성 전격성 진균성 부비동염와 같이 병변 부위를 수술적으로 광범위하게 제거하고, 전신적인 항진균제인 amphotericin B를 수 주간 사용하는 것이다. 예후는 급성 전격성 진균성 부비동염보다 양호한 것으로 알려져 있지만, 수술과 수 주간의 약물 치료에도 불구하고 재발이 드물지 않으므로 주기적인 단층촬영과 내시경 검사가 요구된다.

3. 만성 육아종성 침습성 진균성 부비동염

1) 임상양상

만성 육아종성 침습성 진균성 부비동염은 Aspergillus flavus가 원인 균주인 상대적으로 드문 질환으로 아프리카(수단)와 동남아시아(인도, 파키스탄)에서 흔히 발견되고 있다. 면역기능이 정상인 경우가 많으며, 임상양상은 수개월에서 수년간 진행하는 안와, 뺨, 비강이나 부비동의 종괴 형태로 나타나는데, 특히 일측성 안구돌출이 특징적으로 나타나는 경우가 많다.[28]

2) 진단

조직검사로 진단하며, 조직 괴사와 화농성을 보이는 만성 침습성과 다르게 만성 육아종성 침습성 진균성 비부비동염은 광범위한 섬유화를 동반하는 육아종성 반응을 보이며 비건락성 육아종, 거대세포 내의 균사를 확인할 수 있다. 혈관이나 골조직으로 진균의 침범은 흔하지 않으며 부비동 점막의 표면 혹은 제한적인 침범(micro-invasion)이 관찰된다.

3) 치료

재발이 비교적 흔하여 광범위한 수술과 남아있는 침습

적 병변을 제거를 위한 전신적 항진균제를 사용하여 치료할 수 있으나 전신적 항진균제 없이 외과적 절제만으로 병변을 제거할 수도 있다.[8] 항진균제의 경우 *Aspergillus*가 원인균인 경우 itraconazole을 사용하여 좋은 결과를 얻을 수 있다. Itraconazole을 하루 200 mg씩 6주간 사용하고 완치여부가 확인되면 100 mg을 12~19개월간 사용하도록 한다. 만약 6주간의 사용에 반응이 없는 경우 매일 300 mg을 병변이 제거될 때까지 투여한다. 하지만 itraconazole을 장기간 사용하는 경우 저칼륨혈증, 부신피질부전, 고중성지방혈증, 혈중 아미노전달효소(aminotransferases) 증가와 위장장애 등이 발생할 수 있으므로 주의하여야 한다. *Aspergillus flavus*에 대한 침전항체의 존재여부가 예후에 중요한 영향을 미친다.[25]

4. 진균구(Fungal ball)

1) 임상양상

진균구는 진균성 부비동염 중 발생빈도가 가장 높으나 양호한 경과를 보이는 질환으로 균사가 조직 내 침범없이 비부비강 내 밀집 축척되어 있는 상태로 mycetoma, aspergilloma 등으로 불리기도 했다. *Aspergillus*가 주된 원인 균주이며 중년 혹은 노년의 여성에서 빈발하며 면역기능이 정상인 경우가 대부분이다.[20,21] 대개 단독 부비동(94%), 특히 상악동과 접형동에 주로 발생하는 질환이다. 진균구의 발생에는 부비동 환기 장애를 유일한 위험인자로 추정하고 있다. 부비동으로 흡입된 진균에 의한 점막의 염증반응은 부비동 자연개구부를 막아 산소분압을 떨어뜨리고, 부비동의 습한 환경을 통해 진균이 성장할 수 있는 최적의 조건을 만들게 된다. 대부분 단일 부비동에 발병하는데, 주로 상악동에 발생하고 가끔 접형동에서 발견되기도 한다. 드물지만 한 개 이상의 부비동에 발생하기도 한다.

균사 덩어리가 자연개구부를 막아 박테리아성 부비동염이 동반되는 경우가 많으며, 증상으로 농성 비루, 안면통이나 충만감, 코막힘, 악취, 후비루 등이 있다. 10%에서는 비용을 동반하며, 약 20%는 특이 증상이 없이 우연히 발견하기도 한다. 일반적으로 부비동염과 증상이 유사해 증상만으로 진단하기는 어렵지만, 만성 비부비동염의 증상을 가진 편측성 부비동염 환자에서 고식적 치료에 반응이 없으며 안면부 동통이나 악취의 증상을 동반하거나 갈색 혹은 흑색의 치즈같은 반고형성 분비물이 있는 경우에 진균구에 의한 부비동염을 의심하여야 한다.

2) 진단

비내시경 검사에서 진균구가 비강 내로 돌출되지 않은 경우에는 진단에 도움을 주지 못하며, 전산화단층촬영에서 다양한 크기의 석회화와 불균질 음영 및 부비동 골경화와 골막비후 소견을 관찰할 수 있다. 자기공명촬영은 진단을 위한 필수검사는 아니지만 T1-강조영상에서는 음영이 약간 감소하고 T2-강조영상에서는 더욱 음영의 감소(signal void)를 보이며, T1, T2 모두에서 주변 음영 증가 소견을 보인다(그림 18-1). 배양검사를 통해 진균의 종류를 확인할 수 있으나 다른 진균성 부비동염에서와 같이 병변에 존재하는 진균의 생존능력이 떨어져 배양검사로 확인하기는 쉽지 않다(23~50%). 조직검사를 통해 90% 이상에서 균사를 확인할 수 있으며,[7] 조직 검사상 염증세포의 침윤은 심하지 않고, 균사가 농축되어 양파모양으로 쌓여있으며 진균의 조직 내 침범은 없다.

3) 치료

치료는 내시경을 이용해 균사덩어리를 완전히 제거해야 하며, 부비동의 환기를 회복시켜서 점액섬모운동이 회복되면 재발은 드물어, 약 1% 이하에서 재발하는 것으로 보고되어 있다. 중비도에 존재하는 진균구 덩어리에 의한 압력 괴사로 대부분 상악동의 자연공이 넓어져 있어 자연공의 확장술 없이도 진균구 제거가 비교적 쉽게 이루어진다. 상악동의 구석에 존재하여 기구가 미치지 못하는 진균구는 확장된 자연공을 통하여 강한 식염수 세척으로

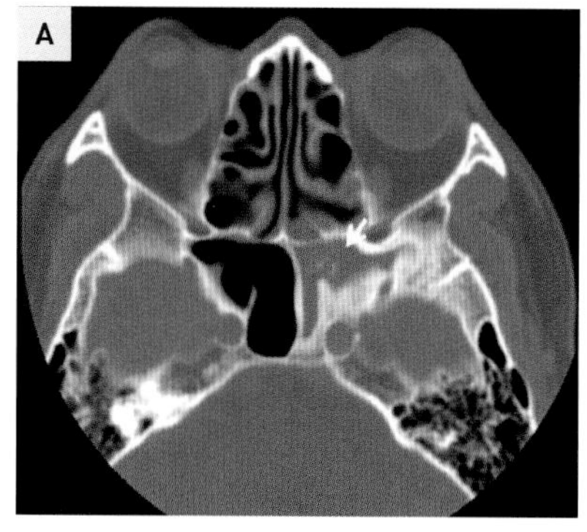

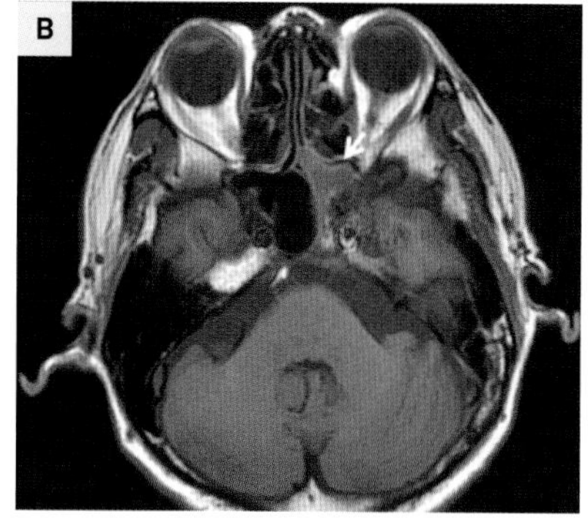

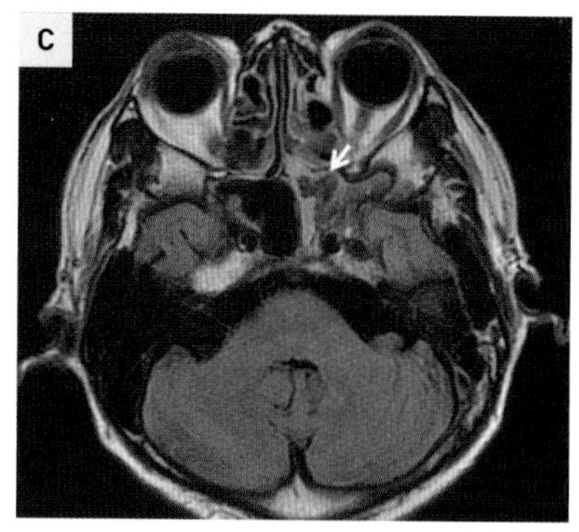

■ 그림 18-1. **접형동 진균구.** **A)** 전산화단층촬영 측면사진에서 좌측 접형동 내부의 음영 증가 소견을 보이며, **B)** 자기공명영상의 T1-강조영상에서는 음영이 약간 감소하는 소견을 보이고, **C)** T2-강조영상에서는 더욱 음영이 감소한 소견을 보이고 있다.

대부분 제거가 가능하다. 식염수 세척에도 진균구의 완전 제거가 어려운 경우에는 경하비도 개방술, 견치와 천자, 또는 상악동 근치술 등의 방법을 병용할 수 있다. 술 후 국소 혹은 전신 항진균제 사용은 필요하지 않다. 최근 영상기술의 발달로 진균구의 존재가 우연히 발견되는 경우가 있다. 증상이 없는 진균구에 대한 수술적 치료의 시행 여부에는 논란이 있지만 정기적인 검진을 통해 병변의 진행 상태를 보고 수술 시기를 결정하는 것이 일반적이며, 천식이 동반된 경우에는 진균구의 증상이 없더라도 수술을 시행하는 것을 원칙으로 한다.

5. 알레르기성 진균성 부비동염 (Allergic fungal rhinosinusitis)

1) 임상양상

1952년 Hinson 등[16]이 allergic bronchopulmonary aspergillosis (ABPA) 환자 10%는 비강에서 객담소견과 비슷한 nasal plugs를 가진다고 보고한 후, Millar와 Katzenstein 등[17]이 조직소견이 ABPA와 유사한 만성 부비동염 환자들을 보고하면서 allergic aspergillosis of the paranasal sinuses라는 용어를 사용하였다. 이는 ABPA 환자가 가지는 알레르기성 점액 등의 조직학적 특성을 가지며, 배양검사에서 얻어진 진균 중 적어도 한 가지 이상의 진균 항원에 대해 특이항체를 가져 두 질환이 매우 유사할 것으로 여겨졌다. 그러나 진균성 부비동염의 15% 정도만이 *Aspergillus*가 원인균이었고, *Alternaria, Bipolaris, Curvularia, Cladosporium* 등의 Dematiaceous family가 중요한 원인균임이 밝혀지면서 알레르기성 진균성 부비동염이라는 용어를 사용하게 되었다.

알레르기성 진균성 부비동염은 따뜻하고 습도가 높은 지역에서 평균 연령이 20대 후반인 젊은 성인에서 흔히 발생되며, 만성 부비동염으로 수술적 치료를 받은 환자의 5~10% 정도가 AFS로 진단되며, 33~50%가 천식을 동반하고 27%는 아스피린 과민성을 가진다. 알레르기 성향을 가진 사람이 진균을 흡입하면(정상 성인: 5.7×10^7 spores/day) 부비강 내에서 Gell and Coombs type I과 type III 과민반응이 일어나고 비강 점막 비후와 자연개구부 폐쇄, 염증성 삼출액이 저류되면서 진균의 생존에 보다 좋은 환경이 만들어지게 되고 더욱 많은 진균성 항원에 지속적으로 노출된다. 진균 항원이 IgE와 결합하여 비만세포의 활성화로 만성 염증성 면역반응이 뒤따르게 된다. 많은 수의 호산구가 유입되고 활성화되어 세포독성 물질이 풍부한 과립을 세포 밖으로 분비하고 이로 인해 조직 괴사와 골파괴가 일어난다.

비폐색이 가장 흔한 증상으로 대부분의 환자들이 비용을 동반하며, 기관지 천식, aspirin sensitivity를 동반하기도 한다. 시신경이나 중추신경 침범은 드물지만 만성 염증과 조직파괴에 의해 질환이 안구쪽으로 퍼져 나가면 외안근 마비가 발생하기도 한다. 염증성 점액은 점도가 높고 땅콩버터 같은 녹갈색의 진득진득한 특징적인 호산구성 점액(eosinophilic mucin, formerly called "allergic mucin")을 가진다. 알레르기성 점액은 일반적인 염증성 점액이 호중구가 주된 염증세포인 것과 달리 창백한 무정형의 점액에 괴사를 일으킨 호산구와 유리 호산구 과립, 다른 세포 잔해 덩어리로 뭉쳐져 있다. Charcot-Leyden crystal은 2~60 μm의 lysophospholipase로 유리된 호산구 과립으로부터 형성되며, 단면적이 육각형의 모양으로 H&E염색을 하면 창백한 오렌지 색깔을 띤다. 환자의 비즙을 H&E염색으로 관찰하면 Charcot-Leyden crystals과 진균의 균사, 호산구를 포함하고 있는데 이를 호산구성 점액이라고 한다.

2) 진단

여러 부비동에 발병하며, 단순 방사선검사는 비특이적인 점막의 비후와 혼탁을 보이고, 전산화단층촬영에서 약 50% 정도에서 bony erosion이나 부비동 골벽의 thining을 관찰할 수 있다. 진균의 조직 내 침윤 없이 골 파괴 소견을 보이는 것은 팽창하는 비용과 점도 높은 점액덩어리에 의한 압력이나 호산구에서 배출되는 MBP같은 세포독성 물질 때문으로 생각된다(그림 18-2). 진단 기준에 대한 논란은 있으나 Bent와 Kuhn이 제시한 5가지 기준이 가장 널리 쓰이고 있다. 진단 기준으로 1) 병리조직 검사상 호산구와 Charcot-Leyden 결정을 포함하는 호산구성 점액이 존재하고, 2) 비즙 내 진균이 조직학적 검사나 배양을 통해 확인되고, 3) 진균에 대한 제1형 과민반응을 보이며, 4) 전산화단층촬영에서 골미란, 부비동 팽창과 균일하지 않은 혼탁음영 등의 특징적인 소견을 보이며, 5) 비용의 동반 등을 제시하였다.[2] 그러므로 알레르기성 진균성 부비동염의 진단을 위해서는 1) 혈중 총 호산구 수, 2) 혈중 총 IgE, 3) 진균에 대한 특이 항체검사(피부단자검사, MAST, RAST), 4) 술 후 조직에서 알레르기성 점액 존재, 5) 비즙 및 조직 진균 배양 등을 시행하여야 할 것이다. 일반적으로 혈중 총 IgE는 평균 500~1,000 IU/ml로 혈중 총 IgE가 질환의 심각도(severity) 및 재발율과 연관성을 가진다.

3) 치료

초기에는 알레르기성 진균성 부비동염의 발병기전을 알지 못하여 광범위 절제와 전신적 항진균제 치료를 시행하였으나 높은 재발률을 보였다. 이후 진균에 대한 면역학적 반응이 주된 발병기전임이 밝혀지고 수술적 치료와 약물치료의 병행이 필요하다는 사실을 알게 되었다. 수술은 호산구성 점액과 진균을 포함하는 조직을 완전히 제거하여 allergen loading을 최대한 줄일 수 있어야 하며, 정상 점막을 최대한 보존하면서 비부비동의 환기와 배액이 충분히 이루어질 수 있도록 하여야 한다. 또 수술적 치료 후 postoperative access가 용이하도록 하여 잔존하는 진균에 의한 재발을 신속하게 파악하고 처리할 수 있어야 한다. 점막의 보존은 진균성 부비동염이 주변 조직으로 확대되는 것을 막을 수 있다. 필요한 경우 수술 전 일주일간 전신적 스테로이드 0.5~1.0 mg/kg/day와 항생제를 사용하여 비용의 크기를 줄이고, 염증을 완화시키며, 수술 전후의 감염을 줄일 수 있다. 호산구성 염증반응 억제를 통한 재발 방지를 위해 수술 후 전신 스테로이드제 사용도 필요하다. 수술 후 초기에는 0.5 mg/kg/day를 2주 정도 사용하고 0.2 mg/kg/day로 줄여서 사용하며, 혈중 총 IgE와 점막의 소견을 관찰하면서 0.1 mg/kg/day로 점차 줄인다. 국소 스테로이드 분무는 단독으로 큰 효과가 없으나 전신 스테로이드제와 함께 사용하면 장기적인 예방 효과를 기대할 수 있다. 수술 후 생리식염수 혹은 항진균제를 이용한 비강 세척을 통해 항원이 되는 진균의 양을 줄이고 비강 점액의 염증성 매개물질을 제거할 수 있으며, 제1형 과민반응과 연관이 있어 진균에 대한 면역치료와 류코트리엔 수용체길항제를 사용할 수

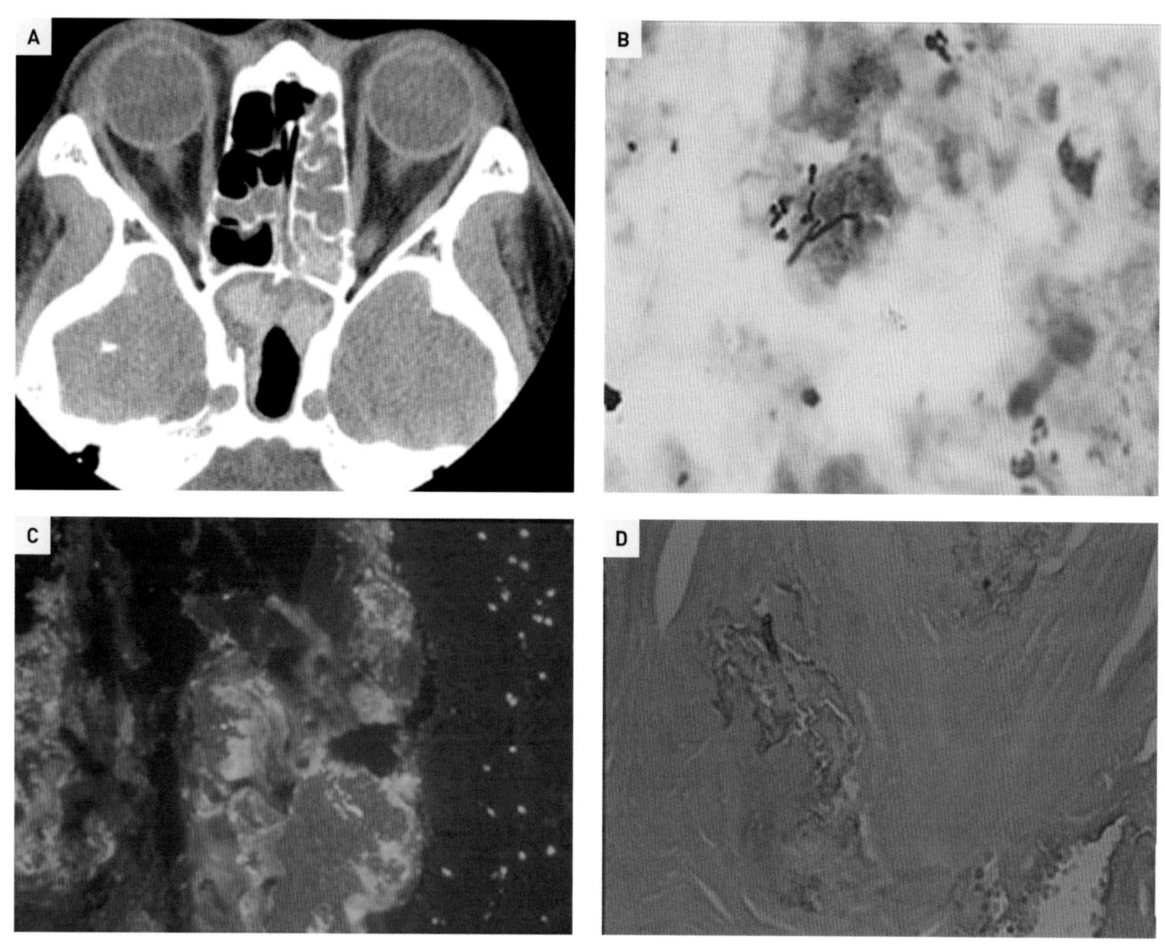

■ 그림 18-2. **알레르기성 진균성 부비동염.** **A)** 전산화단층촬영 축면사진에서 후사골동과 접형동 내 균일하지 않은 혼탁음영이 확인되고, **B)** 비즙의 Gomori methenamine silver (GMS) 염색에서 진균의 균사와 포자를 확인할 수 있으며, **C)** major basic protein (MBP) 면역형광염색에서 조직 내 호산구는 정상적인 형태를 유지하고 있으나 비즙에서 호산구가 활성화되어 다량의 MBP가 유리됨을 확인할 수 있으며, **D)** GMS 염색에서 비즙 호산구 군집 내에서 진균의 존재를 확인할 수 있다.

있으나 아직 더 많은 연구가 필요하다.[23] 성공적 치료를 판단하는 지표는 총 IgE 및 항진균 특이 IgE의 감소, 비부비동 점막 종창과 비용종의 소실, 진균 응고물(fungal concretion)의 내시경적 관해, 임상증상의 호전 등이 있다. 알레르기성 진균성 부비동염은 수술적 치료와 전신적 스테로이드 치료를 병행하여야 좋은 결과를 얻을 수 있으나 외과적 수술, 약물치료, 면역치료 등의 사용에도 불구하고 비교적 재발이 잘 되는 것으로 알려져 있다.[19]

그 외에도 진균과 연관된 부비동염 중 하나인 호산구성 진균성 비부비동염(eosinophilic fungal rhinosinusitis; EFRS)은 만성부비동염 환자의 조직, 특히 비즙에서 호산구가 증가하며, 비즙과 조직에서 진균이 증명되면서 제1형 과민반응의 특징을 가지지 않으며, 수술적 치료를 시행 받은 만성 부비동염 환자의 91~96%가 EFRS의 진단기준을 만족하는 것으로 알려져 있다.[24] 호산구성 점액 비부비동염(eosinophilic mucin rhinosinusitis; EMRS)은 호산구성 알레르기 점액을 가지면서 진균을 검출할 수 없는 경우로 발병연령이 비교적 높고, 주로 양측 부비동에 발생하고, 천식이나 아스피린 과민반응, IgG1 결핍증을 동반하는 경우를 AFS보다 흔히 볼 수 있다.

EMRS은 병리학적으로 진균의 존재는 확인되지 않지만 기관지천식, 아스피린 과민반응, 음식물 알레르기 등을 흔히 동반한다.[4] 하지만 EMRS 환자의 진단에 보다 예민한 진균 검출법을 사용하는 경우 진균의 확인이 가능할 것으로 생각되어 EMRS와 AFS은 유사한 병리기전을 가지면서 다른 임상양상을 보이는 질환일 가능성도 있다.[12] 이처럼 진균성 부비동염의 진단과 분류의 기준에 대한 논쟁은 지속되고 있으며 많은 연구가 계속적으로 이루어져야 할 것이다.

참고문헌

1. Aribandi M, McCoy VA, Bazan C 3rd. Imaging features of invasive and noninvasive fungal sinusitis: A review. Radiographics 2007;27:1283-96.
2. Bent JP III, Khun FA. Diagnosis of allergic fungal sinusitis. Otolaryngol Head Neck Surg 1994;111:580-588.
3. Callejas CA, Douglas RG. Fungal rhinosinusitis: what every allergist should know. Clin Exp Allergy 2013;43:835-849.
4. Chakrabarti A, Denning D, Ferguson BJ, et al. Fungal rhinosinusitis: a categorization and definitional schema addressing current controversies. Laryngoscope. 2009;119:1809-1818.
5. Chakrabarti A, Das A, Panda NK. Overview of fungal rhinosinusitis. Indian J Otolaryngol Head Neck Surg 2004;56:251-258.
6. Drakos PE, Nagler A, Naparstek E, et al. Invasive fungal sinusitis in patients undergoing bone marrow transplantation. *Bone Marrow Transplant* 1993;12:203-208.
7. DelGaudio JM, Swain RE Jr, Kingdom TT, et al. Computed tomographic findings in patients with invasive fungal sinusitis. *Arch Otolaryngol Head Neck Surg* 2003;129:236-240.
8. DeShazo RD. Syndromes of invasive fungal sinusitis. Med Mycol 2009;47:S309-314.
9. DelGaudio JM, Clemson IA. An early detection protocol for invasive fungal sinusitis in neutropenic patients successfully reduces extent of disease at presentation and long term morbidity. Laryngoscope 2009;119:180-183.
10. Erjefalt JS, Sundler F, Persson CG. Epithelial barrier formation by airway basal cells. *Thorax* 1997;52:217-220.
11. Estrem SA, Tully R, Davis WE. Rhinocerebral mucormycosis: computed tompgraphic imaging of cavernous sinus thrombosis. *Ann Otol Rhinol Laryngol* 1990;99:160-161.
12. Ferguson BJ. Categorization of eosinophilic chronic rhinosinusitis. Curr Opin Otolaryngol Head Neck Surg 2004;12:237-242.
13. Graybill JR. The future of antifungal therapy. *Clin Infect Dis* 1996;22:S166-S78.
14. Gumaa SA, Mahgoub ES, Hay RJ. Postoperative responses of paranasal aspergillus granuloma to itraconazole. *Trans R Soc Trop Med Hyg* 1992;86:93-94.
15. Gamba JL, Woodruff WW, Djang WT, et al. Craniofacial mucormycosis: assessment with CT. *Rhinology* 1986;160:207-212.
16. Hinson NF, Moon AJ, Plummer NS. Broncho-pulmonary aspergillosis: a review and a report of eight new cases. *Thorax* 1952;7:317-333.
17. Katzenstein AL, Sale SR, Greenberger PA. Pathologic findings in allergic fungal sinusitis: a newly recognized form of sinusitis. *Am J Surg Pathol* 1983;7:439-443.
18. Kauffman HF, Tomee JFC. Inflammatory cells and airway defense against Aspergillus Fumigatus. *Immunol Allergy Clin North Am* 1998;18:619-640.
19. Kupferberg SB, Bent JP, Kuhn FA. Prognosis for allergic fungal sinusitis. *Otolaryngol Head Neck Surg* 1997;169:35-41.
20. Mackenzie JJ. Preliminary report on aspergillus mycosis of the antrum maxillae. Johns Hopkins Hospital Bulletin 1989;4:9-10.
21. Montone KT, Livolsi VA, Feldman MD, et al. Fungal rhinosinusitis; a retrospective microbiologic and pathologic review of 400 patients at a single university medical center. Int J Otolaryngol 2012;2012:684835.
22. Parikh SL, Venkatranman G, DelGaudio JM. Invasive fungal sinusitis: a 15-year review from a single institution. Am J Rhinol 2004;18:75-81.
23. Plonk DP, Luong A. Current understanding for allergic fungal rhinosinusitis and treatment implication. Curr Opin Otolaryngol Head Neck Surg 2014;22:221-226.
24. Ponikau JU, Sherris DA, Kern EB, et al. The diagnosis and incidence of allergic fungal sinusitis. Mayo Clin Proc 1999;74:877-884.
25. Stringer SP, Ryan MW. Chronic invasive fungal rhinosinusitis. Otolalaryngol Clin North Am 2000;33:375-387.
26. Schubert MS. Fungal rhinosinusitis: diagnosis and therapy. Curr Allergy Asthma Rep 2001;1:268-276.
27. Tomee JFC, Hiemstra PS, Heinzel-Wieland R, et al. Antileukoprotease: an endogenous protein in the innate mucosal defense against fungi. J Infect Dis 1997;176:740-747.
28. Veress B, Malik OA, el-Tayeb AA, et al. Further observations on primary paranasal *Aspergillus granuloma* in the Sudan. A morphological study of 46 cases. Am J Trop Med Hyg 1973;22:765-772.

CHAPTER

19

소아 비부비동염

이비인후과학 Otorhinolaryngology - Head and Neck Surgery

장태영, 김현준

I 서론

소아 부비동염은 점차 감소하고 있으며 가벼운 증상을 나타내는 경향을 보이고 있으나, 여전히 빈도가 높은 질환이다. 소아는 평균적으로 일년에 6~8회 정도 상기도감염에 걸리며, 이중 5~10% 정도는 부비동염으로 발전하기도 한다.[17,35] 심사평가원 자료에 따르면 2014년에 급, 만성 부비동염으로 내원한 18세 미만의 환자수는 273만명이고, 총진료비는 1360억 원으로 전체 연령 부비동염 환자의 약 44%를 차지하였다(그림 19-1).[1]

부비동염은 부비동 점막의 염증성 질환을 통칭하는 것으로 정의를 내릴 수 있으나 소아의 경우에는 비염 또는 부비동염의 명칭을 비부비동염(rhinosinusitis)이라고 부르는 것이 정확한 표현이다. 이는 비강의 염증이 없는 부비동염은 실제로 존재하기 어렵고, 그 반대의 경우도 드물기 때문이다. 임상적으로 증상이 다양하며 신체검사 소견과 방사선검사 소견, 병리 소견이 일치하지 않는 경우가 많아 임상적인 정의와 분류가 아직 통일되어 있지 않다. 임상적으로 이환기간에 따라 급성, 아급성, 만성 부비동염으로 분류하며, 1997년 International Rhinosinusitis Advisory Board에서는 급성 비부비동염(acute rhinosinusitis), 재발성 급성 비부비동염(recurrent acute rhinosinusitis), 만성 비부비동염(chronic rhinosinusitis), 만성 비부비동염의 급성악화(acute exacervation of chronic rhinosinusitis)의 4가지로 분류하였다.[23] 최근 The European Position Paper on Rhinosinusitis and Nasal Polyps [EPOS] 2012에서 소아 비부비동염의 병인, 정의, 진단, 치료 등에 대해 자세히 언급하였다.[5] 급, 만성 부비동염의 기간에 대해서는 차이가 있지만, EPOS 2012에서는 12주를 기준으로 미만 시 급성, 이상 시 만성으로 분류하였으며, 비부비동염을 진단하려면 환자의 주관적 증상과 내시경이나 CT에서 객관적인 증거가 모두 확인되어야 한다고 정의하였다(표 19-1).

급성 비부비동염(acute rhinosinusitis, ARS)은 일반적으로 virus 감염 이후 발병되며, 대부분 치료 없이 호전되지만, 경우에 따라 진행되거나 세균에 의한 중복 감

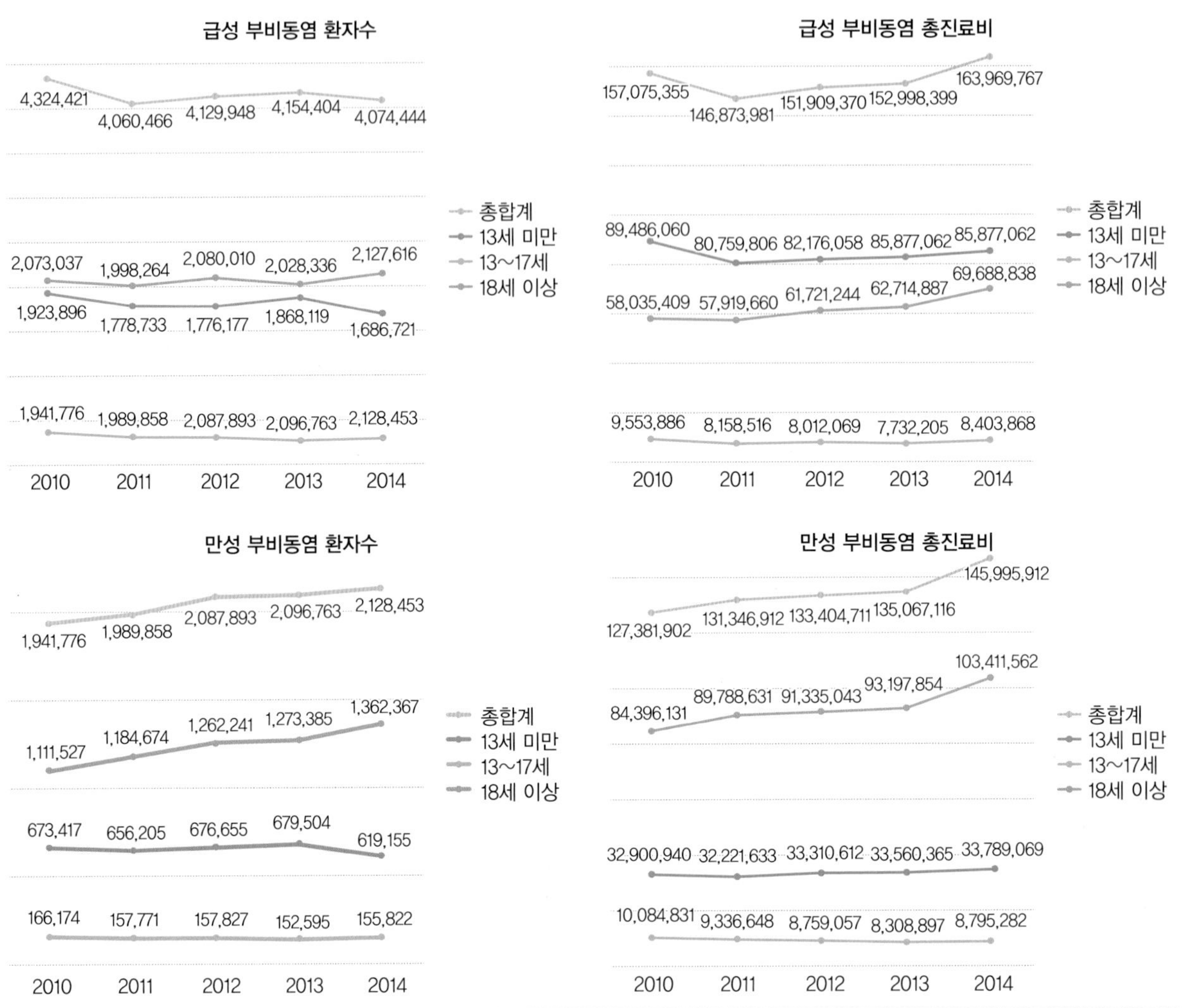

■ 그림 19-1. **최근 5년간 급·만성 부비동염 환자수 및 의료 비용**

표 19-1. 소아 비부비동염 진단 기준 in EPOS 2012

주관적 증거 다음 중 2개 이상의 증상	객관적 소견 (내시경 또는 CT)	
1. 비폐색/충혈 2. 전/후비루 3. 안면 통증/압박감 4. 기침 (단, 1, 2 중 1개 이상)	내시경 (다음 중 1개 이상)	1. 용종 2. (주로 중비도로부터의) 점액화농성 비루 3. (주로 중비도의) 부종/점막 폐쇄
	CT	부비동개구 연합(ostiomeatal complex) 그리고/또는 부비동 내의 점막 변화

※ 주관적 증상과 객관적 소견이 모두 확인되어야 함

염이 발생하는 경우도 있다. 따라서, 크게 virus에 의한 viral ARS (common cold)와 post-viral ARS로 분류되며, post-viral ARS안에 급성 세균성 비부비동염(acute bacterial rhinosinusitis, ABRS)가 포함된다. 대부분의 viral ARS는 10일 안에 좋아지는 경우가 많아서 10일 이내에 호전되는 경우 viral ARS로 진단하고, 5일 이상 증

표 19-2. 자연공 폐쇄를 일으키는 원인

점막 부종(mucosal swelling)	기계적 폐쇄(mechanical obstruction)
전신 질환(systemic disorder)	후비공 폐쇄(choanal atresia)
반복되는 상기도감염(recurrent viral URI)	비중격만곡(deviated septum)
알레르기 염증(allergic inflammation)	비용(nasal polyps)
낭성섬유증(cystic fibrosis)	Haller 봉소(Haller cells)
면역질환(immune disorders)	비제봉소(agger nasi cells)
섬모운동이상증(dysmotile cilia syndrome)	수포성갑개(concha bullosa)
국소적인 손상(local insult)	구상돌기(uncinate process) 구조 이상
안면외상(facial trauma)	역곡중비갑개(paradoxically curved middle turbinate)
수영과 다이빙(swimming, diving)	비강이물(foreign body)
약물중독성 비염(rhinitis medicamentosa)	종양(tumor)
환경적 요인(environmental factor)	
공해(pollution)	
흡연(smoke)	

상이 악화되거나 10일 이상(12주 미만)으로 지속될 경우 post-viral ARS로 진단한다. ABRS는 비강 내 농성 분비물, 심한 국소 통증, 38℃를 넘는 고열, ESR/CRP의 증가, 병이 초기에 좋아지다가 다시 악화되는 소위 double 'sickening' 중에서 3가지 이상이 있을 경우 진단할 수 있다고 하였다.

부비동염의 진단이나 분류는 통일되지 않고, 다양한 차이가 있지만, 비부비동염의 진단에는 환자에 따라 또 의사에 따라 환자의 주관적인 증상과 객관적인 염증의 확인이 모두 중요할 것으로 생각된다.

Ⅱ 원인과 병원균

1. 원인

부비동의 정상적 기능을 위해서는 자연공(natural ostium)의 개방, 섬모의 기능, 분비물의 상태가 가장 중요한데, 자연공의 폐쇄, 섬모 수의 감소와 기능장애, 분비물의 과다 생산과 점도의 변화가 부비동에 분비물이 저류되는 원인이 된다.[38]

이관이 막히면 중이염이 발생하는 것처럼 자연공이 막히게 되면 부비동염이 발생한다. 여러 가지 원인에(표 19-2) 의해서 자연공이 막히게 되면, 부비동 내 공기의 산소가 급속히 흡수되면서 부비동 안에는 음압이 형성된다.[7] 이러한 음압 때문에 코를 풀거나 훌쩍거릴 때 비강 내의 균이 부비동 내로 쉽게 들어가게 된다. 또한 부비동 점막에서 자연적으로 생성되는 점액이 배출이 잘 안 되기 때문에 부비동염은 점차 심해지게 된다.

급성 부비동염에서는 바이러스에 의한 감염이 주요 원인으로 생각된다. 감염에 의해 염증 사이토카인(inflammatory cytokine)의 증가, 점액 분비 이상, 점막 부종과 손상 등이 발생하여 부비동염이 발생한다. 사골동 자연공의 크기는 1~2 mm 정도로 매우 작기 때문에 점막에 중등도 이상으로 부종이 생기면 자연공 폐쇄가 발생한다.

만성 부비동염은 급성과는 달리 감염뿐 아니라 환경적, 유전적, 생리학적, 구조적 등 다양한 원인이 복합적으로 작용하여 발생한다고 알려졌다. 소아에서는 상기도 감염, 알레르기 비염(allergic rhinitis), 구조적 이상, 이물질, 위식도 역류증(gastroesophageal reflux disease),[8] 면역 이상, 아데노이드, 공해, 직간접 흡연 등이 위험 인자로 알려져 있다.

일반적으로 성인에서 만성 부비동염의 가능성을 높인다고 알려져 있는 비중격만곡, 역곡중비갑개(paradoxical middle turbinate), 하안와봉소(infraorbital cell), 수포성 갑개(concha bullosa) 같은 OMU 주변의 해부학적 이상이 소아에서도 만성부비동염의 병인으로 작용하는지는 확실하지 않다. 여러 보고에서 해부학적 이상과 소아 비부비동염과의 상관 관계는 적다고 보고되었으며,[9] 따라서, 소아 부비동염의 원인을 해부학적 이상으로 간주하고 무조건 수술을 하는 것보다는 다양한 원인을 고려하는 것이 중요하다.

2. 병원균

부비동염의 원인균을 알아보기 위해서는 비강이나 구강 내의 정상 세균총(normal flora)의 오염 없이 부비동 내에서 검체를 얻어야 한다. 적절하게 소독한 다음 부비동 천자를 통해 검체를 얻게 되는데, 그 중 상악동이 가장 접근하기 편하다. 하지만 소아 비부비동염의 경우 그 중요성에도 불구하고 원인균에 대한 연구는 미흡하다. 이는 소아는 상악동을 제외하고는 검체를 얻기 힘들며 대부분 전신마취를 통한 천자가 필요하기 때문이다.

1) 급성 부비동염

Streptococcus pneumoniae (30%)가 가장 흔한 원인 균주이며 그 다음으로는 *Moraxella catarrhalis* (20%), *Hemophilus influenzae* (20%)의 순서로 흔하게 동정된다. 혐기성균과 *Staphylococcus*는 비교적 드물며 20~35%에서는 검사에서 음성으로 나오기도 한다.[10]

바이러스성 상기도감염은 종종 세균성 감염에 선행하게 되는데, 급성 비부비동염을 일으키는 바이러스로는 rhinovirus, parainfluenza, influenza, adenovirus 등이 있다.

2) 만성 부비동염

급성과는 달리 만성 부비동염은 무균상태로 검체를 얻기 힘들고 그 결과를 정량화하기도 힘들며 항생제를 복용한 상태에서 병원을 방문하는 경우가 많아 원인균 분석에 제한이 많다. 주요 원인균은 보고에 따라 다양하나 급성에 비해 혐기성 균주의 비율이 높다.[8]

호기성 균주로는 *Streptococcus pneumoniae*, *Moraxella catarrhalis*, *Hemophilus influenzae*, *Staphylococcus aureus*, *α-hemolytic Streptococcus* 등이 있고, 혐기성 균주로는 *Peptostreptococcus*, *Bacteroides*, *Fusobacteria* 등이 있다.

만성 부비동염의 상태에 따라서도 균주에 차이가 있다. 급성 악화기에는 급성 부비동염때와 유사하게 *Streptococcus pneumoniae*, *Moraxella catarrhalis*, *Hemophilus influenzae*의 비중이 높고,[29,33] 지속적 만성 부비동염에서는 세균의 역할이 명확하지 않다.[27,19] 그리고 약물에 잘 반응하지 않거나 자주 재발하는 경우에는 혼합감염(polymicrobial infection)의 가능성을 고려하여야 한다.

III 진단

1. 증상

소아의 부비동 점막은 분비 세포의 비율이 높아 같은 자극에 의해서도 콧물이 나기 쉽기 때문에 점성이나 농성 콧물이 소아 부비동염의 주증상이다. 코막힘이 동반되더라도 소아 스스로 코막힘을 호소하는 경우는 적고, 오랜 기간에 걸친 코막힘에 익숙해지는 경우도 있다.

부비동염은 흔히 바이러스성 상기도감염과 혼동되기

표 19-3. 소아 만성 비부비동염과 감별해야 할 질환

알레르기 비염(allergic rhinitis)
아데노이드 비대(adenoid vegetation)
섬모운동이상증(ciliary dyskinesia)
면역결핍(immune deficiencies)
상기도감염(upper respiratory infection)

쉽다. 이 경우 증상의 기간이 감별에 도움을 준다. 증상이 5~7일 안에 호전된다면 바이러스성 상기도 감염일 가능성이 높고, 상기도감염 증상이 10일 이상 지속된다면 바이러스성 상기도감염에 의해 병발된 급성 부비동염을 의심할 수 있다. 상기도감염의 콧물은 특징적으로 수양성으로 시작해서 며칠 후 혼탁하고 진하게 변하며 수일간 화농성을 보이다가 다시 수양성으로 바뀌면서 소실되는 과정을 보인다.[15]

상기도감염과 달리 급성 부비동염은 10~30일간 증상을 보인 후 호전된다. 주증상은 콧물과 기침이며, 콧물은 장액성, 점액성, 화농성 등 다양하고 기침은 밤에 더 심해지나 낮에도 발생하게 된다. 두통과 안면통은 흔하지 않고 간혹 고열을 동반하는 경우가 있다.

재발성, 만성 부비동염의 증상은 콧물, 코막힘, 기침, 두통, 과민성, 고열, 안면통, 후비루 등이 있으나 그 증상과 징후는 비특이적이기 때문에 다른 질환과의 감별진단에 어려움이 있다(표 19-3). 콧물의 양상은 다양할 수 있으며, 일부에서는 콧물이 없는 경우도 있는데 이때는 후비루나 비충혈이 심한 상태를 생각하여야 한다. 비폐색이 발생하면 구강 호흡을 하면서 특히 아침에 발생하는 목의 통증을 호소하기도 한다. 기침은 급성 부비동염보다 만성 부동염에서 더 흔하며 낮보다 밤에 더 심하게 나타나 종종 수면을 방해하며, 아침에 잠을 깬 직후에 심해져 구역질을 유발하기도 한다. 기침이 주된 증상인 경우에는 상기도 염증이나 천식, 기관지염, 폐렴, 알레르기 등이 동반되어 있는지 감별진단이 필요하다. 그 외 증상으로는 두통, 간헐적인 열감, 호흡 시 악취 등이 있다. 구취를 호소하는 환자에서 인후염, 불결한 구강위생, 비강 내 이물질 등의 소견이 없다면 부비동염의 가능성도 고려하여야 한다.

2. 신체검사

소아에서의 신체검사는 용이하지 않으므로 환자가 겁을 먹지 않도록 천천히 진행한다.

비강 검사에는 전통적인 전비경검사, 강직형 내시경검사, 굴곡형 내시경검사, 이경을 이용하는 방법 등이 있다. 부비동염의 내시경 소견으로서 점막의 발적이나 부종 등을 볼 수 있으며, 부종이나 해부학적 이상으로 인한 중비도의 폐쇄를 관찰할 수 있다. 콧물은 여러 형태를 띄게 되는데, 수양성 콧물은 알레르기와의 연관성을 생각할 수 있고 노란색이나 녹색의 경우 세균감염을 의심할 수 있다. 비강 내에 있는 점액성 혹은 농성 분비물을 제거하고 혈관수축제를 사용하여 비강점막을 수축시키면 중비도에서 농성 분비물이 흘러나오는 것을 관찰할 수 있다. 비점막은 홍조를 띠고 인두는 중등도로 충혈된다.

가끔 부비동을 촉진하거나 타진 시 압통을 느끼는 경우도 있고 눈 주위 부종, 상하안검의 비압통성 부종, 주위 피부의 변색을 볼 수 있다. 경부 림프절은 대개 심하게 커지지 않으며 압통도 없다.

상악동을 간접적으로 관찰할 수 있는 방법으로 철조법(tranillumination), 초음파검사법이 있다. 그러나 소아에서의 철조법은 부비동의 크기가 작기 때문에 진단적 가치가 없으며, 초음파검사법은 상악동에서만 시행할 수 있고 방사선검사 결과와 일치하지 않을 수 있기 때문에 제한점이 있다.

3. 방사선검사

단순 방사선검사는 증상이나 CT 소견과 일치하지 않는 경우가 많은데 특히 소아에서는 이런 현상이 두드러져

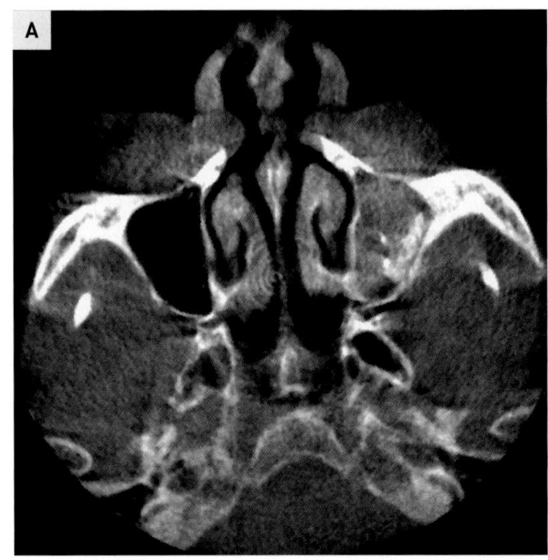

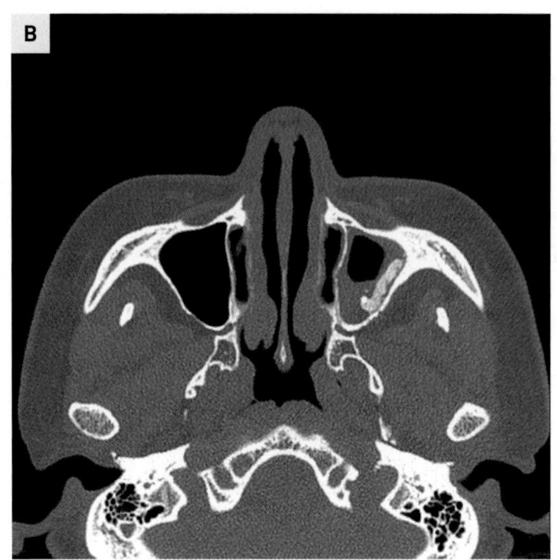

■ 그림 19-2. **동일 환자의 cone beam CT (A)와 OMU CT (B).** 좌측 상악동의 부비동염 소견과 외측 석회화 소견이 동일하게 관찰된다.

현재 선별검사나 치료의 결과를 판정하는 수단으로서의 유용성은 감소하였지만,[14,16] 검사가 간단하고 경제적이어서 부비동염 진단에 여전히 많이 이용되고 있다. 세균성 부비동의 가장 특징적인 소견은 부비동 내 기수면(air-fluid level)이 보이거나 부비동이 혼탁을 보이는 것이다. 그러나 부비동 내 기수면은 5세 이하의 소아 급성부비동염 환자에서는 흔하지 않은 소견이다. 그 외 점막 부종의 정도를 측정하는 것도 유용하다. 부비동 내 점막의 두께가 성인에서 5 mm, 소아에서 4 mm 이상이면 부비동 내에 농이 차 있거나 세균이 증식하고 있을 가능성을 고려하여야 한다. 방사선검사에서 정상 소견을 보일 경우 부비동 내 질환이 없음을 의미하지만 방사선 소견만으로 이를 확신할 수는 없다.

부비동염은 환자의 증상과 진찰소견으로 진단하는 것이 중요하며 CT는 이환부위의 정확한 판정과 수술 시 발생할 수 있는 합병증을 예방을 위해 필요한 세밀한 해부학적 정보를 얻을 수 있다는 장점이 있다. CT는 비용과 방사선 노출 등의 이유로 꼭 필요한 상황에서 실시해야 하지만, 초진단계에서라도, 합병증이 의심되거나 종양의 가능성이 있을 때는 즉시 검사를 시행하여야 한다.

최근에 개발된 Cone beam compured tomography (CBCT)는 방사선 노출이 적고 간편하고, 비용도 저렴하다는 장점이 있어 부비동염의 진단 및 치료에 사용이 확대되고 있다(그림 19-2).

자기공명영상(MRI)도 부비동질환의 진단에 사용될 수 있으나 가격이 비싸고, 시간이 오래 걸리며, 주변 골조직을 볼 수 없다는 제한점 때문에 일반적인 부비동염의 진단에는 사용되지 않으며 주로 부비동 종양이나 진균성 감염이 의심될 경우 이용된다.

Ⅳ 치료

소아 비부비동염은 증상의 발현양상이 다양하여 진단하기도 어렵지만 치료에서도 매우 논란이 많은 질환이다. 일반적으로 급성 비부비동염은 self-limited하고, 저절로 좋아지는 경우가 많다. EPOS 2012에서는 증상 발현 후 약 5일 이내이거나 호전되는 경과를 보이면 일단 지켜보면서 진통제나, 식염수 세척, 점막 수축제 등의 대증적 치료를 하라고 권고하였으며, 심한 증상이 10일 이상 지속되거나 5일 이상 악화되면 비강 내 스테로이드나 항생제 사용을 고려하라고 권고하였다. 비부비동염의 치료목표는 감염을 근치시키고 부비동 자연공의 폐쇄를 정상화하며, 효과적인 점액수송이 일어나도록 회복시키는 데 있다. 치료의 원칙은 일차적으로 보존적 치료이며 과거에는 수술적 치료는 권장되지 않았다. 그러나 비내시경 수술에 대한 안전성 및 좋은 결과들이 보고되고 있어 소아 부비동염에서도 수술적 치료가 점차 확대되어 시행되고 있다.

1. 내과적 치료

1) 항생제 치료

부비동염의 내과적 치료에서 항생제가 가장 중요하지만 소아라는 점, 그리고 새로운 내성균들의 출현으로 선택의 폭이 좁다. 따라서 세균검사는 원인균의 확인과 치료약제의 선택에 중요한 의미가 있다. 그러나 소아의 경우는 앞에서 언급한 바와 같이 검체를 얻는 것 자체가 힘든 일이며, 좀 더 손쉬운 방법인 중비도에서 검체를 얻을 경우 상악동과는 세균학적인 연관성이 있으나 사골동과는 연관이 없는 경우가 발생할 수 있다.[16,17,18] 표 19-4은 소아의 비부비동염에 사용되는 항생제를 나열한 것이다.[2,3]

급성과 아급성 부비동염은 임상적인 경험을 바탕으로 광범위 항생제를 선택하여 일단 치료를 시작하고, 세균배양검사 결과에 따라 적절한 항생제로 교체한다. 급성 부비동염에서는 amoxicillin이 안전하고 값이 싸며 효과적이기 때문에 널리 이용되지만, β-lactamase를 생성하는 *Hemophilus influenzae*나 *Moraxella catarrhalis*, penicillin non-susceptible (*Streptococcus pneumoniae*)의 빈도가 높은 국내에서는 처음부터 amoxicillin-clavulanate 혹은 2, 3세대 cephalosporin 계열의 항생제가 추천되며, 그 외에도 trimetoprim/sulfamethoxazole과 macrolide 계열의 항생제가 이용될 수 있다. 혐기성 세균 감염이 의심될 경우, clindamycin의 처방을 고려할 수 있다.[14] Quinolone 계열은 소아에서 안전성이 확립되어 있지 않으므로 사용하지 않는다.

표 19-4. 소아 비부비동염에 사용되는 항생제

성분명	용량(mg/kg/day)
1차 약제	
Amoxacillin	40
Amoxicillin-potassium clavulanate	40/10
2차 약제	
Amoxicillin-potassium clavulanate (High dose)	90/13
Erythromycin-sulfisoxazole	50/150
Sulfamethoxazole-trimethoprim	40/8
Cefdinir	9~18
Cefuroxime axetil	30
Cefditoren pivoxil	9
Cefprozil	7.5~15
Cefpodoxime proxetil	3~4.5
Clindamycin	30
Clarithromycin	15
Azithromycin	10
Roxithromycin	5~8
Loracarbef	15~30
Cefaclor	20

항생제를 사용한 적이 없고, 합병증이 없는 소아의 경우에는 amoxicillin (40 mg/kg/day), amoxicillin-clavulanate (40 mg/6.4 mg/kg/day), cefpodoxime proxetil, cefuroxime axetil, cefdinir 등을 사용한다.[5,21] 만약 환아가 4~6주 안에 항생제 치료를 받았다면 amoxicillin-clavulanate 고용량(90 mg/6.4 mg/kg/day), cefpodoxime proxetil, cefuroxime axetil, cefdinir 등을 사용한다.

급성·재발성 부비동염에서는 *S. pneumoniae*, *M. catarrhalis*, *H. influenza*가 원인균의 70%를 차지하기 때문에 이들 균주에 효과적인 항생제를 사용하여야 한다. *M. catarrhalis*의 70%와 *H. influenza*의 30%는 β-lactamase 생성균으로 이를 억제하는 항생제를 선택하여야 한다.

만성 부비동염에서 세균에 의한 감염이 어느 정도 역할을 하는지는 확실치 않다. 따라서 항생제의 선택과 투여기간 등에 대해서는 아직 표준화되어 있지 않다. 만성 비부비동염의 급성 악화 시 검출되는 균주는 급성 비부비동염의 흔한 원인균과 대부분 일치한다고 알려져 있으므로 급성 부비동염에서와 같은 항생제를 사용한다. 만성 부비동염에서 혐기성 균의 역할은 불분명하지만 항상 고려하여야 한다. 그람 양성 혐기성 Streptococci와 Staphylococci는 일반적으로 penicillin에 잘 들으며 그람음성 Bacteroides은 β-lactamase 생성균으로 amoxicillin-potassium clavulanate에 잘 반응하며 급성과 마찬가지로 clindamycin을 고려할 수 있다.[4,14] MRSA는 rhinosinusitis에서 동정되는 주요 균주 중 하나로 급, 만성 비부비동염에서 모두 동정된다. Brook 등은 비부비동염에서 동정된 *Staphylococcus aureus*에서 MRSA의 비율을 분석하였으며, 점차 급, 만성 모두에서 MRSA의 동정 비율이 증가함을 보고하였다. 과거 수술 받은 과거력과 항생제 사용 유무가 MRSA 감염의 위험인자로 보고되기도 하였다. MRSA가 주용 원인균으로 확인될 경우 사용될 수 있는 경구용 약제로 clindamycin이나 trimethoprim/sulfamethoxazole (TMP-SMX)의 복합제를 고려할 수 있다.[18,9,27]

항생제의 사용기간에 대해서는 소아 부비동염의 경우 전신적 영향에 대한 연구가 부족하기 때문에 중이염 연구에 기초하여 사용하게 된다. 급성 부비동염의 경우 2~3일 내로 증상의 호전을 보일 경우 경험적으로 10~14일간 사용한다. 만약 이 기간 이후에도 증상이 지속된다면 추가로 7~10일간 사용할 수 있다. 만약 투약 3일 후에도 증상의 변화가 없다면 항생제 교체를 고려하여야 한다. 만성 부비동염에는 일반적으로 4주 정도 항생제를 투여하지만 경우에 따라 6~8주까지 투여하기도 한다.

2) 보조약제와 처치법

급·만성 부비동염 환자에서 국소 또는 경구 혈관수축제와 항히스타민제제의 효과는 아직 명확하지 않다. 국소 혈관수축제는 비점막의 혈관수축을 일으켜 부비동개구부의 개존도를 향상시켜 증상의 호전이 있을 수 있으나 섬모운동의 정체를 유발할 수 있다. 섬모운동이 억제되면 감염된 물질의 제거가 지연되며, 점막의 혈류를 줄임으로써 산소분압이 줄고 항생제의 확산을 방해한다. 경구용 혈관수축제는 유소아나 임산부, 심혈관계 질환이 있는 환자에서는 피해야 한다. 부비동염에서는 비만세포나 호염기구의 활성화가 일어나지 않고 비즙 내 히스타민이 증가하지 않으므로 알레르기 비염이 동반되지 않는 한 항히스타민제의 사용은 이론적 근거가 부족하다.

국소 비강 스테로이드 분무는 강한 항염증 작용으로 조직 내 부종을 감소시켜 부비동의 환기와 배설을 용이하게 하며, 알레르기 비염이 동반된 경우, 호산구증다성 비염(NARES), 비강 내 물혹, 수술 후 등에서 사용할 수 있다.

또한 매일 생리식염수를 비강에 분무하거나 세척하는 것은 비점막을 가습시키고, 분비물과 가피를 제거하며 비점막의 혈관수축으로 부비동의 배액을 향상시키는 데 도움이 된다. 따라서 비부비동염의 치료에 있어 식염수를 사용한 비강 내의 세척법은 그 중요성이 점차 높아지고 있다.[19]

3) 잘 낫지 않는 소아 부비동염의 치료

소아 부비동염의 경우 약물 치료나 보조 요법 등의 치료에도 낫지 않거나 재발되는 경우를 흔히 볼 수 있다. 이럴 경우 다양한 원인을 고려해야 한다. 세밀한 내시경 검사나 영상 검사를 통해 물혹이나 해부학적으로 이상이 있나 확인해야 한다. 또한, 면역 이상을 고려해야 한다. 여러 보고에서 치료에 반응하지 않는 부비동염 환자에서 Immunoglobulin의 저하를 보고하였고, 이 중 IgG가 가장 흔하다고 보고되었다. 위식도 역류증도 주요 원인 중 하나이다(그림 19-3).[28] 역류된 위액으로 인한 기도 점막 염증이 중요 원인이고, 소아 만성 부비동염 환자에서 위식도 역류 치료를 한 뒤 호전이 보고되기도 하였다. 소아에서도

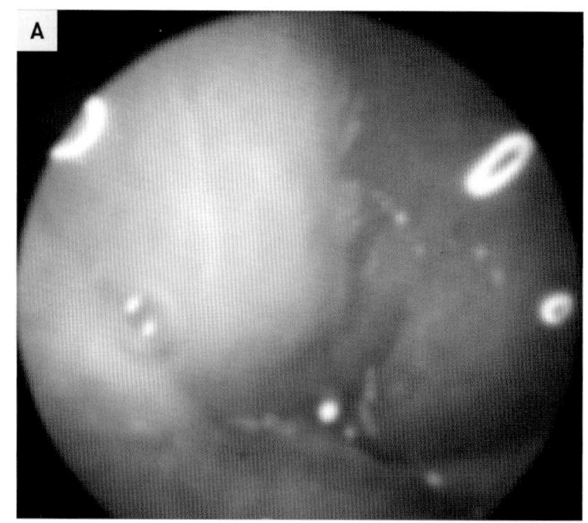

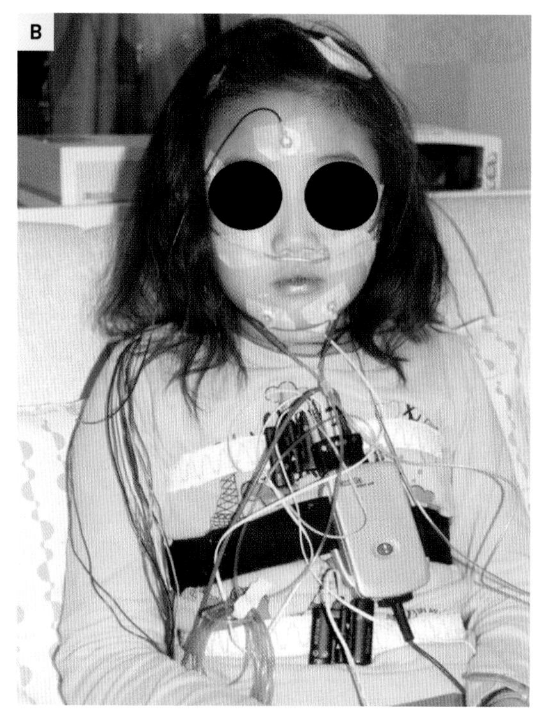

■ 그림 19-3. **A)** 역류된 위액이 비인강 내에 보이는 모습. **B)** 소아에서 24시간 pH mornitoring

성인과 마찬가지로 생활 습관 교정, 약물 치료 등이 있으며, 약물로는 주로 Proton Pump Inhibitor (PPI)가 사용된다. Cisapride는 부정맥 관련 부작용 때문에 현재는 거의 사용되고 있지 않다. Proton Pump Inhibitor (PPI)는 소아 GERD 때에도 주로 사용하는 약제로 장기간 사용 시 gastric polyp이 생길 수 있고, 장기간 누워서 지내는 환자나 ventilator care하는 환자에게는 aspiration pneumonia가 증가할 수 있다고 알려져 있다. Lansoprazole은 혀에서 녹여 먹일 수 있어 복용이 수월하다. Omeprazole도 사용할 수 있으나 가루 제형이 물에 잘 녹지 않는 경향이 있으며, 이밖에 domperidone, motilium, gasmotin 같은 위장운동 촉진제를 사용하기도 한다.

지속적인 단측성 부비동염은 이물질(foreign body) 가능성을 염두에 두고 치료해야 한다. 이 외에도 수면무호흡, biofilm, 점액 섬모 기능 이상 등의 가능성도 고려해야 한다.

2. 수술 치료

1) 아데노이드 절제술

아데노이드 절제술(adenoidectomy)은 소아에서 비증상을 호전시키고 실제적으로 부비동염을 호전시킨다는 보고들이 있다. 소아에서 아데노이드 비후가 비폐색을 유발하고 비루의 저류를 초래하여 부비동염을 유발하거나 악화시킬 수 있으며 아데노이드가 부비동염의 세균병원소(bacterial reservoir)로 작용할 수 있다는 점에서 아데노이드 절제술이 비부비동염의 치료에 효과적일 수 있다. Briezke 등은 만성 비부비동염 환자에서 아데노이드 절제술의 효과에 대한 연구를 메타 분석을 하였으며, 모든 연구에서 약 50% 이상의 환자에서 성공적이었음을 보고하였다.[7]

2) 부비동내시경수술

내과적 치료에 반응이 없는 만성 부비동염의 경우에는 성인에서와 같이 소아에서도 수술적 치료가 고려된다. 특히 부비동내시경수술에 있어서 최소 침습적 수술(minimally invasive surgery)의 개념은 소아 부비동염의 수술에 잘 부합된다. 최근에는 수술결과와 안정성에 대한 많은 긍정적인 보고와 함께 그 적응증도 점차 확대되고 있다. 수술의 적응증에 대해서는 술자에 따라 다소간의

표 19-5. 소아 부비동내시경수술의 적응증

절대적 적응증
심한 비용종에 의한 비강폐쇄
상악동후비공비용
두개강 내 합병증
점액낭종과 점액농류
안와 합병증
시신경관 외상
부비동염에 의한 누낭염
진균성 부비동염
수막뇌류
종양
상대적 적응증
적절한 내과적 치료에 실패한 만성 부비동염
적절한 내과적 치료에도 불구하고 자주 재발하는 재발성 급성 비부비동염

표 19-6. 소아 비부비동염에서 부비동내시경수술 후 결과

연구자	대상수(명)	호전율(%)
Rosenfeld.[43] (± 아데노이드 절제술)	41	100
Younis et al.[53]	500	88
Stankiewicz.[46]	77	93
Lusk et al.[30]	46	97
Haltom et al.[21]	58	86
Wolf et al.[51]	124	87
Bolt et al.[6]	21	77
Herbert et al.[22]	50	92
Kim et al.[27]	97	70

차이가 있으며, 1996년 Consensus Panel에서는 절대적 적응증과 상대적 적응증으로 나누어 표 19-5와 같이 기술하고 있다.[11]

내시경 수술의 성공률에 대해서는 주로 증상의 호전에 대한 연구가 주류를 이루고 있으며, 69~100%의 증상호전이 보고되고 있다(표 19-6). 하지만 이러한 결과는 주관적 증상에 대한 것이기 때문에 객관적인 수술결과에 대해서는 추가적인 연구가 필요하다.

수술의 술기는 성인에서와 차이는 없으나 되도록 병변 부위에만 국한된 보존적 수술을 하는 것이 필요하며, 특히 점막을 보존하는 것이 중요하다. 이는 수술에 의한 외상과 해부학적 변형이 자칫 부비동염보다 더 해로울 수도 있기 때문이다. 최근 여러 수술기구의 발전으로 보존적 수술이 더 용이하게 되었다. 대부분의 수술의들은 소아의 내시경 수술범위를 상악동과 사골동 전반부에 국한하며, 알레르기성 진균성 부비동염이나 심한 용종을 제외하고는 접형동이나 사골동 후반부에 대한 과도한 수술을 시행하지 않는 편이다. 특히 소아 때는 접형동과 전두동 발달이 미약하므로 이곳에 기구 조작을 할 때 주의하여야 한다. 각 클리닉마다 차이는 있겠으나 대략적으로 살펴보면 후방 사골동에 대한 수술은 30% 미만에서, 전두동이나 접형동에 대한 수술은 10% 미만에서 시행된다. 상악동의 자연공을 얼마나 열어야 하는지에 대해서는 논란의 여지가 있으며 많은 술자들이 좀 더 보존적인 방법을 선택하고 있다.[12,32]

부비동내시경수술에서는 술 후 처치가 매우 중요하다. 하지만 소아의 경우 협조가 잘 되지 않으며, 생리식염수 세척도 잘 이루어 지지 않는 경우들이 자주 있다. 이런 경우는 세척을 위해서 또한 수술 부위의 확인을 위해서 2차 확인수술(second look operation)을 시행하게 된다.[24] 하지만 이러한 2차 수술을 하려면 소아에서는 다시 전신마취를 해야 하는 부담이 발생한다. Radamann은 첫 번째 수술 후에 dexamethasone을 투여한 경우, 2차 수술에서 확인한 결과 부종이 감소함을 발견하고 스테로이드의 사용이 2차 수술의 비율을 낮출 수 있다고 주장하였다.[12] 하지만 일부에서는 2차 수술의 유용성에 의문을 제기하고 있으며, 실제로 점차 시행하는 빈도가 줄어들고 있는 추세이다.[13,36]

소아의 내시경수술 합병증으로 가장 흔한 것은 중비갑개와 비강 외측벽간의 유착(synechiae)으로, 중비도를 폐쇄시켜 부비동염의 재발을 유발할 수 있다. 유착을 방지하기 위해서는 점막의 손상을 최소화하고, 중비도의 공간을 충분히 유지시키며, 유착방지를 위해서 다양한 물질을 이용한 스텐트를 삽입할 수 있다.

소아에 있어서 내시경 수술이 장기적으로 안면골 성장에 영향을 줄 가능성에 대한 의혹은 점차 해소되고 있다. Carpenter 등은 작은 돼지를 이용한 동물실험을 통해 수술받은 부위에서의 안면골 성장 장애 가능성을 보고하였으나,[10,25] Lund 등은 실제 사람에서 시행된 수술 후 경과 관찰에서 특별한 성장장애가 없음을 확인하였다.[22,37] 특히 Bothwell 등은 만성부비동염으로 내시경수술을 받는 67명의 소아와 아무런 수술을 받지 않은 소아를 대상으로 10년 후 얼굴 모양을 성형 전문가들에 의해 비교 평가한 결과 큰 차이를 보이지 않았다고 하였다.[6]

이상을 종합하면 소아에서 내시경 수술은 약물치료에 반응하지 않는 만성 비부비동염의 치료에 유효한 방법이다. 그러나 수술 대상을 정하기 어렵고, 수술 후 처치가 어려우며, 소아는 상기도감염에 자주 걸리는 특성이 있으므로 결과를 예측하기가 어렵다. 따라서 수술은 되도록 신중하게 선택하는 것이 좋을 것이다. 하지만 수술 기구 및 수술 술기의 발전과 더불어 큰 합병증 없이 좋은 치료 결과들이 보고되고 있으므로 점차 적응증을 확대할 수 있을 것이다. 결국 좋은 결과를 얻기 위해서는 적절한 환자의 선택, 세심한 수술 술기, 적극적인 술 후 처치 및 추적 관찰이 필요하다.

3) 상악동 세척(Antral lavage)

부비동 세척은 급성 부비동염에서 농을 배출시키고, 점막의 혈류를 개선시켜 증상의 호전을 기대할 수 있으며, 아데노이드 절제술과 동시에 시행하기도 한다. 3세 이하의 소아에서는 미맹출치(unerupted tooth)에 손상을 줄 수 있기 때문에 시행하지 않는다. Ramadan 등은 아데노이드 절제술만 시행한 경우와 아데노이드, 절제술과 상악동 세척을 동시에 시행한 경우를 비교한 연구에서 동시에 시행한 경우 높은 치료 효과를 보였음을 보고하였다.[31]

4) 비중격교정술

비중격교정술의 적응이 되는 연령은 비중격 발육이 완성되는 17세 이후지만, 만곡이 심해 비폐색 증상이 심할 때는 이전에도 시행할 수 있다. 수술을 시행하더라도 소아에서는 비강구조물이나 안면골 발육에 지장을 주지 않도록 보다 제한적이고 보존적인 술식을 시행한다.

5) 하비도 상악동 개방술(Inferior meatal antrostomy)

과거에는 만성 상악동염에서 중력에 의한 배액을 목적으로 자주 사용되어온 방법이나, 중력에 의해 배농을 유도하는 방법이 생리적이 아니며 쉽게 폐쇄되는 경향이 있고 효과에 대한 부정적인 보고들이 발표되면서 최근에는 잘 시행되지 않고 있다.

 합병증

소아 비부비동염에서 안와 합병증이 많은 이유는 상기도염의 발병률이 높고, 부비동 골벽이 판간형(diploic type)이며 혈관이 많이 분포해 있고 어른에 비해 상대적으로 얇으며 봉합선이 열려 있는 경우가 많기 때문이다. 반면에 전두동이 발달되지 않아 두개내 합병증의 빈도는 낮다. 안와 합병증은 안와격막 전방의 안와주위염(periorbital cellulitis)이 가장 흔한 형태이며, 그 외 안와의 내부까지 염증이 파급된 안와봉와직염(orbital cellulitis), 화농이 진행되어 농양이 생성된 안와골막하농양(subperiosteal abscess), 안와농양(orbital abscess) 등이 있다. 안와와 해면정맥동(cavernous sinus)은 이웃하고 있고 안정맥(ophthalmic vein)에는 판막이 없기 때문에 안와의 염증이 안정맥을 통해 쉽게 두개내 해면 정맥동으로 파급되어 해면정맥동혈전(cavernous sinus thrombophlebitis)을 일으킬 수도 있다. 안와 합병증의 증상으로는 눈 주위의 통증을 동반한 종창이 가장 흔하고, 그 밖에도 결막부종, 안구돌출, 안근마비, 시력감퇴 등이 있다.

비부비동염으로 인한 안와 합병증이 의심되면 즉시 입원시켜 항생제를 투여하고 혈관수축제를 분무하여 배액을 돕는다. 안와주위염은 적절한 항생제를 투여하면 쉽게 호전되나 안검 농양이 생겨 부종이 줄어들지 않으면 배농을 해주어야 한다. 적절한 항생제를 투여함에도 불구하고 2~3일 내에 안와봉와직염이 호전되지 않거나 오히려 진행하는 경우, CT나 MRI에서 농양이 관찰되는 경우, 시력감퇴가 발생하는 경우는 수술의 적응이 된다. 수술은 대부분 부비동 내시경을 이용하지만 경우에 따라서는 비외접근법이 이용된다. 감염된 부비동의 염증을 제거하고 안와 농양이나 골막하 농양을 배농한 다음 배농관을 넣는다. 해면정맥동혈전의 경우 고용량의 항생제를 정맥주사하고 안와농양이 있으면 배농한다.

참고문헌

1. 건강보험심사평가원 통계 2015.
2. 김용재. 소아 비부비동염. 대한이비인후과학회편, 이비인후과학-두경부외과학. 일조각. 2002. p.1032-1037.
3. 대한 비과 학회. Treatment guidelines for rhinosinusitis. 2005, p.66-71.
4. Anon JB, Jacobs MR, Poole MD. Antimicrobial treatment guidelines for acute bacterial rhinosinusitis. *Otolaryngol Head Neck Surg* 2004;130(suppl 1):1-45.
5. Aust R, Drettner B, Falck B. Studies of the effect of peroral fenylpropanolamine on the functional size of the human maxillary sotium. *Acta Otolaryngol* 1979;88:455-458.
6. Bothwell MR. Long-term outcome of facial growth after functional endoscopic sinus surgery. *Otolaryngol Head Neck Surg* 2002;126:628-634.
7. Brietzke SE, Brigger MT. Adenoidectomy outcomes in pediatric rhinosinusitis: a meta - analysis. *Int J Pediatr Otorhinolaryngol* 2008;72(10):1541-545.
8. Brook I. Bacteriologic features of chronic sinusitis in children. JAMA 1981;246:967-969.
9. Brook I, Foote PA, Hausfeld JN. Increase in the frequency of recovery of meticillin-resistant *Staphylococcus aureus* in acute and chronic maxillary sinusitis. *J Med Microbiol.* 2008 Aug;57(Pt 8):1015-1017.
10. Carpenter KM, Graham SM, Smith RJ. Facial skeletal growth after endoscopic sinus surgery in the piglet model. *Am J Rhinol* 1997;11:211-217.
11. Clement PA and others. Management of rhinosinusitis in children: consensus meeting, Brussels, Belgium, September 13, 1996. *Arch Otolaryngol Head Neck Surg* 1998;124:31-34.
12. Davis WE. Middle meatus antrostomy: patency rates and risk factors. *Otolaryngol Head Neck Surg* 1991;104:467-472.
13. Fakhri S, Manoukian JJ, Souaid JP. Functional endoscopic sinus surgery in the pediatric population: outcome of a conservative approach to postoperative care, *J Otolaryngol* 2001;30:15-18.
14. Fokkens WJ, Lund VJ, Mullol J, Bachert C. et al. European Position Paper on Rhinosinusitis and Nasal Polyps 2012. *Rhinol Suppl.* 2012 Mar;(23):3.
15. Gohd RS. The common cold. *N Engl J Med* 1954;250:687-691.
16. Gold SM, Tami TA. Role of middle meatus aspiration culture in the diagnosis of chronic sinusitis. *Laryngoscope* 1997;107:1586-1589.
17. Gooch WM 3rd. Antibacterial management of acute and chronic sinusitis. *Manag Care Interface* 1999;12:92-94.
18. Huang WH, Hung PK. *Methicillin-resistant Staphylococcus aureus infections in acute rhinosinusitis*. Laryngoscope 2006; 116:288-291.
19. Inanli S, Ozturk O, Korkmaz M. The effects of topical agents of fluticasone propionate, oxymetazoline, and 3% and 0.9% sodium chloride solutions on mucociliary clearance in the therapy of acute bacterial rhinosinusitis in vivo. *Laryngoscope* 2002;112:320-325.
20. Jiang RS, Lin JF, Hsu CY. Correlation between bacteriology of the middle meatus and ethmoid sinus in chronic sinusitis. *J Laryngol Otol* 2002;116:443-446.
21. Kim HJ et al. The relationship between anatoic variations of paranasal sinuses and chronic sinusitis in children *Acta Otolaryngol* 2005;126(10):1062-1072.
22. Lund VJ. Craniofacial resection for tumors of the nasal caity and paranasal sinuses-17year experience. *Heck Neck* 1999;20:97-105.
23. Lund VJ. Infectious rhinosinusitis in adults: classification, etiology and management, International Rhinosinusitis Advisory Board. *Ear Nose Throat J* 1997;76(Suppl12):1-22.
24. Lusk RP. Surgical management of sinusitis. In Lusk RP, editor: *Pediatric sinusitis, ed 1, New York*, 1992, p.77-127.
25. Mair EA, Bolger WE, Breisch EA. Sinus and facial growth after pediatric endoscopic sinus surgery. Arch Otolaryngol Head Neck Surg 1989;121:547-552.
26. McAlister WH, Lusk RP, et al. Comparison of plain radiographs and coronal CT scan in infants and children with recurrent sinusitis. *Am J Roentgenol* 1989;153:1259-1264.
27. McCoul ED, Jourdy DN, Schaberg MR, Anand VK. Methicillin-re-

sistant *Staphylococcus aureus* sinusitis in nonhospitalized patients: a systematic review of prevalence and treatment outcomes *Laryngoscope* 2012.

28. Nation J, Kaufman M, Allen M, Sheyn A, Coticchia J. Incidence of gastroesophageal reflux disease and positive maxillary antral cultures in children with symptoms of chronic rhinosinusitis *Int J Pediatr Otorhinolaryngol*. 2014;78(2):218-22.
29. Otten FW, Grote JJ. Treatment of chronic maxillary sinusitis in children. *Int J Pediatr Otorhinolaryngol* 1988;15:269-278.
30. Ozcan M. Correlation of middle meatus and ethmoid sinus microbiology in patients with chronic sinusitis. *Rhinology* 2002;40:24-27.
31. Ramadan HH, Cost JL. Outcome of adenoidectomy versus adenoidectomy with maxillary sinus wash for chronic rhinosinus i t i s in chi ldren. The Laryngoscope. 2008 May;118(5):871-3.
32. Setliff RC. The small-hole technique in endoscopic sinus surgery. *Otolaryngol Clin North Am* 1997;30:341-354.
33. Tinkleman DG, Silk HJ. Clinical and bacteriologic features of chronic sinusitis in children. *Am J Dis Child* 1989;143:938-941.
34. Wald ER, Milmoe GJ, Bowen A, et al. Acute maxillary sinusitis in children. *N Engl J Med* 1981;304:748-754.
35. Wald ER. Sinusitis in children. *N Engl J Med* 1992;326:319-323.
36. Walner DL. The role of second-look nasal endoscopy after pediatric functional endoscopic sinus surgery. *Arch Otolaryngol Head Neck Surg* 1998;124:425-428.
37. Wolf G, Greistorfer K, Jebeles JA. The endoscopic endonasal surgical technique in the treatment of chronic reccurring sinusitis in children. *Rhinology* 1995;33:97-103.
38. Yonkers AJ. Sinusitis. inspecting the causes and treatment. *Ear Nose Throat J* 1992;71(6):258-262.

CHAPTER

20

비용

이상학, 김대우

Ⅰ 서론

비용(nasal polyp)의 발생원인과 치료법에 관한 연구 테마는 히포크라테스 시대로 거슬러 올라갈 정도로 고전적인 테마이지만 현재까지도 발생 원인에 관하여 밝혀지지 않은 부분이 많고 비용을 동반한 만성 비부비동염의 치료는 이비인후과 의사에게 아직도 미해결 과제로 남아 있다. 비용은 만성 비부비동염에 동반되어 나타날 뿐만 아니라 천식, 알레르기 비염, 아스피린 과민증, 낭성 섬유증(cystic fibrosis) 및 유전성 원발성 섬모운동이상증(primary ciliary dyskinesia) 등 전신질환과 동반되어 나타나는 경우가 흔하다. 이러한 이유로 수술적 치료를 포함한 적절한 국소적 치료 후에도 20~30% 정도 재발한다.[13,15]

만성 비부비동염의 유병률은 미국에서 13%, 유럽에서 11%, 중국에서 8%, 한국에서 7%, 브라질에서 6%로 보고되고 있다. 비용의 유병률은 이보다 낮을 것으로 생각되며 내시경을 이용하여 진단한 몇 개의 역학적 연구 중 스웨덴에서 2.7%의 유병률을 보였고[20] 우리나라의 경우 2.5%의 유병률을 보였다.[47] 두 연구 모두 남성과 천식환자에서 유병률이 높음을 보고하였다. 흥미로운 점은 비용이 관찰된 사람들 중 비용으로 인한 코증상을 호소하는 이는 34.4%에 불과하였다. Larsen 등의 연구에서도 비부비동염의 기왕력이 없는 사체를 내시경으로 검사한 결과 약 25%에서 비용이 존재한다고 보도하여[24] 유병률과 증상이 있는 환자 간 통계수치의 차이가 존재할 것으로 생각된다. 비용은 50~60세에 가장 호발하는 것으로 알려져 있고 서양에서는 천식환자의 7%에서, 낭성 섬유증 환자의 40%, 아스피린 과민증 환자의 36~96%에서 비용이 관찰되는 것으로 알려져 있다.[13]

Ⅱ 비용의 조직학적 소견

비용은 특징적으로 결체조직이 부종사이에 산재되어 있고 혈관이나 분비선이 분산되어 산발적으로 존재한다.

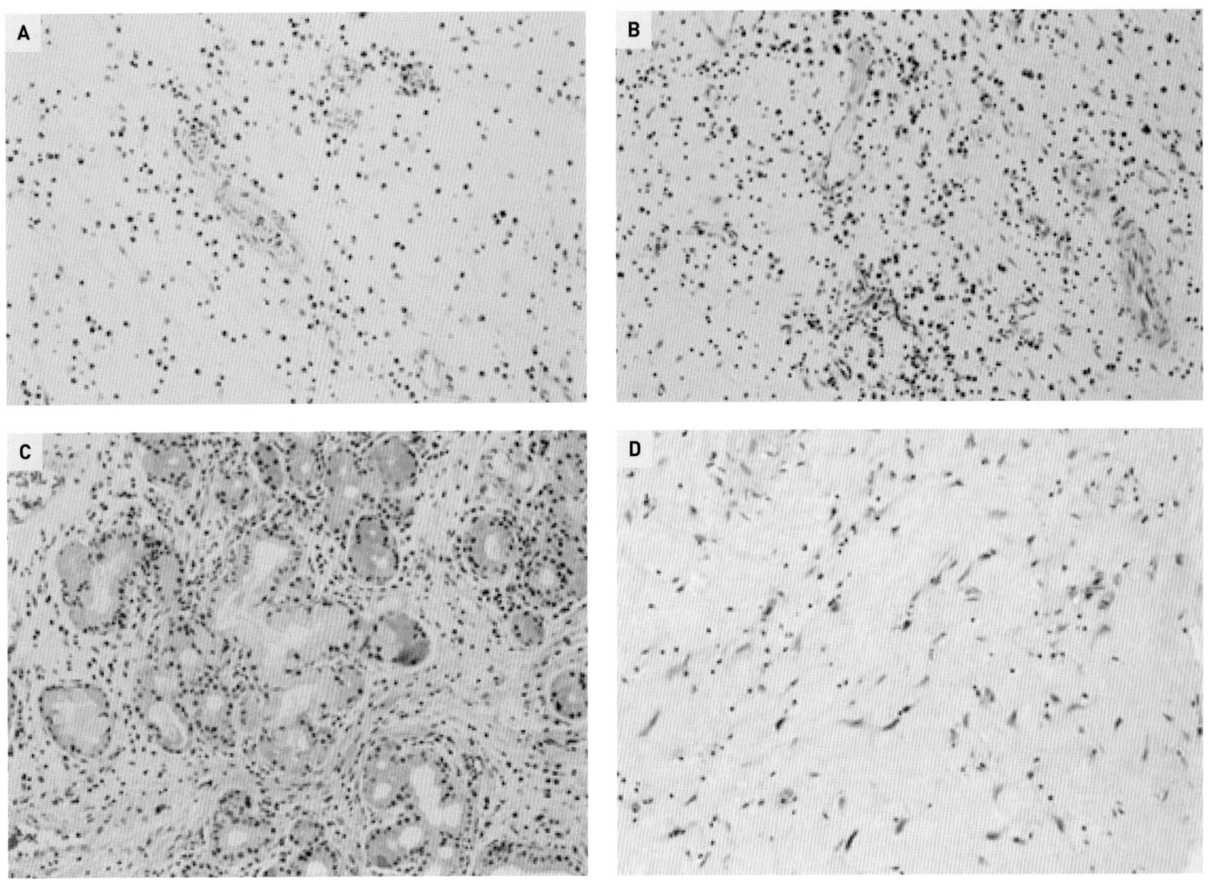

■ 그림 20-1. **비용의 조직학적인 분류.** **A)** eosinophilic, edematous type, **B)** chronic inflammatory or fibrotic type, **C)** seromucinous gland type, **D)** atypical stromal type.

신경조직은 존재하지 않으며, 상피세포는 위중층섬모상피의 형태를 띠는 것이 대부분이나 일부 상피세포는 편평상피세포로 이루어져 있다. 기저층은 특징적으로 비후되어 있으며 호산구, 비만세포, 임파구, 호중구, 형질세포 등 다양한 염증세포가 기질속에 침투되어 있다.

조직학적 소견에 따라 Hellquist는 네 가지 형태로 분류하였다. (1) 다수의 호산구 침윤과 함께 부종성 기질을 보이는 호산구성 부종형(eosinophilic, edematous type), (2) 호산구는 거의 없고 주로 림프구와 중성구로 구성된 염증세포의 침윤을 보이는 만성 염증형 혹은 섬유형(chronic inflammatory or fibrotic type), (3) 점액선의 증식을 보이는 장점액선형(seromucinous gland type), (4) 비정형성 기질형(atypical stromal type)이다(그림 20-1). 당시 연구에서는 제1형이 85~90%를 차지하는 것으로 보고하였다. 최근 연구들은 호산구의 분포가 전체 염증세포의 10% 이상[22,50]인 경우 호산구성 비용(eosinophilic type)으로 분류를 하는데 제1형과 가장 유사하다. 나머지 제2형과 제3형은 비호산구성 비용(non-eosinophilic type)의 특징과 비슷하고 제4형은 거의 관찰되지 않는다. 따라서 최근 조직학적 분류는 단순하게 호산구성, 비호산구성 비용으로 나눈다. 이 분류는 병인론적, 치료 및 예후적 관점에서 상이함을 보이기 때문에 유용하다. 서양의 비용에서는 호산구성 비용이 70~80% 이상의 빈도를 보이며 동양에서는 비호산구성 비용이

50% 이상을 차지한다.[22] 흥미롭게도 최근의 연구에 따르면 미국에서 태어난 2세대 동양계 미국인의 경우 서양인에 비해서 비호산구성 비용의 빈도가 높음이 관찰되어 비용의 패턴에 일부 유전적인 부분이 관여할 것이라고 추측하고 있다.[26]

호산구성 비용의 경우 조직학적으로 기질 내 다수의 호산구(eosinophil)와 활성화된 비만세포(mast cell)가 관찰되고 기질의 부종이 동반되며, 호흡 상피 내 현저한 배상세포(goblet cell)의 증식과 두꺼운 유리질의 기저막(basement membrane)이 특징이다. 기질 내에는 소수의 섬유아세포(fibroblast)가 염증세포와 섞여 있으며 부종으로 인해 낭성 변화를 보이기도 한다. 표면의 상피조직은 호흡기 상피와 유사하지만, 배상세포의 수가 더 많이 존재하며, 화생 변화가 더욱 더 관찰된다. 반면, 비호산구성 비용의 경우 기질에 섬유아세포의 증식과 섬유화가 동반되고 호산구 대신 림프구(lymphocyte)와 형질세포(plasma cell)의 침윤이 많으며, 현저하지 않은 부종과 함께, 장점액선의 증식이 보이며 확장된 혈관이 자주 관찰된다.

Ⅲ 병태 생리

점막 염증의 기본 개념은 외부의 자극물질에 대한 신체의 과도한 반응이라고 할 수 있다. 정상적인 점막은 외부 자극에 반응하지 않거나 일정한 반응 후에 염증의 종료를 통해서 항상성을 유지하게 된다. 반면 비용의 발생과정에서는 만성적인 염증반응에 의한 상피의 손상이 발생한다. 또한 손상된 상피를 통해 다양한 항원 및 세균성 물질들의 조직 내 흡수가 용이해지고 흡수된 물질은 염증세포를 자극하여 다양한 염증 매개물질을 분비하게 한다. 결국에는 만성적인 염증을 조절하는 기능이 상실됨으로써 비가역적인 점막의 변화를 일으키게 된다.

1. 점막 면역의 개념

점막 면역작용의 목적은 세균이나 항원이 침입하였을 때 조직의 손상 없이 외부 자극 물질들을 제거하는 것이다. 이러한 방어적 면역작용을 위해서 자극의 종류에 따라 상이한 면역시스템이 가동된다. 이를 T세포의 관점에서 분류한다면 크게 Th1, Th2, Th17 염증으로 분류할 수가 있고 이러한 방어적 임무를 적시에 종료시키기 위해서 조절 T세포(regulatory T cell)의 작용 또한 필요하다(그림 20-2).

Th1반응은 세포안의 바이러스나 세균을 제거하기 위해서 가동된다. 상피세포(epithelial cell), 포식세포(macrophage)와 NK세포와 같은 염증 주변 침윤세포들은 IL-12, IL-18 그리고 IFN-γ와 같은 사이토카인을 분비하고 이런 사이토카인들은 Th1 분화를 촉진시킨다. IFN-γ는 전사인자인 STAT-1을 활성화시키고 STAT-1은 T-bet의 발현을 증가시키고 T-bet은 다시 IFN-γ의 분비를 촉진하여 양성 피드백의 구조를 형성한다. 또한 IL-12에 의해서 활성화된 STAT-4가 IFN-γ의 생성에 관여한다. IFN-γ의 양성 피드백 기전으로 분화된 Th1세포는 외부 항원이 침입에 대해 IFN-γ, TNF-α 그리고 TNF-β를 분비하여 포식세포의 포식작용(phagocytosis) 및 항체제시능력(antigen presenting ability)을 증진시키고 B세포에서 IgG의 분비를 촉진하며 보체계(complement system)를 활성화시켜 국소염증반응을 일으킨다. 이 염증에서는 호중구(neutrophil)의 침윤도 관찰된다. 대표적인 전사인자(transcription factor)는 T-bet이고 사이토카인은 IFN-γ이며 작용염증세포(effector cell)는 포식세포이다.

Th2반응은 기생충(parasite)에 저항하기 위하여 설계되어진 면역 시스템이다. 기생충에 저항하기 위한 Th2의 분화는 IL-4 증가에 의해 유도된다. 하지만 흥미롭게도 IL-4을 분비하는 주요 세포는 분화된 Th2세포(type2 helper T cell)이다. 그럼 과연 Th2가 분화되기 전에

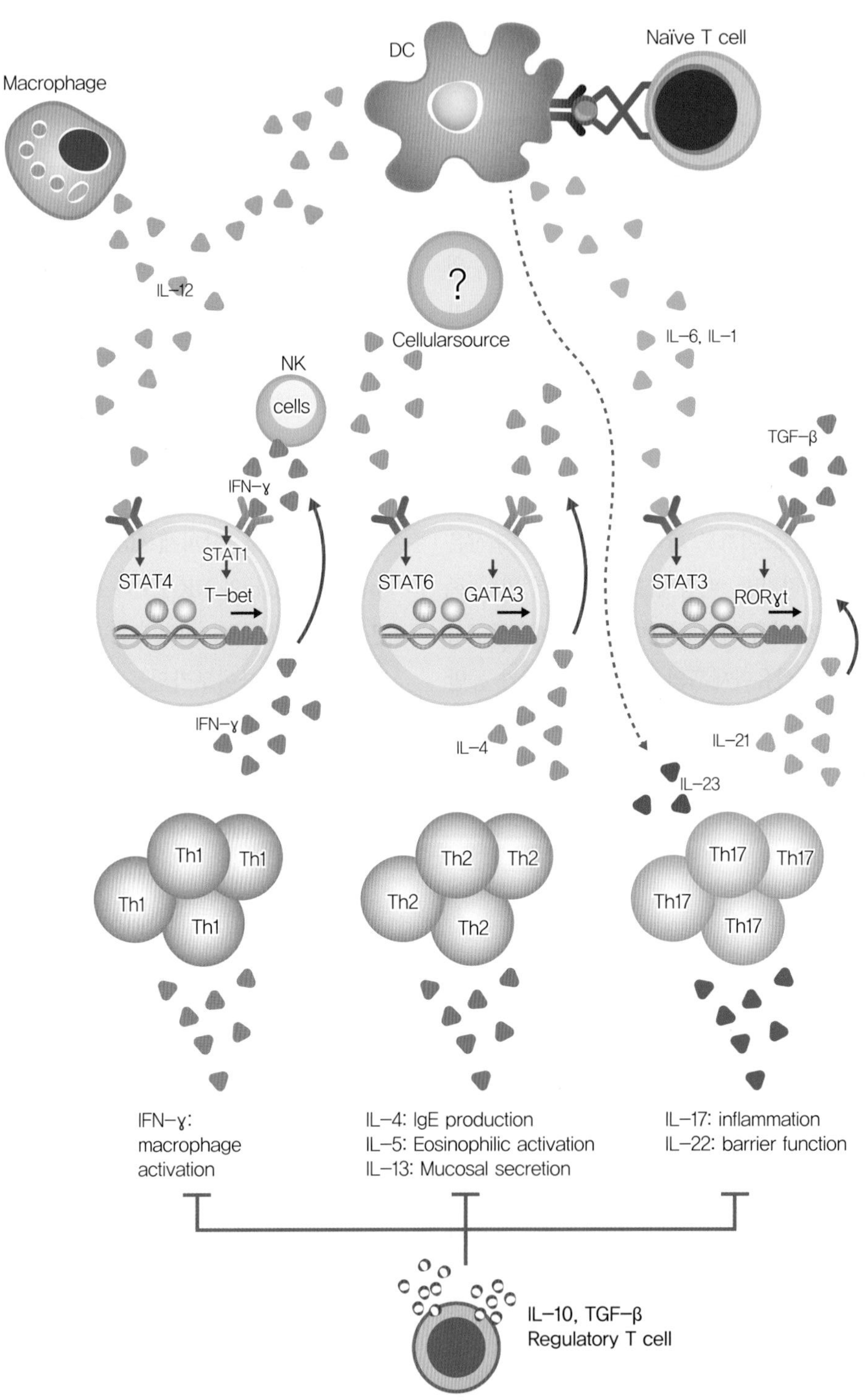

■ 그림 20-2. **외부 자극에 대한 면역반응 모식도**

IL-4의 시작은 어떤 세포에서 기원하였는가 하는 문제는 아직까지 풀지 못한 면역학의 숙제 중 하나이다. 그러나 최근 상피에서 분비되는 사이토카인인 TSLP (thymic stromal lympopoietin), IL-33, IL-25와 이런 사이토카인들에 자극을 받은 선천성 림프구(innate lymphoid cell)나 호염기구(basophil), 비만세포, NKT cell들이 Th2분화를 촉진시키는 중요 사이토카인인 IL-4를 분비하는 데 관여할 것으로 추정하고 있다. 고농도의 IL-4는 T세포 안에서 STAT-6을 활성화하고 STAT-6과 TCR (T cell receptor) 자극 신호는 GATA-3의 발현을 증가시켜 IL-4, IL-5, 그리고 IL-13과 같은 Th2 사이토카인의 분비를 증가시킨다. IL-5는 호산구를 동원(recruitment)하고 활성화시키며 생존능력을 높이고 IL-4와 IL-13은 항체를 IgE와 IgG4로 전환(isotype switching)시키는 역할을 한다. 또한 IL-13은 상피의 점액생성을 증가시킨다. 이러한 항체 및 호산구와 비만세포에서 분비되는 독성 염증매개물질은 크기가 커서 포식 작용으로는 억제하기 어려운 기생충의 조직 침투를 물리적으로 억제하는 역할을 한다. 대표적인 전사인자는 GATA-3이고 사이토카인은 IL-4, IL-5 그리고 IL-13이며 작용염증세포는 호산구이다.

Th17의 반응은 세포외 세균이나 진균의 방어를 위해서 활성화되는 면역시스템이다. 이런 외부자극에 대해 수지상 세포(dendritic cell)는 IL-6, IL-1β, 그리고 IL-23을 분비하게 된다. IL-6, IL-1β은 Th17 분화 시작단계에 IL-23은 Th17의 증식(proliferation)과 유지(maintenance) 단계에서 중요한 사이토카인이다. 흥미롭게도 항염증작용을 하는 TGF-β는 IL-6나 IL-1과 함께 작용을 하여 전사인자인 STAT-3을 활성화시키고 RORc의 발현을 증가시켜 Th17의 분화를 촉진시킨다. 분화된 Th17세포는 IL-21을 분비하여 자가분비(autocrine)방식으로 분화를 더욱 촉진시킨다. 대표적인 전사인자는 RORc이고 사이토카인은 IL-17A이며 작용염증세포는 호중구(neutrophil)이다.

마지막으로 조절 T세포는 활성화된 CD4+ T세포에서 주로 분비되는 IL-2에 의해서 전사인자 STAT-5를 활성화시키고 FOXP3의 발현을 증가시켜 TGF-β와 IL-10 같은 항염증 사이토카인을 분비한다. 조절 T세포는 모든 분화된 T세포를 억제할 수 있으며 염증의 역할이 종료되었을 때 작용하는 면역시스템이다.

비용에서는 이러한 방어적인 면역작용이 병리적인 형태로 발생하는 것으로 알려져 있다. 외부의 다양한 자극에 대해 Th1/Th2/Th17 염증 방어체계가 작동하고 조절 T세포에 의해서 정상적으로 종료되어야 하지만 비용에서는 Treg의 작용이 저하되어 있고 TGF-β의 발현이 감소해 있다.[49] 이는 외부자극에 대한 면역학적 취약성을 의미하며 만성염증질환의 특징 중 하나이다. 서양의 비용에서는 호산구가 침윤되어 있는 Th2염증이 주를 이루고 동양의 비용에서는 Th1/Th2/Th17이 혼합된 형태로 서양의 비용보다 더욱 이질적인 형태로 관찰된다.[8,50]

2. 외부 자극

세균은 급성 부비동염의 직접적 원인이고 만성부비동염과 연관성이 있는 원인인자로 알려져 있다. 세균 감염의 개념보다는 독소와 같은 세균성 물질이 만성염증을 악화시킬 수 있는 것으로 생각하고 있다. 비용에서 세균의 동정에 관한 연구는 오래전부터 많은 연구자들에 의해서 시행이 되었으나 일관된 결과를 얻지 못하고 있다. 그 이유는 연구마다 세균을 동정하는 방법과 비강 내 채취장소가 일정하지 않은 것이 하나의 이유이다. 또한 최근 연구에서 상피 세포 안에도 세균이 존재한다는 것이 밝혀지고 세균이 바이오필름(biofilm)과 같은 기질성 물질에 싸여 있어 전통적인 동정방법이 한계가 있다는 지적이 또 다른 이유이다. 하지만 "초항원 이론(superantigen hypothesis)", "바이오필름 이론(biofilm hypothesis)" 등이 비용의 병태생리의 한 부분이라는 연구결과가 꾸준히 발표되고 인정받고 있다는 점은 비용의 발생에 세균성 물질이 역할을 하고 있음을 시사한다. 특히 세균의 역할에 대해서 감염이라는 관점보다는 면역 병리적 관점에서 이해가 되고 있다. 최근에는 몸 안에 집락을 이루고 공생하는 세균(commensal bacteria)의 역할에 대해 주목하고 있다.

이러한 세균은 병을 일으키는 세균을 억제할 뿐 아니라 염증을 조절하는 조절 T세포의 기능을 높여준다는 가설이 대두되고 있고 이러한 세균총의 변화는 염증의 성질을 결정하는 데 중요할 것이라고 보여진다.

곰팡이는 알레르기 진균성 비부비동염(allergic fungal rhinosinusitis)의 원인으로 잘 알려져 있고 *in vitro* 실험상 염증작용을 악화시키는 것으로 알려져 있다. 하지만 진균의 자극이 비용에서 보이는 면역병리현상을 충분히 설명하지 못하고 치료제로서 항진균제를 이용한 임상실험에서 일관된 결과를 보여주지 못함으로써[9] 초창기에 각광 받던 "진균이론(fungal hypothesis)"에 대한 회의적인 시각이 많다.

비용의 자극 항원으로서 호흡기 알레르기 항원(inhalant allergen)의 역할에 대해서도 이견이 있다. 그 이유는 알레르기 상태(atopy)를 정의하는 피부반응검사의 결과와 비용의 중등도 및 예후사이의 연관성이 밝혀져 있지 않기 때문이다.[21,33] 그리고 알레르기 비염에서는 몇개의 특정항원에 대한 IgE 반응(Oligoclonal expansion)이 관찰되고 전신적 감작과 연관이 크지만 비용에서는 다양한 항원에 대한 IgE반응(Polypclonal expansion)이 관찰되고 주로 국소적 감작으로 발생하므로 병태생리에 약간의 차이가 있다. 그러나 알레르기 진균성 비부비동염이나 다항원피부반응검사양성 환자에서 관찰되는 비용에서는 높은 IgE농도가 비만세포를 자극하여 다양한 염증물질을 분비하여 염증을 악화시키므로 일부 비용에서는 알레르기 염증이 중요한 병태생리임을 부인할 수 없다.

바이러스는 감염 후 자가 치유되기 때문에 비용의 형성 및 발달에 영향을 준다는 증거가 미약하다. 하지만 바이러스가 호흡기 상피를 손상시킬 수 있고 담배연기와 같은 자극물질과 함께 상피세포에서 RANKLES와 같은 Th2염증 물질을 분비하는 등 비용의 병태생리와 유사한 현상을 일으킬 수 있으므로 가능성을 배제할 수는 없다.[48]

3. 신체의 병적 반응

외부의 자극에 대한 신체의 반응이 점막면역의 기본적인 개념이라면 점막면역의 최전방에 있는 상피의 반응이 비용을 포함한 비점막 염증의 시작이라고 할 수 있다. 상피에는 외부자극에 대해 반응하는 수용체로서 pattern recognition receptor (PRR)나 protease activated receptor (PAR)가 존재한다. 대표적인 PRR인 Toll-like receptor는 세균이나 바이러스의 구성 물질에 의해 활성화되어 상피세포 내의 염증관련 유전자의 발현을 증가시킨다. PAR은 세균, 곰팡이, 알러젠 등에 존재하는 protease에 반응을 하여 염증성 사이토카인과 케모카인을 분비하는 데 관여한다. 비용환자에서는 protease의 억제단백인 LEKT1단백이 감소하여 있고[32] PAR2가 정상인에 비해서 과발현되어 있어 외부자극에 대해 취약한 상피세포를 가지고 있다.[7] 또한 상피세포에서는 다양한 항세균단백(anti-microbial protein)을 분비하게 되는데 이는 항세균 효과이외에도 세포의 분화(differentiation), 치유(wound healing), 그리고 물리적인 방어막(barrier function)에도 영향을 미치는 것으로 알려져 있는데 비용에서는 락토페린(lactoferin), S100단백 등 항세균단백의 농도가 감소되어 있는 것으로 알려져 있다.[44] 외부 자극을 받은 상피 세포는 다양한 사이토카인들을 분비할 수 있는데 IL-1, TNF-α, IFNα/β, GM-CSF, eotaxins, RANTES, IP-10, IL-6, IL-8, GRO-α, MDC, SCF, TARC, MCP-4, BAFF, osteopontin, IL-25, IL-32, IL-33 and TSLP 등이 대표적이고 이러한 사이토카인은 호산구, 호중구, 림프구 등 다양한 염증세포를 동원하는 데 관여한다[13] 특히, 최근에 활발히 연구되고 있는 IL-25, IL-33, TSLP는 상피세포에서 주로 분비되어 Th2 염증 및 조직 재형성에 관여하는 것으로 알려져 있고 비용에서 중요한 역할을 하는 것으로 이해하고 있다.[28,36]

비용에서 외부자극에 대한 최종 결과는 염증세포의 침윤과 다양한 사이토카인의 분비, 이러한 염증물질에 의한 조직의 비가역적 변화라고 할 수 있다. 비용에서 관찰되는 대표적인 염증세포는 호산구, 비만세포, 호중구, 포식세포, 림프구 등이다. 호산구는 상피세포에서 분비된 RANTES, Eotaxin 1-3, MCP 1-4과 같은 케모카인에 의해서 유도되며 내피세포의 VCAM-1과 결합하여 조직 내로 이동하게 되며 GM-CSF, IL-5와 같은 사이토카인에 의해서 증식, 활성화되고 생존능이 증가한다. 호중구는 상피세포를 포함한 여러 세포에서 분비되는 IL-8이 강력한 호중구 동원인자이며 내피세포의 접착분자에 의해서 조직 내로 이동된다. 호중구는 호산구성, 비호산구성 비용 모두에서 관찰되며 호산구의 상대적인 개념보다는 동시에 침윤하는 세포로 생각하고 있다. 알레르기 질환에서 호중구가 항원 감작 과정을 촉진시킨다는 보고가 있으나 비용에서 역할은 분명하지 않다. 비만세포는 조직 내에 분포하는 염증세포로 혈관에는 존재하지 않는다. 상피세포와 더불어 점막면역의 최전방을 지키는 염증세포이나 다양한 자극에 다양한 반응을 보인다. 기술적으로 배양이 어려워 연구가 많이 되어 있지 않지만 비용조직에서 숫자가 증가해 있다는 점과 비용조직에서 총 IgE 농도와 특이 IgE가 높아져 있다는 점에서 중요한 역할을 할 것으로 생각한다. 포식세포는 Th1 염증반응의 대표적인 염증세포이고 세포 내 세균이나 바이러스를 퇴치하는 일을 함을 앞서 언급하였다. 하지만 알레르기 질환에서 포식세포의 역할은 macrophage mannose receptor를 발현하는 M2 포식세포로 변환되어 Th2세포나 수지상세포를 동원하고 응고인자 XIIIA를 분비하여 fibrin cross-linking을 강화시켜 조직 재형성에 영향을 미쳐 비용의 병태생리에 관여한다. 미생물을 잡아먹는 방어적 기능은 오히려 약화된다.[42] 마지막으로 비용에서 많이 관찰되는 세포는 형질세포이다. 비용에서 IgE, IgA, IgG가 다른 조직에 비해서 높은 농도로 존재한다는 것은 성숙된 B세포인 형질세포의 역할이 크다는 것을 의미한다. 이와 맥락을 같이하여 비용에서 B세포를 증식시키고 isotype switching을 시키는 단백인 BAFF (B cell activating factor)도 역시 증가되어 있다. BAFF는 자가면역질환과 연관성이 있는 사이토카인으로 일부 난치성 비용환자에서 IgG, IgA anti-nuclear autoantibody의 농도가 높아져 있음이 관찰되어 국소적인 자가면역현상이 비용에서 관찰되고 있다.[43]

많은 아스피린 과민증 환자에서 비용을 관찰할 수 있다는 사실은 Arachidonic acid 대사과정이상이 비용의 병태생리의 중요한 기전 중 하나임을 시사한다. Arachidonic acid 대사에 관여하는 분자를 eicosanoid라고 하는데 leukotrienes, prostaglandins (PGD2, PGE2, PGF2), prostacyclin (PGI2) 그리고 thromboxane (TXA2) 등이 있다. Leukotriene는 lipoxygenase (5-LO)에 의해서 생성이 되고 나머지는 cyclooxygenase enzyme (COX-1, -2)에 의해서 활성화된다. 일반적으로 PGE2는 leukotriene에 대한 항염작용을 하고 나머지는 염증작용에 관여한다. 비용에서 cysteinyl leukotriene (LTC4, LTD4, LTE4), LTC4 synthetase, 5-LO의 농도가 증가되어 있는 반면 PGE2, COX-2 그리고 PGE2 synthase 수치는 감소되어 있다.[13]

외부의 자극에 대한 개개인의 반응이 다르므로 비강점막 면역반응에 취약한 원인을 찾기 위해 GWAS나 microarray연구와 같은 유전자 연구를 통해서 비용을 일으키는 개체의 유전적 취약성을 파악하려고 하고 있으나 현재로서는 일관된 결론은 얻지 못하고 있다. 이는 비용이 매우 이질적인 질환의 집합이며 유전적 영향뿐 아니라 환경적 영향을 강하게 받기 때문인 것으로 생각된다.

4. 조직 재형성(Tissue remodeling)

외부 자극에 대한 신체의 과도한 염증반응의 최종 결과로서의 조직 재형성은 비용을 이해하는 데 매우 중요하다. 만성적인 기도 염증이 지속되는 경우 상피의 변화, 기저막의 비후, 배상세포의 과성장, 기질의 부종 및 섬유화가 발생하여 정상적인 조직 구성의 변화가 오게 되는데 이를 조직 재형성이라고 한다.

비용의 대표적인 재형성 현상인 부종성 변화를 일으키는 주된 가설은 "TGF-β의 감소설"과 "응고(coagulation) 경로의 장애설"이 유력하다. 앞서 비용의 면역학적 특징 중 하나는 조절 T세포의 장애라고 언급하였고 이와 관련된 사이토카인인 TGF-β의 감소가 특징적임을 기술하였다. 흥미롭게도 TGF-β는 세포외 기질(Extracellular matrix)을 증가시키는 대표적인 사이토카인이므로 TGF-β의 감소가 collagen의 형성을 억제시켜 조직의 부종을 악화시켜 비용을 형성하는 데 관여하는 것으로 생각하고 있다.[49] 또한 정상적인 coagulation system은 thrombin이 fibrinogen을 fibrin으로 분해하고 fibrin은 plasmin에 의해서 분해되는 과정인 데 반해서 비용에서는 thrombin의 농도가 올라가 있는 반면 fibrin을 분해하는 plasmin을 활성화시키는 tissue-plasminogen activator (t-PA)가 감소해 있다. 결국 만성염증상태에서 혈관의 투과성이 증가하여 혈장단백이 비강 점막 내에 증가하게 되는데 이러한 혈장단백을 coagulation system을 통해 분해하는 과정에 이상이 생겨 fibrin의 과도하게 침착하게 된다. 이러한 fibrin의 침착은 점막 조직에 수분을 끌어들여 비용을 발생 및 성장에 관여할 수 있다. 특히 호산구성 비용에서 높게 발현되는 Th2 사이토카인인 IL-4, IL-13이 t-PA를 억제하는 것이 증명되었다.[41] 앞서 M2 포식세포에서 분비되는 응고인자 XIIIA는 fibrin cross-linking에 연관되어 있음을 설명하였는데 이 또한 비용의 리모델링의 중요한 과정이다.

5. 질병의 중증도에 영향을 미치는 병태생리

다양한 형태의 비용이 존재하므로 비용의 형성에 있어서 호산구의 역할이 반드시 필요한 것은 아니다. 하지만 질병의 범위, 천식과의 연관성, 수술 등 치료 효과 및 재수술 가능성을 가장 잘 예측할 수 있는 지표는 조직 내 호산구 숫자이다.[2,39] 포도상구균 초항원의 분포 또한 질병의 중등도와의 연관성이 있다고 알려져 있다. 포도상구균 초항원 이론은 포도상구균에서 분비된 외독소가 초항원으로 작용하여 염증을 기하급수적으로 증가시킴으로써 비용을 형성하는 데 역할을 한다는 것이다. 초항원은 기존 항원과 달리 항원제시세포(antigen-presenting cell)의 특이적 항체에만 결합하는 것이 아니라 항체에 상관없이 MHC class II molecule의 측면에 결합하여 전체 T세포의 20~30%를 활성화시켜 염증을 증폭시키는 역할을 한다. 또한 비용에서 초항원이 Th2 분화를 촉진시키고 IL-10, TGF-β를 억제하는 것으로 알려져 있다.[19] 서양의 비용의 50%에서 동양의 비용의 20~30%에서 초항원효과를 관찰할 수가 있다. 초항원 효과를 측정하는 방법은 TCR Vβ chain의 발현을 관찰하는 방법이 가장 확실한 방법이나 임상에서는 초항원에 대한 특이적 IgE의 농도를 관찰하는 방법이 비교적 간단하다. 흥미롭게도 초항원 특이적 IgE의 농도는 비용 내 총 IgE농도나 ECP (Eosinophilic Cationic Protein)과 연관성이 높고 천식의 발병과 관련성이 높아 바이오마커로 사용될 수 있다.[45] 바이오 필름이란 세균이 좋지 않은 서식 환경을 보상하기 위한 전략으로 세균을 감싸고 보호하는 막(extracellular matrix)을 형성하는 것을 이야기한다. 바이오 필름의 형성은 보고자마다 검출방법에 따라 다르지만 30~100%의 환자에서 관찰된다.[13] 균종이 예후에 중요하며 *S. aureus*와 *P. aeruginosa* 바이오 필름이 수술 후 좋지 않은 결과를 보이고 *H.influenza* 바이오 필름의 경우 질병의 중증도도 경하고 수술 후 결과도 좋은 것으로 알려져 있다.[5,31] 흡연은 또 하나의 예후인자로 생각할 수 있다. 흡연환자에서 비부비동염이 많이 관찰된다는 역학조사가 있고 흡연환자는 수술 후 결과가 좋지 않은 것으로 알려져 있다. 그 기전으로는 흡연이 점액분비를 증가시키고 기도 청소능을 감소시키며 바이오필름의 형성을 촉진하는 것을 들 수 있다.[23]

비용의 병태생리에 관한 전체적인 내용은(그림 20-3)에 정리되어 있다.

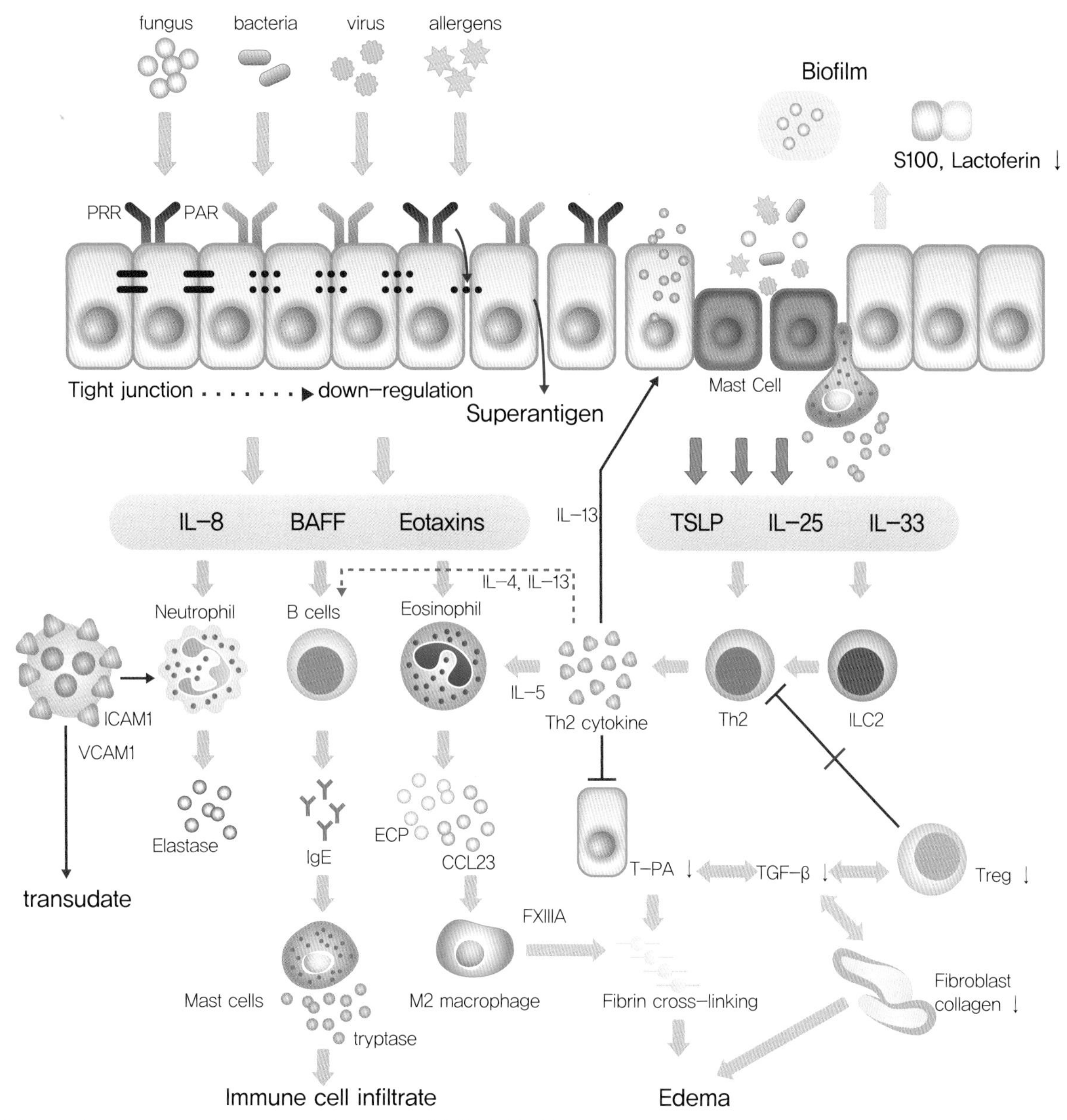

■ 그림 20-3. **비용의 병태생리 모식도**

Ⅳ 진단

비용은 염증 등 다양한 원인으로 비부비동의 점막조직에서 발생되는 부종성 조직으로 표면은 섬모상피로 덮여 있으며, 유연한 무통성의 생장 물로 대부분 중비도에서 눈물 모양 혹은 포도송이처럼 관찰된다. 비용의 발생원인은 현재까지 확실하게 밝혀져 있지 않지만 비부비동 점막조직에서 발생한 비특이적인 만성염증으로 유발된다. 하지만 최근에는 천식, 재발성 감염, 알레르기, 약물 알레르기, 혹은 면역질환과 동반되어 발생하는 경우도 흔하다. 따라서 이러한 질환을 가지고 있는 경우 비강을 관찰하면 비용이 발견되는 경우도 흔하다.

비용이 작은 경우는 쉽게 발견되지 않으며, 중비도의 앞쪽에 위치할 때는 증상 없이 내시경 검사 시에 발견되기도 한다. 중비도의 뒤쪽에 있을 때는 비경검사로는 발견이 되지 않을 수 있으며 소아의 경우 증상이 없으면 발견하지 못하는 경우도 있다. 작은 비용이라도 부비동의 자연구를 막는 경우는 급만성 부비동염의 증상을 유발하기도 한다.

비용의 증상은 비용의 크기에 따라 달라지며, 크기가 작은 경우는 증상이 없을 수 있으나 비용의 크기가 큰 경우는 코막힘과 후각감퇴 등이 발현될 수 있다. 대부분이 만성부비동염과 동반되어 발현되기 때문에 콧물과다, 코막힘, 후비루, 후각 및 미각감퇴, 안면통 혹은 두통, 치통, 전두통 및 압통, 코골이, 눈 주위 소양감 등의 증상이 발현된다. 드물지만 다발성 비용이 치료되지 않고 오래 지속되어 크기가 커진 경우 외비의 변형은 물론 안구돌출, 양안 격리증, 겹보임 등 안구증상이 발생되기도 한다. 일반적으로 증상 및 비강소견으로 용이하게 진단할 수 있는데, 연성 및 경성 내시경으로 비강을 관찰함으로써 진단된다. 컴퓨터 단층 촬영, 자기공명영상으로 부비동의 심층부에 존재하는 비용의 발생위치나 크기를 파악할 수 있으며, 코막힘을 유발하는 구조적인 병변이나 악성 혹은 양성종양을 발견하기도 한다. 비용은 양측성으로 발생하지만 일측성으로 비용이 발견되면 반전성 유두종, 편평상피암, 육종, 악성임파종, 웨게너 육아종증 등과 같은 질환과 감별하기 위해 조직검사를 할 필요가 있다.[3,27]

Ⅴ 치료

비용의 치료는 일차적으로 약물요법이 우선적으로 사용되어야 하며 약물 치료에 반응이 없으면 수술적 치료가 시도되어야 한다.[4] 약물요법에서 스테로이드의 효과는 잘 알려져 있다. 전신적 스테로이드 요법의 장점이 부작용 때문에 반감되는 경우가 있지만 그런 경우 국소적 요법이 차선책으로 사용되기도 한다. 전신적 스테로이드는 비용의 초기 형성단계에는 효과가 좋기 때문에 medical polypectomy로 불리기도 한다.[12] 그러나 전신적 스테로이드는 부작용의 위험성 때문에 단기간에 걸쳐서 사용되어야 한다. 속효성 스테로이드로 프레드니솔론 혹은 베클로메타손을 사용한다. 용량은 30 mg으로 7일 동안 쓰고 10~20일간에 걸쳐서 점차적으로 줄여나가야 한다. 장기간에 걸쳐서 사용하는 경우에는 전신적 부작용을 예방하기 위하여 용량을 가능한 한 낮은 용량으로 사용하여야 하고 혹은 이틀에 한 번 정도 사용하여야 한다. 이와 같이 비용의 치료에 국소스테로이드와 전신적 스테로이드를 적절하게 사용하는데, 전신적 스테로이드는 국소적 스테로이드와 동시에 사용할 수 있으며, 전신적 스테로이드는 국소적 스테로이드에 비하여 간헐적으로 사용하기도 하며, 혹은 전신적 스테로이드를 쓰고 국소 스테로이드로 바꾸어 쓸 수 있다.[18] 전신적 스테로이드는 후각소실에 효과가 있으나 국소 스테로이드는 효과가 없다.[17,18] 비용을 동반한 농성 만성 부비동염의 경우에는 항생제와 상악동 세척이 효과적이며 치료효과를 향상시키기 위해서는 항생제를 전신적 스테로이드와 함께 사용하기도 한다. 천식, Samter씨 삼징 환자는 전신적 스테로이드에 잘 반응하며, 수술 후 재발이 많아 저용량의 전신적 스테로이드와 국소스테로이드를 동시에 사용한다.

비용 혹은 점막의 부종의 범위가 넓으면 넓을수록 스테로이드의 치료효과가 감소하기 때문에 수술적 요법이 필요하다. 수술 요법은 비용제거술이나 혹은 전부비강 수술을 한다. 특히, 범발성 비용은 스테로이드에 반응이 적어 수술 요법이 필요하다. 비용제거술만 하면 조기에 재발할 가능성이 높다.

비용을 동반한 만성 비부비동염 환자에서 안면통, 압박감 혹은 농성 콧물이 없으면, 세균성 감염이 없다고 추정할 수 있어 이 경우에는 점막염증과 비용크기를 줄이는 치료법이 필요하다. 그러나 농성 콧물이 있으면 전신적 및 국소적 스테로이드와 항생제로 치료하며 그다음 국소적 스테로이드로 유지하는 것이 좋다. 국소요법은 비강 내 분무 혹은 비강 내 점적 요법이 효과적이며 특히 수술 후 비용의 재발을 예방하는 데 효과가 있다.[38,40] 전신적 요법은 수술 전 사용 시 출혈량을 감소시킬 수 있다. 출혈량을 연구한 결과에서는 출혈량이 차이가 없다고 하는 연구도 있으나 스테로이드를 30 mg씩 5일간을 수술 전에 투여하면 수술시간을 줄이며, 수술시야를 확보할 수 있다고 한다.[37] 또한 7일 동안 60 mg을 매일 투여하고 17일 동안 용량을 줄여가도 증상, 수술시간, 출혈량, 후각역치호전, 수술시야확보, 입원기간 감소 등에 효과가 있어, 전신적 부작용 없이 사용할 수 있다는 보고도 있다.[6]

종합적으로 보면 비용을 동반한 만성 비부비동염의 약물요법에서는 스테로이드 사용이 최선책으로 간주되고 있다. 사용요법은 25 mg씩 2주 동안 사용 후 국소요법으로 전환하는 등 다양한 용법이 사용되고 있으나 전신요법은 부작용 때문에 투여 용량 및 투여기간이 제약을 받고 있다.[37] 사용기간과 용량에 대한 규정은 없으나 2주간 매일 25 mg씩 사용하거나 6주 동안 매일 50 mg씩 사용하기도 한다.[10] 15일 투여 요법을 선호하는 경우도 있는데, 전신적 스테로이드를 처음 5일 동안 20 mg을 하루 2회, 다음 5일 동안은 10 mg을 하루 2회, 그리고 마지막 5일 동안 하루 10 mg을 1회 투여하기도 한다. 이 기간 동안에 동시에 국소 스테로이드를 투여한다.[16] 국소스테로이드는 1970년 이래로 비용의 치료에 일차로 사용되고 있고 주요한 치료방법으로 자리 잡고 있다. 이중맹검 연구결과 국소스테로이드요법은 비용의 크기를 줄이며 수술 후 비용의 재발을 지연시킨다. 국소스테로이드의 부작용은 거의 없으며 코점막을 자극하는 증상, 코딱지, 혹은 비강전반부에 건조감을 일으키지만 대부분 간헐적으로 생기고, 연고를 바르거나 분무방법을 변화시키거나 용량을 줄이면 이러한 문제점을 해소할 수 있다. 국소적 스테로이드는 부작용이 경미함으로 국소스테로이드를 중단할 필요는 없다. 최근 국소 스테로이드를 점적하는 방법도 소개되고 있는데, 환자를 앙와위 자세로 눕히고 머리를 침대 아래로 떨어트린 후 풀루티카손 200 ug을 하루에 1회 점적하고 약 2분간 그 자세를 취하게 한다. 이 방법 역시 수술 필요성을 반감시키고, 후각감퇴를 호전시키며 비용크기를 감소시킨다고 한다.[1] 포도상구균이 비용성 만성 비부비동염 환자의 64%에서 발견되며, 포도상구균의 초항원(superantigen)에 대한 항체가 관찰되기 때문에 독시사이클린을 투여하면 비용의 크기기 감소되며 항염증 효과가 나타난다.[39]

항 루이코트레인 제재가 비용을 동반한 만성 비부비동염치료에 대체제로 사용될 수 있다. 항 루이코트레인 제재는 모든 비용환자에 동등한 효과를 나타내지 않지만 천식과 아스피린 민감성 환자에게는 효과가 있을 수 있으며 montelukast를 1~3개월 단독으로 사용하거나 혹은 전신적 및 국소스테로이드와 병합 요법으로 사용하기도 하면 효과를 나타낸다. 그러나 5-lipoxigenase inhibitor인 zileuton이 cysteinyl leukotriene D4 receptor blocker (montelukast or zafirlukast)보다 효과가 있는지는 불확실하다.

비용, 천식, 아스피린 민감성을 가진 환자는 매일 아스피린복용으로 치료할 수 있다. 아스피린 탈감작 요법은 천식 발작에 대하여 관찰하면서 시행하여야 한다.[34,35] 장기간 아스피린 치료요법은 위장관에 대한 부작용 증상이 있을 수 있어 주의하여야 한다. 용량은 전통적으로 하루 2회 650 mg 사용하였으나 최근에는 용량을 낮추어 하루 2회 325 mg까지 사용하는 것을 권유한다.[25]

Ⅵ 후비공 비용

후비공 비용은 부비동에서 기시하여 부비동의 자연공을 통과한 후 후비공까지 진행하는 양성의 단발성 병변으로 상악동 후비공 비용이 가장 흔한 형태이다.[26] 상악동 내의 후벽, 하벽, 외측벽, 그리고 내측벽에서 대개 발생하며, 전벽에서는 드물게 발생한다.[14] 접형동, 중비갑개, 사골동, 비중격, 하비갑개, 뇌기저부등 상악동 이외의 다른 부비동에서 단일성 병변으로 발생할 수 있다.[30]

일반적으로 일측성 코막힘 증상이 나타나며, 내시경, 컴퓨터 단층촬영, 그리고 자기공명영상이 중요한 진단적 방법이다. 컴퓨터 단층촬영 영상 소견은 상악동을 채우는 음영이 자연공 혹은 부자연공을 통하여 중비도와 후비공을 점유하는 종양의 음영이 관찰된다. 자기공명영상에서는 T1강조영상에서는 저신호강도, T2강조영상에서는 고신호강도가 관찰되며, 조영증강후에는 상악동 내 비용은 주변부에 조영증강(peripheral enhancement)을 보이나, 비강 혹은 후비공 비용부분은 전체적으로 고신호강도가 관찰된다.[46]

감별진단 할 질환으로는 점액낭종, 점액농종, 저류낭종, 아데노이드 비후증, 하비갑개 비후, Thornwald's 낭종, 혈관 섬유종, 후각신경아세포종, 혈관종, 임파종, 웨게너 육아종증, 육종, 반전성 유두종 등이 있다.

후비공비용의 치료는 단순한 비용제거술, Caldwell-Luc 수술법, 혹은 부비동내시경수술로 제거하는 방법이 우선시 된다. 수술 시에는 용종기시부를 제거하는 것이 재발방지를 위해 효과적이다. 효과적인 약물요법은 보고되지 않고 있다. 재발한 경우에는 canine fossa를 경유한 antrostomy로 비용을 제거하기도 한다.[11,29]

참고문헌

1. Aukema AA, Mulder PG, Fokkens WJ. Treatment of nasal polyposis and chronic rhinosinusitis with fluticasone propionate nasal drops reduces need for sinus surgery. J Allergy Clin Immunol 2005;115:1017-1023.
2. Bachert C, Gevaert P, Howarth P, et al. IgE to Staphylococcus aureus enterotoxins in serum is related to severity of asthma. J Allergy Clin Immunol. 2003;111(5):1131-1132.
3. Bachert C, Hormann K, Mosges R, et al. An update on the diagnosis and treatment of sinusitis and nasal polyposis. Allergy 2003; 58:176-191.
4. Bachert C, Watelet JB, Gevaert P, et al. Pharmacological management of nasal polyposis. Drugs 2005;65:1537-1552.
5. Bendouah Z, Barbeau J, Hamad WA, et al. Biofilm formation by Staphylococcus aureus and Pseudomonas aeruginosa is associated with an unfavorable evolution after surgery for chronic sinusitis and nasal polyposis. Otolaryngology-Head&Neck Surgery. 2006;134(6):991-996.
6. Benitez P, Alobid I, de Haro J, et al. A short course of oral prednisone followed by intranasal budesonide is an effective treatment of severe nasal polyps. Laryngoscope 2006;116:770-775.
7. Briot A, Deraison C, Lacroix M, et al. Kallikrein 5 induces atopic dermatitis-like lesions through PAR2-mediated thymic stromal lymphopoietin expression in Netherton syndrome. J Exp Med. 2009;206(5):1135-1147.
8. Cao PP, Li HB, Wang BF, et al. Distinct immunopathologic characteristics of various types of chronic rhinosinusitis in adult Chinese. J Allergy Clin Immunol. 2009;124(3):478-84, 84 e1-2.
9. Ebbens FA, Georgalas C, Luiten S, et al The effect of topical amphotericin B on inflammatory markers in patients with chronic rhinosinusitis: a multicenter randomized controlled study. The Laryngoscope. 2009 Feb;119(2):401-408.
10. Ecevit MC, Erdag TK, Dogan E, et al. Effect of Steroids for Nasal Polyposis Surgery: A Placebo-Controlled, randomized, double-Blind Study. 2015; in press.
11. El-Guindy A, Mansour MH. The role of transcanine surgery in antrochoanal polyps. J Laryngol Otol 1994;108:1055-1057.
12. Feiding JU. Elbrond O. Hilberg O, et al. Acoustic rhinometry used as a method to monitor the effeet of intramuscular injection of steroid on nasal polyps. Rhinology 1988; suppl l:22(abstr).
13. Fokkens WJ, Lund VJ, Mullol J, et al. EPOS 2012: European position paper on rhinosinusitis and nasal polyps 2012. A summary for otorhinolaryngologists. Rhinology. 2012;50:1-12.
14. Frosini P, Picarella G, De Campora E. Antrochoanal polyp: analysis of 200 cases. Acta Otorhinolaryngol Ital 2009;29:21-26.
15. Guy AS. Nasal polyps: epidemiology, pathology, immunology, and treatment. Am J Rhinol 1987;1:119-126.
16. Hamilos DL, chronic rhinosinusitis: epidemiology and medical management. J allergy Clin Immunol 2011;128:693-707.
17. Heilmann S, Huettenbrink KB, Hummel T. Local and systemic administration of corticosteroids in the treatment of olfactory loss. Am J Rhinol Allergy 2004;18:29-33.
18. Holmberg K, Karlsson G; Nasal polyps: medical or surgical management? Clin Exp Allergy. 1996;26:23-30.
19. Huvenne W, Hellings PW, Bachert C. Role of staphylococcal superantigens in airway disease. Int Arch Allergy Immunol. 2013;161(4):304-14.
20. Johansson L, Akerlund A, Holmberg K et al. Prevalence of nasal polyps in adults: the Skovde populationbased study. The Annals of otology, rhinology, and laryngology. 2003;112:625-9.
21. Keith PK, Conway M, Evans S, et al Nasal polyps: effects of seasonal

allergen exposure. J Allergy Clin Immunol.1994;93(3):567-7415.
22. Kim DK, Park MH, Chang DY, et al. MBP-positive and CD11c-positive cells are associated with different phenotypes of Korean patients with non-asthmatic chronic rhinosinusitis. PloS one. 2014;9(10):e111352.
23. Krzeski A, Galewicz A, Chmielewski R, el al. Influence of cigarette smoking on endoscopic sinus surgery long-term outcomes. Rhinology. 2011;49:1-6.
24. Larsen PL, Tos M, Baer S. En block removal of the ethmoid and osteomeatal complex in cadavers, with a practical application. Rhinology 1994;32:62-64.
25. Lee JY, Simon RA, Stevenson DD. Selection of aspirin dosages for aspirin desensitization treatment in patients with aspirin-exacerbated respiratory disease. J Allergy Clin Immunol 2007;119:157-164.
26. Mahdavinia M, Suh LA, Carter RG, et al. Increased noneosinophilic nasal polyps in chronic rhinosinusitis in US second-generation Asians suggest genetic regulation of eosinophilia. J Allergy Clin Immunol. 2015;135(2):576-579.
27. Mullol J, Picado C. Treatment of inflammatory disease of the nose. Eur Respir Mon 2001;10:165-183.
28. Nagarkar DR, Poposki JA, Tan BK, et al. Thymic stromal lymphopoietin activity is increased in nasal polyps of patients with chronic rhinosinusitis. J Allergy Clin Immunol. 2013 Sep;132(3):593-600.
29. Ozcan C, Duce MN, Görür K. Choanal polyp originating from the cribriform plate. J Craniofac Surg 2010; 21:806-807.
30. Ozdek A, Samim E, Bayiz U, et al. Antrochoanal polyps in children. Int J Pediatr Otolaryngol 2002;65:213-218.
31. Psaltis AJ, Weitzel EK, Ha KR, Wormald PJ. The effect of bacterial biofilms on postsinus surgical outcomes. Am J Rhinol. 2008;22(1):1-6.
32. Richer SL, Truong-Tran AQ, Conley DB, et al. Epithelial genes in chronic rhinosinusitis with and without nasal polyps. Am J Rhinol. 2008;22(3):228-234.
33. Robinson S, Douglas R, Wormald P-J. The relationship between atopy and chronic rhinosinusitis. Am J Rhinol. 2006;20(6):625-628.
34. Rozsasi A, Polzehl D, Deutschle T, et al. Long-term treatment with aspirin desensitization: a prospective clinical trial comparing 100 and 300 mg aspirin daily. Allergy 2008;63:1228-1234.
35. Schapowal AG, Simon HU, Schmitz-Schumann M. Phenomenology, pathogenesis, diagnosis and treatment of aspirin-sensitive rhinosinusitis. Acta Otorhinolaryngol Belg 1995;49:235-250.
36. Shin HW, Kim DK, Park MH, et al. IL-25 as a novel therapeutic target in nasal polyps of patients with chronic rhinosinusitis. J Allergy Clin Immunol. 2015 Jun;135(6):1476-1485.
37. Sieskiewicz A, Olszewska E, Rogowski M, et al. Preoperative corticosteroid oral therapy and intraoperative bleeding during functional endoscopic sinus surgery in patients with severe nasal polyposis: a preliminary investigation. Ann Otol Rhinol Laryngol 2006;115:490-494.
38. Small CB, Hernandez J, Reyes A, et al. Efficacy and safety of mometasone furoate nasal spray in nasal polyposis. J Allergy Clin Immunol 2005;116:1275-1281.
39. Soler Z, Sauer D, Mace J, et al. Relationship between clinical measures and histopathologic findings in chronic rhinosinusitis. Otolaryngology-Head and Neck Surgery. 2009(141):454-461.
40. Stjarne P, Olsson P, Alenius M. Use of mometasone furoate to prevent polyp relapse after endoscopic sinus surgery. Arch Otolaryngol Head Neck Surg 2009;135:296-302.
41. Takabayashi T, Kato A, Peters AT, et al. Excessive fibrin deposition in nasal polyps caused by fibrinolytic impairment through reduction of tissue plasminogen activator expression. Am J Respir Crit Care Med. 2013 Jan 1;187(1):49-57.
42. Takabayashi T, Kato A, Peters AT, et al. Increased expression of factor XIII-A in patients with chronic rhinosinusitis with nasal polyps. J Allergy Clin Immunol. 2013 Sep;132(3):584-592.
43. Tan BK, Li QZ, Suh L, et al. Evidence for intranasal antinuclear autoantibodies in patients with chronic rhinosinusitis with nasal polyps. J Allergy Clin Immunol. 2011 Dec;128(6):1198-1206.
44. Tieu DD, Peters AT, Carter RG, et al. Evidence for diminished levels of epithelial psoriasin and calprotectin in chronic rhinosinusitis. J Allergy Clin Immunol. 2010;125(3):667-675.
45. Tomassen P, Jarvis D, Newson R et al. Staphylococcus aureus enterotoxin-specific IgE is associated with asthma in the general population: a GA(2)LEN study. Allergy. 2013 Oct;68(10):1289-1297.
46. Vuysere S, Hermans R, Marchal G. Sinochoanal polyp and its variant, the angiomatous polyp: MRI findings. Eur Radiol 2001;11:55-58.
47. We J, Lee WH, Tan KL et al. Prevalence of nasal polyps and its risk factors: Korean National Health and Nutrition Examination Survey 2009-2011. Am J Rhinol Allergy. 2015 Jan-Feb;29(1):e24-28.
48. Yamin M, Holbrook EH, Gray ST, Harold R, Busaba N, Sridhar A, et al. Cigarette smoke combined with Toll-like receptor 3 signaling triggers exaggerated epithelial regulated upon activation, normal T-cell expressed and secreted/CCL5 expression in chronic rhinosinusitis. J Allergy Clin Immunol. 2008;122(6):1145-1153 e3.
49. Yang YC, Zhang N, Van Crombruggen K, et al. Transforming growth factor-beta1 in inflammatory airway disease: a key for understanding inflammation and remodeling. Allergy. 2012 Oct;67(10):1193-1202.
50. Zhang N, Van Zele T, Perez-Novo C, et al. Different types of T-effector cells orchestrate mucosal inflammation in chronic sinus disease. J Allergy Clin Immunol. 2008;122(5):961-968.

CHAPTER 21

부비동염의 합병증

권삼현, 이재훈

급성 혹은 만성 부비동염은 흔한 질환으로 적절한 치료에 대부분 반응을 하지만 일부에서는 인접한 안와나 두개골로 파급되어 합병증이 발생할 수 있다. 이러한 합병증은 항생제의 발달에 따라 발생 빈도는 흔치 않으나 지속적으로 보고되고 있으며, 어린이나 청소년기에 호발하고 있다. 감염에 대한 저항력의 감소, 항생제 내성 세균에 의한 감염, 적절한 약물 및 수술적 치료의 지연 등이 이유로 제시되고 있다.[48,50]

I 분류

부비동염에 의한 합병증은 안와내 합병증, 두개내 합병증 및 골수염으로 분류된다. Chandler 등은 부비동염에 의한 안와합병증을 안와주위염(periorbital cellulitis), 안와봉와직염(orbital cellultis), 안와골막하농양(subperiosteal abscess), 안와농양(orbital abscess), 해면정맥동혈전(cavernous thrombophlebitis)의 다섯 가지 형태로 나누었다.[8] 두개내 합병증으로는 뇌막염, 경막외농양, 경막하농양, 뇌농양 등으로 구분할 수 있다. 그리고 기타 합병증으로 두개골 골수염, 상안와열 증후군과 안와첨 증후군이 발생할 수 있다(표 21-1).

표 21-1. 부비동염으로 인한 합병증

1. 안와내 합병증
안와주위염
안와봉와직염
골막하농양
안와농양
해면정맥동혈전
2. 두개내 합병증
뇌막염
경막외농양
경막하농양
뇌농양
3. 기타 합병증
골수염
상안와열 증후군 및 안와첨 증후군

II 안와내 합병증

1. 감염경로

안와내 염증의 가장 흔한 원인은 부비동염에 의한 합병증으로 발생한다. 안와와 부비동의 경계는 얇은 뼈로 이루어져 있으며, 위로는 전두동, 내측으로는 사골동과 접형동, 아래로는 상악동으로 둘러 싸여 있다. 가장 흔한 감염병소는 사골동이며, 지판에 의해 경계가 이루어져 있다. 이 지판에 드물지만 선천적 결손부위, 즉 골피열이 존재할 수 있다.

안와내 합병증을 일으키는 경로로는 골봉합선, 선천적인 골피열, 전후사골혈관이 지나는 골간극, 급성 감염에 의한 뼈의 괴사나 만성 질환에 의한 뼈의 미란, 골절선, 역류성 혈류성 정맥염 등을 통하여 부비동에 생긴 염증이 직접 안와내 감염을 일으킬 수 있다.[12] 특히 판막이 없는 정맥혈관이 부비동에서 안와로 직접 연결되어 있어 이 혈관을 따라 염증성 혈전이 쉽게 부비동에서 안와로 이동하여 안와내 감염을 유발한다.[24]

안와내 합병증을 일으키는 부비동염의 75%는 사골동염에 의해 일어나며, 순서로는 사골동, 전두동, 상악동순으로 일으킨다.[46,49] 부비동염에 의한 발생한 안와합병증의 약 85% 정도는 소아 연령층에 집중적으로 발병한다.[12,17]

안와내 합병증은 부비동의 발달과 관계가 있어 영유아는 상악동염, 학동기에서는 사골동염, 청소년기 이상에서는 사골동염이나 전두동염이 흔한 원인 병소이다. 안와내 합병증이 소아 연령층에 많은 이유는 상기도염 발병율이 높고, 안면골의 골벽이 판간형(diploic type)이며 골벽의 혈관이 풍부하고, 부비동 골벽이 상대적으로 얇으며, 두개골 봉합선이 열려있는 경우가 많으며, 어른에 비해 부비동 입구가 작기 때문이다.[12,14]

안와내 합병증을 일으키는 원인균은 일반적인 부비동염의 원인균과 다르지 않으며, 소아에서는 *Haemophilus influenzae*와 *Streptococcus pneumoniae*, 성인에서는 *Streptococcus pneumoniae*와 *Microaerophilic streptococci*가 많다. 우리나라 보고에 의하면 소아에서는 *Streptococcus pneumoniae*가 가장 많게 나타났으며, 성인에서는 *Streptococcus viridans*가 많은 것으로 나타났다.[20] 최근 macrolide (erythromycin) 및 penicillin 내성 *Streptococcus pneumoniae*가 출현하는 것에 주목할 필요가 있다.[48]

2. 안와내 합병증의 분류

Chandler 등은 부비동염에 의한 안와합병증을 안와주위염, 안와봉와직염, 안와골막하농양, 안와농양, 해면정맥동혈전의 다섯 가지 형태로 나누었다(그림 21-1).[8] 안와내 합병증 중에서 안와주위염이 가장 흔한 형태이며, 80%이상을 차지하고 있고, 다음 순위는 안와봉와직염이다.

안와내 합병증의 주증상으로는 안구주위 부종, 안구돌출, 안구통, 시력장애 등 안증상 외에 발열, 두통, 오한 등 전신증상이 있다(표 21-2).[23]

1) 안와주위염

안와는 안와격막(orbital septum)에 의해 감염이 안구내로 확산되는 것을 차단하는 역할을 한다. 안와격막은 얇고 넓은 결합조직으로 안와연의 골막에서 안검으로 뻗어 있고 내외측으로는 안검인대(palpebral ligament)를 이루는 구조물이다(그림 21-2).[39]

안와주위염의 증상으로 안검의 종창이 나타나며, 안와연부조직에 영향를 주지 않아 결막부종, 시력감퇴, 안근마비의 소견은 없으며 안저검사 소견은 정상이다. 안검의 종창은 염증으로 정맥혈 소통의 장애로 인하여 발생한다.[16]

2) 안와봉와직염

염증이 안구 내 연부조직에 파급되어 안구돌출, 결막부종, 안근마비, 안구운동 시 동통을 일으킨다.[24] 염증이 지속되면 안와농양으로 진행될 수도 있으며, 시력을 잃을

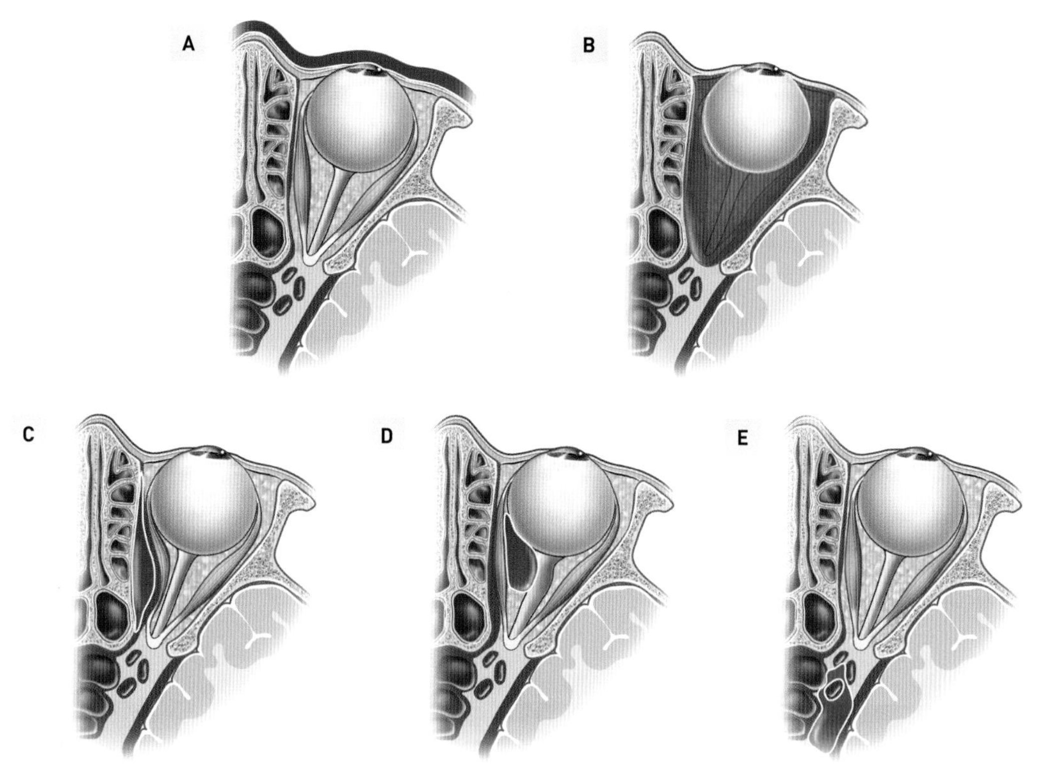

■ 그림 21-1. **안와내 합병증의 분류.** **A)** 안와주위염, **B)** 안와봉와직염, **C)** 안와골막하농양, **D)** 안와농양, **E)** 해면정맥동혈전

표 21-2. 안와내 합병증 환자의 주증상

증상	소아(n=24)	성인(n=28)
안구주위부종	16	16
안구돌출	2	-
안구통	2	4
시력장애	-	2
비폐색	1	3
비루	1	3
발열	2	-
두통	-	2

Kim YJ, Min YG[27]

수도 있는데 이는 안구내압의 증가와 시신경 주위에 염증과 관련되어 있다. 감염은 안와격막을 뚫고 들어가거나, 지판을 통하여 직접 안구 내로 파급되어 발생한다.

3) 골막하농양

안와벽을 이루는 뼈와 골막 사이에 고름이 고여 생긴다. 발생부위는 안와 어느 곳에서도 생길 수 있으나 사골동염으로부터 발생하는 예가 흔하다(그림 21-3). 안구는 외하방으로 전위된다. 발생초기에는 시력과 안윤근의 움직임은 정상이며, 진행 정도에 따라 시력과 안구운동에 영향을 받을 수 있다. 결막부종, 안구돌출, 동통이 심해진다.[26]

4) 안와농양

안와의 연부조직에 고름이 고여있는 상태로 주로 안와봉와직염이 진행되어 발생하거나, 골막하농양이 안구로 확장되어 발생할 수 있다. 농양은 안윤근과 골막 사이나 안윤근과 안윤근 사이에 자리할 수 있다. 증상으로는 안구돌출, 안근마비, 결막부종, 시력감퇴 및 소실 등이 발생한다(그림 21-4).

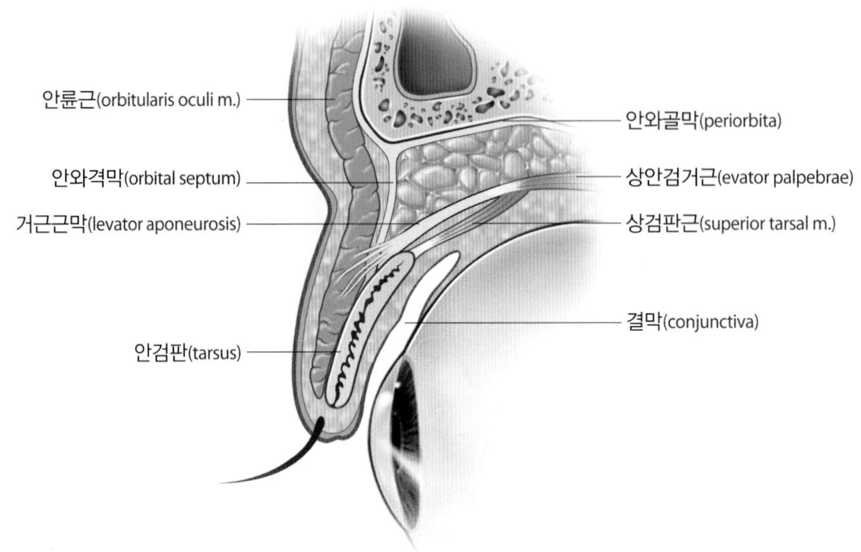

■ 그림 21-2. **삼안검의 구조**

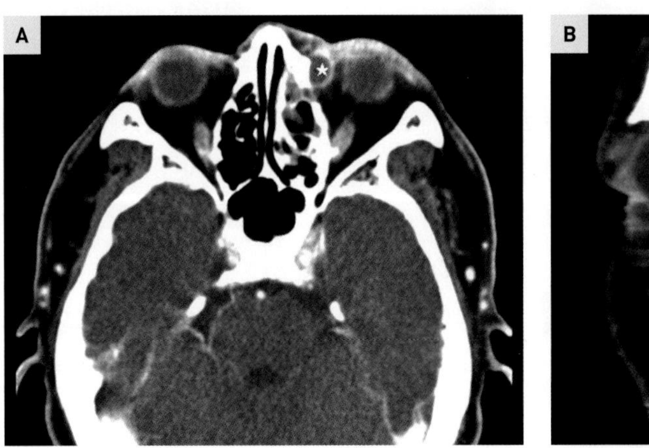

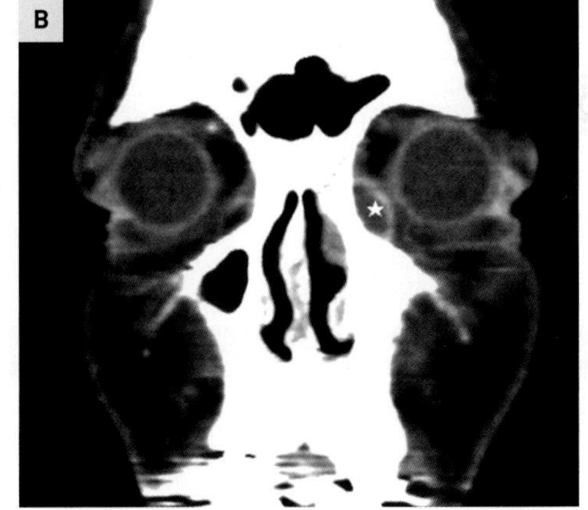

■ 그림 21-3. **골막하농양 환자의 CT 소견** (☆: 골막하농양)

5) 해면정맥동혈전

주된 감염원은 사골동과 접형동이다.[41] 감염은 직접 전파나, 안정맥(ophthalmic vein)를 따라 역행성 혈전성 정맥염에 의해 발생한다. 염증은 반대측 해면정맥동으로 쉽고 빠르게 진행될 수 있다. 초기에는 발열, 두통, 수명(photophobia), 복시, 안와주위부종, 결막부종 등이 나타나며, 전형적인 증상으로는 안검하수, 결막부종, 안구마비, 시력소실 등이 나타난다.[11,41] 해면정맥동혈전 일측 안증상과 뇌막염증상이 동반될 때 강하게 의심해야 하며,[33] 양측 안증상이 동반될 때 확진할 수 있다.[38] 가장 예후가 나쁘며, 빠른 진단과 치료에도 시력소실과 같은 휴유증을 일으킬 수 있으며, 심한 경우 사망에 이를 수 있다(그림 21-5).

안와염증에 의해 일시적 혹은 영구적인 시력소실을 일으킬 수 있으므로 시력검사를 자주 해야 한다. 시력소실이 발생하는 기전은 첫째, 허혈성 안신경 병변(ischemic

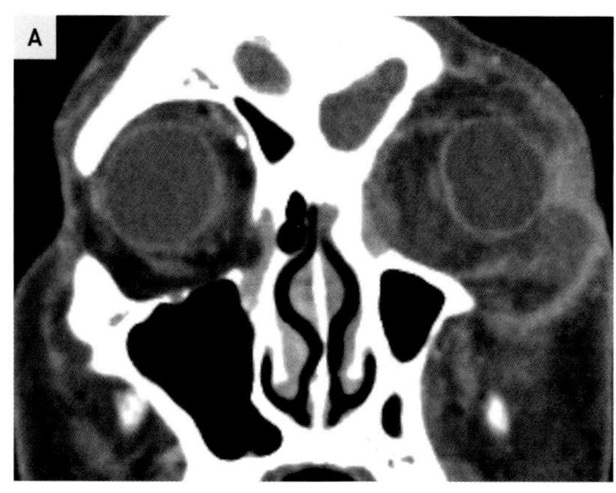

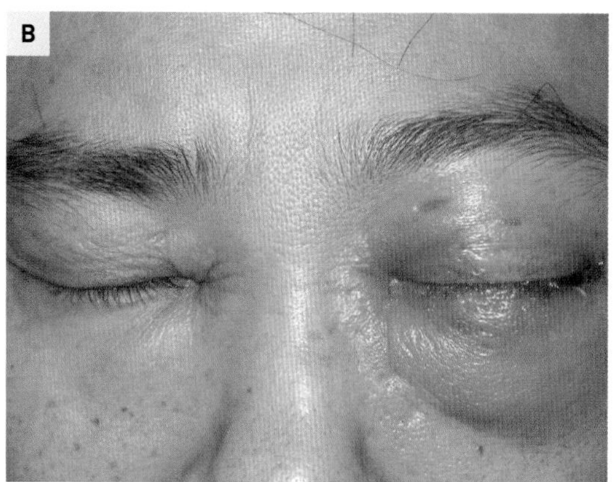

■ 그림 21-4. **안와농양환자의 CT 소견과 안면사진**

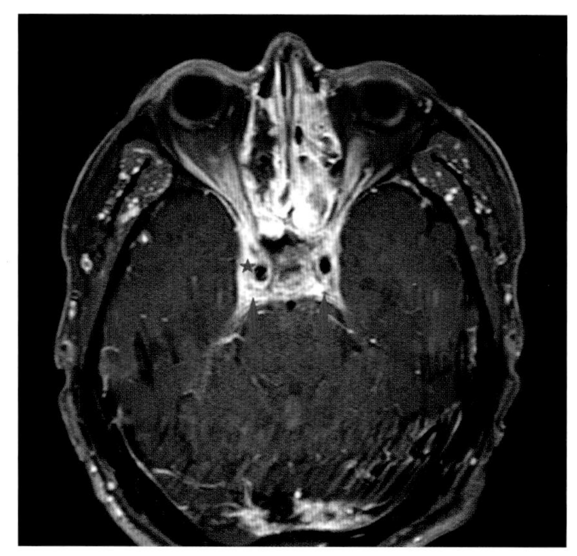

■ 그림 21-5. **해면정맥동혈전증의 CT 소견.** 활발한 감염일 때 해면정맥동의 조영이 증강되는 소견이 관찰됨(↑: 해면정맥동). 우측 내경동맥내에 판(plaque)도 관찰됨(☆: 우측 내경동맥).

optic neuropathy)으로 망막과 시신경에 혈류장애로 발생하며 100분 내에 혈류장애가 회복되지 못하면 시력소실이 영구적으로 진행된다.[2] 둘째, 압박성 시신경장애(compressive optic neuropathy)로 시신경에 직접적인 압박으로 인해 발생하며, 주로 사골동염과 관련이 있다. 셋째, 염증성 시신경병변(inflammatory optic neuropathy)으로 시신경 주위의 염증 반응으로 시신경에 손상이 오는 경우이다. 불행히도 오늘날에도 영구적인 시력소실의 10%는 안와합병증이 원인이 되고 있다.[28,32,36]

3. 진단

부비동염의 안와내 합병증으로 내원하는 많은 환자들은 최근에 상기도 감염에 이어 발생한 안검부종과 동통을 주소로 내원하는 경우가 많다.[38] 이 밖에 안구돌출, 시력감퇴, 안구운동장애, 미열 및 중비도로부터 나오는 농성비루 등을 호소하게 된다. 이들 증상에 따라 안와내 합병증의 감별진단이 가능하다(표 21-3).

안와내 합병증으로 환자가 내원하면 자세한 병력 청취와 비과적인 신체검사를 시행하여 급성 부비동염이나, 만성 부비동의 급성변화가 원인일 가능성이 있는지 확인하고, 입원시켜 안과적인 문제는 안과 의사의 도움을 받아 시력이상의 변화, 안구운동, 안저검사 등을 자주 반복 시행하여, 합병증이 더 악화되는지를 주의 깊게 관찰해야 한다.

안구돌출은 안와봉와직염에서도 축방향으로 올 수도 있으며, 골막하농양이나 안와농양에서는 아래쪽이나 외측으로 돌출될 수 있다.[28] 안구돌출과 동반하여 안구운동의 특정 부위 장애가 올 수 있는데 이러한 경우에는 골막하농양을 강하게 암시한다. 완벽하게 안구운동장애가 온

표 21-3. 안와내 합병증의 감별

	안검 종창	결막 부종	안구 돌출	안근 마비	시력 감퇴
안와주위염	+	±	-	-	-
골막하농양	+	+	+	±	±
안와봉와직염	+	+	+	+	±
안와농양	+	+	+	+	+
해면정맥동혈전	+	+	+	+	+

해면정맥동혈전은 대부분 양안을 침범하며 뇌막자극증상을 동반한다.

경우에는 안와봉와직염보다는 안와농양이나 해면정맥동혈전을 의심해야 한다.

CT와 초음파검사가 안와농양을 진단하는 데 가장 중요한 수단으로 이용되고 있으며, 초음파 검사는 안와 첨부에 대한 해상력이 떨어져 이 부위에 발생한 농양의 경우 관찰할 수 없는 단점을 가지고 있다.[5] 고해상도 CT는 안와봉와직염과 안와주위염을 감별하기는 어렵지만 안와내 합병증을 확인하는 데 가장 많이 사용되는 검사수단이며, 농양 감별이 용이하여 골막하농양과 안와농양를 감별하는 데 가장 좋은 진단 수단이며,[43] 부비동점막의 염증성비후를 관찰할 수 있고, 병증의 심한 정도와 병소의 위치 판정에 중요한 정보를 제공받을 수 있다. CT를 이용한 농양과 안와봉와직염을 감별하는 정확도는 87%, 신체검사 소견만을 통한 정확도는 70%로 나타났으며, 안와주위염의 경우 CT나 신체검사 모두 100%의 정확도를 보여주었다.[18]

MRI는 안와내 합병증의 진단 수단으로 이용되고 있으나 그 유용성에 대하여 논란이 많다. 골막하농양은 MRI로 잘 나타나나 지판과의 관계는 CT로 더 잘 알 수 있다. CT와 MRI로 안와농양의 위치, 안구의 전위, 안근비후 및 시신경의 비후를 관찰할 수 있다. CT에서 해면정맥동혈전이 발견되는 경우도 있으나,[20] MRI로 관찰하면 양측 해면정맥동의 신호강도가 T1 강조영상에서는 근육과 같은 신호강도이고, T2 강조영상에서는 지방과 같은 신호강도로 나타나 진단할 수 있다.[13]

세균배양은 중비도에서 채취한 농성 분비물을 이용하는 것이 보다 유용한 결과를 얻을 수 있으나, 안검피부로부터 얻은 배양 결과는 안와내 합병증의 원인균으로서 신뢰할 수 없다.[28,36] 농양을 배양하여 얻은 세균이 가장 정확하나, 항생제를 투여하면 세균배양에서 음성으로 나오는 경우가 있을 수도 있다.[5] 신생아 및 영아에서 생기는 골막하 농양 및 안와농양에서 가장 흔한 원인균은 황색 포도상 구균(약 90%)으로 알려져 있는 반면,[45] 소아에서는 세균배양에서 음성이 나오거나 연쇄상 구균(30~50%)이 나온 경우가 가장 흔하다는 보고가 있다.[46,47]

4. 치료

안와내 합병증의 초기치료는 이비인후과 의사와 안과 의사의 정확한 진단하에 이루어져야 한다. 환자를 입원시켜 뇌혈관 장벽(blood brain barrier)을 통과할 수 있는 광범위 항생제를 선택하여야 한다. 그 이유는 안와내 염증이나 부비동염이 두개내 합병증을 일으킬 수 있기 때문이다. 균이 배양되기 전까지는 penicillin이나 cephalosporins을 정맥주사하는 것이 효과적이다. 항생제 정맥주사는 증상이 호전되고 48시간 이상 발열이 없으면 경구용 항생제로 대체할 수 있다. 또한 배양검사 결과가 나오면 적절한 항생제로 교체하여 사용하여야 한다. 일반적으로 스테로이드 사용은 급성기에는 금해야 한다.[29] 보조적으로 비점막 수축제를 사용하는 것이 유용할 수 있다.[28]

안와주위염은 보통 항생제 투여에 잘 반응하여 호전되는 경우가 많으나 골막하 농양이나 안와농양인 경우 치료에 잘 반응하지 않는 경우가 많아 즉시 배농이 필요할 수 있다.[24] 안와합병증의 약 60% 정도에서 수술적 치료가 필요하다는 보고도 있다.[27] 특히 드물지만 신생아나 영아에서 골막하 농양이나 안와농양이 발생한 경우는 적극적인 수술적인 치료가 생존율도 높인다는 보고가 있다.[45] 수술적 치료의 적응증은 첫째, 초음파 혹은 CT에서 명백한 농양이 있는 경우, 둘째, 시력이 20/60 이하로 떨어진 경우, 셋째, 24시간 이상 질환이 더 악화되는 경우, 넷째, 48~72시간 동안의 항생제 투여에도 증상 호전이 없을 경우, 다섯째, 입원당시에 전신적인 침범을 보이는 경우이다.[20]

수술적 배농에는 비외사골동절제술이 실시되어 왔으나, 비내시경수술이 도입된 이후 대부분의 경우 비강 내 접근을 통해 수술적 배농이 가능하게 되었다. 그러나 안와 상부에 있는 경우는 내시경적 접근이 어려워 전통적인 술식을 사용해야 할 수도 있다.[44]

이들 두 가지 술식의 성공률은 비슷하게 보고되고 있다.[3,15]

해면정맥동혈전의 치료는 대량의 광범위 항생제를 정맥주사하고 항생제 감수성 결과에 따라 적절한 항생제로 바꾸어야 한다. 항응고제와 스테로이드 사용에 논란이 있으나 성공적인 임상결과를 근거로 사용을 추천하고 있다.[25,40] 적절한 치료로 수일 안에 전신상태가 호전되기도 하나, 시력소실, 뇌막염, 심지어는 사망에 이를 수도 있다. 항생제가 출현하기 전에는 사망률이 80%에 이르렀으며, 현재도 20%에 이른다.[12] 후유증으로 시력소실과 두개내 합병증이 올 수 있으므로 국소 및 전신 증상이 소실된 후에도 2주간 치료를 계속하는 것이 좋다. 약물치료와 함께 부비동의 외과적 배액술과 농양이 있는 경우 농양의 배농이 이루어져야 한다. 치료 후 30%의 환자에서 영구적으로 신경학적인 후유장애가 올 수 있다.[41]

Ⅲ 두개내 합병증

1. 감염경로

부비동염의 두개내 합병증은 안와내 합병증 다음으로 흔한 합병증이다.[9] 급속한 성장을 보이는 청년기의 남자에서 많이 발생하고, 면역기능이 저하된 환자에서 많이 발생한다. 이 시기에 많이 발생하는 이유는 전두동이 지속적으로 성장하며, 판간정맥(diploic vein)이 확대되는 것과 관련이 있는 것으로 보인다. 전두동이 두개내 합병증을 일으키는 가장 흔한 부비동이며, 다음으로 사골동, 접형동, 상악동 순이다.[46,49] 전두동염으로 입원 치료중인 환자의 10%에서 치료 중에 두개내 합병증이 발생한 보고도 있다.[6] 항생제의 사용으로 부비동염의 발병은 변화가 없었지만, 두개내 합병증은 감소되었다.[34]

감염경로는 기존에 존재하는 통로, 즉 판간정맥을 통하거나, 선천성 골간극, 감염에 의한 골결손부위, 외상으로 생긴 골결손부위 등을 따라서 전파될 수 있으나 가장 중요한 경로는 기존의 혈관을 따라 진행되는 혈전성정맥염을 통한 경로이다.[34] 병원균은 비부비동에서 배양된 세균과 일치하며, 흔한 세균으로는 *Streptococcus pneumoniae*, *Haemophilus influenzae*, *Moraxella catarrhalis*, *Staphylococcus aureus*, *Streptococcus species* 등이 보고되고 있다.

2. 두개내 합병증의 분류

뇌막은 세 층으로 이루어져 있으며 바깥층은 두꺼운 치밀섬유막인 경막(dura mater), 중간층은 섬세한 막인 거미막(arachnoid mater), 속층은 섬세한 혈관막인 연질막(pia mater)으로 되어있다. 경막은 머리뼈 안쪽에 부착되어 있으며 봉합선 부분과 머리뼈 바닥면과는 단단히 결합되어 있다. 연질막과 거미막을 같이 일컫는 연질뇌척수막(leptomeninx)은 태아의 뇌를 둘러싸는 한 층의 중간엽조직(mesenchyme)에서 유래한다. 거미막은 섬유모세포, 아교섬유, 약간의 탄력섬유로 구성되어 있다. 연질막은 균일한 얇은 막으로 가는 혈관그물이 많이 분포하며 이 막으로 인해 뇌 표면은 윤이 난다. 경막외공간(epidural space)은 경질막과 머리뼈가 붙은 부분으로, 경막의 골막층이 머리뼈에 부착되어 있으므로 실제적인 공간이라기보다는 잠재적인 공간에 해당한다. 그러나 병적인 상황에서는 실제적인 공간이 될 수 있다. 경막하공간(subdural space)은 경막과 거미막이 붙는 부분으로 정

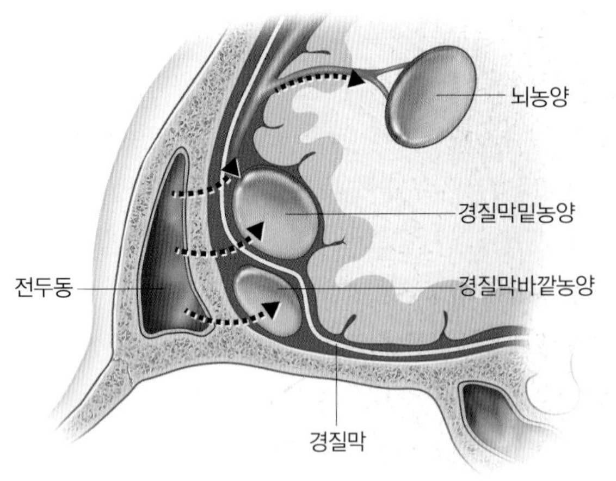

■ 그림 21-6. 두개내 합병증의 종류

상적으로는 잠재적인 공간이다. 거미막하공간(subarachnoid space)은 거미막과 연질막 사이의 실제적인 공간으로 뇌척수액, 잔기둥세포, 대뇌동맥, 정맥들이 위치한다.

두개내 합병증은 뇌를 싸는 뇌막과 관련하여 분류하며 뇌막염, 뇌농양, 경막외농양, 경막하농양 등이 있다(그림 21-6).

1) 뇌막염

뇌막염은 연질뇌척수막에 발생한 염증성 질환으로 뇌척수액에서 백혈구 증가가 특징적인 소견이다. 부비동염으로 인해 발생한 두개내 합병증 중에서 가장 빈도가 높으며, 주로 전두동, 접형동, 사골동의 염증이 전파되어 발생한다. 임상증상은 환자의 나이와 면역력 상태에 따라 다르게 나타날 수 있고, 전형적인 3대 증상으로 열, 경부강직, 정신착란이며 두통, 구토, 기면상태 등이 동반될 수 있다. 국소성 신경학적 증상은 잘 나타나지 않고 1/3 정도에서 간질발작이 일어난다. 후기 합병증으로 청력장애가 발생할 수 있다. 확정적인 진단은 뇌척수액 검사이다. 검사소견에서 백혈구 증가, 당 저하, 단백 증가, 세균검출 및 압력증가가 나타나면 확진할 수 있다. 정상적인 검사소견은 백혈구는 μL 당 5개 이하, 단백이 50 mg/dL 이하, 뇌척수액과 혈청에서의 당의 비율이 0.6 이상이다. 전형적인 세균성 뇌막염인 경우 백혈구는 μL 당 1,000~5,000개, 중성구가 전체 백혈구의 80%이상, 단백은 100~500 mg/dL, 뇌척수액과 혈청에서의 당의 비율은 0.4 이하이다. MRI가 CT보다 뇌막염의 진단에 도움을 준다.

2) 경막외농양

흔한 원인으로 골수염을 동반한 부비동염이나 혈전성 정맥염을 통하여 두개내로 전파되어 발생하며, 전두동염이 흔한 소인이다.

임상증상으로는 서서히 진행되는 국소적인 통증이 흔하다. 전두동 부위에 국한된 통증만 나타나는 경우에는 전두동염과 감별하기가 어렵다. 지속적인 두통과 갑작스런 발열이 있으면 경막외농양을 의심해 보아야 한다. 초기에는 증상이 경하여 신경학적 증상이 없으며, 농양의 양이 많아지면 뇌압이 증가되어 국소적인 신경학적 증상, 경련이나 의식의 변화를 보일 수 있다.

두개골 단순촬영에서 흔히 농양 상부의 두개골 골수염이 관찰되고 부비동염이 인지될 수 있다. CT로 농양과 전두동 후벽의 골파괴가 관찰되면 진단할 수 있다. MRI는 경막외 감염과 경막하 감염을 감별하고 경막외농양의 두개강 내 합병증을 식별하는 데 더욱 도움이 된다.

3) 경막하농양

부비동염에 의한 경막하농양은 전두동염에 의한 역행성 혈전성정맥염에 의해 발생하거나 경막외농양이 터져 발생할 수 있다. 부비동염에 의한 경막하농양은 전두엽에 주로 생긴다.

대부분 극적인 임상소견을 보인다. 전형적인 3대 징후인 부비동염, 열, 신경학적 결손을 흔히 보이며 빠르게 진행되는 의식변화, 두통, 오심 및 구토 등의 두개강 뇌압상승 증상이 흔하게 나타난다. 국소성 신경학적 증상으로는 뇌경색으로 인한 반신마비, 언어장애, 국소성 간질 등을 보이며 응급치료가 필요하다.

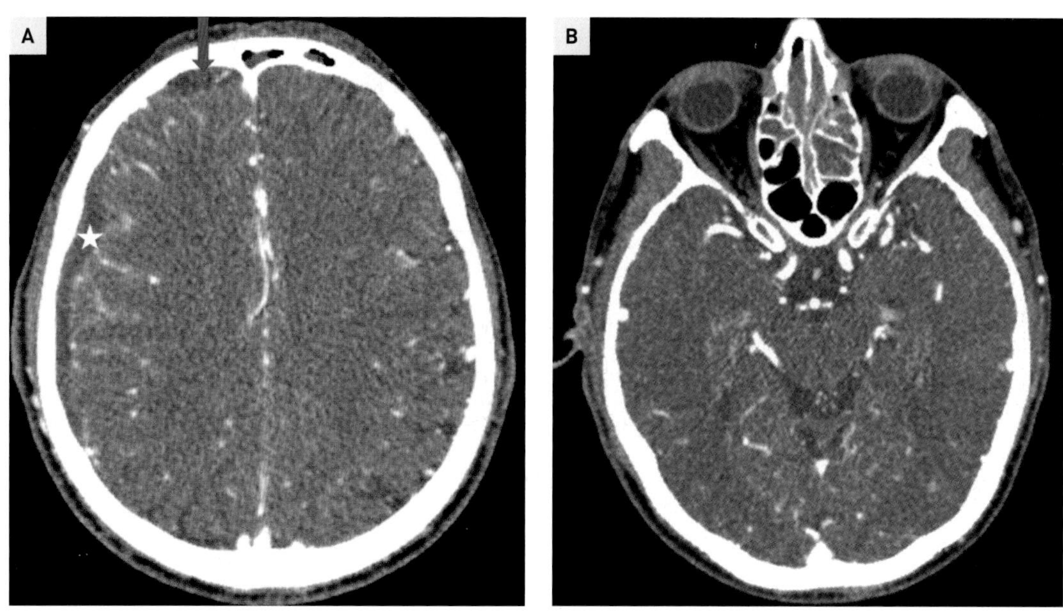

■ 그림 21-7. **두개내 합병증 중 경막하농양과 뇌농양이 동시에 보이는 CT 소견. A)** ☆: 경막하농양, ↓: 뇌농양, **B)** 양측 사골동염

진단은 임상적인 소견만으로는 뇌막염과의 감별이 어려우며, 뇌농양과 감별도 용이하지 않으나 방사선학적으로 감별이 쉽다. CT와 MRI를 이용하여 확진할 수 있다. 요추천자는 진단에 도움을 주지 못하고, 대뇌허니아가 발생할 수 있어 시행하지 않는다(그림 21-7).

4) 뇌농양

부비동염에 의한 뇌농양은 역행성 혈전성정맥염이 주된 감염경로이고, 전두동염에 의한 2차감염이 가장 흔한 원인이다.[10] 드물게 사골동염과 접형동염이 감염의 원인이 된다. 임상증상은 뇌농양의 위치, 크기, 병소의 수, 원인균의 독성, 환자의 면역상태, 부종유무, 두개강 내압의 정도에 따라 다양하다. 임상적으로 급성 염증 단계이므로 다른 두개강 내 종괴보다 병력이 짧다.[9] 뇌염 형태의 뇌실질 내의 감염은 괴사와 융해에 의해 농양을 형성하며 10~14일에 보통 피낭을 형성한다.[7]

두통, 오심, 구토, 의식변화, 국소성 신경학적 장애, 반신마비, 언어장애, 시야장애 등을 보일수 있다. 뇌농양은 백질(white matter)과 회색질(gray matter)의 경계에서 가장 흔하게 발생한다. 전두엽 농양은 국소성 신경학적 증상이 없는 경우가 많아 진단이 쉽지 않으며 치료가 이루어지지 않는 경우 뇌허니아나 농양이 뇌실로 파열되어 사망할 수 있다.

CT와 MRI 소견이 진단에 중요하며, CT에서 전형적인 뇌농양은 저음영의 괴사성 중앙부와 이를 둘러싸고 있는 피막이 뚜렷하고 균일한 윤상의 조영증강을 보이며 이를 둘러싸고 있는 뇌부종 소견을 보인다(그림 21-8). 또한 CT는 뇌농양의 뇌염시기(cerebritis stage)와 피포농양(encapsulated abscess)의 감별이 가능하다. 비조영 T1 강조영상에서 농양 둘레에 고음영 테두리가 흔히 관찰된다. 뇌농양으로 진단된 경우 요추천자는 뇌허니아의 위험이 있어 금기이다.

3. 진단

부비동염 환자에서 두통, 지속적인 발열, 오심, 구토, 의식변화, 기면상태, 국소적인 신경학적 장애 등이 있을때 두개내 합병증의 발생을 의심해봐야 한다. 뇌, 안구 및 부

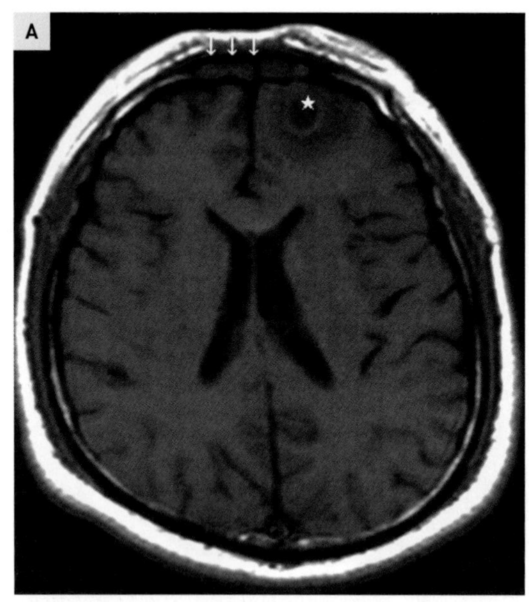

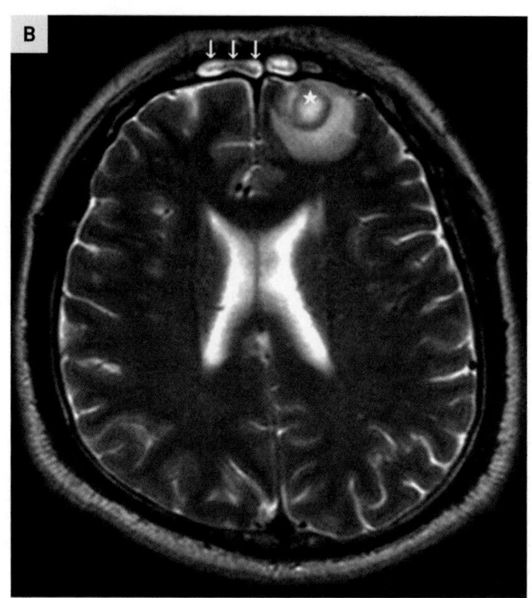

■ 그림 21-8. **뇌농양환자의 MRI 소견. A)** T1강조영상, **B)** T2강조영상(☆: 뇌농양, ↓: 전두동염)

비동을 동시에 확인할 수 있는 고해상 CT나 MRI가 진단에 가장 좋은 방법이다. 골미란을 여부를 판단하는 데는 반복적인 CT가 유용하다. 작은 뇌농양, 경막외농양과 경막하농양의 감별에는 MRI가 더 유용하다(그림 21-8). 요추천자는 뇌막염의 진단에는 유용한 정보를 제공하나 다른 두개내 합병증의 진단에는 도움이 되지 않는다. 뇌농양이 있는 환자에서 요추천자는 뇌허니아의 위험성이 있기 때문에 뇌막염이 의심되는 경우 반드시 영상 검사 시행 후 뇌농양이 없는 것을 확인한 후 시행해야 한다.[9,21,22,30]

4. 치료

두개내 합병증이 의심되면 안과, 신경과, 신경외과, 감염내과 전문의가 함께 치료하는 것이 바람직하다. 항생제는 뇌혈관장벽을 통과할 수 있는 항생제를 선택하여 정맥주사를 시행해야 한다. 3세대 cephalosporin과 metronidazole을 병합하는 것이 적절하며, 일반적으로 2주간의 정맥주사를 하고 4주 정도 경구 투여한다.[31] 두개내 합병증 환자에서는 경련의 빈도가 높아 예방적으로 항경련제의 투여가 필요하다.[42] 스테로이드제는 뇌부종이 심한 경우에 선택적으로 사용되지만 항생제의 뇌혈관장벽의 통과를 방해하거나 면역반응을 약화시키고 뇌농양의 피막 형성을 억제할 수 있어 아직 그 유용성에 대하여 논란이 되고 있다.[9,21,37] 수술적 치료는 두개 내 농양을 제거해 주고 동시에 부비동염에 대한 부비동의 배액과 환기를 위한 수술을 시행한다.

1) 뇌막염

항생제 투여가 뇌막염의 주된 치료이다. 적절한 항생제의 선택은 물론이고 적절한 살균력을 갖는 농도에 도달해야 한다. 부비동염에 의한 뇌막염이 의심되면 뇌척수액 검사가 나오기 전에 즉각적인 경험적 항생제 치료(empirical antibiotics therapy)가 시작되어야 한다. 필요하다면 스테로이드와 항경련제를 사용할 수 있다. 항생제 치료에 24~48시간 내에 반응이 없으면 수술적 치료를 고려해야 한다.

2) 경막외농양

치료의 원칙은 항생제 투여와 경막외농양의 배농을 위한 외과적 수술이다. 원발질병을 확인하고 이를 근절시켜야 한다. 농양은 적절한 배액을 위한 개두술(craniotomy)이나 천두공(burr hole)을 통한 신경외과적 배액술이 필요하며 농양의 파급을 방지하기 위해 경막의 손상을 피해야 한다. 전두동 후벽의 골파괴가 관찰되면 단순히 전두동천공술만 하는 것은 배농 방법으로 적합하지 않으며 괴사된 골을 넓게 제거해 주어야 한다.[9]

3) 경막하농양

경막하농양은 응급상황으로 신속한 수술적 치료가 요구된다. 신속한 수술적 감압 및 광범위 항생제투여로 정맥혈전증과 뇌부종의 진행을 저지하여 임상적 악화를 방지해야 한다. 뇌부종 감소를 위해 스테로이드제의 투여와 항경련제 투여가 도움이 된다. 적절한 배액을 위한 개두술이나 천두공을 통한 신경외과적 배액술과 감염부비동의 배액술이 필요하다.[12] 사망률이 높으며 생존자의 약 20%에서 국소적 혹은 반신마비, 실어증, 시야장애 등의 심한 불구에 이환되기도 한다. 두개내 합병증 중에서 영구적인 신경학적 후유장애가 가장 많이 남는다.

4) 뇌농양

항생제투여와 수술적 치료가 고려되어야 하며 균주에 적합한 항생제 투여가 중요하다. 뇌부종 감소를 위해 스테로이드나 mannitol를 투여할 수 있으며 항경련제를 투여한다. 수술적 치료에 대하여 환자의 상태, 피막의 형성정도, 농양 위치에 따라 논란이 많다. 농양 때문에 뇌압이 상승하였을 때나, 항생제에 듣지 않을 때 실시하는데, 두개 천공을 통한 배농과 세척이 이용된다. 그러나 전신상태가 좋지 않거나, 농양을 배농하는 데 어려운 위치에 존재 하는 경우, 농양의 뇌염시기인 경우 약물치료를 한다. CT와 MRI와 같은 영상장치의 발달과 더불어 다양한 항생제의 개발로 뇌농양의 사망률이 10% 이하로 현저히 감소했으나 신경학적인 후유증도 1/3에서 생긴다.[9,19,35]

 기타 합병증

1. 골수염

부비동염에 의한 골수염은 전두골에서 가장 흔하게 발생하며, 드물게 상악골에서도 발생한다. 호발 연령대는 청년기로 이 시기에 골의 판간층(diploë)이 가장 발달하여 많은 판간정맥이 존재하게 된다. 전두동염의 염증이 판막이 없는 판간정맥을 통하여 전두골의 골수로 염증이 파급되어 골수염을 일으키게 된다. 전두골의 허혈성 괴사(avascular necrosis)가 혈전성 정맥염에 의해 초래 된다.[17] 두개골 CT에서 외벽과 내벽에 얼룩반점(mottled appearance)변화를 보인다. T1 강조영상에서 지방골수신호 강도가 감소되어 나타난다. 진단에는 Technetium (99mTc) 골조사(bone scan)가 가장 유용하다. Gallium (67Ga) 골조사(bone scan)는 경과 판정에 유용하다.[12]

전두골 골수염의 치료는 병변부위의 골조직의 완벽한 제거와 전두동 지방조직폐쇄술이 함께 이루어져야 한다.[17] 항생제는 수술 후 4~8주간 지속해야 하며 치료의 지속여부는 Gallium 골조사의 결과에 따라 결정한다. 골수염에서 배양된 세균은 전두동염에서 배양된 균과 동일하며 균주로는 *Streptococci*와 *Staphylococci*가 가장 흔하다.[4] 수술 부위의 골결손은 골수염이 완전히 치료된 후에 재건하는 것이 원칙이다. 골수염은 최초 감염 후 20년이 경과한 후 재발한 보고가 있어 장기적인 추적관찰이 요구된다.[31]

전두골의 골수염에 의해 전두동 전벽에 골막하농양이 생겨 이마가 부어오르는 현상을 Pott's puffy tumor라 한다. 임상소견으로 병변부위에 홍반, 부종, 압통과 빵 반죽과 같은 이마융기가 특징적으로 나타나는데 청소년기 환자에서 종종 보고된다. 치료는 골수염에 준하여 치료하며 병변부위 제거는 정상 골조직의 경계가 1 cm 이상 확보되어야 한다.

혈액순환이 잘 이루어지고 골수가 적은 상악동의 골수염은 잘 생기지 않으나, 치성 감염이나 면역력이 떨어진 환자에서 발생할 수 있다.

2. 상안와열 증후군과 안와첨 증후군

상안와열 증후군(superior orbital fissure syndrome)은 어떤 병변에 의해 상안와열을 통과하는 III, IV, V1, VI 뇌신경이 침범되어 안윤근의 마비와 안구의 부교감신경기능 손실 등을 초래한 상태를 말한다. 안와첨 증후군(orbital apex syndrome)은 상안와열 증후군에 더하여 시신경을 침범하여 시력 손실이 발생한 경우를 말한다.[1]

주로 접형동염과 사골동염이 주된 병소이다. 안구운동마비와 현저한 시력저하가 나타나고 미세한 안구돌출 소견이 있는 경우에 안와첨 증후군을 의심해야 한다. 안와첨 증후군에서는 안와 감염에서 흔하게 보이는 안검부종, 결막부종 등의 안와감염 소견은 없다. CT를 시행하여 원인 질환으로 접형동염 유무를 확인하여야 한다.

치료로는 즉각적인 항생제 투여와 부비동의 감압 및 배농수술이 필요하다.

참고문헌

1. Abramovich S, Smelt GJC. Acute sphenoiditis, alone and in concert. *J Laryngol Otol* 1982;96:751-757.
2. Anderson RL, Edwards JJ. Bilateral visual loss after blepharoplasty. *Ann Plast Surg* 1980;5:288-292.
3. Arjmand EM, Lusk RP, Muntz HR. Pediatric sinusitis and subperiosteal orbital abscess formation: Diagnosis and treatment. *Otolaryngol Head Neck Surg* 1993;109:886-894.
4. Baker AS. Role of anaerobic bacteria in sinusitis and its complications. *Ann Otol Rhihol Laryngol* 1991;(Suppl 154):17-22.
5. Bannister G, Williams B, Smith S. Treatment of subdural empyema. *J Neurosurg* 1981;55:82-88.
6. Bluestone CD, Steiner RE. Intracranial complications of acutefrontal sinusitis. *South Med J* 1965;58:1-10.
7. Chalstrey S, Pfleiderer AG, Moffat DA. Persisting incidence and mortality of sinogenic cerebral abscess: a continuing reflection of late clinical diagnosis. *J Royal Soc Med* 1991;84:193-195.
8. Chandler JR, Langenbrunner DJ, Stevens ER. The pathogenesis of orbital complications in acute sinusitis. *Laryngoscope* 1970;80:1414-1428.
9. Clayman GL, Adams GL, Paugh DR, et al. Intracranial complications of paranasal sinusitis: a combined institutional review. *Laryngoscope* 1991;101:234-239.
10. Courville CB. Subdural empyema secondary to purulent frontal sinusitis. *Arch Otolaryngol* 1944;39:211-230.
11. DiNubile MJ. Septic thrombosis of the cavernous sinuses. *Arch Neurol* 1988;45:567-571.
12. Donald PJ. Orbital complications of sinusitis. In: Donald PJ, Gluckman JL, Rice DH, editors. The sinuses. New York: Harper & Row, 1995, p.173-189.
13. Evans C. Aetiology and treatment of fronto-ethmoidal mucocele. *J Laryngol Otol* 1981;95:361-375.
14. Fearon B, Edmonds B, Bird R. Orbital-facial complications of sinusitis in children. *Laryngoscope* 1979;89:947-953.
15. Froehlich P, Pransky SM, Fontaine P, Stearns G, Morgon A. Minimal endoscopic approach to subperiosteal orbital abscess. *Arch Otolaryngol Head Neck Surg* 1997;123:280-282.
16. Gamble RC. Acute inflammations of the orbit in children. *Arch Ophthalmol* 1933;10:471-483.
17. Goodwin WJ Jr, Winshall M, Chandler JR. The role of high resolution computerized tomography and standard ultrasound in the evaluation of orbital cellulitis. *Laryngoscope* 1982;92:728-731.
18. Gutowski WM, Mulbury PE, Hemgerer AS, Kido Dk. The role of CT scans in managing the orbital complications of ethmoiditis. *Int J Pediatr Otolaryngol* 1988;15:117-128.
19. Jadavji T, Humphreys RP, Prober CG. Brain abscesses in infants and children. *Pediatr Infect Dis* 1985;4:394-398.
20. Johnson JT, Ferguson BJ. Infection. In Cummings CW, Fredrickson JM, Harker LA, et al., editors. Otolaryngology, head & neck surgery, 3rd ed. St. Louis: Mosby, 1998;1115-1118.
21. Johnson DL, Markle BM, Wiedermann BL, et al. Treatment of intracranial abscesses associated with sinusitis in children and adolescents. *J Pediatr* 1988;113:15-23.
22. Kaufman DM, Miller MH, Steigbigel NH. Subdural empyema: analysis of 17 recent cases and review of the literature. *Medicine* 1975;54:485-498.
23. Kim YJ, Min YG. Orbital complications of rhinosinusitis: characteristics in pediatric patients. *J Rhinol* 2000;7(2):109 112.
24. Lawson W. Orbital complications of sinusitis. In Blitzer A, Lawson W, Friedman WH, editors. Surgery of the paranasal sinuses, 2nd ed. Philadelphia: Saunders, 1991;457-469.

25. Levine SR, Twyman RE, Cilman S : The role of anticoagulation in cavernous sinus thrombosis. *Neurology* 1988;38(4):517-522.
26. Lund VJ. The complications of sinusitis. In Kerr AG ed. Scott-Brown? otolaryngology, 6th ed. Oxford: Butterworth-Heinemann, 1997;4(13):1-11.
27. Lusk RP, Tychsen L, Park TS. Complications of sinusitis. In: Lusk RP, editor. Pediatric sinusitis. New York: Raven Press; 1992;127-146.
28. Moloney JR, Badham NJ, McRae A. The acute orbit. Preseptal cellulitis, subperiosteal abscess and orbital cellulitis due to sinusitis. *J Laryngol Otol* 1987;12(Suppl):1-18.
29. Maniglia AJ, Kronberg FG, Culbertson W. Visual loss associated with orbital and sinus diseases. *Laryngoscope* 1984;94:1050-1059.
30. Maniglia AJ, Goodwin WJ, Arnold JE, et al. Intracranial abscesses secondary to nasal, sinus, and orbital infections in adults and children. *Arch Otolaryngol Head Neck Surg* 1989;115:1424-1429.
31. Parker GS, Tami TA, Wilson JF, et al. Intracranial complications of sinusitis. *South Med J* 1989;82:563-569.
32. Patt BS, Manning SC. Blindness resulting from orbital complications of sinusitis. *Otolaryngol Head Neck Surg* 1991;104:789-795.
33. Price CD, Hamerhoff SB, Richards RD. Cavernous sinus thrombosis and orbital cellulitis. *South Med J* 1971;64:1243-1247.
34. Remmler D, Boles R. Intracranial complications of frontal sinusitis. *Laryngoscope* 1980;90:1814-1824.
35. Rosenblum ML, Hoff JT, Norman D, et al. Decreased mortality from brain abscesses since advent of computed tomography. *J Neurosurg* 1978;49:658-668.
36. Schramm VL, Myers EN, Kennerdell JS. Orbital complications of acute sinusitis: evaluation, management, and outcome. *ORL J Otolaryngol Related Specialties* 1987;86:221-230.
37. Schroeder KA, McKeever PE, Schaberg DR, et al. Effect of dexamethasone on experimental brain abscess. *J Neurosurg* 1987;66:264-269.
38. Shahin J, Gullane PJ, Dayal VS. Orbital complications of acrte sinusitis. *J Otolaryngol* 1987;16(1):23-27.
39. Smith TF, O 'Day D, Wright PF. Clinical implications of preseptal(periorbital) cellulitis in childhood. *Pediatrics* 1978;62:1006-1009.
40. Solomon OD, Moses L, Volk M: Steroid therapy in cavernous sinus thrombosis. *Am J Ophthalmol* 1962;54:1122-1124.
41. Southwick FS, Richardson EP, Swartz MN. Septic thrombosis of the dural venous sinuses. *Medicine* 1986;158:82-106.
42. Wald ER, Pang D, Milmore GJ. Sinusitis and its complications in the pediatric patient. *Pediatr Clin North Am* 1981;28(4):777-796.
43. Yarington CT. The prognosis and treatment of cavernous sinus thrombosis. *Ann Otol* 1961;70:263-267.
44. Younis RT, Lazar RH, Bastillo A, Anand VK. Orbital infection as a complication of sinusitis: Are Diagnostic and treatment trends changing? Management and treatment of complications of sinusitis in children. *Ear Nose Throat J* 2002;81:771-775.
45. Sharma S, Josephson GD. Orbital complications of acute sinusitis in infants: a systematic review and report of a case. JAMA Otolaryngol Head Neck Surg. 2014 Nov;140(11):1070-1073.
46. Stokken J, Gupta A, Krakovitz P, Anne S. Rhinosinusitis in children: a comparison of patients requiring surgery for acute complications versus chronic disease. Am J Otolaryngol. 2014 Sep-Oct;35(5):641-646.
47. Sinclair CF, Berkowitz RG. Prior antibiotic therapy for acute sinusitis in children and the development of subperiosteal orbital abscess. Int J Pediatr Otorhinolaryngol. 2007 Jul;71(7):1003-1006.
48. Marple BF, Brunton S, Ferguson BJ. Acute bacterial rhinosinusitis: a review of U.S. treatment guidelines..Otolaryngol Head Neck Surg. 2006 Sep;135(3):341-348.
49. Hakim HE1, Malik AC, Aronyk K, Ledi E, Bhargava R. The prevalence of intracranial complications in pediatric frontal sinusitis. Int J Pediatr Otorhinolaryngol. 2006 Aug;70(8):1383-1387.
50. Brook I. Microbiology and antimicrobial management of sinusitis. J Laryngol Otol. 2005 Apr;119(4):251-258.

CHAPTER 22

비부비동염의 내과적 치료

이비인후과학 Otorhinolaryngology - Head and Neck Surgery

조진희, 이주형

I 비부비동염의 내과적 치료

지난 수년간 비부비동염의 기전에 대해 더 많이 이해하게 되고, 임상적 경험이 쌓이고, 다양한 Randomized Control Trial (RCT)가 진행됨에 따라 여러 가지 비부비동염의 내과적 치료 방침의 상당한 변화가 있었다. 이를 토대로 여러 학회에서 가이드라인을 발표하였는데 대표적인 가이드라인은 다음과 같다.

- European Position Paper on Rhinosinusitis and Nasal Polyps (EPOS2012) – 유럽알레르기임상면역학회(European Academy of Allergology and Clinical Immunology, EAACI)(2012)[9]
- IDSA clinical practice guideline for acute bacterial rhinosinusitis in children and adults (IDSA2012) – 미국감염학회(Infectious Diseases Society of America, IDSA)(2012)[6]
- Evidence-based review with recommendations (EBRR) for chronic rhinosinusitis – 미국비과학회(2013)[34]
- Clinical practice guideline for adult sinusitis (AAO2015) – 미국이비인후과학회(AAO-HNS)(2015)[29]

그 중 가장 최근인 2015년 미국이비인후과학회(AAO-HNS)는 2007년도 발행한 성인 비부비동염 가이드라인[28]의 업데이트 버전[29]이다. 이 새 버전은 치료 면에서도 여러 가지 변화가 있었는데 치료 결정에 새로운 알고리듬을 적용하였고, 항생제 치료 없는 경과관찰(Watchful waiting)의 적용을 확대하였다. 또한 급성 세균성 비부비동염의 1차 항생제를 amoxicillin 단독 요법에서 clavulanate를 포함할 수 있는 amoxicillin 요법으로 변경하였고, 만성 비부비동염의 치료 방침을 변화를 주는 만성 조건에 천식여부를 추가하였으며, 생리식염수 세척과 국소 스테로이드 제제를 만성 비부비동염의 치료에 도움이 된다는 명시적 기술과 함께 국소적/전신적 항진균제는 추천하지 않는다는 가이드라인을 추가하였다.

각각의 가이드라인의 각론에서는 차이도 있지만 전체적으로 비슷한 의견을 보이며, 특정부분은 더 자세히 기술되어 있는 경우도 있고, 한 곳에서는 언급되었지만 다른 가이드라인에서는 언급되지 않는 경우도 있다.

본 장에서는 위 가이드라인을 중심으로 비부비동염의 치료에 대해 기술하고자 한다. 그러나 가이드라인은 전문가적 판단을 대체하는 절대적인 것은 아니며, 특정 임상 환경에서 각 임상의의 결정에 도움이 되는 상대적 제약(relative constraint)사항 정도로 보면 될 것이다.[29]

1. 급성 비부비동염(Acute rhinosinusitis; ARS)의 내과적 치료

ARS는 매우 흔한 질환으로서 대부분 바이러스성으로 발생하며 바이러스성 급성 비부비동염(Viral rhinosinusitis, VRS)의 0.5~2%만이 급성 세균성 비부비동염(Acute bacterial rhinosinusitis, ABRS)으로 발전한다.[2] ABRS는 *Streptococcus pneumoniae* (20~45%), *Haemophilus influenzae* (20~43%), *Moraxella catarrhalis* (14~28%)가 주된 병원균으로 알려졌으며,[9] 또한 과거에 오염에 의한 것으로 생각되던 *Staphylococcus aureus*도 8~11%의 빈도에서 원인균으로 생각된다.[24]

AAO2015에서 급성 비부비동염(ARS)은 과거와 달리 농성비루의 진단적 가치를 강조하는 새로운 기준을 제시하였다.[29] ARS는 4주까지의 농성 비루(전방, 후방, 또는 양측)가 있고 코막힘, 안면통-압박감-충만감(facial pain-pressure-fullness), 또는 두 증상 모두 있는 경우 진단할 수 있고, 농성 비루는 바이러스성 상기도감염에서의 전형적인 맑은 분비물과 대조되는 혼탁하거나 색깔이 있는 양상을 환자가 호소하거나, 신체검사에서 관찰되어야 한다. 코막힘은 환자가 충혈, 막힘의 형태로 호소하거나 신체검사에 의해 진단될 수 있고, 안면통-압박감-충만감은 전(前)안면, 눈 주위 또는 전체적 두통을 동반한다.

바이러스성 비부비동염(VRS)은 급성 부비동염의 증상과 징후가 10일 이내로 지속되고, 증상의 악화가 없는 경우 진단한다.[29]

급성 세균성 비부비동염(ABRS)은 비부비동염의 증상과 징후가 상기도감염 증상이 발생한 후 10일 이내 또는 그 이상 호전되지 않거나, 초기에 호전이 있더라도 10일 이내 다시 악화(double worsening)되는 경우 진단한다.[29]

IDSA2012에서도 ABRS를 VRS와 구별점을 다음 세 가지로 제시하였다.[6]

- 호전이 없는 10일 이상의 급성 비부비동염의 증상과 징후가 있는 경우
- 5일 정도의 전형적 바이러스성 상기도 감염 증상의 호전 후 열, 두통, 비루 등의 증상이 재발된 경우(double worsening)
- 고열(39도 이상), 농성비루, 안면통과 같은 심한 증상과 징후가 3일 이상 연속된 경우 급성 비부비동염에서 급성을 나누는 시점은 증상 발생 4주를 기준으로 하는데, 급성 비부비동염의 치료 방침을 정하는 데 가장 관건이 되는 것은 바이러스성인지 세균성인지를 구분하는 일일 것이다.

1) 바이러스성 비부비동염(Viral rhinosinusitis; VRS)의 내과적 치료

바이러스성 급성 비부비동염의 증상은 전형적으로 3일 정도에 최고조에 달했다가 점점 호전되면서 10~14일 내로 사라지는 것이 보통이다(그림 22-1).

농성비루만으로 세균감염을 의미하지는 않으며 색깔이 있는 비루는 호중구가 존재하는 것과 관련된 염증의 증거이지 세균감염에 특이적인 것은 아니다.[46]

바이러스성 급성 비부비동염의 치료는 증상의 완화를 목표로 하며, 항생제는 효과가 없으므로 추천되지 않는다.[1] 따라서 진통제, 항염제, 비충혈제거제, 항히스타민제, 진해거담제, 국소/전신적 스테로이드제, 비강 세척 등을 사용할 수 있다.[29]

통증 또는 열이 있는 경우 진통제와 항염제(acetamin-

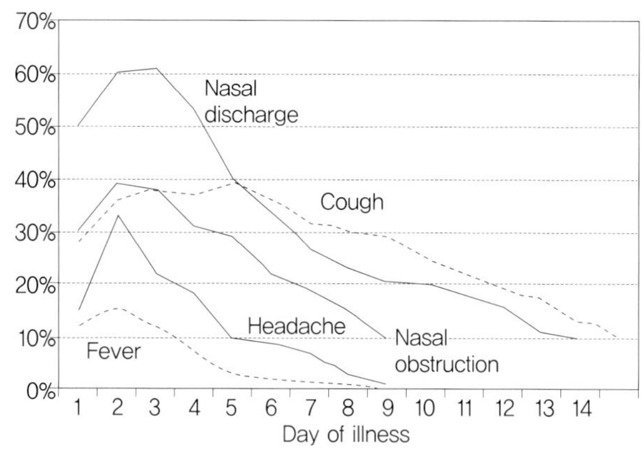

■ 그림 22-1. Rhinovirus 감염의 증상 발현율

ophen, ibuprofen, 또는 다른 NSAID)를 투여할 수 있다.

비강세척은 큰 부작용 없이 시행할 수 있는 방법으로 생리식염수 또는 고장성 식염수 모두 사용할 수 있고 증상을 호전시키는 데 모두 약간의 효과가 있는 것으로 알려져 있다.[6]

비충혈제거제를 사용할 경우 환자에게 고혈압이나 뇌혈관질환, 불안증, 전립선 비대, 갑상선 질환 등의 금기사항이 있는지 확인하여야 하고, 임신, 수유부에게 사용해서는 안 된다. 대표적인 성분으로 pseudoephedrine hydrochloride가 있고, 이의 제품명인 슈다페드정®과 복합제의 형태인 액티피드정®을 비롯하여 대부분의 종합감기약에 들어가는 성분으로 시중에 250여종의 제품이 판매 중이다.[12]

국소 비충혈제거제는 3~5일 이상 사용하게 되면 반동성 충혈(rebound congestion)이나 약물성 비염(rhinitis medicamentosa)이 올 수 있으므로 주의하여야 한다.[22]

급성 바이러스성 비부비동염에서 항히스타민제의 효과가 증명된 임상연구는 아직 없으나 임상 경험상 재채기와 콧물의 증상을 호전시키는 효과가 있으며, 점액용해제와 거담제도 증상완화를 위해 사용될 수 있다.

국소 스테로이드제는 급성 비부비동염의 증상 중 안면통과 비충혈의 완화에 약간의 효과가 있고, 부작용도 드물지만 사용여부는 비용/효과 측면을 고려하여 결정하는 것이 좋다.

2) 급성 세균성 비부비동염(ABRS)에서의 내과적 치료

부비동은 자연개구부를 통한 적절한 환기와 정상적인 점액섬모 배출기능과 충분한 국소적·전신적 면역방어기전 등이 조화롭게 이루어져 정상 상태를 유지한다. 그러나 비강 내에서의 염증은 부비동의 점막부종과 배출기능의 저하를 유발하여 세균의 추가감염을 일으킬 확률을 높이게 된다.

급성 세균성 비부비동염의 치료 목적은 증상의 완화와 합병증으로의 진행 방지, 그리고 만성 부비동염으로의 이행 방지이며 궁극적으로는 증상의 소실, 부비동의 정상화이다.

(1) 항생제

ABRS의 항생제 치료는 세균감염이라는 병인에 대한 직접적인 치료로서의 역할을 한다. 적절한 항생제의 선택을 위해서는 다음과 같은 사항에 유의해야 한다.[3]

- 질병의 중증도
- 가장 가능성 있는 균주
- 약제에 대한 내성의 가능성
- 최근의 항생제 사용력

부비동 천자를 통해 분비물을 채취하여 미생물 배양과 감수성 검사를 시행하는 것이 바람직한 방법이기는 하지만, 검사 결과를 알기까지 시간이 많이 걸리고 상악동 천자가 침습성 검사인 데 비해 경험적 투약만으로도 잘 호전되므로 실제로 항생제를 선택하기 위해 천자를 통한 배양검사를 모두 시행하지는 않는다.

ARS의 치료에 여러 종류의 항생제들이 이용되지만 안전성, 효율, 비용, 좁은 항균범위 등을 고려하여 AAO2015에서는 amoxicillin 단독 또는 clavulanate와의 병합요법을 5~10일간 사용하는 것을 1차 항생제 치료로 권장하고 있다. (AAO2015)[29] 그러나 다른 항생제와 효과를 비교한

표 22-1. ABRS의 1차 항생제 처방에 Amoxicillin보다 Amoxicillin-clavulanate를 고려해야 되는 요인들(AAO2015)

Factor	Comment
내성이 의심되는 상황	지난 한 달간의 항생제 사용
	환자, 의료인, 병원과 밀접한 접촉력
	이전 항생제 치료실패
	예방에도 불구하고 발생한 경우
	흡연자 또는 가족 중의 흡연자가 있는 경우
	지역사회에 내성균주 비율이 높을 때
	보육시설 종사자
중증 감염	ABRS의 중간에서 중증의 증상
	ABRS 증상의 지속
	전두동 또는 접형동 부비동염
	재발성 ABRS의 과거력
만성질환 또는 노령	당뇨, 만성심장질환, 만성간질환, 만성신장질환
	면역결핍 환자
	65세 이상

여러 RCT 연구에서 유의한 차이를 보이지 않아 다른 약제들이 효과가 없다는 것은 아니며 안전성, 비용, 좁은 항균범위 등을 고려한 것이라 보아야 하겠다.[29]

IDSA는 amoxicillin-clavulanate 하나를 권장한 반면, AAO2015에서는 amoxicillin 또는 amoxicillin-clavulanate을 권장한 점에서 차이가 있다(표 22-1).

또 amoxicillin 내성율이 높은 지역에서는 AAO2015, IDSA2012 공히 고용량 amoxicillin-clavulanate (2 g orally twice daily 또는 90 mg/kg/d orally twice daily) 요법을 추천하였다.[6,29]

고용량 amoxicillin-clavulanate 치료를 고려해야 하는 경우는 다음과 같다.[6,29]

지역적으로 penicillin nonsusceptible *Streptococcus pneumoniae*에 의한 발생율이 높을 때 (>10%)

- 심한 감염 양상(예) 39도 이상 고열로 전신상태가 심할 때, 화농성 합병증의 위험이 클 때)
- 65세 초과 또는 2세 미만
- 최근 입원력
- 지난 한 달 내의 항생제 사용력
- 면역결핍환자

투여기간은 가급적 10일 이상의 장기투약은 피하고 증상이 가벼운 경우 5일 정도의 단기치료가 권장된다.[29]

penicillin 알레르기가 있는 경우 doxycycline 또는 fluoroquinolone (levofloxacin, moxifloxacin 등)이 추천되나, fluoroquinolone은 효과는 비슷하나 부작용 발생율이 amoxicillin-clavulanate보다 높기 때문에 1차 약제로는 추천되지 않는다.[6,29]

2세대, 3세대 경구 cephalosporin은 *S. pneumoniae*에 대한 내성율의 편차가 크기 때문에 단독요법으로 급성 세균성 비부비동염에 더 이상 사용이 추천되지는 않으나 3세대 cephalosporin (cefixime orcefpodoxime)과 clindamycin 복합처방을 non-type I penicillin allergy 환자 또는 Penicillinase(+) *S. pneumoniae*의 비율이 높은 지역에서는 2차 약제로 사용될 수 있다.[3,6]

ABRS의 항생제 치료 시작 시기에 대해 가이드라인 간의 이견이 있다. IDSA2012에서는 ABRS로 진단되면 즉시 항생제 치료를 시행하는 것을 추천한 반면, 최근에 발표된 AAO2015에서는 초치료로 임상의는 항생제 투약 없는 대증요법/경과관찰(watchful waiting) 또는 1차 항생제 치료를 시작할 수 있다고 하여 가능한 항생제 투약을 하지 않는 것을 권장하고 있다.[6,29]

안와나 두개 내로 합병증이 병발한 심각한 부비동염에서는 ceftriaxone 같이 혈액뇌장벽(blood-brain barrier)을 통과하는 3세대 cephalosporin 제제를 우선적으로 사용하며 aminoglycoside 및 clindamycin을 병용할 수도 있다.[4]

또한 경험적 치료에만 의존해서는 안 되며 원인균 동정을 시도하여 균주의 약제감수성 결과에 따라 항생제를 투여한다. 급성 부비동염 후 재발하는 경우는 7~9% 정도로 보고되고 있으며 부비동염이 재발하는 환자에서는

해부학적 혹은 생리학적 원인을 생각해 보아야 한다.[4]

항생제 치료는 평균적으로 위약군보다 10~12% 더 부작용을 발생시키며, 위험비(odds ratio)는 1.8~2.1배 정도 된다.[19] 그렇기 때문에 가능한 투약기간을 짧게 하는 것이 부작용을 줄이는 방법이다.

(2) 국소 비강스테로이드제

국소 비강스테로이드제는 증상의 완화를 위해 단독 또는 항생제와 복합처방의 형태로 ABRS의 치료에 이용되어 왔다. 지금까지 ABRS에 대한 효과가 연구된 국소 비강 스테로이드제는 mometasone, fluticasone, flunisolide, budesonide가 있으며,[45] Cochrane review에서는 ABRS의 단독치료로서 국소 비강 스테로이드가 심각한 부작용 없이 15~21일 사이에 66~73%까지 증상호전을 보이는 것으로 보고하였으며,[47] 2015년 AAO-HNS guideline에서도 ABRS에 사용을 추천하였다.[29]

(3) 전신적 스테로이드제

전신적 스테로이드의 사용은 항생제와 복합사용 시 단기적 증상호전을 보이는 보고들이 있지만, Cochrane review에서는 단독치료제로서 위약군에 비해 차이가 없어 추천되지 않고,[40] 2015 AAO-HNS 가이드라인에서도 부작용은 크지 않지만 추가적 연구가 필요하다고 하였다.[29]

(4) 진통제

통증의 완화는 ABRS 치료의 중요한 목표 중 하나이며 많은 환자들이 통증 때문에 병원을 방문한다.[44] 통증은 전안면부, 눈 주위 또는 두통의 형태로 나타나며, acetaaminophen과 NSAID 정도의 진통제로 잘 조절되는 편이다. 마약성 진통제도 드물게 필요한 경우도 있지만 부작용과 의존성 측면에서 가급적 처방하지 않는 것이 좋다.

(5) 비강 세척

등장성/고장성 생리식염수를 이용한 비강세척은 단독 또는 다른 치료방법과 함께 사용되어 왔으며 ABRS의 증상개선에 도움이 되며 ABRS에서의 사용이 추천된다.[14]

(6) 항히스타민제와 Cromolyn

항히스타민제가 알레르기가 없는 환자의 ABRS의 증상 개선에 도움이 되지 않으며 오히려 비점막을 건조시킴으로써 비충혈을 악화시킬 우려가 있다.[48] 반면 알레르기가 기저에 있는 환자의 경우 loratadine이 재채기와 비충혈을 감소시켰다는 RCT 보고가 있어 사용을 고려할 수 있으며, 졸음과 항콜린 부작용이 덜 하기 때문에 2세대 항히스타민제가 좋다.[3]

Cromolyn의 급성 비부비동염에 대한 효과는 대조군과 유의한 차이는 없었다.[32]

(7) 비충혈제거제(Decongestant)

국소적 또는 전신적 비충혈제거제는 오랜 기간 감기에 의한 비충혈의 치료에 사용되어 왔는데,[15] ABRS에서의 효과에 대한 위약과 비교한 RCT는 아직 없으며 xylometazoline 비강분무가 비부비동 점막의 충혈을 감소시킨다는 보고가 있다.[5] 또 xylometazoline과 oxymetazoline은 실험실 연구에서 nitric oxide synthetase와 anti-oxidant 작용을 감소시켜 항염효과를 보인다는 보고가 있었지만,[43] 이후 생리식염수와 국소 비강스테로이드와 비교한 임상 RCT 연구에서는 ARS의 치료에 유의한 효과를 보이지 않았다고 하였다.[14] 그러나 oxymetazoline이 비강 내로 다른 분무용액의 확산을 증가시킨다고 하였고, 많은 임상의들이 실제 임상에서 ARS에서 중비도에 국소 비충혈제거제를 분무하는 것이 도움이 된다고 생각하여 사용하고 있다.(evidence level IV)[1] 국소 비충혈제거제는 3~5일 이상 연속으로 사용하게 되면, 반동성 비충혈(rebound congestion)과 약물성 비염의 발생가능성이 높아지기 때문에 사용을 제한해야 한다.[22]

(8) 점액분해제(Mucolytics)

점액분해제는 부비동 분비물의 점성을 줄이기 위해 항생제 치료와 함께 보조적으로 사용된다. 치료효과가 입증된 연구는 별로 없으며, 생리식염수 흡입 요법과 bromhexine 효과를 비교한 RCT에서 유의한 차이가 없었으나,[38] 다른 RCT에서는 bromhexine이 위약군보다 우수한 효과를 보인다고 하였다.[37]

따라서 AAO2015에서는 점액분해제들이 경험적으로 사용되고 있으나 ABRS의 치료효과에 대한 객관적인 근거는 없다고 하였다.[29]

표 22-2는 미국감염학회의 급성 세균성 비부비동염의 내과적 치료 가이드라인을 정리한 것이며(IDSA2012), 표 22-3은 EPOS2012의 여러 가지 급성 비부비동염 치료법의 근거를 정리한 표이다.

2. 만성 비부비동염에서의 내과적 치료

1) 항생제(Antibiotics)

최근에 CRS를 보는 관점이 염증 현상이 강조되는 경향이지만 병원균(세균과 진균)이 병의 발생과 악화에 중요한 역할을 해온 것은 주지의 사실이다. 미국비과학회 회원 중 90%가 CRS의 치료에 항생제를 사용하고 있다.[8] AAO2015 가이드라인에서 CRS의 치료에서 항생제에 대한 언급이 거의 없는 것으로 보면 과거보다는 항생제의 역할이 상대적으로 줄어들고 있음을 알 수 있다.[29]

CRS의 치료에 사용되는 항생제로 항세균제(antibacterial)와 항진균제가 있으며, 통상적으로 항생제는 항세균제를 지칭한다. 여기서는 항생제를 다루고, 항진균제에 대해서는 뒤에 기술할 것이다. 투여 경로에 따라서는 국소, 경구, 정맥 주사 투여로 구분할 수 있다.

(1) 경구제제

항생제의 투여기간에 따라 단기투약과 장기투약으로 나눌 수 있는데 단기 투약의 경우 10일에서 8주까지이며 통상 3~4주 정도를 투약하고, 장기 투약의 경우 대개 macrolide에 해당되는 것으로 적어도 3개월 정도를 하게 된다. EPOS2012와 EBRR에서도 일반적인 3~4주 이상의 투약은 권장하지 않고 있다.[9,34]

증상이 호전되지 않거나 비교적 짧은 무증상기 이후에 재발한 경우에는 새로운 3~4주간의 항생제 투여를 실시하되, 증상이 호전되지 않거나 수차례 반복된 경우에는 항생제 투여 방법에 변화를 꾀하고 수술의 필요성을 점검하기 위해 CT를 촬영한다.[4]

재발한 만성부비동염이 다시 내과적 치료로 호전될 확률은 약 75%이다.[21]

① 비macrolide 제제

경구 항세균제는 최근에는 Macrolide계열과 비macrolide계열로 구분하는데 이것은 macrolide가 항생작용도 있지만 항염작용이 있기 때문이다. CRS의 치료에 주로 사용되는 비macrolide 계열 항생제에는 penicillins, cephalosporins, fluoroquinolones, aminoglycoside 등이 있다. CRSsNP에서 경구 항생제의 효과에 대한 관찰연구에서 대부분 효과가 있다고 보고하고 있으나 비강세척, 국소 비강 스테로이드제 등을 함께 적용하여 항생제가 어느 정도 CRSsNP에 효과가 있는지는 평가하기 어렵다. 아직까지 항생제와 위약을 이용한 RCT 연구는 없고, 두 항생제의 효과를 비교한 RCT로서는 3개가 있는데, Cefotiam Hexetil과 Cefixime, ciprofloxacin과 amoxicillin/clavulanic acid, Cefaclor과 amoxicillin의 효과를 비교하였고, 세 연구 모두 두 군 간의 유의한 차이는 없었다.[7,13,18] 항생제는 다양한 부작용을 보일 수 있는데 발진, 소화불량, 속쓰림 등의 소화기계 장애, 간/신독성, 이나필락시스 등이 대표적이다.

CRSwNP에 대한 항생제의 효과에 대한 RCT는 Zele 등 [39] 이 보고한 것이 유일하다. doxycycline 투여군(첫날 200 mg, 이후 100 mg/day, 20일)과 methylprednisolone군(32~8 mg/day qd, 20일), 위약군으로 나누어 용

표 22-2. 2012 미국 감염학회 급성 세균성 비부비동염의 내과적 치료 가이드라인 요약(IDSA 2012)

recommendation	Strength of Recommendation	Quality of Evidence
경험적 항생제 치료로 amoxicillin 단독보다는 amoxicillin-clavulanate를 사용한다	strong,	moderate
ABRS의 경험적 항생제 치료제로 fluoroquinolone 보다는 β-lactam제제인 amoxicillin-clavulanate가 추천된다.	weak	moderate
Macrolide (clarithromycin and azithromycin) 는 *S. pneumoniae*에 대한 높은 내성율 (30%) 때문에 급성 세균성 비부비동염의 경험적 항생제로 추천되지 않는다.	strong	moderate
Trimethoprim-sulfamethoxazole (TMP/SMX)는 *S. pneumoniae* and *Haemophilus influenzae*에 대한 높은 내성율(30~40%) 때문에 급성 세균성 비부비동염의 경험적 항생제로 추천되지 않는다.	strong	moderate
Doxycycline은 호흡기 균주에 대한 높은 활성이 있어 성인 급성 세균성 비부비동염 환자의 경험적 항생제 치료에 amoxicillin-clavulanate 대신 사용될 수 있다.	weak	low
2세대, 3세대 경구 cephalosporins은 *S. pneumoniae*에 대한 내성율의 편차가 크기 때문에 단독요법으로 급성 세균성 비부비동염에 더 이상 사용이 추천되지는 않으나 3세대 cephalosporin (cefixime orcefpodoxime)과 clindamycin 복합처방을 non~type I penicillin allergy 환자 또는 Penicillinase(+) *S. pneumoniae*의 비율이 높은 지역에서는 2차 약제로 사용될 수 있다.	weak	moderate
penicillin에 알러지가 있는 성인 급성 세균성 비부비동염 환자의 경우 doxycycline이나 fluoroquinolone (levofloxacin or moxifloxacin)을 경험적 항생제로 고려할 수 있다.	strong	moderate
1형 페니실린 과민반응(type I hypersensitivity to penicillin)을 가진 소아에게는 levofloxacin이 추천되며, 비1형 페니실린 과민반응 환자인 경우 clindamycin과 3세대 경구 cephalosporin(예)cefixime, cefpodoxime) 복합처방이 추천된다.	weak	low
Methicillin-resistant *S. aureus* (MRSA)를 포함한 *S. aureus*가 급성 세균성 비부비동염의 원인균일 가능성은 있지만 급성 세균성 비부비동염 환자의 경험적 항생제 선택 시 이 균주를 커버하는 항생제는 추천되지 않는다.	strong	moderate
성인 급성 세균성 비부비동염 치료기간은 5~7일 정도이다.	weak	low-moderate
소아 의 경우 급성 세균성 비부비동염 치료기간은 10~14일이 추천된다.	weak	low-moderate
비강 세척은 급성 세균성 비부비동염 치료의 보조적 치료방법으로 추천된다.	weak	low-moderate
국소 비강 스테로이드는 급성 세균성 비부비동염 치료의 보조적 치료제로 추천된다.(특히 알레르기성 비염 환자에게)	weak	moderate
국소/경구 비충혈제거제와 항히스타민제는 급성 세균성 비부비동염 치료의 보조적 치료제로 추천되지 않는다.	strong	low-moderate
초기 경험적 항생제 치료 48~72시간 후 증상이 악화되거나 3~5일째에도 호전이 없으면 치료방법을 바꾼다.	strong	moderate
경험적 항생제 치료에 실패하면 상악동천자를 통한 천자액의 배양검사가 추천된다.	strong	moderate
내시경가이드하 중비도에서 검체를 채취하여 배양검사 할 수 있다(성인).	weak	moderate
비인강에서 검체를 채취하는 것은 추천되지 않는다.	strong	high

(Chow AW, Benninger MS, Brook I, Brozek JL, Goldstein EJ, Hicks LA, Pankey GA, Seleznick M, Volturo G, Wald ER, File TM Jr, Infectious Diseases Society of America. IDSA clinical practice guideline for acute bacterial rhinosinusitis in children and adults. Clin Infect Dis. 2012 Apr;54(8):e72-e112.)

표 22-3. 급성 비부비동염의 치료의 근거(EPOS 2012)

Therapy	Level	Grade of recommendation
항생제	Ia	A
국소 스테로이드	Ib	B
항생제에 국소 스테로이드 추가	Ib	A
경구 스테로이드	no evidence	D
알레르기 환자에서 경구 항히스타민제 추가	IIb	B
비강세척	no evidence	D
비충혈제거제	no evidence	D
점액분해제	no evidence	D
세균용해제(Bacterial lysate)	IIb	B
약초치료(Phytotherapy)	IIb	B

(Fokkens W, Lund V, Mullol J, et al: European Position Paper on Rhinosinusitis and Nasal Polyps 2012. Rhinology (Supplement 23):1-298, 2012)

종의 크기와 염증성 매개물(inflammatory mediators)을 비교하여 doxycycline 투여군과 methylprednisolone군 모두 비용종의 크기를 감소시켰다고 보고하였다.

EPOS와 EBRR은 CRSwNP에서의 비macrolide 항생제 치료를 선택(option)사항으로 제시하였다.[29,34]

② Macrolide 제제

CRSsNP에 대한 Macrolide의 효과는 여러 전향적 관찰연구에서 유효하다는 평가를 받아왔다. CRS에 대한 macrolide효과를 비교한 연구는 2개가 있는데, Wallwork 등의 RCT 연구에서 64명의 CRSsNP 환자에게 roxithromycin(150 mg/day)을 3개월간 투여하고 위약군과 비교하였는데 실험군에서 증상점수, 내시경 소견 등에서 유의한 호전이 있었지만(P ≤.01), 3개월 이상 유지되지는 않았으며, 그러나 낮은 IgE 수치(<200 μg/L)를 보인 아군(subgroup)에서 그 효과가 투약 종료 후 3개월까지 지속되는 경향(P = .06)을 보였다고 보고하였다.[42] 반면, Videler 등은 비용종 유무를 나누지 않고 CRS에 대한 azithromycin 장기 투약 연구(500 mg/day, 3일 투약 이후 500 mg/week, 11주 투약)에서 대조군과 유의한 차이가 없었다고 하였다.[41]

Macrolide 장기 투약에서 고려할 점은 macrolide 투약이 QT interval 연장으로 유발된 심인성 사망과 급사의 위험률을 높이는 것으로 여러 문헌에서 보고되고 있다는 점이다(hazard ratio=2.88, P<0.001). 특히 심장질환의 위험성이 높은 경우 그 위험성이 더욱 증가되는 것으로 알려져 있다. 비록 심장질환 고위험군에도 100만 명당 245건으로 절대적으로 높은 수치는 아니나 투약 시 효과와 위험도 측면을 종합적으로 고려하여 결정하여야 한다. 또한 장기 사용 시 내성균주의 발현 가능성이 높아지는 것도 생각해야 한다.[31]

AAO-HNS 2015 guideline에서는 macrolide 장기투약에 대한 언급이 없고, EPOS2012에서는 국소 스테로이드제와 비강세척으로도 증상이 호전되지 않는 IgE 수치가 낮은 환자의 경우로 제한하여 macrolide 장기투약을 고려할 것을 제시하였고,[9] EBRR에서는 선택(option) 사항으로 평가하였다.[34] CRSwNP에 대한 macrolide 치료 효과에 대한 근거가 약하기 때문에 추후 연구가 필요하다고 하였고,[9] EPOS2012는 C+, EBRR은 선택 사항으로 평가하였다.[34]

(2) 주사용 항생제

경구투약을 실패하거나 경구제제에 내성균주인 경우 정맥주사 항생제의 투여를 고려해왔으나 정맥염, 간기능 이상, 정맥주사부위 감염, 급성 약물 부작용, 출혈 등 합병증율이 16~26%까지 보고되고, 효과의 근거가 부족하며, 많은 비용이 드는 이유로 EBRR에서는 CRS치료에 주사항생제를 투여하지 않아야 한다고 하였고,[34] AAO2015과 EPOS2012는 언급 자체가 없다.[9,29]

(3) 국소 항생제

항생제의 비강 내 국소 투여는 전신적 부작용을 피할 수 있는 이과용 국소제제에 익숙한 이비인후과 의사에게 매력적인 치료방법이기는 하나, CRSsNP 환자에게 시행된 3건의 RCT 모두 위약군과 비교하여 유의한 효과가 없었으며, 오히려 nebulized tobramycin 같은 경우는 비강의 충혈을 악화시킨다고 하였다. EPOS 2012와 EBRR 모두 사용하지 않을 것을 권장하고 있다.

2) 국소 비강스테로이드제

만성비부비동염의 병리적 기초 소견은 염증이므로 corticosteroid가 널리 추천된다.[9]

국소 비강스테로이드제는 여러 RCT와 systemic review를 통해 만성 부비동염의 증상 치료에 그 효과가 입증되었다.[33] 여러 종류의 국소 비강스테로이드제 사이에서는 유의한 효과차이는 보이지 않았고, CRSsNP와 CRSwNP 모두 유효한 효과를 보였다. 또한 그 효과와 함께 부작용이 거의 없는 안전한 제제라는 것이 장점이다. 일반적으로 생길 수 있는 부작용은 코피, 두통, 코의 가려움과 같이 경미한 경우이다. 장기간 사용 시 안와 내 또는 전신적 흡수여부가 우려된 적이 있으나 혈중 cortisol 수치를 증가시키지 않고 안압 증가 등의 안와 증상을 유발하지 않는 것으로 보고되고 있다. 하지만 국소 비강스테로이드제를 장기 투여할 경우 정기적 안과 검진을 할 수도 있다.[17]

2015 AAO-HNS Guideline은 국소 스테로이드제는 정확히 뿌리는 것이 중요하므로 환자에게 사용법에 대한 교육을 강조하였고, 효과가 나타날 때까지는 시간이 필요하므로 적어도 8~12주 분무할 것을 추천하였고, 특정 치료기간은 명시하지 않고 증상 호전의 정도, 환자의 선호도, 임상의의 경험에 따라 개별화된 결정을 하도록 하였다.[29]

3) 경구 스테로이드제

CRS, 특히 CRSwNP의 치료에 전신적 스테로이드제는 임상에서 오랜 기간 사용되어 왔다. Cochrane review에서는 CRSwNP에 대해 위약군에 비해 비용종의 크기, 증상점수, QOL (quality of life)에 효과가 있다고 하였다. 그러나 유지되는 기간이 2~4주 정도로 짧다고 하였다.[20] 국소 비강 스테로이드제를 3개월 정도 사용해도 효과가 없을 경우 단기 경구 스테로이드 투여를 고려할 만하다. 그러나 경구 스테로이드가 투약이후 장기간 효과를 유지한다는 연구는 없었는데 이는 임상에서 흔히 관찰되는 현상이기도 하다. 또한 경구 스테로이드는 고혈압악화, 혈당상승, 부신기능저하, 체중증가, 대퇴골 무혈성 괴사, 녹내장과 백내장의 위험성을 고려해야 하고, 환자에게도 설명해야한다.[35] CRSsNP에 대한 경구 스테로이드의 효과는 적절하게 수행된 연구가 부족하여 증거중심의학적 측면에서 근거가 약하며, 주로 전문가의 의견이 반영되는 수준이다.

EPOS2012와 EBRR에서도 경구 스테로이드는 AFRS 환자와 수술 전후의 환자를 포함한 CRSwNP 환자에게 단기간 투여하는 것을 추천하였고, CRSsNP에 대해서는 선택적인 치료방법이라 하였다.[9,34]

4) 비강 세척

비강세척은 점액청소를 도와주고, 섬모운동을 촉진하며, 각종 항원성 물질, 염증매개체, 바이오필름의 제거하고, 비부비동점막을 직접 보호하는 역할을 통해 만성비부비동염(CRS)의 증상을 개선시키며, 수술 후 비부비동에 남아있는 clot을 제거하여 점막재생에도 도움이 되어 보조치료법으로서 임상에서 자주 사용되어 왔다.

CRS에 대한 효과는 여러 review를 통해 입증되었으며, CRS에 대한 단독요법으로도 효과가 있으며, 흔히 비강 국소 스테로이드 치료와 함께 이용된다. 또한 부비동 수술여부에 관계없이 효과가 있는 방법이며, 부작용이 거의 없는 안전한 방법이기도 하다.[11]

등장성 또는 고장성 생리식염수 모두 사용할 수 있으며, 어느 것이 더 효과적인지에 대해서는 아직 결론난 바가 없으며, 최적의 비강세척의 적절한 양, 횟수, 세척방법,

세척액 성상 등에 대한 부분도 아직 과학적으로 입증된 것이 없다. 다만, 식염수 분무와 식염수 세척을 혼동해서는 안 되는데 식염수세척이 분비물의 배출시키고, 삶의 질(Quality of Life; QOL)을 증가시키는 데 더 효과적이라는 보고가 있다.[26] 표준화된 지침 또는 방법이 정립되어 있지 않기 때문에 비강세척의 효용 자체는 입증되었음에도 비부비동염의 치료방법으로 널리 사용되지는 않았던 이유 중의 하나로 생각된다.

AAO2015, EPOS2012, EBRR 모두 추천의 강도의 차이는 있지만 CRS에 광범위하게 적용할 수 있는 치료법으로 추천하고 있다.[9,29,34]

5) 항히스타민제

CRS와 알레르기성 비염과의 연관성이 특히 CRSwNP 환자에 대해 존재하지만 아직 그 기전이 충분히 밝혀지지 않았고, 알레르기가 CRS를 악화시킨다는 사실에 대한 근거가 현재로서는 부족하지만, 항히스타민제에 대한 효과가 확립된 알레르기를 가지고 있는 CRS환자에게 항히스타민을 사용하는 것은 고려할 만하다.[35] 그러나 EPOS에서는 항히스타민제의 알레르기성 비염을 가진 CRS 환자에 대한 연구가 부족한 것을 근거로 낮은 강도의 추천 수준인 grade D로 하였다.[9] 다른 가이드라인에서는 특별한 언급이 없다.

6) 비충혈제거제(Decongestant)

현재까지 만성 비부비동염에 대한 비충혈제거제의 효과가 있다는 근거는 부족하다(EPOS grade D)고 되어 있으나 비폐색 증상이 있을 때 증상 개선을 위해 사용을 고려할 수 있다.

7) 점액분해제(Mucolytics)

45명의 ARS 또는 CRS 환자에 대해 점액분해제를 치료제에 추가하였을 때 치료기간을 줄이는 데 도움이 되는 것으로 보고되어[36] EPOS2012는 Grade C 수준의 추천을 하였다.

8) Leukotriene 길항제

알레르기성 비염과 같은 상기도 염증성 질환과 천식과 같은 하기도 염증성 질환에 모두 항염 효과를 보이는 Leukotriene 길항제는 기전 상으로는 만성 비부비동염에 대한 효과가 있을 것으로 생각되나 메타 분석을 포함한 신뢰할 만한 직접적 연구는 부족한 상태이며, Leukotriene 길항제가 만성 비부비동염 자체에 효과가 있는 건지, 천식이나 알레르기성 비염에 작용하여 효과를 보이는 건지에 대해 명확히 구분하기 어렵다.[23]

EPOS201[9]는 CRS와 NP에 대한 Leukotriene 길항제의 효과는 RCT 방법으로 연구된 바 없으나 환자-대조군 연구에서[27] CRS와 NP 환자에 대해 코증상의 개선 효과가 있는 것으로 보인다고 하였고, 추천의 정도를 정하지는 않았다. 다른 guideline에서는 별다른 언급이 없다.

9) 항진균제

한때 AFRS 환자뿐만 아니라 CRS 환자의 발병에 진균이 중요한 역할을 한다는 보고가 있었고,[16] 이후 다양한 RCT 연구와 메타분석를 포함하여 CRS 환자에 대한 여러 형태의 항진균제 투약 연구가 시행 되었지만, 대부분의 연구 결과에서 유의한 치료결과를 보이지 않았다.[30]

경구 항진균제와 국소 항진균제에 대해 AAO2015 guideline, EPOS2012와 EBRR 공히 AFRS를 포함하여 CRS의 치료방법으로 사용하지 않을 것을 추천하였고, 주사용 항진균제에 대해서는 특별히 연구된 바가 없다.[9,29,34]

10) 단일클론 항체(Monoclonal antibodies)

최근 특정한 염증매개체에 대한 단일클론 항체를 사용하는 방법이 도입되어 현재 anti-IgE (omalizumab)와 anti-IL-5 (mepolizumab) 항체를 임상에서 일부 사용하고 있다.

몇몇의 RCT 연구결과 anti-IgE (omalizumab)는 유

표 22-4. EPOS2012의 만성비부비동염의 치료방법 평가 요약 (European Position Paper on Rhinosinusitis and Nasal Polyps 2012, EPOS 2012)

치료방법	CRSsNP*	CRSwNP*
비macrolide (경구 항생제, 3-4주 이내)	추천, B	추천, C
macrolide 경구 항생제	추천, C	추천, C
주사용 항생제	리뷰안함	리뷰안함
국소 항생제	비추천, A	no data
경구 항진균제	비추천, A	비추천, A
주사용 항진균제	no data	no data
국소 항진균제	비추천, A	비추천, A
국소 스테로이드	추천, A	추천, A
전신적 경구 스테로이드	추천, C	추천, A
항히스타민제(알레르기 환자에 대한)	no data	추천, D
Leukotriene 길항제	no data	비추천, A
Anti-IgE monoclonal 항체	리뷰안함	비추천, A
Anti-IL-5 monoclonal 항체	리뷰안함	추천, D
비강 세척	추천, A	추천, D

* CRSsNP, chronic rhinosinusitis without nasal polyps; CRSwNP, chronic rhinosinusitis with nasal polyps

* A, directly based on category I evidence; B, directly based on category II evidence or extrapolated from category I evidence; C, directly based on category III evidence or extrapolated from category I or II evidence; D, directly based on category IV evidence or extrapolated from category I, II, or III evidence.

의한 효과가 없으며 anti-IL-5 (mepolizumab, reslizumab)는 효과가 없다는 결과도 있지만, 용종크기와 CT 점수의 호전에 효과가 있다는 보고도 있다.[10,25] 현재 anti-IgE 치료는 추천되지 않으며, anti-IL-5 치료는 난

표 22-5. Evidence-based review with recommendations. (EBRR)의 만성비부비동염의 치료방법 평가 요약

치료방법	만성 비부비동염
경구 항생제	선택적(option)
주사용 항생제	비추천 (recommended against)
국소 항생제	비추천
경구 항진균제	비추천
주사용 항진균제	비추천
국소 항진균제	비추천
국소 스테로이드	추천(recommended)
전신적 경구 스테로이드	CRSsNP; 선택적 CRSwNP; 추천
항히스타민제 (알레르기 환자에 대한)	-
Leukotriene 길항제	-
Anti-IgE monoclonal 항체	-
Anti-IL-5 monoclonal 항체	-
비강 세척	추천

치성 비용종에 고려할 수 있지만 높은 비용과 아직 잘 알려져 있지 않은 합병증의 발생 가능성도 염두에 두어야 한다.[35]

표 22-4는 EPOS2012의 만성 비부비동염 치료법 평가를 정리한 표이며, 표 22-5는 미국비과학회의 만성 비부비동염의 내과적 치료법을 평가한 것이다(EBRR2013). 그림 22-2는 급성비부비동염과 만성비부비동염의 치료 방침을 알고리듬 형태로 표시한 것이다.

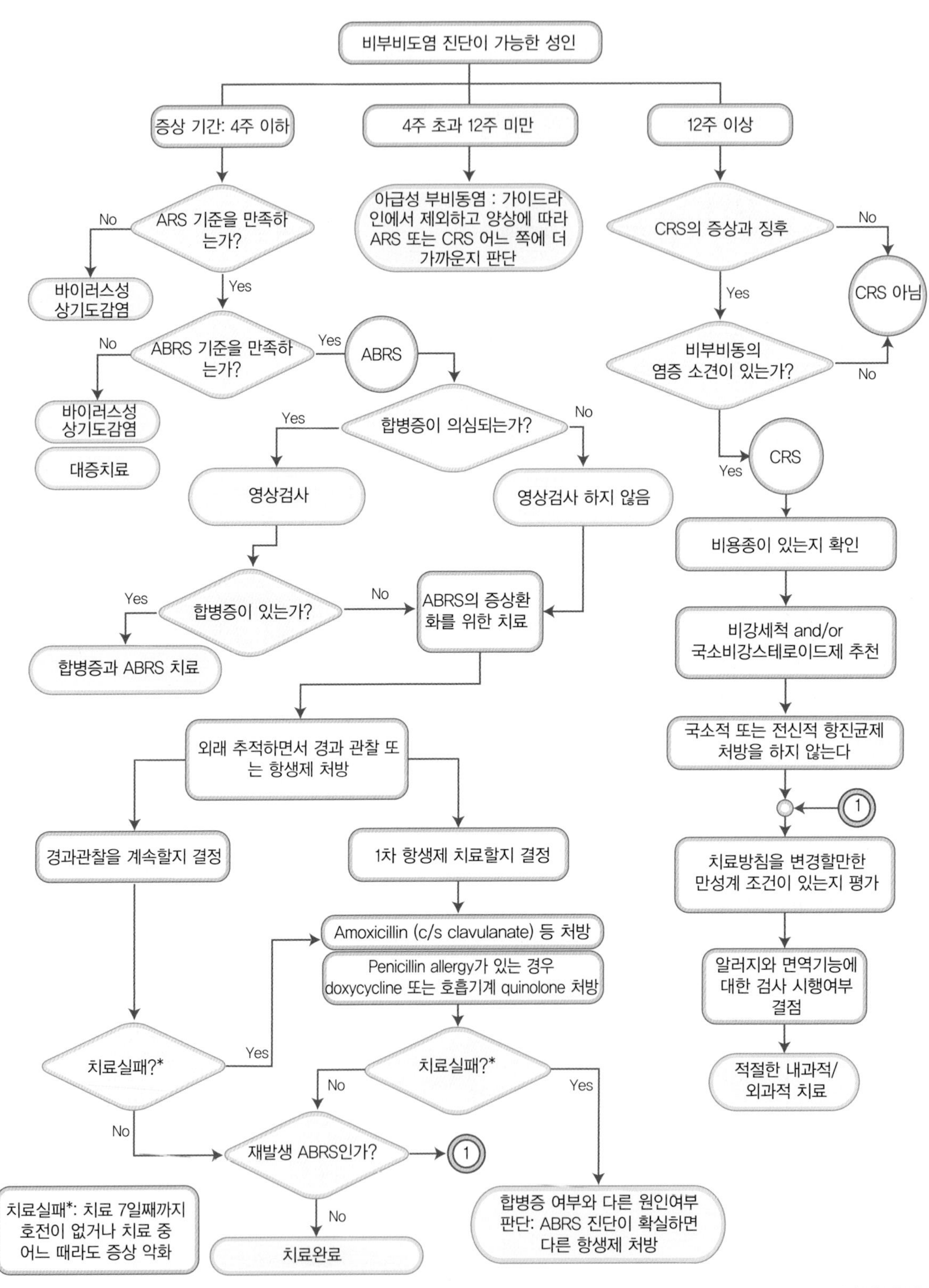

■ 그림 22-2. **급성 비부비동염과 만성 비부비동염의 치료 알고리듬(AAO2015)**

참고문헌

1. Aroll B, Kenealy T. Antibiotics for the common cold and acute purulent rhinitis. Cochrane Database Syst Rev. 2005;(3):CD000247 1.
2. Benninger MS, Anon J, Mabry RL: The medical management of rhinosinusitis. Otolaryngol Head Neck Surg 1997;117:S41-S49.
3. Benninger MS, Stokken JK. Ch. 46 Acute rhinosinusitis. In: Flint PW, Haughey BH, Lund V, Niparko JK, Robbins KT, Thomas JR, Lesperance MM eds. Cummings otolaryngology-head & neck surgery, 6th ed. Philadelphia: Elsevier, 2015, p.724-730.
4. Brook I , Gooch WM 3rd, Jenkins SG, et al . Medical management of acute bacterial sinusitis. Recommendations of a clinical advisory committee on pediatric and adult sinusitis. Ann Otol Rhinol Laryngol Suppl 2000;182:2-20.
5. Caenan M, Hamels K, Deron P, et al. Comparison of decongestive capacity of xylometazoline and pseudoephedrine with rhinomanometry and MRI. Rhinology. 2005;43:205-209.
6. Chow AW, Benninger MS, Brook I, et al. IDSA clinical practice guideline for acute bacterial rhinosinusitis in children and adults. Clin Infect Dis. 2012;54:e72-e112.
7. Dellamonica P, Choutet P, Lejeune JM, et al: [Efficacy and tolerance of cefotiam hexetil in super-infected chronic sinusitis. A randomized, double-blind study in comparison with cefixime]. Ann Otolaryngol Chir Cervicofac 111:217-22, 1994.
8. Dubin MG, Liu C, Lin SY, et al: American Rhinologic Society member survey on "maximal medical therapy" for chronic rhinosinusitis. Am J Rhinol 21:483-88, 2007.
9. Fokkens W, Lund V, Mullol J, et al: European Position Paper on Rhinosinusitis and Nasal Polyps 2012. Rhinology (Supplement 23):1-298, 2012.
10. Gevaert P, Van Bruaene N, Cattaert T, et al: Mepolizumab, a humanized anti-.IL-5 mAb, as a treatment option for severe nasal polyposis. Am J Rhinol 128:989-.995, e981-.988, 2011.
11. Harvey R, Hannan SA, Badia L, et al. Nasal saline irrigations for the symptoms of chronic rhinosinusitis. Cochrane Database Syst Rev. 2007;3:CD006394.
12. http://www.kimsonline.co.kr/drugcenter/search/totalSearch/pseudoephedrine.
13. Huck W, Reed BD, Nielsen RW, et al: Cefaclor vs amoxicillin in the treatment of acute, recurrent, and chronic sinusitis. Arch Fam Med 2:497-03, 1993.
14. Inanli S, Ozturk O, Korkmaz M, et al. The effects of topical agents of fluticasone propionate, oxymetazoline, and 3% and 0.9% sodium chloride solutions on mucociliary clearance in the therapy of acute bacterial rhinosinusitis in vivo. Laryngoscope. 2002;112:320-325.
15. Jawad SS, Eccles R. Effect of pseudoephedrine on nasal airflow in patients with nasal congestion associated with common cold. Rhinology. 1998;36:73-76.
16. Kim ST, Choi JH, Jeon HG, et al: Comparison between polymerase chain reaction and fungal culture for the detection of fungi in patients with chronic sinusitis and normal controls. Acta Otolaryngol 125:72-5, 2005.
17. LaForce C, Journeay GE, Miller SD, et al. Ocular safety of fluticasone furoate nasal spray in patients with perennial allergic rhinitis: a 2-year study. Ann Allergy Asthma Immunol. 2013;111:45-50.
18. Legent F, Bordure P, Beauvillain C, et al: A double-blind comparison of ciprofloxacin and amoxycillin/clavulanic acid in the treatment of chronic sinusitis. Chemotherapy 40(Suppl 1):8-5, 1994.
19. Lemiengre MB, van Driel ML, Merenstein D, et al. Antibiotics for clinically diagnosed acute rhinosinusitis in adults. Cochrane Database Syst Rev. 2012;10:CD006089.
20. Martinez-Devesa P, Patiar S: Oral steroids for nasal polyps. Cochrane Database Syst Rev CD005232, 2011.
21. McNally PA , White MV, Kaliner MA. Sinusitis in an allergist's office: analysis of 200 consecutive cases. Allergy Asthma Proc 1997;18:169-175.
22. Mortuaire G, de Gabory L, François M, et al. Rebound congestion and rhinitis medicamentosa: nasal decongestants in clinical practice. Critical review of the literature by a medical panel. Eur Ann Otorhinolaryngol Head Neck Dis. 2013;130:137-144.
23. Mostafa BE, Abdel Hay H, Mohammed HE, et al: Role of leukotriene inhibitors in the postoperative management of nasal polyps. ORL J Otorhinolaryngol Relat Spec 67:148-.153, 2005.
24. Payne SC, Benninger MS: Staphylococcus aureus is a major pathogen in acute bacterial rhinosinusitis: a meta-analysis. Clin Infect Dis 45:e121-.e127, 2007.
25. Pinto JM, Mehta N, DiTineo M, et al: A randomized, double-blind, placebo-controlled trial of anti-IgE for chronic rhinosinusitis. Rhinology 48:318-.324, 2010.
26. Pynnonen MA, Mukerji SS, Kim HM, et al. Nasal saline for chronic sinonasal symptoms: a randomized controlled trial. Arch Otolaryngol Head Neck Surg. 2007;133:1115-1120.
27. Ragab S, Parikh A, Darby YC, Scadding GK. An open audit of montelukast, a leukotriene receptor antagonist, in nasal polyposis associated with asthma. Clin Exp Allergy 2001;31(9):1385-1391.
28. Rosenfeld RM, Andes D, Bhattacharyya N, et al. Clinical practice guideline: adult sinusitis. Otolaryngol Head Neck Surg. 2007;137(3)(suppl):S1-S31.
29. Rosenfeld RM, Piccirillo JF, Chandrasekhar SS, Brook I, Ashok Kumar K, Kramper M, Orlandi RR, Palmer JN, Patel ZM, Peters A, Walsh SA, Corrigan MD. Clinical practice guideline (update): adult sinusitis. Otolaryngol Head Neck Surg. 2015 Apr;152(2 Suppl):S1-S39.
30. Sacks PL, 4th, Harvey RJ, Rimmer J, et al: Antifungal therapy in the treatment of chronic rhinosinusitis: a meta-analysis. Am J Rhinol Allergy 26:141-47, 2012.

31. Schembri S, Williamson PA, Short PM, et al: Cardiovascular events after clarithromycin use in lower respiratory tract infections: analysis of two prospective cohort studies. Br Med J 346:f1235, 2013.
32. Sederberg-Olsen JF, Sederberg-Olsen AE. Intranasal sodium cromoglycate in post-catarrhal hyperreactive rhinosinusitis: a double blind placebo controlled trial. Rhinology 1989;27(4):251-255.
33. Snidvongs K, Kalish L, Sacks R, et al. Topical steroid for chronic rhinosinusitis without polyps. Cochrane Database Syst Rev. 2011;(8):CD009274.
34. Soler ZM, Oyer SL, Kern RC, et al: Antimicrobials and chronic rhinosinusitis with or without polyposis in adults: an evidence-based review with recommendations. Int Forum Allergy Rhinol 3:31-7, 2013.
35. Soler ZM, Smith TL. Ch. 44 Results of medical and surgical treatment of chronic rhinosinusitis with and without nasal polyps. In: Flint PW, Haughey BH, Lund V, Niparko JK, Robbins KT, Thomas JR, Lesperance MM eds. Cummings otolaryngology-head & neck surgery, 6th ed. Philadelphia: Elsevier, 2015, pp.702-713.
36. Szmeja Z, Golusinski W, Mielcarek-Kuchta D, Laczkowska-Przybylska J. [Use of mucolytic preparations (Mucosolvan) in selected diseases of the upper respiratory tract. Part II]. Otolaryngol Pol 1997;51(5):480-6.
37. Tarantino V, Stura M, Marenco G, Leproux GB, Cremonesi G. [Advantages of treatment with bromhexine in acute sinus inflammation in children. Randomized double-blind study versus placebo].Minerva Pediatr 1988;40(11):649-52.
38. Van Bever HP, Bosmans J, Stevens WJ. Nebulization treatment with saline compared to bromhexine in treating chronic sinusitis in asthmatic children. Allergy 1987;42(1):33-6.
39. Van Zele T, Gevaert P, Holtappels G, et al: Oral steroids and doxycycline: two different approaches to treat nasal polyps. J Allergy Clin Immunol 125:1069-076, e1064, 2010.
40. Venekamp RP, Thompson MJ, Hayward G, et al. Systemic corticosteroids for acute sinusitis. Cochrane Database Syst Rev.2014;3:CD008115.
41. Videler WJ, Badia L, Harvey RJ, et al: Lack of efficacy of long-term, low-dose azithromycin in chronic rhinosinusitis: a randomized controlled trial. Allergy 66:1457-468, 2011.
42. Wallwork B, Coman W, Mackay-Sim A, et al: A double-blind, randomized, placebo-controlled trial of macrolide in the treatment of chronic rhinosinusitis. Laryngoscope 116:189-93, 2006.
43. Westerveld GJ, Voss HP, van der Hee RM, de Haan-Koelewijn GJ, den Hartog GJ, Scheeren RA, et al. Inhibition of nitric oxide synthase by nasal decongestants. Eur Respir J 2000;16(3):437-44.
44. Williams J, Simel DL, Roberts L, et al. Clinical evaluation for sinusitis: making the diagnosis by history and physical examination. Ann Intern Med. 1992;117:705-710.
45. Williamson IG, Rumsby K, Benge S, et al. Antibiotics and topical nasal steroid for treatment of acute maxillary sinusitis: a randomized controlled trial. JAMA. 2007;298:2487-2496.
46. Winther B, Brofeldt S, GrØnborg H, et al. Study of bacteria in the nasal cavity and nasopharynx during naturally acquired common colds. Acta Otolaryngol. 1984;98:315-320.
47. Zalmanovici A, Yaphe J. Intranasal steroids for acute sinusitis. Cochrane Database Syst Rev. 2013;2:CD005149.
48. Zeiger RS. Prospects for ancillary treatment of sinusitis in the 1990s. J Allergy Clin Immunol. 1992;90:478-495.

CHAPTER 23

부비동의 수술

나기상, 강준명

부비동의 수술방법은 19세기 말부터 여러 수술방법이 소개되었지만 최근에는 내시경수술이 주류를 이루고 있다. 그러나 모든 부비동 질환이 내시경 수술만으로 해결될 수 있는 것은 아니며 전통적인 수술도 간단하고 안전하며 많은 질환을 효과적으로 치료할 수 있기 때문에 아직도 유용하게 이용되고 있다. 따라서 내시경수술뿐만 아니라 전통적인 수술의 원리를 이해하고 수술수기를 숙지해야 모든 부비동 질환을 효과적으로 치료할 수 있다.

I 상악동 수술

1. Caldwell-Luc 수술

George Caldwell (1893년, 뉴욕)과 Henri Luc (1897년, 파리)은 견치와(canine fossa)를 통하여 상악동을 개방한 다음 병적 점막을 제거하고 오랫동안 비강으로 배액이 이루어지도록 하기 위하여 하비도에 비강상악동창(nasoantral window)을 만들어주는 수술을 소개하였다.[28,42] 이 술식은 후에 Caldwell-Luc 수술로 불리게 되었으며 그 후 오랫동안 상악동 질환의 치료 및 두개저 접근 방법으로 널리 이용되어 왔다. 최근 만성 상악동염의 치료에 내시경수술이 널리 이용되면서 그 시행 빈도는 많이 줄었으나 아직 많은 질환에서 유용하게 이용될 수 있다. 또 견치와를 통한 상악동개방술(antrostomy), 즉 Caldwell-Luc 접근법은 상악동의 병변을 완전히 제거하기 위하여 때로 내시경수술과 동시에 시행되기도 하며, 그 외에 진단목적으로 또는 익구개와(pterygopalatine fossa)에 접근하기 위한 경로로 이용되기도 한다.

1) 적응증

내시경 수술로 병변을 제거하기 어렵고 수술 후에도 치유되지 않는 만성 상악동염에 적용할 수 있다.[9,36] 특히 천식이 있고 범발성 비용이 있는 환자에서는 내시경수술보다 Caldwell-Luc 수술이 더 효과적일 수도 있다.[13]

원발성 섬모운동이상증(primary ciliary dyskinesia)

이나 낭성 섬유증(cystic fibrosis) 등 점액섬모기능 장애가 있는 환자에서는 내시경을 이용한 중비도 상악동개방술(middle meatal antrostomy)보다 Caldwell-Luc 수술이 선호된다.[42]

상악동후비공비용(antrochoanal polyp)과 진균성 부비동염에서 내시경수술로 모두 제거하기 어려운 경우나 자주 재발하면 Caldwell-Luc 수술을 고려할 수 있다.

술후성 협부낭종(postoperative cheek cyst)의 경우 내시경을 이용하여 중비도나 하비도를 통한 배액수술을 하여 좋은 결과를 얻을 수 있으나 내시경으로 접근하기 어려운 위치에 발생하였거나 여러 개의 낭이 격막에 의해 나누어져 있을 때는 Caldwell-Luc 수술의 적응증이 된다.

갑상선기능항진증에 따른 안구돌출로 안와감압술(orbital decompression)을 시행할 때 내시경수술로 안와내벽과 하벽의 일부를 감압할 수 있으나 하벽을 충분히 감압하려면 Caldwell-Luc 접근법이 필요하다.

익구개와에 생긴 종양에 대한 조직생검, 익돌관신경절제술(vidian neurectomy), 내상악동맥(internal maxillary artery)결찰 등을 위하여 익구개와에 접근하려고 할 때 Caldwell-Luc 접근법을 이용한다.

상악동에 발생한 종양을 진단하기 위해 Caldwell-Luc 접근법을 이용할 수 있다. 그러나 악성 종양에서 단지 조직생검을 하기 위해 시행한다면 이환되지 않은 부위를 암세포로 오염시킬 위험이 있다.

안와골절, 협골골절, 상악골골절 등 안면골골절의 정복술에 Caldwell-Luc 접근법을 이용할 수 있다. 그 외에도 치성 상악동염의 수술, 치성 낭(odontogenic cyst)의 제거, 구강상악동누공(oroantral fistula)의 폐쇄, 상악동 이물 제거 등을 위해 Caldwell-Luc 접근법을 이용할 수 있다.

2) 수술방법

전신마취나 국소마취하에서 모두 가능하다. 4% lidocaine과 1:1,000 epinephrine을 섞은 용액이나 4% cocaine 용액을 적신 솜을 이용하여 미리 비점막을 수축시킨 다음 1% lidocaine과 1:100,000 epinephrine을 섞은 용액을 치은협구(gingivobuccal sulcus)와 하비도의 외측 벽에 주사하고 안와하신경(infraorbital nerve)과 익구개신경절(pterygopalatine ganglion) 부위에 주사하여 신경을 차단한다.

측절치(lateral incisor)에서 제2 대구치(second molar tooth)까지 3~4 cm 길이의 절개를 치은협구에 가한다(그림 23-1A). 치은에 너무 가깝지 않게 골막까지 절개한 다음 안와하신경이 노출될 때까지 골막을 박리한 후 견인기(retractor)를 신경의 내측과 외측에 넣고 견인하여 상악동 전벽을 노출한다. 이때 안와하신경을 직접 손상하거나 견인기로 협부 연조직을 견인할 때 신경이 신장(stretch)되지 않도록 주의한다.

상악동 전벽의 견치와에 망치와 끌 혹은 드릴을 이용하여 구멍을 뚫어 상악동을 개방한 다음 Kerrison 골겸자(rongeur)를 이용하여 전체 상악동을 관찰하고 병변을 잘 제거할 수 있을 정도로 구멍의 크기를 넓힌다(그림 23-1B, C). 이때 치아와 치아에 분포하는 신경을 손상할 수 있기 때문에 너무 아래까지 넓히지 말아야 한다.

상악동 내부를 관찰하고 비가역적 병변이 있는 점막은 기자(elevator)와 겸자(forceps)를 이용하여 모두 제거하나 가역적으로 보이거나 정상적인 점막은 보존한다. 상악동의 상벽에서 병변을 제거할 때에는 안와하신경관 골벽의 결손으로 안와하신경이 노출되어 손상을 입을 수 있으므로 주의한다. 모든 병변을 제거한 후 하비도에 비강상악동창을 만든다. 끌이나 드릴을 이용하여 하비도 중간 부위의 골벽을 제거하고 구멍을 낸 다음 Kerrison 골겸자를 이용하여 직경 1.5~2 cm의 크기로 넓힌다(그림 23-1D). 후에 창이 막히는 것을 방지하기 위하여 하비도 점막을 보존하여 만든 점막피판을 창을 통해 상악동 내로 넣어주기도 한다.[46]

하비도에 비강상악동창을 반드시 만들어야 하는지에 대하여 아직도 논란이 많다. 상악동 점막을 완전히 제거

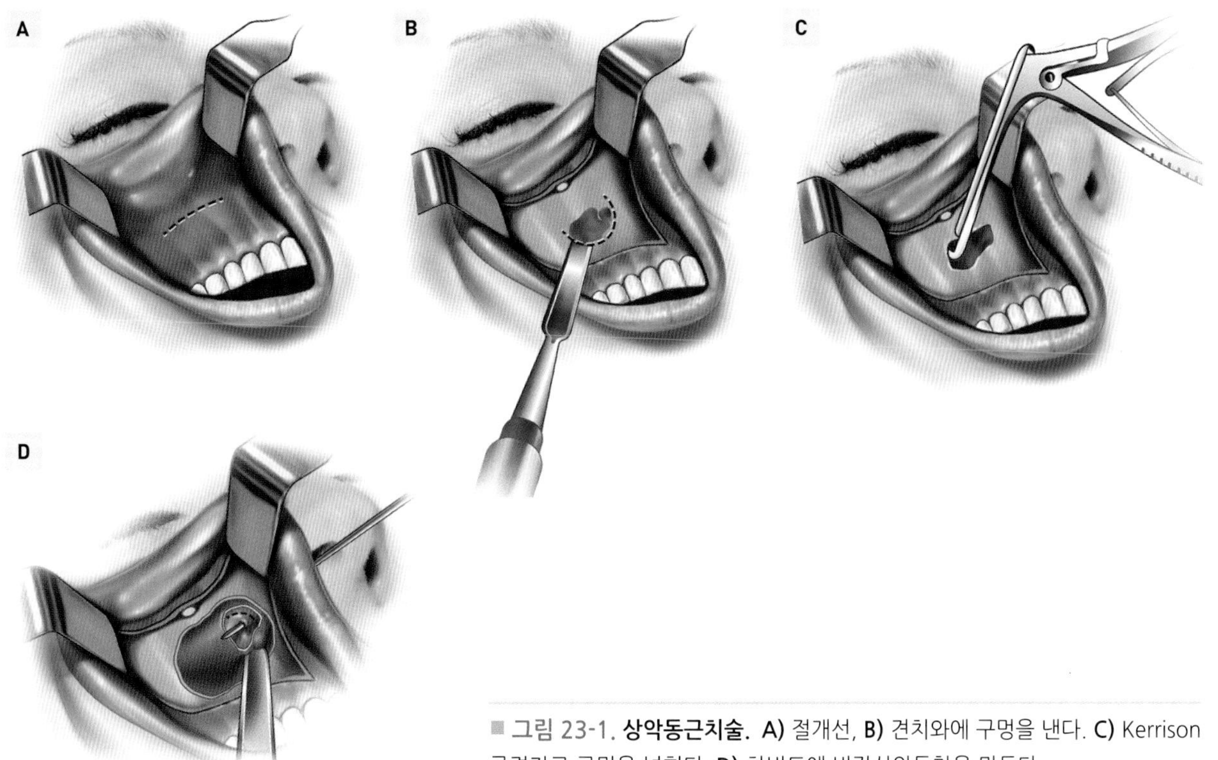

■ 그림 23-1. **상악동근치술.** **A)** 절개선, **B)** 견치와에 구멍을 낸다. **C)** Kerrison 골겸자로 구멍을 넓힌다. **D)** 하비도에 비강상악동창을 만든다.

한 경우에는 상악동이 반흔조직으로 폐쇄되고 재생되는 점막에서도 효과적인 점액섬모수송 기능을 기대하기 어려우므로 비강상악동창을 만들어야 한다. 그러나 상악동 점막을 대부분 보존하였고 자연구가 잘 열려있는 경우에는 비강상악동창이 있어도 점액섬모수송이 자연구 방향으로 이루어지기 때문에 반드시 비상상악동창을 만들 필요는 없다. 따라서 최근에는 Caldwell-Luc 수술이 필요한 경우에도 견치와를 통해 상악동을 개방하지만 합병증을 줄이기 위해 구멍을 작게 만들며, 내시경의 도움으로 병적인 상악동점막만을 부분적으로 제거하고 가능한 한 많은 점막을 보존하며, 비강상악동창을 만드는 대신 자연구를 넓게 열어주는 보다 생리적이고 보존적인 수술을 시행하는 경우가 많아졌다. Mabry는 Caldwell-Luc 수술을 변형한 이 같은 술식을 'anterior antrostomy with natural ostium fenestration'이라고 하였다.[26]

보통 수술 후 팩킹을 할 필요는 없으나 출혈이 있으면 하비도를 통하여 항생제를 묻힌 거즈나 Merocel 등 합성 팩킹물질을 1~2일 동안 팩킹한다. 절개부위는 흡수되는 봉합사로 봉합한다. 수술 후 머리를 30° 정도 올리고 부종을 줄이기 위하여 볼에 얼음주머니를 대어준다. 수일간 항생제를 투여하고 생리식염수로 비강을 주기적으로 세척하며 혈괴나 가피를 제거해준다.

3) 합병증

수술 후 출혈이 있을 수 있으나 크게 문제가 되지 않으며 수일 안에 볼에 부종과 반상출혈이 나타날 수 있으나 자연히 소실된다. 다른 부비동수술에서와 마찬가지로 안와의 손상으로 인한 피하안와기종, 안구돌출, 복시, 시력감소 등의 합병증이 발생할 수 있다.

많은 환자가 협부의 무감각 혹은 감각이상을 호소한다. 대개 일시적이지만 일부 환자에게서 증상이 지속될 수 있으며 간혹 지속적인 통증을 호소하는 경우도 있다.

이는 수술 시 안와하신경의 직접적인 손상이나 과도한 견인을 피하면 줄일 수 있다.[24]

치아의 손상으로 인해 무감각, 치통, 실활치(devitalized teeth) 등의 합병증이 올 수 있다. 상치조신경(superior alveolar nerve)의 손상을 피하기 위해 견치와의 구멍을 너무 아래까지 넓히지 말아야 하며, 하비도에 비강상악동창을 만들 때 중절치(central incisor)와 전상치조신경(anterior superior alveolar nerve)의 손상을 피하기 위해서 너무 앞쪽까지 넓히지 않는 것이 좋다. 또 하벽으로부터 점막을 벗길 때 치근의 골벽을 손상하지 않도록 조심해야 한다. 특히 영구치가 나기 전의 소아에서는 주의한다.

수술 후 상악동 내부는 육아조직으로 차게 되고 뒤이어 섬유화가 일어나며 재생되는 점막도 조직학적으로나 기능적으로 비정상적이다.[5] 또 골벽이 두꺼워지면서 상벽은 하방으로, 외벽은 내측으로, 전벽은 후방으로, 내벽은 외측으로 끌려가 상악동의 수축과 폐쇄가 일어나게 된다. 이 과정에서 잔존한 점막 혹은 재생된 점막이 비강과 차단될 수 있으며, 이런 경우 오랜 기간이 지난 다음 소위 술후성협부낭종이 발생하게 된다. 또 성장 중인 소아기에 수술을 받은 환자에서는 전벽의 내함으로 인해 볼이 움푹 꺼진 모양의 안면기형을 초래할 수 있다.

그 외에도 구강상악동누공, 비루관 손상으로 인한 유루 등의 합병증이 발생할 수 있다.

2. 견치와 천공(Canine fossa puncture)

내시경 수술의 발달로 대부분의 상악동 병변은 자연구를 충분히 확장시킨 다음 제거가 가능하나 광범위한 점막 병변이 있는 경우 완전한 제거가 어려운 경우가 있다.[7] 병변을 불완전하게 제거한 경우에는 수술 후 증상이나 질병의 재발을 유발할 수 있기 때문에,[36] 이러한 경우 기존의 Caldwell-Luc 수술 혹은 하비도 상악동 개방술(inferior meatal antrostomy)을 선택하게 되는 경우가 있다. 하지만 Caldwell-Luc 수술은 출혈이나 통증, 안면 부종 등의 합병증이 흔히 발생할 수 있으며 하비도 상악동 개방술은 상악동 전방부에 대한 충분한 시야를 확보할 수 없는 단점이 있다.[7,22] 이러한 문제점을 해결하기 위하여 견치와에 투관침(trocar)을 이용하여 작은 구멍을 내는 견치와 천공(canine fossa puncture)이 상악동 병변 제거에 매우 유용하게 사용되고 있다.[8,23,40]

1) 적응증

부비동내시경수술 시 중비도 상악동 개방술(middle meatal antrostomy)로만 접근할 경우에는 기시부가 국한되어 있는 비용 제거에는 효과적이나 그 기시부가 광범위하거나 상악동의 전벽이나 전하벽, 측벽에 위치하는 비용이나 후비공비용, 농양, 진균구의 균사 덩어리 및 반전성 유두종과 같은 양성 종양병변이 있는 경우는 확장된 자연개구부를 통해서도 이 부위에 접근하기가 어렵기 때문에 기존의 중비도 상악동 개방술을 통한 중비도접근법에 견치와접근법을 병행함으로써 전 상악동 내의 병변을 제거할 수 있다.[7,22]

2) 수술방법

1% lidocaine과 1:100,000 epinephrine을 섞은 용액을 견치와 부분에 주사하고 상구순을 거상 후 1 cm 정도의 구순하 절개(sublabial incision)를 견치(canine)에서 동측 제1 소구치(first premolar tooth)까지 치은 협구(gingivobuccal sulcus)에 가하여 골막까지 절개한 다음 골막까지 박리하여 상악동 전벽을 노출하거나 혹은 구순하 절개 없이 4 mm 투관침(trocar)을 이용하여 상악동 전벽에 천공을 시행한다. 이 때 하안신경(infraorbital nerve)과 그 분지의 손상을 예방하기 위해서 천공은 동공의 가운데를 지나는 수직선(mid pupillary line)과 비익(nasal alar)의 하연을 지나는 수평선의 교차점에 시행하게 되며 이 부분의 상악동 전벽은 얇기 때문에 적절한 힘으로 투관침(trocar)을 좌우로 회전시키면서 전진시키면 천공을 시행할 수 있다(그림 23-2). 천공 시 안구 혹은

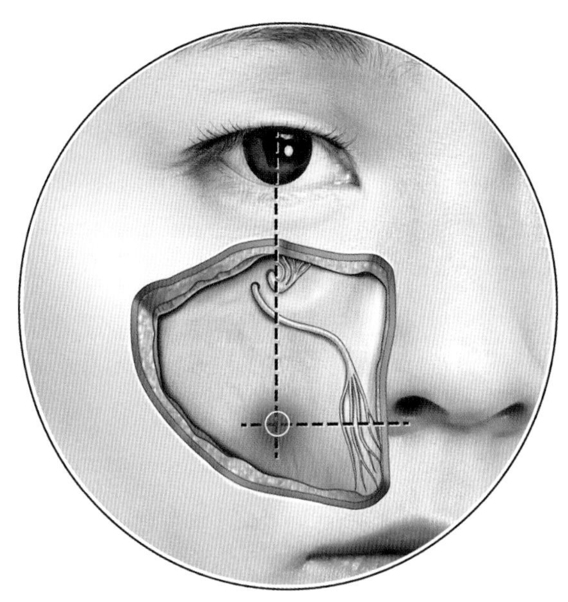

■ 그림 23-2. **해부학적 지표.** 동공의 가운데를 지나는 수직선(mid-pupillary line)과 비익(nasal ala)의 하연을 지나는 수평선의 교차점을 찾아서 투관침(trocar)을 이용해서 상악동 전벽을 천공하면 신경의 손상을 최소화할 수 있다. (Data from Robinson S, Wormald PJ. Patterns of innervation of the anterior maxilla: a cadaver study with relevance to canine fossa puncture of the maxillary sinus. Laryngoscope 2005;115:1785.)

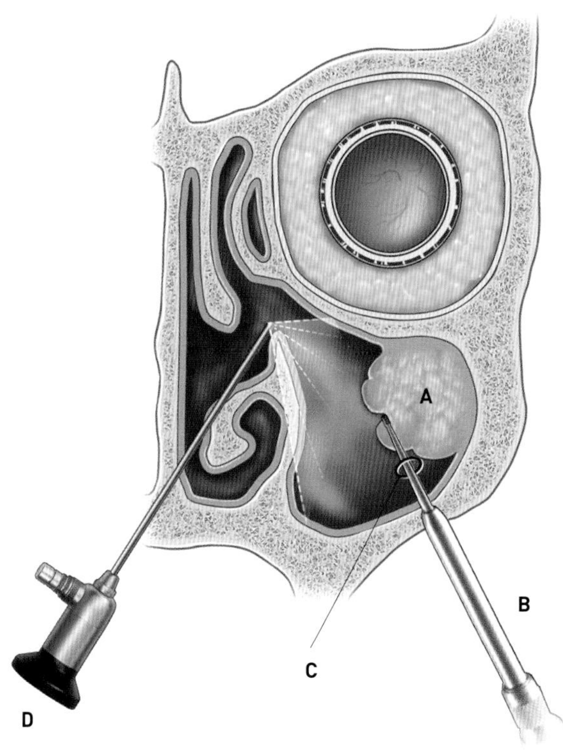

■ 그림 23-3. 상악동 내부의 병변**(A)**을 회전식 흡입기(microdebrider) **(B)**를 이용해서 내시경하 제거하는 수술적 방법. 투관침(trocar)을 이용하여 만든 상악동 전벽의 천공부위 **(C)**에 회전식 흡입기(microdebrider)를 진입시킨 후에 70도 내시경**(D)**을 사용하여 병변을 확인하면서 제거를 시행한다. (Data from 홍순관. Powered instrumentation을 이용한 상악동후비공 폴립의 내시경적 제거. 2002;45:41.)

상악동 후방벽의 손상을 예방하기 위해서 상악동 내의 공간이 느껴지면 더 이상 진행시키는 것을 중단하여야 한다.[8] 천공 부위를 통해서 회전식 흡입기(microdebrider), microdrill 등 여러 기구를 삽입하고 70도 내시경으로 상악동 내부를 관찰하면서 병변을 제거한 다음 구순하 절제를 시행한 경우는 봉합을 시행하나 천공만 시행한 경우에는 굳이 봉합할 필요는 없다(그림 23-3). 투관침 천자 부위의 출혈이나 종창을 방지하기 위하여 작은 거즈를 협부 외부에 대어 가볍게 압박할 수도 있다.

3) 합병증

안면, 치아, 잇몸의 감각저하 혹은 이상감각 등 신경학적 합병증과 출혈로 인한 합병증인 안면 통증, 안면 부종, 안면부의 반상 출혈의 두 종류로 분류할 수 있다.[8] 신경학적 합병증은 주로 안와하신경의 분지인 전상치조신경(anterior superior alveolar nerve)의 손상으로 발생하며 중상치조신경(middle superior alveolar nerve)의 손상으로도 발생할 수 있다.[37] 합병증은 안면부종, 안면 통증, 안면부의 반상 출혈, 안면부의 감각이상 순으로 많이 나타나며[22] 대부분의 합병증은 4주 이내에 증상이 호전되나 드물게 안면부의 감각저하와 같은 영구적인 합병증도 발생할 수 있다. 천공 시행 시 적절한 위치를 선정하여 견치와 점막이나 상악동 점막 손상을 최소화하면서 술기를 진행하는 것이 신경 손상에 따른 감각저하의 발생률을 줄일 수 있는 방법이며,[37] 기존의 Caldwell-Luc 수술과 달

리 성장 중인 소아에서 시행한 경우에도 안면골 성장의 저해 혹은 안면 기형이 보고된 바는 없다.[23]

3. 하비도 상악동개방술(Inferior meatal antrostomy)

상악동 배액수술이 처음으로 소개된 이후 중력에 의해 배액되도록 하비도에 하는 것이 좋은지 아니면 생리적인 면을 고려하여 중비도에 하는 것이 좋은지에 대해 논란이 많았다. 최근 내시경수술의 발달과 함께 근치수술보다는 기능적 수술이 선호되고 있으며, 중비도를 통한 상악동개방술의 치료 효과가 좋기 때문에 하비도를 통한 상악동개방술은 과거에 비해 잘 시행되지 않는다. 그러나 이 수술은 빠르고 쉬우며 경우에 따라서는 효과적인 치료방법이기 때문에 여전히 유용한 방법이라 할 수 있다.

1) 적응증

원발성 섬모운동이상증이나 낭성 섬유증 등 점액섬모기능 장애가 있는 환자에서는 중비도 상악동개방술보다 이점이 많다. 그 외에 술후성 협부낭종의 배액, 상악동 내의 이물 제거, 상악동 병변의 조직생검, 자연구를 통한 환기장애로 발생하는 진공성 두통(vacuum headache)의 치료 등에 이용될 수 있다.[14]

2) 수술방법

국소마취하에서도 가능하나 전신마취하에서 하는 것이 좋다. 출혈을 줄이기 위하여 미리 하비도에 혈관수축제를 적신 솜을 넣어둔다. 약 10분 후 하비갑개를 내상측으로 밀거나 골절시킨 다음 비경을 하비도에 넣어 시야를 확보한다.

하비도에서 골벽이 가장 얇은 하비갑개 부착부의 슬genu 바로 아래, 즉 이상구(pyriform aperture)에서 약 2 cm되는 부위에 구멍을 낸 다음 각종 겸자를 이용하여 길이 2 cm, 높이 1 cm 정도의 크기로 넓힌다. 하비갑개 부착부에 의해 전방, 상방, 후방으로 넓힐 때에는 제한을 받지만 하방으로는 제한이 없기 때문에 비저(nasal floor)까지 충분히 넓혀서 턱이 생기지 않도록 해야 배액이 효과적으로 이루어진다. 후방으로 넓힐 때에는 외접형구개동맥(lateral sphenopalatine artery)의 하비도분지(inferior meatal branch)를 손상하면 출혈이 있을 수 있으므로 주의한다.[14,25]

충분한 크기로 창을 만든 후 상악동 내부를 관찰하고 병변을 제거한다. 후에 창이 막히는 것을 방치하기 위하여 하비도 점막을 보존하여 만든 점막피판을 창을 통해 상악동 내로 넣어주기도 한다. 모든 수술이 끝나면 하비갑개를 원래의 위치로 복원하고 팩킹을 한다. 팩킹은 1~2일 후 제거한다.

3) 합병증

창을 뒤로 넓힐 때 외접형구개동맥의 하비도분지의 손상으로 많은 출혈이 있을 수 있으며, 너무 앞쪽으로 넓힐 경우 전상치조신경의 손상으로 치아의 감각소실을 초래할 수 있다.[14,25] 또 상방에 있는 비루관 개구부의 손상으로 유루가 나타날 수 있다. 과거에는 골수염이 문제가 되기도 하였으나 최근에는 항생제를 사용하므로 별 문제가 안 된다. 창의 크기가 직경 1 cm 이하일 경우 특히 소아에서 조기에 협착 혹은 폐쇄가 일어날 가능성이 많다. 따라서 가능한 한 크고 깨끗하게 만들어야 하며 1년 이상 잘 유지되었으면 협착이 발생할 가능성은 적다.[25]

Ⅱ 사골동 수술

1. 비내 사골동절제술(Intranasal ethmoidectomy)

만성 부비동염의 수술 중 가장 많이 시행되던 수술로 비내수술 중 가장 오래된 방법이다.[11] 부비동 수술에 내시경이 도입된 이후 과거와 같이 나안으로 하는 사골동절제술은 거의 시행되지 않는다. 내시경수술과 마찬가지로 약물치료로 호전되지 않은 만성 부비동염에서 시행한다.

1) 수술방법

보통 국소마취하에서 시행한다. 수술 전에 코털을 짧게 깎은 다음 두 눈을 항상 관찰할 수 있도록 노출시킨 상태로 수술포를 씌우고 기대어 앉은 자세를 취하게 한다. 4% lidocaine과 1:100,000 epinephrine을 섞은 용액이나 4% cocaine 용액을 적신 솜을 이용하여 비점막을 수축시킨 다음, 1% lidocaine과 1:100,000 epinephrine을 섞은 용액을 구상돌기, 중비갑개의 앞쪽 부착부위, 중비갑개의 후방에 주사한다.

좋은 시야를 확보하기 위하여 미리 비중격성형술을 시행하거나 하비갑개를 외측으로 혹은 중비갑개를 내측으로 골절시키기도 한다.

대부분 여러 개의 비용을 동반하기 때문에 수술시야를 가리고 있는 비용을 먼저 제거한다. 구상돌기(uncinate process)를 절개하여 탈구시킨 다음 겸자로 제거한다. 그러면 비제봉소(agger nasi cell)와 사골포(ethmoidal bulla)가 나타나는데 이를 Blakesley 겸자나 Takahashi 겸자로 제거한다.

중비갑개의 기판(basal lamella)을 확인하고 이를 통해 후사골봉소로 들어간다. 뒤로 갈수록 시야가 더 나빠지는데 이때에는 겸자의 끝보다는 측면을 이용하여 제거한다. 후사골봉소를 모두 열고 난 후 뒤에서 앞쪽으로 향하며 남아있는 격벽, 골편, 점막 등을 큐렛(curette)이나 겸자를 이용하여 제거한다.

후사골봉소를 제거할 때 시야를 좋게 하기 위하여 중비갑개의 앞쪽 1/3을 제거하는 경우도 있으나 비용으로 덮여 있거나 외측으로 구부러진 경우를 제외하고는 가능한 한 중비갑개를 보존하도록 노력해야 한다.

사상판(cribriform plate)의 손상을 방지하려면 기구의 끝이 항상 중비갑개의 외측에 있어야 한다. 수술 중에는 사상판, 전두개저, 지판(lamina papyracea)의 위치를 항상 염두에 두고 확인해야 한다. 맨 뒤쪽의 사골봉소를 열 때에는 시신경이 근접해 있으므로 부분적으로 제거하는 것이 좋다. 시신경관까지 함기화된 Onodi 봉소(cell)가 드물지 않으며, 때로 시신경관의 결손으로 시신경이 그대로 노출되어 있을 수도 있어 주의를 요한다.

사골봉소를 모두 제거하고 나면 접형동의 전벽이 노출된다. 접형동의 자연구를 확인하고 만일 접형동 내에 병변이 있으면 Kerrison 골겸자로 전벽을 넓힌 다음 제거한다. 수술이 다 끝나면 출혈이 없는지 확인하고 팩킹을 한다. 1~2일 후 팩킹을 제거한 다음 매일 생리식염수로 비강을 세척하고 2~3일 간격으로 분비물, 가피, 혈괴 등을 제거해준다.

2) 합병증

다른 사골동절제술에서와 마찬가지로 여러 합병증이 발생할 수 있다. 경한 합병증으로는 출혈, 유착, 비루관의 손상으로 인한 유루 등이 있으며 지판을 통해 내직근을 손상해 복시가 나타날 수 있고 안와 내 출혈이나 직접적인 시신경의 손상으로 시력상실을 초래할 수 있다. 또 사상판이나 사골와(fovea ethmoidalis)의 손상으로 뇌척수액비루 및 두개내 합병증을 초래할 수 있다.

해부학적 구조가 변이된 경우, 병변이 광범위한 경우, 재수술인 경우, 우측 수술, 술자의 경험 부족 등으로 인해 합병증이 증가할 수 있다.[20] 합병증을 줄이려면 사골미로의 복잡한 해부학적 구조를 잘 이해하고 깨끗한 수술시야를 확보하는 것이 중요하다.

2. 비외 사골동절제술(External ethmoidectomy)

1세기 넘게 시행되어 온 수술로 아직도 이용되고 있다. 이 수술은 얼굴에 흉터가 남는다는 단점이 있으나 안와골막(periorbita)과 두개기저부를 직접 확인하면서 수술하기 때문에 사골봉소를 가장 안전하고 완전하게 제거할 수 있는 방법이다.[11]

1) 적응증

이전의 수술로 해부학적 지표를 분간하기 어려워 수술을 안전하게 시행할 수 없는 재발성 사골동염 환자에서 이용할 수 있다. 또한 급성 혹은 만성 부비동염에서 안와내 합병증이나 두개내 합병증이 발생한 경우, 사골동의 양성종양, 비사골부 골절, 뇌척수액비루 등의 치료에도 이용할 수 있다.

2) 수술방법

전신마취하에서 앙와위를 취한 다음 일시적인 검판봉합술(tarsorrhaphy)을 시행하여 눈을 보호한다. 국소마취제와 혈관수축제를 적신 솜을 비강 내에 넣어두어 비점막을 수축시킨 다음 절개할 부위에 1% lidocaine과 1:100,000 epinephrine을 섞은 용액을 주사한다.

눈썹의 내측면에서 맨 아래 눈썹을 따라 모낭 방향으로 비스듬하게 절개를 가하기 시작하여 내안각(inner canthus)과 비배부의 중간 지점을 통과하여 이 지점에서 약 1 cm 하방에 다다르기까지 곡선으로 절개한다(그림 23-4A). 때로 흉터를 줄이기 위하여 W자 모양으로 절개하기도 한다.

피부절개 후 피하조직을 박리하여 골막에까지 다다른다. 이때 안각정맥(angular vein)과 안각동맥(angular artery)을 발견하고 지혈을 위하여 결찰하거나 소작한다.

골막에 절개를 가한 다음 비배부까지 앞쪽으로 골막을 박리한다. 내안각인대(medial canthal ligament)가 손상되지 않도록 전누릉(anterior lacrimal crest)으로부터 조심스럽게 박리한 다음 누낭와(lacrimal fossa)에서 누낭(lacrimal sac)을 들어올려 앞쪽으로 견인하고 후누릉(posterior lacrimal crest)에서 남아 있는 내안각인대를 박리한다.

그 후 상방으로 골막을 박리하면 활차와(trochlear fovea)에서 활차가 들어올려지게 된다. 이 때문에 술 후 일시적인 복시가 올 수 있으나 대개 수주 이내에 교정된다.

전두사골봉합선(frontoethmoidal suture line)을 확인하고 계속 뒤로 박리해가면 전누릉으로부터 약 24 mm 지점에서 전사골동맥(anterior ethmoidal artery)을 만나게 된다(그림 23-4B). 이를 결찰하거나 전기소작한 다음 지방이 빠져 나오지 않도록 조심하면서 안구를 견인한다. 눈을 견인할 때에는 45~90초마다 견인을 풀어 망막의 혈행에 장애를 주지 않도록 해야 한다.

계속 후방으로 박리하면 전사골동맥의 10~12 mm 뒤 전두사골봉합선 부위에서 후사골동맥(posterior ethmoidal artery)이 관찰되며, 때로는 전사골동맥과 후사골동맥 사이에서 중사골동맥(middle ethmoidal artery)이 관찰되기도 한다.[11] 후사골동맥이 보이면 안와골막은 더 이상 박리하지 않는다. 후사골동맥은 시신경의 4~7 mm 앞에 위치해 있어 조작할 때 시신경 손상의 위험이 있기 때문에 가능한 한 보존하거나, 꼭 필요한 경우에는 주의하여 결찰하며 전기소작은 시행하지 않는다.

안와골막의 박리가 끝나면 망치와 끌 혹은 겸자를 이용하여 얇은 누낭와의 골벽을 제거하고 전사골미로(anterior ethmoidal labyrinth)로 들어간다(그림 23-4C). Kerrison 골겸자나 Blakesley 겸자를 이용하여 지판과 남아 있는 누골을 제거한다. 또 앞쪽으로 상악골의 전두돌기(frontal process)와 비골의 일부를 제거하여 비제봉소 등 앞쪽에 있는 사골봉소까지 완전히 노출한다.

Blakesley 겸자나 Takahashi 겸자를 이용하여 모든 전사골봉소를 제거한다. 안와상봉소(supraorbital cell)가 있거나 전두동에 병변이 있으면 안와의 내벽을 이루는 전두골의 일부를 제거하기도 한다. 그 후 중비갑개의 기판을 통해 후사골봉소를 제거한다. 후사골동맥이 보이면 지판은 더 이상 제거하지 않고 남겨둔다. 후사골동맥이 가로지르는 봉소는 대개 가장 뒤쪽의 사골봉소이며 시신경이 가까이 있음을 염두에 두어야 한다. 모든 후사골봉소를 제거하고 나면 접형동의 전벽이 나타난다. 접형동에도 병변이 있으면 자연구를 통하여 접근하여 전벽을 넓게 열고 병변을 제거한다(그림 23-4D).

수술 중 중비갑개를 최대한 보존하면서 중비갑개의 외

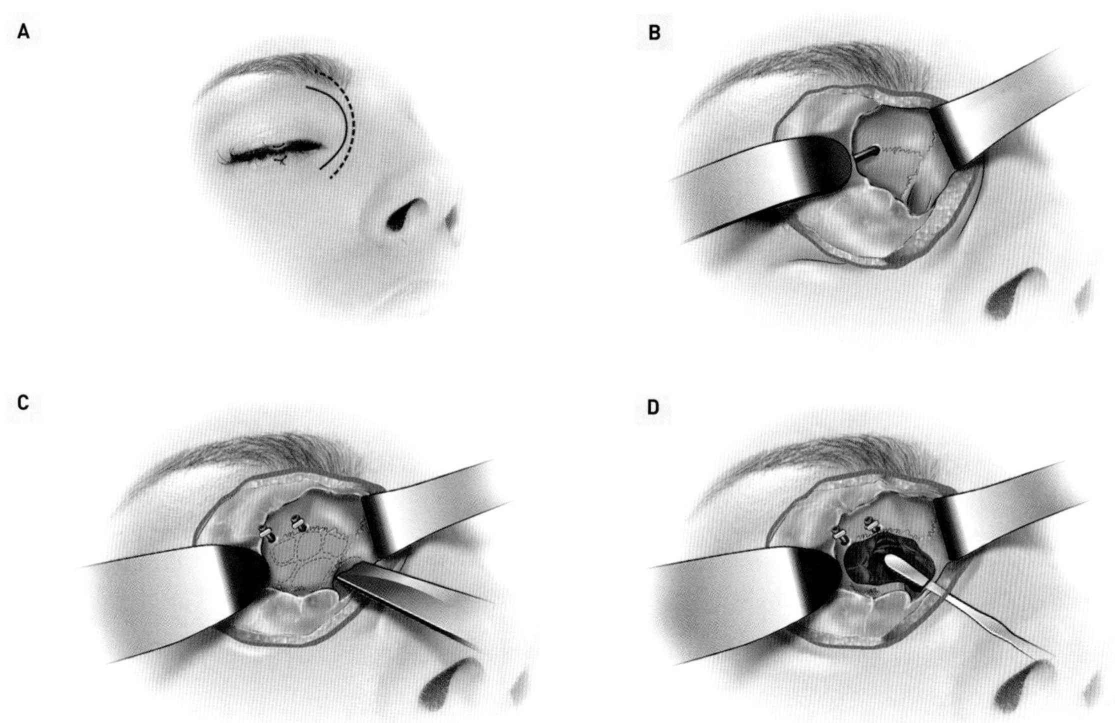

■ 그림 23-4. **비외 사골동절제술.** **A)** 점선을 따라 절개를 가한다. **B)** 골막을 박리한 다음 누낭을 외하방으로 견인하고 안와골막을 계속 박리하여 전사골동맥을 노출한다. **C)** 전·후 사골동맥을 결찰한 다음 누낭와의 골벽을 제거하고 전사골미로로 들어간다. **D)** 모든 사골봉소를 제거한다.

측에서만 머물러 사판을 손상하지 않도록 주의한다. 사판과 같은 높이에 있는 전두사골봉합선, 전사골동맥, 후사골동맥 등은 사골와나 사판에 대한 중요한 지표가 된다.

모든 수술과정이 끝나면 항생제 연고를 묻힌 거즈나 Merocel로 패킹한다. 흡수되는 봉합사로 골막과 피하조직을 차례로 봉합한 다음 피부는 6-0 나일론으로 봉합한다. 수술 후 머리를 30° 정도 올리고 부종을 줄이기 위해 얼음주머니를 대어주며 시력감소나 안구운동장애가 발생하는지 수시로 검사한다. 술 후 수일간 광범위 항생제를 투여하며 2~4일 후 패킹을 제거한 다음 생리식염수로 비강을 주기적으로 세척한다.

3) 합병증

내시경수술이나 비내 사골동절제술에 비해 중대한 합병증은 적지만 시신경 손상으로 인한 시력소실, 두개저부 관통으로 인한 뇌척수액비루 등이 올 수 있다. 그 외에도 안와주위부종, 안구함몰, 내안각인대 손상으로 인한 원안각(telecanthus), 활차 손상으로 인한 복시 등의 안와 합병증이 나타날 수 있다.

위쪽 절개를 너무 외측까지 가하면 안와상신경(supraorbital nerve)과 활차상신경(supratrochlear nerve)이 손상되어 전두부의 감각저하나 무감각이 올 수 있다.

절개부위의 반흔은 대개 문제가 되지 않으나 절개 위치가 잘못되었거나 미숙하게 봉합한 경우 내안각 변형이나 반흔이 생길 수 있다.

전두와나 전두동 하벽의 점막을 제거하였을 때 반흔조직으로 인한 전두와의 협착으로 전두동염이나 점액낭종이 발생할 수 있다.

3. 경상악동 사골동절제술 (Transantral ethmoidectomy)

약물치료에도 호전되지 않는 상악동 및 사골동의 염증성 질환에서 Caldwell-Luc 수술과 연계하여 사골동절제술을 시행할 수 있다. 그 외에 안와감압술, 이물이나 양성 종양의 적출 등에 이용할 수 있다.

먼저 Caldwell-Luc 수술을 시행한 후 구상돌기를 제거하고 상악동 자연구를 넓혀 안와의 내하벽과 상악동 내벽 사이로 넓은 시야를 확보한 다음 겸자를 이용하여 후사골포를 개방한다. 외측으로는 지판, 내측으로는 중비갑개를 경계로 하여 후사골봉소를 모두 제거한 다음 뒤에서 앞쪽으로 절제를 계속한다. 중사골봉소와 후사골봉소로는 직접적인 접근이 가능하나 전사골봉소, 특히 비제봉소, 전두와봉소나 안와상봉소는 잘 보이지 않으므로 비내 접근법으로 제거한다.[18] 술 후 처치나 합병증은 비내 사골동절제술에서와 같다.

III 접형동 수술

접형동에만 국한된 병변은 비교적 드물지만 비용을 동반한 접형동염, 진균성 접형동염, 점액낭종, 종양 등이 발생할 수 있다. 급·만성 염증성 질환의 경우 접형동에만 국한해 발생하는 경우는 드물며 대개 사골동염 등 다른 부비동의 염증을 동반한다. 이런 경우 접형동절제술은 대개 사골동절제술 후 시행하는 마지막 단계의 수술이 된다.

접형동을 수술하기 위한 접근법에는 여러 가지가 있다. 최근에는 내시경을 이용하여 사골동절제술 후 접근하거나 혹은 상비도를 통해 직접 접형동의 전벽을 제거하며 접근하지만 과거에는 비내 사골동절제술 후, 경상악동 사골동절제술 후, 또는 비외 사골동절제술 후 접형동에 접근하였다. 그 외에도 뇌하수체종양의 경우 이용되는 경비중격접근법(transseptal approach)과 경구개접근법(transpalatal approach), 하측두와접근법(infratemporal fossa approach) 등이 있다.[11]

1. 비내 접형사골동절제술 (Intranasal sphenoethmoidectomy)

국소 혹은 전신마취하에 두 눈을 항상 관찰할 수 있도록 노출된 상태로 준비한다. 접형동에만 국한해 발생하는 염증성 질환은 드물고 대개 사골동에도 염증이 동반되므로 비내 사골동절제술에서 기술한 바와 같이 전·후 사골봉소를 제거한다.

사골봉소를 모두 제거하고 나면 가장 뒤에 있는 사골봉소의 내하방에서 접형동의 전벽이 노출된다. 이 부위에서 전벽을 뚫고 접형동으로 들어가 자연구 쪽으로 구멍을 넓힐 수도 있고 반대로 상비도를 통해 자연구를 찾아 이곳에서부터 넓힐 수도 있다. 접형동의 자연구는 상비갑개 후단의 내상방에 비중격에서 외측으로 수 mm 이내에 위치해 있다. 접형동의 자연구 및 전벽에 대한 시야가 좋지 않을 경우에는 중비갑개 및 상비갑개의 후단을 절제하기도 한다.

일단 접형동을 개방하면 Kerrison 골겸자를 이용하여 전벽의 구멍을 넓힌다. 자연구는 두개기저부로부터 평균 5 mm 이내에 위치하기 때문에 자연구보다 상방으로 골벽을 제거하는 것은 위험하며 주로 내측과 하방으로 넓힌다. 하방으로 넓힐 때 전벽을 가로지르며 주행하는 접형구개동맥(sphenopalatine artery)의 비중격분지(septal branch)를 조심해야 하며, 이 동맥을 손상한 경우 출혈이 심하므로 전기소작이나 팩킹으로 지혈한다.[11]

넓은 수술창이 확보되면 접형동 내의 병변을 제거한다. 상벽인 접형골평면(planum sphenoidale)이 손상되면 전두개저의 경막이 노출되며, 이보다 후방에는 터키안이 있으므로 손상을 주지 않도록 주의해야 한다. 상층벽에는 시신경이 통과하는 시신경관이 있으며 때로 시신경관의 골 결손으로 시신경이 접형동 내에 노출된 경우도 있다.

측벽에는 내경동맥, 해면정맥동, 외전신경, 동안신경, 활차신경 등과 삼차신경의 분지가 위치해 있다. 특히 함기화가 잘 된 경우 내경동맥이 접형동 내로 돌출된 융기부를 볼 수 있으며 약 25%에서 이 융기부의 골벽이 얇거나 결손되어 있기 때문에 극도로 주의해야 한다.

접형동에만 병변이 국한된 경우에는 사골동을 통하지 않고 상비도를 통하여 간단하게 접형동절제술을 시행할 수 있다. 중비갑개의 후단을 절제하면 상비갑개와 그 내측의 자연구가 관찰된다. 자연구에서 내하방으로 구멍을 크게 넓히고 접형동 내의 병변을 제거하면 된다.

수술이 다 끝나면 출혈이 없는지 확인하고 팩킹을 한다. 1~2일 후 팩킹을 제거한 다음 매일 생리식염수로 비강을 세척하고 2~3일 간격으로 분비물, 가피, 혈괴 등을 제거해준다.

합병증으로 접형구개동맥, 내경동맥, 해면정맥동 등의 손상으로 인한 출혈, 내경동맥-해면정맥동누공, 안구후혈종(retrobulbar hematoma) 등이 발생할 수 있다. 또 시신경 손상으로 인한 시력소실, 동안신경, 활차신경, 외전신경 등의 손상으로 인한 복시가 올 수 있으며 그 외에도 두개저부 손상으로 인해 뇌척수액비루, 뇌막염 등의 합병증이 발생할 수 있다.

2. 경상악동 접형사골동절제술 (Transantral sphenoethmoidectomy)

최근 내시경수술의 발달로 Caldwell-Luc 수술을 시행하는 예가 드물어 거의 이용되지 않는 방법이나 범발성 부비동염에서 Caldwell-Luc 수술을 시행할 때 상악동을 통하여 사골동과 접형동의 병변을 제거하는 술식을 이용할 수 있다.[29]

견치와를 통하여 상악동을 개방하고 병변을 제거한 다음 구상돌기를 제거하고 상악동 자연구를 넓혀 안와내벽과 상악동 내벽 사이로 넓은 시야를 확보한다. 외측으로는 지판, 내측으로는 중비갑개를 경계로 하여 후사골봉소를 모두 제거한 다음 접형동을 개방하고 병변을 제거한다. 그 다음 뒤에서 앞으로 향하며 전사골봉소를 제거한다.

상악동을 통하여 접근하기 때문에 비강을 통하는 내시경수술에 비해 접형동의 외측벽에 대한 시야가 좋지 않으므로 주의한다.

3. 비외 접형사골동절제술 (External sphenoethmoidectomy)

비외 사골동절제술의 연장으로 사골동절제술 후 접형동에 병변이 있으면 끌, 드릴 혹은 Blakesley 겸자를 이용하여 접형동의 전벽을 개방하고 조심스럽게 병변을 제거한다. 최근에는 내시경수술이 도입되어 이 술식은 거의 시행되지 않으나, 시야가 좋고 지판과 접형동의 상벽을 포함한 두개기저부를 확인하며 수술할 수 있기 때문에 매우 안전한 술식이다.

Ⅳ 전두동 수술

전두동은 비강을 통해 접근하기 가장 어려운 부비동으로, 19세기 말부터 다양한 비외접근을 통한 수술기법이 소개되고 개발되어 왔으며 아직도 이 술식이 널리 이용되고 있다. 최근에 많이 시행하는 내시경수술로 전두동의 병변을 모두 제거하기는 어려우며, 전두와(frontal recess)의 복잡하고 다양한 해부학적 특성 때문에 전두와를 넓게 개방하는 것이 매우 어려워 전두와가 폐쇄되고 전두동 병변이 재발하는 예가 많다. 또 부비동염의 합병증으로 전두골의 골수염이나 뇌막염, 경막하농양, 뇌농양 등 두개내 합병증이 발생하였을 때는 내시경수술보다는 비외접근을 통한 전통적인 수술이 더 적합하다. 따라서 전통적인 수술의 개념을 이해하고 수술수기를 숙지해야 한다.

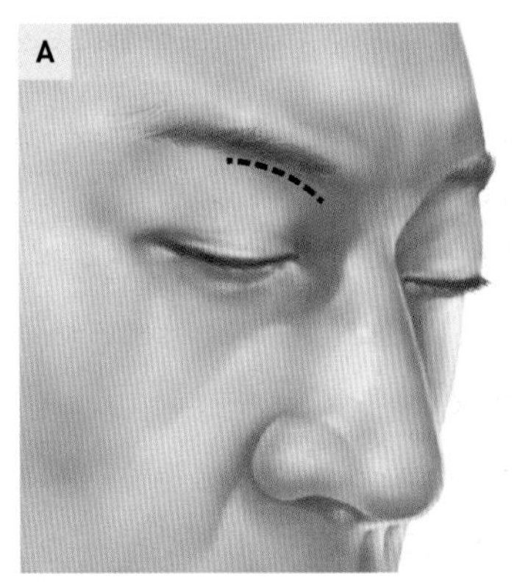

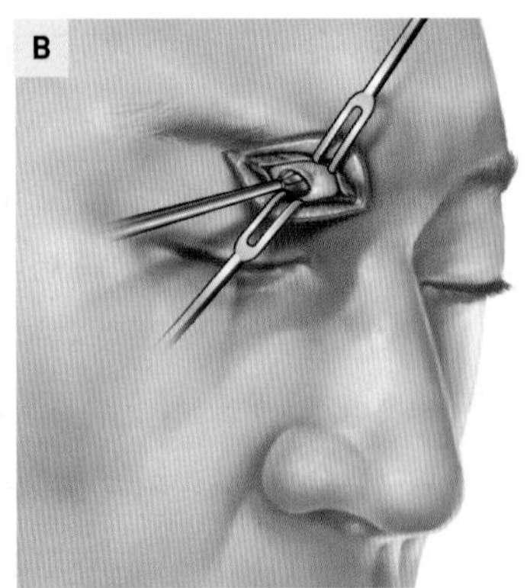

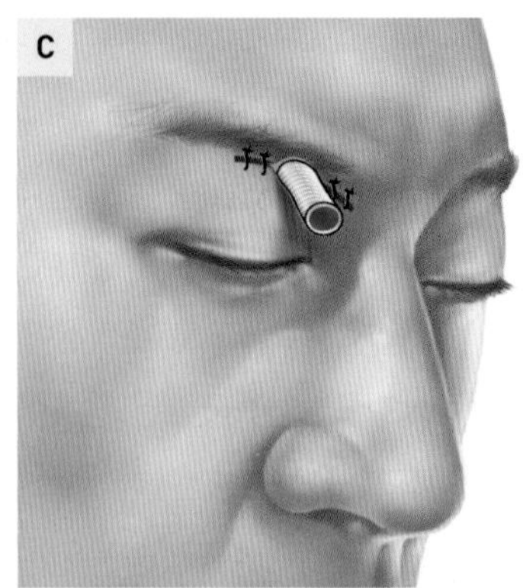

■ 그림 23-5. **전두동천공술.** **A)** 절개선, **B)** 전두동의 바닥에 드릴로 구멍을 낸다. **C)** 배액관을 삽입하고 봉합한다.

1. 전두동천공술(Frontal sinus trephination)

1) 적응증

전두동에 대한 수술 중 가장 오래된 수술로 항생제가 개발되기 전 전두동염의 치료에 가장 널리 이용되던 방법이다.[12,17] 최근에는 항생제와 점막수축제 등 약물치료를 해도 호전되지 않는 급성 전두동염이나 만성 전두동염이 급성 악화되었을 때 농을 배액시켜 점막의 괴사, 골수염, 두개내 합병증 등이 발생하는 것을 방지하기 위하여 시행한다. 48시간 동안의 약물치료에도 통증이나 안와주위부종이 지속되거나 염증이 진행되면 이 수술을 시행하며, 안와합병증이나 두개내 합병증의 초기에 더 이상의 진행을 막기 위해 다른 수술을 하기 전에 우선적으로 시행하기도 한다.[42] 그 외에 전두동 내의 내용물에 대한 균배양검사나 조직생검에 이용되기도 한다. 또 전두동에 대한 내시경수술을 할 때 비강 쪽에서 전두와를 쉽게 찾을 수 없거나 전두동의 병변을 제거하기 어려울 때에는 전두동천공술을 함께 시행하면 많은 도움을 받을 수 있다.[6,47]

2) 수술방법

이 수술은 국소 혹은 전신마취하에서 모두 시행할 수 있지만 전신마취가 더 선호된다. 일시적인 검판봉합술을 시행하여 눈을 보호한 다음 1% lidocaine과 1:100,000 epinephrine을 섞은 용액을 주사한다. 눈썹의 내측 1/4 부위에서 가장 아래에 있는 눈썹을 따라 1~2 cm 길이의 절개를 가한다(그림 23-5A). 눈썹의 모낭을 따라 비스듬하게 경사를 주어 절개하며 피하조직과 안륜근(orbicularis oculi muscle)을 지나 골막에까지 이르도록 한다. 그 다음 골막을 절개하고 골막기자를 이용하여 골막을 박리하여 전두동벽을 노출한다.

드릴이나 끌로 전두동 바닥의 앞쪽에 6~10 mm 크기의 구멍을 낸 다음 분비물을 채취하여 균배양검사를 한다(그림 23-5B). 모든 분비물을 제거한 다음 항생제를 섞은 따뜻한 생리식염수로 세척한다. 때로 전두와를 통한 배액에 도움을 주기 위하여 세척액에 점막수축제를 혼합하기도 한다. 최근에는 내시경을 넣어 전두동 내부를 관찰하고 필요한 경우 전두와가 잘 열려 있는지 확인하기 위하여 색소를 넣고 비강 내로 흘러나오는지 관찰하기도 한다. 만일 방사선검사에서 반대측 전두동에도 혼탁이 있으면 전두동 중격의 아래 부위에 구멍을 뚫어 같이 배액되도록 한다.

천공부위를 통해 1, 2개의 배액관을 넣어두고 절개 가장자리에 봉합해놓은 다음 골막, 피하조직, 피부를 차례로 봉합한다(그림 23-5C). 수술 후에도 항생제를 포함한 생리식염수로 배액관을 통해 적어도 하루에 4회 이상 주기적으로 세척하며 배액되는 내용물이 깨끗해지고 전두와를 통해 잘 빠져나오면 배액관을 제거한다. 균배양검사 결과에 따라 항생제를 선택하여 투여하고 전두와를 통한 배액을 돕기 위하여 국소 점막수축제를 비강 내에 분무한다.

3) 합병증

절개할 때 활차상신경이나 안와상신경을 손상하면 전두부의 감각저하나 무감각이 올 수 있으며 안와골막을 박리할 때 활차의 손상으로 인한 복시가 발생할 수 있다. 급성기의 염증 상태에서 수술하기 때문에 전두골의 골수염을 일으키거나 골수염을 오히려 악화시킬 수 있으며 전두동 후벽에 손상을 준 경우 경막의 열상, 뇌척수액 유출, 뇌막염, 뇌농양 등 두개내 합병증이 발생할 수 있다. 그 외에도 수술 중 전두와 주변을 손상한 경우 전두와의 폐쇄로 인한 만성 전두동염을 유발할 수 있다.

2. Riedel 수술

항생제가 개발되기 전에는 전두동에 심한 비가역적인 질환, 특히 급성 염증이 진행되고 있는 경우에 보다 더 근치적인 수술이 필요했고, 1898년 Riedel이 가장 근치적인 전두동수술을 기술하였다.[12,17]

전두동의 전벽과 하벽을 완전히 제거하고 점막을 제거한 다음 이마의 피부를 후벽에 닿도록 하여 전두동을 완전히 없애버리는 술식은 오늘날까지 존재하는 수술 중 염증 질환에 대한 가장 안전하고 확실한 방법으로(그림 23-6A), 지금도 전두동의 배액수술과 전두동 폐쇄술에 모두 실패한 경우나 전벽의 골수염이 있는 경우에 이용할 수 있는 수술방법이다.[35] 그러나 미용학적으로 심한 기형을 남기기 때문에 최근에는 전벽 전체에 병변이 있는 경우를 제외하고는 시행하지 않는다. 또 외상을 받았을 때 완충작용을 하는 전벽이 없기 때문에 뇌손상의 가능성이 높아진다는 단점이 있다.[12]

수술은 눈썹절개(eyebrow incision)나 관상절개(coronal incision)를 통해 이루어진다. 눈썹의 내측 2/3 부위에서 가장 아래에 있는 눈썹을 따라 절개를 가하기 시작하여 내안각과 비배부 사이의 중간 지점까지 다다르는 곡선의 절개선을 만든다. 피하조직과 안륜근을 통해 골막까지 절개를 가한 다음 골막을 절개하고 전두동 전벽을 노출한다.

Kerrison 골겸자를 이용하여 전벽을 완전히 제거한다. 전두동과 안와 사이에 사골봉소가 있으면 함께 제거한다. 후벽이 골수염으로 인해 괴사되어 있으면 경막을 박리하고 모두 제거한다. 경막을 박리할 때에는 찢어지지 않도록 주의하며, 만일 뇌척수액이 유출되면 경막을 봉합하고 새지 않도록 완전히 밀폐한다. 뼈를 완전히 제거한 후에는 가장자리를 드릴로 깨끗하게 다듬는다. 그 다음 이마의 연조직을 안으로 밀어 넣어 후벽에 닿도록 대어준다. 절개부위를 순서대로 봉합하고 연조직이 후벽에 잘 부착될 수 있도록 거즈로 압박 드레싱을 한 다음 3일 이상 유지한다. 최근에는 이 술식으로 인한 이마의 기형을 교정하기 위해 약 12개월 후 두개성형술을 시행하기도 한다.

3. Killian 수술

1903년 Killian은 Riedel 수술에 따르는 심각한 기형을 줄이고자 약간 변형된 술식을 소개하였다.[12,17] 이 수술은 Riedel 술식과 마찬가지로 전두동의 바닥과 전벽의 대부분을 제거하나 수술 후 기형을 줄여주기 위해 전벽의 아래쪽, 즉 안와상연(supraorbital rim)에 약 1 cm 높이의 턱을 남긴다(그림 23-6B). 그러나 이로 인해 전두동의 아래 부분이 완전히 폐쇄되지 않을 수 있으며 안와상연의 턱이 괴사되는 경우 Riedel 수술과 마찬가지로 심한 기형을 초래한다.[17]

4. Lothrop 수술

Riedel 수술이나 Killian 수술 시 전벽의 제거로 인한 안면 기형이 문제가 됨에 따라 많은 의사들이 비전두관을 통해 비강 내로 배액시키는 수술을 고안하게 되었다. 1908년 Knapp은 안와내벽을 통해 접근하여 사골동절제술을 시행하고 전벽은 그대로 둔 채로 전두동 내의 병적 점막을 제거하고 비전두관(nasofrontal duct)을 넓히는 수술을 시행하였다. 그러나 비전두관이 다시 좁아져 재발하는 예가 많았다. 1914년 Lothrop은 이 문제를 해결하기 위해 비전두관을 최대한으로 넓히는 수술을 고안하였다.[12,17]

그는 사골동절제술을 시행하고 비전두관 주위의 전두동 바닥을 대부분 제거한 다음 양측 전두동 사이의 중격을 제거하고 중비갑개와 함께 비골과 접한 비중격의 상부를 제거하여 양측 전두동과 비강 사이에 넓은 통로를 만들어주었다(그림 23-6C). 이 술식은 기술적으로 약간의 어려움이 있지만 양측 전두동에 질환이 있고 전두동이 전후로 깊을 때에는 효과적인 치료방법이 될 수 있다.

최근에는 같은 개념의 수술이 내시경을 이용하여 시행되고 있다.[15] 이러한 내시경 Lothrop 수술은 각종 전두동 질환뿐만 아니라 전두동폐쇄술 후 재발한 경우에도 치료 성공률이 높다.[45]

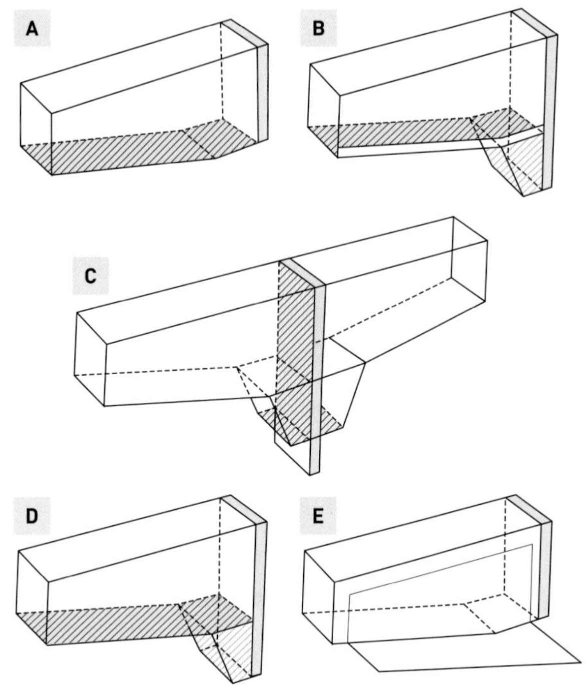

■ 그림 23-6. **전두동 수술방법의 모식도.** **A)** Riedel 수술, **B)** Killian 수술, **C)** Lothrop 수술, **D)** Lynch 수술, **E)** 골성형 전두동폐쇄술

5. Lynch 전두사골동절제술(Frontoethmoidectomy)

비외접근으로 사골동절제술과 함께 중비갑개를 절제하고 전두동의 바닥을 모두 제거한 다음 비강과의 교통을 유지하기 위해 스텐트를 삽입하는 이 술식은 1921년 Lynch가 처음으로 기술하였으며 다음해 Howarth가 환자의 증례를 보고하면서 널리 유행하게 되었다(그림 23-6D).[12,17,42]

1) 적응증

이 수술은 과거 전두동에 대해 흔히 시행하는 수술 중 하나였으나 최근에는 내시경수술의 발달로 시행 빈도가 점차 줄어들고 있다.

최근에는 급성 전두사골동염으로 인하여 안와 합병증이나 두개내 합병증이 발생한 경우, 범발성 폴립증에서 이전의 수술로 해부학적 지표를 알 수 없는 경우, 내시경으로 접근하기 어려운 점액낭종이나 농류(pyocele) 등의 치료에 적응된다. 그 외에도 전두동 및 사골동에 발생한 골종(osteoma)이나 양성 종양의 절제, 뇌척수액비루의 처치 등에 이용할 수 있다.

2) 수술방법

전신마취하에서 일시적인 검판봉합술을 시행하여 눈을 보호한 다음 눈썹의 내측 1/3에서 시작하여 내안각과 비배부의 중간 지점을 통과하여 이 지점에서 약 1 cm 하방까지 다다르는 곡선 혹은 W자 모양의 절개를 가한다. 인각혈관을 묶거나 전기소작한 다음 골막에 절개를 가한 후 상악골의 전두돌기, 전두골, 누낭와 등으로부터 골막을 박리한다. 누낭을 앞쪽으로 견인한 후 안와골막을 박리하여 지판과 전두동 바닥을 노출한다.

안와조직을 견인하면서 전두사골봉합선에 있는 전사골동맥을 찾아 결찰하거나 전기소작한 다음 계속 뒤쪽으로 박리하며 후사골동맥을 넘지 않도록 한다.

지판 혹은 후누릉을 통해 사골봉소를 개방한 후 비외사골동절제술에서 기술한 바와 같이 사골동절제술을 시행한다. 그 다음 전두사골봉합선보다 위쪽에 남아 있는 안와내벽을 제거하여 시야를 좋게 한 후 전두와 주변의 바닥을 모두 제거하여 넓게 개방한다. 반대측에도 병변이 있을 때에는 전두동 사이의 중격을 제거해주기도 한다. 그 후 바닥을 통해 전두동의 병변을 제거한다. 그러나 바닥을 통해 전두동 점막을 모두 제거하기가 어렵고 점막을 모두 제거한 경우 비정상적인 점막으로 덮여 재발의 원인이 될 수 있기 때문에 점막을 가능한 한 많이 보존하는 것이 좋으며 특히 전두와 부위의 점막은 협착을 막기 위해 반드시 보존해야 한다.

3) 합병증

이 수술의 가장 흔한 합병증은 전두와의 협착으로 전두동염이 재발하거나 후에 점액낭종이 발생하는 것이다.[17] 따라서 수술의 성공은 전두동과 비강 간의 소통을 잘 유지하는 것에 달려있다. 이 문제를 해결하기 위해 많은 연구자들이 고무관, dacron tube, silastic tube, silastic sheet 등 다양한 소재의 스텐트를 삽입하였다.[2,34] 그러나 3~5개월 이상 유치해도 제거 후 다시 좁아지는 경향이 있었으며 주변의 점막이 정상적인 호흡상피로 덮이는 경우는 드물었다. 따라서 점막이 벗겨진 부위에 피부나 점막을 이식하거나 점막피판을 만들어 덮어주는 방법이 고안되었다. 1935년 Sewall과 1936년 McNaught가 비중격 점막피판을 이용하여 비전두관을 재건하는 방법을 보고한 이후, 여러 종류의 점막피판이 변형되고 발전되어 널리 이용되고 있다.[4,10,12,33] 그러나 이 방법도 결과가 항상 성공적이지는 않았다. 전두와의 협착을 방지하기 위해 가장 중요한 것은 수술 시 전두와 부위의 점막을 최대한 보존하는 것이다.

6. 골성형 전두동폐쇄술(Steoplastic flap operation with obliteration)

내시경수술로 처리할 수 없는 전두동 질환의 수술 중에서 가장 효과적이고 널리 이용되는 방법으로서, 골성형 피판을 만들어 점막을 모두 제거하고 지방조직으로 전두동을 폐쇄하는 술식이다(그림 23-6E). 골성형피판술은 1894년 Schonborn과 1895년 Brieger가 처음으로 보고한 이래 1세기 이상을 거쳐 오면서 수술방법이 많이 교정되고 변형되었다.[12] 전두동폐쇄술이 성공하기 위해서는 모든 전두동 점막과 내벽의 피질을 제거해야 하며, 비전두관을 영구적으로 막아야 하고, 적절한 물질을 선택하여 전두동을 폐쇄해야 한다.[32] 이 중 가장 논란이 많았던 것은 점막을 모두 제거한 후 전두동을 폐쇄할 것인가, 폐쇄한다면 어떤 물질을 사용할 것인가, 또 자가조직이 아닌 이물질도 이용할 수 있는가 등이었으며 아직도 논쟁이 계속되고 있다.

동물실험과 임상경험을 통해 모든 점막이 제거된 전두동은 섬유조직과 신생골의 생성으로 막히기 때문에 전두동을 폐쇄할 필요가 없다고 주장하는 사람도 있었으나,[27] 일반적으로 전두동을 폐쇄하지 않았을 때 재발을 포함한 합병증의 빈도가 많기 때문에 점막을 모두 제거한 경우에는 폐쇄하는 것이 원칙으로 받아들여지고 있다.

전두동을 폐쇄할 때 이용하는 물질로 자가지방, pericranial flap, 혈병(blood clot), 해면골, 혈장, 섬유소, 합성 교원질 등과 gelfoam, plaster of paris, silastic, teflon paste, paraffin, proplast, methyl methacrylate, acrylic plates, bioactive glass 등의 이물질이 이용되어 왔으나,[12,31] 이 중 자가지방이 가장 널리 이용되고 있다.

이식된 지방조직은 수일 내에 전두동 내벽으로부터 혈관이 재생되어 혈류를 공급받게 되는 것으로 알려져 있다. 잘 이식된 지방조직은 감염에 대한 저항력이 있고 신생골 생성을 억제하며 전두와로부터 점막이 자라 들어오는 것을 방지한다. Montgomery 등은 고양이를 이용한 실험에서 이식한 지방의 약 85%가 흡수되지 않고 남아 있음을 보고하여 지방조직의 우수성을 주장하였다.[30] 반면 Weber 등은 지방조직으로 전두동폐쇄술을 시행한 환자에서 MRI로 추적조사한 결과 이식된 지방조직의 반감기는 15.4개월이었고 2년 후에는 반 이상의 환자에서 20% 이하만이 남아있음을 관찰하여 이식된 지방조직은 시간이 경과함에 따라 대부분 괴사되고 섬유조직으로 대치된다고 하였다.[44] 그러나 전두동을 폐쇄하는 데 자가지방에 견줄만한 물질이 없기 때문에 이식 후 괴사를 줄이기 위해 지방을 채취할 때 가능한 한 지방조직이 덜 손상되도록 큰 덩어리로 떼어내며, 건조되지 않은 신선한 조직을 사용하는 것이 좋기 때문에 사용 직전에 채취하는 것이 바람직하다.[32]

1) 적응증

내시경수술, 전두동천공술, 전두사골동절제술 등의 치료에도 불구하고 잘 치유되지 않거나 재발한 경우에 적응되며 전두동염에서 안와 합병증이나 두개내 합병증, 골수염 등이 병발했을 때에도 적응된다. 그 외에 전두동에 발생한 점액낭종, 농류, 골종, 섬유성 이형성증(fibrous dysplasia) 등과 전두동 골절의 치료에도 이용될 수 있다.[3,32]

2) 수술방법

수술 전에 6피트 거리에서 촬영한 Caldwell 촬영사진을 이용하여 전두동의 주형을 만들어 소독해놓는다. 전신마취하에서 앙와위를 취하게 한 다음 관상절개를 할 경우 모발선으로부터 뒤로 2.5 cm되는 부위까지 머리를 깎고 지방조직을 떼어낸 좌측 하복부를 미리 소독하여 준비해 놓은 다음 눈을 보호하기 위하여 일시적인 검판봉합술을 시행한다.

절개방법에는 눈썹절개(brow incision), 관상절개(coronal incision), 이마 중앙의 주름을 따라 절개를 가하는 방법(mid-forehead incision)이 있다(그림 23-7A).

눈썹절개는 흉터가 남고 전두부에 통증이나 무감각이 올 수 있으나 전두동이 작은 사람, 대머리인 사람에게 적당한 절개방법이다. 눈썹은 깎지 않고 그대로 둔다. 1% lidocaine과 1:100,000 epinephrine 혼합용액을 주사한 후 눈썹의 전장을 따라 절개를 가한다. 대개 가장 아래에 있는 눈썹털을 따라 눈썹털 모낭의 방향으로 비스듬하게 경사를 주어 절개한다. 피하조직과 전두근(frontalis muscle)을 통해 절개하여 골막에까지 다다른 다음 골막은 남겨둔 채로 골막 위의 평면을 따라 박리하여 전체 전두동의 전벽을 노출한다. 양측 전두동에 병변이 있는 경우에는 미간(glabella)을 지나 반대편에 가한 눈썹절개와 연결한다.

관상절개는 넓은 시야를 확보할 수 있기 때문에 전두동이 크고 높을 때에 좋으며 흉터를 감출 수 있어 여자나 머리숱이 많은 남자에서 이용된다. 그러나 대머리에서는 이용할 수 없으며 출혈이 많다. 이개의 전상부위에서 반대측 이개의 전상부위까지 머리카락선보다 약 2 cm 뒤에 모낭이 잘리지 않도록 주의하면서 절개를 가한다. 피부, 피하조직, 전두근, 모상건막(galea aponeurotica)까지 절개한 다음 골막 위의 평면을 따라 안와상연과 미간에 이르기까지 박리한다. 측두근이 있는 외측에서는 측두근막을 남겨둔 채로 박리하여 안면신경의 전두분지가 손상되지 않도록 한다.

이마의 중앙에 주름을 따라 절개하는 방법도 이용할 수 있다. 이 절개방법은 관상절개에 비해 수술시간이 짧고 출혈이 적으며, 눈썹절개에 비해 안와상신경과 활차상신경의 손상이 적으므로 전두부의 감각이 더 빨리 회복될 수 있다.

박리가 끝나면 전두동의 주형을 안와상연에 정확히 맞추고 methylene blue 등을 이용하여 전두동의 경계를 표시한다. 아래쪽의 골막은 그대로 남겨둔 채로 나머지 부위의 골막은 표시된 전두동의 경계보다 0.5~1 cm 밖을 절개한 다음 절개부위에서부터 전두동의 경계보다 약간 안쪽까지 골막을 박리한다(그림 23-7B).

그 다음 드릴을 이용하여 표시된 경계선을 따라 여러 개의 구멍을 뚫는다. 이때 드릴을 안쪽으로 45~60° 정도 기울이는데, 이렇게 하는 이유는 만든 주형의 크기가 실제 전두동의 크기보다 큰 경우에 대비해 드릴이 두개강 내로 뚫고 들어가는 것을 방지하고, 술 후 골성형피판이 전두동 내로 빠지는 것을 방지하기 위해서이다(그림 23-7C).

드릴로 구멍을 뚫은 다음 골전단기나 각진 톱을 이용하여 이들을 연결한다. 안와상연까지 연결하고 골전단기를 이용하여 미간에 골절을 만든 다음 전두동 내로 기구를 넣어 전벽을 앞으로 젖히면 안와상연을 따라 골절되게 된다. 이렇게 하면 골막이 붙어 있어 혈류를 공급받을 수 있는 골성형피판이 만들어지게 된다.

골성형피판을 젖히고 전두동 내부의 병변을 관찰한 다음 양측에 질환이 있을 때에는 격벽을 모두 제거하고 골피판에 붙어있는 점막을 포함한 모든 점막을 제거한다. 간혹 골종의 경우 점막이 정상이고 전두와가 잘 열려 있는 경우가 있는데 이때는 점막을 보존하고 전두동을 폐쇄하지 않을 수도 있다.

모든 점막을 제거한 후에는 확대경이나 수술현미경을 이용한 확대된 시야에서 드릴로 전두동 내벽을 구석구석까지 갈아서 점막을 완전히 제거한다. 내벽을 갈아내지 않고 단순히 점막을 벗겨낸 경우 전두동벽에 있는 foramina of Breschet 부위에 끼어 있던 점막이 다시 자라나 재발할 가능성이 높다.[3] 또 내벽의 피질을 갈아내면 이식되는 지방조직의 혈류공급이 좋아지고 혈관이 잘 자라 들어갈 수 있다. 내벽을 모두 갈아낸 다음 전두와의 점막을 비강 내로 향하도록 반전시키고 근막이나 근육편 혹은 골편을 이용하여 막는다(그림 23-7D).

전두동의 폐쇄에 이용되는 지방조직을 충수절제술의 반흔과 혼동하지 않도록 좌측 하복부에서 떼어낸다. 지방조직을 떼어낼 때에는 전기소작을 하면 안 되고 손상을 최소화해야 생존율이 높아진다. 떼어낸 부위는 지혈한 후 배액관을 넣어놓고 층별로 봉합한다.

전두동의 부피와 같은 정도의 지방을 넣은 다음(그림 23-7E), 골성형피판을 다시 원위치시키고 골막을 봉합한다. 그러나 골성형피판이 불안정하면 철사나 microplate 등으로 고정한 다음 골막을 봉합한다. 출혈이 거의 없으면 배액관을 삽입할 필요는 없으며 층별로 절개부위를 봉합한 다음 가볍게 압박 처치를 한다. 압박 처치는 3~4일 후에 제거한다.

3) 합병증

후벽의 손상으로 인해 경막이 찢어지거나 전두엽의 손상, 뇌척수액비루, 뇌막염 등의 두개내 합병증이 발생할 수 있으며 안와 상벽의 손상으로 복시, 시력감소 등의 안와 합병증이 발생할 수 있다.

안와상신경과 활차상신경의 손상으로 일시적 혹은 영구적인 전두부의 통증, 감각저하 혹은 무감각이 올 수 있는데 이들은 대부분 눈썹절개를 한 환자들이다. 이 중 2/3는 6~12개월 후에 호전되나 1/3은 증상이 영구적으로 남는다.

모든 점막을 제거하지 않은 경우나 전두와를 제대로 폐쇄하지 않은 경우 염증이 재발하거나 점액낭종을 형성할 수 있으며 그 빈도는 6~25%로 보고되어 있다.[1,16,44]

그 외에도 지방조직을 떼어낸 하복부에 혈종, 봉와직염, 농양 등이 발생할 수 있으며 후각소실, 이식된 지방조직의 괴사, 창상감염, 골성형피판의 골수염, 전두근 기능의 손상, 골성형피판의 내함 혹은 비후로 인한 전두부 기형 등의 합병증이 초래될 수 있다.[21]

4) 골성형 전두동폐쇄술과 내시경 Lorthop 수술 비교

내시경 수술이 보편화되고 내시경 수술의 수기 및 장비가 급속히 발전함에 따라 현재는 내시경 Lothrop 수술이 골성형 전두동폐쇄술과 유사한 성공률을 보이면서 보다 적은 수술 관련 이환율을 보인다고 보고되고 있다. 하지만 내시경 Lothrop 수술과 골성형 전두동 폐쇄술은 각각의 특징 및 적응증이 있기 때문에 내시경 Lothrop 수

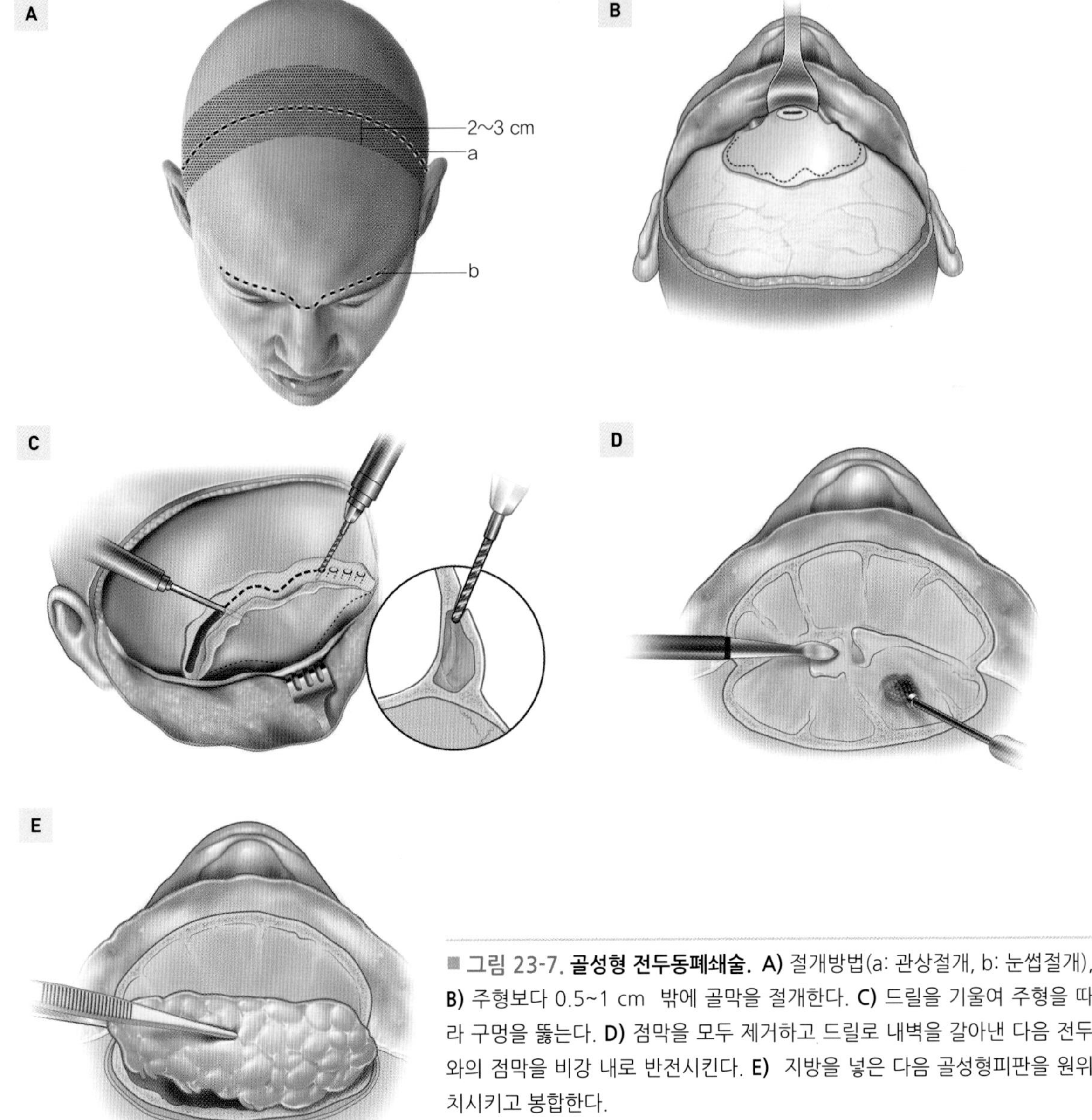

■ 그림 23-7. **골성형 전두동폐쇄술.** **A)** 절개방법(a: 관상절개, b: 눈썹절개), **B)** 주형보다 0.5~1 cm 밖에 골막을 절개한다. **C)** 드릴을 기울여 주형을 따라 구멍을 뚫는다. **D)** 점막을 모두 제거하고 드릴로 내벽을 갈아낸 다음 전두와의 점막을 비강 내로 반전시킨다. **E)** 지방을 넣은 다음 골성형피판을 원위치시키고 봉합한다.

술이 골성형 전두동 폐쇄술을 완전히 대체할 수는 없다. 일반적으로 골성형 전두동폐쇄술을 적용하기 전에 내시경 Lothrop 수술을 먼저 시도해 볼 수 있으며 다른 보존적인 수술에 실패한 경우 그리고 암종 동반이 의심되는 경우에는 골성형 전두동폐쇄술이 완전한 병변의 제거를 위하여 추천된다.[52]

내시경 Lothrop 수술은 전두동의 격벽, 비중격의 상부 그리고 양측 전두동의 바닥을 제거하여 전두동과 비강 사이에 하나의 교통로를 만드는 수술로 대다수 병적인 점막은 활동적 점액섬모 청소능력을 가진 정상점막으로 다시 돌아오기 때문에 전두동 점막을 제거하지 않는다. 따라서 골성형 전두동폐쇄술에 비해 덜 침습적이고 수술시간 및 입원기간이 짧으며 통증이 적고 수혈이 거의 필요없다. 또한 외부 흉터나 두부함몰이 없고 지방으로 전두동을 폐쇄할 필요가 없어 복부 등에 흉터가 생기지 않아 미용적으로 더 우수하면서 수술 후 내시경이나 방사선학적으로 추적관찰하기가 쉬운 장점이 있다. 하지만 수술방법이 어렵기 때문에 부비동내시경수술의 경험이 많은 술자들도 쉽지 않으며 중요한 해부학적인 구조들로 인해서 시야 및 수술 기구의 접근이 제한점이 있다. 또한 전두동의 크기가 아주 작은 경우, 전두동의 전후 길이가 작은 경우, 병변이 측방에 위치하고 있을 때는 일반적으로 내시경 Lothrop 수술을 시행하지 않는다.[39,41,43]

참고문헌

1. Abramson AL, Eason RL. Experimental frontal sinus obliteration: long-term results following removal of the mucous membrane lining. Laryngoscope 1977;87:1066-1073.
2. Amble FR, Kern EB, Neel B, 3rd, et al. Nasofrontal duct reconstruction with silicone rubber sheeting for inflammatory frontal sinus disease: analysis of 164 cases. Laryngoscope 1996;106:809-815.
3. Anand VK, Hiltzik DH, Kacker A, et al. Osteoplastic flap for frontal sinus obliteration in the era of image-guided endoscopic sinus surgery. Am J Rhinol 2005;19:406-410.
4. Baron SH, Dedo HH, Henry CR. The mucoperiosteal flap in frontal sinus surgery. (The Sewall-Boyden-McNaught operation.). Laryngoscope 1973;83:1266-1280.
5. Benninger MS, Sebek BA, Levine HL. Mucosal regeneration of the maxillary sinus after surgery. Otolaryngol Head Neck Surg 1989;101:33-37.
6. Benoit CM, Duncavage JA. Combined external and endoscopic frontal sinusotomy with stent placement: a retrospective review. Laryngoscope 2001;111:1246-1249.
7. Byun JY, Lee JY. Canine fossa puncture for severe maxillary disease in unilateral chronic sinusitis with nasal polyp. Laryngoscope 2013;123:E79-84.
8. Byun JY, Lee JY. Effect of maxillary sinus packing with epinephrine hydrochloride-soaked cotton pledgets on complications after canine fossa puncture. Acta Otolaryngol 2014;134:300-306.
9. Cutler JL, Duncavage JA, Matheny K, et al. Results of Caldwell-Luc after failed endoscopic middle meatus antrostomy in patients with chronic sinusitis. Laryngoscope 2003;113:2148-2150.
10. Dedo HH, Broberg TG, Murr AH. Frontoethmoidectomy with Sewall-Boyden reconstruction: alive and well, a 25-year experience. Am J Rhinol 1998;12:191-198.
11. Donald PJ. Conventional surgery for ethmoid and sphenoid sinusitis. In: Donald PJ, Gluckman JL, Rice DH, editors. The Sinuses. New York: Raven Press; 1995. p.233-46.
12. Donald PJ. Surgical management of frontal sinus infections. In: Donald PJ, Gluckman JL, Rice DH, editors. The Sinuses. New York: Raven Press; 1995. p.201-32.
13. Forsgren K, Fukami M, Penttila M, et al. Endoscopic and Caldwell-Luc approaches in chronic maxillary sinusitis: a comparative histopathologic study on preoperative and postoperative mucosal morphology. Ann Otol Rhinol Laryngol 1995;104:350-357.
14. Gluckman J. Conventional surgery for infection of the maxillary sinus. In: Donald PJ, Gluckman JL, Rice DH, editors. The Sinuses. New York: Raven Press; 1995. p.247-254.
15. Gross CW, Harrison SE. The modified Lothrop procedure: indications, results, and complications. Otolaryngol Clin North Am 2001;34:133-7.
16. Hardy JM, Montgomery WW. Osteoplastic frontal sinusotomy: an analysis of 250 operations. Ann Otol Rhinol Laryngol 1976;85:523-532.
17. Jacobs JB. 100 years of frontal sinus surgery. Laryngoscope 1997;107:1-36.
18. Kimmelman CP, Weisman RA, Osguthorpe JD, et al. The efficacy and safety of transantral ethmoidectomy. Laryngoscope 1988;98:1178-1182.
19. Lang J. Clinical Anatomy of the Nose, Nasal Cavity and Paranasal Sinuses. New York: Thieme; 1989. p.82-84.
20. Lawson W. The intranasal ethmoidectomy: an experience with 1,077 procedures. Laryngoscope 1991;101:367-371.
21. Lawson W, Reino AJ. Management of embossment following the frontal osteoplastic operation. Laryngoscope 1996;106:1259-1265.
22. Lee JY, Lee SH, Hong HS, et al. Is the canine fossa puncture approach really necessary for the severely diseased maxillary sinus during endoscopic sinus surgery? Laryngoscope 2008;118:1082-1087.
23. Lee JY, Baek BJ, Kim DW, et al. Changes in the maxillary sinus volume and the surgical outcome after the canine fossa puncture approach in pediatric patients with an antrochoanal polyp: results of a minimum 3-year follow-up. Am J Rhinol Allergy 2009;23:531-534.
24. Low WK. Complications of the Caldwell-Luc operation and how to avoid them. Aust N Z J Surg 1995;65:582-584.
25. Lund VJ. Inferior meatal antrostomy. Fundamental considerations of design and function. J Laryngol Otol Suppl 1988;15:1-18.
26. Mabry RL, Marple BF. Open maxillary sinus procedures. In: Kennedy D, Bolger W, Zinreich S, editors. Diseases of the sinuses: Diagnosis and Management. Hamilton: BC Decker; 2001. p.383-389.
27. Macbeth R. The osteoplastic operation for chronic infection of the frontal sinus. J Laryngol Otol 1954;68:465-477.
28. Macbeth R. Caldwell, Luc, and their operation. Laryngoscope

1971;81:1652-7.
29. Malotte MJ, Petti GH, Jr., Chonkich GD, et al. Transantral sphenoethmoidectomy: a procedure for the 1990s? Otolaryngol Head Neck Surg 1991;104:358-361.
30. Montgomery WW, Pierce DL. Anterior osteoplastic fat obliteration for frontal sinus: clinical experience and animal studies. Trans Am Acad Ophthalmol Otolaryngol 1963;67:46-57.
31. Moshaver A, Harris JR, Seikaly H. Use of anteriorly based pericranial flap in frontal sinus obliteration. Otolaryngol Head Neck Surg 2006;135:413-416.
32. Murphy J, Jones NS. Frontal sinus obliteration. J Laryngol Otol 2004;118:637-639.
33. Murr AH, Dedo HH. Frontoethmoidectomy with Sewall-Boyden reconstruction: indications, technique, and philosophy. Otolaryngol Clin North Am 2001;34:153-165.
34. Neel HB, 3rd, McDonald TJ, Facer GW. Modified Lynch procedure for chronic frontal sinus diseases: rationale, technique, and long-term results. Laryngoscope 1987;97:1274-1279.
35. Raghavan U, Jones NS. The place of Riedel's procedure in contemporary sinus surgery. J Laryngol Otol 2004;118:700-705.
36. Richtsmeier WJ. Top 10 reasons for endoscopic maxillary sinus surgery failure. Laryngoscope 2001;111:1952-1956.
37. Robinson S, Wormald PJ. Patterns of innervation of the anterior maxilla: a cadaver study with relevance to canine fossa puncture of the maxillary sinus. Laryngoscope 2005;115:1785-1788.
38. Schaefer SD, Close LG. Endoscopic management of frontal sinus disease. Laryngoscope 1990;100:155-160.
39. Scott NA, Wormald P, Close D, et al. Endoscopic modified Lothrop procedure for the treatment of chronic frontal sinusitis: a systematic review. Otolaryngol Head Neck Surg 2003;129:427-438.
40. Seiberling K, Ooi E, MiinYip J, et al. Canine fossa trephine for the severely diseased maxillary sinus. Am J Rhinol Allergy 2009; 23: 615-8.
41. Soyka MB, Annen A, Holzmann D. Where endoscopy fails: indications and experience with the frontal sinus fat obliteration. Rhinology 2009;47:136-140.
42. Terrell J. Primary sinus surgery. In: Cummings C, Fredrickson J, Harker L, editors. Otolaryngology: Head and Neck Surgery. 3rd ed. St Louis: Mosby Year Book; 1998. p.1163-1172.
43. Ulualp SO, Carlson TK, Toohill RJ. Osteoplastic flap versus modified endoscopic Lothrop procedure in patients with frontal sinus disease. Am J Rhinol 2000;14:21-26.
44. Weber R, Draf W, Keerl R, et al. Osteoplastic frontal sinus surgery with fat obliteration: technique and long-term results using magnetic resonance imaging in 82 operations. Laryngoscope 2000;110:1037-1044.
45. Wormald PJ, Ananda A, Nair S. Modified endoscopic lothrop as a salvage for the failed osteoplastic flap with obliteration. Laryngoscope 2003;113:1988-1992.
46. Yarington CT. The Caldwell-Luc operation revisited. Ann Otol Rhinol Laryngol 1984;93:380-384.
47. Zacharek MA, Fong KJ, Hwang PH. Image-guided frontal trephination: a minimally invasive approach for hard-to-reach frontal sinus disease. Otolaryngol Head Neck Surg 2006;135:518-522.

CHAPTER 24

부비동내시경수술

동헌종, 김효열

I 부비동내시경수술의 원리와 발전

1. 기능적 부비동내시경수술(Functional endoscopic sinus surgery)

기능적 부비동내시경수술을 이해하기 위해선 "점액섬모운동(mucociliary transport)"에 대한 이해가 중요하다. Messerklinger는 내시경과 CT를 이용한 연구를 통해 점액섬모운동이 아무 방향으로나 무작위적으로 일어나지 않으며, 자연공을 향해 일정한 방향으로 이루어짐을 관찰하였다. 자연공이 통해있는 개구비도단위가 폴립, 구조적 이상, 부종, 분비물, 염증 등으로 인해 막히게 되면 그 부위에 섬모운동이 감소하거나 멈추게 되고, 결국 점액의 국소저류에 의해 환기와 배농이 장애를 받고 부비동염이 발생하게 된다. 알레르기, 원발성 섬모운동이상증(primary ciliary dyskinesia)과 같은 전신질환 등도 비정상적 점막섬모운동을 초래할 수 있다. Wigand 등은 비가역적인 점막병변을 제거하고 좁아지거나 막힌 개구비도단위를 수술을 통하여 열어줌으로써 상악동과 전두동, 사골동의 배액을 정상화시키게 된다는 것을 주장하였으며 이는 기능적 부비동내시경수술의 이론적 근거가 되었다.[5] 또한 Hopkins rod endoscope 등 비내시경의 발달로 점막의 상태를 직접 확대하여 관찰할 수 있게 되면서, 정상 점막과 비가역적으로 병든 점막을 구분할 수 있게 된 점 또한 부비동내시경수술의 발달에 기여하였다. 1985년 Kennedy가 부비동내시경수술의 이론과 술기를 발표하면서 기능적(functional)이라는 단어를 사용한 이유는 부비동염을 수술할 때 과거와 같이 부비동점막 병변을 직접 제거하는 것이 아니라 부비동의 정상적인 생리기능을 방해하는 개구비도단위를 개방하여 dependent sinus의 정상생리기능인 환기(ventilation)와 배농(drainage)을 복원시키는 수술법임을 강조하기 위한 것이었다(그림 24-1).

또한 점액섬모운동이 부비동의 자연공(natural ostium)을 향하여 일어난다는 관찰을 통해, 중비도에 상악동창을 개방하게 되었으며(middle meatal antrostomy; MMA), 이는 기존의 하비도 개창술(inferior meatal

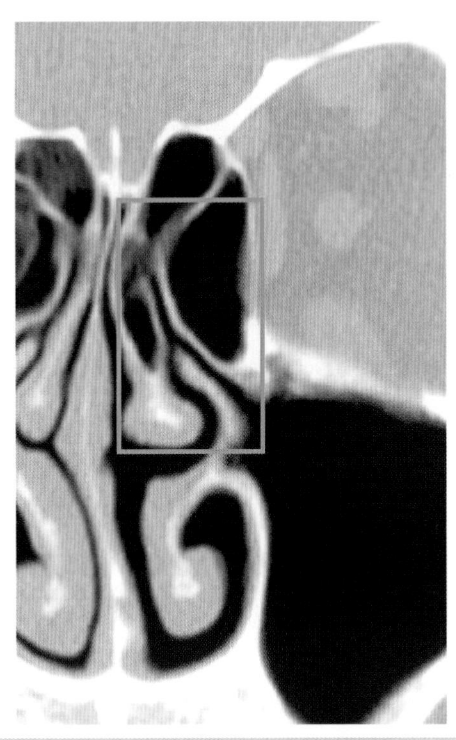

■ 그림 24-1. **개구비도단위(ostiomeatal unit).** 전사골동과 그 주위의 구조물로 이루어지는 좁은 통로이며 전두동, 상악동 전사골동의 점액이 이 개구비도단위를 통하여 배액된다.

antrostomy, IMA)에 비해 더 정상 생리에 가까운 술식으로 받아들여지게 되었다. 즉 기능적 부비동수술이란, 좁은 이행부위(transition space)에 대한 제한적인 접근과 조작을 통해 상악동이나 전두동과 같은 큰 부비동에 대한 직접적인 처치 없이, 자연공을 통한 배출기능을 복원하는 수술방법이라 할 수 있다.

비부비동 염증에 의한 점막의 병변과 점액섬모운동의 이상이 가역적이라는 사실은 부비동내시경수술의 또 다른 이론적 배경이다. Stammberger는 비강에서 부비동에 이르는 이행부위의 병변만 제거한 경우에도, 비가역적으로 판단되었던 부비동 점막이 정상화되는 것을 보고하였으며,[61] 이후 여러 연구자들이 ESS후에 점막섬모운동이 회복되는 것을 보고하였다.[13,25,44] 즉, 점막을 최대한 보존하는 술식이 가역적인 섬모의 기능과 점액섬모운동을 완전히 회복시키는 데에 보다 효과적이라는 것이다. 반면, 전통적인 Caldwell-Luc 수술이나 비강 내 사골동 절제술 등은 이환된 부비동의 점막을 완전히 제거하게 된다. 이런 경우 재생된 상악동 점막은 섬모의 기능과 미세구조에 결함을 보여, 정상 점막보다 기능적으로 열등할 것으로 생각된다. 하지만 이후 만성부비동염의 원인으로서 환자의 점막특성 및 외부환경과의 작용으로 인한 만성적인 점막염증 또한 중요하다는 점이 알려지면서 기능적 부비동내시경수술의 개념은 점차 변화하게 된다.

2. Minimally invasive sinus technique

앞서의 수술법과 같이 개구비도단위를 개방하고 자연공을 충분히 넓혀 환기와 배농을 복원시켜도 부비동병변이 개선되지 않는 경우를 자주 접하게 되면서 수술 후 정상 크기의 자연공보다 크게 만들어진 공동(large hole theory)이 원인이 아닐까하는 의문이 생기게 되었다. 넓어진 개창공은 산소분압의 변화와 림프액 배출 장애를 일으킬 수 있으며 이를 통하여 주변 환경의 여러 물질들(독소, 먼지 등)에 부비동 점막이 직접적으로 접촉하게 되는 문제가 일어날 수 있다. 이에 1996년 Setliff는 새로운 개념인 "small hole theory"를 제안하였다.[56,57] Setliff 등은 정상인에서 부비동의 개구부가 원래 매우 좁고, 수술 후 좁은 상악동 개구부를 보이는 환자에서도 정상적인 부비동을 보이는 점 등의 여러 가지 증거에 근거하여, 좁은 자연공이 발병원인이 아니라 다만 좁은 이행부위(transition space)가 문제가 된다고 주장하였다. 따라서 자연공 자체를 넓히기보다는 자연공 주위의 폐쇄조직을 제거하여 자연공의 기능을 회복시켜야 된다는 것이 "small hole theory"의 개념이다. 이러한 small hole theory의 수술 개념에 부합하는 MIST (minimally invasive sinus technique)는 자연공은 손대지 않고 좁아진 이행부위(구상돌기, 사골포, 상악동 및 전두동 개구부)를 확인하게 되면 이를 powered instrument 등을 이용하여 최소한의 침습적인 방법으로 수술하게 되며 이렇게 만으로도 기존의 기능적 부비동내시경수술과 동일한 성적을 보고하였다. 하지만 MIST와 기능적 부비동내시경수술을 동시에 비교 연구하거나 장기적이고 객관적인 추적관찰이 된 논문은 그다지 발표되지 않았으며, MIST의 효과에 대해서는 회의적인 의견이 우세하다.[10] 이에는 최근의 만성 비부비동염의 병인에 대한 지식이 많이 쌓여옴에 따라 만성 비부비동염이 단순히 개구비도단위 주변의 점막부위의 국한된 병변이 아니라 훨씬 더 복잡한 다양한 원인들, 즉 병변 부위의 골염 및 지속적인 점막의 염증을 일으키는 다양한 요인들에 의해 일어나는 복합적인 원인을 가진 질환이라는 점도 작용한다. MIST 방식은 상악동 입구나 전사골동 등의 개구비도단위에 국한된 병변을 치료하는 데에는 이론적으로는 효과적일 수 있으나, 부비동 전체에 걸쳐서 비용이 형성되어 있는 경우나 접형동, 전두동에 염증이 심한 경우, 또한 심한 호산구성 점액을 동반한 알레르기성 진균성 부비동염 환자의 경우 등에서는 개구비도단위 주변만을 수술범위에 포함시키는 MIST로는 충분한 병변의 제거가 어렵다. 또한 전두와(frontal recess) 주변은 해부학적 변이가 많은 곳으로 frontal cell, supraorbital cell 등을 적절하게 제거하지 않을 경우 전두동의 염증치료가 어려워진다. 또한 기능적 부비동내시경수술을 시행한 이후에는 자연공을 확장하여 상악동을 직접 노출시키게 되므로 상악동에 직접적으로 steroid나 amphotericin 등의 약물들을 투여할 수 있으나, MIST의 경우에는 small hole을 통해 약물이 전달되기 힘들다는 단점이 있다. 따라서 현재 MIST를 시행하는 의사는 거의 보고되지 않고 있으나, 좁은 이행부위를 넓힌다는 small hole theory의 개념은 풍선카테터 부비동확장술(balloon sinuplasty)로 이어지게 된다.

3. 부비동내시경수술(Endoscopic sinus surgery)의 변화

기능적 부비동내시경수술의 발전 초기에는 만성 비부비동염의 병인으로서 부비동의 환기와 배액을 저해할 수 있는 해부학적인 이상이나 감염 등을 고려하였으며, 따라서 전두동, 상악동 등 각 부비동 배액의 공통된 이환 부위인 개구비도단위에 대한 중요성이 강조되었다. 하지만 최근 여러 연구결과에서 바이오필름이나 초항원(superantigen), 곰팡이 등 다양한 외부인자들과 이에 반응하는 인체 내의 지속적인 점막염증반응이나 면역체계의 이상(immune barrier dysfunction)도 중요한 역할을 하는 것으로 보고되고 있다. 따라서 만성부비동염의 분류도 증상의 기간과 용종의 유무만으로 분류하던 표현형(phenotype) 위주의 분류방식뿐만이 아니라 호산구의 증가유무나 특징적인 사이토카인의 정도 등 병태생리학적인 소견도 중시하는 내재형(endotype)의 차이도 중요시되는 방향으로 변화하고 있다.

이러한 상황에서 개구비도단위의 중요성만 강조하는 기존의 기능적 부비동내시경수술의 이론만으로는 치료의 한계를 가질 수밖에 없다. 예를 들어 점막의 염증이 심한 호산구증다형(eosinophilic) 부비동염에서는 술 후에도 점막의 염증이나 부종이 심할 것이므로 자연공의 확장 정도도 그렇지 않은 내재형을 가진 환자에 비해 더 크게 확장하여야 할 것이며, 부비동 내의 병적인 점막이나 사골동 내의 여러 격막(septa)들의 제거도 좀 더 적극적으로 해주어야 재발을 방지할 수 있을 것이다. 따라서 현재 부비동내시경수술(endoscopic sinus surgery)에서 수술의 범위는 염증 정도와 병변의 크기에 따라 달라진다. 모든 환자에서 한 가지 방법의 수술만을 고집하는 것은 논리적이지 않으며 환자의 병변의 심각도나 점막의 성질에 따라 다양한 수술을 시행하여야 한다. 즉 개구비도단위 등 이행부위의 폐색으로 인한 경증의 부비동염에서는 풍선카테터부비동확장술과 같이 자연공 입구 부위를 확장시켜주는 것만으로 충분하다고 생각된다. 하지만 점막의 염증 정도가 심해질수록 부비동 자연공을 좀 더 넓게 열어주고 내부를 관찰 및 세척, 약물 투여가 용이한 부비동내시경수술의 개념이 적절할 것이다. 이보다 더 심한 점막염증이 의심되거나 점막의 변성이 심한 경우에는 endoscopic modified Lothrop procedure나 Caldwell-Luc 수술과 같은 좀 더 적극적인 수술이 필요할 수도 있다. 이와 같이 현재 부비동내시경수술의 개념 또한 앞에서 언급한 바와 같이 단순히 개구비도 부위의 이상을 교정하는 기능적 내시경수술의 초기 개념에서 벗어나 환자 개개인의 특성을 고려한 환자맞춤 치료(personalized tailored treatment)의 개념으로 진화하고 있다.

또한 염증이 심한 내재형의 경우 수술만으로 교정이 힘든 경우가 많으므로 만성비부비동염 수술에 있어 적절한 환자의 선택 및 술 전, 술 후 환자의 처치 등의 중요성이 강조되고 있으며, 수술의 목적도 만성비부비동염의 치료가 아니라 장기적이고 안정적인 부비동염의 관리를 목적으로 변화하게 되었다.

Ⅱ 적응증

부비동내시경수술의 가장 흔한 시행 원인은 내과적 치료로 잘 치료되지 않는 만성비부비동염이다. 특히 적절한 내과적 치료에도 불구하고 증상이 지속되는 용종이 동반된 경우는 수술적 치료가 필요한 경우가 많다. 이 외에도 합병증이 동반된 급성비부비동염, 진균성부비동염, 점액낭종, 누낭비강문합술 등도 수술의 적응증이 되며, 최근에는 부비동 및 주위 구조물에 대한 이해가 증가함에 따라 안와감압술 및 두개저 주위의 병변이나 종양에 대한 수술도 증가하고 있다.

앞에서 언급한 여러 염증성 질환에서 부비동내시경수술이 가장 효과적인 경우는 증상이 심하지만 내시경 수술로써 쉽게 교정할 수 있는 구조적인 이상이 보이는 경우이다. 즉 사골동이나 전두동의 큰 점액낭종의 경우에는 낭종의 크기에 따라 안구통이나 두통을 일으켜 환자들을 괴롭히나, 내시경적 조대술로서 쉽게 교정할 수 있으며 재발률 또한 낮다. 반면 이환 기간 사이에는 특별한 병변이 없는 재발성 급성비부비동염의 경우에는 점막 과민성이나 면역기능의 이상이 동반되어 있는 경우가 많으므로 수술만으로는 교정이 어려운 경우도 많다.

그 외에 두통이나 안면의 통증, 코피 등도 수술의 적응증이 될 수 있다. 두통이 부비동내시경수술의 적응증이 되는지에 대해서는 논란이 많으며, 많은 경우 신경과적인 원인이 관련되어 있는 경우가 많다. 하지만, 부비동의 이상 소견이 관찰되고 코 증상과 두통의 시기적 연관성이 있는 경우에는 두통과 부비동 질환과의 연관성을 의심해 수술을 고려할 수 있다. 코피 또한 대부분의 경우 비중격의 이상이나, 비염, 고혈압 등 다른 원인이 관련된 경우가 많으나 부비동 내에서 기질화혈종(organizing hematoma) 등이 발생한 경우 수술의 적응증이 될 수 있다.

Ⅲ 내시경 수술에 사용되는 기구

1. 내시경

부비동내시경수술은 1960대 광학자인 Harold H Hopkins 교수가 Hopkins rod lens 시스템을 개발하면서부터 급속한 발전을 이루었다. 렌즈와 렌즈 사이가 공기로 차있는 이전의 일반 광학렌즈 시스템과는 정반대로 긴 유리막대 모양의 렌즈(rod lens)와 그 사이의 작은 air space를 이용한 rod optic system은 훨씬 높은 광량의 전달과 높은 화질을 보일 수 있게 되었다(그림 24-2). 주로 사용되는 각도는 0°, 30°, 45°, 70°, 90°이며, 2.7 mm와 4.0 mm 직경의 내시경이 주로 사용된다. 4.0 mm 내시경이 시야가 넓고 밝기 때문에 부비동내시경수술에서 일반적으로 사용되며, 2.7 mm 내시경은 주로 공간이 좁은 소아의 수술에서 주로 사용된다. 0° 내시경이 내시경의 축과 시야의 축이 일치하기 때문에 사용이 편리하여 주로 사골동, 접형동의 수술에서 사용되고 초심자에게 유리한 반면, 30° 내시경은 사골동, 접형동 외에도

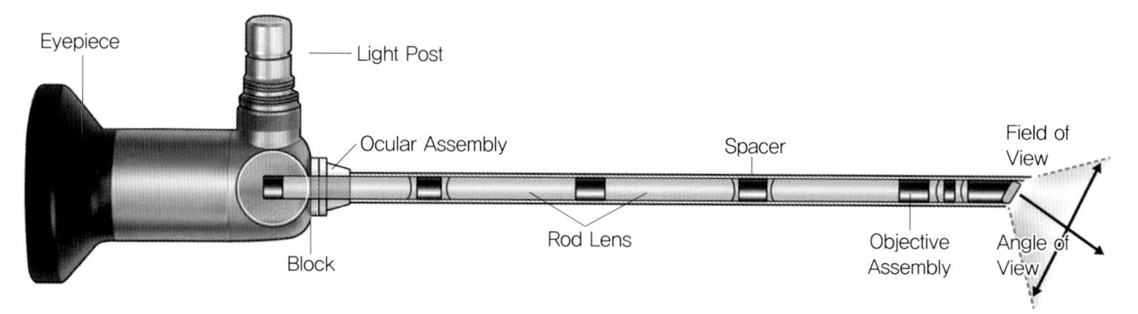

■ 그림 24-2. **홉킨스 rod lens system.** 얇은 렌즈를 이용하는 기존의 광학시스템에 비해 홉킨스에 의해 개발된 이 시스템은 긴 유리 막대 모양의 렌즈를 이용하여 광량의 전달율을 높이고 좋은 화질을 유지할 수 있게 하였다.

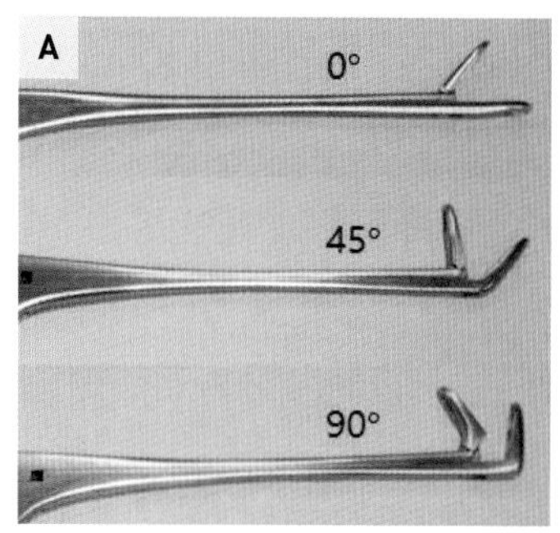

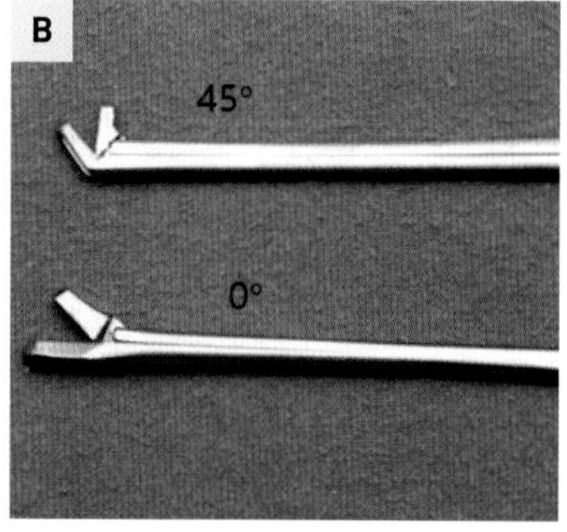

■ 그림 24-3. **A)** 대표적인 그래스핑 겸자인 Blakesley forceps, **B)** 절단겸자인 Gruenwald forceps

상악동 및 전두동, 두개저 부위 등 대부분의 부비동 수술 부위를 관찰할 수 있어 수술 시 잦은 내시경 교체를 피할 수 있는 장점이 있다. 70°, 90° 내시경은 주로 전두동과 상악동 깊은 부위를 관찰할 때 사용되며, 45° 내시경은 광각임에도 시야가 좋고 70° 내시경보다 다루기 쉬워서 30°와 70° 모두를 대체할 수 있다.

수술 시 주의할 점은 내시경을 수술부위에 너무 근접시켜서 관찰을 하게 되면, 전반적인 구조를 확인하지 못해 본인이 수술하고 있는 부위의 위치를 잘 모르게 될 수 있다. 따라서 해부학적 지표를 명확히 하여 정확한 수술 방향을 잡기 위해서는 내시경은 넓은 부위를 확인할 수 있게 어느 정도 거리를 두고 확인하는 것이 좋다.

2. 겸자(Forceps)

내시경 시스템 다음으로 부비동내시경수술의 발전에 중요한 역할을 한 것은 적절한 겸자의 발전이다. 부비동내시경수술의 가장 중요한 원칙 중 하나가 정상적인 점막을 최대한 보존하고 병변 부위만을 제거하며, 골조직을 노출시키지 않는 것이다. 불필요한 점막의 제거 및 골조직의 노출은 수술 후 골염이나 점막의 만성 염증을 야기시킬 수 있으므로 점막을 보존하는 것은 중요하며 이를 위하여는 Blakesley forceps와 같은 cup biting grasping 겸자보다는 Gruenwalt, Matsui 겸자와 같은 절단겸자(through-cutting forceps)의 사용이 권장된다(그림 24-3).

3. Microdebrider

앞에서 설명하였던 겸자를 이용한 방법으로 1990년대 중반까지 수술이 진행되어 왔지만 이러한 겸자들만으로는 병변이 심하여 제거해야 할 조직이 많은 경우 수술 시간이 오래 걸렸고 수술 중 발생한 출혈은 계속적으로 수술

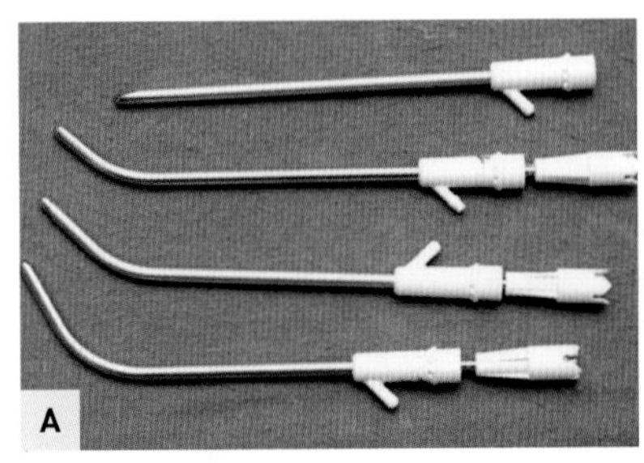

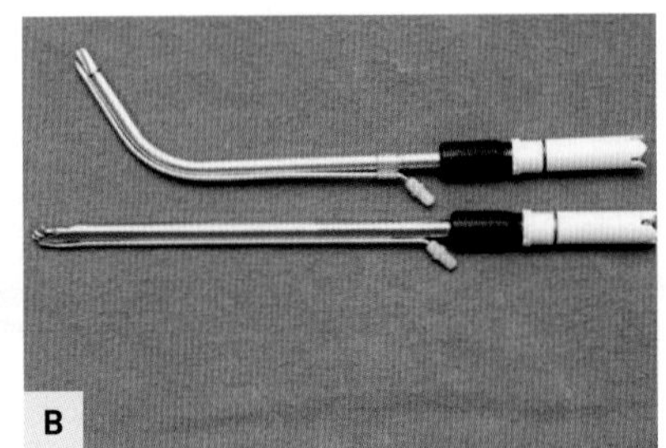

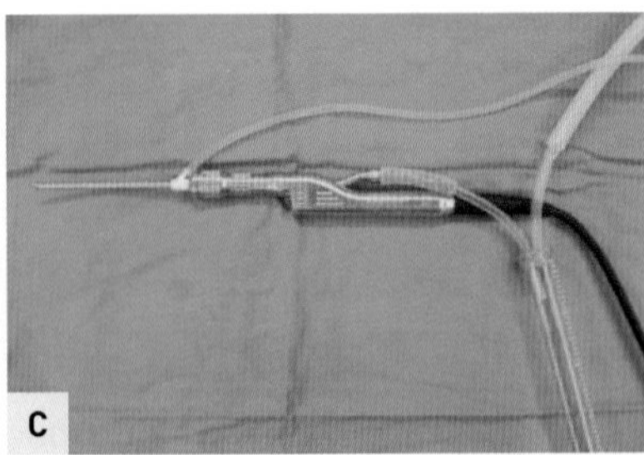

■ 그림 24-4. **A)** Microdebrider blade tip, **B)** drill, **C)** 조직검사를 위한 흡입포획장치(suction trap)을 장착한 모습

시야를 방해하였다. Microdebrider는 계속적인 흡입과 관류(suction/irrigation)를 통하여 빠르고 정확하게 원하는 부위를 절제하고 출혈에 방해 받지 않는 우수한 시야를 확보할 수 있게 하였다(그림 24-4). Microdebrider를 종양 제거 등에 사용할 경우에는 흡입포획장치(suction trap)를 부착시켜 흡인 시 제거될 수 있는 종양조직을 포획하는 것이 필요하다. 포획된 조직은 종양의 종류나 숨어있는 악성종양을 찾아내는 데 도움이 될 수 있다(그림 24-4).[31] 또한 다양한 각도 및 형태의 드릴이 있어 뼈를 제거할 때 사용할 수도 있다.

하지만 수술을 시행하는 의사가 수술부위에 대한 정확한 해부지식이 없거나 주의를 게을리할 경우 microdebrider의 강력하고 정확한 절제기능은 오히려 빠르고 심각한 합병증을 야기시키는 재앙이 될 수 있다 실제로 뇌척수액 비루 및 뇌 손상, 안구골절 및 내직근 손상 등 다양한 부작용이 보고되고 있다.[21] 지판이나 두개저 등 중요한 구조물 주변에서 사용할 때 사용 전 골결손 등이 있는지 반드시 확인하여야 하며 가능하면 cutting tip이 주요 구조물을 향하지 않도록 주의하여야 한다.[18]

Ⅳ 부비동내시경수술의 실제

1. 마취

처음 부비동내시경수술이 도입되었을 때에는 대부분의 의사들이 국소마취를 선호하였다. 이는 중요한 구조물 부위에서 수술 시 환자들이 통증이나 다른 불편감을 호소함으로써 합병증의 위험도를 낮출 수 있다는 장점이 있어서였다. 하지만 최근에는 과거에 비해 수술이 복잡해지고 심한 출혈도 빈번해졌으며, 영상유도 수술 등이 발전함에 따라 전신마취하에서 이루어지는 경우가 많다.

1) 국소마취

먼저 국소마취제를 분무한 후 1~4% lidocaine을 적신 작은 거즈를 하비갑개, 중비도 및 상비도에 삽입하고 5~10분 정도 기다린다. 추가적으로 1:100,000~200,000 epinephrine이 함유된 1~2% lidocaine 용액을 접형구개공(sphenopalatine foramen) 주변의 중비갑개 후단 외측과 사골동맥이 사골동맥관으로 들어가는 부위가 위치한 중비갑개의 전단부와 비강외측벽이 만나는 부위의 상부에 침윤 마취한다. 통상 성인의 경우 lidocaine의 최대 안전 용량은 200 mg 정도이며 따라서 1% 용액의 경우 약 20 ml까지 사용할 수 있으며 epinephrine과 함께 사용하는 경우 20% 정도의 추가 용량까지 사용 가능하다.

국소마취를 이용한 부비동내시경수술은 전신마취에 비해 시간은 적게 걸리며, 통증이나 오심, 구토 등의 합병증의 비율도 전신마취에 같거나 약간 낮은 것으로 보고되었다.[14,17,64] 하지만 국소마취의 효과는 보통 2시간 내로 유지되며, 수술이 장기화될 것으로 예상되는 경우는 전신마취를 시행하는 것이 좋다.

침윤마취제의 부작용에 대해서는 0.08~4%의 환자에

서 수술 중 빈맥, 저혈압, 부정맥 등의 심호흡기계 부작용이 보고되어 있다.[23,37,68] 이중 저혈압과 빈맥이 가장 흔히 관찰되는 부작용으로 특히 halothane과 같은 휘발성 마취제와 같이 사용 시 잘 발생하는 것으로 알려져 있다.[45] 여러 phenylephrine이 위험도가 높은 것으로 알려져 있으며, epinephrine과 oxymetazoline이 상대적으로 안전한 것으로 알려져 있다. 특히 oxymetazoline은 아직까지 부작용이 보고된 바가 없다.[23]

2) 전신마취

전신마취는 국소마취와는 달리 환자의 적극적인 협조가 필요하지 않은 장점이 있어 수술에 두려움을 느끼는 환자나, 소아, 시간이 오래 걸릴 것으로 생각되는 수술에 유리하다.[64] 또한 영상유도수술과 같이 환자의 움직임이 정확도에 영향을 미칠 수 있는 경우에도 도움이 될 수 있다. 최근의 체계적 문헌고찰(systematic review)에 따르면 전정맥마취(total intravenous anesthesia)가 흡입마취에 비해 출혈이 적어 수술 시야가 유의하게 뛰어나다. 전정맥마취는 흡입마취에 비해 전신적인 혈관확장 없이 심박출량(cardiac output)을 줄이는 것으로 보고되었다.[29]

과거에는 수술 중 혈압을 낮추어 출혈을 줄이기 위해 저혈압 약제가 흔히 사용되었으나 sodium nitroprusside와 같은 혈관확장 역할이 강한 약제는 오히려 반응성 빈맥과 이에 따른 심박출량과 출혈량의 증가를 야기시킬 수 있으므로 주의하여야 한다. 특히 노인이나 임산부에서는 저혈압 마취를 시행하지 않으며, 대개 정상혈압의 하한치로 혈압을 유지하는 것으로 충분하다. 또한 부비동내시경수술은 수술 도중 환자의 두위 변환이 잦으므로, 수술 시작 전에 기관내삽관의 위치를 고정하는 것이 좋다. 위장 내로 피가 들어가 발생하는 술 후 구토를 방지하기 위해 구인두를 거즈로 막거나, 비위관(nasogastric tube)을 삽입하기도 한다.

2. 환자의 위치

마취가 진행된 후 환자의 위치는 보통 마취기계로부터 90° 또는 180°로 회전시킨 후 준비를 하게 된다. 모든 부비동수술에 있어 특히 전신마취의 경우는 머리를 올리거나 내리지 않은 보통의 앙와위가 선호되며, 출혈을 줄이기 위해 역 Trendeleburg 자세를 취하고 환자를 테이블에서 술자에 가까운 쪽으로 위치시키는 것이 수술을 진행함에 있어 편리하다. 환자를 앉혀 놓고 수술하는 것은 전신마취하에서는 적합하지 않으나, 간단한 수술일 경우 고려할 수도 있다. 보통 수술포를 감싸기 전에 환자의 코털을 정리하고 혈관수축제를 묻힌 거즈를 코에 미리 팩킹하여 혈관수축 및 마취가 충분히 되도록 하는 것이 좋다. 눈 부위는 안연고를 발라 보호하며 테이프 등을 이용하여 감겨주는 것이 좋다.

3. 전체 비강의 내시경적 관찰 및 수술의 순서

보통 광각 0° 혹은 30° 내시경을 이용한다. 반드시 부드럽게 삽입하여 필요 없이 점막의 열상이나 출혈이 생기지 않도록 한다. 비강의 내시경적 관찰은 체계적으로 시행하며, 특히 중비도와 CT에서 병변이 있는 부위를 주의하여 관찰한다. 양측성 질환인 경우에는 비강이 넓은 쪽부터 수술을 시행하며 필요한 경우 비중격성형술을 시행하고, 다음에 좁은 쪽을 수술할 수 있다.

수술의 순서는 술자마다 다르나 대부분 Messerklinger가 제안한 전방-후방 수술법(anterior-to-posterior)과 이후 Wigand가 주장한 후방-전방 수술법(posterior-to-anterior)을 적절히 조합해서 사용한다. 따라서 일반적으로 구상돌기의 절제 → 상악동 자연공의 확인과 확장 → 사골봉소의 제거 기저판의 확인과 천공 → 후사골동의 확인 및 정리 → 접형동 입구의 확장 및 두개저의 확인 → 후방에서 앞으로 진행하면서 남아있는 사골동 격막의 정리 → 전두동 입구의 확인과 확장 → 노출된 뼈의 제거 및 세척 → 팩킹 순으로 이어지게 된다. 이 중 상악동의 수술은 술자에 따라 전두동 수술을 마치고 난 후 시행하는 경우도 있다.

4. 구상돌기절제

구상돌기는 갈고리 또는 부메랑 형태의 얇은 뼈로 발생학적으로 1st ethmoturbinal의 하부에서 기원한 구조물이며 주위 구조물과는 다양한 형태로 연결되어 있다. 주로 전 상부는 비강의 외측벽인 상악골의 상행돌기(ascending process), 후하방은 하비갑개의 상연과 연결되어 있으며 후내측은 자유연으로 ethmoid bulla와 평행하게 주행하여 2차원적인 반월틈새(hiatus semilunaris)를 형성한다.

부비동내시경수술 시 구상돌기를 절제하는 주된 목적은 개구비도와 상악동의 자연공을 노출시키는 데 있다. 수술 시 구상돌기가 완벽히 제거되지 않으면 상악동의 자연공이 잘 관찰되지 않아 상악동 자연공의 확장에 실패할 수 있으며 또한 남아있는 골편이 노출되어 있을 경우 골염을 야기할 수 있으므로 완벽히 제거하는 편이 좋다.

구상돌기절제는 먼저 구상돌기가 비강 측벽에 부착된 곳을 확인하는 것이 중요하며 상악동 탐침자(maxillary ostium seeker)나 굴곡형 큐렛(J-curette) 등을 이용하여 구상돌기를 가볍게 잡아당겨 보면서 부착부위(uncinate groove)를 확인할 수 있다(그림 24-5).

일반적으로 구상돌기절제는 부착부위의 앞쪽에서 절개를 가하여 제거하는 전방접근법을 사용하나, 구상돌기의 부착부위가 명확하지 않거나 안구손상의 위험성이 높은 경우에는 back-biting forceps를 이용하여 사골누두(infundibulum)에서 앞으로 구상돌기의 부착부위까지 잘라 나오면서 절제를 시행하는 후방접근법을 이용할 수도 있다.

전방접근법은 먼저 부착부위 중 전하부, 즉 구상돌기가 상부에서 내려오다가 하부에서 뒤로 빠지는 부위에 canal knife나 sickle knife 등을 이용하여 절개를 시작한다. 이는 이 부위가 안구와의 거리가 가장 멀기 때문에 안전하게 구상돌기 절제를 시작할 수 있기 때문이다(그림 24-6). 일반적으로 구상돌기의 두께는 1 mm를 넘지 않는 것이 대부분이므로 3~4 mm 이상 깊이 절개하지 않도록 한다. 절개부위를 통해 사골누두가 관찰되는 것을 확인하고 Freer elevator 등을 이용하여 전상방과 후하방으로 절개를 연장시킨다. 이때 Freer elevator 날의 깊이가 너

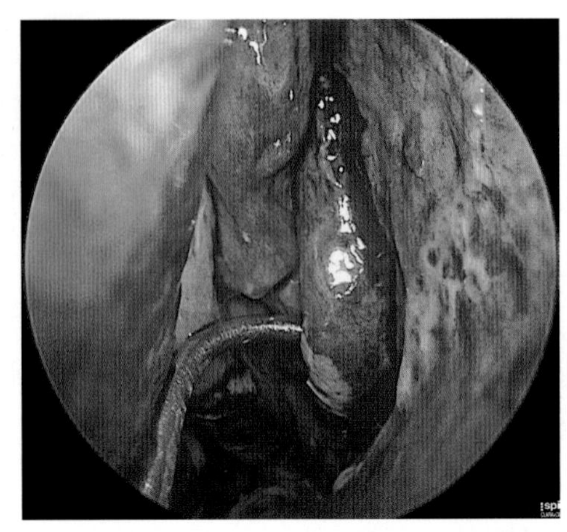

■ 그림 24-5. **Seeker를 이용하여 좌측 비강 구상돌기의 부착부위를 확인하는 모습**

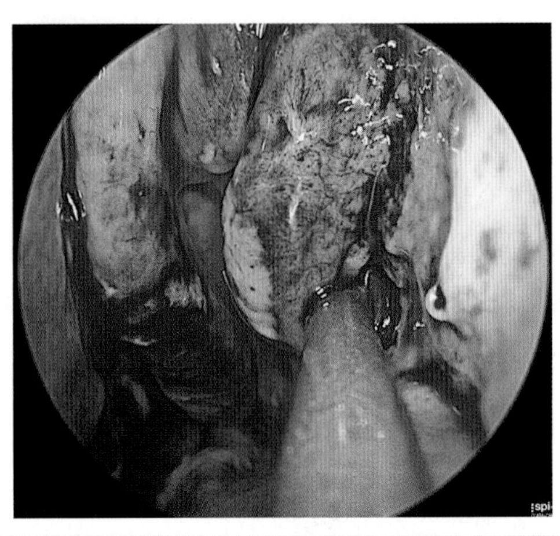

■ 그림 24-6. **구상돌기절제를 시작하는 위치(좌측 비강).** Uncinate process의 부착부위 중 전하부에서 구상돌기와 안구와의 거리가 가장 멀기 때문에 이 부분에서 절개를 시작할 경우 가장 안전하게 구상돌기절제를 시작할 수 있다.

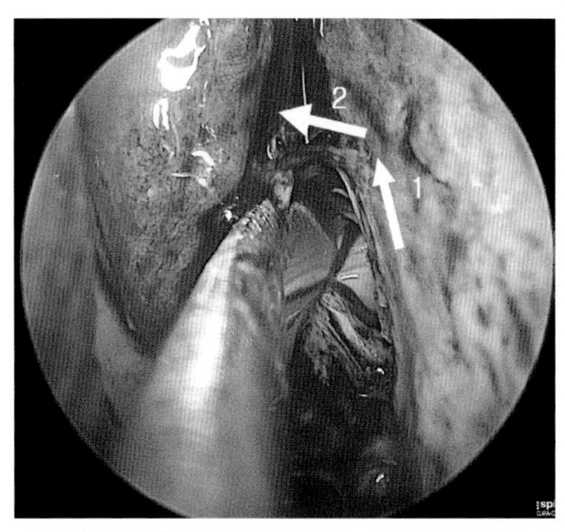

■ 그림 24-7. **상돌기절제의 절개법.** 비강 측벽 부위를 따라 freer elevator 등을 전진시킨 후 구상돌기를 내측으로 약간 밀어 절개공간을 확인하고 이를 반복하는 방법으로 전상방의 구상돌기를 비강측벽과 분리시킨다.

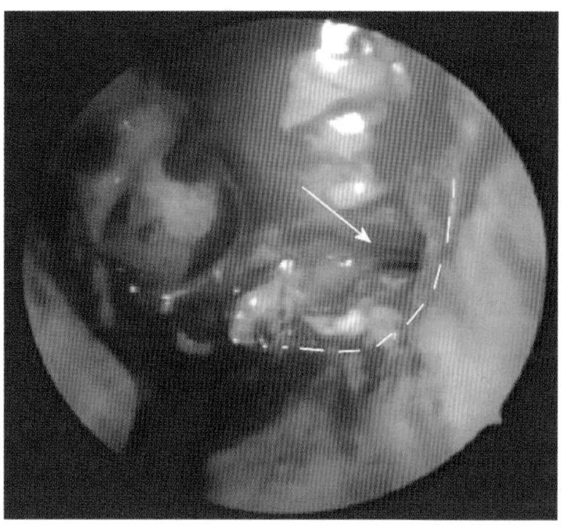

■ 그림 24-8. **Natural ostium의 위치.** Natural ostium (white arrow)은 평면적인 accessory ostium과는 달리 3차원 적인 깔대기 모양이며, 대개 uncinate process (white dot line)가 전상방에서 후하방으로 꺾어지는 곳 주변에 위치하고 있고, uncinate process의 바로 뒤에 위치하여 있으므로 uncinate process를 절제하지 않으면 잘 보이지 않는다.

무 깊을 경우 안구손상의 위험성이 있으므로 주의하여야 한다. 절개를 가한 후 Freer elevator를 전진시킨 후 구상돌기를 내측으로 약간 밀어 절개공간을 확인하고 이를 반복하는 방법으로 전상방의 구상돌기를 비강측벽과 분리시킨다(그림 24-7). 후하방으로의 절개 연장 시는 구상돌기의 부착위치를 고려하여, Freer elevator 날의 각도를 약간 외측으로 기울여주어야 구상돌기의 후반부를 최대한 제거할 수 있다. 남아있는 구상돌기의 부착부위는 Blakesley forceps를 이용하여 비틀어 제거하거나, small cutting forceps를 이용하여 절제한다. 이때 남아 있는 골부가 노출되지 않도록 최대한 주의한다.

만일 구상돌기가 주위 구조물, 즉 concha bullosa나 비중격만곡, 또는 상악동의 발육저하 등으로 인해 외측으로 전이되어 있을 경우 구상돌기의 부착부위를 확인하는 것이 용인하지 않다. 이 경우 구상돌기 절제 시 안구손상이나 비루관의 손상을 가져올 수 있으므로 구상돌기의 부착부위가 명확하지 않을 경우 앞에서 언급한 후방접근법이 더 안전할 수 있다. 따라서 CT에서 이러한 해부학적 구조가 보이는 경우에는 back-biting forceps를 구상돌기의 뒷면에 걸어 뒤쪽에서 앞으로 구상돌기의 일부를 제거한 후 구상돌기의 부착부위를 확인하고 나머지 구상돌기를 제거하는 방법이 도움이 된다.

5. 상악동 자연공의 확인과 확장

상악동의 자연공은 비강과 상악동 사이의 단순한 구멍이 아닌 3차원적인 터널 형태의 구조물로서 대개 구상돌기가 전상방에서 후하방으로 꺾어지는 곳 주변에 위치하고 있으며 평균 지름은 5 mm 미만, 길이는 1~22 mm가량 된다.

자연공을 찾기 위해서는 0° 내시경보다는 30° 내시경을 외측 하방(좌측 수술 시 5시 방향)으로 돌려 사용하는 것이 좋으며 필요에 따라서는 70° 내시경이 사용될 수도 있다. 자연공은 구상돌기의 바로 뒤에 위치하여 있으므로 구상돌기를 절제하지 않으면 보이지 않는다(그림 24-8). 이에 반해 부공(accessory ostium)은 좀 더 뒤에 위치하여 구상돌기를 절제하지 않고서도 보이는 경우가 많으며, 자연공에 비해 2차원적인 구조를 가지고 있다. 과도한 점막

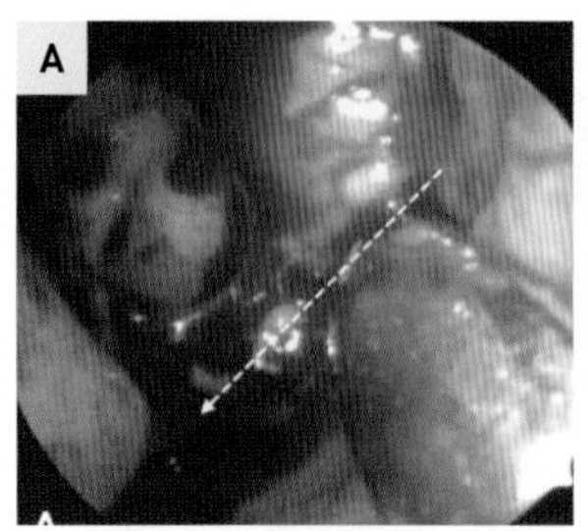
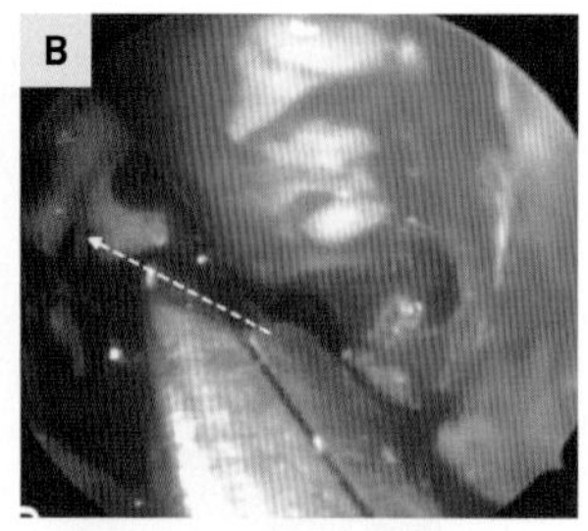
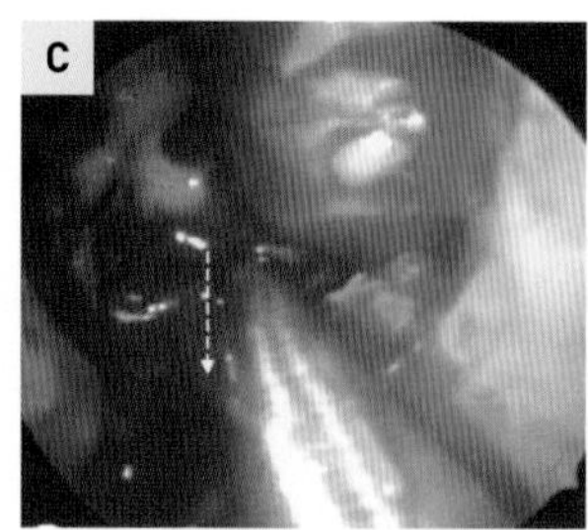
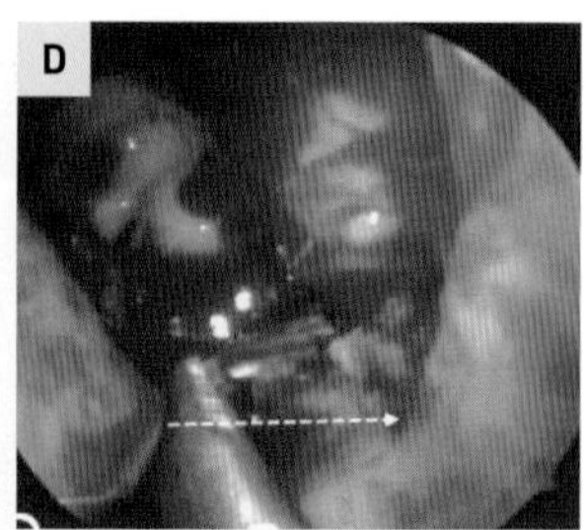

■ 그림 24-9. **Middle meatal antrostomy의 과정.** 상악동의 natural ostium이 확인되면 먼저 antral knife 등을 이용하여 후하방으로 넓힌다. 이후 straight cutting forceps를 이용하여 후방으로 더 연장한 후 down-biting forceps, back-biting forceps을 이용하여 하방, 이후 전방으로 넓힌다.

부종이나 용종 등으로 인해 내시경으로 자연공이 잘 관찰되지 않을 때에는, 상악동 탐침자 등을 이용하여 천문(fontanelle) 부위를 촉지하여 찾을 수 있으며 압력을 가할 때 관찰되는 공기방울이나 농성분비물의 배출이 자연공의 위치를 찾는 데 도움이 될 수 있다. 상악동의 자연공이 확인되면 먼저 antral knife 등을 이용하여 후하방으로 넓힌다. 이후 straight cutting forceps를 이용하여 후방으로 더 연장한 후 down-biting forceps, back-biting forceps로 하방, 이후 다시 전방으로 넓힌다(그림 24-9). 후방 연장의 경계는 대부분 골부 앞부분 정도면 적당하며 그 이상 연장 시 출혈의 위험성이 증가된다. Back-biting forceps 사용 시 비루관의 손상을 예방하기 위해 전방으로 지나친 힘을 가하지 않도록 주의해야 하며, 가볍게 비후된 점막을 비틀듯이 제거하는 것이 좋다. 최근에는 이렇게 forceps를 사용하는 대신 비후된 점막을 microdebrider를 이용하여 제거하는 경우도 늘고 있다. 적절한 상악동 입구의 크기는 앞에서 언급한 바와 같이 약간의 논란이 있으나 환자의 점막상태나 염증 정도, 술 후 상악동 내 처치의 필요성 등을 고려하여 회복 후 막히지 않을 정도로 충분히 열어주는 것이 좋다.[32,65] 상악동 자연공의 확장이 완성되면 30° 및 70° 내시경을 이용하여 상악동 내부를 자세히 관찰하고 상악동 안에 낭종이나 점액류 등이 존재하는 경우는 이들을 완전히 제거해야 한다. 하비도에 비강상악동창(nasoantral window)을 만들고 이미 넓힌 상악동 자연공과 비강상악동창을 통해서 각각 내시경과 수술기구를 넣어 병변을 제거할 수도 있고, 견치와를 통해 투관침을 상악동 내에 넣고 내시경과 겸자를 사용하여 병변을 제거하기도 한다(그림 24-10).

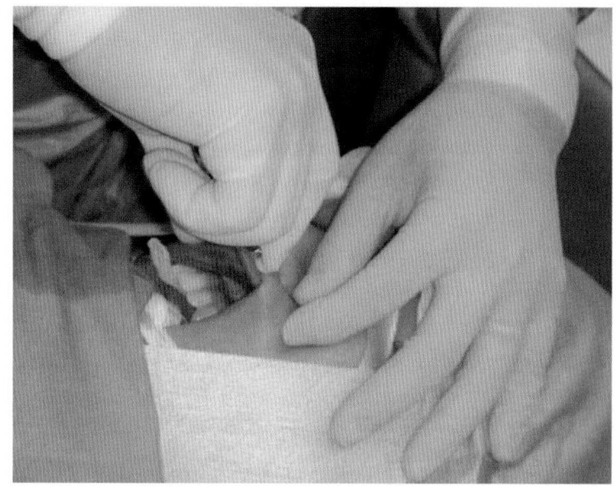

■ 그림 24-10. **견치와 천자법.** 시행 시 안구보호를 위해 반대쪽 손으로 투관침의 상방 이동을 막으며 최대한 상악동 전면에 직각으로 시행한다.

견치와 천자법의 시행방법은 먼저 수술 부위 점막에 마취를 시행한 후 4 mm 투관침을 이용하여 canine fossa에 천공을 시행하게 되며, 천공 시 투관침 삽입 방향이 잘못된 경우 안구 손상의 가능성이 있으므로 각별한 주의가 필요하다. 이후 이 부위로 microdebrider를 삽입하고 비강 내의 넓혀진 natural ostium을 통하여 내시경을 확인하면서 병변이 관찰되는 점막을 제거하게 된다.

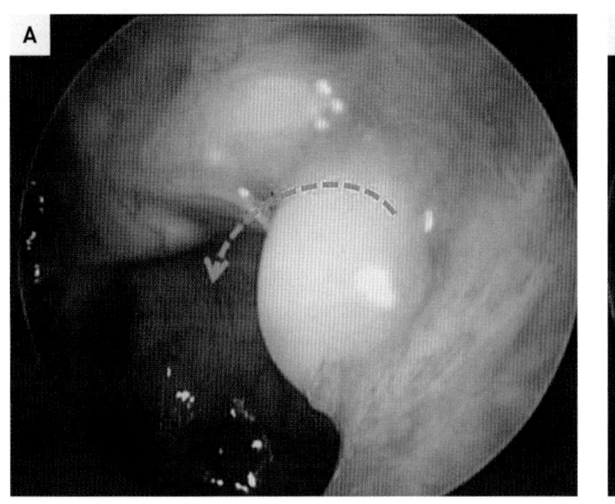

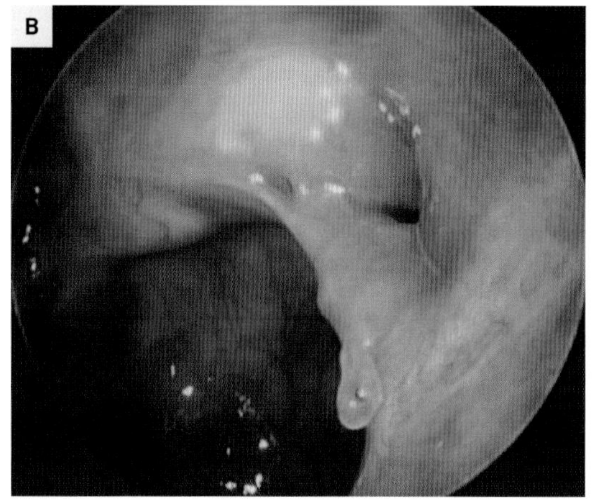

■ 그림 24-11. **맴돌이 현상.** 상악동 수술 시 자연공의 위치를 확인하지 못했거나 술 후 상흔구축으로 인해 발생한다.

술 후 부종 및 드물게 출혈이 있을 수 있으므로 천공부위를 작은 거즈를 이용하여 압박해주는 것이 도움이 된다. 이 술식의 필요에 대해 최근에 나온 연구들은 대부분 효과를 인정하고 있다.[8,32,41,42,52,54,55,59,65]

부공은 전체 환자의 20~25%에서 발견되며, back-biting forceps를 이용하여 전방으로 점막을 제거하여 반드시 자연공과 연결시켜 맴돌이현상(recirculation phenomenon)을 예방하도록 한다. 맴돌이현상은 구상돌기가 완전히 제거되지 않거나 수술 후 상악동개방창 앞쪽에 반흔조직이 형성되었을 때도 생길 수 있다(그림 24-11). 따라서 술 후 자연공을 관통하는 반흔조직이 생기지 않도록 자연공 주위에 남아있는 노출된 뼈나 조직이 있을 경우 제거해주는 것이 좋다.

MMA의 성공률은 대체적으로 90~95% 정도로 보고되고 있다.[12,50] 재발의 원인은 논문에 따라 다양하게 나타나나 대체로 술전 병변 정도, 상악동 입구의 폐쇄, 전두동 및 전사골동에 병변이 남아있는 경우, 항생제 내성(resistant organisms) 등이 보고되고 있으며, 상악동 내 뼈조각과 같은 이물(foreign body), 수술 중 출혈정도, missed ostium sequence로 인한 맴돌이(recirculation) 현상 등도 주 원인으로 보고되고 있다.[1,47,48]

6. 사골포의 확인과 제거

사골포는 전사골동 내에서 가장 큰 봉소로서 굴곡형 큐렛 등을 이용해 사골포에서 가장 안전한 부위인 내측 하방을 열어준 후 상방과 외측 방향으로 절단겸자(cutting forceps)나 microdebrider를 이용하여 넓힌다. 외측으로 접근함에 따라 지판(lamina papyracea)을 만나게 되며 지판 주위에서 microdebrider를 사용하는 것은 안와 손상의 위험이 있으므로 주의하여야 한다.

7. 기저판의 확인과 후사골동의 제거

사골포와 기저판이 붙어있는 경우도 있으나 서로 분리되어 있는 경우에는 사골포를 제거한 후 기저판을 만나게 된다. 기저판은 중비갑개에서 지판(lamina papyracea)으로 연결된 부분으로 전사골동과 후사골동을 구분한다. 기저판 역시 전사골동을 제거하는 방법과 마찬가지로 내측 하방에서 큐렛 등을 이용해 천공을 한 후 상방과 외측 방향으로 넓혀가게 되며, 두개저와 지판을 만나게 되면 중지한다. 후사골동과 접형동 수술을 하기 위해서는 기저판 역시 충분히 제거하는 것이 좋으나 과하게 절제하면 중비갑개가 불안정해질 수 있기 때문에(floppy middle tur-

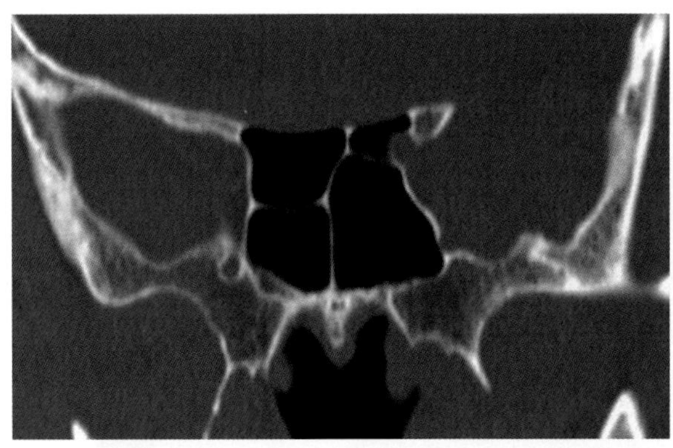

■ 그림 24-12. **접형사골봉소와 접형동.** 좌측 시신경이 접형사골봉소 내로 돌출된 것이 관찰된다.

binate) 주의하여야 한다.

기저판을 제거하게 되면 후사골동을 만나게 된다. 후사골동은 상비갑개와 지판 사이의 공간으로 역시 내측 아래쪽 부위에서 위쪽과 외측 방향으로 절단 겸자나 microdebrider를 이용하여 넓혀가게 된다. 후사골동에서는 전사골동에 비해 시신경과 지판의 위치가 가까워지고 내직근(medial rectus muscle)과 지판 사이에 지방이 거의 없어 안와손상 시 합병증의 위험이 높으므로 주의하여야 한다.[60] 또한 두개저 손상의 위험성이 있으므로 다음 단계에서 접형동 입구 및 전면을 확인하고 그 전상방에 위치한 두개저를 확인할 때까지는 두개저에 인접한 후사골동 격막제거를 조심하는 것이 좋다.

후사골동의 함기화가 뒤쪽으로 진행된 경우 접형동의 외측상방에서 후사골동이 관찰되는데 이를 접형사골봉소(sphenoethmoid cell) 또는 Onodi cell이라고 부르며 전체 환자의 9~12% 정도에서 관찰된다. 이 경우 시신경관이 이 접형사골봉소 내로 노출되는 경우가 있어 임상적으로 중요한 의미를 갖게 되며, 또한 접형동의 위치가 우리가 일반적으로 생각하는 사골동과 접형동의 관계보다 더 아래쪽에 위치하게 되어 접형동을 찾을 때 어려움을 겪을 수 있으므로 수술 전 미리 이를 확인하여야 한다(그림 24-12). 만약 수술 중 접형동인지 접형사골봉소인지 구분이 힘든 경우 0° 내시경으로 볼 때 바닥이 관찰되면 접형동이 아닌 경우가 대부분이므로 구분에 도움이 될 수 있다.

8. 접형동 자연공의 확인과 확장

접형동은 여러 부비동 중 가장 후방에 위치하며 개인에 따라 해부학적 구조도 차이가 많이 나고 경동맥이나 시신경, 해면동 등 주요 구조물들이 인접해 있어 수술 시 주의를 기울여야 하는 부위이다. 최근에는 부비동내시경수술의 역할이 부비동 병변뿐만 아니라 두개저와 뇌하수체 질환에까지 확장되면서 접형동의 해부학적 구조에 대한 올바른 이해가 더욱 필요해졌다.

접형동에 대한 수술 전 CT를 통해 환자의 특이한 해부학적 구조를 미리 숙지하는 것은 매우 중요하다. CT에서 후사골동과 접형동을 구분하는 것은 매우 쉽다. 후사골동의 경우 CT의 관상면 상에서 양측의 부비동이 비중격에 의해 분리되어 있으며 마름모꼴의 형상을 하고 있으나, 접형동은 좌우 접형동이 동간 중격(intersinus septum)에 의해 서로 접하고 있다(그림 12-13). 양측 접형동을 분리시키고 있는 이러한 중격은 단지 1/4 정도에서만 정가운데를 지나가게 되며 대부분의 경우에서 뒤로 갈수록 좌측 또는 우측으로 휘게 된다. 그리고 약 23% 정도에서는 뒤쪽에서 내경동맥과 접하고 있어[72] 특히 뇌하수체종양에 대한 경비중격 접근 시 이를 무심코 비틀어 제거하려고 하는 경우 내경동맥 손상의 원인이 되어 위험한 합병증을 야기할 수 있다(그림 12-14).[15]

접형동은 함기화의 정도에 따라 conchal type, pre-sellar type, sellar type의 세 군으로 분류하게 되며(그림 12-15) 이 중 가장 함기화가 잘 된 sellar type이 70~80% 정도로 가장 흔하다. 이러한 함기화의 정도는 수술의 난이도 및 예후와 관련될 수 있다. 함기화가 거의 되어 있지 않은 conchal type일 경우 접형동의 크기가 작아, 입구를 열기가 쉽지 않으며 수술 이후 주위 점막의 협착으로 인해 개구부를 유지하는 것 또한 쉽지 않은 경우가 많다.

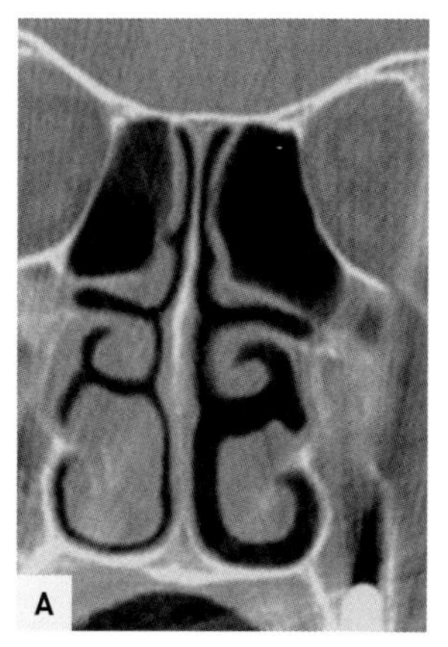

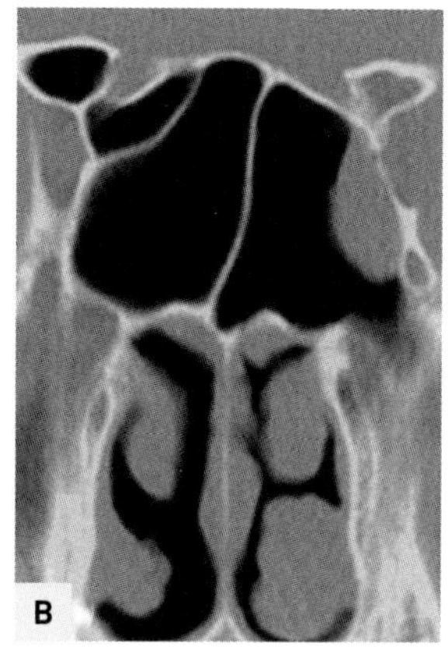

■ 그림 24-13. **A)** 후사골동, **B)** 접형동

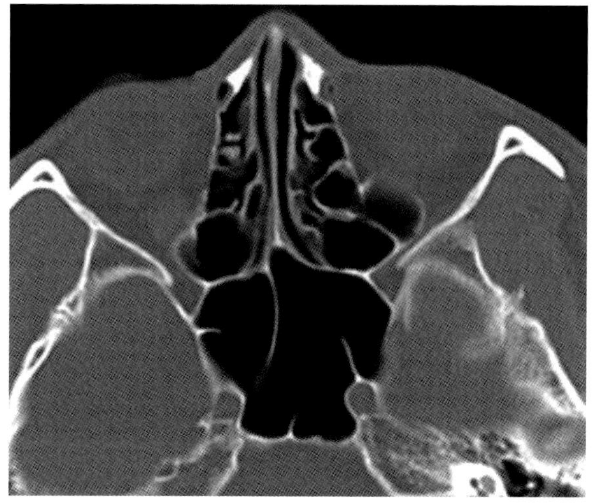

■ 그림 24-14. 우측으로 만곡되어 있는 접형동의 동간중격 Intersinus septum이 내경동맥을 향하고 있다.

반면 함기화가 잘 된 sellar type의 접형동의 경우 자연공을 확인 및 확장하는 데에는 아무런 문제가 없으며 수술 이후에도 유지가 잘 되지만, 함기화가 잘 되어 있는 접형동일수록 주위의 주요 구조물들 특히, 시신경이나 내경동맥 등이 접형동 내로 노출되어 있거나 뼈결손(bony dehiscence)이 있는 경우가 많아 접형동 내에서의 기구사용에 주의를 기울여야 한다. 실제로 전체 접형동의 각각 3~5% 정도에서 시신경관이나 내경동맥에서의 뼈결손이 있으며, 내경동맥의 경우 뼈가 매우 얇아 방사선학적으로 결손이 관찰되는 경우는 25%까지 보고된다.[4,39] 따라서 함기화가 잘 되어 있는 접형동의 경우 동내에서의 기구 사용 시 주의를 기울여야 한다.

비부비동내시경수술에서 접형동은 세 가지 방법으로 접근할 수가 있는데 첫째, 경사골동접근법(transethmoidal approach), 둘째, 경비도접근법(transnasal approach), 셋째, 경비중격접근법(transseptal approach) 등이 있다. 이중 경비중격접근법은 주로 뇌하수체 종양의 수술적 접근에 많이 사용하는 방법이며, 부비동내시경수술에서는 경비도 및 경사골동 접근법이 주로 사용된다. 술자에 따라 약간의 차이가 있을 수는 있지만 보통 앞의 두 방법 중 접형동 병변이 단독으로 있는 경우에는 다른 부비동을 보존하여야 하므로 주로 경비도접근법을 사용하게 되고 사골동수술을 시행한 경우에는 보통 경사골동 접근

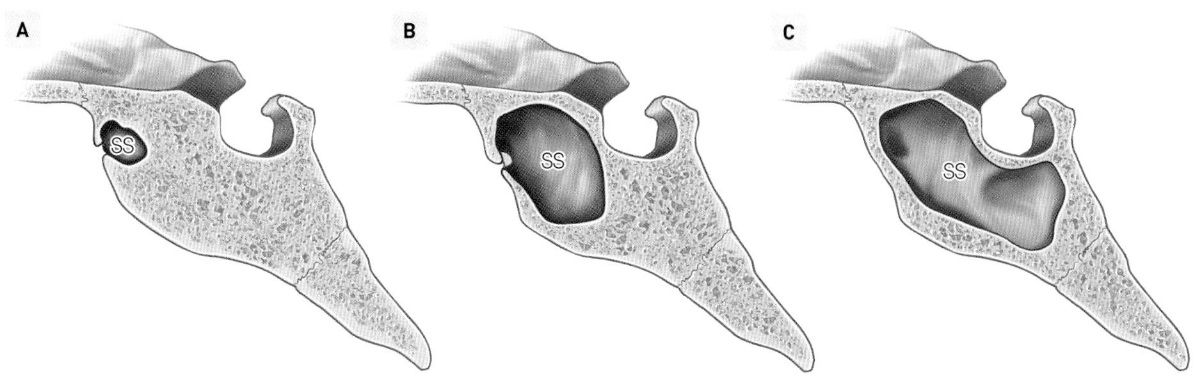

■ 그림 24-15. **함기화 정도에 따른 접형동의 분류. A)** Conchal (0%-Lang, 5%-Congdon). **B)** Presellar (23.8%-Lang, 28.0%-Congdon). **C)** Sellar (including "postsellar") (76.2%-Lang, 67.0%-Congdon).

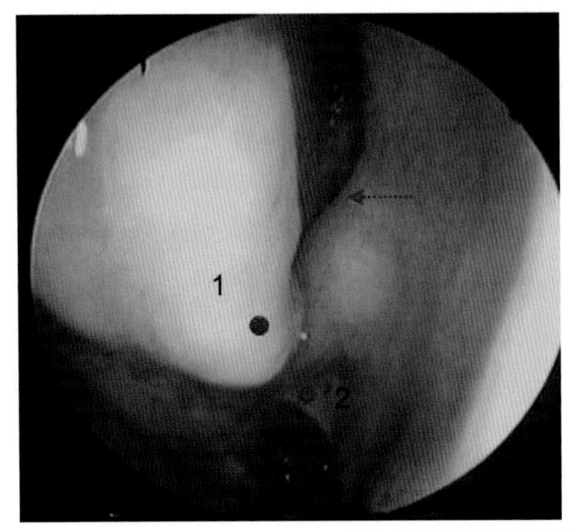

■ 그림 24-16. 접형동 자연공 입구(화살표)는 대부분 상비갑개 부착부위 가장 아래쪽에서 내측 위쪽에 위치하며(1), 후비공(2)으로부터 약 1 cm 상방에 위치한다.

법을 선호하는 경우가 많다.

경비도접근법은 침윤 마취 후 중비갑개를 외측으로 부드럽게 밀고 내시경을 통과시키며 접형사골함요를 통과하여 접형동의 자연공을 관찰한다. 이때 접형동의 염증이 심하지 않은 경우에는 접형동의 자연공이 관찰이 잘 되는 경우도 있으나 주위의 염증이나 부종, polyp 등에 의해 잘 보이지 않는 경우가 흔하다. 이러한 경우 자연공을 찾기 위한 여러 지표들이 있는데 여기에는 상비갑개의 끝부분, 후비공, 코문턱(limen nasi)으로부터의 거리 등이 있다. 접형동의 자연공은 한국인의 경우 콧구멍 바깥쪽에서 비강저와 약 34° 각도로 평균 6.3 cm 떨어져 있는 것으로 보고되었으며, 후비공 상연에서 약 1 cm, 상비갑개 아래쪽 끝부분에서 약간 내측 위쪽에 위치한 경우가 많다(그림 24-16).[33,43] 이 부위는 대체로 접형동의 rostrum의 상외측에 해당하는 부위로 그 부위를 큐렛이나 탐색자 등을 이용해 부드럽게 촉지하면 쉽게 접형동의 입구를 찾을 수 있다.

경사골동접근법의 경우는 우선 후사골동수술을 시행한 후 진행하게 되며 먼저 기저판 및 후사골동을 절단겸자 및 microdebrider로 중비갑개의 구조적 안정성을 해치지 않는 범위 내에서 깨끗하고 넓게 제거한다. 기저판의 경우 술 후 안정성을 유지하기 위하여 기저판 뒤쪽에서 상비갑개의 하연이 보일 정도까지만 절제하는 것이 좋다.[53] 기저판의 바로 뒤 내측에서 큐렛 등을 이용하여 상비갑개와 중비갑개의 연결부위 하방을 분리시킨 후 절단겸자를 이용하여 상비갑개 하방 1/3 정도를 제거한다. 이후 경비도접근법과 마찬가지의 방법으로 자연공을 찾아 확장시키게 된다. 앞에서 설명한 접형사골동이 있는 경우 접형동과 혼동되는 경우가 있으므로 주의해야 하며 수술 전에 미리 CT 등을 이용하여 접형사골동의 유무를 확인하는 것이 좋다.

자연공을 확인한 후 접형동천공기(sphenoid punch)나 microdebrider 등을 사용하여 먼저 내측 및 하방으로 넓혀서 접형동 내의 병변을 관찰한 후 제거한다. 이 때 자연공의 아래쪽을 지나가는 접형사골동맥(sphenopalatine artery)의 후중격분지(posterior septal branch)를 손상하지 않도록 조심하여야 한다. 필요시 자연공의 상외측으로 확장이 가능하다. 이때 절단겸자나 microdebrider 등을 사용하는 것이 좋으며, 절단되는 뼈가 내경동맥이나 해면정맥동, 시신경 등을 손상시키지 않도록 조심한다. 자연공 확장 이후 내부를 관찰한 후 병변을 제거하며 접형동의 후방이나 외측에 있는 질환의 제거는 내경동맥이나 해면정맥동, 시신경 등 중요한 기관들이 밀집해 있으므로 최대한 조심하는 것이 좋으며, 영상유도수술이 도움이 될 수 있다.

9. 사골동 천장 정리 및 두개저의 확인

접형동에 대한 수술이 완료되면 다시 뒤에서 앞으로 진행하면서 두개저에 남아있는 후사골동 격막들을 제거한다. 두개저는 접형동이나 후사골동의 상방에서 쉽게 확인할 수 있으며, 격막의 절제 시 45° 절단겸자나 큐렛 등을 이용하여 격막의 뒤쪽에서 조심스럽게 위로 촉지하여 두개저 아님을 확인한 후 제거한다. 이 때 절대로 강한 힘을 가하지 않는다.

안와 주변에서도 비슷한 방법으로 시행하며 술 전에 뼈결손 여부를 CT를 통해 확인하는 것이 필요하며, 결손이 의심되는 경우에는 안구를 가볍게 눌러보아 비강 내에서 안와조직이 밀려나오는지 여부를 확인하고 수술하는 것이 안전하다. 이후 기저판을 지나 전사골동 부위로 접근하면서 전두와로 접근하게 된다.

10. 전두와의 개방과 확장

부비동내시경수술을 직접 시행해본 의사들은 누구나 여러 부비동 중 전두동에 대한 수술이 가장 어려운 것이라는 것을 알고 있다. 먼저 전두동에 대한 내시경 수술을 이해하기 위해서는 몇 가지 알아두어야 할 해부학적 용어가 있는데 그 중 하나가 전두와(frontal recess)이다(그림 24-17). 전두와란 전두동 개구부(ostium) 아래 쪽에 위치하는, 전사골 복합체 내의 오목을 의미한다. 과거에는 비전두관(nasofrontal duct)이 같은 의미로 사용되었지만, nasolacrimal duct와 같이 실제 구조물을 지칭하는 관 모양의 구조물이 아니라 전두동으로부터 배액되는 통로가 주위의 구조물들, 즉 비제봉소(agger nasi cell)나 사골포(ethmoid bulla) 등에 의해 2차적으로 이루어지기 때문에 현재는 비전두관이라는 용어는 더 이상 사용하지 않는다. 따라서 전두와는 일정한 형태를 지닌 구조물이라기 보다는 비제봉소, 구상돌기(uncinate process), 사골포(ethmoid bulla)에 의해 2차적으로 규정되는 통로이므로 비제봉소와 구상돌기의 함기화 정도, 구상돌기의 부착부위 등에 의해 그 위치가 많은 차이가 있을 수 있다. 따라서 수술 전 많은 수련을 통해 CT상에서 확인한 이러한 구조물들 사이의 위치 관계를 머릿속에 그릴 수 있으면 전두와를 찾는 데 많은 도움이 될 수 있다.

먼저 시상면(sagittal plane)에서 전두와를 관찰해 보면 여러 구조물들의 전후 관계를 잘 알 수 있다. 전두와의 위치가 비제봉소(agger nasi)나 사골포의 함기화 정도에

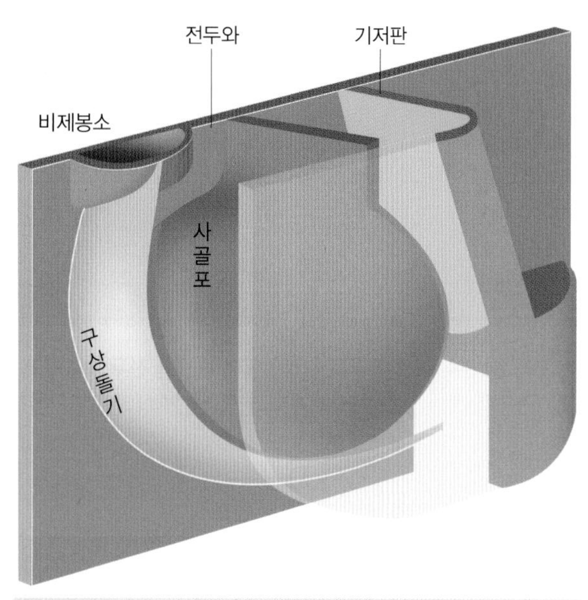

■ 그림 24-17. **전두와(frontal recess)의 구조.** 주위 구조물들의(비제봉소, 구상돌기, 사골포 등) 변화에 따라 전두와의 위치는 많은 변화가 있게 된다.

따라 변화가 심하지만 결국 그 위치는 사골포와 비제봉소/구상돌기 사이에 위치한다(그림 24-18).

또 한 가지 관상면(coronal plane)에서 전두동 입구의 위치를 결정짓는 것은 구상돌기(uncinate process)의 위쪽 부착 부위이다. 상방 부착부위의 빈도는 보고자마다 차이가 있으나 60% 이상이 지판에 부착하며, 7~35%에서는 두개저나 중비갑개에 부착하게 된다. 부착부위가 두 군데 이상인 경우도 흔히 발견된다(표 24-1). Wormald 등은 이러한 구상돌기 부착부위의 변이는 비제봉소 및 전두사골봉소(frontoethmoidal cell)의 함기화 정도에 영향을 많이 받는다고 주장하였다. 즉 비제봉소가 없거나 작은 경우구상돌기가 지판에 부착하게 되며, 전두동의 입구는 구상돌기의 내측에 위치하게 된다. 반대로 비제봉소가 큰 경우 구상돌기는 좀 더 내측에 위치한 두개저나 중비갑개 상연에 부착하게 되며 이때 전두와는 구상돌기의 외측, 그리고 안구와 구상돌기 사이에 위치하게 된다(그림 24-19). 따라서 uncinate process의 부착부위에 따라 전두와의 위치가 달라지는 것을 알 수 있다. 전두골포봉소

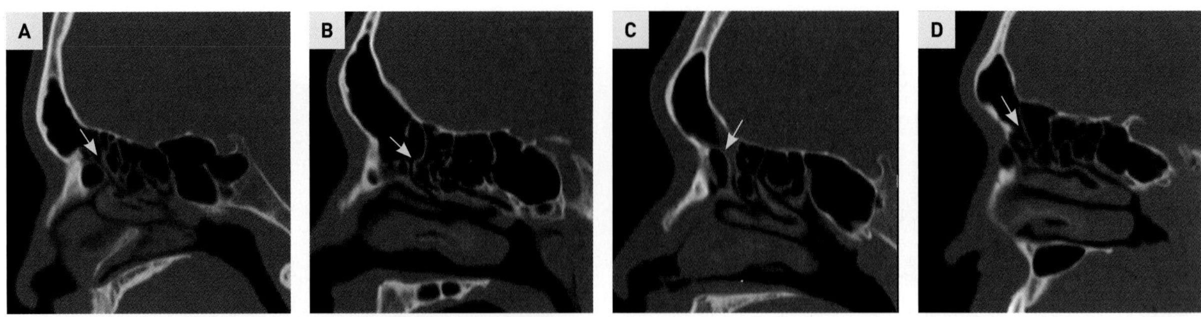

■ 그림 24-18. **여러 환자의 시상면에서 관찰한 전두와의 구조.** 전두와의 위치가 주변 봉소들의 함기화 정도에 따라 많은 변화가 있지만 결국 그 위치는 사골포와 비제봉소/구상돌기 사이에 위치한다.

표 24-1. 구상돌기의 상부 부착부위 빈도 [1-5]

	LP	MT	SB	LP+SB	LP+MT	SB+MT
Han et al.(2007)	53.0%	5.2%	2.1%	27.5%	8.7%	3.5%
Lnadsberg et al (2001)	70.5%	1.4%	10.6%		17.5%	
Lee et al. (2004)	63%	8%	26%		3%	
Tuli et al. (2014)	79.8%	3.6%	16.7%			

LP= 지판lamina papyracea, MT= 중비갑개middle turbinate, SB= 두개저skull base

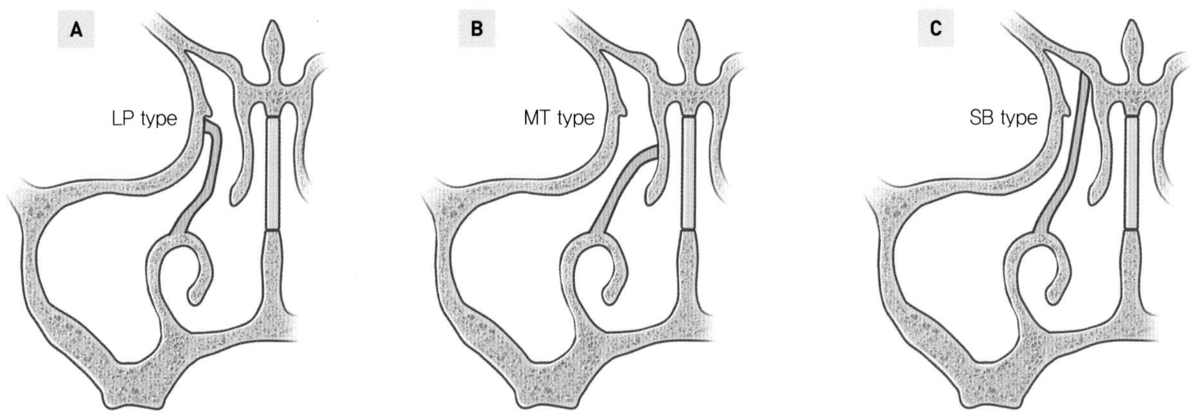

■ 그림 24-19. **Uncinate process의 부착부위에 따른 분류.** 가장 흔한 형태는 lamina papyracea (LP)에 붙는 형태이며, 일부만이 중비갑개(MT)나 skullbase (SB)에 부착하게 된다.

(frontal bullar cell)나 전두사골봉소(frontocthmoidal cell)가 존재하는 경우 그 위치는 더욱 복잡해진다.

전두와의 수술에 있어 기억해야 할 점은 그 공간이 매우 좁고 중요한 기관들에 의해 둘러싸여 있다는 것이다. 따라서 수술 후 상흔 구축의 위험도가 높으므로 점막을 잘 보존하는 것이 무엇보다 중요하다. 수술 시 점막을 잘 보존하지 못할 경우 술 후 염증 및 구축으로 인해 전두동 병변이 오히려 나빠질 수 있으므로 주의하여야 한다. 또한 전두와의 외측에는 안와, 그리고 내측과 후방은 lateral lamella 및 두개저가 위치해 있으며 앞쪽은 구상돌기/비제봉소가 위치해 있다. 이 좁은 공간 내에서 내시경과 기구를 이용하여 충분한 배액로를 확보하여야 하는 것이다. 따라서 이 공간 내에서 기구를 움직일 때에는 두개저와 안구를 피해서 뒤에서 앞으로(forward movement) 힘을 주는 것이 안전하다(그림 24-20). 전두와 수술에는 굴곡흡인단자(angled suction tip), 굴곡큐렛(angled curette), 전두동탐색자(frontal ostium seekers), 각종 굴곡겸자(frontal sinus giraffe cup forceps, frontal sinus through-cutting forceps, angled mushroom forceps) 등을 사용하며, microdebrider와 드릴 등이 필요할 수도 있다.

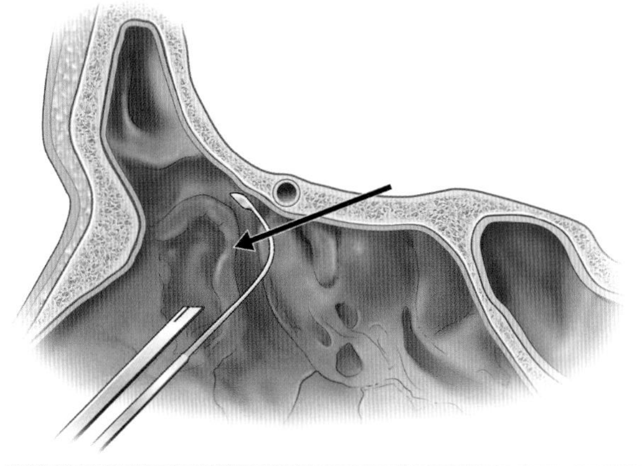

■ 그림 24-20. **전두와에서의 기구의 진행방향.** 내외측과 후상방은 주요 기관으로 둘러싸여 있으므로 위험하다. 따라서 뒤에서 앞으로 진행하는 것이 안전하다.

먼저 CT를 보면서 전두와 부근의 해부학적인 구조를 머릿속으로 그려본 후, 수술은 전사골동 상부의 남아있는 격막들을 확인하는 것으로부터 시작한다. 전두와의 위치는 전후로는 사골포와 비제봉소/구상돌기 사이에 위치하며, 좌우로는 중비갑개와 구상돌기 사이 또는 구상돌기와 안와벽 사이에 위치할 것이다(그림 24-21).

이렇게 전두와의 위치를 어느 정도 예상할 수 있으면 전두동 탐색자(frontal seeker)나 굴곡큐렛(angled curette) 등을 이용해 가볍게 탐침해 본다. 이때 과도한 힘을 주거나 시야에 보이는 구조물을 확신하지 못하고 탐침(blind probing)할 경우 두개저 손상을 일으킬 수 있으므로 가볍고 부드럽게 비제봉소/구상돌기와 사골포 사이를 탐침한다. 탐침한 큐렛이 비제봉소/구상돌기 뒤쪽에 위치하게 되면 앞쪽 방향으로 가볍게 힘을 주어 이를 제거한다. 이 과정을 Stammberger는 'uncapping the egg'라고 표현하였다(그림 24-22). 이후 전두와가 확인되면

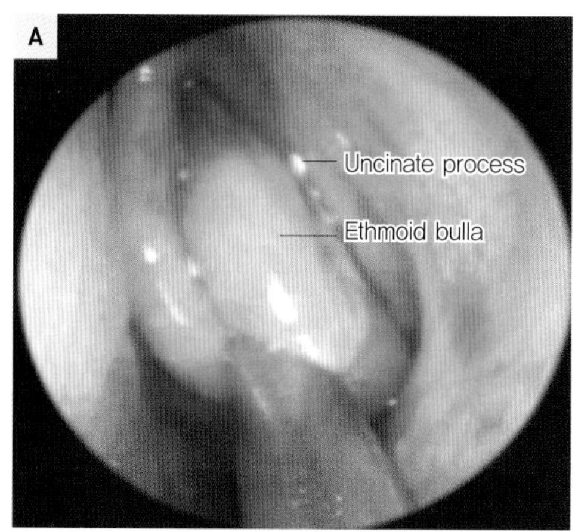

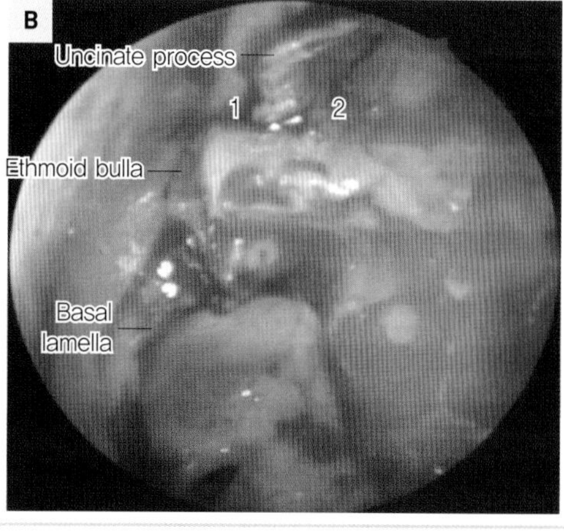

■ 그림 24-21. **부비동내시경수술을 시행하기 직전의 모습과 사골동 및 basal lamella에 대한 수술을 시행한 직후의 변화된 모습. A)** 술 전, **B)** Ethmoidectomy 후. 남아있는 기저판과 사골포, 구상돌기의 부분들이 관찰된다. 전두와는 사골포와 구상돌기/비제봉소 사이, 그리고 좌우로는 중비갑개와 구상돌기 사이(1) 또는 구상돌기와 안와벽 사이(2)에 위치하게 될 것이다.

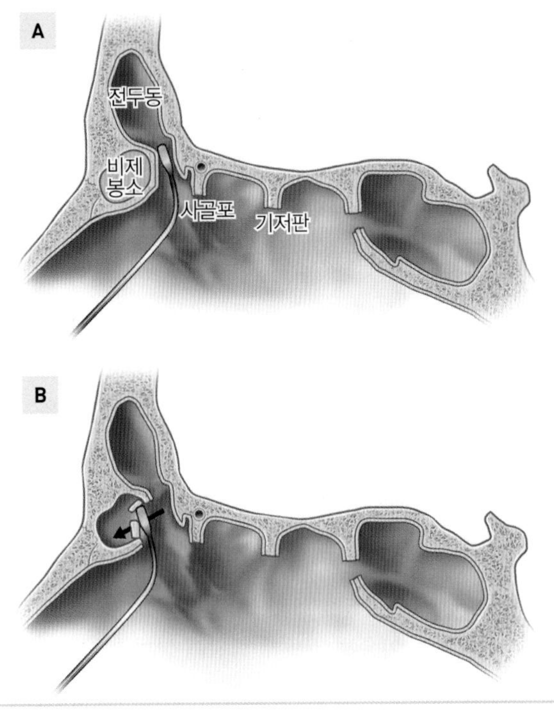

■ 그림 24-22. Uncapping the egg

여러 굴곡겸자(angled forceps), microdebrider 등을 이용하여 남아있는 비제봉소, 사골포 상부 등을 제거하여 전두동으로의 입구를 넓히게 된다. 이 때 철조법(trans-illumination technique)이나 영상유도시스템을 사용하면 수술한 부비동이 전두동인지 아닌지를 쉽게 확인할 수 있다. 전두사골봉소(frontoethmoidal cell)나 전두골포봉소(frontal bullar cell) 등의 함기화가 심해 전두와 부위의 구조가 복잡한 경우에는 먼저 기저판(basal lamella)의 두개저 부착부위를 확인하고 위쪽으로 제거해 가면서 먼저 skull base을 확인한다. 이 경우 한국인에서는 대부분의 경우 전사골동맥(anterior ethmoid artery)이 기저판(basal lamella) 앞쪽에 위치해 있으나 일부에서는(11.4%) 기저판에 위치해 있을 수 있으므로 조심한다. 또한 대부분은 전사골동맥(antcrior cthmoid artery)이 두개저에 연해있는 경우가 많으나 7% 정도에서는 두개저와 떨어져 있으므로 다치지 않도록 조심한다.[46] 이후 사골포(ethmoid bulla)가 두개저에 붙은 부위를 굴곡큐렛(angled curette)이나 굴곡겸자(angled forceps) 등을 이용하여 제거하면 전두동의 입구가 보이기 시작한다. 전두와가 확인되면 앞에서와 같은 방법으로 전두와 주위를 확장하게 된다.

과잉(redundant) 점막이나 작은 뼈조각 등이 있는 경우에는 microdebrider를 사용하는 것이 도움이 되는 경우가 많다. 하지만 주의하지 않을 경우 주위 점막의 손상이나 주요 기관의 손상을 줄 수 있으므로 초심자에서 과도한 microdebrider의 사용은 피해야 한다. 전두와를 둘러싼 점막이 모두 제거되는 경우 재생과정에서 구축이 발생하여 수술 후 더욱 좁아지는 결과를 야기하므로 최대한 보존하는 것이 좋다. 전두와가 좁을 경우 전방의 전두부리 frontal beak를 제거하는 경우와 같이 전방의 점막은 손상되는 경우가 많으므로 전두와의 후방 점막은 반드시 보존해야만 점막의 재생을 돕고 협착을 예방할 수 있다. 또한 과도한 stripping을 하였다고 판단되면 stent를 삽입할 수 있다.

11. 중비갑개의 처치

기저판을 제외한 중비갑개의 전방 수직부과 후방 수평부는 부비동내시경수술 후 중비갑개의 안정성을 유지하고 외측화(lateralization)로 인한 중비도의 유착 및 폐쇄를 막기 위해 최대한 보존하여야 한다.[5,20] 하지만 중비갑개의 수포성갑개(concha bullosa)나 종양 등의 제거로 인해 중비갑개의 안정성이 손상된 경우 일부 제거하거나 여러 가지 방법을 이용하여 중비갑개를 내측화시키는 방법이 보고되어 왔다. 중비갑개를 외측화를 막는 방법에는 중비갑개의 내측과 상응하는 비중격 부위의 점막을 상처를 준 후 유착을 유도하는 볼저법(Bolgerization)과, 봉합사나 스테플러 등을 이용하는 방법 등이 있으며, 중비갑개의 외측 점막을 남기고 중비갑개 뼈와 내측 점막을 제거한 후 외측 점막을 중비갑개 내측의 두개저에 부착시키는 방법, 팩킹이나 스페이서(spacer)를 이용하는 방법 등이 있다.[5,20,24,36]

12. 수술부위 확인 및 지혈

각 부위에 대한 수술이 끝나면, 수술부위에 남아 있는 조그마한 뼈조각들이나 늘어져 있는 점막(redundant mucosa)을 제거하고 식염수로 세척을 시행한다. 이후 지혈이 필요한 출혈부위가 있으면 epinephrine을 묻힌 솜이나 전기소작을 이용하여 지혈을 시행한다. 전기소작을 과도하게 하면 점막손상이 심해질 수 있으므로 주의하여 최소한도로 시행한다. 팩킹은 계속되는 삼출성 출혈(oozing bleeding)이 있거나 중비갑개를 내측 전위(medialization) 시키기 위한 목적으로 사용할 수 있으며 최소한도로 시행한다. 팩킹을 한 경우에는 술자에 따라 다르나 독성쇼크증후군(toxic shock syndrome) 등 심각한 합병증을 피하기 위해 48시간 이내에 제거하는 것이 좋다.[46]

수술 후 적절한 술 후 처치는 수술 그 자체 만큼이나 수술 결과에 중요한 영향을 미친다.[9] 환자는 수술 후 상처가 회복될 때까지는 출혈을 피하기 위해 높은 강도의 운동이나 코를 풀지 않도록 하며, 출혈에 영향을 줄 수 있는 약제도 피하는 것이 좋다. 술 후 첫 번째 외래추적관찰은 술 후 3~9일 사이에 이루어지며, 수술이 시행된 자연공 입구가 부종이나 혈괴와 가피에 의해 막히지 않았는지 확인하며, 필요한 경우 제거한다. 이때 점막에 부착이 덜한 가피를 제거하는 것은 술 후 점막의 회복에 도움이 되나 너무 딱딱한 가피를 점막으로부터 억지로 떼어내는 것은 술 후 점막회복에 좋지 않다.

13. 수술 후 처치

환자가 회복실로 이동하면 침대의 머리쪽을 20~30° 정도 올려 출혈을 줄일 수 있도록 하며, 의식을 찾게 되면 시력이나 안구운동 등 합병증이 있는지 여부를 확인한다. 수술 전 화농성 비루가 심하였거나 팩킹을 한 경우에는 적절한 용량 및 기간의 항생제 상용이 가능하며, 알레르기 등 환자의 점막 상태에 따라 용종이 심하거나 알레르기 환자의 경우에는 짧은 기간의 스테로이드 치료가 도움이 된다.[38] 회복기간 동안 환자는 출혈을 피하기 위하여 높은 강도의 운동이나 코를 풀지 않도록 교육하며, 출혈을 조장할 수 있는 약제의 사용을 피한다. 수술 후 비강세척은 상처 회복에 도움을 주므로 자주 시행하는 것이 좋다.

적절한 수술 후 처치는 수술 그 자체만큼이나 중요하며 수술 결과에 많은 영향을 미친다.[9] 술 후 추적관찰은 술자에 따라 따르나 보통 술 후 3~7일 사이에 이루어지며, 팩킹이 있는 경우 이를 제거하고 술 후 부종이나 혈괴, 가피 등에 의해 수술이 시행된 부비동의 입구가 막혀있지 않은지 조사한다.[38] 이때 혈괴, 가피 등에 의해 입구가 막힌 경우에는 제거하며, 점막에 가피가 너무 딱딱하게 붙어있는 경우에는 점막손상을 일으켜 오히려 회복에 방해가 될 수 있으므로 조심한다.[49,62] 술 후 debridement의 효과 및 시행 여부에 대해서는 아직까지 이견이 있으나 최근의 메타분석에서 장기간 추적관찰 시 debridement를 시행한 경우가 시행하지 않은 경우에 비해 별 다른 이점이 없는 것으로 보고되었다.[19] 따라서 일방적인 debridement 보다는 수술의 범위가 광범위하거나 용종이 큰 경우, 부비동 입구가 좁아져 배액이 문제가 될 경우 등에서 시행하는 것이 좋다고 생각된다. 외측화된 중비갑개(lateralized middle turbinate)의 경우도 이 시기에 관찰될 경우 다양한 방법을 통해 교정을 시도할 수 있다.

V 영상유도수술(Image-guided surgery)

(그림 24-23)

흔히 항법 시스템(navigational system)이라고도 불리는 영상유도수술 시스템은 신경외과 영역에서 먼저 개발되었으나, 1990년대 중반부터 비부비동내시경수술에서도 이용되기 시작하였다. 처음으로 개발되었을 당시에는 영상유도수술 시스템을 이용하기 위해서는 머리를 고정

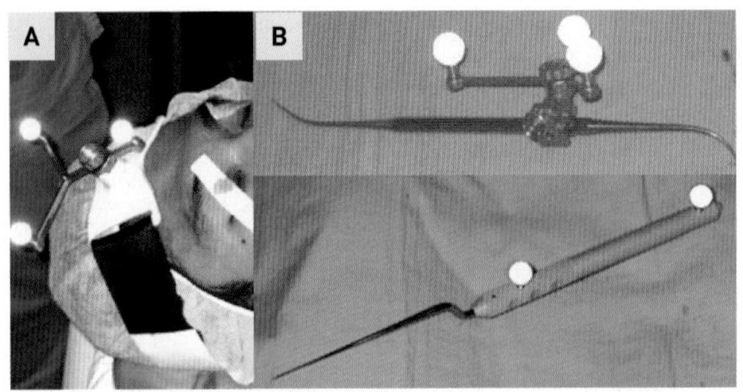

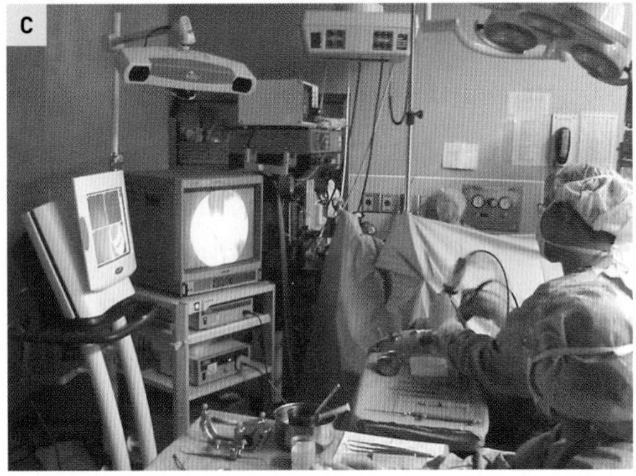

■ 그림 24-23. **영상유도수술 시스템의 구성.** 환자의 위치를 확인할 수 있는 기준점(A)과 이를 추적하는 추적장치(B), 그리고 영상과 추적정보를 조합하여 화면에서 술자의 위치를 확인하여 주는 영상처리장치(C)로 이루어진다.

시킬 정위고정장치(stereotaxic frame)가 필요하였으나 기술적인 발전으로 인해 머리를 자유롭게 움직일 수 있는 장치들이 개발되면서 이비인후과 영역에서도 이용이 용이하게 되었다.[34]

내시경수술은 복잡한 3차원 구조로 이루어진 구조를 2차원적으로 보여줄 수밖에 없으며, 각도가 큰 내시경을 사용하였을 때는 상의 왜곡이 발생하여 수술 시 실수를 유발할 수도 있다는 단점이 있다. 이런 이유로 영상유도수술에 대한 관심이 높아지게 되었으며 수술 시 발생할 수 있는 합병증을 줄여줄 수 있을 것이라고 기대하였다.[11] 더구나 비부비동은 골 구조로 인해 경계가 지어지기 때문에 CT를 주로 이용하는 항법 시스템을 이용하기에 적합한 해부학적 구조를 가지고 있다.

영상유도수술은 비교적 2 mm 이하의 간격으로 세밀하게 찍힌 CT나 MRI 영상을 3차원적으로 재구성한 후 이를 실제 환자의 위치를 추적하여 매칭시키는 과정으로 이루어진다. 이 추적장치는 광학 추적장치(optical tracking device)와 전자기 추적장치(electromagnetic tracking device) 두 가지 방법이 사용되며, 개발 초기에는 광학 추적장치의 정확도가 뛰어난 것으로 보고되었으나, 최근에는 전자기 추적장치의 정확도가 개선되었으며, 사용의 편리성 때문에 최근에는 사용이 증가하고 있다. 하지만 아직까지도 2~3 mm 정도의 오차는 여전히 존재하며, 이는 CT나 MRI 등 영상 측정 시의 변수(측정 간격, 측정 시 표정의 변화 등), 매칭 등록(registration) 시 오차, 수술 시 기준점(fiducial point)의 이동, 영상측정과 수술 시의 연조직의 차이 등이 오차의 원인으로 작용할 수 있다.

수술 시 술자에게 수술 부위에 대한 정보를 제공하는 장점 때문에 개발 후 영상유도수술 시스템의 사용은 급속히 증가하였으며 여러 연구자들이 많은 환자군 연구들을 보고하였지만 아직까지 영상유도수술 시스템이 통계적으로 유의한 장점이 있다는 보고는 그다지 많지 않다. 몇몇 연구에서 영상유도 수술의 사용이 주요 합병증의 빈도를 낮춘다는 보고가 있었으나 최근 나온 메타분석연구에서는 합병증의 빈도를 낮추지는 못하며, 대신 재수술의 빈도를 낮추는 것으로 보고되었다.[26,58,63]

영상유도수술이 비부비동의 복잡한 해부학적 구조를 이해하는 데 많은 도움을 줄 수는 있지만 오차 및 수술 시간, 수술 비용이 늘어난다는 단점이 있을 수 있으므로 모든 환자 모든 질환에서 사용하는 것은 옳지 못하며 영상유도수술을 이용함으로써 얻을 수 있는 이득과 손해를 평가하여 올바르게 적용하는 것이 필요하다. 영상유도수술 자체는 현재까지 알려진 술기에 더하여 도움을 줄 수 있는 발전된 기술의 하나로 생각해야 하며 이러한 기술의 발전이 술자의 해부학적, 외과적 지식이나 경험, 수련의 정도를 대신할 수 없다는 것을 반드시 기억해야 한다.

Ⅵ 다양한 전두동 내시경수술법

전두동에 대한 내시경수술은 그 해부학적 어려움 및 높은 수술 실패율 및 합병증으로 인해[22,28,30,33] 여러 부위에 대한 부비동내시경수술 중 가장 어려운 술식으로 여겨지며, 이를 극복하기 위해 다양한 술식이 개발되어 있다. Draf는 이를 I, II–a, II–b, III 형의 네 단계로 구분하였다(그림 24-24).[69] 이 중 I 형은 전두동의 점막을 손상 시키지 않고 전두와 아래에 있는 병변을 제거하는 술식으로 구상돌기의 제거와 병변이 있는 사골포와 상사골포봉소(suprabullar cell)까지 제거하는 술식이다. II–a 형은 전두동 개방술(frontal sinusotomy)을 일컫는 술식이다. 이는 앞에서 설명한 술식으로 지판과 중비갑개 사이의 전두와를 좁히는 모든 봉소를 제거하는 방법으로 흔히 'uncapping the egg'라고 불린다. II–b 형은 외측의 지판으로부터 내측으로 비중격까지 전장에 걸쳐 드릴을 사용하여 전두동을 넓히는 수술(frontal sinus drill–out)이며, 비제봉소 및 전두사골봉소들 외에도 전두부리(frontal beak)와 두개저와 연하지 않은 중비갑개의 앞쪽 일부를 제거하게 된다.[51,69] II–a 형만으로는 전두동 개방술의 효과가 부족하거나 이전의 수술이 실패한 경우에 시행하게 되며, 드릴의 사용으로 인한 점막의 손상이 술 후 반흔 구축으로 인한 전두동 입구의 협착을 일으킬 수 있으므로 전두와 주변 점막의 50% 이상은 남기도록 주의한다.

III 형은 modified Lothrop approach, bilateral frontal sinus drillout, median drainage procedure, endoscopic frontal drillout 등 다양한 이름으로 불리어 왔으며 현재는 주로 modified Lothrop approach으로 호칭된다. 골성형판(Osteoplastic flap) 수술법이나 전두동 천공술(trephination)에 비해 안면에 반흔을 남기지 않아 미용적으로 우수하고, 수술 시 출혈량이 적으며, 입원기간이 짧은 장점이 있다. 또한, 전두골의 구조를 보존하고 내시경으로 술 후 상태를 직접 관찰할 수 있으며, 술 후 이환율이 낮은 점이 장점이다.[3] 양측 전두동을 개방한 후 두개저 앞쪽으로 확장하여 전두동격막(intersinus septum)을 제거하면, 결과적으로 하나의 초승달 모양의 큰 통로가 양측 전두동과 비강 사이에 만들어지게 된다.

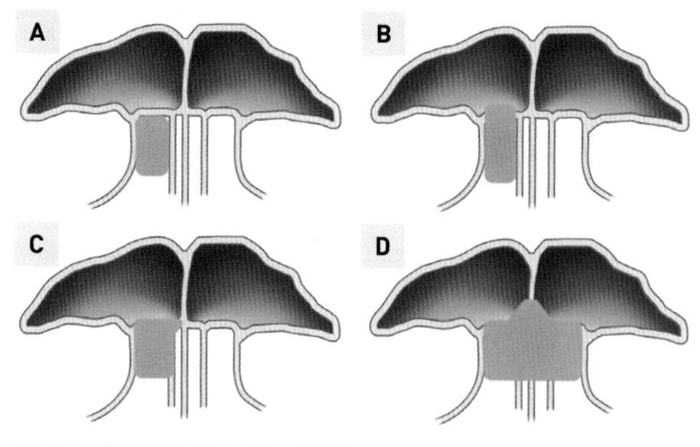

■ 그림 24-24. **Draf에 의한 전두동 내시경수술의 분류. A)** Draf I, **B)** Draf II-a, **C)** Draf II-b, **D)** Draf III

이 외에도 전두동 내시경수술만으로 전두동의 자연공을 찾기 어려운 경우에는 전두동 천공술을 병행하는 상하방 동시 접근법(above and below technique)을 시행해 전두동 입구의 확인 및 확장에 도움을 얻을 수 있다. 천공술은 눈썹 절개를 시행한 후 골막을 절개하고 드릴을 이용하여 전두동의 전면에 구멍을 낸다. 이후 식염수나 fluorescein을 전두동 구멍을 통해 흘러내리게 한 후 비강 내에서 이를 확인하여 전두동 입구를 확인하고 이를 확장시킬 수 있다.

Ⅶ 풍선카테터 부비동확장술 (Balloon Sinuplasty)

풍선카테터 부비동확장술은 유도카테터(guide catheter) 및 유도철선(guide–wire)을 이용하여 부비동 입구에 접근하고, 고압의 풍선을 이용하여 확장시키는 술식이다.[7] 전 외과 영역에서 최근의 추세로 여겨지는 최소침습수술의 개념이 부비동내시경수술에도 적용되기 시작하면서 최근에는 풍선카테터(balloon catheter)를 이용한 부비동확장술이 시행되고 왔으며, 2006년 최초의 소개가 있은 이후 만성 비부비동염에서도 현재까지 많은 연구결과가 보고되고 있다.[6]

풍선카테터 부비동확장술의 적응증은 경도의 급만성 비부비동염에 해당하며, 광범위한 용종이 있거나, 이전에 광범위한 부비동수술이 있었던 경우, 심한 골염이나 변화가 있었던 경우에 BSP의 사용은 아직 논의가 필요하다.[6,7,16] 실제로 염증이 있는 뼈와 점막을 완전히 제거하지 않고, 이를 압력을 통해 부비동을 개방하는 것이 얼마나 효과가 있을지에 대한 의문이 아직까지 있으며, 만성 비부비동염의 경우, 점막뿐 아니라 골염이 환자의 절반 이상에서 존재하는 것으로 보고되어, 이의 완전한 절제가 중요하다는 주장도 있다.[40] 또한 높은 압력과 압착으로 인한 호흡상피의 회복에 대한 연구나 수술 이후의 장기 추적 관찰에 대한 보고가 부족하며, 이외에도 다발성 비용종 및 진균성 부비동염 등의 특정 질환군에서는 풍선카테터 부비동확장술이 단독으로 사용되기 어렵다. 하지만 상악동이나 전두동, 접형동에 제한적인 병변이 있거나 출혈위험 높은 환자들, 즉 기저 혈액 질환 혹은 항암 치료 등으로 인해 혈소판의 수치가 감소한 경우나, 만성 간 질환 또는 항응고제의 복용, 선천적인 혈액 응고 기전의 장애 등으로 인해 기존의 부비동내시경수술이 어려운 환자에서는 풍선카테터 부비동확장술이 도움이 될 수 있을 것이다.

현재 우리나라에서 사용할 수 있는 풍선확장술 기구로는 Acclarent (Menlo Park, CA, USA)사에서 출시된 Relieva Spin™ 과 Medtronic (Minneapolis, MN, USA)사에서 나온 Nuvent™ 등이 있으며, 조명이 부착된 유도철선(guide-wire)이나 영상유도 시스템을 이용하여 부비동 입구의 위치를 확인한 후 풍선카테터를 삽입하여 확장을 시도한다. Relieva Spin™의 경우 유도철선이 부드럽고 철조법(transillumination)을 이용하여 부비동의 위치를 확인하고 풍선확장술을 시행하는 반면(그림 24-25), Nuvent™ 제품은 영상유도수술 시스템과 연동된 탐색자(seeker)형태의 단단한 기구를 이용하여 부비동을 확인한 후 풍선확장술을 시행한다.

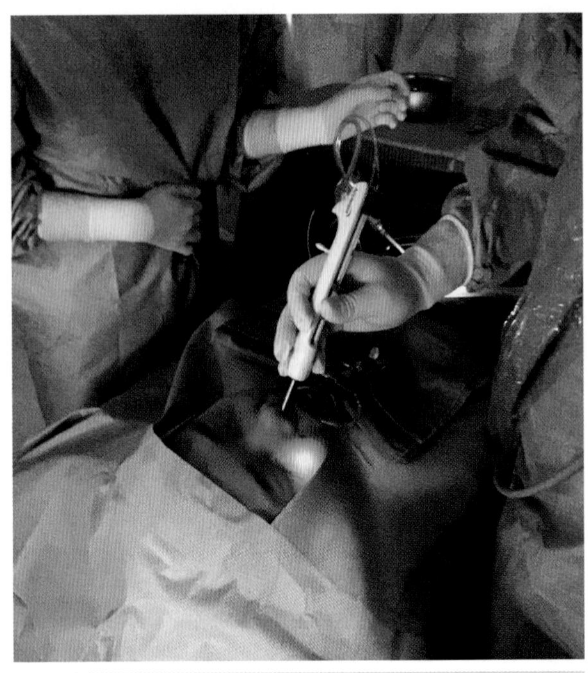

■ 그림 24-25. 풍선카테터 내시경수술에서 철조법을 이용하여 상악동 진입여부를 확인하고 있다.

풍선카테터 부비동확장술의 수술 결과는 대체로 높은 것으로 보고되고 있다. 몇몇 다기관 연구에서 95% 정도의 수술 성공률 또는 증상호전율을 보고하고 있으며, 술후 1년 후에도 85%에서 부비동의 개방성을 유지하였다고 보고하였다.[6,35,70] 하지만 기존의 연구에서와는 달리 최근 유럽에서의 보고는 balloon only군(n=68)과 hybrid군(n=44)에서 각각 기존의 결과에 비해서 상당히 높은 65%와 66%의 실패를 보고하였고, 그 원인으로 insertion failure, dilation failure, not tried 등을 보고하였다.[66] 저자들은 위의 결과를 통해 풍선카테터 부비동확장술을 시행하기에 앞서 부비동내시경수술에 대한 숙련이 전제되어야 한다는 점을 강조하였으며, 풍선카테터 부비동확장술이 부비동내시경수술을 대체할 수 있는 방법은 아니라고 주장하였다.

수술 후 합병증의 종류는 이론적으로 기존의 부비동내

시경수술과 동일하나, 술기의 특성상 심각한 합병증의 빈도는 매우 낮다.[27] 흔하지는 않지만 뇌척수액 비루나 비중격 혈종, 일시적인 안구종창이 보고된 바 있다.[2,27,67]

풍선카테터 부비동확장술은 점막과 점액섬모 기능을 보존하여 부비동의 기능을 회복시키는 최소침습수술로서 여러 연구를 통해 안전성과 효과가 증명되었다. 하지만 앞에서도 언급하였다시피 풍선카테터 부비동확장술을 시행하기에 앞서 부비동에 대한 해부학적 지식과 내시경수술에 대한 숙련이 전제되어야 하며, 풍선카테터 부비동확장술은 부비동내시경수술의 일부분일 뿐 부비동내시경수술을 대체할 수 있는 방법은 아니라는 것을 기억하여야 한다. 또한 향후 영상유도수술의 발전을 포함한 기술의 개발과 더불어 풍선카테터 부비동확장술은 그 역할이 점점 확대될 가능성이 있으며, 앞으로의 비부비동염 치료에서 중요한 위치를 차지할 가능성은 충분히 있다고 보여진다.

참고문헌

1. Albu S, Baciut M. Failures in endoscopic surgery of the maxillary sinus. Otolaryngol Head Neck Surg;142:196-201.
2. Alexander AA, Shonka DC, Jr., Payne SC. Septal hematoma after balloon dilation of the sphenoid. Otolaryngol Head Neck Surg 2009;141:424-425.
3. Anderson P, Sindwani R. Safety and efficacy of the endoscopic modified Lothrop procedure: a systematic review and meta-analysis. Laryngoscope 2009;119:1828-1833.
4. Baskin J, Kuriakose M, Lebowitz R. THE ANATOMY AND PHYSIOLOGY OF THE SPHENOID SINUS OPERATIVE TECHNIQUES IN OTOLARYNGOLOGY-HEAD AND NECK SURGERY, 2003; 14:168-172.
5. Bassiouni A, Chen PG, Naidoo Y, Wormald PJ. Clinical significance of middle turbinate lateralization after endoscopic sinus surgery. Laryngoscope 2015;125:36-41.
6. Bolger WE, Brown CL, Church CA, Goldberg AN, Karanfilov B, Kuhn FA, et al. Safety and outcomes of balloon catheter sinusotomy: a multicenter 24-week analysis in 115 patients. Otolaryngol Head Neck Surg 2007;137:10-20.
7. Brown CL, Bolger WE. Safety and feasibility of balloon catheter dilation of paranasal sinus ostia: a preliminary investigation. Ann Otol Rhinol Laryngol 2006;115:293-9; discussion 300-301.
8. Byun JY, Lee JY. Canine fossa puncture for severe maxillary disease in unilateral chronic sinusitis with nasal polyp. The Laryngoscope 2013;123:E79-E84.
9. Campbell RG, Kennedy DW. What is new and promising with drug-eluting stents in sinus surgery? Curr Opin Otolaryngol Head Neck Surg 2014;22:2-7.
10. Chiu AG, Kennedy DW. Disadvantages of minimal techniques for surgical management of chronic rhinosinusitis. Curr Opin Otolaryngol Head Neck Surg 2004;12:38-42.
11. Citardi MJ, Batra PS. Intraoperative surgical navigation for endoscopic sinus surgery: rationale and indications. Curr Opin Otolaryngol Head Neck Surg 2007;15:23-27.
12. Davis WE, Templer JW, Lamear WR, Davis WE, Jr., Craig SB. Middle meatus anstrostomy: patency rates and risk factors. Otolaryngol Head Neck Surg 1991;104:467-472.
13. Elwany S, Hisham M, Gamaee R. The effect of endoscopic sinus surgery on mucociliary clearance in patients with chronic sinusitis. Eur Arch Otorhinolaryngol 1998;255:511-514.
14. Fedok FG, Ferraro RE, Kingsley CP, Fornadley JA. Operative times, postanesthesia recovery times, and complications during sinonasal surgery using general anesthesia and local anesthesia with sedation. Otolaryngol Head Neck Surg 2000;122:560-566.
15. Fernandez-Miranda JC, Prevedello DM, Madhok R, Morera V, Barges-Coll J, Reineman K, et al. Sphenoid septations and their relationship with internal carotid arteries: Anatomical and radiological study. Laryngoscope 2009;119:1893-1896.
16. Friedman M, Schalch P, Lin HC, Mazloom N, Neidich M, Joseph NJ. Functional endoscopic dilatation of the sinuses: patient satisfaction, postoperative pain, and cost. Am J Rhinol 2008;22:204-209.
17. Gittelman PD, Jacobs JB, Skorina J. Comparison of functional endoscopic sinus surgery under local and general anesthesia. Ann Otol Rhinol Laryngol 1993;102:289-293.
18. Govindaraj S, Adappa ND, Kennedy DW. Endoscopic sinus surgery: evolution and technical innovations. The Journal of laryngology and otology 2010;124:242-250.
19. Green R, Banigo A, Hathorn I. Postoperative nasal debridement following functional endoscopic sinus surgery, a systematic review of the literature. Clin Otolaryngol 2015;40:2-8.
20. Grisel JJ, Atkins JH, Fleming DJ, Kuppersmith RB. Clinical evaluation of a bioresorbable implant for medialization of the middle turbinate in sinus surgery. Int Forum Allergy Rhinol 2011;1:33-37.
21. Hackman TG, Ferguson BJ. Powered instrumentation and tissue effects in the nose and paranasal sinuses. Curr Opin Otolaryngol Head Neck Surg 2005;13:22-26.
22. Har-el G. Endoscopic direct transnasal sphenoideotomy 2003;3:185-187.

23. Higgins TS, Hwang PH, Kingdom TT, Orlandi RR, Stammberger H, Han JK. Systematic review of topical vasoconstrictors in endoscopic sinus surgery. Laryngoscope 2011;121:422-432.
24. Hockstein NG, Bales CB, Palmer JN. Transseptal suture to secure middle meatal spacers. Ear Nose Throat J 2006;85:47-48.
25. Ikeda K, Oshima T, Furukawa M, Katori Y, Shimomura A, Takasaka T, et al. Restoration of the mucociliary clearance of the maxillary sinus after endoscopic sinus surgery. J Allergy Clin Immunol 1997;99:48-52.
26. Javer AR, Genoway KA. Patient quality of life improvements with and without computer assistance in sinus surgery: outcomes study. J Otolaryngol 2006;35:373-379.
27. Karanfilov B, Silvers S, Pasha R, Sikand A, Shikani A, Sillers M, et al. Office-based balloon sinus dilation: a prospective, multicenter study of 203 patients. Int Forum Allergy Rhinol 2013;3:404-411.
28. Kazkayasi M, Karadeniz Y, Arikan OK. Anatomic variations of the sphenoid sinus on computed tomography. Rhinology 2005;43:109-114.
29. Kelly EA, Gollapudy S, Riess ML, Woehlck HJ, Loehrl TA, Poetker DM. Quality of surgical field during endoscopic sinus surgery: a systematic literature review of the effect of total intravenous compared to inhalational anesthesia. Int Forum Allergy Rhinol 2013;3:474-481.
30. Kennedy DW. F Unctional E Ndoscopic S Inus S Urgery : a Nesthesia, T Echnique, and P Ostoperative M Anagement. Management:211-221.
31. Kennedy DW. Technical innovations and the evolution of endoscopic sinus surgery. Ann Otol Rhinol Laryngol Suppl 2006;196:3-12.
32. Kennedy DW, Adappa ND. Endoscopic maxillary antrostomy: Not just a simple procedure. Laryngoscope 2011;121:2142-2145.
33. Kim HU, Kim SS, Kang SS, Chung IH, Lee JG, Yoon JH. Surgical anatomy of the natural ostium of the sphenoid sinus. The Laryngoscope 2001;111:1599-1602.
34. Koulechov K, Strauss G, Dietz A, Strauss M, Hofer M, Lueth TC. FESS control: realization and evaluation of navigated control for functional endoscopic sinus surgery. Comput Aided Surg 2006;11:147-159.
35. Kuhn FA, Church CA, Goldberg AN, Levine HL, Sillers MJ, Vaughan WC, et al. Balloon catheter sinusotomy: one-year follow-up--outcomes and role in functional endoscopic sinus surgery. Otolaryngol Head Neck Surg 2008;139:S27-37.
36. Kuhn FA, Javer AR, Nagpal K, Citardi MJ. The frontal sinus rescue procedure: early experience and three-year follow-up. Am J Rhinol 2000;14:211-16.
37. Laffey JG, Neligan P, Ormonde G. Prolonged perioperative myocardial ischemia in a young male: due to topical intranasal cocaine? J Clin Anesth 1999;11:419-424.
38. Lal D, Stankiewicz J. Primary Sinus Surgery. In: Flint PW, Haughey BH, Lund V, Niparko JK, Robbins T, editors. CUMMINGS OTOLARYNGOLOGY-HEAD AND NECK SURGERY, SIXTH EDITION. Elsevier Saunders; 2015.
39. Lang J. Clinical Anatomy of the nose, nasal cavity, and paranasal sinuses. New York, NY: Thieme, 1989.
40. Lee JT, Kennedy DW, Palmer JN, Feldman M, Chiu AG. The incidence of concurrent osteitis in patients with chronic rhinosinusitis: a clinicopathological study. Am J Rhinol 2006;20:278-282.
41. Lee JY, Lee SH, Hong HS, Lee JD, Cho SH. Is the canine fossa puncture approach really necessary for the severely diseased maxillary sinus during endoscopic sinus surgery? The Laryngoscope 2008;118:1082-1087.
42. Lee JY, Lee SH, Hong HS, Lee JD, Cho SH. Is the canine fossa puncture approach really necessary for the severely diseased maxillary sinus during endoscopic sinus surgery? Laryngoscope 2008;118:1082-1087.
43. Millar DA, Orlandi RR. The sphenoid sinus natural ostium is consistently medial to the superior turbinate. Am J Rhinol 2006;20:180-181.
44. Min YG, Yun YS, Song BH, Cho YS, Lee KS. Recovery of nasal physiology after functional endoscopic sinus surgery: olfaction and mucociliary transport. ORL J Otorhinolaryngol Relat Spec 1995;57:264-268.
45. O'Malley TP, Postma GN, Holtel M, Girod DA. Effect of local epinephrine on cutaneous bloodflow in the human neck. Laryngoscope 1995;105:140-143.
46. Okur E, Yildirim I, Aral M, Ciragil P, Kilic MA, Gul M. Bacteremia during open septorhinoplasty. Am J Rhinol 2006;20:36-39.
47. Penttila M, Rautiainen M, Pukander J, Kataja M. Functional vs. radical maxillary surgery. Failures after functional endoscopic sinus surgery. Acta Otolaryngol Suppl 1997;529:173-176.
48. Richtsmeier WJ. Top 10 reasons for endoscopic maxillary sinus surgery failure. Laryngoscope 2001;111:1952-1956.
49. Rudmik L, Soler ZM, Orlandi RR, Stewart MG, Bhattacharyya N, Kennedy DW, et al. Early postoperative care following endoscopic sinus surgery: an evidence-based review with recommendations. Int Forum Allergy Rhinol 2011;1:417-430.
50. Salam MA, Cable HR. Middle meatal antrostomy: long-term patency and results in chronic maxillary sinusitis. A prospective study. Clin Otolaryngol Allied Sci 1993;18:135-138.
51. Samaha M, Cosenza MJ, Metson R. Endoscopic frontal sinus drillout in 100 patients. Arch Otolaryngol Head Neck Surg 2003;129:854-858.
52. Sathananthar S, Nagaonkar S, Paleri V, Le T, Robinson S, Wormald PJ. Canine fossa puncture and clearance of the maxillary sinus for the severely diseased maxillary sinus. Laryngoscope 2005;115:1026-1029.
53. Schlosser RJ, Bolger WE. Endoscopic transethmoidal sphenoidotomy. Operative Techniques in Otolaryngology-Head and Neck Surgery 2003;14:178-184.
54. Seiberling K, Ooi E, MiinYip J, Wormald PJ. Canine fossa trephine for the severely diseased maxillary sinus. Am J Rhinol Allergy 2009;23:615-618.
55. Seiberling K, Ooi E, MiinYip J, Wormald PJ. Canine fossa trephine for the severely diseased maxillary sinus. American Journal of Rhinol-

ogy and Allergy 2009;23:615-618.
56. Setliff RC, 3rd. Minimally invasive sinus surgery: the rationale and the technique. Otolaryngol Clin North Am 1996;29:115-124.
57. Setliff RC, 3rd. The small-hole technique in endoscopic sinus surgery. Otolaryngol Clin North Am 1997;30:341-354.
58. Sindwani R, Metson R. Impact of image guidance on complications during osteoplastic frontal sinus surgery. Otolaryngol Head Neck Surg 2004;131:150-155.
59. Singhal D, Douglas R, Robinson S, Wormald P-J. The incidence of complications using new landmarks and a modified technique of canine fossa puncture. American journal of rhinology 2015;21:316-319.
60. Sohn JH, Hong SD, Kim JH, Dhong HJ, Chung SK, Kim HY, et al. Extraocular muscle injury during endoscopic sinus surgery: a series of 10 cases at a single center. Rhinology 2014;52:238-245.
61. Stammberger H. Endoscopic endonasal surgery--concepts in treatment of recurring rhinosinusitis. Part II. Surgical technique. Otolaryngol Head Neck Surg 1986;94:147-156.
62. Stankiewicz JA. Comments about postoperative care after endoscopic sinus surgery. Arch Otolaryngol Head Neck Surg 2002;128:1207-1208.
63. Sunkaraneni VS, Yeh D, Qian H, Javer AR. Computer or not? Use of image guidance during endoscopic sinus surgery for chronic rhinosinusitis at St Paul's Hospital, Vancouver, and meta-analysis. J Laryngol Otol 2013;127:368-377.
64. Thaler ER, Gottschalk A, Samaranayake R, Lanza DC, Kennedy DW. Anesthesia in endoscopic sinus surgery. Am J Rhinol 1997;11:409-413.
65. Thompson CF, Conley DB. What is the optimal maxillary antrostomy size during sinus surgery? Current opinion in otolaryngology & head and neck surgery 2015;23:34-38.
66. Tomazic PV, Stammberger H, Braun H, Habermann W, Schmid C, Hammer GP, et al. Feasibility of balloon sinuplasty in patients with chronic rhinosinusitis: the Graz experience. Rhinology 2013;51:120-127.
67. Tomazic PV, Stammberger H, Koele W, Gerstenberger C. Ethmoid roof CSF-leak following frontal sinus balloon sinuplasty. Rhinology 2010;48:247-250.
68. Virgin FW, Bleier BS, Woodworth Ba. Evolving Materials and Techniques for Endoscopic Sinus Surgery. Otolaryngologic Clinics of North America 2010;43:653-672.
69. Weber R, Draf W, Kratzsch B, Hosemann W, Schaefer SD. Modern concepts of frontal sinus surgery. Laryngoscope 2001;111:137-146.
70. Weiss RL, Church CA, Kuhn FA, Levine HL, Sillers MJ, Vaughan WC. Long-term outcome analysis of balloon catheter sinusotomy: two-year follow-up. Otolaryngol Head Neck Surg 2008;139:S38-46.
71. Wigand ME. [Transnasal, endoscopical sinus surgery for chronic sinusitis. I. A biomechanical concept of the endonasal mucosa surgery (author's transl)]. HNO 1981;29:215-221.
72. 박인용, 윤주헌, 이정권, 정인혁. 코임상해부학, 2001.

CHAPTER

25

부비동염의 재수술

이흥만, 조석현

부비동내시경수술은 만성 비부비동염에서 매우 효과적인 치료법으로 성공률은 76~98%이며, 술 후 약물치료와 국소처치(local care)를 요한다.[1] 그러나 약 3~14%의 환자에서는 이러한 치료에도 불구하고 재수술이 필요하다. 만성 비부비동염은 다인성(multifactorial) 요인에 의해 발생하기 때문에 수술적 치료의 역할은 약물치료와 환경요인의 조절에 부가적인 효과가 있다는 것을 알아야 하고, 재수술은 반드시 이와 같은 치료에 반응하지 않을 때 시행해야 한다.

첫 번째 부비동내시경수술이 장기적인 치료성공에 있어서 가장 중요한 기회이며, 따라서 재발된 경우에는 그 원인을 정확하게 판단해야만 또 다른 실패를 예방할 수 있다.[18] 성공적인 비부비동내시경수술을 위해서는 올바른 환자의 선택, 적절한 약물치료와 우수한 수술기법을 요한다. 일차수술과 마찬가지로 재수술의 목표는 정상적인 부비동 생리기능의 회복에 있다. 부비동내시경재수술(revision ESS)의 성공률은 50~70%이고, 합병증의 발생은 7%이다. 일차수술에 비하여 재수술의 치료결과가 상대적으로 좋지 않은 이유는 정상 해부학적 구조물의 소실, 출혈, 반흔 및 골비후 등이 원인으로 작용한다.[26]

최근 초항원(superantigen), 생물막(biofilm)과 신생골(osteoneogenesis) 등 새로운 병인가설이 추가되었고, 천식과 비부비동염의 연관성에 대한 연구로 '단일기도질환(one airway disease)'이라는 개념이 정립되었다. 또한 보다 효율적인 수술기구와 영상유도수술(image-guided surgery)이 개발되었고, 다양한 비침습적 수술기법들이 소개되는 등 눈부신 발전이 있었다.

I 부비동내시경수술의 실패요인

1. 부비동 외적 요인: 잘못된 수술 적응증

일차 부비동내시경수술의 중요한 실패원인 중 하나는 오진으로, 여기에는 두통(headache), 안면통(facial pain) 및 후비루(postnasal drip) 등이 있다(그림25-1).[8,20,46] 두통

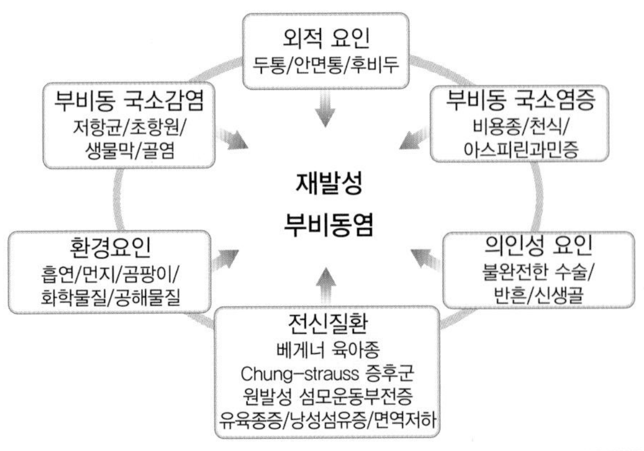

■ 그림 25-1. **부비동염 재발의 원인과 감별진단**

혹은 안면통으로 내원한 환자에서 점막염증을 시사하는 임상소견이 없거나, 경한 점막염증이 우연히 발견된 경우에는 반드시 편두통, 치성질환, 악관절장애 등과 같은 부비동 외적인 원인을 먼저 감별해야 한다.

후비루는 만성 비부비동염과 자주 혼동될 수 있는 증상으로 위식도역류가 있는지 잘 살펴봐야 한다. 위산과 펩신은 점막을 자극하고, 점액수송능력을 떨어뜨릴 수 있으며, 또한 부비동 점막은 위내용물 노출에 저항할 수 있는 방어기제가 없기 때문에 내시경수술의 예후를 나쁘게 할 수 있다. 따라서 만성 비부비동염에서 위식도역류가 동반된 경우에는 이에 대한 약물치료를 병행해야 한다. 일반적으로 후비루는 부비동내시경수술로 잘 조절이 안 되거나 가장 늦게 호전되는 증상에 해당한다.

2. 내과적 요인: 해결되지 않은 국소 혹은 전신질환

1) 지속적인 세균성 질환

부비동내시경수술 후 재발의 원인 중에서 세균관련 인자로는 항생제-저항성 균주(antimicrobial-resistant organisms), 초항원, 생물막 및 골염(osteitis) 등이 있다. 세균과 연관된 만성 비부비동염의 병인에는 감염(infection)과 염증(inflammation)의 두 가지 가설이 있다. 부비동내시경수술에도 불구하고 점액농성 비루가 지속하는 경우에는 항생제-저항성 균주를 알기 위해 중비도 세균배양이 필수적이다.[6] 그러나 세균은 감염 자체보다는 지속적인 염증의 원인으로 작용하며, 특히 포도상구균(Staphylococcus aureus)에서 분비하는 장독소(enterotoxin)는 초항원으로 작용하여 Th2 염증반응과 점막 IgE 생성을 유발한다.[16] 포도상구균은 상피세포로 침투하여 주변조직으로 직접 초항원을 분비할 수 있다. 또한 초항원은 비용종(nasal polyp)을 동반한 만성 비부비동염에서 술 후 재발 혹은 지속적인 염증의 원인으로 작용할 수 있다.

생물막은 인접한 세균이 다량체 기질 속에서 만든 3차원적 구조물이다.[3] 생물막을 형성하는 세균은 부비동내시경수술 후 나쁜 예후를 유발하고, 조절되지 않는 난치성 염증의 원인으로 작용한다. 또한 생물막은 세균의 저장소 역할을 하며, 항생제 투과를 방해하여 세균의 생존을 돕는다. 부비동수술은 이러한 생물막을 제거하는 효과가 있으며, 반대로 생물막이 있는 경우에는 술 후 예후가 나쁘다.

만성 비부비동염에서는 점막염(mucositis)과 함께 골염이 동반될 수 있다.[13] 골염은 하버스관(haversian canal)을 통한 염증의 파급, 하버스관의 폐쇄, 골막(periosteum)의 비후, 골아세포(osteoblast)의 증식 등의 조직학적 소견을 보이고, 부비동 CT 촬영에서 골두께(bone thickness)와 골밀도(bone density)가 증가된 것으로 확인이 가능하다.[35,27] 만성 비부비동염에서 골염이 동반된 경우 술 후 예후가 나쁘고, 또한 재발성 비부비동염에서 골염이 증가한다.[5] 이와 같이 골염은 지속적인 점막염증의 원인으로 작용할 수 있기 때문에 내시경 수술 시 골염으로 이환된 부위를 반드시 제거해야 하고, 술 후 장기적인 항생제 치료가 필요할 수 있다.

2) 지속적인 염증성 질환

지속적 점막염증의 원인으로는 점막염증이 심한 경우, 비용종을 동반한 경우, 천식(asthma)과 아스피린과민증(aspirin sensitivity) 등이 있다. 비용종을 동반하거나 CT에서 중증도가 심한 경우에는 재발과 재수술의 위험도가 증가한다. 부비동내시경수술 후 잔류 염증(residual disease)이 흔하게 발생할 수 있고, 또한 무증상적 점막염증(asymptomatic inflammation)이 지속하는 경우가 대부분이기 때문에 재수술의 빈도를 낮추기 위해서는 장기간 약물치료가 필요하다. 그러나 이러한 치료에도 불구하고 점막염증이 해결되지 못하거나 시간이 지남에 따라 점차적으로 심해지면 또 다른 재발로 이어질 수 있다.

천식을 동반한 경우에는 5년 내 재발률이 45%에 이르며, 이중 25%에서 부비동 재수술이 필요하다.[19] 따라서 재발성 혹은 지속적인 비부비동염에서 천식의 철저한 관리가 필요하고, 역으로 만성 비부비동염의 치료는 천식의 호전에 도움이 된다.

아스피린과민증은 난치성 질환(recalcitrant disease)의 독립적인 원인으로 작용하는데, 아스피린은 cyclooxygenase를 억제하여 프로스타글란딘(prostaglandin)의 합성을 저해한다. 비용종, 천식과 아스피린과민증을 동반한 "Samter 세징후"인 경우에는 술 전 Lund-Mackay 점수가 높고, 재발률은 36~96%까지 증가할 수 있다.[2] 따라서 술 후 장기 저용량 스테로이드 혹은 아스피린 탈감작(desensitization)과 같은 철저한 약물치료와 국소치료가 필요하다.

3) 전신적 질환

다양한 전신질환이 만성 비부비동염과 동반될 수 있는데, 일부에서는 부비동내시경수술이 금기로 되어 있어 주의를 요한다. 베게너(Wegener) 육아종은 많은 장기에 이환되며, 상기도와 하기도를 침범할 수 있다.[43] 대개 30~50세에 발견되고, 남성에서 1.5배 흔하며, 두경부에서 발생빈도는 95%에 달한다. 비강을 침범한 경우 화농성 비루가 생기고, 비강의 외벽뿐만 아니라 비중격을 침범하여 비중격천공을 일으킨다. 혈액검사에서 항중성구세포질항체(ANCA)와 적혈구침강속도(ESR)가 상승하는 경우 의심할 수 있고, 조직검사(다혈관염, polyangitis)로 확진한다. 스테로이드를 포함한 약물치료가 주된 치료법으로 수술은 질병을 악화시킬 수 있다.

유육종증(sarcoidosis)은 주로 하기도를 침범하는데, 두경부는 9%, 비부비동은 0.7~6%에서 이환된다.[37] 처음에는 가피형성과 점막부종을 일으키고, 점차 진행하여 비중격천공과 안비(saddle nose)를 유발한다. 처음에 진단이 이루어지지 않은 상태에서 부비동내시경수술을 한 경우 점막부종, 비폐쇄와 가피형성이 더욱 심해지게 된다. 진단은 신체진찰에서 경부림프절이 만져질 수 있고, 혈액에서 안지오텐신(antiotensin) 전환효소(ACE)가 증가하고, 흉부방사선촬영에서 폐문 림프절 비후가 보이는 경우 의심할 수 있다. 조직검사에서 비건락성 육아종(noncaseating granuloma) 소견이 보일 경우 진단에 도움이 된다. 예후가 매우 나쁘기 때문에 초기에 의심할 수 있어야 하고, 일차수술과 마찬가지로 재수술 또한 금기로 되어 있으나, 매우 심한 코막힘이 있는 경우에는 선택적으로 시행할 수 있다. 수술을 계획한 경우에는 고용량의 스테로이드를 미리 사용해야 한다. 유육종증이 비부비동을 침범한 경우는 관해율이 떨어지기 때문에 스테로이드, methotrexate, azathioprine과 같은 약물치료를 장기간 요한다.

Churg-Strauss 증후군은 괴사성 육아종성 혈관염(necrotizing granulomatous vasculitis)으로 비부비동의 침범은 69~75%에서 발생한다.[24] 천식과 호산구증가증을 흔하게 동반하며, 초기에는 비용종을 동반한 비부비동염 및 자주 재발하는 비부비동염과 잘 구분되지 않는다. 비용종과의 감별점으로 혈관외 호산구 침윤(extravascular eosinophilic infiltrates)이 보이는 조직학적 소견과 함께 2기와 3기에 각각 단일신경증(mononeuropathy)과 다발성신경증(polyneuropathy)을 동반한다. 부비동내시경수술을 시행하더라도 질병이 심해지지는 않지만, 잦은 재발로 재수술이 필요한 경우가 많다.

알레르기는 부비동내시경수술을 받는 환자의 30~62%에서 동반하는데, 만성 비부비동염과의 연관성은 명확하지 않다.[38] 알레르기에 대한 적절한 진단과 치료는 부비동내시경수술 후 주관적 증상 개선에 기여할 수 있다는 보고가 있는 반면, 수술로 인하여 개방된 부비동이 지속적으로 항원과 환경자극에 노출되는 악영향도 있을 수 있다.

알레르기성 진균성 비부비동염(allergic fungal rhinosinusitis)은 진균에 대한 과민반응이 원인으로 부비동내시경수술과 술 후 적극적인 약물치료에도 불구하고 재발이 흔하다.[31] 수술의 역할은 비용종과 진하게 농축된 알레르기 뮤신(allergic mucin)을 제거하고 부비동의 환기를 돕는 것으로, 술 후 비강세척과 함께 고용량(60 mg)의 경구용 스테로이드의 처방이 필요하다. 스테로이드는 2~4주에 걸쳐 용량을 점차 줄일 수 있는데, 재발이 매우 흔하기 때문에 일차수술에서 자연공을 크게 넓혀주는 것이 필요하고, 재수술은 대개 넓어진 자연공을 통한 세척과 내시경적 청소(endoscopic debridement)를 시행하는 것이다. 원인 곰팡이에 대한 면역치료가 도움이 될 수 있으나 아직 증거가 부족하고, 국소 amphotericin B는 효과가 없다.

점액섬모청소(mucociliary clearance)는 매우 중요한 자연면역인데, 여기에 문제가 생기면 난치성 질환으로 이어진다. 낭성 섬유증(cystic fibrosis)은 염소채널(chloride channel)의 기능부전으로 인한 점액정체와 재발성 세균감염을 유발한다.[44] 다른 섬모운동장애로는 원발성 섬모운동부전증(primary ciliary dyskinesia)이 있는데, 브러쉬 샘플을 전자현미경으로 관찰하여 진단할 수 있다.[7] 위 두 질환은 모두 상염색체 열성유전으로 발생하기 때문에 비용종을 동반한 만성 비부비동염으로 내원한 18세 이하의 소아에서는 반드시 의심해 보아야 한다. 수술적 치료로 전통적인 부비동내시경수술은 예후가 좋지 않기 때문에 내시경적 상악동 내벽절제술(endoscopic medial maxillectomy)이 추천된다.

적절한 약물 및 수술에도 불구하고 자주 재발하는 경우 면역저하(immunodeficiency)를 의심해야 한다.[10] 여기에는 T림프구 세포와 과립구의 기능이상, 선택적 면역글로불린 결핍(selective immunoglobulin deficiency), 공통 가변성 면역결핍(common variable immunodeficiency) 등이 있고, 기저 질환에 대한 치료 없이는 비부비동염이 호전되지 않는다. 이차적 면역결핍의 원인으로 장기 혹은 골수이식, 항암제 투여 및 후천성 면역결핍증(AIDS) 등이 있으며, 일반적으로 부비동내시경수술로 효과를 보기 어렵다. CD4 양성 세포수가 50/mm^3 이하로 감소하는 경우 만성 비부비동염의 발생이 증가하는 것으로 알려져 있으며, 따라서 저하된 면역에 대한 일차적 치료가 수술적 치료에 우선한다.

4) 환경요인

흡연은 가장 중요한 환경요인으로서 점액수송능력을 저하시키고, 상피세포염증을 유발하며, 코저항을 증가시킨다.[45] 내시경수술 후에는 상처치유를 지연시키기 때문에 금연은 필수적이다. 흡연이 점막상피에 미치는 악영향에 대한 실험적 증거는 많지만, 역학조사에서 흡연과 만성 비부비동염의 상관성은 아직은 확실하지 않다. 다른 환경요인으로 먼지, 곰팡이, 화학물질과 공해물질에 지속적인 노출이 문제가 될 수 있다. 사회경제적 상태가 낮은 경우에 만성 비부비동염의 발생이 증가하는데, 여기에는 아직 밝혀지지 못한 환경적 요인과 생활습관이 작용할 수 있다. 이러한 환경요인들이 일차수술 후에도 해결되지 못한 경우에는 부비동 재수술에도 악영향을 미칠 수 있음을 알아야 한다.

3. 의인성 요인: 불완전한 수술 및 잘못된 상처치유

1) 불완전한 수술로 인한 지속적인 부비동 폐쇄

부비동내시경수술의 흔한 실패요인 중 하나는 불완전한 일차수술(incomplete primary surgery)에서 기인한다.[28] 일반적으로 모든 부비동을 전부 수술해야 하는 것은 아니지만, 일단 특정 부비동을 수술하기로 계획한 경우에는 주위의 점막과 골을 보존하는 범위에서 가능한 완전하게 처리해야 한다. 수술은 어쩔 수 없이 자연스런 점액섬모수송 경로의 부분적인 변경을 초래하고, 술 후에는 반흔과 자라나는 점막으로 인하여 공간이 막힐 가능성이 늘 존재한다. 따라서 일차수술이 완벽하게 시행된 경우라 할지라도 재발을 피할 수 없는 경우가 있다.

2) 성공적인 수술에도 불구하고 재발한 폐쇄

일차 내시경수술이 성공적으로 수행된 경우에도 술 후 잘못된 치유과정으로 인하여 재발할 수 있는데, 이것은 연조직과 골조직에서 모두 일어날 수 있다. 수술을 할 때 세심하게 점막을 보존하고, 술 후 약물치료, 세척, 가피제거 등 적극적인 치료를 시행하면 이러한 결과를 감소시킬 수 있다. 부비동내시경수술 후 상처치유(wound healing)는 염증반응, 세포분열과 리모델링(remodeling)의 과정을 거치게 된다.[42] 침착된 섬유아세포(fibroblast)는 콜라겐 침착과 상피재생(reepithelialization)을 유도하는데, 응고된 혈액은 협착의 원인으로 작용한다. 따라서 수술 시 세심한 술식과 함께 술 후 수술부위에 응고된 혈액을 제거하는 것은 매우 중요하다. 이 외에 신생골은 점막결손부위나 심한 만성 염증에서 발생할 수 있는데, 일단 발생한 경우에는 처치가 곤란한 경우가 많다.

4. 예상하지 못한 합병증의 발생과 종양의 발견

간혹 일차 내시경수술에서 예상치 못한 소견이 발견되거나 합병증이 발생한 경우 비교적 이른 시기에 재수술을 요하는 경우가 있다. 출혈은 가장 흔한 합병증으로 대부분의 출혈은 큰 문제없이 지혈될 수 있지만 간혹 굵은 직경의 혈관이 손상될 수 있다. 접구개동맥(sphenopalatine artery)과 전사골동맥(anterior ethmoid artery)은 빠른 유속의 출혈을 유발하여 일반적인 팩킹으로 지혈되지 않는 경우가 많다.[39] 접구개동맥은 색전술(embolization)로 처치될 수 있으나 비용, 효과와 합병증을 고려하면 내시경적 혈관소작 혹은 결찰(ligation)이 우선적으로 추천된다. 전, 후사골동맥은 안동맥(ophthalmic artery)에서 기시하기 때문에 원칙적으로 색전술은 금기이며, 비강 혹은 안와를 통해서 결찰해야 한다. 이 때 혈관이 손상되면 동맥이 안구 안으로 빨려 들어가서 즉각적 혹은 지연성 안와혈종(orbital hematoma)을 일으킬 수 있다. 이로 인하여 안압이 급격히 상승하는 경우 망막혈관(retinal artery)을 폐쇄하여 영구적 실명으로 이어질 수 있기 때문에 즉각적으로 외안각절개술(lateral canthotomy) 등 안와감압술(orbital decompression)을 시행하여 안압을 떨어뜨려야 한다.

수술 시 지판(lamina papyracea)의 손상은 안와 내출혈의 또 다른 원인으로서 이때, 내직근(medial rectus muscle)의 손상이 동반되었는지 의심해봐야 한다.[18] 전형적인 손상의 유형은 근육의 끼임(entrapment)과 타박상(contusion) 혹은 근육 내 혈종, 근육의 부분적 혹은 완전 절단, 그리고 근육의 외측에 있는 동안신경(oculomotor nerve)의 분지 손상이다. 내직근이 끼인 경우에는 즉각적인 재수술이 필요하고, 그 외의 손상에서는 영구적 반흔 구축과 섬유화를 예방하기 위해서 3~4주 이내에 처치가 필요하다. 내직근이 완전히 절단된 경우에는 안구를 박리하여 절단된 근육을 재접합(reanastomosis)해야 하는데, 후방 20 mm 이상의 근육이 남아있는 경우에 가능하다. 그러나 재접합이 성공적으로 되었다 할지라도 예후는 나쁘며, 수술의 목적은 단일양안시(single binocular visual field)를 확보하는 것임을 환자에게 설명해야 한다.

수술 시 두개저에 손상을 초래한 경우 뇌척수액비루(cerebrospinal fluid leak)가 생길 수 있는데, 수술 도중 발견된 경우는 즉시 재건을 해야 한다.[4] 만약 즉시 재건을 못한 경우에는 심각한 두개 내 손상(intracranial injury) 가능성을 의심하여 신경학적 검사와 적절한 두개촬영을 한 후 가능한 조기에 재건을 시도해야 한다. 술 후 수양성 비루가 지속되는 경우 뇌척수액비루 가능성을 의심하여 가능한 빨리 내시경검사, 뇌촬영 및 비루에서 β2 transferrin 측정 등의 검사가 필요하고, 이는 뇌척수액비루를 방치할 경우 국소적인 뇌염(encephalitis)과 상행성 뇌막염(meningitis)이 발생할 위험성이 있기 때문이다.

염증성 질환의 의심하에 부비동내시경수술을 하던 도중 예기치 않게 종양을 발견한 경우나 술 후 조직검사에서 종양으로 보고를 받는 경우가 발생할 수 있다. 따라서 모든 조직샘플은 위치를 정확하게 명기하여 조직검사를 의뢰해야 한다. 예기치 않게 종양을 발견한 경우에 내시경적 완전 절제가 가능하다고 판단되면 바로 시행하는 것이 원칙이며, 만약 그렇지 않은 경우에는 수술 종료 후 종양 전문가와 상의하여 치료계획을 수립해야 한다.

II 부비동 재수술에 대한 접근과 진단

부비동 재수술을 시행하기 전에 일차 부비동 수술에 문제가 없었는지, 술 전 충분한 약물치료를 했는지, 실패 요인에 해당사항이 있는지 등에 대한 포괄적인 병력청취 및 검토가 필요하다.[22] 부비동내시경수술 후 지속되는 비부비동염의 원인은 매우 다양하기 때문에 재수술은 기왕의 의학적, 환경적, 수술적 요인들을 면밀하게 분석해서 결정해야 하며, 특히 내시경 소견과 부비동 CT 소견을 면밀하게 분석하는 것은 반복되는 실패를 줄이는 데 필수적이다. 해부학적인 문제가 별로 발견되지 않는 경우에는 수술을 결정하기 전에 충분한 약물치료를 해야 하는데, 이러한 경우에는 재수술의 효과를 기대하기 어렵기 때문이다.

흡연, 화학물질, 공기오염, 흡입성 항원, 곰팡이 등 환경요인은 모두 점액섬모기능에 장애를 초래할 수 있기 때문에 일차수술 전후에 이러한 요인들이 있었는지 술 후 이에 대한 회피 및 치료가 있었는지 확인해야 한다. 또한 천식이나 아스피린과민증 등 전신질환의 병력 및 적절한 치료를 받았는지 확인해야 하고, 이는 재수술의 예후에 중요한 영향을 미친다. Samter 세징후가 동반된 경우 수술은 국소 염증의 부담을 줄여주는 효과를 기대할 수 있지만, 술 후 전신질환에 대한 지속적인 관리가 매우 중요하다는 것과 추가적인 재수술이 필요할 수 있음을 환자에게 설명해야 한다. 알레르기비염이 심한 경우 술 전 면역치료를 먼저 해보는 것이 좋고, 아니면 재수술과 함께 병행하여 시도해보는 것이 도움이 된다.

1. 비내시경 검사

대부분의 문제는 내시경검사로 알 수 있으며, 접형동은 0° 내시경, 상악동과 전두동은 30° 이상의 강직형 내시경을 이용하는 것이 좋다. 굴곡형 내시경은 상악동치은와(maxillary alveolar recess)와 전두동 외측부위를 확인하는 데 유리하다. 염증에 대한 평가로 점막비후, 비용종, 화농성 분비물의 존재와 위치를 파악해야 한다(그림 25-2). 해부학적 문제에 대한 평가로 비중격만곡증, 수포성 갑개(concha bullosa), 제거되지 못한 Haller 봉소, 남아있는 구상돌기와 사골봉소 및 점액 재순환(mucus recirculation) 등이 있다.[33] 잘못된 상처치유에 대한 평가로 중비갑개 외측편위, 전두와 협착 그리고 상악동과 접협동의 개구부에 협착 혹은 폐쇄가 있는지 확인한다.

2. 영상검사

재수술 전 CT를 다시 촬영 후 이전 CT 영상과 비교하여 원발성 병소, 남아있는 병소, 새로 발생한 병소와 의인성 병소 등을 감별할 수 있다. CT 영상의 판독은 체크리스트를 이용하는 것이 도움이 되고(표 25-1)[14] 이 외에 남아 있는 골격막, 신생골, 이환된 부비동의 점액수송경로 등을 고려하여 내시경접근법과 외부접근법 등 수술접근법을 결정할 수 있다. 이전 수술에 의하여 중요한 해부학적 지표들이 제거되어 있는 경우가 많고, 두개저, 안와, 안신경, 경동맥 등 중요 구조물에 부분적인 손상이 있을 수 있기 때문에 면밀한 판독이 요구된다.

부비동 MRI는 안와 내 및 두개 내 병변이 있는 경우와 두개저 미란이 있는 경우에 필요하며, 특히 접형동에 미란성 병변이 관찰되거나 외상성 혹은 일차성 경동맥류(carotid aneurysm)가 의심되는 경우에는 MRI 혈관조영

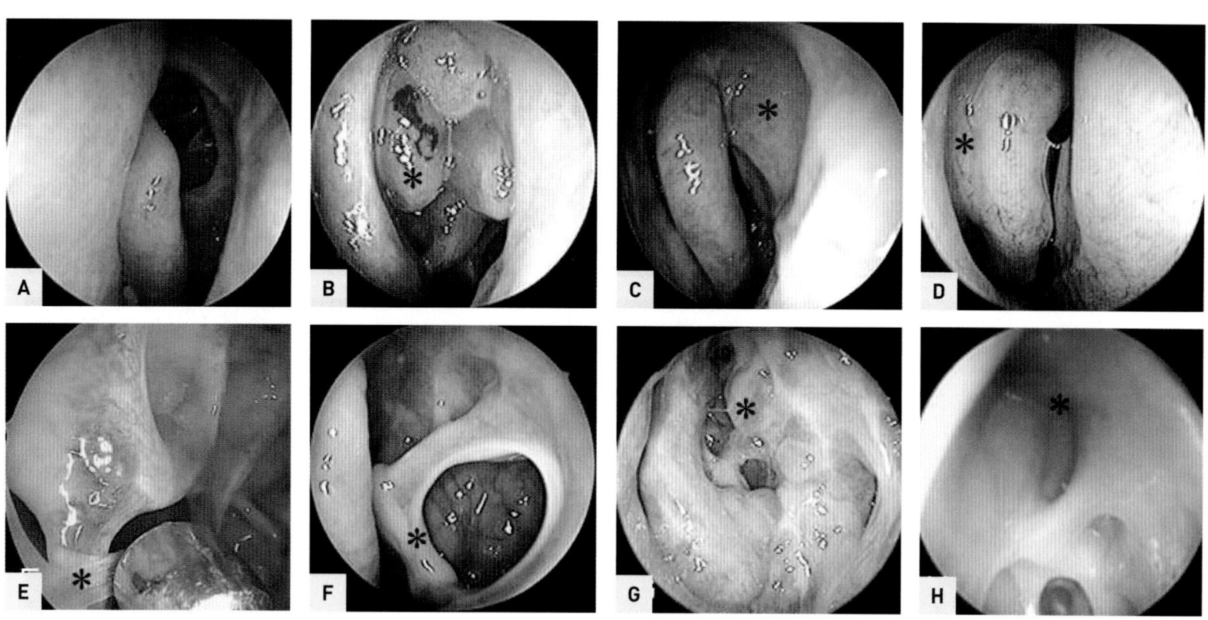

■ 그림 25-2. **부비동염 재수술 환자에서 흔히 관찰되는 내시경 소견.** **A)** 내시경 수술 후 정상 회복, **B)** 재발된 비용종, **C)** 남아있는 구상돌기, **D)** 중비갑개 외측편위 및 중비도 협착, **E)** 불완전한 상악동개창술로 인한 점액재순환, **F)** 수술로 넓혀진 상악동 자연공의 점액수송능력 감소로 인한 점액정체, **G)** 불완전한 사골동 절제와 및 재발된 점막 염증, **F)** 전두와 협착 및 폐쇄

표 25-1. 부비동내시경 재수술에서 수술 전 부비동 CT의 평가

부위	평가
두개저	경사, 높이, 골미란, 상대적으로 두껍거나 얇아진 부위
안구 내측벽	손상 여부, 미란, 형태, 누두의 크기, 구상돌기의 위치
사골혈관	두개저에서 전, 후사골동맥의 상대적 위치
후사골동	수직 높이, Onodi 봉소의 존재
상악동 내측벽	Haller 봉소의 존재, 부공(accessory ostia)의 존재
접형동	상대적인 크기, 접형동 중격의 위치, 경동맥/시신경과의 위치관계
전두와/전두동	전두동/비제봉소/상안와봉소의 함기화 정도, 전두와 크기와 배출 경로

술(angiography)을 시행할 수 있다.

3. 영상유도수술

최근 컴퓨터를 이용한 영상유도기술이 개발되어 부비동내시경수술에 이용되고 있으며, 특히 해부학적 구조가 변형된 재수술에서 합병증의 발생을 줄일 수 있고, 접근이 어렵거나 위험성이 높은 부위를 3차원적으로 안전하게 확인할 수 있는 장점이 있다.[40] 영상유도수술(image-guided surgery)은 부비동에 해부학적으로 변형이 관찰되는 경우, 광범위한 비용종을 동반한 경우, 전두동/후사골동/접형동을 침범한 경우, 병변이 두개저/안와/안신경/경동맥과 인접한 경우, 두개저 결손이나 뇌척수액비루가 있는 경우, 그리고 양성 및 악성종양 등의 경우에 도움이 된다.[36]

영상유도수술은 크게 환자의 해부학적 기준점을 컴퓨터에 등록(registration), 센서의 위치정보를 추적(tracking system), 추적된 위치정보를 CT 영상에 조합(integration)하는 과정으로 이루어진다. 등록은 환자 얼굴에서 최소 3개 이상의 기준점(fiducial point)을 CT 영상의 위치와 매핑하는 과정으로 점과 점을 매핑하는 방법(paired point registration)과 안면의 선을 따라서 매핑하는 방법(contour-based registration)이 있다. 보통 1.5~2 mm의 타겟등록오류(target registration error)

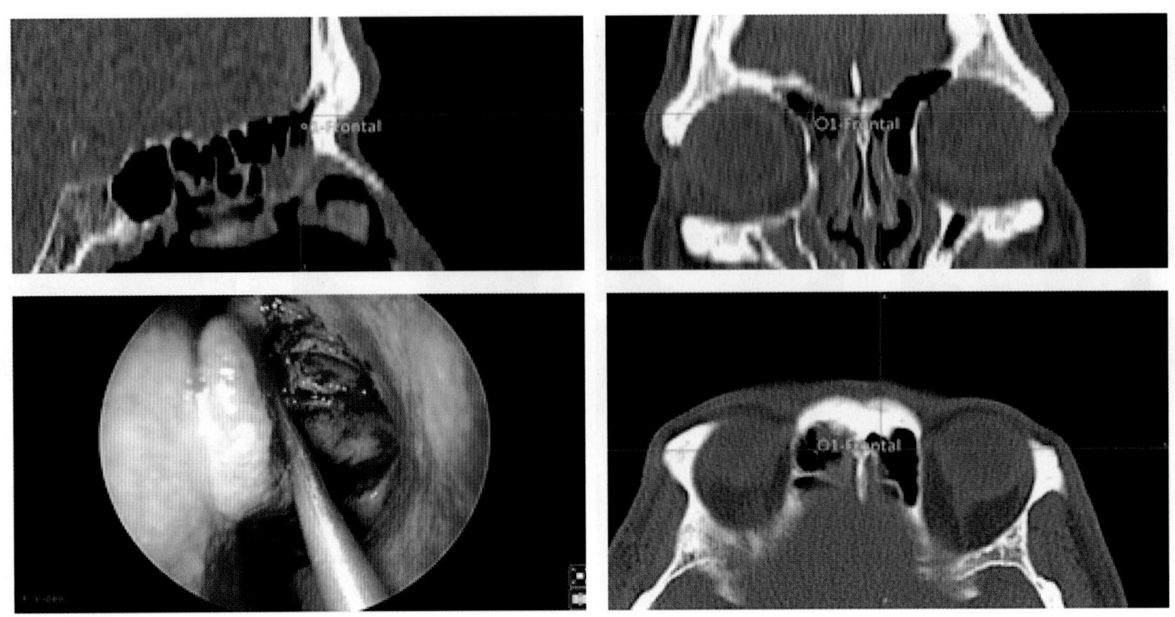

■ 그림 25-3. **영상유도수술**

가 있을 수 있기 때문에 술자는 영상유도기술에서 제공하는 정보를 절대적으로 의존하면 안 되며, 술자의 해부학적 지식과 경험을 바탕으로 수술하는 것이 바람직하다. 위치를 추적하는 방법은 자기장을 이용하는 방법(magnetic)과 LED광선을 이용하는 방법(optic)이 있고, 수술기구의 위치변화는 실시간으로 모니터에 3차원 이미지로 표현된다(그림 25-3).

Ⅲ 재수술 전 내과적 치료

부비동 재수술은 일차수술 후 충분한 기간 동안 내과적 치료와 국소치료에도 불구하고 호전이 없는 경우에 시행할 수 있다. 지속적인 화농성 비루가 있는 경우, 가능한 세균배양을 시행하여 이에 맞는 항생제를 최소한 3~4주 투여한다. 술 전 일시적으로 경구용 스테로이드(20~30 mg, 3~7일)를 사용하는 것은 점막 염증을 감소시키고, 하기도의 민감성을 떨어뜨리며, 수술 시 출혈량을 줄이는데 도움이 된다.

Ⅳ 부비동 내시경 재수술 시 이용되는 수술지표

부비동 재수술은 기왕에 해부학적 지표들이 제거된 경우가 많아 추가적인 손상과 합병증의 발생이 증가할 수 있다. 최근 개발된 영상유도수술은 해부학적 지표들이 상실된 상태에서 수술을 진행하는 데 매우 도움이 된다. 그러나 재수술에서 기본적으로 아래의 중요한 수술지표들을 잘 숙지하고 있어야 하며, 또한 일차 부비동수술에서 반드시 남겨 두어야 한다.[32]

'누골의 후방경계로 형성된 아치(arch of formed by the posterior edge of the lacrimal bone)'는 잔존하는 중비갑개의 전상방 부착부와 연결되는 부분으로 사골동의 전방경계를 알 수 있다. '중비갑개의 전·상부 남아 있는 부위가 붙은 모습(anterior–superior attachment of the middle turbinate)'과 지판 사이의 공간은 사골동에 해당하며, 두 구조물 사이에서 사골동절제술을 시행해야 사상판(cribriform plate)의 손상을 방지할 수 있다. '상악동 개구부의 상부와 안와지판의 하방경계가 이루는 능선(middle meatal antrostomy and the ridge along its superior border formed by the floor of the orbit)'은 지판, 후사골동과 접형동의 위치를 인지하는 데 중요한 지표이며, 후사골동은 이 능선의 상방에, 접형동은 이 능선의 하방에 존재한다. '지판'은 사골동의 외측 경계이며, 안와 손상을 방지하는 데 매우 중요한 지표이다. '비중격'과 '후비공의 아치(arch of the posterior choana)'는 접형동의 개구부를 찾는 데 중요한 지표이며, 접협동 자연공은 후비공 아치의 1.5 cm 상방에 존재한다. '사골동과 접형동의 천장(roof)'은 하나로 이어져 있고, 두개저에 해당한다. 재수술에서는 접형동(후방)에서 시작하여 사골동(전방)으로 진행하면서 남아있는 봉소들을 제거하는 후방 접근법이 두개저의 손상을 예방하는 데 유리하다.

 재수술 수술방법

1. 부비동 재수술의 주의사항

부비동 재수술에서는 이전 수술에 의하여 해부학적 지표들이 소실되어 있기 때문에 안와손상, 뇌척수액비루, 심한 출혈 등 합병증의 위험성이 증가할 수 있다. 따라서 확실한 지표를 찾은 후에 아는 곳(known)에서 모르는 곳(unknown)으로 수술을 진행해야 한다.[16] 심한 출혈로 시야를 확보할 수 없거나 해부학적 위치를 확신할 수 없는 경우에는 수술을 중단한다. 남아있는 중비갑개를 확인하여 외측으로 수술을 진행해야 사상판의 손상을 피할 수 있다. 접형동 자연공은 접사함요(sphenoethmoid recess) 안에서, 상비갑개와 비중격 사이에서, 상비갑개의 하방 1/3 지점에서, 상악동 자연공과 동일한 높이에서 찾을 수 있고, 먼저 자연공을 확인한 후 수술을 진행해야 한다. 남아있는 봉소를 제거할 때는 먼저 후사골동에서 두개저와 지판의 위치를 확인한 후 전방으로 수술을 진행하는 것이 좋다. 일차수술과 마찬가지로 가능한 정상적인 점막을 보존하고, 뼈노출이 되지 않게 해야 술 후 상처치유를 돕고, 협착과 신생골의 형성을 막을 수 있다.

2. 중비갑개 재수술

중비갑개의 외측편위(middle turbinate lateralization)는 35.8~78%에서 발생하는데, 이는 술 후 중비도가 폐쇄되는 흔한 원인으로 작용한다. 이러한 외측편위는 중비갑개 부분절제술(partial middle turbinectomy)을 시행한 경우 흔히 발생할 수 있기 때문에 중비갑개 수술이 필요할 경우에는 뇌척수액 비루의 발생을 예방하기 위해 두개저에 짧은 골기판(bony lamella)을 남기고 대부분 절제하는 것이 추천된다.

3. 상악동 재수술

부비동 내시경 재수술 시 접하는 지속적인 상악동염의 흔한 원인으로는 점액 재순환, 다른 부비동으로부터 염증의 파급, 상악동 내의 이물질, 점액섬모수송의 실패, 상악동 개구부의 폐쇄 등으로 요약할 수 있다. 따라서 상악동 개구부가 막혀있는지, 남아있는 Haller 봉소 등에 의하여 좁아져 있는지, 수술적 개구부(surgical antrostomy)와 자연공이 하나로 되어 있는지, 점액 재순환이 있는지 등을 살펴야 한다.[25]

불완전한 제거로 인해 남아있는 구상돌기(uncinate process)는 후천문(posterior fontanelle)을 자연공(natural ostium)으로 오인하여 점액 재순환을 유발하거나, 상악동개구부가 협착 및 폐쇄되는 원인으로 작용한다. 따라서 남아있는 구상돌기를 제거하고, 자연공과 상악동개구부 사이를 연결하여 하나의 창으로 만들어야 한다. 그리고 30 혹은 45° 내시경으로 관찰하면서 seeker probe, back-bitting forcep과 microdebrider 등을 이용하여 남아있는 구상돌기의 전상부를 제거하여 결과적으로 완전한 구상돌기절제술(complete uncinectomy)을 시행해야 중비갑개와의 협착을 방지할 수 있다. Haller

봉소는 상악동개구부를 막거나 혹은 Haller 봉소의 염증이 지속적인 상악동염의 원인으로 작용할 수 있기 때문에 제거해야 한다.

상악동 내의 문제로 남아있는 이물질, 재발한 비용종성 점막과 점액섬모수송의 실패 등이 있다. 농축된 결석(inspissated concretions), 치아충전재료(dental fitting materials), 진균구(fungal materials), 뼛조각(bone chips) 등이 있으면 개구부를 통한 동세척과 기구를 이용하여 제거하고, 만약 용이하지 않은 경우에는 견치와천공술(canine fossa puncture)이나 Caldwell-Luc 접근법을 이용할 수 있다. 상악동 내의 이물질은 반드시 제거하여 지속되는 감염의 원인으로 작용하는 것을 막아야 한다.

낭성 섬유증, 섬유운동부전증, 이전에 상악동근치술(Caldwell-Luc)을 받은 경우에는 점액섬모수송이 저하되어 있어 상악동개구부를 크게 만들어 주거나(wide antrostomy) 하비도개방술(inferior meatal antrostomy)을 동시에 시행한다. 위의 방법으로 해결되지 못하거나 부족하다고 판단되는 경우 내시경적 상악동 내벽절제술을 시행하여 'mega-antrostomy'를 만들어 주는 것이 도움이 될 수 있고, 이때 하비갑개의 전방 1/2을 남겨두는 것이 빈코증후군(empty nose syndrome)과 누관손상을 예방하는 데 도움이 된다.[11] 점액수송능력이 저하된 환자에서는 이러한 상악동구제술(salvage maxillary sinus surgery)이 필요하고, 중력에 의한 배농(gravity drainage)과 비강세척(nasal irrigation)을 통해 부비동 위생(sinus hygiene)을 도모할 수 있다.

4. 사골동 재수술

불완전한 사골동절제로 인하여 술 후 남아있는 사골세포(retained ethmoid cells)는 50% 이상에서 발생하며, 재발의 흔한 원인이다. 또한 사골동은 비용종의 재발뿐만 아니라 신생골 형성이 흔하게 발생하는 부위로 사골동 재수술에서는 전후 사골동에 남아있는 봉소를 모두 제거하는 술식(total ethmoidectomy)이 필요한 경우가 많다. 사골동 재수술의 목적은 염증이 있는 점막과 골의 제거뿐만 아니라 남아있는 봉소들을 철저하게 제거하여 결과적으로 사골동이 건강한 점막으로 덮이도록 재생을 유도하는 것이다.

제거되지 못하고 남아있는 사골봉소들은 대개 두개저와 지판 근처에 존재한다. 부비동 CT 영상을 면밀하게 분석하여 두개저와 지판의 위치와 상태를 확인하고, 이전 수술에 의하여 손상된 부위가 있는지 잘 살펴야 한다. 두개저와 지판은 후방으로 갈수록 기울어져 있기 때문에 처음에는 0° 내시경으로 확인하는 습관이 필요하고, 후사골동에서 전방으로 이동하면서 15° 내시경에서 70° 내시경으로 교체하는 것이 좋다. 두개저의 위치는 후사골동이나 접형동에서 먼저 확인하는 것이 좋고, 두개저의 전방에서는 사상판이 손상되지 않게 조심해야 한다. 지판의 위치를 잘 모를 경우 수술 도중 눈을 눌러서 움직이는지 여부를 확인해야 한다. 또한 사골동에는 Haller 봉소나 Onodi 봉소와 같이 해부학적 변이가 흔하게 있을 수 있기 때문에 미리 확인해야 한다. 남아있는 골격막을 제거할 때는 반드시 뒤에 공간이 있는지 확인 후 제거하는 것이 안전하며, 만약 신생골에 의하여 뼈가 심하게 두꺼워진 경우에는 먼저 Blakesley 겸자로 뼈를 골절시킨 후 제거하거나 혹은 through-cutting 겸자나 diamond burr drill을 이용할 수 있다. 두개저는 후방으로 갈수록 뼈가 두꺼워지는 경향이 있지만 후사골동맥이 지나가는 부위에는 얇아질 수 있고, 간혹 전사골동맥이 뼈로 덮여있지 않는 경우가 있을 수 있기 때문에 주의를 요한다.

5. 접형동 재수술

접형동은 두개저가 가장 낮은 부위로 안와내벽의 후방경계를 확인하는 데 중요한 지표로 이용된다. 접형동염이 지속되는 가장 흔한 원인은 이전에 접형동 수술을 시행하지 않았거나 불완전하게 시행한 경우 혹은 접형동 개구부가 협착되었기 때문이다. Onodi 봉소가 있는 경우 접형동으로 오인할 수 있고, 시신경 손상의 위험성이 있어 주의를 요하며, 수술 전 CT 영상에서 시신경과 내경동맥의 주행과 골결손 유무를 잘 확인해야 한다.

기왕의 사골동을 통하거나(transethmoidal) 비강을 통한(transnasal) 접근법을 이용하여 자연공이나 막힌 개구부를 찾아야 하는데, 자연공은 기저판(basal lamella)의 내하측, 상비갑개의 하 1/3 절제연의 내측, 비중격의 외측, 후비공의 상방 15 mm 이내에 존재한다. 심한 협착이나 신생골로 인하여 접근이 용이하지 않는 경우에는 예상되는 자연공의 하내방으로 접근하는 것이 좋고, 영상유도기술을 이용하는 것이 안전하다. 접형동의 개구부는 J-curette, mushroom punch, Hajek sphenoid punch, Kerrison rongeur, diamond burr drill 등을 적절하게 사용하여 넓게 열어주어야 한다. 자연공을 확장할 때는 내하방으로 하는 것이 안전하며, 재수술에서는 안와내벽과 두개저까지 넓게 열어주는 것이 유리하다. 접형동 안에서는 내경동맥과 안신경의 골덮개를 확인하고 다치지 않게 주의한다. 이후 생리식염수로 세척하여 동 내에 있는 가피나 분비물을 제거해야 한다.

접형동 자연공의 1~1.5 cm 하방으로 접구개동맥의 후비중격분지(posterior septal branch)가 주행하는데, 여기에서 심한 출혈이 발생하는 경우 흡입 지혈기(suction cautery)로 지혈이 가능하다. 가능한 접형동 바닥의 점막을 보존하는 것이 후비중격분지의 손상으로 인한 출혈과 원형 협착의 발생을 예방하는 방법이다.

접협동으로 접근이 어려운 경우 반대측 접형동으로 접근하여 동간중격(intersinus septum)을 통하여 배농시킬 수 있다. 접형동 전벽과 동간중격이 모두 신생골에 의해 비후된 경우에는 경비중격 접형동수술(transseptal sphenoidotomy)이 도움이 되는데, 비중격의 후반부를 제거한 후 접형동 전벽을 두개저에서 바닥까지 제거하고 동간중격도 역시 제거하여 크게 개창을 해주는 것이 재협착의 발생을 줄일 수 있는 방법이다. 만약 접형동 내의 점막 결손이 심한 경우에는 비중격피판(nasoseptal flap)을 돌려서 덮어주는 것이 좋다.

6. 전두동 재수술

전두와(frontal recess)는 안와와 두개저로 둘러싸인 좁은 공간으로 수술 시 접근이 용이하지 못한 경우가 많아서 재수술이 가장 어려운 부위에 해당한다. 전두와는 다른 부위와 달리 원형 협착과 반흔(circumferential stenosis and scarring) 및 신생골의 위험도가 높은 부위로 일단 발생한 경우에는 고식적인 내시경수술로 해결하기 어려운 경우가 많다. 전두동 수술접근은 침습적인 정도에 따라서 세분할 수 있고, 비침습적인 방법에서 침습적인 방법까지 단계를 고려하여 선택하는 것이 원칙이다(표 25-2).[21]

전두와 폐쇄의 원인으로는 비제봉소(agger nasi), 사골포(ethmoid bulla) 및 구상돌기가 완전하게 제거되지 못하고 남아있는 경우가 흔하며, 이런 경우에는 'Draf IIa' 수술을 시도할 수 있고 좋은 예후를 기대할 수 있다. 이 술식은 Stammberger에 의해 소개된 'uncapping the egg' 방법으로 지판에서 중비갑개 사이에 있는 골격막과 봉소를 모두 제거하여 전두와를 충분히 넓혀주는 것이다.[41] 먼저 전두와의 자연공을 확인한 후 남아있는 비제봉소(agger nasi), 말단와(terminal recess), 사골포, 상안와 사골봉소(supraorbital ethmoid cells)를 완전히 제거한다. Ball probe나 curved curette를 이용하여 남아있는 골격막의 뼈를 골절시킨 후 조심스럽게 제거하여 점막이 벗겨지지 않게 주의해야 한다. 전두와에서 기구를 사용할 때 너무 내측으로 하면 사상판 측벽(lateral lamella of the cribriform plate)의 손상으로 뇌척수액 비루가 생길 수 있고, 너무 외측으로 하면 지판의 손상이 올 수 있으니 주의해야 한다. 전두동의 자연공은 내시경하에서 전내방에 치우쳐 있고, 전두동의 상부는 후벽을 따라서 매우 높은 위치에 있다는 것을 알아야 하며, 이에

표 25-2. 전두동 재수술의 순차적 접근과 제거되는 구조물

	Draf IIa	FS rescue (Draf IIb)	Above and below	EMLP (Draf III)	FS obliteration
Endoscopic frontal sinusotomy	+	+	+	+	
Middle turbinectomy		+		+	
Frontal trephination			+		
Superior septectomy				+	
Resection of frontal sinus floor		unilateral		bilateral	
Frontal intersinus septectomy			±	+	+
Removal of frontal sinus mucosa					+

FS; frontal sinus, EMLP; endoscopic modified Lothrop procedure

대한 충분한 시야가 확보될 수 있게 중간에 있는 전두사골봉소(frontoethmoid cells)를 전부 제거해야 한다. 전두와를 개방한 후에는 70° 내시경으로 전두동 내부의 상태를 관찰하고, 마지막에는 생리식염수로 세척해 주는 것이 좋다.

부비동내시경수술 후 전두동염이 지속되거나 재발하는 흔한 원인으로 중비갑개 부분절제술 후 중비갑개의 외측 편위로 전두와의 협착이 발생하여 막히는 경우이다. 이런 경우에는 전두동구제술(frontal sinus rescue procedure)을 시행할 수 있는데, 남아있는 중비갑개의 내외측 점막을 박리한 후 중비갑개 뼈와 내측 점막을 두개저까지 제거하고 외측 점막을 돌려서 두개저에 덮어주는 방법이다.[30] Draf IIb (unilateral frontal sinus drillout) 술식은 전두동의 자연공을 지판에서 비중격 사이에서 드릴을 이용하여 최대한 넓혀주는 것인데, Draf IIa 수술이 완전하지 않았거나 협착으로 다시 좁아진 경우 적응증이 된다. 중비갑개의 전방부를 through-cutting forcep으로 사상판 부위까지 절제하고, 전두동 바닥을 사상판의 전연까지 제거한다. 위에 기술한 두 가지 방법은 중비갑개를 모두 절제하고 비중격과 지판사이에서 전두와의 확장을 시도한다는 점에서 같은 범주의 술식으로 이해되고 있다.

전두동구제술이 불가능할 경우 대부분의 경우에서 전두동 천공(trephine)을 이용하는 above and below approach가 대단히 유용한데, 이 방법은 비침습적이고, 합병증의 발생률이 낮고, 접근이 불가능한 부위가 거의 없다는 장점이 있다. 전두동 천공부위는 전두동의 바닥보다는 전벽에 시행하는 것이 시야확보에 유리하며, 전벽에서의 위치는 병변과 자연공의 거리에 따라서 달라질 수 있고, 이때 영상유도기술을 이용하는 것이 도움이 된다. 전두봉소(frontal cell)가 있는 경우, 만약 II-IV 형의 봉소가 외측과 상방에 치우쳐서 위치한 경우에는 대부분 이 방법으로 해결할 수 있다. 그리고 일측 전두와의 접근이 불가능할 경우에는 반대측으로 접근하여 전두동의 동간중격을 제거(frontal intersinus septectomy)하여 배출과 환기를 유도할 수 있으며, 이것은 일부 환자에서 Draf III 수술을 피할 수 있는 좋은 방법이다.[12]

전두와에 심한 반흔이나 신생골이 발생하여 양측 전두와로의 접근이 불가능한 경우에는 'Draf III (bilateral frontal sinus drillout, transseptal frontal sinusotomy)' 혹은 '변형된 Lothrop 술식(endoscopic modified Lothrop procedure; EMLP)'을 사용할 수 있다.[47] 비중격의 상부 연골, 전두동의 바닥과 동간격막을 모두 제거하여 결과적으로 하나의 공통 배출구(common outflow pathway)를 만들어 주는 술식으로 전두동의 외측벽과 후벽의 점막은 가능한 보존한다. 변형된 Lothrop 술식의 성공률은 82.2%, 실패하여 재수술이 필요한 경우는 13.9%이다. 이 방법이 실패한 경우 동일한 술식을 다시 시도해 볼 수 있고(revision EMLP), 그렇지 않은 경우에는 마지막 단계로 골성형피판(osteoplastic flap)을 이용한 접근법을 사용해야 한다. 변형된 Lothrop 술식의 합병증은 흔하지 않지만, 10%에서 뇌척수액비루가 생길 수 있고, 과도한 드릴링으로 협착이 발생할 수 있다. 전두동의 전후공간이 5 mm 이하로 좁은 경우와 비전두돌기(nasofrontal beak)가 발달한 경우에는 사용하기 어렵기 때문에 술 전 부비동 CT 영상을 잘 판독해야 한다.

골성형피판과 전두동폐쇄술(frontal sinus obliteration)은 과거 재발성 전두동염에서 가장 많이 사용하던 방법이다.[34] 양측으로 관상절개(bicoronal incision)를 한 후 모상건막하(subgaleal) 피판을 상안와연 2 cm 상방까지 들어올린 후 술 전에 촬영한 6-feet Caldwell 영상을 대조하거나 유도영상기술을 이용하여 절골부위를 표시한다. 골막을 절골부위의 바깥쪽에서 들어올린 후 oscillating saw를 이용하여 절골을 하는데, 톱을 기울여서 골판이 안쪽으로 빠지지 않게 해야 한다. 가능하면 전두동폐쇄를 피하는 것이 좋으나, 만약 전두동폐쇄를 계획한 경우에는 Freer 거상기나 드릴을 이용하여 동내의 모든 점막을 철저하게 제거해야 나중에 점액종의 발생을 예방할 수 있다. 수술을 종료한 후 골판을 제자리로 원위치 시키고, 소형 금속판으로 고정한다. 그러나 최근에는 변형된 Lothrop 술식을 포함한 보다 비침습적인 방법으로 거의 모든 재발성 혹은 난치성 전두동염을 해결할 수 있어 골성형피판술을 시행하는 경우가 별로 없다. 전두동이 크게 발달한 경우와 상안와 사골봉소가 안와의 후방을 벗어나 전두동의 깊은 곳까지 과도하게 함기화된 경우에는 이 술식의 상대적인 금기가 된다.

전두동 재수술 후 가장 문제되는 것은 전두와 재협착 혹은 원형협착이 발생하는 것으로 수술 시 정상 점막을 가능한 보존하고, 골노출이 되지 않게 주의를 해야 하며, 전두와의 과도한 드릴링을 피해야 한다. 술 후 재협착을 방지하는 방법으로 전두와 스텐트(frontal sinus stent)를 장기간 유지하는 방법이 있으나 감염과 통증 등 합병증이 있을 수 있다.[10] Mitomycin C (0.5 mg/mL, 5분) 국소도포 또는 국소 스테로이드 점적(drop)이 효과적이고, 최근에는 흡수성 스테로이드-방출 임플란트(steroid-eluting implant)가 개발되었다.[29,23]

VI 부비동 내시경 재수술 후 치료

부비동 재수술 후 치료는 일차수술과 유사하며, 수술로 치료가 끝나는 것이 아니라 일정 기간 약물치료와 국소치료가 필요하다는 점을 환자에게 설명해야 한다. 또한 주관적 증상과 내시경 소견이 불일치하는 경우가 많고, 예를 들어 병변이 남아 있어도 증상이 없는 경우가 흔하다. 따라서 객관적인 내시경 소견이 매우 중요하다는 사실과 함께 장기적인 예후를 위해서는 주기적인 추적관찰이 필요하다는 사실을 교육해야 한다. 수술 부위가 안정적으로 유지될 때까지는 약물치료와 함께 내시경을 통한 관찰을 지속해야 한다. 일반적으로 증상이 없거나 내시경 소견에 문제가 없는 경우에는 반복해서 CT 촬영을 하는 것은 필요하지 않다. 그러나 술 전 증상이 지속되거나 새로운 증상이 생긴 경우에는 부비동 CT 재촬영이 필요할 수 있다.

재수술에서는 협착의 제거와 드릴의 사용 등으로 일차수술에 비하여 반흔과 노출된 뼈의 면적이 증가하게 되어 많은 가피가 형성된다. 수술강의 드레싱을 통해 가피, 진한 점액, 혈괴와 염증조직 등을 제거하는 것이 중요하며, 협착을 방지하는 효과가 있다. 중비갑개와 비강의 외측벽 사이에 흔하게 발생하는 유착(synechia)을 조기에 발견하여 제거해 주어야 한다. 국소치료는 술 후 1주부터 시작하고 그 후에는 필요에 따라 기간을 조정할 수 있다.

부비동 재수술의 거의 모든 환자에서 장기간 생리식염수 세척과 국소 스테로이드를 사용해야 한다. 술 후 항생제 치료는 수술장에서 시행한 배양검사 결과에 따라 시행하고, 골염이 심한 경우에는 보다 장기간의 약물사용이 필요할 수 있다. 국소 항생제와 진균제의 사용에 대한 효과는 불분명하다. 치료 도중 심한 염증이나 비용이 재발하는 경우 단기간 전신 스테로이드를 사용하는 것이 도움이 된다. Montelukast와 같은 류코트리엔 길항제가 비용종 재발에 효과가 있다는 보고가 있고, 단독 혹은 국소 스테로이드와 병합하여 사용할 수 있는데, 이에 대한 추가적인 연구가 필요하다. 일정 기간 약물치료에 반응을 보이지 않는 국소적인 비용종이나 점막비후가 발생한 경우에는 계속 약물치료를 하거나 재수술이 필요할 때까지 기다리는 것보다 초기에 제거를 한 후 약물치료를 유지하는 것이 효과적이다.

술 후 치료과정에서 흡연, 상기도감염, 직업적 환경요인 등에 지속적인 노출, 나쁜 약물순응도 혹은 알레르기비염 혹은 천식이 조절이 되지 않는 경우에는 또 다른 재발의 원인으로 작용할 수 있다. 그리고 수술강의 상처치유가 완전하게 이루어지지 못한 경우에는 장기적인 추적관찰이 필요하며, 일부 환자에서는 점막부종이나 후각감퇴가 스테로이드 의존성을 보이는 경우가 있어 주기적으로 경구용 스테로이드의 저용량 처방이 필요할 수 있다.

Ⅶ 결론

부비동내시경수술은 비강과 부비동 자연공의 폐쇄를 해결하여 술 후에 국소치료를 가능하게 한다. 세심한 수술이 최선의 결과와 의인성 실패를 예방하는 데 중요하지만, 올바른 환자의 선택도 역시 매우 중요하다. 일차 부비동내시경수술을 계획하기 전에 부비동 외적 요인과 동반된 전신질환을 잘 판단하지 못한 경우에는 나쁜 예후와 기저질환이 오히려 심해지는 것을 피할 수 없게 된다. 따라서 포괄적인 병력의 청취, 신체검사와 더불어 해부학과 수술기법에 대한 상세한 지식을 함양하는 것이 일차수술의 결과를 좋게 하고, 나아가 재수술의 빈도를 줄일 수 있다. 수술방법의 선택은 해부학, 부비동 CT 소견과 함께 병변의 위치와 정도에 따라 달라질 수 있다. 재수술은 가능한 비침습적인 방법으로 시행해야 하고, 협착과 신생골이 발생하지 않도록 주의해야 한다. 영상유도기술이 개발되어 재수술에 많은 도움을 주고 있지만, 술자의 경험과 해부학적 지식이 매우 중요하다는 것을 명심해야 한다. 술 후 약물치료와 국소치료가 예후에 매우 중요하며, 장기적인 추적관찰이 필수적이다.

참고문헌

1. 동헌종. 부비동염의 재수술. In: 대한이비인후과학회 편. 대한이비인후과학. 개정판. 서울. 일조각, 2009, p1215-25.
2. Amar YG, Frenkiel S, Sobol SE. Outcome analysis of endoscopic sinus surgery for chronic sinusitis in patients having Samter's triad. J Otolaryngol 2000;29:7-12.
3. Bendouah Z, Barbeau J, Hamad WA, et al. Biofilm formation by Staphylococcus aureus and Pseudomonas aeruginosa is associated with an unfavorable evolution after surgery for chronic sinusitis and nasal polyposis. Otolaryngol Head Neck Surg 2006; 134:991-6.
4. Bernal-Sprekelsen M, Alobid I, Mullol J, et al. Closure of cerebrospinal fluid leaks prevents ascending bacterial meningitis. Rhinology 2005;43:277-81.
5. Bhandarkar ND, Mace JC, Smith TL. The impact of osteitis on disease severity measures and quality of life outcomes in chronic rhinosinusitis. Int Forum Allergy Rhinol 2011;1:372-8.
6. Biel MA, Sievert C, Usacheva M, et al. Antimicrobial photodynamic therapy treatment of chronic recurrent sinusitis biofilms. Int Forum Allergy Rhinol 2011;1:329-34.
7. Bleier BS, Kennedy DW. Revision surgery for rhinosinusitis, causes for

failure, and management of complications of endoscopic sinus surgery. In: Flint PW, Haughey BH (eds), Cummings, Otolaryngology-Head and Neck Surgery. 6th ed. PA, USA, Saunders, 2015. p783-9.

8. Bleier BS, Schlosser RJ. Prevention and management of medial rectus injury. Otolaryngol Clin North Am 2010;43:801-7.
9. Bush A, Chodhari R, Collins N, et al. Primary ciliary dyskinesia: current state of the art. Arch Dis Child 2007;92:1136-40.
10. Cağlayan F, Tozoğlu U. Incidental findings in the maxillofacial region detected by cone beam CT. Diagn Interv Radiol 2012;18:159-63.
11. Chan CL, Elmiyeh B, Woods C, et al. A randomized controlled trial of a middle meatal silastic stent for reducing adhesions and middle turbinate lateralization following endoscopic sinus surgery. Int Forum Allergy Rhinol 2015;5:517-23.
12. Chee L, Graham SM, Carothers DG, et al. Immune dysfunction in refractory sinusitis in a tertiary care setting. Laryngoscope 2001;111:233-5.
13. Cho DY, Hwang PH. Results of endoscopic maxillary mega-antrostomy in recalcitrant maxillary sinusitis. Am J Rhinol 2008;22:658-62.
14. Cho SH, Lee YS, Jeong JH, et al. Endoscopic above and below approach with frontal septotomy in a patient with frontal mucocele: a contralateral bypass drainage procedure through the frontal septum. Am J Otolaryngol 2010;31:141-3.
15. Cho SH, Min HJ, Han HX, et al. CT analysis and histopathology of bone remodeling in patients with chronic rhinosinusitis. Otolaryngol Head Neck Surg 2006 ;135:404-8.
16. Chu CT, Lebowitz RA, Jacobs JB. An analysis of sites of disease in revision endoscopic sinus surgery. Am J Rhinol 1997;11:287-91.
17. Clark DW, Wenaas A, Citardi MJ, et al. Chronic rhinosinusitis with nasal polyps: elevated serum immunoglobulin E is associated with Staphylococcus aureus on culture. Int Forum Allergy Rhinol 2011;1:445-50.
18. Cohen NA, Kennedy DW. Revision endoscopic sinus sugery. Otolaryngol Clin N Am 2006;39:417-35.
19. Dunlop G, Scadding GK, Lund VJ. The effect of endoscopic sinus surgery on asthma: management of patients with chronic rhinosinusitis, nasal polyposis, and asthma. Am J Rhinol 1999;13:261-5.
20. Foroughipour M, Sharifian SM, Shoeibi A, et al. Causes of headache in patients with a primary diagnosis of sinus headache. Eur Arch Otorhinolaryngol 2011;268 (11):1593-6.
21. Friedman M. Frontal sinus surgery 2004: Update of clinical anatomy and surgical techniques. Oper Tech Otolaryngol Head Neck Surg 2004;15:23-31.
22. Govindaraj S, Agbetoba A, Becker S. Revision sinus surgery. Oral Maxillofacial Surg Clin N Am 2012;24:285-93.
23. Han JK, Forwith KD, Smith TL, et al. RESOLVE: a randomized, controlled, blinded study of bioabsorbable steroid-eluting sinus implants for in-office treatment of recurrent sinonasal polyposis. Int Forum Allergy Rhinol 2014;4:861-70.
24. Hellmich B, Gross WL. Recent progress in the pharmacotherapy of Churg-Strauss syndrome. Expert Opin Pharmacother 2004;5:25-35.
25. Kennedy DW, Adappa ND. Endoscopic maxillary antrostomy: not just a simple procedure. Laryngoscope 2011;121:2142-5.
26. Ling FTK, Kountakis SE. Revision functional endoscopic sinus surgery. In: Kennedy DW, Hwang PH, Rhinology. 1st ed. NY, USA, Thieme, 2012, p336-46.
27. Kim HY, Dhong HJ, Lee HJ, et al. Hyperostosis may affect prognosis after primary endoscopic sinus surgery for chronic rhinosinusitis. Otolaryngol Head Neck Surg 2006;135:94-9.
28. King JM, Caldarelli DD, Pigato JB. A review of revision functional endoscopic sinus surgery. Laryngoscope 1994;104:404-8.
29. Konstantinidis I, Chatziavramidis A, Constantinidis J. A novel technique for mitomycin-c application in frontal sinus surgery. Rhinology 2014;52:276-80.
30. Kuhn FA, Javer AR, Nagpal K, et al. The frontal sinus rescue procedure: early experience and three-year follow-up. Am J Rhinol 2000;14:211-6.
31. Marple BF. Allergic fungal rhinosinusitis: current theories and management strategies. Laryngoscope 2001;111:1006-19.
32. Mary M, Schaitkin B, Kay SL. Revision endoscopic sinus surgery: six friendly surgical landmarks. Laryngoscope 1994;104:766-7.
33. Musy PY, Kountakis SE. Anatomic findings in patients undergoing revision endoscopic sinus surgery. Am J Otolaryngol 2004;25:418-22.
34. Ochsner MC, DelGaudio JM. The place of the osteoplastic flap in the endoscopic era: indications and pitfalls. Laryngoscope 2015;125:801-6.
35. Perloff JR, Gannon FH, Bolger WE, et al. Bone involvement in sinusitis: an apparent pathway for the spread of disease. Laryngoscope 2000;110:2095-9.
36. Pruliè re-Escabasse V, Coste A. Image-guided sinus surgery. Eur Ann Otorhinolaryngol Head Neck Dis 2010;127:33-9.
37. Reed J, deShazo RD, Houle TT, et al. Clinical features of sarcoid rhinosinusitis. Am J Med 2010;123:856-62.
38. Robinson S, Douglas R, Wormald PJ. The relationship between atopy and chronic rhinosinusitis. Am J Rhinol 2006;20:625-8.
39. Seno S, Arikata M, Sakurai H, et al. Endoscopic ligation of the sphenopalatine artery and the maxillary artery for the treatment of intractable posterior epistaxis. Am J Rhinol Allergy 2009;23:197-9.
40. 40Sindwani R, Metson R. Image-guided Frontal sinus surgery. Otolaryngol Clin N Am 2005;38:461-71.
41. 41Stammberger H. “Uncapping the egg“ the endoscopic approach to frontal recess and sinuses. Karl Storz 2004. p.15-7.
42. Tan L, Hatzirodos N, Wormald PJ. Effect of nerve growth factor and keratinocyte growth factor on wound healing of the sinus mucosa. Wound Repair Regen 2008;16:108-16.

43. Taylor SC, Clayburgh DR, Rosenbaum JT, et al. Progression and management of Wegener's granulomatosis in the head and neck. Laryngoscope 2012;122:1695-1700.
44. Virgin FW, Rowe SM, Wade MB, et al. Extensive surgical and comprehensive postoperative medical management for cystic fibrosis chronic rhinosinusitis. Am J Rhinol Allergy 2012;26:70-5.
45. Wang LF, White DR, Andreoli SM, et al. Cigarette smoke inhibits dynamic ciliary beat frequency in pediatric adenoid explants. Otolaryngol Head Neck Surg 2012;146:659-63.
46. Wise SK, Wise JC, DelGaudio JM. Association of nasopharyngeal and laryngopharyngeal reflux with postnasal drip symptomatology in patients with and without rhinosinusitis. Am J Rhinol 2006;20:283-9.
47. Wormald PJ. Salvage frontal sinus surgery: the endoscopic modified Lothrop procedure. Laryngoscope 2003;113:276-83.

CHAPTER

26

부비동수술의 합병증

이비인후과학 Otorhinolaryngology - Head and Neck Surgery

정용기, 전시영

국민건강보험공단에서 2014년 말에 발간된 국내 주요 수술 통계연보에 따르면 2013년도 1년 동안 국내에서 시행된 부비동내시경수술(endoscopic sinus surgery)은 총 63,891건으로, 같은 기간 시행된 편도 절제술 건수인 43,255건보다 많은 숫자로 부비동내시경수술이 이비인후과에서 가장 많이 시행되는 수술 중 하나라고 판단할 수 있다.[1] 부비동이 위치한 해부학적 특수성 때문에 부비동수술에 따른 위험성은 부비동수술이 시작된 이후 항상 존재해 왔으며 1929년 Mosher 등은 자신이 시행하는 비내사골동절제술(intranasal ethmoidectomy)을 "환자를 죽일 수 있는 가장 쉬운 방법"이라고 기술하기도 하였다.[13] 1980년대 부비동수술에 내시경이 도입되기 시작하며 다양한 수술기법과 장비의 발달로 부비동수술의 효과와 안정성이 증가하였다. 그러나 이와 같은 발전에도 불구하고 부비동수술에 따른 합병증은 여전히 발생하고 있으며 빈도는 0.3%에서 많게는 22.4%까지 보고되고 있다.[8,15,22] 연구자에 따라 보고하는 합병증의 비율에 편차가 매우 크며 이는 심각한 합병증만 보고한 연구도 있으나 수술 후 유착(synechiae) 등 단순 합병증까지 모두 보고한 연구도 있기 때문이다. 부비동수술과 관련하여 발생하는 합병증의 대부분은 간단한 치료로 호전되어 후유증을 남기지 않는 단순 합병증이며 뇌척수액 유출(cerebrospinal fluid (CSF) leak), 안와 출혈(orbital hemorrhage), 안구외안근(extraocular muscle)손상, 내경동맥(internal carotid artery)손상과 같은 심각한 합병증의 발생 빈도는 0.36~0.46%로 보고 되었다.[17] 이러한 심각한 합병증은 수술 중 출혈이 많아 정확한 시야 확보가 되지 않거나, 재수술(revision surgery)로 인하여 수술에 필요한 적절한 해부학적 지표(landmark)가 소실되어 있을 때 발생하기 쉽다. 따라서 수술 중 출혈을 줄여 적절한 수술시야를 확보하고 환자의 해부학적인 특징을 정확하게 파악하는 것이 합병증을 줄이기 위해 필수적이다. 본 장에서는 부비동수술, 특히 부비동내시경수술과 관련된 합병증을 줄이기 위한 적절한 수술 전 처치 및 준비, 수술 중 주의사항에 대해 알아보고 수술 중 발생하는 합병증과 수술 후 합병증으로 나누어 기술하고자 한다.

I 합병증을 줄이기 위한 수술 전 예방

1. 병력 청취 및 수술 전 준비

부비동내시경수술의 합병증을 최소화하는 것은 수술 받을 환자의 상태를 정확하게 파악하고 수술 전 관리를 통해 최적의 수술 시야를 확보할 수 있는 상태를 만드는 것에서 시작한다. 환자에 대한 자세한 병력 청취를 통하여 환자의 항 응고약물이나 항 혈소판약물의 복용 여부를 확인하고 내과와 협의 후 중단 가능한 경우 중단하도록 한다. 만성 간질환 및 신장질환 등도 출혈 경향을 나타낼 수 있어 주의를 기울여야 한다. 이전에 부비동 수술을 받은 병력이 있는 경우 이전 수술 중 과다 출혈로 인한 문제가 있었는지 확인할 필요가 있다. 수술 전 부비동염에 의한 점막 염증을 조절하기 위해 스테로이드나 항생제를 투여하면 수술 중 출혈을 줄일 수 있다는 보고가 있으며 해당 약물의 적응증이 되는 경우 투여하도록 한다.[2,10]

2. 합병증이 발생하기 쉬운 부위

부비동은 매우 다양한 크기의 함기봉소(air cell)로 구성된 미로(labyrinth)와 같은 구조이며 각각의 구조가 환자마다 다르기 때문에 정확한 해부학적 구조를 파악하지 못할 경우 합병증이 발생할 위험이 증가한다. 따라서 컴퓨터 단층촬영 computed tomography (CT)영상을 면밀히 관찰하여 수술 중 두개저(skull base), 안구, 또는 내경동맥과 같은 주요 구조물에 손상이 발생하기 쉬운 소견이 없는지 확인해야 한다. 수술 중 손상될 가능성이 높은 부분을 정리하면 다음과 같다.

1) 지판

지판(lamina papyracea)은 사골동과 안와를 구분하고 있는 매우 얇은 골판으로, 해부학적 근접성 때문에 사골동 수술 중 쉽게 손상될 수 있다. 특히 이전에 안면부 외상 병력이 있는 경우 지판에 결손(dehiscence)이 있어 안와 내용물이 사골동 내로 돌출되어 있을 수 있으며(그림 26-1A), 드물게는 외상의 병력 없이도 지판에 결손이 있을 수 있다. 부비동내시경수술 중 지판에 발생하는 손상은 정도에 따라 단순히 안와골막(periorbita) 및 지방이 노출되는 경우부터, 안와 내 출혈, 외안근 손상, 안구 손상까지 다양하다.

2) 사판측벽

사판측벽(lateral lamella of the cribriform plate)은 사판에서 사골 지붕(ethmoid roof)으로 이행되는 판형 구조물이다. 전 두개저(anterior skull base)의 다른 골 구조물에 비해 골벽이 매우 얇고, 경막(dura)이 골벽에 강하게 부착되어 있어 수술 중 무리한 힘을 가할 경우 쉽게 손상되어 뇌척수액 유출이 발생할 수 있다. 특히 양측 사판측벽의 높이가 다른 경우 높은 측 수술을 시행할 때 손상될 가능성이 높다(그림 26-1B). 사판측벽의 높이는 환자마다 일정하지 않으며 이를 높이에 따라 분류한 Keros 분류(그림 26-2)가 널리 사용되고 있다.[16]

3) 전 사골동맥

전 사골동맥(anterior ethmoidal artery)은 안동맥(ophthalmic artery)에서 분지되어 안와를 나와 사골 지붕 가까이 주행하여 사판 측벽을 통하여 다시 두개 내(intracranial)공간으로 연결된다. 전 사골동맥과 전 두개저의 관계에 따라 3가지 형태로 분류하며 장간막(mesentery)형태로 동맥이 사골동에 노출되어 있을 경우 손상될 가능성이 높다(그림 26-1C). 전 사골동맥이 손상되면 동맥의 탄력성 때문에 절단 근위부가 안와 내로 숨어 안와혈종(orbital hematoma)이 발생할 수 있어 주의를 요한다.

4) 누관

누관(lacrimal duct)은 구상돌기(uncinate process)가 부착하는 상악선(maxillary line) 전방에 위치하며 지판이

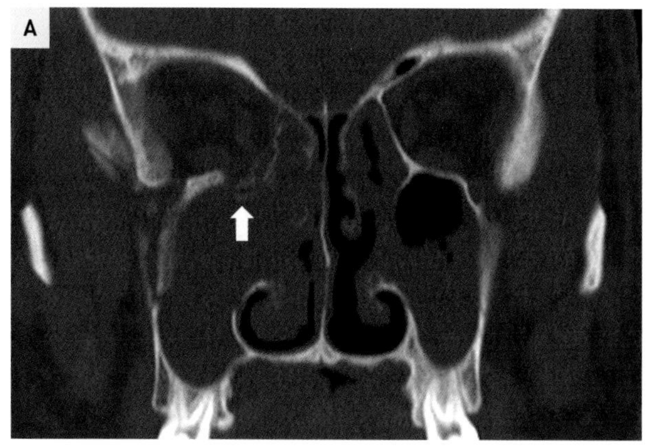

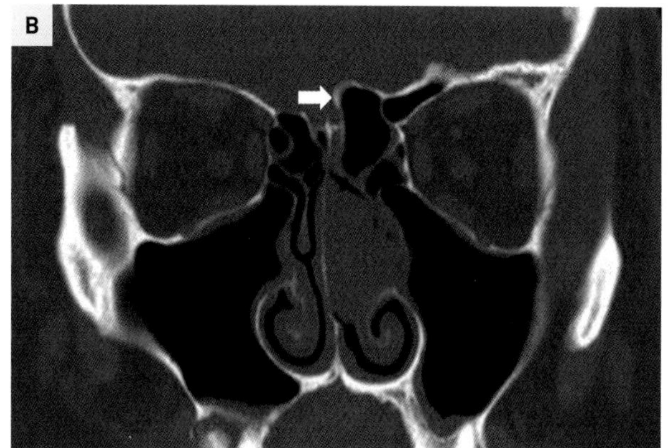

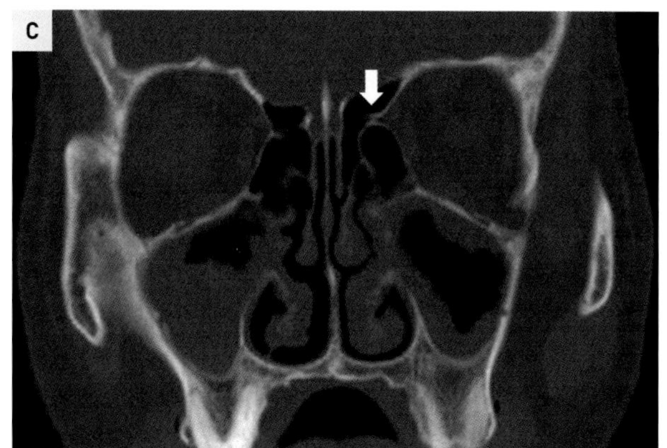

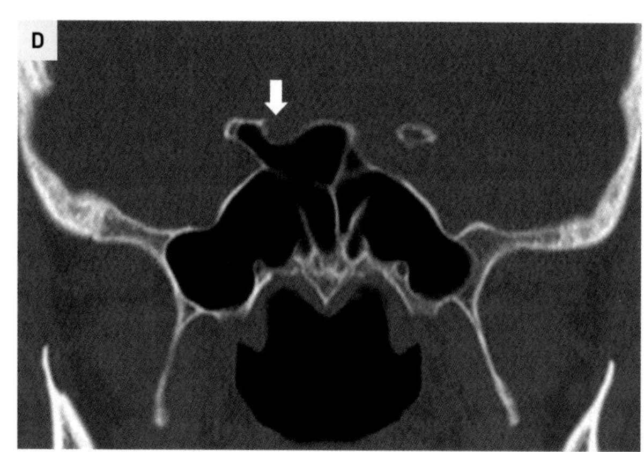

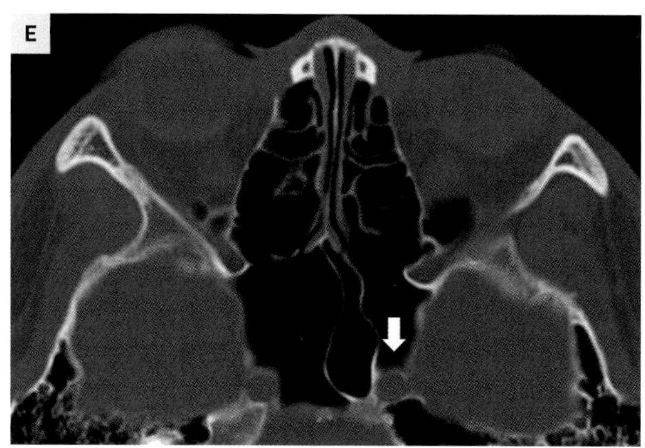

■ 그림 26-1. **A)** 이전 안면부 외상으로 인하여 안와를 감싸고 있는 지판 및 상악동 상벽에 결손이 관찰된다. **B)** 좌측 사골 지붕이 우측에 비해 높아 좌측 사판측벽의 길이가 더 길다. 이러한 경우 좌측 사골동 수술 중 내측으로 접근할 때 조심해야 한다. **C)** 좌측 전사골동맥이 두개저에서 분리되어 주행하고 있다. 이러한 형태의 전 사골동맥은 사골동 상부나 전두동 접근 시 골 격벽으로 잘못 인지되어서 손상받을 가능성이 높다. **D)** 시신경관이 Onodi 봉소 내에 드러나 있다. **E)** 좌측 접형동의 골 격벽이 내경동맥을 둘러싸고 있는 골 격벽으로 연결되어 있다. 이러한 격벽을 제거할 때 무리한 힘을 가하면 내경동맥에 손상을 줄 가능성이 있어 주의해야 한다.

나 사판 측벽보다 두꺼운 뼈로 보호되고 있는 경우가 대부분이지만 환자에 따라 매우 얇은 뼈로 덮여있는 경우도 있다. 상악동 개방술(maxillary antrostomy)을 시행할 때 자연공 전방의 골조직을 과도하게 제거하면 누관에 손상이 발생할 수 있으며 손상 후 적절한 치료를 시행하지 않을 경우 누관 폐쇄와 유루증(epiphora)이 발생할 수 있다.

5) 시신경관

시신경관(optic canal)은 접형동 외벽의 후상방에 위치하며, 후사골동이 발달하여 Onodi 봉소가 존재하는 경우 후사골동의 후상방에서 관찰된다(그림 26-1D). 접형동 및 후사골동의 함기화가 많이 진행되어 있는 경우 시신경관이 함기봉소 내에 노출되어 있기도 하며, 시신경관

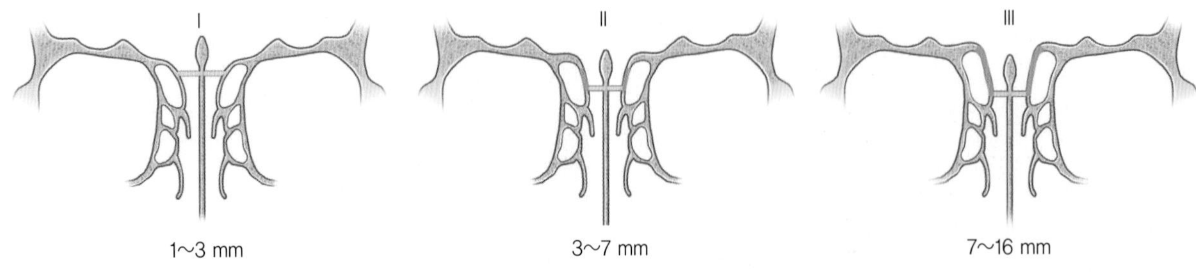

■ 그림 26-2. **사판측벽의 높이에 따른 Keros 분류.** 사판측벽은 매우 얇은 골판으로 구성되어 있어 물리적인 손상에 매우 취약하다. 수술 전 CT를 면밀히 분석하여 사판측벽의 높이가 Keros 3형에 해당하는 경우 사골동 수술을 시행할 때 손상이 발생할 가능성이 높음을 염두에 두고 주의를 기울여야 한다.

에 골 결손(bony dehiscence)이 있을 수 있다. 수술 중 시신경관의 손상은 곧 실명을 의미한다. 따라서 접형동이나 후사골동의 수술을 계획할 경우 CT를 면밀한 검토를 통하여 시신경관의 위치 및 골 결손 여부, 그리고 함기봉소와의 관계를 파악해야 한다.

6) 후각 상피

후각 상피는 중비갑개의 내측 상부 1/2과 비중격 상부, 그리고 상비갑개의 내측 점막에 존재하지만 분포에 있어서 개인 간 차이가 매우 크다. 후열(olfactory cleft)에 존재하는 비용을 제거할 때, 또는 상비갑개 주변의 병변을 제거할 때 후각 상피가 존재하는 점막을 과도하게 제거하면 수술 후 후각 장애의 원인이 된다. 따라서 해당 부위 병변을 제거할 때 후각 상피를 보존하도록 노력해야 한다.

7) 내경동맥

내경동맥은 접형동의 외측과 시신경관의 하부를 따라 주행한다. 시신경관과 마찬가지로 함기화가 많이 진행되어 있는 경우 내경동맥을 덮고 있는 뼈가 얇아질 수 있으며 경우에 따라 골 결손이 관찰되기도 한다. 특히 접형동 수술 중 접형동 내의 골 격막(bony septum)을 제거할 때에는 격막이 내경동맥으로 연결되어 있지 않은지 확인해야 한다(그림 26-1E).

3. 영상유도수술(Image guided surgery)

부비동내시경수술 시행 중 영상유도수술(image guided surgery; IGS)을 시행하는 빈도가 증가하고 있지만 IGS를 적용하는 것이 수술 중 발생할 수 있는 합병증을 줄인다는 결과는 아직 보고되지 않았다.[25,32] 그러나 해부학적으로 접근하기 어려운 부위의 수술이 예상되거나, 이전 수술로 지표가 많이 손상된 경우, 심한 용종 등으로 수술 중 주변 구조를 정확하게 파악하기 어려운 경우에는 IGS를 사용하는 것이 바람직하며 2007년 부비동내시경수술을 시행할 때 IGS를 사용하는 적응증에 대해 정립된 바가 있다.[32] 기술의 발달에도 불구하고 IGS에는 여전히 1.5~2 mm 정도의 오차가 발생할 수 있으며,[7] 사용 중 기계적인 오작동 가능성도 있기 때문에 IGS에만 의존하여 주요 해부학적 구조물을 찾으려는 시도는 옳지 않으며 해부학 지식을 통하여 수술자가 이미 알고 있는 구조물을 확인하는 용도로 사용하는 것이 바람직하다.[30]

II 부비동내시경수술 중 합병증

1. 출혈

부비동내시경수술 중 손상될 수 있는 점막 주변 동맥

들은 전사골동맥, 후사골동맥, 접형구개동맥(sphenopalatine artery)과 접형구개동맥의 외측 비강 분지(lateral nasal branch)와 후방 비중격 분지(posterior septal branch) 등이 있다. 전사골동맥과 후사골동맥은 안와에서 두개강 내로 주행하는 중 사골동 상부를 지난다. 따라서 안구측 방향이 근위부에 해당하며 혈관 손상이 발생하였을 때 안구 내 출혈에 따른 혈종이 발생하는 원인이 된다. 출혈 초기에 근위부 출혈부위를 찾아 지혈하지 못하면 근위부가 안와 내로 숨어 지혈이 어렵다. 지혈할 때에는 두개 내부 또는 안와 내 구조물의 손상을 방지하기 위해 단극성(monopolar)보다는 양극성 소작기(bipolar cautery)를 시행하는 것을 권하며 혈관이 확인되면 지혈 클립(hemostatic clip)을 사용할 수도 있다. 접형구개동맥은 중비갑개 후방 기시부 근처에서 익상구개와(pterygopalatine fossa)로부터 나와 비강 내로 주행하며 중비갑개 후방의 병변을 제거하거나 신경 절단술을 시행할 때 손상받을 수 있다. 이 부위의 조작을 시행할 때는 접형구개동맥 또는 분지의 출혈이 발생할 것을 예상해야 한다. 또한 중비도 개방술을 시행하고 상악동 자연공(natural ostium)을 후방으로 과도하게 넓히다보면 접형구개동맥의 외측 비강 분지가 손상되어 동맥성 출혈이 관찰될 수 있다. 접형구개동맥이나 그 분지의 출혈은 주변에 중요 구조물이 없기 때문에 필요에 따라 양극성 또는 단극성 소작기로 지혈할 수 있으며 출혈이 지속되는 경우 흡인 소작기(suction cautery)를 사용하면 편리하다.

접형동절개술(sphenoidotomy) 중 자연공을 아래로 넓힐 때 동맥성 출혈이 발생할 수 있다. 접형구개동맥의 후방 비중격 분지는 접형동 자연공과 후비공(choanae)상연 사이 점막하부에서 외측에서 내측으로 주행하며 점막을 제거할 때 손상받을 수 있다. 출혈이 발생하면 양극성 소작기를 사용하여 지혈할 수 있으며 해당 부위 수술을 시행할 경우 예방적으로 후방 비중격 분지가 주행할 것으로 예상되는 점막에 소작술을 시행하면 예기치 않은 출혈로 인한 수술 지연을 방지하고 혈액 손실을 줄일 수 있다. 그러나 수술 중 비중격 피판(nasoseptal flap)을 사용할 계획이라면 후방 비중격 분지가 해당 피판의 축상(axial pattern) 공급혈관이기 때문에 수술 중 손상이 발생하지 않도록 주의해야 한다.

이러한 동맥성 출혈 이외에도 점막에 존재하는 작은 혈관들에서 지속적인 출혈이 발생할 수 있으며 지혈을 시행하지 않고 방치하면 술자가 인식하지 못하는 사이에 출혈이 누적되어 다량의 출혈이 발생할 수 있고 수술 시야를 가려 안전한 수술을 방해한다. 점막에 염증이 심한 경우 이러한 점막 출혈량이 많아지기 때문에 수술 전 점막 염증을 조절하는 것이 필요하다. 수술을 시작하기 전 접형구개동맥 및 전사골 동맥 주변에 1:100,000 epinephrine을 점막하 주사한 후 기다리면 점막의 충혈이 완화되어 출혈을 줄일 수 있으며 수술 중 출혈이 있는 점막 부위에 0.5% oxymetazoline 또는 1:1,000에서 1:10,000 농도의 epinephrine을 거즈에 적셔 사용할 수 있다. 그러나 심한 점막 염증으로 발생한 출혈이 지속적으로 내시경 시야를 방해하고 적절한 지혈이 되지 않을 경우 환자의 안전을 고려하여 수술을 중단하고 점막이 회복된 후 2차 수술을 계획하는 것이 바람직하다.

2. 안구 및 안와 관련 합병증

1) 지판 손상

지판은 안와의 내측벽을 이루고 있으며 구상돌기 절제술(uncinectomy)을 시행할 때 기구를 과도하게 외측으로 깊게 삽입하면 손상될 수 있으며 상악동의 함기화가 덜 되어 있을 때(atelectatic maxillary sinus) 안구가 본래 위치보다 내측 하방으로 이동하여 손상이 발생할 가능성이 높다. 또한 사골동 수술 중 무리하게 외측으로 진행할 경우에도 손상이 발생한다. 지판에 단순 손상이 발생하여 안와골막이 노출된 경우에는 임상적으로 문제가 발생하지 않기 때문에 추가 손상을 주의하며 수술을 계속할 수 있다. 그러나 지판의 손상과 더불어 붙어있는 안와골

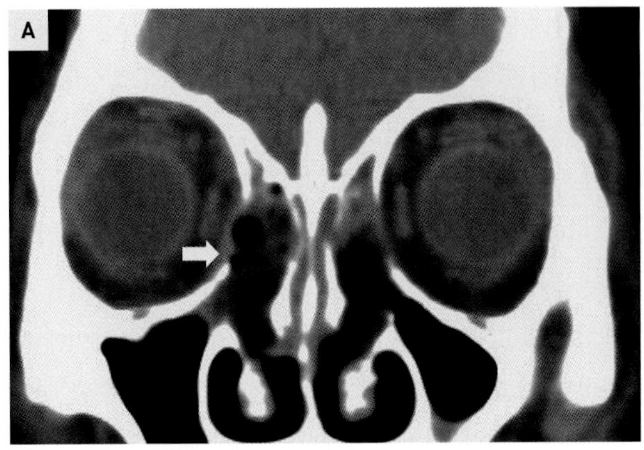

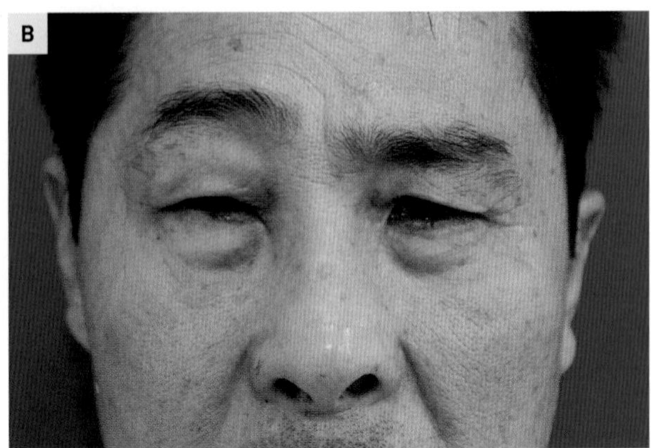

■ 그림 26-3. **A)** 사골동 수술 중 발생한 지판의 손상. **B)** 부비동내시경수술 중 지판과 안와골막이 손상되어 안와지방이 노출되었던 환자의 수술 후 안면 사진. 안검 내측과 하안검에 부종 및 반상출혈이 관찰된다.

막이 손상되어 안와지방 조직이 비강 내로 돌출된 경우에는 안구 내용물이 손상될 수 있기 때문에 세심한 주의가 필요하다(그림 26-3A). 단순히 지방조직이 돌출된 경우 무리하게 지방조직을 안와 내로 넣으려고 시도하지 말고 지방조직이 수술 시야를 방해하지 않는다면 그대로 남겨두고 수술을 지속할 수 있다. 그러나 돌출된 안와지방 주위에서 미세절삭기(microdebrider)를 사용할 때 내직근(medial rectus) 등의 외안근이 흡인되어 손상될 수 있기 때문에 세심한 주의를 기울여야 하며 가능하면 노출된 안와내용물 주변에서는 미세절삭기 보다는 절단겸자(cutting forceps) 등의 기구를 사용하는 것이 바람직하다. 수술 중 지판 손상이 의심되거나 손상이 발생한 경우 주기적으로 안구를 외부에서 부드럽게 눌러 지판의 손상된 위치와 손상 정도를 파악해야 한다(Stankiewicz sign). 부비동내시경수술 중 지판의 손상 또는 손상이 의심되는 상황은 언제든지 발생할 수 있기 때문에 수술을 준비할 때 반드시 양측 안구를 수술 시야에 노출시켜 수술 중 지속적으로 안구를 관찰할 수 있어야 한다. 부비동내시경수술 중 지판 및 안와골막의 손상이 발생한 경우 수술 종료 후 비강 팩킹은 시행하지 않는 것이 바람직하며 꼭 시행해야 할 필요가 있는 경우 최소량의 팩킹만 시행한다. 지판 손상부위에 과도한 팩킹을 하면 안와 내 압력이 올라갈 수 있으며, 공기 및 혈액, 분비물등이 안와 내로 침투하여 안구 부종, 안검부종, 안구 반상출혈(ecchymosis) 및 피부하 기종(subcutaneouos emphysema) 등이 발생할 수 있다(그림 26-3B). 이러한 증상이 발생한 경우 빠르게 팩킹을 제거하면 대부분의 경우 증상은 회복된다.

2) 안와 내 출혈

단순한 지판의 손상은 임상적으로 큰 문제가 되지 않지만 안와 내 출혈, 외안근 손상, 시신경 손상과 같은 주요 안구 합병증은 임상적으로 중대한 문제를 유발할 수 있으며 이러한 합병증의 발생빈도는 빈도는 약 0.12%로 알려져 있다.[4] 안와 내 출혈은 안와혈종(orbital hematoma), 안구 후 출혈(retrobulbar or retro-orbital hemorrhage)로도 불리며 적절한 진단과 치료를 시행하지 못하거나 지연될 경우 시력이 소실될 수 있다. 수술 중 전사골동맥에 손상이 발생한 후 동맥의 근위부가 안와 내로 숨어버리거나 인와 내 혈관이 손상되어 발생하며 출혈에 따른 혈종이 발생하면 안와내압이 상승하고 망막 허혈(retinal ischemia)을 유발한다. 망막은 허혈에 매우 취약한 조직으로 허혈 시간이 30~90분 이상 지속되면 비가역적으로 손상되어 영구적인 시력장애가 남는다. 수술 중 안와 내 출혈이 의심되는 징후로는 안구가 단단하게 촉지되거나, 안와내압 증가, 동공반사(pupillary reflex) 소실, 안구통증, 안구 운동 장애, 시력저하 등이 있으며 수술 중 이러한 징후가 있을 경우 즉각 수술을 중단하고 안와 내 출혈 여부를 확인해야 한다. 안와 내 출혈이 확인되면 즉시 안구 마사지를 시행하여 혈종이 안와 내에 균일하게 분포되어 압력이 분산될 수 있도록 하며 수술 후 시력저하, 동공부동(anisocoria)소견이 관찰되면 즉시 안과 협진을 시행하고, 만니톨(20% mannitol, 1~2 g/kg, 30~60분간 정주), 다량의 스테로이드(dexamethasone 0.2 mg/kg 정주), 그리고 acetazolamide (10~15 mg/kg 정주)를 투여한다. 이러한 조치에 반응하지 않고 안구돌출과 시력저하가 지속되는 경우 외안각절개술(lateral canthotomy), cantholysis를 시행하고(그림 26-4) 이러한 조치로 부족하면 안와감압술(orbital decompression)을 시행할 수 있다. 외안각절개술과 안와감압술은 안와 용적을 증가시켜 안와 내 압력을 낮추는 효과가 있으며 이러한 시술을 시행할 때에는 골막에 충분한 절개를 시행하는 것이 필요하다.

3) 외안근 손상

수술 중 발생한 지판의 손상을 인지하지 못하고 손상 부위에 지속적인 조작을 가할 경우 외안근이 손상될 수 있다. 내직근이 지판과 가장 가까이 있어 손상에 취약하며 주로 후사골동 수술을 시행할 때 손상이 발생한다(그림 26-5). 그러나 최근 미세절삭기의 사용이 증가하고 절삭기의 흡인력과 회전력이 증가하며 하직근(inferior rectus muscle)이나 상사근(superior oblique muscle)의 손상도 보고되고 있다.[35] 외안근 손상의 대부분이 우안에서 발생한다고 알려져 있으며 이는 수술자 중 오른손잡이가 많은 것과 관련이 있는 것으로 생각된다.[33] 외안근 손상이 발행하면 즉시 수술을 중단하고 안과 협진을 시행하여 외안근에 발생한 손상이 단순 좌상(contusion)인지 절단(transsection)인지 손상 정도를 파악하여 외안근에 대한 복원 수술 여부를 결정한다. 손상 후 복시(diplopia)가 발생한 경우 사시수술(strabismus surgery)을 시행할 수 있지만 대부분의 경우 치료 후에도 안구 운동 장애가 남는다.[33]

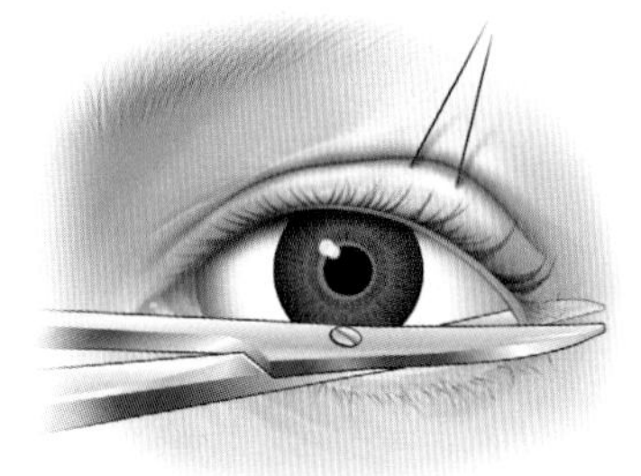
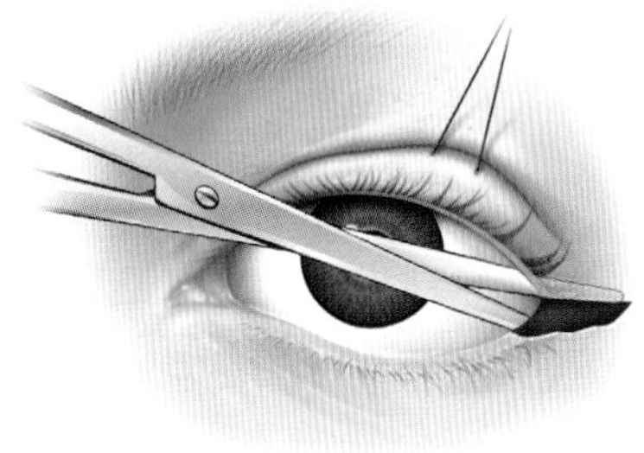

■ 그림 26-4. 안와 내 출혈 환자에서 약물의 투여와 안구 마사지를 시행한 이후에도 호전되지 않은 경우 가장 먼저 시행해 볼 수 있는 시술은 외안각 절제술이다. 성형목적으로 시행될 때 "뒤트임" 이라고 불리는 시술로 외안각 힘줄(lateral canthal tendon)을 가위로 절제하여 안와 내 용적을 늘려준다.

4) 시신경 손상

시신경은 손상을 받으면 그 기능이 회복되기 어렵기 때문에 부비동내시경수술 중 시신경 주변을 수술할 때 주의를 기울여야만 한다. 시신경은 후사골동 수술 중 안와꼭지(orbital apex)주변의 지판이 손상되고 술자가 이를 인지하지 못할 경우 발생할 수도 있지만 가장 많은 손상은 접형동 또는 Onodi 봉소를 수술할 때 발생한다.[24] 시신경 손상은 수술 중 신경에 가해진 둔상(blunt trauma)으로 인한 좌상(contusion)부터 절단까지 다양하게 발생할 수 있다. 시신경은 접형동 내에서 상외측으로 지나가며 접형동의 함기화가 많이 진행되었을 경우 시신경관이 접형동 내에 노출될 수 있다. 특히 Onodi 봉소가 있는 경우 후사골동 수술 중 시신경이 가까이 있음을 인지하지 못할

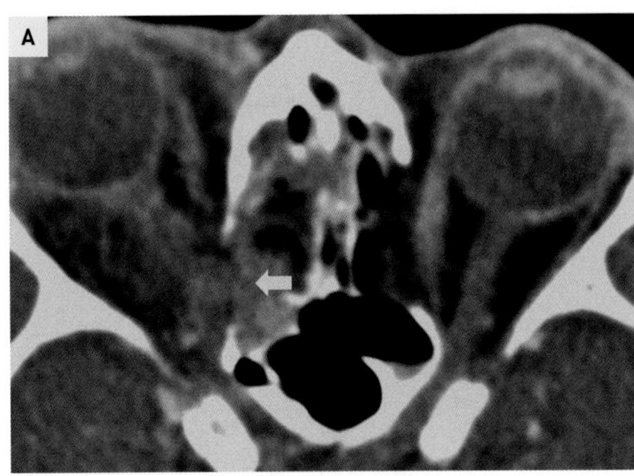

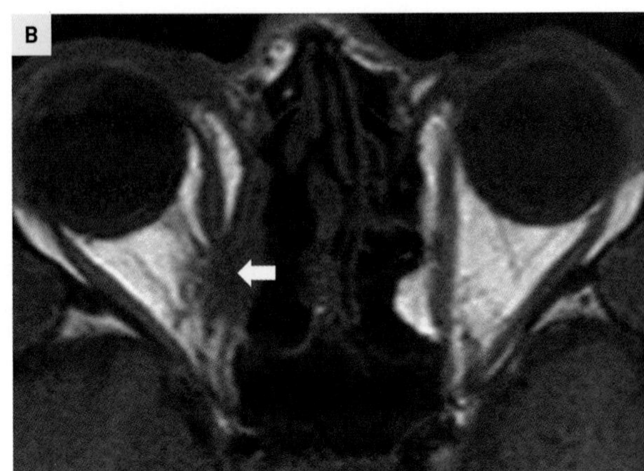

■ 그림 26-5. **A)** 후사골동 수술 중 지판이 손상된 이후 미세절삭기의 사용에 의해 안와 내용물에 손상이 발생하였다. **B)** T1조영증강 영상에서 저신호상도로 보이는 내직근이 절단된 것을 확인할 수 있다.

수 있다(그림 26-1D). 따라서 수술 전 철저한 CT리뷰를 통해 시신경의 주행과 Onodi 봉소 존재 여부, 그리고 시신경관과 주변 부비동의 관계를 면밀히 파악해야 하며 시신경관의 골 결손 여부도 반드시 확인해야 한다. 접형동 자연공을 개방할 때에는 시신경관이 위치한 상외측의 반대 방향인 하내측으로 넓혀가는 것이 안전하며 흡인기나 큐렛과 같은 기구를 사용할 때 기구의 끝이 내시경 시야에서 확인되지 않은 상태로 접형동 내부에 삽입하는 것(blind probing)을 주의해야 한다. 시신경관에 손상이 발생하면 빠르게 환자를 마취에서 깨워 시력소실 여부를 확인하고 안과 협진을 시행함과 동시에 시신경관 손상 여부 및 정도를 파악하기 위하여 고해상도 CT를 시행한다. 시력소실이 확인되면 즉시 고용량의 스테로이드를 투입한다(0.5~1 mg /kg/day, 3~4회 분할 정주). CT상 시신경관이 골절되어 시신경을 압박하고 있는 것이 확인되면 시신경감압술(optic nerve decompression)을 시행할 수 있으나 그 효과 및 적응증에 대해서는 추가연구가 필요하다.[39]

5) 누관 손상

누관은 구상돌기 외측 전방에 위치하며 구상돌기 및 누두(infuldibulum)와는 상악골의 전두돌기(frontal process)로 구분되어 있으며, 누관을 감싸고 있는 뼈의 두께는 개인마다 차이가 있다. 누관은 상악동 자연공보다 약 10 mm 정도 앞에 있기 때문에 상악동 개방술을 시행할 때 손상될 가능성이 있으며 특히 back biting 절단겸자(cutting forcpes)를 사용하여 자연공을 전방으로 넓힐 때 손상된다. 따라서 누관의 손상을 피하기 위해서, 자연공을 넓일 때 상악선(maxillary line)보다 전방으로 넓히지 않는 것이 안전하며 겸자 사용 중 조직의 강한 저항이 느껴지면 사용을 중단하고 정확한 해부학적 위치를 다시 확인해야 한다. 수술 중 누관의 손상이 의심되면 추가 손상을 방지하고 다른 부위의 병변을 모두 제거 후 수술을 종료하고, 유루증 등 증상이 있는 경우 수술 후 안과 협진을 시행한다.

6) 기타 원인으로 인한 시력 소실

시신경, 망막 및 시신경과 안구를 지배하는 혈관은 기계적, 전기적, 그리고 화학적 자극에 매우 취약하며 부비동내시경수술 중 시신경관이나 안구에 내한 직집적인 손상 없이도 시력 소실이 발생할 수 있다. 단극성 전기소작기는 장비의 특성상 전기적 에너지가 주변 조직까지 전달될 수 있으며, 시신경 주변에서 지혈을 위해 사용한 후 일측성 시력 소실이 발생하였다는 보고가 있다.[37] 따라서 시신경 및 안구 주변에서 단극성 전기소작기는 사용하지 않는 것이 바람직하며 지혈이 필요할 경우 양극성 소작기를 사용하고 충분한 물을 함께 점적하여 열이 발생하는 것을 방지한다. 수술 시작 전 시행하는 혈관수축제 주사도 시력에 영향을 미칠 수 있다.[19,31] 주사액이 전사골동맥이나 후사골동맥으로 직접 침투할 경우 연결되어 있는 안동맥의 혈관경축(vasospasm)을 유발하여 시력 소실을 일으킬 수 있다. 또한 대구개공(greater palatine foramen)을 통하여 혈관 수축제를 주사할 때 2 ml 이상의 용액을 주사하거나 2.5 cm 이상 바늘을 삽입하면 시력에 영향을 미칠 수 있기 때문에 주의해야 한다.[21]

3. 두개내 합병증

1) 경막 노출 및 뇌척수액 유출

뇌척수액유출을 비롯한 두개 내 손상은 수술 중 두개저를 이루는 뼈와, 이에 강하게 부착되어 있는 경막이 손상되었을 때 발생한다. 내시경수술을 시행하는 대부분의 술자는 두개저에 대한 정확한 해부학적 지식을 가지고 있기 때문에 이러한 손상이 흔하게 발생하지는 않지만, 수술 중 심한 출혈이 동반되어 내시경 시야가 흐려지고 정확한 해부학적 지표의 확인이 어려울 때 손상의 가능성이 높아진다. 부비동내시경수술 중 뇌척수액 유출은 0.1% 미만에서 발생한다고 보고되고 있다.[34] 손상이 가장 많이 발생하는 부위는 전사골동맥과 중비갑개가 사골 지붕(ethmoid roof)에서 만나는 연결부위이며[14] 이곳을 포함하여 사골 지붕(35.1%), 사판(27%), 접형동 상벽(18.9%), 전두동(5.4%) 등 전두개저를 이루고 있는 구조 어디에서든지 손상이 발생할 수 있다.[18] 수술 중 두개저 골판이 손상되어 단순히 경막이 노출된 경우에는 추가적인 조치를 시행할 필요는 없으며 추가 손상을 방지하고 수술 종료 후 Gelfoam (Pfizer, Newyork NY, USA) 등으로 손상 부위를 덮어준다. 사골동, 접형동 또는 전두동 수술 중 붉은색 출혈을 배경으로 검고 투명한 액체의 흐름이 관찰되면 수술을 중단하고 출혈을 모두 흡인한 후 다시 면밀히 관찰해야 하며 같은 소견이 보일 경우 경막 손상에 따른 뇌척수액 유출로 판단할 수 있다. 수술 중 뇌척수액 유출이 관찰되고 유출 부위가 확인되면 주변의 철저한 지혈을 시행한 후 손상의 정도를 파악한다. 수술 중 유출을 확인하고 적절하게 재건하였을 경우 수술의 성공율은 90%가 넘는 것으로 보고된다.[3] 뇌척수액 유출부위에 대한 재건은 뇌척수액 비루 파트에 상세히 기술되어 있다. 재건부위를 포함하여 추가적인 비강 팩킹이 필요한 경우 흡수성 충전재를 사용할 수 있다. 수술 후 손상 정도 및 두개내 합병증 여부를 확인하기 위해 CT를 시행해야 하며 두개 내 출혈 여부와 함께 기뇌증(pneumocephlus)여부에 대해서 반드시 확인해야 한다. 또한 재건 중 유리골편(free bone graft)을 사용한 경우 골편이 재건부위에 잘 위치하고 있는지 CT로 확인할 수 있다. 수술 후 항생제는 혈액뇌장벽(blood brain barrier)을 통과하는 ceftriaxone과 같은 약물을 사용하는 것이 도움이 된다고 알려져 있으나 오히려 뇌수막염(meningitis)의 징후를 가릴 가능성이 있다는 보고도 있어 효과에 대해서는 추가적인 검증이 필요하다.[38] 수술 후 요추를 통한 뇌척수액 배액(lumbar drainage)은 환자의 입원기간을 연장하며 수술 후 이환율을 증가시키기 때문에 권장되지 않는다.[6,38]

2) 내경동맥 손상

내경동맥 손상은 부비동내시경수술 중 발생할 수 있는 합병증 중 가장 심각한 합병증이며, 손상이 발생하면 사망에 이르거나 심각한 신경학적 합병증을 유발하기 때문에 부비동내시경수술을 시행하는 술자로서는 절대 마주하고 싶지 않은 상황이다. 내경동맥은 접형동 점막과 0.5 mm 미만의 얇은 골판으로만 분리되어 있으며[21] 카데바 연구에서 내경동맥을 둘러싸고 있는 골판에 결손이 있어 점막과 경막이 맞닿아 있는 경우가 8%였다고 보고하였다.[11] 내경동맥에 대한 손상은 혈관벽이 천자(puncture)되어 발생하는 다량의 출혈부터 지연 출혈을 동반한 가성동맥류(pseudoaneurysm) 등이 있으며 문헌상에 보고된 부비동염 수술 중 발생한 내경동맥 손상은 28례 정도로 매우 드물지만,[36] 실제 발생 건수는 보고된 증례보다는 많을 것으로 추정된다.

내경동맥은 접형동의 외측 후방으로 주행하며 기구 끝을 확인하지 않고 삽입하거나 내경동맥으로 연결된 골 결막을 제거하는 중 손상이 발생할 수 있다. 따라서 시신경 손상을 방지할 때와 마찬가지로 접형동 자연공을 넓힐 때 내측 하방에서 접근하는 것이 바람직하며 모든 기구의 끝을 시야에 두고 진행해야 한다. 손상이 발생하면 매우 많은 양의 출혈이 내시경 시야를 가리기 때문에 출혈부위를 보고 지혈하는 것은 불가능하며 거즈를 이용하며 주변부를 최대한 압박하고 비강 전체를 거즈로 단단하게 채워야 하며 즉시 다량의 수액소생(massive fluid resuscitation)을 시행한다. 대퇴부 등에서 근육편(muscle patch)을 채취하여 출혈부위를 압박 지혈한다는 보고도 있으나 추가 연구가 필요하다.[36] 혈액에 대한 교차시험(cross matching)을 시행하여 즉시 수혈을 준비하고, 신경외과 및 중재 신경영상의학(intervention neuroradiology)협진을 시행하고 환자를 혈관조영실로 옮긴다. 혈관조영술을 시행하여 손상 부위를 확인하고 풍선폐쇄검사(balloon occlusion test)를 시행하여 반대측 혈관에서 두개 내로 충분한 측부순환(collateral circulation)이 되는지 확인 후 분리형 풍선이나 코일(detachable balloon, coil) 등을 이용하여 혈관을 폐쇄한다.

4. 전신 합병증

부비동 수술 중 출혈을 줄이기 위해 수술 시행 전 혈관수축제를 국소 주사 또는 거즈에 묻혀 사용한다. 국소 주사에 사용하는 에피네프린은 1:100,000의 농도를 사용하며 거즈와 사용할 때에는 보다 고농도의 용액을 사용하게 된다. 수술 준비 중 의도하지 않게 점적용 고농도 혈관수축제를 점막하에 직접 주사하거나, 1:100,000 용액을 점막하 조직이 아닌 혈관 내에 주사할 경우 급작스런 혈압 상승, 빈맥(tachycardia)이 유발되며 심한 경우 허혈성 심질환(ischemic heart disease)이 발생할 수 있다. 따라서 수술 중 사용하는 혈관수축제는 필요 농도로 혼합한 뒤 반드시 적절하게 표시하여 혼동이 없도록 하며, 접형구개동맥 주변과 같이 혈관 주변에 주사할 때에는 주사기 피스톤을 당겨보아(regurgitation test) 혈관 내로 주사되지 않도록 주의한다.

III 부비동내시경수술 후 합병증

1. 비내 합병증

1) 출혈

부비동내시경수술 시행 후 발생하는 출혈의 빈도는 약 2% 정도로 보고되고 있다.[8] 출혈은 부비동내시경수술부위에서 발생할 수도 있지만 함께 시행된 비중격이나 비갑개 수술부위에서 발생하기도 한다. 출혈은 수술 직후에 발생하거나 수술 후 5~7일 지나 가피가 떨어지는 시점에 발생하는 이원성 분포(bimodal distribution)를 보이며 대부분의 출혈은 혈관수축 스프레이나 수축제가 점적된 팩킹을 사용함으로써 지혈된다. 수술 후 출혈을 줄이기 위하여 수술 부위에 흡수성 또는 비흡수성 팩킹을 사용할 수 있지만 부비동의 환기를 방해하고 수술 후 코막힘을 증가시키며 통증을 유발하는 문제가 있다. 따라서 수술 중 출혈이 매우 심하지 않았다면 수술 후 비강 팩킹을 꼭 시행할 필요는 없으며, 팩킹을 시행하지 않아도 수술 후 출혈의 빈도에도 차이가 없다는 보고가 있다.[23,26] 수술 후 출혈로 응급실에 내원하면 혈 역학적 상태를 파악하고 수술 전 수치와 비교 하여 출혈량을 추정하고, 출혈량이 많거나 지혈이 되지 않는 경우 필요한 장비가 갖추어진 수술실에서 지혈을 시도하는 것이 안전하다. 보존적인 치료로 지혈이 되지 않는 경우는 주로 전사골동맥을 비롯한 동맥성 출혈인 경우가 많으며 접형동 절개술을 시행한 경우 접형구개동맥의 후방 비중격 분지의 출혈을 의심해야 한다.

2) 유착

점막의 유착은 맞닿아 있는 손상된 점막이 치유과정 중에 서로 연결되어 발생한다. 따라서 부비동내시경수술 중 서로 맞닿아 있는 양측 점막의 표면이 손상된 경우 수술 후 유착이 발생할 가능성이 높으며 유착 발생을 예방하기 위해 간격자(spacer)나 실리콘시트를 삽입한다. 유착은 부비동 재수술을 시행 받는 환자의 56%에서 관찰되며 31%의 환자에서는 유착이 재발의 원인이었다는 보고가 있다.[29] 유착이 흔하게 발생하여 임상적으로 문제를 일으키는 대표적인 위치는 3곳으로, 중비갑개와 비강 외측벽 사이, 중비갑개 내측벽과 비중격 사이, 그리고 하비갑개와 비중격 사이이다. 수술 중 중비갑개 기저판(basal lamella)이 과도하게 절제되거나 중비갑개의 수직부분에 골절이 발생하면 중비갑개가 불안정해지고 회복 과정 중 외측으로 밀려 외측벽과 유착이 발생할 수 있다. 이 부분의 유착은 중비도의 환기 및 배액을 방해하기 때문에 부비동염의 재발의 원인이 될 수 있다. 중비갑개와 비중격 사이에 발생하는 유착은 냄새 맡기(sniffing)를 시행할 때 공기의 흐름이 후열(olfactory cleft)로 흐르는 것을 방해하여 수술 후 후각 장애를 유발하는 원인이 된다(그림 26-6). 수술 중 비중격 점막 및 중비갑개 내측 점막이 손상을 받아 유착 발생이 예상되면 실리콘시트를 비중격과 중비갑개 사이에 삽입하고 점막이 회복되는 1~2주 동안 유지하여 유착을 방지할 수 있다. 하비갑개와 비중격사이에 발생한 유착은 비강 흡기 시 하비도(inferior meatus)로 공기가 진행하는 것을 방해하여 수술 후 코막힘의 원인이 된다. 유착이 수술 후 초기에 발견되면 외래에서 간단하게 유착해리술(synechiolysis)을 시행할 수 있지만 시간이 경과하여 점막의 회복이 모두 완료되고 섬유화가 되면 수술적 치료가 필요할 수 있다.

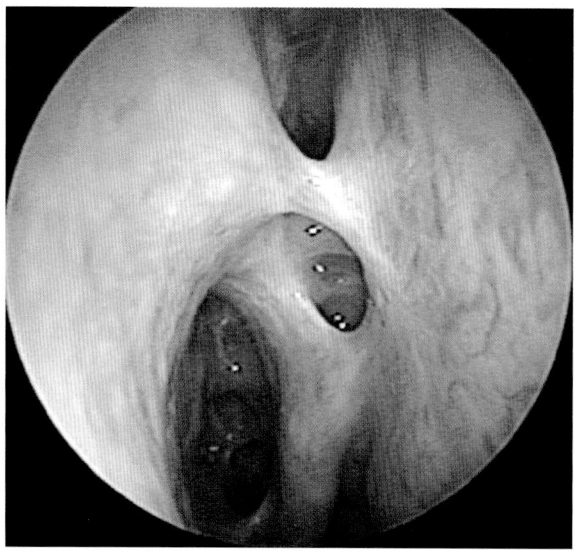

■ 그림 26-6. **부비동내시경수술 후 비중격과 우측 중비갑개 사이에 발생한 유착.** 이 부위에 발생한 유착은 후각 장애를 유발시킬 수 있다. 이러한 유착을 방지하기 위해서 맞닿은 점막 양측의 손상을 만들지 않아야 하며 유착이 예상되는 경우 실리콘 재질의 시트를 삽입하여 예방할 수 있다.

3) 부비동염의 재발 및 증상의 지속

부비동염의 재발은 수술 후 발생하는 여러 합병증 중 가장 흔한 합병증이라고 볼 수 있다. 수술 후 용종이 다시 발생하거나 비강 내 세균 집락 형성(bacterial colonization)이 되는 것이 재발의 흔한 원인이며 수술 중 손상 받은 점막의 치유가 지연되어 점액섬모청소(mucociliary clearance)가 회복되지 않아 부비동 내 분비물이 저류되어 발생할 수도 있다. 이러한 원인에 의한 재발은 수술 후 포도상구균(*staphylococcus aureus*)에 대한 항생제를 사용하고, 죽은조직제거술(debridement)과 함께 주기적인 부비동 세척을 시행하면 줄일 수 있다. 위에 설명한 요소들과는 별개로 상악동 염증의 재발에 관여하는 인자로는 의인성 부공(iatrogenic accessary ostium)이 있다. 상악동 개방술을 시행할 때 자연공을 확인하고 확장하는 것이 중요하며 자연공을 확인하지 못하고 상악동에 접근할 경우 후 천개부(posterior fontanelle)를 개방하게 될 가능성이 높으며 결과적으로 상악동에 자연공과 부공, 2

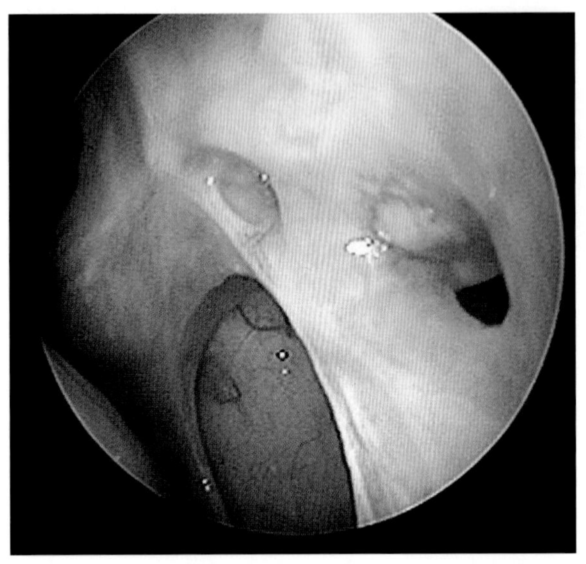

■ 그림 26-7. **좌측 부비동내시경수술을 시행한 뒤에도 지속되는 좌측 분비물을 주소로 내원한 환자의 내시경 소견.** 전방에 상악동 자연공이 관찰되고 있으며 자연공과 분리되어 후 천개부를 통해 상악동 개방술을 시행하였다(30도 내시경 소견).

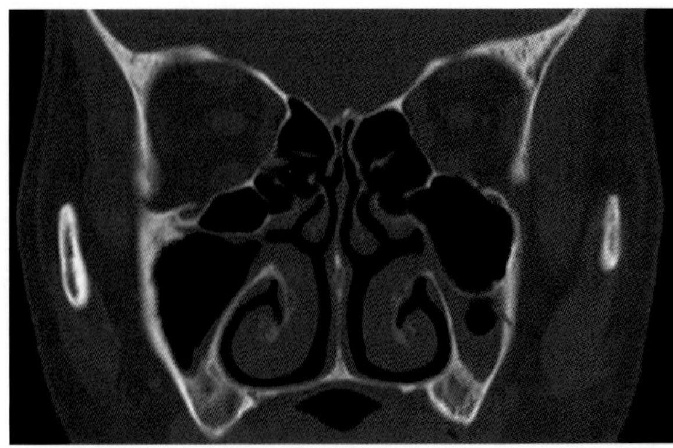

■ 그림 26-8. **상악동의 배액을 방해하는 Haller 봉소.** 만성 상악동염 환자에서 Haller 봉소가 관찰될 경우 상악동 개방술을 시행할 때 Haller 봉소의 골격벽을 충분히 제거해 주어야 한다. Haller 봉소의 격벽을 남기면 상악동의 배액통로가 좁아져 상악동 개구부가 폐쇄되어 재발의 원인이 될 수 있다.

개의 구멍이 생긴다(그림 26-7). 부공이 존재하면 상악동 내 분비물이 점액섬모운동에 의해 자연공을 통하여 후비강으로 배액되는 과정 중 중간에 위치한 부공을 통해 다시 상악동으로 들어오는 재순환(recirculation)이 발생한다. 이러한 현상을 missed ostium sequence라고 한다.[27] 부비동내시경수술 중 자연공을 확인하고 개방하기 위해서는 구상돌기를 제거하고 누두를 확인한 뒤 30도, 45도, 또는 70도 내시경을 이용하여 자연공을 직접 관찰하고 접근해야 한다. Haller 봉소의 존재도 상악동염 재발의 원인이 될 수 있다. Haller 봉소는 사골동 봉소가 안와 하부로 함기화가 진행되어 발생하며 상악사골봉소(maxilloethmoidal cell) 또는 안와하 사골봉소(infraorbital ethmoid cell)로도 명명되기도 한다. Haller 봉소가 발달하면 상악동이 전 하방으로 밀리게 되며 충분한 개방이 어려워 수술 후 염증이 재발할 수 있다. 또한 Haller 봉소를 상악동으로 잘못 알고 개방할 가능성도 있다(그림 26-8). 부비동내시경수술 중 병변을 제거하는 것과 더불어 주의해야 할 부분은 중비갑개를 보존하는 것이다. 중비갑개는 비강 흡기 시 공기의 흐름이 층류로(laminar flow) 흐르도록 유도하며 원활한 흡기를 돕고 냄새를 맡을 때 흡인된 공기가 후열로 진행할 수 있도록 돕는다. 수술 중 중비갑개를 제거하면 수술 후 지속적으로 가피가 발생할 수 있으며 코막힘을 호소하기도 한다(그림 26-9).

2. 후각 저하

부비동내시경수술을 시행 받은 환자들은 수술 후 1~2주간은 후각 저하를 호소할 수 있다. 이러한 후각저하는 수술 후 발생한 점막 부종 및 분비물, 비강 팩킹 등이 후열을 막아 발생할 수 있다. 그러나 부비동내시경수술을 받은 만성 부비동염환자의 약 2/3 정도가 이미 수술 전 후각 저하를 호소하기 때문에[5] 수술 후 환자가 호소하는 후각 저하가 수술 중 발생한 의인성 손상에 의해 발생한 것인지 확인하기 어렵다. 따라서 수술 전후 후각 기능을 평가하고 환자와의 분쟁을 줄이기 위해 부비동내시경수술 시행 전 후각검사를 시행하여 수술 전 후각 상태를 기록하는 것이 필요하다. 특히 수술 전 후각검사에서 후각 저하가 확인된 경우 후각 저하의 발생 원인이 전도성

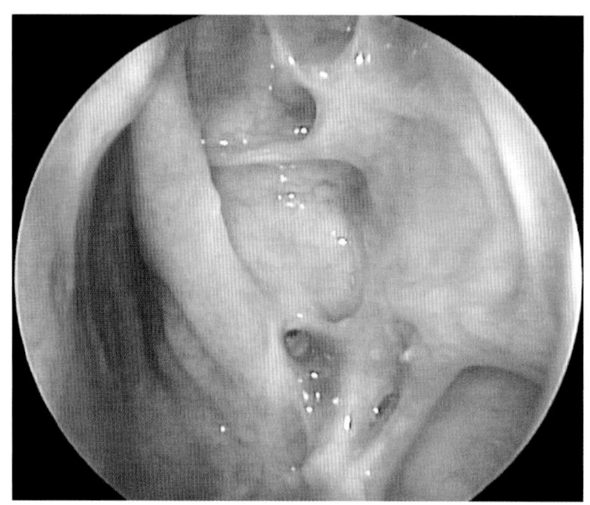

■ 그림 26-9. **좌측 부비동내시경수술 중 제거된 중비갑개.** 부비동 내시경을 수술 받은 후 코막힘이 지속되어 내원한 환자의 내시경 소견으로 중비갑개의 대부분이 제거되어 있다. 중비갑개를 과도하게 제거하면 코막힘 및 후각 저하를 유발할 수 있기 때문에 부비동내시경수술 중 중비갑개를 보존하는 것이 중요하다.

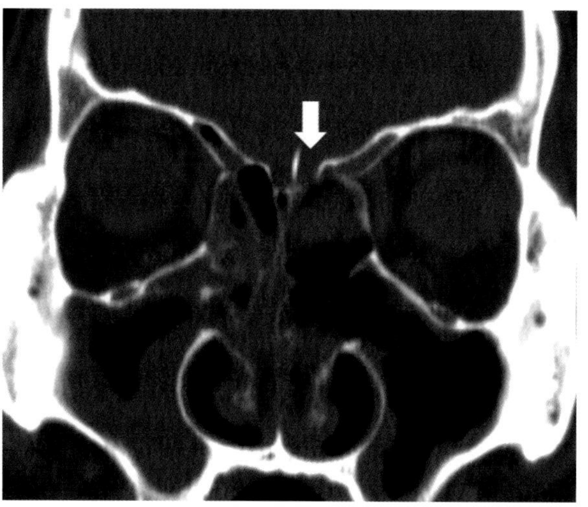

■ 그림 26-10. **부비동내시경수술 후 시행한 컴퓨터 단층촬영 소견.** 좌측 사골동 상부의 사판측벽에 골 결손이 확인되며 기뇌증등은 관찰되지 않는다. 수술 직후 두개저 손상이 확인되면 기다리지 말고 바로 재건을 하는 것이 바람직하다.

(conductive)인지 감각신경성(sensorineural)인지 구분하기 어렵기 때문에 수술 후 후각 개선이 없거나 불완전할 수 있음을 설명해야 한다. 수술 중 의인성 후각 저하의 발생을 방지하기 위해 수술 중 후각 상피를 최대한 보존하는 것이 필요하다. 중비갑개 내측 점막의 상부 1/2, 해당 중비갑개 점막과 맞닿아 있는 비중격 점막, 그리고 상비갑개 태측 점막이 손상을 최소화하며 중비갑개와 상비갑개에 무리한 힘을 가하여 미세 골절에 의한 후각 섬유(olfactory filament) 손상이 발생하지 않도록 주의한다. 수술 후 2주가 지나도 후각 저하가 지속될 경우 경구 스테로이드를 투여할 수 있으나 적정 용량에 대해서는 추가 연구가 필요하다. 후열 주변의 점막 유착이 있는 경우 후열이 폐쇄되어 전도성 후각소실을 유발할 수 있으므로 필요하면 유착 해리술를 시행한다.

3. 두개내 합병증

수술 후 환자가 지속되는 일측성 수양성 비루를 호소하고 고개를 숙일 때 심해지면 뇌척수액 비루를 의심해야 한다. 내시경에서 박동성의 투명한 액체가 흐르는 것이 관찰되면 뇌척수액 유출로 판단할 수 있으나 판단이 쉽지 않은 경우도 있다. 비루에서 beta-2 transferrin을 검출하는 방법은 특이도와 민감도가 높은 검사법이나[20] 아직 국내에서는 시행되지 않는다. 수술 후 초기에 뇌척수액 비루가 확인된 경우 수술 중 발생한 두개저 손상을 인지하지 못했을 가능성이 높으며 유출을 막기 위해 수술적 치료가 필요한 경우가 대부분이다(그림 26-10). 뇌척수액 비루가 발생하면 이에 따른 추가 합병증을 줄이기 위해 환자들에게 주의사항에 대한 교육을 시행해야 한다. 뇌척수액 유출이 있는 상태에서 코를 풀거나 힘을 주는 행동(valsalva maneuver) 등으로 인하여 비강 내 압력이 증가하면 비강 내 공기가 두개강 내로 침투하게 되며 뇌수막염(meningitis), 뇌농양 및 기뇌증(pneumocephalus)의 원인이 된다. 기뇌증이 발생하면 두개 내 압력이 증가하고 뇌실질(brain parenchyme)이 일측으로 밀려 신경학적 증상이 발생하고 심하면 뇌탈출(brain hernia)이 발생한다. 뇌척수액 비루가 의심되는 환자가 갑작스런 심한 두통을 호소하고 신경학적 이상을 보이는 경우 기뇌증을 의심하고 즉시 CT를 시행해야 한다. CT에서 기뇌증이 확인되면 추가적으로 공기가 들어가는 것을 방지하기 위해 환자를 앙와위(supine)자세를 취하고 기침, 재채기등을 시행하지 않도록 투약한다. 경미한 기뇌증은 자연 흡수될 수 있지만 양이 많은 경우 상기도 공기흐름을 우회하기 위해 기관 삽관 또는 기관절개술을 시행할 수 있다.[9] 뇌탈출이 임박했다고 판단되면 천두공(burr hole) 또는 천두술(trephination)을 시행하여 응급으로 두개 내 압력을 줄여야 한다. 두개 내 압력증가에 대한 응급치료를 시행하고 환자가 안정되면 두개저 결손 재건을 통한 근본적인 치료를 시행한다. 뇌척수액 유출과 더불어 기뇌증이 있을 때 절대 요추배액을 시행해서는 안 된다. 요추배액을 시행하면 두개강 내와 척수강 내에 급격한 압력차이가 발생하여 뇌탈출을 유발할 수 있다.[9]

4. 안구 관련 합병증

수술 후 발생할 수 있는 안구 관련 합병증은 각막찰과상(corneal abrasion), 복시, 유루증 등이 있다. 부비동내시경수술을 시행할 때 안구를 수술 시야에 노출시켜야 한다. 따라서 수술 중 노출되어 있는 안구에 대한 적절한 보호조치가 시행되지 않으면 각막에 손상이 발생할 수 있다. 수술 후 안 이물감 및 안 통증을 호소하면 각막찰과상을 의심하여 안과 협진을 시행한다. 대부분의 경우 보존적 치료로 호전되며 국소 항생제 연고를 사용하고 안대를 착용하여 손상받은 눈을 48시간 정도 사용하지 않도록 한다. 수술 중 이러한 각막 손상을 방지하기 위하여 연고를 도포하거나 안검에 테이핑을 시행하는 것이 도움이 된다. 특히 수술 부위 소독을 시행할 때 소독액이 눈에 침투하지 않도록 주의한다. 눈에 소독액에 들어가면 식염수를 이용하여 부드럽게 세척하고 연고를 도포한 후 테이핑을 하고 수술 후 이물감 및 통증을 평가한다. 안검 주변에 반상출혈(ecchymosis)이나 피하기종(subcutaneous emphysema)이 관찰될 경우 수술 중 지판이 손상되었을 가능성을 시사한다. 지판의 손상된 부분을 통해 공기와 혈액이 침투하여 발생하며 수술 중 지판의 손상을 인지하지 못한 상태였다면 CT를 시행하여 손상 여부를 확인해야 한다. 안과 검진에서 시력이나 안구운동에 없을 경우 추가적인 치료는 필요 없으며 7일에서 10일 후 호전된다.[28] 수술 후 복시는 수술 중 지판 및 외안근의 손상에 의해 발생한다. 수술 중 이러한 문제를 인지하지 못한 상태에서 발생하였다면 곧바로 비강 팩킹을 제거하고 CT를 시행하여 손상 정도를 파악해야 한다. 수술 중 누관에 손상이 발생하면 수술 후 유루증이 발생할 수 있다. 그러나 수술 중 누관에 대한 손상이 없어도 이러한 증상을 호소할 수 있으며 비강 내 과도한 팩킹으로 누관 입구(Hasner's valve)가 눌려 발생하며 경우에 따라 비강 내 출혈성 분비물이 역류하여 혈성 유루증(blood epiphora)을 보일 수 있다. 수술 중 누관에 대한 손상 없이 유루증이 발생하였다면 팩킹을 제거하고 재평가하며 지속될 경우 수술 중 술자가 인지하지 못한 사이에 누관 손상이 발생하였을 가능성이 있으므로 손상 여부를 확인한다. 혈성 유루증이 있을 경우 2차 감염을 방지하기 위해 항생제 안연고 또는 안약을 사용할 수 있다.

5. 전신 합병증

최근에는 부비동 수술 후 팩킹을 하지 않는 경우가 많으며 팩킹을 하더라도 예전처럼 다량의 팩킹을 시행하지 않는다. 그러나 인체 내에 이물질을 이용한 팩킹을 시행할 때에는 독성쇼크 증후군(toxic shock syndrome)발생의 가능성에 대해 인지하고 있어야 한다. 부비동 수술 후 독성쇼크 증후군의 발생 빈도는 10만 명당 16명 정도로 보고되고 있으나[12] 최근에는 팩킹의 사용이 줄어들어 실제 빈도는 더 낮을 것으로 추정된다. 독성쇼크 증후군은 독소를 생산하는 포도상구균감염에 의해 발생하며 독소에 의해 전신증상이 발생한다. 증상으로는 38.9℃ 이상의 고열, 피부 발진(rash), 저혈압, 피부의 박리(desquamation) 등이 발생하며 심할 경우 다발성 장기부전(multi organ failure)으로 진행할 수 있다. 독성쇼크 증후군이 의심되면 즉시 팩킹을 제거하고 포도상구균에 대한 항생제를 투여한다.

Ⅳ 결론

부비동 내시경수술을 시행하는 중, 그리고 수술 후 치료과정 중에 경험하게 되는 여러 부작용을 이해하는 것은 환자의 안전 보장하고 성공적인 치료결과를 얻는 데 필수적인 요소이다. 부비동은 매우 복잡한 골성 구조물이며 주변에 안와, 뇌, 내경동맥과 같은 중요한 구조물과 인접하여 있기 때문에 철저한 CT리뷰를 통해 정확한 해부학적 형태를 파악하는 것이 무엇보다 중요하다. 수술 중 발생하는 후유증의 많은 경우가 수술 전 이러한 과정에 소홀하여 발생한다. 따라서 수술 전 CT소견 등에 대한 체크리스트를 만들어 사용하는 것을 권장한다. 또한 술자는 수술 중 사용하는 미세절삭기를 비롯한 다양한 기구 및 장비와 혈관수축제등 약제의 특성과 정확한 사용방법, 주의사항을 숙지해야 한다. 이러한 노력과 함께 수술 중, 수술 후 발생할 수 있는 문제에 대해 환자에게 충분하게 설명하고 이해하도록 하는 것이 필요하다.

참고문헌

1. 국민건강보험공단. 2013년 주요수술통계연보 2014.
2. Atighechi S, Azimi MR, Mirvakili SA, Baradaranfar MH, Dadgarnia MH. Evaluation of intraoperative bleeding during an endoscopic surgery of nasal polyposis after a pre-operative single dose versus a 5-day course of corticosteroid. Eur Arch Otorhinolaryngol 2013;270:2451-2454.
3. Banks CA, Palmer JN, Chiu AG, O'Malley BW, Jr., Woodworth BA, Kennedy DW. Endoscopic closure of CSF rhinorrhea: 193 cases over 21 years. Otolaryngol Head Neck Surg 2009;140:826-833.
4. Bhatti MT, Stankiewicz JA. Ophthalmic complications of endoscopic sinus surgery. Surv Ophthalmol 2003;48:389-402.
5. Bonfils P, Malinvaud D, Soudry Y, Devars du Maine M, Laccourreye O. Surgical therapy and olfactory function. B-ENT 2009;5 Suppl 13:77-87.
6. Casiano RR, Jassir D. Endoscopic cerebrospinal fluid rhinorrhea repair: is a lumbar drain necessary? Otolaryngol Head Neck Surg 1999;121:745-750.
7. Citardi MJ, Batra PS. Intraoperative surgical navigation for endoscopic sinus surgery: rationale and indications. Curr Opin Otolaryngol Head Neck Surg 2007;15:23-27.
8. Dalziel K, Stein K, Round A, Garside R, Royle P. Endoscopic sinus surgery for the excision of nasal polyps: A systematic review of safety and effectiveness. Am J Rhinol 2006;20:506-519.
9. Ducic Y, Zuzukin V. A rational approach to the use of tracheotomy in surgery of the anterior skull base. Laryngoscope 2008;118:204-209.
10. Fraire ME, Sanchez-Vallecillo MV, Zernotti ME, Paoletti OA. Effect of premedication with systemic steroids on surgical field bleeding and visibility during nasosinusal endoscopic surgery. Acta Otorrinolaringol Esp 2013;64:133-139.
11. Fujii K, Chambers SM, Rhoton AL, Jr. Neurovascular relationships of the sphenoid sinus. A microsurgical study. J Neurosurg 1979;50:31-39.
12. Hosemann W, Draf C. Danger points, complications and medico-legal aspects in endoscopic sinus surgery. GMS Curr Top Otorhinolaryngol Head Neck Surg 2013;12:Doc06.
13. HP M. The surgical anatomy of the ethmoidal labyrinth. Ann Otol Rhinol Laryngol 1929;38:869-901.
14. Kainz J, Stammberger H. [The roof of the anterior ethmoid: a locus minoris resistentiae in the skull base]. Laryngol Rhinol Otol (Stuttg) 1988;67:142-149.
15. Kennedy DW, Shaman P, Han W, Selman H, Deems DA, Lanza DC. Complications of ethmoidectomy: a survey of fellows of the American Academy of Otolaryngology-Head and Neck Surgery. Otolaryngol Head Neck Surg 1994;111:589-599.
16. Keros P. On the practical value of differences in the level of the lamina cribrosa of the ethmoid. Z Laryngol Rhinol Otol 1962;41:809-813.
17. Krings JG, Kallogjeri D, Wineland A, Nepple KG, Piccirillo JF, Getz AE. Complications of primary and revision functional endoscopic sinus surgery for chronic rhinosinusitis. Laryngoscope 2014;124:838-845.
18. Locatelli D, Rampa F, Acchiardi I, Bignami M, De Bernardi F, Castelnuovo P. Endoscopic endonasal approaches for repair of cerebrospinal fluid leaks: nine-year experience. Neurosurgery 2006;58:ONS-246-256; discussiom ONS-256-247.
19. Maaranen TH, Mantyjarvi MI. Central retinal artery occlusion after a local anesthetic with adrenaline on nasal mucosa. J Neuroophthal-

mol 2000;20:234-235.

20. Mantur M, Lukaszewicz-Zajac M, Mroczko B, et al. Cerebrospinal fluid leakage--reliable diagnostic methods. Clin Chim Acta 2011;412:837-840.
21. Martin JR, Patadia MO. Rare and Other Notable Complications in Endoscopic Sinus Surgery. Otolaryngol Clin North Am 2015.
22. May M, Levine HL, Mester SJ, Schaitkin B. Complications of endoscopic sinus surgery: analysis of 2108 patients--incidence and prevention. Laryngoscope 1994;104:1080-1083.
23. Mo JH, Han DH, Shin HW, Cha W, Chang MY, Jin HR. No packing versus packing after endoscopic sinus surgery: pursuit of patients' comfort after surgery. Am J Rhinol 2008;22:525-528.
24. Moeller CW, Welch KC. Prevention and management of complications in sphenoidotomy. Otolaryngol Clin North Am 2010;43:839-854.
25. Mueller SA, Caversaccio M. Outcome of computer-assisted surgery in patients with chronic rhinosinusitis. J Laryngol Otol 2010;124:500-504.
26. Orlandi RR, Lanza DC. Is nasal packing necessary following endoscopic sinus surgery? Laryngoscope 2004;114:1541-1544.
27. Parsons DS, Stivers FE, Talbot AR. The missed ostium sequence and the surgical approach to revision functional endoscopic sinus surgery. Otolaryngol Clin North Am 1996;29:169-183.
28. Patel AB, Hoxworth JM, Lal D. Orbital Complications Associated with the Treatment of Chronic Rhinosinusitis. Otolaryngol Clin North Am 2015.
29. Ramadan HH. Surgical causes of failure in endoscopic sinus surgery. Laryngoscope 1999;109:27-29.
30. Ramakrishnan VR, Kingdom TT. Does Image-Guided Surgery Reduce Complications? Otolaryngol Clin North Am 2015.
31. Savino PJ, Burde RM, Mills RP. Visual loss following intranasal anesthetic injection. J Clin Neuroophthalmol 1990;10:140-144.
32. Smith TL, Stewart MG, Orlandi RR, Setzen M, Lanza DC. Indications for image-guided sinus surgery: the current evidence. Am J Rhinol 2007;21:80-83.
33. Sohn JH, Hong SD, Kim JH, et al. Extraocular muscle injury during endoscopic sinus surgery: a series of 10 cases at a single center. Rhinology 2014;52:238-245.
34. Suzuki S, Yasunaga H, Matsui H, Fushimi K, Kondo K, Yamasoba T. Complication rates after functional endoscopic sinus surgery: Analysis of 50,734 Japanese patients. Laryngoscope 2015;125:1785-1791.
35. Thacker NM, Velez FG, Demer JL, Wang MB, Rosenbaum AL. Extraocular muscle damage associated with endoscopic sinus surgery: an ophthalmology perspective. Am J Rhinol 2005;19:400-405.
36. Valentine R, Wormald PJ. Carotid artery injury after endonasal surgery. Otolaryngol Clin North Am 2011;44:1059-1079.
37. Vanden Abeele D, Clemens A, Tassignon MJ, van de Heyning PH. Blindness due to electrocoagulation following functional endoscopic sinus surgery. J Laryngol Otol 1996;110:261-264.
38. Welch KC, Palmer JN. Intraoperative emergencies during endoscopic sinus surgery: CSF leak and orbital hematoma. Otolaryngol Clin North Am 2008;41:581-596, ix-x.
39. Yang QT, Zhang GH, Liu X, Ye J, Li Y. The therapeutic efficacy of endoscopic optic nerve decompression and its effects on the prognoses of 96 cases of traumatic optic neuropathy. J Trauma Acute Care Surg 2012;72:1350-1355.

CHAPTER

27

뇌척수액비루

김용대

뇌척수액은 정상 성인의 경우 시간당 약 20 ml의 속도로 생성되며, 두개골과 척추 내에 뇌와 척수(spinal cord)를 감싸고 있는 무색의 투명한 액체상태로 지주막하 공간에 존재한다. 이는 뇌실의 맥락 신경총에서 만들어지며 약 140 ml 정도로 유지된다. 뇌척수액의 흡수는 뇌척수액(subarachnoid space)이 지주막하 공간을 순환한 후 지주막 융모에서 흡수된다. 뇌척수액의 분비가 지속적으로 일어나기 때문에 뇌척수액의 재흡수는 뇌척수액 압력을 결정하는 데 중요한 역할을 한다.[10] 정상 뇌척수액의 압력 상한선은 유아의 경우 40 mmH_2O, 성인의 경우 140 mmH_2O이며, 뇌척수액의 압력은 혈압, 머리 위치의 변화에 따라 변할 수 있고 환자의 나이, 활동 정도, 측정 시기에 따라 다르게 나타날 수 있다.[2]

뇌척수액비루는 지주막하 공간(subarachnoid space)과 비부비동 점막 사이에 존재하는 구조물 즉 점막, 뼈, 경막 및 지주막이 모두 손상되어 코를 통해 뇌척수액이 흘러 나오는 증상을 명명하며, 이로 인해 환자는 무증상에서 두통, 발열 등의 다양한 증상을 호소할 수 있고 특히 비강 혹은 부비동을 통한 상행 감염으로 뇌수막염이 생기기도 한다. 또 비강 내 압력이 높아지면, 기뇌증(pneumocephalus) 등을 유발할 수 있으므로 뇌척수액비루가 의심될 경우 반드시 적절한 진단 및 치료가 필요하다.

1990년대 이전의 뇌척수액비루에 대한 수술적치료는 주로 개두술을 통한 신경외과적 수술이었다면, 1990년대 이후부터는 부비동내시경수술법의 발전과 장비의 발달에 힘입어 이비인후과의 비내시경적(endonasal endoscopic) 수술이 주를 이루게 되었고, 성공률 또한 약 90%로 상승하였다. 뇌척수액비루에 이비인후과의 진단 및 치료는 절대적이라 할 수 있으며, 대부분의 뇌척수액비루 환자의 치료에 이비인후과 의사는 매우 중요한 역할을 차지하고 있다.[3]

I 분류와 원인

뇌척수액비루는 원인, 해부학적 위치, 환자의 나이 및

표 27-1. **뇌척수액비루의 분류**

외상성(traumatic)
두부손상(accidental)
Immediate
Delayed
의인성(surgical)
Complication of neurosurgical procedures - Transsphenoidal hypophysectomy - Frontal craniotomy - Other skull base procedures
Complication of rhinologic procedures - Sinus surgery - Septoplasty - Other combined skull base procedures
비외상성(nontraumatic)
고뇌 척수압(elevated intracranial pressure)
Intracranial neoplasm
Hydrocephalus - Noncommunicating - Obstructive
Benign intracranial Hypertension
정상뇌척수압(normal intracranial pressure)
Congenital anomaly
Skull base neoplasm - Nasopharyngeal carcinoma - Sinonasal malignancy
Skull base erosive process - Sinus mucocele - Osteomyelitis
Idiopathic

뇌압의 상승여부 등에 따라 다양하게 분류할 수 있다. 뇌척수액비루의 원인은 외상성과 비외상성으로 분류하며 외상성은 두부손상 후와 의인성으로, 비외상성은 뇌척수압의 상승유무에 따라 고뇌척수압과 정상뇌척수압으로 나눌 수 있다(표 27-1).[15] 외상성 뇌척수액비루의 약 80%는 두부외상으로 인해 발생하고 약 16%는 부비동 수술이나 뇌종양 수술에 의해 발생하며, 3~4% 정도는 자발성으로 발생한다.[12]

1. 외상성 뇌척수액비루

외상성 뇌척수액비루는 20~40대 남성에서 호발하며 자연적인 치유가 불가능한 경우가 많아 대부분 수술적 치료가 필요하다. 모든 뇌척수액비루의 약 80%가 우발적인 외상에 의한 것으로 보고되고 있다. 대부분의 뇌척수액비루는 두부외상에 의해 나타나며 심각한 두부외상의 2~3% 정도에서만 나타난다.[6] 뇌척수액비루의 55%는 외상 후 48시간 이내에 발생하며, 외상 후 일시적으로 뇌척수액 누출을 막고 있던 부종이 가라앉는 시기인 1주일 정도가 지나면 70%가 나타나고, 3개월 이내에 95%가 발생한다.[12] 이는 뇌부종이나 주위 연조직의 부종이 있을 때에는 뇌척수액비루가 생기지 않다가 부종이 빠지면서 발생한다. 또한 외상 후 뇌압이 늦게 증가하거나 골손실 또는 찢어진 뇌경막 주위의 응고된 피가 용해될 때, 창상절편이 위축되었을 때, 혈관이 손상되어 창상 주위의 뼈나 조직이 괴사될 때 뇌척수액비루가 지연성으로 나타날 수 있다(그림 27-1, 2).[4,12]

전두개와에서 발생한 뇌척수액비루는 두부 외상과 안면 손상 시 사상판(cribriform plate)과 사골와(fovea ethmoidalis)에서 가장 많이 발생하는데, 그 이유는 골편이 매우 얇고 뇌경막과 단단히 붙어있어 외상을 입었을 때 골편과 뇌경막이 함께 손상되기 때문이다. 내시경 부비동 수술 중 뇌척수액비루 합병증의 발생률은 0.5%이며 주로 비내 사골동절제술 후에 발생하며, 호발 부위는 사상판의 외측기판(lateral lamella)이다.[21] 특히 비강을 통해 사골동 수술을 시행할 때 사골동의 격벽을 끊어서 제거하지 않고 무리하게 당길 경우 흔히 뇌척수액비루가 호발한다.

중두개와(middle cranial fossa), 터키안(sella turcica)과 후두개와(posterior cranial fossa)에서 발생한 뇌척수액비루는 주로 신경외과 수술과 관련하여 많이 나타나는데, 주로 접형동의 과도한 외측방 확장으로 인해 생기며 선천성 또는 외상성으로도 발생할 수 있다. 두부외

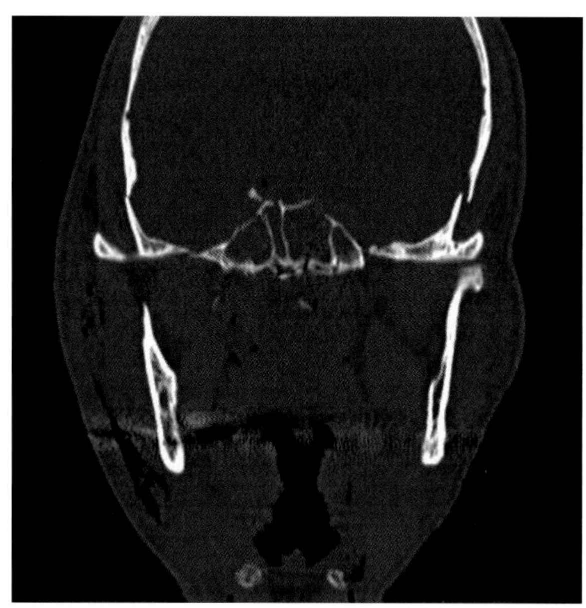

■ 그림 27-1. **외상 후 발생한 뇌척수액비루 환자의 CT 소견.** 접형동의 골절이 관찰되고 있다.

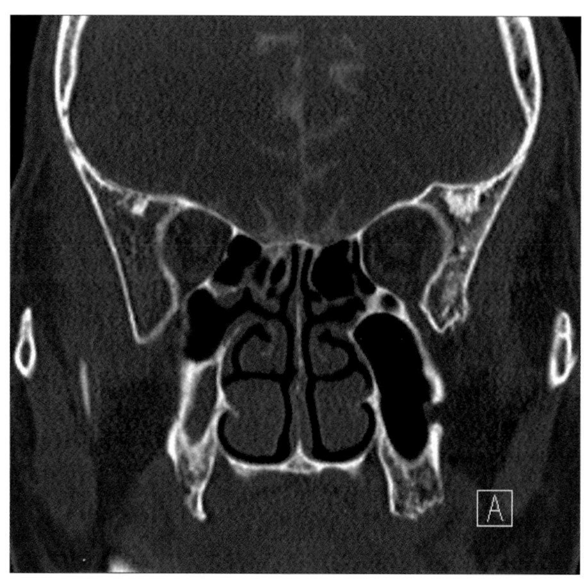

■ 그림 27-2. **외상 후 발생한 뇌척수액비루 환자의 CT 소견.** 우측 사골와의 골절로 인해 조영제가 유출되고 있다.

상으로 인한 대부분의 뇌척수액 누출은 자발적 혹은 요추 배액술 및 휴식을 통한 보존적 치료를 통해 치료 가능하다. 하지만 비수술적 치료를 시행한 경우 5년 이내 뇌수막염의 발생빈도가 높아질 수 있어 주의가 필요하며, 지속적인 추적관찰 또한 필요하다.

2. 비외상성 뇌척수액비루

비외상성 뇌척수액비루는 고압성과 정상압성으로 분류할 수 있고, 남성보다 여성에서 2배 가량 호발하며 30대에서 가장 많이 발생한다. 비루는 기침, 재채기 또는 긴장 등으로 두개내압이 증가할 때 흔히 발생한다.

비외상성 뇌척수액비루의 약 45%를 차지하는 고압성 뇌척수액비루는 장시간에 걸친 두개내압의 상승으로 지주막하 공간의 압력이 상승하게 되어 약한 통로 또는 사상판 같은 잠재적 통로를 통하여 뇌척수액이 흘러 나오게 되며, 특히 뇌기저부에서는 접형동의 외측함요(lateral recess)에서 가장 흔하게 발생한다. 그 외에도 시신경막(optic nerve sheath), 사상판, 터키안 격막(sellar diaphragm), 그리고 전두개와 및 중두개와의 골결손 부위에서도 흔히 발생할 수 있다.[22] 고압성 뇌척수액비루의 약 80%가 서서히 커지는 종양에 의해 발생하며 그 중 가장 흔한 원인은 뇌하수체 종양이다. 종양으로 인한 뇌척수액비루 이외에 뇌척수액압을 상승시킬 수 있는 원인으로는 양성 두개강내고혈압(benign intracranial hypertension; BIH)이 흔하다. BIH는 고압성 뇌척수액비루를 유발하는 뇌수종(hydrocephalus), 또는 경막동혈전증(dural sinus thrombosis) 등의 특정 원인질환 없이 두개내압이 상승하는 상태를 말하며, 주요 증상으로는 두통, 박동성 박리, 유두 부종, 6번 뇌신경 마비 등이 나타날 수 있다.[5] 뇌척수액비루의 치료가 끝난 후 뇌수막염 없이 환자가 지속적인 두통을 호소한다면 BIH를 의심해 보아야 한다.

이차적인 두개저의 침식으로 인해 발생하는 정상압성 뇌척수액비루는 비외상성 뇌척수액비루의 55%를 차지하고, 이 중 약 90%가 두개인두관 개존(patent craniopharyngeal duct), 뇌류(encephalocele), 수막뇌류

(meningoencephalocele) 등의 선천성 또는 잠재적 통로로 인해 발생한다. 그 외에 전두사골의 골종, 비인강 혈관섬유종, 비인강암 등의 종양이나, 부비동염으로 인한 골용해성 침식, 매독, 점액류 등의 감염성 질환이 두개저로 침식할 경우에도 발생할 수 있다.

Ⅱ 진단

뇌척수액비루의 진단은 쉽지 않다. 뇌척수액비루의 진단과 정확한 위치 확인을 위해 비루가 발생한 임상적 원인에 대해 다음과 같은 가능성을 고려해야 한다. 첫째, 뇌척수액비루는 상대적으로 드물게 나타나지만, 알레르기 비염, 비알레르기 비염, 혈관운동성 비염에서 나타나는 비루는 뇌척수액비루에 비해 상대적으로 흔하다. 위 질환들에서 나타나는 비루는 뇌척수액비루의 증상 및 징후와 혼동될 수 있으며 뇌척수액비루와 동시에 나타날 수도 있다. 둘째, 뇌척수액비루는 간헐적인 경우가 많아서 뇌척수액비루가 없을 때 진단적 검사를 시행하면 위음성 결과가 나올 수 있다. 셋째, 낮은 뇌척수압에서의 뇌척수액 배액의 경우 뇌척수액 흐름을 유도하는 압력차이가 본질적으로 낮기 때문에, 배액의 양이 적고 기간이 짧다. 합병증으로 뇌막염이 발생할 가능성이 높다면 반드시 빠른 진단과 치료가 필요하다.

뇌척수액비루의 진단은 반드시 다음 두 단계 과정을 거쳐야 한다. 첫째, 누출된 비루가 뇌척수액임를 객관적으로 증명해야 한다. 둘째, 뇌척수액이 누출되는 뇌기저부 결손 위치를 확인해야 한다.

1. 병력

환자의 임상적인 병력은 뇌척수액비루 진단에 중요한 단서가 된다. 뇌척수액비루는 약간 씁쓸한 맛 혹은 짠맛으로 표현되며, 뇌기저부 결손이 추정되는 쪽에서 편측성 수양성 비강 분비물이 보인다. 비중격 결손이 있는 환자의 경우는 뇌기저부 결손이 있는 부위 이외에도 뇌척수액비루가 나타날 수 있으며, 양측 결손이 있는 환자의 경우 양측성 수양성 비루가 나타날 수 있다. 자연성 뇌척수액비루의 경우 대부분 BIH와 관련성이 높기 때문에 외상의 병력이 없지만 두통, 박동성 이명, 시력 저하 등의 증상을 보이는 경우 BIH에 의한 고압성 뇌척수액비루를 의심해 볼 수 있다.

뇌척수액은 손상부위에 따라 흘러나오는 부위가 달라지는데, 전두동 또는 사골동의 사상판이 손상됐을 때는 중비도로 흘러나와 앞으로 고개를 숙일 때 뇌척수액이 코를 통해 흘러나오는 전비루가 많이 나타나며, 접형동 부위의 뇌하수체가 손상됐을 때는 접형동의 자연공을 통해 목 뒤로 넘어가는 후비루가 주로 나타난다.

뇌척수액비루에 선행하는 외상 병력은 뇌기저부 결손 존재유무에 관한 중요한 단서가 된다. 교통사고 혹은 추락 등에 의한 두부외상 후 편측의 수양성 비루가 나타난다면 뇌척수액 누출을 반드시 고려해야 한다. 일부에서는 심하게 코를 풀고 난 후 뇌척수액비루가 발생한다는 보고도 있으며 이러한 경우 외상성 누출을 의심할 수 있다.

뇌기저부 결손이 사상판을 포함하였다면 환자는 후각감소, 소실 또는 이상후각을 보인다. 뇌기저부 종양에 의해 이차적으로 발생한 결손의 경우 설명할 수 없는 전신 증상이 나타나기도 한다.

비부비동질환에 대한 상세한 병력 청취도 필요하다. 두통에 대한 병력은 반드시 상세하게 문진해야 한다. 일부 특발성, 비외상성 뇌척수액비루를 보이는 환자들은 비루가 발생할 때 개선되고 비루가 그칠 때 심해지는 범발성 두통을 호소하는데 이는 뇌척수압이 상승할 때 두통이 발생하고, 수양성 비루로 뇌척수액이 누출될 때 상승된 뇌척수압이 안정화되어 두통이 경감되는 특징을 가진다. 만성 두통은 양성 두개내 고혈압, 공터키안증후군(empty sella syndrome) 등과 같은 다른 두개내압을 상승시킬 수 있는 질환에 의해서도 유발되며 드물게 두개

내 종양에 의해서도 나타날 수도 있다.

환자가 수차례 반복되는 세균성 뇌막염의 병력이 있으면 비부비동에서 두개골 내로 세균성 감염원이 침범했을 가능성이 있기 때문에 뇌기저부 결손이 있을 가능성을 생각해 보아야 한다.

2. 코와 부비동의 진찰

뇌척수액비루는 맑고 비점액성이며 편측으로 지속적 혹은 간헐적으로 나타나는데, 이를 확인하는 데 손수건 검사(handkerchief test)를 시행한다. 혈액이 약간 섞인 뇌척수액을 흡수력이 좋은 헝겊이나 여과종이 등에 떨어뜨리면 중앙의 붉은 혈액 주위로 뇌척수액이 번지는 양상의 halo sign이 나타난다. 손수건 검사법은 비강에서 얻은 액체에 타액이나 누액이 섞여 있으면 위양성이 나타날 수 있다는 문제점이 있지만, 대개 비루를 손수건에 받아 말렸을 때 응집하지 않고 마르면 뇌척수액으로 판정할 수 있다.

3. 뇌척수액 검사

뇌척수액비루에 대한 검사방법에는 크게 뇌척수액의 특징적인 표지자를 이용하여 비루 내에서 표지자를 발견해 뇌척수액임을 확인하는 방법과 특수 물질을 투여해 경막 내 공간과 경막외 공간의 연결 유무를 증명하는 방법이 있다.

1) 뇌척수액 확인 검사

당은 뇌척수액의 민감하고 특이적인 표지자이다. 화학적 검사에서 당이 30 mg/dL 이상, chloride가 120 mEq 이상이고 단백질과 비중이 감소되어 있으면 뇌척수액비루로 진단할 수 있다. 그러나 실제로는 수양성 비루의 양이 화학적으로 분석할 만큼 충분하지 않으며, 눈물에 들어있는 포도당이 교란변수로 작용할 수 있다.[9] 또한 뇌척수액의 당 농도를 떨어뜨리는 활동성 세균성 뇌막염이 있을 때는 결과가 위음성으로 나타날 수 있다.

β-transferrin 검사는 특이도와 정확도가 높아 유용한 검사로 알려져 있으나, 뇌척수액비루의 양이 검사하기에 충분하지 않아 어려움을 겪는 경우가 많다.[16] 프로스타글란딘 D2 생성효소인 β-trace protein은 뇌척수액비루에서 알부민 다음으로 많은 단백질로 뇌척수액비루 진단에 100%의 민감도와 특이도를 가진다. 그러나 β-trace protein 검사는 그 농도가 신장질환을 가진 환자의 혈청이나 뇌척수액에서는 증가하고 뇌수막염 환자에서는 감소하는 양상을 보이기 때문에 신장장애나 뇌수막염환자에서는 사용할 수가 없고 확진까지 시간이 오래 걸리는 단점이 있다.[14]

2) 누출부위에 대한 진단

뇌척수액비루의 누출부위를 알아내는 방법은 다양하다. CT를 포함한 일반적인 방사선 검사는 골절이나 액체가 고여 있는 부위를 발견하는 데 큰 도움을 주지 못하며 특히 뇌경막의 손상부위가 골절부위에서 떨어져 있을 때에는 진단하기가 매우 어렵다.

뇌경막 내 물질을 주입검사로 뇌척수액 누출의 존재 및 위치와 관련된 정보를 얻을 수 있으나, 이 검사는 지주막하 공간으로 추적자를 주입해야 하므로 척추천자를 해야 하는 단점이 있다. 뇌경막 내 주입 물질에 의해 유발되는 합병증은 매우 심각할 수 있으며 이 물질의 자체적 성질로 인해 검사의 특이도와 민감도가 제한적이다.

척추천자를 통하여 지주막하에 methylene blue, indigocarmine, toluidine blue 등의 색소를 주입한 후 뇌척수액의 비강내 누출 유무를 확인할 수도 있다. 일반 색소 대신 형광색소 fluorescein dye를 사용하기도 하며, 척추천자 후 무균상태의 형광색소 0.1 cc를 10 cc의 뇌척수액에 혼합한 후 30분에 걸쳐 천천히 지주막하공간으로 주입한다.[11] 색소 주입 후 20분~3시간이 경과되면 좌우의 후열, 중비도, 접사함요 등 누출가능부위에 솜조각들을 넣어두었다가 1시간 후 빼고 이를 자외선하에서 확인한다. 이 방법은 일시적인 신경학적 합병증으로 발작이나 신경 독성 같은 부작용이 보고된 바 있으나 색소의 농도와 투여속도를 잘 조절하면 부작용을 예방할 수 있다.[4] 비강 내로의 누출 시간을 정확히 맞추지 못하면 색소가 다른 부위로 퍼져나가게 되어 정확한 부위를 확인하기 어려운 단점이 있으나 내시경 검진과 병용하면 진단의 특이도가 높아진다는 장점이 있어 상황에 따라 이용되고 있다.

방사성동위원소를 이용한 검사로 radioactive iodine (I-131), serum albumin (RISA), technetium (^{99m}Tc)-labeled serum albumin 그리고 diethylenetriamter-inepentaacetic acid (DTPA), Indium (^{111}In)-labeled DTPA 등을 지주막하에 주입한 후 동위원소 뇌조영술(radioactive cisternography)을 시행하여 진단하는 방법이 있으나[16] 역시 누출부위를 정확히 찾기에는 부정확하며 방사능이 후각신경의 경로를 통해 비점막으로 스며나오는 위양성 결과를 가져오는 경우가 있어 요즘에는 잘 사용하지 않는다.[18]

조영제를 이용하는 metrizamide CT cisternogrphy는 정확도가 80% 정도지만 30~50%에서 두통, 오심, 구토 등의 부작용이 나타나며[17] 최근에는 metrizamide 대신 부작용이 적다고 알려진 isopamidol, isovist 또는 isohexol 등을 조영제로 사용하고 있다. 이 방법은 누출부위를 찾을 가능성이 비교적 높고 안전한 방법이지만 위음성률이 20~40%로 보고된 바 있다.[13] MR cisternography도 뇌척수액비루를 진단하는 데 비침습적이며 정확도가 높은 진단방법 중 하나이다.[19] 고해상도 CT는 두개기저부 골격에 대한 부가 정보를 제공하고 MRI는 두개내 종괴와 수막뇌류(meningoencephalocele)를 포함하는 연조직을 평가하는 데 도움을 준다.

가능한 검사를 모두 시행했으나 누출부위를 확인하지 못한 경우에도 임상적으로 뇌척수액비루가 강력히 의심된다면 내시경 수술을 응용해 직접 찾아볼 수 있다.

Ⅲ 치료

1. 비수술적 치료

비수술적 치료는 인체의 자연적 치유과정을 이용하여 치료하는 방법으로 행동요법과 약물치료, 요추관삽관 등이 있다.

행동요법은 환자의 두위를 약 10~15° 높인 자세로 절대적 침상안정을 취하게 하고, 기침, 재채기, 코풀기, 힘쓰기 등의 두개내압을 올리는 행위를 1~2주간 피하게 하는 방법이다.

약물치료는 두개내압의 상승을 최소화하기 위해 시행한다. 먼저 변비를 예방하기 위하여 변완하제(stool softner)를 투여하고, 필요한 경우 부신피질 호르몬이나 이뇨제를 투여하기도 하나 효과는 미미하다. 예방적 항생제 또한 논란의 여지가 있어 뇌척수액비루로 인한 합병증이 있는 환자 또는 두개골의 오염된 개방골절이 있는 환자에만 투여하는 것이 원칙이지만 비강에서 두개 내로의 감염을 방지하기 위해 투여할 수 있다.[15] 상기방법으로 치료하여 72시간이 경과하여도 뇌척수액비루가 지속되면 요추천자를 통한 뇌척수액 배액이 필요하다.

비수술적 치료는 경도 또는 중등도의 두부폐쇄손상, LeFort Ⅱ 골절과 수술 후의 뇌척수액비루 환자, 경막결손 없이 단순히 찢어진 경우에 효과적이다. 그러나 외상 후 경막결손이 있는지를 확인할 방법이 없는 경우에도 두개외상으로 인한 뇌척수액비루는 보존적 방법만으로 해결되는 경우가 많기 때문에 일단 비수술적 치료를 먼저 시행하는 것이 바람직하다.

2. 수술적 치료

4주간의 보존적 요법에도 불구하고 비루가 지속되는 경우나 수상 직후 발생한 비루가 1주일 이상 지속될 때, 골편이 뇌실질을 압박할 때, 누출부위 주변에 안면골절이 있을 때 수술을 고려한다. 또한 뇌탈출(brain hernia)이나, 총상으로 인한 뇌척수액비루, 비외상성 정상압성 뇌척수액비루, 비외상성 고압성 뇌척수액비루로 두개내압이 상승한 경우에 두개내압을 정상화시켜도 뇌척수액비루가 지속되거나 수술 후 의인성으로 생긴 다량의 비루 등이 동반될 때도 수술을 고려해야 한다. 특히 수술 중에 의인성으로 발생한 뇌척수액비루의 경우 뇌경막의 손상은 열상보다는 결손이 흔하여 자연 회복이 거의 불가능하기 때문에 즉시 처치해야 한다.[2]

성공적 수술을 위한 기본적인 요소는 정확한 뇌척수액의 누출부위 확인, 두개저 결손부위의 완전한 봉합, 적당한 이식재료의 선택과 적절한 유치 등이 있다.

뇌척수액비루에 대한 수술적 접근법에는 두개 내 접근법과 두개외 접근법이 있으며, 후자는 다시 비외법과 비내법으로 나뉜다. 개두술(craniotomy) 같은 두개 내 접근법은 손상부위를 직접 볼 수 있고 동반된 손상을 함께 치료할 수 있다는 장점이 있으나 후각이 소실되며, 이환율이 높고, 입원기간이 길어진다는 단점이 있어 전두골 성형 부비동절개술(frontal osteoplastic sinusotomy)이나 비외사골동절제술(external ethmoidectomy)을 통한 비외접근법이 이용되었다. 보존요법으로 효과가 없는 경우, 수술적 요법을 고려하는 것이 원칙이지만 경막의 결손은 대부분 자연회복이 불가능하기 때문에 수술을 연기하다가 뇌막염 등의 합병증이 생길 수 있으므로 결손이 확인되면 보존요법 없이 바로 수술하는 것이 바람직하다.

1) 두개 내 접근법(Transcranial approach)

개두술 후 결손부위를 직접 확인하고 조직 이식으로 결손부위를 막는다. 이식물질로는 fascia lata, muscle plug, pedicled galeal flap 등을 사용하며, 위치를 고정하기 위해 fibrin glue 같은 조직 봉합제를 사용한다. 사상판과 사골동 부위에 접근하려면 전두동 개두술을 시행하여야 하고 접형동의 결손에 접근하려면 광범위 개두술과 두개저 수술이 필요하다.

두개 내 접근법은 손상된 뇌경막을 직접 볼 수 있고 동반된 주위 손상을 함께 치료할 수 있으며 복합적 누출부위의 치료에 효과적이다. 하지만, 뇌압박, 혈종, 경련 등의 합병증과 후각 소실이 흔하며 이환율이 높고, 입원기간이 긴 단점이 있어, 최근에는 두개외 접근법이 선호되고 있다. 그러나 다발성 또는 분쇄 골절, 전반적인 두개저의 침식, 심각하게 변형된 두개저 모양, 두개내로 침습한 종양, 무후각 환자에서의 광범위한 양측 결손, 뇌척수액의 diversion procedure가 필요한 고압성 뇌척수액 누출의 경우에는 두개저 접근법을 통한 신경외과적 수술접근법을 고려해야 한다.[18]

2) 두개외 접근법(Extracranial approach)

두개외 접근법은 두개 내 수술법에 비해 안전하고 후각 소실이 적고 재발율이 낮아 두개 내 접근법보다 더 선호되고 있다. 그러나 전두동이나 접형동을 통한 두개외 수술법은 기술적으로 어려움이 따르고 동반된 뇌손상을 알기가 어려우며 두개내압이 지속적으로 상승하는 경우 재발이 쉽다는 단점이 있다.

최근 치료개념은 두개 내 접근법의 절대 적응증이 아닐 때 두개외 접근법을 뇌척수액비루의 일차 수술적 치료로 선택한다. 최근에는 사골동이나 접형동에서 발생하는 뇌척수액비루의 대부분을 비강을 통한 내시경으로 누출부위를 확인할 수 있어 비내접근법(endonasal approach)이 흔히 사용된다. 비내접근법은 수술시야가 광범위하고 밝고 확대된 상을 통하여 명확한 수술시야에서 누출부위를 정확히 확인할 수 있다는 장점이 있다. 또한 이식물을 정확한 위치에 놓아 재건할 수 있고, 추적관찰이 용이하다는 장점들이 있어 많이 이용되고 있다.[8]

일반적인 뇌척수액비루 수술방법은 아래와 같다. 비내접근법 적용 시 가장 먼저 우선시 되는 것은 손상부위의 정확한 확인이다. 손상 부위의 크기가 클 경우 쉽게 누출부위를 찾을 수 있지만, 손상부위가 크지 않은 경우 요추삽관으로 20~30분에 걸쳐 서서히 생리식염수나 fluorescein을 주입하거나 Valsalva법을 시행하여 두개내압을 임의로 증가시키면 뇌척수액비루가 누출되는 것을 쉽게 확인할 수 있다.

뇌척수액비루의 누출부위가 확인되면 주변 조직을 깨끗하게 제거하고 골조직을 노출시킨다. 또한 점막이식을 촉진하기 위해 사방으로 5 mm 이상 점막을 분리하고, 점막 혹은 골점막을 이용한 피판이나 점막, 지방, 근육, 근막 등을 이용한 유리이식(free graft)으로 누출부위를 폐쇄하거나 재건한다. 피판은 비중격점막피판(septal mucosal flap), 골점막골막피판(osteomucoperiosteal flap), 점막골막피판(mucoperiosteal flap) 등을 사용한다. 유리이식에는 측두근(temporalis muscle)이나 대퇴막긴장근(tensor fascia lata)의 근막(fascia)을 이용한다.[23] 이때 주의해야 할 점은 이식물의 변연부가 뜨지 않고 충분히 밀착시켜야 한다. 수술의 성공 여부는 피판이나 이식편을 뇌척수액비루가 발생한 부위에서 노출된 골과 경막에 얼마나 잘 밀착시켜 유지시키느냐에 달려 있다. 이식물의 충분한 밀착과 고정을 위해 복부자가지방(abdominal fat)을 사용할 수 있으며 최근에는 Surgicel, Gelfoam, Gelfilm, 그리고 fibrin glue 등을 사용하여 좋은 성적을 얻었다는 보고도 있다.[24]

경막재건을 위해 이식물을 삽입하는 방법에 따라 수술방법은 크게 2가지로 나누어 볼 수 있는데, Underlay법(그림 27-3)은 microdissector나 90° pick으로 경막을 두개저골에서 사방으로 분리한 다음 경막과 두개저골 사이에 근막을 끼워 넣는 방법(tucking)으로 안정성이 좋은 반면, 두개 내 박리 시 혈관이나 뇌실질을 손상시킬 수 있으므로 주의가 필요하다. 결손부의 크기가 직경 0.5 cm 이상으로 클 때에는 비중격 사골수직판에서 2~3개의 골편을 채취하여 근막 밑에 underlay법으로 보강하고 다시 점막편을 대주면 안정성을 유지할 수 있다. Overlay법은 결손부가 직경 0.5 cm 이하로 크지 않을 때 결손부 주변의 점막을 사방으로 0.5 cm씩 제거하여 두개저골을 노출시키고 점막편을 두개저골에 부착하는 방법이다. 점막편은 중비갑개, 하비갑개, 비중격에서 채취할 수 있다. Overlay법은 가끔 이식편이 분리되어 재발한다는 단점이 있는데, 예를 들어 중비갑개나 비중격의 pedicled mucosal graft를 이용했을 때 생존력이 좋아서 결손부가 점막으로 피복되는 시간이 단축되는 반면, 점막 피판이 들뜨거나 말려서 정확하게 막히지 않을 수 있다.

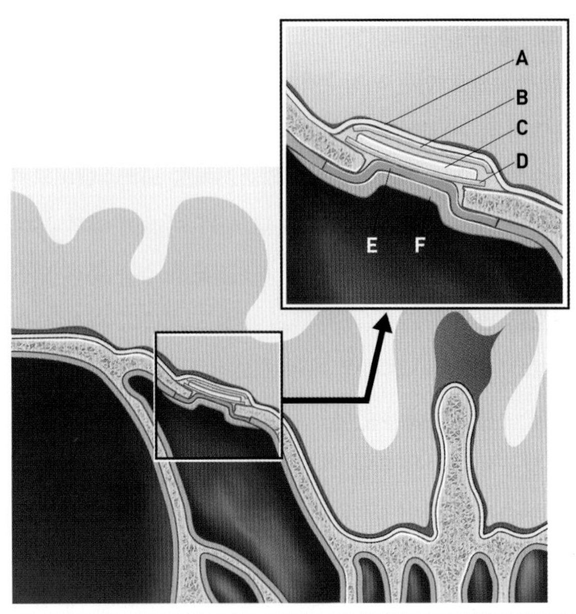

■ 그림 27-3. **뇌척수액비루의 수술적 치료방법의 모식도. A)** 경막(dura), **B)** 근막(fascial autograft 또는 acellular dermal allograft), **C)** 골 또는 연골, **D)** 근막(fascial autograft 또는 acellular dermal allograft), **E)** 점막유리이식편(mucosal free graft), **F)** 봉합제(surgical sealant).

두개저의 결손이 커서 뇌조직이 보이거나 뇌척수액의 고압누출(high pressure leak)로 인해 점막 피판 혹은 이식편만으로 충분한 지지가 어려운 경우 단순한 방법으로는 멎지 않는다. 이 때는 지방이식으로 두개 내 빈 공간을 충전한 후에 근육-근막을 대고 골편으로 보강하는 것이 안전하다. 최근에는 접형구개동맥(sphenopalatine artery)의 가지인 후비중격 분지(posterior septal branch)를 기반으로 한 비중격 피판(nasoseptal flap)을 이용한 회전피판(rotational flap)으로 결손부위의 재건을 통해 높은 성공률을 보이고 있다.[7] 이전에 비중격 수술을 시행한 병력이 있는 경우에는 하비갑개 혹은 중비갑개 피판을 사용할 수도 있다. 그 외에도 추가적으로 사용할 수 있는 골편 또는 근막은 대퇴근막, 측두근막, 사골 수직판이 있다. 이식편을 위치시킨 후 fibrin glue를 이용하여 이식편이 잘 접착되도록 돕는다. 뇌척수액 누출 부위를 막은 후에는 피판이나 이식편이 노출된 경막으로부터 떨어지는 것을 막기 위해 Gelfoam 등으로 지지해준다. 흡수성 코 팩킹으로 이식편 근처를 지지한 후 비흡수성 코 팩킹을 통하여 이식편을 지지하고 지혈한다.

뇌척수액비루가 발생한 부위의 골과 경막이 뇌척수액비루에 의해 젖어 있거나 뇌척수액비루의 박동이 있는 경우에는 수술 성공률이 낮아진다. 따라서 뇌척수액비루의 박동을 없애기 위해 요추배액관을 통해 뇌척수액을 일정량씩 배액하여 박동을 없애고 수술부위의 출혈을 전기 소작하여 수술부위가 젖어 있지 않게 철저히 관리하는 것이 바람직하다.

수술 후에는 수일간의 절대적 침상안정이 가장 중요하다. 뿐만 아니라, 혈종 등의 잠재적 두개내 합병증에 대한 감시가 필요하다. 수술 중 요추 배액관을 유치했다면 뇌척수액 배액을 4~5일간 더 유지한다. 수술 수일 후 코 팩킹을 제거하기 전까지 포도상구균을 억제할 수 있는 항생제의 처방이 필요하다. 환자는 수술적 치료 후 6주간 힘쓰는 일, 재채기, 기침 등을 피해야 한다.

3) 요추배액

뇌척수액비루가 있을 때 요추배액(lumbar drain)은 술 후 두개내압을 줄여 이식편의 생착을 도와줄 수 있는 아주 중요한 치료방법 중 하나이다. 뿐만 아니라 유출부위의 확인을 위한 진단적 방법으로도 사용될 수 있다. 요추배액은 크게 요추삽관을 통해 간헐적, 반복적으로 요추배액(lumbar drainage)을 시행하는 방법과 유치카테터(indwelling catheter)를 이용하여 일정 시간에 일정 양을(일반적으로 150 mL/일, 4~7 일간) 지속적으로 배출시키는 두 가지 방법이 있다. 배액 속도가 너무 빠르면 두개내압이 갑자기 낮아져 심한 두통을 유발할 수 있고, 두개저 결손부위를 통해 공기가 들어가 기뇌(pneumocephalus)를 유발할 수도 있다. 시간당 5~10 mL 정도의 속도로 배액시키는 것이 적당하며, 두개내압이 너무 낮아진다면, 배액 속도를 낮추거나 두개내압이 적절히 올라갈 때까지 배액을 중단해야 한다. 고압성 비외상성 뇌척수액비루에서 요추배액을 시행하는 것은 매우 위험하며 요추배액이 아닌 다른 방법을 통해 두개내압을 정상화시켜야 한다. 요추 배액을 시행하는 동안 절대 안정이 필요하며 보통 술 후 약 7일간 유지한 후 제거한다.[1]

하지만 뇌척수액 유출로 인해 이미 뇌척수액의 양이 적어진 상태로 술 후 뇌척수액의 과도한 유출은 두개강 내압 저하증후군 및 기뇌를 유발할 수 있고, 절대 안정의 이차적인 합병증으로 혈전색전이나 폐 합병증의 가능성이 있으므로 무조건적인 사용은 자제해야 한다.[20]

4) 수술 후 처치

수술 후 처치에서 가장 중요한 것은 절대적인 안정가료이다. 환자의 두부가 15~30° 정도 높은 앙와위를 유지하고 필요한 경우 유치카테터로 요추배액을 시행한다. 수술 후 배변으로 인해 뇌척수압의 상승을 막기 위해 변비약을 투여하는 것이 좋다. 코 팩킹은 5~7일 정도 유지하고 완전히 제거되기 전까지는 팩킹에 의한 독성 쇼크 증후군(toxic shock syndrome)을 방지하기 위해 항포도상구균 항생제를 사용한다.[15] 특별한 문제가 없다면 수술 후 7일째부터는 조금씩 움직이게 한다. 수술 후 4~6주 정도는 뇌압을 상승시키는 행위는 피하도록 한다.

참고문헌

1. 윤주헌. 대한이비인후과학회 편. 이비인후과학-두경부외과학: 일조각, 2009, p.1234-1242.
2. 이흥만. 최신 임상 비과학 편. 대한 비과학회: 군자출판사, 2017, p. 812-824.

3. Banks CA, Palmer JN, Chiu AG, et al. Endoscopic closure of CSF rhinorrhea: 193 cases over 21 years. Otolaryngol Head Neck Surg 2009;140:826-833.
4. Calcaterra TC. Extracranial surgical repair of cerebrospinal rhinorrhea. Ann Otol Rhinol Laryngol 1980;89:108-116.
5. Friedman DI. The pseudotumor cerebri syndrome. Neurol Clin 2014;32:363-396.
6. Friedman JA, Ebersold MJ, Quast LM. Post-traumatic cerebrospinal fluid leakage. World Journal of Surgery 2001;25:1062-1066.
7. Hadad G, Bassagasteguy L, Carrau RL, et al. A novel reconstructive technique after endoscopic expanded endonasal approaches: vascular pedicle nasoseptal flap. Laryngoscope 2006;116:1882-1886.
8. Hegazy HM, Carrau RL, Snyderman CH, et al. Transnasal endoscopic repair of cerebrospinal fluid rhinorrhea: a meta-analysis. Laryngoscope 2000;110:1166-1172.
9. Katz RT, Kaplan PE. Glucose oxidase sticks and cerebrospinal fluid rhinorrhea. Arch Phys Med Rehabil 1985;66:391-393.
10. Komisar A, Weitz S, Ruben RJ. Cerebrospinal fluid dynamics and rhinorrhea: the role of shunting in repair. Otolaryngol Head Neck Surg 1983;91:399-403.
11. Lanza DC, O'Brien DA, Kennedy DW. Endoscopic repair of cerebrospinal fluid fistulae and encephaloceles. Laryngoscope 1996;106:1119-1125.
12. Loew F, Pertuiset B, Chaumier EE, et al. Traumatic, spontaneous and postoperative CSF rhinorrhea. Adv Tech Stand Neurosurg 1984;11:169-207.
13. Manelfe C, Cellerier P, Sobel D, et al. Cerebrospinal fluid rhinorrhea: evaluation with metrizamide cisternography. AJR Am J Roentgenol 1982;138:471-476.
14. Meco C, Oberascher G, Arrer E, et al. Beta-trace protein test: new guidelines for the reliable diagnosis of cerebrospinal fluid fistula. Otolaryngol Head Neck Surg 2003;129:508-517.
15. MJ C. Cerebrospinal fluid rhinorrhea. Cummings CW FP, Harker LA, et al, eds., ed. Otolaryngology: Head and Neck Surgery. St Louis: Mosby Year Book, 2015, p.803-815.
16. Park JI, Strelzow VV, Friedman WH. Current management of cerebrospinal fluid rhinorrhea. Laryngoscope 1983;93:1294-1300.
17. Schaefer SD, Diehl JT, Briggs WH. The diagnosis of CSF rhinorrhea by metrizamide CT scanning. Laryngoscope 1980;90:871-875.
18. Schlosser RJ, Bolger WE. Nasal cerebrospinal fluid leaks: critical review and surgical considerations. Laryngoscope 2004;114:255-265.
19. Sethi DS, Chan C, Pillay PK. Endoscopic management of cerebrospinal fluid fistulae and traumatic cephalocoele. Ann Acad Med Singapore 1996;25:724-727.
20. Soudry E, Turner JH, Nayak JV, et al. Endoscopic reconstruction of surgically created skull base defects: a systematic review. Otolaryngol Head Neck Surg 2014;150:730-738.
21. Stankiewicz JA, Lal D, Connor M, et al. Complications in Endoscopic Sinus Surgery for Chronic Rhinosinusitis: A 25-Year Experience. Laryngoscope 2011;121:2684-2701.
22. Woodworth BA, Prince A, Chiu AG, et al. Spontaneous CSF leaks: a paradigm for definitive repair and management of intracranial hypertension. Otolaryngol Head Neck Surg 2008;138:715-720.
23. Yessenow RS, McCabe BF. The osteo-mucoperiosteal flap in repair of cerebrospinal fluid rhinorrhea: a 20-year experience. Otolaryngol Head Neck Surg 1989;101:555-558.
24. Zweig JL, Carrau RL, Celin SE, et al. Endoscopic repair of cerebrospinal fluid leaks to the sinonasal tract: Predictors of success. Otolaryngology-Head and Neck Surgery 2000;123:195-201.

CHAPTER

28

악안면의 선천성 질환

김창훈, 박도양

I 구개안면부의 발생학

1. 코의 발생

1) 외비

외비는 발생 4주경 조직학적 소견 하에 비교적 뚜렷이 관찰되는 2개의 코기원판(nasal placode)과 이마코융기(frontonasal prominence)에서 형성된다. 얼굴의 발생은 상방으로는 이마코융기, 양 외측으로는 제1 새궁(first branchial arch)의 좌우 상악융기(maxillary prominence), 하방으로는 제1 새궁의 좌우 하악융기(mandibular prominence)로 둘러싸여 형성되는 입오목(stomodeum)을 중심으로 발생한다(그림 28-1).[3] 이 시기의 조직사진을 보면 전뇌(prosencephalon)의 양측 배·가쪽부분, 입오목 위에 외배엽의 국소적인 타원형 모양의 비후가 관찰되는데, 이 곳이 코기원판이다. 코기원판은 태아의 외부 표면에 존재하는 4~5층의 상피세포층으로 이루어진 원형의 두꺼워진 상피로 특수감각 기관이 형성되는 곳이며, 후에 후각 신경세포가 된다. 코기원판의 중심부는 점차 오목해지고 함몰되어 코오목(nasal pit)을 형성하고 이는 후에 비강이 된다. 코오목의 가쪽에는 중배엽의 비후로 융기된 조직에 의하여 외측비융기(lateral nasal prominence)가 형성되고 안쪽으로 내측 비융기(medial nasal prominence)가 형성되어 말굽형 조직을 이루게 되며 이는 추후 비공(nostril)을 발생시키게 된다. 발생 6~7주에 양측의 내측비융기가 융합하여 상악의 악간부(intermaxillary segment)를 형성하게 되며, 이는 상순의 인중(philtrum)을 형성하는 구순부, 4개의 절치(incisor)를 갖는 상악부, 일차구개(primary palate)를 형성하는 구개부의 세부분으로 구분된다. 양측의 외측비융기는 비익(ala nasi)으로 발생한다. 이마코융기는 전두부, 비배부(nasal dorsum) 및 비첨부(nasal tip)를 형성하고 코오목 근처에 있는 깊은 고랑은 후에 비루관(nasolacrimal duct)을 형성하게 된다(그림 28-2).[5,32]

코오목이 후방의 구강으로 함입되는 과정에서 코연골주머니(nasal sac)을 형성하게 되고, 코연골주머니의 후방

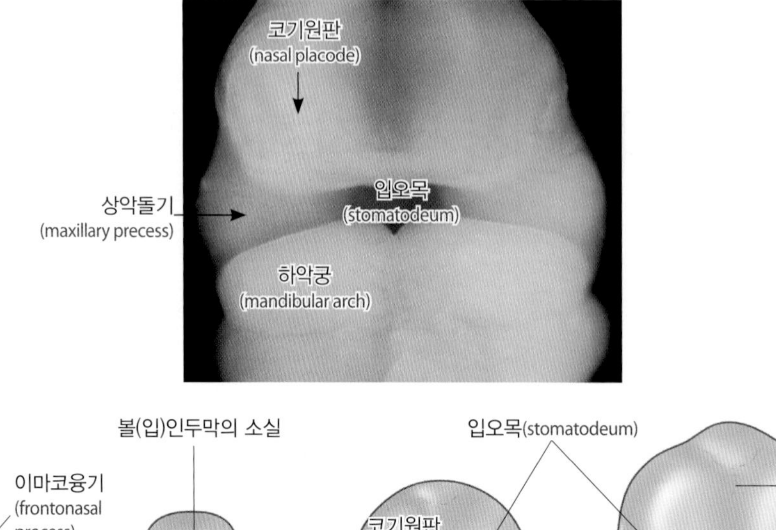

■ 그림 28-1. **발생 3~4주의 안면의 발생**

경계에 비강과 인두를 분리시키는 구비막(oronasal membrane)을 남기는데, 이 막은 발생 7~8주경에 천공되면서 후비공(choana)을 형성하게 된다. 발생 7~8주경에 비막(nasal capsule)이 형성되는데, 비막은 중배엽 기원의 연골성 외피로서 코를 형성하고 지지하며 코와 부비동의 경계를 이룬다.

2) 내비

초기 비강은 하나의 공간에서 시작된다. 발생 5~7주경 코오목이 점차 깊어져 코연골주머니를 형성하게 되는데, 코연골주머니의 외배엽이 입천장의 외배엽과 접촉하여 구비중격(oro-nasal septum)을 형성한다. 이 구조물이 점차 퇴화되면서 구비막이 되어 비강과 인두를 분리한다. 구비막도 천공·퇴화되어 후비공을 형성하게 되며 이것이 실패할 경우, 후비공 폐쇄(choanal atresia)로 이어진다. 이후 이차구개(secondary palate)의 발달과 원시 비강의 연장으로 최종적인 비강이 형성된다.[26]

비중격은 발생 7~8주경에 코연골주머니의 내측벽에서 발생하며, 미측으로 자라 최종적으로 정중·외측 입천장돌기(palatine process)들과 융합하게 된다. 발생초기에는 연골로 이루어져 있으며, 출생 시에는 서골(vomer)과 상악릉(maxillary crest), 구개릉(palatine crest)만 뼈로 되어 있고, 출생 후 비중격 후방이 골화된다.

비강 외측벽의 발달은 6~7주경에 시작된다. 발생 5~6주까지 평탄한 구조로 남아있던 비강 측벽이 구개단(palatal shelf) 직상방에서 코연골주머니 내로 침투해 최종적으로 하비갑개로 성장하게 되는 악골갑개(maxilloturbinal)를 이룬다. 발생 40~43일경에 사골갑개(ethmoturbinal)가 비중격의 상부 혹은 비중격과 비강측벽의 상부 융합부위에서 기원하여 비강의 분화와 함께 비강측벽이

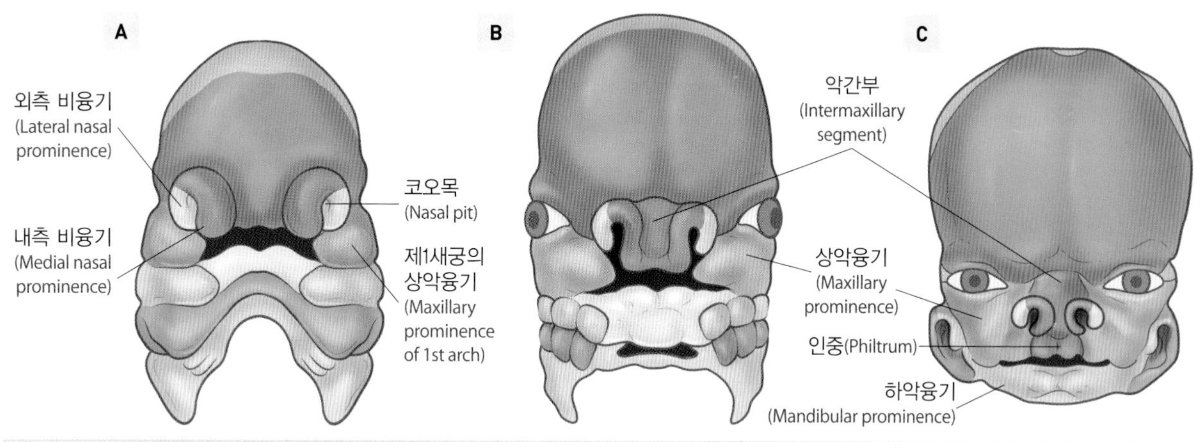

■ 그림 28-2. **발생 4-10주 안면의 성장과 향후 파생되는 구조물. A)** 4주, **B)** 7주, **C)** 10주

좀 더 하방으로 방향을 바꾸게 되며 최종적으로 중비갑개, 상비갑개, 최상비갑개가 된다.

2. 구개의 발생

구개의 발생은 발생 5주 말경에 시작되어 발생 12주 정도에 완료되며, 일차구개와 이차구개로 나뉘어 발생하게 된다. 일차구개는 내측비융기가 융합해 만들어진 상악의 악간부에서 정중입천장돌기(median palatine process)가 발생 5주 말경에 발생하여 형성되며 이는 후방의 절치공(incisive foramen)까지 연장된다. 이차구개는 발생 7주에 상악돌기(maxillary process)의 외측입천장돌기(lateral palatine process)가 내측으로 발생되고 혀가 아래로 이동함에 따라 형성되며 정중면에서 좌우가 융합하고 전방의 정중입천장돌기와 융합한다. 이차구개의 융합은 발생 9주에 전방에서부터 시작되어 발생 12주 정도에 후방의 구개수(uvula)에서 완료된다. 이 때, 비중격의 하강이 완료되어 구개와 융합한다. 전방부는 일차구개와 함께 골화되어 경구개를 형성하고, 이차구개의 후방부는 골화되지 않고 비중격 보다 후방으로 뻗어 연구개와 구개수를 형성한다. 일차구개와 이차구개는 절치공을 기준으로 나뉘며, 양측의 외측입천장돌기가 융합된 선이 정중입천장봉합(median palatine suture)을 이룬다(그림 28-3). 이들 양측에서의 융합이 실패할 경우, 구개열(cleft palate)로 이어진다.[16,26]

Ⅱ 구순열과 구개열

1. 분류

구순열(cleft lip)과 구개열(cleft palate)을 분류하기 위해 많은 분류법이 소개되어 왔다. 하지만 아직까지 다양한 형태의 구순·구개열을 설명하기에 충분한 통일된 분류법은 없으나, 대부분의 분류법들은 발생을 기본으로 하여 분류의 기준을 삼는다.

구순열은 기본적으로, 양측(bilateral) 혹은 단측(unilateral)의 결손으로 나뉘며 다시 결손 정도에 따라 완전(complete) 혹은 불완전(incomplete) 결손으로 나뉜다. 완전 구순열(complete cleft lip)의 경우 상구순 전체와 일차구개에 해당하는 비전정(nasal vestibule)의 바닥을 포함한 범위의 결손을 의미한다. 일차구개의 경우, 절치공의 앞쪽에서 발생하며, 상악전구골(premaxilla), 구순(lip), 코끝(nasal tip), 비주(columellar)를 구성하게 되기 때문에 발생학적으로 구순열은 치조열(alveolar cleft)과 동반되어 나타나기 쉽다. 불완전구순열(incomplete

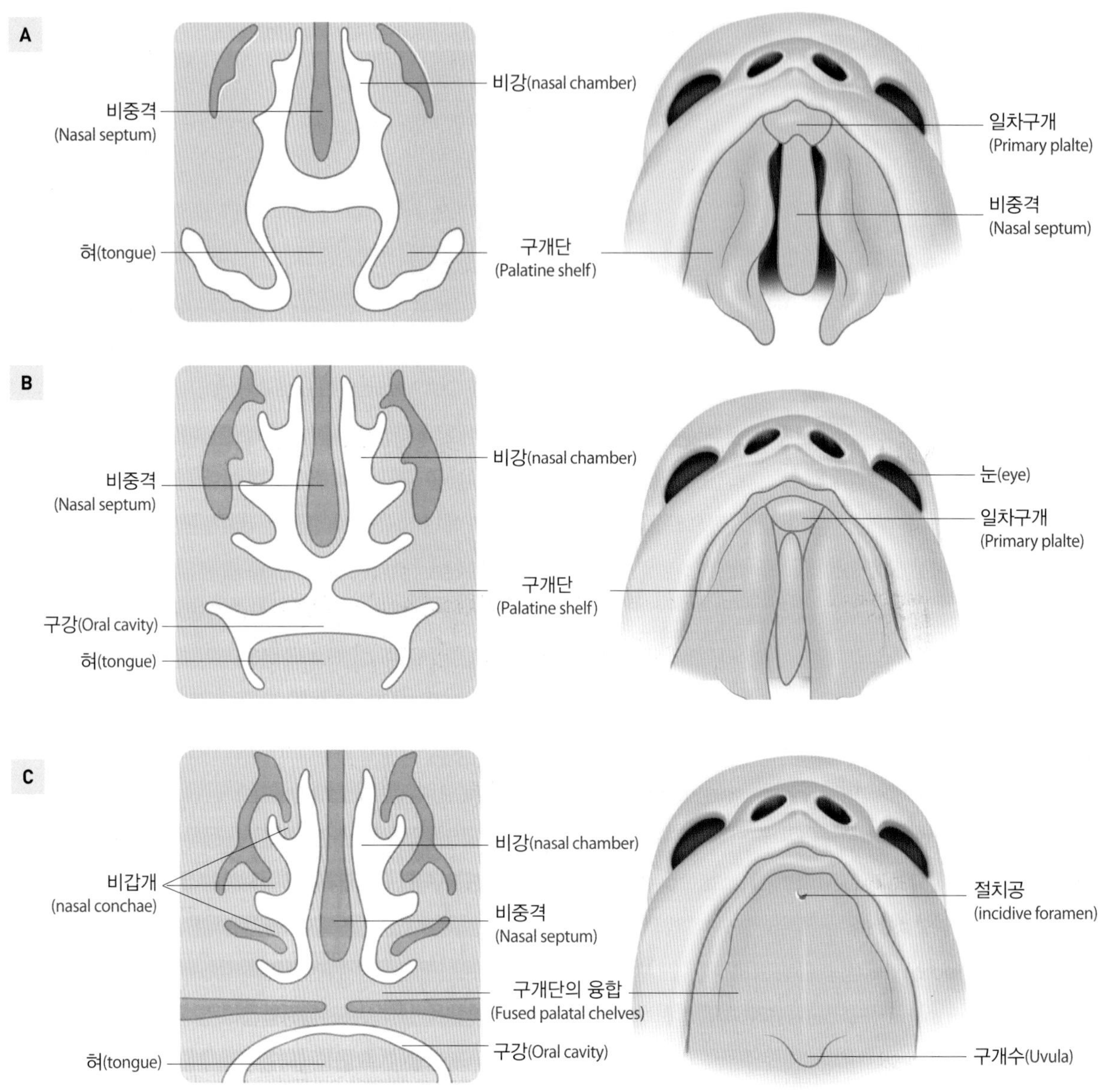

■ 그림 28-3. **구개의 발생.** **A)** 발생 6주, **B)** 발생 7주, **C)** 발생 10주

cleft lip)은 입술의 일부에만 결손이 있는 경우부터 근육은 결손되었으나 그 위를 덮고 있는 피부는 정상인 경우까지 양상이 다양하다. Simonart band는 불완전하게 융합되어 있는 열(cleft) 사이의 틈에 생기게 되는 띠(bridge, bar)를 의미하며 보통은 피부조직만으로 구성되나 간혹 띠 내에 근육조직을 포함하기도 한다.

구개열의 분류 역시 양측 혹은 단측, 완전 혹은 불완전으로 분류하며, 일측성은 구개단(palateine shelf)의 한 쪽이 비중격에 붙어 있는 것이고, 양측성이란 구개단의 양측 모두가 비중격에서 떨어진 것을 의미한다. 완전구개열이란 구개 전체와 치조궁에 결손이 있는 경우며 불완전구개열이란 이차구개에만 결손이 있는 것을 의미한다. 여기에 구개의 경우, 절치공을 기준으로 일차·이차구개로 나뉘어 발생하기 때문에, 열(cleft)의 위치에 따라서 분류

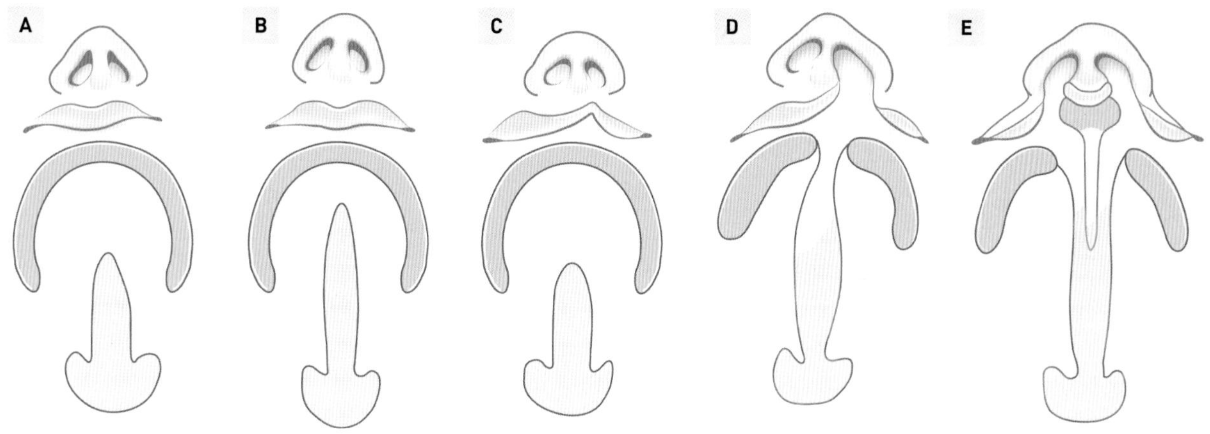

■ 그림 28-4. **구개열의 분류.** **A)** 불완전 이차구개열. **B)** 완전 이차구개열. **C)** 불완전 일 이차구개열. **D)** 단측 완전 일 이차구개열. **E)** 양측 완전 일 이차구개열.

하게 된다(그림 28-4).

2. 원인

1) 발생

입술과 구개의 성장은 일차구개와 구순, 이차구개의 두단계로 나뉜다. 발생 4~7주에 일차구개와 이차구개가 형성되는데, 이마코융기의 내측비융기와 외측비융기의 접합이 실패하게 되면 초기의 내측비융기와 상악융기의 융합도 이루어지지 않아 열(cleft)이 발생하게 된다. 내측비융기와 상악융기의 융합과 내측과 외측비융기의 융합이 발생해도 후에 상악융기가 내측비융기에서 약간 떨어질 수 있는데 이 경우 불완전 구순열이 발생한다. 발생 과정 중에 위의 세 가지 융기의 발달이 충분하지 않아도 일차구개열(primary cleft palate)과 구순열이 발생하게 된다.

2) 유전

유전양상은 다인자유전(multifactorial inheritance)의 양상으로 나타나고, 부모가 구순열이나 구개열이 있거나 먼저 태어난 자녀에게 구순열 혹은 구개열이 있으면 다음 출산에서 구순열이나 구개열이 발생할 확률이 높아진다(표 28-1).[18] 부모의 연령이 높아질수록 발생빈도도 높아지는데 아버지의 연령이 중요한 요소이다.[22] 구순·구개열은 상염색체 우성(autosomal dominant), 열성(autosomal recessive), 혹은 X 연관 질환(X-linked inheritance) 등의 단일유전자질환(single-gene disorder) 형태로 나타나는 증후군으로 나타나기도 하며, 500가지 이상의 증후군과 연관성을 갖는데,[40] van der Woude 증후군에서 가장 흔하다. 최근 interferon regulatory factor gene (IRF6)의 결손이 이 상염색체 우성질환과 밀접한 연관을 갖는다는 연구결과가 보고되었다.[29,44] 다른 기형의 동반율은 10~30% 정도로 일차 구개에서 결손을 보이는 구순 혹은 구순구개열보다 2차 구개의 결손으로 형성되는 단순 구개열의 동반율이 높은데, 주로 선천성 설소대

표 28-1. **가족력이 있는 경우 구순열 및 구개열이 발생할 위험**

발현 가족	발생 확률(%)	
	구순열/구순구개열	단순 구개열
형제 1명	4	2
형제 2명	9	1
부모 1명	4	6
부모 1명, 형제 1명	17	15

(Data from Curtis EJ, Fraser FC, Warburton, D. Congenital cleft lip and palate: risk figures for counseling. Am J Dis Child. 1961;102(6):853-857.)

단축증(congenital ankyloglossia), 수지기형, 선천성 심장질환, 안면열(facial cleft)과 양안과다격리증(hypertelorism), 지능발육부전 등이 동반된다.[18]

이외에도 환경적으로 알콜, 담배, phenytoin, retinoic acid와의 연관성이 보고 되었으며, 비타민 복용은 구순·구개열의 가능성을 낮추나, 엽산(folic acid)은 아직 불분명한 상태이다.

3. 역학

정상 부모에서 구순열(cleft lip) 또는 구개열(cleft palate)을 가진 태아가 출생할 확률은 대략 1,000명에 1명이다. 구순열의 발생빈도는 동양인에서 1:470~850이고, 구개열만 있는 경우의 발생빈도는 동양인에서 1:1,600~4,200이다. 구순구개열은 여자에 비해 남자에서 2배 더 많고 구개열은 여자가 2배 더 많은데, 이는 발생과정에서 여자의 이차구개접합이 남자보다 1주 정도 늦게 이루어지기 때문이다.[40] 우리나라에서는 구순열만 있는 기형은 25%, 구개열만 있는 기형은 50%, 구순열과 구개열이 같이 있는 기형은 25%로,[31] Ingalls 등이 보고한 서구의 빈고인 16%, 54%, 30%와 약간 다른 양상을 보인다.[27] 불완전 구순열(incomplete cleft lip)이 완전 구순열(complete cleft lip)보다 2.8배 많으며 구개열의 경우에는 불완전구개열이 11배 많다.[12]

4. 진단

1) 산전진단

산전에 일반적으로 시행하는 산전 초음파를 통하여 주로 진단하며, 구개열에 비해서 구순열의 진단 정확도가 더 높다. 최근에는 2D의 초음파를 융합하여 표현하는 3D초음파를 통하여 진단의 정확도가 더 높아지고 있으며, 빠른 경우 임신 18주부터 가능하나, 진단의 정확도는 태아가 성장할수록 높아진다.

5. 치료

1) 일반적 치료

(1) 협동치료와 부모상담

적절한 치료를 위해서는 이비인후과의사, 치과의사, 성형외과의사, 소아과의사, 정신과의사, 언어치료사, 청각사, 간호사, 영양사, 사회사업가 등이 서로 팀을 이루어 협력해야 한다. 일반적으로 성장에 따라 순차적인 치료가 행해지게 되는데(표 28-2), 순서와 시행시기는 환자에 따라 달라질 수 있다. 상담은 주로 병 자체가 생명에는 지장이 없으며 병의 원인이나 발생빈도를 설명하면서 병의 발생에 부모의 책임이 없다고 설명하여야 하며, 수술적 치료가 가능하다는 설명과 수술 전 및 수술 후의 사진을 보여줌으로써 부모를 안정시키는 것이 좋다. 또한 유아관리, 수유장애, 정상인과 다른 외모, 자주 시행하는 수술, 언어장애, 청력장애 등의 문제점과 이의 해결 및 치료방법 등을 자세히 상담해 주도록 한다.

(2) 수유

구순·구개열 환자의 경우 구조적 결손으로 생기는 틈으로 인하여 수유 시에 유입되는 공기량이 많고 이로 인해 흡입력이 약하기 때문에 이를 보조해 주어야 한다. 심한 완전구순열의 경우 출생 후 구순열교정술을 시행할 때까지 상악전구골(premaxilla)에 교정장치나 수유판을 착용시킨다. 구개열이 넓은 경우 수유하기가 더 어려워지므로 수유를 위한 구개 보장구 등이 필요하다. 불완전구개열만 있거나 구순열에서 치열의 불균형이 심하지 않을 때에는 변형된 형태의 젖병(Mead-Johnson, Haberman, Pigeon bottle)을 사용하여 유입되는 공기의 양을 줄이고 흡입력을 보조하여 수유가 가능하다. 이들은 정상아보다 공기를 많이 삼키게 되므로 수유 중간에라도 잠시 멈추고 트림을 자주 시켜 삼킨 공기를 배출하게 해야 한다. 모유수유는 구개열의 경우에는 거의 불가능하지만 구순열만 있을 때에는 시도해 볼 수 있다.

표 28-2. 성장에 따른 구개열 치료

산전(prenatal)	- 구개열 다학제팀 의뢰 - 의학적 진단 및 유전상담 - 심리사회적 문제 상담
신생아(0~1개월)	- (위와 동일) - 수유 및 보조기 관련 교육 - 성장 평가 - 청각 검진 - 필요시 수술 전 악정형적 치료
1~4개월	- 수유 및 성장 평가 - 구순열 교정수술 - 청각 및 귀 평가
5~15개월	- 수유, 성장 및 발달 평가 - 구개열 교정수술 - 청각 및 귀 평가, 환기관 삽입 고려 - 구강위생 교육
16~24개월	- 언어발달 평가 - 청각 및 귀 평가, 적응증 해당 시 환기관 삽입 - 발달 평가
2~5세	- 언어발달 평가, 구개인두부전증(velopharyngeal insufficiency)의 관리 - 청각 및 귀 평가, 적응증 해당 시 환기관 삽입 - 발달 및 사회심리적 욕구 평가 - 취학 전 입술 및 코 교정 고려
6~11세	- 언어발달 평가, 구개인두부전증(velopharyngeal insufficiency)의 관리 - 치과 교정과 평가 및 치료 - 이차성 치조골 이식 - 학교생활 및 사회심리적 욕구 평가
12~21세	- 학교생활 및 사회심리적 욕구 평가 - 치아교정 및 복원치료 - 유전상담 - 필요시 비성형술 고려 - 필요시 악교정술 고려

(Wang TD, Milczuk HA. Cleft lip and palate. In: Flint PW, Haughey BH, Lund V, editors. Cummings Otolaryngology-Head and Neck Surgery. 6th ed. Philadelphia: Elsevier Saunders;2015. p2915-2932.)

(3) 상악교정

치조궁이 어긋나 있는 일차구개열 및 구순열에서는 상악교정(maxillary orthodontics)을 고려해야 한다. 수술 전 처치는 생후 1~2주부터 시작하는 것이 좋고 탄력리본(elastic ribbon)이나 구강 내 장치 혹은 구강 외 장치를 이용한다. 이들은 2~8주간 사용하면 치조궁 정렬이 정상에 가까워지며, 이후 구순열교정술을 시행하면 입둘레근(orbicularis oris muscle)이 치조궁을 영구적으로 고정하게 된다.

최근에는 구순과 구개의 봉합과 더불어 상악골의 연속성 회복의 중요성이 강조되면서 치조열 부위에 골이식이 일반적인 치료과정으로 여겨지고 있다. 영구치가 맹출한 후 시행하는 골 이식술을 일반적으로 이차성 골이식술(secondary bone grafting)이라고 하는데, 구순구개열 환자에서의 이차성 치조골이식(secondary alveolar grafting)은 치조궁을 확장한 후에 시행하며, 유치인 견치(deciduous canine tooth)를 제거하고 치조궁이 치유되기를 기다린 후 수술한다. 수술 시기나 골이식 공여부에 대한 여러 의견이 있으나, 일반적으로 자가장골(autologous iliac bone)을 이용하여 견치(canine)의 치근형성이 1/3에서 1/2정도 되는 시기인 9~11세 사이에 골이식을 시행한다.[31,43] 먼저, 견치 앞에 위치한 치아를 제거한 다음 장골(iliac bone)에서 얻은 해면골(cancellous bone)을 치조열(alveolar cleft)에 채워 넣는다. 최종 교정치료는 견치와 소구치(premolar teeth)가 나오는 12세에 시행하며, 고정된 장치를 이용한다. 악교정 수술(orthognathic surgery)은 골격에 이상이 있는 경우 시행하게 되는데, 적절한 치료를 시행하여도 30~40%의 환자가 악교정 수술을 필요로 하며, 통상 여자환자의 경우 14~16세 남자의 경우 16~18세에 악골성장이 종료되므로 이를 고려하여 성장 이후에 수술시기를 결정한다.[8]

(4) 기도유지

일반적으로 기도유지를 위하여 특별한 조치가 필요하지는 않으나 구개열, 소하악증(micrognathia), 설하수(glossoptosis)의 세 가지 소견을 특징으로 하는 Pierre-Robin 증후군에서는 흡기 시 설근부가 인두를 막아 신생아 호흡곤란에 빠질 수 있다. 이런 경우 먼저 복와위(prone position)를 취하거나, 비인두기도(nasopharyngeal airway)를 이용할 수 있으며, 이로 충분치 않을 경우, 혀를 앞으로 당겨서 하순에 고정하는 설고정술(glossopexy)을 통하여 정상호흡을 하게 할 수 있다. 이 고정은 하악이 정상적으로 성장하는 수개월 동안 유지하여야 한다.[13]

(5) 언어치료

언어장애는 결손부위에 따라 다르다. 입술 주위에 장애가 있으면 /p/, /b/의 발음이 어렵고, 경구개나 치조궁, 치아에 문제가 있으면 /s/, /z/의 발음이 어려우며 구개천공이나 구개인두기능부전(velopharyngeal incompetence) 등이 있으면 /d/, /g/, /k/를 발음하기가 어렵다. 언어치료는 언어장애가 있는 모든 환자에서 고려한다. 언어치료는 보통 반흔조직이 자리를 잡는 구개열 수술 후 1년째에 시행하는 것이 좋으나, 수술 전에 시행하기도 한다. 언어치료에도 불구하고 언어장애가 있으면 구개인구기능을 돕기위한 수술적 요법이나 발음보조장치(dental obturator)의 사용을 고려할 수 있고, 연구개가 충분히 길지만 잘 움직이지 않아 효율적으로 비인두와 구인두 사이를 폐쇄시킬 수 없을 때에는 구개 거상기(palaltal lift)를 사용할 수 있다.

(6) 중이질환의 치료

구순열만 있을 때에는 중이질환의 빈도가 일반인과 비교하여 별 차이가 없으나 구개열이 있는 경우 동반되는 빈도가 매우 높다. 입천장 올림근(levator veli palatini muscle)과 입천장 긴장근(tensor veli palatini muscle)이 경구개의 후연에 비정상적으로 붙고 각 근육의 발육부전이 동반되어 이관기능에 이상이 생긴다. 이로 인하여 대부분의 환자에서 출생 후 1개월 이내에 삼출성 중이염이 관찰되며, 이외에도 지속적인 고막천자(tympanocentesis)로 인한 고막천공(drum perforation)이나 만성 화농성 중이염(chronic suppurative otitis media), 진주종(cholesteatoma) 등이 동반될 수 있어 구개열에 대한 적절한 치료와 주기적인 추적관찰이 이들 합병증을 줄일 수 있다.

2) 수술적 치료

(1) 구순열의 수술

구순열(cleft lip)의 적절한 수술 시기는 생후 3개월 정도로, 어느 정도 해부학적 구조물의 위치가 확실해야 한다. 일반적으로 'rule of 10s'(나이가 10주 이상, 헤모글로빈이 10 g/dL 이상, 몸무게가 10lb(4.5 kg) 이상에 따라 수술 시기를 선택하는 경우가 많은데 구순열과 관계된 문제이기보다는 안전한 마취를 위한 것으로, 최근에 마취 기술이 향상되면서 더 일찍 수술하는 경우도 있다. 구순열 수술의 목적은 입술의 정렬, 치조궁(dental arch)의 정렬, 구순과 비부가 성장할 수 있는 발판의 마련, 변형된 비부의 교정 등이다. 이를 위해서는 피부와 점막을 정확하게 맞추고, 구륜근(orbicularis oris muscle)의 방향을 바로잡아 봉합하며, 양측 비공의 모양이 최대한 대칭을 이루도록 하며, 구순의 높이, 큐피드의 활(Cupid's bow), 홍순경계(vermilion border), 인중 등이 대칭을 이루어야 한다. 또한 입술을 약간 외번(eversion)시키면 반흔이 적어지며 결과가 좋다. Millard의 회전전진피판법(rotation advancement flap)이 구순열 수술의 대표적인 술식이다.[1]

① 일측성 구순열의 수술방법

• 구순유착술(lip adhesion)

갈라진 틈의 가장자리에서 상피조직을 들어올린 후 피부, 근육, 연조직 등을 비교적 간단히 서로 연결해주는 술식으로, 보통 생후 몇주 내에 시행하며, 최종 구순열교정술의 시행을 늦추어야 할 필요가 있을 때에 넓은 완전 구순열을 불완전 구순열로 교정하고, 늦추는 동안 내부 조직이 더 자라도록 하여 추후 재건 시 좀 더 많은 재건 재료조직을 얻기 위함에 있다. 이는 상악교정을 위해 사용하는 장치와 비슷한 효과를 나타내는데 치조궁을 가지런하게 만들며, 위입술중심(prolabium)이 성장할 수 있게

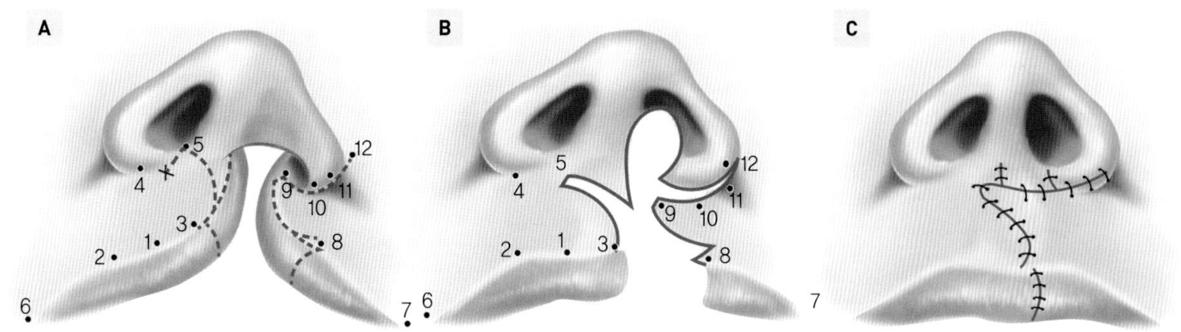

■ 그림 28-5. **Millard 회전전진피판법. A)** 절개선과 중요 지점의 표시 **B)** 피판의 절개 및 거상 **C)** 피판봉합, 1: 상순(Cupid's bow)의 가장 낮은 부분이자 상순의 중심, 2,3(8): 양 Cupid's bow의 가장 높은 부분, 4: 정상측의 비익 기저부, 5: 정상측의 비주 기저부, 10: 환측의 비익 기저부, 인중이랑(philtral ridge)은 정상측 3~x, 환측8~9에 의하여 형성된다. 각각의 지점 사이 거리는 다음과 같이 동일하여야 한다. 1~2의 길이 = 1~3의 길이, 2~4의 길이 = 8~10의 길이, 2~6의 길이 = 7~8의 길이, 8~9의 길이 = 3~5+x의 길이

돕고 외비 형태를 바르게 하는 데 도움이 되며 수유하는 데도 유용하다. 그러나 치조골이 정위치로 오는 효과가 불충분하고 반흔이 남아 추후 최종 구순열의 교정을 방해할 수 있으며, 결국 최종적인 구순열교정술이 한 번 더 필요하다는 단점도 있다.

• 회전전진피판법(rotation advancement flap)

회전전진피판법은 1958년 Millard가 고안한 것으로 구개열 내측부에 있는 짧은 상순(upper lip)의 길이를 정상측과 맞추기 위해 이를 연장하는 방법이다. 내측부에 회전하는 피판을 만들어 회전선이 일직선이 되게 하는 방법으로, 구순열의 내측부는 아래로 회전하고 이로인해 형성된 결손부위는 외측부에 있는 조직을 전진(advancement)시켜 채운다.[34,35] 정확한 술 전 계측이 필요하나, 수술 중 수술의가 필요에 의해 자유롭게 절개정도를 고안할 수 있다는 장점이 있으며, 봉합선이 구선열과 같은 쪽의 인중에 있으므로 반흔이 자연선에 있고 홍순경계와 인중이 잘 보존되고 비공의 기저부를 구성할 수 있으며 비익의 기저를 좀 더 자연스러운 위치로 가져가 비부변형이 적고 구순의 성장이 대칭적이며 이차적 비부 구순변형의 교정이 용이하다는 장점 등이 있다(그림 28-5).

② 양측성 구순열의 수술방법

일반적으로 양측성 구순열에서는 비주가 짧고 상악전구골(premaxilla)과 윗입술중심(prolabium)이 앞으로 나와 있다. 앞입술(ventral lip)의 돌출로 구순을 봉합하기가 어려울 것으로 판단되면 앞입술의 돌출을 교정해야 한다. 탄력리본을 이용한 압박법, 한쪽만 먼저 수술하는 단계적 수술법, 구순유착술(lip adhesion), 구강 내 장치, 수술적 후퇴술(surgical setback) 등을 먼저 고려한다.

술자에 따라 첫 수술을 생후 3개월에 시행하고 2~3개월의 간격을 두고 단계적으로 수술하거나, 단일단계(one stage operation)로 수술하기도 한다. 수술방법에는 직선봉합법(straight line repair), Veau III operation, Millard 술식(그림 28-6), Mancherster 술식, Mulliken 술식 등이 있다.[17]

양측성 구순열 치료의 일반적 원칙을 살펴보면, 앞입술은 상순의 길이를 만드는 데 쓰이며 앞입술 내에 있는 얇은 홍순은 상순의 아랫부분에서 이용된다. 상순 중앙부의 홍순은 외측부로부터 구륜근(orbicularis oris)을 포함한 근피판을 끌어 만든다. 인중의 밑부분은 홍순연의 중앙이 함몰되게 하여 자연스러운 모양으로 만든다. 돌출된 앞입술과 상악골을 가능한 뒤로 밀어 교정하고, 치조골의 붕괴는 교정장치등을 이용하여 교정한다. 필요시 골

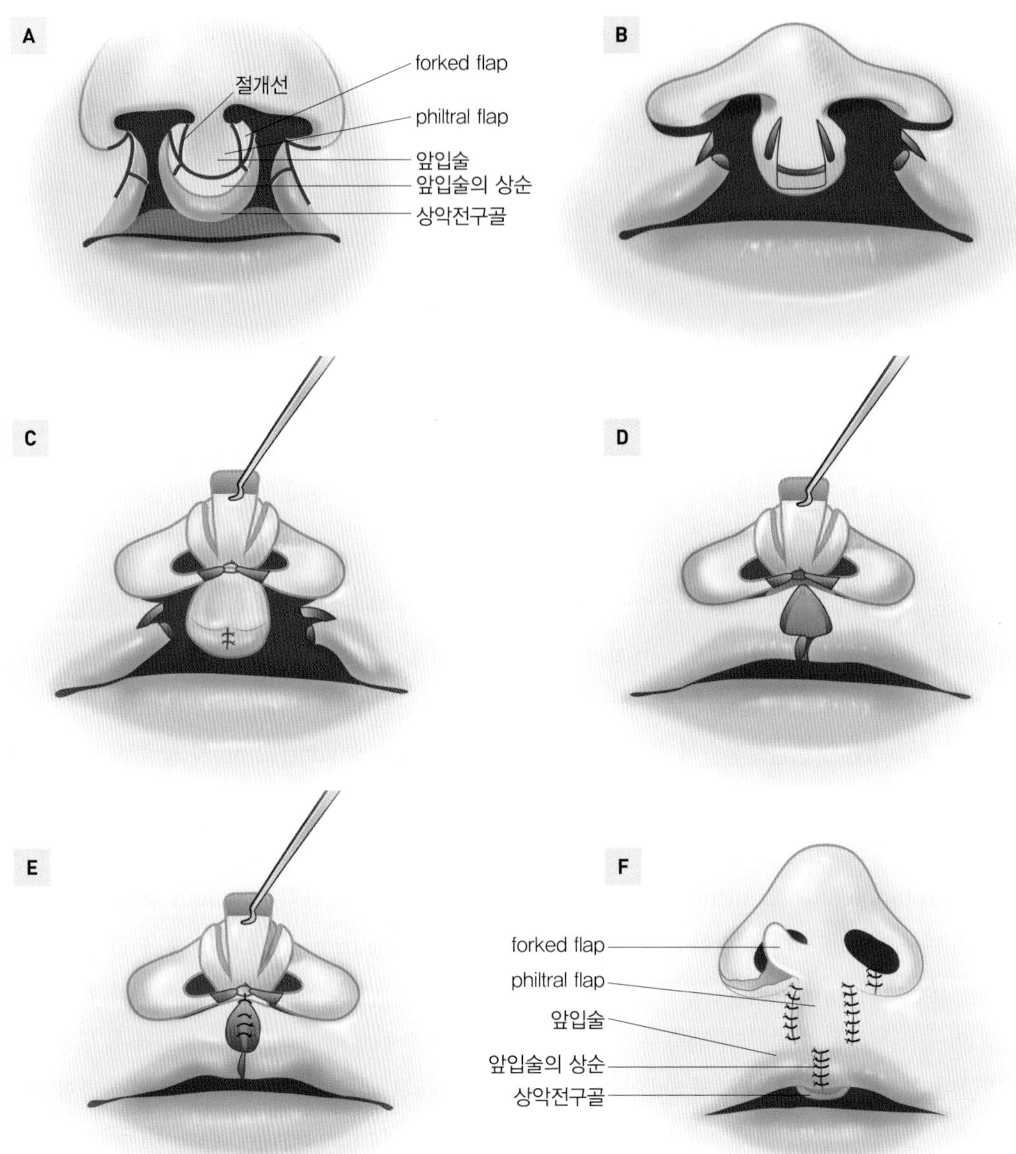

■ 그림 28-6. **Millard 술식에 의한 양측성 구순열의 교정.** **A)** 절개선 및 피판 작도법, **B)** 피판의 절개 및 거상, **C)** 비익 끝의 상피를 거상(de-epithelization)한 후, 앞입술 기저부 중앙에 맞추어 봉합, **D)** 앞입술 아래에서 피판을 중앙에 맞추어 봉합, **E)** 입둘레근과 점막의 봉합, **F)** 봉합 후의 모습

이식을 고려할 수 있으며 추후 추가수술이 필요할 수 있으므로, 최대한 많은 조직을 보존한다.

(2) 구개열의 수술

구개열의 수술시기에 대해서는 아직까지 이견이 많다. 언어구사와 안면성장, 치아교합 등을 감안하면 생후 12개월에 수술하는 것이 이상적이다. 그러나 구개열이 넓어 심한 언어장애가 있는 경우에는 언어교육을 위하여 연구개를 6~12개월에 먼저 수술하고 경구개의 수술은 5~9세에 시행하자는 의견도 있다.[41]

구개열 수술의 목적은 일차적으로 구개열을 구조적으로 막아 공기와 물이 새지 않도록 하고 구개의 정상적인

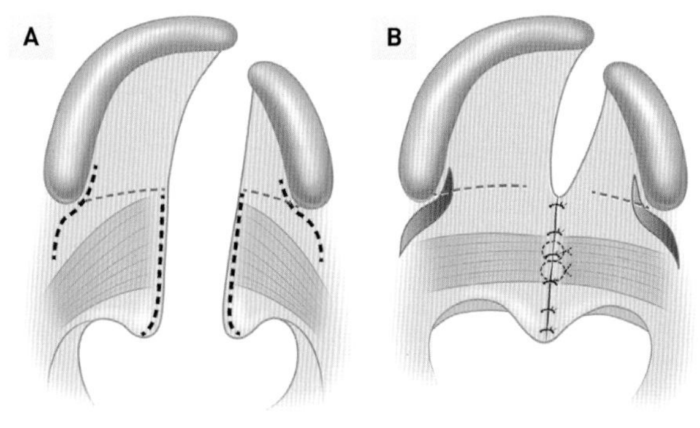

■ 그림 28-7. **일차 구개성형술. A)** 절개선, **B)** 봉합 후의 모습

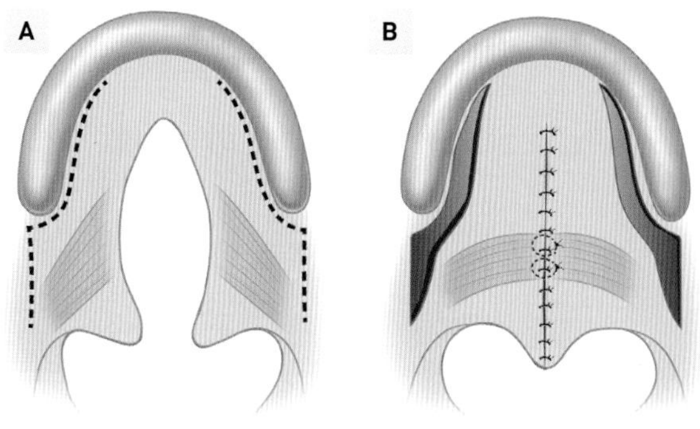

■ 그림 28-8. **von Langenbeck 구개성형술. A)** 절개선, **B)** 봉합 후의 모습

기능을 회복시키는 데에 있다. 수술을 통해 언어구사가 정상화되고 이관기능이 회복되며 부정교합(malocclusion) 없이 정상적인 저작이 가능하고 안면골 발달에 지장을 적게 주어 이차적인 기형이 생기는 것을 방지해야 한다. 이를 위해서는 잘못 위치한 미발달된 근육들을 재배열하고 연구개 조직을 적당히 후방이동 시키는 것이 가장 중요하다.

① **일차 구개성형술**(primary veloplasty, Schweckendiek palatoplasty)

Schweckendiek가 1978년 발표한 것으로 연구개만 3개월경 조기에 교정하고 경구개의 결손부위는 보철물을 이용하여 막아주며, 시간이 경과한 후 18개월경에 남은 결손에 대한 수술을 시행하는 것이다.[41] 이를 위해 연구개열(soft palate cleft)의 가장자리를 따라 절개를 하고 이관기능의 수복을 위해 입천장 올림근(levator veli palatini)의 현수대(sling)를 만들어 준 후, 연구개를 봉합한다(그림 28-7). 조기에 구개인두 기능을 회복시키고, 안면의 성장을 덜 저해하며, 성장하면서 구개열의 크기가 상당히 작아진 후 구개열의 교정을 하는 것이 가능하다는 장점이 있으나 수술이 필요하고 사용하는 보철물을 성장 정도에 따라 자주 바꾸어야 하는 어려움이 있어 최근에는 거의 사용하지 않는다.

② **양측 유경피판 구개성형술**(bipedicled flap palatoplasty, von Langenbeck palatoplasty)

구개와 연구개에 걸쳐 전후방에 저부를 둔 양경 점막골막피판(bipedicle mucoperiosteal flap)을 만들어 중앙부에서 봉합한다(그림 28-8). 술기가 비교적 쉽고 적은 부위를 박리하기 때문에 경구개의 노출이 적다. 하지만 적은 부위의 박리로 인한 피판의 이동이 제한되어 연구개의 길이를 늘릴 수 없으며, 구개열의 폭이 넓거나 구순열이 동반되는 경우 사용이 어려우며 수술 후 언어기능이 떨어지는 단점이 있다.

③ V-Y pushback **구개성형술**

Veau, Kilner, Wardill 등이 발표한 수술방법으로 후방에 저부를 둔 2개의 점막골막피판과 전방에 저부를 둔 1개의 피판을 만든 후에 후자는 가운데로 이동시키고 전자의 2개 피판은 V to Y형태로 뒤로 가져와 연구개의 길이를 길게 한다(그림 28-9). 이 술식은 연구개의 길이를 길게 할 수 있고 봉합선이 일직선이 아니어서 반흔에 따른 구축(contracture)이 적게 생겨 연구개가 짧아지는 것을 방지할 수 있으며, 언어능력도 향상되므로 불완전 구개열에 좋은 수술방법으로 여겨지고 있으나, 노출된 구개골 부위에 2~3주 안에 육아조직이 생겨 상피가 덮이기는 하나 결국 섬유성 반흔을 형성하게 되며 이에 따른 구축으로 상악골 성장이 저해되거나 치아의 부정교합을 초래할

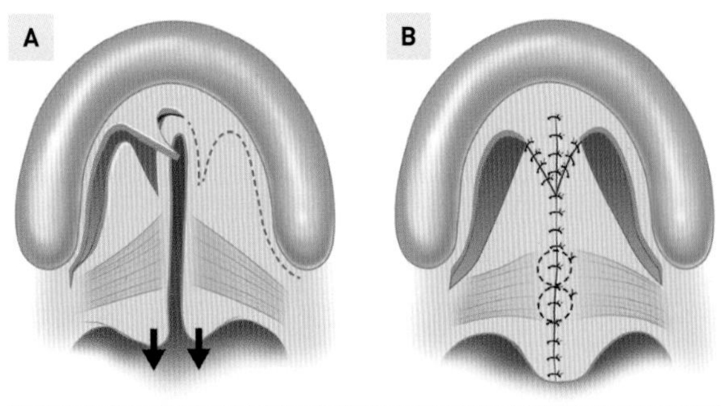

■ 그림 28-9. **V-Y pushback 구개성형술. A)** 절개선, **B)** 봉합 후의 모습

수 있다. 또한 이 방법으로는 치조궁의 결손을 수술하기 어렵고 경구개와 연구개 사이에 누공이 생길 수 있다는 단점이 있다.

④ Two-flap 구개성형술

Two-flap 구개성형술은 치조궁(alveolar arch)이나 절치공까지 절개선을 확장하여, 치조궁에 결손이 있는 완전구개열 수술에 사용될 수 있는 술식으로, 후방에 붙은 신경혈관다발(neurovascular bundle)을 포함하는 2개의 점막골막피판을 만든다. 비강은 보습피판(vomer flap)으로 재건하며, 2개의 점막골막피판은 가운데로 돌려 구개거근을 수복하고 봉합한다(그림 28-10). 하지만 이 술식 단독으로는 치조열(alveolar cleft)을 재건할 수 없고, 연구개의 길이가 늘어나는 것도 아니므로, 연구개 재건을 위한 Double opposing Z 성형술 등이 필요하다.

⑤ Double opposing Z 성형술(Furlow 구개성형술)

Furlow가 1986년에 고안한 술식으로 구개의 연장 및 분리된 구개거근의 수복을 위한 현수대 제작에 주안점을 두었으며, 주로 완전구개열 환자에게 적용된다. 2개의 Z 성형술로 구성되는데 그 중 하나는 연구개의 구강점막 측에서 이루어지고, 나머지 하나는 연구개의 비강점막측에서 전자와 반대방향으로 Z 성형술이 이루어진다. 구개거근은 Z 성형술에서 후방에 기저를 둔 점막피판에 포함되어 일측은 구강점막피판, 반대측은 비강점막판에 포함된다(그림 28-11).[23]

장점으로 경구개에서 큰 점막골막피판을 만들 필요가 없어 경구개에 골 노출부가 적게 생기고 이에 안면골 성장의 방해를 적게 할 수 있으며 10 mm 가량의 구개연장을 얻을 수 있어 타 술식에 비해 언어기능의 호전이 낫다는 장점을 갖는다. 그러나 구개열의 폭이 넓을 경우에는 적용하기 어렵다.

(3) 구개성형술의 합병증

구개성형술 후의 합병증으로는 출혈, 기도의 폐쇄, 창상 열개(wound dehiscence), 구비강루(oronasal fistula), 구개인두폐쇄 기능부전(velopharyngeal insufficiency) 그리고 안면부, 특히 상악의 성장장애 등이 있을 수 있다. 합병증 중, 구개인두폐쇄 기능부전이 가장 흔하게 나타나며 여러 술식 중 Double opposing Z 성형술이

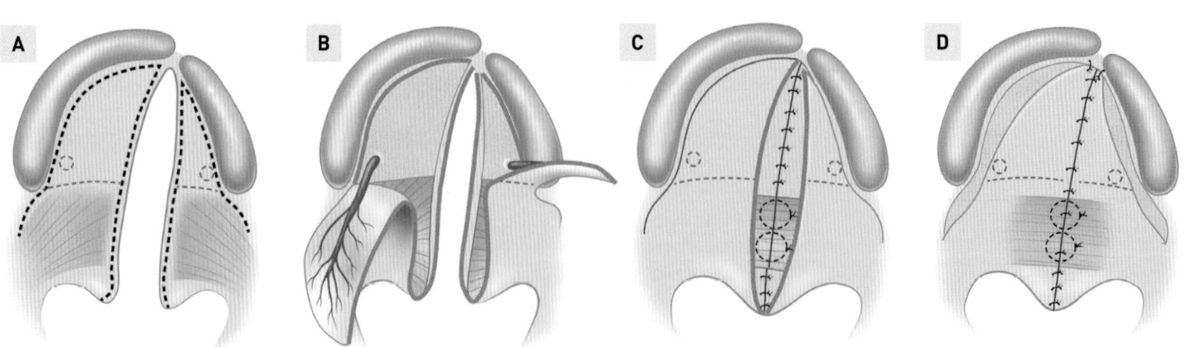

■ 그림 27-10. **Two-flap 구개성형술. A)** 절개선 1. 치조열, 2. 대구개궁, 3. 보습뼈, 4. 경구개 후연, **B)** 피판의 절개 및 거상, **C)** 비점막 및 점막골막의 봉합과 거상근의 수복, **D)** 구강점막 봉합

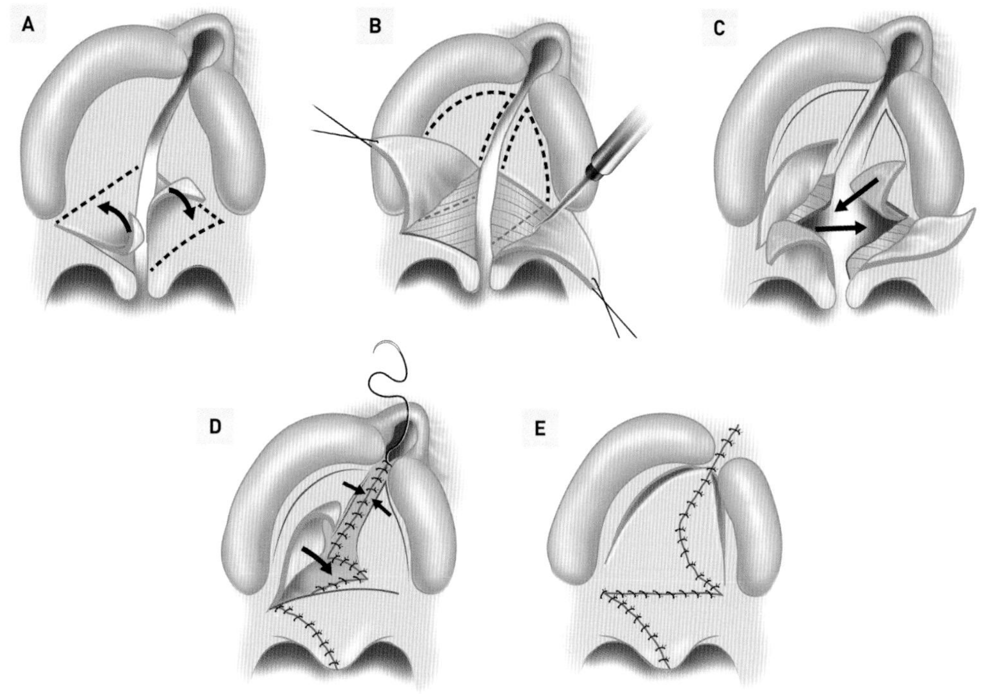

■ 그림 27-11. **Double opposing Z 성형술(Furlow 구개성형술). A)** 구강점막 절개와 거상. 좌측피판은 구강점막과 연구개의 근육이 포함되며 우측피판은 구강점막과 점막하층으로 구성된다. **B)** 구강점막이 거상된 후, 구강점막의 Z 성형술과 반대의 Z 성형술을 위해 절개선을 넣는다. 연구개 근육은 우측에 포함되며, 좌측에는 비인두의 점막하층만이 포함된다. **C)** 좌측의 비강점막피판이 앞쪽으로, 우측의 연구개 근육피판이 뒤쪽으로 가는 Z 성형술을 시행한다. **D)** 연구개의 구강측을 봉합한 뒤 화살표 방향으로 Z 성형술을 시행한다. **E)** 봉합 후 모습

비교적 이 합병증이 적다.

언어적 합병증으로는 개방성 비음 또는 과비음(hypernasality)이 가장 흔하게 나타난다. 구비강루나 열개창이 생긴 경우 경우는 수개월간 기다려 염증이 없어지고 상처가 깨끗해진 후 재수술을 시도하는 것이 좋으며, 그 동안은 필요시 보철물을 사용한다. 출혈이 드물게 있을 수 있고 분비물이나 부종 등으로 호흡곤란이 있을 수 있다. 이러한 합병증이 예상될 때에는 18-20 Fr 카테터를 비인강에 유치하고 1~2일간 유지하면 도움이 된다.

6. 점막하구개열

점막하구개열(submucous cleft palate)이란 연구개의 구강점막과 비강점막은 정상이나 중배엽조직의 결손으로 정중앙에 근육이 없는 것이다.

1) 빈도

점막하구개열은 과거 10,000명 중 1명 정도의 비교적 드문 질환으로 알려져 있었으나, 진단 기술이 발달함에 따라 약 1,000~2,000명 중 1명꼴로 발생하는 것으로 알려졌다.[43] 잠복되어 있는 점막하구개열의 경우 구강진찰로는 명확하지 않으며 주로 구개인두기능부전을 평가하기 위한 비인두내시경의 관찰 도중 진단된다.

2) 특징

이분구개수(bifid uvula), 경구개 후현의 후비극(posterior nasal spine)의 결손으로 인한 정중부 패임(posterior margin notch), 연구개 근육들의 갈림(muscular diastasis)으로 인한 연구개 중앙의 투명대(translucent zone)의 존재가 점막하구개열의 3대 특징적인 소견이다. 연구개에 들어 있는 근육들이 정중선에서 갈라져 있고 그 부분이 점막으로만 덮여 있어 투명하게 보인다(zona pellucisa). 점막하구개열이 있는 경우에는 구개가 짧으며, 비인두가 비정상적으로 넓다. 점막하구개열의 정도는 다양하며, 근육분리는 구개수열이 없는 데도 있을 수 있다. 이분구개수는 정상인구의 1% 이상에서 관찰되고 점막하 구개열 환자이면서도 이분구개수가 없는 경우도 있으므로, 이 소견 하나로 진단을 내릴 수는 없다.

3) 원인

점막하구개열의 원인은 아직 확실히 밝혀져 있지 않다. 발육과정 중 구개 정중선에서 추후 점막을 이루게 되는 두층의 외배엽이 융합되게 되는데 외배엽들 사이에 있는 추후 근육을 이루게 되는 중배엽이 정중선에서 융합하지 못하여 생긴다. 정도는 연구개에 들어 있는 근육들이 정중선에서 조금 얇아진 것부터 완전히 벌어진 것까지 다양하다. 심한 경우에는 완전구개열과 마찬가지로 구개거상근(levator veli palatini muscle)이 경구개의 후연에 부착하고 근섬유가 완전구개열 때와 동일하게 주행한다.

최근 연구에 따르면 22q11 deletion syndrom (22q11DS)와 연관이 있는 구개기형환자의 약 67~69%에서 점막하구개열이 흔하게 나타난다.[21,42]

4) 증상

대부분의 점막하구개열 환자는 별다른 증상이 없다. 그 중 가장 중요한 것이 구개인두 기능부전에 의한 언어장애이다. 점막하 구개열이 있는데도 기능적 장애 혹은 언어 결함이 없는 경우도 60~90%이다. 하지만 오랜 추적관칠 결과, 짐막 구개열 환자의 50% 이상이 결국 언어장애를 겪게 되며 수술을 필요로 한다는 보고도 있어 환자의 꾸준한 추적관찰이 요구된다.[25,39]

점막하구개열에서 구개인두 기능부전이 있는 이유는 연구개가 쉽게 피로하고, 길이가 짧으며, 운동성이 좋지 못하기 때문이다. 정중선에서 근육이 벌어진 정도와 언어가 명확한 정도 간에는 상관관계가 없다는 보고도 있다.

감별해야 할 질환으로 선천적으로 구개가 짧은 경우와 신경장애로 구개인두 기능부전이 있는 경우이다. 이러한 경우에는 연구개 근육들이 정중선에서 벌어져 있지 않고 경구개 후연 정중부가 잘록하게 패여 있지 않다.

5) 수술시기

언어발달에 이상이 있는 점막하구개열 환자는 다른 유형의 구개열 환자와 마찬가지로 2세 이전에 수술해주면 대부분 정상적으로 발달한다.

2세 이후에 수술하면 수술 시 구개거근(levator veli palatini muscle)을 적절히 재배치하고 구개의 길이도 연장하며, 술 후 언어치료를 병행한다 하더라도, 환자의 72%에서만 언어능력이 호전된다. 점막하구개열이 늦게 발견되는 경우가 많아서 치료결과가 나쁘므로 이런 점을 염두에 두어야 한다.

6) 수술방법

수술은 식이문제, 귀 문제(otologic problem), 언어문제가 있고 비수술적인 치료에 반응하지 않을 때 하게 된다. 수술방법에는 정도에 따라 구개내근육성형술(intravelar veloplasty), 후방구개성형술(pushback palatoplasty), 인두피판술(pharyngeal flap), Double opposing Z 성형술 등이 있다.

III 구개인두 기능부전

구개인두 기능부전(velopharyngeal incompetence)이란 구개인두괄약근(velopharyngeal sphincter)이 제 기능을 다하지 못하는 상태를 말한다. 이는 구개인두 부위의 구조적 결함이나 생리학적 기능장애 때문에 발생한다. 구개인두 기능부전의 원인은 다양하다.

구개인두의 기능에 가장 흔하게 영향을 미치는 선천적인 질환은 점막하 구개열을 포함하는 구개열이나, 이외에도 구개가 선천적으로 짧은 경우, 구개수술 후에 구개가 짧아진 경우, 아데노이드절제술 후에 조직이 결핍된 경우에 발생할 수 있고, 그 외 특발성 근기능부전과 같이 구개인두(velopahrynx)의 기능적 이상이나 편도비대가 원인이 되기도 한다. 편도비대로 인해 구인두가 좁아지면 숨길을 유지하기 위해 비인두괄약근(nasopharyngeal sphincter)은 열리려 하고 혀는 전방으로 나오게 되며 무거운 구개인두궁(palatoapharyngeal arch)으로 인해 연구개가 잘 올라가지 못하게 된다.

1. 증상

구개인두(velopharynx)는 턱, 혀, 입술, 인두, 후두와 더불어 조음기관의 역할을 한다. 이러한 조음기관은 서로 간의 조합을 통하여 최종적으로 발성을 하게 되는데, 구개인두괄약근이 닫혀야 할 때 완전히 닫히지 못하면 'e'와 같은 모음을 발음할 때 코 안과 입안이 1개의 공간으로 공명하고 비음과 구음이 혼합되어 구개열 환자 특유의 과비음(hypernasality)을 내게 된다. 그리고 'ㅋ(k)' 또는 'ㅌ(t)' 같은 자음을 발음할 때 입안의 공기가 코 안쪽으로 누출되어 음이 약해진다. 모음과 /w/, /y/, /r/, /l/ 등의 전이음(glides)을 발성할 때만 나타날 수도 있으며, /p/, /b/, /t/, /d/, /k/, /g/등의 파열음(plosives)은 /f/, /v/, /th/, /s/, /z/ 등의 마찰음(fricatives)보다 구개인두가 더 많이 폐쇄되어야 하므로 파열음이 마찰음보다 비음누출의 영향을 더 받으며, 구개인두 기능부전이 클수록 이러한 음의 일그러짐은 더 커진다.[14]

구개인두 기능부전으로 발생하는 이러한 과비음과 발음약화를 구개열 환자 언어의 일차적 결실성분(primary precipitating component)이라 부른다. 환자는 자신의 언어가 불분명한 이유가 비인두괄약근의 기능부전 때문이라는 사실을 알기 때문에 이를 보상하기 위하여 스스로 혀, 성대문(glottis), 인두, 코 등의 위치를 조절함으로써 일차적 결실성분에 이차적 보상성분(secondary compensating component)을 보태게 된다. 구개인두를 폐쇄하기 위한 시도의 결과로 얼굴, 특히 코를 찡그리는 버릇이 생길 수 있다. 과비음과 비음누출을 감소시키기 위한 시도로 거친 목소리가 생기며 후두결절이 생길 수 있다. 환아는 삼출성 중이염의 유병률이 높기 때문에 청력 감퇴에 의한 언어장애도 올 수 있다.

2. 진단

구개인두 기능부전 환자의 말의 특징에 대해서는 잘 밝혀져 있지만 구개인두 기능부전의 정도를 간단하고 정확하게 알 수 있는 검사는 아직 없다. 하지만 구개인두 기능부전을 치료하기 위해서는 사전에 구개인두밸브의 기능을 적절히 평가해야 한다. 기본적인 언어평가, 청력검사, 내시경검사 이외에도 비강과 구강의 소리강도의 비를 측정하는 비음치검사(nasometry), 비강에서 유출되는 공기의 흐름과 압력을 평가하는 공기역학검사(aerodynamic test), 발성 비디오투시검사(speech videofluoroscopy), 발성 내시경(speech endoscopy) 등을 시행하여 구개인두의 기능적인 부분을 평가할 수 있다. 두개 측면방사선 촬영술(lateral cephalometry)의 경우, 구개인두의 동적인 영상을 보여주지 못하고, 기능의 심한 정도와 연관성이 떨어져 최근 잘 사용하지 않으며, 협조가 어려운 어린 환아나 방사능 노출을 최소화하기 위해 연조직의 구성을 잘 보여줄 수 있는 자기공명영상을 이용할 수 있다.

구개가 폐쇄되는 부위가 연구개 바로 윗부분이 아니고 보통 그보다 상부이므로 입안을 관찰하여 폐쇄부위를 확인하는 것은 한계가 있다. 보통 코를 통한 내시경 검사로 전후좌우의 움직임을 관찰할 수 있으며, 이때 '아' 소리보다는 '이' 소리가 연구개의 상승작용에 더 유리하다. 내시경 검사법이나 발성 비디오투시검사법으로는 구개의 동적

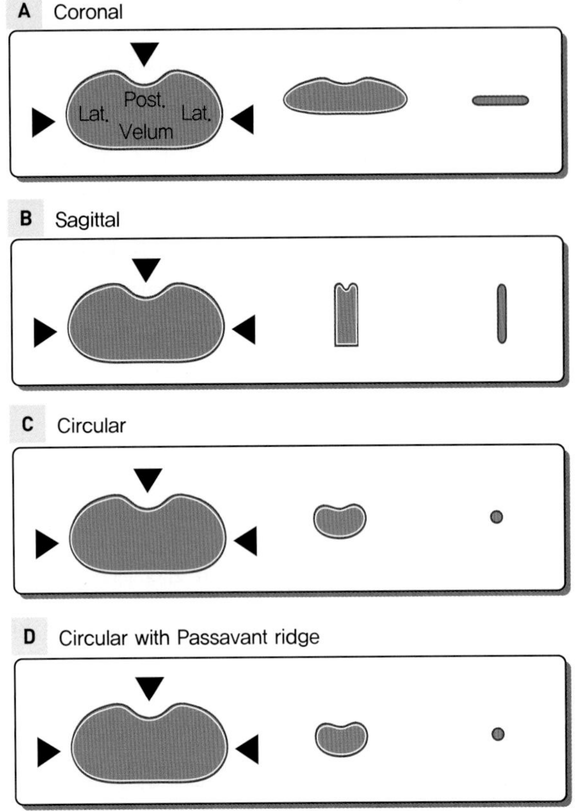

■ 그림 28-12. **폐쇄 후 모양에 따른 구개인두폐쇄의 유형.** **A)** 관상(coronal), **B)** 시상(sagittal), **C)** 윤상(circular), **D)** Passavant ridge가 존재하는 윤상

인 면, 연구개의 해부 및 발성 시 인두 측벽이 내측으로 움직이는 정도를 알 수 있을 뿐 아니라 구개인두 폐쇄(velopharyngeal closure)의 일반적인 네 가지 유형(그림 28-12)을 파악할 수 있어, 수술방법이나 인두피판술(pahryngeal flap operation) 시 피판의 폭을 결정할 수 있다.

구개인두 기능부전 없이 과비음만 있는 경우, 비대한 아데노이드 조직에 의한 저비음, 성대문폐쇄음(glottal stop)과 인두 마찰음 같은 잘못 배운 보상 발음, 음소(phoneme)에 따른 특수한 비누출 등과 감별진단 하여야 한다.

3. 치료

언어치료만으로도 호전되어 수술할 필요가 없게 될 수도 있기 때문에 증상이 경한 경우에는 일정기간 수술적 치료 전에 언어치료를 먼저 시행하는 것이 좋다. 언어치료는 발음에 관련된 근육들의 기능을 회복시키고, 치료에 반응이 없는 경우 부모로 하여금 수술동의를 얻는 데에 도움이 될 수 있다.

보철치료(prosthetic treatment)의 경우, 보통 구개거상기(palatal lift)가 많이 사용되며, 연구개 말단을 뒤·위쪽으로 거상함으로써 인두후벽(posterior pharyngeal wall)과 접촉할 수 있게 하여 구개인두 기능 부전을 보조한다. 보통 성장하는 아이의 경우, 관리가 어렵고, 보철물을 지속적으로 바꾸어주어야 하며, 유치에 손상을 줄 수 있기 때문에 적용이 어렵고, 수술 적응증이 아닌 내과적 질환, 수술의 실패, 수술거부, 수술을 받지 않은 성인, 술 후 형성된 구개인두 기능부전 등에서 사용할 수 있다.

수술방법에는 구개거상근의 재위치를 통한 기능향상에 초점을 둔 Double opposing Z 성형술(Furlow 구개성형술), 인두후벽의 조직을 이용하여 구개인두 중간부분의 폐쇄를 돕도록 하는 인두피판술(pharyngeal flap operation), 구개인두의 부피를 축소시키고 인두측벽의 조직이 인두의 측벽과 후벽의 폐쇄를 돕도록 하는 인두성형술(pharyngoplasty), Passavant능선(Passavant ridge)부위에 보형물 삽입에 의한 부피를 주어 구개인두의 폐쇄를 돕게 하는 인두후방삽입술(posterior wall augmentation) 등이 있다. 수술방법은 구개인두 결합의 크기와 모양에 따라 적당한 술식을 선택해야 한다. 보통 환자가 연구개를 끌어올리는 정도는 불량하지만 인두 측벽을 내측으로 움직이는 정도가 양호한 경우, 구개인두의 폐쇄가 시상(sagittal)형인 경우에는 인두피판술을 하고, 인두 측벽을 움직이지 못하거나 아주 조금밖에 못 움직이는 경우, 즉 폐쇄유형이 관상(coronal)을 보이는 경우에는 인두성형술을 하게 된다. 하지만 환자 대부분의 폐쇄유형이 관상이었음에도 인두피판술식에 의한 구개인두 기능부전의 치료가 좋은 결과를 보인 연구결과도 있다.[38] 수술을 받은 환자들은 수술 직후부터 언어가 좋아질 것으로

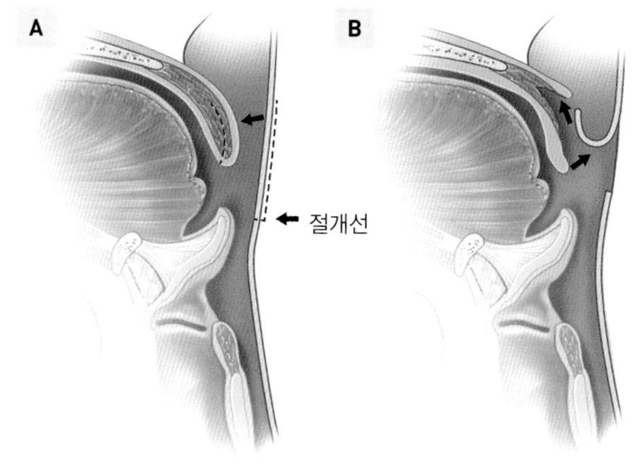

■ 그림 28-13. **인두피판술.** **A)** 절개선, **B)** 피판의 이동모습

기대하지만 보통은 수술부위의 흉터로 인하여 일정기간 경과하여야 언어가 좋아지며, 수술 후에 언어치료를 받아야 예후가 좋다.

1) 인두피판술(pharyngeal flap operation)

인두피판술(pharyngeal flap operation)은 인두 외측벽의 움직임이 원활하나 연구개와 인두 후벽의 움직임이 좋지 않은 환자에서 시행한다. 구개성형술 후 생긴 구개인두 기능부전 이외에도 5세 이후까지 수술을 하지 않은 구개열, 점막하 구개열, 틈이 넓은 구개열에도 사용할 수 있다. 인두 후벽에서 점막과 상인두근을 함께 들어올려서 피판을 만들고 이를 연구개에 봉합하게 된다. 인두피판을 만들 때 기저를 상방에 두는 피판(superiorly based posterior pharyngeal flap)을 주로 많이 쓴다. 인두 후벽에 가하는 수직 절개선은 인두의 외측벽과 후벽이 만나는 부위의 내측에 위치시키며 경구개 높이까지 올린다(그림 28-13).

인두피판의 폭을 결정할 때는 인두 측벽의 운동 정도로 결정한다. 만약 인두피판의 폭이 너무 작으며 인두 측벽의 공간을 닫을 수 없어서 수술 후에도 콧소리가 과다하게 남게 되고 만약 인두피판의 폭이 너무 크면 양쪽 편에 있는 인두 측벽의 공간이 막혀서 환자는 구호흡을 하게 되고 저비음과 심지어 수면무호흡까지 생길 수 있다. 따라서 인두 측벽의 공간의 크기를 적당히 결정하는 것이 중요한데, 일반적으로 14Fr 카테터 굵기로 만들어 놓는다. 이정도 크기면 정상적인 언어생활 및 비호흡을 하는 데에 지장이 없다.

술 후 합병증으로는 피판의 폭이 너무 넓거나 술 후 반흔 조직에 의해 인두 측벽의 공간이 너무 좁아져서 생길 수 있는 비폐색, 저비음, 코골이, 폐쇄성 수면무호흡증, 인두 측벽의 공간이 너무 넓어 발생하는 지속적인 구개인구 기능부전 등이 있을 수 있다.

2) 인두성형술(pharyngoplasty)

인두성형술(pharyngoplasty)은 인두 후벽과 연구개 경계 사이의 거리를 단축하여 인두공간을 양쪽 측면에서 좁히고 인두 후벽을 앞으로 나오게 하는 수술이다.

이 수술은 일차 구개성형술 후 인두 측벽이 내방으로 전혀 운동하지 못하거나 운동이 매우 불량하여 구개 인두 부전이 있는 경우에 시술하는 것이 일반적이다. 연구개가 올라가는 기능이 불량하면서 인두 측벽 운동이 좋지 못해서 구개인두 기능부전이 있는 경우에는 인두피판술을 함께 시행하는 것이 좋다.

인두 성형술은 연구개에 조작을 가하지 않고도 구개와 인두 사이의 간격을 '정적(static)' 그리고 '동적(dynamic)'으로 좁힐 수 있다. 오늘날 흔히 사용하는 인두성형술은 Hynes (1967)가 고안하고 Jackson (1985)이 보완한 인두성형술 방법을 일반적으로 사용하고 있다. 이관인두근(salpingopharyngeus muscle)과 일부 구개인두근(palatopharyngeus muscle)을 포함한 점막 근육판(mucomuscular flap)으로 비인두 괄약근(nasopharyngeal sphincter)을 재건해 주는 술식이다. 2개의 인두 외측벽의 상부에 기저를 둔 수직점막 근육피판을 일으킨 다음 인두 후벽에 수평절개선을 넣은 후 양쪽을 봉합하여 구개인두구멍(palatopharyngeal port)를 좁혀주면서 기능적으로 조임 기능을 보존하여 구개인두구(velopharyngeal port)를 좁힌다(그림 28-14).

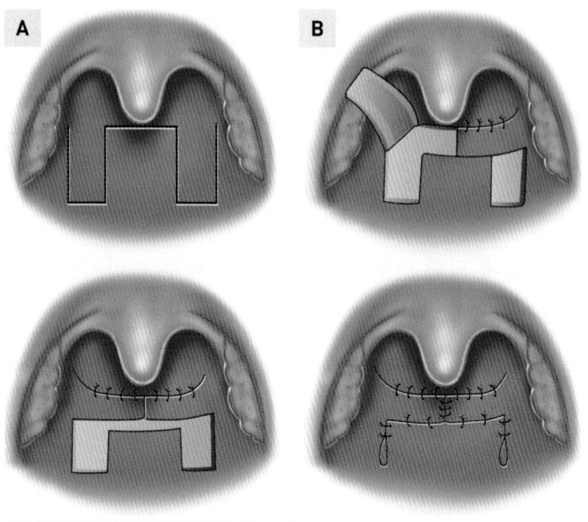

■ 그림 28-14. **인두성형술**

3) 인두후방삽입술(retropharyngeal implant)

구개인두 기능부전이 경미하면서 인두 후벽과 연구개의 후연간의 거리가 5 mm 미만이고 구개인두구멍의 넓이가 40 mm^2 미만, 그리고 인두 외측면의 움직임이 불량하고 연구개와 인두 후벽의 움직임이 양호할 때에 시행할 수 있다. 수술방법은 구개인두구멍을 좁혀줄 목적으로 제1 경추골(atlas) 직상방의 인두 후벽에 이물성형삽입물(alloplastic implant)인 실리콘(silastic block)이나 실리콘젤(silicon gel), teflon, proplast 또는 연골, 근막, 진피, 지방조직 등을 이식하여 인두 후벽을 불룩해지게 만든다(그림 28-15). 합병증으로 삽입물의 돌출, 감염, 이동들이 일어날 수 있다.

Ⅳ 선천성 정중선 종양

코와 부비동의 선천성 기형은 전신경공(anterior neuropore), 안면중앙부(central midface), 비협막(nasobuccal membrane) 등의 발생오류가 생기는 특정한 해부학적 위치에 따라 나뉠 수 있다. 전신경공에서의 발생오류로 인하여, 뇌류(encephalocele), 신경교종(glioma), 유피종(dermoid) 등이 생기며, 안면중앙부에서의 발생오류로 코없음증(arrhinia), 악안면열(craniofacial cleft), 비루관낭(nasolacrimal duct cyst) 등의 질환이 유발되고, 비협막(nasobuccal membrane)에서의 발생오류로 후비공폐쇄(choanal atresia) 등이 유발된다.

1. 뇌류

뇌류(encephalocele)는 지주막하 연결을 유지한 채로 신경조직이 중추신경계에서 탈출한 것을 의미한다. 뇌류에 포함된 신경조직에 따라 수막조직(meinges)만 있으면 수막류(meningocele), 뇌조직과 수막조직이 있으면 뇌수

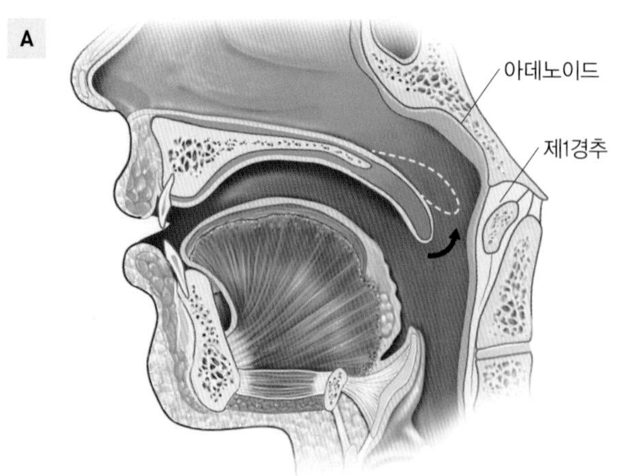

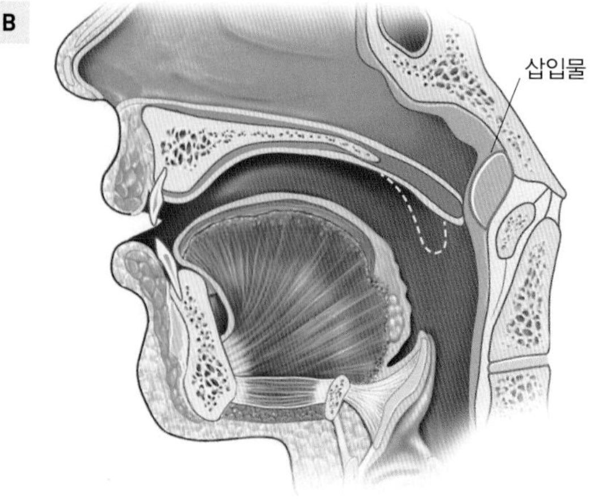

■ 그림 28-15. **인두후방삽입술**

막류(encephalomeningocele) 등으로 분류한다.

북미나 유럽에서는 1:3,000~1:50,000명, 동남아시아에서는 신생아 1:6000명꼴로 발생하는 것으로 보고되고 있으며 대부분의 뇌류는 후두부(occiput)(75%)에서 발생하고, 10%는 두정부(parieal), 나머지는 전두부(frontal)와 기저부(basal)에서 발생한다.

1) 발생기전

발생학적으로 전신경공 내에서 상피세포가 불완전하게 분리되어 뇌조직이 피부에 붙은 상태에서 중배엽이 안쪽으로 이동하여 골을 형성하면 기계적 공백이 존재하게 된다는 기계적 원인설(mechanical origin theory), 중배엽이 하강 이동할 때 일차적 결손이 생겨 이 결손을 통해 탈출이 생긴다는 이론, 전두개저부가 신경능선(neural crest)에서 기원하는 데 기반해 앞쪽에서 이동할 세포들이 이동하지 못해서 발생한다는 이론 등이 있다.

2) 증상과 진단

성별차이는 없으며, 유전성도 밝혀진 바는 없다. 약 40%에서 다른 연관 기형과 동반될 수 있다.[28] 신경조직의 탈출위치에 따라 후두뇌류(occipital encephalocele), 전두뇌류(sincipital encephalocele), 그리고 기저뇌류(basal encephalocele)로 나뉜다. 전체 뇌류의 약 15%가 비뇌류로 발병하며, 비뇌류중, 전두뇌류와 기저뇌류가 60%와 40%의 빈도를 갖는다.

전두뇌류에서 전두골과 사골 사이의 골결손은 반수가 정중선에서, 1/4이 양측성, 1/4이 일측성 결손을 보인다. 해부학적으로 비전두형(nasofrontal type), 비사골형(nasoethmoidal type), 비안와형(nasoorbital type)으로 나눌 수 있으며, 빈도는 각각 40%, 40%, 20% 정도이다(그림 28-16). 크기는 다양하며 이에 따라 나타나는 증상도 달라서 양안과다격리증(hypertelorism), 피부의 색소침착, 주름, 비후 혹은 얇아지는 소견을 보인다. 뇌류는 일반적으로 푸르스름한 압축성(compressible)의 종괴로, 빛

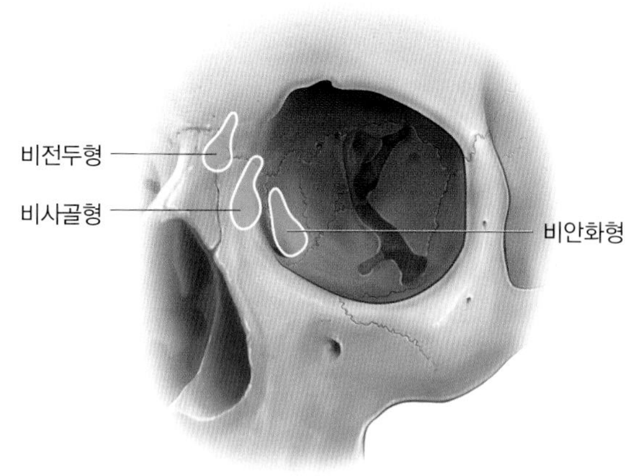

■ 그림 28-16. **전두뇌류의 분류**

에 투과되는 양상을 보이며(transilluminate), 환아가 울거나, 경정맥 압박 시에 뇌류가 확장되는 Furstenberg징후 양성소견을 보이고, 뇌척수액의 누출이나 박동의 전달(pulsatile)이 느껴지기도 한다.

기저뇌류는 전두개와에 결손이 있으므로 뇌류가 비강, 비인강 또는 안와부위에 발생하고 위치에 따른 증상들이 나타나며, 경사골형(transethmoidal type), 접형사골형(sphenoethmoidal type), 경접형형(transsphenoidal type), 접형안와형(sphenorbital type) 등 여러가지 형태로 발현된다(그림 28-17). 기저뇌류는 경우에 따라 수년간 발견되지 않는 경우도 있다. 임상적으로 장액성 비루와 재발성 뇌막염의 병력이 있으면서, 비배부가 확장되거나 안와 과다격리증이 있는 경우 뇌류를 의심할 수 있다

진단은 CT와 MRI를 통하여 하게 되며, 보조적으로 뇌조조영술(cisternography)을 이용할 수 있다. 감별하여야할 질환으로 신경교종, 유피낭, 혈관종, 비용 등이 있으며, 비강 내 뇌수막류를 비용종으로 생각하고 조직검사 및 비용종 제거술을 시행했다가 뇌막염등의 합병증이 발생할 수 있으므로, 소아에서 이런 소견이 보일 때에는 조직검사 여부를 방사선 검사 후에 결정해야 한다.

3) 치료

치료는 탈출된 뇌수막류를 절제하고 결손된 두개골과

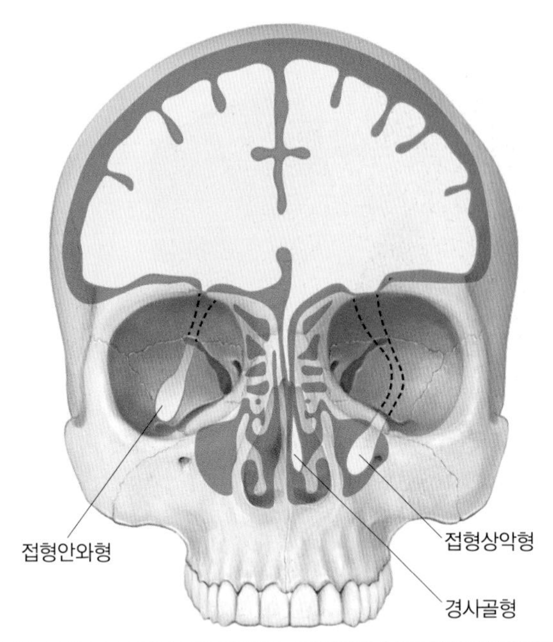

■ 그림 28-17. **기저뇌류의 분류**

뇌경막을 복원하는 것이다. 진단이 되면, 수막염의 발생을 줄이고 미용적 목적을 위하여 치료는 가급적 생후 몇 개월 이내에 시작하는 것이 좋으며,[28] 두개 내 뇌수막류의 절제와 두개골의 재건은 신경외과에서 시행하게 되고 비강 내 부분의 절제는 내시경을 이용하여 이비인후과에서 시행하는 것이 추세이다. 수술 후 가장 흔한 합병증으로는 뇌척수액의 유출이 있으며 이외에도, 수막염, 수두증(hydrocephalus)도 가능하다. 재발률은 대체적으로 4~10% 정도로 보고되었다.[38] 이처럼 복합적인 접근법으로 두개내 합병증과 사망률을 줄이면서 결손부를 교정할 수 있으나, 다른 선천성 기형이 동반된 경우에는 예후가 불량하다.[6]

2. 신경교종

1) 발생기전

신경교종(glioma)은 중추신경계 밖에 존재하는 교세포(glial cell)의 집합이다. 진성막(true capsule)은 없고, 섬유성분과 신경성분이 혼재된 기질만 함유하며, 전이나

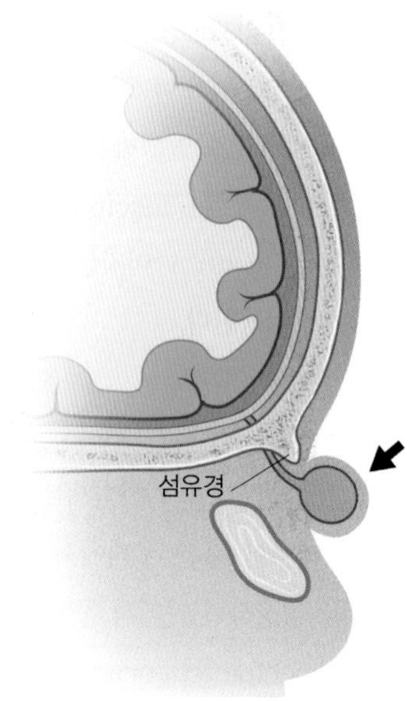

■ 그림 28-18. **비외 신경교종**

심한 국소침윤은 보고된 바 없어 진정한 의미의 종양과는 거리가 있다. 뇌류(encephalocele)와 발생학적 기전이 비슷하며 전체 신경교종의 5~20%는 중추신경계와 연결되어 있다.[20] 이때 중추신경계와의 연결은 지주막하 공간(subarachnoid space)이 통하지 않는 섬유성 연결로 뇌척수액으로 연결되지 않는 것이 특징이다(그림 28-18). 신경교종의 발생기전은 여러 가지로 설명된다. 비전두천문(fonticulus nasofrontalis)의 비정상적 폐쇄로 두 개 외에 이소성(ectopic) 교세포가 남아서 발생한다는 설과, 사골판(cribriform plate) 융합 시 후구(olfactory bulb)에서 나온 신경조직이 격리되면서 발생한다는 설, 뇌류의 줄기가 조여지면서 지주막하공간의 연결이 끊겨 신경교종이 발생한다는 설 등이 있다.

2) 증상 및 진단

비교적 드문 질환으로 대부분 출생 시 또는 아동기에 발견되며, 남자에서 좀 더 많고, 유전성은 밝혀진 바가 없다. 비외부(extranasal)에서 60%, 비내부(intranasal)에서 30%가 발견되고, 10%는 비내외(combined)에 혼재한다.[20] 유피종과 달리 반드시 안면중앙부위에 위치하지는

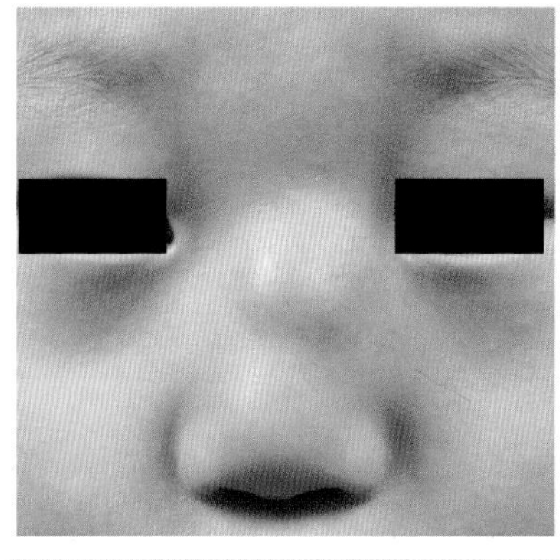
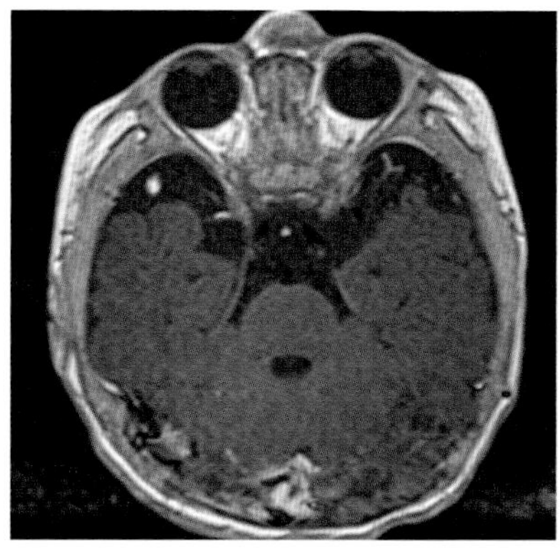
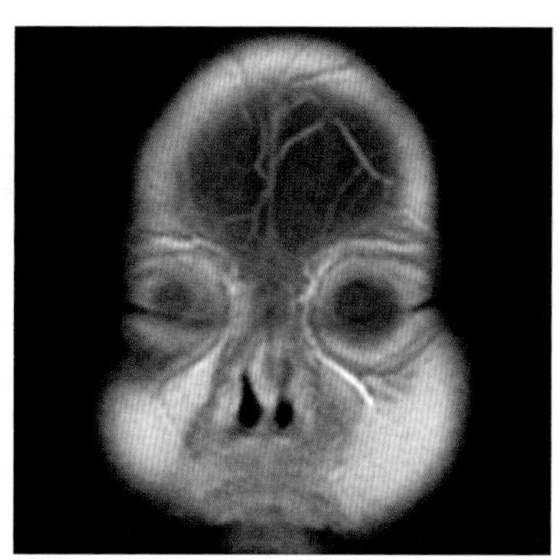

■ 그림 28-19. **비외신경교종.** 임상적 소견 및 방사선 소견. 부드러운 비압축성의 종괴가 비골상악봉합 중앙에서 발생하였다. 자기공명영상에서 중추신경계와의 연결은 관찰되지 않는다.

않으며 피부나 동으로 이어지지도 않는다.

비외 신경교종(extranasal glioma)은 부드러운 비압축성(noncompressible)의 종물로서 비골상악봉합(nasomaxillary suture) 또는 미간(glabella) 주위부를 따라 주로 정중앙에서 발생한다. 종물을 덮고 있는 피부는 변색되고, 신경교종이 누관을 압박하는 경우에는 유루(epiphora)의 원인이 되기도 한다(그림 28-19).

비내 신경교종(intranasal glioma)은 대부분 중비갑개 근처의 비강 외측에서 발생하며 견고하고 비압축성인 적홍색의 비용성 종물로 관찰되어 비강폴립과 감별해야 한다. 편측성 비폐색, 비종물, 비출혈을 주소로 내원한다. 소아에서 이차적인 수유장애를 일으킬 수 있고, 종물이 큰 경우 전후방으로 돌출해 후비공비용(choanal polyp)과 유사하며 비중격 편위를 일으킬 수 있다. 종물 크기가 클 때에는 비골격의 확장이나 양안과다격리증(hypertelorism)이 발생될 수 있다.[25] 혼합형의 경우 섬유띠로 연결된 아령모양의 종괴가 특징적으로 관찰된다.

약 5~20%는 맹관(foramen cecum)이나 천물(fonticulus)을 통해 경막과 섬유조직으로 연결되며, 비외 신경교종에서보다 비내 신경교종에서 더 흔하다. 비내 신경교종에서는 비전두 봉합부위에서, 비외 신경교종에서는 사골판 결손부위에서 경막과 연결된다.

뇌류와의 감별이 중요한데, 뇌류를 부드럽고 압축성으로 골결손이 항상 존재하는 반면, 비외 신경교종은 견고하고 비압축성으로 골유착이 드물다. 비내 신경교종과 뇌류는 모두 비용의 형태로 보일 수 있으나 비내외류는 사골부의 골견손부를 통하여 주로 돌출한다. 양측 경정맥을 손가락으로 동시에 눌러보아 종양의 크기변화를 알아보는 Furstenberg 검사에서 신경교종은 크기가 변하지 않는다. 세침흡인법(fine needle aspiration)은 유용하지만 낭종성 교종이 위음성으로 나올 가능성이 있으며, 술 전 절개생검은 지주막하 감염의 위험이 있기 때문에 금기이다. 진단과 감별진단은 CT와 MRI를 통해 하게 된다. CT는 골결손을 포함한 골조직의 변화를 보여주며, MRI는 연조직을 잘 구별해준다.

3) 치료

비내 및 비외 신경교종의 근치적 치료는 완전 적출술이다. 두개 내 연결이 없는 경우 비내시경 또는 외부절개를 통하여 완전절개 하는데, 최근에는 영상 유도수술(image guided surgery)을 이용하여 비내시경을 통한 절제를 주로 하는 추세이다. 두개 내 연결이 있는 경우 신경외과와 함께 합동 수술을 하게 되며 두개 내 신경교종의 크기에 따라 전두하경사골 접근법(subfrontal transethmoidal approach) 또는 양측 전두부개두술 접근법(bifrontal craniotomy approach) 등을 이용한다.

3. 유피종

선천성 정중선 종양은 1:3,000~1:40,000에서 발생하며 그 중, 유피종(dermoid)이 가장 흔하다. 비비부의 유피종은 전체 유피종의 1~3%를 차지하며, 두경부 유피종의 10~12%를 차지한다.[39]

유피종(dermoids)은 외배엽과 중배엽이 갇힌 것을 의미하며, 유피낭(dermoid cyst) 또는 피부에 연결부위가 있는 유피동(dermoid sinus)의 형태로 존재한다. 유피낭은 피부와 개구부 없이 피하층에만 존재하며, 피하에서 서서히 자라나 하부구조를 변형시킨다. 유피동은 낭종이 있는 경우와 없는 경우가 있으며, 비연골과 비골까지 확장하는 병변으로 비배부의 골연골 접합부(osteocartilaginous junction)까지 관통한다.

1) 발생기전

유피종의 발생은 전비공간(prenasal space) 기전으로 설명한다. 정상적인 발달 단계에서 경막(dura)의 일부는 맹관(foramen caecum)을 통해 전비공간, 즉 비골의 내측과 비중격, 비연골의 전구체가 되는 비막(nasal capsule) 사이의 공간 또는 비전두천문(fonticulus nasofrontalis)으로 탈출하지만 곧 퇴화하게 된다(그림 28-20). 그러나 경막이 피부아래의 섬유조직이나 결체조직에 닿아 퇴화하지 않으면 외배엽 요소가 비골의 안쪽 골주위연(periosteal lining) 또는 비연골막에 남게 되어 유피종을 형성하며, 상피요소가 안쪽으로 말려들어가게 되면 동(sinus)을 형성하게 된다.

2) 증상 및 진단

남자에서 약간 우세하며 가족력이 보고되나 주로 특발성으로 발생한다. 출생 시부터 존재하여 대부분 1세 이전에 발견되나 소아기나 성인이 되어서 증상이 생기면서 발견되는 경우도 있다.

통상적으로 비배부의 골연골 접합부에서 발견되나 미간(glabella)에서 비주(nasal columella) 사이의 정중앙 부위에서 발생할 수 있고, 발생선을 따라서 코끝부터 두개 내 공간까지 발생가능하며 함몰(pit), 누공(fistula) 또는 감염된 종괴 형태로 발견된다. 개구부에서 화농성 물질이 배출되거나 모발이 존재할 수 있으며 이는 진단에 도움이 된다(그림 28-21).

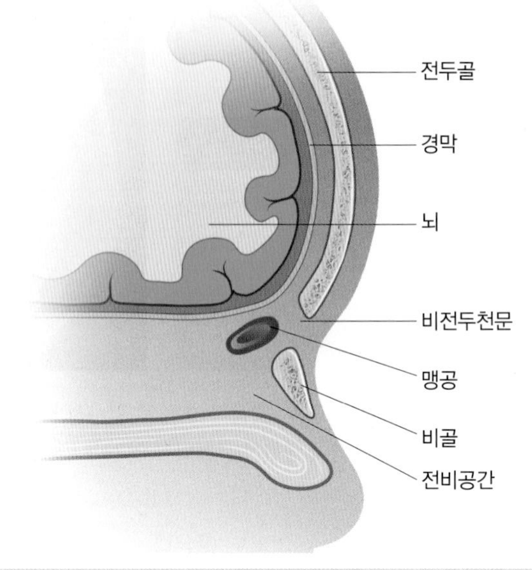

■ 그림 28-20. **전두개의 발달과 주위 구조물**

대부분 유피동이나 낭으로 국한되지만 염증이 동반된 경우도 있으며 안와농양, 골수염, 뇌막염 또는 뇌농양의 형태로 발생할 수 있다. 중추신경계와의 연결은 보고자마다 달라 적게는 4%에서 많게는 45%까지 보고되고 있다.[15]

진단은 CT와 MRI를 주로 이용하며, 조영증강 누공촬영술(dye contrast fistulography)을 사용할 수도 있으나 중추신경계와의 연결 가능성이 있기 때문에 신중해야 한다. 조영제를 사용한 1~3 mm의 얇은 절편 CT가 진단에 도움을 줄 수 있다. CT에서 비중격의 방추상(fusiform) 비대나 분열상 또는 비원개(nasal dome)의 확장이나 미란(erosion), 미간이나 비골의 파괴, 사골부 내 결손 등을 관찰할 수 있다. MRI에서는 중추신경계로의 연장여부를 확인하고 뇌조직과 감별할 수 있다.

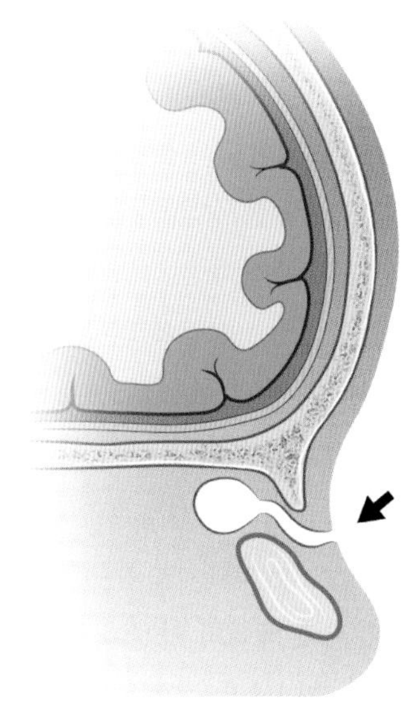

■ 그림 28-21. **누공을 동반한 유피낭**

3) 치료

치료는 낭종과 동관(sinus tract)의 완전적출이다. 개방코성형술 접근방식(external rhinoplasty incision)이 주로 쓰인다. 다만 미간 부위에 발생한 유피종의 경우 접근이 어려워 이 경우 비외측절개(lateral rhinotomy)와 정중선 수직절개(midline vertical incision)를 대안으로 이용할 수 있다. 흡인(aspiration), 소작술, 경화제(sclerosing agent)주사 등의 방법도 있으나 재발률이 높아 추천되지 않는다. 수술 시기는 수술 연기 시 발생할 수 있는 감염의 위험성과 완전적출술 시 발생할 수 있는 안면골격의 성장장애를 염두하여 결정한다. 종괴가 적절히 적출이 될 경우 재발률은 낮으나, 비교적 오랜기간의 추적관찰을 하여야 한다.

4. 선천성 정중선 종양의 진단과 치료

선천성 정중선 종양을 진단할 때 유의할 사항으로는, 첫째, 소아에서 편측의 비강종괴가 관찰되면 선천성 정중선 종양을 의심해 보아야 한다. 둘째, 뇌류, 신경교종, 유피종 등이 의심될 때에는 두개 내 연결을 확인하기 전까지는 조직검사를 시행해서는 안 된다. 셋째 CT와 MRI를 시행하여 확진과 감별진단을 한다. CT는 골성변화를 잘 보여주며, MRI는 두개 내 연결 부위를 잘 보여준다.

선천성 정준선 종양의 치료방침은, 우선 뇌류, 신경교종, 유피종은 병변과 함께 존재하는 관(tract)의 완전한 절제를 목표로 삼아야 하며, 둘째로 수술시기는 종양으로 인한 이차적 골성변화와 외형의 변화를 방지하기 위해 가능한 빨리 시행하는 것이 좋다. 셋째, 수술방법을 계획하는 데 있어 가장 중요한 정보는 두개 내외의 연결여부이다. 넷째, 수술방법은 다양하며 안면과 비내병변에는 병변의 양상에 따라 비내접근법과 비외접근법을 이용할 수 있으며, 두개 내에 병변이 국한된 경우에는 내시경적 절제술을 시행할 수 있으나 넓은 경우 개두술(craniotomy)이 필요하여 신경외과와 합동 수술을 필요로 한다.

V 선천성 후비공폐쇄

1. 역학

후비공폐쇄(choanal atresia)는 비강과 비인두 사이의 연결이 결손된 질병으로, 출생아 5,000~8,000명 당 1명꼴로 나타나는 매우 드문 선천성 질환이다.[37] 남녀비는 2:1 정로로 여아에 많으며 일측성이 양측성보다 약 2배 정도 많다. 좌측보다는 우측에서 흔하며, 인종 간 차이는 없는 것으로 알려져 있다. 전체 후비공폐쇄 환자의 50%, 양측 후비공폐쇄 환자의 75%는 Treacher-Collings 증후군, 새궁기형, 심장 및 위장관기형 등 다른 선천성 기형을 동반하며, CHARGE (coloboma, congenital heart disease, choana atresia, retard growth and development, genital anomaly in male, ear anomalies and deafness) 증후군, Crouzon 증후군의 한 양상으로 발현될 수도 있다.[30]

2. 발생기전

후비공폐쇄의 원인은 아직 확실하게 밝혀지지 않았지만 태생기 협인두막(bucopharyngeal membrane) 또는 구비막(oronasal membrane)이 천공되지 않고 잔존하여 발생한다는 이론이 가장 유력하다. 그 밖에도 구개의 수직돌기와 수평돌기가 내측으로 자라 들어가 골성폐쇄를 초래하거나 후비공 주위의 비정상적인 중배엽의 유착으로 발생한다는 가설도 있다.

3. 분류

후비공 폐쇄의 양상에 따라 골성폐괘, 막성폐쇄, 혼합성폐쇄로 분류할 수 있으며, 정도에 따라 완전과 불완전으로 분류하기도 한다. 90%가 골성 후비공폐쇄이며 나머지 10%는 막성과 혼합성 후비공 폐쇄이다.

4. 증상

신생아에서 첫 1~3주 동안은 후두개와 연구개가 인접해 있고 연구개가 혀를 덮고 있어 구강호흡이 불가능한 시기이다. 안면이 성장함에 따라 일반적으로 4~8주경에 구강호흡이 가능해진다. 따라서 양측성 후비공폐쇄일 때에는 출생 직후부터 심한 호흡곤란과 청색증이 반복해서 나타나게 되는데 이를 주기적 청색증(cyclical cyanosis)이라고 하며 이러한 주기는 울음으로써 중단된다. 편측성일 때에는 증상이 신생아기에는 없을 수도 있고 성장함에 따라 일측성 비폐색과 만성 농성비루를 호소한다. 장기간의 구강호흡으로 인한 상악골 발육장애 경구개 거상, 치열이상 및 오목가슴(funnel breast) 같은 흉곽변형이나 흡인성 폐렴이 발생할 수 있다.

5. 진단

진단방법에는 내시경을 이용한 직접적인 관찰, 소식자나 6~8Fr 카테터를 전비강으로 삽입하여 후비공으로 통과하는지의 여부를 관찰하는 방법(보통 폐쇄부까지의 거리는 약32 mm이다.), 비강앞에 반사경을 놓고 콧김이 서리는 것을 관찰하는 방법, methylene blue를 비강 내에 점적하고 비인강으로의 통과 유무를 확인하는 법, 앙와위에서 환자의 전비강에 조영제를 주입한 다음 단순 측면 방사선촬영법으로 확인하는 법 등이 있으며, CT를 통하여 확진하는 동시에 폐쇄의 양상과 정도를 평가한다. 촬영 전 비강 내를 흡인하거나 약물을 통한 비강수축은 촬영영상의 해상도를 높일 수 있다.

후비공 폐쇄와 감별하여야 할 질환은 인두기형, 선천성 성문하협착증, 선천성 성문하혈종, 후두연화증, 기관식도 누공, 대설증 및 설하수(glossoptosis) 등이다. 울음소리가 비정상적인 경우에는 인두기형, 선천성 성문하협착증, 혹은 선천성 성문하혈종 등과 감별하여야 한다. 울음소리가 정상이고 울 때 호흡부전이 호전되지 않는 경우에는 후두연화증과 감별해야하며, 울음에 따라 비폐색이 호전되고 고무 카테터가 비인강을 통과할 때에는 기관식도누공 대설증 혹은 설하수 등과 감별해야 한다.

6. 치료

후비공 폐쇄의 치료는 폐쇄의 정도, 폐쇄의 유형, 환자의 연령 및 다른 선천성 기형의 존재 유무에 따라 달라진다. 양측성인 경우에는 내과적 응급질환이므로 근본적인 수술 치료에 앞서 McGovern's nipple(그림 28-22)이나 구인강 튜브(oral airway)로 구강기도를 확보하고 튜브를 통해 적절한 영양을 공급해야 한다. 4~8주경이 되면 구강호흡이 가능해지며 근본적 치료는 영양공급을 하다가

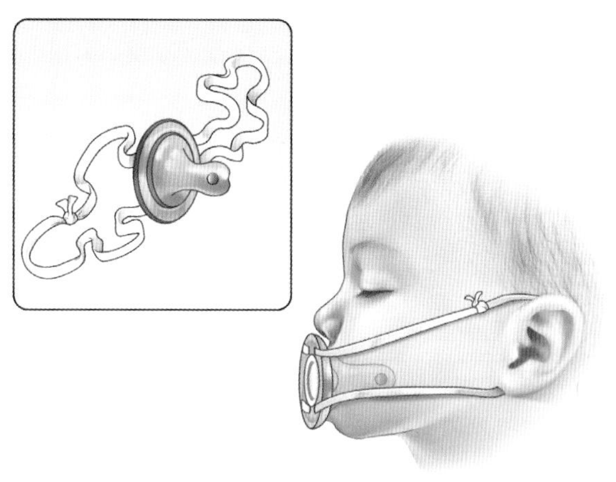

■ 그림 28-22. **McGovern's nipple.** 젖꼭지의 끝에 1개의 큰구멍 또는 2개의 측면 구멍을 내어 호흡과 포유를 가능하게 한다.

생후 1년경에 수술하는 것이다. 일측성일 때에는 구개가 충분히 성장한 뒤 안전하고 재발이 적고 경과가 좋은 치료방법을 선택한다.

근본적인 수술법은 경비강법(transnasal approach), 경구개법(transpalatal approach), 경비중격법(trans-septal approach), 경상악동법(transantral approach) 등의 4가지 방법이 있다. 이중 경비중격법은 비중격의 성장에 영향을 미쳐 소아에서는 이용되지 않고, 경비강법과 경구개법이 주로 쓰이며, 최근에는 내시경 기구의 발달로 인하여 치아와 안면부 성장 장애가 덜한 경비강법이 가장 선호된다.

1) 경구개법(transpalatal approach)

수술 시야가 좋아 폐쇄부위를 충분히 제거할 수 있고 비점막을 보존할 수 있어 수술 후 재협착의 빈도가 적은 것으로 알려져 있다. 그러나 수술시간이 길고 출혈량이 다른 접근법에 비하여 비교적 많으며, 대구개 신경혈관계(greater palatine neurovascular bundle)를 손상시킬 수 있고, 수술 후 일정기간 동안 구강섭취가 불가능하며, 정상구개의 발육장애를 초래할 수 있어 3세 이후에 시행하는 것이 좋다. 먼저 경구개를 절개하고 경구개 피판을 거상한 후 드릴을 이용하여 경구개 뼈를 제거한 다음, 후비공의 폐쇄된 부위를 제거한다(그림 28-23).

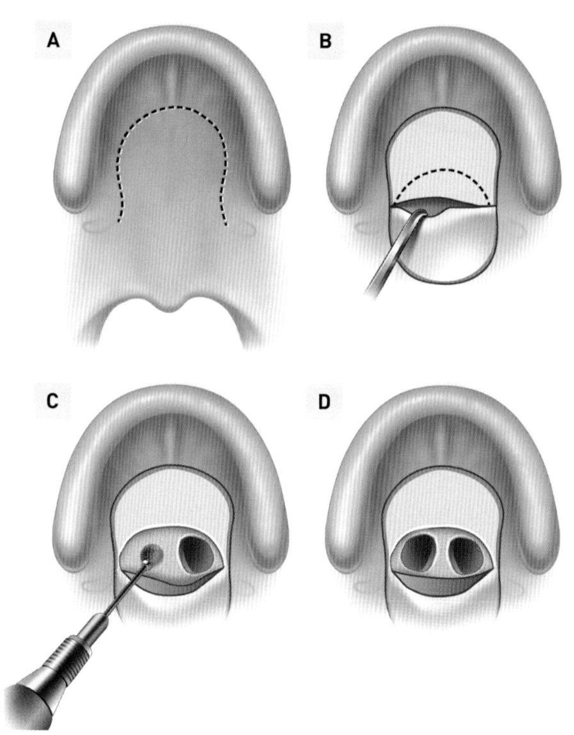

■ 그림 28-23. **경구개법을 이용한 선천성 후비공폐쇄 수술.**
A) 경구개의 점막을 절개한다. **B)** 점막피판을 박리한다.
C) 드릴로 경구개를 제거한다. **D)** 후비공폐쇄 부위를 제거한다.

2) 경비강법

주로 영아에서 사용하는 방법으로, 출혈량이 적고 소요시간이 적으며 경구개에 손상을 주지 않아 구개 발육장애를 가져올 가능성이 적으나, 비교적 재협착의 빈도가 높다는 단점이 있다. 최근에는 내시경을 이용한 경비강법이 간단하고 안전하여 널리 사용되고 있으며, 수술 성공률도 점차 높아지는 추세이다. 막성 후비공 폐쇄의 경우 CO2레이저 등이 유용하게 사용되며, 골성 후비공 폐쇄의 경우 드릴이나 Nd-YAG 혹은 Ho-YAG 레이저로 쉽게 교정할 수 있다(그림 28-24). 수술 시 중비갑개의 후방 말단이 중요한 지표가 된다. 수술 후 재협착을 방지하기 위해 Gortex, silicon, silastic, polyethylene 등의 여러 종류의 스텐트를 사용할 수 있으며 단단한 것보다는 부드러운

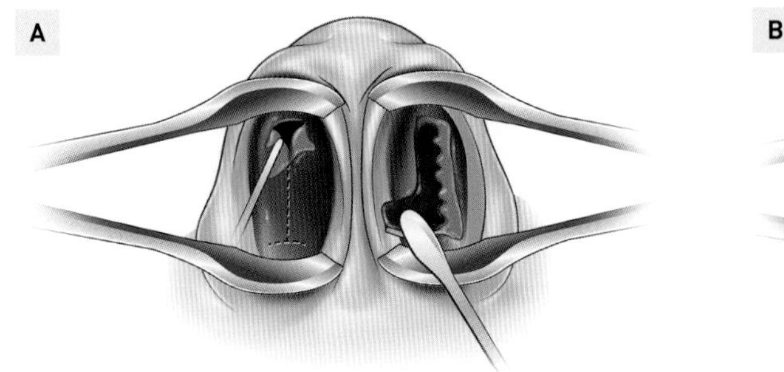

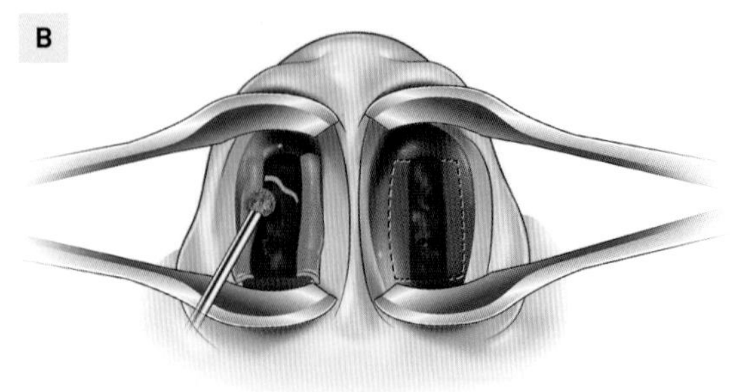

■ 그림 28-24. **경비강법을 이용한 선천성 후비공폐쇄 수술. A)** 비강을 통하여 폐쇄된 후비공의 전면에 내측과 외측으로 점막피판을 만든다. **B)** 드릴로 루비공 폐쇄 골부를 제거하고 새로 만들어진 후비공의 내측, 외측 벽에 점막피판을 위치시킨다.

재질의 스텐트가 점막의 신속한 재생을 돕고 반흔 형성을 최소화한다는 보고가 있다. 또한 스텐트 자체가 지속적인 자극으로 인하여 염증의 원인이 될 수 있으며, 이러한 이물반응은 오히려 재협착을 조장한다는 보고도 있다. 따라서 스텐트를 사용하기로 결정하였을 경우에는 예방적인 항생제 투여와 역류치료를 같이 병행하여야 한다. 보통의 스텐트 유치기간은 4~6주간이 적당하며, 재협착을 방지하기 위해 적신 거즈 등을 통한 술부에 mitomycin C의 적용도 고려해 볼 수 있다. 추적관찰 중 협착의 우려가 있는 경우 urethral sound 등을 이용해 주기적인 확장술을 시도할 수도 있다.

참고문헌

1. 김석화. 한국 두개안면성형수술의 현재와 미래. 대한의사협회지 2011;54(6):576-580.
2. 김종렬, 진성준, 조영철 등. 구순구개열환자에서 자가입자망상골을 이용한 이차성 치조골이식에 관한 임상적 연구. 대한악안면성형재건외과학회지 2001;23:163-168.
3. 김창훈, 박형우. 코의 초기발생. 박인용, 윤주헌, 이정권 편. 코 임상해부학. 서울: 아카데미아;2001. p.9-31.
4. 김창후, 이정권, 최윤석 등. 선천성 후비공 폐쇄증: 7예의 분석. 한이인지 2000;43:296-299.
5. 민양기. 임상비과학. 일조각, 1997, p144-146, 625-641.
6. 민양기, 장선오, 정하원 등. 구개열 환자의 임상적 고찰. 한이인지 1992;35(2):321-327.
7. 박영학, 고석윤, 김성원 등. 신생아에서 호흡곤란을 초래한 비인두 신경교종 1예 2004;47:917-919.
8. 신영민, 권대근. 구순구개열 환자를 위한 상악 악교정 수술. 대한치과의사협회지 2015;53:468-475.
9. 이재서. 악안면의 선천성 질환. 대한이비인후과학회편. 이비인후과학-두경부외과학 서울: 일조각;2009, p1243-1262.
10. 이창윤, 김익태, 양경헌 등. 비내 뇌수막류 1례. 한이인지 1997;40:141-146.
11. 정명현, 이한구, 한지영 등. 신생아 비인강내 발생한 유피종 1례. 한이인지 1991;34:626-629.
12. 최준, 오재욱. 선천성 구순열 및 구개열 환자에 대한 임상적 연구. 인제의학 1993;14:231-239.
13. Argamaso RV. Glossopexy for upper airway obstruction in Robin sequence. Cleft Palate Craniofac J 1992;29:232-238.
14. Bjork L. Velopharyngeal function in connected speech. Acta radiologica, 1961;202: 1-94.
15. Cable BB, Canady JW, Karnell MP, et al. Pharyngeal flap surgery: long-term outcomes at the University of Iowa. Plast Reconstr Surg 2004;113:475-478.
16. Chen EY, Sie KCY. Developmental anatomy. In: Flint PW, Haughey BH, Lund V, editors. Cummings Otolaryngology-Head and Neck Surgery. 6th ed. Philadelphia: Elsevier Saunders;2015. p.2821-2830.
17. Cronin TD, Cronin ED, Roper P, et al. Bilateral clefts. In: McCarthy JG editor. Plastic Surgery. Philadelphia: WB Saunders;1990. p 2654.
18. Curtis EJ, Fraser FC, Warburton D. Congenital cleft lip and palate: risk figures for counseling. Am J Dis Child 1961;102(6):853-57.
19. Dixon MJ, Marazita ML, Beaty TH, et al. Cleft lip and palate: understanding genetic and environmental influences. Nat Rev Genet 2011;12:167-178.
20. Elluru. Congenital Malformations of the Nose and Nasopharynx. In: Flint PW, Haughey BH, Lund V, editors. Cummings Otolaryngology-Head and Neck Surgery. 6th ed. Philadelphia: Elsevier Saunders;2015. p.2944-2955.
21. Finkelstein Y, Zohar Y, Nachmani A, et al: The otolaryngologist and

the patient with velocardiofacial syndrome. Arch Otolaryngol Head Neck Surg 1993;119:563-569.

22. Fraser GR, Calnan JS. Cleft lip and palate: seasonal incidence, birth weight, birth rank, sex, site, associated malformations and parental age. A statistical survey. Arch Dis Child 1961;36:420-423.
23. Furlow LT, Jr. Cleft palate repair by double opposing Z-plasty. Plast Reconstr Surg 1986;78:724-738.
24. García Velasco M, Ysunza A, Hernandez X, et al: Diagnosis and treatment of submucous cleft palate: a review of 108 cases. Cleft Palate J 1988;25:171-173.
25. Harley EH. Pediatric congenital nasal masses Ear Nose Throat J 1991;70:28-32.
26. Hwang PH, Abdalkhani A, Embryology, Anatomy and Physiology of the Nose and Paranasal Sinuses. In: Snow JB, Wackym PA, Ballenger JJ, editors. Ballenger's Otorhinolaryngology Head and Neck Surgery. 17th ed. Shelton: Pmph-USA;2009. p.455-464.
27. Ingalls TH, Taube IE, Klingberg MA. Cleft lip and cleft palate: epidemiologic considerations. Plast Reconstr Surg 1964;34(1):1-10.
28. Keeling JW, Hansen BF, Kjaer I. Pattern of malformations in the axial skeleton in human trisomy 21 fetuses. Am J Med Genet 1997;68:466-471.
29. Kondo S, Schutte BC, Richardson RJ, et al. Mutations in IRF6 cause Van der Woude and popliteal pterygium syndromes. Nat Genet 2002;32:285-289.
30. Leclerc JE, Fearon B. Choanal atresia and associated anomalies. Int J Pediatr Otorhinolaryngol. 1987;13:265-72.
31. Lee CW, Hwang SM, Lee YS, et al. Prevalence of orofacial clefts in Korean live births. Obstet Gynecol Sci 2015;58(3):196-202.
32. Malcom CM, Peter TB, Guilermo M. Embryogenesis of cleft lip and palate. In: McCathy JG, ed. Plastic surgery. Philadelphia: WB Sauders; 1990. p2526-2529, p.2742-2745.
33. McWilliams BJ: Submucous clefts of the palate: how likely are they to be symptomatic? Cleft Palate Craniofac J 1991;28:247-249.
34. Millard DR. A radical rotation in single harelip. Am J Surg. 1958;95(2):318-322.
35. Millard DR. Columella lengthening by a forked flap. Plast Reconstr Surg 1958;22:454-457.
36. Muntz H, Smith ME, Sauder C. Velopharyngeal Dysfunction. In: Flint PW, Haughey BH, Lund V, editors. Cummings Otolaryngology-Head and Neck Surgery. 6th ed. Philadelphia: Elsevier Saunders;2015. p.2933-2943.
37. Pirsig W. Surgery of choanal atresia in infants and children: historical notes and updated review. Int J Pediatr Otorhinolaryngol. 1986;11(2):153-70.
38. Puppala B, Mangurten HH, McFadden J, et al. Nasal glioma. Presenting as neonatal respiratory distress. Definition of the tumor mass by MRI. Clin Pediatr (Phila). 1990;29:49-52.
39. Rahbar R, Shah P, Mulliken JB et al. The presentation and management of nasal dermoid: a 30 year experience. Arch Otolaryngol Head Neck Surg 2003;129:464.
40. Sadler TW. Head and neck embryology. In Sadler TW, editor. Langman's Medical Embryology. 6th ed. Baltimore: Williams & Wilkins;1990. p.313-320.
41. Schweckendiek W, Doz P. Primary veloplasty: long-term results without maxillary deformity. a twenty-five year report. Cleft Palate J 1978;15:268-274.
42. Vantrappen G, Rommel N, Cremers CW, et al: The velo-cardiofacial syndrome: the otorhinolaryngeal manifestations and implications. Int J Pediatr Otorhinolaryngol 1998;45:133-141.
43. Weatherley-White RC, Sakura CY, Jr, Brenner LD, et al. Submucous cleft palate. Its incidence, natural history, and indications for treatment. Plast Reconstr Surg 1972;49:297-304.
44. Zucchero TM, Cooper ME, Maher BS, et al. Interferon regulatory factor 6 (IRF6) gene variants and the risk of isolated cleft lip or palate. NEJM 2004;351:769-780.

CHAPTER

29

치성 질환

김동은

치성 질환은 이비인후과 영역에서 흔히 볼 수 있는 질환은 아니지만 조기에 적절한 치료가 시행되지 않으면 부비동염이나 두경부 심부 감염 등 심각한 합병증을 초래할 수 있으므로 이비인후과 의사는 이 질환과 관련된 기본적인 해부학적 구조와 병태생리를 잘 이해하고 있어야 한다.

치성 질환은 크게 염증성과 비염증성으로 나뉜다. 염증성 치성 질환은 치아의 염증이 인접한 부비동이나 안면부로 파급되어 발생하는데, 흔히 치성 감염증(odontogenic infection)이라 불린다. 전체 상악동염의 약 10~12%는 이러한 치성 감염이 원인인데, 원인 균주, 병태생리, 그리고 치료법 측면에서 다른 부비동염과 차이가 있다.[11] 치성 부비동염을 효과적으로 치료하기 위해서는 부비동염에 대한 치료와 함께 원인이 된 치성 질환에 대한 치료가 병행되어야 한다. 최근 임플란트 이식 후 발생한 급성 상악동염, 이식물 전위, 구강상악동루 등으로 내원하는 환자가 늘고 있어 이비인후과 의사의 관심이 필요하다.

비염증성 치성 질환은 구강악안면 부위에 발생한 양성 혹은 악성 종양을 말하며, 양성 종양은 다시 치성 낭과 양성 치성 종양으로 분류할 수 있다. 구강이나 치아의 염증 때문에 이차적으로 발생한 경우를 제외한 대부분의 치성 낭이나 치성종양은 치아의 발생 과정에서 퇴화되어야 할 조직 혹은 정상 치아의 배엽조직에서 기원한다.[9] 낭이나 종양의 발생 위치나 임상적 특징을 통해 일차적으로 질환을 감별할 수 있고, 병리조직검사를 통해서 확진할 수 있다. 치성 질환은 대부분 악성화 과정을 거치지 않는 양성 병변이지만, 극히 드물게 악성종양으로 진행할 수 있기 때문에 주의가 필요하다.

I 치아의 발생과 구조

1. 치아의 발생

원시 구강(stomodeum)은 외배엽으로 구성되고 내배엽인 전장(foregut)의 상부맹관과 접촉해 있다. 이 두 층이 융합해 협인두막(buccopharyngeal membrane)이 되는데 태생 27일경 일부가 파열되면서 연결된다. 다른 장기의 간엽조직(mesenchyme)이 중배엽으로부터 발생하는 데 비해 두경부는 신경 능선에서 비롯된 외배엽에서 발생해 외간엽조직(ectomesenchyme)이라고 불린다.[43]

초기의 치순(tooth bud)은 3개의 독립된 부분으로 나뉘는데, 구강 외배엽으로부터 법랑기관(enamel organ)은 법랑질(enamel)을 만들어내며, 외간엽 조직에서 발생한 치간유두(dental papilla)는 상아질(dentin)과 치수(dental pulp)를 만들고, 치낭(dental follicle, dental sac)은 백악질(cementum)과 치주인대(periodontal ligament)로 발전한다.

치아는 치판기(dental lamina stage), 치뢰기(bud stage), 성장기(cap stage proliferation)와 벨 모양기(bell stage)의 발생단계를 거쳐 연립(apposition), 치근(root) 형성을 거쳐 맹출된다.[8]

태생 5주경 원시 하악 내에 상대적으로 두꺼운 상피조직이 발생하면서 주위의 외간엽 조직으로 구성된 꽃순 같은(bud-like) 구조물을 형성한다. 이 두꺼운 상피조직이 치판(dental lamina)이며 꽃순 같은 구조물은 원시 구강의 상피에서 발생하는 치순이다. 법랑기관은 덮개 같은 구조물로서 성상 망상조직(stellate reticulum)에 의하여 단층의 입방상피인 내측 법랑상피와 원주상피의 외측 법랑상피로 나뉜다(Cap stage, 증식기).

내측 법랑상피 세포는 법랑모세포(ameloblast)로 분화해서 법랑질을 분비하게 된다. 치간 유두는 법랑기관의 하방에 위치한 외간엽 조직으로 치아의 발육과정에서 상아질과 치수를 형성한다. 이 시기에 치판이 분산되면서 간혹 잔류조직을 남기기도 하는데 이 세포들이 Serres 잔류조직(rests of Serres)이다(Bell stage, 조직 및 형태 분화기).[8]

치낭은 법랑기관과 치간 유두를 둘러싸고 있는 외간엽 조직을 말하는데 치아의 맹출 전까지 내측에 퇴화법랑상피(reduced enamel epithelium)와 닿아 있으며, 퇴화법랑상피의 내측에는 법랑질이 존재한다. 치아가 맹출되면 치낭은 퇴화하여 사라지고 퇴화법랑상피는 법랑질과 치조골의 경계면에 약간의 잔류조직이 되어 남기도 한다. 치아모세포(odontoblast)는 치간 유두의 외간엽조직세포가 분화한 세포로서 발육 과정의 치아에 상아질을 분비하여 공급한다. 치아모세포에 의해 상아질이 분비되면서 치근이 만들어지고, 법랑모세포에 의해 법랑질이 분비되면 치관이 만들어 진다. 칼슘이 침착된 상아질에 의해 주로 구성된 치근은 이중의 상피세포막으로 둘러싸여 치주인대 속에 위치한다.[43]

치근은 치아가 맹출된 지 2~3년 후 완성되며, 치주인대속의 상피세포막은 발생과정 중 잔류조직을 남기게 되는데 이 잔존세포들이 Malassez 잔류조직(rests of Malassez)이다(Root formation).

치근 상아질의 외측 표면에 존재하는 백악질은 치낭의 외간엽 조직세포들이 분화한 백악모세포(cementoblast)에 의해 분비된다. 이와 같이 각 구성성분을 분비하는 해당 세포들로부터 분화가 진행된 세포들이 각 구성물질을 분비하면서 치아가 발생하게 된다.[8]

2. 치아의 구조

구강에서 관찰되는 치아는 법랑질로 이루어진 치관(dental crown)뿐이지만, 치은(gingiva)에 덮여서 관찰되지 않는 치근(dental root)이 치조골 내에 있어서 치근과 연결된 치관은 치조골에 고정되어 있다. 치근은 주로 상아질(dentin)로 이루어져 있으며, 상아질의 내측에 치수(dental pulp)가 있고, 외측에 백악질(cementum)이 있다. 백악질의 외측에는 백악질을 감싸고 있는 치주인대(periodontal ligament)가 있고 치주인대는 치조골과 바로 접촉하고 있다(그림 29-1).[1,8]

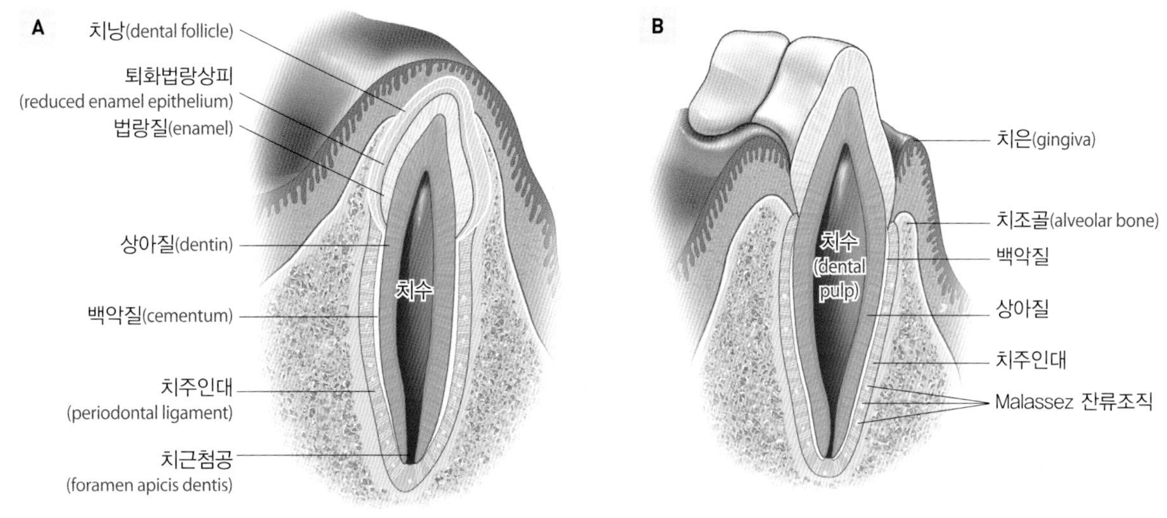

■ 그림 29-1. **맹출 전(A)과 맹출 후(B)의 치아 구조**

Ⅱ 치성 부비동염과 치성 감염증

1. 치성 상악동염

상악동은 구강과 인접해 있기 때문에 상악의 치은 및 치아에서 발생한 감염성 질환이 쉽게 파급될 수 있으며, 치성 낭종 및 치성종양도 상악동에 영향을 미칠 수 있다. 치성 상악동염이란 치과 질환이 해부학적인 근접성 때문에 상악동으로 파급되어 부비동염이 유발된 상태를 말한다. 치성 상악동염은 전체 상악동염의 약 10%를 차지할 정도로 비교적 흔한 질환이다. 이 질환의 원인으로는 농양, Schneidarian 막이 파괴되는 치주질환, 상악치의 염증, 상악골 외상, 발치 또는 치아 이식, 술 중 상악 절골술 등이 있다.[31] 구강 보건의 수준이 높아지고 광범위 항생제가 사용되면서 치주질환으로 인한 치성 상악동염의 빈도는 줄어들었으나, 최근 임플란트 등 침습적인 구강 외과적인 시술이 널리 보급됨에 따라 치성 부비동염의 양상이 달라지고 있다.

1) 해부 및 생리

상악동은 부비동 가운데 가장 먼저 발생하며, 태생 3개월경에 비강의 중비도에서 측방으로 사골누두 상피가 함입되며 동의 발생이 시작된다. 태생 5개월째에는 성장하는 상악골 내로 함입되기 시작하며, 생후 12~14세가 되어 나타나는 영구치의 맹출 후에야 동의 팽창이 멈추는데 이 시기는 상악 치조돌기의 성장 시기와 일치한다. 치아가 없는 경우 상악동 저는 잔존 치조돌기까지 함기화가 계속 진행되어 얇은 치골만이 구강과 상악동의 유일한 경계가 된다.[11] 성장이 진행되며 상악동의 바닥 면과 상악치아의 치근부가 얇은 뼈를 사이에 두고 접하게 된다. 상악골의 전벽은 견치와(canine fossa)의 중심이 두께 2~5 mm로 가장 얇은 부위다. 이곳 상부에는 거순근(labial levator)과 안륜근(orbicularis oculi)이 하안공(infraorbital foramen) 상부에 부착되어 있어서 이를 통해 상악치의 감염이 상악동으로 전파될 수 있다.[31]

대체로 중절치와 측절치의 치근은 상악동과 인접하지는 않으나 상악 소구치(premolar)와 대구치(molar)의 뿌리는 상악동 저부에 일정하게 부착해 있다. 제2 대구치의 치근단이 상악동저에 가장 근접한 치아지만, 제1 대구치

의 발치가 가장 많이 이루어지기 때문에 치성 상악동염은 제1 대구치에서 가장 흔하게 발생한다.[30]

2) 원인균

치성 감염을 일으키는 균주는 *Streptococcus viridans*, *β-hemolytic streptococci*, group A *streptococci*, *S. pneumonia*, *Staphylococcus aureus*, *Hemophilus parainfluenza*, *Enterobacteria*, *Anaerobes* 등이다. 치성 상악동염을 일으키는 균도 치성 감염을 일으키는 구강 균주와 거의 동일하다. 치성 상악동염은 대부분 호기성과 혐기성의 혼합 감염이며 그 빈도가 약 65%에 이른다. *Streptococci*균주, *Bacteroides*, *Viellonella*, *Corynebacterium*, *Fusobacterium*, *Eikenella* 등이 흔히 발견되는 원인균이다.[30,31]

3) 병태생리

치성 상악동염의 발병 기전은 크게 세 가지로 나누어 볼 수 있다. 먼저 구강상악동루 등으로 인한 구강 내 감염원이 위로 진행하는 경우가 있다. 다음으로 치근첨 주위 농양, 치주질환, 매복 치아 등으로 인해 구강과 부비동의 경계가 약해지는 경우 치성 감염이 전파되어 상악동염이 발생할 수 있다. 마지막으로 근관 주위의 염증이 부비동으로 파급되는 경우에도 치성 상악동염이 발생할 수 있다. 상악동 밑바닥의 골 조직은 상대적으로 두꺼워 치아 감염이 직접 전파되는 경우는 드물지만 상악골의 측벽은 쉽게 파괴되어 대부분의 치성 감염이 연조직이나 근막감염의 형태로 나타난다.[11] 대부분의 상악치 감염은 충치에서 비롯되는데, 최초로 치아의 가장 외곽 층인 법랑질에서 감염이 시작되어 중간층인 상아질층을 지나 치수에 이른다. 일단 감염이 치수에 다다르면 치수 내 조직은 괴사하고 농을 형성한다. group A β-hemolytic streptococci 등에 의해서 생성된 세균독소는 치수 내 혈관내피세포를 손상시키고 collagenase와 같은 효소가 발생하여 뼈 조직을 침범한다.[31] 치아는 치근에 의해 보호되어 있어 감염을 효과적으로 치료하기가 힘들고 염증 반응의 산물인 lysosomal enzyme에 의해 골 조직의 흡수가 진행된다.[11] 이러한 치아의 감염이 제때 치료되지 않으면 치아 뿌리의 말단부 구멍을 통해 치조골이 천공되며 염증이 확산된다. 상악의 감염은 얇은 협부 치조골을 뚫고 용이하게 협부의 연조직으로 진행되고, 상악대구치의 구개근이나 측절치의 감염은 골막 하로 진행하여 경구개감염의 원인이 된다. 더 진행하면 이러한 감염이 부비동을 통해 안와까지 파급될 수도 있다. 특히 상악치의 발치, 치수 치료 등의 시술은 이러한 과정 없이도 치아감염이 부비동 내로 파급되는 좋은 경로를 제공한다. 대구치의 감염이 오래 방치된 경우 인접한 치조골의 흡수가 진행되어 골 두께가 얇아져 발치 후 쉽게 골절되고 구강 상악동 누공(oroantral fistula)의 원인이 되기도 한다. 치성 감염이 부비동으로 침범하게 되면 압력이 상악동 내로 개방되면서 임상 증상이 일시적으로 호전되지만, 그 이후로 치성 상악동염이 진행됨에 따라 환자의 증상은 더욱 심해진다.[30]

4) 치료

치성 부비동염 치료에 있어 가장 중요한 점은 치성 감염의 원인을 밝히고 적절한 치료를 시작하면서 동시에 부비동염에 대한 내과적, 외과적 치료가 이루어져야 한다는 것이다. 원인균에 감수성이 있는 항생제를 선택해야 하며, 혐기성 세균의 가능성도 고려해야 한다. 아울러 국소적 충혈 제거제 등의 약물을 이용해 비강 내 점막의 부종을 감소시키고 분비액의 배출을 촉진하면 치료에 도움이 된다.[39] 외과적 치료의 적응증은 약물 치료에 효과가 없거나 부비동염이 부비동을 넘어 안와부나 안면부로 파급되거나 합병증이 유발된 경우다. 이러한 수술적 치료의 목적은 감염의 원인을 제거하는 것이므로 부비동 내로 돌출된 치근을 제거하거나 감염된 치아의 신경관 제거도 고려할 수 있다. 과거에는 치료 과정에서 발치를 많이 했지만 최근에는 보존적 치료의 비중이 높아지고 있는데, 이는 항생제 치료와 함께 치근의 국소 치료를 통해서도 좋은 효과를 얻을 수 있기 때문이다.[30] 치아의 염증이 치유된 후에도 상악동염이 지속적으로 남아 있거나 치과의 침습적인 시술에 의해 2차적으로 발생한 부비동염의 경우에도 수술적 치료를 고려하게 된다. 비내시경을 이용한 비내상악동 개방술로 상악동 내의 저류액을 배출하고 부비강을 환기시키는 방법부터 Caldwell-Luc 수술까지 다양한 술식을 이용할 수 있는데, 상악동내 점막병변 상태, 염증성 치아의 위치, 구강상악동 누공의 유무 등을 고려하여 수술방법을 선택한다.[30,39] 이처럼 치성 부비동염은 치아 관련 질환이 일차적인 원인이 되는 경우가 많으므로 급성기 치료 이후에도 치과적 원인 질환이 제대로 치유되었는지를 살펴야 한다. 이러한 치성 상악동염을 제때 치료하지 않으면 안면부 연조직 감염, 안와부 봉와직염, 안와 농양, 두개강내 농양, 해면정맥동 혈전증, 뇌막염, 패혈증 등의 심각한 합병증이 초래될 수 있으므로 조기에 진단하고 적절한 치료를 신속히 시행할 필요가 있다.[39]

5) 임플란트 관련 급성 상악동염

소실된 치아의 기능을 회복하기 위해 금속을 치조골에 삽입하는 임플란트 시술이 많이 행해지고 있다. 상악동 밑바닥 높이보다 이식하는 임플란트의 길이가 긴 경우 시술 중 상악동 막에 천공이 생기기 쉽고 시술 후 급성 상악동염이 발생할 가능성이 커진다. 임플란트 시술 후 발생한 상악동 점막의 부종으로 상악동 자연공 폐쇄가 일어난 경우나 임플란트가 상악동 내로 노출된 경우에도 급성 상악동염을 일으킬 수 있다. 임플란트 시술 과정에서 상악동 구치부 잔존 치조골이 10 mm 이하인 경우에는 상악동 거상술 후 골이식 등을 시행하게 되는데 상악동저 보강술 후에도 간혹 급성 상악동염이 발생할 수 있다.[11,30] 임플란트 시술 후 급성 상악동염이 발생한 경우 원인이 기저막 부종과 자연공 폐쇄로 판단될 경우 1~2주간의 항생제 치료로 효과를 볼 수 있다. 보존적 치료에도 증상이 호전되지 않는다면 감염된 조직을 제거하고 부비동의 환기를 위해 내시경 부비동 수술을 고려해 볼 수 있으며 이러한 치료로 증상이 호전되는 경우에는 임플란트를 유지할 수 있다. 그러나 이러한 보존적 약물 치료와 내시경 부비동 수술에도 증상의 호전이 없고 임플란트가 불안정하다면 이식한 임플란트의 제거도 고려해야 한다.[3]

임플란트 시술 후 발생 가능한 급성 상악동염을 예방하기 위해 시술 전 부비동에 대한 평가가 중요한데, 비내시경을 이용한 비강 및 중비도 관찰과 부비동 CT가 도움이 될 수 있다. 영상학적 검사상 부비동의 단순 점막 비후가 관찰될 경우에는 약물치료 후 재확인을 거쳐 임플란트 시술이 가능하다. 그러나 점막 비후에 의해 이미 상악동 자연공이 폐쇄된 경우에는 이에 대한 치료가 선행되어야 한다. 상악동 내 작은 크기의 낭종이 발견된 경우에는 별다른 조치 없이 임플란트 시술이 가능하나 상악동저 거상술 시 낭종이 상악동 자연공을 폐쇄할 가능성이 있는 경우에는 비 내시경 수술을 통한 제거가 선행되어야 한다. 비강 내 농성 비루가 있고 영상학적 검사 상 급성부비동염이 의심되는 경우에는 항생제로 충분한 기간 치료를 한 후 확인을 거쳐 임플란트 시술을 해야 한다. 비 내시경 검사상 비강 내 비용 등이 관찰되고 영상학적 검사상 상악동 자연공이 폐쇄되어 있거나 부비동의 혼탁이 관찰되는 등 만성 부비동염이 의심될 경우에는 시술 후 급성 상악동염이 발생할 가능성이 높으므로 부비동내시경수술을 통해 만성 염증을 먼저 해결한 후 임플란트 시술을 권한다.[3,30]

2. 구강저 봉와직염

구강저 봉와직염(Ludwig angina)은 양쪽 설하공간, 악하공간의 감염성 질환이다. 치성 감염이 두경부의 다른 공간으로 빠르게 퍼져나가면서 구강저 봉와직염을 초래할 수 있다. 임상적으로는 전방과 외측 경부의 광범위한 종창이 생기고, 구강저가 거상 된다. 특히 설하 공간으로 감염이 진행될 경우 혀가 뒤쪽으로 밀려 후두의 상방을 막아 호흡이 어려워질 수도 있어 주의가 필요하다. 원인균은 호기성 혹은 혐기성의 그람 양성 구균 혹은 그람 음성의 간균이며 혼합감염인 경우도 흔하다. 대부분 *Streptococcus*를 포함하고 *Staphylococcus*, *Fusobacterium*, *Bacteriodes*도 흔하다. 진단은 임상 양상에 기초하며 CT 등의 영상학적 검사는 병변의 위치와 범위를 확인하는 데 도움이 된다.[15] 구강저 봉와직염이 의심되는 경우에 치료의 핵심은 기도 유지다. 응급 기관 절개술을 통한 기도의 확보가 필요한 경우도 적지 않다. 호흡곤란이나 청색증은 뒤늦은 징후이기 때문에 이 증상들이 발생하기 전에 신속한 조치가 필요하다. 부종으로 인한 해부학적 변형이 동반되기 쉬워 구강이나 비강을 통한 기도 삽관술의 시행이 어렵고 오히려 이로 인해 기도 폐쇄를 불러올 수도 있다. 호흡 곤란 증상이 있는 경우 중환자실 등에서 산소포화도를 지속적으로 관찰하거나, 구강을 통한 기도삽관 대신 비인두 내시경을 통하여 직접 기도를 확인하며 비강을 통한 기도삽관을 하기도 한다.[28]

치료를 위해서는 그람 양성, 그람 음성, 혐기성 균에 효과가 있는 광범위 전신적 항생제 투여가 우선되어야 한다. 이미 화농낭이 형성되어 있어 절개 및 배농을 해야 하는 경우도 있다. 심한 부종이 1주일 이상 지속되어 호흡곤란이 발생한 경우 기관 절개술을 통한 기도삽관을 시행한다.[15,28]

3. 구강 상악동 누공

1) 원인

치성 부비동염의 주요 발병 원인인 구강 상악동 누공(oroantral fistula)은 30대 이상의 성인에서 많이 발생하며, 성별의 차이는 없는 것으로 알려져 있다. 구강 상악동 누공은 발치나 외상으로 구강과 상악동이 비정상적으로 연결된 병변을 통칭하며, 특히 발치 후 많이 발생한다. 상악 제1 대구치에서 가장 많이 발생하는 것으로 알려져 있는데, 이는 상악 제1 대구치가 제2 대구치 다음으로 상악동 기저부와 인접한 치아이며, 가장 많은 발치가 행해지는 치아이기 때문이다.[31] 무치악 부위에 인접한 치아, 치근의 이개도가 심한 치아를 발치할 경우에도 누공이 쉽게 발생하며, 상악동 내로 치근의 첨부가 돌출되어 있거나 거의 골로 덮여있지 않을 때도 잘 발생한다. 발치 외에도 Caldwell-Luc 수술, 치아의 염증으로 인한 치아조직의 괴사, 치성 낭이나 종양에 의한 상악동 치아 경계선 조직의 파괴 때문에 누공이 발생하기도 한다.[19,31] 대부분 누공은 크기가 작아서 시간이 경과하면 발치와에 혈병이 차여 누공이 저절로 막히게 된다. 그러나 상악동의 감염 등으로 인해 손상된 조직이 단기간 내에 치유되지 않으면 조직의 결핍 공간이 지속되면서 영구적인 구강 상악동 누공이 형성된다.

2) 증상 및 진단

상악동 내의 분비물이 구강 상악동 누공을 통해 구강으로 배출되므로 환자는 약간 짠맛의 분비물이 배출되는 것을 느끼게 된다. Valsalva법을 시행하면 비강에서 전해지는 압력 때문에 분비물이 더 많이 배출되는 양상을 구강을 통해 관찰할 수 있고, 간혹 누공을 통하여 공기 방울이 보이기도 한다. 누공을 통해 구강에서 상악동으로 음식물 등의 이물질이 들어갈 수 있는데 이는 반복되는 상악동염의 원인이 될 수 있다. 급성 상악동염이 발생하면 안면부 압통, 후비루, 비폐색 등의 증상을 호소할 수 있다. 임상적으로 의심되는 환자에서 누공의 위치를 확인하면 구강 상악동 누공을 확진할 수 있는데, 누공에서 배출되는 분비물을 직접 관찰하거나 소식자(probe)로 구강 상악동 누공을 확인한다.[19] 단순 방사선 촬영상 누공을 통해 상악동으로 삽입된 소식자를 확인할 수 있고, 부비동 전산화 단층 촬영을 이용하기도 한다(그림 29-2).[36]

3) 치료

구강 상악동 누공으로 인한 치성 부비동염의 치료는 상악동 질환에 대한 치료와 누공에 내한 치료를 함께 고려해야 한다. 구강 상악동 누공의 치료는 누공이 발생한 시기와 누공의 크기, 그리고 부비동염 동반 여부에 따라

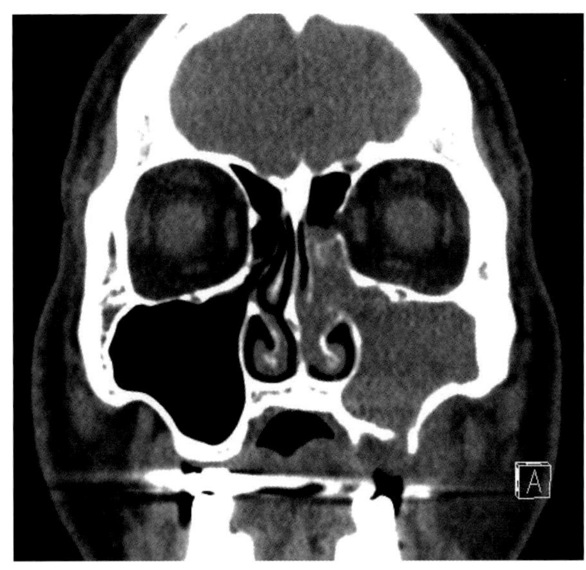

■ 그림 29-2. **구강 상악동 누공의 CT 영상**

달라진다. 발생한 지 3주 이내의 작은 천공이며 상악동에 급성 부비동염의 소견이 없다면 저절로 치유되는 경우가 많은데 누공이 발생한 발치와에 혈병이 모여 창상 치유가 일어나 자연적으로 누공이 막히게 된다.[19] 염증이 없는 상태에서 개방된 누공이 보인다면 봉합술을 이용해 발치와의 치은조직을 접합하는데 봉합 후 약 2주간 코를 풀지 않도록 하고 재채기를 할 때 입을 벌리게 하는 등의 환자 교육이 필요하다. 이러한 방법으로도 수 주 내에 누공이 폐쇄되지 않으면 상악동염이 동반되었거나, 누공의 크기가 5 mm 이상 될 정도로 크거나, 치은 접합술이 제대로 이루어지지 않았거나, 환자가 주의 사항을 따르지 않았을 가능성이 있다. 이러한 만성적인 구강 상악동 누공은 수술적 치료를 통해 결손 부위를 봉합해 주어야 한다. 상악동염에 대해서는 가급적 비내 접근을 통한 비내시경 수술이 권장된다. 수술 시 부비동 내 이물은 화농성 염증과 점막 괴사의 원인이 되므로 반드시 제거해야 한다.[44]

누공을 막기 위한 술식으로 국소피판, 원피판, 이식편 등의 방법이 제안되었는데 누공의 크기가 작은 경우에는 협부 점막 피판을 이용하여 폐쇄시킬 수 있다. 협부 점막 피판은 주로 활주피판(sliding flap)이나 전진피판(advanced flap)이 이용된다. 활주 피판은 수술 부위가 무치악 부위일 때 이용하기 좋고, 전진 피판은 기저면이 넓어 충분한 혈류 공급이 있고, Caldwell-Luc 수술을 동시에 시행할 수 있다는 장점이 있다.[19]

구개피판(palatal flap)은 대구개 혈관으로부터 혈류공급을 받고, 누공을 막기 위해 전진피판, 회전전진피판, 도상피판(island flap) 등으로 다양한 설계가 가능한데 이 중 회전 전진 피판이 임상적으로 선호된다. 구개피판은 충분한 조직 두께와 혈류 공급이 장점이지만, 가동성이 다소 떨어지고 회전이 필요한 경우 혈류 공급이 감소할 수 있는 단점이 있다. 도상피판(island flap)은 크기가 큰 구강 상악동 누공의 치료에 이용할 수 있다. 그러나 누공의 크기가 클 경우에는 먼저 누공 주위의 점막에 환상으로 피판을 만들어 누공을 일차적으로 막은 후 구개 피판으로 다시 누공을 막는 이중 복합 피판이 더 유용하다.[44]

수술 후에는 6시간 동안 금식하고 24시간 정도는 가급적 활동을 피하며 누워 있을 때는 머리를 높인다. 코를 풀지 않게 하고 재채기가 날 때는 입을 벌리도록 하며 1주일간은 유동식을 섭취하게 하고 금연을 권한다. 누공폐쇄가 확인될 때까지는 격렬한 신체활동을 피하는 것이 좋다.[19,44]

4. 기타 감염들

1) 안와 감염

드물지만 치성 감염은 표재성(안와주위염), 심부(안와 봉와직염) 골막하 농양, 안와 농양, 안구후부 농양(retrobulbar abscess) 등으로 전파될 수 있다. 안와하열을 통하거나 상악동 후벽을 뚫고 상악동의 감염이 진행되어 안와감염을 형성한다. 림프선을 통한 간접 전파도 가능하며 상악의 앞쪽 치아들의 염증은 전안면정맥, 안각정맥(angular opthalmic vein)을 통해 역류하여 안와 봉와직염을 일으킬 수도 있다. 기타 외상, 선천성 안와하벽 결손 등도 안와 감염의 원인이 될 수 있다. 또한, 상악동으로부터 감염이 상·내측으로 퍼져 사골동으로 들어가 안와의 지판으로 전파될 수 있다.[37] 부비동염으로 인한 안구 감염 시 반드시 치통을 포함한 치과 과거력을 청취해야 하며 적절한 항생제를 이용해 치료해야 한다. 경우에 따라서는 외과적 처치가 필요할 수도 있다. 일반적으로 광범위 항생제 사용이 추천되며 이미 농양이 형성된 경우에는 내시경 부비동 수술, 외부 사골동 절제술, 전두동 절제술, 안검 절개술 등을 통해 배농해야 한다.[6,37]

2) 골수염

치성 감염으로 인한 골수염이 발생할 수 있으며 상악골보다 하악골에서 흔하다. 원인으로는 국소방사선요법, 외상, 전신 질환, 골이영양증, 골내재성 질환, 임플란트 삽입, 면역 저하 상태 등이 있다. 영상학적 소견이 진단에 도움이 되는데 컴퓨터 단층촬영(CT)에서는 골파괴 소견이 특징적이다. 골 주사(bone scan)를 하면 빨리 진단할 수 있지만 연조직 염증과 최근에 수술력이 있을 때는 가양성 결과가 나올 수도 있다. 최근에는 PET CT도 진단에 유용하게 쓰이고 있다.[6]

임상적으로 통증, 발열, 경부 림프절 비대 등이 나타난다. 치성 감염으로 인한 만성 골수염의 경우 통증을 주로 호소하며, 영상학적 검사에서 불규칙한 골 용해 소견과 부골의 형성도 나타난다. 원인 균주로는 황색포도상구균, 용혈성 연쇄상구균 등이 있으며 그람 음성 세균도 보고되고 있다. 균 배양과 항생제 감수성 결과에 의한 적절한 항생제 치료가 필요하다. 그리고 이물질, 부골, 감염원 제거술, 미세 혈관의 재관류를 돕기 위한 치료, 감염치료 후 적절한 재건술 등이 필요할 수 있다.[6,39]

3) 세균성 연조직 감염

세균성 연조직 감염은 clostridial 혐기성 봉와직염, non-clostridial 혐기성 봉와직염, 괴사성 근막염, synergistic 괴사성 봉와직염으로 분류된다. 대부분의 괴사성 감염은 하악골 골절 같은 심한 외상 후에 발생하지만, 치성 감염이 원인이 되기도 한다.

두경부 영역에 생긴 심한 괴사성 가스 형성 감염은 경부의 여러 공간을 침범한다. 질병의 진행이 매우 빠르며, 피부변색, 괴사성·액화성 병변 및 피하조직의 염발음이 생긴다. 종격동으로 파급되는 경우 전신 증상으로 고열, 권태감, 의식혼탁, 쇠약감, 저혈압, 빈맥이 나타난다. 영상학적 검사에서 심부 조직과 내장 공간 내에 가스와 화농뿐만 아니라 피하기종 소견이 보인다. 컴퓨터 단층 촬영(CT)에서 경부의 연조직 면의 소실이 관찰되지만, 임상적으로 clostridial 혐기성 봉와직염, non-clostridial 혐기성 봉와직염을 구별하기는 어렵다. 원인이 되는 혐기성 균주로는 Bacteroides, Fusobacterium, Propionibacterium, Peptostreptococcus, Eubacterium 등이 있고, 그람음성 세균으로는 Proteus, Klebsiella, Enterobacter, Pseudomonas 등이 있다.[26]

치료로 항생제 정맥주사와 근막 절개술, 병변의 광범위 박리가 필요하다. 그람양성, 음성 및 혐기성 호기성 세균을 모두 포괄할 수 있는 광범위 항생제를 투여한다. 경부 괴사성 감염 환자에게 고압산소 치료를 한 예가 보고되고 있다.[6,26]

5. 치성 감염의 내과적 치료

치성 감염의 치료에서 가장 중요한 것은 적절한 항생제 사용과 배농이다. 감염의 원인이 되는 치아가 있다면 발치하거나 치근 치료를 우선해야 한다. 항생제는 구강 상재균, 환자 상태, 감염 양상 등을 고려해서 선택한다. 치성 감염의 원인은 대부분 흔한 호기성·혐기성의 혼합 균주들이다. 대표적인 균주에는 *Streptococci*, *Bacteriodes*, *Veillonella*, *Corynebacterium* 등이 있다. 약물치료는 경구용 항생제가 주로 쓰이는데 약 3~4주간 복용한다. 페니실린은 혐기성 및 호기성 균주에 효과적이지만 β-lactamase를 분비하는 혐기성 그람 음성균이 늘어 그 효과가 떨어지고 있어 clindamycin, cefoxitin, carbapenem의 사용도 고려해야 한다. 두경부 감염에는 그람 음성 간균뿐만 아니라 β-lactamase 산생균이 증가하고 있어 광범위 항생제를 사용하기도 한다. 경구용 항생제로는 clavulanic acid-amoxicillin (Augumentin)을, 페니실린에 과민한 환자에게는 clindamycin, trimethoprim-sulfamethoxazole, cefoxitin을 쓴다. 정주 항생제로는 ampicillin/sulbactam (unasyn)을, 페니실린 과민 환자에게는 clindamycin, ciprofloxacin을 쓴다.[30,39]

Ⅲ 치성 낭

치성 낭은 악안면골에서 드물지 않게 볼 수 있는 질환으로 연조직 또는 경조직 내에 상피성 내막이 덮인 결합조직으로 둘러싸인 공간이다. 그 내부에는 액체 또는 반유동성의 물질을 함유한 경우가 많으며 높은 삼투압으로 인해 낭종의 크기가 성장한다.[9] 악안면골의 낭종은 대부분이 치성 기원으로 낭종의 팽창으로 인해 주위 조직이 파괴될 경우 악골의 흡수와 팽창, 병적 골절 등을 유발할 수 있어 조기 진단과 치료가 필요하다.

치성 낭은 자각증상이 없어 우연히 발견되는 경우가 흔하다. 촉진하면 가동성이 있는 낭종을 만질 수 있으며 이차 감염이 되면 낭 내의 액체가 화농하며 자연 배농이 이루어지기도 한다. CT 등 영상학적 검사를 시행하면 위치를 쉽게 파악할 수 있고, 종양과 감별할 수 있는 정보를 얻을 수 있다. 흡인천자 시 일반적으로 갈색의 액체를 관찰할 수 있으나 화농 된 경우에는 화농성 고름이 배농 된다. 치료의 원칙은 외과적 수술이며 낭의 일부를 배액하는 조대술(marsupialization)이나 낭 전적출술(enucleation)이 주로 이루어진다.[2,9]

악안면골의 낭을 분류하는 방법은 여러 가지나, 원인별로 분류하고 있는 WHO의 기준에 따르면,[25] 치성 낭은 상피성 낭과 비상피성 낭으로 크게 나뉘고, 상피성 낭은 다시 발육성 낭, 염증성 낭으로 구분되며, 발육성 낭은 다시 치성 낭과 비치성 낭으로 구분된다(표 29-1)(그림 29-3).

표 29-1. 악악면 골 낭의 분류

상피성 낭
발육성 낭(developmental cyst)
치성 낭(odontogenic cyst)
- 유아의 치은낭(gingival cyst of infants, Epstein's pearls)
- 치성각화낭(odontogenic keratocyst)
- 함치성 낭(dentigerous cyst, follicular cyst)
- 맹출성 낭(eruption cyst)
- 측방 치주낭(lateral periodontal cyst)
- 석회화 치성낭(calcifying odontogenic cyst)
- 성인의 치은낭(gingival cyst of adults)
비치성 낭
- 비구개관낭(nasopalatine duct cyst, incisive canal cyst)
- 비순낭(nasolabial cyst, nasoalveolar cyst)
- 구상상악낭(globulomaxillary cyst)
- 정중구개낭(median palatal cyst)
염증성 낭
치근낭(radicular cyst)
- 치근단(apical), 측방(lateral), 잔류(residual)
치아주변 낭(paradental cyst)
비상피성 낭
원발성 골낭(idiopathic bone cyst)
단순성(simple), 외상성(traumatic or hemorrhagic)
동맥류성 골낭(aneurysmal bone cyst)

1. 상피성 낭

1) 발육성 낭

(1) 발육성 치성 낭

① 유아의 치은낭

유아의 치은낭(gingival cyst of infants, Epstein's pearls)은 치조점막 내의 상피세포가 남아 있다가 낭을 형성하는 것으로 알려져 있다. 치아가 나올 치조 점막에 작은 백색 혹은 분홍색의 낭으로 관찰되며 크기는 1~5 mm 정도다. 생후 약 3개월 이후에는 잘 발견되지 않는다. 낭에는 각질이 차 있으며 낭의 상피는 조직학적으로 편평한 기저세포에 얇은 편평상피가 덮여있다. 낭속의 액체와 각질(keratin)이 자연적으로 배출되므로 특별한 치

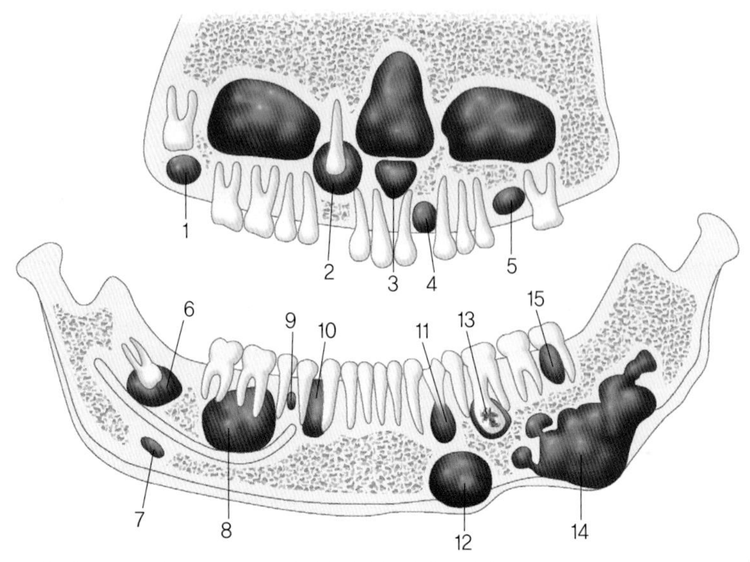

■ **그림 29-3. 치성 낭과 치성종양의 호발 부위.** 1: 복합치아종(compound odontoma), 2: 선양치성종양(adenomatoid odontogenic tumor), 함치성 낭(dentigerouscyst), 치성각화낭(odontogenic keratocyst), 법랑모세포성 섬유종(ameloblastic fibroma), 3: 비구개관낭(nasopalatine duct cyst), 4: 복잡치아종(complex odontoma), 5: 치근낭(residual cyst), 치성각화낭, 6: 함치성 낭, 치성각화낭, 법랑모세포종(ameloblastoma), 법랑모세포성 섬유종, 7: 동맥류성 골낭(aneurysmal bone cyst), 8: 외상성 골낭(traumatic bone cyst), 치성각화낭, 9: 측방치주낭(lateral periodontal cyst), 치성각화낭. 10: 치주염(peridontitis), 치성각화낭, 악성 종양, 11: 치근낭, 12: 골화성 섬유종(ossifying fibroma), 석회화 상피성 치성 종양(calcifying odontogenic cyst), 13: 백아아세포종(cementoblastoma), 14: 법랑모세포종, 치성각화낭, 치성점액종(odontogenic myxoma), 섬유성 이형성증(fibrous dysplasia), 15: 치아주변낭(paradental cyst), 치성각화낭

료는 필요 없다.[9,33]

② 치성각화낭

치성각화낭(odontogenic keratocyst)은 주위 조직으로 침윤하는 특징을 가진 치성 기원의 양성 단방성 또는 다방성 골내 종양이다. 발육성 치성 낭의 일종이나 병태생리, 임상적 특징으로 인해 치성 각화낭을 낭종으로 분류할지 종양으로 분류할지 이견이 있었다. 높은 재발률과 공격적 성향이 낭종이라기보다 양성 신생물로 보게 하는 원인이 되어왔다. 최근에는 치성각화낭의 이러한 종양성 특징을 반영하여 WHO의 악악면 골의 낭종 분류 기준상 각화낭성 치성 종양(Keratocystic odontogenic tumor; KCOT)으로 명명할 것을 추천하고 있다.[21] 치성각화낭은 다양한 연령층에서 생길 수 있는데 10~30대 남성에서 많이 발생한다.[9] 악골의 다양한 부위에서 발생할 수 있지만 약 2/3가 하악에서 발생하고, 특히 하악 3대구치에서 호발한다. 치과 방사선 검사에서 우연히 발견되는 경우가 많지만 낭종의 크기가 클 경우 통증, 종창, 안면부 비대칭, 개구 장애 등의 증상을 동반할 수 있다.

발병 기전은 확실하지 않으나 원시 치판(primordial dental lamina)이나 상피의 잔류조직에서 파생되어 각화낭성 치성 종양이 생성되는 것으로 알려져 있다. 각질을 생성하는 상피세포가 복잡한 치아 발생에 관여하며, 치아 발생이 끝난 후 치판에서 유래한 잔여물이 구강조직에서 발견되기도 하므로, 이러한 잔류조직이 중배엽 조직의 증식과 함께 종양을 형성하는 것으로 여겨진다.[35] 이 종양은 수동적으로 팽창하기보다는 능동적으로 성장하는데 prostaglandin이나 교원질분해효소 등이 분비되어 주위의 골 조직을 파괴한다. 이러한 기전으로 인해 다른 치성 낭종과 달리 광범위하게 성장하며 주위 조직의 광범위한

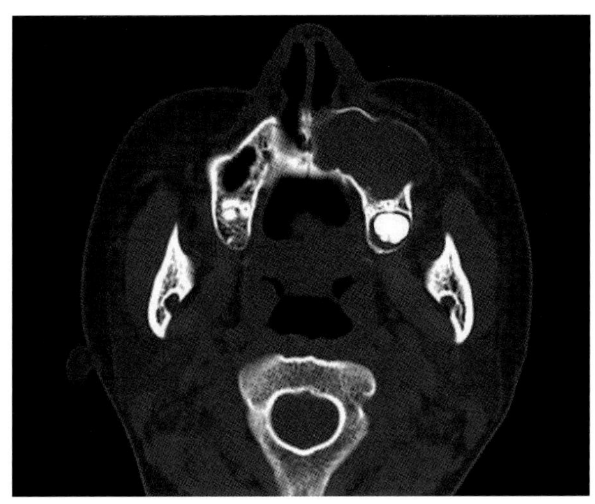

■ 그림 29-4. **치성각화낭 영상.** 경계가 명확하며 난원형의 방사선 투과 상이 관찰된다.

파괴를 동반해 병적 골절을 일으킬 수 있다.[9,35]

치성각화낭은 방사선학적으로 경계가 명확하며 난원형의 방사선 투과 상으로 보이고 종종 미맹출 치아와 연관이 있다. 방사선학적으로 다른 방사성 투과성 및 낭성종양과 영상학적 양상이 유사하므로 감별해야 한다(그림 29-4). 해면골에서 전후방으로 피질골에 의해 제한되는 경계가 명확한 단방성 병변에서부터 하악 절반을 침범하거나 상악동을 채운 다방성 병변까지 그 양상은 다양하다. 이 낭종은 임상적 혹은 방사선학적 특이 소견이 없어 조직학적 소견에 의존하여 최종 진단한다. 6~10개의 층을 가진 편평상피의 상피층이 물결 모양으로 주름져 있고, 원주 또는 입방형 기저 세포층의 세포들이 울타리 모양으로 배열되어 있으며, 상피돌기 모양이 불분명한 것이 치성각화낭의 특징이다. 피복한 얇은 단일형의 중층편평상피는 극화가 잘된 과색소 기저층의 특성이 있으며 표면에서 빛 굴절력이 있는 parakeratin층으로의 급격한 변화가 관찰된다. 이 케라틴은 흰 치즈 모양의 악취가 나는 내용물이어서 수술 시 종종 농으로 오인된다. 간혹 상피 하 고유층에 상피가 함몰되어 형성된 딸 낭(daughter cyst)이 발견되기도 한다. 낭에 이차 감염이 생기면 종양 벽은 두꺼워지고 상피층에 rete process가 형성되며 각화가 없어지기도 해 염증성 낭으로 오인 될 수도 있다. 또한, 인접 미 맹출치를 둘러쌀 수도 있어 함치성 낭과의 감별이 필요하다.[17]

이 낭종은 기저세포모반증후군(basal cell nevus syndrome)에서도 나타날 수 있는데 이 경우 주로 다발성으로 나타난다. 이 증후군은 우성유전이며 얼굴, 목, 등, 가슴 부위에 다수의 기저세포암종이 발생할 수 있는데 각화낭성 치성 종양으로 진단된 환자의 약 5%는 이 증후군에 속한다.[35]

치성각화낭의 치료법으로는 냉동요법, Carnoy's solution도포, 조대술, 낭종 적출술, 광범위 절제술 등이 있다. 이 종양은 찢어지기 쉬운 얇은 막을 가지고 있어 단순 적출술로 완전 제거가 어려울 수 있으며 이는 재발의 원인이 된다. 낭종 적출 후 Carnoy's solution 도포를 통한 화학적 소작술, 변연절제술 등의 부가적인 치료가 시행된 이후 재발률이 낮아졌다.[17,35] 이 질환은 상악동 내 주위 조직으로 침윤하는 특징이 있고, 재발률이 높은 질환이므로 단순한 낭의 적출보다는 완전 제거를 목표로 치성종양에 준한 광범위한 수술이 시행되기도 한다. 상악동 내에서 발견된 종양의 경우 Caldwell-Luc 접근법으로 동내 점막을 보존하며 제거할 수 있다.[45]

치성각화낭의 재발률은 약 25~60%로 높은 편이며, 대부분 수술 후 5년 이내에 재발하기 때문에 수술 후에도 세밀한 관찰이 필요하다. 불완전 제거로 인해 딸 낭(daughter cyst)이나 상피 섬(epithelial island)이 존재하거나, 표피 세포의 활발한 증식이 있거나, 새로운 낭을 지속해서 발생시키는 기저세포모반증후군이 동반된 경우 재발의 우려가 높다. 특히 치성 각화낭은 법랑모세포종, 편평세포암종, 점액상피양암 등으로 변환될 수 있으므로 수술 후에도 주기적인 추적관찰이 필요하다.[35,45]

③ 함치성 낭

함치성(여포성) 낭(dentigerous cyst, follicular cyst)은 미맹출치의 치경부에 주로 나타나며, 치관(crown)을 포함하고 있는 낭성 병변이다. 치관과 이를 둘러싸는 상피 사이에 체액의 축적으로 치아의 여포가 확장되어 발생하는 것으로 알려져 있다. 발육성 치성 낭종 중 가장 흔하게 발견되며, 전체 치성 낭종 중 치근낭(radicular cyst) 다음으로 많이 발견된다.[9]

이 낭종은 하악 제3 대구치, 상악견치, 상악 제3 대구치 또는 하악 제2 소구치와 관련되어 나타나는 경우가 많다. 10대에서 30대까지 많이 발생하며 성별 간에는 차이가 없는 것으로 알려져 있다. 낭종의 상피가 미맹출치의 어느 위치에 부착되는가에 따라 치관중심부형(central), 측방형(lateral), 주변부형(peripheral)으로 구분할 수 있다. 크기가 큰 낭종인 경우 인접한 치아의 편위나 흡수, 감염, 턱의 병적 골절을 일으킬 수 있다.[13]

대부분의 함치성 낭은 무증상이며 치아 방사선검사에서 우연히 발견되는 경우가 많다. 영상학적으로 치아의 경부와 예각으로 만나는 곳에 미맹출치의 치관과 관련된 경계가 분명한 투과성 병변을 보이는 것이 특징이다(그림 29-5). 조직학적으로 콜라겐 성분의 낭 벽을 피복하고 있는 2~3층의 중층 상피가 낭의 상피를 이루면서 상피 하 고유층이 얇게 존재한다. 만약 염증이 동반되면 상피층은 두꺼워지고 상피세포는 편평한 모양을 보인다. 오래된 여포성 낭종의 경우 상피층의 표면이 각화되어 나타날 수 있기 때문에 치성 각화낭(odontogenic keratocyst)과 감별이 필요하다.[25] 때로 낭종에서 점액성 세포(mucus cell)가 관찰되기도 하는데, 이는 여포성 낭에서 다른 질환이 발생할 수 있음을 뜻하는 중요한 특징이다. 여포성 낭종에서 법랑아세포종(ameloblastoma)이 발생하기도 하며, 낭종의 점액 분비선에서 점액표피양암종(mucoepidermoid carcinoma)이 발생할 수 있다. 전에 존재하던 함치성 낭에서 법랑아세포종과 편평세포암종이 생겼다는 보고도 있다.[48]

함치성 낭의 치료는 낭종의 크기에 따라 다를 수 있지만 대체적으로 미맹출치와 함께 낭종을 완전히 제거하는 것이 재발을 막는 표준 치료법이다. 낭종의 크기가 큰 경우에는 조대술을 먼저 시행하여 크기를 줄인 후, 이차적으로 낭종과 더불어 미맹출치를 제거하는 방법이 추천되기도 한다.[13,48]

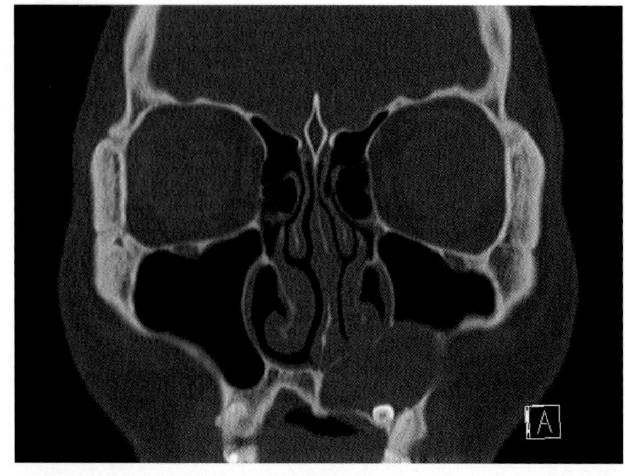

■ 그림 29-5. **함치성 낭의 영상.** 미맹출치의 치관과 관련된 경계가 분명한 투과성 병변이 관찰된다.

④ 맹출성 낭

맹출성 낭(eruption cyst)은 맹출 중인 치아의 치관을 둘러싸면서 발생하는 낭이다. 조직학적으로 비각화성 중층편평상피이며 고유층은 매우 얇다. 저작 등의 물리적 자극으로 인해 상피층이 두꺼워지거나 염증세포가 침윤되기도 한다. 임상적으로는 치조에서 다소 투명한 푸른색의 낭으로 발견되며 대개 치료는 필요 없으나 동통이 생기면 낭의 일부를 제거하여 치관을 드러내 준다.[9]

⑤ 측방치주낭

측방치주낭(lateral periodontal cyst)은 염증과는 상관없이 치아의 측면이나 치근 주위에 발생하는 낭으로 염증성 낭이나 치성각화낭 등과 감별해야 한다. 위축된 법랑상피, 치판, Malasscz 잔류조직 등에서 기원한다고 알려져 있다.[9] 하악 소구치 혹은 상악절치의 치근에 인접한 치근간 잇몸뼈(interradicular alveolar bone) 내에 분리된 작은 방사선투과성 병변으로 보인다. 대부분의 환자들은 40세 이상이며, 병변의 25%는 치성 각화 낭종이기 때문에 이와 유사한 방사선학적 특징을 가진 병변은 제거하거나 조직 검사를 시행해야 한다. 여러 개의 측방 치주낭이 한 곳에 발생한 경우를 포도상 치성 낭(botryoid odontogenic cyst)이라고 부른다. 조직학적으로 측방 치주낭은 1~5층의 편평상피나 입방상피로 구성되어 있다. 치료로는 낭의 전 적출술이 원칙이다.[46]

⑥ 석회화 치성 낭

석회화 치성 낭(calcifying cyst)은 드문 질환으로서 다양한 임상 양상을 띤다. 낭내에 석회화된 물질이 존재하며, 관련 치아의 치근을 흡수할 수도 있다. 다양한 연령층에서 발병하나 40세 이전에 주로 발생하고 골 내에 낭이 생기는 것이 일반적이다. 병리조직검사 결과 낭 조직에서 특징적인 각화 상피세포인 유령세포(ghost cell)가 발견된다. 치료로 전적출술을 시행하며 재발은 드물다.[9]

⑦ 성인의 치은낭

성인의 치은낭(gingival cyst of adults)은 치성상피의 잔류조직이 그 기원으로 생각되고 있다. 대개 직경 1 cm 이하의 종창성 병변이 치아의 순측 치은이나 치간의 치은에서 관찰되며 하악의 견치나 소구치 부위에서 호발한다. 방사선검사에서는 별다른 특이사항이 없으나 약간의 골 미란 소견이 낭이 있는 부분에서 관찰될 수도 있다. 조직학적으로 성인의 치은낭은 1~6층의 비각화 편평상피로 구성되고 망상 돌출이 형성되어 있지 않다.[9]

(2) 발육성 비치성 낭

① 비구개관낭

비구개관낭은 절치관 낭종(nasopalatine duct incisive canal cyst)이라고도 하며, 가장 흔한 발육성 비치성 낭종이다. 발생 과정 중 절치관 안에 존재하는 상피의 잔존 세포로부터 발생하는 것으로 알려져 있다. 30~50대에 호발하고 남자에서 3배 정도 많이 발생한다. 낭종의 느린 성장 속도 때문에 어릴 때 발견되기 어려운 특징이 있다. 외상, 감염, 그리고 자발적 요인이 낭종의 발생 원인으로 알려져 있다.[42] 대부분 특이한 증상이 없이 방사선검사에서 우연히 발견되나 감염이 동반된 경우에는 통증이 있는 종창이나 농성 분비물을 관찰할 수 있다. 전산화단층 촬영에서 상악의 정중부에 경계가 명확한 원형, 타원형, 또는 심장 모양의 방사선 투과성 병변을 보인다(그림 29-6). 비구개관낭의 상피는 중층편평상피 또는 위중층 섬모원주상피로 되어 있으며 기저막하 고유층에서 혈관조직이나 신경조직이 관찰되기도 한다. 낭종의 크기가 큰 경우 낭액의 흡인 여부가 진단에 도움이 된다.[20,42] 정상 비구개관낭은 지름이 3 mm로 알려져 있다. 증상이 없고 직경이 6 mm 이하인 비구개관 낭의 경우 정상이라 판단할 수 있지만, 지름이 1 cm 이상이거나 통증, 종창, 배액 같은 증상이 있을 때는 수술적 치료가 필요하다. 특히 지름이 5 cm 이상의 큰 비구개관낭은 치아를 침범하여 치아의 소실이나 치열의 부정 등을 유발할 수 있어 제거를 고려해야 한다. 수술은 구개나 치은 접근법을 통한 전 적출술을 시행하게 되는데, 낭종이 너무 커서 전 적출이 어려운 경우나 주위의 해부학적 구조물에 손상을 줄 우려가 클 경우에는 조대술을 시행할 수 있다.[20]

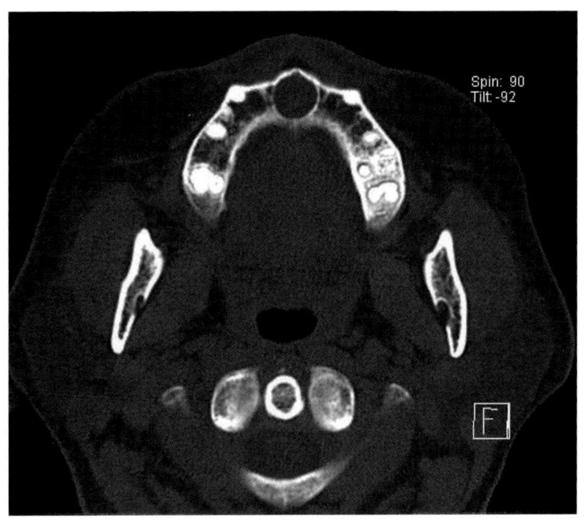

■ 그림 29-6. **비구개(절치)관 낭.** 상악의 정중부에 경계가 명확한 원형 모양의 방사선 투과성 병변을 보인다.

② 비순낭

비순낭종(nasolabial cyst)은 전비강 저부의 점막하에 발생하는 비치성 낭종으로 비치조골 낭종(nasoalveloar cyst)이라고 불리기도 한다. 편측 비익 밑바닥의 비순구에서 서서히 커지는 특징을 보이며 비교적 드문 질환으로 알려져 있다. 비순낭은 발생과정에서 중비돌기, 상악돌기가 융합된 후 남게 된 상피로부터 유래했거나, 비루관(nasolacrimal duct)의 잔류조직이 기원이라고 생각된다. 양측성도 보고된 바 있지만 대부분 편측성이다. 다양한 연령층에서 나타나나 40, 50대에서 많이 발생하고, 여성에게 이환되는 예가 더 많다. 대부분 증상이 없으며 크기가 커지거나 감염이 일어나 통증이 유발되어 발견되는 경우가 많다. 낭종은 이상구의 전측방에 주로 위치하며 아래로는 치은 구순구, 외측으로는 안면 연부조직, 내측으로는 비강 내로 팽창할 수 있다.[49]

비순낭은 치조골의 표면을 미란시키므로 방사선검사에서 뚜렷한 음영으로 보이지는 않으나, 임상적으로 의심되면 조영제를 주사하여 낭을 방사선학적으로 관찰할 수 있다. 크기가 큰 비순낭은 CT 촬영에서 전반적으로 균일하며 내부가 조영 증강되지 않는 낭종의 소견을 보인다(그림 29-7). 조직학적으로 대부분 결합조직으로 구성된 낭종벽에 낭 내부의 상피는 주로 위중층섬모 원주상피인 호흡상피로 이루어져 있고, 배상세포의 수가 많은 것이 특징이다.[27,49] 치료는 흡인천자, 경화제 주입, 소작술, 절개배농 등이 고려되나 재발의 가능성이 높아 외과적 절제술 또는 조대술이 주로 시행된다. 경피적 접근법, 비강을 통한 접근법도 가능하나 구순 하 절개를 이용한 낭의 완전 절제가 그동안 많이 시행되었으며, 술 후 사강(dead space)으로 인한 문제는 거의 생기지 않는다. 최근에는 비 내시경 조대술(endonasal endoscopic marsupialization)을 통해서도 좋은 치료 결과를 얻고 있다.[27]

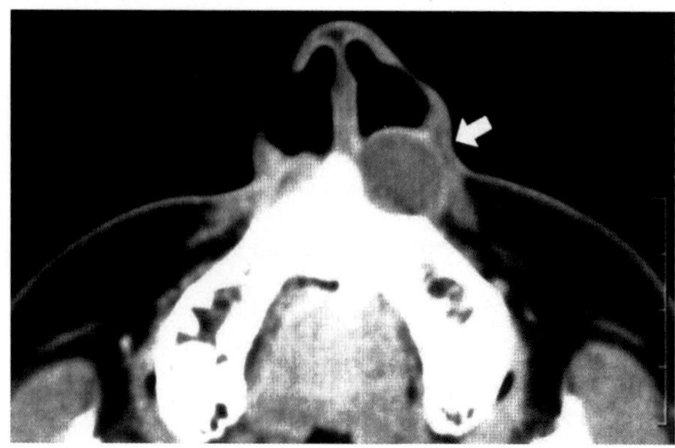

■ 그림 29-7. **비순낭의 CT 소견.** 원형의 음영(화살표)과 인접한 상악골의 미란성 변화가 보인다.

③ 구상상악낭

구상상악낭(globulomaxillary cyst)은 상악의 측절치(lateral incisor)와 견치(canine) 사이에서 발생하는 낭으로 그 크기가 커지면서 양쪽 치아를 밀어서 양 치근 사이가 벌어지게 된다. 방사선 검사에서 방사선 투과성이 높은 음영으로 나타난다. 과거에는 상악 측절치와 상악 견치 사이에 나타나는 틈새낭을 의미한다고 알려졌지만 비돌기와 상악돌기 사이의 상피 포착 가설은 발생학적으로 지지받지 못하고 있다. 구상상악낭의 병리학적 소견은 비특이적이며 완전 절제술이 치료법이다.[47]

④ 정중구개낭

정중구개낭(median palatal cyst)은 구개의 정중위에 나타나는 낭으로 발생 과정에서 양측 안면골의 유합 도중에 파묻힌 상피에서 유래하는 것으로 생각되었으나 최근에 그 발생 기전이 부정되고 있다. 낭이 전방 치조골 부위에 발생하면 정중치조낭(median alveolar cyst)이라 부른다.[2]

2) 염증성 낭

(1) 치근낭

치근낭(Radicular (periapical) cyst)은 전체 치성 낭종 중 65% 정도를 차지하는 가장 흔한 형태의 낭이다.[9] 주로 치아 우식(dental caries)이나 외상에 의한 치수(dental pulp)의 괴사에 의해 치근의 첨단부(apex)에서 발생한다.[23]

발생하는 연령층은 다양하나 30~40대에 가장 많고 유치보다 영구치에서 호발한다. 모든 치아에서 발생할 수 있지만 하악보다 상악에서 호발하고, 주로 상악의 전상악부와 하악의 구치부에서 잘 발생한다. 치근낭은 염증의 후유증으로 치주 인대 내의 상피잔사에서 기원하며 치근상피가 염증으로 인한 자극을 받아 낭을 형성하게 된다. 염증반응은 Malassez 잔류조직의 증식을 초래하며, 낭종 내의 조직파편이 삼투성 차이를 유발해 낭종 내로 액체의 유입을 초래한다. 치근단 구멍(apical foramen)을 통해 염증이 파급되면 둘러싸고 있는 치근골은 흡수되고 육아조직으로 대치된다. 육아종 내 치주막(periodontal membrane)에 있는 상피는 나머지 부분은 낭의 상피 피복을 형성하기 위해 증식하여 중층편평상피를 이루며 염증세포들이 고유 층에서 관찰된다. 콜레스테롤 결정이 낭의 상피에 침착되어 이물 반응으로 인한 대식세포들이 관찰되기도 하는데, 염증이 심하면 낭의 상피가 두꺼워지는 등 염증 정도에 따라 양상이 다양하다.[32]

대개 무증상이기 때문에 영상학적 검사를 통해 유연히 발견되는 경우가 많다. 그러나 낭에 감염이 발생하면 통증, 부종, 발적 등 염증에 의한 다양한 특징을 보일 수 있다. 병력 청취상 충치, 치아 골절, 대규모 치아 보존술, 그리고 치수 손상을 일으킬 만한 외상병력이 있는 경우가 많다. 급성 염증이 합병되면 증상이 악화될 수 있으며, 낭이 큰 경우 피질조직으로 확장되어 천공될 수도 있으며 전정(vestibule) 혹은 구개에 종창이 생길 수 있다.[9,23]

방사선학적으로 치근 첨단부(root apex) 주위의 중심부위에 비교적 잘 경계지어진 원형 또는 타원형의 방사선투과성 병변으로 보인다(그림 29-8). 낭은 다양한 크기를 나타낼 수 있으나 주변 다른 치아의 이상이 없다면 지름이 1 cm를 넘는 경우는 흔하지 않다. 조직학적으로 낭은 주로 비각화성 중층편평상피로 되어 있으며 다양한 두께를 보일 수 있고, 낭종 내에서는 괴사된 세포의 조직 파편이 관찰되기도 한다. 염증이 있을 때는 낭 상피의 rete process가 뚜렷하고, 염증이 없으면 rete process없이 얇아지는 경향이 있다. 간혹 하악 치근낭의 낭 상피 내에서도 점액세포나 섬모세포를 발견할 수 있다. 상피층과 바깥쪽 섬유층 사이에 염증세포가 많이 침윤된 부위가 관찰되는 것이 치근낭의 조직학적 특징이다.[32]

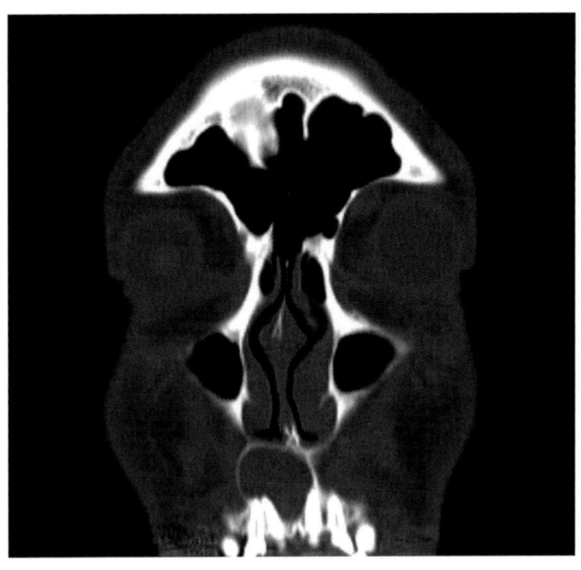

■ **그림 29-8. 치근낭.** 치근 첨단부(root apex) 주위의 중심부위에 비교적 잘 경계지어진 타원형의 방사선투과성 병변으로 보인다.

치료의 원칙은 감염의 근본 원인을 제거하는 것이며, 보존적인 치료법인 치근관 치료와 낭을 제거하기 위한 수술적 치료가 고려된다. 치근낭이 크거나 지속적인 확장으로 치아발육 장애, 이차 감염, 골변화로 인한 병적 골절 등 인접 구조물에 합병증을 유발한 경우 수술적 치료의 적응증이 된다. 수술적 치료는 낭 전 적출술(enucleation)이나 낭의 일부를 제거한 후 배액하는 조대술(marsupialization)을 주로 시행한다. 낭의 완전적출을 위해서는 발치와 함께 낭을 제거해야 하는데, 발치만 하는 경우에는 낭종의 재발을 초래할 수 있다. 잔류 치근낭은 병변이 있는 치아를 발치한 후에도 남아 있는 치근낭을 지칭하는데, 낭종이 완벽하게 제거되지 못한 경우 발생한다. 아울러 괴사된 치수(dental pulp)를 치료하기 위해 치근에 대한 근관치료(endodontic therapy)를 하거나 원인이 되는 치아를 발치하기도 한다. 만약 발치 중 치근단 낭종이 관련된 치아로부터 분리되면 잔류낭으로 남게 되고 드물게 편평세포암종이 발생 할 수 있다. 따라서 치근낭 치료 후에는 방사선학적 검사로 확인이 필요하며, 낭종이 사라지지 않거나 낭종이 더 커지면 낭종 전체에 대한 제거술도 고려해야 한다.[23,32]

(2) 치아주변낭

치아주변낭(paradental cyst)은 염증과 관련되어 발생하는 또 다른 치성 낭으로서 치관의 염증이 파급되면서 치근막 표층의 상피세포가 증식하여 치아의 경부에 발생하는 낭이다.[16]

2. 비상피성 낭

1) 원발성 골낭

원발성 골낭(primary bone cyst)은 상하악골 내에 발생하는 낭으로 병인과 발병기전은 알 수 없으며, 주로 20대에 나타난다. 가장 흔한 발생부위는 하악골의 정중부와 골 체부다. 방사선검사에서 경계가 분명하고 방사선투과성이 높은 음영으로 나타난다. 조직학적으로 상피가 없는 얇은 결체조직이 낭의 변연부에서 관찰된다. 이물반응으로 인해 대식세포가 보이기도 하며 헤모시데린 과립이 침착되기도 한다. 별다른 이유 없이 발생하면 단순성 원발성 골낭이라고 하며, 외상과 관련되면 외상성 원발성 골낭이라고 부르지만 사고 과거력은 전체 환자 중 50%만 갖고 있다. 외상성 골낭은 상피내층이 없기 때문에 진성 낭은 아니지만 해면뼈 안에 빈 공간을 가지고 있다.[39] 많은 예에서 자연적으로 치유된다.[9]

2) 동맥류성 골낭

동맥류성 골낭(aneurysmal bone cyst)은 혈액이 골낭에서 발견되는 특이한 비상피성 낭으로 주로 30세 이하에서 발생하며 상악골보다는 하악골에서 다소 많이 발견된다. 방사선검사를 시행하면 방사선투과성이 높은 음영의 병소와 그 주위 피질골의 팽창 소견을 관찰할 수 있다. 병리조직학적으로는 상피가 없는 골강(bony cavity)에 적혈구가 차 있고 대식세포와 헤모시데린 등이 침착된 소견이 관찰된다.[9]

3. 치성 낭의 진단

치성 낭은 동통 등의 자각 증상이 별로 없다. 그래서 스스로 구강 내에서 낭을 인지하거나, 안면이 변형될 정도로 크기가 커진 이후에 치과나 이비인후과를 찾는 경우가 많다.

주된 증상으로는 구강이나 악골 내의 종창을 호소하는 경우가 많다. 얼마나 빨리 자라는지에 대한 정보가 중요한데 악성 종양의 가능성을 의심해야 하기 때문이다. 염증성 치성 낭종의 가능성이 있으므로 최근에 치과치료 받은 적이 있는지 우선 확인해야 한다. 아울러 종창과 관련된 치아의 상태를 치과와의 협진을 통하여 확인할 필요가 있다.

연조직 내에 위치한 낭으로 외부에서 보이지 않을 때는 촉진하면 가동성이 있고, 아주 부드럽게 만져질 수 있다. 낭의 이차 감염이 발생하면 낭 내의 액체가 화농화 되는데 간혹 자연 배농되는 양상이 관찰되기도 한다. 낭이 자라면서 주위에 있는 감각신경에 영향을 주거나 압박하면 해당 부위의 감각 마비 증상을 보인다.

치성 낭은 방사선검사에서 주위 조직과 뚜렷한 경계를 가진 방사선투과성이 좋은 병변으로 주로 관찰되나 이차 감염이 되면 낭의 경계가 불분명해지기도 한다. 또한 상악에 발생한 치성 낭은 상악 내의 다소 복잡한 해부학적 구조물 때문에 그 경계를 확실하게 확인하기 어려운 경우도 있다. 일반적으로 사용하는 검사법으로는 구강 내 촬영법, 두개골 전후 촬영, 두개골 측면촬영, 후두골이 촬영(occipitomental view), 하악 사면촬영(mandibular oblique view) 등이 있다. 그러나 다른 촬영법보다 가장 확실하게 치성 낭을 확인할 수 있는 것은 파노라마 촬영

(panoramic view)이다. 단순 방사선검사로 치성 낭의 위치를 확인한 경우, 낭 내의 액체를 흡인하고 조영제를 낭 내로 주입하여 촬영하기도 한다. 이 방법은 낭의 모양을 더 정확하게 보여주는 방법이지만 때로 이차 감염의 위험성이 있으므로 주의해야 한다. CT 촬영을 이용하면 치성 낭의 위치를 정확하게 확인할 수 있을 뿐만 아니라 주위 조직과의 관련성을 확인할 수 있다. 또한 CT 영상은 치성 낭을 종양과 감별할 수 있는 정보를 제공한다.

흡인 생검법은 낭이 의심되나 임상 소견이나 방사선 소견만으로 진단이 어려울 때 도움이 되는데 주로 옅은 갈색의 액체가 나온다. 이차 감염이 발생한 경우에는 짙은 초록색의 화농성 액체가 흡인되기도 한다. 치성 각화낭에서는 각질이 낭 내에 차 있으므로 잘 흡인되지 않거나 회백색의 물질이 흡인될 수 있다. 낭보다 악성 종양의 가능성이 있을 때에는 22 게이지 주사바늘이나 그보다 더 가는 주사바늘로 흡인하여 세포를 분석을 해야 한다. 만일 흡인해서 혈액이 나오면 동맥류성 골낭도 의심할 수 있다. 일반적으로 낭의 적출과 동시에 생검을 시행하나 종양 등과의 감별이 어려운 경우에는 치료 계획을 세우기 위해 생검을 먼저 시행하는 것이 바람직하다. 낭의 크기가 너무 커서 개창술을 시행하는 경우에도 생검을 시행한다.

4. 치성 낭의 치료

치성 낭 치료의 원칙은 외과적 수술이다. 수술방법에는 낭의 일부를 제거하여 배액하는 조대술(marsupialization)과 낭 전적출술(enucleation)이 있다.

낭의 크기가 너무 커서 이차적 전 적출술을 염두에 두고 일차적으로 조대술을 시행할 때에는 낭 내부 세척 등의 지속적 치료를 시행하여 낭의 크기를 줄인 후 이차적 전 적출술을 시행해야 성공적으로 치료할 수 있다.

전 적출술을 시행한 경우 치성 낭이 제거되면 악골 내에 빈 공간이 생기나, 이 공간은 골성 조직이 일정 기간 후에 재충전된다. 그러나 낭이 제거된 빈 공간에 충전물을 넣어서 골성 조직의 신속한 충전을 유도하는 방법도 있다. 충전물로는 혈괴, 지방조직, 근육조직, 교원질, 자가골편 등을 사용한다.

1) 조대술

조대술(marsupialization)은 낭종이 커서 적출 시 인접 조직의 손상이 우려되거나, 전 적출술로는 낭종을 충분히 제거할 수 없는 경우, 치아를 함유한 낭종 등에서 치아를 보존하기 위해 시행하는 방법이다. 낭종의 내벽을 구강 내로 노출시켜 낭종의 크기를 줄이고 낭종의 내용물을 제거한다. 시술이 간단하고, 인접 주위 조직의 보존이 가능하며, 골 삭제가 적다. 함치성 낭의 경우 미맹출 치아의 맹출이 가능하다. 또한 골절을 피하면서 낭종을 제거할 수 있고, 누강의 형성이 적고 근신경계의 손상 위험이 상대적으로 적다. 그러나 치유가 늦고, 장기적인 술 후 드레싱이 필요하며, 재발 가능성이 있다는 단점이 있다.

2) 적출술

적출술(enucleation)은 낭종의 크기가 인접 해부학적 구조물에 손상을 입히지 않고 심미적인 결손을 초래하지 않는 경우 시행하며 통상적인 방법에 따라 조직절개, 낭종 노출 후 적출, 조직 봉합을 시행한다. 병소의 완전제거가 가능하다는 장점이 있고, 치유가 빠르다. 장기적인 술 후 드레싱이 필요 없고, 낭종의 병리학적 검사를 시행 할 수 있다는 장점이 있다. 단점은 치아의 손상이 우려되고, 상악동이나 비강 등 인접 주위조직과 누공을 유발할 수 있으며, 악골의 골절 가능성과 근육 및 신경의 손상 가능성이 있다. 술 후 감염 시에는 치유기간이 길어진다는 단점이 있다.

5. 치성 낭의 합병증

1) 악골의 골절

주로 하악골에 나타나며 치성 낭의 크기가 너무 클 때

악골의 피질골이 약해져 약간의 외상에도 발생할 수 있다. 외부에서 가해지는 심각한 외상뿐만 아니라 저작운동 등의 간단한 외상성 압력으로도 하악골 골절이 발생할 수 있으며, 때로는 치성 낭 내의 화농성 염증으로 인하여 발생할 수도 있다. 임상적으로는 통상적인 하악골 골절의 소견을 보인다. 치성 낭으로 인한 악골 골절에서는 치성 낭의 특성을 고려해서 골절을 치료한다. 예를 들면 동맥류성 골낭과 관련해 발생한 악골 골절은 특별한 처치 없이 악골 고정으로 치료되나, 골절선에 함치성 낭 등 치성 낭이 있는 경우에는 수술로 낭을 우선 제거한 후 골절을 치료해야 한다.

2) 상악동염

화농성 상악동염이 아니라 해도 치성 낭이 점점 자라면서 상악동 내에 낭이 충만해 상악동 골벽 미란 등의 소견이 관찰될 수도 있다. 이소성 치아가 상악골에 있는 경우 향후 치성 상악동염의 가능성이 있으므로 주의하여 추적 관찰한다.

3) 누공 형성

치성 낭이 클 때나 이차 감염으로 낭이 화농성 병변으로 변하고 다시 염증이 주위 조직으로 파급되면 구강 내 혹은 외부로 누공이 형성될 수 있다. 전 적출술 등으로 낭이 치유되면 일반적으로 누공이 없어지지만, 누공제거술이 필요할 수도 있다.

4) 감각 이상

치성 낭의 팽창이 진행되면 주위에 분포한 감각신경에 물리적 혹은 염증성 영향을 주어 감각이상을 초래할 수 있다. 치성 낭을 치료하기 위해 광범위한 전적출술 등을 시행하게 되는 경우 수술 후 감각이상이 올 수도 있다. 그러나 대개의 감각이상은 해당 낭에 대한 치료가 완료되면 자연적으로 치유된다. 수술 후에 드물게 감각이상이 약간 남을 수도 있으나 임상적으로 큰 문제가 되지 않는다.

Ⅳ 치성종양

구강 악악면의 종양을 분류하는 여러 가지 방법 중 세계보건기구(WHO)의 분류법에 따르면 치성종양은 크게 치성종양과 비치성종양으로 나눌 수 있다. 치성종양은 다시 양성과 악성으로 분류할 수 있으며, 양성 치성 종양에는 기원 세포에 따라 상피성, 간엽조직성, 양자의 혼합성 치성 종양 등이 있으며, 그 외 기원이 불분명한 종양이 있다(표 29-2).[4,26]

1. 상피성 치성 종양

1) 법랑모세포종

법랑모세포종(ameloblastoma)은 상피성 치성 종양으로 모든 치성종양의 약 10%를 차지할 정도로 비교적 흔한 종양이다. 치판잔사, 퇴축법랑상피, Malassez 잔류 조직, 구강 점막 상피의 기저 세포층에서 기원하는 종양으로 알려져 있다. 임상적으로 천천히 성장하는 양성 종양으로 분류되나 국소적으로 공격적인 침윤을 보이기도 하고 드물게 악성화하는 경우도 있다.[9] 임상적, 방사선학적 특징에 따라 단방형(unilocular), 다방형(multilocular), 주변형(peripheral)의 세 가지로 분류할 수 있다. 모든 연령에서 나타날 수 있지만 30대와 40대에 흔하고, 단방형은 더 이른 나이에서 많이 발견되는데 주로 20~30대에 발생한다. 성별에 따른 발병률의 차이는 없는 것으로 알려져 있다. 법랑모세포종은 치조 연조직과 골 내의 치성 상피 공급원 어느 부위에서나 발생할 수 있는데, 약 80% 이상은 하악골에서 발생하고, 상악골에서 약 20% 정도 비율로 발견된다. 하악골에서는 구치부가 상악골에서는 구치부와 상악동이 주요 호발 부위다.[22] 종양이 증식하는 동안 주관적인 증상은 별로 없다. 그러나 종양이 팽창함에 따라 국소적 종창이 나타나며, 동통, 개구 장애, 발성 장애, 치아의 감각 이상 등의 증상이 동반될 수 있다. 특히 상악에 발생한 법랑모세포종의 경우 코막힘, 구강 내

표 29-2. 치성종양의 분류

상피성 치성 종양(epithelial odontogenic tumor)
- 법랑모세포종(ameloblastoma) - 석회화상피성 치성 종양(calcifying epithelial odontogenic tumor, Pindborg tumor) - 편평상피성 치성 종양(squamous odontogenic tumor)
혼합성 치성 종양(mixed odontogenic tumor)
- 법랑모세포성 섬유종(ameloblastic fibroma) - 선양치성종양(adenomatoid odontogenic tumor) - 법랑모세포성 섬유치아종(ameloblastic fibroodontoma) - 법랑모세포성 치아종(ameloblastic odontoma) - 치아종(odontoma) 복합치아종(compound-composite odontoma) 복잡치아종(complex odontoma)
간엽조직성 치성 종양(mesenchymal odontogenic tumor)
- 치성섬유종(odontogenic fibroma) - 치성점액종(odontogenic myxoma) - 양성 백악아세포종(benign cementoblastoma)
기원 불명 종양(tumor of unknown origin)
- 유아기 흑색 신경외배엽성 종양(melanotic neuroectodermal tumor of infancy)
악성 치성 종양(malignant odontogenic tumor)
- 악성 법랑모세포종(malignant ameloblastoma) - 일차성 골내암종(primary intraosseus carcinoma) - 법랑모세포성 섬유육종(ameloblastic fibrosarcoma)

궤양, 발치와의 치유지연, 부정교합 등의 증상을 호소할 수 있다.[9,22]

영상학적으로 단방성 또는 다방성의 골파괴 상을 보일 수 있으며 매복치가 종양과 관련되어 보일 수 있다. 단방형 법랑모세포종은 방사선학적으로 낭종과 유사해 감별이 필요하며, 다방형 법랑모세포종은 특징적으로 벌집모양이나 비누거품 모양의 방사선 투과성을 보인다(그림 29-9).[29]

조직학적 양상은 포상(follicular), 망상(plexiform)이 가장 흔하나 단일 종양에 두 가지 형태가 동시에 나타나는 경우도 적지 않다. 그 외에도 극세포상(acanthous), 과립상(granular), 기저세포상(basal cell)등 다양한 양상으로 나타나기도 한다.[25]

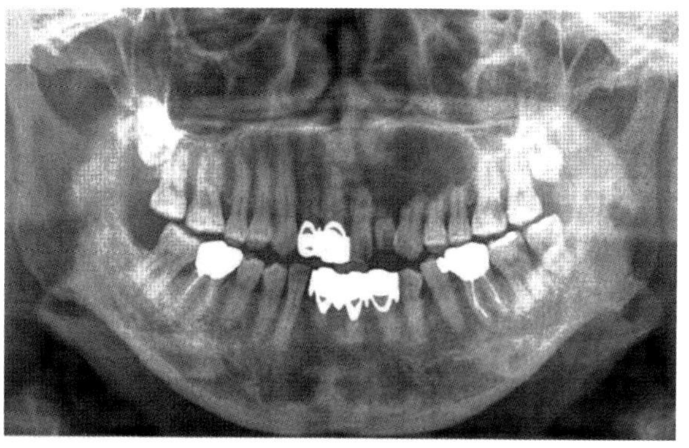

■ 그림 29-9. **법랑모세포종의 파노라마 촬영 소견.** 좌측 상아골에서 확대다방성골융해 소견과 함께 골파괴 소견이 관찰된다.

병리 조직학적으로는 양성종양이지만 국소적으로 주위 조직을 침습하는 특징이 있고 재발을 잘해 임상적으로는 악성종양에 준한 치료가 요구된다.[39,48] 따라서 치료 계획을 세우기 위해서는 조직 검사가 꼭 필요한데 국소 마취 하에서도 가능하다. 법랑모세포종의 치료방법으로는 외과적 적출술(enucleation), 소파술(curettage), 절제술(resection), 전기나 화학 약품에 의한 소작술, 냉동외과 수술 등이 소개 되어왔다. 수술 범위는 병리 조직학적 소견, 인접 조직으로의 침범 여부에 따라 결정된다. 높은 재발률로 인해 근치적 골절제술이 선호됐으나 최근 들어 수술 후 환자의 기능적인 회복을 고려하여 보존적 치료를 시행하기도 한다. 종양이 악골 내에 한정된 경우에는 적출술과 소파술을 병행하고, 종양이 주변 연조직까지 침윤된 경우에는 변연절제술이나 근치적 골절제술을 고려해야 한다. 단방형 법랑모세포종은 재발률이 낮고 주변 조직으로 침투하지 않기 때문에 적출술 또는 소파술이 권장되고, 다방형 법랑모세포종은 재발률이 높기 때문에 정상골을 포함한 절제술이 추천되기도 한다. 광범위한 종양절제술과 주위 조직 절제술로 인하여 악안면에 심각한 외관 변형이 예상되는 경우 보존적 종양 제거술을 시행할 수 있지만, 이 경우에는 정기적으로 추적관찰을 하여 재발을 조기에 발견하도록 노력해야 한다.[29]

말초 법랑모세포종은 잇몸 내 표면 상피에서 발생하며

전형적인 방사선학적 소견을 보이지 않고 단단한 덩어리처럼 보인다. 조직학적 소견은 법랑모세포종과 유사하며 구강 내 기저 세포암으로 잘못 판단되기도 한다. 침투성이 거의 없어 재발한 경우라도 확대 절제하거나 단순 절제하기에 좋다. 침윤성 법랑모세포종은 법랑모세포종이 종양과 뼈 사이 공간에서 방사선적 변화 없이 기둥조직을 침습하므로 하악골 절제 시 주변의 기둥 골 조직을 포함해 절제한다. 상악골의 법랑모세포종은 두개저에 있기 때문에 조기 치료가 필요하다.[22] 정상 뼈의 1.5 cm의 절제 연을 포함하는 분절성 상악골절제술이 상악골 후방에 있는 법랑모세포종의 치료로 적합하다. 상악골 전방 병소에 대해서는 Le Fort I 골절 시 1 cm 골성 절제 연을 두는 것이 적합하다. 5년 근접 추적관찰 및 10년 추적관찰 시 재발률은 가장자리나 블록 절제의 경우 15%이고 소파술의 경우 55~99%이다. 첫 5년 내의 재발률이 50%이므로 술 후 추적관찰이 중요하다.[29]

2) 석회화 상피성 치성 종양

석회화 상피성 치성 종양(calcifying epithelial odontogenic tumor)은 Pindborg tumor로도 불리는 드문 치성종양이다.[9] 주로 20~60대에서 비슷한 빈도로 발생하는데 남녀 간 발병 빈도의 차이는 없다. 하악에 발병하는 예가 상악보다 2배 정도 높으며, 하악에서도 주로 구치부(molar tooth)에 발생하는 예가 많다. 대부분 골 내에 발생하며 미맹출치 또는 매복치와 관련하여 나타난다. 일반적으로 무통성 종창으로 나타나지만, 압박 효과로 인해 통증, 코막힘, 안구돌출 등의 증상을 초래할 수도 있다. 병소는 양성이지만 드물게 주위 조직을 침습적으로 파괴하며 서서히 크기가 증가하는 형태로 골 내 또는 골 외 병소를 보인다. 영상학적으로 경계가 분명한 연부조직 음영과 흩어진 고밀도의 석회화 물질 음영을 볼 수 있고, 얇은 피질골을 관찰할 수 있다.[10] 조직학적 특징으로 고형의 상피층, 아밀로이드성 물질, 그리고 둥글게 뭉쳐진 석회화 조직을 볼 수 있다. 특히 상피섬 내에서 보이는 모래종 같은 동심성의 석회화는 Liesegang rings이라고 불리며 석회화 상피성 치성 종양의 진단에 도움이 된다. 법랑모세포종 같은 성장력은 없으며, 병변이 성숙함에 따라 세포는 퇴화되어 아밀로이드와 칼슘으로 점차 대체되어 수술 시에 석회화 정도가 다양한 비출혈성 종괴를 볼 수 있다. 이 종양은 법랑모세포종과 유사한 임상 양상을 보이며, 양성 종양임에도 국소적 침윤성을 보이고 재발이 많은 것이 특징이다. 따라서 법랑모세포종에 준해 치료하게 되는데, 절제술, 소파술, 일측 하악골 절제술 등 다양한 수술법이 제안되었다. 수술을 시행할 경우 절제 범위는 종양의 해부학적 위치와 크기에 의해 결정된다.[10]

3) 편평상피성 치성 종양

편평상피성 치성 종양(squamous odontogenic tumor)은 치판이나 Malassez 잔류조직에서 기원하는 치성종양이다. 병리조직 검사에서 섬유성의 간질 내에 편평 상피성 조직이 산재한 소견을 보이며 주위 조직으로 침윤하는 특성을 보인다. 호발 연령은 30대지만 20세 이상의 모든 연령층에서 발병할 수 있고, 남녀 간 발병률 차이는 없다. 방사선검사에서 대개 방사선 투과성이 좋은 단낭성의 병변으로 관찰된다. 때때로 종양의 중심부가 낭성 변성을 보이기도 하며, 석회화된 부위가 나타나기도 한다. 치료는 절제술이며 재발의 우려가 있으므로 주의해서 추적 관찰해야 한다.[12]

2. 혼합성 치성 종양

1) 법랑모세포성 섬유종

법랑모세포성 섬유종(ameloblastic fibroma)은 법랑모세포종과 유사한 영상학적 소견을 보여 감별하기가 어려운 양성 치성 종양이다. 하악 소구치나 구치 부위에 경계가 분명한 낭성의 방사선 투과 상을 보인다. 법랑모세포종보다 젊은 연령에 나타나며, 40대 이후에 나타나는 예는 매우 드물다. 법랑모세포종과 달리 주위 조직을 침습

하지 않으므로 보존적 절제술을 시행할 수 있으며 재발은 드물다.[50]

2) 선양치성종양

선양치성종양(adenomatoid odontogenic tumor)은 서서히 자라는 양성 치성 종양이다. 발생 빈도가 비교적 낮으며, 하악보다 상악에 호발한다. 20대의 여자에서 호발하며 특히 상악 전치부에 잘 발생한다. 낭을 형성하고 있으나 낭의 일부 벽에 종양이 있다는 점이 다른 치성 낭과 다르다.[4] 특이한 증상을 일으키지 않으나 크기가 커지면 종창이 생긴다. 방사선학적으로 매복치의 치관주위로 단방성의 방사선 투과성으로 나타나며 미세한 석회화 물질이 나타나면 선양 치성종양을 의심해야 한다. 조직학적으로 관 양상의 입방 세포와 원주 세포로 구성된 치성 상피가 낭 내로 두드러지게 증식하여 두꺼운 벽을 형성한다. 매복치와 관련되어 나타나는 수가 많으며 절제술로 종양을 제거할 때는 관련된 치아도 함께 제거한다. 치료방법으로는 적출술과 소파술이 추천되며, 재발은 드물다.[34]

3) 법랑모세포성 섬유치아종

법랑모세포성 섬유치아종(ameloblastic fibroodontoma)은 상피의 분화유도가 강하여 상아질이나 법랑질이 종양 내에서 관찰되기도 한다. 방사선검사에서 방사선 투과성이 다양한 물질이 음영 내에 있으나 음영의 경계가 비교적 명확한 종양으로 나타난다. 주위 조직을 침습하거나 파괴하지 않으므로 치료는 보존적 절제술로 충분하다.[14]

4) 법랑모세포성 치아종

법랑모세포성 치아종(ameloblastic odontoma)은 임상 양상, 방사선 소견 등이 법랑모세포종과 거의 유사하나 병리조직 검사 상 종양 내에서 법랑질과 상아질을 발견할 수 있는 점이 다르다. 매우 드문 종양이며 치료는 법랑모세포종과 동일한 기준으로 시행한다.[14]

5) 복합치아종

복합치아종(compound odontoma)은 치아의 정상적 구성 성분인 법랑질과 상아질, 백악질, 치수가 구분되는 등 정상 치아처럼 보인다. 여러개의 치아종의 배열이 규칙적인가 그렇지 않은가에 따라 치아종을 복합치아종(compound-composite odontoma)과 복잡치아종(complex odontoma)으로 나누는데 복합치아종은 그 배열이 비교적 규칙적인 치아종을 말한다. 절제술로 치료하며 재발은 거의 없다.[14]

6) 복잡치아종

복합치아종에 비해 복잡치아종(complex odontoma)는 종양의 배열이 불규칙한 치아종으로서 개별 치아종의 종괴는 모든 치아 성분이 거의 모두 나타나지만 정상적 치아의 모습은 아니다. 복합치아종처럼 치료는 종양 절제술이다.[14]

3. 간엽조직성 치성 종양

1) 치성섬유종

치성섬유종(odontogenic fibroma)은 소아나 청소년에서 호발하는 비교적 드문 종양으로서 주로 하악에 발생하며 악골의 종창을 일으킨다. 병리조직학적으로 교원질의 섬유조직을 포함하고 있으므로 그 기원은 치아 발생 시기의 결체조직이라고 여겨진다. 치료로 보존적 절제술을 시행하나 약간의 재발 가능성이 있다.[14]

2) 치성점액종

치성 점액종(odontogenic myxoma)은 치성종양의 3~5%를 차지하며 서서히 성장하는 양성 종양이다. 10~50세의 환자에서 해면 골을 주로 침범한다. 영상학적으로 다수의 방사선 투과성이 좋은 병소로 보이며, 직선 또는 곡선의 bony septa에 의해 분리되어 비눗방울처럼 보인다(soap-bubble appearance). 법랑모세포종과 영상학적 소견은 유사하나 수술 시에는 아교성 고형 종양의 형태를 보인다. 조직학적으로 풍부한 점액성 간질 내에 원형 또는 각형의 세포가 존재한다. 종양의 점액성 결합 조직은 치아속질이나 치아 낭과 매우 유사하여 간혹 세 번째 대구치의 형성을 점액 종으로 오인할 수 있다. 치성 점액종은 절제술이 치료의 원칙이나 치성 낭과 달리 상피가 발달해 있지 않고 침투성과 점착성이 있어 완전히 절제하기가 어렵다. 점액성 기질의 축적으로 인해 빠르게 성장하기도 하며 범위가 넓으면 악골 절제술이 필요할 수도 있다. 종양의 경계가 불분명하여 재발률이 25%에 달하기 때문에 종양 절제 후 주위 조직의 소작술을 시행하기도 한다.[7]

3) 양성 백악아세포종

양성 백악아세포종(benign cementoblastoma)은 백악질과 유사한 조직으로 이루어져 있다. 하악의 소구치와 대구치부에 주로 발생하는데 젊은 남자에서 많이 호발 한다. 방사선검사에서 방사선 불투과성의 경계가 뚜렷한 종양의 소견을 보이며, 치료는 절제술이 원칙이다.[23]

4. 기원 불명 종양

1) 유아기 흑색 신경외배엽성 종양

유아기 흑색 신경외배엽성 종양(melanotic neuroectodermal tumor of infancy)은 신경능선(neural crest)에서 기원한 것으로 생각되나 정확한 기원은 알 수 없다. 출생 직후에는 나타나지 않으나 만 1세 이전의 영아에서 발생하고 종양세포 내에 멜라닌을 함유하고 있어 검은색을 띤다. 발생 부위는 주로 상악의 전치부이며 비교적 빠르게 증식하는 편이다. 드물지만 악성 종양으로 변할 수 있으며, 치료는 절제술이다.[18]

5. 악성 치성 종양

1) 악성 법랑모세포종

악성 법랑모세포종(malignant ameloblastoma)은 드문 악성 종양으로 주로 하악에 발생하며 발생 연령은 다양하다. 폐, 림프절, 두개강 등 전신으로 전이할 수 있다. 완전 절제술로 치료하며 광범위한 절제가 필요하다.[9]

2) 일차성 골내암종

일차성 골내암종(primary intraosseous carcinoma)은 드문 암종으로 주로 하악의 후방부에 발생한다. 치성 낭이나 법랑 모세포종 혹은 치아 발육 관련 상피 등에서 기원하며 매우 파괴적인 양상을 보이므로 수술적 치료 시에는 광범위한 절제가 필요하다.[14]

3) 법랑모세포성 섬유육종

법랑모세포성 섬유육종(ameloblastic fibrosarcoma)은 법랑모세포성 섬유종과 병리조직학적으로 유사하나 일부분의 조직이 육종화한 소견을 보인다. 젊은 연령층에 호발하며 동통 등의 증상이 나타나고, 주위 조직을 침습하여 파괴한다. 수술적 치료로 광범위한 절제술을 시행한다.[14]

6. 소아 치성종양

1) 법랑모세포종

단낭성의 법랑모세포종(ameloblastoma)은 확장성, 비침습적 낭성 종양으로 하악 대구치와 연관된다. 침습적 법랑모세포종보다 20여 년 어린 연령에 발생하고 큰 치성 낭종과 유사한 확장성의 경계가 분명한 방사선투과성 종양이다. 조직학적으로 아교성 섬유낭 벽에 둘러싸인 증식성 법랑모세포를 관찰할 수 있다. 박리술로 치료하며 그 중 약 15%에서 재발한다. 치료하지 않으면 침습적 법랑모세포종으로 진행한다.[29]

2) 선양치성종양

선양치성종양(adenomatoid odontogenic tumor)은 과오종을 시사하는 비정상적인 자가제한적 성장을 보인다. 임상적으로 증상이 있거나 무통성의 부종을 보인다. 방사선 불투과성 병변 또는 경계가 분명한 단낭성의 방사선투과성 병변을 보인다. 상악골, 발치되지 않은 치관이나 매몰치에서 자주 발생하며, 대부분 영구치의 전면부에 발생한다.[34]

3) 법랑성 섬유종

법랑성 섬유종은 10~20대에 주로 발생하는 양성 종양으로, 하악골 뒤쪽에 무통성 부종 형태로 나타난다. 방사선 검사에서 경계가 분명한 확장형의 방사선 투과성을 보이고, 종종 발치되지 않은 치아를 감싼다. 조직학적으로 혼합종으로 상피와 중간엽 조직이 관여하는데, 상피 부분은 치아판이나 법랑모세포종과 유사하고, 중간엽 부분은 치아 유두나 점액종과 유사하다. 치아발달의 초기에 일어나는 상피 유도 복제의 결과라기보다는 두 종양의 동시적 발생으로 여겨진다. 법랑성 섬유종은 보존적 치료가 요구되므로, 법랑모세포종과 점액종을 감별하는 것이 중요하다. 법랑성 섬유종은 악성 전환의 가능성이 있고, 보존적 제거 후 재발률이 높은 편이므로 추적검사가 필수적이다.[4]

4) 치아종

치아종(odontoma)은 법랑모세포(ameloblasts)에서 기원하는 과오종으로 여겨진다. 10~20세에 치아가 생성되는 골의 어느 곳에서도 발생할 수 있으며, 상악골의 앞부분에 호발한다. 대부분의 경우 증상이 없이 우연히 발견된다.[4]

7. 치성종양의 진단

치성종양은 정확한 진단으로 질병의 양상을 미리 알아야 올바른 치료가 가능하기 때문에 정확한 진단이 무엇보다 중요하다. 진단을 위해 병력청취, 전신 상태 평가, 영상학적 검사 그리고 필요한 경우 조직검사를 시행하게 된다. 먼저 병력 청취가 무엇보다 중요하며 병소의 지속 기간, 크기 변화, 물리적 성질의 변화, 병소와 관련된 증상 그리고 전신 증상의 유무를 파악해야 한다. 치성종양의 발견 시기와 발견 후 종양의 크기 증가 등의 병력을 청취하여 선천성 종양이나 악성 종양 등과 감별한다. 또 임상 증상으로 종양이 있는 부위의 동통, 감각 이상, 저작 장애, 연하 장애 등에 대해 확인하고, 발열 등의 전신적 증상이 있는지도 확인한다. 전신 건강 상태 평가와 과거 병력 청취를 통해 치성종양이 전신 질환과 연관되어 나타난 것인지 감별하는 것도 중요하다.

병소가 확인되면 정확한 임상 검사가 필요한데 치성종양의 위치를 정상 치아의 위치와 관련하여 파악하고, 종양의 크기와 수, 색깔, 표면 상태, 경도, 가동성과 파동성을 확인한다. 주위 조직과 종양의 경계가 명확한지를 확인하고 주위 조직의 파괴 여부를 파악해야 한다.

병소가 악골 내에 있거나 인접해 있으면 방사선 검사가 도움이 된다. 단순 방사선검사에서 대부분의 치성종양은 방사선투과성이 좋은 음영으로 관찰되나 치아종과 양성 백악아세포종은 방사선 불투과성 음영으로 관찰된다. 그러나 단순 방사선검사로 치성종양을 완전하게 감별하기는 어려우므로 CT 촬영이나 MRI를 시행해 더 자세한 정보를 얻는다. CT는 악골 등 골성 조직의 파괴 여부를 파악하는 데 효과적이고, MRI는 종양 자체의 특성을 알아내기에 좋다.

세포 흡인검사 시에는 22게이지 혹은 그보다 더 가는 주사바늘을 치성종양 내로 넣어 병소의 내용물을 흡인한다. 세포의 구조를 파악할 수 있는 충분한 조직을 얻기는 어렵지만 병리조직학적 최종 진단을 미리 예측해볼 수 있다. 종양의 일부만을 채취하는 절개 생검은 악성 종양이 의심되는 경우, 종양을 절제술로 완전 제거하기 어려운 경우, 종양제거술의 범위를 결정해야할 때, 주위 조직에 대한 치료 방침을 결정할 때 시행할 수 있다. 치료로써 종양을 완전 제거한 경우에도 제거한 종양을 생검하여 최종적으로 병리조직학적 확진을 한다.

8. 치성종양의 치료

수술을 통한 완전 절제술이 치성종양 치료의 원칙이지만 보존적 수술을 시행할 수도 있다. 수술 방침을 결정할 때 제일 중요한 고려사항은 치성종양의 특성이다. 치아종 등 많은 양성 치성 종양은 침습적이지 않기 때문에 보존적인 수술인 적출술이나 소파술로도 충분하다. 보존적 수술법으로 치료할 수 있는 치성종양은 치아종 외에도 법랑모세포성 섬유종, 법랑모세포성 섬유치아종, 백아아세포종 등이다. 그러나 양성 치성 종양 중에도 법랑모세포종과 같이 다소 공격적인 특성을 보이는 경우에는 재발 가능성을 줄이기 위해 주위 정상 골조직도 일부 포함하는 변연절제술 또는 악골의 부분 절제술을 시행한다. 수술시에는 종양의 해부학적 위치도 물론 고려해야 한다. 수술 적 접근이 어려운 곳에 종양이 위치하거나 경동맥 등의 주요 해부학적 구조물에 근접한 종양은 완전 절제가 어렵다. 치성종양의 크기와 악골 내 발생 여부도 수술범위를 결정할 때 고려해야 한다. 치성종양의 크기가 너무 크면 완전 절제술이 어려울 수 있다. 악골 내에 발생한 치성종양이 피질 골을 파괴했거나 단순히 종양을 제거하는 것만으로 불충분할 경우에는 악골의 일부를 제거하는 수술을 시행할 수 있다. 악성 종양의 치료는 절제술이 원칙이나, 필요한 경우 항암제 투여나 방사선 치료를 고려한다.

 비치성종양

비치성종양(non-odontogenic tumor)으로서 구강 주위에 나타나는 종양은 매우 다양하다. 비치성종양은 골조직과 관련될 수도 있고, 연골 조직이나 섬유성 조직에서 기원하여 나타나기도 하며 이들 조직이 혼재해 있거나 그 기원을 알 수 없는 종양이 나타날 수도 있다(표 29-3).

표 29-3. 비치성 종양의 분류

상피성 비치성 종양
유두종(papilloma)
모반(nevus)
간엽조직성 비치성 종양
골종(osteoma)
연골종(chondroma)
섬유종(fibroma)
골화성 섬유종(ossifying fibroma)
대식세포육아종(giant cell granuloma) - 중심성 대식세포육아종(central giant cell granuloma) - 주변성 대식세포육아종(peripheral giant cell granuloma)
기타 종양성 병변
섬유이형성증(fibrous dysplasia)
백악골 이형성증(cemento-osseous dysplasia)
가족성 섬유성 이형성증(familial fibrous dysplasia of the jaws, cherubism)
혈관종(hemangioma)
전이성 종양 및 골육종

1. 상피성 비치성종양

1) 유두종

유두종(papilloma)은 구강 내 어떤 부위에서도 나타날 수 있는 상피성 종양으로 혀, 입술, 치은 등에 호발한다. 양배추꽃 모양의 다양한 크기의 종양이 점막 표면에 나타나며 특이한 증상은 없다. 구강 내 유두종은 바이러스와 무관하며 종양의 기저부를 절제하면 재발이 거의 없다.[2]

2) 모반

모반(nevus)은 구강 점막 등에 나타나는 선천성 색소 침착성 병변이다. 약간 융기되거나 한정된 착색 병소를 보이며 주로 모반세포(nevus cell)로 구성되어 있다. 모반 모두를 제거하는 것은 현실적으로 어렵고 꼭 필요하지도 않으므로 미용적 관점에서 보존적 치료를 시행한다. 다만 모반이 갑자기 커지거나 착색도가 짙어지면 제거를 고려

해 볼 수 있다.[2]

2. 간엽조직성 비치성종양

1) 골종

골종(osteoma)은 동통 등의 증상 없이 서서히 크기가 커지면서 악골의 종창을 유발하는 양성 종양으로서 크기가 너무 크면 안면골을 변형시킬 수 있다. 방사선학적으로 방사선 불투과성의 경계가 뚜렷한 종양이 악골에서 관찰된다. 절제술로 치료한다.[2]

2) 연골종

연골종(chondroma)은 악안면에서 매우 드문 질환이지만 상악의 전반부나 하악의 후반부에서 생길 수 있다. 악성 종양인 연골 육종과 병리 조직학적으로 감별하기 어려우므로 주의해야 한다.[2]

3) 섬유종

섬유종(fibroma)은 구낭 내에서 가장 빈발하는 양성 연조직성 종양으로 치은, 입술, 구강 내 협점막 등에 주로 발생한다. 저작으로 자극을 받으면 염증이 발생하여 동통 등의 임상 증상을 일으킬 수 있다. 치료는 절제술이며 재발은 거의 없다.[2]

4) 골화성 섬유종

골화성 섬유종(ossifying fibroma)은 섬유성 골종이라고도 불리며 치주인대에서 유래된 양성 섬유성 골성 병소다. 섬유종 내에는 골조직, 백악질, 섬유조직 등 세 가지 성분이 관찰된다. 조직학적으로 정상적인 해면골이 섬유성 조직으로 대치되어 있으며 종물 내에서 석회화가 증가된 신생골이 관찰된다. 방사선 검사에서 경계가 명확하게 관찰되며 치료는 외과적 적출이다.[2]

5) 중심성 대식세포 육아종

중심성 대식세포육아종(central giant cell granuloma)은 종창과 골 파괴를 일으킬 수 있는 병변으로 외부 자극에 대한 반응으로 발생하는 육아종이다. 주로 30대 이전에 많이 발생하며 여자에게 더 호발한다. 종양이 매우 빨리 자랄 수 있으며 주위 조직을 파괴하는 소견을 보일 수도 있고, 재발의 가능성이 높다. 주변부 골제거와 소파술을 시행하고 결손부위가 큰 경우에는 치유를 촉진하고 병적 골절을 줄이기 위해 골 이식이 필요할 수도 있다. 더 빨리 자라나는 동맥류 골낭종과 연관된 경우에는 즉시 수술하고, 이와 함께 국소마취제를 강 내 주사하는 비수술적 치료를 시행할 수 있다. 큰 병소에는 가장자리 절제나 분절 절제가 필요하며, 방사선 치료도 고려할 수 있다. 거대세포 병변의 조직학적 양상과 부갑상샘 기능항진증의 골성 병변을 구분하기가 어렵기 때문에 혈청 칼슘 수치를 확인하면 도움이 된다.[40]

6) 주변성 대식세포 육아종

주변성 대식세포육아종(peripheral giant cell granuloma)은 만성적 염증 등의 자극으로 인해 구강 내 육아조직이 비정상적으로 증식해 나타나는 종양이다. 발생부위는 대부분 치은과 치조돌기다. 화농성 육아종(pyogenic granuloma)이 점막 표면에 주로 발생하는 데 비해서 변연성 거대세포육아종은 그보다 심부인 치근막이나 골막에서 발생한다. 치료는 수술적 제거이다.[40]

3. 기타 종양성 병변의 양상과 특징

1) 섬유 이형성증

섬유 이형성증(fibrous dysplasia)은 어린이나 젊은 연령층의 여자에서 호발하는 병변으로 종양이라기보다는 악골에 발생하는 섬유성 조직의 증식성 질환이다. 대부분 10세 이전에 발병하여 사춘기 후 안정되기 전까지 지속적으로 자라나는데, 간혹 성인에서 발병하기도 한다. 증식

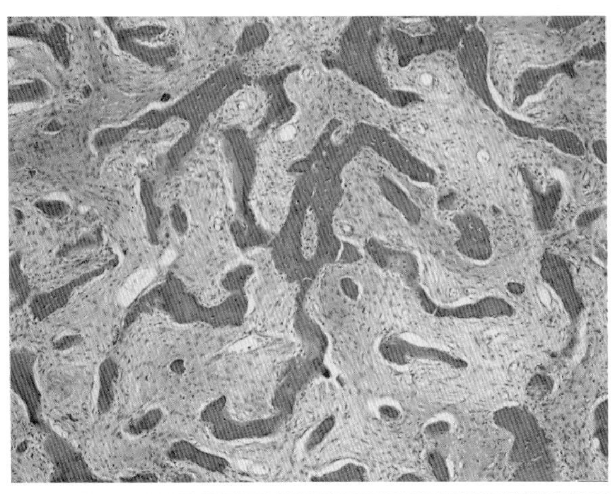

■ 그림 29-10. **섬유성 이형성증 병리조직학적 소견.** 섬유아세포가 주를 이루는 저세포성 기질 내에 제멋대로 휘어지는 모양(Chinese letter)의 소주성 골병변이 관찰된다(H&E x 100).

하는 섬유성 조직은 미분화된 골성 조직을 포함하고 있고, 기존의 정상적 골조직을 대체하면서 증식한다. 병리조직학적 소견으로 섬유아세포가 주를 이루는 저세포성 기질 내에 소주성 골병변이 관찰된다(그림 29-10). 아직까지 확실하게 밝혀진 원인은 없으나 외상이나 감염이 골형성에 관여하는 간엽조직의 증식 이상을 초래하여 발생하는 것으로 여겨진다. 동통 등의 특이한 증상 없이 악골의 종창 형태로 나타나며 결국 안면을 변형시켜 얼굴의 비대칭성을 초래할 수도 있다.[5,38]

치료는 절제술이지만 병변과 정상 골조직을 구분하기 매우 어려워 완전 절제가 힘든 경우가 많다. 이런 경우에는 안면의 변형을 없애주는 보존적 수술법으로 치료를 한다. 방사선 치료는 악성 종양으로 변성을 일으킬 가능성이 있으므로 시행하지 않는다.[38]

2) 백악-골 이형성증

백악-골 이형성증(cemento-osseous dysplasia)은 종양이라기보다는 악골에 생기는 병변으로서 병리조직학적으로 백악질과 유사한 신생 조직의 증식이 관찰된다. 대개 무통성의 악골 종창으로 나타나며, 병변의 크기가 커서 안면의 변형이 생긴 경우 수술로 제거한다.[5,41]

3) 가족성 섬유성 이형성증

가족성 섬유성 이형성증(familial fibrous dysplasia of the jaw, cherubism)은 동일 질환의 가족력을 갖고 있는 3~4세의 어린이에서 발병하는 드문 질환이다. 임상적으로는 동통 등의 증상이 없는 종창이 대개 양쪽 하악에 동시에 발생하지만 청소년기를 거치면서 자연적으로 소실된다. 방사선 검사에서 미맹출 치아와 함께 악골의 팽창과 피질골의 약화 소견을 보이며 악골 자체의 파괴 부위도 관찰할 수 있다. 종창이 커서 안면의 변형이 있으면 수술로 병변 부위를 제거한다.[5]

4) 혈관종

혈관종(hemangioma)은 혈관의 증식으로 발생하는 종양으로 어린이에게 주로 나타난다. 양성 종양이나 악골 내에서 발생한 경우 크기가 커지면서 골을 파괴하기도 한다. 불규칙적이고 비투과성인 벌집모양의 방사선 병변과 함께 잡음, 잇몸 출혈, 발진 등이 있으면 혈관성 병변을 시사한다. 미용 상 또는 자주 출혈하는 경우 절제술을 시행하는 것이 원칙이다. 선천성으로 발생한 혈관종의 경우 자연적으로 없어질 수도 있다.[2]

5) 전이성 종양 및 골육종

턱에 발생하는 전이성 종양은 대부분 하악골 후방에 발생하며 종양이 급속히 자라고 종창, 통증, 감각이상 등의 증상을 동반한다. 폐, 유방, 대장, 전립선, 신장, 그리고 갑상선 등이 전이성 종양의 주된 원발 병소이다. 턱의 골육종은 어떠한 연령에서도 발생할 수 있으나 30대에 가장 잘 발생한다. 병이 진행된 경우 예후가 나쁘지만 초기에 발견하고 근치적 절제술과 보조요법을 시행하면 생존율을 80%까지 올릴 수 있다고 보고되어 있다.[39] 초기 병변의 증상은 종종 감염성 질환과 감별하기가 어렵다.[24]

참고문헌

1. 대한구강악안면외과학회 편. 구강악안면외과학 교과서. 의치학사, 2013, pp.139-192, 367-404.
2. 안병훈. 치성질환. 대한이비인후과학회 편. 이비인후과학-두경부외과학. 일조각, 2009, p.1263-83.
3. 정진혁, 김기태, 정승규. 치아 임플란트에서 이비인후과의 역할. 대한비과학회지 2008;15:83-91.
4. Abrahams JM, McClure SA. Pediatric odontogenic tumors. Oral Maxillofac Surg Clin North Am 2016;28(1):45-58.
5. Abramovitch K, Rice DD. Benign Fibro-Osseous Lesions of Jaws. Dent Clin North Am 2016;60(1):167-193.
6. Bali RK, Sharma P, Gaba S, et al. A review of complications of odontogenic infections. Natl J Maxillofac Surg 2015;6(2):136-143.
7. Barker BF. Odontogenic myxoma. Semin Diagn Pathol 1999;16(4):297-301.
8. Bath-Balogh M, Fehrenbach MJ. Tooth development and eruption. Elsevier Health Science, Illustrated Dental Embryology, Histology, and Anatomy:2011. p.49-76.
9. Bilodeau EA, Collins BM. Odontogenic Cysts and Neoplasms. Surg Pathol Clin 2017;10(1):177-222.
10. Bridle C, Visram K, Piper K, et al. Maxillary calcifying epithelial odontogenic (Pindborg) tumor presenting with abnormal eye signs: case report and literature review. Oral Surg Oral Med Oral Pathol Oral Radiol Endod 2006;102(4):e12-15.
11. Brook I. Sinusitis of odontogenic origin. Otolaryngol Head Neck Surg 2006;135(3):349-355.
12. Buchner A, Merrell PW, Carpenter WM. Relative Frequency of peripheral odontogenic tumors: a study of 45 new cases and comparison with studies from the literature. J Oral Pathol Med 2006;35(7):385-391.
13. Buyukkurt MC, Omezli MM, Miloglu O. Dentigerous cyst associated with an ectopic tooth in the maxillary sinus: a report of 3 cases and review of the literature. Oral Surg Oral Med Oral Pathol Oral Radiol Endod 2010;109(1):67-71.
14. Chrysomali E, Leventis M, Titsinides S, et al. Odontogenic tumors. J Craniofac Surg 2013;24(5):1521-1525.
15. Costain N, Marrie TJ. Ludwig's angina. Am J Med. 2011;124(2):115-7.
16. Craig GT. The paradental cyst. A specific inflammatory odontogenic cyst. Br Dent J 1976;141(1):9-14.
17. Crowly TE, Kaugars GE, Gunsolley JC. Odontogenic keratocysts: a clinical and histologic comparison of the parakeratin and orthokeratin variants. J Oral Maxillofac Surg 1992;50(1):22-26.
18. Dehner LP, Sibley RK, Sauk JJ Jr, et al. Malignant melanotic neuroectodermal tumor of infancy: a clinical, pathologic, ultrastructural and tissue culture study. Cancer 1979;43(4):1389-1410.
19. Dym H, Wolf JC. Oroantral communication. Oral Maxillofac Surg Clin North Am 2012;24(2):239-247.
20. Elliott KA, Franzese CB, Pitman KT. Diagnosis and surgical management of nasopalatine duct cysts. Laryngoscope 2004;114(8):1336-1340.
21. Flint PW, Haughey BH, Niparko JK, Lund VJ, Richardson MA, Robbins KT et al. Cummings Otolaryngology-Head and Neck Surgery:Head and Neck Surgery,3-Volume Set. Elsevier Health Sciences:2010;1259-1278.
22. Gomes CC, Duarte AP, Diniz MG, et al. Review article : Current concepts of ameloblastoma pathogenesis. J Oral Pathol Med 2010;39(8):585-591.
23. Hellstein J. Odontogenesis, Odontogenic Cysts, and Odontogenic Tumors. Orolaryngology Head and Neck Surgery, 6th ed. St Louis: Mosby, 2013,pp.1323-1344.
24. Irani S. Metastasis to the Jawbones : A review of 453 cases. J Int Soc Prev Community Dent 2017;7(2):71-81.
25. Kramer IRH, Pindborg JJ, Sherar M. Histological Typing of Odontogenic Tumors, 2nd ed. Berlin: Springer-Verlag,1992.
26. Langford FP, Moon RE, Stolp BW, et al. Treatment of cervical nerotizing fasciitis with hyperbaric oxygen therapy. Otolaryngol Head Neck Surg 1995;112(2):274-278.
27. Lee JY, Baek BJ, Byun JY, et al. Comparision of conventional excision via a sublabial approach and transnasal marsupialization for the treatment of nasolabial cyst: A prospective randomized study. Clin Exp Otorhinolaryngol 2009;2(2):85-89.
28. Marple BF. Ludwig Angina: a review of current airway management. Arch Otolaryngol Head Neck Surg 1999;125(5):596-599.
29. McClary AC, West RB, McClary AC et al. Ameloblastoma : a clinical review and trends in management. Eur Arch Otorhinolaryngol. 2016;273(7):1649-1661.
30. Mehra P, Jeong D. Maxillary sinusitis of odontogenic origin. Curr Infect Dis Rep 2008;10(3):205-210.
31. Mehra P, Murad H. Maxillary sinus disease of odontogenic origin. Otolaryngol Clin North Am 2004;37(2):347-364.
32. Meningaud JP, Oprean N, Pitak-Arnnop P, et al. Odontogenic cysts: A clinical study of 695 cases. J Oral Sci 2006;48(2):59-62.
33. Nxumalo TN, Shear M. Gingival cyst in adults. J Oral Pathol Med 1992;21(7):309-313.
34. Philipsen HP, Reichart PA, Zhang KH, et al. Adenomatoid odontogenic tumor: biologic profile based on 499 cases. J Oral Pathol Med 1991;20(4):149-158.
35. Pogrel MA. The Keratocystic odontogenic tumor. Oral Maxillofac Surg Clin North Am 2013;25(1):21-30.
36. Pokorny A, Tataryn R. Clinical and radiologic findings in a case series of maxillary sinusitis of dental origin. Int Forum Allergy Rhinol 2013;3(12):973-979.
37. Procacci P, Zangani A, Rossetto A et al. Odontogenic orbital abscess : a case report and review of literature. Oral Maxillofac Surg 2017;21(2):271-

279.

38. Riddle ND, Bui MM. Fibrous dysplasia. Arch Pathol Lab Med 2013;137(1):134-138.
39. Sandler NA, Johns FR, Braun TW. Advances in the management of acute and chronic sinusitis. J Oral Maxillofac Surg 1996;54(8):1005-1013.
40. Sullivan M, Gallagher G, Noonan V. The root of the problem : occurrence of typical and atypical periapical pathoses. J Am Dent Assoc 2016;147(8):646-649.
41. Summerlin DJ, Tomich CE. Focal cemento-osseous dysplasia: a clinicopathologic study of 221cases. Oral Surg Oral Med Oral Pathol 1994;78(5):611-620.
42. Swanson KS, Kaugars GE, Gunsolley JC. Nasopalatine duct cyst: an analysis of 334 cases. J Oral Maxillofac Surg 1991;49(3): 268-271.
43. Ten Cate AR. Oral Histology: Development, Structure and Function, 3rd ed. St Louis: Mosby, 1989.
44. Visscher SH, Van Minnen B, Bos RR. Closure of oroantral communications : a review of the literature. J Oral Maxillofac Surg 2010;68(6):1384-1391.
45. Williams TP, Connor FA Jr. Surgical management of the odontogenic keratocyst: aggressive approach. J Oral mxillofac Surg 1994;52(9):964-946.
46. Wysocki GP, Brannon RB, Gardner DG, et al. Histogenesis of the lateral periodontal cyst and the gingival cyst of the adult. Oral Surg Oral Med Oral Pathol 1980;50(4):327-334.
47. Wysocki GP, Goldblatt LI. The so-called "Globulomaxillary cyst" is extinct. Oral Surg Oral Med Oral Pathol 1993;76(2):185-186.
48. Xu Gz, Jiang Q, Yang C, et al. Clinicopathologic features of dentigerous cysts in the maxillary sinus. J Craniofac Surg. 2012:23(3):226-231.
49. Yuen HW, Julian CY, Samuel CL. Nasolabial cysts: Clinical features, diagnosis, and treatment. Br J Oral Maxillofac Surg 2007;45(4):293-297.
50. Zallen RD, Preskar MH, McClary SA. Ameloblastic fibroma. J Oral Maxillofac Surg 1982;40(8):513-517.

CHAPTER

30

안질환의 비과적 치료

김선태, 조재훈

해부학적으로 안와 및 안와주변의 구조물은 비부비동(nose paranasal sinus)과 연접해 있으며, 최근 내시경 수술이 비약적으로 발달함에 따라 안질환을 비부비동을 통해 치료하는 예가 증가하고 있다. 갑상선 안질환이나 비루관 폐쇄, 외상에 의한 시신경 손상 등을 대상으로 비부비동을 통한 내시경 수술은 외부에 상흔이 없이 좋은 결과를 보여주고 있다. 본 장에서는 안와 및 안와주변 구조물의 해부학적 소개와 함께 대표적인 안질환들에서 비내시경을 이용한 안와감압술(orbital decompression), 내시경을 이용한 누낭비강문합술(dacryocystorhinostomy), 그리고 시신경감압술(optic nerve decompression)을 다루고자 한다.

I 기초 해부학

1. 안와

안와(orbit)는 안구가 위치하는 공간으로 골 구조는 4면체의 피라미드 모양과 흡사하지만 안와첨(orbital apex) 부위로 갈수록 삼면체로 된다. 안와의 뼈 구조는 내·외·상·하의 4벽을 가지며 전두골(frontal bone), 협골(zygomatic bone), 상악골(maxilla bone), 누골(lacrimal bone), 접형골(sphenoid bone), 사골(ethmoid bone), 구개골(palatine bone)의 7개의 뼈로 구성되어 있다(그림 30-1). 안와 전면의 둘레를 안와연(orbital rim)이라 하고 이마와 광대 돌출부를 따라서 두꺼워져 있어 외상으로부터 눈을 보호하게 된다.[1]

안와내벽은 앞쪽에 누관과 비루관이 자리 잡은 누낭와(lacrimal sac fossa)가 있고 후방으로 갈수록 종이 같이 얇아지다 최후방의 접형골에 이르러서는 다시 두꺼워지며, 사골동, 접형동, 비강과 접하고 있다. 좌우 안와의 내벽은 서로 평행하며 각 안와에서의 내·외벽은 45°를 이루고 있으므로 두 외벽은 직각이 된다. 전누낭릉(anterior lacrimal crest)에서 뒤쪽으로 약 24 mm 지점에 전사골동맥이 위치하고 전사골동맥의 약 12 mm 뒤에 후사골동맥이 위치한다. 시신경은 후사골 동맥의 6 mm 뒤에

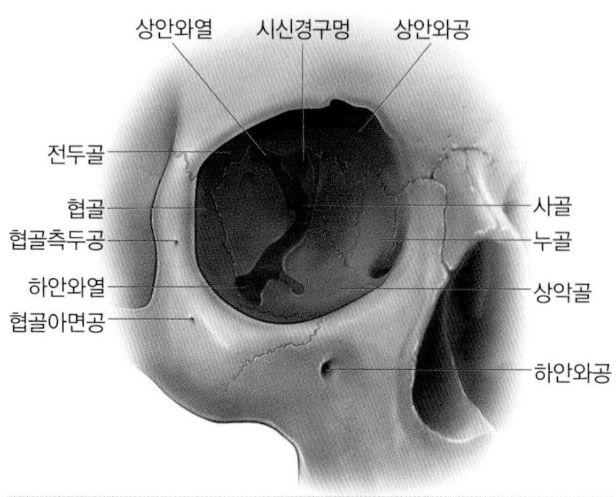

■ 그림 30-1. **안와의 골 구조**

위치하게 되고 이는 안와내벽 수술 시 중요한 지표가 된다. 안와내벽은 매우 얇아 외상에 의한 골절이 잘 발생하고, 부비동염이 심할 경우 염증이 안와 내로 파급되는 전파 통로가 되기도 하며, 부비동염 수술을 할 때 쉽게 손상을 입어 합병증을 유발할 수도 있다. 안와 하벽은 삼각형 모양이며 상악골의 안와판과 구개골 그리고 협골로 이루어진다. 안와의 하벽은 수평으로 되어 있고 그 밑에 상악동이 놓여 있다. 얇은 골벽은 외상에 의해 쉽게 골절되기 때문에 안와 내용물이 상악동 내로 탈출되고 하직근(inferior rectus m.)과 하사근(inferior oblique m.)이 골절 사이에 끼이는 안와외향골절(blowout fracture of orbit)을 일으키기도 한다. 하안와공(infraorbital foramen)은 출생 시에 안와가장자리에 위치하다 성장하면서 이동하여 성인에서는 하안와 가장자리로부터 약 1 cm 하방에 놓이게 된다. 안와외벽은 안와벽중 가장 단단하며 앞쪽은 협골, 뒤쪽은 접형골의 큰날개(greater wing of sphenoid bone)로 구성된다. 안와첨에는 시신경공, 상안와열(superior orbital fissure), 그리고 하안와열(inferior orbital fissure)의 3가지 중요한 구조물이 위치한다.[1]

2. 외안근

안구는 외안근(extraocular muscles)에 의해 움직이

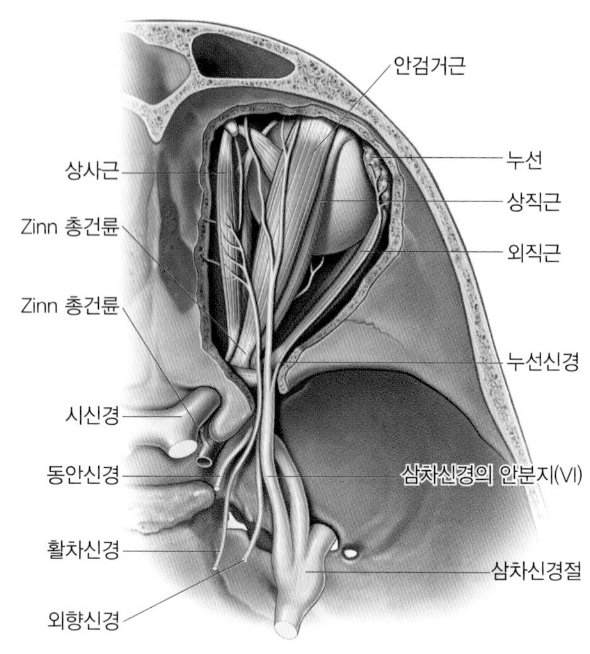

■ 그림 30-2. **안와첨의 주요 구조물**

는데, 외안근은 내직근(medial rectus m.), 외직근(lateral rectus m.), 상직근(superior rectus m.), 하직근 등 4개의 직근(rectus muscles)과, 상사근(superior oblique m.), 하사근(inferior oblique m.)으로 이루어지는 2개의 사근(oblique muscles)으로 구성된다. 모든 외안근은 하사근을 제외하고는 안와첨부에서 기시한다. 4개의 직근은 Zinn 총건륜(annulus of Zinn)에서 시작하는데 이 총건륜은 안와의 시신경공(optic foramen) 주위에 4개 직근의 건(tendon)으로 구성된 난원형(oval shape) 구조이고 안와골막(periorbita)과 시신경초(optic n. sheath)와 연결되어 있다(그림 30-2). 직근의 길이는 약 40 mm이고 각막윤부(corneal limbus)로부터 4~6 mm에서부터 시작되며 부착부는 약 10 mm의 넓이이다.[1]

안구는 6개의 외안근에 의해서 움직인다. 정상적으로 이들의 작용은 민감하게 조절됨으로써 각각의 안구는 같은 물체를 바라본다. 외안근의 신경지배는 내직근, 상직근, 하직근, 하사근 모두 제3 뇌신경인 동안신경(oculomotor n.)의 지배를 받고 외직근은 제6 뇌신경인 외향신

경(abducens n.), 상사근은 제4 뇌신경인 활차신경(trochlear n.)의 지배를 받아 안구의 운동을 관장한다. 내직근은 안구의 내전(adduction), 외직근은 외전(abduction)의 기능을 한다. 나머지 네 개 근육은 안구의 위치에 따라 다른 작용을 한다. 내직근은 총건륜의 코 쪽에서 시작하여 안구의 내측, 각막윤부에서 5 mm 떨어진 공막(sclera)에 부착하여 부비동염이나 사골동 수술을 할 때 손상되기 쉽고 안와내벽의 지판과 매우 근접하기 때문에 안와내벽 골절 시 내직근이 골절부위로 잘 끼게 된다. 하직근의 근막과 섬유사이막(fibrous septae)은 안와 하벽을 향하여 방사형으로 뻗어있기 때문에 안와하벽 골절 시 골절된 틈새로 끼어 안구의 하방운동을 제한할 수 있다.[1]

3. 누기

누기(lacrimal apparatus)는 눈물을 분비하는 누선(lacrimal gland)과 이를 배출하는 누도(lacrimal passage)로 되어 있다. 누선에서 분비된 눈물은 각막과 결막을 지나 눈의 안쪽 구성에 모여 상·하 누점(lacrimal punctum)을 통과한 후 누소관(lacrimal canaliculus), 누낭(lacrimal sac), 비루관을 지나 하비도(inferior meatus)로 배출된다(그림 30-3). 이때 눈꺼풀 깜박임은 눈물길 내에 양·음압을 만들어 눈물을 배출한다.[1]

1) 누선

누선은 주누선과 부누선으로 구성되며, 주누선은 안와 내 위 바깥쪽에 누와(lacrimal fossa)에 위치하며, 안와엽(orbital lobe)과 눈꺼풀엽(palpebral lobe)으로 나뉜다. 부누선은 부교감신경의 지배를 받지 않는다는 점에서 주누선과 다르며, 상·하 결막원개(superior and inferior conjunctival fornix)에 약 30개가 존재한다. 주누선은 반사 눈물분비(reflex tearing)를, 부누선은 기본 눈물분비를 담당하는 것으로 알려져 있다.[1]

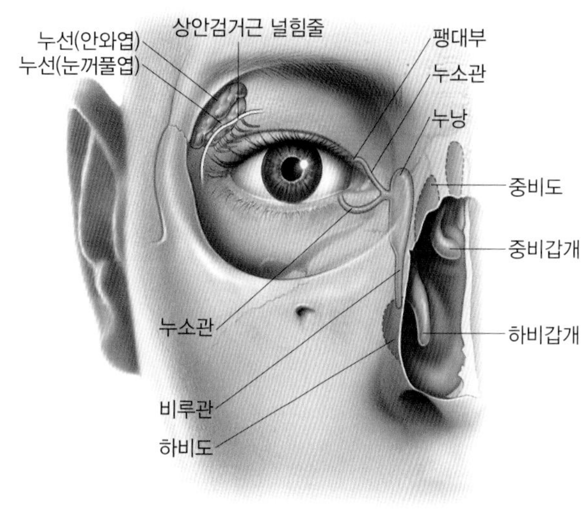

■ 그림 30-3. **누기의 구조**

2) 누도

누점은 직경 0.3 mm의 작은 구멍으로 내안각(medial canthus)에서 약 5~7 mm 떨어진 상·하안검연(superior and inferior lid margin)에 각각 위치한다. 누소관은 상·하 안검에 각각 있으며 누점에서부터 수직으로 2 mm, 수평으로 8 mm 정도 주행하게 된다. 약 90%에서 상·하 누소관이 합쳐져 총누소관(common canaliculus)을 형성하며 총누소관은 내안각인대(medial canthal ligament)의 앞뒤 갈래 사이에 위치한다. 누낭과 합쳐지는 총누소관의 안쪽 끝에는 로센뮐러판(valve of Rosenmuller)이 있어 눈물이 역류되는 것을 방지한다. 누낭은 전누낭릉과 후누낭릉(posterior lacrimal crest) 사이의 누낭와 내에 위치하며 단단한 골막과 주변의 눈물근막에 의해 둘러싸여 있다. 누낭의 크기는 상하 12~15 mm, 전후 4~8 mm, 좌우 3~5 mm로 하방으로 내려오다 갑자기 좁아지면서 비루관이 된다. 비루관 중 뼈로 둘러싸인 부분의 길이는 12.5 mm 정도이고 약 2~5 mm 정도는 하비도 부위에 위치한다. 비루관의 방향은 동측의 비익(nasal alae)을 연결하는 선과 일치하며, 길이는 약 15~24 mm로 하비도의 개구부에서 점막판인 Hasner 판막으로 구멍이 열리게 된다. Hasner 판막은 출생 시

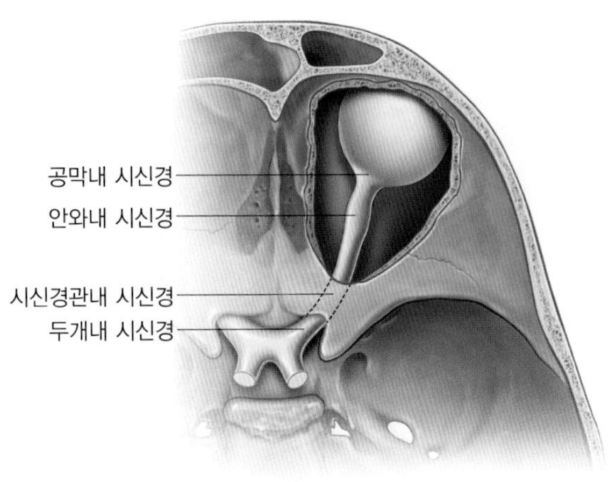

■ 그림 30-4. **시신경의 4개 부분**

35~73%에서 폐쇄되어 있는 것으로 보고되어 있으며 대개는 출생 1년 이내에 뚫리게 된다.[1]

4. 시신경

시신경(optic n.)은 망막(retina)의 신경절세포(ganglion cells)로부터 나온 약 100만 개의 축삭(axon)으로 구성된 신경줄기로서 다른 안와 신경과는 달리 수막(meninges)으로 덮여 있고 순환하는 뇌척수액에 의해 둘러싸여 있다. 시신경은 공막 내(intraocular), 안와 내(intraorbital), 시신경관 내(intracanalicular), 그리고 두개 내(intracranial)의 4개 부분으로 나뉜다(그림 30-4). 공막내 신경은 길이가 약 0.7 mm이며, 직경은 사상판 내에서는 수초(myelin)가 없으므로 약 1.5 mm이고 그 다음부터는 수초가 있기 때문에 약 3.0 mm가 된다. 안와내 신경은 S자형으로 길이는 약 25~30 mm로 공막의 시신경부착부위로부터 시신경구멍까지의 실제 길이보다 약 6 mm가 길며, 근원추(mucscle cone) 내 안와지방에 의해 둘러싸여 있어 안와 내에서 자유로운 안구운동이 가능하다. 시신경관 내 시신경의 길이는 약 4~9 mm로 시신경초(optic nerve sheath)는 골막과 강하게 유착되어 있으며 두개강 내 신경은 길이가 약 10 mm이다. 시신경초는 뇌막(meninx)의 연장으로서, 경막(dura mater)은 시신경관에서 골막(periosteum)과 유착되어 있고 안구에서는 공막으로 이행한다. 시신경섬유 중 80%는 시섬유(visual fiber)이고 20%는 동공 섬유(pupillary fiber)로 되어 있으며 시신경섬유는 중추신경계이므로 Schwann 초가 없어서 재생능력이 없다. 시신경 내에 있는 망막중심동맥(central retinal a.)은 시신경공 근처에서 안동맥(ophthalmic a.)으로부터 나와서 시신경의 밑을 지나 안구 뒤 10~12 mm 내하측에서 시신경 내부로 들어가 사상판을 통과하여 망막에 분포하며, 망막중심정맥(central retinal v.)은 사상판에서 동맥과 나란히 시신경 내부를 지나 동맥보다 후방에서 시신경 밖으로 나와 상안정맥(superior ophthalmic v.)으로 합류하거나 일부는 직접 해면동으로 간다.[1]

II Grave 병

1835년에 Robert Grave는 대사과잉상태(hypermetabolic state), 갑상선비대, 안구돌출을 특징으로 하는 임상 증상을 기술하였다.[3,19] 현재 Grave 병은[1] 갑상선비대와 동반된 갑상선항진증,[3] 침윤성 안질환(infiltrative ophthalmopathy)으로 인한 안구돌출,[19] 침윤성 피부질환(infiltrative dermopathy)을 특징으로 하는 전신질환으로 알려져 있다.[3] 갑상성자극호르몬(thyroid-stimulating hormone (TSH))에 대한 자가면역질환으로 안구돌출은 안구후방(retrobulbar area)의 섬유화가 주요 원인이다.[19] 병인에 대해 많은 것이 알려졌지만, 근본적인 치료는 이루어지지 못하고 있다.[3,6,12,19,25,33]

1. 병인

최근 연구에서 Grave 병의 기본 병인으로 자가항진된 T세포(autoreactive T cell)가 주목받고 있다.[3,12,19] 초기 T

세포의 발생과정에서 정상적으로는 자아(self)에 과도하게 반응하는 T세포는 적절히 제거되어야 하는데, Grave 병 환자에서는 면역기전의 오작동으로 이러한 T세포가 살아남게 된다. 비정상적 T세포들은 주로 갑상선에 머물다가, 갑상선염이나, 방사선치료, 흡연, 약물 등으로 인해 TSH 수용기가 유출될 때 이들과 반응하여 증식, 활성화된다. 이어서 TSH 수용기에 대한 항체가 생성되어 이들을 자극하면 갑상선 항진증이 발생한다. Grave 병 환자 중 5~10%는 기존의 만성갑상선염으로 인해 갑상선호르몬 저장량이 부족하거나, 혹은 TSH 수용기 차단항체가 존재하여 정상 갑상선호르몬 상태를 유지하기도 한다. Grave 병 환자들에서 외안근이 커지는데, 근육세포 myocyte 자체는 조직학적으로 정상처럼 보인다.[12,19] 대신 섬유화세포가 증가하고 림프구가 많이 침윤되어 있다. 과거에는 외안근에 대한 특이 항체가 생성되거나 특이한 세포독성반응에 의해 염증이 일어나는 것으로 추정하였으나, 최근에는 근거가 없다고 알려졌다. 오히려 안구후방 섬유화세포가 주요 기전으로 주목받고 있다. 이들은 하이알루로네이트(hyaluronate) 등을 분비하는데, 이들 물질은 매우 친수성이 강해 주위 조직의 부종을 초래한다. 또한 섬유화세포는 다양한 염증물질을 분비해 주위에 염증을 일으킨다.[19] Grave 병 안질환이 있는 환자들에서는 이들 섬유화세포에 대한 자가항체가 대부분에서 발견되는데, 이들 자가항체는 TSH 수용기 항체와 매우 유사하다. 이 환자들의 지방세포에서도 TSH 수용기가 발견되며, 이 수용기에 대한 항체역가가 예후에 영향을 준다. T세포는 안구후방부의 섬유화세포와 결합하여 주위 염증을 더욱 악화시키는 역할을 한다.

2. 역학

비교적 흔한 질환으로 매해 0.5명/1000명 비율로 발생하며, 연령대는 다양하나 40~50대에서 가장 호발한다.[3,6,12,19,25,33] Grave 병 환자 중 안질환의 발생을 보면, 비특이적 증상을 제외하고 엄격히 정의하면 10~25% 정도이며 경미한 경우를 포함하면 30~45%에 이른다. CT에서 안구 이상을 보이는 경우는 90%라는 보고도 있다. 시신경 병변을 초래하는 경우는 2~5%로 드물다. 뚜렷한 유전적인 경향을 발견하지는 못했는데,[41] 유럽인의 경우 아시아인에 비해 Grave 병에 걸릴 경우 안질환이 발생하는 비율이 6배 많았다. 남녀비는 1:3으로 여자에서 흔하지만, 심한 안질환은 남자에서 더 많이 발생한다. 담배를 피는 경우 비흡연자에 비해 7.7배 안질환 발생이 증가하는데, 안질환이 심한 경우도 많고 면역억제치료에 반응하지 않는 비율도 높다. 안질환 발생율이 남자에게 많은 이유는 흡연자가 많기 때문이라는 추측도 있다. 갑상성호르몬의 수치와 안질환의 정도, 예후와는 별다른 관련성이 없는 것으로 알려져 있다. 혈중 TSH 정도가 안질환에 영향을 주는 것으로 의심된다.[3,19]

3. 임상양상

환자들은 대부분 안질환과 더불어 갑상선기능항진증, 대사증가(hypermetabolic finding)를 동반하게 된다(그림 30-5).[3,6,12,19,25] 20%의 환자들은 갑상선기능항진증 증상이 나타나기 전에 안질환이 먼저 발현하기도 한다. 특히 안질환이 발현된 경우 전경골부 부종(pretibial myx-edema)이 12~15%에서 관찰된다. 양측 눈이 동시에 이환된 경우가 많으나, 한쪽에만 발생하거나 진행 정도에 차이가 나기도 한다.[3,19] 가장 경미한 안검후퇴(lid retractio-in), 이후 안구돌출(proptosis), 각막노출과 궤양(corneal exposure and ulceration), 복시, 시력소실의 순서로 진행하는데, 항상 명확한 단계를 거쳐 진행하는 것은 아니다. Grave 병의 경과는 급성 진행기(6~24개월)와 이후 정체기(1~3년)로 나뉜다.[3,6,10,19,25] 안검후퇴(lid retraction)와 안검부종(eyeid edema), 결막부종(chemosis) 등은 발생 하였다가 대부분 서서히 호전되는 데 비해, 안구마비(ophthalmoplegia)는 회복이 더디고, 30~40%에서만 호

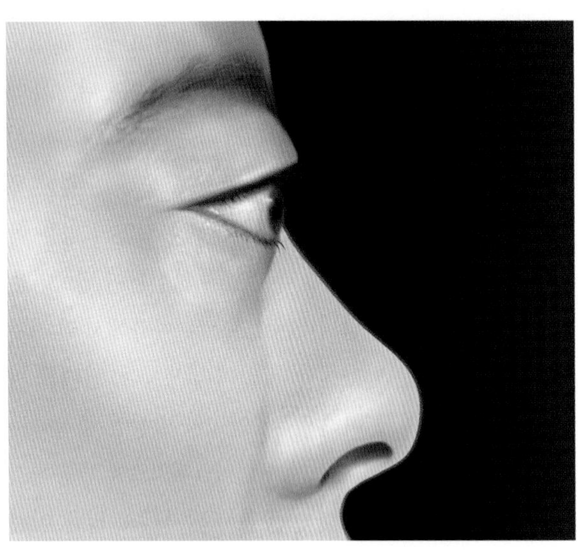

■ 그림 30-5. **안구돌출을 동반한 갑상선 안질환 환자의 술 전 측면 사진 및 전산화 단층 촬영**

전된다. 안구돌출(proptosis)은 저절로 회복되는 경우가 10% 정도밖에 되지 않는다. 시신경병변(optic neuropathy)은 어느 정도 회복은 되나, 21%에서 매우 심각한 시력저하를 남긴다.[3,6,12,19,25] Grave 병 안질환에 대한 몇몇 분류 체계가 소개되었는데, 본 교과서에서는 2008년 European Group on Grave Orbitopathy를 소개한다(표 30-1).[19]

4. 진단

갑상선기능검사 및 TSH 농도를 측정한다. 갑상선호르몬 수치가 정상일 경우 갑상선기능 이상을 확인하기 위한 추가 검사가 필요하다.[3,6,19,25] 갑상선 자가항체에 대한 검사를 시행하기로 한다. 눈의 상태 및 진행정도, 치료의 반응 등을 파악하기 위한 지속적인 안과검사 또한 필수적이다. 반드시 진행되어야할 안과검사의 항목으로는 안검부종, 안검후퇴, 결막부종, 공막발적, 안구운동장애, 안구돌출 등의 연조직 변화와 기본주시(primary gazy) 및 상향주시(upward gaze) 때의 안구내압, 사시(strabismus) 여부, 시력(acuity), 색각(color vision), 시야(visual field) 등이다. CT는 진단에 매우 중요한데,[50] 특히 수술 계획을 수립하는 데 필수적이다. CT 검사에서 가장 큰 특징은 외안근의 비대(2~8배)로 인대는 보존된다.[19] 대부분 양측이 대칭적이나, 드물게 비대칭인 경우도 있다. 내직근과 하직근이 가장 흔히 침범된다. 외안근의 비대 정도와 시신경의 손상 정도는 비례하지 않는다. MRI는 활성염증(active inflammation)을 파악하는 데 유용하나, 골성 구조에 대한 정보를 주지 못하는 단점이 있다.[6,12,19]

5. 비수술적 치료

1) 내과적 치료

Grave 병 안질환에서 갑상선 치료는 논란의 여지가 있는데, 이는 갑상선항진증 정도와 안질환의 발생이나 진행이 별다른 관계가 없기 때문이다.[3,6,12,19,25] 하지만 Grave 병의 일차 치료로 항갑상선제를 투여하는 것은 대부분의 의사들이 동의한다. 항갑상선제가 듣지 않을 경우 갑상선 수술이나 동위원소 치료를 시행하는데, 동위원소 치료는 안질환을 더욱 악화시킨다는 보고가 있어, 수술을 더 선

표 30-1. Grave 안질환의 중증도 평가

병기	안검후퇴	연조직	안구돌출	복시	각막노출	시신경 상태
경도(mild)	<2 mm	경도 침범(involvement)	<3 mm	없거나 일시적	없음	정상
중등도(moderate)	≥ 2 mm	중등도 침범	≥ 3 mm	간헐적	경도	정상
고도(severe)	≥ 2 mm	고도 침범	≥ 3 mm	지속적	경도	정상
시력 위협(sight threatening)					심함	압박

호한다.[19] Grave 병 안질환은 스스로 좋아지는 경우가 많아, 대증적 치료로 충분할 수 있다.[6,12,19] 각막손상을 막기 위해 인공눈물을 넣어주고 저녁에는 눈에 테이프를 붙여주는 것이 좋다. 항산화제가 증상을 호전시켰다는 보고도 있다.[17] 안질환이 심한 경우 고농도의 스테로이드(프레드니솔론 80~100 mg/day)를 사용한다.[19] 경구용보다 정맥주사가 더욱 효과적이다. 2~4주간 사용한 후 이후 감량하는데, 통증, 발적(erythema), 결막부종, 시력 등이 빠르게 호전된다. 하지만, 약을 끊으면 다시 나빠지는 경우가 많고 스테로이드로 인한 전신 부작용을 주의하여야 한다. 면역억제제를 함께 투여하기도 하며 혈장교환술(plasmapharesis)을 시도하는 경우도 있지만, 아직 명확히 효과가 입증되지 않았다.[6,12]

2) 방사선 치료

오래 전부터 사용된 방법으로 보통 20 Gy를 10회 분할하여 투여한다.[19] 방사선의 효과는 주로 염증세포를 억제하는 것으로 알려져 있다. 따라서, 안질화의 초기에 효과가 좋고, 안구돌출, 외안근마비, 시신경 병변 등에는 별다른 효과가 없다. 장기간 치료 효과가 명확하지 않고, 방사능 부작용이 발생할 수 있어 주의를 요한다.[35]

6. 수술적 치료

안와는 뼈로 둘러싸인 공간이므로 증가된 안구 내 압력을 감소시키고 안구를 후방으로 이동시키려면 안와벽의 일부를 제거하여 안와 내용물을 공간적으로 이동시켜야 한다. 안와벽의 제거는 이론적으로 안와의 상측, 하측, 외측, 내측의 네 방향에서 가능하며 실제로 이와 같은 접근법이 모두 시도되었다.[3,6,19,33] 과거에는 안구의 외벽, 상벽을 제거하는 수술을 많이 시행하였다. 측방 안와절개술(lateral orbitotomy)을 통하여 안와 내용물을 측두하와(infratemporal fossa)로 탈출시켜 감압을 시도하기도 하였고, 경두개접근법(transcranial approach)으로 전두개와를 통한 접근법도 보고되었다.[19,34] 하지만, 이들 방법은 이환율이 높고, 안와 내용물이 탈출할 충분한 공간을 확보하기 어려웠다. 이에 비하여 안와내벽과 하벽은 주위에 각각 함기화된 큰 부비동이 위치하므로 안와 내용물이 이동할 수 있는 충분한 공간이 있어 효과적인 수술방법이다.[28,29] 안와내벽과 하벽을 제거하기 방법으로는 주로 외측사골동 절제술(external ethmoidectomy)과 Caldwell-Luc 접근법 사용되었는데, 이후 내시경이 비과분야에 도입되면서 최근에는 대부분 내시경하에서 내벽과 하벽을 제거하는 안와감압술이 시행되고 있다.[19,33]

1) 경상악동접근법(Walsh-Ogura 술식)

증상이 더 심한 쪽의 눈을 먼저 수술하는 것이 바람직하며 수술 전 처치로 광범위 항생제 및 스테로이드를 투여하는 것이 좋다.[3,19,33] Caldwell-Luc 접근법은 안와 하벽과 내측벽을 제거하기 위한 좋은 방법이지만 구순하절개(sublabial incision)에 따른 후유증과 이환이 단점이며 기술적으로는 상악동 전벽을 덮고 있는 연조직과 안와하연(inferior orbital margin)으로 인하여 안와하벽의 전방과 비루관을 둘러싸고 있는 뼈를 노출시키는 데 제한점이 있다. 수술은 전신마취하에서 시행되는데 Caldwell-Luc 술식대로 구순하절개를 가하고 견치와(canine fossa) 전벽에 구멍을 만들어 상악동 내로 접근한다. 안와하벽을 제거하기 전에 반드시 안와하신경(infraorbital n.), 혈관속(fasciculus vascularis)을 확인해야 한다. 안와하신경의 외측부분의 면적은 넓지 않기 때문에 큰 감압의 효과를 기대할 수 없으며, 이 부분은 안구를 아래에서 받쳐주는 역할을 하기 때문에 안구가 심하게 돌출된 경우를 제외하고는 안와하신경의 내측부위의 안와하벽만을 제거한다. 그러나 일부에서는 보다 적극적인 감압을 위해 안와하신경과 혈관속을 확인한 후 이를 유지하는 골가교(bony bridge)를 남겨놓고 외측 안와하벽까지 제거를 주장하기도 한다. 안와하벽의 상악동점막을 제거한 후에 망치와 끌을 이용하여 안와골막에 손상이 가지 않도록 조심스럽게 안와하벽에 골절을 만드는데, 만약 이 벽이 두꺼워서 골절시키기 위하여 무리한 힘을 가해야 될 경우에는 미리 드릴로 안와하벽을 얇게 만든 후에 골절시킨다.[16] 골절된 안와하벽을 거상기(elevator)와 겸자(forceps)로 조심스럽게 제거한다. 그후 비상악동창(nasoantral window)을 만든 후에 사골동절제술(ethmoidectomy)을 시행하고 안와내벽을 노출시키고 제거한다. 수술 후 상악동으로 내려온 안와 내용물이 상악동의 자연공을 막지 않도록 비상악동창은 가능하면 크게 만드는 것이 좋다. 골벽의 결손이 만들어 지면 안와골막에 절개를 가하여 안와 내용물이 상악동과 사골동 내로 탈출되도록 한다. 이때 골막의 절개는 뒤로는 안와첨까지 하여 안와후부에서 시신경을 압박하는 안와 내용물이 충분히 감압되도록 한다. 수술 후 임상적 경과를 관찰하면서 스테로이드의 감량을 시행하며, 3개월을 기다린 후 먼저 수술한 눈에 맞추어 반대쪽 눈을 수술한다.

2) 내시경을 이용한 안와감압술

내시경의 발전으로 과거 접근이 어려웠던 부분이 용이해짐에 따라 1990년 Kennedy는 내시경을 이용한 안와내벽과 하벽의 감압술을 고안하였다.[29] 내시경적 안와감압술은 기존의 방법들에 비하여 여러 가지 장점을 갖고 있는데 가장 큰 장점은 상악동을 통한 방법으로는 불충분했던 안와 후방부, 특히 안와 첨부의 조작이 용이해, 시신경 감압 효과가 크다는 점이다. 또한 내측 및 정상 부위의 안와 감압 정도가 Walsh-Ogura 술식에 비해 크며, 구순하 절개나 피부 절개가 필요 없으므로 안면부종, 반흔, 안와하신경 손상과 치아 손상 등의 합병증을 피할 수 있으며 출혈이 적고 수술 후 재원기간이 짧다. 그러나 상악동을 경유하는 술식과 달리 안와하벽의 앞쪽부분 제거는 제한적이다. 또한 안와하신경 바깥쪽의 안와 하벽에 대한 감압도 중비도 상악동 개구부의 해부학적 제한 때문에 가능하지 않다. 하지만 이러한 제한점은 내측 및 후방에 대한 우수한 감압으로 인해 보상받을 수 있으며 또한 전방과 외측 안와에 대한 불충분한 노출은 추가적인 측방 안와절개술(lateral orbitotomy)로 보충할 수 있다. 내시경적 안와감압술이 어려운 경우는 안와벽의 골성 비후가 있는 경우, 비중격만곡증이 심한 경우 등이다. 특히 안구내벽에 골성 비후가 심하면 안전하게 제거하기 어렵기 때문에 첩모하접근법(subciliary approach)을 추가로 사용하여 안와 내용물을 안전하게 당기면서 안와쪽에서 비강쪽으로 안와벽을 제거하는 것이 조금 더 안전하다.

비내시경 접근법을 이용한 안와감압술은 먼저 비내시경하에 통상적인 접형동사골동절제술을 시행한다. 사골동은 상방으로 사골와, 외측으로 지판(lamina papyracea)이 완전히 노출되도록 하여 안구내벽과 두개기저부를 골격화시킨다. 이후 접형동 자연개구부 주위를 크게 외측으로 확장하여 안신경관(optic canal)을 확인한다. 이와 같은 확장은 안와첨 부근(orbital apex)을 관찰하는 데 도움이 되며, 안와 후방을 감압 시 안결절(optic tubercle)을 제거하는 데 도움이 된다. 전두함요(frontal recess) 주변의 안와내벽은 보존하여 전두동 입구가 막히지 않도록 한다. 중비도 상악동 개구술(middle meatal antrostomy)은 가능한 크게 확장하여 뒤로 상악동의 후벽이 보이는 부분까지, 앞쪽으로 비루관전까지, 상방으로 안와하벽과 하방으로는 하비갑개의 상부가 있는 곳까지 제거한다. 이후 상악동 상벽의 점막과 골편을 구부러진 절제도(curette), Blakesley 겸자(forceps) 등을 이용하여 상방으로 사골동 상벽까지, 후방으로는 총건륜 근처까지 제거한다. 이때 골점막이 찢어지면 안와 내 지방이 수술 시야를 가리기 때문에 조심해야한다. 만일 시력에 손상이 있는 경우에는 시신경관(optic canal)의 처음부분까지 감압을 연장하여야 한다. 총건륜은 안첨부에서 안와골막(periorbita)이 모이는 곳으로, 이 주위는 뼈가 두껍기 때문에 다이아몬드 드릴을 이용하여 제거하는 것이 필요하다. 익상편 부위를 제거하면 감압의 효과는 커지나 복시가 생길 가능성이 높다. 안와하벽의 골편의 제거는 30°나 70° 내시경으로 보면서 내측에서 외측으로 안와하신경의

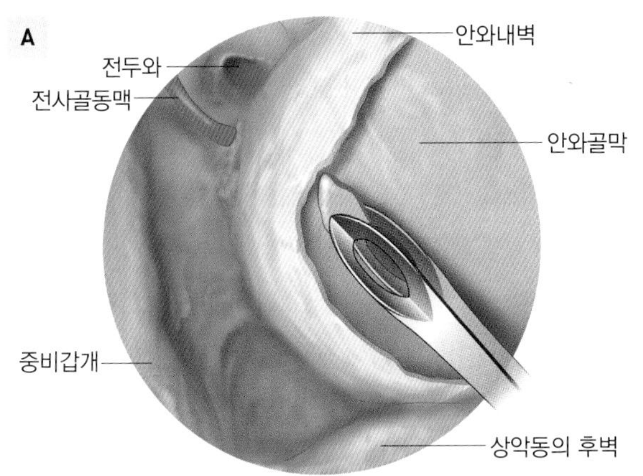

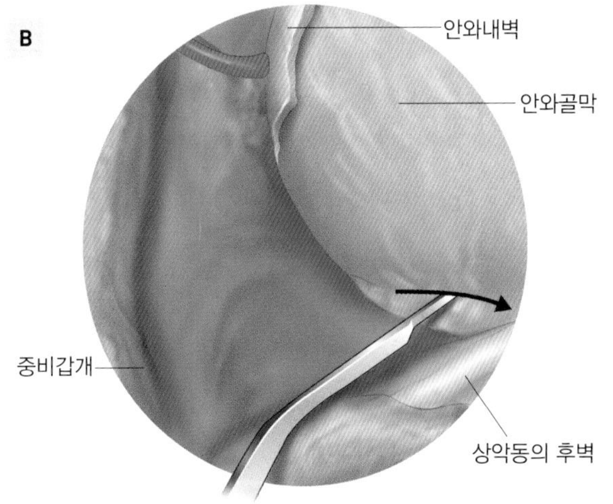

■ 그림 30-6. **비내시경을 이용한 좌측 안와감압술. A)** Blakesley 겸자를 이용한 안와내벽의 제거 **B)** 좌측 안와내벽 및 안와하벽 제거 후 뇌경막용 칼을 이용하여 안와골막을 절개한다.

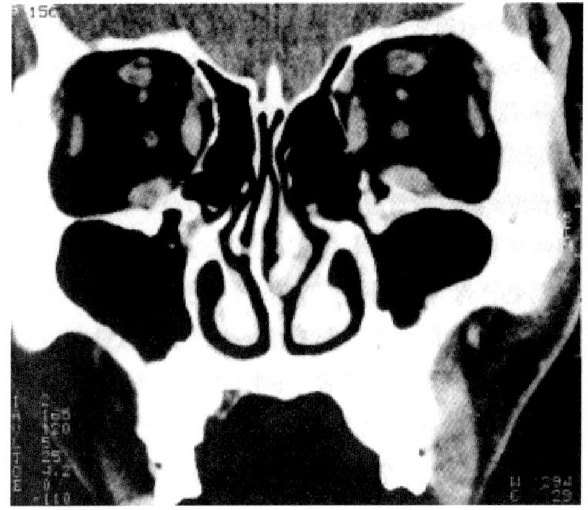

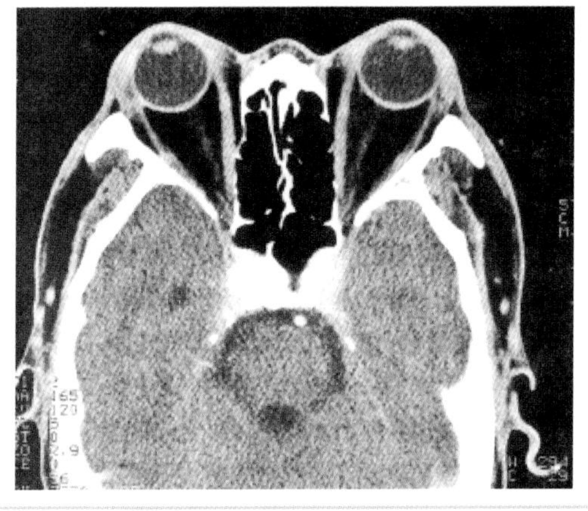

■ 그림 30-7. **내시경을 이용한 안와감압술 후 환자의 측면 사진 및 전산화 단층 촬영**

내측까지 시행한다(그림 30-6).

모든 안와골막이 노출되면 먼저 안와하연부터 90° 구부러진 뇌경막용칼(arachnoid knife) 등을 이용하여 뒤에서 앞으로 3회에서 4회 정도 평행하게 절개를 가하는데 이때 첫 번째 절개는 안와하신경 주변 가장 바깥쪽부터 가하여 안와하벽의 외측부터 내측으로 절개를 가한다. 이는 안와내용물이 빠져나와 수술자의 시야를 가릴 수 있기 때문이다. 다음으로 안와 내측은 겸상도(sickle knife)를 이용하여 위에서부터 아래로 차례로 2~3회 절개를 가하는데 이때 섬유띠(fibrous band)가 있어 질기기 때문에 반복해서 절개하는 것이 필요할 수 있다. 절개할 때 안와골막의 표면만을 절개해 외안근 등 안와 속의 구조물이 다치지 않도록 조심한다. 안구 감압의 정도는 안구를 외부에서 부드럽게 눌러주면서 내시경으로 안구 내용물의 탈출 정도를 감안하여 조절할 수 있다. 안와 지방을 직접 잡아당기면 출혈이나 외안근의 손상을 줄 수 있다. 술 후에는 항생제가 도포된 흡수성 충전물을 탈출된 안와 지방과 중비갑개 사이에 느슨하게 1~2주간 팩킹하여 둔다(그림 30-7).[19,33]

3) 그 외 수술법

내시경을 이용한 안와감압술과 함께 안와 외벽을 제거하는 방법도 있으며, 결막을 절개하고 안와 내로 내시경을 삽입하여 진행하기도 한다.[22] 특히 안와의 하벽은 보존하면서 내벽과 외벽만을 제거하는 방법을 균형적 안와감압술(balanced orbital decompression)이라고 하는데, 좌우의 균형을 맞추어 제거하기 때문에 수술 후 안구의 움직임이 적어 복시의 발생도 적은 것으로 알려져 있다.[21]

7. 안와감압술의 합병증과 수술 후 결과

내시경을 이용한 안와감압술의 합병증으로 뇌척수액비루(cerebrospinal fluid rhinorrhea), 비루관 협착(nasolacrimal duct stenosis) 등이 발생할 수 있으며 탈출된 안와 내용물 때문에 부비동염이 새로 발생할 수 있다.[19,33] 또한 안구신경이나 혈관에 대한 직접적인 외상으로 시력소실이 올 수도 있다. 한편 상악동을 경유하는 Walsh–Ogura 법은 내시경을 이용한 안와감압술에서 발생할 수 있는 합병증 외에도 상악동 경유에 따른 출혈, 안와하신경 손상, 구강상악동 누공(oroantral fistula) 등의 합병증이 발생할 수 있다. 복시는 내시경수술이나 상악동을 통한 방법 모두에서 발생할 수 있으면, 많게는 60% 이상이라는 보고도 있다.[19,33] 그러나 이를 수술 후 합병증이라기보다는 성공적인 감압 후에 생기는 예상된 결과로 보는 관점도 있다.[43] 술 후 복시가 생기는 원인은 감압에 의해 안구 돌출을 일으키던 원인이 제거되면서, 섬유화가 되었던 외안근들, 주로 내직근과 하직근 등이 기능을 하지 못해 새로운 복시가 발생하게 되는 것이다. 따라서, 술 전 복시가 없는 경우에도 환자에게 충분히 술 후 복시가 생길 가능성과 감압술 후 2~3개월 후에도 계속 복시가 있을 시에 이에 대한 안과적 수술의 필요성을 미리 설명해 주어야 한다. 술 후 생기는 복시 현상을 줄이기 위해 내벽과 하벽 사이에 약 3 mm 두께의 안와 골받침(orbital strut)을 만들어 내하측으로의 안구 처짐을 줄여 복시를 줄이고자 하는 시도도 있었고, 내안근 부위에 있는 안와골막을 약 10 mm 정도 보존하여 안면 걸이(facial sling)를 만들기도 하였다.[43] Graham 등은 하측벽은 보존하면서 내측벽과 외측벽을 동시에 제거하는 균형적 안와감압술로 술 후 10%에서만이 새로운 복시가 생겼다고 보고하였다.[21]

내시경을 이용한 안와감압술은 안와하벽에 접근할 때, 기존의 상악동경유법에 비해 제한이 많음에도 불구하고, 안구돌출의 감소는 큰 차이가 없다.[19] 이것은 아마 충분한 안와내측벽의 감압에 의해 불충분한 하측벽의 감압이 상쇄되기 때문으로 생각된다.[43] Walsh–Ogura 법이 평균 3.4~5.3 mm의 감압 효과를 보인 반면, 내시경을 이용한 경우에는 평균 3.2~4.7 mm의 감압 효과가 있어, 두 술식의 결과는 큰 차이가 없다고 판단된다.[19] Kennedy 등은 내시경 안와감압술을 시행한 경우 평균 4.7 mm, 외측안구절개술과 병행한 경우 평균 5.7 mm의 감압 효과가 있다고 보고하여,[29] 내시경 감압술과 측방안와절제술을 같이 시행하면 약 1~2 mm 정도 더 감압을 시킬 수 있다고 생각된다. Walsh–Ogura 법 시술 후 시력은 92%에서 호전되었으며, 안구압력은 100%에서 떨어졌다. 외안근의 운동성도 36%에서 호전되었다.[19]

국내에서는 조 등[21]이 5례에서 상악동 경유및 비내시경 접근술을 병행히여 안와하신경은 골가교(bony bridge) 형태로 남기면서 안와하벽 외측까지 감압술을 시행 후 3~5 mm 정도의 감압 효과를 보고하였고, 이 등[22]은 14례 중 8례의 환자에서 비내시경 접근만으로 안와감압술을 시행 시 평균 2.8 mm의 안구감압이 되었으나, 상악동 경유법을 동시에 시행하여 감압한 경우 평균 3.5 mm로 결과가 더 좋았다고 보고하였다.

Ⅲ 비루관 폐쇄

비루관 폐쇄에 대한 수술적 치료방법으로서 누낭비강문합술(dacryocystorhinostomy)은 비외 수술방법과 비내 수술방법으로 나눌 수 있다. 1904년 Toti가 처음으로 기술한 비외접근법은 안면부의 피부를 절개하고 노출된 누낭을 직접 비강 내로 소통시키는 방법으로 안면부에 수술 반흔이 생길 수 있다는 단점이 있다.[52] 이에 반하여 비내접근법은 역으로 비강으로부터 누낭와를 제거한 후 누낭을 절개하여 비강과 누낭을 소통시키는 방법으로 피부 절개를 피한다는 장점이 있으나 비강의 상부 구조가 좁기 때문에 수술 시야가 좋지 않고 접근이 용이하지 못하여 사용이 제한되어 왔다. 그러나 내시경수술이 보편화된 최근에는 만성 비루관 폐쇄의 치료로 비내시경을 이용한 비내접근 방법이 안전하고 효과적이라고 보고되고 있다.[18]

1. 원인과 증상

먼저 유루증이 눈물의 과잉생성 때문인지 배출장애 때문인지를 구분하여야 한다. 배출장애인 경우는 누점, 누소관, 누낭, 비루관 중 어느 부위의 폐쇄에 의해서도 유루증이 일어날 수 있는데 그 중 비루관의 폐쇄로 인한 질환이 가장 흔하다(표 30-2).[2] 비루관의 폐쇄는 원인을 알 수 없는 비특이적(원발성) 후천적 폐쇄와 특이적 폐쇄로 구분할 수 있으며 특이적 폐쇄의 원인으로는 염증, 종물, 이물, 외상 등을 들 수 있다.[2,7,18,31,52] 염증성 질환은 급·만성 누낭염(dacryocystitis), 유행성 결막염, 비강 염증, 결핵, Steven-Johnson 증후군 등이 있다. 염증성 질환과 비강 내 종양, 누도결석(dacryolith) 등은 물리적 폐쇄를 일으키고, 비강 내 수술, 외비성형술, 안면골절 등의 외상으로 인해서도 비루관 폐쇄가 유발된다. 또한 안륜근(orbicularis oculi m.) 마비, 눈꺼풀 이상 등에 의한 기능적 이상 혹은 선천성 비루관 폐쇄 등도 원인이 될 수 있다.[2] 비루관 폐쇄 원인의 빈도는 원인불명이 가장 많고, 만성 누낭염, 선천성 비루관 폐쇄, 비강수술의 과거력, 외상 순으로 알려져 있다.[7] 폐쇄부위별로는 비루관이 가장 많고 하누소관, 누낭, 총누소관의 순으로 보고된다.[2,7] 연령에 따른 원인으로는 소아의 경우에는 비루관의 개구부의 막이 뚫리지 않은 경우가 많은 반면, 성인의 경우는 원발성 후천성 비루관 폐쇄에 의한 것이 흔하다. 또한 유루증의 기간이 6개월 이내인 경우 폐쇄는 가역적일 수 있으나, 1년 이상 유루증이 지속된 경우에는 수술적 치료를 필요로 하는 경우가 많다. 주된 증상은 눈물의 배출 장애로 인한 편측성 혹은 양측성 유루이며, 이 밖에 시력장애, 수명(photophobia), 반복되는 결막염이나 누낭염으로 인한 증세가 나타난다.[2]

표 30-2. 누액배출계의 부위별 폐쇄

누점의 폐쇄	. 비루관 폐쇄
선천성	원발성 후천성 폐쇄
방사선 조사 후	외상
염증이나 감염	염증
	종양
누소관의 폐쇄	**침윤성질환(sarcoidosis)**
외상	
방사선 조사	비강 질환
염증이나 감염	알레르기
약제(phospholine iodide)	종양
종양	수술로 인한 반흔
Stevens-Johnson 증후군	
누낭의 폐쇄	
외상	
종양	
알레르기	

2. 진단

유루 환자의 원인을 규명하기 위해서는 과거력을 포함한 자세한 문진, 안구와 부속기관에 대한 외진과 누액분비계 검사와 누액배출계 검사를 실시한다.[2,7,18] 누액배출계 검사로는 누낭 압박, 하누소관의 관류법, 누소관 소식자법, 색소잔류검사(dye retention test), Jones 일차색소(primary dye) 검사, Jones 이차색소(secondary dye) 검사, 사카린미각(saccharine taste) 검사, 누낭조영술(dacryocystography) 등이 있다. 소식자법은 누소관의

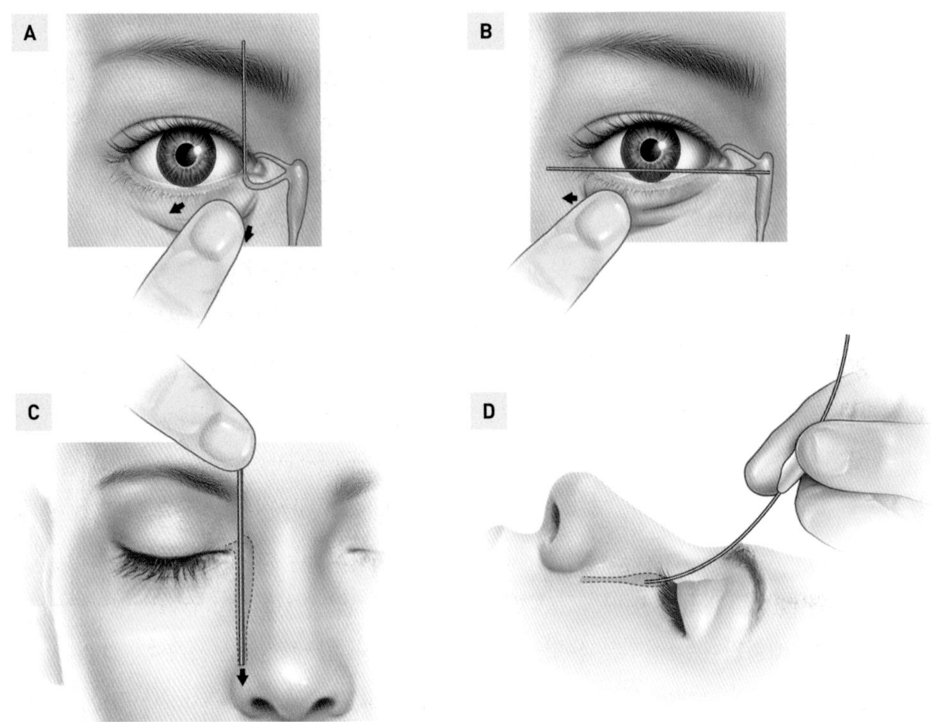

■ 그림 30-8. **누도 소식자법.** **A)** 아래 눈꺼풀 부위를 바깥쪽으로 당기며 누점을 통해 Bowman 누도 소식자를 삽입. **B)** 소식자를 누점과 누소관 팽대부에 삽입한 뒤 90도 수평방향으로 방향을 바꾸어 진행하여 누낭의 안쪽뼈에 도달. **C), D)** 소식자를 뒤로 약간 뺀 뒤 90도 수직방향으로, 뒤로 15도 정도 기울인 뒤 비루관을 따라 전진한다.

협착 및 폐쇄부위를 확인하기 위하여 성인에서 진단적 목적으로, 소아에서는 진단 및 치료적 목적으로 사용될 수 있다. 먼저 누점을 통해 Bowman 누도 소식자(lacrimal probe)를 삽입하되, 아래 눈꺼풀 부위를 바깥쪽으로 당겨 누소관의 꼬임 현상을 막는다. 소식자를 누점과 누소관 팽대부에 삽입한 뒤 90도 수평방향으로 방향을 바꾸어 진행한다. 이후 딱딱한 뼈에 닿는 느낌이 있으면, 소식자를 뒤로 약간 뺀 뒤 90도 수직방향으로, 뒤로 15도 정도 기울인 뒤 비루관을 따라 전진시킨다. 비루관의 말단 막성 협착부위에서 저항이 느껴질 수 있으며, 뚫으면 저항이 사라진다(그림 30-8). Jones I 검사는 누도의 기능적, 기계적 폐쇄 유무를 확인하는 방법으로 형광염색약(fluorescin dye) 한 방울을 눈 위에 떨어 뜨린 후, 하비도에서 자연 유출되는지를 확인하는 검사방법이며, Jones II 검사는 누소관에 직접 튜브를 삽입한 후 형광염색약이 섞인 식염수를 압력을 주어 주입하는 방법으로, 염색약이 하비도로 잘 나올 경우는 삽입된 누점이나 누소관의 폐쇄를 의미하며, 형광염색약이 삽입된 누점으로 역류되어 나오고 반대쪽 누점이나 코로 나오지 않을 경우는 삽입된 누소관 또는 공통 누소관의 폐쇄를 의미한다. 만일 반대편 누점으로 역류가 있으면, 누낭 또는 누낭 아래부위 협착을 의심한다.[2] 누낭조영술은 누도 폐쇄 위치의 진단에 사용되며, 국소마취 후에 방사선 비투과성 용액을 누소관(lacrimal canaliculus)을 통하여 누도에 주입한 직후와 30분 후에 두개골 전후 방사선 사진과 측면 방사선 사진을 찍어 확인하는 방법이다. 전산화단층 촬영은 종양, 누도결석의 진단에 도움이 되며 누낭비강문합술 전에 만성 부비동염의 동반 유무와 기포성 갑개(concha bullosa) 등 비강 내 구조를 확인하는 데 도움이 된다.

3. 치료

성인의 비루관 폐쇄의 가장 흔한 원인으로는 염증과 부종이다.[2] 따라서 비루관 폐쇄의 초기 치료로는 비수술적 방법인 항생제의 점안과 항생제 용액을 이용한 누낭세척, 누낭부위 마사지 또는 소식자법 등을 사용한다. 이와 같은 방법이 효과가 없거나 만성화된 경우에 수술을 고려한다. 누점의 협착이나 폐쇄가 원인일 때는 누점 재건술이나 누점 성형술을 시행하고, 누소관이나 누낭 또는 비루관의 누도 폐쇄가 원인인 경우에는 누도의 개통을 유지하기 위해 비외누낭비강문합술, 비내누낭비강문합술, 풍선확장술 또는 삽관법 등을 시행한다. 풍선확장술과 삽관법은 국소마취 후에 유연한 철사를 누점으로부터 비강내로 혹은 역순으로 진입시킨 후에 비경으로 보면서 철사의 끝을 지혈겸자(hemostasis forceps)를 사용하여 코밖으로 꺼낸 다음 풍선을 철사를 따라 협착 부위를 지나도록 진입시킨 후 부풀려서 좁아진 부위를 확장하거나 플라스틱 스텐트를 삽입하여 확장시키는 방법이다. 선천성 비루관 폐쇄에 대한 일차 치료는 먼저 누낭의 마사지로, 공통 누소관 부위를 검지로 눌러 누점으로 분비물이 역류되어 나오는 것을 막으면서 누낭과 비루관의 압력을 증가시키기 위해 안쪽과 아래쪽으로 세게 누르면서 내리는 방법으로, 하루 5회 이상 실시한다. 이 방법으로 호전이 없는 경우는 소식자법을 이용하여 진단 및 치료를 동시에 할 수 있다. 4개월 이상 유루증이 지속되거나 2회 누관의 세척법으로 호전을 보이지 않을 때는 수술적 치료를 고려한다.[2] 다른 방법으로는 비루관에 실리콘 튜브를 삽입하는 방법이 있으며, 이 방법은 소식자법보다 성공률이 높으며 환아가 18개월 이상인 경우 사용해 볼 수 있다.

4. 내시경적 비내누낭비강문합술

피부절개를 피하면서 누낭의 폐쇄를 치료할 수 있는 비내접근법은 수술시야가 좋지 않고 접근이 용이하지 못하여 실용화되지는 못하였다. 그러나 최근 직경이 작아 비강 내 조작이 용이하고, 밝은 수술 시야를 제공하여 굴절된 각도로 편리하게 비강 측벽을 관찰할 수 있는 비내시경술이 개발되어 비강에서 누낭을 조작할 수 있게 되었다.[52] 비내누낭비강문합술(endonasal dacryocystorhinostomy)의 적응증은 누낭 이하 부위에 폐쇄가 있는 경우이며,[2,7,18,31,46,52] 이전에 누낭비강문합술을 시행받았다가 재발한 경우에도 수술의 상흔을 재절개할 필요가 없는 비내수술법이 더욱 유용하다.[8,37] 비외누낭비강문합술의 실패 원인이 되는 중비갑개의 비후, 만성부비동염, 비용, 비중격만곡증, 이전 수술에 의한 섬유화나 유착 등 비강 내 병변의 확인과 치료가 동시에 이루어질 수 있다는 것도 장점 중 하나이다.[8,37] 특히 내시경을 이용한 시술은 정확한 부위에 시술하므로 조직 손상이 적고, 비외접근법에서 많이 이용되는 점막 피판이 필요 없으며, 수술 후 부종과 혈종 등의 합병증이 적으므로 입원기간을 단축할 수 있다.[52] 누선와의 심한 손상, 종양, 누도결석, 누낭 피부루 등이 있는 경우에는 비외수술법이 선호된다.[18,2] 치료성적은 과거에 비외접근법은 90~95%의 성공률을 보이는 반면, 비내접근법은 성공률이 약간 떨어진다고 보고하였으나 최근에 레이저 대신 전동기구를 사용하면서 거의 비슷한 수준인 것으로 알려졌다.[24,27,44] 수술 성공률과 관련된 인자로는 술자의 술기가 가장 중요하며 수술 실패의 원인으로 비강측 개구부의 육아종(granuloma), 치료 후 개구부의 폐쇄, 누소관염(lacrimal canaliculitis), 실리콘 튜브의 돌출, 비점막의 유착, 총누소관 폐쇄, 안와지방 돌출 등이 보고되고 있다.[8,37]

수술은 전신마취 또는 국소마취하에서 정맥압을 낮추기 위하여 앙와위로 상체를 약간 올린 자세에서 시행한다. 수술 전 처치로 4% xylocaine과 1:1,000 epinephrine의 혼합액으로 적신 거즈를 비강 내에 삽입하여 비점막을 수축시킨 후, 1% lidocaine과 1:100,000 epinephrine 혼합액을 중비갑개와 중비갑개부착 부위 전면과 비강 외측벽에 주사한다. 20게이지 광튜브를 하누점을 통하

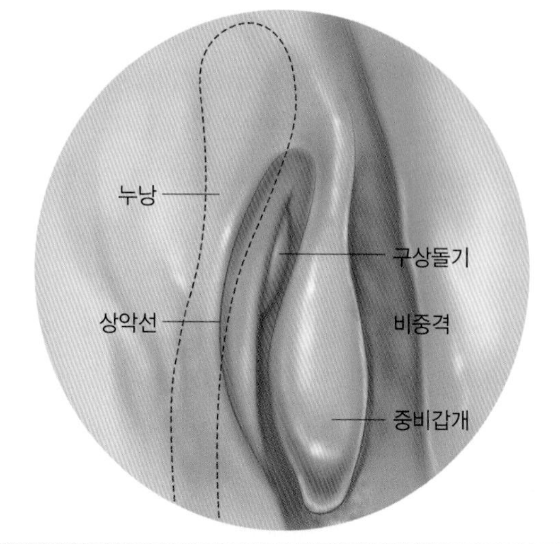

■ 그림 30-9. **비강내시경소견 및 누낭의 위치**

여 누소관을 지나 누낭에 위치시켜 투영되어 나오는 광튜브의 빛으로 비강 내에서 누낭의 위치를 확인한다. 상악선(maxillary line)은 상악의 전두돌기와 누골이 융합되는 부위로 누낭의 지표가 된다. 비내시경에서 가장 밝은 부분은 누골이 가장 얇은 누낭 후부의 끝부분에 해당되는데(그림 30-9), 그 부분을 레이저나 사골겸자 또는 전기소작 등으로 약 1 cm 정도 직경의 원모양으로 점막을 제거한 뒤 뼈를 노출시킨다. 먼지 상악선의 후방부인 누골과 구상돌기의 얇은 뼈를 제거하여 누낭의 후부를 노출하고, 전방으로 진행하여 상악골의 전두돌기를 제거한다. 상악골은 매우 두꺼워 제거하기가 어려우므로, 드릴, 골겸자, 절제도 또는 골절개가 가능한 레이져(holmium:YAG laser) 등을 이용해야 하며, 최근에는 초음파를 이용한 골제거기도 활발히 사용된다. 제거하면 누낭의 점막이 노출되게 된다. 누낭이 노출되면, 광소식자나 누도소식자를 이용하여 누낭을 비강쪽으로 거상시킨 후 누낭 점막을 레이저나 절제도(sickle knife)로 절개하고, 각이 진 Blakesley 겸자를 이용하여 점막을 제거하고 누낭 개구부를 가능한 크게 만든다. 구멍의 하연은 누낭과 비루관의 연결부위까지 연장하며, 30도 내시경으로 안쪽의 공통 누소관이 보일만큼 누낭의 벽을 충분히 제거한다. 이후 상·하 누점을 통해 실리콘 튜브를 상누소관과 하누소관을 거쳐 개구부를 지나 비강에 위치시킨 후, 매듭을 형성하여 빠지지 않도록 한다. 수술 후 출혈이 있으면 Merocel 팩킹을 한다.[18,31,46] 실리콘 튜브의 유지 기간은 술자에 따라 차이가 있어 2개월에서 6개월 정도 지나 제거하나,[18,46] 일반적으로 술 후 2개월째에 제거한다. 술자에 따라 비강의 점막을 제거하지 않고 거상하여 후방에 기저를 둔 점막 피판을 만들기도 한다. 이후 골부를 충분히 제거한 후 누낭 내측면을 또한 비강 내로 절개, 조작하여 비강 점막과 맞닿도록 펼쳐 놓은 후 이미 거상해 놓은 점막 피판을 재단하여 상·하의 노출된 골부위로 덮어 주어 열려진 누낭 점막과 이어지게 하였다. 이와같은 방법으로 노출된 골부를 줄임으로써 수술 후에 생기는 육아조직의 생성을 줄여 새로운 개구부의 협착을 막을 수 있다고 하였다(그림 30-10).[2,7,18,31,46,52]

1) 술 후 관리

술 후 관리는 수술의 성공률을 높이기 위해 매우 중요하다. 전신 항생제 요법은 7~10일간 유지한다.[2,7,18,31,46,52] 비강 내 팩킹은 다음날 제거하고, 하루 2회 비강세척을 시행하며, 항생제와 스테로이드가 함께 있는 점안액을 사용한다. 술 후 1주일째부터는 비강 내 가피를 제거하고, 튜브의 자극으로 인해 주변부에 과도한 육아종의 형성이 있을 때에는 튜브를 조기에 제거하기도 한다. 재수술인 경우 반흔조직이 문제가 될 수 있어 튜브를 6개월 정도 유치하기도 한다. 수술 시 누낭의 절개창의 크기를 크게 열지만, 결국 시간이 지남에 따라 누낭의 절개창은 1~2 mm 정도의 크기가 된다.

2) 합병증

누낭비강문합술의 합병증으로는 출혈, 안와내 합병증, 두개내 합병증 등이 발생할 수 있으나, 임상적으로 자주 접하는 문제점은 수술의 실패를 초래하는 비강측 개구부의 육아종 혹은 유착이다.[36,49] 수술 후 환자의 증상 호전 정도와 누낭 개구부 크기는 비례하지 않아 수술할 때 만

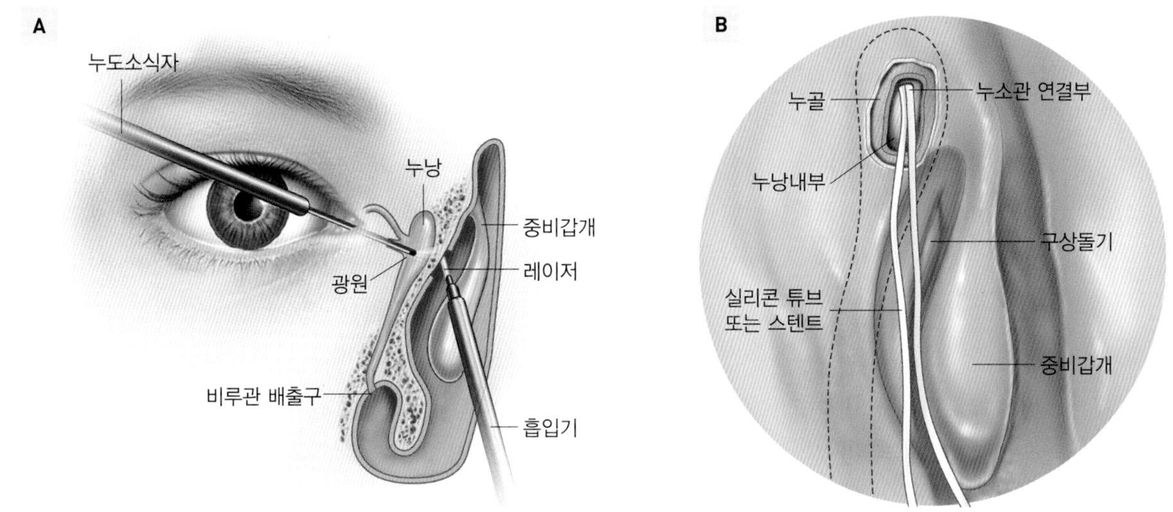

■ 그림 30-10. **내시경적 비내누낭비강문합술 모식도.** **A)** 광원을 통해 누낭의 위치를 확인한 후 레이저를 이용하여 비강측벽을 제거하여 누낭을 노출시킨다. **B)** 실리콘 튜브 또는 스텐트를 상·하누소관을 거쳐 누낭 개구부를 지나 비강에 위치시킨다.

드는 누낭 개구부의 크기에 신경을 쓰기보다는 수술 후 재폐쇄가 발생하지 않도록 관리하는 것이 중요하다.[11] 수술 후 누낭 개구부의 유지를 위하여 실리콘 튜브 등을 삽입하지만, 오히려 비강측 개구부를 지속적으로 자극하여 육아종의 형성을 유발할 수 있다고 하며, 많은 연구에서 실리콘 튜브 등을 삽입하는 것이 수술을 성공률을 높이지 않는다고 보고하여 최근에는 삽입하지 않는 경우도 많다.[9,14,23] 또 다른 육아종 형성의 예방법으로 비강 내 mitomycin C 주사 혹은 팩킹이 있다. 누낭문합술 때 0.2 mg/ml의 mitomycin C를 30분간 비강 내 팩킹을 하거나 혹은 누낭문합술을 시행한 주위에 주사를 하며 수술 결과를 호전시킬 수 있다는 보고들이 많다.[13,26,47] 하지만 mitomycin C가 전방출혈(hyphema)과 저안압(ocular hypotony) 등을 유발할 수 있어 주의하여야 한다.

Ⅳ 시신경감압술

두부 외상을 겪은 환자들의 가장 심각한 결과 중의 하나가 외상성 시력 소실이다. 이러한 경우 대개는 직접적인 시신경의 손상보다는 이마나 광대뼈에 외력이 가해지면 그 영향이 안와첨(orbital apex)과 시신경관(optic canal)에 집중되면서 발생하게 된다. 이러한 외상성 시신경 손상(traumatic optic neuropathy)은 영구적인 시력 소실을 유발할 수 있는데, 현재 시도되고 있는 치료방법으로는 관찰, 스테로이드 약물치료, 수술적 치료 등이 있다. 하지만, 매우 드문 질환이며, 다수의 환자를 대상으로 한 체계적 연구가 없어 명확한 치료법이 정립되어 있지 않으며 수술의 효과에 대해서도 아직 불분명하다.[30,32,38,45,48] 하지만, 내시경의 도입으로 과거보다 쉽고 안전하게 시신경감압술을 시행할 수 있게 되었으므로, 비수술적 방법으로 호전이 없는 시신경 손상의 경우 시도해 볼 수 있겠다.

1. 시신경 손상의 배경 및 치료

시신경 손상의 원인은 시신경관이 골절되어 골편이 시신경을 손상시키거나 절단하는 직접적인 손상과 시신경의 혈류를 공급해 주는 미세 혈관의 출혈, 신경 내 부종 및 혈종, 혈관 연축(vasospasm), 뇌척수액 순환장애, 축삭 원형질 이동(axonoplasmic flow) 중단 등의 간접적인 손상으로 나눌 수 있다.[30,32,38,45,48] 이 중에서 외상성 시신경 병증에서 시력 손실을 일으키는 가장 흔한 원인은 시신경초 내부 출혈이나 신경 좌상(contusion)으로 인한 부종과 압박이다. 따라서 시신경감압술은 시신경관 내부의 이러한 부종과 압박을 줄여주는 것이 목적으로, 적절한 시간(critical time) 안에 시행되어야 한다. 이러한 치료가 점진적인 신경무전도증(neuropraxia)를 방지하고, 축삭 전달을 증가시킴으로써 시력의 회복을 가져올 수 있다. 시신경은 세 개의 뇌막으로 둘러싸여 있으며 4부분으로 구분할 수 있다.[43] 따라서 시신경의 부위별로 각기 다른 기전에 의한 손상이 올 수 있는데, 안와 내부위는 주로 직접적인 외상에 의해 손상을 받고 가끔 간접적인 외상이 신경초 내나 안와혈종에 의해 혈액 공급이 차단되어 시신경에 손상을 초래한다. 두개 내 부위의 손상은 시신경자체나 시신경 교차부위에서 둔상(blunt trauma)에 의해 주로 발생한다. 시신경 손상의 대부분은 신경초가 주위 골부 구조에 고정되어 있는 시신경관에서 일어나게 된다. 시신경관 부위는 둔상 등 간접적인 외상에 의해 가장 많이 손상받는 부위로 시신경 감압술로 가장 치료 효과를 볼 수 있는 부위이다. 안면신경감압술에서와 같은 원리로 시신경감압술(optic nerve decompression)을 시행하지만 시술의 효과는 크지 않다. 그러나 부종, 혈종, 또는 중등도의 압박에 의한 시신경병증은 시신경감압술에 반응을 보일 수 있다.

술 전에 고려할 사항은 안과적 검사를 시행하여 지연성 시력장애를 초래할 수 있는 상황 즉, 전방 출혈(hyphema), 망막박리(retinal detachment), 초자체 출혈(vitreous hemorrhage) 등이 있는지 먼저 감별하여야 한다. 신경외과적 평가로 두개 내 출혈, 뇌척수액 유출, 이물질, 심한 전두동 골절, 또는 외상성 뇌류 등이 동반되어 있는지 확인해야 하며, 동반된 전두개저 골절이 심한 경우에는 시신경관과 이에 관련된 뇌병변에 대해서 두개 내 접근이 필요할 수 있다. CT 촬영은 손상부위를 확인하는 데 필수적인 검사로 시신경의 골절을 확인할 수 있는데 만일 CT상 시신경관의 골절이 없더라도 부종이나 혈종 단독으로도 시력손상을 가져올 수 있기 때문에 신경 손상을 배제할 수 없다.[30,32,38,45,48]

시신경의 손상 시 나쁜 예후를 시사하는 소견은 스테로이드 치료에 반응하지 않는 완전 시력 손실, 시유발전위 검사(visual evoked potential test)에서 파형이 나타나지 않는 경우, 시신경관 골절이 있는 경우 등이다. 3~7일 이내에 시행한 경우 예후가 좋았다는 보고가 있는 반면,[42,51] 수상 후 수술 시간까지의 기간이 회복 정도와 직접 관련이 없거나[20] 수술 시간까지의 간격보다 환자의 연령이 더 중요하다는 보고도 있다.[40] 외상성 시력손실의 주된 치료법은 스테로이드 요법인데, 시신경 내외의 부종을 줄이고 혈류량을 늘려 시신경 섬유를 감압시킴으로써 시력을 회복시킨다고 한다.[30,32,38,45,48] 고용량의 정맥 내 스테로이드 용법은 methylprednisolone을 처음 30 mg/kg 투여 후에 15 mg/kg을 매 6시간마다 48시간 동안 투여한다. 또는 dexamethasone을 처음 0.75 mg/kg 투여 후에 0.3 mg/kg을 매 6시간마다 48시간 동안 투여한다. 일부 저자들은[20] 모든 시신경 손상 시에 스테로이드만 단독으로 사용하여 좋은 효과를 보고하였다. 만일 시력이 고용량 스테로이드 치료로 좋아진 경우에는 5일에 걸쳐서 점차 스테로이드 용량을 감소시켜야 한다. 시신경감압술을 시행하는 적응증은 아직 결론이 나지 않은 상태지만,[30,32,38,45,48] 시신경관 내에 혈종이나, 부종 등으로 시신경이 압박을 받고 있는 경우, 스테로이드 치료에도 불구하고 시력이 돌아오지 않는 경우 등이 있고, 신경이 절단된 경우는 해당되지 않는다. 방사선학적으로 뚜렷한 시신경 손상이 관찰되지 않는 경우는 환자와 충분히 상의하여 치료방법을 결정한다.

2. 시신경감압술

외상성 시신경손상 이외에도 가성종양, 허혈성 시신경 병변, 섬유성 골이형성증(fibrous dysplasia), 내분비성 안와병변, 시신경 수막종(meningioma), 골화석증(osteopetrosis) 등으로 시력이 소실된 경우에도 시신경 감압술을 시행할 수 있다. 시신경 감압을 위한 전통적인 수술방법으로는 개두술접근법(open craniotomy approach), 비외경사골동접근법(extranasal transethmoidal approach), 경안와접근법(transorbital approach), 경상악동접근법(transantral approach), 비내현미경수술(intranasal microscopic approach), 비내내시경수술(intranasal endoscopic approach) 등이 있다.[15] 최근에는 빠른 회복과 후각 보존, 넓은 시야와 합병증 감소 등의 이유로 비내 내시경수술이 주로 사용된다. 하지만, 시신경관의 외측과 위쪽으로 접근하기 어렵고, 비부비강을 통한 감염이 발생할 수 있으며, 좁은 비강안에서 내시경과 드릴 등 다양한 기구를 사용해야 하는 등 단점도 있다.

1) 수술방법

가능한 한 중비갑개를 보존하면서 측벽이 충분히 노출되도록 사골동절제술을 시행한다. 중비도상악동 개구술(middle meatal antrostomy)은 필요하지 않으며 수술 도중 지판이나 안와골막을 손상시키지 않도록 주의한다. 상비갑개, 후사골동, 접사함요(sphenoethmoidal recess), 접형동개구부 등의 구조물을 이용하여 접형동의 위치를 확인하고 접형동을 개방하고 입구를 넓힌다. 접형동 안에서 30도 내시경을 이용하여 접형동 내의 외측벽이나 천장에서 내경동맥과 시신경의 융기를 확인하며 시신경의 주행방향을 추적한다. 시신경 융기는 접형동 측벽의 상부에서 관찰되며, 내경동맥 융기는 시신경의 하방 및 후방에서 관찰된다(그림 30-8). 무딘 기구를 이용하여 시신경의 골결손이 있는지를 조심스럽게 확인한다. 내시경상 융기가 명확하지 않을 때에는 반드시 앞에서부터 지판을 확인하면서 시결절(optic tubercle), 접형동 측벽을 관찰하고 CT에 근거하여 시결절, 접형동 측벽, 터키안, 두개저, 접형동 개구부의 크기 등의 상관관계를 이용하여 시신경관을 추측한다. Onodi 세포가 있는 경우는 시신경을 확인하기가 더 쉽지만 부주의로 인한 의인성(iatrogenic) 손상이 일어나지 않도록 주의해야 한다. 시첨부로부터 시신경의 주행방향이 확인되면 시결절의 7~10 mm 앞에서부터 지판을 안와막이 손상되지 않도록 주의하면서 거상기나 절제도로 제거한다. 안와막이 손상되면 안와 내의 지방이 빠져 나와서 수술 시야를 방해할 수 있으므로 세심한 주의가 필요하다. 신경감압은 3~4 mm 신경외과에서 사용하는 다이아몬드 드릴을 이용하여 시첨부에서부터 시신경 교차 쪽으로 시신경관의 뼈를 얇게 하며 안면신경 감압술과 마찬가지로 충분히 세척하여 열로 인한 손상을 피하도록 한다. 드릴링은 뒤쪽으로는 접형동의 뒤쪽벽이나 내경동맥 근접부위까지 한다. 드릴로 시신경관의 뼈를 얇게 한 후 신경외과용 미세거상기(microelevator) 등으로 골절을 만든 후에 조심스럽게 제거한다. 일단 시신경관에 구멍이 만들어지면 1 mm Kerrison 미세펀치(micropunch) 등으로 구멍을 넓혀 나가며 이때에도 시신경에 무리한 힘이 가해지거나 시신경초에 손상이 가지 않도록 세심한 주의를 기울인다. 시신경관은 가능하면 접형동 측벽에서 180°가 개방되도록 제거한다(그림 30-11).[14,30,32,38,45,48]

시신경초 절개를 시행할 경우에는 안동맥의 주행방향을 피하여 시신경의 내측 상방에서 시신경의 주행방향을 따라 겸상도(sickle knife)로 절개를 가한다. 안동맥(ophthalmic artery)은 보통 하측방에서 신경초안으로 들어가기 때문에 내시경적 접근 시에는 내측으로 접근할 때 다칠 우려가 적으나 15.5%에서는 시신경관의 내측으로 들어가기 때문에 손상될 수 있으며, 만일 안동맥의 손상 시 이를 조절하기 위해 팩킹을 하거나 지혈을 한다면 더욱 역효과를 초래할 수 있기 때문에 조심하여야 한다. 시신경초 절개는 시신경관 내 혈종의 제거가 필요한 경우에 도움이 되지만 유용성은 확립되어 있지 않다. 만약에 시신경초 절개를 시행한다면 Zinn 총건륜도 절개해 주는 것이 좋다. 시첨부에 있는 Zinn 총건륜은 뇌경막이 합쳐지는 곳으로, 시신경관의 가장 좁아진 부위로 들어가는

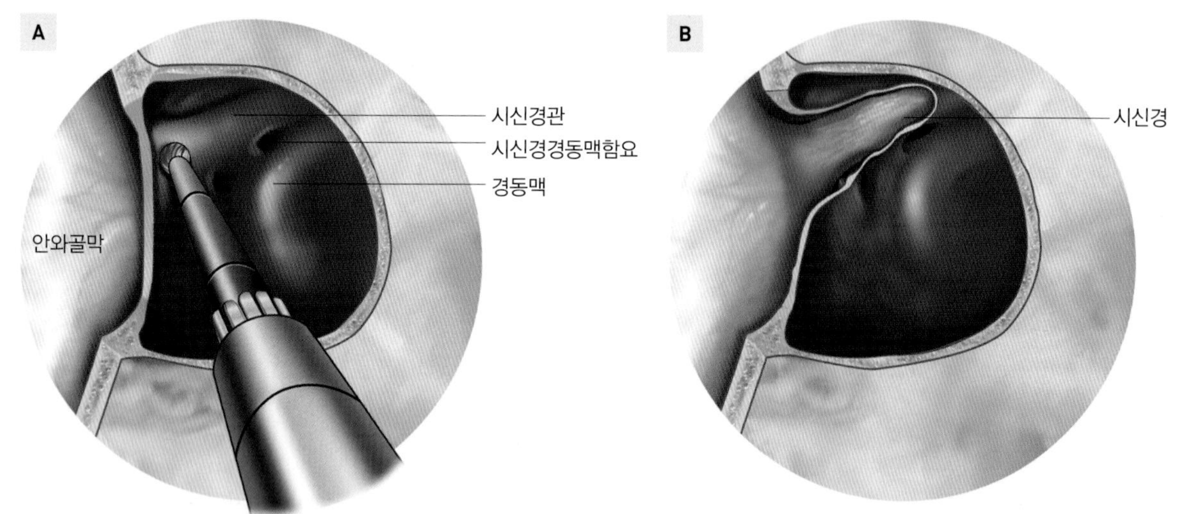

■ 그림 3-11. **비내접근법을 통한 시신경감압술. A)** 접형동 개방 후 다이아몬드 드릴을 이용하여 시신경관을 개방한다. **B)** 감압된 시신경을 노출한다.

입구에 위치해 있어, 시신경에 대한 압박이 가장 많은 부위이다. 따라서 적당한 감압을 위해서는 시신경초를 열 때 이러한 총건륜이 확실히 절개되도록 주의하여야 한다. 시신경초를 열어 준 경우에는 이론적으로 가능한 뇌척수액의 누출을 방지하기 위하여 절개 자리에 섬유아교(fibrin glue)를 뿌린다. 지속적으로 뇌척수액의 누출이 있을 경우, 점막이식 등을 시행해 볼 수 있나. 접형동 내에 항생제가 첨가된 Gelfoam을 팩킹하고 비강 내에는 Merocel 팩킹을 시행한다.[30,32,38,45,48]

2) 수술 결과 및 술후 합병증

1996년 Cook 등[15]이 시행한 메타분석에 의하면 별다른 치료를 받지 않은 경우 21.5%의 경우만 시력이 호전된 반면, 스테로이드를 사용한 경우 58.8%, 수술을 받은 경우 47.5%, 수술과 스테로이드를 동시에 사용한 경우 42.4%로 치료를 받지 않은 경우 호전되는 경우가 적었고, 스테로이드나 수술, 혹은 병합한 경우에 차이는 없었다. 하지만, Levin 등[15]이 주도한 다기관 연구에서 133명의 환자를 대상으로 관찰, 스테로이드 치료, 시신경감압술을 시행한 결과 시력 호전이 각각 57%, 52%, 32%로 보고되어 수술의 효과에 대해 의문이 제기되었다. 이후 여러 논란이 있었지만, 스테로이드에 반응하지 않는 환자에서 시신경감압술을 시행하여 호전되었다는 보고가 이어지면서,[20,40,42,48,51] 수술을 효용성에 대해 인정받고 있다. 수술 후 안와후방 혈종이나 시력의 악화를 유심히 관찰하여야 한다. 뇌척수액 누출은 발생할 수 있으며 자연히 좋아지는 경우가 많다. 안구 침범이나 안구 지방에 대한 의인성 손상으로 복시나 시력 손실을 초래할 수 있다. 가장 흔한 합병증은 안와 내 혈종으로 인한 안구 내용물의 간접적인 손상이다. 안와 내 출혈은 즉시 대처하지 않으면 영구적인 시력손상을 가져올 수 있다. 또한 시신경에 대한 직접적인 수술적 손상으로 시력이 악화될 수 있다. 뇌척수 비루액, 뇌손상, 내경동맥에 대한 손상이나 출혈 등도 생길 수 있다.[30,32,38,45,48]

참고문헌

1. 대한성형안과학회. 성형안과학. 서울:도서출판 내외학술, 2015. p.1-40.
2. 대한성형안과학회. 성형안과학. 서울:도서출판 내외학술, 2015.

p.349-388.

3. 대한성형안과학회. 성형안과학. 서울':도서출판 내외학술, 2015. p.499-538.
4. 이철희,강승범,오승준 등. 갑상선 안질환 환자에서의 안구 감압술. 한이인지 1998:41:1557-1561.
5. 조중생, 김영도, 변재용 등. 갑상선 안구 돌출증에 대한 상악동 경유 및 비내시경술을 이용한 안와 감압술 1998:41:750-754.
6. Albert DM, Miller JW. Albert & Jakobiec's Principles & Practice of Ophthalmology. Saunders. 2008 p.2927-2937.
7. Albert DM, Miller JW. Albert & Jakobiec's Principles & Practice of Ophthalmology. Saunders. 2008 p.3503-3518.
8. Ali MJ, Psaltis AJ, Wormald PJ.Long-term outcomes in revision powered endoscopic dacryocystorhinostomy. Int Forum Allergy Rhinol. 2014;4(12):1016-1019.
9. Al-Qahtani AS. Primary endoscopic dacryocystorhinostomy with or without silicone tubing: a prospective randomized study. Am J Rhinol Allergy. 2012;26(4):332-334.
10. Bhatti MT, Dutton JJ. Thyroid eye disease: therapy in the active phase. J Neuroophthalmol. 2014;34:186-197.
11. Bumsted, RM, Linberg JV, Anderson RL. External dacryocystorhinostomy; a prospective study comparing the size of the operative and healed ostium. Arch Otolaryngol. 1982;108:407-410.
12. Chen C, Selva D, Floreani S, et al. Endoscopic optic nerve decompression for traumatic optic neuropathy: an alternative. Otolaryngol Head Neck Surg. 2006;135:155-157.
13. Cheng SM, Feng YF, Xu L, Li Y, Huang JH. Efficacy of mitomycin C in endoscopic dacryocystorhinostomy: a systematic review and meta-analysis. PLoS One. 2013 May 13;8(5):e62737.
14. Chong KK, Lai FH, Ho M, Luk A, Wong BW, Young A. Randomized trial on silicone intubation in endoscopic mechanical dacryocystorhinostomy (SEND) for primary nasolacrimal duct obstruction. Ophthalmology. 2013 Oct;120(10):2139-2145.
15. Cook MW, Levin LA, Joseph MP, Pinczower EF. Traumatic optic neuropathy: a meta-analysis. Arch Otolaryngol Head Neck Surg 1996;122:389-392.
16. Chow JM, Stankiewicz JA. Powered instrumentation in orbital and optic nerve decompression. Otolaryngol Clin North Am. 1997 Jun;30(3):467-78. Review.23.
17. Dharmasena A. Selenium supplementation in thyroid associated ophthalmopathy: an update. Int J Ophthalmol. 2014;7:365-75. 3. Flint P, Haughey BH, Lund VJ, Niparko JK, Richardson MA, Robbins KT, et al. Cummings Otolaryngology, 6th edition. Elsevier. 2015. p.1964-1974.
18. Flint P, Haughey BH, Lund VJ, Niparko JK, Richardson MA, Robbins KT, et al. Cummings Otolaryngology, 6th edition. Elsevier. 2015. p.816-822.
19. Flint P, Haughey BH, Lund VJ, Niparko JK, Richardson MA, Robbins KT, et al. Cummings Otolaryngology, 6th edition. Elsevier. 2015. p.1964-1974.
20. Girard BC, Bouzas EA, Lamas G, Soudant J. Visual improvement after transethmoid-sphenoid decompression in optic nerve injuries. J Clin Neuro-ophthalmol 1992;12:142-148.
21. Graham SM, Brown CL, Carter KD, et al. Medial and lateral orbital wall surgery for balanced decompression in thyroid eye disease. Laryngoscope. 2003;113:1206-1209.
22. Graham SM, Carter KD. Combined endoscopic and subciliary orbital decompression for thyroid-related compressive optic neuropathy. Rhinology 1997;35:103-107.
23. Gu Z, Cao Z. Silicone intubation and endoscopic dacryocystorhinostomy: a meta-analysis. J Otolaryngol Head Neck Surg. 2010;39(6):710-713.
24. Huang J, Malek J, Chin D, Snidvongs K, Wilcsek G, Tumuluri K, et al. Systematic review and meta-analysis on outcomes for endoscopic versus external dacryocystorhinostomy. Orbit. 2014;33(2):81-90.
25. Jameson JL, De Groot LJ. Endocrinology: Adult and Pediatric. Saunders. 2016. p.1465-1477.
26. Kamal S, Ali MJ, Naik MN. Circumostial injection of mitomycin C (COS-MMC) in external and endoscopic dacryocystorhinostomy: efficacy, safety profile, and outcomes.Ophthal Plast Reconstr Surg. 2014;30(2):187-190.
27. Karim R, Ghabrial R, Lynch T, Tang B. A comparison of external and endoscopic endonasal dacryocystorhinostomy for acquired nasolacrimal duct obstruction. Clin Ophthalmol. 2011;5:979-989.
28. Kasperbauer JL, Hinkley L. Endoscopic orbital decompression for Graves' ophthalmopathy. Am J Rhinol. 2005;19:603-606.
29. Kennedy D, Goodstein ML, Miller NR, Zinreich SJ. Endo-scopic transnasal orbital decompression. Arch Otolaryngol 1990;116:275-282.
30. Kennedy D, Hwang PH. Rhinology. Thieme. 2012. p.425-443.
31. Kennedy D. Master Techniques in Otolaryngology - Head and Neck Surgery: Rhinology. Wolters Kluwer. 2015. p.263-272 .
32. Kennedy D. Master Techniques in Otolaryngology - Head and Neck Surgery: Rhinology. Wolters Kluwer. 2015. p.273-278.
33. Kennedy D. Master Techniques in Otolaryngology - Head and Neck Surgery: Rhinology. Wolters Kluwer. 2015. p.279-286.
34. Khan AM, Varvares MA. Traditional approaches to the orbit. Otolaryngol Clin North Am. 2006;39(5):895-909.
35. Kinyoun JL, Kalina RE, Brower SA, Mills RP, Johnson RH. Radiation retinopathy after orbital irradiation for Graves' ophthalmopathy. Arch Ophthalmol. 1984 ;102:1473-1476.
36. Knisely A, Harvey R, Sacks R. Long-term outcomes in endoscopic dacryocystorhinostomy. Curr Opin Otolaryngol Head Neck Surg. 2015;23(1):53-58.
37. Korkut AY, Teker AM, Yazici MZ, Kahya V, Gedikli O, Kayhan FT.

Surgical outcomes of primary and revision endoscopic dacryocystorhinostomy. J Craniofac Surg. 2010;21(6):1706-1708.

38. Kountakis SE, Maillard AA, Urso R, Stiernberg CM. Endo-scopic approach to traumatic visual loss. Otolaryngol Head Neck Surg 1997;116:652-655.

39. Levin LA, Beck RW, Joseph MP, Seiff S, Kraker R. The treatment of traumatic optic neuropathy: the International Optic Nerve Trauma Study. Ophthalmology. 1999 ;106(7):1268-1277.

40. Levin LA, Joseph MP. Optic canal decompression in indirect optic nerve trauma. J Ophthalmol 1994;101:566-569.

41. Li H, Chen Q. Genetic susceptibility to Grave's disease.Front Biosci. 2013;18:1080-1087.

42. Manfredi SJ, Raji MR, Sprinkle PM, Weinstein GW, Minardi LM, Swanson TJ. Computerized tomographic scan findings in facial fractures associated with blindness. Plast Reconstr Surg 1981;68:479-490.

43. Metson R, Dallow RL, Shore JW. Endoscopic orbital decompression. Laryngoscope 1994;104:950-957.

44. Murchison AP, Pribitkin EA, Rosen MR, Bilyk JR. The ultrasonic bone aspirator in transnasal endoscopic dacryocystorhinostomy. Ophthal Plast Reconstr Surg. 2013 Jan-Feb;29(1):25-29.

45. Myers EN. Operative Otolaryngology: Head and Neck Surgery, 2nc Edition. Elsevier. 2008. p.955-960.

46. Palmer JN. Atlas of Endoscopic Sinus and Skull Base Surgery. Saunders. 2015. p.816-822.

47. Penttilä E, Smirnov G, Seppä J, Kaarniranta K, Tuomilehto H. Mitomycin C in revision endoscopic dacryocystorhinostomy: a prospective randomized study. Am J Rhinol Allergy. 2011;25(6):425-428.

48. Pletcher SD, Sindwani R, Metson R. Endoscopic orbital and optic nerve decompression. Otolaryngol Clin North Am. 2006;39:943-958.

49. Saratziotis A, Emanuelli E, Gouveris H, Tsironi E, Fountas K. Endoscopic dacryocystorhinostomy for acquired nasolacrimal duct obstruction: long-term results in 91 procedures. Rhinology. 2014;52(4):413-418.

50. Shah KJ, Dasher BG, Brooks B. Computed tomography of Grave's ophthalmopathy. Diagnosis, management, and posttherapeutic evaluation. Clin Imaging. 1989 Mar;13(1):58-61.

51. Song Y, Li H, Ma Y, Li W, Zhang X, Pan X, et al. Analysis of prognostic factors of endoscopic optic nerve decompression in traumatic blindness. Acta Otolaryngol. 2013;133(11):1196-1200.

52. Strong EB. Endoscopic dacryocystorhinostomy. Craniomaxillofac Trauma Reconstr. 2013;6(2):67-74.

CHAPTER

31

비강과 부비동의 양성 종양

김정수, 김용민

I 비부비동의 양성종양

비부비동의 양성종양은 드문 질환으로 비특이적인 증상 때문에 진단이 늦어지는 경우가 많다. 염증성 질환은 주로 양측으로 발생하나 종양은 대부분 한쪽에서 병발하므로 지속적인 일측성 코막힘이나 반복되는 비출혈이 있는 경우에는 종양을 의심해야 한다. 양성 종양의 조직학적 종류는 매우 다양하여 상피성, 간엽성, 골성 등으로 표 31-1과 같이 나눌 수 있다. 골종이 가장 흔하나 실제 치료를 요하는 경우는 반전성 유두종이 가장 흔하다. 임상증상은 종양의 위치, 진행정도, 병태생리 등에 따라 코막힘, 콧물, 비출혈, 두통, 후각이상, 안구돌출, 유루, 복시 등이 다양하게 나타나며 이 중 코막힘이 가장 흔하다.

1. 상피성 종양

1) 유두종

비부비동 유두종(Schneidrian papilloma)은 비부비동 점막 상피에서 발생하며 버섯모양 유두종(fungiform papilloma or exophytic papilloma), 반전성 유두종(inverted papilloma), 호산성세포 유두종(oncocytic papilloma) 세 가지로 분류할 수 있다.

(1) 버섯모양 유두종

버섯모양 유두종(fungiform papilloma or exophytic papilloma)은 비중격의 앞쪽에 발생하며 악성 변화는 드물다. 사마귀모양을 띠며(그림 31-1) 코막힘이나 코피 등의 증상을 나타낼 수 있다. 치료는 완전 절제이며 수술 후 같은 자리나 인근 점막에서의 재발의 가능성이 있다.

(2) 반전성 유두종

반전성 유두종(inverted papilloma)은 비부비동에 발생하는 종양 중 0.5~4%를 차지하는 비교적 드문 종양이며, 모든 연령층에 발생할 수 있으나 40~60대에 호발하고, 남자에서 2~3배 정도 높게 발병한다.[9,37,39] 주로 일측성으로 비측벽에서 발생하여 중비도에서 흔히 발견되며

표 31-1. **비부비동에 발생하는 양성 종양의 분류**

상피성 종양(epithelial tumors)
비강의 유두종(papilloma of the nasal cavity) - 반전성 유두종(inverted papilloma) - 버섯모양 유두종(fungiform papilloma) - 호산성세포 유두종(oncocytic papilloma)
선종(adenoma)
소타액선 종양(minor salivary gland tumors) - 혼합종양(mixed tumor), 호산성 세포종(oncocytoma)
간엽성 종양(mesenchymal tumors)
혈관섬유종(angiofibroma)
혈관종(hemangioma)
림프관종(lymphangioma)
신경종양(neurogenic tumor) - 신경초종(neurilemmoma), 신경섬유종(neurofibroma)
섬유종(fibroma)
지방종(lipoma)
연골종(chondroma)
과오종(hamartoma)
수막종(meningioma)
골성 종양(osseous tumors)
골종(osteoma)
외골증(exostosis)
유골골종(osteoid osteoma)
거대세포종(giant cell tumor)
화골성 섬유종(ossifying fibroma)
섬유성 이형성(fibrous dysplasia)
결합조직성 섬유종(desmoplastic fibroma)
연골점액유사 섬유종(chondromyxoid fibroma)

그 외 상악동, 사골동, 비중격, 전두동, 접형동에 발생하며 양측성은 약 4.9%로 보고된다.[37]

종양의 크기가 증가할 때까지는 대부분 무증상이나, 종양의 크기가 커지면서 수양성 비루를 동반한 일측성 코막힘이 가장 흔하게 나타나는 증상이며 유루증(epiphora), 안구돌출, 복시, 두통 등의 증상은 종양이 안와와 두개저를 침범하여 나타나며 진행된 병변을 의미한다.[37]

반전성 유두종은 국소적 침습성으로 인해 주위조직을

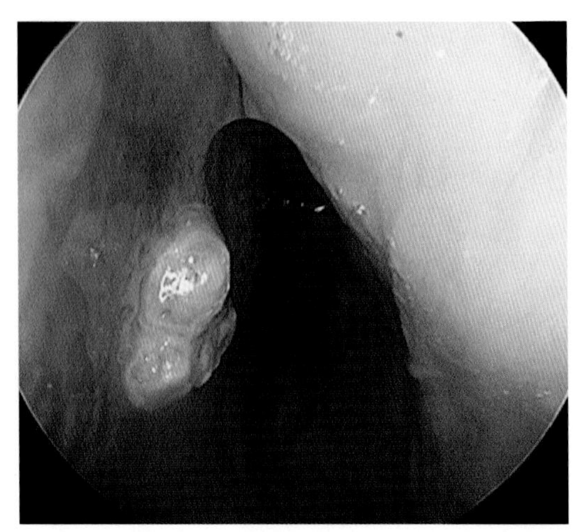

■ 그림 31-1. **버섯모양 유두종의 비내시경 소견.** 사마귀 모양을 띄며 비중격의 앞쪽에 주로 발생한다.

파괴하며, 다발성 원발부위가 존재하고, 치료 후 재발률이 높으며, 약 10% 전후에서 악성으로 전환하는 임상적 특징을 보인다.[9,39] 반전성 유두종 환자의 22~23%에서는 비용종이 동반되며 비용종이 유두종 종괴를 둘러싸고 있는 경우가 많아 수술 전 내시경으로 반전성 유두종을 진단하기 힘든 경우도 있다.[9] 원인은 미상이나 사람유두종바이러스(human papillomavirus) type 6, 11과 관련이 있고, Serotype 16, 18은 반전성유두종의 악성변이와 관련이 있는 것으로 알려져 있다.[23,34]

진단은 병리조직 검사로 확진하며 내시경 검사, CT나 MRI 같은 방사선학적 검사는 원발부위와 침습범위를 평가하여 치료방침을 세우는 데 도움을 준다.

반전성 유두종은 비내시경으로 관찰하였을 때 유두(papillary) 모양의 창백한 비용종 형태의 병변이 중비도에서 보이고 비용종보다 혈관이 더 풍부하다(그림 31-2). 상피층이 상피하 기질로 손가락 모양으로 함입되는 것이 특정적인 현미경 소견이며 기저막은 종양 세포의 침습 없이 잘 유지된다(그림 31-3).

CT에서 반전성 유두종은 연조직 표면의 불규칙성이 관찰되며 골변화가 발견되기도 한다. 골변화 중에서 가장 흔한 소견은 종양 기시부의 내부 혹은 외측에서 관찰되는

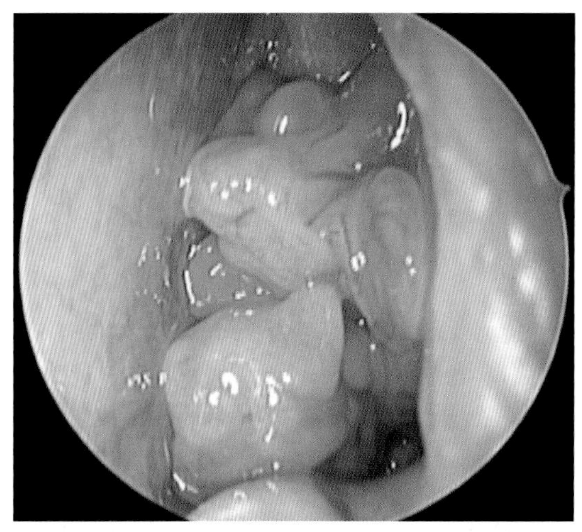

■ 그림 31-2. **반전성 유두종의 비내시경 소견.** 표면이 불규칙하며 갈색 혹은 분홍색의 융모같은 모양을 나타내며 일반 코폴립보다 혈관이 풍부하게 분포한다.

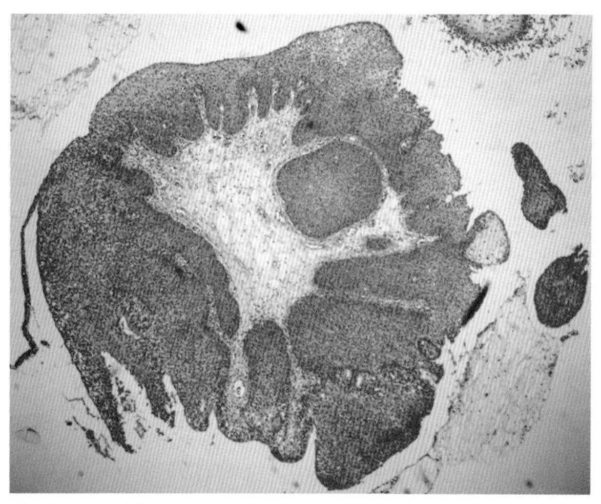

■ 그림 31-3. **반전성 유두종의 조직학적 소견.** 상피세포가 기질 안으로 손가락 모양으로 함입되며 기저막은 종양 세포의 침습 없이 잘 유지된다(H&E, ×40).

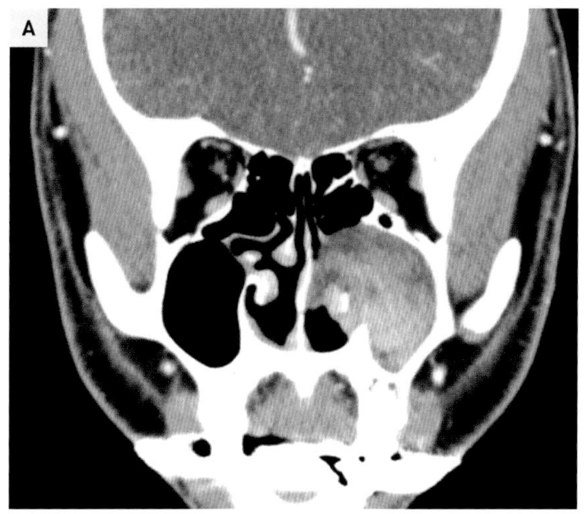

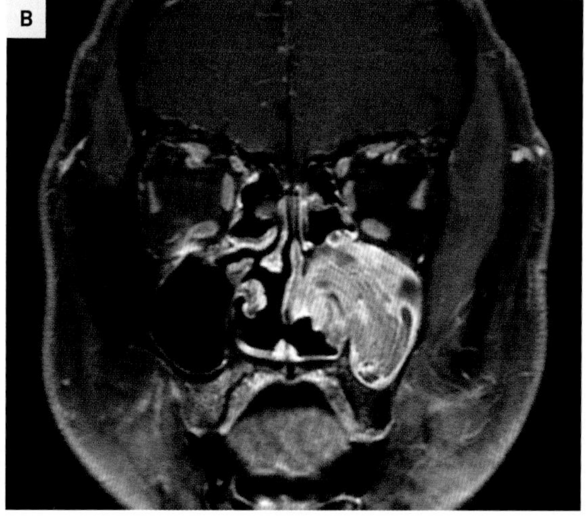

■ 그림 31-4. **반전성 유두종의 CT와 MRI소견.** 표면이 불규칙한 연조직 음영소견으로 주위 골의 압박괴사를 일으켜 상악동 자연공의 확장소견을 나타낸다. 조영증강 MRI에서 종양의 조직학적 배열에 의해 cerebriform-columnar pattern이 관찰된다.

골비후이고, 종양이 성장함에 따라 서서히 압력에 의한 골 재형성이 이루어지며 이는 상악동의 내측벽과 지판(lamina papyracea)에서 가장 흔히 관찰된다(그림 31-4A).[3,56] 반전성 유두종은 양성 종양으로 골파괴 소견은 흔하지 않으며 직접적인 골침습보다는 압박괴사를 유발한다. 확연한 골파괴 소견이 있는 경우에는 편평세포암종의 동반 가능성을 생각해야 한다.

MRI는 연조직을 관찰하는 데 유리하며 종양과 이차적으로 생긴 점막부종 또는 점액저류를 구분하는 데 도움이 된다. 조영증강 MRI에서 반전성 유두종의 조직학적 배열에 의해 나타나는 cerebriform-columnar pattern이 관찰될 경우 반전성 유두종을 강력히 의심할 수 있다

(그림 31-4B).[42] 이것은 종양 내 세포의 밀도가 높은 화생상피 부위와 세포의 밀도가 낮은 기질(stroma)부위가 규칙적인 평행주름을 형성하여 나타난다.

치료는 광범위한 제거가 가장 효과적이며 수술 시 지도화(mapping)된 조직검사를 시행하여 악성종양의 동반여부를 확인하는 것이 바람직하다. 과거 광범위 근치술이 최상의 치료로 인정되어 보다 침습적인 방법이 선호되었으나 최근에는 비내시경하에 절제술이 수술의 표준으로 자리매김하게 되었다. 술 후 재발률은 수술방법에 따라 0~68%로 다양하게 보고되고 있으며,[7] 술 후 6개월 이내에 가장 많이 재발하나 20년 후에 재발했다는 보고도 있어 장기간의 추적관찰이 필요하다.[59]

(3) 호산성세포 유두종

호산성세포 유두종(oncocytic papilloma)은 비부비동 유두종(Schneidrian papilloma) 중 가장 드물며 다층 호산성 상피(multi-layered eosinophilic epithelium)가 특징이며 현미경적으로 외장성(exophytic)과 반전성(inverted) 성장패턴이 발견된다. 임상적 양상은 반전성 유두종과 흡사하다.

2) 소타액선 종양(minor salivary gland tumor)

비강과 부비동에 존재하는 작은 침샘에서도 드물지만 종양이 발생하며 이 중 약 50%는 악성이다.[30] 다형성 선종(pleomorphic adenoma)이 가장 흔한 양성 종양이며 비중격에 발생하는 경우가 80%, 비측벽이나 비갑개에서 발생하는 경우가 20%를 차지한다(그림 31-5).[19] 초기에 발견하기가 어려워 대부분 진행된 상태로 진단된다. 치료는 충분한 변연을 확보한 외과적 절제가 원칙이다.

비강 다형성 선종의 재발은 10% 이하로 다른 부위의 재발율(25~50%)보다 예후가 좋은데 이는 비강의 조직학적 특성상 기질(stroma)이 적고 세포충실도가 높아 술 중 점액성 기질이 수술부위에 퍼지는 경우가 적기 때문이다.[27]

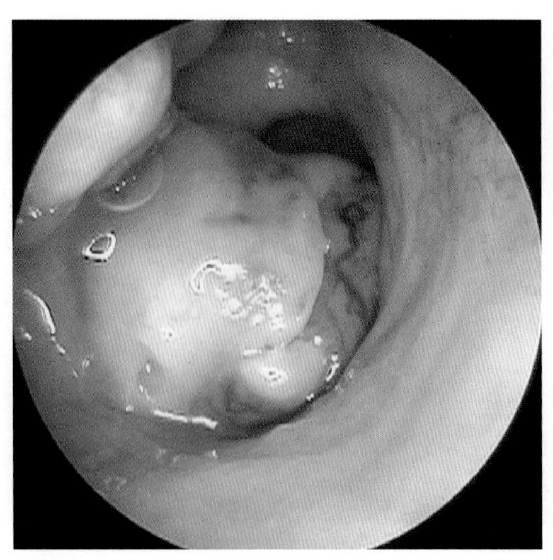

■ 그림 31-5. **비강에 발생한 다형성 선종(pleomorphic adenoma)의 비내시경 소견**

2. 간엽성 종양

1) 혈관섬유종

비인강 혈관섬유종(angiofibroma)은 주로 사춘기 남자에게 호발하는 혈관이 풍부한 양성종양으로 발생빈도는 전체 두경부 종양의 0.05~0.5% 미만으로 드문 질환이다.[60] 조직학적으로 양성이나 매우 공격적이어서 주위 조직 침윤이 흔하며 비교적 재발률이 높고 대량 출혈과 두개 내 침범 등으로 환자가 사망할 수도 있다.

종양은 접구개공(sphenopalatine foramen)의 상연(superior margin)에서 기원하며[47] 점차적으로 두개저의 구멍(foramina)이나 틈새(fissures)를 따라 자란다. 후비공(choana), 익구개와(pterygopalatine fossa), 측두하와(infratemporal fossa)로 확장되고, 안와나 두개 내로 침범하기도 한다. 두개 내의 침범은 측두하와의 천장이나 상안와열(superior orbital fissure), 접형동 천장을 통해 이루어지며 빈도는 10~36%로 보고되고 있다.[35]

종양의 주된 영양동맥은 외경동맥(external carotid artery)의 가지인 내상악동맥(internal maxillary artery)과 상행인두동맥(ascending pharyngeal artery)이며 종양의 크기가 크거나 안와 혹은 두개 내로 침범한 경우 내경동맥(interanl carotid artery)에서도 혈류를 공급받고 종양이 중간선을 넘어선 경우에는 반대쪽 혈관에서도 공급받을 수 있다.

반복적인 비출혈과 일측성 코막힘이 가장 흔한 증상이며, 종양의 주위침범 정도에 따라 후각이상, 이충만감, 얼굴부종, 콧물, 얼굴 및 입천장의 변형, 협부의 통증 등이 나타날 수 있고, 상안와열을 통해 해면정맥동(cavernous sinus)을 침범하면 안구돌출이나 상안와열증후군의 징후가 나타나며 두개 내로 침범하면 뇌막자극 증상이 나타난다.[6,12]

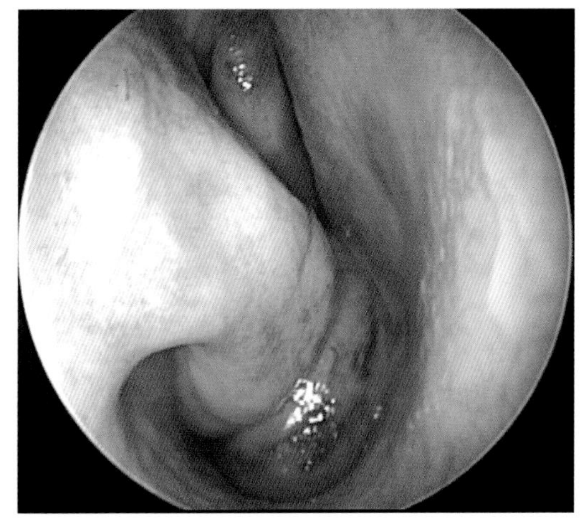

■ 그림 31-6. **비강인두 혈관섬유종의 비내시경 소견.** 선홍색의 미끈한 표면의 폴립모양을 나타낸다.

자세한 병력 청취, 비내시경 소견, 방사선검사와 술 전 혈관조영술로 영양혈관을 확인하여 확진하게 된다. 혈관섬유종이 의심되는 환자를 진찰할 때는 반드시 뇌신경에 대한 검사와 비내시경검사를 시행한다. 내시경검사에서 선홍색의 매끈한 표면을 가진 폴립모양 종양을 관찰할 수 있다(그림 31-6). 이관기능장애로 인한 중이 삼출액이나 고막함몰이 있는지 이경검사로 확인한다.

술 전 방사선검사로 CT와 MRI가 필요하다. 이 중 CT는 종양주위 골변화를 보는 데 좋으며 특히 조영증강 CT는 종양의 혈관 분포상태 확인과 병기 결정을 위해 매우 중요하다(그림 31-7). 특징적으로 상악동 뒷벽이 앞쪽으로 휘고 상안와열이 외측으로 가장자리를 따라 확장되고 접형골, 경구개, 상악동 내벽 등의 미란(erosion)과 비중격의 전위가 관찰된다. MRI는 종양의 범위를 확인하는 데 좋으며 술 후 잔존 종양과 재발을 진단하는 데 유용하다.

혈관조영술은 술 전 영양동맥을 확인하고 색전하여 술

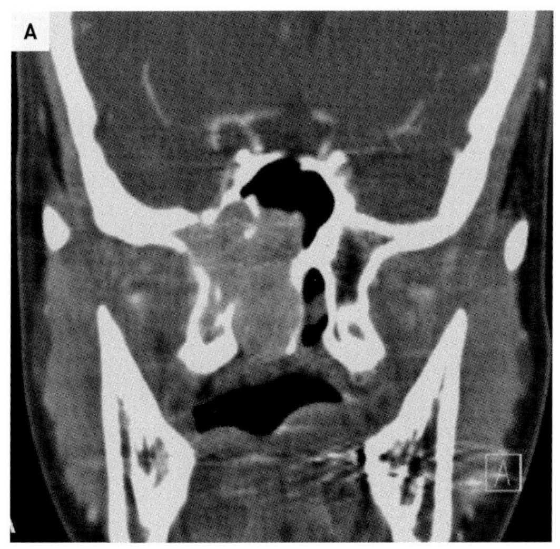

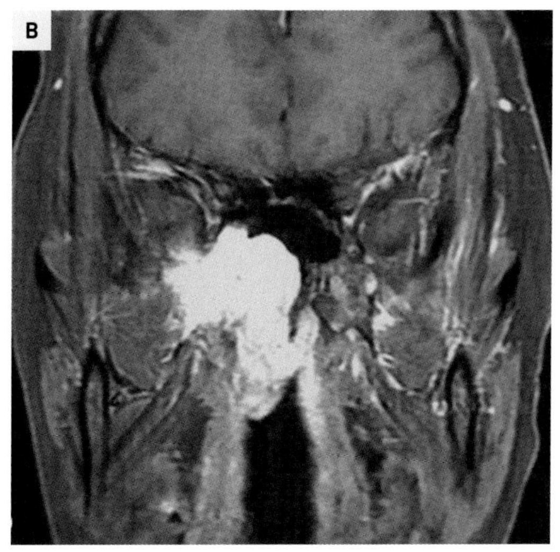

■ 그림 31-7. **비강인두 혈관섬유종의 CT와 MRI소견.** 강한 조영증강을 보이는 혈관섬유종이 비강 및 인두로 증식해 있으며 익돌구개 공간과 접형동으로의 침범된 소견이다.

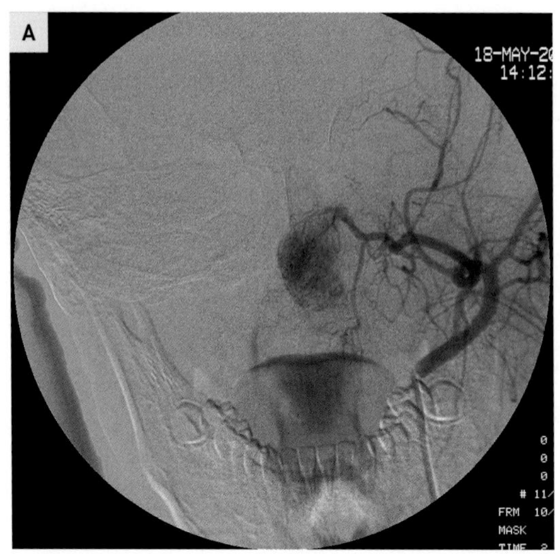

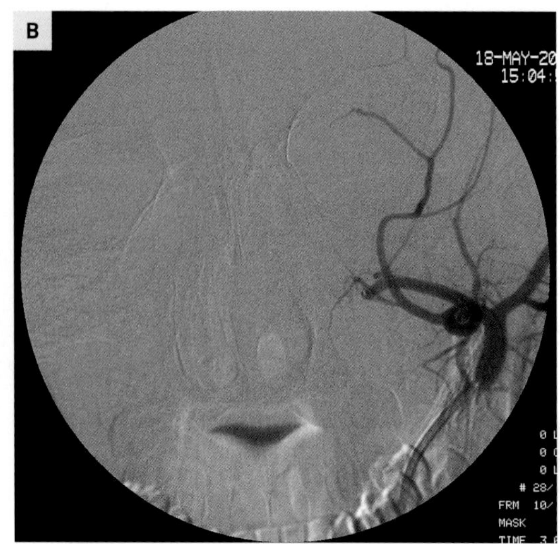

■ 그림 31-8. **비강인두 혈관섬유종의 혈관조영술 소견.** 혈관조영술에서 주공급혈관인 내상악동맥(internal maxillary artery)을 통하여 종양안에 혈액이 차는 모습이 관찰되며**(A)**, 분포동맥의 색전술 후 혈류공급이 차단되어 있다**(B)**.

중 출혈을 줄이는 데 도움을 줄 수 있으며 색전술 시행 후 24~28시간 이내에 수술하는 것이 출혈을 가장 최소화할 수 있고 색전물질에 의한 염증반응을 피하는 데 좋다(그림 31-8).

혈관섬유종은 병리학적으로 섬유기질(fibrous stroma)과 혈관의 두 가지 세포성분으로 구성된다. 섬유기질은 치밀한 아교질 바탕(collagen matrix)에 방추 혹은 별 모양의 세포로 구성되며, 혈관은 불규칙적으로 풍부한 망을 형성한다. 종양을 형성하는 혈관은 작은 모세관에서 큰 정맥까지 다양하며 특징적으로 정상 혈관벽에 존재하는 평활근육과 탄력섬유가 없어 작은 조작에도 쉽게 출혈하는 경향이 있다.[47]

치료는 수술적 완전절제가 원칙이며 주요 구조물을 침범하여 완전절제가 힘든 잔존병변이나 재발한 병변은 저용량(30~36 Gy) 방사선 치료가 부작용을 줄이면서 종양의 치료에 효과적이라는 보고도 있다.[43] 최근 강도변조방사선치료(intensity-modulated radiation therapy,)[38] 감마나이프(Gamma Knife) radiosurgery,[54] 사이버나이프(Cyberknife) 시스템의[28] 발달에 힘입어 고식적인 방사선치료의 부작용을 줄이면서 효과적으로 종양의 크기를 줄인 경우도 있다.

치료 후 재발률은 평균 30~46%로 접형동이나 해면정맥동 등을 침범한 경우 종양의 완전절제가 불가능한 것이 재발의 가장 큰 원인이다. 수술 시 최대한 세심하게 조작해 종양을 제거하는 것이 재발을 줄이는 방법이다.

2) 혈관종

혈관종(hemangioma)의 50% 이상이 두경부 영역에서 발생하며 그 중 구순부, 혀 부위 및 구강 안 점막부에 호발하고 비강에서의 발생은 드문 것으로 알려져 있다. 비강 혈관종은 비중격이나 비전정에서 발견된 경우가 가장 많으며(그림 31-9) 특히 혈관분포가 풍부한 Little부위에 호발한다.[51]

비강 혈관종의 임상증상은 비출혈과 서서히 진행하는 일측성 코막힘이 가장 많고, 특별한 증상 없이 우연히 발견되는 경우도 있다. 진찰 시에 비강 내의 적색의 종물로 관찰되며 쉽게 출혈하는 성질을 띤다.

진단 시 철저한 진찰 및 병력청취가 필수적이며, 종양의 범위를 결정하기 위해 CT, MRI, 혈관조영술, Technetium 스캔, 도플러 초음파 검사법 등을 사용한다.[8] 감

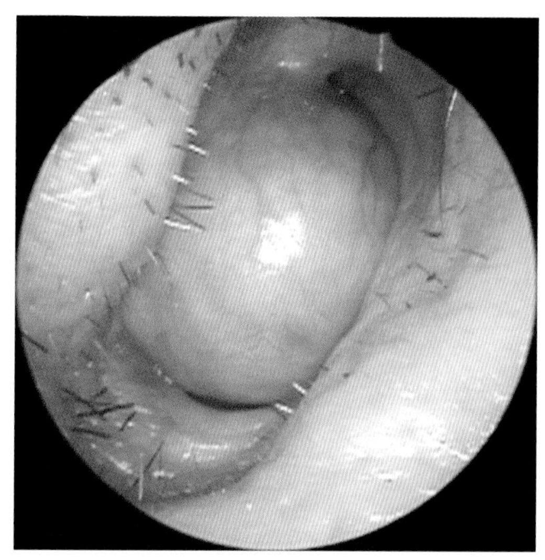

■ 그림 31-9. **비강에 발생한 혈관종의 비내시경 소견.** 일반적으로 쉽게 출혈하는 양상의 적색의 종물로 발견되나 매끈한 표면을 갖는 혈관성종물로 나타나기도 한다.

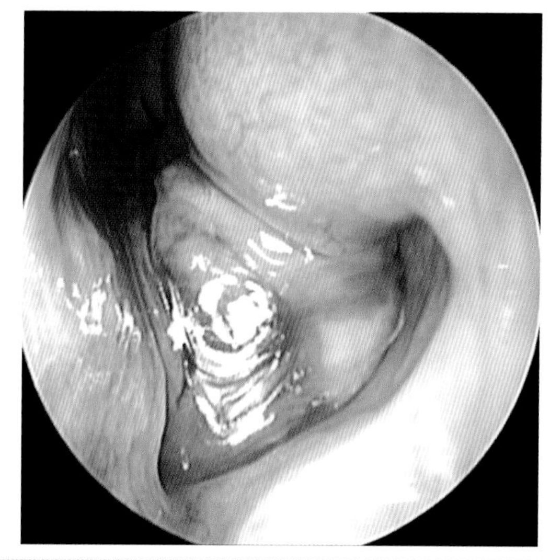

■ 그림 31-10. **소엽성 모세혈관종의 비내시경 소견.** 코폴립의 모양으로 표면에 딱지가 관찰되며 쉽게 출혈하는 경향을 나타낸다.

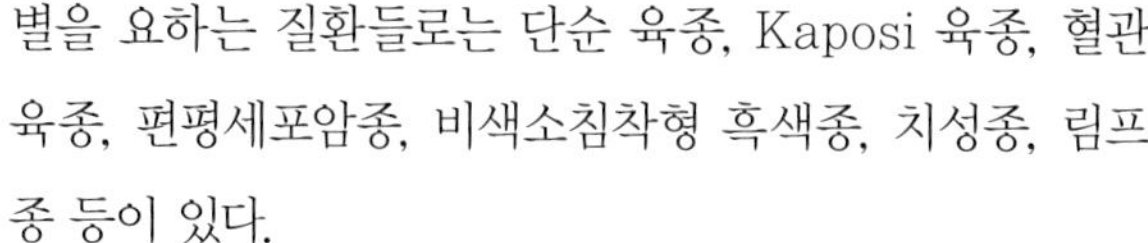

별을 요하는 질환들로는 단순 육종, Kaposi 육종, 혈관육종, 편평세포암종, 비색소침착형 흑색종, 치성종, 림프종 등이 있다.

일반적인 두경부 영역의 혈관종 치료는 조직학적 및 생리학적 특성을 고려하여 결정하게 되는데, 대부분은 자연적으로 소실되기 때문에 추적관찰이 주된 요법이나 이 중 10~20%는 적극적인 치료가 필요하다.[51] 비수술적 치료방법으로는 고용량의 스테로이드가 사용되며 종양이 커지는 것을 막는 데 효과가 있다고 알려져 있으나 주로 소아에서 효과가 좋으며 이에 반응이 없을 때는 수술치료가 필요하다.[8]

3) 소엽성 모세혈관종

일반적으로 화농성 육아종(pyogenic granuloma)으로 알려진 소엽성 모세혈관종(lobular capillary hemangioma)은 혈관종의 한 형태로 급속하게 성장하며 쉽게 출혈하는 경향을 보인다. 피부와 입안 점막에서 잘 발생하며 코안에서는 비교적 드물게 발생한다(그림 31-10). 성긴결합조직(loose connective tissue) 기질에 의해 분리된, 엽상으로 배열된 모세혈관의 증식과 염증세포의 침윤이 특징적인 조직학적 소견이다.[45]

모든 연령층에서 발생 가능하나 40대에 흔하며 발생빈도에 있어서 남녀의 차이는 없다.[52] 원인으로 외상설, 호르몬영향, 바이러스 종양유전자(oncogene), 현미경적 동맥정맥 기형, 혈관생성(angiogenetic) 성장인자(growth factor)의 생성 등이 있으나 정확히 밝혀지지는 않았다.

편측성 비출혈이 가장 흔한 증상이며 비내시경으로 관찰하였을 때 대개 1 cm 미만의 표면에 딱지 혹은 농성 분비물이 있는 붉은색 또는 분홍색의 종물이 비강 전반부에서 관찰되며 드물게 상당한 크기로 관찰되어 코막힘을 유발한다.[10,52] 유두종 혹은 비용으로 오진하기 쉽고 악성 종양 또는 혈관 섬유종, 혈관종, 혈관주위세포종(hemangiopericytoma) 등의 과다혈관성 병변 등과 감별해야 한다.[10,52]

단순절제로 대부분 치유되고, 재발의 원인은 병변의 불완전한 절제이며 재절제를 하면 치유되는 경우가 많다.[2] 절제 후 기시 부위의 지혈과 재발 방지를 위해 국소전기소작이나 레이저를 사용하기도 한다.

4) 림프관종

림프관종(lymphangioma)은 림프관에서 발생하는 림프관 기형으로 배아기 중배엽성 기원의 양성종양이다. 50% 이상이 태생기에 존재하고 90%는 2세 이내에 발현한다. 환자가 성장함에 따라 종양도 커지므로 안면의 변형을 초래할 수 있으나 비강에 발생하는 림프관종은 매우 드물다.

5) 신경종양

신경종양(neurogenic tumor)은 중추신경 및 말초신경에서 드물게 발생되는 양성종양으로 Schwann 세포, 섬유아세포 및 신경외초에서 유래되며 비부비동에 발생하는 경우는 매우 드물다.

(1) 신경집종

신경집종(Schwannoma)은 신경초종(neurilemmoma)라고도 하며 신경집세포(Schwann cell)에서 발생하는 신경 종양으로 사골동, 상악동, 비강, 접형동 순으로 호발한다. 어느 나이에서나 발생하지만 대부분 30~50대 사이에 발생하고 남녀차이는 없다.[48]

비부비동에 발생하는 신경집종은 삼차신경의 안분지(ophthalmic division)와 상악분지(maxillary division)에서 흔히 발생하지만 교감신경과 부교감신경 섬유에서도 발생할 수 있으므로 병변이 클 경우 수술 중에 종양의 기원 신경을 알기 힘들다. 출혈성 괴사나 낭성 변성 등의 퇴행성 변화를 잘 일으키고 신경을 압박해 동통을 유발하는 경우가 많은 편이다. 신경집종은 von Recklinghausen 병과 동반되어 나타나는 경우가 드물다.

내시경으로 관찰하였을 때 종양은 경계가 잘 지어지나 피막이 없고, 구형의 단단하거나 탄력성 있는 검황색의 종괴로 보인다. 조직학적으로 종양은 Verocay bodies를 포함하고 세포가 조밀한 부분인 Antoni A와 세포밀도가 적은 점액양(myxoid)의 Antoni B 지역으로 구성되어 있다. 면역염색 시 S-100단백에 강하게 면역반응을 보이는 종양세포가 산재해 있다. 감별해야 할 질환으로 neurofibroma, solitary fibrous tumor, leiomyoma, fibrosarcoma 등이 있다.[48]

CT에서 비특이적인 소견이나, MRI에서는 조직학적인 특징이 반영되어, Antoni A부분은 T1, T2 강조영상에서 중간강도 신호를 보이고 Antoni B부위는 T2 강조영상에서 고강도 신호를 보인다(그림 31-11).[25] 치료는 비내시경을 이용한 완전한 절제를 한다.

(2) 신경섬유종

신경섬유종(neurofibroma)은 대부분 다발성 신경섬유종의 일부로서 발생하지만, 비부비동에 발생한 경우에는 거의 다 단일 병변으로 존재하며, 비부비동에 발생했을 때는 비강과 사골동의 동시침범이 가장 흔하고 상악동, 접형동의 순으로 침범한다.[18] 피막은 보통 없으며, 악성화 되는 경우가 간혹 있고, 퇴행성 변화는 드물며 증상이 없이 나타나는 경우가 많다. von Recklinghausen 병과 동반되어 다발성으로 나타나기도 한다.

임상 증상 및 징후는 침범하는 부위에 따라 다르며 지속적으로 서서히 성장하여 주위 구조물을 변형시키고, 비부비동에 발생한 경우 코막힘, 비출혈, 코 동통과 부종, 안구돌출, 시력저하 및 유루(epiphora) 등이 나타날 수 있다.

3. 골성 양성 종양

1) 골종

골종(osteoma)은 부비동에서 가장 흔히 발견되는 양성종양이며 약 95%가 전두사골부위(frontoethmoid region)에서 발생한다.[29] 단순촬영에서 보고되는 빈도는 0.25~1%이나, CT 촬영에서는 3%까지도 보고된다.[46,49] 발생기전은 발달성(developmental), 외상성(traumatic), 감염성(infectious)으로 크게 세 가지가 있으며 조직학적으로 치밀골형(compact type), 해면골형(osteoma spon-

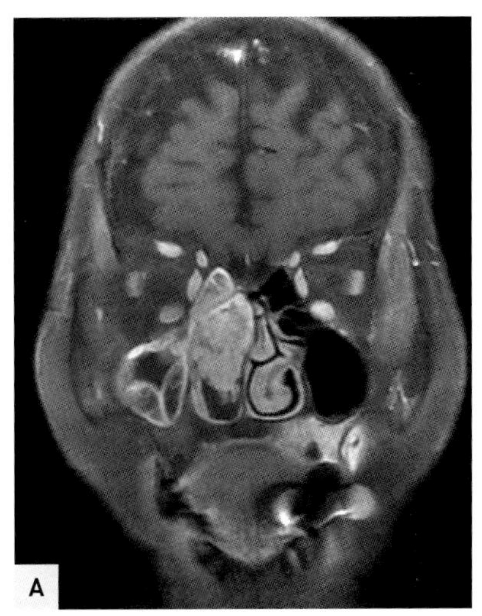

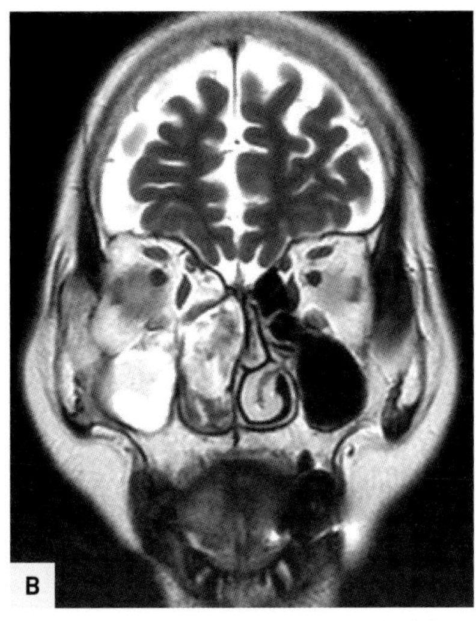

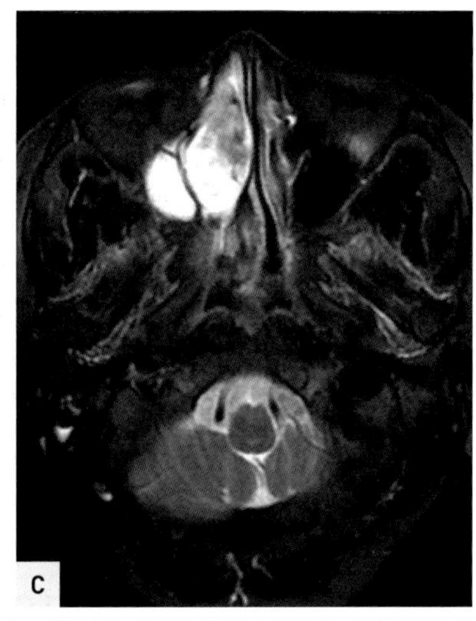

■ 그림 31-11. **신경집종의 MRI 소견.** Antoni A부분은 T1, T2 강조영상에서 중간강도 신호를 보이고 Antoni B부위는 T2 강조영상에서 고강도 신호를 보인다.

giosum), 혼합형(mixed type)으로 분류된다. 골종은 시간이 지날수록 점차 성장하여 주위조직을 압박하여 증상을 유발할 수 있지만 악성변화의 증거는 없다.

증상은 골종의 위치와 크기에 따라 다양하게 나타나는데 전두부 골종(frontal osteoma)의 경우 환자의 약 60%가 지속적인 두통을 호소하며,[29] 종양이 안구로 성장하면 안구돌출(proptosis), 복시, 유루, 시력감소 등이 나타날 수 있고, 상악골에 발생한 골종은 얼굴통증, 얼굴변형, 하안와 신경(infraorbital nerve)의 압박으로 인한 신경증상 등이 나타날 수 있으며, 종양이 두개 내로 성장하는 경우 경질막을 침범하여 수막염이나 기종(pneumatocele), 뇌척수액 누출 등이 생길 수 있다. 또 종양이 부비동 자연공을 막으면 급성 혹은 만성 부비동염이나 점액낭종을 생성하는 경우가 발생하기도 한다(그림 31-12).

진단은 방사선검사로 이루어지며 증상이 없는 경우 주기적으로 관찰하는 것이 좋다.[29] 치료는 증상이 있을 때는 경우 수술적 완전 절제가 원칙이며 전두동에 발생한 골종은 수술 시 비전두관(nasofrontal duct)을 손상할 수 있으므로 주의한다.

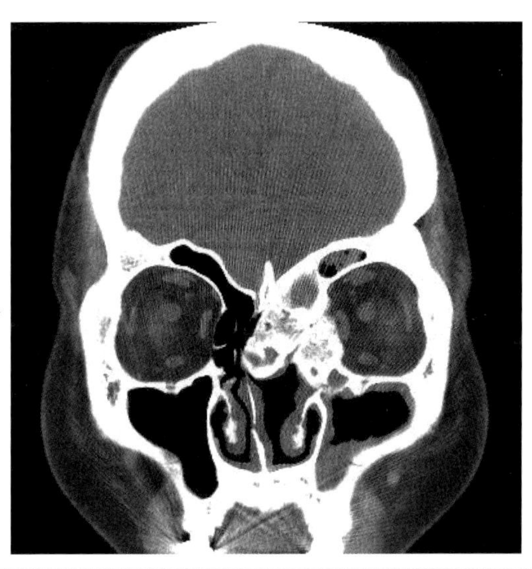

■ 그림 31-12. **골종의 CT 소견.** 왼쪽 전두사골 부위(frontoethmoidal region)의 골종으로 전두동과 상악동에 부비동염을 일으키는 소견이 관찰된다.

2) 골화성 섬유종

골화성 섬유종(ossifying fibroma)은 경계가 뚜렷한 양성종양으로 국소적으로 주위조직을 파괴하는 공격적인 성향이 있다. 약 75% 정도가 하악골에서 발생하는데 하악골 이외에 발생하는 골화성 섬유종일수록 임상적으로

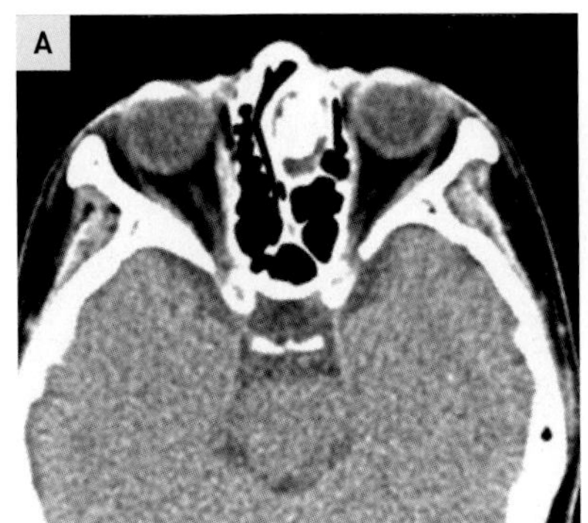

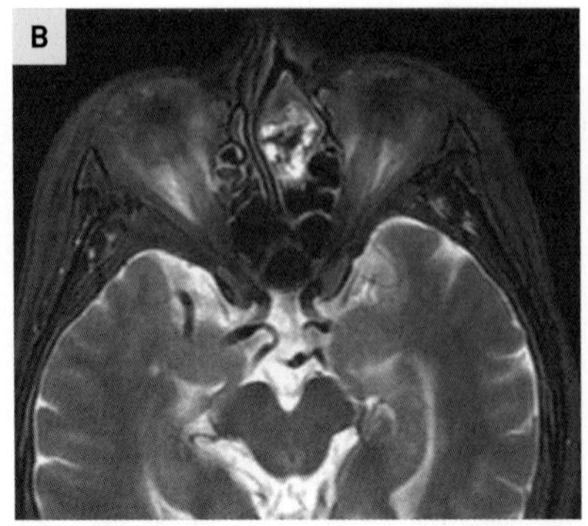

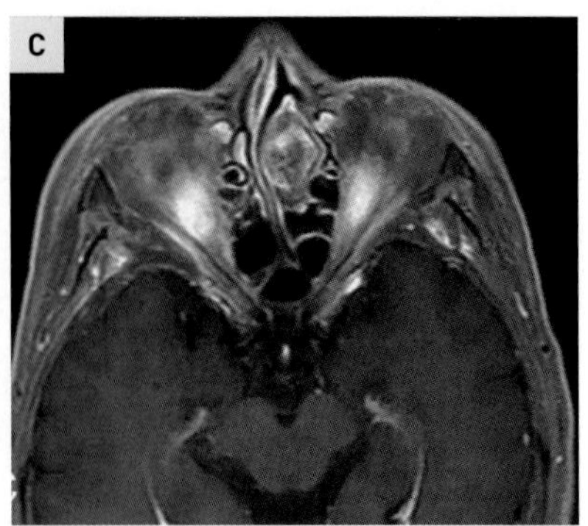

■ 그림 31-13. **골화성 섬유종의 CT와 MRI소견.** CT에서는 중심부가 다방성낭종성(multiloculated)의 병변이고 달걀껍데기 같은 조밀한 테두리에 둘러싸인 경계가 명확한 둥근 종괴로 나타나며(그림 25-12), MRI에서는 T2강조영상에서 고강도 신호를 보이지만 T1강조영상에서는 내부는 중간 내지 고강도 신호를 보이고 테두리 부위는 저강도 신호를 보인다.

더 공격적이다.

CT에서는 중심부가 다방성낭종성(multiloculated)의 방사선투과성 병변이고 달걀껍데기 같은 조밀한 테두리에 둘러싸인 경계가 명확한 둥근 종괴로 나타나며(그림 31-13A), MRI에서는 T2강조영상에서 고강도 신호를 보이지만 T1강조영상에서는 내부는 중간 내지 고강도 신호를 보이고 테두리 부위는 저강도 신호를 보인다(그림 31-13B, C).[32]

조직학적으로는 아교질과 섬유모세포로 구성된 섬유기질(fibrous stroma) 내에서 골모세포(osteoblast) 테두리를 가진 유골(osteoid)을 관찰할 수 있다.[58] 골화성 섬유종은 재발율이 높고, 재발한 종양은 국소적으로 주변 구조물을 파괴하고 주요 구조물을 침습하는 등 공격적인 성향을 보이므로 수술적으로 광범위한 완전절제가 필요하다.

3) 섬유성 이형성증

섬유성 이형성증(fibrous dysplasia)은 정상적인 골조직이 아교질이나 섬유아세포 및 유골로 대치된 상태로 다양한 분포의 섬유조직과 해면골로 이루어져 있다. 대부분 30세 이전에 진단되며 근골격계가 성장하면서 종양은 점차 안정화 된다.

발생 부위에 따라 하나 이상의 뼈를 침범하는 다골성 섬유성 이형성증(polyostotic fibrous dysplasia)과 하나의 뼈에서만 발생하는 단골성 섬유성 이형성증(monostotic fibrous dysplasia)으로 구분한다. 다골성 섬유성 이형성증은 15~30%를 차지하며 안면골과 두 개에 호발하고, McCune-Albright 증후군에서도 나타난다. 악성변화는 매우 드문 편이나 다골성 섬유성 이형성에서 0.5%, McCune-Albright 증후군 환자에서 약 4%로 보고되고 있다.[44] 단골성 섬유성 이형성증은 주로 상악골과 하악골에 호발하며 사춘기가 지나면서 종양의 성장도 정지한다.

증상은 종양의 크기가 자라면서 발생하며 주로 안면변형이 생기고 병적골절, 뇌신경마비 등이 있을 수 있다. 진단시 방사선학적 소견이 중요하며 단순촬영이나 CT에서 특징적인 간유리(groundglass) 모양으로 나타나며(그림 31-14), MRI에서는 T1강조영상에서 중간 또는 저강도, T2강조영상에서 다양한 강도, 조영증강 시 비균질(nonhomogeneous)의 조영증강 종물로 나타난다.

안면변형이 심하고 종양에 의한 증상이 생길 때는 수술적 치료를 시행한다. 안면변형을 교정하는 보존적인 수술을 하고 술 후 반드시 주기적으로 추적관찰을 한다. 변형이 심하고 통증을 동반한 광범위한 섬유성 이형성증의 경우 파골세포의 활동을 억제할 목적으로 bisphosphonates를 사용하기도 한다.[41]

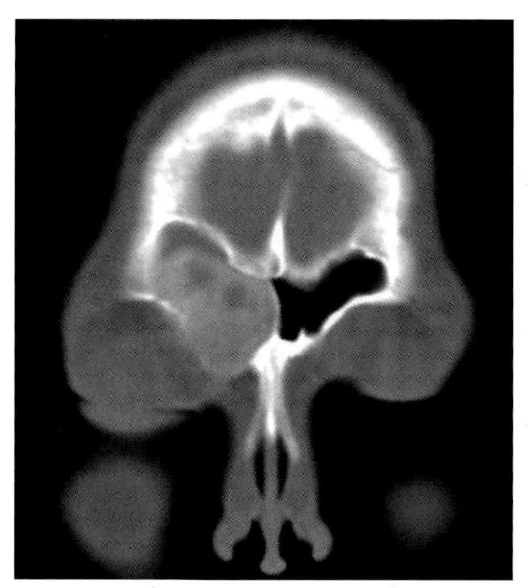

■ 그림 31-14. **전두동의 섬유성 이형성.** 우측 이마의 변형을 일으키는 특징적인 간유리(groundglass) 모양의 종물이 오른쪽 전두동 부위에서 관찰된다.

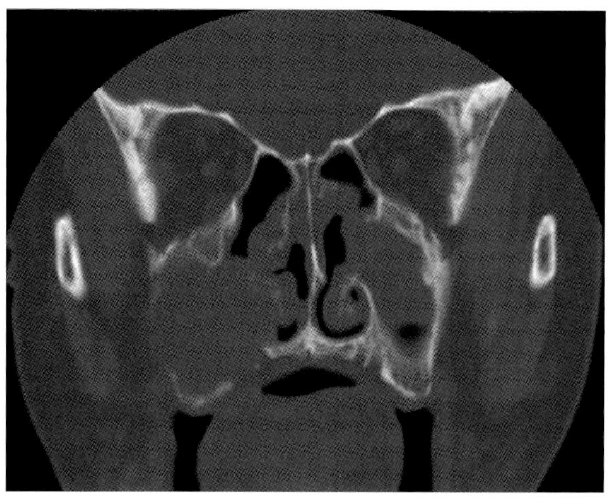

■ 그림 31-15. **오른쪽 수술후 협부낭종의 CT 소견.** 낭이 서서히 팽창함에 따라 골 재형성이 이루어지고 연조직의 음영이 낭을 가득 채우고 있다.

II 부비동의 낭성 질환

1. 술 후 협부낭종

술후협부낭종(postoperative cheek cyst)은 상악동 근치수술 후 발생하는 합병증으로 보통 수술한 지 10~30년 후에 발생하며 50년 이후에도 증상이 나타날 수있다.[11] 최근에는 만성 비부비동염에서 상악동근치술은 거의 행해지지 않으나 과거에 시행된 상악동근치술에 의해 술 후 협부낭종은 당분간 지속적으로 발생할 수 있다.

낭종이 확대되어 상악동벽을 자극하거나 골파괴 또는 낭종의 감염으로 증상이 나타나기 시작한다. 협부의 종창이 가장 많으며 그 외 얼굴 동통, 치통, 두통과 안와저를 침범하여 안구돌출, 시력저하, 복시 등의 안구 증상이 나타난다.[1,11]

진단에는 상악동 근치수술을 시행 받은 과거력이 가장 중요하고 그 외 증상, 진찰소견과 함께 경구적으로 견치와에서 상악동을 시험천자하여 초콜릿색의 점액을 확인하면 진단할 수 있다. 부비동 단순 방사선검사는 과거 수술로 인하여 부정확하다.[24] CT는 낭종의 위치와 팽창 정도를 알 수 있어 수술방법을 결정하는 데 유용하다(그림 31-15).

치료를 위해 과거에는 상악동근치술을 다시 시행하였으나 최근에는 내시경수술의 발달로 비내시경수술이 많이 시행되고 있다.[1,11,16] 그러나 모든 술 후 협부낭종이 비내시경수술로 치료 가능한 것은 아니며 상악동근치술이 필요한 경우도 종종 있다. 수술방법은 낭종의 위치에 따라 결정되며 낭종이 중비도 혹은 하비도로 돌출된 경우에는 내시경적 접근이 용이하나 너무 외측에 있거나 다중격을 형성한 경우에는 상악동근치술을 시행하는 것이 바람직하다. 상악동근치술 후에는 중비도를 통한 비강과의 교통로가 좁아져서 중비도를 통한 비강으로의 개방이 용이하지 않은 경우가 많으므로, 내시경을 이용한 개창술은 대부분 하비도를 통하여 이루어진다. 만들어진 개구부는 수술 후 크기가 감소하며 특히 낭종 골벽의 두께가 두꺼웠던 경우에는 좁아지는 정도가 심하므로 가능한 한 개구부를 크게 여는 것이 바람직하다.

2. 부비동 점액낭종

부비동 점액낭종(mucocele)은 부비동 점막에 의하여 경계지어지는 공간 내에 점액이 저류되는 확장성 낭종성 병변이다. 발생원인은 불확실하나 부비동자연공이나 부비동의 작은 침샘의 구멍이 막혀 발생하는 것으로 알려져 있다.[26]

유발질환은 만성 염증에 의한 구멍의 폐쇄, 외상, 골종 등의 신생물, 알레르기, 갑작스런 기압의 변화, 비용종 등이다.[22]

점액낭종이 커지면 골벽을 팽창시키거나 골조직을 파괴하는데 골조직을 용해하는 물질로 점액낭종의 점막에서 PGE_2와 collagenase가 생성된다는 보고도 있다.[40] 전두동과 전사골동에 호발하며 남녀 발생 비율은 비슷하다.[36]

임상증상은 점액낭종의 위치와 크기, 주위 조직의 침범여부와 정도에 따라 다르며 시간이 경과함에 따라 점액의 저류가 증가되어 부비동의 팽창과 주위조직의 압박 정도도 달라진다. 전두동 및 전사골동의 점액낭종은 안구돌출, 안구동통, 시력장애 등 안와증상을 나타내며, 상악동에 발생한 경우는 코막힘 등의 코증상을, 후사골동이나 접형동에 발생한 경우에는 시력장애, 누룽, 복시 및 안구전위 등의 증상이 나타나게 된다.[13,20]

CT에서 병변이 부비동을 꽉 채워 공기가 보이지 않으며, 골 재형성과 부비동의 팽창된 모습이 관찰되며 조영증강 되지 않는 연조직 음영이 보이면 점액낭종으로 진단한다(그림 31-16).[57]

점액낭종의 치료에는 내벽을 포함하여 점액낭종을 완전히 절제하거나 점액낭종의 내벽을 대부분 보존하면서 환기 및 배액 통로를 유지시키는 조대술(marsupialization)이 있으며, 최근에는 대부분 비내시경 접근법에 의한 조대술을 시행하고 있다.[4,13,36]

3. 상악동 저류낭종

상악동 저류낭종(retention cyst)은 비교적 드물지 않게 발견되는 양성 낭종으로, 부비동 방사선검사에서 우연히 발견되는 경우가 많다. 발생기전은 상악동 점막 내의 관(duct)혹은 선(gland)이 막혀 조직 내에 점액이 고여서 발생하는 것으로 추정된다.[50] 방사선검사에서 원형 혹은 돔 형태를 띠며 대부분 일측성, 단발성으로 상악동 하벽에 위치한다.[17]

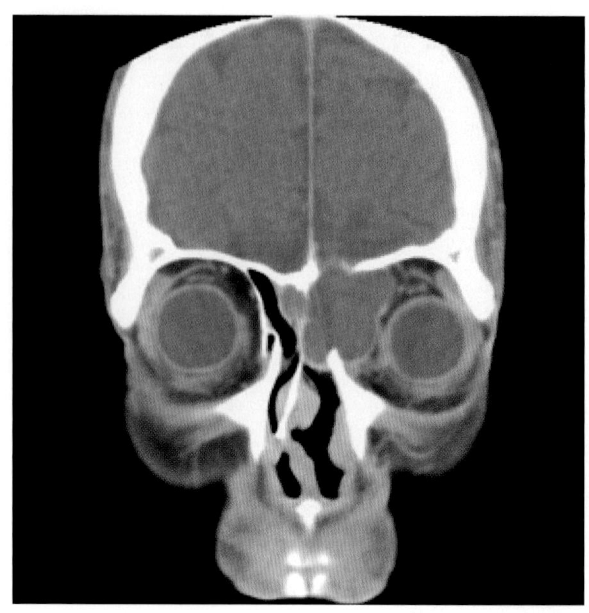

■ 그림 31-16. **좌측 사골동 점액낭종의 CT 소견.** 부비동을 가득 채우는 병변으로 공기가 보이지 않으며 골 재형성과 팽창된 모습이 관찰되며 조영증강이 되지 않는 연조직 음영을 나타내고 있다.

저류낭종은 대개 무증상이지만 이마부위 두통이나 안와주위 또는 협부 통증 등의 증상이 나타날 수 있고 그 외 콧물, 코막힘, 후비루, 부비동염 등을 동반할 수 있다.[31] 치료로 특이증상이 있는 경우에 내시경을 이용한 수술적 치료가 제시되기도 하였으나, 대부분의 경우 외래추적 관찰만으로도 충분하다고 알려져 있다.[17,31]

Ⅲ 비부비동 양성 종양의 비내시경 수술

비부비동 양성 종양의 치료로 비내시경 수술이 발달하

기 전에는 충분한 시야를 확보하기 위해 측비절개술(lateral rhinotomy), 안면중앙부 노출술(midfacial degloving approach), Caldwell-Luc 수술 등의 비외접근법이 선호되어 왔으나 반흔에 의한 미용적 문제, 광범위한 절제에 의한 비강점막 기능의 손실 같은 문제를 야기할 수 있다. 최근에는 비부비동 염증성 질환 치료의 표준이 된 내시경을 이용한 비부비동 양성 종양의 성공적 치료가 국내외적으로 많이 보고되고 있다.[7,9]

비내시경을 이용한 수술의 방법은 각 질환에 따라 치료원칙이 조금씩 다를 수 있으나 일반적 수술의 방법은 염증성 질환에서의 내시경을 이용한 수술과 대동소이하다. 직접적인 수술 이외에도 비내시경은 비부비동의 종물에 대한 조직생검과 종양 수술 후 재발 여부를 판정하는 데도 유용하며 재발한 작은 종물은 외래에서도 국소마취하에 제거할 수 있다.

비내시경 수술 전에 종양의 침범범위를 확인하기 위해 면밀한 비내시경 검사를 시행하며 모든 환자에 대해 술전 방사선검사도 실시한다. CT는 비강, 부비동 및 두개저의 뼈 형태를 이해하는 데 보다 효과적이며, MRI는 종양과 주위 연조직, 분비물 등을 구별하는 데 유용하다. 조직생검은 수술 계획을 세우는 데 도움이 되나 비강인두 혈관섬유종 같은 출혈의 위험성이 많은 종양은 외래에서의 생검하면 위험할 수 있다.

다음에서는 비부비동 양성 종양 중 빈도가 흔하며 내시경 치료원칙을 달리하는 몇몇 질환을 간략하게 기술한다.

1. 반전성 유두종

수술의 원칙은 종양의 기시부를 확인하고 주변의 정상 점막을 포함하여 골막하 수준(subperiosteal plane)으로 완전히 제거하고 기시부 아래 뼈를 드릴로 갈아내는 것이다. 반전성 유두종은 기시부에 경(pedicle)을 두고 점막의 직접적 침입 없이 주위의 공간으로 자라나가는 특성이 있어 기시부와 주변 점막을 제거하면 종물이 쉽게 딸려 나오는 경우가 많다. 무경형(sessile pattern)인 경우에는 보다 정교하게 절제해야 한다.

내시경수술의 적응대상은 비강, 사골동, 접형동을 침범한 종양이다. 종양이 상악동까지 진행된 경우 전벽, 하벽, 측벽 부위에 침범하여 수술 기구가 코를 통하여 도달하기 어려울 때는 내시경수술과 함께 Calwell-Luc 접근법을 병행하는 것이 바람직하다. 전두동에 침입한 경우에는 전두동 점막의 침범 범위에 따라 Draf IIB 또는 Draf III 내시경 수술로 종양을 제거하거나 내시경수술과 함께 골성형피판(osteoplastic flap)을 통한 외부 접근법으로 제거가 가능하다.[48] 과거에 고식적인 치료방법으로 수술하여 재발한 경우에도 내시경수술은 좋은 치료법이다. 하지만, 전두동과 상안와 세포(supraorbital cell) 점막의 광범위한 침범이 있는 경우, 이전 수술로 인한 반흔 조직의 생성과 해부학적 구조의 변형이 관찰되는 경우, 악성화가 동반된 경우는 고식적인 접근방법이 필요하다.[48]

종양수술에 필요한 내시경수술 기구나 마취 방법은 염증성 질환 때 사용하는 기구나 방법과 크게 다르지 않다. 종양의 내시경 수술의 합병증 또한 염증성 질환 때의 그것과 다를 바 없이 출혈, 뇌척수액비루, 안와 손상 등이며 그 대처법도 다르지 않다. 수술 후 뼈가 노출된 경우에는 정상 점막으로 회복하기까지는 가피가 많이 생겨 식염수 세척 등이 필요하다. 대부분 수개월이 경과하면 자연적으로 치유된다.

2. 비인강 혈관섬유종

비인강 혈관섬유종에 대한 근본적인 치료는 수술로써 완전히 절제하는 것이다. 섬유성 기질에 혈관이 풍부하게 분포하는 특징 때문에 술 중 대량 출혈을 줄이기 위해 술전 색전술을 시행하는 것이 바람직하다. 비인강 혈관섬유종은 질기고 피막이 잘 형성되어 있어 강한 견인과 박리가 가능하며 접구개공 밖으로 진행된 부분도 당겨서 완전히 제거할 수 있어 비내시경 절제술이 가능하다.[15] 측두하와 혹은 두개저까지 진행되어 비내시경으로 완전 제거가 불가능했던 경우에도 수년간의 추적관찰에서 이차 수술의 필요성이 없다는 보고와 신경학적 증상이나 출혈이 없어 치료 없이 추적관찰한 경우에 종양이 성장하지 않거나 감소되었다는 보고가 있어 종양 부분절제의 가능성도 있다.[14,33,55]

비인강 혈관섬유종의 병기분류는 표 31-2와 같이 다양하다. Sessions 분류 Ⅱb기 이하의 병변이 대부분으로 이들은 비내시경 제거술로 완전 절제가 가능하다.[15] 더 진행하여 해면정맥동, 시신경, 중두개와, 익상돌기 뒤쪽까지 진행된 경우는 내시경 수술로는 한계가 있어 내시경 수술과 고식적 수술 혹은 개두술을 혼용하여 적용하는 것이 바람직하다.

비내시경 수술은 종양과 주위 조직을 확대하여 다양한 각도의 시야를 확보할 수 있어 재발의 원인이 되는 잔존병소를 남기지 않을 수 있다는 장점이 있으며, 또한 비외접근법에 의한 안면골의 성장 장애 등의 여러 가지 합병증을 피할 수 있다. 그 외 비외접근법에 비해 수술시간이나 재원 일수가 짧고 합병증의 위험성이 낮으며, 수술 중 출혈량이 적으며 측두하와나 두개 내로 진행된 경우에도 적절한 비외접근법과 함께 비내시경 수술을 병용하면 비외접근법에 의한 침습성을 최소화하고 종양의 범위를 정확히 파악하여 수술할 수 있다.[12]

3. 기타 양성종양

골종은 대부분 전두동과 사골동에서 발견되며 사골동이나 전두동의 내시경수술로 쉽게 제거할 수 있다. 내시경을 이용한 비내 접근 시 크기가 큰 골종은 cutting 또는 diamond bur로 골종의 중심부를 갈아내고 얇은 뼈의 껍실만 남긴 채 골절시키면 쉽게 주변 조직과 분리하여 제거할 수 있다.[21] 그 외 비강의 혈관종, 신경초종 등은 내시경 수술로 반전성 유두종이나 혈관섬유종과 같은 방법으로 내시경 수술을 시행한다.

표 31-2. 혈관섬유종의 병기

Sessions 분류
IA : 비강과 비강인두에 국한
IB : 1개 이상의 부비동으로 침범
IIA : 익구개와(pterygomaxillary fossa)의 경미한 침범
IIB : 익구개와의 완전한 침범이 있으면서 안와(orbit)의 골벽 미란이 있거나 없는 경우
IIC : 측두하부와(infratemporal fossa)의 침범이 있으면서 협부의 침범이 있거나 없는 경우
III : 두개 내로의 확장
Kadish 분류
A : 비강에 국한된 경우
B : 부비동으로 확장된 경우
C : 비강과 부비동을 넘어서 침범한 경우
Biller 분류
T1 : 비강과 부비동(접형동은 제외)의 침범이 있으면서 전두개와(anterior cranial fossa)의 미란이 있거나 없는 경우
T2 : 안와로 확장되어 있거나 전두개와로 돌출된 종양
T3 : 뇌의 침범이 있으나 외과적 절제가 가능한 경우
T4 : 절제할 수 없는 경우
UCLA 분류
T1 : 비강과 부비동(접형동은 제외)의 침범이 있으면서 사골동 상부는 침범 안 한 경우
T2 : 비강과 부비동(접형동은 포함)의 침범이 있으면서 체판(cribriform plate)으로의 확장이나 미란을 동반한 경우
T3 : 안와 또는 전두개와로 확장된 경우
T4 : 뇌를 침범한 경우
Fisch 분류
I : 골파괴 없이 비강과 비강인두에 국한
II : 골파괴와 함께 익돌와, 상악동, 사골동, 접형동으로 침범한 경우
III : 측두하부와, 안와, 해면정맥동 안쪽의 터어키안 주위로 침범한 경우
IV : 해면정맥동, 시각신경교차 부위 또는 뇌하수체까지 침범한 경우

참고문헌

1. 권삼현, 양윤수, 민양기. 술후성 협부 낭종의 임상적 고찰 및 수술적 치료. 한이인지 1997;40:1115-1121.
2. 김나연, 최석민, 김중환. 소엽성 모세관 혈관종(화농성 육아종). 한

이인지 1994;37:1293-1297.
3. 김상우, 정승규, 김효열 등. 반전성 유두종의 전산화 단층촬영 소견. 한이인지 2004;47:983-987.
4. 김성식, 강성석, 김경수 등. 원발성 부비동 점액낭종의 임상적 특성 및 수술방법에 따른 치료결과. 한이인지 1998;41:1436-9143.
5. 노환중. 비부비동 종양. 대한이비인후과학회편. 이비인후과학-두경부외과학 서울:일조각, 2002, p.1204-1227.
6. 노환중, 왕수건, 전경명 등. 비인강혈관섬유종의 임상적 고찰. 임상이비인후과1998;9:83-89.
7. 동헌종, 김효열, 정승규. 내시경을 이용한 비강 및 부비동 양성종양의 치료. 한이인지 1998;41:896-900.
8. 문주환, 황동근, 김정수 등. 성인에서 관찰되는 두경부 혈관종의 임상양상. 한이인지 2000;43:878-882.
9. 민인규, 구본석, 박찬희 등. 비강 및 부비동에 발생한 반전성 유두종: 102례의 분석. 한이인지 2003;46:659-664.
10. 박성국, 조홍욱, 장성호 등. 비강에 발생한 소엽성 모세관 혈관종의 임상적 고찰. 한이인지. 2000;43:402-405.
11. 서경식 이정권 김동영 등. 술후상악낭종의 하비도개창술. 한이인지 1998;41:48-52.
12. 안용휘, 김시환, 정은정 등. 비인두 혈관섬유종의 치료: 수술방법에 따른 차이. 한이인지 2005;48:1473-1437.
13. 이경철, 권기환, 강현국 등. 비내시경을 이용한 부비동 점액낭종의 치료. 한이인지 1997;40:855-860.
14. 이남수, 최재혁, 선성욱. 자연 소실된 비강내 혈관섬유종 1례. 한이인지 1998;41:270-273.
15. 이봉재, 이석기, 정유삼 등. 비인강 혈관섬유종에 대한 비내 내시경 제거술: 고식적 수술법과의 비교. 한이인지 2005;48:986-990.
16. 장태영, 이승준, 김경태 등. 비내시경수술을 이용한 술 후 상악동 점액낭종의 치료. 한이인지 2005;48:314-319.
17. 최선명, 왕종환, 정유삼 등. 상악동 저류낭종에 대한 장기적인 추적관찰. 한이인지 2003;46:572-574.
18. Annino DJ, Domanowski GF, Vaugham CW. A rare cause of nasal obstruction: A solitary neurofibroma. *Otolaryngol Head Neck Surg* 1991;104:484-488.
19. Barry L W, James J, Sciubba, Cohen A, Allen L. Pleomorphic adenoma of the nasal septum. . *Otolaryngol Head Neck Surg* 1985;96:432-436.
20. Basley NJ, Jones NS. Paranasal sinus mucoceles: Modern management. *Am J Rhinol* 1995;9:361-375.
21. Bignami M, Dallan I, Terranova P, et al. Frontal sinus osteomas: the window of endonasal endoscopic approach. Rhinology 2007;45:315-320.
22. Bordley JE, Bosley WR. Mucoceles of the frontal sinus: Causes and treatment. *Ann Otol* 1973;82:696-702.
23. Buchwald C, Franzmann MB, Tos M. Human papillomavirus (HPV) in sinonasal papillomas: a study of 78 cases using in situ hybridization and polymerase chain reaction. Laryngoscope 1995;105:66-71.
24. Cable HR, Jeans WD, Cullen RJ, et al. Computerized tomograhpy of the Caldwell-Luc cavity. *J Layngol Otol* 1981;95:775-783.
25. Cakmak O, Yavuz H, Yucel T. Nasal and paranasal sinus schwannomas. Eur Arch Otorhinolaryngol 2003;260:195-197.
26. Canalis RF, Zajtchuk JT, Jenkins HA. Ethmoid mucoceles. *Arch Otolaryngol* 1978;104:286-291.
27. Compagno J, Wong RT. Intranasal mixed tumors (Pleomorphic Adenomas). A clinicopathologic study of the 40 cases. *Am J Clin Path* 1977;68:213-218.
28. Deguchi K, Fukuiwa T, Saito K, et al. Application of Cyberknife for the treatment of juvenile nasopharyngeal angiofibroma: a case report. Auris Nasus Larynx 2002;29:395-400.
29. Eller R SM. Common fibro-osseous lesions of the paranasal sinuses. *Otolaryngol Clin N Am* 2006;39:585-600.
30. Gluckman JL Barrord J. Nonsquamous cell tumors of the minor salivary glands. *Otolaryngol Clin North Am* 1986;19:497-505.
31. Hadar T, Shvero J, Nageris BI, et al. Mucus retention cysts of the maxillary sinus. The endoscopic approach. *Br J Oral Maxillofacial Surg* 2000;38:227-229.
32. Han MH, Chang KH, Lee CH, et al. Sinonasal psammomatoid ossifying fibroma: CT and MR manifestations. Am J Neuroradiol 1991;12:25-30.
33. Herman P, Lot G, Chapot R, et al. Long term follow-up of juvenile nasaopharyngeal angiofibromas: Analysis of recurrences. *Laryngoscope* 1999;109:140-147.
34. Hwang CD, Yang HS, Hong MK. Detection of human papilloma virus (HPV) in sinonasal inverted papilloma using polymerase chain reaction (PCR). Am J Rhinol 1998;12:363-366.
35. Jafek BW KE, Kirsch WM, Wood RP. Juvenile nasopharyngeal angiofibroma: Management of intracranial extension. *Head Neck Surg* 1979;2:119-128.
36. Kennedy DW, Josephson JS, Zinreich SJ, et al. Endoscopic sinus surgery for mucocle: A variable alternative. *Laryngoscope* 1989;99:885-895.
37. Krouse JH. Endoscopic treatment of inverted papilloma: safety and efficacy. *Am J Otolaryngol* 2001;22:87-99.
38. Kuppersmith RB, Teh BS, Donovan DT, et al. The use of intensity modulated radiotherapy for the treatment of extensive and recurrent juvenile angiofibroma. *Int J Pediatr Otorhinolaryngol* 2000;52:261-268.
39. Lawson W, Ho BT, Shaari CM, et al. Inverted papilloma: a report of 112 cases. *Laryngoscope* 1995;105:252-258.
40. Lund VJ, Harvey W, Meghji S, et al. Prostaglandin synthesis in the pathogenesis of frotoethmod mucoceles. *Acta Otolaryngol (Stock)* 1988;106:145-151.
41. Makitie AA, Tornwall J, Makitie O. Bisphosphonate treatment in craniofacial fibrous dysplasia: a case report and review of the literature.

Clin Rheumatol 2008;27:809-812.
42. Maroldi R, Farina D, Palvarini L, et al. Magnetic resonance imaging findings of inverted papilloma:differential diagnosis with malignant sinonasal tumors. Am J Rhinol 2004;18:305-310.
43. McAfee WJ, Morris CG, Amdur RJ, et al. Definitive radiotherapy for juvenile nasopharyngeal angiofibroma. Am J Clin Oncol 2006;29:168-170.
44. McDonald-Jankowski DS. Fibro-osseous lesions of the face and jaws. *Clin Radiol* 2004;59:11-25.
45. Mills SE, Cooper PH, Fechner RE. Lobular capillary hemangioma: the underlying lesion of pyogenic granuloma: a study of 73 cases from the oral and nasal mucosa membranes. Am J Surg Pathol 1980;4:470-479.
46. Naraghi M, Kashifi A. Endonasal endoscopic resection of ethmoido-orbital osteoma compressing the optic nerve. *Am J Otolaryngol* 2003;24:408-412.
47. Neel HB, Whicker JH, Devine KD, et al. Juvenile angiofibroma. Review of 120 cases. *Am J Surg* 1973;126:547-556.
48. Nicolai P, Castelnuovo P. Benign Tumors of the Sinonasal Tract. In: Flint PW, Haughey BH, Lund VJ, editors. Otolaryngology-Head and Neck Surgery. 6th ed. Philadelphia: Saunders, an imprint of Elsevier; 2015. p.740-751.
49. Osma U, Yaldiz M, Tekin M, et al. Giant ethmoid osteoma with orbital extension presenting with epiphora. *Rhinology* 2003;41:122-124.
50. Paparella MM. Mucosal cyst of the maxillary sinus. *Arch Otolaryngol* 1963;77:96-103.
51. Pitanguy I, Machado BH, Radwanski HN, et al. Surgical treatment of hemangiomas of the nose. *Ann Plast Surg* 1996;36:586-592; discussion 592-583.
52. Puxeddu R, Berlucchi M, Ledda GP, et al. Lobular capillary hemangioma of the nasal cavity: a retrospective study on 40 patients. Am J Rhinol 2006;20:480-484.
53. Radkowski D, McGill T, Healy GB, et al. Angiofibroma. Changes in staging and treatment. *Arch Otolaryngol Head Neck Surg* 1996;122:122-129.
54. Roche PH, Paris J, Regis J, et al. Management of invasive juvenile nasopharyngeal angiofibromas: the role of a multimodality approach. Neurosurgery 2007;61:768-777.
55. Roger G, Tran BA, Huy P, et al. Exclusively endoscopic removal of juvenile nasopharyngeal angiofibroma. Arch Otolarygol Head Neck Sur 2002;128:928-935.
56. Savy L, Lloyd G, Lund VJ, et al. Optimum imaging for inverted papilloma. *J Laryngol Otol* 2000;114:891-893.
57. Som PM, Shugar JM. Antral mucoceles: A new look. *J Comput Assist Tomogr* 1980;4:484-488.
58. Tsai TL, Ho CY, Guo YC, et al. Fibrous dysplasia of the ethmoid sinus. *J Chin Med Assoc* 2003;66:131-133.
59. Waitz G, Wigand ME. Results of endoscopic sinus surgery for the treatment of inverted papillomas. *Laryngoscope* 1992;102:917-922.
60. Waldman SR, Levine HL, Astor F, et al. Surgical experience with nasopharyngeal angiofibroma. *Arch Otolaryngol* 1981;107:677-682.

CHAPTER

32

비강과 부비동의 악성 종양

노환중, 조규섭

비강과 부비동에 발생하는 악성 종양은 두경부 다른 부위의 악성 종양에 비해 드물게 발생하고, 초기 증상이 비부비동염과 유사하여 외래에서 조기 발견이 어렵고, 대부분 진행되어서 늦게 발견되는 경우가 많아 예후가 일반적으로 불량하며, 안와와 두개저 같은 중요한 구조물에 인접하여 있어 치료에 많은 어려움이 있다. 비부비동의 악성 종양은 조직학적으로 매우 다양한 양상을 보이며 상피성과 비상피성 종양으로 나뉜다.

I 역학

비강과 부비동의 악성 종양은 전체 악성 종양의 약 1%, 두경부 악성 종양의 3~5%, 100,000명당 0.5~1명의 빈도로 발생하는 드문 종양이다. 모든 연령에서 발생가능하나 50~60세 사이에 주로 발생하며 남성에서 2배 정도 호발한다. 비부비동 악성 종양의 발생에 있어 흡연과 술이 미치는 영향은 두경부 영역의 다른 종양에 비해서 미미하며, 작업 환경 또는 직업과 연관이 있다. 니켈, 가죽건조, 광물성 기름, 크롬, 이소프로필 알코올, 칠기, 땜질, 용접, 나무 등을 취급하는 노동자에서 발생하기 쉬우며, 니켈은 편평세포암종, 나무분진은 선암종의 발생과 관련이 있다.[22,34,36]

진단 시 이미 여러 부비동을 침범한 예가 흔하므로 발생부위를 정확히 파악하기가 어려우나 상악동(60%), 비강(20%), 사골동(15%)에 주로 발생한다.[19] 접형동과 전두동 또는 비전정(5%)에 발생하는 예는 드물지만 이런 부위에 종양이 침범된 경우 병이 진행된 경우가 많고 불량한 예후를 암시한다. 조직 유형에 따라 차이는 있지만 일반적으로 모든 비부비동 악성 종양에서 5년 생존율은 약 50% 정도로 보고되고 있으며, 진단 당시 경부 전이는 대개 10% 미만에서, 전신 전이는 7% 미만에서 발생한다고 보고하고 있다. 다른 부위의 원발성 악성 종양이 비강과 부비동으로 전이된 경우는 1%에 불과하며, 주로 유방, 신장, 폐, 전립선에서 전이된다. 비부비동 악성 종양의 70% 이상이 상피조직에서 발생하는 암종(carcinoma)이고 병리

조직학적으로 편평세포암종(squamous cell carcinoma)이 대부분을 차지하지만 소아에서는 횡문근육종(rhabdomyosarcoma)이 가장 흔한 비부비동 악성 종양이다.[47]

Ⅱ 조직병리학적 분류

비강과 부비동의 악성 종양은 조직학적으로 상피성 종양과 비상피성 종양으로 나뉜다(표 32-1). 흔한 상피성 종양은 편평세포암종, 선양낭성암종, 선암종이며, 비상피성 종양은 림프종, 후각신경아세포종, 점막형 악성 흑색종 등이다.

1. 상피성 악성 종양

1) 편평세포암종

편평세포암종은 비부비동 악성 종양 중에서 가장 흔하며, 전체 비부비동 암종의 40~50%를 차지한다. 흡연과의 연관성이 높으며, 그 이외에 아플라톡신, 크롬, 니켈, 비소의 직업적 노출과도 연관이 있다. 또한 인간유두종바이러스 16, 18형과 관련성이 큰 반전성 유두종의 10%에서 편평세포암종으로 진행된다. 우리나라에서 행해진 후향적 다기관 연구에 따르면 반전성 유두종 578례 중 19례에서 동시성 편평세포암종이, 3례에서 비동시성 편평세포암종이 확인되어 약 4%에서 편평세포암종으로 진행되었다.[32] 비강의 편평세포암종은 비강 측벽, 특히 비갑개에 잘 발생하며 그 외에 비중격, 비강저, 비전정 등에서도 발생한다. 치료는 병변의 크기가 작은 경우에는 수술이나 방사선 치료만으로도 충분하지만 큰 경우에는 수술과 방사선 치료를 병행하여 치료한다. 병변이 2 cm 이상이거나 절제연이 양성이면 예후가 불량하므로 수술 후 반드시 방사선치료를 병행한다. 부비동에 비해 비교적 조기에 증상이 나타나고 발견도 빠르므로 5년 생존율이 60% 정도로 좋은 편이다.

부비동의 편평세포암종은 70%가 상악동에서 발생한다(그림 32-1). 대부분 진행된 후 발견되기 때문에 예후가 불량하여 5년 생존율이 40~50% 정도이다. 예후는 종양의 범위와 발생장소에 따라 좌우된다.

편평세포암종은 다른 비부비동의 악성 종양에 비해 빨리 재발하는 경향을 보이며, 평균 재발하는 시기는 2~3년 정도로 알려져 있다. 국소 경부 전이 또한 20~25% 정도로 상대적으로 높다.

2) 선암종

선암종(adenocarcinoma)은 비부비동 악성 종양의 4~8%를 차지하며 사골동과 비강 상부에서 주로 발생한다. 직업적으로 나무분진이나 가죽을 다루는 사람에서 잘 발생하는 것으로 알려져 있다. 편평세포암종과 마찬가지로 남성에 호발하며 50~60대에 주로 발생한다. 선암종은 장형(intestinal type)과 비장형(nonintestinal type)으로 나뉘는데, 비장형이 더 예후가 좋다. 장형 선암종은 대장암과 비슷한 조직형을 나타내며 국소 재발을 잘하며 경부 전이율이 높아 5년 생존율이 약 50% 정도로 알려져 있다.[37] 전체적인 임상적 특징은 선양낭성암에 비해 전신 전이가 드물지만 국소 침습성이 강해 국소재발이 흔하다. 방사선 치료에 저항성을 보이지만 일반적인 치료는 근치적 절제수술 후 방사선치료이다.[8]

3) 선양낭성암

선양낭성암(adenoid cystic carcinoma)은 가장 흔한 소타액선(minor salivary gland)에서 발생한 비부비동 악성 종양이다. 발생빈도, 성별과 발생연령은 선암종과 비슷하고, 비부비동 선양낭성암은 전체 두경부에 발생한 선양낭성암의 20% 정도를 차지한다. 진단이 늦고 조기에 신경주위침윤을 하며 점막하 침범을 잘한다. 상악동에 주로 발생하며 비출혈, 비폐색, 안와하신경 침범으로 인한 협부 지각 둔화 등을 호소하게 된다(그림 32-2). 조직학적 형태에 따라서 관형(tubular), 사상형(cribriform), 고형(solid

표 32-1. 비부비동에 발생하는 악성 종양의 WHO 분류

상피성 악성 종양(Epithelial Malignancies)	
편평세포암종(Squamous cell carcinoma)	선양낭성암(Adenoid cystic carcinoma)
사마귀모양암종(Verrucous carcinoma)	선방세포암(Acinic cell carcinoma)
유두상 편평세포암종(Papillary squamous cell carcinoma)	점액표피양암종(Mucoepidermoid carcinoma)
기저세포모양편평상피암종(Basaloid squamous cell carcinoma)	상피근상피암종(Epithelial-myoepithelial carcinoma)
방추세포암종(Spindle cell carcinoma)	투명세포형암종(Clear cell carcinoma not otherwise specified)
선편평세포암종(Adenosquamous carcinoma)	근상피암종(Myoepithelial carcinoma)
극세포해리편평세포암종(Acantholytic squamous cell carcinoma)	다형선종유래암종(Carcinoma ex pleomorphic adenoma)
림프상피성암종(Lymphoepithelial carcinoma)	다형저급한선암(Polymorphous low-grade adenocarcinoma)
비부비동미분화암(Sinonasal undifferentiated carcinoma)	신경내분비종양(Neuroendocrine tumors)
선암종(Adenocarcinoma)	전형적 카르시노이드종양(Typical carcinoid)
장형 선암종(Intestinal-type adenocarcinoma)	비전형적 카르시노이드종양(Atypical carcinoid)
비장형 선암종(Non-intestinal-type adenocarcinoma)	신경내분비형 소세포암(Small cell carcinoma, neuroendocrine type)
타액선형암종(Salivary gland-type carcinomas)	
연조직 악성 종양(Soft Tissue Malignancies)	
섬유육종(Fibrosarcoma)	골 및 연골 악성 종양(Bone and Cartilage Malignancies)
악성섬유성조직구증(Malignant fibrous histiocytoma)	연골육종(Chondrosarcoma)
평활근육종(Leiomyosarcoma)	중간엽연골육종(Mesenchymal chondrosarcoma)
횡문근육종(Rhabdomyosarcoma)	골육종(Osteosarcoma)
혈관육종(Angiosarcoma)	척색종(Chordoma)
악성말초신경초종양(Malignant peripheral nerve sheath tumor)	
혈액 및 림프세포 악성 종양(Hematolymphoid Malignancies)	
림프절외 자연세포독성/T세포 림프종 (Extranodal natural killer/T-cell lymphoma)	골수외 골수성 육종(Extramedullary myeloid sarcoma)
미만성 거대 B세포 림프종(Diffuse large B-cell lymphoma)	조직구성 육종(Histiocytic sarcoma)
골수외 형질세포종(Extramedullary plasmacytoma)	랑게르한스세포 조직구증(Langerhans cell histiocytosis)
신경외배엽성 악성 종양(Neuroectodermal Malignancies)	
유잉육종(Ewing sarcoma)	유아성 흑색신경외배엽성 종양(Melanotic neuroectodermal tumor of infancy)
원시 신경외배엽성 종양(Primitive neuroectodermal tumor)	점막형악성흑색종(Mucosal malignant melanoma)
후각신경아세포종(Olfactory neuroblastoma)	
생식 세포 악성 종양(Germ Cell Malignancies)	
악성변환 기형종 Teratoma with malignant transformation	비부비동 기형암육종(Sinonasal teratocarcinosarcoma)

type)으로 분류하며 그 중 고형 선양낭성암이 가장 공격적인 성격을 가진다. 고형성분(solid component)이 30% 미만인 저악성도와 30% 이상인 고악성도로 구분된다. 신경주위침윤, 혈관주위침윤, 골침습 등은 서로 비슷하나 국

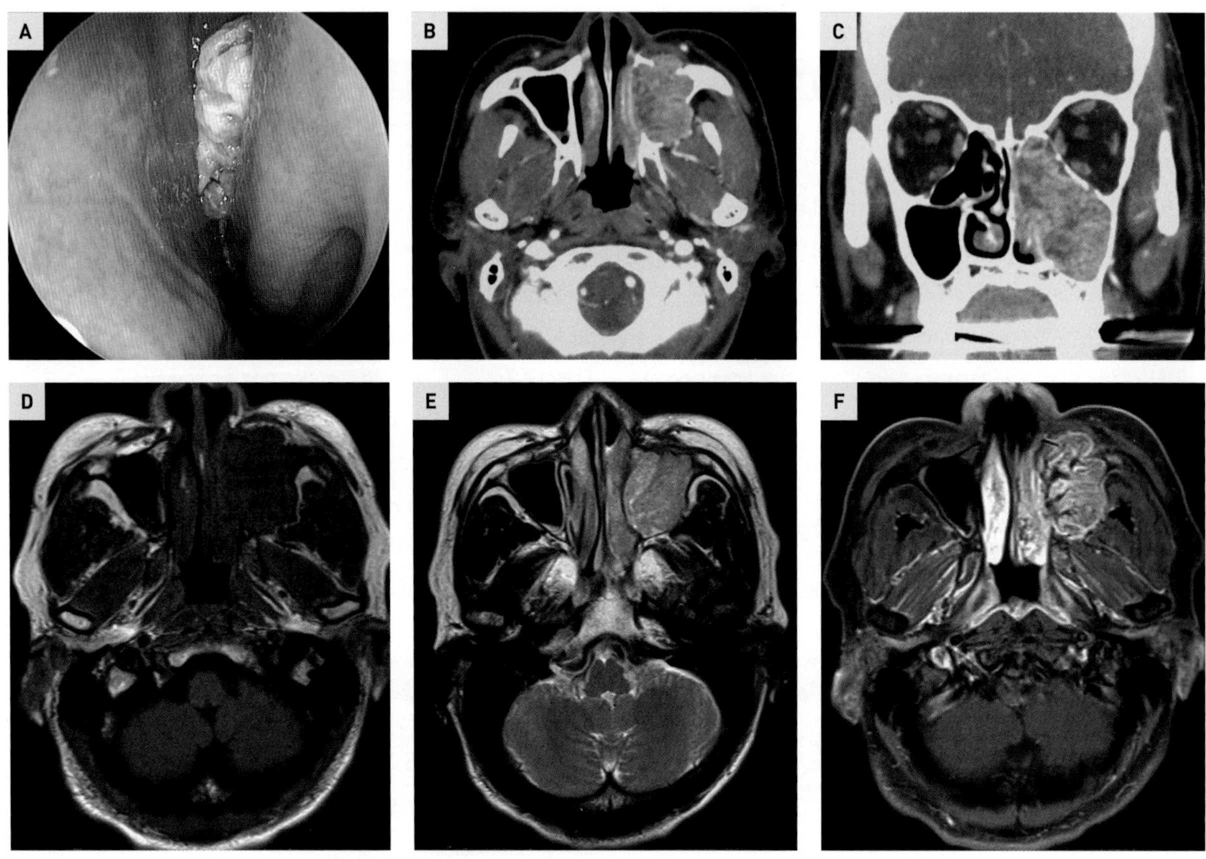

■ 그림 32-1. **상악동의 편평상피암종.** **A)** 비강 내시경 상 좌측 중비도를 채우고 있는 괴사성의 종물이 관찰된다. **B)** 조영증강 후 CT 영상 축상면, **C)** 조영증강 후 CT 영상 관상면. 좌측 상악동과 비강을 채우고 상악동 전벽, 후벽을 파괴하고 있는 조영증강을 보이는 종괴가 확인된다. **D)** MR T1 영상 축상면, **E)** MR T2 영상 축상면, **F)** 조영증강 후 MR T1 영상 축상면. T1 영상에서 중간신호, T2 영상에서 고신호 강도를 보이고 불균일하게 조영증강이 되는 고형 종괴가 관찰된다.

소재발과 전신전이의 발생률은 고악성도에서 더 높다. 신경주위침윤은 삼차신경의 상악 또는 하악분지를 따라 일어난다. 국소전이보다는 전신전이를 더 잘 일으키는 편이지만, 사망원인은 대개 국소재발로 인한 두개저 침범이다. 경과 자체가 서서히 진행되어 전신전이가 발생한 후에도 환자는 수년간 생존 가능하며 5년 생존율은 70~93%에 이른다.[35] 치료는 근치적 절제수술 후 방사선치료이며 항암화학요법의 효과는 불확실하다.[25]

4) 비부비동 미분화암

비부비동 미분화암(sinonasal undifferentiated carcinoma)은 편평상피 혹은 선 분화(glandular differentiation)를 보이지 않는 암종으로 진행속도가 빨라 대부분 늦은 병기에서 발견되며(그림 32-3), 발견 당시 약 40%에서 안와첨부, 두개저 혹은 뇌실질로의 침범이 확인되었다.[46] 조직학적으로 유사한 후각신경아세포종과의 구별을 위해 면역화학염색을 시행하는 것이 좋으며, 신경내분비 표지(neuroendocrine marker)에 반응을 보이지 않는 것으로 구별이 가능하다. 치료로 항암화학요법(cyclophosphamide, doxorubicin, vincristine), 방사선치료, 수술을 포함하는 3자 병합요법(trimodal therapy)을 추천한다. 두개 내 침범 혹은 경부 전이가 있으면 예후가 불

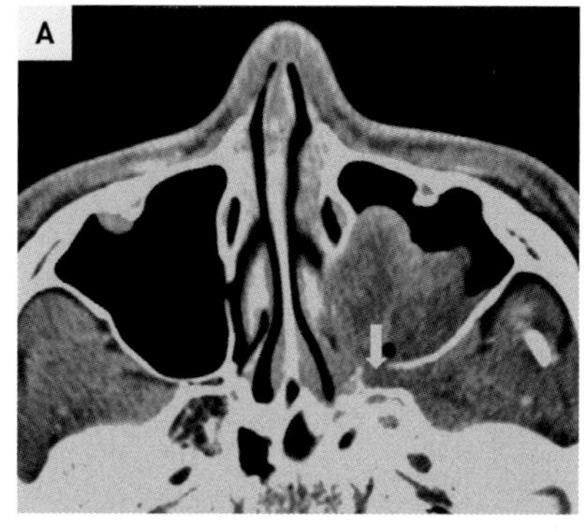

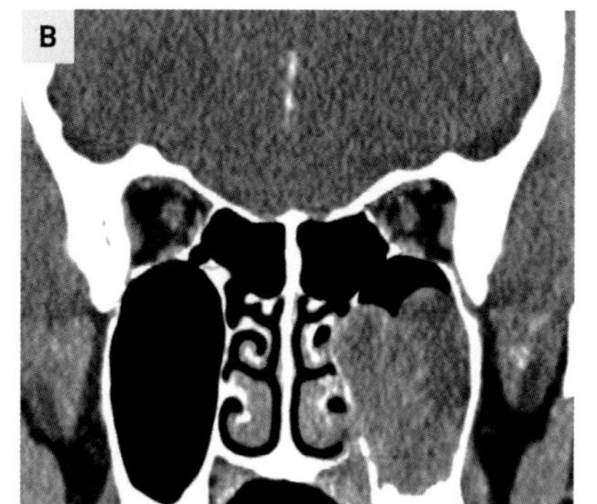

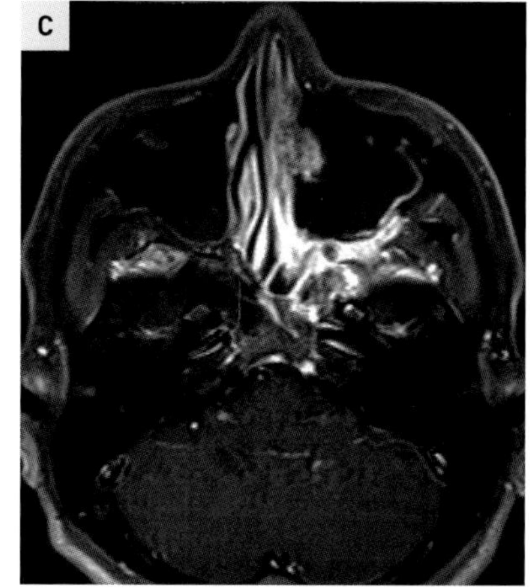

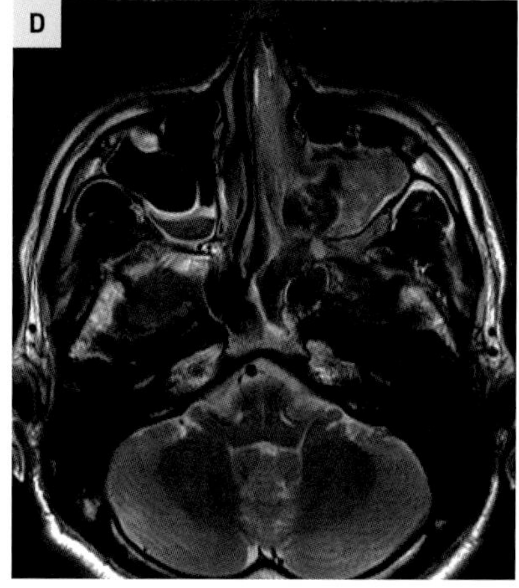

■ 그림 32-2. **상악동의 선양낭성암. A)** 조영증강 후 CT 영상 축상면, **B)** 조영증강 후 CT 영상 관상면. 좌측 상악동 후벽, 내벽, 하벽 및 익구개와를 침윤하고 있는 조영증강을 보이는 고형 종괴가 확인된다. 좌측 익구개와가 우측에 비해 확장되어 있다(화살표). **C)** 조영증강 후 MR T1 영상 축상면, **D)** MR T2 영상 축상면. T2 영상에서 중간신호에서 고신호 강도를 보이는 고형 종괴 및 익구개와의 조영증강이 확인된다.

량하다. 5년 생존율이 22~43%로 알려져 있으며, 65% 정도에서 전신 전이를 하는 것으로 알려져 있다.

2. 연조직 악성 종양

1) 횡문근육종

횡문근육종(rhabdomyosarcoma)은 소아에서 가장 흔한 비부비동 악성 종양으로 15세 미만의 소아에서 특히 호발하고 20세 이상인 경우는 15%에 불과하다. 초기의 미분화 근모세포에서 발생한다고 알려져 있으며, 근육분화 여러 단계의 양상을 띠는데 배상(embryonal), 포상(alveolar), 역형성(anaplastic), 미분화성(undifferentiated)으로 나누어진다. 배상형은 대개 15세 미만에서 발생하며, 두경부에서는 대부분 배상형이다. 포상형은 청춘기에 많고, 예후가 가장 불량하다.[10,16]

성인에서는 주로 사지나 몸체에 발생하고 소아에서는 두경부 영역과 비뇨기계통에 발생한다. 횡문근육종은 연조직 종양의 8~19% 정도를 차지하고, 그중 40% 정도가 두경부 영역에서 발생한다. 특히 비부비동에 발생하는 경우는 다른 부위보다 생물학적 공격성이 강하고 국소 또는 전신 전이가 흔하다.

종양의 원발장소, 병리소견 및 종양이 진행된 단계에 따라 치료계획이 결정되지만, 비부비동의 경우 가능하면 근치적 외과적 절제술이 최선이며 항암약물치료와 방사선치료를 병용한다.[23] 횡문근육종은 침습성이 강한 악성 종양으로 재발 및 전이율이 높다. 횡문근육종연구회(Intergroup Rhabdomyosarcoma Study Group; IRSG)는 두경부 영역의 횡문근육종을 부수막형(parameningeal), 비부수막 두경부형(non-parameningeal head and neck), 안와형(orbit)의 3가지 임상형으로 나누는데, 이

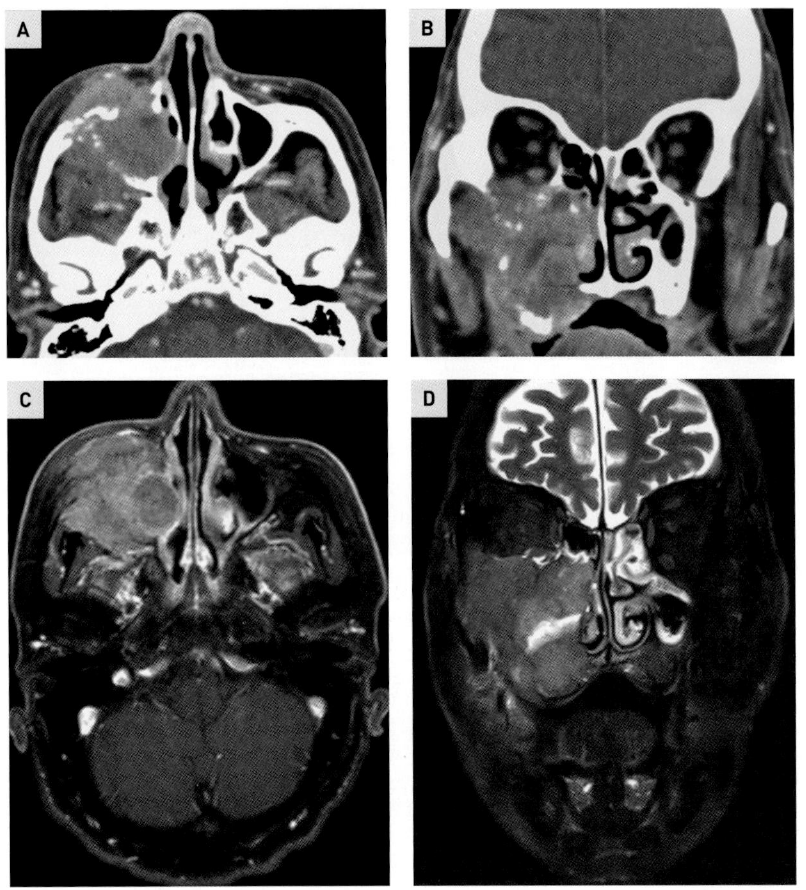

■ 그림 32-3. **상악동의 미분화암종. A)** 조영증강 후 CT 영상 축상면, **B)** 조영증강 후 CT 영상 관상면. 우측 상악동을 가득 채우고 상악동의 전, 후, 내측, 외측, 후벽, 상벽을 파괴하고 안와, 익구개와, 저작 공간을 침범한 종양이 관찰된다. **C)** 조영증강 후 MR T1 영상 축상면, **D)** MR T2 영상 관상면. T2 영상에서 고신호 강도를 보이고 불균일하게 조영증강이 되는 고형 종괴가 관찰된다.

중 안와형이 가장 흔하다. 이러한 임상형은 환자의 나이, 종양의 크기, 조직형 등과 더불어 예후 인자로서 중요하다. IRSG의 보고에 따르면 전체적인 5년 생존율이 1970년의 25%에서 현재는 70~80%에 이를 정도로 상당히 호전되었으며, 이는 수술, 항암약물, 방사선치료를 병용한 병합요법의 향상에 기인한다.[40] 안와형의 예후가 가장 좋으며, 부수막형은 생물학적 특성이 공격적이므로 예후가 불량하다. 5년 생존율은 안와형이 95%, 부수막형이 74%이다.

2) 섬유육종

섬유육종(fibrosarcoma)은 섬유아세포(fibroblast)에서 기원하여 주로 연조직에서 발생하는 육종으로 비부비동의 경우는 매우 드물지만 고유비강, 상악동, 사골동에서 발생하며 광범위 절제가 최선의 치료이다. 다른 연조직의 육종에 비해서 천천히 성장하고, 주위조직 침윤이 적고, 전이빈도가 낮으므로 넓고 안전한 외과적 절제범위만 확보된다면 다른 육종에 비해 비교적 예후는 좋다. 술 전 조직검사에서 골육종 등 예후가 불량한 육종으로 잘못 진단되어 광범위 절제를 포기하는 수가 있으므로 정확한 병리조직학적 진단이 중요하다.[21] 절제 후 재발한 경우나 수술이 불가능한 경우에는 방사선치료가 추천된다.

3) 악성 섬유성 조직구종

악성 섬유성 조직구종(malignant fibrous histiocytoma)이 두경부에서 발생하는 경우는 3~5%로 드물지만 상악동, 사골동에서 호발하며 이외에 두개안면골, 후두, 경부연조직 등에서 발생한다. 과거에는 악성 섬유성 황색종(malignant fibrous xanthoma), 섬유황색육종(fibroxanthosarcoma) 등으로 불렸으며, 동양인과 흑인보다 백인에서 주로 발생하고, 50~60대에 호발한다.[13]

확진을 위해서는 조직생검이 필요하지만 한정된 조직표본만으로는 진단하기가 어려워 중복생검이 필요한 경우도 있다. 때로는 술 후 조직표본 전부를 사용하여 면역조직화학염색, 전자현미경 소견, 조직배양 등을 통해 정확한 진단을 내릴 수 있다.

광범위한 국소적출술이 최선이며, 고식적 치료로서 방사선치료와 항암화학요법을 시행할 수 있다. 다른 악성 연조직 종양과 비교하여 국소재발률이 높고, 전신전이를 보여 예후가 극히 불량하다. 폐가 가장 흔한 원격전이 부위이다. 병리조직학적으로 유혈관종(angiomatoid)형과 점액성(myxoid)형이 가장 예후가 좋고, 거대세포(giant cell)형이 가장 불량하다.

4) 혈관주위세포종

혈관주위세포종(hemangiopericytoma)은 소혈관 주위에서 발견되는 Zimmerman의 혈관주위세포(pericyte)에서 발생하는 혈관성 악성 종양으로서 모세혈관이 있는 부위라면 어디에서나 발생할 수 있으나 비부비동에 발생하는 경우는 드물다. 종물의 모양과 성장, 생물학적 특성이 일정하지 않고 변이형이 다양하며 최소한 저등급의 악성 종양으로 분류된다.

남성에 많고 평균 40대가 호발연령층이다. 혈관주위세포종의 약 20%가 두경부에서 발생하며, 그 중 5% 정도가 비부비동에 발생한다.[20] 고유비강, 상악동, 사골동 등에 발생하는 것으로 보고되었으며, 비폐색과 비출혈이 흔한 증상이다.[7] 외관은 탄력적이고 연성의 회백색 종물 또는 황갈색의 용종 모양으로 양성 같고 혈관이 풍부하지 않아 보이지만 조직 생검할 때 출혈이 심할 수 있으므로 주의한다. 폐, 간, 골 등으로 원격전이하는 빈도가 10% 정도로 보고되고 있으며, 국소 림프절 전이는 드물다.

치료는 국소 절제술이다. 방사선치료는 종물의 크기는 감소시키나 근치시키지 않는다. 절제 후 국소재발이 흔하고, 지연성 재발이 많다는 것이 특징이다.

3. 골 및 연골 악성 종양

1) 골육종

골육종(osteosarcoma)은 10~20대에 호발하며, 7~10%는 하악골에 발생한다. 상악 골육종은 여자보다는 남자에 빈발하나 하악 골육종은 남녀 빈도차이가 없다.[14] 발생 원인으로 방사선노출, 섬유성 이형성증, 외상, Paget병, Rb유전자 관련 소인 등이 인정되고 있다.

안면종창이 흔하고 간혹 비출혈, 윗입술의 감각이상 등을 호소한다. 장골에서 발생하는 경우에는 동통이 흔한 초기증상인 데 비하여 악골에서는 드물다. 초기에 치아가 흔들리는 증상이 나타나므로 최근에 치아를 발치한 적이 있는 경우가 많고 치과에서 발견되어 의뢰되는 경우가 흔하다. 방사선검사에서 골파괴 소견과 함께 골용해성(osteolytic) 또는 골형성성(osteoblastic) 병소가 관찰되나, 영상진단으로는 골성 종양과 연조직 종양을 구별하지 못할 수 있다.

근치적 종양절제술이 최선이나 골육종은 광범위하게 주위조직으로 침습하므로 비부비동의 경우 광범위한 외과적 절제가 쉽지 않다. 대개 수술과 함께 방사선치료와 항암화학요법을 병행한다.

상악골보다는 하악골에 발생한 경우에 예후가 좋지만, 전체적으로 예후는 대단히 불량하다. 5년 생존율도 상악골과 하악골 각각 19~30%와 30~50%로 보고되어 있으며 전체적으로 15~20%이다.

2) 연골육종

연골육종(chondrosarcoma)은 비부비동 비상피성 종양의 약 4%를 차지하며 3:2로 남자에 호발하고 주로 50대 이후에 발견된다. 천천히 성장하여 어느 정도의 크기가 될 때까지는 증상이 없는 경우가 많다. 양성 연골종

(benign chondroma)이나 골육종(osteosarcoma)과의 감별이 중요하며, 실제로 분화가 잘된 초기 연골육종은 종종 양성 연골종으로 진단되기도 한다.[1]

최선의 치료는 광범위한 종양절제이다. 방사선치료나 항암화학요법이 고식적 치료로서 사용되며, 특히 방사선 치료는 수술 자체가 불가능할 경우에 추천된다.[23,31] 원격 폐 전이나 국소 림프절 전이는 드물고, 국소 재발할 경우 두개저 침범과 뇌막염 등으로 사망한다.

종양의 크기와 조직학적 분화도는 국소침습 정도, 전신 전이, 생존율과 밀접한 관계가 있으며 5년 생존율은 20% 내외이다.[11,15,42]

4. 혈액 및 림프세포 악성종양

두경부의 비호지킨 림프종(non-Hodgkin's lymphoma; NHL)은 첫 진단 시 25~40%에서 비림프절을 침범한다.[4] 이 중 비부비동에서 발생하는 비호지킨 림프절 외 림프종(non-Hodgkin extranodal lymphoma)은 백인의 경우 전체 림프종 중 0.17%를 차지한다고 알려져 있지만[49] 한국인에서는 더 높은 빈도로 발생한다고 추정되며, 주 침범부위는 상악동과 비강이다. 일반적으로 백인에서는 B세포 림프종이 흔하지만 아시아인에서는 T세포 계열인 자연세포독성 T세포 림프종(NK/T-cell lymphoma)이 가장 흔하다.[26,49]

1) 자연세포독성 T세포 림프종

한국인의 비부비동 림프종의 대부분을 차지하는 자연세포독성 T세포 림프종은 치사성 중심성 육아종(lethal midline granuloma), 중심성 악성 망상증(midline malignant reticulosis), 다형성세망증(polymorphic reticulosis), 혈관중심성 림프종(angiocentric lymphoma) 등 다양한 이름으로 불리었다.[5,12,17,27,29] 이후 면역조직화학기법의 발달로 자연세포독성 T세포 림프종임이 밝혀졌다.

T세포 계열의 림프종은 남녀 성비가 5:1로 남성에서 호발하며 50대가 호발연령층이다.[28] 정확한 원인은 밝혀지지 않았으나, 보합결합반응(in situ hybridization)이나 면역조직 화학 연구에 의하면 종양세포가 Epstein-Barr virus; EBV의 유전체(genome) 또는 항원을 함유하고 있다는 것이 밝혀져서 EBV가 병인에 관여할 것이라 추측하고 있다.[6]

비강, 구개, 부비동, 편도, 비인강 등에 호발하며 초기에는 비폐색과 악취성, 농성, 혈성 비루, 그리고 가피 형성 등으로 시작하여 조직파괴가 나타난다. 병소는 빠르게 심부궤양을 형성하면서 부비동, 안와벽, 구개 등을 침범한다(그림 32-4). 전신피로, 권태, 이행성 관절통, 야간발한과 같은 전신증상을 보이며 Wegener 육아종 때보다 정도가 심하다. 가끔 국소 병소의 빠른 궤양성 파괴와 괴사로 인해 고열과 패혈증을 볼 수 있다.

확진은 병리조직학적 검사이므로 임상증상 및 국소소견이 의심될 때에는 조직생검을 하며 조직검사는 수술실에서 시행하는 것이 좋다. 모든 침범부위에서 여러 조직표본을 채취하는데, 비정형 세포들이 괴사부위에 흩어져 있어 만성 염증 소견만을 보이는 경우가 많으므로 항상 가피 아래에 있는 조직을 채취해야 한다. 병리조직학적으로 다형성이며 비정형(atypical) 세포들이 침윤하고 괴사성 혈관의 침윤형 성장형태(necrotizing angioinfiltrative growth pattern)가 나타난다. 침윤된 세포는 주로 비정형 T 세포이고 그 외 형질세포, 소림프구, 조직구, 호산구 등으로 구성된다. 육아종이나 거대세포는 잘 관찰할 수가 없다. 이는 거대세포를 가진 괴사성 육아종(necrotizing granuloma)과 혈관염(vasculitis)의 병리적 특징을 가진 Wegener 육아종과는 구별되는 소견이다.[6] 면역조직화학 염색에서 T 세포와 관련된 CD2, CD7, CD45RO, CD43 및 자연세포독성 세포와 관련된 CD57에 양성 반응을 보일 수 있다.[28]

일단 확진되면 전이 여부를 검사한 후 치료를 한다. 병소가 상기도에 국한되어 있고 전이가 없는 초기이면 해당

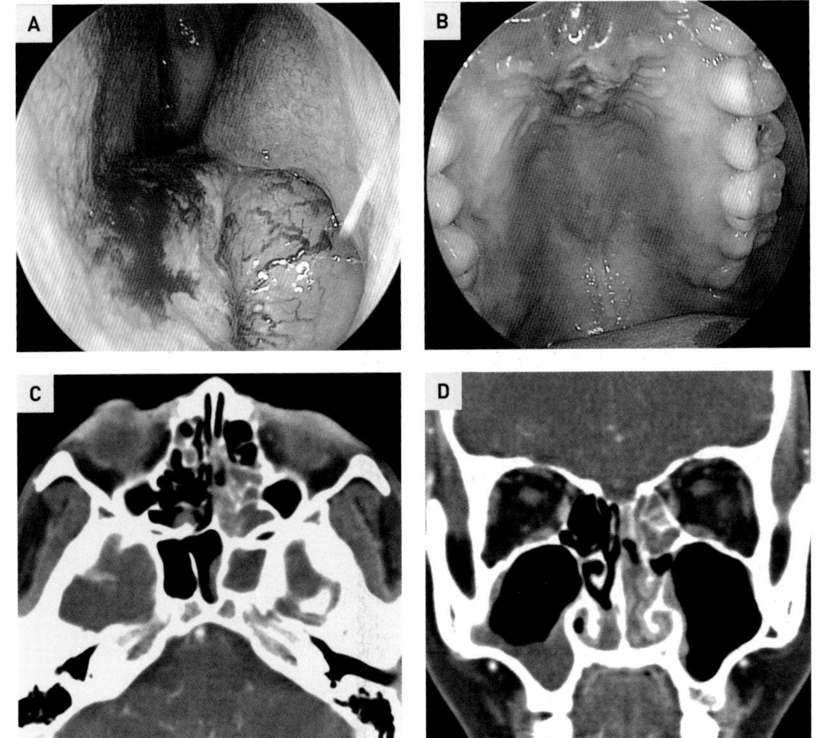

■ 그림 32-4. **자연세포독성 T 세포 림프종. A)** 비강 내시경 상 좌측 비강저의 미만성 돌출이 확인된다. **B)** 구강 내시경 상 경구개의 궤양이 확인된다. **C)** 조영증강 후 CT 영상 축상면, **D)** 조영증강 후 CT 영상 관상면. 우측 및 좌측 비강저, 좌측 후비강을 침범하면서 경구개의 골파괴는 보이지 않는 조영증강을 보이는 병변이 확인된다.

부위의 방사선요법이 일반적인 치료방법이다. 대개 5,000cGy 이상의 근치적 선량을 비강, 부비동, 구개 등의 원발 부위와 주변부에 광범위하게 조사하며, 경부림프절 전이는 약 10%로 높지 않기 때문에 진단 당시 전이가 있을 때에만 조사부위에 경부림프절을 포함한다. 그러나 방사선 치료의 효과가 상당히 좋음에도 불구하고, 높은 국소 제어 실패와 원격전이로 인하여 최근에는 치료 초기부터 방사선 치료 단독보다는 방사선치료와 항암화학요법을 병행하여 생존율을 높이는 경향이다.[24,28,33]

2) 미만성 거대 B세포 림프종

우리나라에서는 자연세포독성 T세포 림프종보다 드물지만 B세포에서 기원하는 미만성 거대 B세포 림프종은 비강, 상악동, 사골동에 주로 발생한다. 증상으로 주로 비폐색, 비루, 안면종창, 시력저하 등의 종괴 효과가 많으나, 그 외에 고열, 체중감소와 같은 B 증상도 발생한다(그림 32-5).

확진은 병리조직학적 검사이며, 면역조직화학염색을 통해 림프종의 아형이 결정된다. 확진되면 전이 여부를 검사한 후 치료를 시행한다.

항암 및 방사선 치료가 주된 치료법이며, 최근의 연구에서 방사선치료를 하지 않은 군에 비해 예후가 더 양호하였다.[30]

5. 신경외배엽성 악성 종양

1) 점막형 악성 흑색종

점막형 악성 흑색종(mucosal malignant melanoma)은 전체 흑색종의 1% 이하를 차지하며, 피부 흑색종보다 색소침착이 덜한 경향이 있으나, 피부 흑색종과 마찬가지로 면역화학염색에서 S-100, human melanoma black 45(HMB-45), melanin A에 양성을 보인다. 비강에 주로 발생하며 비중격이 주된 호발 부위이다.[3,41] 그 외에 상악동, 사골동, 전두동, 중비갑개, 하비갑개에도 발생한다. 증

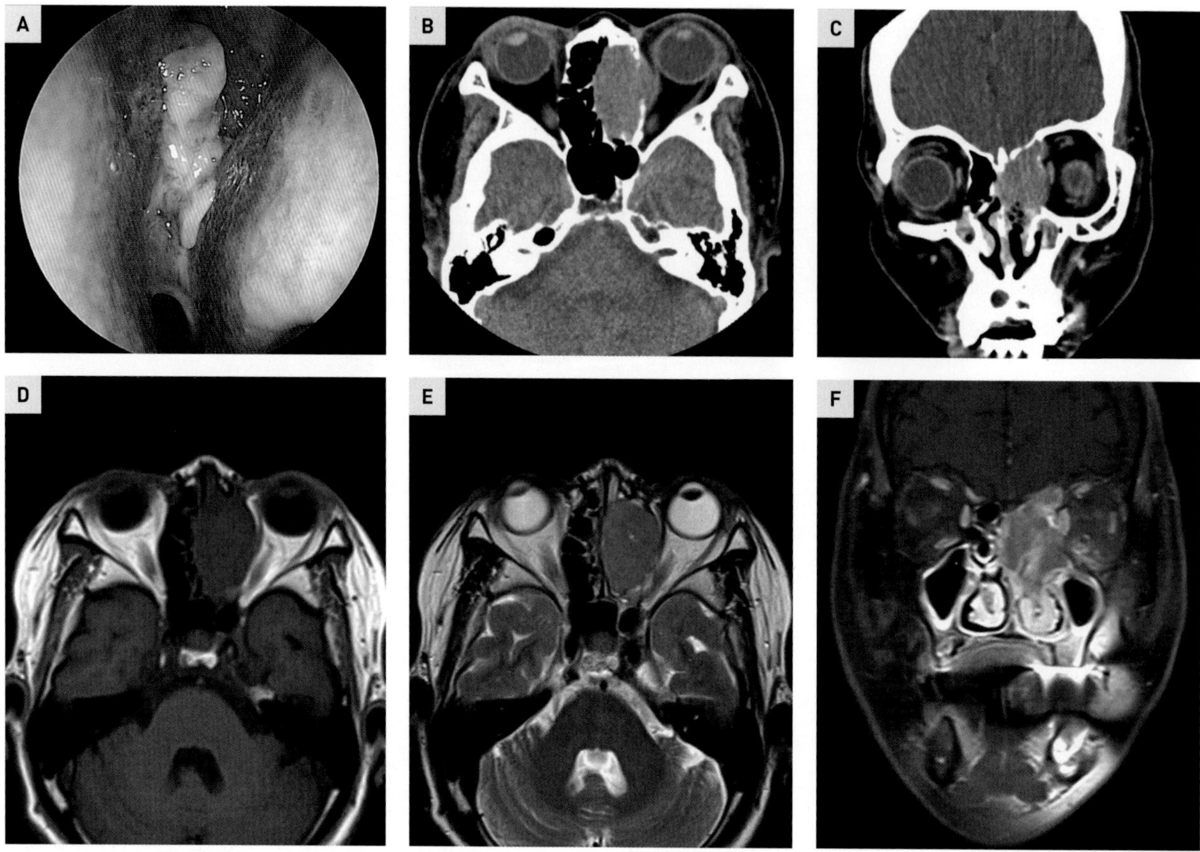

■ 그림 32-5. **미만성 거대 B세포 림프종.** **A)** 비강 내시경 상 좌측 중비도를 채우고 있는 괴사성의 용종성 종물이 관찰된다. **B)** 조영증강 후 CT 영상 축상면, **C)** 조영증강 후 CT 영상 관상면. 좌측 사골동을 가득 채우고 안와의 내측벽을 파괴하고 안와를 침범한 종괴가 관찰된다. **D)** MR T1 영상 축상면, **E)** MR T2 영상 축상면, **F)** 조영증강 후 MR T1 영상 관상면. T1 영상과 T2 영상에서 중간신호 강도를 보이고 불균일하게 조영증강이 되는 고형 종괴가 관찰된다. 종괴는 좌측 안구를 침범하였으나 내직근과 안신경의 침범은 보이지 않고 있다.

상으로는 비출혈이 주로 나타나며 부비동에 발생한 것은 상당히 진행된 후에 발견되고 국소 및 전신전이가 잘 일어난다. 점막 내의 멜라닌세포에서 발생하며 3/4은 색소침착이 있어 비강 내에서 흑색의 종물이 관찰될 경우 의심할 수 있으나 색소침착이 없는 무색소형(amelanotic)도 발견된다(그림 32-6). 피부에 침범하는 악성 흑색종처럼 침범 깊이에 따른 분류방법은 점막형 악성 흑색종에서는 별로 의미가 없다. 점막형 악성 흑색종은 공격적인 성향을 가지므로, 발견 당시부터 T3로 병기가 분류되며, 최소 병기가 3기이다.[2] 조기에 혈행성 또는 림프절 침범을 하는 경향이 있으므로 진단할 때 이미 전이된 경우가 많고 수술 후에도 국소재발이 매우 흔하다. 대부분의 종양이 하나의 연결된 종괴로 나타나는데 비하여 점막형 악성 흑색종은 일부에서 비연속 병변으로 두 개 이상의 병변이 있는 것이 특징으로, 영상의학적 검사와 내시경 검사 시 비연속 병변에 대한 주의깊은 관찰이 필요하다. 치료는 근치적 수술이지만 효과적이지 못한 경우가 많으며, 술 후 방사선치료를 병용하기도 한다.[38] 치료 후 매우 빨리 진행되기도 하고 오랫동안 잠복하기도 하지만 이에 대한 기전은 아직 알려져 있지 않다. 국소적으로 쉽게 재발하고 전신전이를 잘 일으키기 때문에 피부에 발생한 것에 비해 예후가 불량하며 폐, 간, 골전이가 흔하다. 평균 생존기간은 2~3년이며, 5

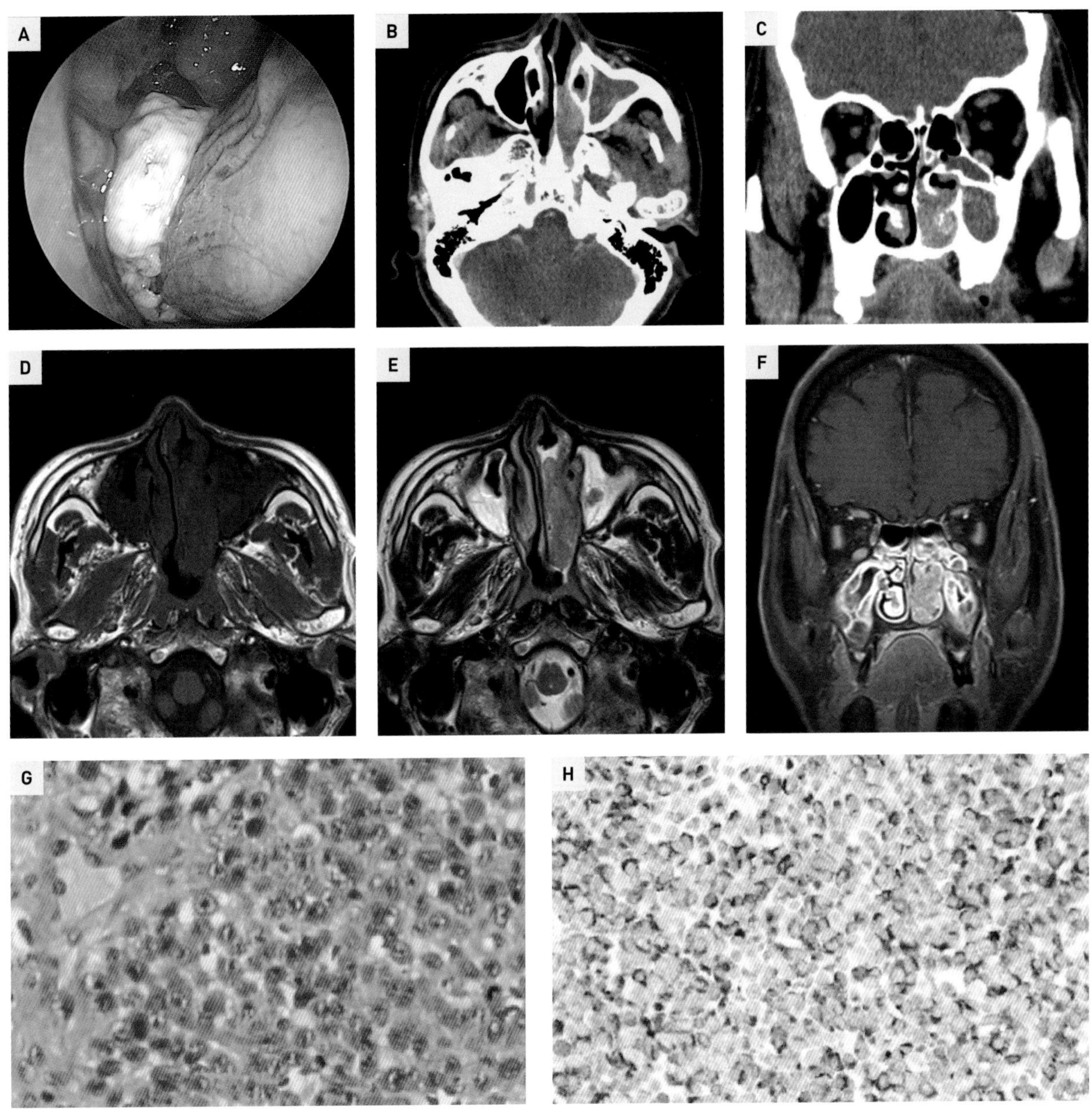

■ 그림 32-6. **점막형 무색소형 악성 흑색종.** **A)** 비강 내시경 상 좌측 중비도와 후비강을 채우고 있는 괴사성의 용종성 종물이 관찰된다. **B)** 조영증강 후 CT 영상 축상면, **C)** 조영증강 후 CT 영상 관상면. 좌측 비강과 중비도를 채우고 비인강으로 돌출되어 있는 종괴가 관찰된다. **D)** MR T1 영상 축상면, **E)** MR T2 영상 축상면, **F)** 조영증강 후 MR T1 영상 관상면. T1 영상에서 중간신호 강도, T2 영상에서 고신호 강도를 보이고 조영증강이 되는 고형 종괴가 관찰된다. 양측 상악동염이 동반되어 있다. **G)** 광학현미경상 원형 또는 난원형의 핵과 뚜렷한 핵소체가 관찰되나 멜라닌 색소는 관찰되지 않는다(H&E, x400). **H)** 면역조직화학염색에서 HMB-45에 강한 양성 반응을 보이고 있다(x400).

년 생존율은 40%가 넘지 않는 것으로 보고되어 있다.[18] 우리나라에서 시행한 다기관 연구에서 3년 및 5년 생존율은 각각 48.8% 및 40.1%였다.[48]

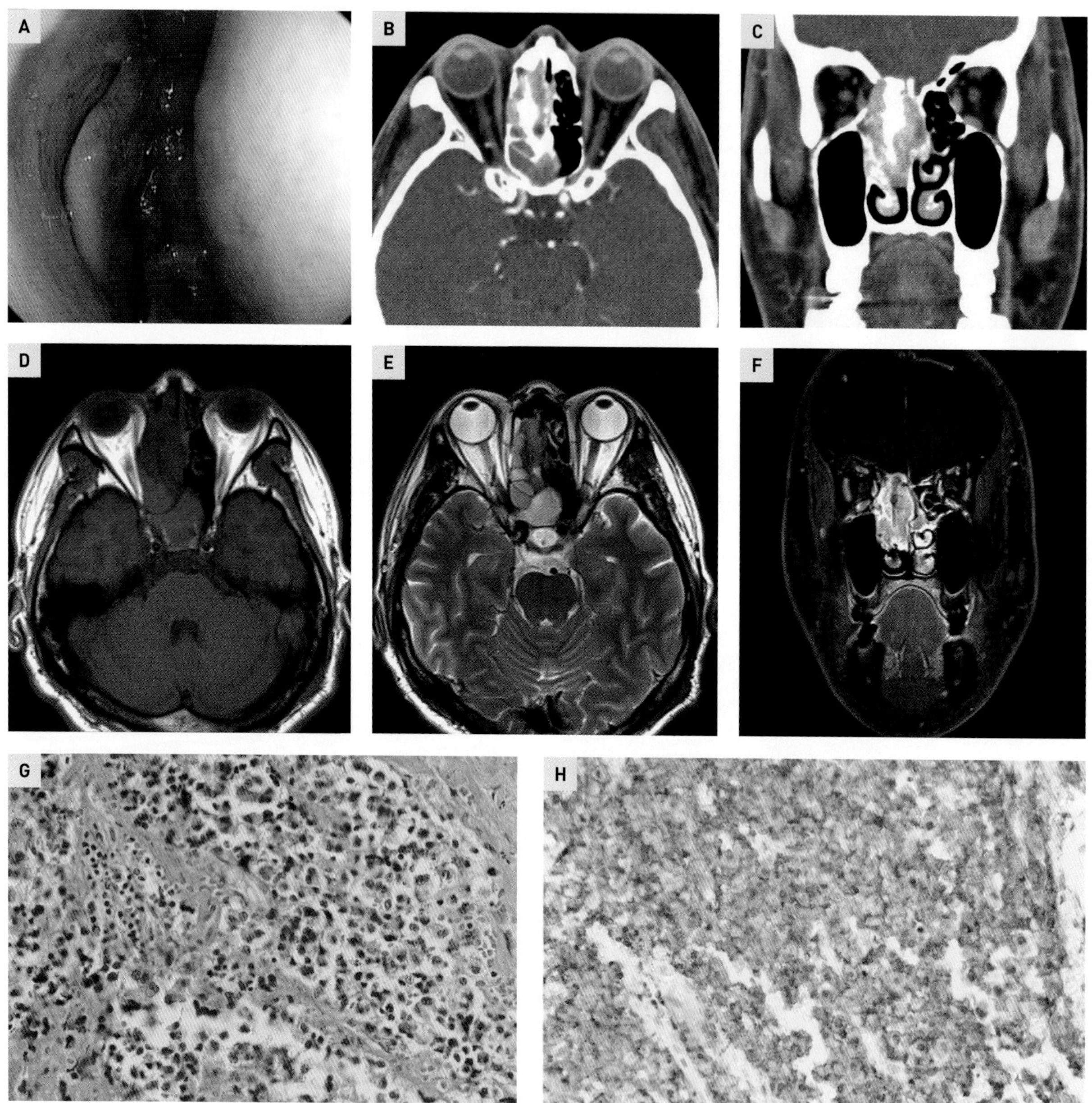

■ 그림 32-7. **후각신경아세포종.** **A)** 비강 내시경 상 우측 후열부를 따라 용종성 종물이 확인된다. **B)** 조영증강 후 CT 영상 축상면, **C)** 조영증강 후 CT 영상 관상면. 석회화가 동반된 우측 후열의 종물이 확인된다. **D)** MR T1 영상 축상면, **E)** MR T2 영상 축상면, **F)** 조영증강 후 MR T1 영상 관상면. 종괴는 우측 사상판을 지나 전두개저를 침범하고 있으며, T1 영상 및 T2 영상에서 다양한 신호 강도를 보이며, 조영증강이 되고 있으며, 뇌막의 조영증강도 동반되어 있다. **G)** 광학현미경상 핵의 세포질이 뚜렷이 관찰되지 않으며, 다형태성이나 세포분열은 관찰되지 않는다(H&E, x400). H. 면역조직화학염색에서 synaptophysin에 강한 양성 반응을 보이고 있다(x400).

2) 후각신경아세포종

후각신경아세포종(olfactory neuroblastoma, esthesioneuroblastoma)은 후각점막에서 발생하는 악성 종양으로 10~20대와 50~60대에 호발하며 남녀 성비는 비슷하다. 대부분 진행된 상태로 발견되고 혈관이 풍부한 비용 모양의 종괴가 비강 상부에서 관찰된다(그림 32-7). 진단은 조직생검을 통해 이루어지나 조직학적으로 림프종, 비부비동 미분화암, 흑색종, 육종 등과 잘 구분되지 않아 면역조직화학검사에서 chromogranin, neuron specific enolase 또는 synaptophysin과 같은 신경내분비 표지자(neuroendocrine marker)에 양성 소견을 보이는 것으로 확진한다. Kadish 병기가 가장 널리 사용되고 있으며, group A는 비강 내에 국한된 경우, group B는 부비동까지 진행된 경우, group C는 안와, 두개저 침범이 있을 경우이다. 수정된 Kadish 병기는 group D도 포함하고 있으며 이는 경부 림프절 전이 혹은 전신 전이가 있을 때이다. 서서히 진행하여 종양이 커지면 부비동, 안구, 두개 내로 진행하게 되므로 두개 내 진행 여부를 알기 위하여 CT나 MRI 검사가 필요하다. 예후는 조직학적 분화도, 진단 시 종양의 침범 범위와 절제 가능성 여부에 달려 있다. 20%는 국소 또는 전신전이를 하므로 진찰 시에는 경부 림프절과 폐 등 전이 검사를 해야 한다.[9,45] 약 절반의 후각신경아세포종은 Kadish group C 상태에서 발견이 되며, 이 경우 5년 생존율이 50~70% 정도로 보고된다.

6. 전이암

다른 원발병소에서 비부비동으로 전이되는 경우는 1%에 불과하다. 주로 신장, 폐, 유방 등에서 비부비동으로 전이되며, 비뇨생식, 위장관, 갑상선, 췌장, 부신, 피부 등에서도 전이될 수 있다. 그 중 가장 대표적인 것이 신세포암이다. 전이된 종양은 상악동, 사골동, 전두동, 접형동 순으로 호발하고, 간혹 비인두, 경구개 등에도 전이될 수 있다.[49]

상악동으로 전이된 신세포암은 50대에 호발하고, 여성보다는 남성에서 약간 더 발생하고, 고도의 혈관종 양상으로서 비출혈을 야기하며 천천히 자라는 특징을 가지고 있다. 원발성 신세포암은 빈혈, 다혈구혈증, 유백혈병성반응, 고혈압, 아밀로이드증(amyloidosis), 다발성 신경염, 근염, 염분소실 증후군, 고칼슘증 및 부갑상선 기능항진증 등의 다양한 임상증상을 나타낼 수 있으나, 전이된 경우의 증상은 비부비동 자체의 국소증상이므로 병리조직학적 결과를 알 때까지 신장으로부터 전이된 것을 알지 못하는 경우가 흔하다.[43] 또한 비부비동에 원격전이를 일으킨 신세포암은 국소적으로 천천히 자라므로 신장 적출 후 10년 이상 지나서 상악동에서 발견되는 경우도 있다. 비록 신세포암이 비부비동에 전이된 경우는 드물지만 고도의 혈관성 또는 박동성 종양이 의심될 때에 신세포암의 전이를 한 번쯤 고려하여야 하며, 이 부위를 조직생검할 때는 전신 마취 하에서 수혈 준비를 한 후 실시하는 것이 좋다.

치료는 개인의 전신상태, 전이된 부위와 정도에 따라 다르나 일반적으로 수술, 방사선치료, 화학요법, 호르몬치료, 동맥 내 항암제 주입 등이 있다. 전이된 부위의 수술이 가장 좋은 치료법으로서 단독 전이된 경우에 적용된다. 방사선치료는 신세포암의 경우 효과가 적기 때문에 일차 치료법으로는 추천되지 않는다. 많은 항암약제들이 신세포암에 응용되고 있으나 별다른 효과를 거두지 못하고 있다. 호르몬요법은 진행된 신세포암에는 사용하기도 한다. 예후는 일반적으로 원발암에 비하여 좋지 않다. 그러나 상악동에만 국한됐을 때는 광범위하게 절제하여 생존율을 높일 수가 있다.

Ⅲ 진단

1. 해부와 진행방향

종양의 침범범위와 그에 따르는 증상을 알기 위하여 비강, 부비동, 안면부, 두개저 등의 해부학적 관계를 이해해야 한다.

1) 비강

일단 비강을 채운 다음 측방으로는 자연공을 통하여 상악동으로, 후방으로는 비인두로, 상부에서는 사상판

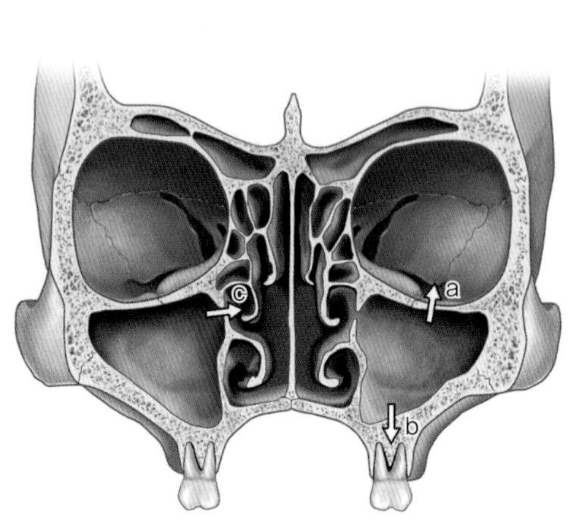

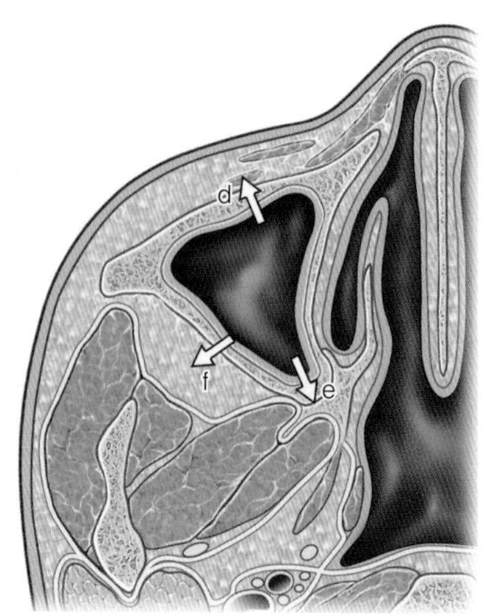

■ 그림 32-8. **상악암의 진행방향.** a: 상방, b: 하방, c: 내측방, d: 전방, e: 후방, f: 외측방

(cribriform plate)과 사골와(fovea ethmoidalis)를 통해 전두개와(anterior cranial fossa)로 종양이 진행되기 쉽다.

2) 상악동

내측으로는 비강, 상부로는 안와 및 사골동, 하부로는 상악골의 치조돌기, 선방으로는 안면 연조직, 후방으로는 익돌판(pterygoid plate), 익구개와(pterygopalatine fossa), 측두하와(infratemporal fossa)와 접해 있으며 종양의 진행방향에 따라 증상이 다르게 나타난다(그림 32-8). 상악암은 자연공을 통하거나 종괴 자체의 압박에 의한 괴사 또는 직접적인 골파괴 등을 통해 진행한다. 비교적 악성도가 낮은 것은 상악동 내를 채운 다음 골경계를 넘어서 주위로 커지나, 악성도가 높은 것은 직접 골파괴를 초래하고 조기에 상악동의 범위를 넘어 구강, 협부, 안와, 비강 등으로 진행된다.

3) 사골동

비교적 초기에 상악동으로 진행되고 외측의 얇은 지판을 통해 안구 쪽으로 그리고 상부로는 전두개와로 진행된다. 그러나 안와골막(periorbita)은 종양에 대해 비교적 저항성이 강하므로 안구 실질로의 파급은 진행된 후 나타나게 된다. 또한 내측으로는 비중격을 통해 반대편 사골동으로 파급되기도 하며, 진행된 경우라도 접형동이나 비인강 쪽으로는 드물게 파급된다.

4) 접형동

상부에는 시신경과 뇌하수체, 전방으로는 후사골동, 하방으로는 비디안신경(vidian nerve)과 비인강, 측방으로는 내경동맥과 해면정맥동이 위치하는데 측방의 골은 매우 얇을 뿐 아니라 때로는 결손을 보일 때도 있어 측방으로 진행할 때는 바로 해면정맥동과 중두개와로 진행한다. 접형동은 이처럼 주위에 중요한 구조물들이 위치하는 장소일 뿐만 아니라 깊고 복잡하여 여기에 발생한 종양을 수술적으로 완전히 적출하기는 어렵다.

5) 전두동

악성 종양이 가장 적게 발생하는 부비동으로서 전방으로는 두피, 후방으로는 전두개와, 하방으로는 사골동 및 안와와 접하는데 두개 내 동맥과 서로 교통하기 때문에 두개 내로 진행될 수 있다.

6) 림프관

비강과 부비동 종양은 발생부위에 따라 림프절 전이가 다르다. 즉 비전정 및 비강의 전반부에 발생하면 안면, 이하부, 경부의 level I 림프절을 통해 심경부(deep neck)로 전이되지만, 비강의 후방과 부비동에 발생한 경우 비인강에 위치한 림프관총을 통해 후인두림프절(retropharyngeal node)을 경유하여 상부 심경부의 림프절로 전이를 일으킨다.

2. 침범부위에 따른 증상과 검사소견

1) 비강

비강 내 종괴는 대개 표면이 괴사되어 있다. 그러나 비용양(polypoid) 점막 또는 양성으로 보이는 비용(polyp)이 종괴를 가리고 있어서 발견되지 않는 수가 있다. 때때로 가피가 종괴를 덮고 있는 경우도 있다. 상악동의 내측벽이 비강 내로 돌출하거나 일측 자연공으로부터 분비물이 관찰될 때 또는 일측에서만 비강 점막이 비후된 소견이 관찰되는 경우에는 악성 종양을 의심할 수 있다. 비내시경을 사용하면 초기 병변을 진단하는 데 도움이 된다.

2) 안와

안증상은 종양의 침범 정도에 따라 다양하여 안와주위 부종, 결막부종, 외안근 운동장애에 의한 복시, 안구돌출, 시력감소 등이 나타날 수 있다. 종양이 두개 내의 시신경이나 해면정맥동을 침범할 경우 시력감소와 외안근의 마비가 발생한다. 접형동을 침범한 경우 안구 후방에 둔탁한 통증을 유발할 수 있다. 안구적출을 예상한다면 반대편 쪽의 시력을 미리 측정하고, 안와의 골벽을 촉진하여 확인해야 한다.

3) 구강

특별한 원인 없이 의치가 불안정하거나 치아가 흔들리는 것은 상악동의 종양이 경구개나 상악치조릉을 침범하여 나타나는 초기 증상일 수 있다. 따라서 의치를 장착하고 있는 환자는 의치가 잘 맞는지 살펴보고 이를 제거한 후 경구개나 상악치조릉(alveolar ridge)에 돌출이 있는지, 치아가 흔들거리는 것이 있는지 살펴보아야 한다. 발치 후에 구강상악동누공(oroantral fistula)이 지속되는 경우에도 상악동 종양을 의심할 수 있다. 개구장애(trismus)는 악성 종양에 의한 익돌근(pterygoid muscle)이나 교근(masseter muscle)의 침윤을 시사한다. 때로는 경구개에 궤양이나 종괴가 직접 관찰되기도 한다.

4) 안면

상악동 종양이 골벽을 파괴하고 협부(cheek)의 연조직까지 진행하면 안면부의 비대칭이 나타나고 제5번 뇌신경을 침범하여 안면의 통증이나 이상감각을 유발할 수 있다. 하안와신경(infraorbital nerve) 지배부위에 통증이나 이상감각이 있으면 상악동 전벽이나 상벽을 침범한 종양을 시사하며 제5번 뇌신경 상악분지의 전 영역에 이상감각이 있으면 두개저의 침범을 시사한다.

5) 뇌신경과 두개저

종양이 두개저로 침범하면 여러 뇌신경의 마비 가능성이 있으므로 모든 뇌신경에 대한 기능검사를 철저히 해야 한다. 두개저 종양의 증상과 징후는 종양의 침범부위와 일치하므로 증상과 징후를 자세히 확인하면 침범부위를 추측할 수 있다. 전두개저를 침범한 종양의 경우 안와와 부비동을 침범하여 비폐색, 비루, 비출혈, 후각장애, 시력저하, 안구돌출 등이 발생할 수 있으며 뇌척수액의 유출이나 안면의 침범이 나타날 수 있다. 중두개저 침범의 경우 제3, 4, 6번 뇌신경을 침범하여 안구의 운동이상이나 제5번 뇌신경을 침범하여 안면의 감각이상, 저작기능의 장애 등을 일으킬 수 있으며, 초기에 이관 폐쇄로 인한 중이염이 발생할 수도 있다.

6) 비인강

후비경이나 비내시경, 굴곡형 비인강내시경(flexible nasopharyngoscope) 또는 구강을 통하여 강직형 내시경으로 비인강을 검사한다. 종양이 비인강을 직접 침범한 경우는 수술적 치료에 한계가 있다.

7) 경부

주로 후인두림프절을 통하여 상부 심경부 림프절로 전이되므로 경부 림프절이 촉진되는지를 철저히 조사해야 한다. 후인두림프절은 촉진할 수 없는 부위이기 때문에 방사선검사를 통해 확인한다. 특히 구강 내로 진행된 경우는 경부전이의 확률이 높아진다.

3. 영상진단

1) 단순촬영

부비동 단순촬영은 초기 단계의 검사로서는 가치가 있으나, 종양을 진단하거나 범위를 파악하는 데는 한계가 있다. 편측에 국한된 혼탁음영, 종괴효과, 골파괴 등의 소견이 60~90%에서 나타나므로 이러한 소견을 확인한다. 그러나 초기에는 단순촬영에서 정상으로 보일 수 있고, 양성 질환이나 염증성 질환과 구분되지 않는다는 점에 유의해야 한다.[39]

2) CT 촬영

골파괴나 침습 여부를 파악하는 데 다른 어떠한 검사보다 우수하다. 양성 종양일 경우 골조직이 압박에 의해 서서히 괴사되면서 때로는 신생골이 형성되어 부비동이 변형(remodeling)된다. 그러나 골파괴가 있지만 부비동을 이루는 골모양에 변화가 없으면 일단 악성 종양을 의심한다. 또한 CT 촬영은 두개저의 골미란 여부를 판단하는 데 유익하다. 조영제를 사용할 경우 종양과 연조직을 구분할 수 있어 안와, 두개 내, 안면부 연조직, 익돌상악와로의 침범 범위를 아는 데 어느 정도 도움이 된다. 그러나 CT로는 종괴 자체의 연조직 음영과 부비동의 자연공이 폐쇄되어 속발하는 점막 부종과 분비물 저류 같은 염증성 반응을 구분하기가 어렵다. 특히 후사골동과 접형동에서는 종괴와 점막부종을 구분해야 병기 및 치료계획을 수립할 수 있는데, 그 점에서 CT 영상은 한계가 있다. 뿐만 아니라 금속성 보철의 훈영(halation) 때문에 영상이 흐려지는 단점이 있다.

3) MRI 촬영

MRI는 CT의 진단적 한계를 극복하는 데 도움이 된다. 연조직 영상이 우수하므로 종괴 자체의 연조직 음영과 부비동 내에 축적된 분비물이나 염증성 점막부종을 구분하는 데 매우 유용하다. 또한 신경주위(perineural)침범을 아는 데 도움이 된다. 관상면이나 시상면상이 깨끗하므로 두개저와 두개 내 침범 여부, 특히 정원공(foramen rotundum), 난원공(foramen ovale), 시신경, 익돌관(pterygoid canal)의 침범을 파악하는 데 우수하다. 치아의 보철 영향을 거의 받지 않으며 방사선조사가 없다. 그러나 골파괴를 보는 데는 CT보다 큰 도움이 되지 못하므로 치료계획을 수립하려면 CT 촬영과 병행하여 시행하는 것이 바람직하다. 비록 림프절 전이가 흔치 않다 하더라도 후인두림프절 전이 여부는 촉진으로 파악할 수 없기 때문에 경부를 포함하여 림프절 전이 여부도 CT나 MRI로 확인해야 한다.

4) 혈관조영술

CT에서 조영제로 증강된 병변이면 다른 혈관성 종양과 감별하기 위해 혈관조영술(angiography)을 시행할 수 있다. 해면정맥동의 침윤이 의심되거나 종양이 내경동맥과 인접해 내경동맥 절제의 가능성이 있는 경우 수술 전에 미리 혈관조영술을 시행한다.

5) 양전자 컴퓨터 단층촬영

비부비동암에서 전신 전이의 발생률은 7% 이하로 드물

지만 양전자 컴퓨터 단층촬영(positron emission tomography-CT; PET-CT) 영상으로 전이 유무를 보다 정확히 파악할 수 있다. 10~20%에서 이차암(secondary malignancy)이 발생하므로 치료 후 추적관찰 시 전이가 의심되면 PET-CT를 시행한다. 그러나 비부비동 염증성 질환에서도 FDG의 섭취가 증가할 수 있으므로 판독 시에 주의하여야 하며 PET-CT의 역할은 치료 전에 병기 설정과 치료 후 추적관찰 시 전신전이를 발견하는 데 있다.

4. 조직생검

조직생검을 먼저 하고 방사선검사를 할 경우에는 조직생검으로 인한 인공음영(artifact)이 종양범위를 파악하는 데 혼동을 초래할 수 있으므로, 생검 전에 방사선검사를 시행하여 종양의 발생부위, 범위, 혈관성 등을 미리 파악한다. 종괴가 비강 내나 구강 내에서 직접 관찰되면 조직생검이 쉬우나, 그렇지 않은 경우에는 해당 부위를 시험적으로 개방하여 조직을 채취한다. 이때는 일단 비강 내로 접근하는 것이 좋으며 괴사조직을 피하고 내시경으로 보면서 정확히 생검하는 것이 좋다. 방사선검사가 선행되지 않으면 혈관성 종양이나 뇌류(encephalocele)의 가능성을 염두에 두고 Valsalva 운동으로 확인하면서 출혈이나 뇌척수액비루에 대비한다. 종양이 상악동 내에 국한되어 있으면 내시경하 상악동자연공 개창을 크게 하든지 하비도 개창을 통하여 조직생검을 시행할 수 있다.

5. 병기

역사적으로 상악암의 예후와 관련해서는 Öhngren이 처음 언급하였으며, 내안각(medial canthus)에서 하악각(mandibular angle)을 잇는 Öhngren선을 제시하였다(그림 32-9). 이 선을 중심으로 종양이 상방에 위치하면 예후가 불량하고 하방에 위치하면 예후가 양호하다.[44] 최근

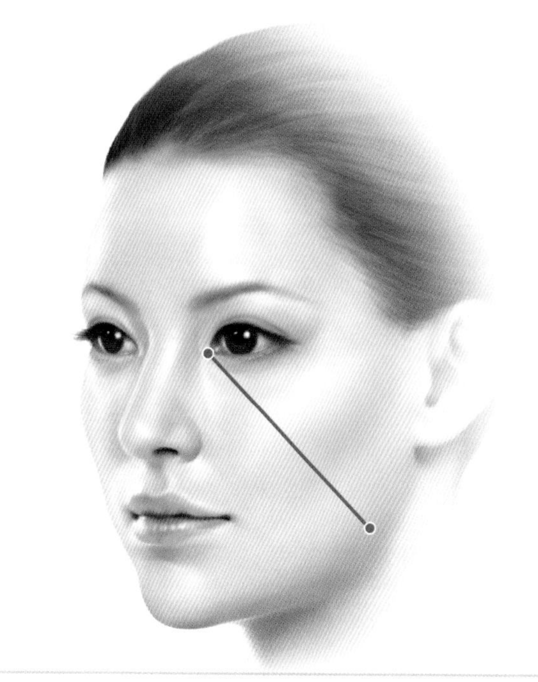

■ 그림 32-9. Öhngren 선

에 널리 사용되고 있는 American Joint Committee on Cancer (AJCC)의 상악암, 비강암/사골동암 병기분류[2]에도 이 개념이 포함되어 있다.

2010년 개정된 AJCC 7판에 따른 상악동암 및 비강과 사골동암의 분류는 표와 같다(표 32-2). T4a는 중등도 진행성 병변으로 수술적 절제가 가능한 상태이며, T4b는 고도 진행성 병변으로 수술적 절제가 불가능한 상태이다. 아직까지 빈도가 드문 전두동암과 접형동암에 대해서는 명시된 병기분류 체계가 없다.

이와 같은 분류 체계는 편평세포암종을 포함한 대부분의 암에서 유용하게 사용되나, 점막형 악성 흑색종의 경우 공격적인 암의 특성 상 AJCC에서 다른 분류 체계를 제시하는데, 비부비동의 점막형 흑색종의 경우 최소 병기 3 이상이다(표 32-3).

암종과 달리 육종 같은 간엽성 기원 악성 종양의 가장 중요한 예후인자는 조직학적 악성 정도이므로 병리조직학적 단계(histopathologic grading)에 준해서 분류한다. 여기에는 유사분열의 수(number of mitoses), 세포충실

표 32-2. 비부비동에 발생하는 악성 종양의 TNM 병기 분류(AJCC 7판, 2010)

	원발암(T)
Tx	원발종양을 파악할 수 없는 경우
T0	원발종양이 없는 경우
Tis	상피내암(carcinoma in situ)
	상악암
T1	종양이 상악동 점막에 국한되어 있으면서 골의 미란(erosion)이나 파괴가 없는 경우
T2	상악동 후벽이나 익돌판(pterygoid plate)을 제외한 골의 미란이나 파괴가 있는 경우(경구개 또는 중비도 침범을 포함)
T3	종양이 다음 구조물 중 어느 하나라도 침범한 경우: 상악동 후벽, 협부의 피하조직, 안와의 저부나 내벽, 익돌와(pterygoid fossa) 또는 사골동
T4a	종양이 다음 구조물 중 어느 하나라도 침범한 경우: 안와 전방구조물, 협부피부, 익돌판, 하측두와, 사상판, 접형동 또는 전두동
T4b	종양이 다음 구조물 중 어느 하나라도 침범한 경우: 안와 첨부, 경막, 뇌실질, 중두개와, 삼차신경의 상악분지(V2)를 제외한 뇌신경, 비인두강 또는 사대(clivus)
	비강 및 사골동암
T1	골파괴 여부와 상관없이 하나의 subsite*에 국한된 경우
T2	골 파괴 여부와 상관없이 한 부위 내에서 둘 이상의 subsite를 침범한 경우 또는 주변조직으로 파급되었으나 비사골 복합체(nasoethmoidal complex) 안에 국한된 경우
T3	종양이 안와의 저부와 내벽, 상악동, 구개 또는 사상판을 침범한 경우
T4a	종양이 다음 구조물 중 어느 하나라도 침범한 경우: 안와의 전방구조물, 코와 협부의 피부, 전두개와의 최소 침습, 익돌판, 접형동 또는 전두동
T4b	종양이 다음 구조물 중 어느 하나라도 침범한 경우: 안와 첨부, 경막, 뇌실질, 중두 개와, 삼차신경의 상악분지(V2)를 제외한 뇌신경, 비인두강 또는 사대
	경부 림프절(N)
Nx	림프절 전이를 평가할 수 없는 경우
N0	림프절 전이가 없는 경우
N1	동측 경부에 3 cm 미만의 림프절 1개에 전이된 경우
N2a	동측 경부에 3~6 cm 의 림프절 1개에 전이된 경우
N2b	동측 경부에 다수의 림프절에 전이되었으나 모두 6 cm 미만인 경우
N2c	반대측 혹은 양측 경부에 다수의 림프절에 전이되었으나 모두 6 cm 미만인 경우
N3	6cm 이상의 림프절에 전이된 경우
	전신전이(M)
M0	원격 전이가 없는 경우
M1	원격 전이가 있는 경우

* Nasal cavity: septum, floor, lateral wall, vestibule
Ethmoid: right, left

성의 정도(degree of cellularity), 간질의 양(amount of stroma), 성숙의 정도(degree of maturation), 핵의 다형태(nuclear pleomorphism), 괴사의 유무 등이 있다.

표 32-3. 점막형 악성 흑색종의 TNM 병기 분류(AJCC 7판, 2010)

원발암(T)	
T3	점막형 병변
T4a	종양이 다음 구조물 중 어느 하나라도 침범한 경우: 심부연조직, 연골, 골, 인접한 피부
T4b	종양이 다음 구조물 중 어느 하나라도 침범한 경우: 뇌실질, 경막, 두개저, 하부뇌신경(IX, X, XI, XII), 저작근공간(masticator space), 경동맥, 전척추 공간, 종격동 구조물(mediastinal structures)
경부 림프절(N)	
Nx	림프절 전이를 평가할 수 없는 경우
N0	림프절 전이가 없는 경우
N1	림프절 전이가 있는 경우
전신전이(M)	
M0	원격 전이가 없는 경우
M1	원격 전이가 있는 경우

Ⅳ 결론

비강과 부비동에 발생하는 악성 종양은 드물게 발생하고, 다양한 조직학적 형태를 보이며, 진행된 병기에서 발견되는 경우가 많고, 해부학적으로 복잡하고 중요한 구조물에 인접하여 있어 적극적인 치료에도 불구하고 예후가 좋지 않다. 그러므로 갑자기 시작된 일측성의 코막힘과 혈성 비루를 호소하는 환자에서는 비부비동의 악성 종양의 가능성을 염두에 두고 영상학적 검사 및 조직 검사를 시행하여야 하며, 다른 부위의 악성 종양에서와 같이 정상 조직을 포함하여 충분한 절제연을 두고 일괴 절제술을 시행하는 것이 무엇보다 중요하다고 할 수 있다.

참고문헌

1. 김용일, 손태중, 손계용 등 병리학. 2판 고문사. 1995.
2. American Joint Committee on Cancer. In Manual for Staging of Cancer. 7th ed. New York: Springer. 2010. p.69-73.
3. Batsakis JG, Sciubba JJ. Pathology. In: Blitzer A, Lawson W, Freiedman WH, et al. Surgery of the Paranasal Sinuses, Philadelphia: WB Saunders, 1985.
4. Chai RL, Tassler AB, Kim S. Lymphoma of the head and neck. In: Rosen CA, Johnson JT ed. Head and Neck Surgery-Otolaryngology, 5th ed. Philadelphia: Lippincott Williams & Wilkins, 2014, p.2032-2043.
5. Chan JKC. Peripheral T cell lymphoma in eastern and western. Workshop in international association of pathology meeting in Hong Kong, 1994.
6. Davison SP, Habermann TM, Strickler JG, et al. Nasal and nasopharyngeal angiocentric T cell lymphomas. Laryngoscope 1996;106:139-143.
7. Day TA, Bewley AF, Joe JK. Neoplasms of the neck. In: Flint PW, Haughey BH, Lund VJ et al. Cummings Otolaryngology Head and Neck Surgery, 6th ed. Philadelphia: Saunders. 2015. p.1787-1804.
8. de Gabory L, Maunoury A, Maurice-Tison S, et al. Long-term single center results of management of ethmoid adenocarcinoma: 95 patients over 28 years. Ann Surg Oncol 2010;17(4):1127-1134.
9. Djalilian M, Zuko RO, Weiland LH, Olfactory neuroblastoma. Surg Clin North Am 1977;57:751-762.
10. Donaldson SS, Castro JR, Wilbur JR, et al. Rhabdomyosarcoma of head and neck in children: combination treatment by surgery, irradiation and chemotherapy. Cancer 1973;31:26-35.
11. Drucker C, Sanders AD, Bowes AK, et al. Chondrosarcoma of the sphenoethmoid complex. Ear Nose Throat J 1990;69:630-632.
12. Eichel BS, Harrison KG, Devine KD, et al. Primary Lymphoma of the nose including a relationship to lethal midline granuloma. Am J Surg 1966;112:597-605.
13. Fu YS, Pertain KH. Non-epithelial tumors of the nasal cavity, paranasal sinuses, and nasopharynx: a clinicopathologic study XI. Fibrous histiocytoma. Cancer 1980;45:2616-2626.
14. Fu YS, Pertain KH. Non-epithelial tumors of the nasal cavity, paranasal sinuses, and nasopharynx: a clinicopathologic study II. Osseous and fibro-osseous lesions, including osteoma, fibrous dysplasia, ossifying fibroma, osteoblastoma, giant cell tumor, and osteosarcoma. Cancer 1974;33:1289-1305.
15. Fu YS, Pertain KH. Non-epithelial tumors of nasal cavity, paranasal sinuses, and nasopharynx: a clinicopathologic study III. Cartilageous tumors(chondroma, chondrosarcoma). Cancer 1974;34:453-463.
16. Fu YS, Pertain KH. Non-epithelial tumors of nasal cavity, paranasal sinuses, and nasopharynx: a clinicopathologic study V. Skeletal muscle tumors(rhabdomyoma and rhabdomyosarcoma). Cancer 1976;37:364-376.
17. Fu YS, Pertain KH. Non-epithelial tumors of nasal cavity, paranasal

sinuses, and nasopharynx: a clinicopathologic study X. Malignant lymphomas. Cancer 1979;43:611-621.

18. Gilain L, Houette A, Montalban A, et al. Mucosal melanoma of the nasal cavity and paranasal sinuses. Eur Ann Otorhinolaryngol Head Neck Dis. 2014;131(6):365-369.
19. Gotte K, Hormann K. Sinonasal malignancy: what's new? ORL J Otorhinolaryngol Relat Spec 2004;66(2):85-97.
20. Harve S, Abd Alsamad I, Beautru R et al. Management of sinonasal hemangiopericytomas. Rhinology 1999;37:153-158.
21. Heffner DK, Gnepp DR. Sinonasal fibrosarcomas, malignant schwanomas, and "Triton" tumors: a clinicopathologic study of 67 cases. Cancer 1992;70:1089-1101.
22. Hernberg S, Westerholm P, Schultz-Larsen A, et al. Nasal and sinonasal cancer: connection with occupational exposures in Denmark, Finland and Sweden. Scan J Work Environ Health 1983;9:315-326.
23. Ho AS, Zanation AM, Ganly I. Malignancies of the paranasal sinus. In: Flint PW, Haughey BH, Lund VJ et al. Cummings Otolaryngology Head and Neck Surgery. 6th ed. Philadelphia: Saunders. 2015. p.1176-1201.
24. Howard D. Non-healing granulomas. In: Kerr AG, Mackay IS, Bull TR, et al, Scott-Brown's Otolaryngology. 6th ed. London: Butterworth-Heinemann, 1997. p.4/20/1-11.
25. Husain Q, Kanumuri VV, Svider PF et al. Sinonasal adenoid cystic carcinoma: systematic review of survival and treatment strategies. Otolaryngol Head Neck Surg. 2013;148(1):29-39.
26. Ikeda T, Kanaya T, Matsuda A, et al. Clinicopathologic study of non-Hodgkin Lymphoma in sinonasal and hard palate regions in 15 Japanese cases. ORL J Otorhinolaryngol Relat Spec 2005;67:23-29.
27. Ishii Y, Yamanaka N, Ogawa K, et al. Nasal T-cell lymphoma as a type of so-called "lethal midline granuloma." Cancer 1982;50:2336-2344.
28. Jackson RS, McCaffrey TV. Nasal manifestations of systemic disease. In: Flint PW, Haughey BH, Lund VJ et al. Cummings Otolaryngology Head and Neck Surgery. 6th ed. Philadelphia: Saunders. 2015. p.201-207.
29. Jaffe ES. In Surgical pathology of the lymph nodes and related organs. 2nd ed. Philadelphia: WB Saunders, 1994.
30. Kanumuri VV, Khan MN, Vazquez A, et al. Diffuse large B-cell lymphoma of the sinonasal tract: analysis of survival in 852 cases. Am J Otolaryngol. 2014;35(2):154-158.
31. Khan MN, Husain Q, Kanumuri VV, et al. Management of sinonasal chondrosarcoma: a systematic review of 161 patients. Int Forum Allergy Rhinol. 2013;3(8):670-677.
32. Kim DY, Hong SL, Lee CH et al. Inverted papilloma of the nasal cavity and paranasal sinuses: a Korean multicenter study. Laryngoscope 2012;122(3):487-494.
33. Kim SJ, Kim WS. Treatment of localized extranodal NK/T cell lymphoma, nasal type. Int J Hematol. 2010;92(5):690-696.
34. Klintenberg C, Olofsson J, Hellquist H, et al. Adenocarcinoma of the ethmoid sinuses. A review of 28 cases with special reference to wood dust exposure. Cancer 1984;54:482-488.
35. Lloyd S, Yu JB, Wilson LD, et al. Determination and patterns of survival in adenoid cystic carcinoma of the head and neck, including an analysis of adjuvant radiation therapy. Am J Clin Oncol 2011;34(1):76-81.
36. Luce D, Leclerc A, Morcet JE, et al. Occupational risk factors for sinonasal cancer: a case-controlled study in France. Am J Indust Med 1992;21:163-175.
37. Lund VJ, Chisholm EJ, Takes RP et al. Evidence for treatment strategies in sinonasal adenocarcinoma. Head Neck 2012;34(8):1168-1178.
38. Lund YJ. Malignant melanoma of the nasal cavity and paranasal sinuses. Ear Nose Throat J 1993;72:285-290.
39. Mancuso AA. Paranasal sinuses-normal anatomy, methodology, and pathology. In: Mancuso AA, Hanafee WN, Kirchner JA, et al. Computed Tomography of the Head and Neck. Baltimore: Lippincott Williams & Wilkins, 1982.
40. Meza JL, Anderson J, Pappo AS, et al. Analysis of prognostic factors in patients with nonmetastatic rhabdomyosarcoma treated on intergroup rhabdomyosarcoma studies III and IV: the children's oncologic group. J Clin Oncol 2006;24:3822-3851.
41. Moore ES, Martin H. Melanoma of the upper respiratory tract and oral cavity. Cancer 1955;8:1167-1176.
42. Myers EM, Thawley SE. Maxillary chondrosarcoma. Arch Otolaryngol Head Neck Surg 1979;105:116-118.
43. Nahum AJ, Baily BJ. Malignant tumors metastatic to the nose and paranasal sinuses: case report and review of the literature. Laryngoscope 1971;73:616-619.
44. Ohngren LG. Malignant tumours of the maxillo-ethmoid region. Acta Otolaryngol Suppl 1933;19:1-4.
45. Olsen KD, Desanto LW. Olfactory neuroblastoma: biologic and clinical behavior. Arch Otolaryngol Head Neck Surg 1983;109:767-802.
46. Reiersen DA, Pahilan ME, Devaiah AK. Meta-analysis of treatment outcomes for sinonasal undifferentiated carcinoma. Otolaryngol Head Neck Surg. 2012;147(1):7-14.
47. Shar J: Nasal cavity and paranasal sinuses. Shar's Head and Neck Surgery and Oncology. 4th ed. Philadelphia: Elsevier. 2012. p.104-139.
48. Won TB, Choi KY, Rhee CS, et al. Treatment outcomes of sinonasal malignant melanoma: a Korean multicenter study. Int Forum Allergy Rhinol. 2015 Jun 2.doi: 10.1002/alr.21558. [Epub ahead of print].
49. Zimmer LA, Carrau RL. Neoplasm of the nose and paranasal sinus. In: Rosen CA, Johnson JT ed. Head and Neck Surgery-Otolaryngology, 5th ed. Philadelphia: Lippincott Williams & Wilkins, 2014. p.2044-2062.

CHAPTER 33

비강과 부비동의 악성 종양의 치료

이비인후과학 Otorhinolaryngology - Head and Neck Surgery

김현직

비강과 부비동에 발생하는 악성 종양이 진단되고 병기가 결정되면 종양에 대한 치료 방침이 논의되고 정해진다. 어떤 방법으로 종양을 치료할지 결정하는 것은 종양의 병리학적 소견, 병기, 환자의 전신 상태, 나이 그리고 각 병원의 종양치료팀의 경험이 고려되어 정해져야 한다. 비강과 부비동의 악성 종양의 치료는 수술적 치료, 방사선 치료, 항암치료, 표적치료(Targeted therapy), 그리고 보존적 치료(Palliative treatment)로 구분되며 종양의 병기, 환자의 상태에 따라 단독 혹은 병합 치료 여부 및 방법이 결정된다. 종양 치료팀은 이비인후과, 방사선 종양학과, 종양 내과, 혹은 신경외과 등의 의료진이 참여하며 그 외에도 간호사, 영양사, 사회사업사 등이 참여하여 종양환자의 치료에 도움을 준다.

비강과 부비동 악성종양 치료의 목적은 근치적인 종양 치료일 수도 있지만 때로는 종양의 전이 방지, 통증 및 부작용 억제, 종양의 증식 속도 저하 등이 포함되며 수술을 통한 근본적 절제부터 환자의 생명 연장과 합병증 예방 등의 보존적 치료가 시도될 수 있고 이러한 치료방법의 결정에 종양치료팀의 전반적인 토의와 의사결정이 중요하다.

I 비강 및 부비동 악성 종양의 수술적 치료

비강과 부비동 악성 종양의 치료는 다른 부위의 악성 종양에서와 같이 정상조직 및 골조직을 포함하여 충분한 절제연을 두고 일괴 절제술(en bloc resection)을 시행하는 것이 이상적이며 종양이 임파선을 따라 경부 임파선으로 전이가 된 경우는 경부 청소술(Neck dissection)을 같이 시행하게 된다. 진행된 종양의 경우는 수술요법 단독으로는 생존율이 낮기 때문에 술 전 또는 술 후 방사선 치료와 필요한 경우 유도 항암요법(induction chemotherapy) 또는 보조적 항암요법(adjuvant chemotherapy)을 병용한다.

비강과 부비동은 해부학적으로 다양한 신경, 혈관을 포함하고 있으며 대뇌, 안구, 구강, 그리고 경동맥 등과 가까이 있어 수술계획을 세우거나 실제 수술을 시행할 때 많은 어려움이 따른다.

일반적인 수술원칙은 악성도가 낮은 종양에서는 이환율(morbidity)을 최소화하는 범위 내에서 절제하는 것이 좋고, 악성도가 높은 종양에서는 필요하면 안구적출(orbital exenteration)이나 개두술(craniotomy)을 포함하여 광범위하게 적출하는 것이다. 근치적 목적의 치료를 위해서는 삶의 질에 어느 정도 문제가 되더라도 광범위한 절제를 하여야 하지만, 역설적으로 삶의 질 때문에 방사선 치료와 항암요법만으로 치료하기도 한다. 따라서 환자의 전신상태가 복잡한 수술을 견딜 수 있을 것인가, 환자가 술 후에 초래되는 외형적이고 기능적인 장애를 신체적 또는 심리적으로 극복하고 적응할 수 있을 것인가, 수술과 방사선 치료와 항암요법을 모두 시행할 수 있는 시설인가 등 모든 조건을 고려해서 치료방법을 선택하여야 한다.

1. 비강 악성 종양의 수술 치료

비강 악성 종양은 종종 광범위 부분 절제술(wide local excision)을 통해 수술적 치료가 시행되며 종양 원발 부위 주변에서 종양세포가 존재하지 않는 조직을 포함하여 절제하는 것이다. 종양이 비중격을 침범하고 반대쪽 비강으로 진행된 경우는 비중격의 전절제 혹은 부분적 절제가 포함되어야 한다. 종양이 비강의 외측벽에 존재하는 경우는 부분절제술보다는 내측상악절제술(medial maxillectomy)을 통해 종양을 제거해야 하고 종양의 병기에 따라 비강 피부 절개 및 외부 접근법를 통해 골조직과 연조직을 종양과 함께 제거한다. T1, T2 병기의 종양은 내시경을 이용한 내측상악절제술 및 구순하안면중심접근법(midfacial degloving approach) 등 피부 절개 없는 접근법을 통한 종양 제거 혹은 상악절제술이 시행되기도 한다. 종양이 피부 혹은 피부하조직까지 침범한 경우는 외비절제술(rhinectomy)이 병행되어야 하며 종양 제거 수술 후 미용적 목적으로 재건술 및 비성형술이 시행된다.

부비동에 발생한 경우보다 증상이 더 빨리 출현하기 때문에 일반적으로 예후가 좋다. 비전정에 발생한 종양의 경우 수술은 안면변형을 초래하므로 방사선 치료를 우선 선택하지만, 매우 초기에 종양의 크기가 작아 안면변형이 거의 예상되지 않는 경우 또는 너무 진행되어 방사선 치료 단독으로는 완치가 어려울 것으로 생각되는 경우에는 수술을 하기도 한다.[8,27] 절제수술 후 조직검사에서 절제연에서 종양세포가 양성일 경우에는 수술 후 방사선 치료를 병행한다.

2. 상악동 악성 종양의 수술 치료

상악동 기원 악성 종양은 비부비동에 발생하는 악성 종양 중 가장 높은 비율을 차지하며 상악동에 국한된 경우에는 방사선 단독 또는 수술 단독으로 치료가 가능하지만, 대부분 발견 시 병기가 T3나 T4이기 때문에 수술과 방사선치료 및 필요할 경우 항암요법까지 포함시키는 다병용요법(multimodal therapy)이 생존율을 향상시킨다.

1) 수술 요법

상악암은 병기가 진행되고 나서 발견되는 수가 많지만 경부 림프절 전이나 원격전이는 다른 두경부암에 비해 흔하지 않기 때문에 국소 종양의 억제가 치료의 성패를 좌우하게 된다. 또한 발생부위의 해부학적 조건이 매우 복잡하여 안와나 두개저에 접하고 있기 때문에 다른 두경부 악성종양과는 달리 이론적으로 안전하고 충분하게 절제하는 것이 불가능한 경우가 많다. 뿐만 아니라 상악암은 그 치료부위가 안면이라는 미용상의 제약이 뒤따르고 시각, 미각, 후각 등의 중요한 감각기가 인접해 있으므로 이들의 기능에 중요한 영향을 미칠 뿐만 아니라, 의사소통을 담당하는 언어의 구음기능에도 영향이 있기 때문에 이러한 점들을 감안하면 신체 타부위의 암종 치료보다도 형태와 기능을 보존하는 일이 중요하다. 그러나 기능과 형태의 보존도 중요한 문제이나 완전 치료를 목적으로 하는 이상은 다소의 기능과 형태에 영향을 미치더라도 적절한 술 전 치료를 시행한 후에 최소한의 수술상의 안전권을 설정하여 암종의 완전적출을 시행하도록 하는 것이 최선이다.

수술 전에 반드시 결정하여야 할 사항은 일괴로 적출하기 위해서 골조직과 연조직을 어디까지 절제할 것인가, 종양의 노출을 충분히 하기 위하여 어떤 접근법을 선택할 것인가, 악안면의 기능과 미용을 어떻게 보존할 것인가, 보철물(prosthesis)은 어떻게 부착할 것인가, 연조직 결손 등을 어떻게 복구할 것인가 등이다.

종양의 원발 부위와 침범범위에 따라 다양한 수술방법과 접근법이 이용될 수 있는데, 기본적인 수술방법은 부분 상악절제술(partial maxillectomy)과 상악전적출술(total maxillectomy)로 나눌 수 있다. 부분 상악절제술에는 내측 상악절제술(medial maxillectomy), 상부구조 상악절제술(suprastructure maxillectomy), 하부구조 상악적제술(infrastructure maxillectomy) 등이 포함된다(그림 33-1A). 이 모든 기본 술식에 종양의 침범 정도에 따라 안구적출(orbital exenteration), 측두하와 절제술(infratemporal fossa dissection), 개두술(craniotomy), 반대측 상악절제술(contralateral maxillectomy) 등이 추가될 수 있다.[1,6,7,28]

(1) 내측 상악절제술

비강의 측벽에서 발생한 악성 종양 중 안구, 전두개와, 상악측벽, 치조 등이 침범되지 않았을 때 시행한다. 접근방법으로 외측비절개술(lateral rhinotomy), 구순하안면중심접근법(midfacial degloving approach), Denker 술식의 확장 등이 있다. 절제범위는 비강의 측벽과 상악동의 내측 및 상벽과 사골동의 대부분이나 접형동까지 접근이 가능하다. 일괴로 적출이 가능하며 미용면에서도 결과가 좋으나, 후방과 상방 절제연이 불확실한 것이 한계점인데 수술 도중 동결절편으로 확인해야 한다. 수술 후 수개월 동안 비강 내 가피가 생기며, 내안각과 비루관이 절단된 경우 복구해야 한다(그림 33-1B). 내측 상악 절제술은 상악동의 내측벽, 사골동(ethmoid sinus)의 일부, 안와벽(lamina papyracea), 눈물뼈(lacrimal bone), 안와하신경(infraorbital nerve)의 내측 안와저, 비루관(nasolacrimal duct), 그리고 비갑개(turbinate)를 절골술에 의해 종괴와 함께 일괄적으로 제거하는 술식이며 제거 후 출혈되는 부위를 확인하여 지혈을 시행하고 필요한 경우는 동결절편의 확인을 시행한다. 동결절편의 조직검사 소견상 종양, 특히 악성 종양이 관찰되는 경우는 내시경 등과 컷팅 겸자(cutting forceps)를 이용하여 단편절제(piecemeal resection)를 시행한다. 특히 종양이 전두동, 사골동의 안와위(supraorbital ethmoid) 부위, 눈물와(lacrimal fossa) 등에 퍼져있는 경우는 내측 상악 절제술 후에 재발율이 상대적으로 높으므로 수술 후에 주의를 요한다. 상악동의 내벽과 하비갑개 부위에 국한된 종양에 대하여 중비도 아래부위만 제거하는 하부내측상악절제술(inferior medial maxillectomy)과 비루관을 보존하면서 그 윗부분을 제거하는 상부내측상악절제술(superior medial maxillectomy)로 변형하여 절제범위를 축소할 수도 있다.

(2) 상부구조 상악절제술

악성 종양이 사골동, 안와, 상악동의 상부 등에서 발생하였을 경우에 시행하며 두개 내로 진행되었을 때에는 두개골절제술을 병행하여 두개안면절제술(craniofacial resection)을 시행하기도 한다. 절제범위는 안와저부, 안와내용, 사골동, 상악동의 상부로 상악동 내벽, 하비갑개, 비루관, 구개를 보존할 수 있다(그림 33-1C).

(3) 하부구조 상악절제술

사골동이나 상악동 상벽의 침범을 보이지 않고 상악동의 하부, 즉 하벽, 경구개, 상치조릉(alveolar ridge)에 국한된 종양의 경우에 시행한다. 전상악절제술과 유사한 절개법으로 수술을 하기도 하지만 경우에 따라서는 외측비절개술, 구순하안면중심 접근법으로 접근하며 구강 내 접

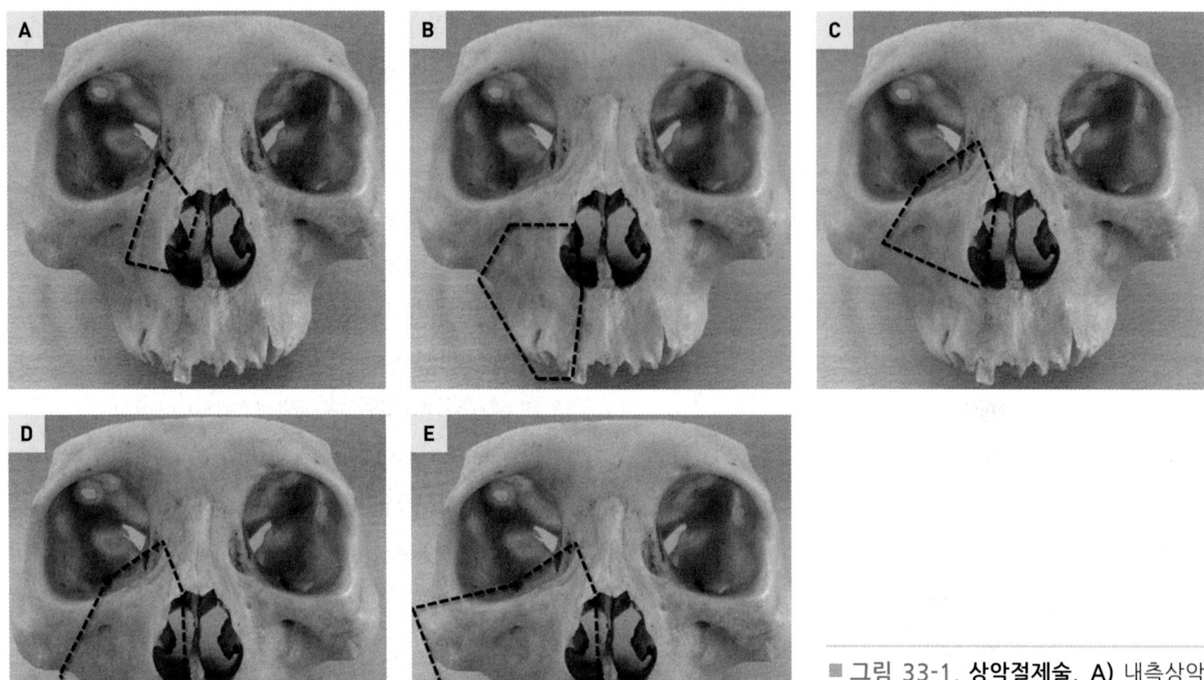

■ 그림 33-1. **상악절제술.** **A)** 내측상악절제술, **B)** 하부구조 상악절제술, **C)** 상부구조 상악절제술, **D)** 전상악절제술, **E)** 근치적 상악절제술

근법으로도 수술이 가능하다. 안와하연 하부의 상악을 경구개를 포함하여 완전히 적출한 후 보철물(prosthesis)로 비강과 구강을 분리하고 필요에 따라서 피판을 이용하여 경구개 결손 부위를 재건한다(그림 33-1D).

(4) **전상악절제술**

상악암의 수술적 치료를 시행할 때 전형적인 수술방법으로서 종양의 범위를 잘 파악하고 안구보존 여부를 신중히 고려하여야 한다. 절제범위는 사골동, 경구개, 익상돌기와 익상근, 안와 내용물(안와침범의 경우) 등을 포함하여 상악을 일괴로 적출한다(그림 33-1E).

수술적 접근법은 안검하부에 횡절개(subciliary incision)를 포함한 Weber-Fergusson 절개로 노출하며(그림 33-2A), 안와내용 적출을 동시에 시행할 때는 안검상부에 횡절개를 같이 시행한다. 치은협부절개(gingivobuccal incision)는 동측의 상악결절(maxillary tuberosity)까지 연장한다.

하안검의 피부절개는 속눈썹선'cliary line'에서 3~4 mm 하연을 따라 외안검에서 내측으로 Weber-Fergusson 절개와 만나도록 연결한다.[13,18] 안륜근을 박리하고 안와격막(orbital septum)에 절개를 가한 후 안와골막에 손상을 주지 않도록 조심스럽게 박리하면 안와하벽을 노출할 수 있다. 안와골막이 손상을 받으면 지방이 밀려나와 수술시야를 가리게 되므로 조심해야 하며 지방이 밀려나왔을 경우에는 전기소작한 후 안와골막을 봉합하고 수술을 진행하면 된다. 안와내용물은 내하측에서 외측방향으로 안와골막(periorbita)을 포함하여 박리하여 누낭(lacrimal sac), 선·후 사골동맥(anterior and posterior ethmoidal arteries), 안와하열(infraorbital fissure)을 노출하는데, 가능하다면 전·후 사골동맥 보다 아래로 절골선을 만들어 전기소작을 피하며 부득이한 경우에는 전기소작을 시행한다.

이상와에서 비골과 상악골의 전두돌기를 가로질러 안와연을 향해 진동톱(oscillating saw) 혹은 절골도(osteotome)를 이용하여 비상악절골(nasomaxillary osteotomy)을 시작한다.[17] 절개는 눈물오목(lacrimal fossa)까지 진행하며 눈을 제거하지 않는 경우에는 누낭을 눈물오목으로부터 작은 scissors를 이용하여 박리하고 비눈물관을 절제한 후에 주변 정상 점막에 봉합(marsupialization) 한 후 절골도(osteotome)를 이용하여 안와내벽절골술을 시행한다. 안와내벽절골은 안와지판을 따라 후사골동맥의 후방 3~4 mm까지 절단하는데 이 때 전·후 사골공(anterior and posterior ethmoidal foramina)은 사상판(cribriform plate)과 사골동 상벽(ethmoid roof)에 위치하므로 뇌기저부의 높이를 판단하는 중요한 해부학적 구조물이다. 전·후 사골공의 위쪽으로 절골하게 되면 뇌실질에 손상을 주거나 뇌척수액비루가 생기게 되므로 안와내벽의 절골 시에는 사골공의 아래쪽에서 시행해야 한다.[17] 안와내벽절골선의 뒤쪽은 안와하열과 연결시키고 협골주(zygomatic buttress)는 안와하열로 Gigli saw를 넣어 절단한다(그림 33-2B).

경구개와 치조돌기를 절단할 때는 먼저 연구개와 경구개의 경계면을 따라 점막을 절개한다. 경구개 절단은 암종이 있는 쪽에 방정중(paramedian) 점막절개를 가하고 점막을 들어올린 후 Gigli saw를 코안에서 입안(경구개와 연구개의 정중앙 연결부위)까지 관통시켜 정중선에서 절골을 시작하고 경구개의 중간 부위부터 방향을 미리 발치한 치아부위로 변경하면서 절골술을 진행하는 것이 좋다. 가능한 한 경구개와 치아를 많이 보존하는 것이 좋은데 특히 상악 전부(premaxillary segment)를 보존하는 것이 보철물의 지지, 고정에 유리하며 견치(canine teeth)는 뿌리가 길고 골지지가 좋기 때문에 보존할 경우 매우 유용하다. 치조돌기의 절골 시에 남게 되는 제일 가장자리의 치아는 보철물 착용 시 힘을 가장 많이 받기 때문에 뼈에 단단히 박혀 있어야 하므로 가능한 한 멀리서 절단하는 것이 좋다. 따라서 절제범위에 포함되는 치아를 제거한 다음 제거한 치아의 socket을 지나도록 절단한다(그림 33-2C). 남아있는 점막으로 잘라진 뼈의 표면을 덮어주면 상처의 치유가 빠르며 추후 보철의 고정을 쉽게 하는데 도움이 된다.[18]

익돌판과 상악동의 접합부위는 가장 마지막에 휘어진 절골도(curved osteotome)를 사용하여 절골한다. 상악골의 후벽이 침범되지 않았을 때는 상악골의 후벽에서 익돌판을 분리하면 되는데 보통 두 가지의 방법이 있다. 하나는 외익돌판을 확인한 후 바깥쪽에서 안쪽으로 절골하는 방법이며 다른 하나는 익상돌기(pterygoid hamulus)를 촉진하여 위치를 파악한 후 아래에서 위쪽으로 절골하는 방법이다. 그러나 후자는 상악동 뒷벽을 남기게 되는 경우가 흔히 발생하게 되어 바람직하지 않고 바깥쪽으로부터 절골을 시행하는 것이 좋다. 상악동의 후벽이 침범되었을 때는 익돌판을 주위 근육들로부터 박리한 후 익돌판을 포함하여 절제한다(그림 33-2D). 익돌판을 분리함으로써 시료는 위아래로 움직일 수 있게 되는데 이를 전하방으로 당겨 마지막으로 붙어있는 사골동부위의 점막과 익돌근을 굽은 가위 및 Bipolar scissors, Harmonic scalpel 등의 기구로 절단하면 출혈을 줄이면서 병변이 완전 적출된다.[18] 익돌판 절골전에 상악동맥을 찾아 결찰하면 수술 시 출혈을 줄일 수 있으나 반드시 시행할 필요는 없으며 시료를 완전적출한 후 상악동맥의 솟아오르는 동맥출혈을 보고 결찰해도 된다. 단, 다른 부위의 절골술이 완전하게 되지 않은 상태에서 성급하게 익돌판 절골을 시행하게 되면 불완전하였던 절골술을 다시 시행하느라 시간이 소모되어 그동안 상악동맥에서 과다출혈이 생길 수 있으므로 주의해야 한다.

적출술 후 안면의 연조직을 포함한 모든 노출면(raw surface)은 부분층피부이식을 하여 덮어준다. 피부이식을 하면 술후 안면부의 수축을 최소화할 수 있으며, 보철물에 의한 마찰에도 더 잘 견디게 된다.

익돌판, 전체 협골, 그리고 연구개를 절제범위에 포함한 경우 근치적 상악절제술(radical maxillectomy)로 명

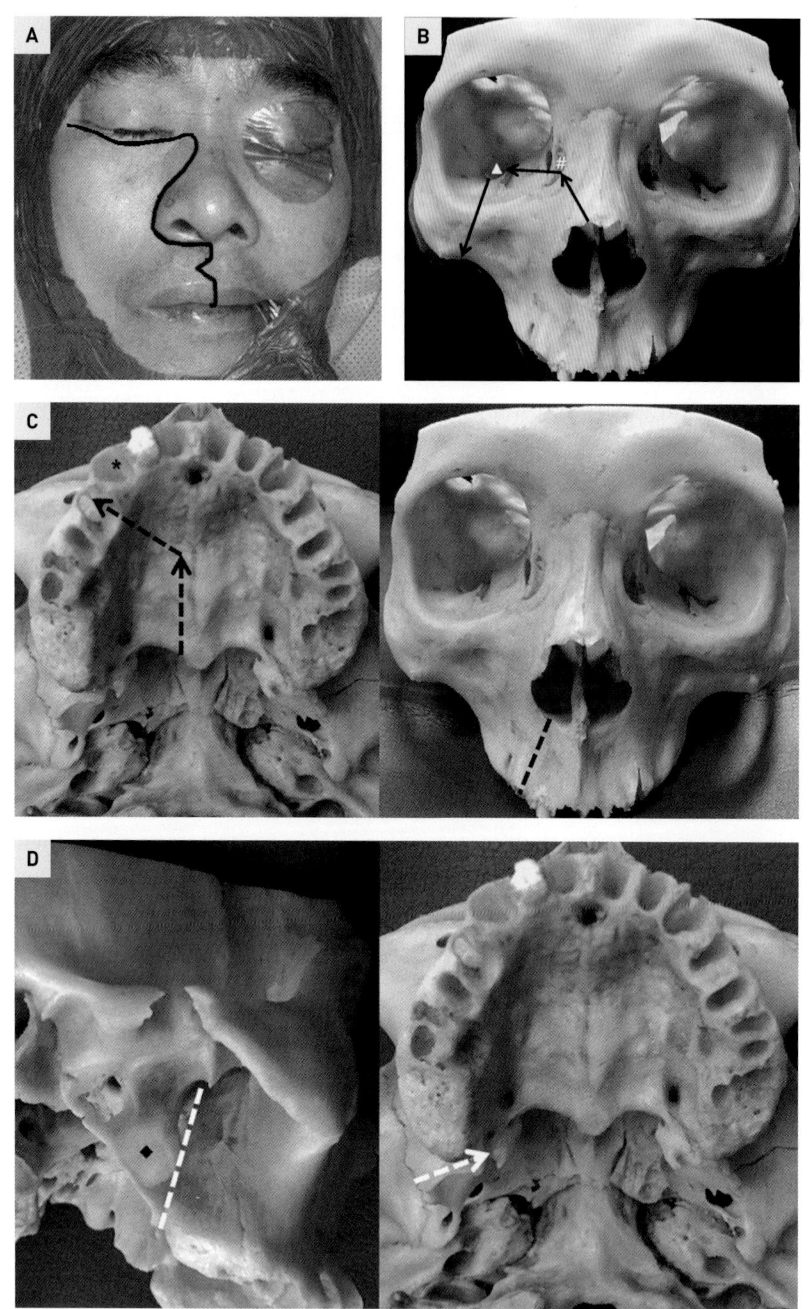

■ 그림 33-2. **전상악절제술. A)** Weber-Fergusson 절개, **B)** 안면부 절골(#: 눈물와(lacrimal fossa), △: 안와하열(infraorbital fissure), **C)** 경구개 절골(*: 소구치 소켓(premolar socket)), **D)** 익돌판 절개(◆: 외익돌판(lateral pterygoid plate))

명한다.

(5) 두개안면절제술

전두개저를 침범한 광범위한 종양에서 시행하는 데 신경외과와 이비인후과가 같이 수술에 참여하여 노출을 충분히 함으로써 완전 수술적 절제가 가능하므로 치료성적을 높일 수 있는 수술이다. 정확한 절제범위와 적응증에 대해서는 아직까지 확립되지 않은 상태이나 신경외과에서는 양측 관상절개(bicoronal incision)와 개두술(craniotomy)을 시행하여 경두개접근(transcranial approach)으로, 이비인후과에서는 경안면절개(trasnfacial incision)를 가하여 수술을 시행하는데 종양의 침범 정도에 따라 내측 상악절제술, 상악전적출술, 안구적출술 등으로 종양을 적출한 후 경막 결손을 재건한다. 최근에는 종양의 범위에 따라 흉터 없이 코 안으로 시행되는 내시경을 이용한 두개안면절제술이 점차 보편화되고 있는 추세이다.

(6) 내시경을 이용한 종양절제술

최근에는 내시경을 이용하여 종양을 직접 보면서 시행되는 종양절제술이 많이 시도되고 있다. 내시경 종양절제술은 정상 조직의 손실과 손상을 줄일 수 있고 피부 절개 없이 시행되며 수술 후 빠른 회복이 가능한 장점이 있다. T1, T2 병기의 비교적 작은 종양의 절제술에 이용되며 T3,T4 병기의 큰 종양에서도 환자의 전신 건강이 상악절제술을 받는데 충분히 건강하지 않으면 내시경 수술을 시행해 볼 수 있다. 내시경을 이용한 내측상악절제술은 상악 내측벽에서 기원한 종양의 치료에 이미 보편적으로 시행되고 있고 최근에는 진행된 병기의 상악암 치료에 있어서 내시경 절제술이 방사선 치료와 병합하여 시행되고 있고 긍정적인 치료 성적이 여러 의료기관에서 보고되고 있다.[9]

(7) 재건과 재활

수술 후 남은 결손의 정도에 따라 수술 당시 재건을 할 것인지 아니면 보철물을 사용한 재활을 할 것인지를 결정해야 한다.

구개 결손은 수술적 재건보다는 보철물(obturator prosthesis)을 넣는 것이 추적관찰 시 수술부위를 직접 관찰할 수 있기 때문에 재발을 조기 발견할 수 있으며, 기능면에서도 우수하다. 2 cm 이하의 작은 결손은 피판을 이용하여 재건할 수도 있지만 그 이상의 경우에는 오히려 재건한 구개의 모양이 변형되고 혀가 움직일 수 있는 공간이 줄어들기 때문에 오히려 구음, 연하장애를 초래할 수 있다. 특히 연구개의 경우 재건 조직은 신경조직이 없어 구개인두폐쇄(velopharyngeal closure)를 오히려 방해하므로 재건술을 시행하지 않는다.

수술 직후에는 술전에 치과 보철의와 상의를 통해 미리 제작해 둔 외과적 폐쇄장치(surgical obturator)를 착용한다. 창상 치유과정에서 생기는 창상 수축에 따라 쉽게 변형할 수 있는 임시 폐쇄 장치(interim obturator)를 사용하다가 창상치유가 끝나고 흉터 수축이 어느 정도 끝나는 술 후 4~6주 후에는 최종 보철물(definite prosthesis)을 만들어 사용하게 된다.[15] 안와하벽을 제거한 경우 유경 측두근(pedicled temporalis muscle)이나 대퇴근막 자유피판(free fascia lata graft)으로 안와하벽을 보강하여 안구함몰의 발생을 예방할 수 있고 이러한 피판 수술은 경구개의 결손 부위를 보강하는 데도 이용될 수 있다.

두개안면절제술 후 생긴 두개저의 결손은 술 후 감염, 뇌척수액 유출, 기뇌 등의 위험이 있으므로 이를 예방하기 위한 두개저의 재건이 반드시 필요하다. 경막 봉합 후 비중격 피판(nasoseptal flap), 두개골막 피판(pericranial flap), 모상건막 피판(galeal flap), 측두근 피판(temporalis flap), 복직근 피판(rectus abdominis flap), 광배근피판(latissimus dorsi flap) 등으로 재건할 수 있다.

안면골격의 결손이 큰 경우에는 복합피판으로 재건할 수 있으며 복직근 유리 피판과 장골릉(rectus abdiminis free flap with iliac crest), 광배근 피판과 늑골(latissimus dorsi flap with rib), 견갑 근막 피판(scapular fasciocutaneous flap) 등을 사용할 수 있다.

2) 방사선 요법

(1) 방사선 단독요법

하악과는 달리 상악은 방사선에 잘 견뎌서 방사선성 골괴사(osteoradionecrosis)는 잘 발생하지 않는다. 종양이 후방에 위치하거나 안면부 연조직 등을 침범하여 경부림프절 전이의 가능성이 높을 때에는 후인두림프절과 경부림프절을 포함하여 조사한다. 그러나 고전적 방사선 치료는 부비동처럼 공기가 차 있는 공간에서는 충분한 조사량이 주어지는지 예측하기가 힘들며, 전방과 측방에서 나누어 조사한다 하여도 사골동과 상악동의 후방에는 충분한 양이 도달하지 못하면서 오히려 안구와 시신경에 합병증만 일으킬 수 있다. 최근에는 안구로 가는 방사선 양은 줄이고 복잡한 침범을 보이는 경우에도 비교적 균일한 양의 방사선을 보다 정교하게 조사할 수 있는 강도변조방사선치료(intensity modulated radiation therapy; IMRT)가 더 보편적으로 시행되고 있다.

(2) 수술과의 병합요법

술 전 조사는 종양을 축소하여 수술범위를 줄일 수 있으나, 수술 당시 안전한 절제연을 결정하기 힘들고 수술 후에는 상처치유 문제와 같은 술 후 합병증이 발생한다. 술 후 조사는 수술 후 암세포 잔존이 의심될 경우 시행하는데 수술로 치유된 반흔조직 내 산소량이 감소하게 되어 방사선치료 효과가 떨어지는 단점이 있다.

(3) 고식적 방사선조사

너무 진행되어 수술이 불가능한 경우 또는 수술 후에 재발하였으나 수술이 불가능할 경우에 부득이하게 고식적 방사선치료(palliative radiation therapy)를 시행한다.

3) 항암화학요법

고식적인 목적이나 통증을 경감하기 위해 또는 종양 자체를 축소시키기 위해 시행한다. 수술을 거절하거나 수술을 견뎌낼 수 없는 상태, 그리고 수술이 불가능한 경우 방사선 치료와 병행하여 시행될 수 있다. 최근 꾸준히 치료 성적이 보고되고 있는 화학방사선 동시요법(concomitant chemoradiotherapy; CCRT)은 국소적으로 광범위하게 진행된 종양에서도 합병증의 증가 없이 높은 국소치료율이 보고되고 있어,[24] 종양이 아주 크거나 수술이 불가능한 경우에는 두개안면절제술이나 고식적인 방사선치료보다 더 나은 국소치료 성적과 낮은 이환율을 보일 것으로 기대된다.[25]

천측두동맥(superficial temporal artery) 경유 동맥 내 항암제 국소주입요법과 방사선조사 그리고 상악 부분절제술(partial maxillectomy)을 주체로 하는 삼자병용 치료방법은 일본에서 주로 소개되어 발전되었다. 사용약제로는 주로 5-FU가 사용되고 있으며, 약물과 동시에 방사선조사를 시행하면서 매일 상악동의 개동(open cavity)부분을 통해 괴사조직을 청소하다가 적절한 시점에 축소수술(decompression surgery)을 시행하고 필요에 따라 방사선 조사나 화학요법을 추가한다. 안구와 경구개는 보존하면서도 치료성적이 양호한 치료법으로 보고되고 있다.[1,2]

II 진행된 암의 치료

1. 안와 침범

비부비동 종양은 다음 3가지 경로를 통해 안와로 침범한다. 첫째, 안와의 하부나 내측 골벽으로의 직접적인 침윤, 둘째, 하안와신경·혈관속(infraorbital neurovascular bundle) 또는 사골신경·혈관속 등을 통한 침습, 셋째, 안와하열이나 비누루관과 같이 이미 형성된 경로 등을 통한 침습이다.

과거의 상악암 수술은 기본적으로 안구적출과 함께 상악전적출술을 시행하는 것이었으나, 근래에는 상악절제술 시 가능한 한 안구를 선택적으로 보존하는 경향이다. 1970년대에는 안와골벽만 침범하여도 진행된 암으로 간주하여 안구적출의 적응증으로 생각하였으나,[10] 1980년대부터는 안와골벽이 아니라 안와골막(periorbita)이 안구 보존 여부를 결정짓는 주요 구조물이라 인지되었다.[14] 이

후에는 안와골막의 침범이 있더라도 광범위한 안와골막 침범만 없다면 안구보존을 할 수 있고,[19,23,22] 안구적출을 한 경우와 비교해서 생존율과 국소재발에는 차이가 없다는 보고가 있다.[11,20,5] 현재는 안와골막을 넘어서 안와지방(orbital fat), 외안근(extraocular muscle), 안와첨부(orbital apex), 안검(eyelid)을 침범한 경우에 안구적출의 적응증으로 받아들여지고 있다.

술 전 CT촬영으로 안와골벽의 침습 정도를 파악하고, MRI촬영으로 안와골막과 이를 넘어선 안와내용물 침범 여부를 확인하면 수술계획을 수립하는 데 도움이 된다. 특히 안와골막은 암의 침범에 강한 방어구조물이므로 MRI촬영으로 안와골막의 침습여부를 판단하는 것이 중요하다.[12] 그러나 궁극적으로 안와침범 여부의 판단은 수술 중에 반드시 확인하여야 한다.

2. 경부전이

처음 진단 당시 경부림프절 전이가 발견되는 빈도는 약 10% 정도이다. 치료 도중 또는 추적관찰 중 발견되는 것까지 합하면 경부전이는 5~44%까지 더 높아지고, 치료 후 처음 48개월 동안에 가장 흔하다.[3,21] 치료 실패의 원인으로 경부림프절 전이가 국소 재발 다음으로 흔한 원인이나, 경부림프절 단독의 재발은 드물고 보통 원발부의 국소재발에 동반된다. 첫 진단 시 림프절 전이를 보일 경우 예후는 더욱 불량하지만 림프절 전이가 있더라도 원발부위에 대한 근치적 절제수술에 소극적일 필요는 없으며 경부곽청술과 함께 시행한다. 예방적 경부곽청술은 아직 명확한 기준에 대해서는 논란이 있으며, 병기가 높거나 구강을 침범하는 경우에는 고려해 볼 수 있다.[4,16,30]

3. 익돌구개와 침범

비강과 부비동 악성 종양에 의한 익돌구개와(pterygopalatine fossa) 침범빈도는 10~20%로서 익돌구개와에 침범되었다면 국소재발의 가능성이 대단히 높다. 일반적으로 근치적 절제술과 방사선 치료의 병행요법이 추천된다.

4. 두개저침범

두개저의 침범은 두개저 골벽으로의 직접 침윤이나 미란, 사골판이나 안와상열과 같은 이미 형성된 경로, 제5번 뇌신경의 2, 3분지를 통해서 침범된다. 비부비동 종양의 두개저 침범 빈도는 약 15% 정도이고 상악동보다는 사골동, 전두동, 접형동에 종양이 있을 경우에 빈도가 높다. CT촬영과 MRI촬영으로 침범부위를 정확히 파악할 수 있고, 두개저 재건에 필요한 피판술이 발전되어 두개안면절제수술 자체의 이환율과 사망률이 많이 낮아졌으나, 질환으로 인한 생존율은 큰 차이를 보이지 않고 있다. 두개안면절제술의 절대적 금기는 내과적이나 영양적인 문제, 원격전이, 척추전근막(prevertebral fascia)의 침범, 고악성도 종양의 해면정맥동 침범, 경동맥의 침범, 양측 시신경이나 시교차(optic chiasm)의 침범 등이 있는 경우이다. 상대적 금기에는 선양낭성암종(adenoid cystic carcinoma)에 의한 두개 내 신경조직의 침범이 있는 경우가 있다.

Ⅲ 합병증

1. 수술의 합병증

상악절제술 중 비루관이 제거되거나 술 후 협착으로 인하여 유루증이 발생한다. 비루관이 제거된 경우에는 누낭비강문합술을 시행하여 술 후 유루증의 발생을 예방할 수 있으며 이때에는 12주 정도의 삽관이 필요하다. 외안근의 손상이나 외안근 포착(entrapment)에 의한 복시가 발생할 수 있으며 외안근 포착의 경우는 외과적 유리술이 필요하다. 안구 조작이나 절골술로 인해 시신경이 압박을 받아 실명이 발생할 수 있으며 이때는 고용량 스테로이드 요법과 함께 응급 안구감압술이 필요하다. 안와의 하부나 내측 골벽을 모두 제거하면 심각한 안구함몰(enophthalmos, hypoophthalmos)을 야기하므로 재건하여야 한다.

2. 방사선치료의 합병증

고전적 방사선 치료에 의한 합병증은 대단히 높다. 안구에 대한 침범이 없을 경우 안검, 결막, 누선, 각막, 각막과 수정체를 포함한 안구 전방구조물은 차폐가 가능하나 안구에 대한 침범이 있을 경우 안구 전체가 방사선 조사영역에 포함된다. 전방구조물을 차폐한 경우에는 술 후 3~5년째 지연성으로 망막병증이나 시신경병증이 발생하게 되는데 이는 망막과 시신경 자체가 방사선에 저항성이 있으나 미세혈관은 저항성이 없기 때문이다. 안구전체가 방사선조사를 받은 경우에는 안구건조증으로 인한 각막염, 전안구염(panophthalmitis), 1년 내에 실명이 발생하게 된다. 항암화학요법, 당뇨, 동맥경화가 있는 경우에는 방사선에 의한 합병증이 더 잘 발생한다. 합병증의 빈도는 총 방사선 조사량와 분할조사량에 비례한다. 3,500 cGy 이하에서는 이런 합병증들이 드물게 일어나지만 6,000~7,000 cGy의 경우 50~65%, 8,000 cGy의 경우에는 85% 이상에서 발생한다. 최근에는 강도변조방사선치료가 도입됨으로써 안구로 가는 방사선량을 줄이고 비교적 균일한 양의 방사선을 조사할 수 있게 되어 기존의 고전적 방사선치료 후유증을 상당히 줄일 수 있게 되었다.

3. 창상

출혈, 감염, 피판 소실, 방사선골괴사 등의 합병증이 발생할 수 있다. 비강 내의 가피는 감염을 유발할 수 있으므로 제거가 필요하며 잦은 비강 내 생리식염수 세척을 통해 비강 위생을 유지할 수 있다. 봉와직염, 비강 내 감염 등이 정맥혈을 통해 역행성으로 파급되면 뇌막염이나 뇌농양이 발생한다. 피판 소실에 의해 뇌척수액 누출, 긴장성 기뇌증, 뇌막염, 뇌농양 등의 뇌기저부의 합병증이 드물게 발생할 수 있다.

 예후

상악동 종양 자체가 발견이 늦고 진행이 빠르며 효과적인 치료법이 아직 확립되지 않은 관계로 예후는 불량한 편이다. 하지만 두개저 수술의 발전, 내시경의 도입, 병용항암요법의 발전 그리고 강도변조방사선치료와 같은 방사선조사기법의 발달에 힘입어 지난 40년간 최종 생존율(overall survival)은 증가하고 있는 경향이다.[26] 비강 및 부비동 악성 종양의 전반적인 치료 성공률은 1기 종양의 경우는 5년 생존율이 약 63%, 2기, 약 61%, 3기, 약 50%로 보고되고 있으며 4기의 종양은 5년 생존율이 30% 미만이다.[29] 종양 치료의 실패 원인은 경부나 전신전이보다 국소재발이 가장 흔하므로 원발부위에 대한 내시경 관찰과 CT, MRI의 정기 검진이 필수적이다.

 비부비동악성종양의 치료 결정 시 주요 고려 사항

1) 대부분의 종양은 진행된 상태로 발견되므로 특정 치료 단일 요법보다는 병행 요법을 통한 치료가 초치료부터 고려되어야 한다.
2) 종양이 안와 내로 침범한 경우 안와에 대한 적극적인 치료(안구적출술, 안구주변 방사선 치료)가 생존율 향상 및 재발율을 낮추는 데 도움이 된다.
3) 주변 인두 조직 혹은 경부임파선 전이가 발견된 경우는 초치료부터 적극적으로 치료하는 것이 치료 성공

률을 향상시키는 데 도움이 된다.

4) 술 전 항암치료는 종양의 T 병기를 낮추는 데 분명히 도움이 되고 수술의 범위를 줄일 수 있어서 광범위 수술로 인해 발생할 수 있는 기능적, 미용적 문제의 발생을 예방할 수 있으므로 적극적으로 고려한다.

5) 종양의 치료방법을 결정하는 데 있어서 이비인후과, 방사선종양학과, 종양내과, 성형외과, 치과, 종양치료전문간호사 등이 참여하는 다전문분야접근팀(multidisciplinary team)의 역할이 중요하다.

참고문헌

1. 성명훈, 조재식, 노환중, 이철희. 비강 및 부비동 종양. 민양기 편. 임상비과학. 서울:일조각, 1997, p.459-506.
2. 조재식, 이종원. 상악암에 대한 병용요법. 서울 심포지움 1995;5(Ⅱ):353-371.
3. Batsakis JG. In Tumors of the head and neck. Baltimore: Williams & Wilkins Company, 1979.
4. Cantù G, Bimbi G, Miceli R, Mariani L, Colombo S, Riccio S, Squadrelli M, Battisti A, Pompilio M, Rossi M. Lymph node metastases in malignant tumors of the paranasal sinuses: prognostic value and treatment. *Archives of Otolaryngology-Head & Neck Surgery* 2008;2:170-177.
5. Carrau RL, Segas J, Nuss DW, et al. Squamous cell carcinoma of the sinonasal tract invading the orbit. *Laryngoscope* 1999;109:230-235.
6. Carrau RJ, Myers EN. Neoplasms of the nose and paranasal sinuses. In: Bailey BJ(ed). Head and Neck Surgery-Oto-laryngology, 2nd ed. Philadelphia: Lippincott-Raven Publi-shers, 1998, p.1445-1469.
7. Cody DT Ⅱ, Desanto LW. Neoplasm of the nasal cavity. In: Cummings CW, Fredrickson M, Harker LA, Krause CJ, Richardson, MA, Schulller DE(eds). Otolaryngology-Head and Neck Surgery, 3rd ed. St. Louis: Mosby Year Book, 1998, p.883-901.
8. Daele JJ, Poorten VV, Rombaux P, Hamoir M. Cancer of the Nasal Vestibule, Nasal Cavity, and Paranasal Sinuses. B ENT 2005;1:87-96.
9. Hanna E, DeMonte F, Ibrahim S, Robers D, Levine N, Kupferman M. Endoscopic resection of sinonasal cancers with and without craniotomy: oncologic results. *Archives of Otolaryngology-Head & Neck Surgery*, 2009;12;1219-1224.
10. Harrison DF. Problems in surgical management of neoplasms arising in the paranasal sinuses. *J Laryngol Otol* 1976;90:69-74.
11. Imola MJ, Schramm VL Jr. Orbital preservation in surgical management of sinonasal malignancy. *Laryngoscope* 2002;112:1357-1365.
12. Kim HJ, HS Lee, Cho KS, et al. Periorbita: Computed tomography and magnetic resonance imaging findings, *Am J Rhinol* 2006;20:371-374.
13. Koch WM, Price JC. Maxillectomy. In: Johns ME, Price JC, Mattox DE, editors. Atlas of head and neck surgery. Philadelphia: B.C. Decker; 1990. p.276-296.
14. Larson DL, Christ JE, Jesse RH. Preservation of the orbital contents in cancer of the maxillary sinus. *Arch Otolaryngol* 1982;108:370-372.
15. Markt JC, Salinas TJ, Gay WD. Maxillofacial prosthetics for head and neck defects.In: Cummings CW, Flint PW, Harker LA, Haughey BH, Richardson MA, Robbins MA, Schuller DE, Thomas JR(eds). Otolaryngo-logy-Head and neck surgery, 4th ed. St. Louis: Mosby-Year Book: 2005, p.1639-1668.
16. Montes DM, Carlson ER, Fernandes R, Ghali GE, Lubek J, Ord R, Bell B, Dierks E, Schmidt BL. Oral maxillary squamous carcinoma: an indication for neck dissection in the clinically negative neck. *Head & Neck* 2011;11;1581-1585.
17. Montgomery WW. Surgery of the maxillary sinus. In: Montgomery WW, editor. Surgery of the upper respiratory system. 2nd ed. Philadelphia: Lea & Febiger; 1971. p.209-255.
18. Myers EN, Carrau RL. Neoplasms of the nose and paranasal sinuses. In: Bailey BJ, Johnson JT, Kohut Rl, Pillsbury ⅢHC(eds). Head & neck surgery-otolaryngology. Philadel-phia: J.B. Lippincott Company, 1993, p.1091-1109.
19. Ohngren LG. Malignant tumours of the maxillo-ethmoid region. *Acta Otolaryngol* 1933; Suppl 19:1-4.
20. Perry C, Levine PA, Williamson BR, et al. Preservation of the eye in paranasal sinus cancer surgery. *Arch Otolaryngol Head Neck Surg* 1988;114:632-634.
21. Rice D, Stanley R. Surgical therapy of nasal cavity, ethmoid sinus and maxillary sinus tumors. In: Thawley S, Panje W, Batsakis J, Lindberg R(eds). Comprehensive management of head and neck tumors, vol. 19, Philadelphia: WB Saun-ders, 1987, p.368-390.
22. Robbins KT, Ferlito A, Silver CE, et al. Contemporary management of sinonasal cancer. *Head & Neck*. 2011;33(9):1352-1365.
23. Scott-McCary W, Levine PA, Cantrell RW. Preservation of the eye in the treatment of sinonasal malignancies with orbital invasion. A confirmation of the original treatise. *Arch Otolaryngol Head Neck Surg* 1996;122:657-659.
24. Taguchi T,Tsukuda M, Mikami Y, Matsuda H, Tanigaki Y, Horiuchi C, Nishimura H, Nagao J. Treatment results and prognostic factors for advanced squamous cell carcinoma of the head and neck treated with concurrent chemoradiotherapy. *Auris Nasus Larynx* 2009;2;199-204.
25. Tiwari R, van der Wal J, van der Waal I, et al. Studies of the anatomy and pathology of the orbit in carcinoma of the maxillary sinus and

their impact on preservation of the eye in maxillectomy. *Head & Neck* 1998;20:193-196.

26. Turner JH, and Douglas DR. Incidence and survival in patients with sinonasal cancer: A historical analysis of population - based data. *Head & Neck* 2012;6:877-885.
27. Wallace A, Morris CG, Kirwan J, Amdur RJ, Werning JW, Mendenhall WM. Radiotherapy for squamous cell carcinoma of the nasal vestibule. *American journal of clinical oncology*, 2007;6;612-616.
28. Weymuller EA, Gal TJ. Neoplasms.In: Cummings CW, Flint PW, Harker LA, Haughey BH, Richardson MA, Robbins MA, Schuller DE, Thomas JR(eds). Otolaryngo-logy-Head and neck surgery, 4th ed. St. Louis: Mosby-Year Book: 2005, p.1639-1668.
29. Weymuller EA. Neoplasms. In: Cummings CW, Fredrickson JM, Harker LA, Krause CJ, Schuller DE(eds). *Otolaryngo-logy-Head and neck surgery*, 2nded. St. Louis: Mosby-Year Book: 1993, p.941-954.
30. Zanation AM, Ferlito A, Rinaldo A, Gore MR, Lund VJ, Mckinney KA, Suarez C, Takes RP, Devaiah AK. When, how and why to treat the neck in patients with esthesioneuroblastoma: a review. *European Archives of Oto-Rhino-Laryngology* 2010;11;1667-1671.

CHAPTER 34

전두개저와 중두개저의 수술

이철희, 김성원

두개저는 뇌두개골(neurocranium)과 안면두개골(viscerocranium)이 접하는 부분으로서 해부학적으로 매우 복잡하고 중요한 구조물들이 얽혀 있다. 따라서 비강 및 부비동의 종양이 두개저를 침범한 경우 과거에는 외과적으로 접근할 수 없는 곳으로 간주되었으나, 최근 영상진단의 발달, 두개저 재건술의 발달, 이비인후과와 신경외과와의 협동 수술 등으로 현재는 보다 적극적인 수술적 접근이 가능해졌다. 최근에 들어서 내시경을 이용한 전두개와 중두개 수술 증가하고 있는 추세이며, 이에 가장 흔하게 시행되는 중두개저 경접형동 접근법은 이번 장에서 소개하고자 한다.

I 두개저의 해부학적 기초

두개저 수술에 대하여 이해하려면 먼저 두개저의 해부구조를 숙지하고 있어야 한다. 전두개저 및 중두개저의 경계는 접형골 소익(sphenoid lesser wing) 및 전상돌기(anterior clinoid process), 중두개저 및 후두개저의 경계는 추체릉(petrous ridge) 및 후상돌기(posterior clinoid process)이다. 중두개저는 중앙구획(central compartment) 및 양 외측구획(lateral compartment)으로 나뉘며 그 기준면은 양측 각기 내측익돌판(medial pterygoid plate)과 후두관절구(occipital condyle)를 전후로 잇는 시상면(sagittal plate)이며 그 시상면상에 내 경동맥의 두개 내 진입로가 위치한다(그림 34-1, 2).

II 두개저의 병변

두개저 수술의 대상이 되는 병변은 크게 종양, 염증성 질환, 동맥류와 같은 뇌혈관질환, 선천성 기형, 골절 등이며 그 중 다양한 양성 및 악성 종양이 대부분을 차지한다(표 34-1, 2).

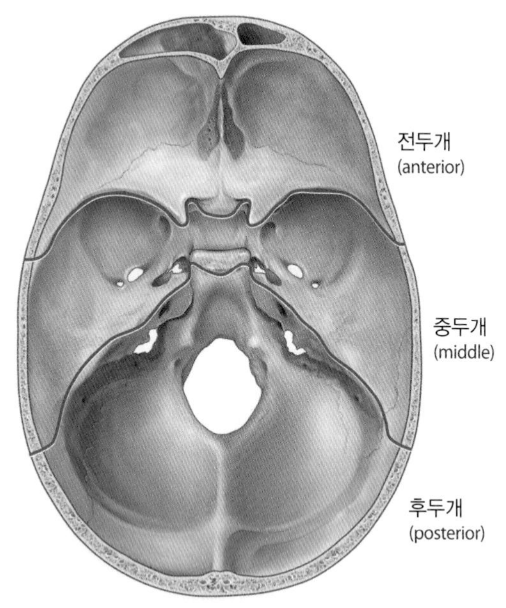

■ 그림 34-1. **전·중·후두개저의 구분.** 전두개저와 중두개저의 경계는 접형골 소익과 전상돌기이며, 중두개저와 후두개저의 경계는 추체릉과 후상돌기이다.

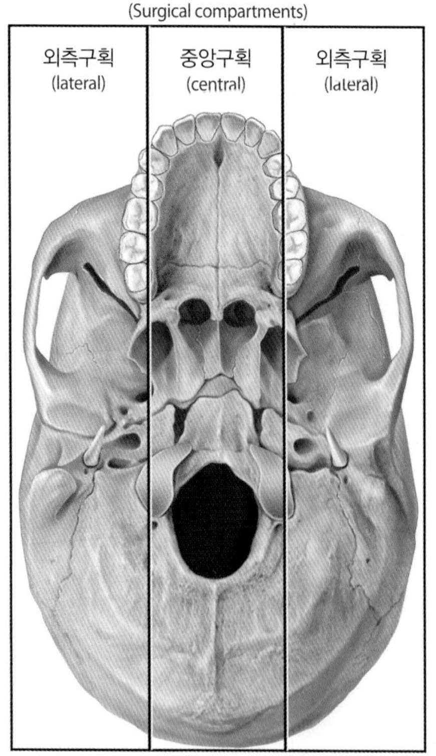

■ 그림 34-2. **두개저의 중앙과 외측 구획의 구분**

표 34-1. 두개저의 양성 병변

두개외
반전성 유두종(inverted papilloma)
혈관섬유종(angiofibroma)
타액선 종양(salivary gland tumor)
부신경절종(paraganglioma)(사구종양(glomus tumor))
점액류(mucocele)
진주종(cholesteatoma)
두개내
뇌하수체 선종(pituitary adenoma)
두개 인두종(craniopharyngioma)
뇌수막종(meningioma)
신경초종(schwannoma)
동맥류(aneurysm)
동정맥기형(arteriovenous malformation)
두개저
섬유성 이형성증(fibrous dysplasia)
골종(osteoma)
골모세포종(osteoblastoma)
골 혈관종(osseous hemangioma)
연골종(chondroma)
척삭종(chordoma)
선천성
진주종(cholesteatoma)
유피종(dermoid)/유상피종(epidermoid)
뇌류(encephalocele)

Ⅲ 두개저 수술에 필요한 외과적 기초지식

두개저 수술은 같은 부위에 대하여 여러 가지 접근법이 있으나 각각의 환자마다 병변의 제거, 중요한 구조물의 보존, 경막과 같은 해부학적 장벽 구조의 복원, 성공적인 기능적·미용적 재건이라는 4가지 요소를 만족 시킬 수 있는 술식을 선택해야 한다.[38,42]

두개저에 도달하는 접근로를 확보하기 위해서는 경부, 부비동 및 측두골에 대한 이비인후과적 지식이 요구되며

표 34-2. 두개저의 악성 병변

두개외
편평상피암(squamous cell carcinoma)
선양낭성암(adenoid cystic carcinoma)
점액상피양암(mucoepidermoid carcinoma)
악성 혼합종(malignant mixed tumor)
백혈병(leukemia)
림프종(lymphoma)
횡문근육종(rhabdomyosarcoma)
신경내분비암(neuroendocrine carcinoma)
신경원성 육종(neurogenic sarcoma)
미분화 암(undifferentiated carcinoma)
혈관주위세포종(hemangiopericytoma)
활막육종(synovial sarcoma)
선암(adenocarcinoma)
기저세포암(basal cell carcinoma)
흑색종(melanoma)
두개내
후각신경아세포종(olfactory neuroblastoma)
악성 신경초종(malignant peripheral nerve sheath tumor)
두개저
연골육종(chondrosarcoma)
골육종(osteogenic sarcoma)
골수종(multiple myeloma)
조직구증 X (histiocytosis X)
전이성
유방암(breast cancer)
폐암(lung cancer)
신장암(kidney cancer)
전립선암(prostate cancer)

뇌, 뇌신경 및 뇌혈관을 보존하기 위해서는 신경외과적인 지식이 요구된다.

1. 수술 중 뇌의 견인이나 압박에 대비한 보호조치

수술시야를 확보하려면 뇌를 견인(retraction)해야 한다. 그러나 이러한 조작은 뇌 혈류를 감소시키고 뇌의 대사에 지장을 주며 뇌 혈관 장벽을 일시적 또는 영구적으로 파괴할 수 있으며, 그 결과 뇌출혈, 뇌부종, 두개내압 상승과 그로 인한 뇌경색, 대뇌피질의 자극에 의한 경련 발작 등의 문제가 발생할 수 있다. 수술을 위한 두개 내의 공간을 확보하고 수술 중 조작으로 인한 술 후 뇌부종이나 두개내압 상승을 막기 위해서는 뇌척수액의 요추배액이 필요할 수 있으며 요추배액은 마취 직후 요추 내의 뇌척수강으로 삽관하여 시행한다. 성인의 뇌척수액 분량은 보통 140 mL이며 약 100~120 mL의 뇌척수액을 배출하면 두개 내 공간이 확보된다.[46] 스테로이드는 뇌 부종과 두개내압 상승을 억제하는 효과가 있다. 보통 dexamethasone을 주로 사용하며 수술 24시 전부터 총 0.6 mg/kg 분량을 4회에 나누어 투여한다.[46] 삼투성 이뇨제인 mannitol은 뇌실질의 조직액을 뇌혈관 내로 이동시킴으로써 뇌의 부피를 효과적으로 감소시킨다. 보통 수술을 시작할 때 20% Mannitol 용액 500 cc 를 정맥 내 투여한다. 수술 중의 수액 투여에서는 일반적인 정질(crystalloid)의 수액제제보다는 알부민 같은 교질(colloid)의 수액제제가 뇌부종을 억제하는 데 도움이 된다. 마취 의사의 도움을 받아 과환기(hyperventilation)를 시켜 혈중 이산화탄소 분압을 정상보다 15 mmHg가량 떨어뜨리면 뇌의 부피를 감소시킬 수 있다.[46] 수술 시 뇌견인이 많이 필요하다고 생각되면 대뇌피질의 자극이나 손상에 의한 경련발작을 방지하기 위해서 phenytoin이나 carbamazepine 등 항경련제의 예방적 사전 투여가 필요하다. 특히 항경련제의 경우 수술 중 적절한 혈중농도를 유지하기 위해서 수술 수 일 전부터 투여해야 한다.

2. 경막의 보호

두개저 경막의 손상은 뇌척수액의 누출과 직결되므로 경막이 다치지 않도록 조심해야 한다. Cutting burr를 장착한 드릴을 쓰는 경우, 뼈를 제거할 때, 정맥동 주변을 박리할 때, 노인 환자나 술 전 방사선치료를 받은 사람 등에서는 경막 손상의 위험이 높으므로 특히 주의 해야 한다.[46] 위험한 부위 에서는 cutting burr보다 diamond burr를 쓰는 것이 안전하다. 절제할 뼈는 반드시 경막과 완전히 분리한 후 제거한다. 정맥동의 경막은 다른 곳에 비해 얇다. 노인들은 젊은 사람에 비해 경막 자체는 얇고 경막과 두개골이 더 강하게 부착되어 있다.

3. 뇌막염의 예방

비강, 부비동, 유양동 등을 경유하여 두개 기저부를 수술하는 경우에는 그렇지 않은 경우에 비해 세균접촉의 기회가 높으므로 수술 전부터 뇌-혈관 장벽을 투과하는 항생제를 투여한다.[46]

4. 혈관 손상 시의 뇌경색 예방

수술 중 혈관의 손상으로 인한 출혈은 종종 그 혈관을 막아야만 멋게 할 수 있다. 부득이하게 뇌혈관을 희생시킨 경우 손상된 뇌 혈관의 영역에 측부순환을 통해 혈류를 공급할 수 있도록 혈압을 일정수준 이상으로 유지하고 뇌 혈류를 증가시키는 조치들을 취해야 한다. 체온을 30℃로 낮게 유지하며, 고용량의 barbiturate를 사용하여 뇌의 대사요구량을 낮추고 필요하면 heparin을 투여 한다.[46] 그 후 손상 받은 혈관을 직접 재건하거나 두개외의 동맥으로부터 우회(bypass)가 이루어지도록 시술한다. 경동맥 같은 일측의 대혈관을 희생시켜야 할 경우에는 술 전에 반드시 혈관조영술과 일측 경동맥 폐색 검사(balloon occlusion test)를 통해 측부순환을 사전에 평가해야 한다. 혈관조영술 기법을 이용해 희생시키고자 하는 경동맥 내에 풍선이 장착된 카테터를 삽입하여 풍선을 부풀려서 경동맥을 임시로 막은 후 신경학적 이상이 나타나는지 집중적으로 관찰한다. 15분 이상 신경학적 이상이 나타나지 않으면 측부순환에 의한 보상이 충분한 것으로 판단한다. 15분 이전에 신경학적 이상징후가 발견되면 즉시 검사를 중지하며, 이런 환자에게는 우회를 통한 동맥재건이 필수적이다. 만약 환자가 일측 경동맥 폐색 검사에서 15분 동안 신경학적 이상징후를 보이지 않았다면, 안정 제논 가스 흡입 후 제논 조영증강 컴퓨터 단층촬영을 통해 정량적인 검사를 시행할 수 있다.[38] 제논 조영증강 컴퓨터 단층촬영이 불가능할 경우에는 단광자 방출 전산화 단층촬영(SPECT)을 이용하여 정량적이지는 않지만, 유사한 혈류 이미지를 얻을 수 있다. 일측 경동맥 폐색과 개통을 시행하며 제논 조영증강 컴퓨터 단층촬영 하였을 때, 경동맥 폐색 영상에서 폐색을 시행한 경동맥과 동측의 대뇌 반구에 제논 섭취율이 유의하게 감소하였을 때, 신경학적 증상이 없는 환자라 할지라도 신경학적 후유증이 발생할 중등도 위험군으로 평가하여, 우회를 통한 동맥재건을 시행하여야 한다. 제논 섭취율의 감소가 없는 환자들은 수술 중 경동맥을 자르거나 막는 경우에도 수술 후 뇌졸중 발생의 저위험군으로 분류할 수 있다.[38]

5. 정맥동의 손상에 대한 조치

정맥동의 손상부위가 매우 작고 출혈이 미미할 때는 양극형 전기응고(bipolar electric coagulation)로 지혈이 가능하다. 손상이 좀더 크면 교원질 성분의 생체적합성 물질을 이용해 팩킹을 하여 압력을 가하고 두위를 높이는 체위를 취하면 출혈을 멋게 할 수 있다. 두위가 심장보다 높은 상태에서 정맥동이 손상될 때는 출혈이 적고 오히려 공기가 정맥동 내로 유입되어 공기색전(air embolism)을 유발할 위험이 있으므로 주의해야 한다. 과도하게 팩킹하면 혈류를 봉쇄하여 정맥동 혈전을 유발하므로 역시 주의해야 한다. 손상이 큰 경우에는 경막에 상응하는 패치를 덧대주고 가는 봉합사로 봉합해야 한다.[46]

6. 수술 중의 전기생리적 감시

수술 중 중추신경 또는 뇌신경의 기능에 대한 전기생리

적 감시수단으로는 뇌파EEG, 체성감각유발전위(somatosensory evoked potential; SSEP), 뇌간청성유발전위(brainstem auditory evoked potential; BAEP), 시성유발전위(visual evoked potential; VEP), 뇌 신경의 지배를 받는 근육에 대한 근전도(EMG) 등이 이용된다. 대표적인 예로 중두개저에 대한 외측접근술의 경우 안면신경을 감시하기 위해 안면근육의 근전도 측정이 필수적이다.

Ⅳ 전두개저수술

두개안면절제술(craniofacial resection; CFR)은 전두개저 수술 중에서도 가장 기본적인 술식으로, 이 절에서는 두개안면절제술에 대해 중점적으로 서술하고자 한다.

1. 역사적 고찰

두개안면절제술은 1941년 Dandy가 안와종양을 제거하는 데 처음 시도하였고, 그 후 1954년 Smith 등이 비부비동 종양의 제거에 처음으로 적용하였다. 1963년 Ketcham 등이 비부비동 종양 환자 17예에서 CFR의 치료결과를 보고한 이후 이 술식은 전두개저와 부비동을 침범한 병변의 근치적 수술법으로 사용되어 왔다. 병변 부위를 충분히 노출해 수술시야와 충분한 절제 변연을 확보하여 과거보다 향상된 치료결과를 얻을 수 있었으나, 뇌척수액 비루, 뇌막염, 경막외 농양, 전두골 이식편의 골수염 등 수술과 연관된 합병증도 적지 않았다. Ketcham 등은 두개안면절제술 후 이환율과 사망률을 각각 74%와 7%로 기술하였고, Shab 등은 4%의 사망률을 보고하였다.

그 후 1981년 두개골막피판(pericranial flap)이 소개되면서 안면부와 두개저의 경계를 분리하여 뇌척수액 누출을 막고 두개 내 감염의 위험을 줄여 술 후 합병증을 획기적으로 줄일 수 있게 되었고, 그 외에 마취를 포함한 수술 전후 환자 처치의 발전, 광범위 항생제의 개발, galeal flap 및 유리피판을 이용한 다양한 두개저 결손부위 재건 방법이 이용되면서 현재 두개안면절제술은 이환율과 사망률이 적은 비교적 안전한 수술로 인식되고 있다.[1,50]

2. 적응증

두개안면절제술은 수술명에 나타나 있듯이 전두개저를 침범한 병변을 두개와 안면을 통해 동시에 접근하여 병변을 일괴(en bloc)로 제거하는 술식이다. 현재 이 수술은 주로 전두개저를 침범한 종양에 주로 적응된다(표 34-2). 종양은 두개저 골벽으로 직접 침윤하거나 미란에 의해, 또는 사골판이나 안와상열 같은 이미 형성된 두개의 경로 또는 제5번 뇌신경의 2, 3분지를 통해서 두개저에 침범한다. 비부비동 종양에 의한 두개저 침범 빈도는 약 15% 이고 상악동보다는 사골동, 전두동, 접형동에 종양이 있을 때 발생 빈도가 높다. 또한 드물기는 하지만 외상성 병변이나 뇌혈관 질환, 뇌척수액 누출, 혈관성 병변, 선천성 기형의 치료 등에도 광범위하게 응용된다.[49] 최근들어 전두개저를 침범한 종양이더라도 내시경을 이용한 두개저 수술을 이용하여 종양을 제거하고자 하는 노력이 지속적으로 이루어지고 있으나 안와상부 경막침범, 안와 내침범, 전두동의 전·측부 침범, 후부의 심한 침범으로 인해 부비동의 보존이 어렵고 두개화가 필요한 경우, 안와신경관의 상·좌측부의 종양, 경동맥 가측이나 분기지점 주변의 종양, 안면이나 안와 연조직까지 침범한 경우에는 내시경을 이용한 두개저 단독 수술은 어려우며, combined approach 혹은 개방적 수술법이 필요하다.[44]

두개안면절제술의 금기에 대해서는 논란이 있으나 수술을 받을 수 없는 내과적 문제가 있는 경우, 원격전이, 척추전근막(prevertebral fascia)의 침범, 우회 순환이 없는 경동맥의 침범, 양측 시신경이나 시교차(optic chiasm)의 침범 등이 있는 경우에는 대체로 수술을 하지 않는다.[33]

표 34-3. 후각신경아세포종의 Kadish 병기

Type	Extens ion
A	비강에 국한된 종양(Tumor limited to nasal cavity)
B	비강과 부비동을 침범한 종양(Tumor involving nasal and paranasal sinuses)
C	비강과 부비동 밖을 침범한 종양(Tumor extending beyond nasal and paranasal sinuses (include involvement of cribriform plate, skull base, orbit or intracranial cavity))
D	경부림프절 전이 또는 원격전이를 한 종양(Tumor with metastasis to cervical nodes or distant sites)

3. 후각신경아세포종

전두개저를 침범하는 다양한 종양 중 두개안면절제술의 가장 좋은 적응증은 후각신경아세포종(olfactory neuroblastoma, esthesioneuroblastoma)이다. 후각신경아세포종은 후각점막의 기저층(basal layer)에 존재하는 신경능선(neural crest)에서 발생하는 드문 종양으로 10~20대와 50~60대에서 호발하는 것으로 알려져 있다.[33] 임상적으로는 서서히 진행하여 종양이 커지면서 부비동, 안구, 두개 내로 진행하였을 때 발견되는 경우가 많고 혈관이 풍부한 비용 양상의 종괴가 비강 상부에서 관찰된다. 진단은 조직생검을 통해 이루어지나 조직학적으로 림프종, 미분화암, 흑색종, 육종 등과 잘 구분되지 않아 면역조직화학 염색으로 확진하게 된다. 두개안면절제술과 술 후 방사선조사가 일반적인 치료방법이나, 절제할 수 없는 경우나 국소 재발의 경우에는 항암화학요법을 시도한다. 최근에는 생존율의 차이 없이 절제범위를 줄여 이환율(morbidity)을 낮추기 위한 선행 항암화학요법의 역할이 커지고 있으나 장기 결과는 아직 보고되지 않았다. 예후는 진단 시 종양의 침범 범위, 조직학적 악성 정도와 절제 가능성 여부에 좌우되는 것으로 알려져 있다 임상적으로 종양의 침습 정도와 치료방법의 결정 및 예후를 위한 병기분류법(staging system)으로 Kadish 병기를 많이 사용하고 있다(표 34-3). Kadish A, B 병기에서는 절제연이 충분히 확인된 경우에 술 후 방사선치료가 필요 없고 내시경적 수술을 시도해 볼 수 있으나, C 병기의 경우에는 일반적으로 두개안면절제술이 필요하고, 술 후 방사선치료를 시행하면 생존율을 높일 수 있다.[8]

표 34-4. 두개저안면절제술의 핵심술식

적절한 노출(adequate exposure)
최소한의 뇌 견인(minimal or no brain retraction)
뇌압의 감소(slackening of the brain (CSF drainage and /or mannitol induced diuresis))
뇌막의 완전한 봉합(watertight dural seal)
두개저의 적절한 복원(adequate reconstruction of skull base (pericranial, galeal or free flaps))

4. 술식

두개안면절제술의 술식은 처음 보고된 후 수차례의 개선과 변형을 거쳐[43] 오늘에까지 오게 되었다. 수술의 핵심 요소는 표 34-4에 정리되어 있다.

1) 수술 전 준비

일반적인 두개안면절제술에서는 사용되지 않지만 전두동 골성형 피판(frontal sinus osteoplastic flap)을 계획한 경우 수술 전에 6피트[41] Caldwell view로 전두동 방사선 촬영을 하고 소독을 하여 전두동에 대한 형판(template)으로 쓸 수 있도록 준비한다. 상악골전절제술이 동시에 계획되어 있으면 구개폐쇄보조기(obturator)도 미리 준비한다. 수술실에서는 수술 시작 전에 요추배액관 삽입 등 전술한 바와 같은 신경외과적인 기본 준비를 하며 양

눈에 일시적 검판봉합술(tarsorrhaphy)을 하여 각막을 보호한다. 필요하면 수술 후의 피부이식이나 자유피판 등에 대한 준비도 해야 한다.

2) 개두술(Craniotomy)

전두개저로 접근하려면 전두동을 통과해야 하므로 전두동 수술에 이용하는 술식을 그대로 이용할 수 있다. 눈썹을 따라 절개(brow incision)를 하여 직접 접근하는 방식과, 이마 쪽 모발경계선(hairline)의 2~3 cm 후방에서 관상면 방향으로 두피부위를 절개(bicoronal scalp incision)하고 전두부 관상 피판을 만들어 박리해 내린 상태에서 접근하는 방식이 있다. 두 방식 중 삼차신경 제1지인 안신경(ophthalmic nerve)의 분지인 상활차신경(supratrochlear nerve)과 상안와신경(supraorbital nerve)을 보존할 수 있고 두개골막 피판(pericranial flap)을 이용할 수 있다는 장점 때문에 관상두피절개가 절대적으로 선호된다.

관상두피절개는 양측 이개륜(auricular helix)의 부착부분까지 시행하며 절개의 깊이는 골막 바로 위까지이다. 두피절개 후 전두부 피판을 만들 때는 골막과 모상건막(galea aponeurotica) 사이인 모하면(subgaleal plane)으로 박리한다. 전두부 피판의 가장 안쪽 층인 모상건막은 안와 상연 및 측두선(temporal line)에 붙어 있으며 골막과는 성긴 그물코 모양의 조직(loose areolar tissue)으로 분리되어 있다. 중앙부위는 미간(glabella) 바로 아래까지 박리한다. 피판을 거상할 때 전두근육(frontalis muscle)을 지배하는 안면신경의 측두가지(temporal branch)를 보호하기 위해 가측 안와골연(orbital rim)의 상방 1~2 cm보다 아래로의 박리는 피해야 하며, 안와후방 지방패드(retro-orbital fat pad)보다 더 깊은 면으로 박리를 진행하여야 한다(그림 34-3).[20,44] 전두부 피판은 상활차동맥, 상안와동맥 및 천측두동맥(superficial temporal artery)의 분지로부터 혈류를 공급받는다. 두피의 양측 절개연에서의 출혈을 지혈할 때는 지혈용 클립을 이용한다(그림 34-4).[7]

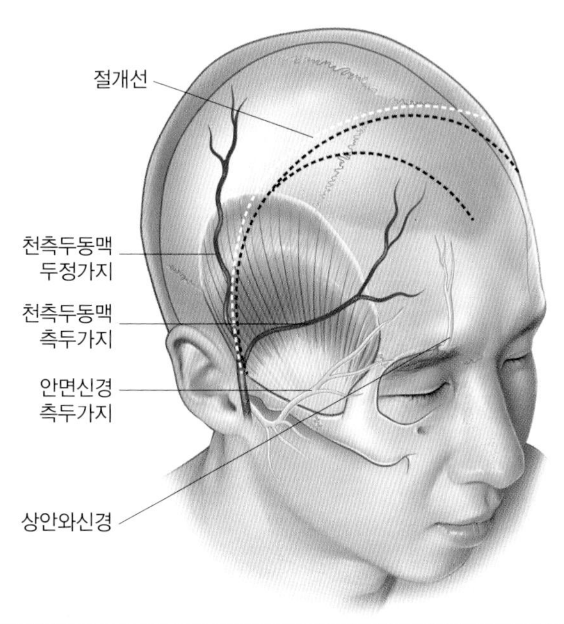

■ 그림 34-3. **전두부 관상피판의 절개선과 혈류공급**

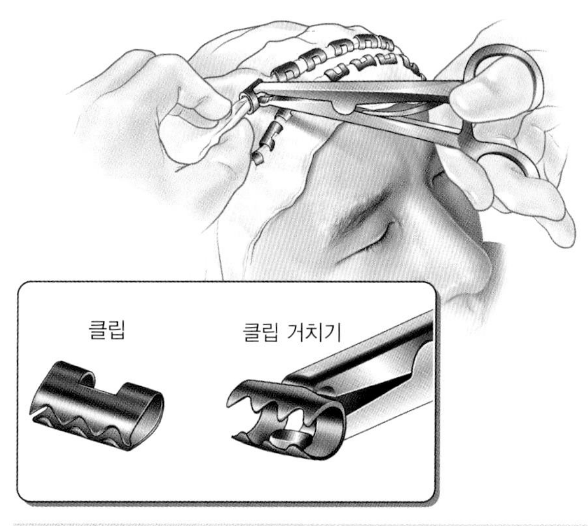

■ 그림 34-4. **관상피판 절개면의 지혈.** 거즈로 양측 절개면을 감싸고 여러 개의 Raney 클립을 이용하여 지혈한다.

전두부 관상피판을 박리한 후 개두술을 시행한다. 이때 병변의 위치와 크기에 따라 전두골을 여는 방법이 달라진다. 병변이 아주 작고 경막 침범의 증거가 없으면서 정중선에 국한되어 있으면 전두동 골성형 피판(frontal

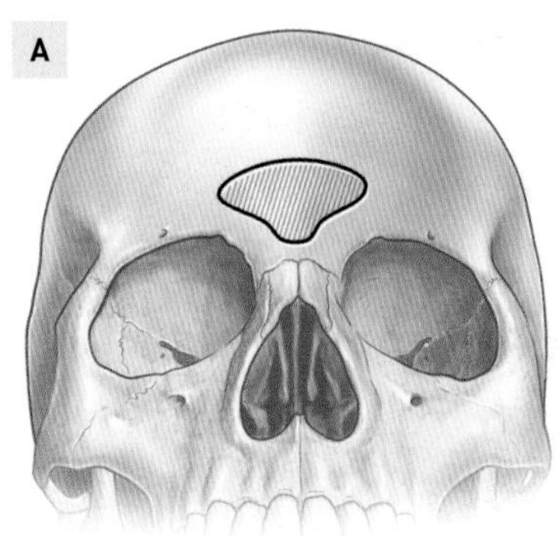

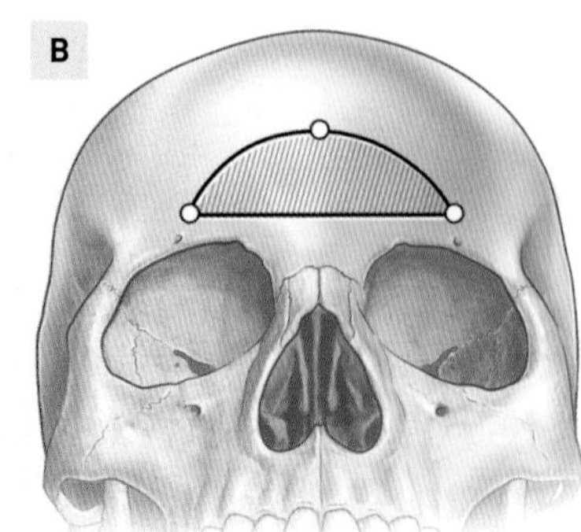

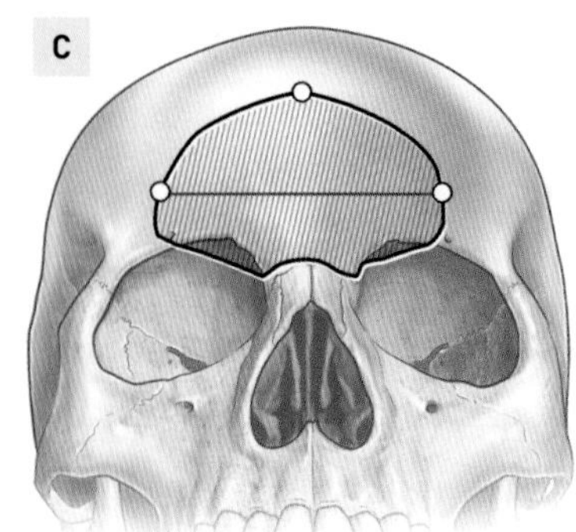

■ 그림 34-5. **전두개수술의 유형. A)** 전두동 골형성피판. **B)** 높은 개두술: 상안와연을 보존. **C)** 낮은 개두술: 상완와연을 포함

sinus osteoplastic flap)을 이용할 수도 있다. 그러나 골성형 피판만으로는 충분한 시야를 확보하기가 어려우므로 일반적으로는 전두동을 관통하는 낮은 개두술(low craniotomy)을 시행하여 전두골 피판(frontal bone flap)을 만든다(그림 34-5).

전두골 피판은 두개골막 피판을 먼저 만들어 하방으로 젖혀놓은 뒤, 떼어내고자 하는 전두골 범위의 외연 몇 부위에 burr hole을 뚫고 연결시켜 만든다. 박리한 두개골막 피판은 술 후 복원에 매우 중요하므로 수술 중 마르지 않도록 젖은 거즈로 감싸두고 틈틈이 적셔준다.

전두동의 후벽 및 전두동의 점막을 모두 제거하고 비강으로의 통로를 봉쇄하여 전두동을 두개화(cranialization)하게 된다. 전두동의 후벽은 정중선의 양쪽부터 경막과 분리하기 시작해 Kerrison 골겸자(rongeur)로 제거해 나간다. 그 뒤 계관(crista galli) 외측에서 전두개와의 바닥과 경막을 분리해간다. 계관 자체는 골겸자로 부러뜨려 절제한다. 후구(olfactory bulb)는 사상판에서 분리하는데, 병변이 외측으로 치우친 상태가 아니라면 양측 후구를 모두 분리하게 되므로 술 후 환자는 필연적으로 냄새를 맡을 수 없게 된다. 경막의 박리는 후방으로는 시신경교차(optic chiasm)까지 시행할 수 있으며 외측방으로의 박리 범위는 제거할 병변의 위치와 크기에 따라 결정한다(그림 34-6).[41]

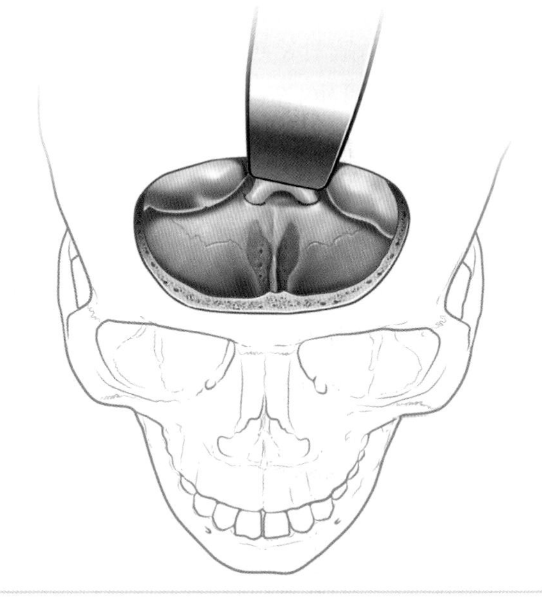

■ 그림 34-6. **경막의 박리 범의**

3) 안면부 접근법(Facial approach)

안면의 병변에 대해서는 안면부 접근법이 동시에 요구된다. 제거할 부분의 범위나 절개부위 등은 병변의 특성이나 위치와 크기에 따라 결정하는데 다양한 경 안면 접근법들을 응용할 수 있다(표 34-5). 병변측의 외측 비절개(lateral rhinotomy incision)가 기본적으로 사용되며 사골동에 접근할 수 있도록 절개선을 눈썹으로 연장하거나, 반대쪽 비외 사골절제술 절개(external ethmoidectomy incision), Lynch incision을 함께 시행하여 사상판을 포함한 사골 전체를 제거할 수 있다(그림 34-7A).

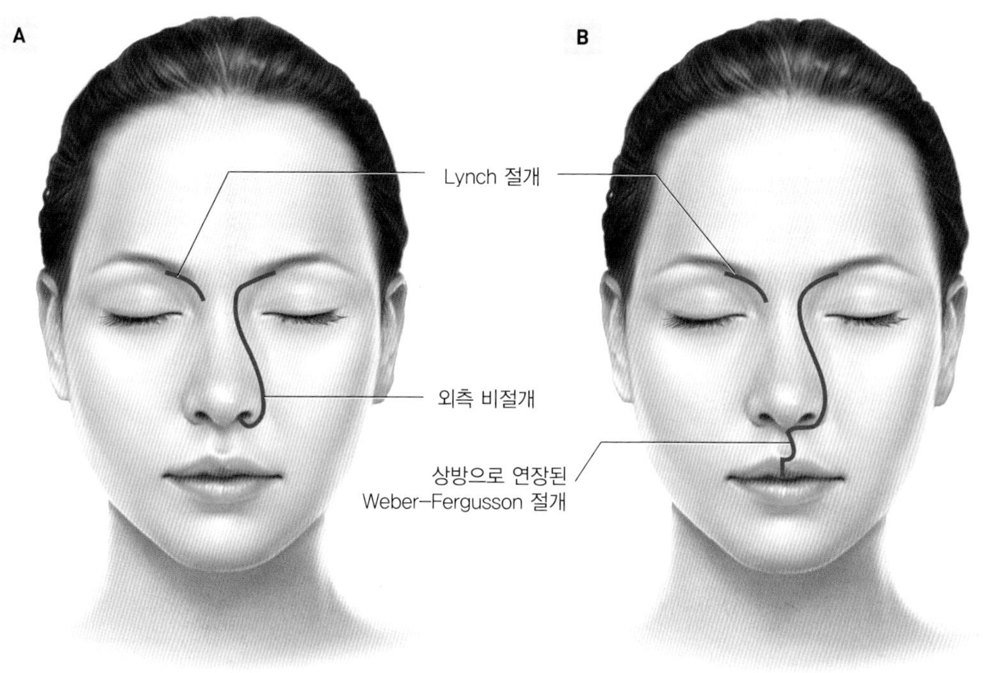

■ 그림 34-7. **두개안면절제술에서의 안면부 절개선**

표 34-5. 두개안면절 제술에 응용할 수 있는 다양한경안면접근법

외측 비 절개 접근법(lateral rhinotomy approach)
경상악동 접근법(transantral approach)
확장 경안면 두개하 접근법(extended transfacial subcranoial approach)
구순하 안면중심접근법(midfacial degloving approach)
Le Fort 1형 절골 접근법(Le Fort 1 osteotomy approach)
중앙안면 분리 접근법(midfacial split appoach)
상악골 회전 접근법(maxillary swing appoach)
확장 상악절개술 접근법(extended maxillotomy approach)

외측 비절개 접근법은 내측상악절제술 및 그의 연장에 유용하다. 눈썹의 내측 1/3 지점에서부터 시작하여 외비의 외연을 따라 절개를 가한다. 절개 후 골막을 박리하되 하안와공에서 나오는 하안와신경은 자르지 말고 보존한다. 내안각인대(medial canthal ligament)를 자르고 안와골막(periorbita)을 박리한 후 비성형에 쓰이는 곡선형 절골기로 상악골의 전두돌기 및 비골을 자르고 정중앙에서 greenstick 골절을 시켜 반대측으로 젖힌다. 이후 상악동의 전벽과 내벽의 연결부위를 골겸자로 잘라낼 수 있는데 이를 Denker술식이라 부른다(그림 34-8).[7] 또는 전벽을 절골기로 모양을 보존하며 잘라내어 나중에 복원할 때 사용하기도 한다. 이후 하비갑개를 포함한 상악골 내벽을 절제한다.

상부구조 상악절제술로서 안와부분 및 누골(lacrimal bone)을 포함해서 절제할 수도 있으며, 최대한 범위를 확장하면 접형동, 비인두, 익돌구개와 등까지 접근할 수 있다.[7]

상악암인 경우 동측 Weber–Fergusson 절개 및 반대측 비외 사골절제술 절개를 함께 하여 상악골과 사골을 함께 제거하는 술식도 가능하다(그림 34-7B).[41]

종양의 광범위 절제가 목적이 아닌 경우 안면부에서의 특별한 절개 없이 내시경적 접근을 통하여 사골동이나 접형동의 최상부에 접근할 수도 있는데, 이는 후에 소개할 변형된 두개안면절제술에서 자세히 기술하기로 한다.

4) 전두개저의 절제

전두개와를 이루는 뼈를 절제할 때는 안면부 혹은 두

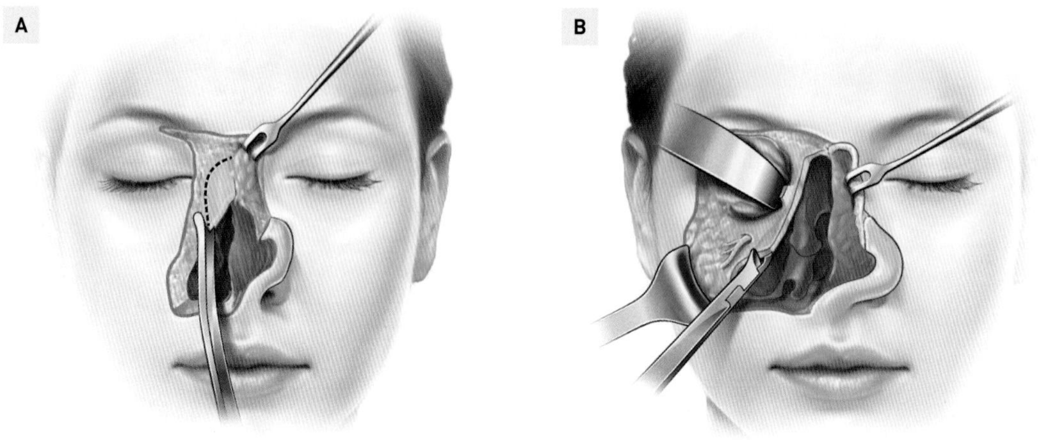

■ 그림 34-8. Denker 술식

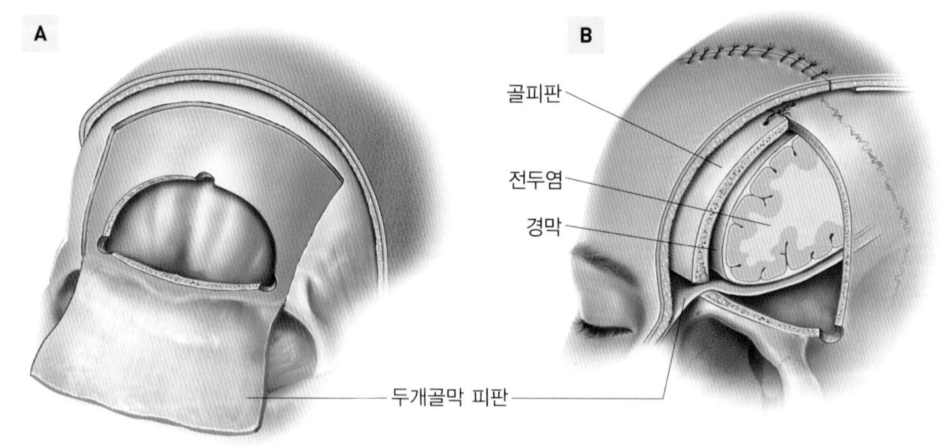

■ 그림 34-9. 두개골막 피판

개 내에서 절제하되 두개쪽에서 경막을 견인한 상태에서 절단면을 확실히 확인해야 한다. 시신경 등이 있는 후방 부위를 절단할 때는 톱(saw)은 위험하므로 절골기(osteotome)나 끌(chisel)을 사용한다.

5) 수술부위의 복원

일차 봉합이 불가능할 정도로 경막손상이 크면 두개골막(pericranium)이나 측두근막(temporalis fascia), 대퇴근막(fascia lata), 또는 상품화된 동종경막(lyophilized homograft dura)이나 소의 심내막(bovine pericardium)을 이용해서 봉합한다. 그 뒤 두개골막피판(pericranial flap) 또는 건막-두개골막 복합피판(compound galeal-pericranial flap)을 경막과 두개저 사이에 넣어준다(그림 34-9).

두개안면절제술에서 두개골막 피판을 사용한 사례는 1981년에 문헌에 처음 등장하였다. 이는 안면부와 두개저의 경계를 분리하여 뇌척수액 누출을 막고 두개 내 감염의 위험을 줄이는 장점이 있음이 입증되어 현재는 두개안면절제술에서 필수적인 복원술식으로 인식되고 있다.

안면 쪽에서는 과거에는 안면골을 제거한 공간 내 측에 피부피판을 이식하기도 했으나 가피가 많이 발생하고 악취가 나는 등의 부작용이 있어 잘 쓰이지 않는다. 두개

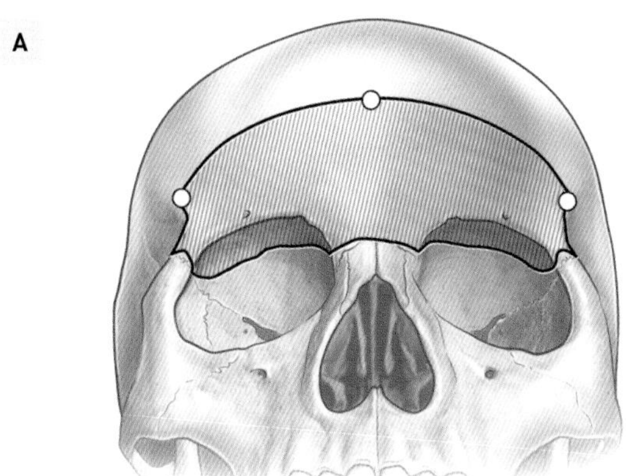

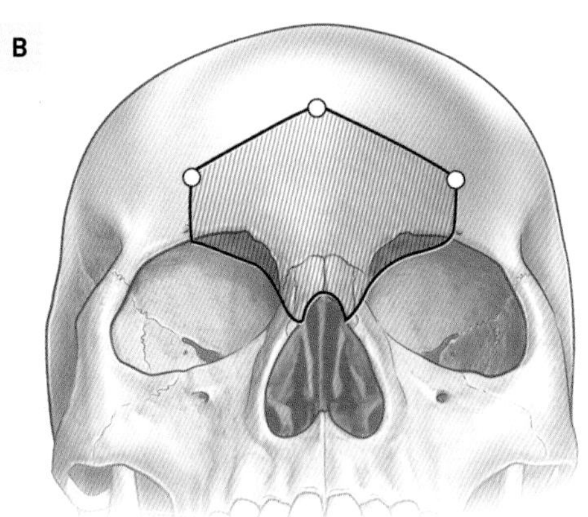

■ 그림 34-10. **변형된 두개안면절제술에 이용되는 전두개두술의 유형**

저 결손 부위가 작을 때는 특별한 처치 없이 비점막이 재생하여 치유될 때까지 기다리거나, 필요하면 비점막 피판을 쓴다. 두개저 결손이 커서 탈뇌(herniation)가 우려된다면 전두골 피판에서 내판(inner table)을 떼어내어 결손부위를 막는다. 전두골 피판은 내측의 전두동 점막을 모두 제거한 후 원위치에 덮고 강선이나 miniplate로 고정한다.

5. 변형된 두개안면절제술

1) 전방 두개하 접근법(Anterior subcranial approach)

Derome 접근법, 경두개저 접근법(transbasal approach), 두개저 전두하 접근법(basal subfrontal approach) 등의 여러 가지 이름으로 불린다. 두개안면접근법의 응용형으로 볼 수 있는 이 접근법의 장점은 접근범위를 시신경 교차 후방까지 확장해 터키안, 접형동, 상측 사대 등의 중앙구획까지 도달할 수 있고 전두엽의 견인을 최소화할 수 있고, 안면부 절개가 필요하지 않아 반흔이 생기지 않으며, 두개 내·외를 한 시야에서 관찰할 수 있다는 것이다.

술식은 두개안면 접근법과 비슷하지만 안면 쪽에서의 작업이 적고 후방까지 접근하기 위하여 골피판의 범위에 안와 상연 전체와 안와 상벽 전방 2/3를 포함시켜 더 크게 만든다는 점이 다르다. 양측 안와 외연(lateral orbital rim)보다 더 외측방으로 상측두선의 1 cm 하방 지점에 각기 burr hole을 만들며, 중앙은 비근점(nasion)에서 6 cm 상방에 burr hole을 만든 뒤 톱으로 연결한다(그림 34-10A). 골피판에 안와 상연을 포함시키기 위해서는 관상피판을 박리할 때 안와골막까지 연결시켜 박리해야 하며 이를 위해 상안와 신경혈관다발(neurovascular bundle)을 다치지 않도록 상안와공에서 이탈시켜주어야 한다.

2) 전방 확장 두개하 접근법(Extended anterior subcranial approach)

두개안면접근법의 또 다른 응용형이며 일체형 두개안면접근법(en bloc craniofacial resection)도 이와 거의 같다. 전두·안와 종양과 접형·사골 종양을 제거할 때 적용된다. 두개안면접근 때와 같은 관상피판을 만든 후 전두동의 전벽(anterior table)과 상악골의 전두돌기(frontal process)와 비골(nasal bone)을 모두 일체로 연결해 분리해냄으로써 넓은 단일시야(fronto-orbitonasal field)를 얻는다(그림 34-10B).[34]

3) 두개안와 접근법(Cranioorbital approach)

두개안면 접근법과 중두개 외측 접근법을 절충한 술식이다. 관상피판을 만들 때 병변 측의 절개를 이개륜의 근

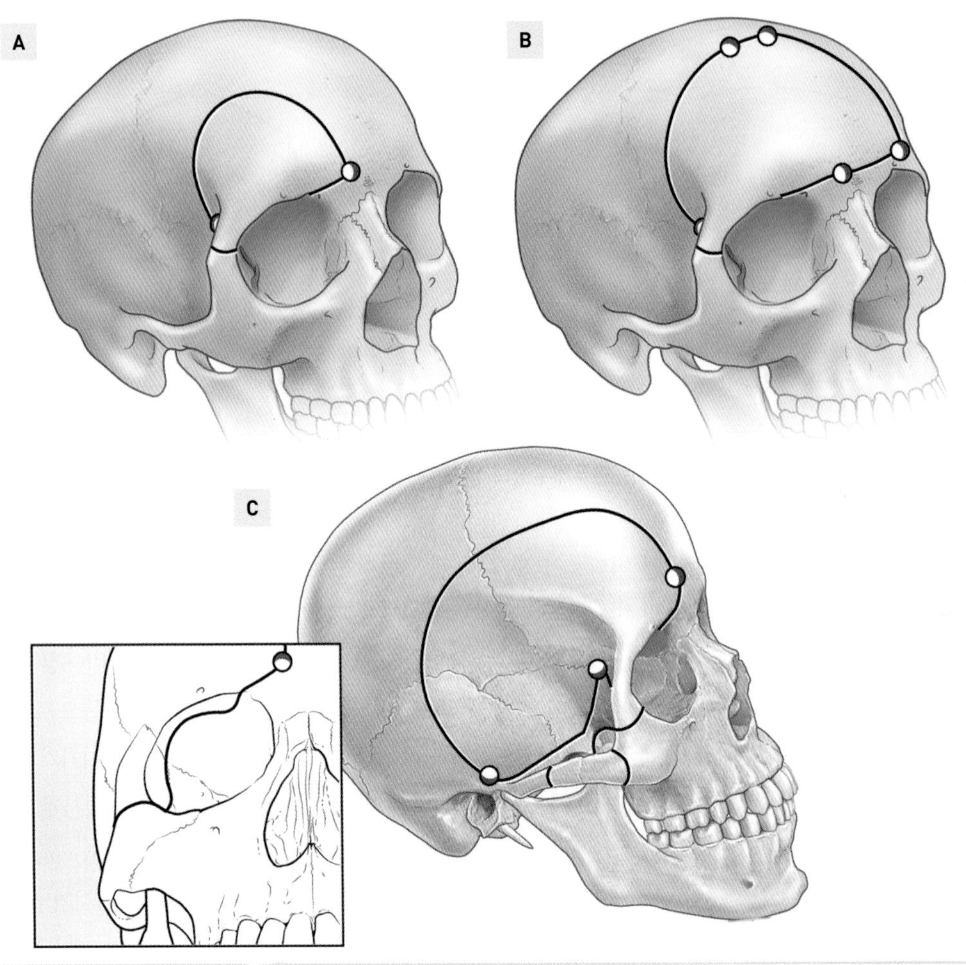

■ 그림 34-11. **누개안와 접근법**

부(root)가 아닌 이주(tragus)의 1 cm 전방에서부터 시작하는데 천측두동맥과 안면신경의 전두분지 사이로 절개한다. 천측두동맥은 관상절개의 후방에 위치하여 관상피판에 혈류를 공급하지 않게 된다. 반대측은 보통의 관상피판과 같이 모발선 뒤로 절개한다. 이렇게 함으로써 안와외연과 협궁(zygomatic arch)까지 접근할 수 있다. 개두술을 위해 두개골을 절개할 때는 전두동에 구애 받지 않고 정해진 위치에 burr hole을 만든 뒤 절골기로 연결하여 시행한다. 전두동 후벽은 제거하고 전벽은 부비동 점막을 갈아 제거하여 두개화한다.

골부의 절개범위에 따라 안와상부 접근법(supraorbital approach), 양전두 두개안와 접근법(bifrontal cranioorbital approach), 두개안와협골 접근법(cranioorbital zygomatic approach) 등으로 나뉜다(그림 34-11). 안와상부 접근법은 큰 안와종양의 두개저 침범이나 안첨부 또는 시신경관(optic canal)의 종양에 적합하며 터키안(sella)이나 터키안상부(suprasella)의 병변에도 적용할 수 있다. 양전두 두개안와 접근법은 안와상부 접근법과 Derome 접근법의 혼합형 술식이다. 두개안와협골 접근법은 절제부위에 협궁(zygomatic arch)과 익점(pterion)이 포함되며 전두개저로의 접근 및 상안와열(superior orbital fissure), 해면정맥동, 내경동맥의 추체부(petrous part) 등 중두개저로의 접근을 병행하기 위해 고안된 방법이다.

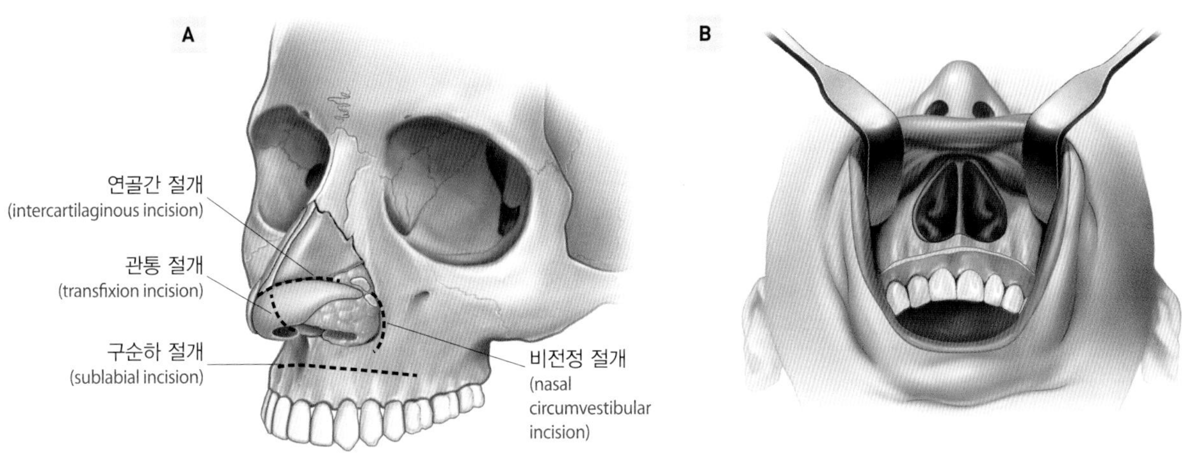

■ 그림 34-12. **구순하 안면 중앙 접근법**

4) 구순하 안면중앙 접근법(Midfacial degloving approach)을 이용한 두개안면절제술

이 방법의 장점은 피부절개가 필요 없다는 점과 별도의 절개 없이 양측 상악골에 동시에 접근할 수 있다는 점이다. 양측 구순하 치은절개를 중앙에서 연결하고 골막을 박리하여 상악골을 노출한다. 구순하로 이상구를 완전히 노출시키기 위해서는 비주와 비중격 연골 사이에 관통 절개, 양측 상하외연골 사이에 연골간절개, 양측 비전정외측 및 바닥에 비전정 절개를 하여 이 절개들이 양측 비공에서 각기 모두 원형으로 연결되어야 한다(그림 34-12). 골부에 대한 이후의 접근범위는 외측비절개 접근법에서와 유사하며 병변의 정도에 따라 정해진다.

5) Le Fort 1형 절골 접근법(Le Fort 1 osteotomy approach)을 이용한 두개안면절제술

구순하 안면중앙 접근법을 응용한 방법으로서 중앙구조로 좀더 넓게 접근하기 위한 방법이다. 6 cm 길이의 구순하절개를 시행하고 골막 및 비강점막을 박리한 후 이상구의 양측으로 톱이나 절골기를 이용하여 Le Fort 1 골절을 상악골의 후방까지 완전히 넣는다. 비중격과 비강외벽도 마찬가지로 분리한다. 곡선형 절골기(curved osteotome)로 익돌판과 상악골후벽을 분리한 후 개구기를 넣어 구개를 하방으로 벌린다(그림 34-13). 최근에 널리 쓰이는 응용형은, 서골(vomer)과 하비갑개를 제거하며 양측 비강외벽과 잔존 비중격을 외측으로 밀어내어 더 넓은 시야를 확보하는 방식이다. 상하로는 접형동 및 터키안부터 사대, 비인두, 제1 경추(atlas)까지 접근할 수 있으며 외측으로는 양측 상악동까지 폭넓게 접근할 수 있다.

6. 수술결과 및 예후

전두개저의 악성 종양에 대한 두개안면절제술 후 생존율은 저자들마다 각각 달라 43~64%로 보고되어 있다.[4] 치료성적에 관계되는 인자로는 종양의 조직학적 형태, 종양의 국소적 침범 정도, 수술 시 절제연에서의 종양 존재 여부, 이전의 수술 여부 등이 거론되고 있다.

1) 조직학적 형태

일반적으로 암종(carcinoma)보다 육종(sarcoma)의 예후가 나쁘며, 분화가 안된 미분화암이 예후가 나쁘다. 또한 후각신경아세포종이나 편평세포암종보다는 선양낭성암종(adenoid cystic carcinoma), 육종, 악성 흑색종의 예후가 나쁜 것으로 알려져 있다.[43]

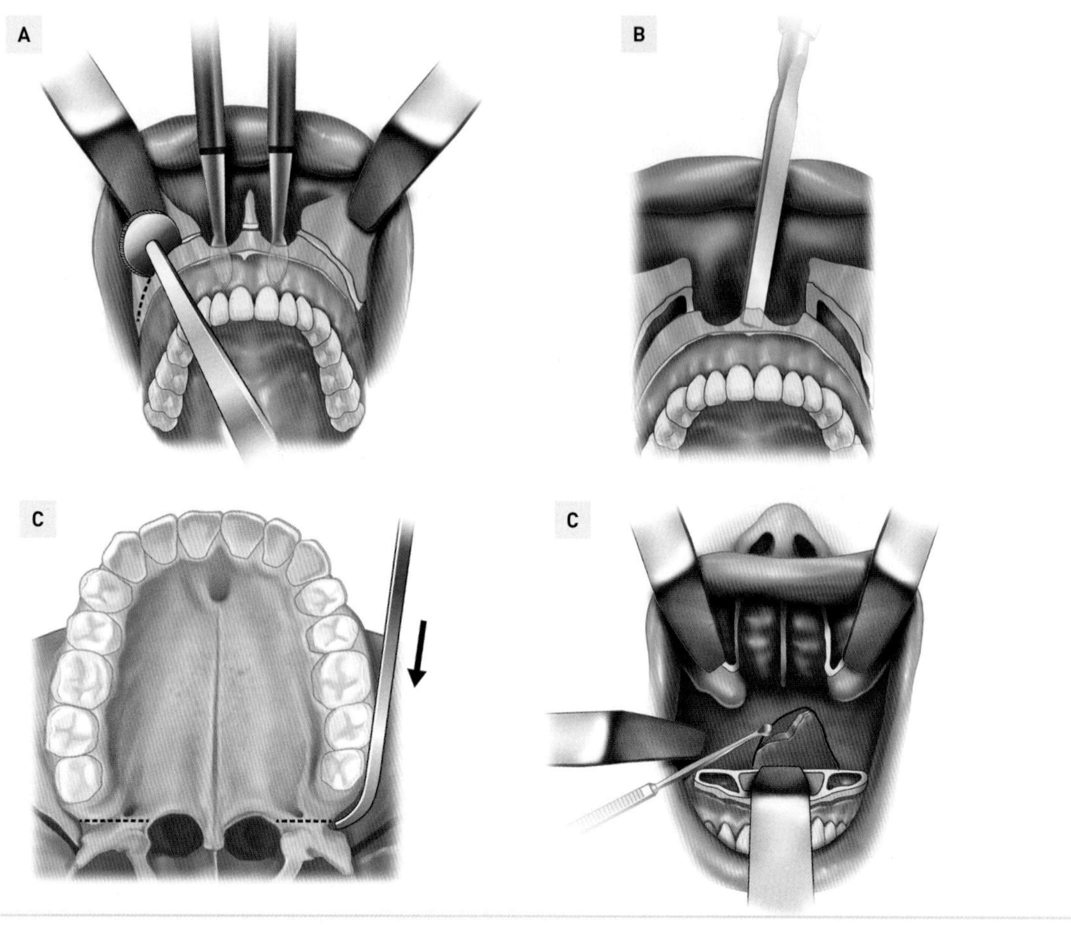

■ 그림 34-13. Le Fort 1형 절골 접근법

2) 종양의 국소 침습 정도

국소적 침습 중 두개 내 침범 여부가 가장 중요하다고 알려져 있다. 경막을 침범하지 않은 경우 83%, 침범한 경우 13~22%의 생존율을 보고한 연구들이 있다.[29,50] Clayman 등[6]은 경막을 침습한 경우 30개월 이상 생존한 예가 없었다고 하였다. 경막이나 뇌실질을 침습한 경우 예후가 나빴지만, 경막만 침범한 경우와 뇌실질을 동시에 침범한 경우 사이에는 생존율의 차이가 없었다.[43] 안와 내 침범 여부도 예후에 영향을 주는 인자로 거론되고 있다. 안와적출술을 시행한 환자에서 40%, 안와적출술이 필요 없었넌 환자에서 72%의 생존율이 보고되었다.[50] 그 외에도 비인강, 접형동, 익구개판(pterygoid plate) 등을 침범한 경우에는 예후가 안 좋은 것으로 알려져 있다.[29]

3) 절제연(Resection margin)

다른 암수술과 마찬가지로 절제연에서 종양이 발견되는 경우 대체적으로 재발률이 높고 예후가 나쁜 것으로 알려져 있다. 절제연에서 종양이 보인 경우 국소재발이 많았다는 보고들이 있으나[6,29] 절제연에서 종양이 양성이었던 경우와 음성이었던 경우를 비교하였을 때 국소재발률의 차이가 없었다는 상반된 결과를 보고한 연구도 있다.[43] 이는 술자에 따라 절제연을 검사한 방법이 달랐기 때문으로 생각되며, 실제로 모든 절제연을 검사하지 않으면 평가하기가 어렵다. 따라서 일차적으로 종양을 제거한 후 의심되는 모든 부위를 채취하여 검사를 의뢰해야 한다.

4) 재수술(Revision surgery)

재발하여 다시 수술하는 경우 일반적으로 예후가 나쁜 것으로 알려져 있다.[17] 따라서 초기 수술 당시 종양을 완전히 제거하는 것이 중요하다.

V 중두개저 중앙구획으로의 접근법

이는 안면골이나 구강을 통하여 후비공, 비인두, 사대(clivus), 상부경추 등의 정중구조(midline structure)나 상악골 후벽, 익상돌기, 이관과 같은 내측 구조에 접근하고자 할 때 이용된다. 최근에는 로봇을 이용하여 두개 척추 연결부에 대한 접근을 쉽게 하는 방법들이 사용되고 있다.[38]

1. 터키안으로의 접근법

터키안의 대표적 병변은 뇌하수체선종이며 이 외에도 두개인두종, 수막종, 척색종 등의 종양이나 다양한 낭성(cystic) 또는 염증성 질환이 발생 할 수 있다(표 34-6). 특히 뇌하수체졸중(pituitary apoplexy)이나 급격한 시력감퇴가 있는 경우는 응급상황에 준한다. 터키안으로의 접근방법은 표 34-7과 같이 분류할 수 있다. 이 중 두개외·경막 외 접근법인 경접형동 접근법이 가장 흔히 사용되는 방법이다. 최근에는 내시경적 접근법이 비중격을 파괴하지 않고 수술 이환율이 낮아 재원기간이 단축되며 터키안 주변 병변(parasellar lesion)도 처리할 수 있어 각광받고 있으며,[30] 이 장에서는 최근 가장 많이 이루어지는 내시경을 이용한 경비강 터키안 접근법(endoscopic endonasal transsphenoidal approach)에 대해서 자세히 다루도록 한다.

표 34-6. 터키안의 병변

종양성
뇌하수체 기원
뇌하수체 선종(pituitary adenoma)
뇌하수체 암종(pitutary carcinoma)
과립세포 종양정(granular cell tumor)
비뇌하수체 기원
구개인두종(craniopharyngioma)
뇌수막종(meningioma)
척삭종(chordoma)
유상피낭(epidermoid)/유피낭(dermoid cyst)
배아종(germmoma)
기형종(teratoma)
지방종(lipoma)
흑색종(melanoma)
전이(metastasis)
비종양성
낭
Rathke 열낭(cleft cyst)
점액류(mucocele)
거미막낭(arachnoid cyst)
염증성 또는 감염성 병변
림프구성 뇌하수체염(lymphocytic hypophysitis)
사르코이드증(sarcoidosis)
거대세포 육아종정(giant cell granuloma)
조직구증 X(histiocytosis X)
농양(abscess)
혈관기원 병변
동맥류(aneurysm)
경동맥 해면정맥동 누공(carotid cavernous fistula)
해면정맥동 혈관종(cavernous hemangioma)

2. 경접형동접근법

경접형동 접근법(transsphenoidal approach)은 터키안으로의 접근을 위한 대표적인 방법이며 다른 접근법에 비해 쉽고 안전하므로 터키안 병변에 대해 가장 많이 이용된다. 이전에 비중격 수술을 받았거나 비성형수술을 받은 사람에게도 적용할 수 있다. 급성 부비동염이 있는 경우, 내경동맥이 접형동 내측으로 위치하여 접근을 방해하

표 34-7. 터키안으로의 접근법

두개외·경막외(extracranial-extradural)
경접형동(transsphenoidal)
경접형사골동(transsphenoethmoidal)
두개경유·경막내(transcranial-intradural)
경두개저(transbasal)
경익점(pterional)
측두하(subtemporal)

는 경우(양측성이면 'kissing carotid'라고 함), 뇌하수체 쪽보다는 주로 터키안상부(suprasellar)로 병변이 커진 경우, 섬유화, 칼슘침착 등으로 병변이 단단할 것으로 예상되고 특히 중요 구조물과 유착되어 제거하기 어려운 경우, 전방·외측방·후방으로 병변이 확장된 경우 등에는 적용하기 어렵다.[48] 갑개형(conchal type) 접형동은 드릴로 갈아내면 터키안에 접근할 수 있다.

경접형동 접근법에는 비중격의 점막을 박리하여 접형동으로 접근하는 경비중격 접근법(transseptal approach)과 비중격을 경유하지 않고 내시경을 이용하여 비강에서 직접 접형동으로 접근하는 방법(endoscopic approach)이 있다.

1) 경비중격 접근법

경비주 접근법(transcolumellar approach)과 구순하 접근법(sublabial approach)이 있다(그림 34-14). 경비주 접근법은 외비성형술 절개를 이용하여 비익연골의 내측각 사이를 벌리거나 내측각 하부를 분리하여 비주피판(columellar flap)을 젖히고 비중격점막과 비강저의 점막이 연결되도록 박리해 나가는 방법이다. 구순하 접근법은 양측 견치 사이에 해당하는 상악의 치은에 절개를 하고 상방으로 박리하여 이상구를 노출시킨 뒤 점막과 골격을 분리해 가는 방법이다. 혹자는 일측의 비공에서 비중격 연골의 전단부에 반관통절개(hemitransfixion incision)를 하여 비점막피판을 먼저 박리한 후 구순하절개를 하고 접근하기도 한다.[48] 경비주 접근법은 수술시간이 짧고, 구순하 접근법은 시야확보가 좀 더 잘된다는 것이 장점인데 어느 술식이든지 숙련되면 시간이나 시야면에서 큰 차이가 나지 않으며 최근의 연구에 따르면 두 가지 방법의 결과에도 큰 차이가 없다고 한다. 단, 비공이 좁은 사람, 특히 어린이에게는 구순하접근법이 좀 더 유리하다.

이 후의 과정은 두 가지 방법이 동일하다. 비중격점막의 박리는 Cottle이나 Freer 거상기(elevator)를 사용하여 비중격성형술에서와 같은 요령으로 진행한다. 한쪽 점막의 박리가 완료되면 비중격의 사각연골을 하방 및 후방의 뼈와 분리하고 박리한 쪽의 반대편으로 밀어낸다. 이때 충분한 수술시야를 확보하기 위해 반대쪽의 비강저 점막도 박리해야 한다. 후방에 있는 비중격 골부인 사골수직

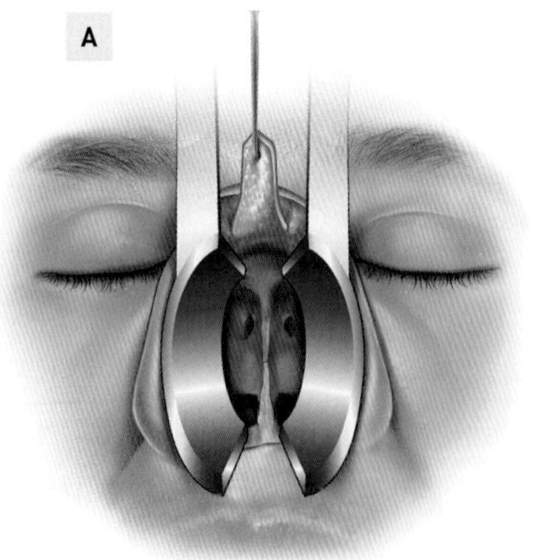

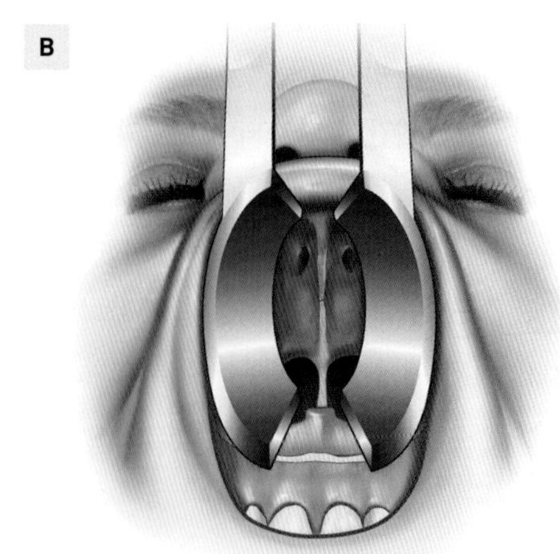

■ 그림 34-14. **경비중격 경접형동 접근법**

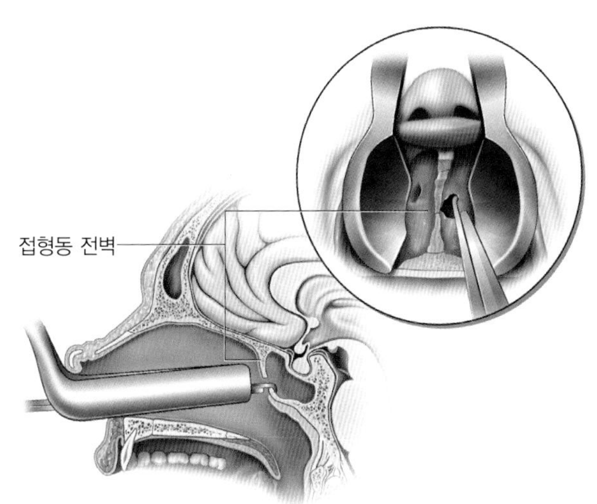

■ 그림 34-15. **접형동 전벽의 제거**

판(perpendicular plate of ethmoid)이나 서골(vomer)은 접형동의 전벽이 노출되도록 필요한 부분만큼을 잘라낸다. 이때 뼛조각을 가급적 크게 떼어내는 것이 좋다. 수술부위를 닫을 때 이를 두개저 결손부위 재건에 사용할 수 있다.

전벽에 붙은 양측 비중격점막을 외측으로 밀면서 접형동의 양측 자연공을 노출시킨 후 Hardy 견인기(retractor)를 장착한다. Kerrison 골겸자를 사용해 중앙 쪽부터 자연공을 확장하기 시작해서 주변으로 진행하여 전벽을 떼어낸다(그림 34-15). 전벽을 넓게 제거한 후 접형동의 중격을 없애고 점막이 남지 않도록 접형동 점막을 완전히 제거한다. 접형동 내에서 작업 할 때는 시신경과 내 경동맥에 주의를 기울여야 하며, 견인기는 접형동 내부까지 밀어넣지 않도록 한다. 접형동의 후벽은 바로 터키안이며 후벽을 열기전에 18게이지(gauge)의 척추천자침(spinal needle)을 후벽의 정중앙에 살짝 꽂은 상태에서 두부 측면단순촬영을 하여 병변과의 공간적 위치를 확인하고 후벽을 제거하면 안전하다. 때로는 종양이 접형동 내로 밀고 들어와서 전벽을 제거한 후 바로 종양을 접하는 경우도 있다. 종양을 제거한 후에는 비중격에서 얻은 골편을 알맞게 잘라서 터키안 위치에 놓고 적당한 크기의 지방조직을 접형동에 채워넣고 조직 접착제(tissue glue)를 뿌린 뒤 Hardy 견인기를 빼고 절개부위 봉합과 팩킹으로 수술을 종료한다. 골편이 적당하지 않으면(silicone plate)를 사용하기도 한다.

2) 내시경적 접근법

내시경을 이용한 두개저 접근법은 현미경을 이용한 수술과 유사한 수술의 결과를 보이면서도, 합병증이 적고 입원 기간이 짧고 수술 시간도 단축시킬 수 있으며 환자의 삶의 질에 관련된 지표 평가에서도 우위를 보여 현재 두개저 수술의 표준 수술방법으로 평가되고 있다.[39,47] 내시경을 이용한 수술이 보편화 되면서 터키안 및 터키안 주변(parasellar)에 도달하는 방법에도 여러가지 접근법이 소개되고 있으며(그림 34-16),[18] 단측 비공 접근법은 수술 시야 및 기구 조작에 제한이 생겨서 작은 크기의 뇌하수체 종양에 적합하며, 양측 비공 접근법이 소개된 이후[5] 단순히 큰 범위의 종양 제거뿐만 아니라 비강 구조물 손상을 최소화하면서도 넓은 시야와 기구 조작이 가능한 방법이 소개되었으며, 대부분의 터키안 및 터키안 주변 병변 종양의 경우 비갑개를 가측으로 외향골절 시키고 접근하는 양측 비공 경비강-측비중격 접근법(bi-nostril transnasal-paraseptal approach) 혹은 양측 비공 경비강-경비중격 접근법(bi-nostril transnasal-transseptal approach)으로 좋은 결과를 얻을 수 있었다.[5] 또한 Hadad등[11]에 의해 비중격 피판(nasoseptal flap)이 소개된 이후 이를 이용한 뇌척수액 누출이 획기적으로 감소하였고,[11,19] 이 피판기법의 이환을 최소로 줄이며 양측 비공 접근법의 장점을 살리는 접근법들이 소개되면서[21,37] 점점 고도화되고 있다. 수술방법에서는 보편적인 양측 비공 경비강-측비중격 접근법을 소개하도록 한다.

(1) 수술방법[38]

내시경적 접근법의 대부분의 과정은 0도 내시경을 사용해서 진행할 수 있고, 수술 과정의 안전과 편리성을 고려해서 네비게이션 장비와 내시경 세척 장치, 두개저 주요

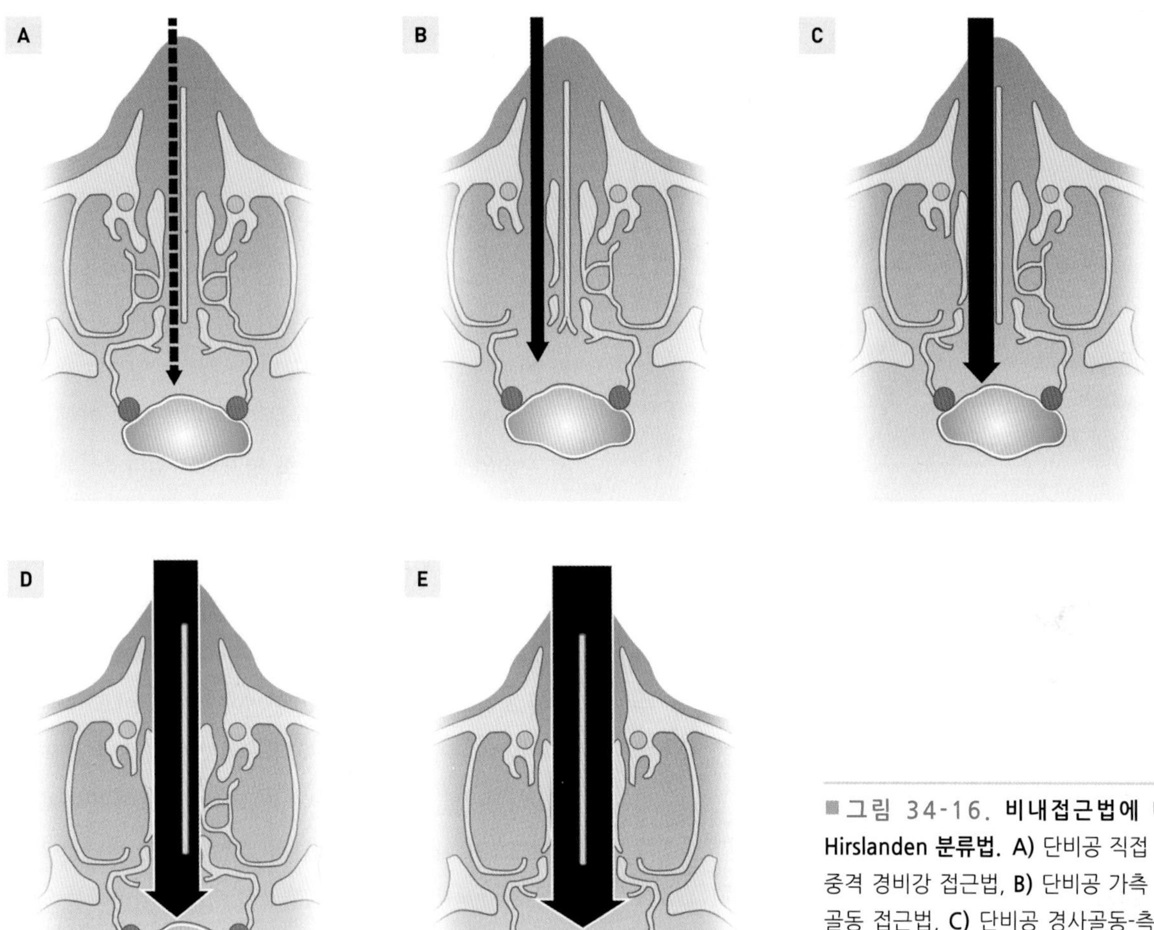

■그림 34-16. **비내접근법에 대한 Hirslanden 분류법.** **A)** 단비공 직접 측비중격 경비강 접근법, **B)** 단비공 가측 경사골동 접근법, **C)** 단비공 경사골동-측비중격 병용 접근법, **D)** 양비공 경사골동-측비중격 접근법, **E)** 양비공 경비강-경사골동 접근법

혈관을 탐지하기 위한 도플러 장비 등을 갖추고 수술을 진행하는 것이 추천되며, 양측 비공 접근법으로 진행할 경우 내시경과 수술 기구와의 원활한 통행을 위해 내시경을 환자의 우측 비공으로 접근시키고 드릴 등 전동 기구를 포함한 수술 기구를 좌측 비공으로 접근시키는 것이 일반적이다.

수술 시야를 확보하기 위해 양측 하비갑개를 외향 골절시키고, 중비갑개도 접형골문(sphenoid rostrum)으로의 수술 시야를 확보하기 위해 외향 골절 시켜 이동시키거나 일부를 절제할 수도 있다. 접형동 입구부를 확인하고 하부 내측(inferomedial)으로 확장시키는데, Kerrison 겸자를 이용하여 넓히는 과정에서는 가능한 비중격 피판의 주된 혈액 공급 가지 역할을 하는 접형구개동맥(spheno-platine artery)의 비중격 분지를 보존하는 것이 필요하다. 특히, 종양의 크기와 위치를 고려해서 수술 후 뇌척수액 비루가 예상되어 비중격 피판을 사용할 가능성이 있을 경우에는 미리 비중격피판을 도안하는 것이 추천된다.

반대측 접형동을 포함하는 넓은 수술 시야를 확보하기 위하여 비중격 후방의 골성 비중격을 제거하는데, 수술 후 두개저 재건에 사용할 수 있도록 일괄 절제(en bloc) 방법으로 제거하는 것이 유리하고, 수술 후 사용하지 않은 골성 비중격은 재삽입해서 재수술 과정에서 사용할 수 있도록 보관할 수 있다. 반대측 접형동 개구부를 확장시킬 때도 가능한 접형구개동맥(sphenoplatine artery)의 비중격 분지를 보존하는 것이 수술 후 두개저 재건 과정에서 유리하다.

접형동의 전벽을 양측에 걸쳐 넓게 제거해서 시신경과 경동맥의 돌출부(optic and carotid protuberance), 시상 하부 틈새(opticocarotid recess), 사대 확인(clival identification) 및 터키안 전벽이 확인되도록 수술 시야를 충분히 확보해야 하며, 접형동과 연접한 후사골동을 노출시켜 두개저의 주요한 구조물을 완전히 확인하는 것이 중요하다. 내경동맥관(ICA canal), 시신경관(optic canal), 사대(clivus), 접형골면(planum sphenoidale) 및 터키안 바닥과 같은 주요한 해부학 구조를 완전히 확인하고(그림 34-17), 접형동 부비동간의 격막(intersinus septum)과 부비동 내(intrasinus) 격막을 제거하면 터키안이 완전히 노출된다. 내시경을 통해서 종양 및 정상 뇌하수체를 직접 관찰하는 능력은 수술 현미경보다 큰 이점이며, 이러한 시각적인 장점은 종양을 더 완벽하게 절제할 수 있게 하며, 상부 및 측면 터키안 내 종양의 제거 시 발생할 수 있는 합병증을 줄이게 한다.

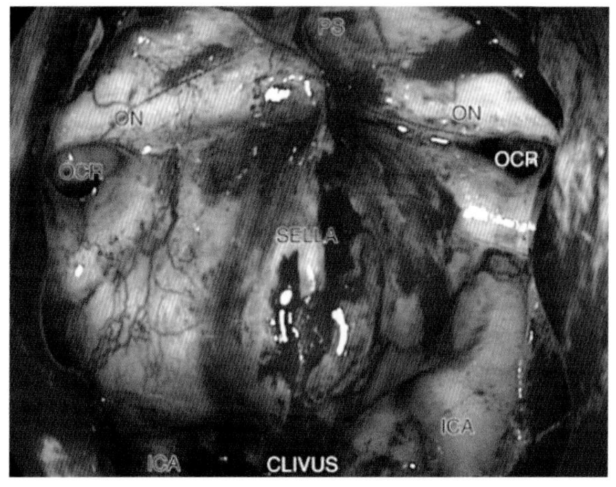

■ 그림 34-17. **비내접근법으로 관찰한 중두개저의 해부학적 구조.** PS: planum sphenoidale(접형골면), ON: optic nerve(시신경), OCR: opticocarotid recess(시신경내경동맥와), SELLAR(터키안), CLIVUS(사대), ICA: intenal carotid artery(내경동맥)

접형동을 완전히 개방한 후에는 뇌하수체를 개방하게 되는데(그림 34-18A), 터키안의 바닥을 덮고 있는 접형동의 점막은 측면으로 전위시켜 재건에 사용하기 위해 보존할 수 있고, 수술 부위의 점막을 일부 제거하는 방법도 사용된다. 다음 단계에서 일측의 내경동맥에서 반대측의 내경동맥으로, 그리고 접형골면(planum sphenoidale)에서 사대(clivus)가 노출되도록 터키안 뼈를 넓게 제거한다. 이 과정은 일반적으로 diamond burr 및 Kerrison micropunch을 이용하고, 경막을 노출시킨 후에는 경막을 사각형으로 매우 신중하게 절개를 하고, 절개한 경막을 통해 해면정맥동(cavernous sinus), 상·하 해면간정맥동

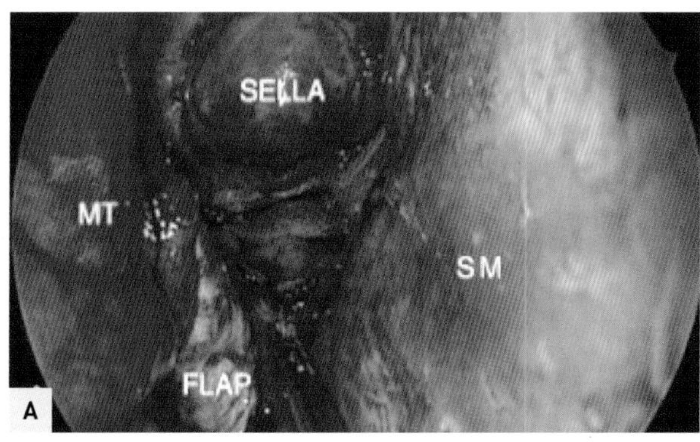

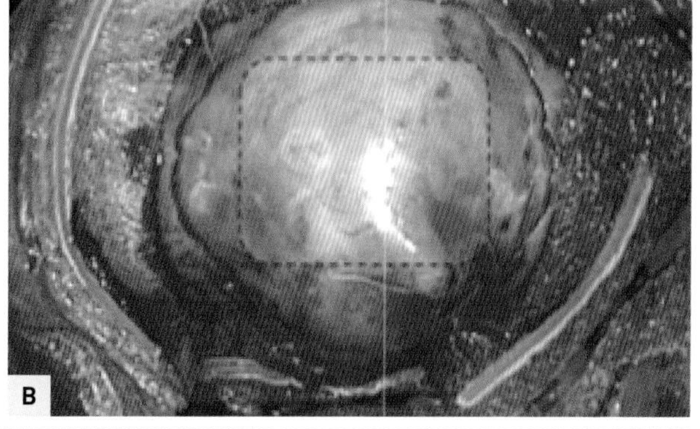

■ 그림 34-18. **A)** 우측 비강에서 본 경비강 접근법 내시경 소견. 비중격교정술에서 처럼 좌측 비점막을 박리하여 좌측 비점막은 유지되어 있으며, 우측의 경우에는 비중격 피판을 도안해서 비인두에 젖혀두었다. SELLAR(터키안), MT: middle turbinate(중비갑개), SM: septal mucosa(좌측 비점막), FLAP: nasopsetal flap(우측 비중격피판), **B)** 경막 절제 가상선

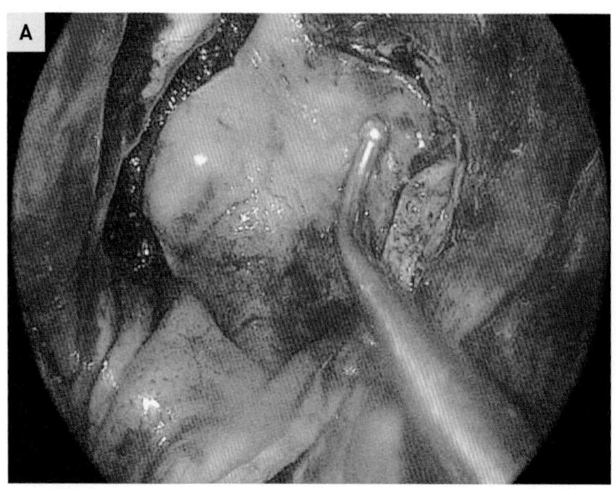

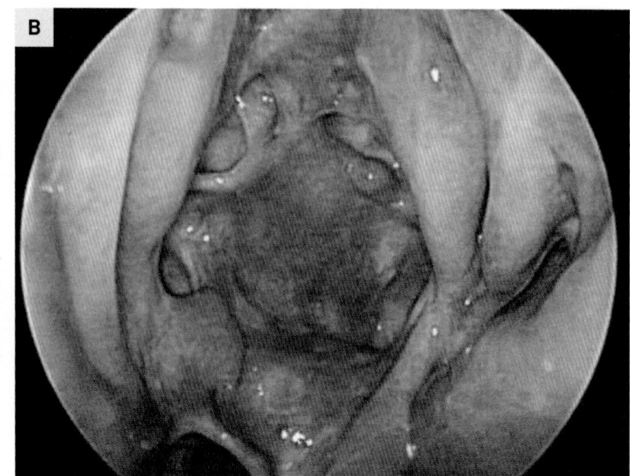

■ 그림 34-19. A) 우측 비중격 피판, B) 수술 후 3개월 내시경 사진

(intercavernous sinuses)과 양쪽 내경동맥의 정확한 위치를 확인하며, 경막 개방의 해부학적 경계를 확인한다.

종양의 절제술은 0도 내시경과 큐렛(curette), 흡입기(suction)을 이용해 측면에서 시작하며, 거미막과 내경동맥 간의 각도를 확인하면서 진행한다. 30도 내시경을 사용하면 터키안 및 터키안외(extrasellar)로 침범하는 종양을 찾을 수 있으며, 거미막(arachnoid membrane)을 확인하고 보존하는 데 도움이 된다. 뇌하수체 줄기(pituitary stalk)가 통과하도록 편평하게 경막(dura mater)이 접힌 해부학적 구조인 터키안 가로막(diaphragm sella)은 종양의 제거가 진행되면서 종양이 차지하고 있던 공간을 채우기 위해 하강하면서 수술 시야를 방해하여 불완전한 종양 제거가 이루어질 수 있고, 종양의 제거 과정에서 뇌척수액 누출이 주로 발생하는 부위이므로 주의해서 수술을 진행한다.

내시경을 이용한 두개저 접근법에서 최소한의 출혈을 유지해서 수술 시야를 확보하는 것이 무엇보다 중요하다. 출혈은 따뜻한 식염수를 사용해서 세척하거나 Surgicel 팩킹 및 양극 전기 소작 등의 방법으로 지혈할 수 있다. 종양의 제거 후 두개저 재건 과정에서 뇌척수액 누출이 없는 경우에는 접형동의 점막을 터키안저로 원위치시키거나 접형동 점막의 재생을 기대하며 단순 지혈과 팩킹의 방법을 사용할 수 있다. 소량의 뇌척수액 유출이 있는 경우에는 경막 내에 지방, 흡수성 지혈제 팩킹과 접형동 점막 및 비강 점막 이식편 보강 등의 방법을 사용하며, 큰 결손부위에서 다량의 뇌척수액이 유출될 경우 지방, 근막 및 흡수성 지혈제를 포함한 여러겹의 재건으로 터키안 부위에 보강하고 골성 비중격을 이용해서 뇌척수액의 압력을 제어하며, 비중격 피판으로 터키안저를 포함한 접형동 내부를 덮는 것이 수술 후 두개저 점막화를 촉진해서 뇌척수액 누출 확률을 줄일 수 있다(그림 34-19).

(2) 수술 후 환자 삶의 질

앞에서 기술한 바와 같이 내시경을 이용한 터키안 및 두개저 수술의 적응증이 점점 늘어나며 수술이 증가함에 따라서 수술 후 코 기능의 변화를 포함한 환자 삶의 질에 대한 관심도 급속히 증가하게 되었다.[23,40,45] 환자들이 삶의 질과 관련되어 가장 흔하게 호소하는 증상들에는 후각 변화, 코 속의 가피와 코피, 비루와 후비루, 코 건조함, 두통과 코 속의 통증, 비음을 포함한 음성 변화 등이 있다.

① 후각

후각 감퇴에 대한 연구 결과가 2010년부터 보고가 되기 시작하였는데,[12] 비중격 피판을 이용한 두개저 재건술이 증가하면서 이 수술 후에 후각이 유의하게 감퇴한다고 보고되었고,[40] 수술 시간이 길어질수록 후각 감퇴의 발생 빈도가 증가하였다는 보고도 있지만,[9] 코 내시경 두개저 수술 후 후각 감퇴 소견을 보인 환자들을 대상으로 1년간 추적한 결과 많은 수의 환자들이 후각을 회복하였다는 보고도 있다.[3] 코 내시경 두개저 수술 과정에서 후각점막상피의 손상을 줄이기 위해, 비중격 피판의 주된 혈관 가지를 손상시키지 않을 정도로 가능한 낮게 비중격 피판을 도안하거나,[10,13] 비중격 피판을 도안할 때 전기 소작기를 사용하지 않고 수술도를 사용하면 후각점막상피의 손상을 최소화할 수 있으므로 코 내시경 두개저 수술 후 후각 감퇴를 예방할 수 있다는 보고도 있다.[15,27] 코 내시경 두개저 수술의 목적인 두개저 종양의 제거를 위해서는 반드시 적절한 내시경 수술 시야가 확보되어야 하며 수술 기구 조작을 위한 코 속의 충분한 공간 확보가 필요하다. 이를 위해 접형동을 통한 두개저 접근 과정에서 비갑개의 외향 골절 등의 수술을 진행하게 되므로 코 내시경 두개저 수술 후 비강의 부피가 증가하게 되지만 이러한 비강 부피의 증가와 내시경 두개저 수술 후 후각 감퇴 정도와는 상관관계가 없다는 보고들이 주를 이루고 있다.[24,25,36]

② 과비음(Hypernasality) 등의 음성 변화

내시경 두개저 수술 후에는 내시경 부비동 수술과 유사하거나 혹은 보다 심화된 코 속의 구조 변화를 동반하기 때문에 이로 인한 공명 현상과 기류 변화가 필연적으로 동반되어 음성 변화를 야기할 수 있다. 주로 비음의 변화로도 나타나는데, 내시경 두개저 수술 전 후의 음성과 언어 사용을 분석한 연구에서 수술 후 과비음 현상을 확인할 수 있었으며 젊은 환자보다 노인에서 심한 비음 변화가 관찰되었다.[22]

③ 삶의 질 관련 지표

수술 후 평균 3년의 추적 관찰을 시행하여 Rhinosinusitis Outcome Measure (RSOM-31)로 측정한 수술 후의 삶의 질 평가에 있어서는 비중격 피판을 사용한 수술에서 후각과 두통에 있어서 유의하게 악화되는 결과를 얻었으나, 전반적인 삶의 질 지표에서는 유의한 차이를 보이지 않았으며 후각과 두통의 경우에도 시간이 지날수록 호전되는 양상을 보인다고 하였다.[9] 또한 뇌하수체 호르몬 과분비 종양 환자들이 RSOM-31 전반에 걸쳐서 삶의 질 저하 양상을 보여 호르몬 분비 변화가 삶의 질 관련 중요한 요소로 작용할 수 있다고 보고하였다.[9] 내시경 두개저 수술과 관련된 대부분의 삶의 질 관련 증상들은 수술 3~4개월 후부터 해소되기 시작하지만 수술의 복잡성에 따라 결과가 달라질 수도 있다고 보고하였는데,[2] 종양의 크기가 작거나 제거가 용이한 부위에 있는 경우에는 코 속의 수술 범위를 최소화하여 수술로 인한 삶의 질 저하를 줄여야 한다는 보고도 있지만,[13,14] 두개저 종양의 제거를 위한 수술 시야와 기구 조작을 위한 공간 확보 과정에서 접형동 접근을 위해 비갑개의 외향 골절 등을 시행한 후 발생하는 비강 부피 증가는 수술 후 Nasal Obstruction Symptom Evaluation (NOSE), Sinonasal Outcome Test (SNOT-20), VAS (Visual Analog Scale) 등 삶의 질 지표의 변화와는 관계가 없으므로, 최적의 내시경 두개저 수술을 위해 충분한 수술 공간을 확보하는 것을 고려해야 한다는 보고도 있다.[24,25] 내시경 두개저 수술 후 1년을 추적 관찰하여 RSOM-31으로 측정한 삶의 질 지표와 점액섬모청소능의 변화를 확인한 최근 연구에서도 광범위(extended) 내시경 두개저 수술 후에는 후비루와 점액섬모 청소능의 저하가 지속되었지만, 경비강 접근법을 사용한 내시경 뇌하수체 종양 제거술 환자에서는 유의한 차이가 없다는 보고가 있다.[36]

3) 응용

신경외과적으로 경접형동 접근법을 응용하여 터키안 상부나 전방부까지 접근하는 방법들이 보고되고 있으며[26,28] 내경동맥이나 해면정맥동까지의 병변에 접근하는 방법도 고안되었다.

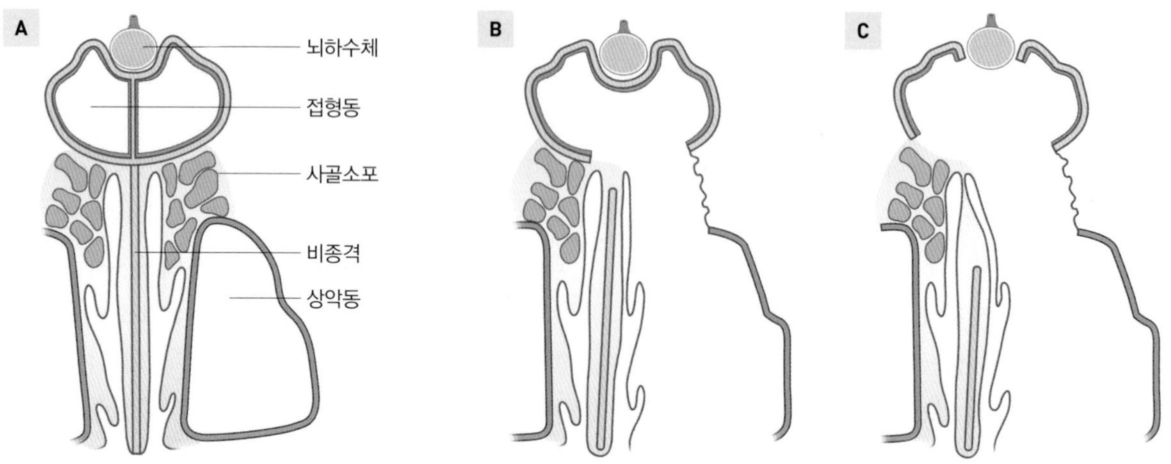

■ 그림 34-20. **경상악동 접근법**

3. 경접형사골동 접근법

경접형사골동 접근법(transsphenoethmoidal approach)은 두개외·경막외 접근법의 일종이며 사골절제를 내 후방으로 접형동까지 연장하는 술식이다. Lynch 절개를 가한 후 안와내용물을 외측방으로 견인하고 사골동맥을 결찰한 후 사골에 속하는 내측안와벽을 허물고 사골포를 절제해 나간다. 널리 쓰이지는 않지만 접근 각도상 접형동 하방과 사대의 병변에 적용할 수 있으며 경우에 따라서는 제한적인 내측상악골 절제술을 병행할 수도 있다.

4. 경안면접근법

가장 기본적인 경안면 접근법(transfacial approach)인 외측비절개 접근법, 구순하 안면중앙 접근법, Le Fort 1형 절골 접근법은 이미 전두개저 수술 부분에서 기술하였고, 여기서는 그 외의 접근법에 대해 다루고자 한다.

1) 경상악동 접근법(Transantral approach)

Caldwell-Luc 수술을 응용한 술식으로, 상악동 후벽과 사골동을 경유하여 접형동, 터키안, 익돌구개와 등으로 접근할 수 있다(그림 34-20).

2) 안면중앙 분리 접근법(Midfacial split approach)

양측 상악골의 전벽을 골피판으로 들어내어 접형동부터 제2 경추까지의 중앙구획을 한 시야에서 볼 수 있는 방법이다. 비배의 정중선을 통과하여 피부를 절개하고, 좌우로 분리할 때 비중격연골을 피판으로 만들어 이탈시키고 어느 한쪽에 붙인다. 골박을 박리하여 절골영역을 노출시킨다. Le Fort 1 절골, 비근부, 안와하연 및 상악골의 외측절골선이 모두 이어지게 절골하며 정중선에도 절골을 가한다. 외측절골선은 하안와신경의 바로 내측을 지나게 한다. 절제해낸 상악골의 전벽은 수술이 끝날 때 다시 원위치에 고정한다. 구개를 정중선을 따라 잘라서 익돌판과 분리하고 하방으로 전위시키면 하방으로의 시야가 더 좋아질 수 있다.

3) 상악골 회전 접근법(Maxillary swing approach)

상악골을 안면골에서 분리해내되 안면 피부에서 박리하지 않고 부착상태를 유지하여 골피부피판의 형태로 젖혀 중앙구획으로의 시야를 확보하는 방법이다. 절개하고 비골과의 경계, 정중선, 익돌판, 상악골의 내벽 및 전벽 상부, 협골을 자르면 비인두를 비롯한 중앙구획으로 접근할 수 있다. 하안와신경의 손상과 삼출성 중이염이 발생할 수 있다는 것이 단점이다.

4) 확장 상악절개술 접근법 (Extended maxillotomy approach)

구순하 안면중앙 접근법으로 시작하여 상악골 중 전벽, 경구개와 안와하벽을 남기고 제거한 후 경구개를 점막골막피판(mucoperiosteal flap)에 부착시킨 채로 하방 전위시켜 중앙구획에 대한 넓은 시야를 얻고 협골 일부분, 하악골의 구상돌기, 비갑개, 사골동, 접형동, 후방비중격, 내·외익돌판을 제거 하는 수술이다. 점막골막피판은 양측 대구개동맥에서 혈류를 공급받는다. 경구개의 골부도 제거했을 때는 상악골아전절제 접근법(subtotal maxillectomy approach)이라 부른다. 두 방법 모두에서 경구개 점막골막피판의 일차 봉합을 통해 구개폐쇄보조기(obturator) 없이 구개재건이 가능하며 심각한 연하곤란이나 기도흡인 문제는 없다. 상악공간의 충전에는 측두근피판을 이용한다.

5. 경구 접근법

경구 접근법(transoral approach)은 척색종이나 환축관절(atlantoaxial joint) 질환 등 사대와 인접한 척추의 병변에 적합한 방법으로서 접형동 후방부터 3번 경추까지 접근할 수 있다.

마취할 때는 경비기관내삽관(transnasal endotracheal intubation)이나 기관절개삽관(tracheostomy intubation)을 한다. 전신마취하에서 앙와위를 취한 환자의 두부를 과신전시키고 좌우 어느 한쪽으로 살짝 기울여 고정한다. 수술시야 확보는 Dingman 개구기와 Crockard 견인기 또는 Codman 견인기를 조합하여 확보한다. 병변이 사대 쪽이어서 시야가 충분하지 않으면 연구개를 정중선에서 절개하고 후비극(posterior nasal spine)과 경구개의 후방, 비중격의 후방을 약간씩 제거한다. 인두점막은 익상근막(alar fascia) 깊이까지 절개하며 외측방기저피판(laterally based flap)[35] 또는 하방기저피판(inferiorly based flap)의 형태로 만들어 내부의 정중절개선과 겹치지 않게 하는 것이 창상 회복에 유리하다. 골부는 드릴로 제거하며 좌우 폭이 1.5 cm를 넘지 않도록 한다. 경막 내 병변이면 경막절개를 하고 병변을 제거해 낸다. 경막은 이식편(graft)을 이용해 뇌척수액이 누출되지 않게 확실히 봉합하고 골부 결손은 복부지방으로 채운 뒤 근육과 인두점막을 봉합하고 연구개도 봉합한다.

6. 경구개 접근법

경구개 접근법(transpalatal approach)은 비인두, 특히 비인강 혈관섬유종의 수술에 많이 이용되는 방법이다. 전신마취하에서 앙와위를 취한 환자의 두부를 과신전시켜 수술시야를 확보하고 Dingman 개구기를 이용하여 구강을 최대로 벌린다. U자형의 Owen 절개를 내측 치조제를 따라 시행하고 경구개의 점막골막을 피판으로 박리하여 골부를 완전히 노출시킨다(그림 34-21). 연구개는 부정중선(paramedian plane)상에서 분할한다. 경구개는 골겸자로 제거하거나 드릴로 갈아낸다. 복원할 때는 피판을 봉합해준다.

7. 경하악골 접근법

경하악골 접근법(transmandibular approach)은 하악골 회전(mandibular swing)이라 부르기도 하는데 목적에 따라 술식이 약간씩 달라진다.

중앙구획에 대해 경구 접근법 단독보다 좀 더 좋은 시야를 얻고자 할 때는 피부는 부정중절개(paramedian incision)를 하고 하악의 순치은구(labiogingival sulcus)에 절개를 넣어 연조직을 벌리고 하악골의 정중앙을 자른다. 하악의 절골은 정중앙 일직선보다는 계단형이나 절흔형으로 꺾어서 하는 것이 복원에 유리하다. 나누어진 하

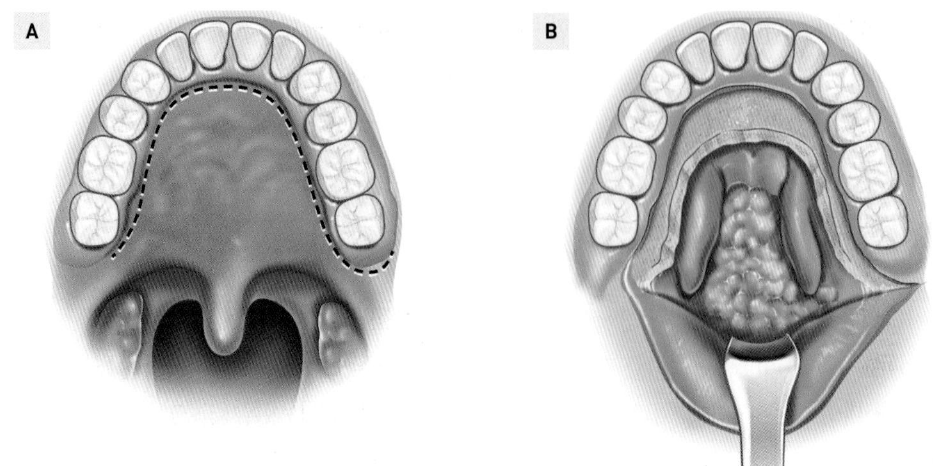

■ 그림 34-21. **경구개 접근법.** **A)** 절개선, **B)** 점막피판을 분리하고 경구개를 제거하여 병변을 노출시킨 상태

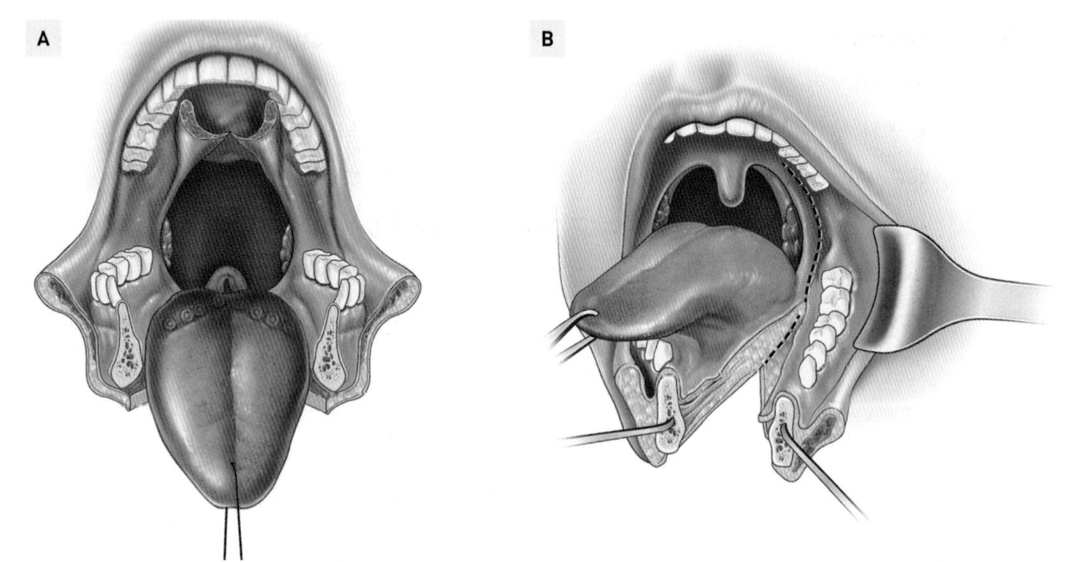

■ 그림 34-22. **경하악골 접근법.** **A)** 정중앙으로의 접근. 후두개가 보인다. 더 좋은 시야를 확보하기 위해 혀를 정중절개하기도 한다. **B)** 부인두공간으로의 접근. 하악골 자체는 중앙에서 자른다. 점선은 부인두공간으로의 접근을 위해 구강저에서부터 시행하는 이완절개 releasing incision의 표시이다.

악을 양측으로 벌리고 혀를 하방으로 최대한 당기거나[35] 혀의 정중선을 따라 정중설절개술(median glossotomy)을 하면 후두개(epiglottis)까지 노출된다(그림 34-22).

부인두강에 접근하는 것이 목적일 때에는 부정중절개의 하단과 병변 측 턱밑 절개가 곡선형으로 자연스럽게 이어지도록 절개한다. 턱밑 절개는 하악골 하연에서 2횡지 폭 내측으로 진행하고 후방으로는 유양돌기까지 시행하며, 혀는 절개하지 않는다. 중앙에서의 하악절골 후 병변 측 외측구강저에서 전구개궁까지 점막절개를 하고 하악설골근(mylohyoid)과 이복근(digastric)을 잘라 병변 측 하악을 외측으로 젖히면 부인두강에 접근할 수 있게 된다(그림 34-22). 경하악골·경부(transmandibular−transcervical) 접근법도 이와 비슷하다.

Ⅵ 중두개저 외측구획으로의 접근법

중두개저 외측구획으로의 접근법들 중 어떠한 방법에서도 안면신경의 처리도 공통된 숙제이다. 이들 중 중두개와접근법(middle fossa approach), 경측두골 접근법(transtemporal approach), 측두하와 접근법(infratemporal fossa approach) 등은 이과 편에 설명되어 있으므로 여기에서는 그 외 방법을 위주로 소개한다.

1. 경이하선 접근법

경이하선 접근법(transparotid approach)은 측두하와 하방 및 부인두강(parapharyngeal space)에 접근하는 술식으로서 주로 이하선 심엽의 종양이나 부인강의 신경초종을 제거하기 위해 사용하는 방법이다. 우선 이주 주의 하첨부를 지표(tragal pointer)로 이용하여 안면신경을 확보하고(그림 34-23), 이하선 천엽 절제술(superficial parotidectomy)을 시행한 뒤 이복근(digastric)과 경돌설골(stylohyoid) 근육과 인대를 절단하고 하악골을 전방으로 견인해서 접근로를 확보한다. 경부에서는 대혈관 및 주요신경을 노출하고 박리한다.

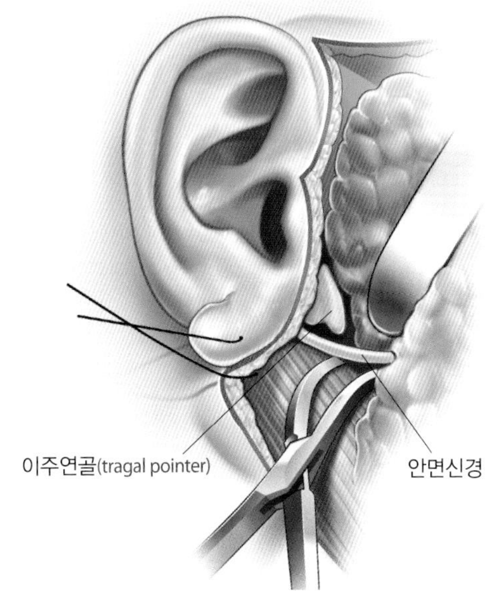

■ 그림 34-23. **경이하선 접근법에서 이주를 지표로 안면신경을 찾는 모습**

2. 확장 안면거상술 접근법

확장 안면거상술 접근법(extended rhytidectomy approach)은 안면신경을 박리하여 확인하지 않아도 되는 점이 특징인 술식이다. 절개는 경이하선 접근법과 비슷하게 이개 앞쪽으로 하며 이개하방부터는 하악골의 하연을 따라 악점(genion)까지 절개를 가한다. 안면거상술을 시행하듯이 안면 근육 전체가 드러날 때까지 피부피판을 전방으로 박리하고 이 후 하악골 하연에서부터 천근건막체계(superficial musculoaponeurotic system; SMAS)를 박리하고 협부 구강점막도 절개한다. 이렇게 함으로써 안면근육, 협점막, 이하선이 하나의 피판으로 형성되며 이를 후상방으로 젖히고 하악골을 부분적으로 절제하면 측두하와에 접근할 수 있다(그림 34-24). 피부피판과 근육피판의 두 피판을 만들어 접근로를 확보하는 술식으로서 안면이중피판 술식(facial biflap procedure) 이라고도 불린다.[38]

3. 외측 안면 접근법

외측 안면 접근법(lateral facial approach)에서 절개는 전이개절개를 상방으로 측두부 및 전두부 중앙까지, 하방으로는 하악각까지 연장한다. 협궁을 절단하여 하방으로 전위시키는데, 이때 안면신경의 전두분지가 피판 쪽으로 주행하므로 장력이 가해지지 않도록 한다. 측두근은 구상돌기(coronoid process)에서 분리하여 후상방으로 견인한다. 외측 익돌판이 접형골의 대익과 만나는 부위를 지표로 삼아 접형골의 대익을 경막과 분리하여 부분적으로 절제하는 측두하 두개골절제술(subtemporal craniectomy)을 하거나 익돌판을 제거하고 비인두로 접근한다(그림 34-25). 측두엽을 많이 견인해야 할 때는 측두골 개

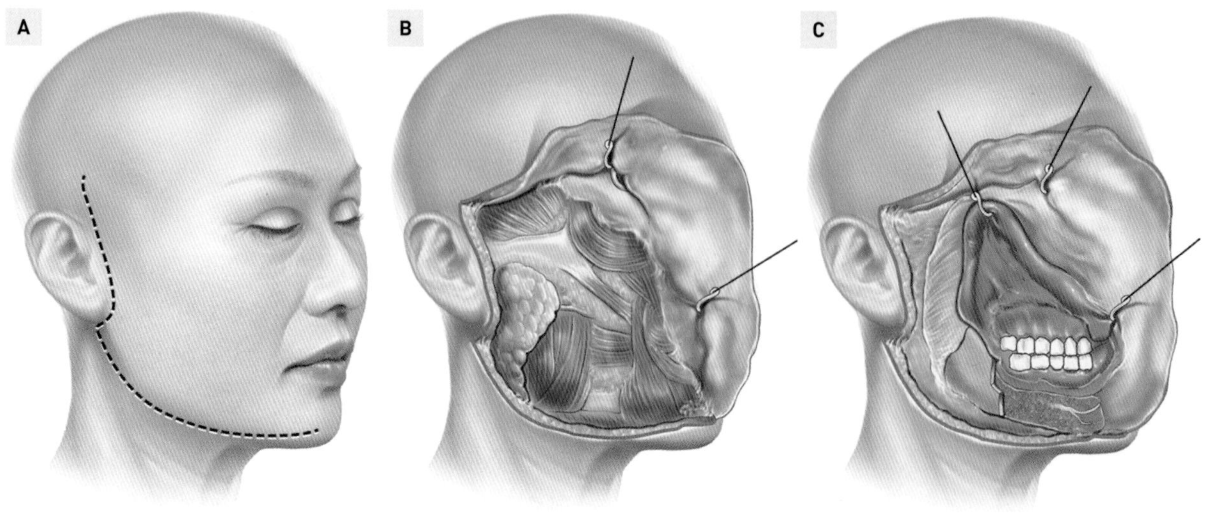

■ 그림 34-24. **확장안면거상술 접근법.** A) 절개선, B) 피부 피판을 전방으로 박리한다. C) 천근건막체계(SMAS)와 협점막을 일체로 하여 후외방으로 견인하고 하악골을 절개하여 접근로를 확보한다.

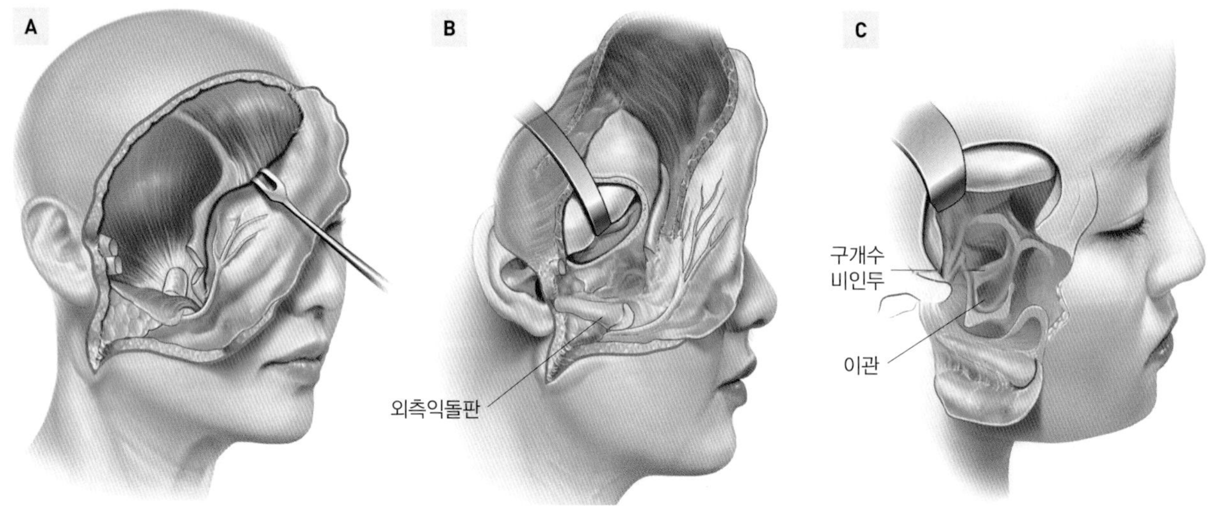

■ 그림 34-25. **외측 안면 접근법.** A) 절개선을 따라 측두근과 협궁을 노출시키고 협궁을 잘라 하방전위시킨다. B) 구상돌기에서 측두근을 잘라 후상방으로 전위시키고 측두하 개두술을 한다. 측두엽을 견인하면 삼차신경의 분지들과 익돌판의 접형골 집합부위기 노출된다. C) 상악신경과 익돌판을 제거하면 비인강이 노출된다.

두술(temporal craniotomy)을 병행한다.

4. 외측 경측두 접형골 접근법

외측 경측두 접형골 접근법(lateral transtemporal sphenoid approach)은 안와첨부, 상안와열, 삼차신경의 제1 분지인 안신경(ophthalmic nerve), 삼차신경절 부분에 직접 접근하는 방법이다. 그림 34-26A와 같이 절개한 후 협궁을 잘라 하방전위시키고 측두하 두개골절제술을 시행한다(그림 34-26). 외측 안면 접근법보다는 좀 더 국한된 병변에 대해 시행하는 술식이다.

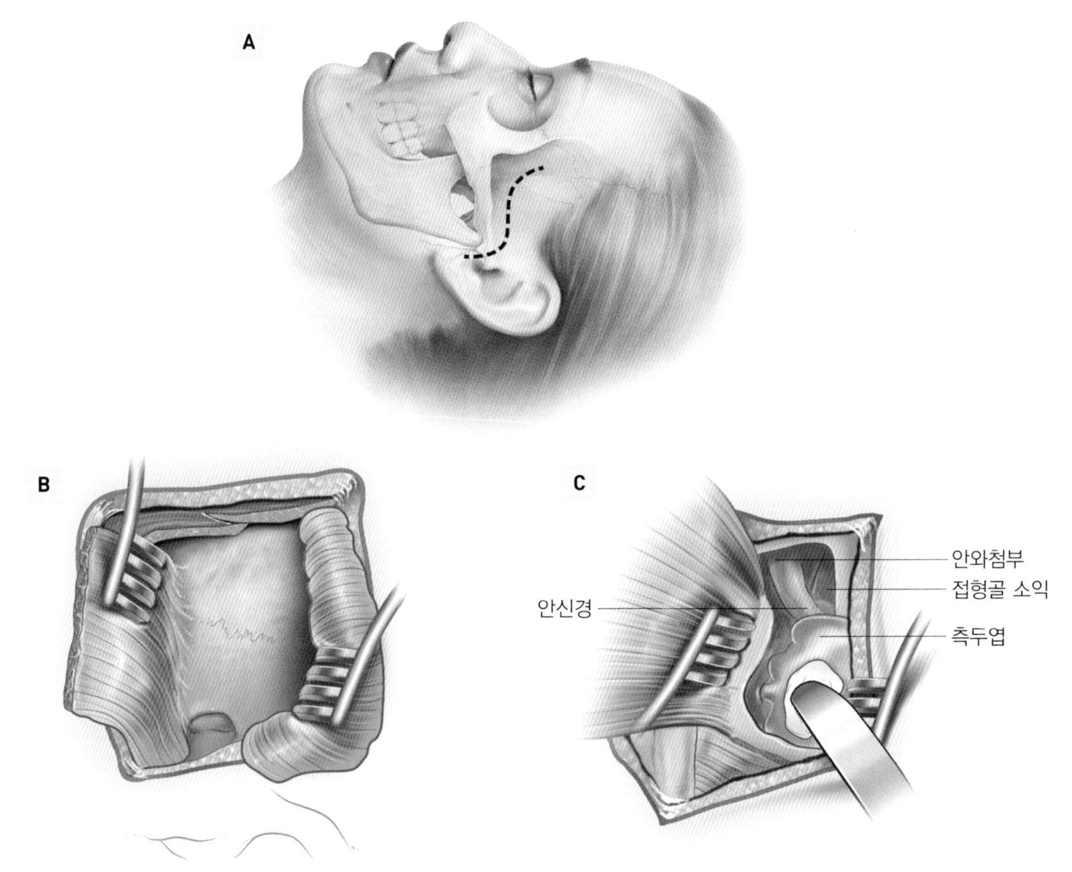

■ 그림 34-26. **외측경측두접형골접근법.** **A)** 절개선, **B)** 협궁을 임시로 제거하고 측두근을 견인하여 접형골의 대익을 노출시킨다. **C)** 측두하개두술을 한다.

5. 측두하·전이개 측두하와 접근법

측두하·전이개 측두하와 접근법(subtemporal-preauricular infratemporal approach)은 경이하선 접근법에 외측 안면 접근법 또는 외측 경측두접형골 접근법을 혼합한 술식이다(그림 34-27). 경이하선 접근술식에서 절개선을 상방으로 연장하면 측두하와 상부와 두개저에 접근할 수 있다. 이를 B또는 C형 측두하와 접근법의 응용술식으로 소개하는 경우도 있다.[31] 고전적인 측두하와 접근법에 비하여 시야는 좁지만 측두골을 별로 건드리지 않는 술식이므로 수술시간이 단축되며, 중이나 이관을 손상하지 않는다면 기존의 측두하와 접근법과 달리 영구적 전음성 난청이 생기지 않을 수도 있다.

6. 경협골 접근법

경협골 접근법(transzygomatic approach)에 대해서는 문헌마다 술식이 약간씩 다르다. 추체아전절제술에 측두하 두개골절제술을 합친 양상의, Fisch의 측두하와 접근법과 비슷한 술식으로 소개하는 문헌도 있고, 관상두피피판(bicoronal flap)을 만들고 골격에 대한 수술은 두개안와협골 접근법(cranioorbital zygomatic approach)과 유사한 술식인 경우도 있다. 넓은 의미에서 협궁이나 협골을 절제하고 중두개와와 측두하와로 접근하는 술식을 지칭하는 것으로 해석된다.

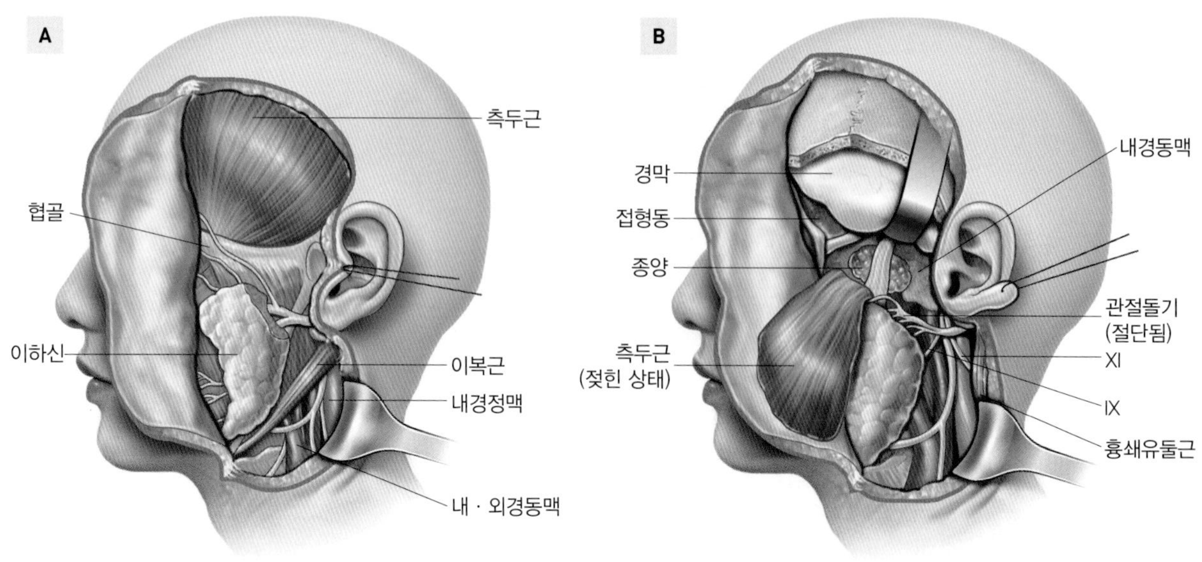

■ 그림 34-27. **측두하 전이개 측두하와접근법. A)** 절개 직후의 모식도, **B)** 측두하 두개절제술(subtemporal craniectomy)과 경부곽청술이 시행된 상태의 모식도

7. 안면전위 접근법

안면전위 접근법(facial translocation approach)은 Janecka가 소개한 술식으로서 중두개와의 외측구획과 중앙구획에 대해 동시에 광범위하고 확실한 시야를 제공하는 접근방법이며 측안면분리술(lateral facial disassembly)[31] 경측안면 접근법(translaterofacial approach)으로도 불린다(그림 34-28).

절개는 병변 측 안면의 반관상절개의 하측단과 외측비절개접근법 절개 또는 Weber-Fergusson 절개의 상측단을 수평절개로 연결한다. 수평절개 시 눈에서는 절개선이 하결막원개(fornix conjuntivae inferior)를 통과하도록 한다. 수평절개는 안면신경의 전두분지를 자르게 되는데 이때 미리 주행경로를 확인하여 표시를 해놓고 절단을 한 뒤 나중에 다시 연결해주어야 한다. 경우에 따라서 이개 전방까지 반관상절개를 연장할 수도 있다. 상측 피판과 하측 피판을 골막하에서 박리하는데 하측피판을 만들 때 하안와신경이 하안와공에서 잘리게 된다. 협궁에서 교근을 분리하고 안와골막은 상측만 그대로 두고 내·외·하측을 안와벽에서 박리한다. 그림처럼 상악 내 벽·전벽·후벽, 안와하 벽, 상악골 전두돌기 및 전두협 골봉합선(frontozygomatic suture)과 측두협골봉합선(temporo-zygomatic suture)을 절단하면 안와·상악골·협골이 일체로된 골격을 떼어낼 수 있게 된다. 측두근을 박리하여 하방으로 젖히면 외측 중두개저가 모두 노출되는데 이때 구상돌기를 외측으로 골절시키면 시야가 더 좋아진다. 이 상태에서 필요에 따라 익돌판을 제거하고 비인두, 접형동, 사대 등의 중앙구획에 접근하거나 측두하 두개절제술, 개두술 등의 외측구획에 대한 술식을 행한다.

수술 후 복원할 때 두개저와 안면부의 결손을 보충할 때에는 측두근이 유용하다. 떼어낸 골격을 원위치시키고 소형판(miniplate)으로 단단히 고정한다. 절단된 하안와신경은 악성 병변이 아니면 연결해준다. 누기(lacrimal system)에는 비루관의 협착에 대비해 카테터를 넣어두고 8주 정도 유지한다. 내안각인대를 누릉(lacrimal crest)에 잘 고정하고 일시적 검판봉합을 하여 1주일가량 유지한다. 절단했던 안면신경 전두분지를 연결하고 피부봉합을 한다. 술후 3~6개월 정도면 하안와신경의 기능이 되

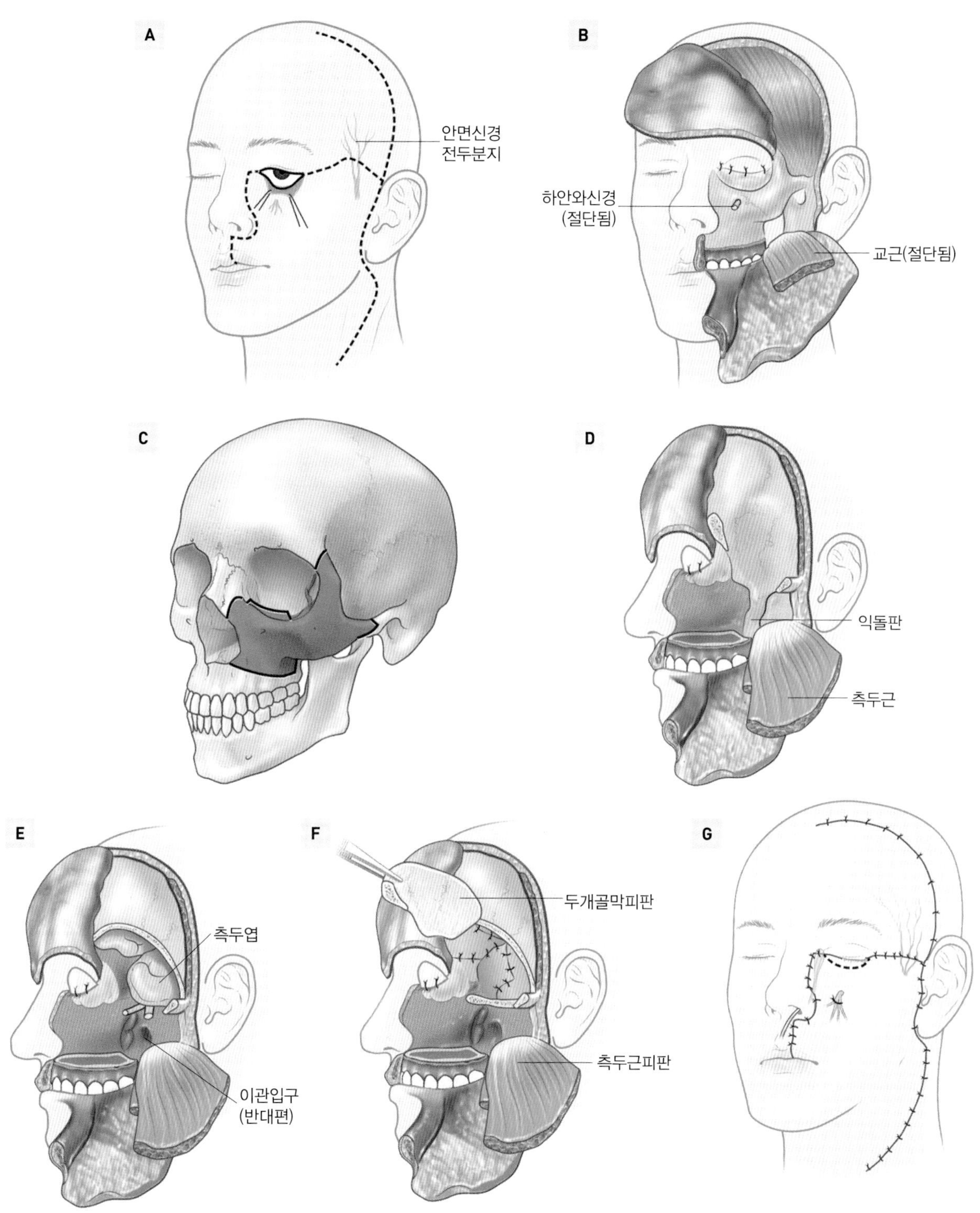

■ 그림 34-28. **안면전위접근법.** **A)** 절개선(본문참조), **B)** 안면 연조직 피판을 들어낸 상태, **C)** 절골선, **D)** 안면골을 빼내고 측두근을 하방전위시켜 측면에서 관찰한 모습, **E)** 익돌판, 안와외벽을 제거하고 측두하 두개절제술을 하며 삼차신경의 제2, 3 분지를 절단한 상태. 비인강이 잘 노출되어 있다. 비중격의 후방을 더 제거할 수 있다. **F)** 두개골막 피판과 측두근 피판을 이용해 수술부위를 복원한다. **G)** 봉합, 하안와신경과 안면신경 전두분지는 단단문함을 하고 누기에는 카테터를 넣어둔다.

살아나기 시작하고, 6~9개월 정도면 안면신경의 전두분지 기능도 되돌아오기 시작한다.[32] 이의 응용형 술식들은 각기 축소(mini), 표준(standard), 확장(extended)형으로 세분화되어 있다.[16] 또한 양측 안면전위 접근술을 동시에 시행하는 방법도 소개되었다.[16]

Ⅶ 두개저 수술 후 의 관리

1. 술 후 처치

수술이 완료되면 환자는 의식이 회복되고 상태가 안정되어 합병증의 발생 가능성이 충분히 감소되었다고 판단될 때까지 중환자실에서 관리를 받아야 한다. 향후 신경학적 합병증이 발생했을 때에 대비하여 수술 후 1일째에 CT를 반드시 찍어야 한다. 술 후 항생제와 위산분비억제제를 반드시 투여하며, 뇌실질을 많이 견인하거나 제거한 경우에는 뇌부종억제제와 항경련제를 써야 한다.[32] 진통제는 의식상태나 호흡기능에 미치는 영향을 고려해서 신중하게 사용해야 하며, 수면효과가 있는 약제들은 일반적으로 피한다. 요추 배액은 배출량이 정상화되어 뇌압상승의 우려가 없고 수술부위로의 뇌척수액 누출이 없을 것으로 판단되면 배액을 일단 정지시키고, 문제가 발생하지 않으면 이후 배액관을 제거한다.

2. 합병증

두개저 수술 후 합병증의 발생빈도는 약 50%까지 보고되고 있는데 뇌와 연관된 합병증이 많은 비중을 차지하며 때로는 사망에까지 이를 수 있다. 그러나 세심한 수술 전후의 처치로 합병증을 예방할 수 있다.

합병증은 크게 뇌신경계 합병증과 기타 합병증으로 구분할 수 있다. 뇌신경계의 합병증으로는 기뇌(pnemocephalus), 뇌척수액누출(CSF leak), 뇌부종, 뇌혈종 및 이들이 만성화될 때 생기는 뇌연화, 발작, 중추신경계 감염, 출혈이나 경색 등의 뇌혈관질환, 뇌신경 기능장애 등이 있다.[32] 뇌척수액누출은 가장 흔한 합병증의 하나로 누출량이 많으면 즉시 다시 열어 누출부위를 찾아 봉합해주는 것이 좋다. 소량일 경우 요추배액(lumbar drain)을 통해 매일 150 mL 정도 배액시키며 관찰한다. 그러나 5일이 지나도 멈추지 않으면 재수술을 고려해야 한다. 뇌부종(cerebral edema)은 수술 중 뇌의 견인으로 인해 발생하며 대개 수술 후 수시간 이내에 발생하나 때로는 며칠 후에도 올 수 있다. 과호흡을 시키고 mannitol, corticosteroid 등을 투여하면서 주의 깊게 관찰한다.

이 외의 합병증 중에서 중요한 합병증은 기뇌로 보통 수술 직후 환자가 지시에 따르지 않고 코를 푸는 행위를 해서 봉합된 경막을 통해 공기가 들어가서 발생하는 경우가 많다. 초기 증상으로는 내뇌 종괴 효과로 긴장성 기뇌(tension pneumocephalus)가 발생하여 착란, 둔화, 진행성의 신경 증상 악화가 생길 수 있다. 기뇌는 요추척수배액관을 설치하여 CSF를 과도하게 배액 하였을 경우에도 사이펀(siphon) 효과로 인해 비강에서 들어가 발생할 수 있다. 환자가 지시를 알아듣고 따를 의식이 있을 때까지 기도삽관이나 기관 절개부를 유지하는 것, 요추척수배액관을 설치해야 하는 경우 매 8시간마다 25~50 mL 정도로 배액양을 조절하고 24~72시간 내 제거하는 것이 예방을 위해 중요하다. 기뇌가 의심되면 컴퓨터 단층촬영을 시행하여, 확진 되었을 때 크기가 크면 절골 부위나 천두공(burr hole) 부위를 세침흡인 하거나, 재수술을 시행하여 재건부위를 강화하여야 한다. 급성 기뇌 시에는 100% 산소를 투여하여 두개 내 공기 흡수를 돕고, CSF 배액은 심각한 기뇌 발생 시 중단되어야 한다.[38]

일반적인 중한 수술의 경우와 같이 창상감염과 심혈관계, 호흡기계, 소화기계, 간, 신장 등 여러 기관에 다양한 합병증이 발생할 수 있으며 특히 중앙구획의 두개저 수술에서는 항이뇨호르몬분비이상 증후군(syndrome of inappropriate ADH; SIADH)으로 인한 요붕증(diabetes insipidus) 등의 내분비계 합병증이 생길 수 있음을 유의해야 한다.

두개안면절제술의 경우 85예에서 39%의 국소합병증과 6%의 전신합병증을 보고한 문헌이 있으며,[29] 가장 많은 증례를 경험하고 분석한 Janecka의 경우 183예에서 33%의 합병증 발생률과 2%의 수술 사망률을 보고하였다.[17] 최근의 종설 문헌에 따르면 합병증의 발생확률은 아직 3~4명에 1명꼴로 높지만 수술 사망률은 충분히 낮아졌음을 알 수 있다.[4]

참고문헌

1. 이철희 정하원, 이재서 등. 전두개 및 중두개를 침범한 병변의 수술적 치료. 한이인지 1998;41:218-225.
2. Awad AJ, Mohyeldin A, El-Sayed IH, et al. Sinonasal morbidity following endoscopic endonasal skull base surgery. Clin Neurol Neurosurg 2015;130:162-167.
3. Bedrosian JC, McCoul ED, Raithatha R, et al. A prospective study of postoperative symptoms in sinonasal quality-of-life following endoscopic skull-base surgery: dissociations based on specific symptoms. Int Forum Allergy Rhinol 2013;3(8):664-669.
4. Boyle JO, Shah KC, Shah JP. Craniofacial resection for malignant neoplasms of the skull base: an overview. J Surg Oncol 1998;69(4):275-284.
5. Castelnuovo P, Pistochini A, Locatelli D. Different surgical approaches to the sellar region: focusing on the "two nostrils four hands technique". Rhinology 2006;44(1):2-7.
6. Clayman GL, DeMonte F, Jaffe DM, et al. Outcome and complications of extended cranial-base resection requiring microvascular free-tissue transfer. Arch Otolaryngol Head Neck Surg 1995;121(11):1253-1257.
7. Donald PJ. Transfacial approach. In : Donald PJ e. Surgery of the Skull Base Philadelphia: Lippincott-Raven; 1998.
8. Fletcher AM, Marentette L. Anterior skull-base surgery: current opinion. Curr Opin Otolaryngol Head Neck Surg 2014;22(4):322-325.
9. Georgalas C, Badloe R, van Furth W, et al. Quality of life in extended endonasal approaches for skull base tumours. Rhinology 2012;50(3):255-261.
10. Griffiths CF, Cutler AR, Duong HT, et al. Avoidance of postoperative epistaxis and anosmia in endonasal endoscopic skull base surgery: a technical note. Acta Neurochir (Wien) 2014;156(7):1393-1401.
11. Hadad G, Bassagasteguy L, Carrau RL, et al. A novel reconstructive technique after endoscopic expanded endonasal approaches: vascular pedicle nasoseptal flap. Laryngoscope 2006;116(10):1882-1886.
12. Hart CK, Theodosopoulos PV, Zimmer LA. Olfactory changes after endoscopic pituitary tumor resection. Otolaryngol Head Neck Surg 2010;142(1):95-97.
13. Harvey RJ, Winder M, Davidson A, et al. The Olfactory Strip and Its Preservation in Endoscopic Pituitary Surgery Maintains Smell and Sinonasal Function. J Neurol Surg B Skull Base 2015;76(6):464-470.
14. Hong SD, Nam DH, Kong DS, et al. Endoscopic Modified Transseptal Transsphenoidal Approach for Maximal Preservation of Sinonasal Quality of Life and Olfaction. World Neurosurg 2016;87:162-169.
15. Hong SD, Nam DH, Park J, et al. Olfactory outcomes after endoscopic pituitary surgery with nasoseptal "rescue" flaps: electrocautery versus cold knife. Am J Rhinol Allergy 2014;28(6):517-519.
16. Janecka IP. Classification of facial translocation approach to the skull base. Otolaryngol Head Neck Surg 1995;112(4):579-585.
17. Janecka IP, Sen C, Sekhar LN, et al. Cranial base surgery: results in 183 patients. Otolaryngol Head Neck Surg 1994;110(6):539-546.
18. Jones DSN. Manual of endoscopic sinus and skull base surgery. 2014;2nd ed.: p.409-423.
19. Kassam AB, Thomas A, Carrau RL, et al. Endoscopic reconstruction of the cranial base using a pedicled nasoseptal flap. Neurosurgery 2008;63(1 Suppl 1):ONS44-52; discussion ONS-3.
20. Kennedy DW, Hwang PH. Rhinology: Diseases of the Nose, Sinuses, and Skull Base. 2012:728-729.
21. Kim BY, Shin JH, Kang SG, et al. Bilateral modified nasoseptal "rescue" flaps in the endoscopic endonasal transsphenoidal approach. Laryngoscope 2013;123(11):2605-2609.
22. Kim BY, Shin JH, Kim SW, et al. Hypernasality after using the endoscopic endonasal transsphenoidal approach for skull base tumors. Laryngoscope 2016;126(2):329-333.
23. Kim BY, Son HL, Kang SG, et al. Postoperative nasal symptoms associated with an endoscopic endonasal transsphenoidal approach. Eur Arch Otorhinolaryngol 2013;270(4):1355-1359.
24. Kim DH, Hong YK, Jeun SS, et al. Intranasal Volume Changes Caused by the Endoscopic Endonasal Transsphenoidal Approach and Their Effects on Nasal Functions. PLoS One 2016;11(3):e0151531.
25. Kim do H, Hong YK, Jeun SS, et al. Anatomic Changes Caused by Endoscopic Endonasal Transsphenoidal Surgery and Their Effects on Nasal Functions. Otolaryngol Head Neck Surg 2016;154(6):1132-1137.
26. Kim J, Choe I, Bak K, et al. Transsphenoidal supradiaphragmatic intradural approach: technical note. Minim Invasive Neurosurg 2000;43(1):33-37.
27. Kim SW, Park KB, Khalmuratova R, et al. Clinical and histologic studies of olfactory outcomes after nasoseptal flap harvesting. Laryn-

goscope 2013;123(7):1602-1606.

28. Kouri JG, Chen MY, Watson JC, et al. Resection of suprasellar tumors by using a modified transsphenoidal approach. Report of four cases. J Neurosurg 2000;92(6):1028-1035.

29. Kraus DH, Shah JP, Arbit E, et al. Complications of craniofacial resection for tumors involving the anterior skull base. Head Neck 1994;16(4):307-312.

30. Lobo B, Heng A, Barkhoudarian G, et al. The expanding role of the endonasal endoscopic approach in pituitary and skull base surgery: A 2014 perspective. Surg Neurol Int 2015;6:82.

31. Mattox D. The lateral temporal fossa approaches In:Brackmann DE, Shelton C, Arriaga MA, editors Otologic Surgery Philadelphia: WB Sauncler; 1994.

32. O'malley BW Jr ND, Janecka IP. Surgery of the anterior and middle cranial base. . In: Cummings CW,Haughey B, Thomas R, et al, editors Otolaryngology: Head and Neck Surgery St Louis: Mosby year book; 1997.

33. O'Malley BW, Jr., Janecka IP. Evolution of outcomes in cranial base surgery. Semin Surg Oncol 1995;11(3):221-227.

34. Raveh J, Turk JB, Ladrach K, et al. Extended anterior subcranial approach for skull base tumors: long-term results. J Neurosurg 1995;82(6):1002-1010.

35. Riemens V. Anterior approaches to the central skull base In: Portmann M RA, Stekers JM, editors. . Rhino-otological Microsurgery of the Skull Base Edinburgh: Churchill Livingstone; 1995.

36. Rioja E, Bernal-Sprekelsen M, Enriquez K, et al. Long-term outcomes of endoscopic endonasal approach for skull base surgery: a prospective study. Eur Arch Otorhinolaryngol 2016;273(7):1809-1817.

37. Rivera-Serrano CM, Snyderman CH, Gardner P, et al. Nasoseptal "rescue" flap: a novel modification of the nasoseptal flap technique for pituitary surgery. Laryngoscope 2011;121(5):990-993.

38. Rohan RW FC, Daniel WN. Surgery of the anterior and middle cranial base. In: Paul WF, Bruce HH, Valerie JL, editors. Cummings Otolaryngology Head and Neck Surgery 6th ed Sauders: Elselvier; 2015.

39. Rotenberg B, Tam S, Ryu WH, et al. Microscopic versus endoscopic pituitary surgery: a systematic review. Laryngoscope 2010;120(7):1292-1297.

40. Rotenberg BW, Saunders S, Duggal N. Olfactory outcomes after endoscopic transsphenoidal pituitary surgery. Laryngoscope 2011;121(8):1611-1613.

41. Schramm VL. Craniofacial resection . In:Sasaki CT MB, Kirchner JA, editors. Surgery of the Skull Base Philadelphia: JB Lippincott 1984.

42. Schroeder HW. Indications and limitations of the endoscopic endonasal approach for anterior cranial base meningiomas. World Neurosurg 2014;82(6 Suppl):S81-85.

43. Shah JP, Kraus DH, Bilsky MH, et al. Craniofacial resection for malignant tumors involving the anterior skull base. Arch Otolaryngol Head Neck Surg 1997;123(12):1312-1317.

44. Snyderman C, Gardner P. Master Techniques in Otolaryngology - Head and Neck Surgery: Skull Base Surgery. 2014:190-199.

45. Sowerby LJ, Gross M, Broad R, et al. Olfactory and sinonasal outcomes in endoscopic transsphenoidal skull-base surgery. Int Forum Allergy Rhinol 2013;3(3):217-220.

46. Spencer D. Protection of the brain during shull base surgery. In: Sasaki CT, McCabe BF, Kirchner JA, editors .Surgery of the Skull Base. Philaclelphia: JB Lippincott; 1984.

47. Strychowsky J, Nayan S, Reddy K, et al. Purely endoscopic transsphenoidal surgery versus traditional microsurgery for resection of pituitary adenomas: systematic review. J Otolaryngol Head Neck Surg 2011;40(2):175-185.

48. Surgery. PBTtp. In: Donald PJ, Gluckman JL, Rice DH, editors The Sinuses New York:Raven Press; 1995.

49. Taghi A, Ali A, Clarke P. Craniofacial resection and its role in the management of sinonasal malignancies. Expert Rev Anticancer Ther 2012;12(9):1169-1176.

50. Van Tuyl R, Gussack GS. Prognostic factors in craniofacial surgery. Laryngoscope 1991;101(3):240-244.

내시경 두개저 수술

원태빈, 임상철

부비동내시경수술을 통해 축적된 경험, 고해상도 영상장비와 내시경의 진화, 전산화단층촬영과 자기공명영상촬영 등 영상이미지 발달, 내시경용 드릴, 미세흡입절삭기, 양극성 비내전기소작기 등 특화된 수술 기구들의 개발, 영상유도장치(image guidance system)의 도입, 내시경 두개저 재건술의 발달, 비강의 해부와 생리 그리고 내시경 수술에 익숙한 이비인후과 의사와 두개내 병변의 수술적 치료를 담당하는 신경외과 의사의 협진 등 여러 방면에서의 종합적인 발전에 힘입어 두개저 병변의 치료에 비강을 통한 내시경적 접근법이 가능해졌다.[10-12] 오늘날 내시경 두개저 수술은 전두개저에서부터 대후두공(foramen magnum)까지의 거의 모든 두개저 구역에 적용할 수 있으며 외상에 의한 뇌척수액 유출, 골수염과 같은 감염 질환, 비부비강과 두개내의 양성 및 악성 종양 등 다양한 두개저 질환에 적용이 가능하며, 적응증과 범위는 나날이 커져가고 있다.[5]

흔히 내시경 두개저 수술을 접근하는 해부학적 구획(module)에 따라 분류하고 있으며, 시상면구획(sagittal plane module)과 관상면구획(coronal plane module)으로 나눌 수 있다. 시상면구획은 전두개와의 계관(crista galli)에서 대후두공까지의 중앙부에 위치한 병변을 접근할 때 사용하는 분류법으로 경시상판(trans-cribriform), 경접형평면(trans-planum), 경안장결절(trans-tuberculum), 경안장(trans-sellar), 경사대(trans-clival) 접근법 등으로 세분화한다. 관상면구획은 내경동맥(internal carotid artery; ICA)의 주행경로를 기준으로 수평내경동맥 아래 혹은 위쪽 공간, 또는 추체부 내경동맥 내측 혹은 외측에 위치한 공간에 따라 구획을 분류하여, 추체첨부(petrous apex), 추체하부(infrapetrous), 추체상부(suprapetrous), 해면정맥외측(lateral cavernous), 측두하와(infratemporal fossa), 그리고 비인강 등으로 세분화한다.[10]

본 장에서는 이비인후과와 관련이 있는 질환을 중심으로 전두개저의 병변을 치료하기 위한 내시경 전두개저 접근법과 후두와 또는 후두개저의 중앙부에 발생한 병변, 즉 사대주변부와 두개경추 접합(cranio-vertebral junction)부위의 병변에 대한 접근법과 중앙부에서 벗어난 추체첨부와 측두하와 그리고 비인강부위의 경비강 내시경적 접근법에 대해 기술하고자 한다.

I 일반적인 내시경 두개저 수술의 특징과 장점

내시경 두개접근법의 가장 큰 장점은 적절한 비강 내술식을 통해 외부 절개와 직접적인 뇌의 견인을 피하면서 두개저로의 접근을 할 수 있는 데 있으며, 동시에 고식적인 외부접근법과 현미경보다 넓고 향상된 수술 시야를 제공해 준다.[6]

외부절개를 피함으로써 흉터의 발생을 예방하고, 출혈을 줄일 수 있으며, 두개저 병변으로의 직접적인 접근을 통해 고식적인 외부접근법에서 불가피하였던 뇌의 견인을 피할 수 있어 뇌의 부종을 예방 할 수 있고, 이러한 요소들은 종합적으로 수술시간과 입원기간을 단축시키는 결과를 가져온다.[9] 빠른 회복은 수술적 치료 후에 필요할지 모르는 추가적인 방사선 치료까지의 시간을 단축시킬 수 있다.[16]

최근의 고해상도 장비가 제공하는 내시경의 밝고 넓은 시야는 중요 해부학적 구조들과 종양의 경계를 직접 확인하면서 미세수술을 가능하게 하며 다양한 각도의 내시경을 이용하여 현미경으로는 보이지 않던 종양이나 주요해부 구조물의 뒤나 옆의 공간을 관찰할 수 있어 종양의 범위를 보다 정확하게 파악할 수 있다.[24,15]

병변의 특성에 따라 경비강 내시경 접근법의 장점이 부각되는 경우도 있으며, 전두개에 발생한 후각고랑(olfactory groove) 뇌수막종의 경우 비강을 통한 내시경 접근법을 이용하면 경막 소작을 먼저 시행할 수 있어 경막으로부터 종양의 혈액 공급을 조기에 차단할 수 있어 종양의 생리학적인 측면에서도 최적의 접근법이라고 할 수 있다. 내시경 수술이 최소 침습 수술이기 때문에 병변의 절제를 최소화한다는 오해를 가져올 수 있으나, 최소 침습 수술의 의미는 병변에 도달하기까지 불필요한 정상 조직의 손상을 줄인다는 의미이며, 오히려 향상된 시야를 통해 충분하고 완전한 절제가 가능하다.

내시경 영상은 3차원적 구조를 2차원 시야로 보여줌으로써 정확한 깊이를 판단하기 힘들고 영상이 왜곡되는 문제가 있을 수 있다. 이러한 단점은 영상유도장치의 도움, 내시경적 수술 지표들(surgical landmark)의 활용, 그리고 고정적 시야가 아닌 내시경의 지속적인 전후 움직임을 통해서 제공되는 깊이의 단서들을 통해 상당 부분 극복이 가능하다. 최근에는 기술의 발전으로 2차원 내시경의 단점을 보완한 3차원 내시경이 개발되어 내시경 두개저 수술에 사용되기도 한다. 3차원 내시경은 입체영상을 구현하기 때문에 깊이의 판단(depth perception)은 개선되었지만, 수술시간의 단축, 합병증 예방 등 수술과 관계된 여러 지표에서는 아직 명확한 결과들이 보고되고 있지 않다. 이외에도 해상도 감소, 비용증가, 수술자의 두통, 오심, 안구피로 등 3차원 내시경의 단점도 존재한다.

II 내시경 전두개저 접근법

1. 적응증 및 금기증

적응증은 전두개저의 뇌척수액 유출 재건부터 뇌수막종을 포함한 다양한 양성 및 악성종양이 해당된다(그림 35-1). 비부비동에서 기원하여 전두개저를 침범하는 종양 또는 두개내에서 기원한 뇌수막종과 같은 축외(extraaxial)종양 중 시상중앙부에 위치한 병변이 좋은 적응증이 된다. 양성 종양으로는 섬유골성 질환, 반전성 유두종이 있으며, 악성으로는 후각신경아세포종, 악성흑색종, 편평상피암, 선암종 등이 있다. 이러한 적응증은 수술 경험의 축척을 통해 지속적으로 확대되고 있으며[24] 질환의 특성과 술자 또는 이비인후과–신경외과 수술팀의 경험과 환자의 전신상태가 내시경 두개저 수술의 가능여부를 결정한

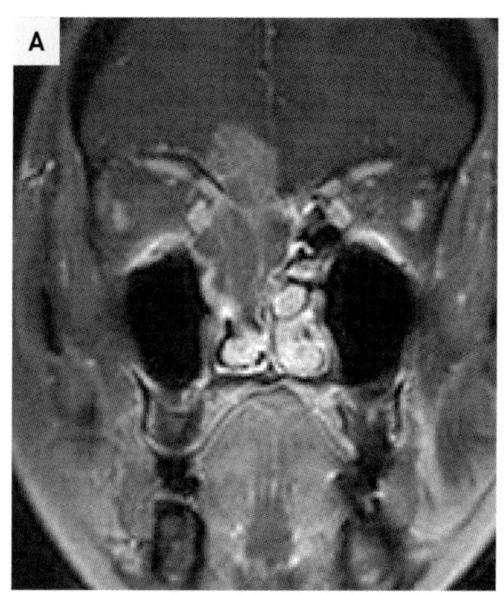

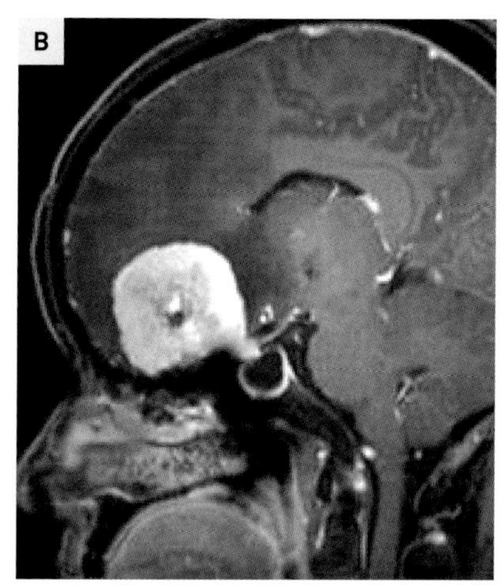

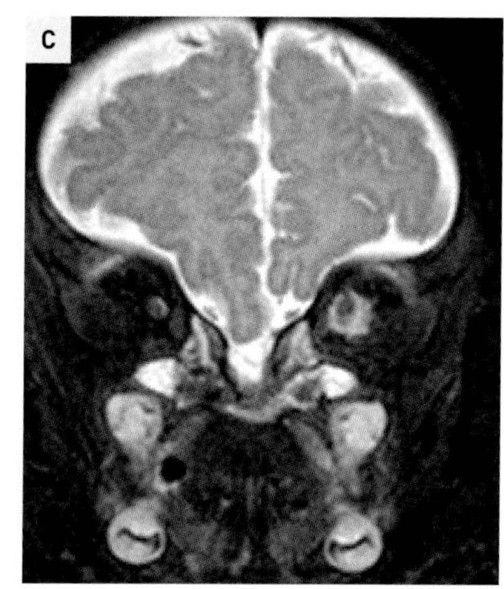

■ 그림 35-1. **내시경 경비강 접근법이 가능한 전두개저 병변들의 예.** **A)** 전두개저 침범을 보이는 부비동 악성종양, **B)** 후각고랑 뇌수막종, **C)** 뇌수막류

다고 볼 수 있다. 이는 내시경이 도달 가능하고 충분한 수술 시야를 확보할 수 있다면 주요 혈관을 침범하거나 시신경 외측까지 광범위하게 확장되어 있는 일부 병변을 제외하고는 내시경 두개저 수술의 적응증에 해당될 수 있다는 의미다.[27]

내시경 전두개저 수술의 금기증으로는 수술을 받을 수 없는 내과적 질환이 있는 경우, 피부나 안면 연조직을 침범한 경우, 누계(lacrimal system)를 침범하거나 전두동의 전벽과 외측벽을 침범한 경우, 안구 적출술이 필요한 경우, 경구개나 비골을 침범한 경우, 혈관이 매우 발달된 종양인 경우, 우회 순환이 없는 경동맥의 침범, 대뇌의 광범위한 침범, 양측 시신경이나 시교차(optic chiasm)의 침범이 있는 경우, 두개내 병변이 동공의 중앙선보다 외측으로 확장된 경우가 해당될 수 있다.[25] 따라서 수술 전 CT, MRI 등 영상학적인 검증이 내시경 두개저 수술 계획을 세우는 데 중요하다.[15] 이런 경우에는 내시경 수술과 병합하여 기존의 비외접근법을 추가하거나 또는 비외접근법으로 수술을 하는 것이 추천되며, 수술 중이나 수술 후에도 안면절개나 외부 접근법을 추가로 시행할 수 있다는 것에 대해서 환자가 인지하고 있어야 하며, 술자는 고식적인 개방술식에 대해서도 숙련되어 있어야 한다.[1]

2. 전두개저의 내시경적 해부학 및 수술 지표

전두개저는 전방으로는 전두골의 안와판, 중앙의 사골의 사상판, 후방으로는 접형골 소익과 체부(lesser wing and body of the sphenoid bone)로 이루어져 있다. 사상판에는 후각 신경이 통과하는 15~20개의 소공들이 있으며 이들은 비강 내 상부의 후각점막부터 두개내의 후구까지 이어져 있다. 계관(crista galli)은 사상판의 정중앙 전방에 돌출되어 있고 대뇌낫(falx cerebri)이 붙는 장소이다. 계관과 전두골의 측두선(frontal crest) 사이에는 상시상정맥동(superior sagittal sinus)으로 들어가는 도출 정맥(emissary vein)이 통과하는 맹공(foramen cecum)이 있게 된다. 협소한 의미의 전두개저 내시경 접근법은 중앙부에 위치한 후각고랑(olfactory groove)로의 접근을 의미하며 외측으로 안와의 내측벽, 전방으로 전두동의 후벽, 후방으로 접형골 평면으로 경계되는 사각형 모양이다. 중앙에 비중격 상부인 사골수직판을 중심으로 내측에 사상판과 외측에 사골동과 사골동천장으로 이루어진 대칭적 구조이기도 하다. 후방경계는 병변에 따라 접형평면이나 안장결절 등 접형골 체부까지 확장이 가능하다. 안동맥(ophthalmic artery)의 분지인 전후사골동맥

표 35-1. 내시경 경비강 전두개저 접근법에서 유용한 수술적 지표

수술적 지표	임상적 의미
전두동 후벽	전두개저골부 제거 시 전방 경계가 된다
안와판	전두개저골부 제거 시 측방 경계가 된다
전사골동맥	전두동입구의 좋은 표지자이다
후사골동맥	사골동과 접형동의 경계
접형평면	전두개저 골부 제거 시 후방 경계가 된다

은 각각 사상판의 사골동맥관을 통과하여 통해 두개내로 들어가게 된다. 전사골동맥은 제2 기판과 3기판 사이에 위치하여 전두동을 확인하는 중요 표지자이며, 후사골동맥은 사골과 접형골의 경계에 위치한다(표 35-1). 전두개저 접근법의 경우 이들 동맥의 결찰이 중요하며 수축으로 인한 안와 내출혈에 주의해야 한다.

3. 내시경 전두개저 접근법: 술식

두 명의 술자가 환자의 오른편, 머리쪽에 위치하고 간호사는 발쪽에 서게 되는 경우가 가장 많이 사용하는 수술실 배치 방법이며, 이럴 때 환자를 최대한 수술대 우측편으로 위치시키는 것이 좋으며, 전두개저 노출을 위해서는 내시경 뇌하수체 접근과 달리 목을 신전시키는 것이 좋다. 자유로운 내시경 조작을 통해 최적의 수술 시야를 확보하는 동시에 부족할 수 있는 깊이에 대한 정보를 제공하며, 두 손으로 박리를 진행함으로써 효율적인 수술이 가능할 수 있도록 환자의 양쪽 비공을 통해 두명의 술자가 동시에 수술을 진행하는 술식이 추천된다. 수술기법은 다양한 병변에 맞게 변형되고, 두개저 노출의 범위는 병변의 위치와 침범정도에 따라 결정된다. 부비동 종양이 전두개를 침범한 경우 침범한 전두개의 충분한 절제가 목적이지만 후각구 뇌수막종 같은 경우에는 수술통로를 확보하는 것이 목적이다. 따라서 병변에 따른 맞춤식 수술법이 필요하다.[27]

이후에는 내시경 전두개저 접근법 중에서 가장 대표적이라고 할 수 있는 내시경 단독 두개안면 절제술에 대해 기술한다. 두개안면절제술은 전두개저 침범이 있는 비부비동 종양의 수술적 치료를 위해 시행한다. 수술은 1) 비강 부비동내 종양의 제거, 2) 전두개저의 노출, 3) 전두개저 및 두개내 병변의 제거, 4) 전두개저 재건의 순서로 진행된다.

비강 및 부비강 종양의 내시경적 제거는 종양의 부착부위를 확인하면서 진행하는 것이 중요하다. 비중격, 비강측벽, 안와벽, 후비공 같은 구조물들을 표지자로 삼으면서 부착부위를 확인하기 위해 비강이나 부비동의 공간을 채우고 있는 종괴는 미세흡입절삭기를 이용하여 먼저 용적을 줄이는(debulking) 경우가 많다. 이렇게 하면 전두개저를 침범한 종괴는 두개저에만 부착된 채 부비강으로는 분리되게 된다. 부착부위가 확인 되면 절제연을 확보하면서 종괴를 적출하며 가능하면 종양보다 한 구역 밖에 있는 비강 내 구조를 절제에 포함한다. 비강 내 병변이 없는 전두와 병변인 경우 이 단계는 생략한다.

이후 두개저 절제를 위한 노출을 진행하게 되는데 넓은 수술 공간을 만들기 위해 하비갑개는 외향골절 시키고 필요한 노출 성도에 따라 중비갑개 및 상비갑개를 절제하게 되며 편측의 전두개저의 노출만 필요로 하는 경우 편측의 절제만으로도 가능하다. 비중격 상부의 절반 정도를 제거해야 기구가 양측 비공을 통해 자유롭게 움직일 수 있다. 전방경계는 전두동 후벽이 되는데 넓은 시야 확보를 위해서는 양측 전두동 바닥을 연결하는 변형 내시경 Lothrop 수술(modified endoscopic Lothrop procedure)을 시행한다. 이는 상부 비중격 제거술 양측 전두동 절제술 및 전두동 격막 및 바닥을 제거하는 술식이다(그림 35-2). 후방 경계는 일반적으로 접형골평면이 되며, 노출을 위해서는 양측 후사골동과 접형동을 절제하는 것이 필요하다. 좌우로는 사골동 절제술을 시행하여 사골와를 포함하여 양측 안와의 내측까지 노출하는 것이 필요하다. 이렇게 하면 전두동부터 후방의 접형동까지, 좌우로는 양측 안와가 보이는 넓은 후각구 전두개의 노출이 가능하다

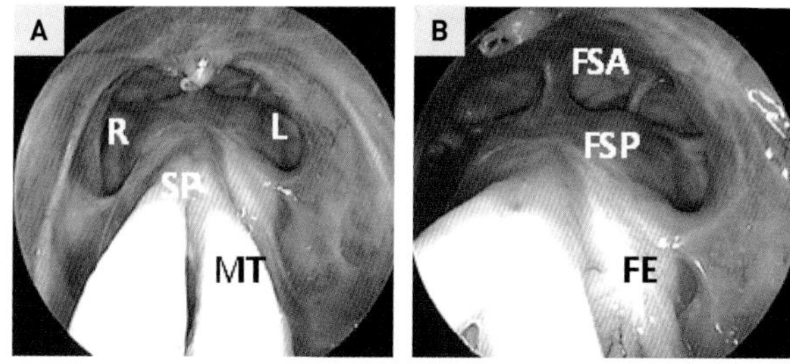

■ 그림 35-2. **변형 내시경 Lothrop 수술.** 양측 전두동 바닥, 전두동 사이 격막 및 비중격 전상부가 제거된 모습으로 전두개 접근의 전방 경계인 전두종 후벽과 사골와가 잘 관찰된다. R: right frontal sinus, L: left frontal sinus, SP: superior septum, MT: middle turbinate, FSA: frontal sinus anterior wall, FSP: frontal sinus posterior wall, FE: fovea ethmoidalis

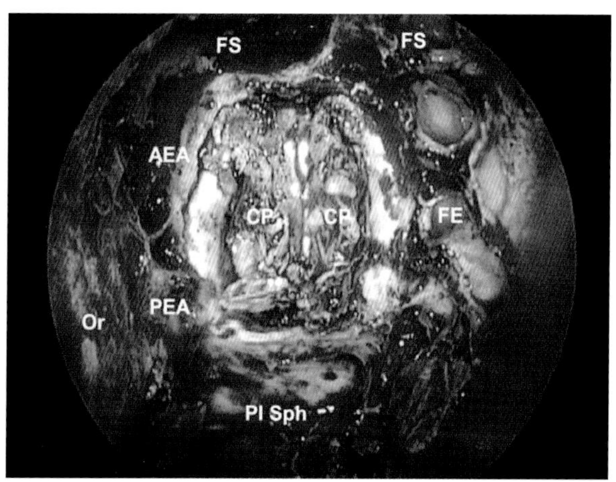

■ 그림 35-3. **내시경 전두개저 접근중 전두개저의 내시경 사진.** 전방으로는 전두동의 후벽, 후방으로는 사골동 접형동 경계, 양외측으로는 안와가 경계가 된다. FS: frontal sinus, AEA: anterior ethmoidal artery, PEA: posterior ethmoidal artery, CP: cribriform plate, FE: fovea ethmoidalis, PlSph: planum sphenoidale

(그림 35-3).

다음으로 뇌경막 노출을 위하여 전두개저의 골을 제거하게 되는데, 드릴로 뼈를 얇게 한 뒤 펀치로 제거한다. 전후로는 계관으로부터 접형골 평면까지 좌우로는 양측 안와내측벽 직전까지 제거한다. 이때 양측 전, 후사골동맥을 안와와 두개저의 경계에서 확인하고 전기소작 혹은 결

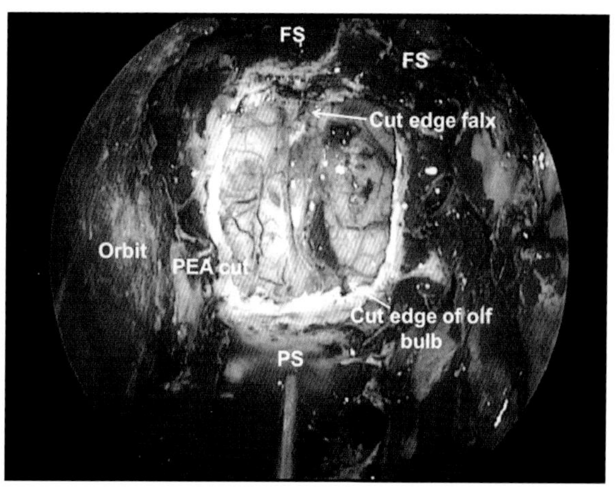

■ 그림 35-4. **경막과 양측 후구 절제후의 전두개저 내시경 사진.** 대뇌낫과 절단된 후구가 관찰되고 좌우의 전두엽이 노출된 모습이다. FS: frontal sinus, PEA: posterior ethmoidal artery, PS: planum sphenoidale

찰을 시행해야 한다.

이후 종양의 경계를 유지하며 경막을 소작하고 절개한다. 경막 절개는 양측면에서 시작하여 전방의 전두동 뒤의 경막 절개와 연결한다. 이후 중앙부위의 대뇌낫을 소작하여 절개하면 경막을 후방으로 거상할 수 있다. 경막 후방절개의 경계는 후각신경 기시부에서 시신경 교차(optic chiasm)까지 필요한 만큼 후방으로 확장하여 종양을 포함한 경막을 제거한다(그림 35-4). 마지막으로 남은 경막의 경계에서 동결절편검사를 시행하여 종양이 없는 것을 확인한다. 필요하면 후구(olfactory bulb)를 뇌실질로부터 분리해서 같이 제거할 수 있으며, 두개내 병변이 있는 경우 뇌실질과 조심스럽게 박리하는 것이 필요하며, 종양이 큰 경우 부피감소를 시행한 이후 종양을 둘러싸고 있는 피막을 적출하는 방법을 사용할 수 있다. 마지막으로 지혈 후, 두개저 재건을 시행한다.

4. 전두개저 결손의 내시경적 재건

전두개저 수술 후 발생한 두개저 결손은 골 및 경막 결손 부위가 넓으므로 재건은 보통 3층 이상의 다층재건

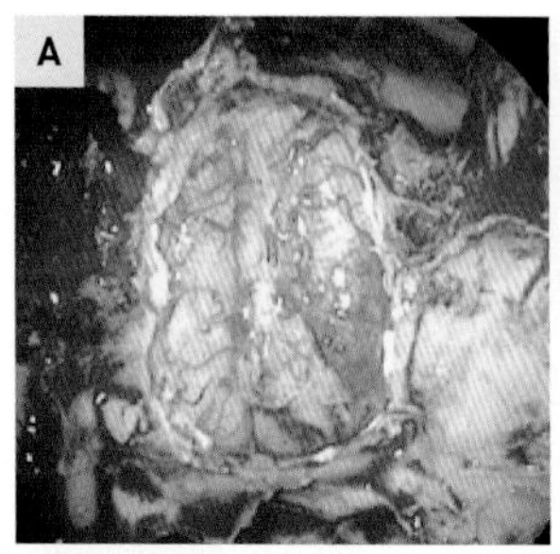

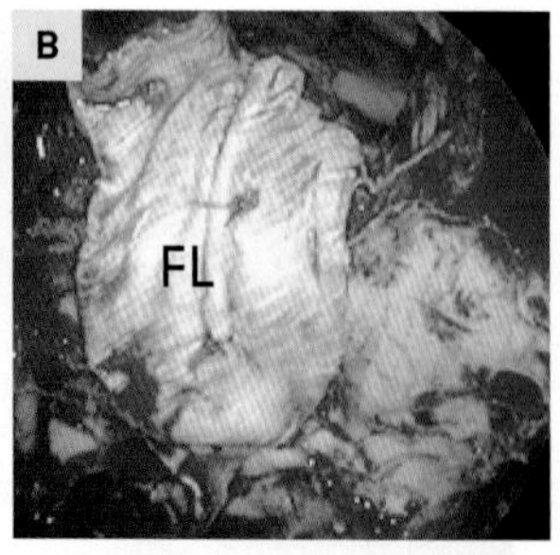

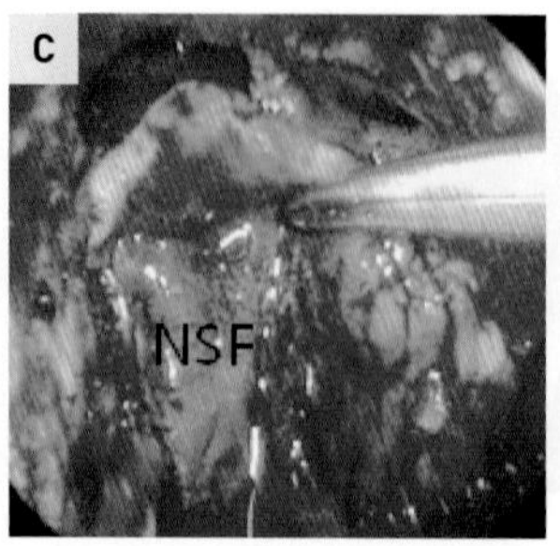

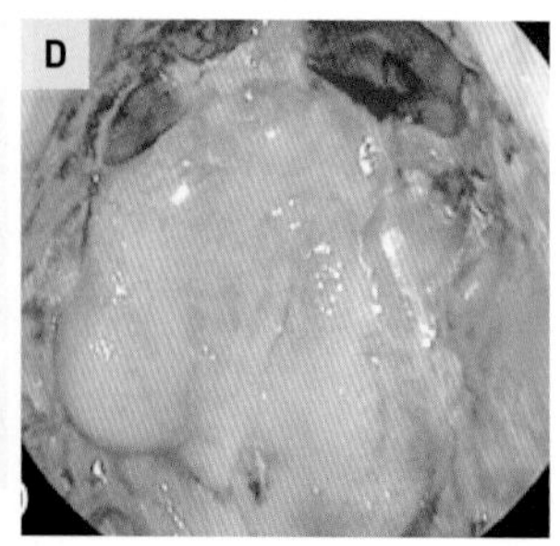

■ **그림 35-5. 내시경 전두개저 수술 후 발생한 두개저 결손의 재건.** **A)** 내시경 전두개저 수술 후 발생한 두개저의 결손. **B)** 재건을 위해 자가 대퇴근막(fascia lata, FL)을 내면이식 방법으로 위치시키는 모습. **C)** 대퇴근막 위에 비중격 골로 강화를 한 후 비중격 피판으로 결손 부위를 덮고 있는 모습. **D)** 수술 1개월 후 내시경 사진에서 성공적으로 재건된 전두개저 모습

(multilayer reconstruction) 방식으로 이루어진다(그림 35-5). 첫 번째 층은 경막 내의 내면이식(inlay graft) 방법으로 재건하는데 대퇴근막, 측두근막과 같은 자가이식물, 무세포동종진피(acellular dermis)와 같은 동종이식물 또는 인공이식물을 사용하며, 필요시에는 고정을 위해 변연부에 있는 경막과 봉합을 하기도 한다.[5] 두 번째 층은 두개저의 강직성 재건으로 비중격의 뼈나 연골을 이용할 수 있다. 마지막 층은 비강측 경계의 재건으로 가장 중요한 단계인데 이는 비강측 점막의 회복이 빠르게 이루어져야 뇌척수액루를 막을 수 있기 때문이다. 따라서 단순한 유리점막이식 보다는 혈관공급을 받는 피판이 권장된다. 현재 접형구개동맥의 후방중격분지의 공급을 받는 비중격 피판이 가장 추천되는 재건 방법으로 최대 25 cm^2 크기의 피판 제작이 가능하다고 알려져 있다. 그러나 환자마다 결손범위의 차이가 있고 비중격의 크기도 상이하므로 수술 전 비중격 피판을 이용한 재건의 적정성에 대한 평가가 반드시 필요하다.[18] 내시경 전두개저 접근법의 경우 비중격 상부의 제거가 필요하기 때문에 수술의 첫 단계부터 재건을 염두 하여 비중격 피판을 거상하는 것이 좋다.[2] 일반적으로 병변 반대측 피판을 거상하여 비인두에 위치시킨 후 마지막 단계에서 재건에 이용한다. 피판을 위치시키기 전에 경계 부위의 점막을 제거하여 피판이 뼈와 바로 맞닿을 수 있도록 하는 것이 중요하다. 그런 다음 surgicel과 생리적 접착체(biological glue) 등을 도포하여 이동을 최소화한 후 도뇨관이나 비강팩킹을 3일에서 5일 정도 유지하게 된다. 뇌척수액 누출을 방지하기 위해 수술 후 3~5일간 요추배액을 유지할 수 있으나 필요성에 대해서는 이견이 있다. 요추배액은 과거 수술력이 있거나 수술 중 지주막 수조(arachnoid cistern)가 열려 high flow leak가 발생한 경우, 고도 비만을 동반한 일부의 고위험 환자군에서만 필요하다는 의견이 있다.[23] 비중격 피판의 공여부는 범위에 따라 반대측 비중격을 이용하여 재건하거나 실리콘 부목을 이용할 수 있으며, 이 경우 충분힌 치유를 위해 수술 후 3주 이상 거치하는 것이 좋다.

종양의 침범 등으로 인해 비중격피판을 사용하기 어려운 경우 미간을 통해 두개골막 피판(pericranial flap)이나 모상건막-두개 골막 피판(galeal pericranial flap)을 비강 내에 위치하는 방법도 있다.[18] 그 밖의 유경 피판으로는 측두근막 피판, 중비갑개 피판, 하비갑개 피판 등이 있으나 전두개저 결손 전체를 덮기에는 역부족이므로 보조적으로 이용한다.

5. 합병증

두개저 내시경 수술의 합병증은 크게 두개내 합병증, 비강내 합병증 및 기타 합병증으로 분류 할 수 있다. 두개내 합병증으로는 기뇌(pneumocephalus), 뇌척수액유출, 뇌부종, 뇌혈종 및 이들이 만성화 될 때 생기는 뇌막염,

뇌연화, 발작, 중추신경계의 감염, 출혈이나 경색 등의 뇌혈관질환, 뇌신경 기능 장애들이 있다. 뇌척수액 유출과 이와 관련된 뇌막염이 가장 흔한 합병증의 하나로 조기 발견을 위해 술 후 정기적인 내시경 검사가 필요하다. 술 후 뇌척수액 유출 예방을 위해서는 두개저 결손부위의 확실한 재건이 가장 중요한데 최근에는 비중격 피판을 이용한 다층재건방식의 도입으로 뇌척수액 유출 빈도가 5% 정도로 획기적으로 감소하였다.[8] 뇌척수액유출이 명백히 확인되면 요추배액(lumbar drain)을 통한 보존적 치료나 조기에 재수술을 통한 유출부위 확인과 재건이 필요하며, 프로토콜은 병원마다 다를 수 있다. 수술 중 뇌의 견인으로 인해 발생하는 뇌부종은 내시경 비내접근법을 통해 대부분의 경우에 예방 가능하며 이는 내시경 접근법의 가장 큰 장점 중 하나이다. 내시경 전두개저 수술 후 발생하는 대표적인 비강내합병증은 후각 소실이다. 후각 상피가 존재하는 후열, 비중격 상부, 중비갑개 그리고 상비갑개가 제거되거나 손상되기 때문이다. 가피형성 역시 두개저 수술 후 흔하게 발생하는 합병증 중 하나이며, 이 밖에 후비루, 유착, 코막힘, 위축성 비염 및 수면장애 등이 발생할 수 있으며 이는 삶의 질에도 영향을 미칠 수 있다.[17] 그러나 대부분의 비강내합병증은 세밀한 비강 드레싱, 다양한 비강 내 약물요법 및 생리식염수를 이용한 비강 세척 등으로 치료가 가능하다. 기타의 합병증으로는 안와 내출혈, 복시 또는 시력장애와 같은 안구합병증과 일반적인 중한 수술의 경우와 같이 창상감염 및 심혈관계, 호흡기계, 소화기계, 간, 신장 등의 합병증이 발생할 수 있으며 특히 중앙구획의 두개저 수술까지 포함된 경우에서는 항이뇨호르몬 분비 부적합 증후군으로 인한 요붕증(diabetes insipidus) 등의 내분비계 합병증이 생길 수 있음을 유의해야 한다.

6. 증례

29세 남자 환자로 2개월 전부터 발생한 좌측 비출혈을 주소로 내원하였다. 외부병원에서 비내시경상 좌측 비강에 종괴가 발견되었고, 조직검사상 후각신경아세포종으로 진단되어 본원으로 의뢰되었다. 추가 검사상 경부 및 원격 전이는 발견되지 않았고, 부비동 MRI상 종양은 좌측 후열(olfactory cleft)에서 기시하여 아래로는 좌측 비강을 메우고 있었으며 위로는 두개내 침범소견을 보여 Kadish C로 분류되었다(그림 35-6). 선행화학요법은 VIP regimen, 즉 etoposide, ifosfamide, cisplatin을 3주 간격으로 2회 시행하였으나 반응이 없어 종양의 제거를 위해 내시경 단독 두개안면 절제술(endoscopic craniofacial resection)을 시행하였다. 절제연에는 종양이 없었으며 수술 후 추가적인 방사선요법을 시행하였다. 술 후 3년 후 실시한 내시경과 MRI상 재발의 증거 없이 무병 추적 관찰 중이다.

Ⅲ 후두개저와 외측구획 병변에 대한 경비강 내시경 접근법

1. 사대부위와 후두개저의 내시경적 접근법(Endoscopic approach to the clivus and posterior skull base)

해부학적으로 사대(clivus)의 상방은 접형골에 속하며, 하방은 후두골의 일부이다. 일반적으로 접형동의 바닥을 기준으로 상방을 사대의 접형부분(sphenoidal segment), 하방을 비인두부분(nasopharyngeal segment)으로 나눈다. 따라서 사대 전체를 노출하려면 서골과 접형동의 바닥을 모두 제거해야 한다. 사대 접형부분의 상부는 안장등(dorsum sella)과 연결되어 있으며 안장등의 외측상부에 후상돌기(posterior clinoid process)가 존재한다. 외측에는 내경동맥의 사대부분이 위치한다. 익돌관 신경은 서골-접형동 경계(vomer-sphenoid junction)의 외측부위에서 익돌관을 통해 나오는 것을 관찰할 수 있다. 익돌관 신경(vidian nerve)과 동맥이 있는 익돌관

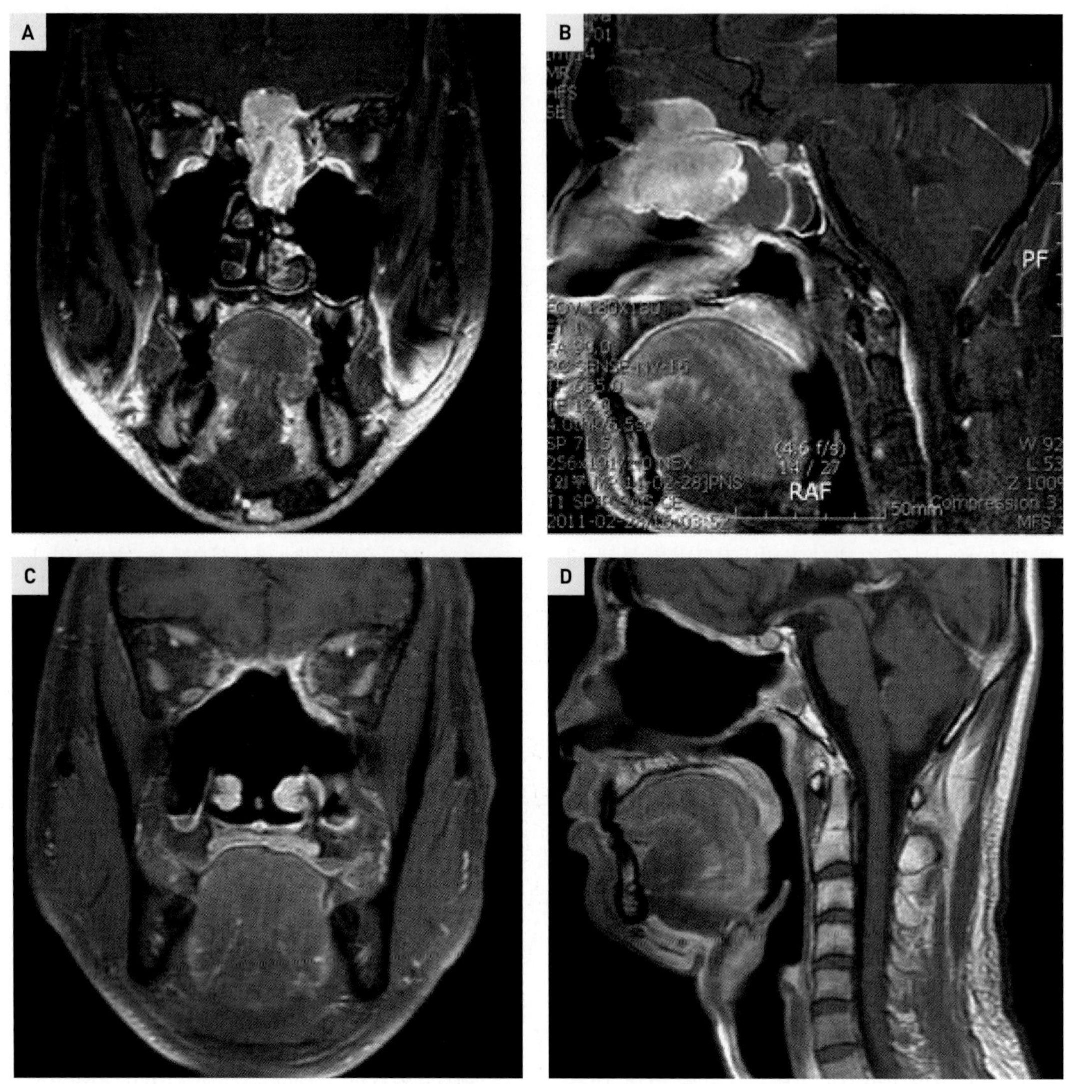

■ 그림 35-6. **후각신경아세포종으로 내시경 단독 두개안면 절제술을 시행받은 29세 남자 환자의 수술 전 후 MRI 소견.** **A)**, **B)** 좌측 후열에서 기시하여 비강과 전두개저 침범을 보이는 종양이 관찰된다. **C)**, **D)** 수술 후 3년째 재발 및 잔존 종양의 소견은 관찰되지 않으며 비중격 피판으로 재건된 전두개저를 관찰할 수 있다.

(vidian canal)은 경사대 접근법을 시행할 때 외측 경계가 되는 중요한 표지자이다. 익돌관 신경은 안쪽으로 파열공(foramen lacerum) 주변의 내경동맥의 수평슬(horizontal genu)로 주행한다.

경막을 제거한 후 후두와의 내시경 소견은 그림 35-7과 같다. 교뇌(pons)와 경간수조(interpeduncular cistern), 기저동맥(basilar artery)과 이의 분지들인 상소뇌동맥(superior cerebellar a.), 후대뇌동맥(posterior cerebral a.)이 관찰되며 이들 사이에서 나오는 동안신경을 관찰할 수 있으며 하방으로 척추기저부(vertebrobasilar junction) 부위에서 외향신경, 그리고 외측으로 7-8번 및 하방의 9-11번 뇌신경을 관찰할 수 있다. 이중 외향신경의 주행이 가장 길어 사대부내경동맥 후방으로 주행 후 Dorello관과 기저정맥동을 가로질러 해면정맥동으로 들어가며 이때는 내경동맥의 외측에 위치하게 된다.

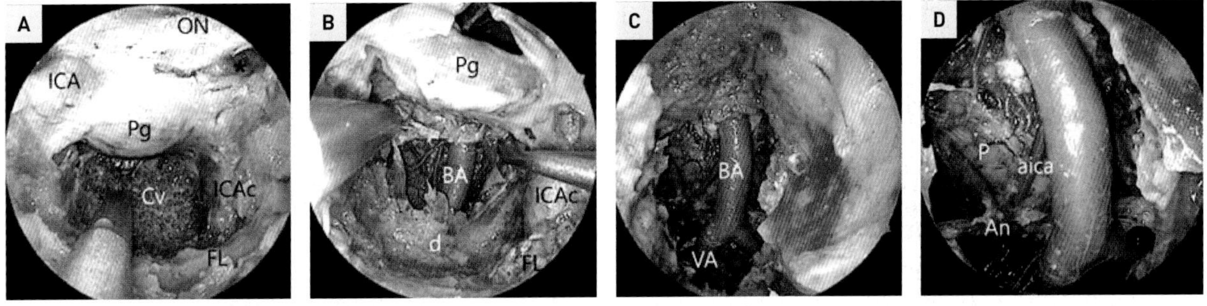

■ 그림 35-7. **사대부위와 후두개저의 내시경적 해부 소견.** ICA: internal carotid artery, Cv: clivus, *: lateral optico carotid recess, ON: optic nerve, FL: foramen lacerum, d: posterior fossa dura, Pg: pituitary gland, BA: basilar a., VA: vertebral a., aica, anterior inferior cerebellar a., P: pons, An: abducens n.

• 적응증 및 술기

후두개저의 내시경적 비내접근법은 상하로는 안장등(dorsum sellae)에서 대후두공(foramen magnum)까지, 좌우로는 양측의 내경동맥까지의 광범위한 수술시야를 확보할 수 있어 이 부위에 발생하는 다양한 질환에 적응이 된다. 사대 또는 후두와를 침범하는 병변의 접근에 용이하며, 사대의 상부에는 안장등을 침범한 뇌하수체 종양이나 시신경교차 후방에 위치한 두개인두종(craniopharyngioma)이 적응이 되며 사대의 중심부나 하부에는 척색종(chordoma) 또는 연골육종(chondrosarcoma)이 흔한 적응이 된다. 이외에도 외측으로 확장하여 중두개와 내벽의 뇌척수액 누출, 추체첨부의 콜레스테롤 육아종, 경정맥구종양의 접근 방법으로도 사용될 수 있다.[10]

사대 상부로의 접근법은 안장접근법의 하부 연장이다. 드릴을 이용하여 사대를 제거하며 이때 해면골의 출혈은 합성골(Bone wax) 등을 이용하여 조절하면 된다. 해면골 뒤의 내측 골피질을 확인한 후 다이아몬드 드릴을 이용하여 내측 골피질을 얇게 만든 후 겸자를 이용하여 제거한다. 후두와 경막이 노출되면 경막절개를 통하여 후두와 내로 접근한다. 외측경계는 양측의 사대부분 내경동맥이며, 상부로는 뇌하수체를 상방이동시켜 안장등을 제거하면 시신경교차후방부를 노출할 수 있다. 외측의 경막 절개 시 외향신경이 위치하므로 경계해야 한다. 사대의 중간 또는 하부로 접근할 때는 일반적인 안장접근 때보다 환자의 두부를 5~10도 정도 굴전시켜야 보다 편하게 접근할 수 있다. 사대의 중간부를 노출하기 위해서는 서골을 포함하여 접형골의 바닥을 제거하여야 한다. 외측으로는 익돌관 신경을 확인하여 골 제거를 내측으로 국한하면 추체부 내경동맥의 손상을 예방할 수 있다. 사대의 하부를 노출하기 위해서는 비인강점막과 인두기저막(pharyngobasilar fascia), 필요하면 두장근(longus capitis m.)을 제거해야 한다. 영어 대문자 "H" 모양이 수술적 지표로 사용될 수 있는데, 상부의 수직선은 양측의 사대부위 내경동맥으로 이루어져 있으며 하방의 수직선은 양측의 내측 익돌판이며, 중앙의 수평선은 접형동 바닥을 나타낸다. 수평선과 수직선이 만나는 지점이 익돌관에 해당된다. 수술 후 두개저 재건은 경막의 결손이 없어 뇌척수액 유출이 없는 경우 특별한 재건이 필요하지 않으나 경막결손과 뇌척수액 유출이 있는 경우 재건이 필요하다. 재건 방법은 앞서 전두개저 수술 시 사용하는 다층재건이 동일하게 추천된다. 이후 생리적접착제(biological glue) 등을 넓게 도포한 다음 도뇨관이나 비강팩킹을 3일에서 5일 정도 유지하게 된다.

• 증례

55세 남자 환자가 복시를 주소로 내원하였으며 검진상 우측 외향신경 마비가 관찰되었다. MRI소견상 사대부, 두개경추접합부(cranio-vertebral junction), 후두와의

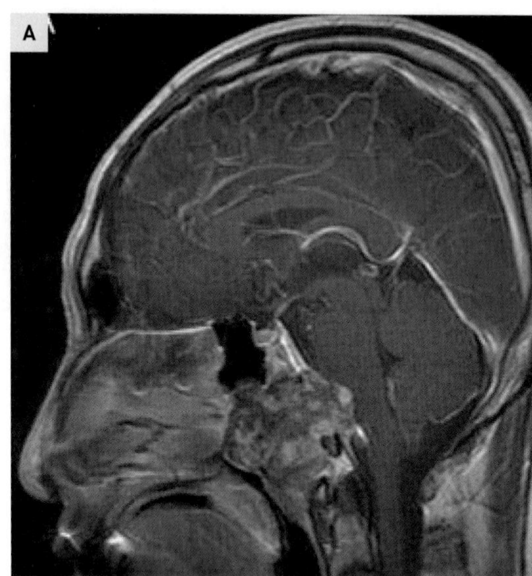

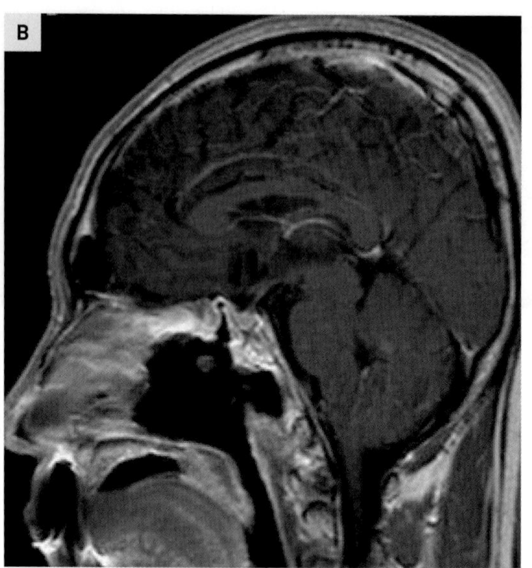

■ 그림 35-8. **사대부위척색종으로 내시경절제술을 시행받은 55세 남자 환자의 수술 전(A)과 수술 후(B) MRI 소견**

침범을 동반한 종괴가 발견되었으며, CT 소견에서는 사대의 골미란이 관찰되었다. 내시경 사대접근법을 이용하여 경막외에 위치한 종양을 제거하였으며 병리학적으로 척색종으로 진단되었다. 수술 3개월 후 환자의 복시는 호전되었으며 추가적인 양성자 치료 후 3년간 추적관찰 중이다(그림 35-8).

2. 두개경추접합부의 경비강 내시경 접근법(Endoscopic approach to the craniovertebral junction)

사대의 골 개방을 아래쪽으로 확대하면 두개경추접합부(cranio-vertebral junction)의 전방 부위가 노출된다. 비인두 점막을 제거하면 두장근(longus capitis muscle), 경장근(longus colli muscle), C1-2경추(atlas, axis)가 순차적으로 노출된다.[11] 근육을 박리하고 C1의 앞고리(anterior arch of atlas) 부분을 제거하면 C2의 치아돌기(dens of axis)를 확인할 수 있다. 치아돌기를 절제하고 뇌경막을 절개하면 대후두공의 앞부분에 위치한 뇌혈관 신경 묶음들을 관찰할 수 있다.

• 증례

49세 남자 환자가 경추 통증 및 경부 운동 장애를 주소로 내원하였다. 증상 발생 1주 전 음주 후 낙상의 병력이 있었다. 촬영한 경추 자기공명영상에서 1번 경추부위에 연부조직성 병변이 보여 조직검사를 위하여 의뢰되었다. 비강을 통해 두개경추접합부로 접근하여 시행한 조직검사결과 종양이 아닌 심한 염증 소견으로 진단되었으며(그림 35-9), 배양검사상 포도상구균이 검출되었다. 8주간의 항생제 치료 후 후방접근법을 통한 경추의 접합을 시행하였다.

3. 추제첨부의 경비강 내시경 접근법(Endoscopic approach to the petrous apex)

추체첨부(petrous apex)로의 접근은 근본적으로 사대 접근 방법에서 중간 2/3 지점을 외측으로 확장하여 접근하는 방법이다.[19] 이 술식의 개념은 파열공(foramen lacerum)을 지나는 추체부 내경동맥을 확인한 후 노출시키고, 필요한 경우 동맥을 외측으로 이동시켜 추체첨부부근의 병변을 제거하는 것이다. 연골육종(chondrosarcoma)이나 콜레스테롤육아종(cholesterol granuloma), 점액낭

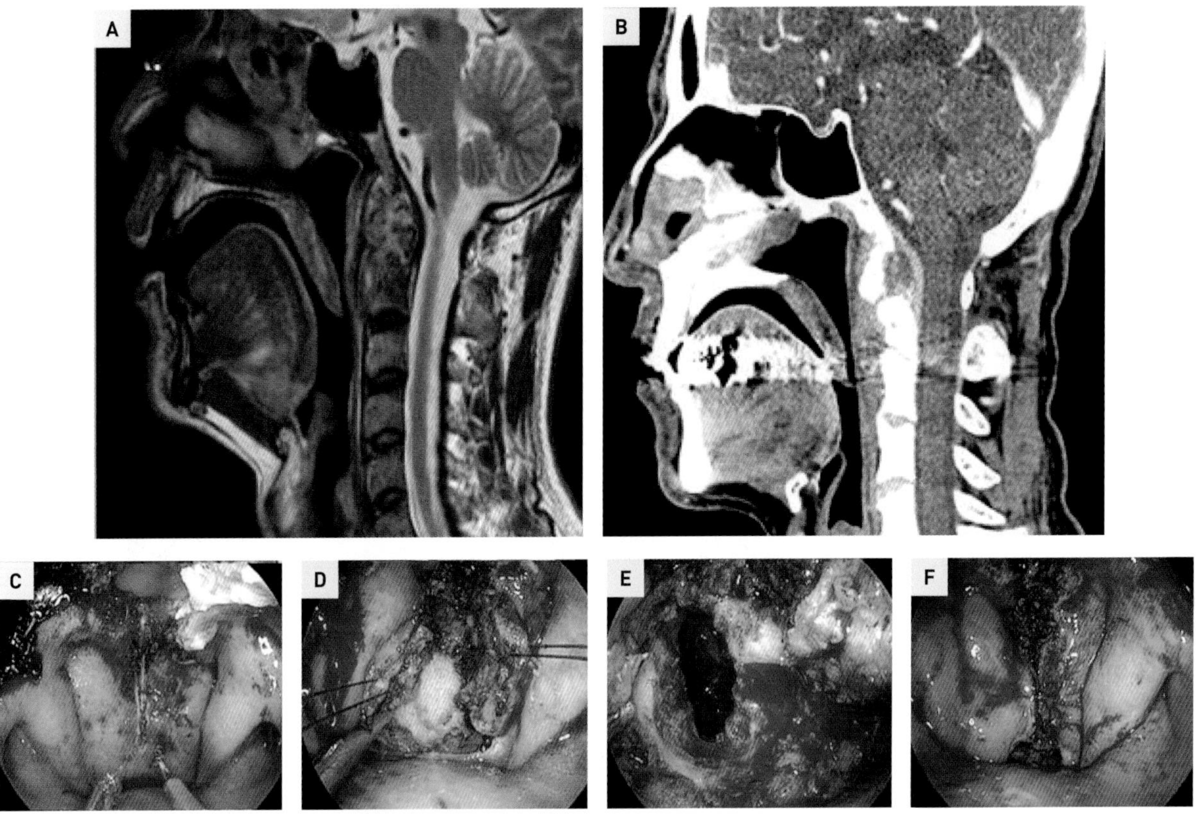

■ 그림 35-9. **경추 통증 및 경부 운동 장애를 주소로 내원한 49세 남자의 증례.** 수술 전MRI**(A)**와 CT**(B)** 소견에서 1번 경추와 치아돌기의 골미란과, 두개경추접합부에 조영증강되는 연부조직 병변이 보인다. 수술 중 내시경 사진에서 비인두점막에 수직 절개를 가한 후**(C)** 1번 경추의 전벽을 노출한 모습**(D)**. 전벽을 드릴로 제거 후 관절강안을 채우고 있던 괴사조직과 혈종을 제거한 후의 모습**(E)**. 수술을 마치고 후방인후점막과 근육층을 봉합한 후의 모습**(F)**.

종(mucocele) 등이 이 부위에 발생할 수 있는 병변이며 좋은 적응증이 된다. 접근 시 가장 중요한 구조물은 내경동맥과 6번 뇌신경이며 추체골부의 바로 위쪽 Dorello 관에서 확인을 할 수 있다. 술식은, 먼저 익숙한 지표들을 확인하기 위해 후방의 비중격을 제거하고 양측 접형동을 노출하며, 향상된 시야를 위하여 필요한 경우 후사골동절제술을 추가적으로 시행할 수 있다. 익돌관은 파열공으로 향하고 있어 추체부 내경동맥의 좋은 표지자가 된다. 내경동맥슬(ICA genu)을 확인 후 덮고 있는 골을 계란껍질처럼 얇게 다이아몬드 드릴로 만들어 내경동맥을 노출시키며 이후 내경동맥을 외측방향으로 이동시키면 추체첨부로 접근이 가능해진다. 이후 후두개의 경막을 절개하면 후두와로 접근이 가능하며, 내이도(internal auditory canal)의 내측 전방 경계 부위까지 접근이 가능하다.

• 증례

19세 남자 환자가 복시를 주소로 내원하였다. 신체 검진상 좌측 외향신경(abducens nerve)마비가 의심되었다. 영상검사상 좌측 추체첨부에 낭성병변(cystic lesion)이 관찰되었으며 CT 영상에서 추체첨부의 골미란을 동반하는 팽창성 종괴 양상이었다. 추체첨부의 점액낭종으로 진단되었으며 내시경 접근법을 통해 조대술(marsupialization)을 시행하였다(그림 35-10). 수술 후 2개월에 걸쳐 복시가 서서히 호전되었다.

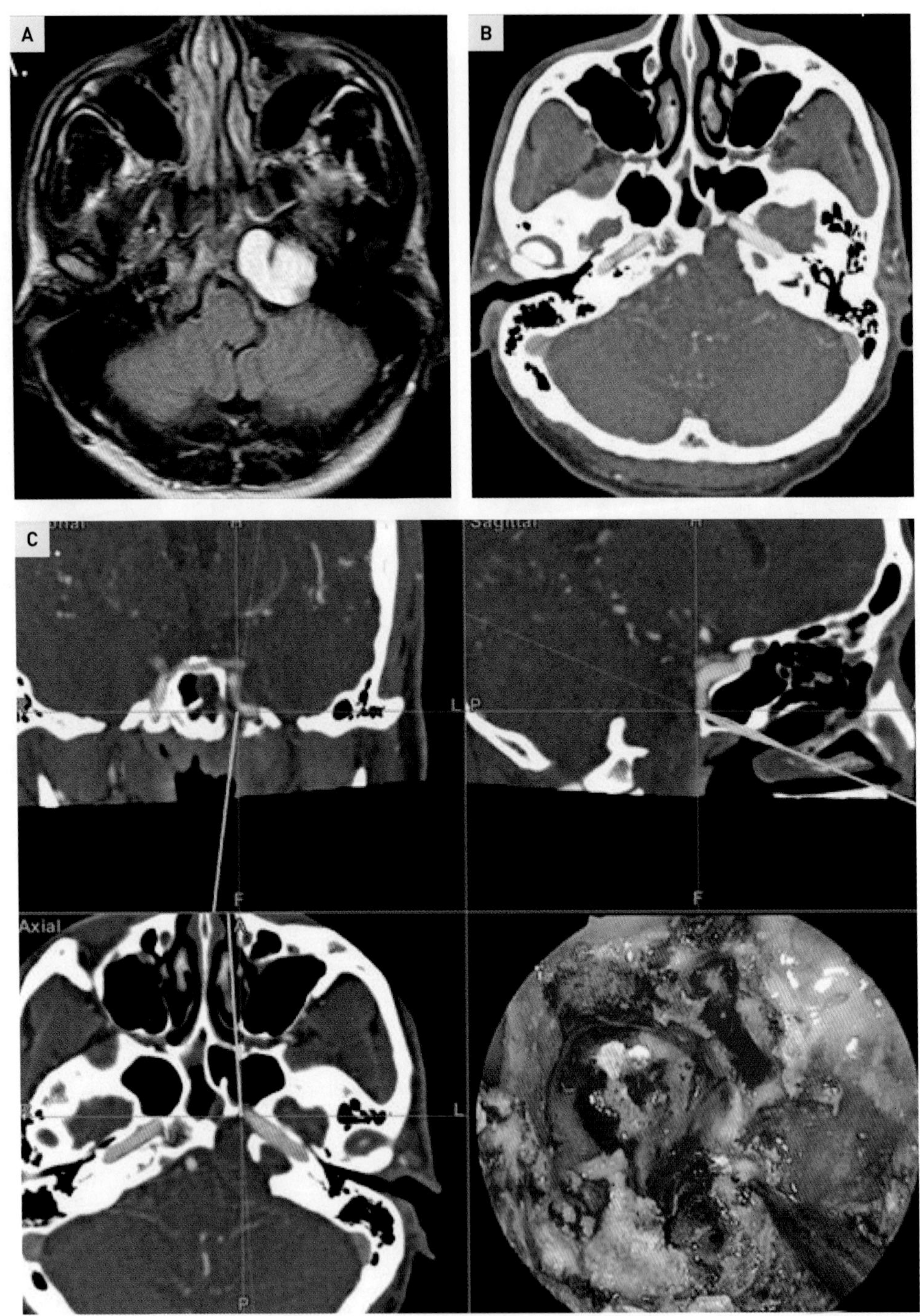

■ 그림 35-10. **복시를 주소로 내원하여 추체첨부의 점액종을 경비강 내시경 접근법으로 치료한 환자의 증례.** 수술 전 MRI(**A**)와 CT(**B**) 사진에서 3.4 cm 크기의 낭종성 병변이 추체첨부에 위치하고 있다. 전형적인 점액종의 소견으로, 수술 중 영상유도장치를 이용하여 내경동맥의 위치를 확인하고 있다(**C**).

4. 측두하와부위의 경비강 내시경 접근법(Endoscopic approach to the infratemporal fossa)

혈관섬유종과 같은 종양성 병변이 익돌상악열(pterygomaxillary fissure)을 통하여 측두하와(infratemporal fossa)를 침범한 경우나 삼차신경초종(trigeminal nerve schwanoma)이 두개외로 커지면서 측두하와를 침범한 경우가 좋은 적응증이 될 수 있으며 이 밖에도 중두개저에 발생한 뇌류(encephalocele)나 뇌척수액루 등을 치료하는 데 유용하다.[10]

측두하와구획의 접근의 기본 술식은 경익돌접근법(transpterygoid approach)이다. 이는 대부분의 관상면 접근법때 시행하는 공통된 술식이다. 상악동개구부를 넓게 개방하여 상악동 후벽을 노출하고, 접형구개동맥(sphenopalatine a.)과 후비강동맥(posterior nasal a.)을 결찰한다. 이후 상악동 후벽을 제거하고, 익돌구개와(pterygopalatine fossa)의 구조물을 확인하면서 박리를 진행한다. 이때 내상악동맥과 그 분지들은 반드시 체계적으로 확인하고 결찰하여야 한다. 익돌관 신경과 동맥을 확인할 수 있으며 익돌구개와 안에서 익돌구개신경절(pterygopalatine ganglion)을 확인할 수 있다. 구순하 절개를 추가하여 상악동의 전벽을 통한 복합적 접근방법이 도움이 될 때도 있다. 익돌기저(pterygoid base)를 확인하면 하방으로 내측익돌판과 외측익돌판으로 연결된다. 내측익돌판이 확인되면 중두개와와 정원공(foramen rotundum)을 나올 때까지 박리를 진행할 수 있다. 외측익돌판 위쪽방향으로 드릴링을 진행하면 중두개와와 난원공(foramen ovale)을 확인할 수 있다. 익돌기저부와 접형동의 외측와(lateral recess)를 따라가면 측두하오목의 내측으로 접근하게 된다. 종종 익돌정맥얼기(pterygoid venous plexus)에서 다량의 정맥 출혈이 발생하므로 주의하여야 하며, 적절한 지혈제 및 패킹으로 지혈이 가능하다. 종양이 내측익돌판과 외측익돌판 같은 구조물을 자주 파괴하며 성장하기 때문에 해부학적 구조물들을 확인하기 쉽지 않으며, 이런 경우 영상유도장치를 사용하는 것이 도움이 된다. 이 접근방법과 연관되는 가장 중요한 구조물은 내상악동맥과 그 분지들, 익돌관, 삼차신경의 2번과 3번 분지 그리고 하안와열(inferior orbital fissure) 등이 있다.[19]

• 증례

46세 여자환자가 검진상 발견된 두개저 종괴를 주소로 내원하였다. 병력상 간헐적인 두통과 좌측 안면부 감각이상이 있었다. 영상검사상 조영증강이 잘 되는 3 cm 크기의 종괴가 좌측 측두하와부위에 위치하고 있었다. 비강 및 구순하 절개를 통한 Caldwell-Luc 접근법을 이용하여 내시경 절제술을 시행하였다. 수술 후 조직검사에서 삼차신경의 상악분지에서 기원한 신경초종으로 진단되었다(그림 35-11).

5. 내시경 비인강 절제술 (Endoscopic nasopharyngectomy)

내시경 비인강 접근법은 비인강에 도달하는 최소침습적 접근법이다. 이를 통해 비인강부위에 발생하는 다양한 병변의 치료에 기초가 되는 조직검사를 시행할 수 있으며, 적응이 되는 경우 동일한 경로를 통해 절제술을 시행할 수 있다. 현재 비인강절제술을 고려하는 경우는 양성종양과 악성의 경우 초기 병변, 항암치료나 방사선 치료 후 재발한 경우, 선암종이나 선양낭성암종(adenoid cystic carcinoma), 일부 육종처럼 항암치료나 방사선치료의 효과가 떨어지는 경우 고려해 볼 수 있다.[4,26]

비인강을 전반적으로 노출시키기 위해서는 하비갑개 후방부와 비중격 후방부를 제거하는 것이 좋다. 양측 Rosenmüller fossa와 이관융기(torus tubarius)를 노출되면 하비갑개 후방의 비강 후외측 벽에 절개를 넣는다. 점막골막을 후측 및 상측 방향으로 박리를 한다. 두개저 후측 경계 부위에서 내측익돌판을 확인할 수 있다. 점막

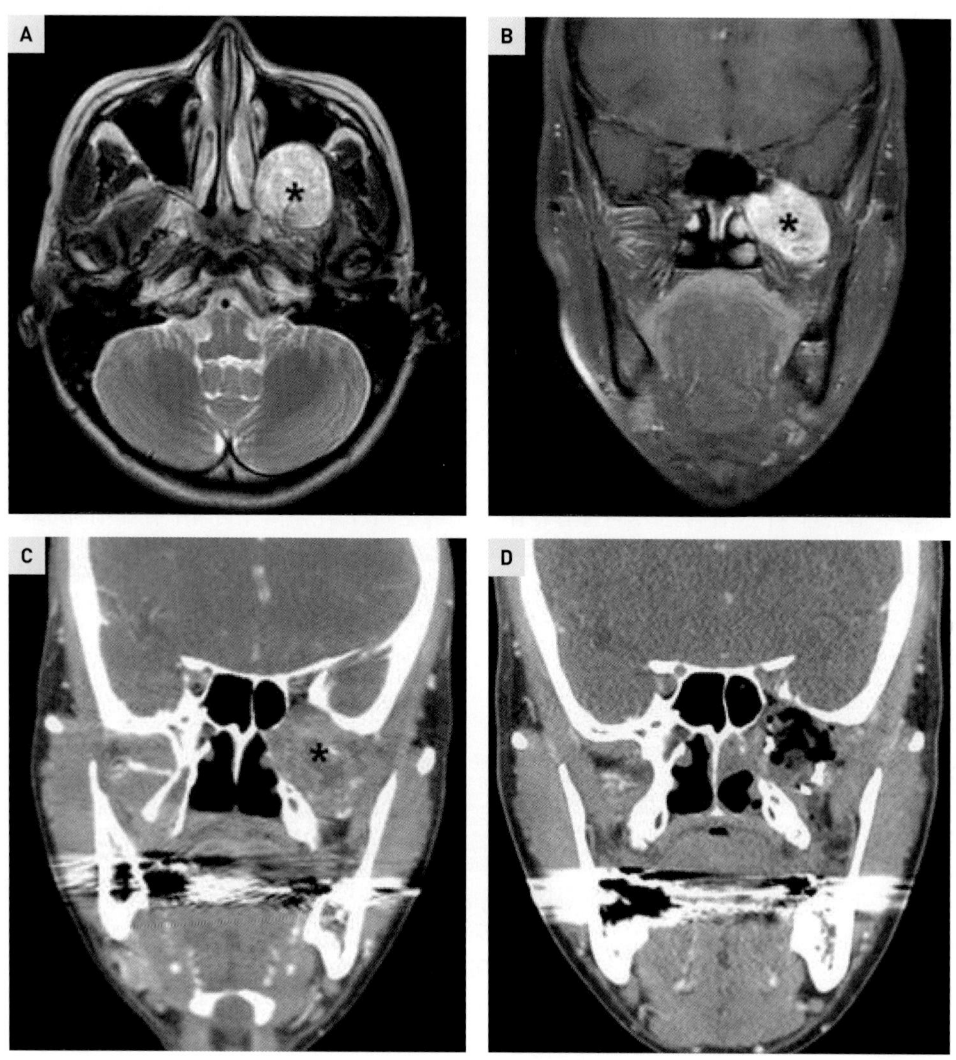

■ 그림 35-11. **측두하와에 발생한 삼차신경초종을 내시경 접근법으로 제거한 46세 여자환자의 증례.** 수술 전 MRI(A,**B**)와 CT(**C**)에서 (3.1x3.1x3.3cm) 크기의 종괴(*)가 익돌구개와에서 측두하와에 걸쳐 존재하는 것을 관찰할 수 있다. 수술 직후 촬영한 CT(**D**)에서 종양의 완전 절제를 확인할 수 있다.

골막을 내측익돌판과 비인강 천장으로부터 계속 박리하면 파열공(foramen lacerum)을 확인할 수 있다. 파열공은 Rosenmüller fossa에서 약 1 cm 정도 위에 위치하며, 막으로 단단히 쌓여있다. 이관융기를 제거하면, 이관의 연골부위가 노출된다. 이관은 이관융기 후측에 위치하며, 구개거근(levator veli palatini muscle) 아래를 따라 위치한다. 내측익돌판을 제거하여 구개범장근(tensor veli palatini muscle)과 구개거근(levator veli palatini muscle), 이관 연골부위 및 경상인두근막(stylopharyngeal fascia)을 노출시켜야 한다. 두개저에서 내측익돌판의 후방경계부위는 내경동맥관을 가르키는 구조물이기 때문에 남겨두는 것이 좋다. 이관을 따라 2 cm 정도 연골부위를 제거하면 이관협부를 확인할 수 있다. 이관협부와 내경동맥관의 거리는 약 1 cm 미만이다. 내익돌근을 외측익돌판에서 제거하면, 두개저 부위 외측익돌판 후방경계에서 난원공(foramen ovale)을 확인할 수 있으며 이

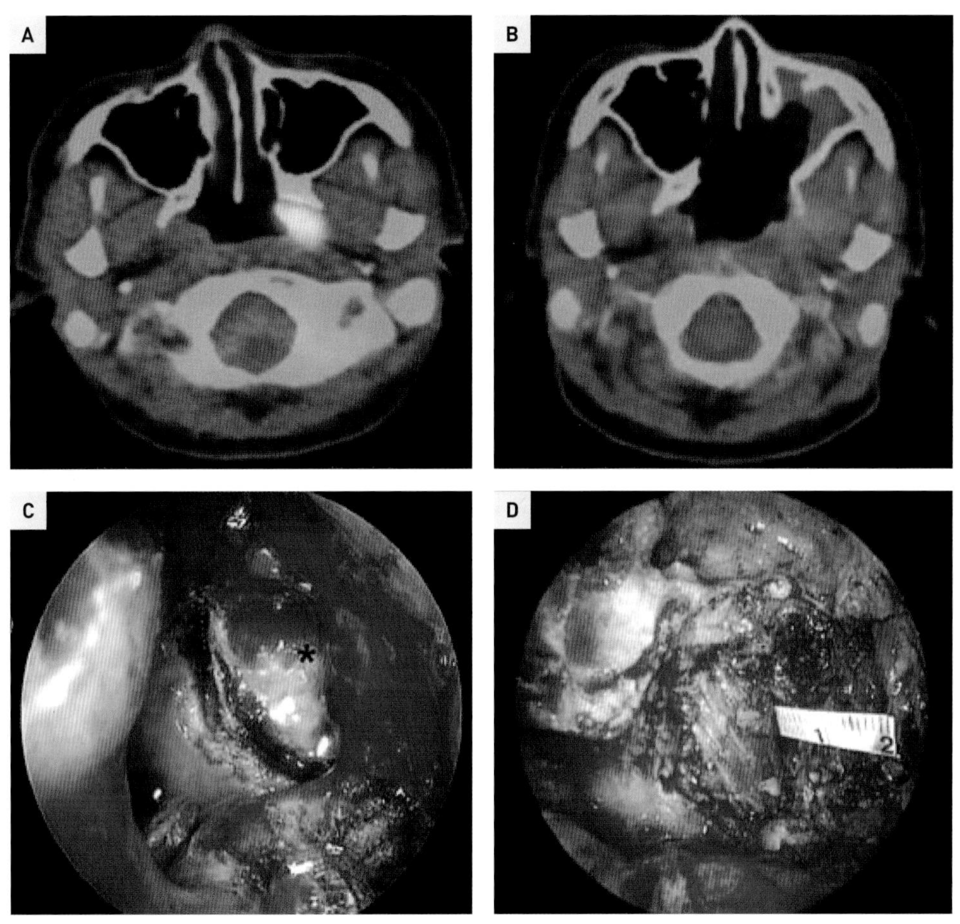

■ 그림 35-12. **내시경 비인강 절제술을 시행받은 환자의 증례.** 수술 전 PET CT(**A**)에서 좌측 비인강에 섭취가 증가된 소견(SUV 5.4)을 보이며 수술 후(**B**) 섭취가 사라진 것을 볼 수 있다. 내시경 절제수술 시 모습(**C**)과 절제 후 촬영한 소견(**D**).

를 통해 삼차신경의 하악분지를 확인할 수 있다.

• 증례

연구개 종양으로 수술과 방사선 치료를 받은 병력이 있는 45세 여자 환자가 좌측 비인강 종양을 주소로 내원하였다. 이전 수술의 병리학적 진단은 선양낭성암종(adenoid cystic carcinoma)이었다. 영상검사상 좌측 비인강 주위에 종양의 재발이 의심되었으며 조직검사로 확인되었다. 재발된 비인강 종양에 대해 내시경 절제술을 시행하여 내외측 익돌판(medial and lateral pterygoid plate)을 포함한 익돌근부(pterygoid root), 내측 익돌근, 삼차신경의 2번과 3번 분지, 그리고 이관을 절제하였다. 수술 후 2년째 시행한 PET검사상 재발의 증거 없이 생존 중이다(그림 35-12).

 Ⅳ 결론

두개저 병변의 접근은 병변의 위치, 병리학적 특성, 해부학적 변이 등에 따라 최적화된 수술적 접근법을 선택해야 한다. 내시경을 이용한 두개저 접근법은 외부 절개를 피하면서, 전두뇌의 견인 없이 전두개저 및 전두개와에 도달할 수 있으며, 동시에 고식적인 외부접근법과 현미경보다 넓고 향상된 수술 시야를 제공해 주어 최근 각광받는 수술법이다. 두개저 구획에 대한 술식들을 단독 또는 병합하여 병변에 접근할 수 있으며, 해당되는 내시경적 해부학에 대한 숙지가 무엇보다 중요하다. 접근 과정에서 주요 신경혈관 구조물의 조작이 불가피한 경우가 있어 수술팀의 충분한 경험이 요구되며, 병변의 성상이나 위치, 주요 구조물과 유착 정도에 따라 내시경적 접근방법이 아닌 고식적 두개저 개방술이 필요할 수도 있어 이에 대해서도 친숙할 필요가 있다.

악성종양의 경우 종양학적 원칙을 존중하면서 병변을 완전히 제거하여 정상 절제연을 확보하기 위해 노력해야 하며, 단지 최소침습적인 접근방법을 선택했다는 이유만으로 종양의 불완전 제거가 정당화될 수 없다. 내시경 두개안면절제술의 초기 치료 성적은 고무적으로, 국소재발율과 생존율은 고식적 두개안면절제술과 동일하거나 우수해 보이며, 동시에 후유증이나 재원기간을 감축할 수 있었다. 그러나 적응증이 되는 환자를 선별하는 것이 중요하며, 향후 장기적인 결과에 대해 주목할 필요가 있다.

참고 문헌

1. 이철희, 정하원, 이재서 등. 전두개 및 중두개를 침범한 병변의 수술적 치료. 대한이비인후과학회지 1998;41;218-225.
2. 임상철, 이동훈, 윤태미 등. 내시경적 두개저 재건: 비중격 피판을 기본으로 하는 다양한 방법. 대한이비인후과학회지 2010;53;696-701.
3. Alfieri A, Jho HD. Endoscopic endonasal approaches to the cavernous sinus: surgical approaches. Neurosurgery 2001; 49:354-360.
4. Al-Sheibani S, Zanation AM, Carrau RL et al Endoscopic endonasal transpterygoid nasopharyngectomy. Laryngoscope 2011;121(10):2081-2089.
5. Cavallo LM, Messina A, Cappabianca P et al. Endoscopic endonasal surgery of the midline skull base: anatomical study and clinical considerations. Neurosurg Focus 2005;19(1):E2.
6. Cappabianca P, Cavallo LM, de Divitiis E. Endoscopic endonasal transsphenoidal surgery. Neurosurgery 2004;55:933-940.
7. Gardner P, Kassam A, Snyderman C et al. Endoscopic endonasal suturing of dural reconstruction grafts: a novel application of the U-Clip technology. Technical note. J Neurosurg 2008;108:395-400.
8. Hadad G, Bassagasteguy L, Carrau RL et al, A novel reconstructive technique after endoscopic expanded endonasal approaches: vascular pedicle nasoseptal flap. Laryngoscope 2006;116:1882-1886.
9. Higgins TS, Courtemanche C, Karakla D et al. Analysis of transnasal endoscopic versus transseptal microscopic approach for excision of pituitary tumors. Am J Rhinol 2008;22:649-652.
10. Kassam AB, Gardner P, Snyderman C et al. Expanded endonasal approach: fully endoscopic, completely transnasal approach to the middle third of the clivus, petrous bone, middle cranial fossa, and infratemporal fossa. Neurosurg Focus 2005;19(1):E6.
11. Kassam AB, Snyderman CH, Mintz A et al. Expanded endonasal approach: the rostrocaudal axis. Part II. Posterior clinoids to the foramen magnum. Neurosurg Focus 2005;19(1):E4.
12. Kassam AB, Gardner PA, Snyderman CH et al. Expanded endonasal approach, a fully endoscopic transnasal approach for the resection of midline suprasellar craniopharyngiomas: a new classification based on the infundibulum. Journal of neurosurgery 2008;108:715-728.
13. Liu JK, Das K, Weiss MH, Laws ER Jr et al. The history and evolution of transsphenoidal surgery. J Neurosurg 2001;95(6):1083-1096.
14. Nasseri SS, Kasperbauer JL, Strome SE et al. Endoscopic transnasal pituitary surgery: report on 180 cases. Am J Rhinol 2001;15:281-287.
15. Nicolai P, Battaglia P, Bignami M et al. Endoscopic surgery for malignant tumors of the sinonasal tract and adjacent skull base: A 10-year experience. Am J Rhinol 2008; 22:308-316.
16. O'Malley BW, Grady MS, Gabel BC et al. Comparison of endoscopic and microscopic removal of pituitary adenomas: single-surgeon experience and the learning curve. Neurosurgl focus 2008;25(6):E10.
17. Pant H, Bhatki AM, Snyderman CH et al. Quality of Life Following Endonasal Skull Base Surgery. Skull Base 2010;20(1):35-40.
18. Patel MR, Shah RN, Snyderman CH et al. Pericranial Flap for Endoscopic Anterior Skull-Base Reconstruction: Clinical Outcomes and Radioanatomic Analysis of Preoperative Planning. Neurosurgery 2010;66:506-512.
19. Prevedello DM, Kassam AB, Otto AB, et al. Endoscopic Approaches to the Skull Base: The Coronal Plane. Prog Neurol Surg 2012;26:104-118.
20. Prickett KK1, Wise SK, Delgaudio JM. Choice of graft material and postoperative healing in endoscopic repair of cerebrospinal fluid leak. Arch Otolaryngol Head Neck Surg 2011;137(5):457-461.
21. Shin JM, Lee CH, Kim YH et al. Feasibility of the nasoseptal flap for reconstruction of large anterior skull base defects in Asians. Acta otolaryngologica 2012; 132:S69-76.
22. Snyderman C, Kassam A, Carrau R et al. Acquisition of surgical skills for endonasal skull base surgery: a training program. Laryngoscope. 2007;117(4):699-705.
23. Snyderman CH, Kassam AB, Carrau R et al. Endoscopic reconstruction of cranial base defects following endonasal skull base surgery. Skull Base 2007;17:73-78.

24. Solares CA, Ong YK, Snyderman CH. Transnasal endoscopic skull base surgery: what are the limits? Curr Opin Otolaryngol Head Neck Surg 2010;18(1):1-7.
25. Verillaud B, Bresson D, Sauvaget E et al. Endoscopic endonasal skull base surgery. EEur Ann Otorhinolaryngol Head Neck Dis. 2012 Aug;129(4):190-196.
26. Wen YH, Wen WP, Chen HX, et al. Endoscopic nasopharyngectomy for salvage in nasopharyngeal carcinoma: a novel anatomic orientation. Laryngoscope. 2010;120(7):1298-1302.
27. Won TB. Endoscopic Endonasal Approach to the Anterior Skull Base. In: Korean Skull Base Society editor. Skull Base Surgery. 2nd ed. Seoul: Koonja;2012. p.365-374.

CHAPTER 36

소아 수면호흡장애

구수권, 이승훈

I 소아 수면무호흡증

소아 수면호흡장애(sleep-disordered breathing)는 성인과 마찬가지로 심하게 지속되는 경우 임상적으로 다양한 증상과 합병증을 일으킬 수 있는 비교적 흔한 질환이다. 단순코골이(primary snoring), 상기도저항증후군(upper airway resistant syndrome), 폐쇄성저환기증(obstructive hypoventilation), 수면무호흡증(sleep apnea syndrome) 등 다양한 형태의 수면호흡장애가 신생아부터 사춘기까지 전 연령군에서 나타날 수 있으며,[10,26] 소아 수면무호흡증은 병태생리, 임상양상, 진단, 치료 및 예후 등이 성인과 차이가 있어 별개의 질환으로 인식하여 다루어야 한다. 특히 소아에서 발생된 심각한 수면무호흡증을 조기에 진단 후 치료하면 동반될 수 있는 다양한 증상과 합병증들의 발생을 조절하고 방지할 수 있기 때문에 임상적으로 의심된다면 적극적으로 진단하고 치료하는 것이 중요하다.

1. 역학

수면무호흡증은 수면 중 다양한 원인에 의해 발생하는 빈번한 무호흡이나 저호흡과 같은 호흡장애로 인하여 수면장애, 저산소증, 고탄소증, 잦은 각성, 주간 졸림 등과 같은 상태가 발생하게 되는 질환이며 동반되는 상기도 폐쇄의 여부와 호흡능의 유무에 따라서 중추성, 혼합성, 폐쇄성수면무호흡증으로 분류할 수 있다.[10] 코골이 외에는 특별한 증상이 없고 수면의 형태나 산소포화도의 변화가 없는 경우를 단순코골이, 수면무호흡증과 비슷한 증상을 보이나 특징적으로 수면다원검사에서 무호흡이나 저호흡을 보이지 않고 잦은 상기도 저항의 증가와 함께 각성이 동반되어 나타나는 경우를 상기도저항증후군으로 정의한다. 보고자마다 차이는 있지만 소아에서 단순 코골이는 8%, 수면무호흡증은 1~4%에서 나타나며 성별에 따라서 사춘기 이전에는 발생빈도에 차이가 없지만 사춘기 이후에는 남아가 여아에 비해 1.5~2배 정도 많이 발생한다.[26]

2. 원인 및 병태생리

소아 수면무호흡증은 상기도의 환기 조절기능 이상,[29] 상기도 폐쇄에 대한 각성반응의 감소,[16,31] 편도 및 아데노이드 비대를 비롯한 다양한 해부학적 이상, 중추성, 말초성 신경의 변화와 근육의 변화 등이 복합적으로 작용하여 발생하게 된다.

1) 비만

정상아에 비하여 비만한 소아에서 수면호흡장애의 발생위험이 증가하고, 비만도가 증가함에 따라서 수면무호흡증도 더 심하게 나타난다.[13,24] 비만은 상기도에 지방을 축적시키고 목의 피하지방을 증가시켜 기도의 내경을 좁게 하여 폐쇄를 일으킨다.[6]

2) 편도 및 아데노이드 비대

소아 폐쇄성수면무호흡증에서 편도와 아데노이드의 비대는 가장 흔한 상기도 폐쇄의 원인으로 알려져 있다.[5,15] 편도와 아데노이드는 일반적으로 출생 이후부터 12세까지 지속적으로 커지게 되는데 이 시기에는 상기도의 근골격계도 함께 성장하기 때문에 상대적으로 상기도에 비하여 편도와 아데노이드가 가장 크게 되는 초등학교 입학 전 학령전기(preschool period)의 소아에서 폐쇄성수면무호흡증이 가장 자주 발생한다.[19]

3) 기타

알레르기 비염이나 천식, 호흡기 바이러스에 의한 상기도 감염은 편도와 아데노이드를 비정상적으로 증식시켜 수면무호흡증을 일으키며,[25,33,44] 코골이에 의한 기계적인 떨림 자체가 상기도 내 다양한 상피세포들의 염증매개 물질에 영향을 줄 수 있다.[39]

Down 증후군 환아는 중앙안면부 형성부전(midfacial hypoplasia) 및 상악동 형성부전(maxillary hypoplasia), 편도 및 아데노이드 비대, 거대 혀(macroglossia), 갑상선 저하증 및 비만, 근긴장 저하(hypotonia) 등이 동반되어 수면무호흡증의 발생빈도가 50% 이상이다.[30] 그 외에 중앙안면부 형성부전과 반복되는 아데노이드 염증을 유발하는 구개열 수술 환자,[42] Pierre Robin 증후군,[18] Prader-Willi 증후군,[34] 왜소증(dwarfism)의 가장 흔한 형태로 중앙안면부 저형성과 흉곽 축소 등이 발생하는 연골이형성증(achondroplasia),[43] 뮤코다당이 기도를 포함한 연부조직에 침착하는 뮤코다당증(mucopolysaccharidosis),[47] 중증근무력증(myasthenia gravis) 등의 신경근육 질환을 가진 환아나, 신경근육 조절이상과 구강분비물이 증가하는 뇌성마비(cerebral palsy) 환자 등에서 수면무호흡증의 발생 빈도가 높다.[14]

3. 임상증상 및 동반질환

1) 임상증상

수면무호흡증에 의한 주요 임상증상은 주간증상(daytime symptom)과 야간증상(nighttime symptom)으로 구분할 수 있다.

(1) 주간증상

구강호흡(mouth breathing), 코막힘, 섭식장애(dysphasia), 아침두통(morning headache) 등이 주된 주간증상이며 행동장애, 신경인지장애, 학업장애 등이 동반될 수 있다.[36] 주간 졸림은 성인에 비하여 소아에서는 비교적 드물게 나타난다. 아주 심한 수면무호흡증인 환아에서는 폐고혈압(pulmonary hypertension), 폐성심(cor pulmonale), 고혈압, 성장장애 등이 발생할 수 있다.[23]

(2) 야간증상

코골이, 수면 중 무호흡, 잦은 뒤척임, 흡기 시 가슴 함몰 등과 같은 흉부와 복부의 비정상적인 움직임, 진땀, 야뇨증 등이 있다. 심한 경우에는 목을 과도하게 신전하여 자거나, 앉아서 자는 등의 이상한 수면자세를 취할 수 있다.

2) 동반질환

소아 수면무호흡증 환아는 삶의 질 저하, 신경인지장애, 성장장애, 야뇨증, 심혈관계 장애 등이 이차적으로 나타날 수 있다. 소아에서 수면무호흡증은 기억력에 영향을 줄 수 있고 과잉행동 또는 집중력 장애와 연관되는 경우가 많이 있으며 이러한 상태는 수술적 치료를 통하여 수면무호흡증의 호전과 함께 개선이 가능하다.[22,41,45] 성장장애가 아데노이드 비대로 인한 후각 감소, 편도비대에 의한 연하장애, 수면 중 호흡에 필요한 에너지 소모의 증가로 인하여 발생할 수 있다.[28,48] 수면무호흡증은 피로, 집중력 장애, 일상생활의 흥미감소 등을 유발하여 학교생활이나 친구관계에 나쁜 영향을 미침으로써 소아의 삶의 질에 영향을 줄 수 있다.[35] 소아 수면무호흡증과 관련된 심혈관계 합병증도 적절히 치료하면 회복할 수 있고 성인이 되었을 때 발생하는 심혈관계 질환을 예방할 수 있기 때문에 조기에 발견하고 치료하는 것이 중요하다.[7,20] 반복적인 수면 중 무호흡으로 자주 깨거나 항이뇨호르몬(antidiuretic hormone, ADH)의 이상 분비로 인한 소변량의 증가 등에 의하여 야뇨증이 나타날 수 있다.[2] 위식도역류질환(gastroesophageal reflux disease, GERD)도 소아 수면무호흡증 환아에서 무호흡동안 형성된 흉곽 내 음압에 의해 발생할 수 있다.[37]

4. 진단

소아에서 수면무호흡증은 병력과 신체검사를 통하여 임상적으로 진단할 수 있으나 최근에 나온 가이드라인에 따르면 소아에서 빈번한 코골이와 함께 수면무호흡증을 반영하는 증상과 증후가 있다면 검사자 관리하에 수면검사실에서 야간수면다원검사(standard polysomnography)의 시행을 권장하고 있다.[27]

1) 병력

병력상 확인할 수 있는 특징적인 증상으로는 코골이 이외에 수면 중 잦은 뒤척임이나 무호흡, 코막힘, 구강호흡 등이 있으며 증상이 심한 경우에는 앉아서 목을 뒤로 젖히면서 잠을 자거나 수면 중 흡기 시 가슴이 안으로 들어가는 역설적흉복부호흡(paradoxical thoracoabdominal breathing)과 같은 소견이 나타날 수 있다. 반면에 성인에서 관찰되는 흔한 증상인 과도한 주간 졸림은 상대적으로 그 발생 빈도가 낮다.[11]

성인에 비하여 소아에서는 수면 무호흡과 같은 호흡장애 증상이 렘수면이 주로 나타나는 새벽에 많이 발생하여 부모가 관찰하지 못하는 경우가 많고, 호흡장애의 형태가 무호흡이외에 지속적인 부분적 상기도 폐쇄로 인한 폐쇄성저환기증의 형태로 나타나는 경우가 가능하기 때문에 실제 보호자로부터 청취한 수면 중 코골이나 무호흡증과 같은 임상적인 병력만으로 단순 코골이와 폐쇄성수면무호흡증을 감별하는 것은 한계가 있다.[9,11]

2) 신체검사와 검사실검사

소아는 신체검사에서 키와 몸무게를 측정하여 동반된 성장장애가 있는지를 확인해야 하고 특히 청소년기 전후로 비만에 의해 수면무호흡증이 심해지는 경우가 많기 때문에 이에 대한 확인을 위해 체질량지수나 목둘레 등을 측정한다.

상기도에 대한 나안이나 내시경검사를 통하여 소아 폐쇄성수면무호흡증의 가장 흔한 원인인 편도와 아데노이드 비대여부를 반드시 확인해야 한다. 협조가 잘 되지 않는 소아에서는 아데노이드 비대를 확인하기 위한 비인두강 내시경검사의 시행이 어렵기 때문에 아데노이드의 크기에 대한 간접적인 평가를 위하여 측면 안면부방사선검사를 할 수 있다. 알레르기 비염이나 비중격 만곡증과 같은 비강 내 이상여부를 확인하기 위하여 비강 내시경검사를 시행하고 임상적으로 의심이 된다면 알레르기 비염에 대한 확진을 위해 알레르기 원인항원검사를 시행한다. 비강이나 구인두의 좁아진 정도에 대한 객관적인 판단을 위하여 음향비강통기도검사(acoustic rhinometry), 음향인두통기도검사(acoustic pharyngometry), 비강통기도검사(rhinomanometry) 등을 할 수 있다. 하악의 발달지연이나 구강 내 경구개가 높게 좁혀져 있는 고구개궁(high palatal arch) 여부 등과 같은 두개와 안면의 모양과 특성도 자세히 관찰한다.

3) 수면다원검사

성인과 마찬가지로 소아에서도 임상적으로 수면무호흡증이 의심된다면 이에 대한 객관적인 진단을 위하여 수면다원검사의 시행을 권장하고 있다.[27] 특히 수면호흡장애가 강력히 의심되는 소아에서는 폐쇄성수면무호흡증에 대한 객관적인 확진, 단순코골이와 폐쇄성수면무호흡증의 감별, 폐쇄성수면무호흡증의 중증도 평가, 주기적사지운동증후군이나 기면증 등과 같은 다른 수면질환의 가능성을 배제하기 위한 목적으로 수면다원검사를 시행한다. 그러나 현실적으로 수면다원검사를 소아에서 시행하기에는 비용이나 검사시설의 접근성에 있어서 어려움이 많기 때문에 실제 모든 환자에게 시행하는 데는 한계가 있다. 특히 편도와 아데노이드 절제술을 하기 전에 수면다원검사의 필요성 여부에 대해서는 논란이 있는데 미국 이비인후과 학회에서는 수술 후 재발의 가능성이 높고 수술 전 후 및 수술자체에 의한 위험성이 큰 동반질환이 있는 경우[비만, 다운증후군, 머리얼굴이상(craniofacial abnormalities), 신경근육장애(neuromuscular disorders), 겸상적혈구증(sickle cell disease), 뮤코다당류증], 편도 및 아데노이드 수술의 필요성이 확실하지 않은 경우, 신체 검사상 편도의 크기와 같은 상기도의 해부학적 구조이상 정도와 임상적으로 확인되는 수면호흡장애의 심한 정도가 불일치하는 경우, 수면호흡장애에 대한 수술적 치료와 같은 적극적인 방법을 결정하는 데 있어 환자의 객관적인 상태에 대한 정보를 보호자가 강력히 확인하기 원하는 경우에 술 전 수면다원검사 시행을 권장하고 있다.[40]

소아는 수면다원검사 항목들의 판독 기준도 성인과 다르다. 어른의 경우 무호흡과 저호흡의 지속기간이 10초 이상인 것만을 계산하나, 소아의 경우에는 두 번의 호흡주기를 지표로 잡는다. 미국수면의학회에서 제시한 수면판독기준에 따르면 소아에서 폐쇄성 무호흡(obstructive apnea)은 최소한 두 번의 호흡주기기간(duration of two breaths) 이상 동안, 호흡진폭(respiratory signal amplitude)이 기저호흡진폭(baseline amplitude)에 비하여 90% 이상 감소되어 있고, 동시에 호흡에 대한 노력이 유지되거나 증가되어 있는 경우로 정의하고 있다.[4] 반면에 성인과 달리 소아에서 중추성 무호흡(central apnea)은 호흡에 대한 노력이 없으면서 호흡진폭이 기저호흡진폭에 비하여 90% 이상 감소되어 있는 호흡정지가 1) 20초 이상 지속되거나 2) 최소한 두 번의 호흡주기 기간 이상 동안 지속되면서 각성 또는 3% 이상 혈중산소포화농도가 감소되거나 3) 1세 이하의 영유아의 경우에는 심박수(heart rate)가 최소 5초 동안 분당 50회 이하 또는 15초 동안 분당 60회 이하의 감소와 동반되어 있는 경우로 정의한다.[4] 저호흡은 최소한 두 번의 호흡주기 기간 이상 동안, 호흡진폭이 기저호흡진폭에 비하여 30% 이상 감소되어 있고, 이러한 호흡감소상태가 각성(arousal or awakening)이나 3% 이상의 혈중산소포화농도 감소와 연관되어 있는 경우로 정의한다.[4] 성인에 비하여 소아에서는 수면다원검사 상 무호흡 또는 저호흡 외에 지속적인 부분적 상기도 폐쇄에 의한 환기장애로 인하여 혈중 이산화탄소농도가 증가하게 되는 폐쇄성저환기증의 형태로 나타나는 경우가 자주 있다. 이러한 소아에서의 폐쇄성저환기증은 피부경유(transcutaneous) PCO2 sensor나 호흡종기(end-tidal) PCO2 sensor로 측정 시 PCO2가 50 mmHg 이상으로 증가된 상태로 총 수면시간(total sleep time) 중 25% 이상 지속되는 경우에 진단할 수 있다.[4] 그 밖에 소아 폐쇄성수면무호흡증의 수면다원검사 결과에서 어른과 차이가 있는 부분은 수면 무호흡이 있는 환아에서도 깊은수면단계(deep sleep stage)가 비교적 잘 보존되고, 주로 렘수면 중에 수면 중 호흡장애(무호흡 또는 저호흡)가 발생하며, 수면 무호흡 후에 각성이 동반되는 경

우가 50% 미만이라는 것이다.[11,16]

소아 폐쇄성 수면무호흡증의 진단은 수면질환국제분류집 3판(International Classification of Sleep Disorders, 3rd ed)에 따르면 코골이, 수면 중 무호흡, 주간 졸림, 과잉행동증, 행동장애, 학습장애 등과 같은 증상이 한 가지 이상 있는 소아에서 1) 수면다원검사 상에서 무호흡저호흡지수가 1 이상(수면시간당 폐쇄성 무호흡, 혼합 무호흡 또는 저호흡의 합이 1 이상)이거나 2) 폐쇄성저환기증(PCO_2가 50 mmHg 이상으로 증가된 상태가 총 수면시간 중 25% 이상 지속)이 코골이, 흡기비강압력파형의 평탄화(flattening of inspiratory nasal pressure waveform), 역설적흉복부호흡 중 하나 이상과 연관되어 있는 경우로 정의한다.[3]

5. 치료

1) 편도 및 아데노이드 절제술

편도 및 아데노이드의 비대는 소아 폐쇄성수면무호흡증의 가장 흔한 원인으로 이러한 환자에서 편도 및 아데노이드 절제술은 가장 효과적인 일차적 치료방법으로 알려져 있다.[27,49] 그러나 심한 비만이나 악안면 골격의 이상, 신경근육계의 질환이 동반된 경우와 같은 고위험군에서는 술 후 증상이 남거나, 성공적으로 치료되었다가도 다시 재발될 가능성이 높다.[49] 따라서 고위험군 환자인 경우에는 수술 후 재발여부에 대한 지속적인 추적관찰이 매우 중요하다. 수술 부위의 통증이외에 수술 후 합병증은 드물고 경미하지만, 수술 부위에서의 과다출혈 및 폐부종과 기도 폐쇄와 같은 심각한 합병증이 발생하는 경우도 있다.

2) 지속적 양압호흡기

소아에서는 수술을 강력하게 거부하거나 전신마취 수술에 대하여 특별한 금기증을 가지는 환자나 편도 및 아데노이드의 크기가 작은 경우 또는 편도 및 아데노이드 절제술 이후에도 심한 폐쇄성 수면무호흡증이 지속될 때 고려할 수 있는 이차적인 치료방법이다. 어른에서와 마찬가지로 시행 전에 수면다원검사를 통해 지속적 양압호흡기를 위한 적정압력을 결정해야 한다. 지속적 양압호흡기는 성인에 비하여 순응도가 낮고, 성장기에 있는 소아의 경우에는 안면골격의 성장에 따라서 주기적으로 마스크를 교체해야 하는 문제점이 있기는 하나 최근 연구들에 의하면 영유아 및 청소년기의 소아에서도 효과적으로 시행할 수 있다고 한다.[32,46]

3) 약물치료

하비갑개나 아데노이드 비대에 의한 상기도 폐쇄가 있는 경도의 폐쇄성수면무호흡증 소아에서 비강 내 국소스테로이드나 항류코트리엔제 등을 처방한 후 수면무호흡 증상 및 수면다원검사상 이상소견이 개선되고 아데노이드의 크기가 감소했다는 보고들이 있다.[1,17]

4) 급속 상악골 확장

급속 상악골 확장(rapid maxillary expansion)은 비만하지 않고, 편도나 아데노이드 비대는 없으면서 외형상 얼굴의 중앙 1/3 부분의 발육부전과 함께 구강 내 검사상 경구개가 좁고 높으며, 상악치가 함몰되어 부정교합 동반되어 있는 폐쇄성수면무호흡증 소아에서 고려할 수 있는 치료방법 중 하나이다.[38] 급속 상악골 확장을 시행하면 폐쇄성 수면무호흡의 치료와 함께 비강의 기류도 개선될 수 있으며 비중격 수술을 시행할 수 없는 소아에게 있어서 코막힘에 의한 만성적 구강호흡의 원인이 비중격 만곡증일 때 도움이 될 수 있다.

5) 기타 치료 방법들

뇌성마비, 뇌수두증, Aperts 증후군, 경련성질환 등의 신경학적 질환을 가진 환아들에서 구인두부의 폐쇄가 관찰되는 경우 편도 및 아데노이드 절제술과 구개수구개인두성형술을 동시에 시행하여 좋은 결과를 얻었고,[21] 악안면 기형이 있는 환자들에게는 악안면 교정 수술도 도움이 될 수 있다.[8] 상기도 폐쇄로 인해 생명을 위협하는 심각한 호흡장애가 있으면서 지속적 양압호흡기 등의 방법으로도 치료가 불가능한 경우에는 기관 절개술을 고려할 수도 있다.[12] 비강 질환이 동반된 경우 질환에 따른 치료가 증상의 호전에 도움이 되며 비만한 환아는 체중감량을 시행하여야 한다. 그러나 이러한 부수적 치료에 의존하여 근본적 치료를 연기하는 것은 바람직하지 않다.

참고문헌

1. Alexopoulos EI, Kaditis AG, Kalampouka E, et al. Nasal corticosteroids for children with snoring. Pediatr Pulmonol 2004;38:161-167.
2. Alexopoulos EI, Malakasioti G, Varlami V, et al. Nocturnal enuresis is associated with moderate-to-severe obstructive sleep apnea in children with snoring. Pediatr Res 2014;76(6):555-559.
3. American Academy of Sleep Medicine. International classification of sleep disorders, 3rd ed. Darien, IL: American Academy of Sleep Medicine; 2014.
4. American Academy of Sleep Medicine. The AASM Manual for the Scoring of Sleep and Associated Events: Rules, Terminology and Technical Specifications. 2nd ed. Westchester, IL: American Academy of Sleep Medicine; 2012.
5. Arens R, McDonough JM, Corbin AM, et al. Upper airway size analysis by magnetic resonance imaging in children with obstructive sleep apnea syndrome. Am J Respir Crit Care Med 2003;167:65-70.
6. Arens R, Muzumdar H. Childhood obesity and obstructive sleep apnea syndrome. J Appl Physiol 2010;108:436-444.
7. Bhattacharjee R, Kheirandish-Gozal L, Pillar G, et al. Cardiovascular complications of obstructive sleep apnea syndrome: Evidence from children. Prog Cardiovasc Dis 2009;51:416-433.
8. Burstein FD, Cohen SR, Scott PH, et al. Surgical therapy for severe refractory sleep apnea in infants and children: application of the airway zone concept. Plast Reconstr Surg 1995;96:34-41.
9. Carroll JL, McColley SA, Marcus CL, et al. Inability of clinical history to distinguish primary snoring from obstructive sleep apnea syndrome in children. Chest 1995;108:610-618.
10. Carroll JL. Obstructive sleep-disordered breathing in children: New controversies, new directions. Clin Chest Med 2003;24:261-282.
11. Choi JH, Kim EJ, Choi J, et al. Obstructive sleep apnea syndrome: a child is not just a small adult. Ann Otol Rhinol Laryngol. 2010 Oct;119(10):656-661.
12. Cohen SR, Simms C, Burstein FD, et al. Alternatives to tracheostomy in infants and children with obstructive sleep apnea. J Pediatr Surg 1999;34:182-186.
13. Dayyat E, Kheirandish-Gozal L, Sans Capdevila O, et al. Obstructive sleep apnea in children: Relative contributions of body mass index and adenotonsillar hypertrophy. Chest 2009;136:137-144.
14. Deak MC, Kirsch DB. Sleep-disordered breathing in neurologic conditions. Clin Chest Med 2014;35:547-556.
15. Fregosi RF, Quan SF, Kaemingk KL, et al. Sleep-disordered breathing, pharyngeal size and soft tissue anatomy in children. J Appl Physiol 2003;95:2030-2038.
16. Goh DY, Galster P, Marcus CL. Sleep architecture and respiratory disturbances in children with obstructive sleep apnea. Am J Respir Crit Care Med 2000;162:682-686.
17. Goldbart AD, Greenberg-Dotan S, Tal A. Montelukast for children with obstructive sleep apnea: a double-blind, placebo-controlled study. Pediatrics 2012;130:e575-580.
18. James D, Ma L. Mandibular reconstruction in children with obstructive sleep apnea due to micrognathia. Plast Reconstr Surg 1997;100(5):1131-1137.
19. Jeans WD, Fernando DC, Maw AR, et al. A longitudinal study of the growth of the nasopharynx and its contents in normal children. Br J Radiol 1981;54:117-121.
20. Kaditis A. From obstructive sleep apnea in childhood to cardiovascular disease in adulthood: What is the evidence? Sleep 2010;33:1279-1280.
21. Kerschner JE, Lynch JB, Kleiner H, et al. Uvulopalatopharyngoplasty with tonsillectomy and adenoidectomy as a treatment for obstructive sleep apnea in neurologically impaired children. Int J Pediatr Otorhinolaryngol 2002;62:229-235.
22. Kheirandish-Gozal L, De Jong MR, Spruyt K, et al. Obstructive sleep apnoea is associated with impaired pictorial memory task acquisition and retention in children. Eur Respir J 2010;36(1):164-169.
23. Kwok KL, Ng DK, Chan CH. Cardiovascular changes in children with snoring and obstructive sleep apnoea. Ann Acad Med Singapore 2008;37:715-721.
24. Lam YY, Chan EY, Ng DK, et al. The correlation among obesity, apnea hypopnea index and tonsil size in children. Chest 2006;130:1751-1756.
25. Lu LR, Peat JK, Sullivan CE. Snoring in preschool children. Prevalence and association with nocturnal cough and asthma. Chest 2003;124:587-593.
26. Lumeng JC, Chervin RD. Epidemiology of pediatric obstructive sleep apnea. Proc Am Thorac Soc 2008;5:242-252.
27. Marcus CL, Brooks LJ, Draper KA, et al. Diagnosis and management of childhood obstructive sleep apnea syndrome. Pediatrics 2012;130:576-584.
28. Marcus CL, Carroll JL, Koerner CB, et al. Determinants of growth in

children with the obstructive sleep apnea syndrome. J Pediatr 1994;125(4):556-562.
29. Marcus CL, Gozal D, Arens R, et al. Ventilatory responses during wakefulness in children with obstructive sleep apnea. Am J Respir Crit Care Med 1994;143:715-721.
30. Marcus CL, Keens TG, Bautista DB, et al. Obstructive sleep apnea in children with Down syndrome. Pediatrics 1991;88:132-139.
31. Marcus CL, Moreira GA, Bamford O, et al. Response to inspiratory resistive loading during sleep in normal children and children with obstructive apnea. J Appl Physiol 1999;87:1448-1454.
32. Marcus CL, Rosen G, Ward SL, et al. Adherence to and effectiveness of positive airway pressure therapy in children with obstructive sleep apnea. Pediatrics 2006 ;117(3):e442-451.
33. McColley SA, Carroll JL, Curtis S, et al. High prevalence of allergic sensitization in children with habitual snoring and obstructive sleep apnea. Chest 1997;111(1):170-173.
34. Meyer SL, Splaingard M, Repaske DR, et al. Outcomes of adenotonsillectomy in patients with Prader-Willi syndrome. Arch Otolaryngol Head Neck Surg 2012;138:1047-1051.
35. Mitchell RB, Kelly J, Call E, et al. Quality of life after adenotonsillectomy for obstructive sleep apnea in children. Arch Otolaryngol Head Neck Surg 2004;130:190-194.
36. Mitchell RB, Kelly J. Behavior, neurocognition and quality-of-life in children with sleep-disordered breathing. Int J Pediatr Otorhinolaryngol 2006;70:395-406.
37. Noronha AC, de Bruin VM, Nobre e Souza MA, et al. Gastroesophageal reflux and obstructive sleep apnea in childhood. Int J Pediatr Otorhinolaryngol 2009 ;73(3):383-389.
38. Pirelli P, Saponara M, Guilleminault C. Rapid maxillary expansion in children with obstructive sleep apnea syndrome. Sleep 2004;27:761-766.
39. Puig F, Rico F, Almendros I, et al. Vibration enhances interleukin-8 release in a cell model of snoring-induced airway inflammation. Sleep 2005;28:1312-1316.
40. Roland PS, Rosenfeld RM, Brooks LJ, et al. Clinical practice guideline: Polysomnography for sleep-disordered breathing prior to tonsillectomy in children. Otolaryngol Head Neck Surg 2011;145 Suppl 1:S1-15.
41. Sedky K, Bennett DS, Carvalho KS. Attention deficit hyperactivity disorder and sleep disordered breathing in pediatric populations: a meta-analysis. Sleep Med Rev 2014;18:349-356.
42. Sheldon SH. Obstructive sleep apnea and growth in children with cleft palate. J Pediatr 1998;132(6):1078-1079.
43. Sisk EA, Heatley DG, Borowski BJ, et al. Obstructive sleep apnea in children with achondroplasia: Surgical and anesthetic considerations. Otolaryngol Head Neck Surg 1999;120(2):248-254.
44. Snow A, Dayyat E, Montgomery-Downs HE, et al. Pediatric obstructive sleep apnea: A potential late consequence of respiratory syncitial virus bronchiolitis. Pediatr Pulmonol 2009;44:1186-1191.
45. Song SA, Tolisano AM, Cable BB, et al. Neurocognitive outcomes after pediatric adenotonsillectomy for obstructive sleep apnea: A systematic review and meta-analysis. Int J Pediatr Otorhinolaryngol 2016;83:205-210.
46. Uong EC, Epperson M, Bathon SA, et al. Adherence to nasal positive airway pressure therapy among school-aged children and adolescents with obstructive sleep apnea syndrome. Pediatrics 2007;120(5):e1203-1211.
47. Yeung AH, Cowan MJ, Horn B, et al. Airway management in children with mucopolysaccharidoses. Arch Otolaryngol Head Neck Surg 2009;135(1):73-79.
48. Zhang XM, Shi J, Meng GZ, et al. The effect of obstructive sleep apnea syndrome on growth and development in nonobese children: a parallel study of twins. J Pediatr. 2015;166(3):646-650.
49. Zucconi M, Strambi LF, Pestalozza G, et al. Habitual snoring and obstructive sleep apnea syndrome in children: effects of early tonsil surgery. Int J Pediatr Otorhinolaryngol 1993;26:235-243.

CHAPTER

37

성인 수면호흡장애

이비인후과학 Otorhinolaryngology - Head and Neck Surgery

이재서, 김정훈

수면호흡장애(sleep-related breathing disorder)는 수면장애 국제분류(International Classification of Sleep Disorders; ICSD-3[38])에 따르면 폐쇄성 수면무호흡장애(obstructive sleep apnea disorders), 중추성 수면무호흡증후군(central sleep apnea syndromes), 수면관련 저환기장애(sleep-related hypoventilation disorders), 수면관련 저산소장애(sleep-related hypoxemia disorder)에 이르는 수면 중의 모든 호흡장애를 포함하는 포괄적인 이름이다. 수면호흡장애는 수면무호흡으로 인하여 알려지기 시작했는데, 수면무호흡은 수면 중 숨을 쉬지 않는 증상을 말하고 수면무호흡증후군은 수면 중 심한 코골이, 무호흡과 더불어 주간과다졸림증(Excessive daytime sleepiness)을 동반하는 경우를 말한다.

수면 중 무호흡 현상에 대한 기술은 고대 그리스의 문헌에서도 찾을 수 있고, 1966년 Gaustaut 등[17]이 수면 중 polygraphy 연구로 수면 중의 호흡장애와 상기도폐쇄 질환을 보고하기 전까지는 수면과 연관된 호흡장애에 관한 연구는 미비하였으나, 이후 수면 중 뇌파와 안구운동의 측정, 호흡기류의 확인, 호흡운동, 심전도와 산소포화도를 동시에 측정하는 수면다원검사(polysomnography)가 개발되어, 1976년 수면무호흡증후군이라는 질환명이 사용되기 시작했다.

I 용어 및 정의

1. 무호흡과 저호흡

Guilleminault 등[19]이 처음 정의하였으며, 구강과 비강을 통한 호흡기류가 10초 이상 정지하는 것을 무호흡(apnea)이라고 하며, 최근 2012년 미국수면학회(American Academy of Sleep Medicine; AASM)[4]에서는 구강비강온도센서(oronasal thermal sensor)로 측정하였을 때 호흡기류의 최대 값(peak signal)이 90% 이상 감소하는 것이 10초 이상 지속되는 경우로 정의하였다. 무호흡은 호흡중추에 의한 호흡운동노력이 동반되는 경우 폐쇄성

(obstructive), 동반되지 않는 경우 중추성(central), 초기에는 동반되지 않다가 나타나는 경우를 혼합성(mixed)으로 분류하는데, 전체 수면무호흡증 환자의 90% 이상이 폐쇄성 수면무호흡증이라고 알려져 있다.

호흡기류가 완전히 정지하지 않고 감소하는 저호흡(hypopnea)은 기준에 대해 여전히 논란이 많다. 1999년 미국수면학회[2]에서는 10초 이상 호흡량이 50% 이상 감소하거나, 10초 이상 확실한 호흡량 감소(50% 이하도 포함)가 있으면서 각성이나 3% 이상의 산소 포화도 감소가 있는 경우로 정의하였고, Medicare 기준[40] 에서는 호흡기류가 30% 이상 감소하고 산소 포화도가 4% 이상 저하되는 것이 10초 이상 지속되는 경우로 정의하였다. 최근 2012년 미국수면학회[4]에서는 비강압력계(nasal pressure)로 측정하였을 때 최대 값(peak signal)이 30% 이상 감소하는 것이 10초 이상 지속되면서, 각성이 동반되거나 산소 포화도가 3% 이상 감소되는 경우로 정의하였다. 저호흡은 코골이가 동반되거나, 비강압력의 흡기성 편평(inspiratory flattening)이 증가하거나, 역설적 흉복부운동(thoracoabdominal paradox)이 동반되는 경우를 폐쇄성으로, 이들 모두가 동반되지 않는 경우를 중추성으로 분류한다.

시간당 무호흡과 저호흡을 합한 것을 무호흡-저호흡지수(apnea-hypopnea index; AHI)라 하며, 이것이나 호흡장애지수(respiratory disturbance index; RDI)를 심각도(severity)의 기준으로 사용한다. 산소 탈포화지수(oxygen desaturation index)는 시간당 혈중 산소량이 3% 이상 떨어지는 횟수로 정의한다.

2. 호흡노력관련각성 (Respiratory effort related arousal; RERA)

호흡노력관련각성(respiratory effort related arousal; RERA)이란 호흡노력의 증가에 의해 초래되는 각성을 의미하며 식도 내압으로 측정되는 호흡노력을 통해 측정하는 것이 가장 좋은 방법으로 알려져 있다. 이전에는 식도 내압이 증가하다가 각성과 함께 식도 내압이 갑자기 떨어지는 현상이 나타나는 것으로 이 현상이 10초 이상 지속되며 호흡의 변화는 저호흡의 기준에 들지 못하는 3가지 조건을 갖추었을 때 RERA라고 정의하였다. 하지만 2012년 미국수면학회[4]에서는 식도 내압 검사(esophageal manometry)와 더불어 비강 압력(nasal pressure) 측정도 사용되며, 10초 이상 호흡노력의 증가나 비강압력의 흡기성 편평이 각성을 유발하면서 호흡의 변화는 무호흡이나 저호흡의 기준에 들지 못하는 경우를 호흡노력관련각성으로 정의하였다. AHI에 RERA를 더한 것을 RDI로 정의한다. 예전에는 AHI와 RDI를 혼용했지만 수면장애 국제분류(International Classification of Sleep Disorders; ICSD-2) 이후에는 두 가지가 다른 의미로 사용되며, 1999년 Chicago consensus paper와 ICSD-3[38] 모두에서 RDI를 수면무호흡증의 진단에 이용하도록 권고하고 있다.

3. 저환기(Hypoventilation)와 체인-스토크스 호흡 (Cheyne-Stokes Breathing)

저환기는 2012년 미국수면학회[4]에서 동맥혈 이산화탄소포화도(arterial $PaCO_2$)(대용으로 호기말 이산화탄소포화도(end-tidal CO_2)나 경피 이산화탄소포화도(transcutaneous PCO_2)도 가능)가 10분 이상 55 mmHg를 초과하거나 깨어있을 때 하늘을 보고 누운 상태에 비해서 수면 시에 50 mmHg를 초과하는 상태로 10분 이상 10 mmHg 이상 증가한 경우로 정의한다.

체인-스토크스 호흡은 2012년 미국수면학회[4]에서 1) 최소한 40초 이상(전형적으로는 45~90초)이 하나의 사이클로 이루어지고 호흡기류가 증가 또는 감소하는 것으로 다른 호흡과 구분되는 3개 이상의 연속된 중추성 무호흡이나 저호흡과 2) 최소 2시간 이상 검사 시 호흡기류의 증가 또는 감소와 함께 5개 이상의 중추성 무호흡이나 저호흡이 관찰되는 것으로 정의한다.

II 수면관련 호흡장애

2014년 수면장애 국제분류(ICSD-3[38])에서는 수면장애를 크게 7가지 분야로 나누었는데, 즉 불면증(insomnia), 수면관련 호흡장애(sleep-related breathing disorders), 중추성 수면과다장애(central disorders of hypersomnolence), 일주기리듬 수면장애(circadian rhythm sleep-wake disorders), 사건수면(parasomnias), 수면관련 행동장애(sleep-related movement disorders), 기타 수면장애(other sleep disorders)로 구분하였다. 이 중 이 단락에서는 수면관련호흡장애에 대해 알아보고자 한다. 수면관련 호흡장애는 다시 폐쇄성 수면무호흡장애(obstructive sleep apnea disorders), 중추성 수면무호흡증후군(central sleep apnea syndromes), 수면관련 저환기장애(sleep-related hypoventilation disorders), 수면관련 저산소장애(sleep-related hypoxemia disorder)로 크게 분류된다. 이 중 이비인후과 의사들이 주로 알아야 할 내용은 폐쇄성 수면무호흡증후군이지만 다른 질환과 감별이 필요한 경우가 있으므로 다른 질환들에 대해서도 어느 정도의 지식이 필요하다.

예전에는 수면 중 기도폐쇄의 정도에 따라 단순 코골이부터 상기도저항증후군(upper airway resistance syndrome; UARS), 폐쇄성 수면저호흡증후군(obstructive sleep hypopnea syndrome; OSHS), 폐쇄성 수면무호흡증후군(obstructive sleep apnea syndrome; OSAS) 등으로 분류하여 사용하였다.

1. 코골이

코골이(snoring)는 수면 중 호흡기류가 좁아진 기도를 통과하면서 생긴 기압차로 인해 이완된 연구개와 구개수, 주위 구조물들이 진동하여 생기는 호흡 잡음을 말한다. 코골이는 30~35세 남성의 20%, 여성의 5%에서 관찰되며, 60세 이상의 노년층에서는 남성 60%, 여성 40%가 습관적으로 코를 곤다.[33] 비만한 경우에는 3배 이상 빈도가 높다.

무호흡증 환자의 연구개는 점액선 비후, 근섬유의 위축과 손상, 혈관확장, 상피하 부종 등의 조직학적 변화가 일어나는데, 이것은 코골이에 따른 인두조직의 진동으로 인한 손상이라고 생각된다.[60]

습관적인 코골이는 타인의 수면을 방해하여 부부나 단체 생활에 지장을 주며, 특히 심한 코골이 환자의 40~70%에서 수면무호흡이 동반된다. 최근에는 단순 코골이 환자에서도 심장질환 등의 빈도가 증가하는 것이 보고되어, 코골이 자체도 질환으로 인식되는 경향이 있다. 알코올, 항히스타민제, 수면진정제 등은 단순 코골이를 무호흡으로 악화시킬 수 있으므로 코골이 환자에서 음주 또는 약물의 복용에 주의해야 한다.

2. 상기도저항증후군

상기도저항증후군은 1993년 Guilleminault 등이 처음 기술하였는데, 폐쇄성 수면무호흡증보다 폐쇄 정도가 경미하고, 무호흡과 산소 포화도의 저하는 없지만 흡기기류가 제한되어 흡기를 하려는 노력이 증가하고 각성이 발생한다.[19] 이런 현상으로 인해서 주간과다졸림증을 유발하고 폐쇄성 수면무호흡증과 유사하게 심혈관계에 영향을 준다. 수면무호흡증은 남성이 빈도가 높고, 비만, 고혈압, 주간과다졸림증이 흔한 데 비해, 상기도저항증후군은 남녀에서 비슷하게 나타나고 정상 체중인 경우가 많으며 저혈압, 불면증, 주간 피로, 체성 증상이 더 빈번하게 나타난다. 특히 불면증이 흔히 나타나고, 몽유병과 같은 사건수면(parasomnia)이 젊은 환자에서 흔한 것으로 알려져 있다.

상기도저항증후군은 대개 AHI가 5 미만이고, 혈중 산

표 37-1. 폐쇄성 수면무호흡 증후군의 진단기준

진단기준 : A & B 혹은 C
A. 아래 중 하나
- 졸리움증(sleepiness), 비회복성 수면(nonrestorative sleep), 피로(fatigue), 불면증(insomnia) - 숨이 멈추어서 잠이 깸(waking up with breath holding), 숨이 헐떡거림(gasping), 숨이 막힘(choking) - 잠자리 동반자나 다른 관찰자에 의해 목격된 습관성 코골이나 호흡중단(Bed partner or other observer): habitual snoring, breathing interruptions or both - 고혈압(hypertension), 기분장애(mood disorder), 인지장애(congnitive dysfunction), 관상동맥 질환(coronary artery disease), 뇌졸중(stroke), 울혈성 심부전(congestive heart failure), 심방세동(atrial fibrillation), 2형 당뇨병(type 2 diabetes mellitus)
B. 수면다원검사 또는 휴대용 수면검사장비(out-of-center sleep testing; OCST) 소견
- 수면시간(수면다원검사) /검사시간(휴대용 수면검사) 당 5회 이상 Obstructive respiratory events - obstructive and mixed apneas, hypopneas, or RERAs 5 or more/hour of sleep (for polysomnography) or recording time (for OCST)
C. 증상이나 동반질환 유무에 관계없이 수면다원검사 또는 휴대용 수면검사장비 소견
- 수면시간(수면다원검사) /검사시간(휴대용 수면검사)당 15회 이상 Obstructive respiratory events- apneas, hypopneas, or RERAs) 15 or more/hour of sleep (for polysomnography) or recording time (for OCST)

Data from AASM: The International Classification of Sleep Disorders. Diagnostic and coding manual. 3. Westchester, IL: AASM, 2014.

소포화도는 92% 이상이면서, RERA가 시간당 10회 이상 발생하고, 주간과다졸음을 호소할 때 진단하였었고, ICSD-2 분류에 따르면 상기도저항증후군은 경도의 수면무호흡증에 해당한다고 볼 수 있다. 하지만, ICSD-3[38]에서는 수면무호흡증의 이형(variant)으로 더 이상 상기도저항증후군이라는 용어는 사용하지 않도록 권고하고 있다.

3. 폐쇄성 수면무호흡장애 (Obstructive sleep apnea disorders)

폐쇄성 수면무호흡장애는 성인의 폐쇄성 수면무호흡증과 소아의 폐쇄성 수면무호흡증으로 나뉜다.

폐쇄성 수면무호흡증후군은 반복적인 기도폐쇄, 호흡기류의 감소와 수면중단으로 인한 과도한 졸음, 두통 등의 다양한 주간 수면장애 증상을 나타낸다. 예전에는 무호흡지수(Apnea index; AI) 5 이상, (RDI) 10 이상 등이 진단 기준으로 제시되었으나, 2014년도 미국수면학회 AASM은 ICSD-3에서 표 37-1과 같은 진단기준을 제시하였다.[38]

하지만 이 기준은 단순한 수치만으로 정해진 것으로 나이나 임상양상이 더 중요하게 고려되어야 하는 지표일 수도 있다. ICSD-3에서는 진단기준을 AHI가 아닌 RERA를 포함한 RDI를 기준으로 할 것을 권고하고 있으며, 이 경우 호흡노력관련각성의 포함으로 상대적으로 진단기준이 낮아진 효과가 있다. 수면무호흡증의 심각도는 AHI나 RDI를 모두 사용할 수 있으며, 현재 검사실마다 다르게 사용되고 있다. AHI와 산소포화도에 따른 심각도의 구분은 보고자마다 차이가 있지만 대개 표 37-2와 같이 사용되는 경우가 많다.

4. 중추성 수면무호흡증후군 (Central sleep apnea syndromes)

ICSD-3[38]에 따르면 중추성 수면무호흡증후군은 표 37-3과 같이 분류된다. ICSD-3 분류에서 새롭게 추가된 치료응급 중추성 수면무호흡증은 이전에 복합 수면무호흡증(Complex sleep apnea)이라고 불리우던 것으로, 5회 이상의 폐쇄성 수면무호흡이 있는 환자에서 양압기(positive airway pressure; PAP) 치료를 할 때 폐쇄성 무호흡이 호전되면서 중추성 수면무호흡이 지속적으로

표 37-2. 수면무호흡증의 객관적 심각도

심각도	무호흡-저호흡지수 또는 호흡장애지수(/hour)	최저 산소포화도(%)
경도	5~14	86~90
중등도	15~29	75~85
중증	≥ 30	〈 75

Data from Rosenberg R, Mickelson SA. Obstructive sleep apnea evaluation by history and polysomnography. In: Fairbanks DNF, Mickelson SA, Woodson BT, eds. Snoring and Obstructive Sleep Apnea, 3rd ed. Philadelphia: Lippincott Williams & Wilkins, 2003, p.48.

표 37-3. 중추성 수면무호흡증후군의 분류

체인-스토크스 호흡으로 인한 중추성 수면무호흡증(Central sleep apnea with Cheyne-Stokes breathing)
체인-스토크스 호흡과 연관되지 않은 질환에 의한 중추성 수면무호흡증(Central sleep apnea due to a medical disorder without Cheyne-Stokes breathing)
높은 고도에서 주기성 호흡으로 인한 중추성 수면무호흡증(Central sleep apnea due to high altitude periodic breathing)
약물이나 물질에 의한 중추성 수면무호흡증(Central sleep apnea due to a medication or substance)
원발성 중추성 수면무호흡증(Primary central sleep apnea)
영아의 원발성 중추성 수면무호흡증(Primary central sleep apnea of infancy)
미숙아의 원발성 중추성 수면무호흡증(Primary central sleep apnea of prematurity)
치료응급 중추성 수면무호흡증(Treatment-emergent central sleep apnea)

Data from Medicine AAoS. International Classification of Sleep Disorders. 3rd ed. Darien, IL: American Academy of Sleep Medicine, 2014.

표 37-4. 수면관련 저환기장애

비만 저환기증후군(Obesity hypoventilation syndrome)
선천성 중추성 폐포 저환기증후군(Congenital central alveolar hypoventilation syndrome)
시상하부 기능장애를 동반한 후기발현 중추성 저환기증(Late-onset central hypoventilation with hypothalamic dysfunction)
특발성 중추성 폐포 저환기증(Idiopathic central alveolar hypoventilation)
약물이나 물질에 의한 수면관련 저환기증(Sleep-related hypoventilation due to a medication or substance)
기타질환으로 인한 수면관련 저환기증(Sleep-related hypoventilation due to a medical disorder)

Data from Medicine AAoS. International Classification of Sleep Disorders. 3rd ed. Darien, IL: American Academy of Sleep Medicine, 2014.

나타나는 경우 진단한다.

5. 수면관련 저환기장애 (Sleep-related hypoventilation disorders)

ICSD-3[38]에 따르면 수면관련 저환기장애는 표 37-4와 같이 분류된다. 저환기는 동맥혈 이산화탄소포화도가 증가되어 있는 경우이며, 호기말 이산화탄소포화도(end-tidal CO_2)나 경피 이산화탄소포화도(transcutaneous PCO_2)로 측정할 수 있다. 새롭게 추가된 비만 저환기증후군은 주간 동맥혈 이산화탄소포화도가 45 mmHg를 초과하면서 체질량지수가 30을 초과하는 경우 진단하며, 그 외 저환기장애는 주간 저환기가 나타날 수도 있고 나타나지 않을 수도 있다.

6. 수면관련 저산소장애 (Sleep-related hypoxemia disorder)

ICSD-2 분류에서는 저환기/저산소혈증이 같은 분류에 있었으나, ICSD-3[38] 분류에서는 저환기와 저산소혈증을 따로 구분하였다. 저환기는 이산화탄소포화도가 증가되어 있는 경우이고, 저산소장애는 동맥혈 산소포화도가 5분을 초과하여 88% 이하로 감소된 경우로 정의한다.

Ⅲ 수면관련 호흡장애의 빈도

수면무호흡증은 전체 남자의 4%, 여자의 2%의 빈도를 보이며, 30세에서 60세 사이의 인구를 대상으로 조사하였을 때 AHI 5 이상을 기준으로 하면 남자의 24%, 여자의 9%에서 발견된다.[64] 최근 그 진단의 기준이 호흡노력관련각성이 포함된 RDI로 바뀌어 상대적으로 낮아지고, 단순코골이가 거의 없다는 주장에 비추어 보면 실제 수면호흡장애 환자의 수는 그보다 훨씬 더 많을 가능성이 있다. 주로 중년 이후의 남성에서 호발하며, 여성은 폐경기 이후에 발생빈도가 증가한다. 1993년도 미국 수면장애연구회의 보고에 따르면 미국인 중 2,000만 명이 수면무호흡으로 인한 주간과다졸림을 경험하는 것으로 추정되고 있으며,[1] 한국에서는 2004년에 한국인 유전체 역학 조사사업(Korean Health and Genome Study)에 참여하고 있는 대상자의 자료를 분석하여 수면다원검사상 AHI 5 이상인 경우는 남성의 경우 27%, 여성의 경우 16%, 임상증상을 고려하였을 때는 남성 4.5%, 여성 3.2%로 보고되었다.[30] 이렇듯 인종 간에는 큰 차이를 보이지 않는다.

Ⅳ 수면관련 호흡장애의 병태생리

수면 중 상기도 폐쇄의 기전에 대하여 많은 연구가 보고되었지만 모든 것을 설명할 수 있는 기전은 없고, 다인자 질환(multifactorial disease)으로 생각되고 있다. 일반적으로는 세 가지 기전이 있다. 첫째, 상기도 폐쇄의 주된 부위는 인두부이다. 둘째, 인두강의 단면적은 흉곽 내 음압에 의한 기도 수축력과 인두의 기도확장근에 의한 확장력의 균형에 따라 결정된다. 셋째, 인두부 기도를 좁게 하는 해부학적인 이상소견을 가지고 있다.

인두는 연구개, 인두벽, 설부 근육에 의해 기도가 유지된다. 설부근육들 중에 특히 이설근(genioglossus m.), 이설골근(geniohyoid m.), 설골설근(hyoglossus m.), 갑상설골근(thyrohyoid m.) 등이 수축하여 혀를 앞으로 당겨주어 기도를 유지하는데, 근육의 긴장도(tension)가 감소하면 기도유지에 장애가 초래된다. 정상적으로 흡기 때 흉곽근과 횡격막이 음압을 만들어 공기가 흡인되는데 이때 상기도 확장근이 흉곽 호흡근보다 먼저 활성화됨으로써 음압에 의해 기도가 폐쇄되지 않는다. 이러한 근육 간의 조화가 불안정해지면 예를 들면 정상에서는 음압이 27 cmH_2O 이상 되어야 기도가 폐쇄되지만 무호흡 환자에서는 0.5 cmH_2O 음압으로도 기도가 폐쇄된다. 특히 무호흡 환자에서 흔히 관찰할 수 있는 연구개와 구개수의 비후, 구개편도와 혀의 비대 등으로 구조적으로 인두기도가 좁아져 있으면 기류의 저항이 높아지게 되고, 따라서 흡기 시 더 높은 흉곽 음압이 요구된다. 음압이 높아지고 상기도 확장근의 긴장도가 떨어지면 상기도 폐쇄가 쉽게 유발되고 여기에 신경, 근육 조화의 이상으로 상기도근의 적절한 활성화 장애로 상기도 폐쇄가 더욱 촉진된다.

수면 중 상기도폐쇄로 인한 환기의 중단과 반복적으로 진행되는 질식과 그에 의한 각성은 다양한 문제를 유발한다. 수면 중 혈중산소포화도의 변화는 무호흡의 횟수와 기간뿐만 아니라 깨어 있는 동안의 산소분압과 폐 용적에 의해서도 영향을 받는다. 예비호기량이 적은 경우 환기-관류장애가 발생하고 무호흡이 발생했을 때 산소 예비저장고 역할을 충분히 못하므로 산소포화도의 감소가 더욱 급속히 진행된다. 그리고 상기도 폐쇄 상태에서 흡입되어 있는 공기를 배출하고자 할 때 호기 폐 용적이 더욱 감소되고 말초 세소기관지의 폐쇄가 촉진된다.

무호흡은 수면 중 각성반응이 일어나 기도확장근과 후두외전근이 활성화되어 상기도가 열리고 호흡이 재개됨으로써 종료된다. 대부분의 각성반응은 수초간 짧게 지나가 환자가 인식하지 못하지만 수면은 단절된다. 수면단절로 인해 깊은 서파수면이 급격히 감소하고 REM 수면도 감소하며 교감신경의 흥분 등으로 인해 주간의 수면장애 증상들이 나타난다. 각성반응에 관여하는 자극으로는 저산소혈증과 과이산화탄소혈증에 의한 호흡중추신경계의 자극과 상기도나 호흡근에서 유발되는 기계적 자극이 관여할 것으로 생각된다.

 수면관련 호흡장애의 관련 증상 및 임상소견

1. 수면 중 증상

코골이(snoring)는 수면무호흡증 환자의 70~95%에서 나타나는 가장 흔한 증상이다.[59] 폐쇄성 수면무호흡증 환자는 심한 코골이와 거친 숨소리가 동반되다가 무호흡으로 조용해진 다음 매우 시끄러운 호기성 호흡이 재개되는 것이 특징이다. 하지만 코골이는 일반 남성의 35~45%, 여성의 15~28%에서 흔히 나타나는 증상이며,[41,64] 코골이 환자 중에서 수면무호흡이 관찰되지 않는 환자들이 있고, 수면무호흡환자 중에서 코골이가 관찰되지 않는 경우가 있으므로 관련성은 높으나 수면무호흡증의 예측인자로 보기는 어렵다. 두 번째로 흔한 증상은 목격된 무호흡(witnessed apnea)으로, 환자본인은 무호흡을 인지하지 못하는 경우가 많고 노인들은 무호흡에 의한 각성반응을 불면증으로 호소하기도 한다. 각성을 동반하면서 야간 호흡곤란을 느끼고 수초 내에 호전되기도 하는데, 무호흡이나 저호흡 시 상기도 폐쇄를 극복하려는 호흡운동노력으로 흉곽 내 음압이 형성되고, 이로 인해 심장으로 정맥혈 유입이 증가되면서 폐모세혈관쐐기압(pulmonary capillary wedge pressure)이 증가되고 이를 호흡곤란으로 인지하게 된다. 과다한 침흘림(drolling)을 호소하는 경우도 있고, 입마름(dry mouth)을 호소하기도 하는데, 수면무호흡의 중증도가 증가될수록 입마름을 호소하는 경우가 많다. 호흡운동노력의 증가와 불안정한 자율신경계로 인하여 야간 땀흘림(nocturnal sweating)을 호소하는 경우도 많지만 비특이적인 증상이므로 다른 원인과의 감별이 필요하다. 이갈이가 나타나는 경우도 많다. 위식도 역류도 흔하게 일어나지만, 중증도와는 관계없는 것으로 보고되고 있고, 무호흡에 따른 복부압의 상승과 흉곽 내 음압이 원인일 수 있다. 반면 야뇨증(nocturia)은 중증도와 관계가 있는 것으로 보고되어 있으며, 28%의 성인에서 수면 중 4~7회 정도 배뇨를 하게 되는데, 심방이뇨호르몬(atrial natriuretic peptide)분비가 증가되어 전체 소변의 배출이 증가되거나 복부압의 상승되어 나타나는 것으로 생각된다. 수면 중 비정상적인 행동으로 뒤척임, 발차기 등의 큰 움직임이 관찰되기도 한다. 특히 산소포화도가 저하되면 상체를 일으켜 반 앉은 자세를 취하며 호흡을 재개하고 갑자기 쓰러지는 등 수면 중 외상의 위험성이 높아진다.

2. 주간 증상

수면 중 증상에 비해 주간증상은 다른 원인의 수면질환에서도 흔히 나타날 수 있기 때문에 수면 중 증상에 비해 비특이적이다. 과다주간 졸리움증(excessive daytime sleepiness)은 무호흡에 의한 수면분절로 잦은 각성과 불충분한 수면으로 인해 나타나는 대표적인 증상이다. TV 시청이나 독서는 물론 운전 중에 졸게 되어 교통사고의 위험성이 높아지고, 심한 경우에는 대화나 식사 중에도 잠이 드는 수도 있으며, 학교나 직장생활에 지장을 초래할 수 있다. 뇌인지 기능저하가 나타날 수 있는데, 집중력과 단기 및 장기 기억력이 저하될 수 있다. 삶의 질이 저하되고, 다양한 성격 변화도 나타나게 되어 공격적 성격, 자극과민성, 불안감, 우울반응 등이 발생하며 우울증이 악화되기도 한다. 성의학적인 문제로 성충동이 감퇴하고 발기부전도 관찰된다. 아침이나 야간에 두통을 호소하는 경우도 많은데 주로 둔하고 전반적인 통증이 1~2시간 정도 지속되며, 산소 탈포화와 고탄산증으로 인한 뇌혈관 확장과 고혈압으로 두개압이 증가하여 나타난다.

3. 임상 소견

신체검진상 고혈압과 저혈압이 모두 측정될 수 있고, 비만이 흔히 동반된다. 특히 목둘레의 증가는 중증도와 연관을 보이며, 수면 무호흡증의 예측인자로 받아들여져 40 cm 이상일 경우 의심해 봐야한다. 수면 무호흡증으로 두개안면(craniofacial), 인두(pharyngeal), 치과적(dental) 비강 구조가 해부학적으로 변형되어 나타날 수 있다. 두개안면 변형으로 흔히 나타나는 것은 하악후퇴증(retrognathia)과 높은 골부구개(high arched palate)이며, 턱관절 탈구(temporomandibular dislocation)이 동반되기도 한다, 하악후퇴증은 하악과 상악의 성장이 저하되어 나타나며, 설근부가 후방으로 후퇴하는 것과 관련이 깊다. 인두 구조의 특징으로는 거대설(macroglossia), 구개수의 발적 및 부종, 길어지거나 낮게 내려앉아 있는 연구개, 편도 비대, 구개궁의 비대를 동반한 과도한 양의 측벽 연부조직 등이 있다. 치과적으로는 하악의 후퇴로 인한 수평피개교합(overjet)이 흔한데, 위쪽 앞니가 아래쪽 앞니보다 2.2 mm 이상 전방으로 돌출된다. 부정교합(malocclusion)과 이갈이의 증거도 관찰된다. 비강의 이상구조는 단독으로 원인이 되는 경우는 거의 없지만 상기도의 저항을 증가시켜 수면호흡장애에서 빈번하게 관찰된다. 콧구멍이 작거나 비대칭, 흡기 시 내비/외비 밸브의 허탈, 비중격 만곡, 하비갑개 비대 등이 관찰될 수 있다.

Ⅵ 수면관련 호흡장애의 합병증

상기도 폐쇄로 인한 무호흡으로 질식(asphyxia)이 발생하고 이 질식 상태는 수면의 각성반응(arousal response)으로 끝나게 된다. 수면 중 질식과 각성반응의 반복적인 발생으로 2차적인 생리적 변화를 유발하여 임상적으로 정신신경학적 이상, 심폐혈관계 이상, 뇌혈관계 이상, 그리고 대사 장애 등을 일으킨다.

1. 정신신경학적 합병증

정신신경학적 이상으로 주간과다졸림증, 인지능력 장애, 운전능력의 저하, 그 밖의 신경사회적인 문제 등이 올 수 있다. 수많은 연구들이 이러한 정신신경학적 이상을 보고하고 있으며 실제로 수면무호흡증의 기준인 AHI 5 이상은 이러한 신경학적 이상인 주간과다졸림증의 빈도가 증가하는 것을 기준으로 한 것으로 생각된다.[29]

무호흡으로 인한 반복적인 수면 중 각성반응은 수면의 분절과 서파수면과 REM 수면의 감소나 소실을 초래하며, 팔다리의 과도한 운동과 수면 자세의 변화를 일으키고, 임상적으로 주간과다졸음, 성격, 지적 행동에 이상변화가 일어나며 불안수면이 생긴다. 뇌파상의 각성반응에 의한 수면분절과 무호흡에 따른 대뇌저산소증도 주간 증상의 원인으로 알려져 있다.

2. 심폐혈관계 합병증

반복적인 질식으로 미주신경이 흥분되어 심박동이 저하되며, 반사적인 교감신경계의 활성에 따른 혈관 수축으로 급성 고혈압이나 저산소혈증으로 인한 적혈구과다(polycythemia) 등이 생길 수 있다.[44] 특히 심한 서맥과 심실성 이소성 수축(paroxysmal ventricular contraction)이 심각한 문제가 되는데 심한 저산소증이나 허혈성 심질환이 있을 경우에 발생한다. 폐포저산소증(alveolar hypoxia)에 따른 급성 폐동맥고혈압은 지속적인 고혈압과 우심실부전을 초래할 수 있으나 주간에는 대개 폐동맥압이 정상이다. 따라서 주간에 저산소혈증과 고이산화탄소혈증이 다른 원인으로 계속되지 않는 경우에는 우심실부전은 잘 발생하지 않는다. 수면무호흡증에서 반사적 혈관수축으로 일시적으로 고혈압이 발생하며 주간에 저산소증이 없어도 고혈압이 지속될 수 있다.

심혈관계 합병증의 종류로는 부정맥, 고혈압, 허혈성 심장질환, 심장정지에 의한 급사 등이 있다.

부정맥 중 가장 흔한 것은 중등도의 서맥으로 무호흡이 발생하면 맥박이 분당 30~50회로 감소하였다가 호흡이 재개되면 분당 90~120회의 빈맥으로 변하는 것이 특징이며, 자율신경 실조증의 한 증상일 수도 있다. 서맥의 정도는 무호흡의 길이와 산화혈색소 탈포화의 정도와 관련이 있으며, 수면 중 심각한 부정맥이 발생하면 관상동맥질환 같은 기존의 심장질환이 있음을 의미한다. Sleep Heart Health Study에서는 RDI가 5 미만인 군에 비해 30 이상인 군에서 심방세동의 위험이 4.02배 더 높았으며, 심실빈맥 또한 3.40배 높았음을 보고하였다.[39] 심각한 부정맥은 무호흡의 예후에 영향을 미치고 수면 중 급사의 한 원인으로 유추하지만 아직 그 인과관계가 확실하지는 않다.

수면무호흡 환자의 50%에서 고혈압이 동반되고, 고혈압 환자의 약 30%에서 수면무호흡이 동반된다.[22] 두 질환은 비만, 음주와 고령이라는 공통의 위험인자를 공유하고 있어 밀접한 연관성을 보이고 있다. 무호흡에서 보이는 야간 혈압상승은 각성과 연관된 교감신경의 항진에 기인하지만 이것이 주간 고혈압의 원인인지는 확실하지 않다. 그러나 고혈압을 동반한 무호흡 환자를 지속성 기도양압기(continuous positive airway pressure; CPAP)로 장기간 치료하면 혈압이 떨어지기 때문에 특히 조절이 잘 되지 않는 고혈압 환자는 수면무호흡의 동반 여부를 확인하는 것이 꼭 필요하다. 고혈압의 발병위험도는 수면 무호흡증의 중증도와 밀접히 연관되어 있다. Wisconsin Sleep Cohort 연구에서 AHI가 0.1~4.9인 대상자들을 4년간 추적조사를 실시하였을 때 고혈압의 발병위험도는 무호흡이 없던 대상자에 비해 1.4배, AHI가 5.0~14.9였던 대상자의 경우는 2.0배, AHI가 15 이상이었던 경우는 2.9배까지 더 높다고 보고되었다.[10]

수면 무호흡증은 허혈성 심장질환 즉 심근경색의 위험인자 중 하나이며, 야간 협심증과는 직접적인 연관성이 있다. 수면무호흡증 환자에서 심근 경색이나 부정맥에 의해 심정지가 일어날 수 있으며, 주로 새벽시간에 많이 발생한다고 알려져 있다.[36]

이 밖에 수면무호흡은 교감신경계의 흥분으로 좌심실의 후부하가 증가하고 서맥은 심박출량을 감소시켜 좌심실부전을 악화시킬 수 있다. 따라서 확장성 심근증 환자에서 동반된 무호흡을 치료하면 좌심실의 박출률이 호전된다.

폐성 고혈압, 주간 고탄산증과 저산소혈증이 동반되는 호흡부전, 폐성심 등이 수면무호흡증의 합병증으로 발생할 수 있어 비만한 우심실부전 환자가 폐기능 검사 소견보다 임상 증상이 심할 때 수면무호흡의 동반 여부를 의심해 보아야 한다.

3. 뇌혈관계 합병증

뇌혈관질환 환자의 약 70% 정도에서 수면무호흡증이 발견되며, 45세에서 64세에서의 빈도는 1,000명당 1.33명으로 동맥경화증에서의 빈도와 비슷하다.[20] 또한 AHI 20 이상인 경우는 정상에 비해 약 4배 정도 높은 뇌혈관 질환의 빈도를 보이는 것으로 알려져 있다.[3]

4. 대사 장애 합병증

수면무호흡은 고혈압, 고지혈증, 당뇨병, 내당능 장애, 비만 등으로 구성된 대사증후군의 발생과 밀접한 관련이 있고, 인슐린 저항성이 이들 질환의 공통된 발병인자로 보고되고 있다. Sleep Heart Health Study에서 경도의 수면호흡장애자는 약 1.27배, 중등도와 중증의 수면호흡장애 환자는 약 1.46배 내당능이 증가하였다.[48] 최근 16년간 관찰한 역사적 코호트 연구(historical cohort study)에서 여러 인자들을 보정한 이후에도 AHI가 30 이상인

군에서 5 미만인 군에 비해 당뇨병 발생이 30% 높았고, 특히 REM 수면 AHI와 산소 포화도가 90% 이하인 시간이 당뇨병의 발생과 연관된다고 보고되었다.[27]

Ⅶ 환자의 진단

1. 병력

수면무호흡은 남자에서 호발하므로 비만인 중년 남자에서 혈압이 높고 장기간 심한 코골이의 병력과 함께 주간기면이나 아침 두통을 호소하면 우선 수면무호흡을 의심할 수 있다. 수면무호흡의 다양한 증상과 동반질환 병력을 확인하고 특히 환자와 잠을 같이 자는 사람으로부터 코골이, 무호흡, 수면 중 이상행동 유무를 확인하여야 하며, 표 37-5는 폐쇄성 수면무호흡증의 고위험군이다.

특히 주간의 활동 시간에 졸리는 정도를 알아보기 위하여 주간기면지수(Epworth Sleepiness Scale; ESS)라 하여 그 정도를 파악하는 설문조사 방법이 소개되어 있다.[25] 이 척도는 일상 생활에서 환자가 잠들 수 있는 8가지 상황에서 각각의 경우에 얼마나 졸리는지를 0~3점으로 점수화하여 합하는데 점수의 합이 8 이하면 정상, 10 이상이면 주간기면증이 있다고 말하고, 16 이상인 경우는 중증의 주간과다졸림증을 의미한다(표 37-6).

2. 신체검사

일반적으로 신체계측검사, 상기도의 검사, 얼굴형태에 대한 검사 등이 필요하다. 체중, 체질량지수(body mass

표 37-5. 폐쇄성 수면 무호흡증의 고위험군

체질량 지수 35 초과의 비만(obesity) (BMI 〉35)
울혈성 심부전(congestive heart failure)
심방세동(atrial fibrillation)
난치성 고혈압(refratory hypertension)
2형 당뇨(type 2 diabetes)
야간 심부정맥(nocturnal dysrhythmias)
뇌졸중(stroke)
폐성 고혈압(pulmonary hypertension)
고위험 운전자(high-risk driving populations)
비만대사수술의 수술 전(preoperative for bariatric surgery)

Data from Epstein LJ, Kristo D, Strollo PJ, et al. Clinical guideline for the evaluation, management and long-term care of obstructive sleep apnea in adults. J Clin Sleep Med 2009;5:266.

표 37-6. 주간기면지수(Epworth Sleepiness Scale;ESS) - Korean version

0. 졸리지 않는다.	1. 아주 가끔	2. 자주 졸리움	3. 거의 매번 졸리움
상황		점수	
책을 읽을 경우			
TV를 시청 중인 경우			
회의나 극장등과 같은 공공장소에서 가만히 앉아 있을 경우			
휴식 없이 1시간 이상 승객으로 차 안에 있을 경우			
차 안에서 신호대기 위해 잠시 정차했을 경우			
오후에 쉬기 위해 누워있을 경우			
앉아서 다른 사람과 이야기를 할 때			
점심식사 후 조용히 앉아 있을 때(술 먹지 않음)			
총점			

Data from Rosenberg R, Mickelson SA. Obstructive sleep apnea evaluation by history and polysomnography. In: Fairbanks DNF, Mickelson SA, Woodson BT, eds. Snoring and Obstructive Sleep Apnea, 3rd ed. Philadelphia: Lippincott Williams & Wilkins, 2003, p.42.

index), 지방침윤의 분포 등 비만과 관련된 사항과 목둘레, 배둘레 등의 측정도 필요하다.

비강에서부터 후두에 이르는 전체 상기도의 검사가 필요하고 얼굴의 발달형태를 파악하기 위해 상악, 하악의 전체적인 구조도 관찰한다. 무호흡 환자의 특징적인 소견으로는 과도한 양의 조직과 낮게 내려앉은 연구개, 편도 및 구개수 비대, 심한 인두점막주름, 거대설(macroglossia)이나 구강공간에 비해 상대적으로 큰 혀(relative macroglossia) 등의 연조직 이상이 있으며, 이 이외에 높은 궁의 골부구개(high) (arched palate), 부정교합(malocclusion), 하악후퇴증(retrognathia), 소하악증(micrognathia), 상악이나 하악의 이상구조 등 골부 이상도 있을 수 있다..

비강, 비인강, 구강, 인두, 후두, 그리고 경부의 진찰을 하며, 비강에서는 다발성 용종, 상악동후비공 비용(antrochoanal polyp), 종양 등 병변의 동반 유무, 심한 비중격만곡과 하비갑개 비후 소견이 있는지 검사하고, 하인두와 후두에서는 설근부, 후두개곡, 후두개 등에 낭종성 병변이나 종양, 성대마비 소견의 유무를 확인한다.

3. 수면검사

수면검사는 수면 중에 하는 수면다원검사와 휴대용 수면검사, 주간과다졸림증에 대한 객관적 검사로 시행하는 다중수면잠복기검사가 있다.

1) 수면다원검사

병력 청취와 신체검사만으로 단순 코골이와 무호흡을 감별하기는 어렵다. 목둘레, 비만지수, 주간기면지수(ESS) 등의 임상지표들로 무호흡 유무, 무호흡의 정도를 어느 정도 예측할 수 있지만 정확도가 떨어지므로 무호흡을 진단하는데 수면다원검사(polysomnography; PSG)가 필수적이며, 환자의 심각도를 알 수 있는 유일한 방법이다. 수면검사의 종류는 사용되는 기기와 검사자의 참여

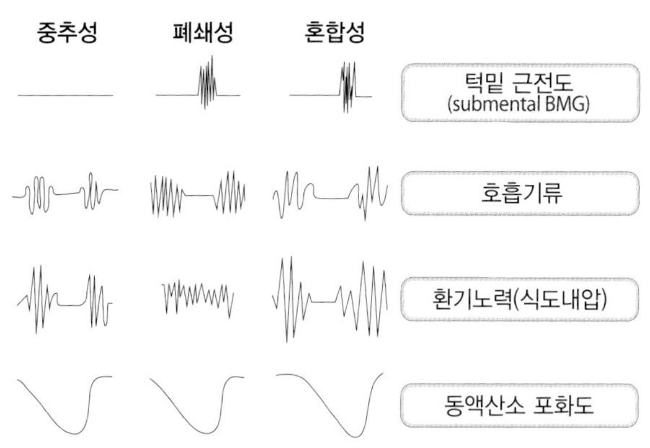

■ 그림 37-1. **수면무호흡의 수면다원검사에 따른 분류**

여부에 따라 4종류로 나누어진다.[12] Level I 검사는 검사자의 관리 하에 검사실에서 시행하는 표준수면다원검사(full attended polysomnography)이고 코와 입을 통한 공기의 출입, 가슴과 복부의 호흡운동, 뇌파, 안구운동, 혈중 산소포화도, 심전도, 근전도 등 7가지 이상의 검사를 동시에 시행한다. Level II검사는 full unattended polysomnography로 Level I 검사와 검사항목은 동일하지만 검사가 진행되는 동안 검사자의 감독 없이 시행된다는 점이 다르다. Level III 검사는 4~7개의 측정변수를 가지는데, 최소한 2개의 호흡변수(airflow, respiratory effort)와 1개의 심장신호(cardiac signal pulse or EKG), 맥박 산소측정기를 포함하며 뇌파신호는 측정하지 않는 것이 보통이다. Level IV 검사는 대개 산소포화도 측정채널을 포함하여 2개 이하의 측정변수를 가진다. 수면다원검사는 무호흡의 원인에 따른 분류, 즉, 중추로부터의 호흡자극이 없는 중추성, 자극은 있으나 기도 일부가 막혀서 생기는 폐쇄성, 그리고 양자가 혼합된 혼합성 수면무호흡을 감별 진단할 수 있다(그림 37-1). 수면다원검사는 수술 치료를 시작하기 전에 반드시 시행하여야 하며, 수면 중 폐쇄가 일어나는 부위를 확인하기 위해 다중압력 카테터를 인후부에 삽입 측정하거나, 지속성 기도양압기를 시도할 때도 같이 시행되어야 한다. 지속성 기도양압기를 착용한 상태에서 필요한 적정고정압력을 확인하기 위해 하룻밤동안 진단적 수면다원검사와 적정고정압력측

정을 위한 수면다원검사를 연이어서 시행하는 분할야간 수면다원검사(split night polysomnography)도 시행한다. 수면 초반에 최소한 2시간 이상 시행한 진단적 수면다원검사상 AHI가 40 이상 또는 반복적으로 상기도 폐쇄가 장기간 지속되고 심한 혈중산소포화농도 감소가 동반되면서 AHI가 20 이상 40 이하인 환자에서, 진단적 검사 후 연이어서 3시간 이상 시행한 양압기의 적정고정압력측정을 위한 수면다원검사 중 앙와위(supine) 위치에서 15분 이상 REM 수면을 취하는 기간에도 호흡장애가 대부분 사라지는 경우는 의미있는 검사로 인정된다. 수면다원검사의 단점은 가격이 비싸고, 시간이 많이 걸리며, 인력이 필요하고, 병원에서만 행해지므로 반복해서 검사하거나 간단히 검사하기에는 어려움이 있다.

2) 휴대용 수면검사(Portable monitors)

2007년 미국수면학회[7]에서는 휴대용 수면검사장비를 중등도-중증(moderate to severe)의 폐질환, 근신경계 질환, 또는 울혈성 심부전과 같은 동반된 내과적 질환이나 수면질환이 없는 중등도-중증의 폐쇄성 수면무호흡증이 강력히 의심되는 고위험군 환자에서 검사 중 검사자의 감독 없이 시행할 수 있으며, 수면검사에 대한 적절한 질 관리프로그램이 있고, 수면환자에 대한 충분한 경험과 교육을 받은 수면전문가의 진료 및 관리하에서 시행되어야 한다고 하였다. 또한 거동이 불편한 환자나 안전상의 이유로 수면검사실에서의 표준수면다원검사가 불가능한 경우에 시행할 수 있고, 구강 내 장치나 수술, 체중감량 등의 non-CPAP 치료를 받은 환자에게 있어서 치료 결과를 추적 관찰하는 데 사용할 수 있다.

폐쇄성 수면무호흡증을 진단하기 위해서는 1) 호흡기류(airflow), 2) 호흡노력(respiratory effort), 3) 혈중산소포화도(blood oxygenation)의 3가지 항목을 기본적으로 측정할 수 있어야 하며, 측정방법으로는 무호흡을 확인하는 구강비강온도센서(oronasal thermal sensor)와 저호흡을 확인하는 비강압력케뉼라(nasal pressure transducer), 맥박산소측정기(oxymetry), 호흡노력을 확인하는 calibrated or uncalibrated inductance plethysmography를 사용하도록 권장하고 있다.

휴대용 검사는 민감도와 특이도가 떨어지고 수면단절을 확인할 수 없다는 단점이 있다.[12] 또한 대부분의 휴대형 수면다원검사는 EEG를 측정하지 않으므로 수면과 각성 상태를 알 수 없고 따라서 수면 시간을 검사기록시간으로 대체하게 되므로 실제 수면시간보다 긴 수면시간으로 계산하게 된다. 그러므로 AHI가 적게 나오는 경향이 있고, 각성을 측정해야 하는 RERA는 측정할 수 없으므로 RDI를 계산할 수 없는 경우가 대부분이다. 하지만, 비용이 적게 들고 정상 수면 환경에서 검사할 수 있으며, 수면다원검사실 운영을 할 수 없거나 인력이 없는 경우 대신 사용하는 데 문제가 없다는 장점이 있고, 결과에 있어서 표준수면다원검사와 충분한 연관성을 보여 결과를 신뢰할 수 있으며, ICSD-3의 수면무호흡 진단기준에서도 휴대형 수면검사 결과로 진단하는 것도 인정하고 있다.

3) 다중수면잠복기검사

다중수면잠복기검사(multiple sleep latency test; MSLT)는 주간기면을 나타내는 다양한 수면질환을 감별하기 위해서 시행하는 검사이다. 이 검사로 주간기면을 객관적으로 측정할 때에는 무호흡증을 배제하기 위해서 이전에 무호흡증이 없다는 것을 수면다원검사로 확인 후 진행하거나 무호흡증이 있는 경우 양압호흡기를 충분히 사용하고 검사 전날도 양압호흡기를 사용한 후에 검사를 해야 한다. 야간수면다원검사를 시행한 1시간 반에서 3시간 이후에 시작하며, 2시간 간격으로 5회의 회당 20분간의 낮잠을 자게 하여 환자가 잠이 드는 데 소요되는 시간을 측정한다. 정상인의 평균 수면잠복기는 10~15분 정도이며, 8분 이하인 경우 졸리움(Idiopathic hypersomnia)이 있다고 진단하고, 수변삼복기가 8분 이하이면서, 5회의 낮잠 중에 2회 이상 REM 수면이 나타나는 경우 기면증(narcolepsy)으로 진단한다. 폐쇄성 수면 무호흡증을 진단하는 방법으로는 잘 사용되지 않고, 적절한 치료를 하였음에도 과도한 졸리움증이 지속되는 경우, 기면증과 비정상적인 수면단계를 보이는 질환의 감별진단에 도움이 된다.

4. 기도폐쇄 부위의 확인

무호흡을 일으키는 기도폐쇄 부위를 확인하는 것은 치료방침을 결정하는 데 매우 중요하고 예후에도 관계가 있으므로 정확한 검사가 필요하다. 다양한 검사방법들이 개발되어 임상에 이용되고 있으나 아직 완벽한 검사는 없어 가능한 한 여러 검사 결과를 종합 분석해야 한다.

1) 굴곡형 비인두경

수면 시 막히는 부위를 미리 추정하기 위하여 굴곡형 비인두경을 많이 사용한다. 주로 환자가 누운 자세에서 비강을 통하여 내시경을 넣어 환자의 기도모양과 기도협착 부위 및 정도를 측정하고, 기도의 허탈(collapsibility)을 확인한다. 먼저 호기 말에 환자의 기도모양을 본 다음, 환자의 입과 코를 막은 뒤 숨을 들이쉬게 하여 음압을 형성시켜 생기는 변화를 비인강에서, 그리고 연구개를 지나 혀의 기저부 위에서 관찰하여 좁아지는 부위와 허탈 정도를 판정하는 Müller법을 시행한다. 이 방법에 따른 상기도폐쇄의 제1형은 연구개를 포함하는 구인두폐쇄이고, 제2형은 구인두, 하인두의 동반 폐쇄이며, 제3형은 설근부를 포함한 하인두만의 폐쇄이다. 그러나 이 검사는 실제 수면상태에서의 검사가 아니라는 단점이 있다.

2) 방사선검사

두개골계측(cephalometry)에서는 두경부 측면촬영상에서 여러 해부학적 지표를 계측한다. 상기도는 단면이 아닌 입체구조이므로 단순촬영의 두개골계측이 동적인 현상을 충분히 반영할 수 없다는 한계가 있다. 하지만, 악안면 골격 이상을 진단하고 치료계획을 수립하는 데에는 필수적인 검사법이다. 수면무호흡 환자의 두개골계측에서 하악후퇴증, 좁은 후기도공간(posterior airway space; PAS), 설골 하방전위를 볼 수 있는(mandibular plane to hyoid; MPH), 짧은 전두개저, 긴 연구개 등이 흔히 관찰된다(그림 37-2). 최근에는 CT와 MRI를 이용하여 짧은 시간에 상기도의 여러 부위를 3차원적으로 재구성해 볼 수 있으며, 수면 투시기(fluoroscopy)도 폐쇄 가능한 부위를 알 수 있는 방법이다.

3) Friedman Staging

Friedman 등은 폐쇄성 수면무호흡증 환자들을 편도의 크기, 구개의 위치 그리고 신체비만지수(BMI)를 이용하여 분류하였다(표 37-7).[14] 편도의 크기와 구개의 위치에 대한 분류 방법은 그림 37-3과 같다. 환자의 체질량지수가 분류에 사용되는데 서양인의 체형에서 40을 고도비만의 지표로 보았지만, 국내에서는 30 이상을 고도비만으로 정의하므로 30을 지표로 삼는 것이 옳을 것으로 생각한다. 이 방법은 비교적 측정이 간편하고 많이 사용되고 있으나 아직은 검증이 필요한 단계이다. Stage 1 환자들의 경우에는 구인두부 수술만으로, stage 2와 3 환자의 경우 하인두부 수술을 동시에 시행하였을 경우 성공률이 증가하는 것으로 보아 stage 2와 3의 환자는 하인두 협착이 있음을 의미한다고 볼 수 있다.

4) 약물유도 수면내시경검사 (Drug-induced sleep endoscopy; DISE)

각성상태가 아닌 수면상태에서의 상기도 폐쇄부위를 관찰하기 위해 수면을 유도하는 약물을 투여한 후 시행하는 수면내시경은 1991년 Croft와 Pringle 등[8]에 의해 처음으로 소개되었는데, 폐쇄부위를 관찰함으로써 진단뿐 아니라 적절한 수술적 치료를 선택할 수 있어 수술의 효과를 높이고, 불필요한 술식을 줄일 수 있다고 하였다. 최근 점점 널리 이용되고 있는 검사이지만, 수면유도의 방법, 검사가 필요한 환자의 선택, 결과를 보고하는 방법에

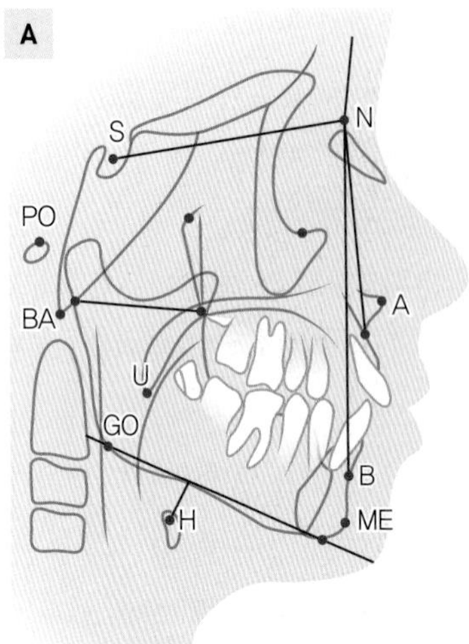

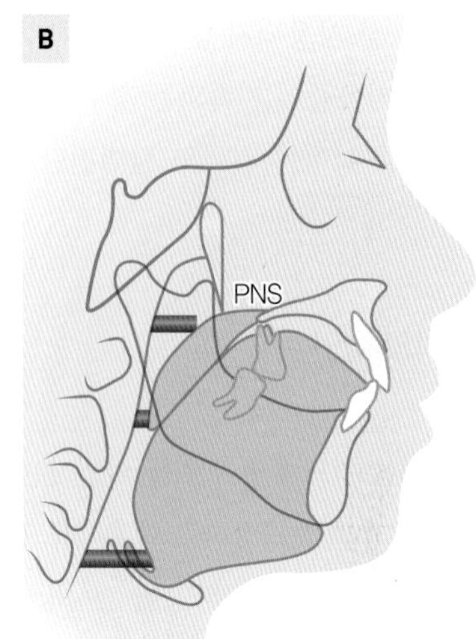

■ 그림 37-2. **측면두개골계측 촬영과 수면무호흡과 연관된 이상소견. A)** 측면 두개골계측 촬영(lateral cephalometric roentgenogram)의 지표. S: 안장(sella), N: 비근점(nasion), B: 치하점(infradental), A: 치상점(supradental), PNS: 후비극(posterior nasal spine), BA: 기저점(basion), U: 구개수첨단(uvula tip), GO: 각점(gonion), ME: 턱점(menton), H: 설골(hyoid). 주로 사용되는 측정들은 SNA, SNB angle, MP: 하악면(mandibular plan), MP-H: 하악면과 설골의 최전상부를 수직으로 연결한 길이, PNS-P:연구개의 길이, 그리고 PNS-BA: 후안면의 넓이(posterior facial width), PAS: 후기도 공간(posterior air space)(GO-B를 잇는 선에서 측정). 보고된 정상적인 범위는 SNA 83°±2°, SNB 80°±2°, ANB 4°±2°, MPH 19 mm±2 mm, PAS 11 mm±2 mm, PNS-P 39 mm±4 mm이다. **B)** 수면무호흡과 연관된 이상소견. 길고 넓은 연구개, 긴 설배부-연구개 접점(long tongue dorsum-palate interface), 좁은 후기도 공간(posterior air space; PAS), 좁은 상·중·하인두 넓이(width in upper, middle, and lower pharynx). 비정상적인 값은 표준편차의 2배 이상 차이가 나는 경우이다.

표 37-7. Modified Friedman staging

Stage	Palate position	Tonsil size	Body mass index (kg/m2)
I	1, 2	3, 4	< 40
II	1, 2	0, 1, 2	< 40
	3, 4	3, 4	< 40
III	3, 4	0, 1, 2	< 40
IV	Any	Any	> 40

Data from Friedman M, Ibrahim H, Bass L. Clinical staging for sleep disordered breathing. Otolaryngol Head Neck Surg 2002;127:16.

대해서는 논란이 많아 2014년 유럽의 수면내시경 전문가들이 합의사항에 대해 발표한 바 있다.[9]

DISE는 상기도 폐쇄부위의 역동적인 평가로 추가적인 정보를 얻을 수 있는 지속성 기도양압기(CPAP) 이외의 치료법이 필요하거나 이전 수술적 치료가 실패하여 증상이 남은 구조적인 원인을 평가하는 데 이용될 수 있다. 검사의 절대적 금기는 미국마취과학회등급(ASA),[4] 임산부, 프로포폴이나 다른 수면유도 약물에 알레르기가 있는 경우이다. 검사 시 산소포화도, 심전도, 혈압을 측정하는 모니터는 필수적이고, 굴곡형 내시경이 필요하며, 검사 장소는 모니터링과 응급 키트만 구비되어 있다면 상관없다. 국소 마취와 비충혈 완화제, atropine과 같은 분비물 억제제를 사용할 수도 있으나, 수면 생리에 변화를 줄 수 있고 인두 근육의 긴장도에 영향을 줄 수 있기 때문에 추천되지 않는다. 보통은 앙와위 자세로 검사를 시행하지만 자세변화에 따라 수면 무호흡의 변화가 있는 환자의 경우 측면 자세로 검사를 시행하여 폐쇄부위의 변화를 확인할 수 있다. 보통은 코를 통해 검사하지만, 입벌림이 있는 환

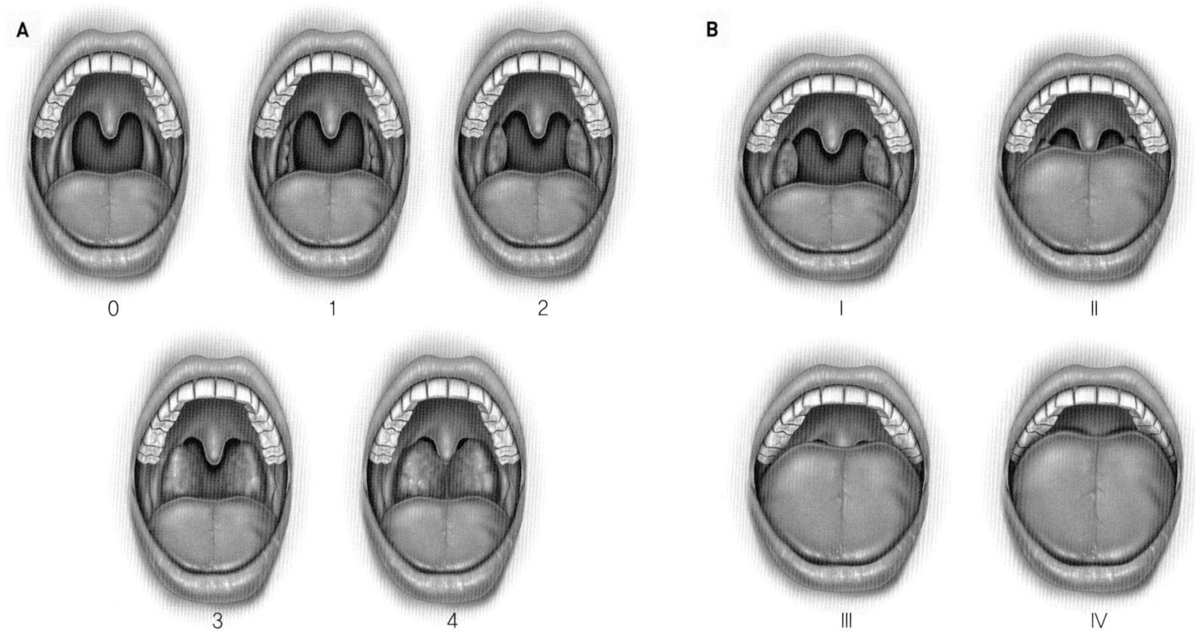

■ 그림 37-3. **Friedman 병기에서 Tonsil grade와 Palatal position의 분류. A)** Tonsil grade의 분류. 편도 크기 0은 수술 적으로 제거한 경우이다. 1은 편도궁 내에 숨어 있는 경우이다. 2는 편도궁까지 확장된 경우, 3은 편도궁을 넘었으나 정중선까지 확장되지 않은 경우이며 4는 정중선까지 확장된 경우이다. **B)** Palatal position의 분류. 혀를 내밀지 않고 입을 크게 벌린 상태에서 보이는 구조물에 따라서 분류한다. Grade I은 구개와 편도가 모두 보이는 경우, Grade II는 목젖은 관찰되나 편도는 보이지 않는 경우, Grade III은 연구개는 보이나 목젖은 보이지 않는 경우이고, Grade IV는 경구개만이 관찰되는 경우이다.

자에서는 구강을 통한 검사도 추가적인 정보를 제공할 수 있다. 하악을 최대한 전방이동시켜 검사를 시행하는 것은 구강 내 장치 치료 결과를 예측하는 데 도움이 되지 않는다고 보고되어[58] 추천되지 않으며, 구강 내 장치를 착용시킨 후 검사를 시행하는 것은 효과를 판정하고 전방 이동량이 더 필요한지 평가하는 데 도움이 된다.

수면 유도를 위해 사용되는 약물은 미다졸람 또는 프로포폴이며, 정맥에 볼루스(bolus)로 투여하거나 프로포폴의 경우 펌프(pump)나 목표농도주입법(target controlled infusion) 방법을 사용하게 된다. 미다졸람은 해독제(antidote)를 사용할 수 있다는 장점이 있고, 프로포폴은 정상수면과 좀더 비슷하게 유도되고 근육이완이 적으며 투여량을 조절하기 쉽다는 장점이 있어 두 가지 약물을 혼합해서 사용하기도 한다.

결과를 기술하는 방법은 다양하게 보고되고 있는데, 폐쇄 부위(level) 또는 구조(structure), 폐쇄 정도(degree/severity), 폐쇄 양상/방향(configuration/pattern/direction)은 반드시 기술하도록 하였다. 폐쇄 부위 또는 구조는 코와 비인강 성대부위는 각성시와 수면 시에 크게 차이가 없기 때문에 그 사이 구조물을 검사하는 것이 중요하며, 4가지 또는 5가지로 구분할 것인지에 대해서는 합의가 되어 있지 않고 구인두벽(oropharyngeal wall)과 편도를 하나로 간주하기도 하고 둘로 구분하기도 한다. 폐쇄 정도에 대해서는 VOTE 분류[28]에서는 3가지(none, partial, complete)로 NOHL 분류[57]에서는 4가지(0~25, 25~50, 50~75, 75~100%)로 구분하며, 폐쇄 양상은 앞뒤(anteroposterior), 측면(lateral), 중앙집중(concentric) 방향으로 기술한다(그림 37-4).

검사 간 일치도(test-retest reliability), 검사자 간 신뢰도(inter-rater reliability), 수면 유도의 깊이(depth

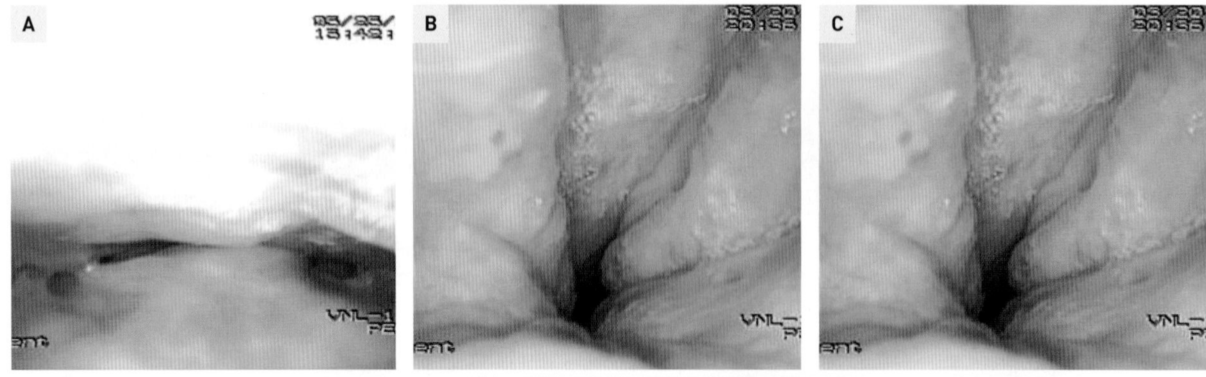

■ 그림 37-4. **약물유도 수면내시경검사(Drug-induced sleep endoscopy).** **A)** 연구개(velum) 부위가 앞뒤방향으로 폐쇄되는 모습, **B)** 설근부(tongue base) 부위가 중앙집중(concentric) 방향으로 폐쇄되는 모습, **C)** 후두덮개(epiglottis) 부위가 앞뒤방향으로 폐쇄되는 모습

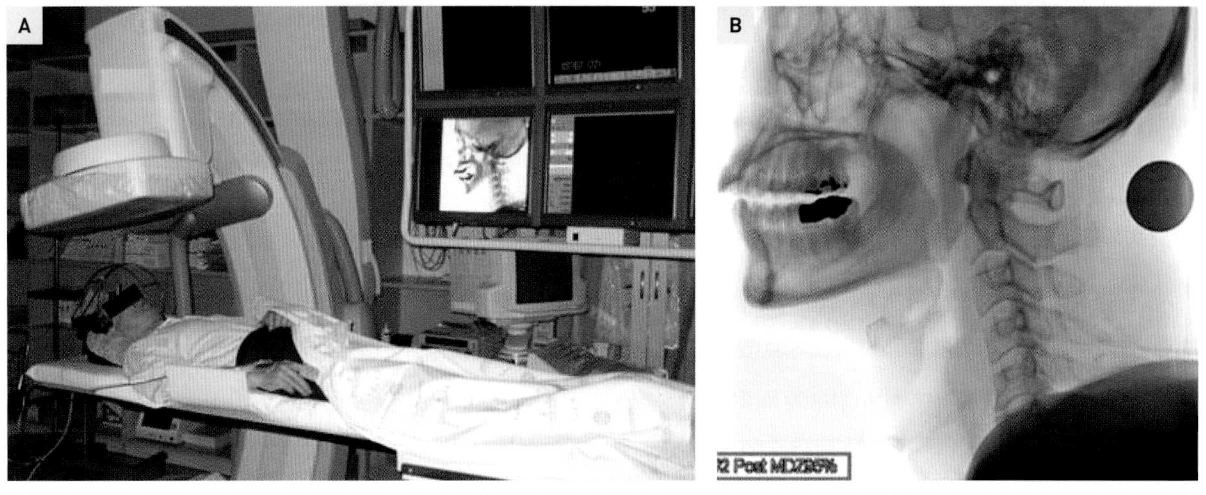

■ 그림 37-5. **수면 비디오투시검사(Sleep videofluoroscopy).** 진정제를 투여하여 수면 상태를 유도한 뒤 투시촬영을 시행하여 상기도의 측면 영상을 분석한다. **A)** 수면 비디오투시검사 모습, **B)** 수면 비디오투시검사 영상

of sedation)에 대한 논의가 지속되고 있지만, DISE는 각성 시와 수면 시 모두에서 코골이나 폐쇄부위를 3차원적으로 역동적인 평가를 할 수 있는 유용한 검사이다. 물론 약물에 의한 수면 유도 검사이기 때문에 정상수면과 차이가 있어 상기도의 폐쇄를 얼마나 정확히 반영하는지에 대해서는 이견이 있고, 구개와 설근부 폐쇄를 동시에 평가하기 힘들다는 제한점도 있다.

5) 수면 비디오투시검사(Sleep videofluoroscopy)

수면 비디오투시검사는 진정제를 투여한 후 수면 상태를 유도한 뒤 투시촬영을 시행하여 상기도의 측면 영상을 분석하는 방법이다(그림 37-5). 이 검사의 장점은 누운 상태에서 정상수면과 유사한 상태로 역동적인 기도의 모습을 관찰할 수 있으며, 기도 전체의 모습을 한번에 볼 수 있어 여러 곳의 폐쇄가 동시에 발생해도 확인할 수 있다는 점이다. 단점으로는 투시 장비가 필요하며 상기도 구조물들의 중첩으로 인해 측벽의 폐쇄 평가에 제한이 될 수 있다는 점이 있다. 방사선 조사량이 문제가 될 수 있지만, 최근의 투시 장비들은 방사선 조사량을 현저히 줄일 수 있는 것으로 알려져 있다. 수면 비디오투시검사에서 관찰할 수 있는 여러 가지 변수들 중에서 수면 시 나타나는 입벌림의 각도가 인두수술의 성공을 예측할 수 있는 중요한 인자로 작용한다는 보고가 있다.[31]

5. 기타 검사방법

수면다원검사에서 중추성 무호흡을 보인 환자는 뇌간의 이상 여부를 알기 위해 그에 대한 자세한 검사를 시행해야 한다. 비강 개존도의 객관적인 측정 방법으로 비강의 저항 정도를 측정하는 비강통기도 검사(Rhino-manometry), 비강 내 좁은 부위의 위치와 면적을 측정하는 음향비강통기도검사(Acoustic rhinometry)가 있다. 폐기능검사에서 호기, 흡기곡선에서의 톱니바퀴 모양의 존재 여부, 또는 흡기와 호기의 비율을 관찰함으로써 기도폐쇄 여부를 알 수 있다. 동맥혈 가스분석은 깨어 있을 때의 폐포환기, 저산소증의 정도, 산, 염기상태 등의 정보를 제공해 준다. 혈액검사에서는 적혈구 증가 여부를 알 수 있다. 갑상선, 성장, 성 호르몬 분비 장애에 대한 검사도 필요할 수 있다.

6. 감별진단

주간 기면 증상은 기면증뿐만 아니라 불충분한 수면, 불면증, 하지불안증후군, 과수면증, 주기성수면장애 등 다양한 수면질환에 대한 감별이 필요하다. 많은 경우 병력으로 진단하게 되나 설문지, 수면다원검사, 다중수면잠복기검사, 활동기록기(actigraphy) 등이 필요할 수 있다. 기면증은 20대 젊은 성인에 호발하는데 돌발적인 단시간의 수면이 반복적으로 발생하는 것이 특징이다. 동반되는 임상소견으로 수면 시작과 함께 근육의 긴장도가 소실되는 탈력발작(cataplexy)과 다양한 입면환각(hypnagogic hallucination)이 나타난다. 진단은 다중수면잠복기검사(MSLT)에서 8분 이하의 평균수면잠복기(mean sleep latency; MSL)와 입면 시 렘수면(sleep-onset REM period; SOREMP)이 2회 이상인 경우 확진할 수 있다. 비만과 동반된 폐포저환기, 고이산화탄소혈증, 우심부전, 주간기면 등을 보이는 Pickwickian 증후군도 감별이 필요하다. 특히 무호흡과 만성 호흡기, 심장질환과의 동반 여부에 대한 확인이 환자 치료에 매우 중요하다.

 치료

코골이와 폐쇄성 수면무호흡에 대한 치료는 크게 비수술적 치료법과 수술적 치료법으로 분류한다. 비수술적 치료법에 보존적 치료, 약물치료, 지속적 양압기 등의 호흡보조장치, 구강 내 장치 등이 포함되며, 수술적 치료법은 다양한 비인두부 수술과 악안면 수술, 기관절개술 등이 시행되고 있다.

코골이와 수면무호흡을 치료받지 않은 환자에서 AHI가 30이 넘는 사람은 높은 사망률을 보이므로 이와 같은 환자에서는 가능한 한 적극적인 치료가 필요하다.[53]

1. 치료법의 선택

치료법을 선택하기 전에 우선 환자의 코골이 정도와 무호흡에 대한 정확한 진단이 선행되고, 환자의 연령, 임상검사 소견과 직업 등의 사회적 여건들을 고려하여 치료법을 신중히 선택해야 한다. 정도가 심한 환자에서는 한 가지 치료법으로 만족할 만한 결과를 얻지 못하고 위에서 설명한 여러 치료법들이 병행되는 경우도 있어 치료를 받은 후 정기적인 추적관찰이 필요하다. 치료의 방법을 결정하는 데 사용되는 인자는 표 37-8과 같다.

표 37-8. 일반적인 치료방법 선택방법의 지표

비수술적 치료	지표	수술적 치료
불명확 또는 전체적	폐쇄부위	명확
중증이상	심각도	경도 또는 중등도
비수술적 치료	환자의 선호도	수술적 치료
나이가 많을수록	나이	나이가 적을수록
나쁨	전신상태	좋음
있음	동반질환	없음
비만	비만	정상
좋음	CPAP compliance	나쁨

2. 비수술적 치료

코골이와 무호흡의 비수술적인 치료법은 환자의 과거력에서 수술이 위험한 경우나 환자의 체형상 수술을 하여도 수술 성적이 불량할 것으로 예견되는 경우에 우선적으로 고려하게 된다. 치료법으로 체중감량, 수면자세 조정 등의 위험인자 제거, 약물치료 그리고 지속성 기도양압기(CPAP), 비인강기도나 구강 내 장치 등의 호흡 보조기구 등이 이용되고 있다.

1) 위험인자의 제거

일반적인 예방과 치료법으로서 가장 중요한 것은 근육의 장력과 체중감소를 위한 규칙적인 운동이다. 바로 누워 자는 것보다는 옆으로 누워서 두부를 높이고 자는 것이 효과적이다. 특히 취침 전 술이나 안정제의 사용은 코골이와 수면호흡장애를 악화시키기 때문에 금지해야 한다. 술을 마신 후 처음 몇 시간 동안 코골이 환자나 수면무호흡 환자가 폐쇄성 호흡이 악화될 수 있다. 술은 선택적으로 설운동신경의 작용과 턱과 혀 근육의 활동을 저하시키고 상기도의 공기저항을 증가시키며, 각성역치를 높여 지속적인 무호흡과 심한 저산소증을 유발할 수 있고, Benzodiazepine도 유사한 영향을 미친다.

2) 약물요법

Amitriptyline, nortriptyline, protriptyline 등의 항우울제와 progesterone제제가 수면무호흡의 약물치료제로 처방되기도 하는데 무호흡이나 코골이 증상이 심하게 나타나는 REM 수면을 단축시키지만 효과는 불분명하다. 부작용으로 불면증, 악몽을 포함한 지속적인 꿈, 변비, 요실금, 성기능장애, 항콜린효과 등이 있다. 그리고 무호흡과 만성 폐쇄성 폐질환이 동반된 경우 저산소혈증을 치료하기 위해 산소 공급요법도 필요하다.

3) 구강인두 훈련(Oropharyngeal exercise)

구강인두훈련이란 음성치료에서 기인한 방법으로, 혀, 연구개, 외측 인두벽을 포함하는 등척성(isometric), 등장성(isotonic) 운동을 말하며, 흡입(suction), 삼킴(swallowing), 씹기(chewing), 호흡(breathing), 발성(speech)을 포함한다. 메타분석 결과 구강인두훈련으로 성인의 50%에서 24.5 ± 14.3/h 에서 12.3 ± 11.8/h로 AHI가 감소하였으며, 최저산소포화도, 코골이, 주간 졸리움이 감소하여 수면무호흡 환자에서 효과적인 보조적인 치료법 중의 하나로 보고되고 있다.[6]

연구개를 거상시키는 운동은 여러 상기도 근육을 끌어모으는 발성운동을 이용하는데, 구개장근(tensor veli palatine muscle)과 구개거근(levator veli palatine muscle), 구개인두근, 구개설근이 포함된다. 혀의 위치에 따라 상기도 구조가 변경된다는 근거로 혀운동을 하고, 씹는 운동으로 안면 근육이 하악을 거상시키고 입이 벌어지는 것을 막아준다고 하여 안면근육 운동을 한다.

최근 무작위 임상연구에서는 혀 끝을 입천장에 대고 혀를 뒤쪽으로 밀어 뜨리는 것과 구개측으로 혀 전체를 눌러주는 것, 혀끝은 하악 전치부에 댄 채로 구강 뒤쪽을 구강 바닥쪽으로 밀어내는 것, 구개부의 뒤쪽과 목젖을 올리면서 모음 '아' 소리를 내는 동작으로 매일 훈련을 실시한 치료그룹에서 코골이가 36% 감소했음을 보고하였다.[24] 구강인두훈련의 단점은 매일 지속적으로 시행해야 하며, 증상이 다시 돌아올 수 있다는 점이다.

4) 기구요법

현재까지 코골이를 없애거나 줄이기 위한 아이디어 특허상품들이 300종류 이상 개발되어 있으나 이들 기구나 장치들은 일시적인 코골이 감소에는 어느 정도 효과가 있지만 수면을 방해하는 경향이 있다. 효과가 입증되어 있고 주로 사용되는 기구는 지속성 기도양압기와 구강 내 장치이다.

(1) 지속성 기도양압기(Continuous positive airway pressure; CPAP)

CPAP 치료는 폐쇄성 수면 무호흡증의 일차 치료로서 가장 널리 사용되고 있으며 착용하는 동안에는 탁월한 효과가 입증되어 있다. 코에 밀착된 마스크를 통해 수면 중 지속적으로 일정 양압의 공기를 주입하여 상기도 폐쇄를 방지하는 방법으로 공기지지대(air splint)라고 할 수 있다. 미국수면의학회의 가이드라인에 따르면 CPAP 치료의 적응증은 중등도-중증인 경우(Standard)이며, 경증인 경우에도 시행할 수 있고(Option), 주간 졸음을 호소하거나(Standard), 삶의 질 향상을 위해서(Option), 고혈압이 동반된 수면무호흡 환자에서 혈압 하강을 위한 부가적인 요법인 경우(Option)이다.[11]

CPAP 치료에서 가장 중요한 것은 적정압력의 선택이다. 적응증이 되면 치료압 적정(titration)을 위한 수면다면검사(Full-night, attended PSG)를 시행하는데, 분할야간수면다원검사(split night, diagnostic-titration PSG)로 시행할 수도 있다(Guideline). CPAP 치료의 적정압은 모든 수면 단계 및 자세에서 무호흡, 저호흡, 호흡노력관련각성, 코골이를 없앨 수 있는 최저압을 의미하나, 실제로는 환자가 착용할 수 있는 압력으로 조절하는 것이 더 중요하다.

CPAP 치료는 삶의 질을 향상 시키고, 주간 졸음을 개선하여 주간 인지 기능을 향상시키고 야간 증상을 호전시킬 뿐만 아니라, 폐쇄성 수면 무호흡증과 연관된 심혈관계 합병증의 개선에도 도움이 된다.

양압장치에는 CPAP이외에 무호흡 상태를 감지하여 흡기시에만 자동으로 양압의 기류를 공급하는 자동 양압장치(automatic positive airway pressure; APAP)도 있는데 이것은 기계에 입력된 일정한 알고리즘에 의해 호흡상태에 따라 4~15 cmH_2O 범위에서 변화하는 압력을 주는 것이다. 이론적으로는 아주 좋은 방법이나 실제로는 무호흡이 일어난 후 거기에 반응하는 것이므로 반응이 느리다는 점과 마스크에서 공기가 새더라도 그것을 감지할 수 없어 계속 압력이 올라갈 수 있다는 점, 폐질환 환자나 심장질환 환자들에게는 사용할 수 없다는 단점들이 있다. 이에 분할야간수면다원검사(split night polysomnography)를 시행할 때에는 자동양압장치 사용이 권고되지 않는다(Standard). 이 밖에 순응도를 높이기 위한 방법으로 흡기 시와 호기 시의 압력을 달리하여 호기를 편안하게 해주어 이산화탄소의 축적을 막을 수 있는 Bilevel Positive Airway Pressure (BiPAP), 호기 시만 압력이 일시적으로 떨어지는 C-flex 등도 있다.[21]

CPAP의 주된 문제점은 환자의 순응도인데, 가격이 고가이고, 수면 중 항상 마스크를 착용해야 하며, 이로 인한 불안감, 눈으로 바람이 새어 생기는 안 이물감, 복부팽만, 비출혈, 비강 건조, 비폐색 등의 부작용이 발생할 수 있고, 기계소음이 들리고 여행 시에 휴대가 힘든 단점이 있어 실제로 장기간 지속적으로 사용하지 못하고 착용을 포기하는 환자가 많다. 그러나 수술에 적응이 안되는 환자, 수술 후 무호흡이 재발된 경우, 중추성 무호흡에는 사용해야 한다. CPAP 치료의 순응도는 30~80% 내외로 알려져 있고, AHI가 15 이상인 경우와 주간 졸림증이 있는 경우(ESS 10점 이상)에서 높으며, 마스크 착용의 불편감, 구강 및 인두 점막의 건조, 마스크 접촉 피부의 통증, 결막염 등이 순응도를 낮추는 것으로 알려져 있다. CPAP에 잘 적응하지 못하는 환자는 BiPAP이나 APAP의 사용을 고려해볼 수 있으며(Consensus), 가온가습(heated humidification)과 체계적인 교육 프로그램(Standard), 다양한 종류의 마스크, 소음을 줄이고 운반이 간편해진 기계들의 개발로 순응도를 높일 수 있다.

(2) 구강 내 장치

구강 내 장치(oral appliances)는 치아교정 장치나 권투 마우스피스(mouth-piece)와 유사한 모양으로 잘 때 구강에 착용한다. 하악을 전방으로 당겨주어 좁아진 인두 기도를 확장시켜 주는 장치(mandible advancement device; MAD), 후방으로 처진 혀를 당겨주는 기구(tongue retaining devices), 연구개를 긴장시켜 주는 기구(palatal lifter) 등이 있으나, 실제로는 MAD만이 사용되고 있다. 치과 검진을 통해 구강 내 장치를 착용하기에 건강한 치아인지, 턱관절 장애(temporomandibular joint disorder)는 없는지, 턱관절의 운동범위가 적절한지, 착용과 제거를 제대로 할 수 있는지 평가받아야 한다. CPAP만큼 효과적이지는 않지만 양압 호흡기보다 구강 내 장치를 선호하는 경도-중등도의 수면 무호흡환자나, CPAP의 대상이 아닌 경우나 실패한 경우, 체중감소나 수면 자세 변경과 같은 행동요법 치료의 대상이 아닌 단순 코골이 환자가 적응증이 된다. 경도-중등도의 수면무호흡증 환자에서 50% 정도의 성공률을 보이고,[13] 최근에는 치료 후 장기간 관찰에서 심혈관 질환의 빈도를 낮춘다는 보고도 있다.[42] 수면 중 무의식적으로 제거하거나 치과적 합병증 발생 등으로 환자의 순응도가 낮은 단점이 있지만, 수술 등과 병행하여 사용될 수도 있다.

3. 수술 치료

코골이와 수면무호흡의 수술적 치료법의 기본적인 원칙은 비강, 인후부의 진찰 소견에서 발견된 기도폐쇄부위를 모두 넓혀주는 것이다. 수술적 치료는 앞에서 기술한 보존적인 치료법으로 증상의 호전이 없고, 기도폐쇄 부위가 확인된 경우에 시행하게 된다. 현재까지 다양한 술식들이 기도폐쇄 원인에 따라 적용되고 있는데 비강 수술, 인두부 수술, 기도의 재건을 목적으로 하는 악안면 수술, 설하신경 자극술, 기관절개술 등이 시행된다.

1) 비강 수술

만성 비후성 비염, 비용, 비중격만곡 등으로 인한 비폐색도 코골이와 수면무호흡을 일으킬 수 있다. 높은 비저항은 공기의 움직임을 유지하기 위해 높은 음압을 필요로 하게 되어 인두 함입을 악화시킨다. 따라서 비강질환에 대한 비내 스테로이드 분무 등의 적극적인 약물 또는 수술 치료가 코골이, 무호흡의 수술적 치료에 선행 또는 병행되고 있다. 하지만 비강수술 단독으로는 수면무호흡증의 치료를 기대하기 어렵고, 인두부 등의 다른 부위의 수술과 함께 시행해야 한다. 같이 시행하는 경우 중증 이상의 폐쇄성 수면무호흡증의 경우에는 단계적인 수술이 필요하고, 중등도 이하의 폐쇄성 수면무호흡증에서는 동시에 시행할 수 있으나 출혈에 의한 시야확보를 위해 마지막에 시행되어야 한다. 비강수술은 특히 nasal CPAP에 대한 순응도를 높이고 압력을 낮추는 데 효과가 있다.[15]

2) 인두부 수술

인두부수술은 크게 구개부 수술과 설근부 수술로 나뉜다. 하지만 실제로 수면무호흡증 환자에서 하인두폐쇄가 동반된 환자가 약 70% 이상이라고 알려져 있어 최근에는 multilevel surgery가 주된 경향이며,[23] 상인두부 수술만을 할 경우는 그 성공률을 높이기 위해서 적절한 환자를 선택하는 것이 중요하다. Stanford 대학 수면무호흡 수술센터의 Powell과 Riley는 단계적 수술법으로 'Powell-Riley-Stanford protocol', 즉 phase I과 phase II의 두가지 수술 단계를 주장하였다(그림 37-6).[50] Phase I에서는 폐쇄부위에 따라 비수술, 구개수술과 설근부 수술을 시행한다. 4~6개월의 치유과정 후 수면다원검사를 다시 시행하여 수술의 결과를 평가하여 여전히 폐쇄성 수면무호흡증이 남은 환자에게는 phase II로 기도의 재건을 의미하는 상하악전진술(maxillomandibular advancement)을 시행할 것을 주장하였다. 단계적 수술

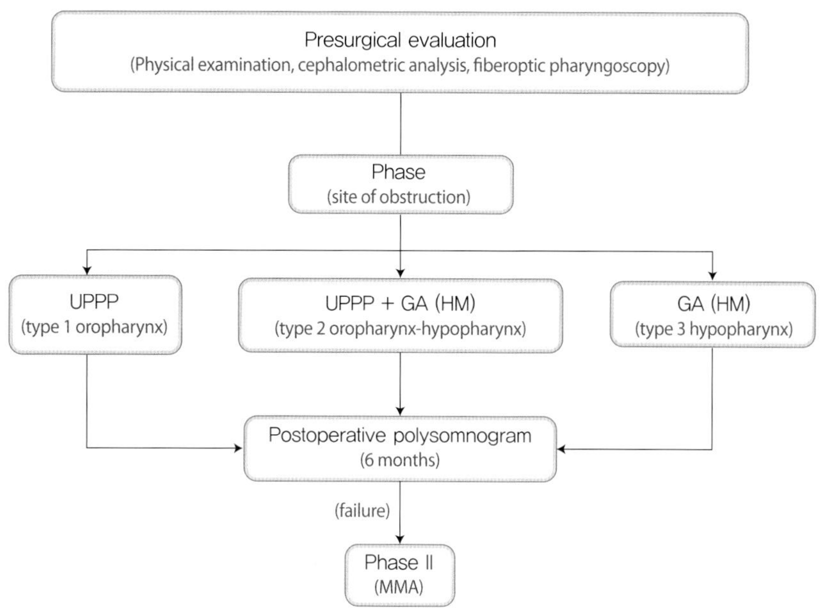

■ 그림 37-6. **Powell-Riley-Stanford protocol**

의 장점으로 불필요한 과잉수술을 피하고 phase I을 시행함으로써 phase II의 성공률을 더욱 높일 수 있다고 하였다. AHI 20 이하 최저산소포화도 90% 이상을 성공이라고 정의했을 때 phase I의 결과는 61%, phase II에서는 95%의 성공률을 보고하였다.[50]

(1) 구개부 수술

구개부의 수술은 편도가 크면 편도를 제거하고 늘어져 있는 연구개와 구개수(uvula)를 제거하거나 줄여주는 수술이 주로 사용되고 있다.

구개부 수술은 1952년 일본에서 코골이 치료에 처음으로 시도한 이후, 구개수구개인두성형술(uvulopalato-pharyngoplasty; UPPP)[16]과 레이저를 이용하여 늘어진 연구개와 구개수를 줄여주는 레이저 구개수구개성형술(laser-assisted uvulopalatoplasty; LAUP)[26]로 발전되었으나 레이저 수술은 그 합병증과 낮은 성공률로 인해 거의 사용되지 않고 있다. 그리고 고가의 레이저 장비를 대신하여 전기소작(electrocautery) 냉동요법(cryotherapy) 등을 이용한 수술법도 소개되고 있다. 1997년 미국에서 개발된 고주파를 이용한 코골이 수술법인 고주파 구개 축소술(radiofrequency volume reduction of palate, somnoplasty)이 시행되어 중등도 이하의 심각도를 보이는 환자에서 비교적 좋은 성적을 보고하고 있다.[47] 또한 구개의 강직도를 높여 코골이와 수면무호흡을 억제하려는 시도로 임플란트법(pillar implant)이 시행되고 있으나 그 치료 성적은 아직 미지수이다.

① 구개수구개인두성형술(Uvulopalatopharyngoplasty; UPPP)

UPPP는 구개편도를 제거하고 비대한 구개수, 연구개 일부를 절제한 후 전후 편도궁(tonsillar pilla)과 연구개 절제면을 봉합하여 구인구 기도를 확장시키는 술식으로 수술범위가 크고 입원가료가 필요한 술식이다.[65] 따라서 단순 코골이 환자보다는 무호흡지수 20 이상, 산소포화도 80% 이하, 심한 주간기면증, 사회·가정 생활에 문제가 되는 심한 코골이, 수면 중 부정맥이 생기는 경우 등 5가지 중 2가지 이상이 존재하는 중등도 이상의 폐쇄성 수면무호흡에서 수술의 적응증이 된다. UPPP의 치료 효과는 성

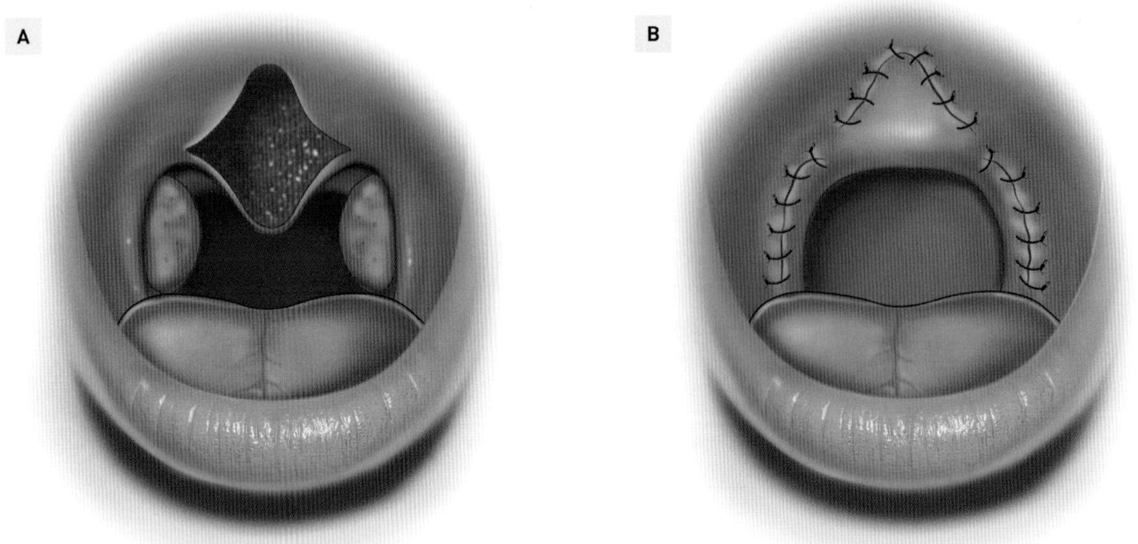

■ 그림 37-7. **구개수구개 피판술과 인두성형술. A)** 구개부위를 그림과 같이 디자인하여 상방으로 접어올린 후 편도가 있는 경우 편도를 제거한다. **B)** 그림과 같이 봉합한다.

공 판단기준에서부터 보고자들 간에 차이를 보이지만, 2년 이상 장기추적 관찰결과 무호흡은 대략 30~40%의 치료 성공률이 보고되나,[54] 코골이의 치료 효과는 무호흡보다 높다고 한다. 일반적으로 무호흡지수 또는 AHI가 50%로 줄어드는 등 수술 결과가 좋은 반응군(responder group)의 예측지표로 비만도와 기도폐쇄 부위를 들 수 있다. 비만도가 125% 이상이고 설근부의 기도폐쇄가 있으면 UPPP로 만족할 만한 결과를 얻기 어렵다.[18]

② 구개수구개 피판술(Uvulopalatal flap)

Powell 등이 보고한 구개수구개 피판술(uvulopalatal flap)은 구개수구개 인두성형술의 변형된 방법으로 구개수를 부분적으로 자른 후 구개수를 당겼을 때 연구개에 중첩되는 점막만을 절개하여 제거한 후 구개수피판을 앞으로 당겨 경-연구개 접합부에 매달아 구인두 기도를 확장시키는 방법이다(그림 37-7).[45] 이 방법은 구개수구개인두성형술 시 과도한 조직의 절제로 발생할 수 있는 구개인두부전증을 예방할 수 있으며, 가역적이라는 장점을 가지고 있다. 합병증으로는 출혈, 염증, 혈종, 피판 분리 등이 있다. 술 후 결과는 구개수구개인두성형술과 차이가 없으나, 술 후 통증은 구개수구개인두성형술에 비해 유의하게 적었다.

③ 고주파 구개축소술

고주파(radiofrequency; RF)는 조직의 용적을 감소하고 조직을 경화시켜 폐쇄성 수면무호흡증을 치료할 수 있다. RF 에너지는 바늘전극(needle electrode)을 통해 상기도조직에 적용되는데, 전극주위의 조직에 이온의 진동을 유발하여 조직의 진동열을 발생시킨다. 따라서 전극 자체는 뜨거워지지 않으나 실제로 조직에서 열이 발생한다. 조직손상은 세포단백질이 변성을 하는 온도 47℃ 이상에서 일어나며, 조직손상의 크기는 전류의 강도와 에너지전달 시간에 의존한다. 방법은 사용되는 기구에 따라 차이가 많으며, 연구개를 Channelling하는 방법이 가장 많이 쓰인다. 많은 환자에서 증상의 호전을 가져오나 실세 수년 검사 결과는 중등도 이하의 환자에서 약 30~40% 정도의 성공률을 보이며, 이것도 시간이 지나감에 따라 재발하는 경향을 보이는 것으로 알려져 있다.[5]

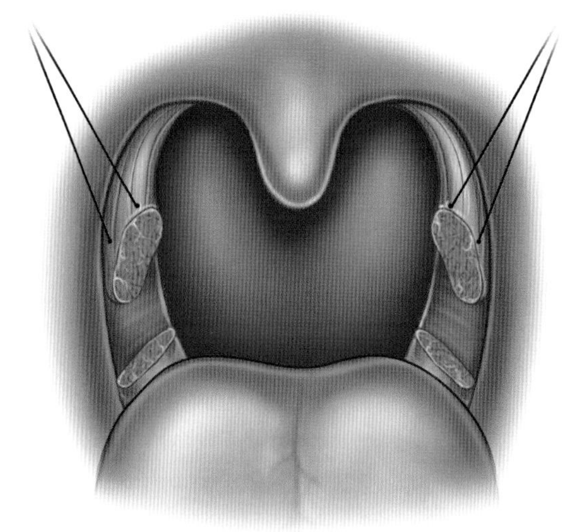

■ 그림 37-8. **확장 인두성형술.** 편도와 구개수 일부를 절제하고, 구개인두근근(palatopharyngeus muscle)의 하단을 절제하고 박리하여 상외측으로 회전시켜 섬유조직에 봉합한다.

④ 확장 인두성형술
(Expansion sphincter pharyngoplasty)

Pang과 Woodson이 보고한 확장 인두성형술(Expansion sphincter pharyngoplasty)[43]은 편도 크기가 작고 외측 인두벽의 폐쇄가 있는 경우에 전통적인 구개수구개인두성형술보다 효과적이라고 알려져 있는 방법으로, 편도와 구개수 일부를 절제하고, 구개인두근(palatopharyngeus muscle)의 하단을 절제하고 박리하여 상외측으로 회전시켜 섬유조직에 봉합하고 전구개궁과 후구개궁을 봉합하게 된다(그림 37-8). 이 술식은 외측 인두벽의 두께를 줄이면서 측벽의 장력을 형성하기 위해 구개인두근을 절제하여 회전시키는 방법으로, 82% 정도의 성공률이 보고된 바 있다. 하지만 수술 후 이동시킨 구개인두근이 벌어지거나 인두 이물감과 입마름 등의 합병증이 있을 수 있다.

⑤ 연구개 전진 인두성형술(Transpalatal advancement pharyngoplasty)

연구개 전진 인두성형술(Transpalatal advancement pharyngoplasty)[63]은 구개인두 조직의 절제를 최소화하면서 상부 구인두의 크기를 증가시키기 위해 고안된 방법으로, 구개수구개인두성형술에 실패한 환자나, RDI가 50 이상인 중증 무호흡증 환자, 비만이 심한 환자, 연구개의 후방이 내시경 검진상 해부학적으로 심하게 허탈되어 있는 경우, Fujita IIb 형인 환자에서 시행될 수 있다. 구개 점막에 절개를 가한 뒤 연구개와 경구개를 분리하여 경구개의 뒤쪽 1~2 cm을 제거한 뒤 연구개를 경구개쪽으로 전진시켜 고정하여 연구개 후방 공간을 넓히게 된다. 구개수구개인두성형술 만으로는 연구개 뒤쪽 부위의 기도확보가 충분하지 않은 환자 중에서 양악확장 수술을 피하고자 하는 경우가 치료 대상이 될 수 있다. 이 수술방법은 경구개와 연구개의 사이를 분리하기 때문에 구강비강루(oronasal fistula)가 생길 수가 있다. 이에 기존의 연부조직 술식(soft tissue technique)을 변형하여 구개 절골술(palatal osteotomy)방식[62]으로 변경하여 구개골을 절골한 뒤 뒤쪽 5~10 mm를 제거하고 연구개를 전진시키는 방법을 시행하였으나 여전히 구강비강루 발생 가능성은 있다.

(2) 설근부 수술

구개부 수술 후 결과가 좋지 않거나 기도폐쇄 부위가 설근부로 확인된 경우에 비대한 혀의 크기를 줄이기 위한 수술로 고주파 설근부 축소술(radiofrequency tissue volume reduction of the tongue base), 설근 중심부를 절제하는 레이저 정중 설절제술(laser midline glossectomy) 또는 설성형술(linguloplasty)이 사용되고 있으며, 골격에 대한 수술로 설근부를 앞으로 당겨주기 위한 이설근전진술(genioglossus advancement)와 설골근절개거상술(hyoid myotomy suspension) 등이 있다.

① 고주파 설근부 축소술

Powell 등은 설근부의 RF 축소술을 1999년 보고하였는데,[46] 구개부수술로 실패한 환자 18명에서 RF 축소술

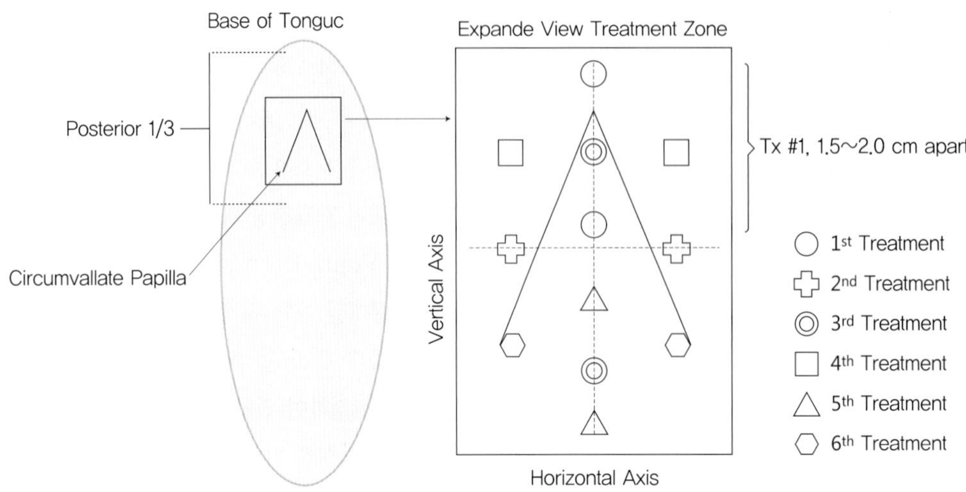

■ 그림 37-9. **고주파 설근부 축소술.** 유곽유두 주의의 중앙으로부터 약 1 cm 좌우부위를 각각의 시술시기에 따라 2부위 또는 3부위 정도를 그림과 같이 5~6차례에 걸쳐 시술한다.

후 AHI가 평균 55% 감소하였고, 7명의 환자가 RDI 10 이하로 치료되었으며, 장기추적결과 성공률은 시간에 따라 감소하나 삶의 질이나 주간과다졸음 등의 증상은 변화가 없었다.[5] 또 다른 보고에 따르면 AHI를 호전시키고 중등도 이하의 수면무호흡증 환자에서 CPAP과 유사한 임상적 효과를 보였다.[61] 유곽유두(circumvallate papillae) 근처의 중앙선과 정중방(paramedian) 부위에 시행하는 것은 같으나 기계마다 시술 회수, 부위의 수는 차이가 있다(그림 37-9). 치료는 최소 4주 간격으로 시행하며 동일한 위치에 재치료는 피한다. 혀의 부종, 농양, 점막 궤양, 통증, 연하곤란 등이 드물게 발생할 수 있다.

② 고주파 설근부 절제술
(Coblation-assisted tongue base resection)

절제용 코블레이터를 이용하여 설편도를 포함하여 설근부를 절제하는 방법(그림 37-10)으로, 주변부 손상 및 출혈, 통증이 적은 장점이 있다. 설근부에는 양측에 설동맥과 설하신경이 위치하고 있어서 설동맥이 손상되는 경우 대량출혈이 생길 수 있고 설하신경이 손상되는 경우 혀의 마비가 발생할 수 있기 때문에 주로 동맥과 신경이 위치하는 설근부의 양측 2 cm보다 안쪽을 제거하게 된다. 설근부는 인두의 후방에 위치하여 접근이 쉽지 않으므로 여러 가지 방법을 이용하여 접근하게 되는데 내시경이나 로봇을 이용하여 접근하는 방법이 있다. 혀끝에서 약 2 cm 가량 뒤에 절개를 넣고 그 안으로 내시경과 초음파를 넣어 코블레이터를 이용하여 정중 설근부를 절제하는 방법(Submucosal Minimally Invasive Lingual Excision; SMILE)[37]을 보고하였으나 점막은 살리는 장점이 있는 반면 혀의 근육을 절제함으로 인해 부작용이 발생할 수 있다. 이후 70도 내시경을 통해 수술시야를 확보하면서 수술하는 방법도 소개되었다.[32,52]

③ 이설근 전진술(Genioglossus advancement)

하악골과 혀는 기도의 용적결정의 주요 인자이기 때문에 이 구조들을 전방으로 위치시키는 것이 폐쇄성 수면무호흡을 향상시킨다. 1984년 Riley에 의해 처음 소개된 이설근 전진술은 하악융기(genial tubercle)를 앞으로 재위치하여 설근육의 긴장도를 향상시키고 수면 시 후방으로 처지는 것을 방지한다.[49] 술 전에 두개골계측촬영과 panoramic dental x-ray를 촬영하여 수술계획을 세운다.

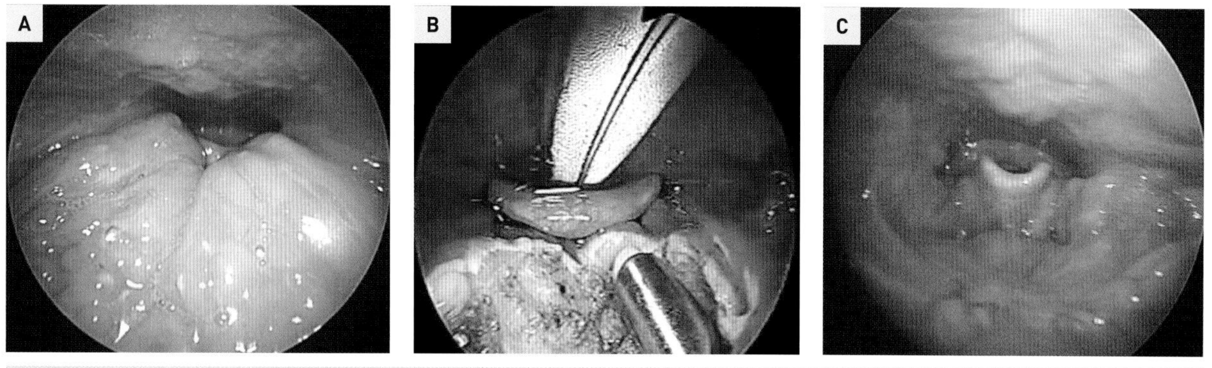

■ 그림 37-10. **고주파 설근부 절제술.** 절제용 코블레이터를 이용하여 설편도를 포함하여 설근부를 절제한다. **A)** 수술 전, **B)** 수술 모습, **C)** 수술 후

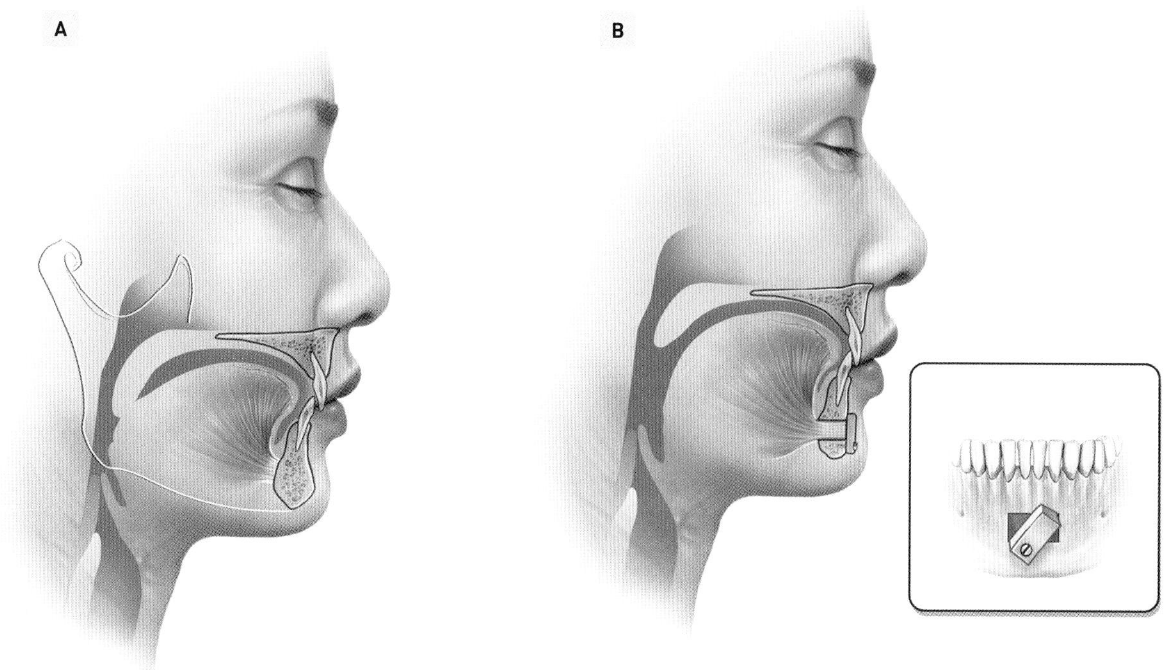

■ 그림 37-11. **이설근 전진술.** 하악골에서 내부에 이설근이 붙은 부위를 절골하여 전진시켜 회전한 후 외골판을 제거하고 고정한다. **A)** 수술 전, **B)** 수술 후

치은점막경계부 7~8 mm 아래에 절개를 가한 후 골막하 피판을 들어올리고 하악융기와 이설근의 위치를 고려하여 하악에 직사각형의 절골을 가하는데 절골은 치근단에서 적어도 5 mm 아래에 시행하여 치아의 이상감각을 최소화하고, 하악의 하연에서 10 mm 위로 각각 시행하여 술 후 하악골절을 방지한다. 외측 수직 골절은 송곳니 근부 안쪽에서 시행한다. 절골술을 끝내기 전에 titanium screw를 외측골피질에 고정하여 골조각을 쉽게 조작할 수 있다. 출혈은 전기소작과 Gelfoam 등을 이용하여 지혈한다. 골 조각을 전진시키고 60~90도 정도 회전 후 고정한다(그림 37-11). 일반적으로 이 술식은 구개수구개인두성형술 등의 구개부 수술과 같이 시행된다. 결과는 다양하

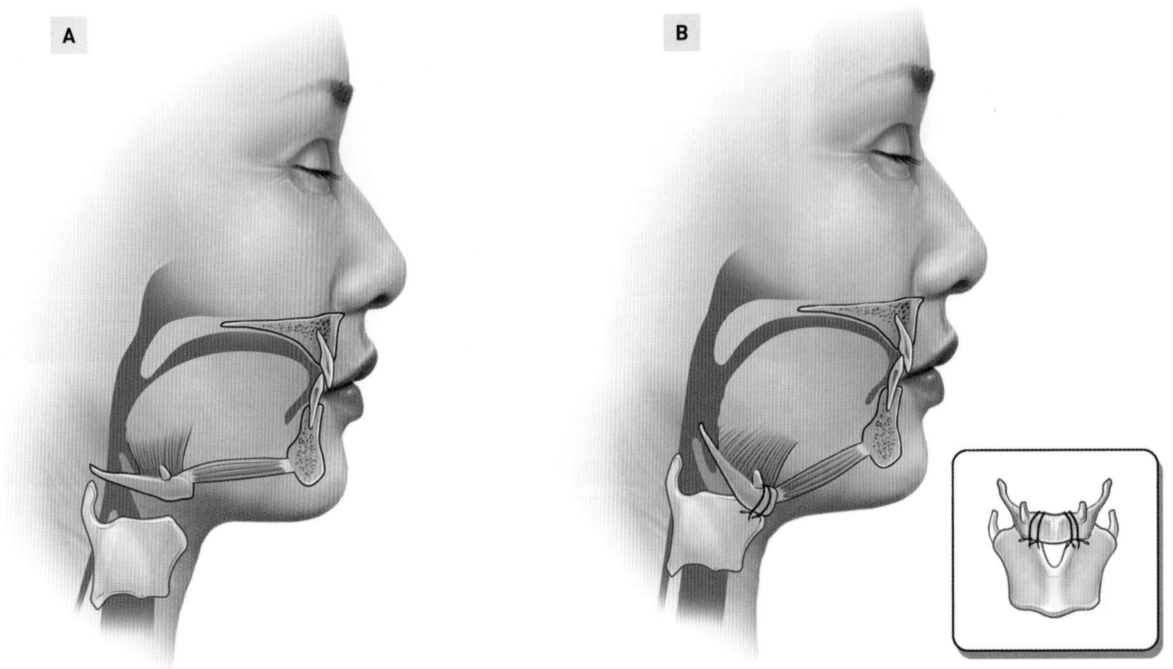

■ 그림 37-12. **설골근 절개거상술.** 직접 경부절개를 통해 설골을 찾고 하방의 갑상연골까지 박리한 후 1-0 Nylon으로 당겨서 봉합한다. **A)** 수술 전, **B)** 수술 후

게 보고되어 있으나 일반적으로 구개수술과 같이 하면 성공률은 60~70%이다.[34] 합병증으로는 감염, 혈종, 이설근 손상, 하악치의 이상감각, 하악골절 등이 있을 수 있다.

④ 설골근 절개거상술(Hyoid myotomy suspension)

설골을 박리 후 갑상연골에 부착, 앞쪽으로 재위치하여 기도를 확장하는 술식이다.[51] 이 술식은 대개 이설근 전진술 후 좋아지지 않는 경우 2차적으로 시행하나 때로는 구개수구개인두성형술과 동반하여 동시에 시행하기도 한다. 방법은 경부의 설골부에 수평 절개를 시행하고 설골의 체부의 상설골 근육들을 절제하고 설골부를 가동화 시킨다. 이 때 소각부의 절제를 피하여 상후두신경의 손상을 최소화 한다. 설골은 갑상연골의 상연에 영구 봉합 한다(그림 37-12). 수술 성공률은 60~70%로 다양하다. 이 술식의 단점은 피부에 절개가 필요한 점이며, 합병증으로는 감염, seroma 그리고 연하곤란 등이 발생할 수 있다.

⑤ 경구강 로봇수술
(Transoral robotic surgery; TORS)

경구강 로봇수술(transoral robotic surgery; TORS)은 수면무호흡 수술에 있어서 설근부 조작이 중요한 임상적인 의의를 가지는 것으로 알려지면서 2010년 Vicini가 최초로 설근부 절제에 로봇수술(그림 37-13)을 도입하였다.[56] 로봇으로 수술 진행 시 한정된 부위에서 세밀한 움직임을 통해 정밀한 수술 시행이 가능하여 설근부 수술에 장점을 보이는 것으로 보고되고 있다. 이전 연구들에서 안정성 면에 있어 수술 자체에 따르는 부작용이나 위험성 이외에 로봇수술이 추가적으로 가지는 위험성은 없는 것으로 보고되고 있으나 수술 진행 시 술자의 시야가 모니터에 국한되므로 시야 밖의 로봇팔에 의하여 발생 가능한 치아나 입술 등 주변조직의 손상의 가능성이 있어 주의하여 수술을 진행하여야 한다.

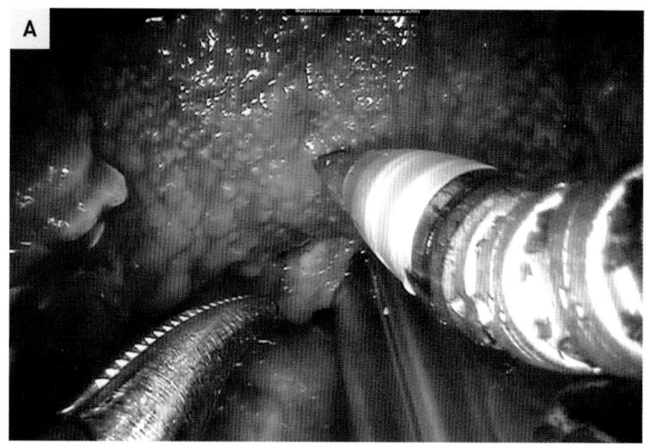
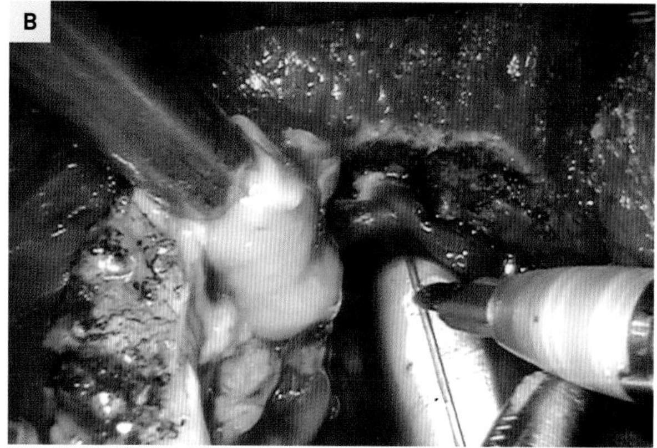

■ 그림 37-13. **경구강 로봇 설근부 수술**

3) 상하악 전진술(Maxillomandibular advancement)

상하악 전진술(maxillomandibular advancement)은 상악 또는 하악 부전증과 같은 상악안면 골격의 이상이 폐쇄성 수면무호흡증 환자에서 종종 발견되며, 상·하악의 발육부전은 기도용적을 감소시켜 수면 중 기도폐쇄를 유발한다는 점에 기초하여 시도되었다. 상·하악 전진술은 상악과 하악 모두를 전진시켜 비인두, 구인두, 하인두 기도의 골격구조를 확장시켜 전체 기도를 확장시키는 기도재건(airway reconstruction)의 개념을 가진다. 비인두내시경과 두개골계측촬영으로 수술 전후를 비교할 수 있는데 상악하악구조의 전방이동에 의한 기도확장과 상설골근과 인두 근육의 긴장도와 폐쇄정도를 감소시켜 측인두벽의 폐쇄를 줄인다. 방법은 먼저 상악골에 Le Fort I 절골술을 실시하여 익상와를 분리 후 상악골을 하방골절시키고 상악골을 10~12 mm 앞으로 전진시킨다. 상악골은 4개의 플레이트로 고정하며 두개골 피판은 절골 부위에 사용한다. 하악 절골은 양측 시상하악지 절골술을 이용한다(그림 37-14). 치아가 있는 하악골 부위를 상악골과 같은 거리만큼 전진시켜 교합이 맞도록 하여, 균형된 미용적인 면뿐만 아니라 안정적인 치아교합을 유지하면서 최대한 전진시키는 것이 중요하다. 상하악 전진술은 현재 수면무호흡의 수술 중 가장 효과적인 수술로 성공률은 일반적으로 75~100%이고, 장기간 추적에 의한 보고에서도 90%에 달한다.[35] 상하악 전진술은 가장 침습적인 방법이고 출혈, 감염, 부정교합, 기도폐색 등의 합병증이 생길 수 있어 다른 수술을 일차적으로 한 후에 좋아지지 않은 환자에서 시행하는 것이 일반적이다.

4) 설하신경 자극술(Hypoglossal nerve stimulation)

설하신경자극을 통하여 가장 큰 상기도 확장근인 이설전진근(genioglossus muscle)을 수축시키거나 이설전진근을 직접 자극하여 혀를 전방으로 돌출시키고 인두벽 전반부의 강도를 유지시킴으로써 상기도의 허탈을 방지하는 개념으로 시행되는 방법이 2000년대 초반 개발된 설하신경 자극술(hypoglossal nerve stimulation)이다. 흡기를 감지할 수 있는 센서를 흉곽에 위치시키고 이설전진근으로 가는 설하신경 분지에 전극을 위치시켜 흡기 시 전류를 흘려 설하신경을 자극한다(그림 37-15).

126명을 대상으로 한 연구[55]에서 12개월 후 AHI가 평균 29.3에서 9.0으로 호전되었으며, 성공률은 66%(83/126)로 보고한 바 있다. 안정성에 관한 결과도 양호하여 심각한 부작용이 2% 미만으로 발생하였고 대부분의 부작용도 환자들이 크게 불편함을 느끼지 않는 정도였다. 일부에서 술 후 일시적인 혀의 운동장애가 발생하였으나 수주에 걸쳐서 회복되었고 영구적인 경우는 없었다.

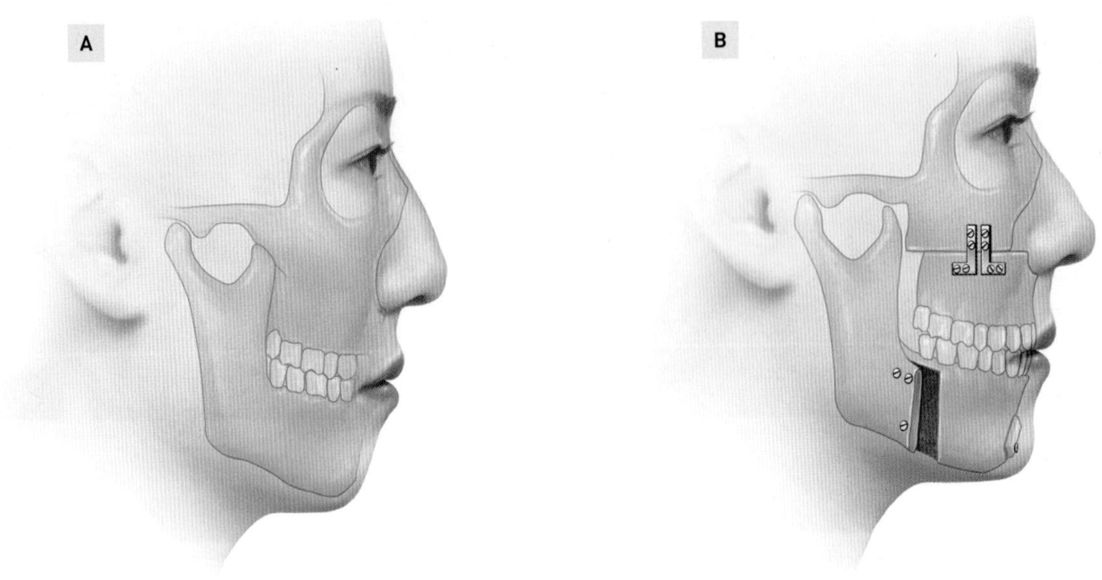

■ 그림 37-14. **상하악 전진술.** 상악과 하악골 모두를 절골하여 약 1 cm 전진시킨 후 고정한다.

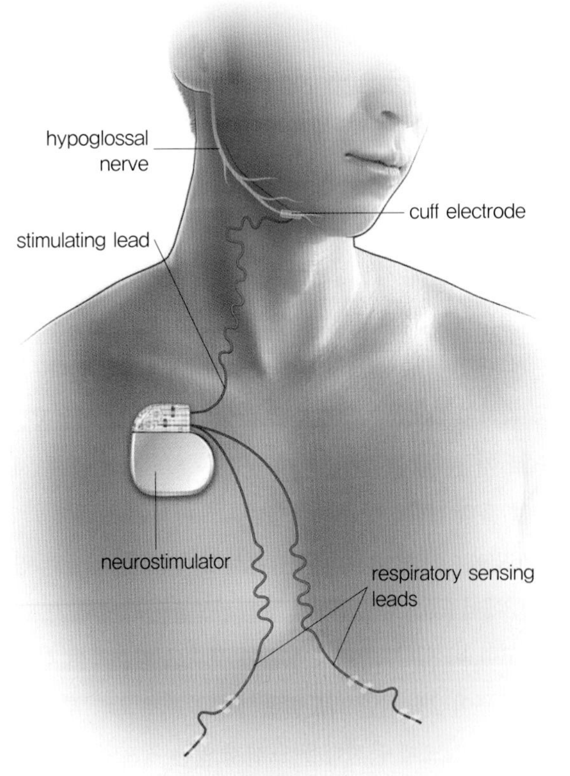

■ 그림 37-15. **설하신경 자극술**

5) 기관절개술

폐쇄성 수면무호흡의 가장 확실한 수술적 치료법으로는 기관 절개를 통하여 막히는 인두 부위의 아래쪽으로 호흡할 수 있게 하는 기관절개술(tracheotomy)이 있으나 발성, 미관상 문제, 생활의 불편 등 단점 때문에 보통은 이용되지 않는다. 최근에는 APAP 등의 도입으로 수면다원검사 없이 양압치료가 가능하여 기관절개술보다는 응급환자의 경우 APAP이 선호되고 있다. 기관절개술의 적응증으로 중증의 비만을 동반한 하악후퇴증, 수면 중 산소포화도 50% 이하, 심한 부정맥(심실 빈맥, 30 이하의 서맥, 지속적인 기외수축), 폐성심(cor pulmonale) 및 아주 심한 주간 기면의 경우가 해당된다.

6) 수술 전후의 처치

폐쇄성 수면무호흡증 환자들은 기도확보와 관련된 위험성이 크기 때문에 수술 후 주의를 기울여야 한다. 목둘레가 46 cm보다 크고 하악결손과 설골의 심한 하방전위 등 골격장애가 있는 비만 환자에서는 특히 기도 확보가 어려워 굴곡성 내시경하 삽관 또는 필요시 기관절개도 고려해야 한다. 모든 환자들은 수술 후 수술실에서 깬 상태와 적절한 근육 긴장상태로 회복한 후 삽관을 제거해야하며, 수술 후 첫 24시간 동안 주의깊은 관찰이 필요한데, 이는 모든 고위험군이 술 전에 확인될 수는 없고, 대부분의 주요 합병증은 수술 후 2시간 이내에 발생하기 때문이다. 물론 모든 환자에서 통상적인 중환자실에서의 관찰이 필요하지는 않지만, 여러 부위를 동시에 수술하는 경우나 고혈압과 관상동맥질환 등의 주요 동반 질환이 있는 환자들에서는 중환자실에서의 관찰을 권장한다.

수술 전과 삽관제거 후에 중증환자에서 CPAP을 사용하면 여러 종류의 수술을 안전하게 시행하고, 진정제, 마취제, 진통제를 합병증 없이 사용할 수 있다. 또 수술 후 REM rebound를 방지하고 수면구조를 정상으로 전환하기 위해서도 수술 전 최소한 2주간의 CPAP치료를 하는 것이 좋으며, 술 후에는 최소 2주간의 CPAP 또는 35%의 humidified oxygen를 투여하는 것이 권장된다. CPAP없이 하는 산소치료는 주의해야 하는데 이는 각성을 유발하는 저산소증이 없어져 무호흡이 오히려 증가할 수 있기 때문이다.

고혈압은 수술 후 출혈과 부종 예방을 위하여 적극적으로 조절해야 하며, 수술 후 무호흡기간 동안 혈압이 크게 동요할 수 있으므로 주의하여 감시해야 한다. 또한 비만이 동반된 폐쇄성 수면무호흡증 환자에서 수술 전후의 체중관리는 필수적이다.

환자의 주관적인 만족도와 수면검사 결과와의 연관성이 적기 때문에, 가능하면 수술 후 4~6개월 후에 수면검사를 통해 수술결과를 평가하는 것이 좋다.

참고문헌

1. National Commission on Sleep Disorders Research. Wake up America: a national sleep alert, vol 2. Washington DC: U.S. Government Printing Office, 1993.
2. Sleep-related breathing disorders in adults: recommendations for syndrome definition and measurement techniques in clinical research. The Report of an American Academy of Sleep Medicine Task Force. Sleep 1999;22:667-689.
3. Arzt M, Young T, Finn L, Skatrud JB, Bradley TD. Association of sleep-disordered breathing and the occurrence of stroke. Am J Respir Crit Care Med 2005;172:1447-1451.
4. Berry RB, Budhiraja R, Gottlieb DJ, et al. Rules for scoring respiratory events in sleep: update of the 2007 AASM Manual for the Scoring of Sleep and Associated Events. Deliberations of the Sleep Apnea Definitions Task Force of the American Academy of Sleep Medicine. J Clin Sleep Med 2012;8:597-619.
5. Blumen MB, Dahan S, Fleury B, Hausser-Hauw C, Chabolle F. Radiofrequency ablation for the treatment of mild to moderate obstructive sleep apnea. Laryngoscope 2002;112:2086-2092.
6. Camacho M, Certal V, Abdullatif J, et al. Myofunctional Therapy to Treat Obstructive Sleep Apnea: A Systematic Review and Meta-analysis. Sleep 2015;38:669-675.
7. Collop NA, Anderson WM, Boehlecke B, et al. Clinical guidelines for the use of unattended portable monitors in the diagnosis of obstructive sleep apnea in adult patients. Portable Monitoring Task Force of the American Academy of Sleep Medicine. J Clin Sleep Med 2007;3:737-747.
8. Croft CB, Pringle M. Sleep nasendoscopy: a technique of assessment in snoring and obstructive sleep apnoea. Clin Otolaryngol Allied Sci 1991;16:504-509.
9. De Vito A, Carrasco Llatas M, Vanni A, et al. European position paper on drug-induced sedation endoscopy (DISE). Sleep Breath 2014;18:453-465.
10. Doherty LS, Kiely JL, Swan V, McNicholas WT. Long-term effects of nasal continuous positive airway pressure therapy on cardiovascular outcomes in sleep apnea syndrome. Chest 2005;127:2076-2084.
11. Epstein LJ, Kristo D, Strollo PJ, Jr., et al. Clinical guideline for the evaluation, management and long-term care of obstructive sleep apnea in adults. J Clin Sleep Med 2009;5:263-276.
12. Ferber R, Millman R, Coppola M, et al. Portable recording in the assessment of obstructive sleep apnea. ASDA standards of practice. Sleep 1994;17:378-392.
13. Ferguson KA, Cartwright R, Rogers R, Schmidt-Nowara W. Oral appliances for snoring and obstructive sleep apnea: a review. Sleep 2006;29:244-262.
14. Friedman M, Ibrahim H, Bass L. Clinical staging for sleep-disordered breathing. Otolaryngol Head Neck Surg 2002;127:13-21.
15. Friedman M, Tanyeri H, Lim JW, Landsberg R, Vaidyanathan K, Caldarelli D. Effect of improved nasal breathing on obstructive sleep apnea. Otolaryngol Head Neck Surg 2000;122:71-74.
16. Fujita S, Conway WA, Zorick FJ, et al. Evaluation of the effectiveness of uvulopalatopharyngoplasty. Laryngoscope 1985;95:70-74.

17. Gastaut H, Tassinari CA, Duron B. Polygraphic study of the episodic diurnal and nocturnal (hypnic and respiratory) manifestations of the Pickwick syndrome. Brain Res 1966;1:167-186.
18. Gislason T, Lindholm CE, Almqvist M, et al. Uvulopalatopharyngoplasty in the sleep apnea syndrome. Predictors of results. Arch Otolaryngol Head Neck Surg 1988;114:45-51.
19. Guilleminault C, Stoohs R, Clerk A, Cetel M, Maistros P. A cause of excessive daytime sleepiness. The upper airway resistance syndrome. Chest 1993;104:781-787.
20. Hermann DM, Bassetti CL. Sleep-disordered breathing and stroke. Curr Opin Neurol 2003;16:87-90.
21. Hirshkowitz M, Sharafkhaneh A. Positive airway pressure therapy of OSA. Semin Respir Crit Care Med 2005;26:68-79.
22. Hla KM, Young TB, Bidwell T, Palta M, Skatrud JB, Dempsey J. Sleep apnea and hypertension. A population-based study. Ann Intern Med 1994;120:382-388.
23. Hsu PP, Brett RH. Multiple level pharyngeal surgery for obstructive sleep apnoea. Singapore Med J 2001;42:160-164.
24. Ieto V, Kayamori F, Montes MI, et al. Effects of Oropharyngeal Exercises on Snoring: A Randomized Trial. Chest 2015;148:683-691.
25. Johns MW. A new method for measuring daytime sleepiness: the Epworth sleepiness scale. Sleep 1991;14:540-545.
26. Kamami YV. Outpatient treatment of snoring with CO_2 laser: laser-assisted UPPP. J Otolaryngol 1994;23:391-394.
27. Kendzerska T, Gershon AS, Hawker G, Tomlinson G, Leung RS. Obstructive sleep apnea and incident diabetes. A historical cohort study. Am J Respir Crit Care Med 2014;190:218-225.
28. Kezirian EJ, Hohenhorst W, de Vries N. Drug-induced sleep endoscopy: the VOTE classification. Eur Arch Otorhinolaryngol 2011;268:1233-1236.
29. Kim HC, Young T, Matthews CG, Weber SM, Woodward AR, Palta M. Sleep-disordered breathing and neuropsychological deficits. A population-based study. Am J Respir Crit Care Med 1997;156:1813-1819.
30. Kim J, In K, Kim J, et al. Prevalence of sleep-disordered breathing in middle-aged Korean men and women. Am J Respir Crit Care Med 2004;170:1108-1113.
31. Lee CH, Mo JH, Seo BS, Kim DY, Yoon IY, Kim JW. Mouth opening during sleep may be a critical predictor of surgical outcome after uvulopalatopharyngoplasty for obstructive sleep apnea. J Clin Sleep Med 2010;6:157-162.
32. Leitzbach SU, Bodlaj R, Maurer JT, Hormann K, Stuck BA. Safety of cold ablation (coblation) in the treatment of tonsillar hypertrophy of the tongue base. Eur Arch Otorhinolaryngol 2014;271:1635-1639.
33. Lenders H, Schaefer J, Pirsig W. Turbinate hypertrophy in habitual snorers and patients with obstructive sleep apnea: findings of acoustic rhinometry. Laryngoscope 1991;101:614-618.
34. Li KK, Powell NB, Riley RW, Troell R, Guilleminault C. Overview of phase I surgery for obstructive sleep apnea syndrome. Ear Nose Throat J 1999;78:836-837, 841-835.
35. Li KK, Powell NB, Riley RW, Troell RJ, Guilleminault C. Long-Term Results of Maxillomandibular Advancement Surgery. Sleep Breath 2000;4:137-140.
36. Marin JM, Carrizo SJ, Vicente E, Agusti AG. Long-term cardiovascular outcomes in men with obstructive sleep apnoea-hypopnoea with or without treatment with continuous positive airway pressure: an observational study. Lancet 2005;365:1046-1053.
37. Maturo SC, Mair EA. Submucosal minimally invasive lingual excision: an effective, novel surgery for pediatric tongue base reduction. Ann Otol Rhinol Laryngol 2006;115:624-630.
38. Medicine AAoS. International Classification of Sleep Disorders. 3rd ed. Darien, IL: American Academy of Sleep Medicine, 2014.
39. Mehra R, Benjamin EJ, Shahar E, et al. Association of nocturnal arrhythmias with sleep-disordered breathing: The Sleep Heart Health Study. Am J Respir Crit Care Med 2006;173:910-916.
40. Meoli AL, Casey KR, Clark RW, et al. Hypopnea in sleep-disordered breathing in adults. Sleep 2001;24:469-470.
41. Ohayon MM, Guilleminault C, Priest RG, Caulet M. Snoring and breathing pauses during sleep: telephone interview survey of a United Kingdom population sample. BMJ 1997;314:860-863.
42. Otsuka R, Ribeiro de Almeida F, Lowe AA, Linden W, Ryan F. The effect of oral appliance therapy on blood pressure in patients with obstructive sleep apnea. Sleep Breath 2006;10:29-36.
43. Pang KP, Woodson BT. Expansion sphincter pharyngoplasty: a new technique for the treatment of obstructive sleep apnea. Otolaryngol Head Neck Surg 2007;137:110-114.
44. Partinen M, Guilleminault C. Daytime sleepiness and vascular morbidity at seven-year follow-up in obstructive sleep apnea patients. Chest 1990;97:27-32.
45. Powell N, Riley R, Guilleminault C, Troell R. A reversible uvulopalatal flap for snoring and sleep apnea syndrome. Sleep 1996;19:593-599.
46. Powell NB, Riley RW, Guilleminault C. Radiofrequency tongue base reduction in sleep-disordered breathing: A pilot study. Otolaryngol Head Neck Surg 1999;120:656-664.
47. Powell NB, Riley RW, Troell RJ, Li K, Blumen MB, Guilleminault C. Radiofrequency volumetric tissue reduction of the palate in subjects with sleep-disordered breathing. Chest 1998;113:1163-1174.
48. Punjabi NM, Shahar E, Redline S, et al. Sleep-disordered breathing, glucose intolerance, and insulin resistance: the Sleep Heart Health Study. Am J Epidemiol 2004;160:521-530.
49. Riley R, Guilleminault C, Powell N, Derman S. Mandibular osteotomy and hyoid bone advancement for obstructive sleep apnea: a case report. Sleep 1984;7:79-82.
50. Riley RW, Powell NB, Guilleminault C. Obstructive sleep apnea syn-

drome: a review of 306 consecutively treated surgical patients. Otolaryngol Head Neck Surg 1993;108:117-125.

51. Riley RW, Powell NB, Guilleminault C. Obstructive sleep apnea and the hyoid: a revised surgical procedure. Otolaryngol Head Neck Surg 1994;111:717-721.
52. Rotenberg B, Tan S. Endoscopic-assisted radiofrequency lingual tonsillectomy. Laryngoscope 2011;121:994-996.
53. Shahar E, Whitney CW, Redline S, et al. Sleep-disordered breathing and cardiovascular disease: cross-sectional results of the Sleep Heart Health Study. Am J Respir Crit Care Med 2001;163:19-25.
54. Sher AE, Schechtman KB, Piccirillo JF. The efficacy of surgical modifications of the upper airway in adults with obstructive sleep apnea syndrome. Sleep 1996;19:156-177.
55. Strollo PJ, Jr., Soose RJ, Maurer JT, et al. Upper-airway stimulation for obstructive sleep apnea. N Engl J Med 2014;370:139-149.
56. Vicini C, Dallan I, Canzi P, Frassineti S, La Pietra MG, Montevecchi F. Transoral robotic tongue base resection in obstructive sleep apnoea-hypopnoea syndrome: a preliminary report. ORL J Otorhinolaryngol Relat Spec 2010;72:22-27.
57. Vicini C, De Vito A, Benazzo M, et al. The nose oropharynx hypopharynx and larynx (NOHL) classification: a new system of diagnostic standardized examination for OSAHS patients. Eur Arch Otorhinolaryngol 2012;269:1297-1300.
58. Vroegop AV, Vanderveken OM, Dieltjens M, et al. Sleep endoscopy with simulation bite for prediction of oral appliance treatment outcome. J Sleep Res 2013;22:348-355.
59. Whyte KF, Allen MB, Jeffrey AA, Gould GA, Douglas NJ. Clinical features of the sleep apnoea/hypopnoea syndrome. Q J Med 1989;72:659-666.
60. Woodson BT, Garancis JC, Toohill RJ. Histopathologic changes in snoring and obstructive sleep apnea syndrome. Laryngoscope 1991;101:1318-1322.
61. Woodson BT, Nelson L, Mickelson S, Huntley T, Sher A. A multi-institutional study of radiofrequency volumetric tissue reduction for OSAS. Otolaryngol Head Neck Surg 2001;125:303-311.
62. Woodson BT, Robinson S, Lim HJ. Transpalatal advancement pharyngoplasty outcomes compared with uvulopalatopharygoplasty. Otolaryngol Head Neck Surg 2005;133:211-217.
63. Woodson BT, Toohill RJ. Transpalatal advancement pharyngoplasty for obstructive sleep apnea. Laryngoscope 1993;103:269-276.
64. Young T, Palta M, Dempsey J, Skatrud J, Weber S, Badr S. The occurrence of sleep-disordered breathing among middle-aged adults. N Engl J Med 1993;328:1230-1235.
65. Zohar Y, Finkelstein Y, Strauss M, Shvilli Y. Surgical treatment of obstructive sleep apnea. Technical variations. Arch Otolaryngol Head Neck Surg 1993;119:1023-1029.

CHAPTER 38

수면질환의 진단과 치료

김성완, 박찬순

I 수면질환

수면장애는 어떤 원인에 의해 잠이 들기 어렵거나, 깊이와 연속성 등이 깨지는 것으로 이비인후과에서 주로 다루는 수면호흡장애는 그 원인이 수면 중 호흡 이상일 경우를 말한다. 따라서 수면호흡장애를 정확히 진단하기 위해서는 다른 원인에 의해 수면장애가 발생되는 수면질환을 이해하고 감별하는 것이 중요하므로 다른 수면질환에 대한 이해도 필요하다고 생각된다.

수면질환에 대해 미국수면장애학회(American Sleep Disorders Association)는 1990년 국제수면장애분류(International Classification of Sleep Disorder; ICSD)를 발표하였으며,[3] 2014년에 ICSD-Third Edition (ICSD-3)으로 개정되어 사용되고 있다. ICSD-3에서는 수면질환을 불면증(insomnia), 수면관련 호흡장애(sleep related breathing disorders), 과다수면 중추장애(central disorders of hypersomnolence), 일주기리듬 수면-각성장애(circadian rhythm sleep-wake disorders), 사건수면(parasomnias), 수면관련 운동장애(sleep related movement disorders)으로 크게 분류하였다(표 38-1).[2] 여기서는 다음 장에서 다루게 될 수면관련 호흡장애를 제외한 수면질환을 ICSD-3의 분류 기준에 따라 기술하고자 한다.

II 수면질환 분류에 따른 진단과 치료

1. 불면증

불면증(insomnia)은 잠을 잘 수 있는 환경이 갖추어졌음에도 불구하고 잠을 이루지 못하거나(sleep onset difficulty), 잠을 자더라도 자주 깨거나(sleep maintenance problem), 또는 그 두 가지가 혼재된 상태를 말한다. 대략적으로 일 년을 기준으로 성인의 1/3 가량 호소하는 흔한 증상으로 환자들은 야간 증상 이외에 주간의 졸림, 피로감, 집중력 저하와 같이 정신 기능 및 행동의 수행 능력의

표 38-1. International Classification of Sleep Disorder-3; ICSD-3(수면관련 호흡장애(sleep related breathing disorders) 제외)

불면증(Insomnia)	수면관련 호흡장애(Sleep Related Breathing Disorders)
• 만성 불면장애(chronic insomnia disorder) • 단기 불면장애(short-term insomnia disorder) • 기타 불면장애(other insomnia disorder) • 특발성 증상 및 정상 증상의 변형(isolated symptoms and normal variants) - excessive time in bed - short sleeper	• 본 표에서는 다루지 않음
과다수면 중추장애(Central Disorders of Hypersomnolence)	**일주기 리듬 수면-각성장애(Circadian Rhythm Sleep-Wake Disorders)**
• 제1형 기면증(narcolepsy type 1) • 제2형 기면증(narcolepsy type 2) • 특발성 과다수면(idiopathic hypersomnia) • Kleine-Levin 증후군(Kleine-Levin syndrome) • 내과적 질환에 의한 과다수면(sleep related movement disorder due to a medical disorder) • 약물 혹은 물질에 의한 과다수면(sleep related movement disorder due to a medication or substance) • 정신 질환에 의한 과다수면(sleep related movement disorder, unspecified) • 수면부족증후군(insufficient sleep syndrome) • 특발성 증상 및 정상 증상의 변형(isolated symptoms and normal variants) - long sleeper	• 수면-각성 위상 지연장애(delayed sleep-wake phase disorder) • 수면-각성 위상 전진장애(advanced sleep-wake phase disorder) • 비 24시간 수면-각성 리듬장애(non-24-hour sleep-wake rhythm disorder) • 교대근무장애(shift work disorder) • 비행기 시차장애(jet lag disorder) • 분류되지 않은 일주기 리듬장애(circadian sleep-wake disorder not otherwise specified)
사건수면(Parasomnias)	**수면관련 운동질환(Sleep-Related Movement Disorders)**
• NREM 관련 사건수면(NREM-related parasomnia) - 혼란각성(confusional arousals) - 수면보행증(sleep walking) - 야경증(sleep terrors) - 수면관련 섭식장애(sleep-related eating disorder) • REM 관련 사건수면(REM-related parasomnia) - 재발성 특발성 수면마비(recurrent isolated sleep paralysis) - 악몽 장애(nightmare disorder) - REM 수면연관 행동장애(REM sleep behavior disorder) • 기타 사건수면(other parasomnia) - 폭발성 머리 증후군(exploding head syndrome) - 수면 관련 환각(sleep related hallucination) - 수면 야뇨증(sleep enuresis) - 내과적 질환에 의한 사건수면(sleep related movement disorder due to a medical disorder) - 약물 혹은 물질에 의한 사건수면(sleep related movement disorder due to a medication or substance) - 상세불명의 수면 관련 사건수면(sleep related movement disorder, unspecified) • 특발성 증상 및 정상 증상의 변형 - sleep talking	• 하지불안증후군(restless legs syndrome) • 주기성 사지운동 장애(periodic limb movements disorder) • 수면 관련 다리경련(sleep related leg cramps) • 수면 관련 이갈기(Sleep-related bruxism) • 수면 관련 율동성 운동장애(sleep related rhythmic movement disorder) • 영아기 양성 수면 간대성 근떨림증(benign sleep myoclonus of infancy) • 입면기 척수고유 간대성 근떨림증(propriospinal myoclonus at sleep onset) • 내과적 질환에 의한 수면 관련 운동장애(sleep related movement disorder due to a medical disorder) • 약물 혹은 물질에 의한 수면 관련 운동장애(sleep related movement disorder due to a medication or substance) • 상세불명의 수면 관련 운동장애(sleep related movement disorder, unspecified) • 특발성 증상 및 정상 증상의 변형 - excessive fragmentary myoclonus - hypnagogic foot tremor and alternating leg muscle activation - sleep starts (hypnic jerk)
기타 수면장애(Other Sleep Disorder)	

표 38-2. 만성 불면장애와 단기 불면장애의 진단기준

만성 불면장애	단기 불면장애
진단기준(가-바를 모두 충족 시켜야 함) 가. 사회, 가정, 업무, 또는 학습능력의 장애 다. 수면/기상장애는 숙면의 기회가 없었다거나(i.e. 수면을 위해 충분한 시간이 할당됨) 환경이 여의치 않았다고 판단되지 않아야 한다.(i.e. 수면 환경이 안전함, 조용함, 어두움, 편안함). 라. 수면장애나 관련된 주간증상은 최소 주 3회 나타나야 한다. 마. 수면장애나 관련된 주간증상은 최소 3개월간 지속되어야 한다. 바. 수면/기상으로 인한 장애는 다른 수면질환과 부합하지 않아야 한다.	진단기준(가-마를충족시켜야함). 가. 환자 혹은 부모나 보호자가 아래 항목들 중 하나 이상을 관찰하거나 호소하여야 한다. 1. 수면개시의 어려움 2. 수면유지의 어려움 3. 의지와 무관한 조기기상 4. 취침시간에 수면에 들기를 꺼림 5. 부모나 보호자의 도움 없이 잠들기 어려움 나. 야간 수면장애와 관련되어 환자 혹은 부모나 보호자는 아래 항목들 중 하나 이상을 호소 혹은 관찰하여야 한다. 1. 피로감/불안감 2. 주의, 집중, 또는 기억력 저하 3. 사회, 가정, 업무, 또는 학습능력의 장애 4. 정동장애/과민함 5. 주간졸림 6. 행동장애(예, 과잉행동, 충동적,공격적) 7. 동기/에너지/진취성감소 8. 실수/사고경향 9. 수면불만족에 대한 우려 다. 수면/기상장애는 숙면의 기회가 없었다거나(i.e. 수면을 위해 충분한 시간이 할당됨) 환경이 여의치 않았다고 판단되지 않아야 한다.(i.e. 수면 환경이 안전함, 조용함, 어두움, 편안함). 라. 수면장애나 관련된 주간증상이 3개월 미만으로 나타나야 한다. 마. 수면/기상으로 인한 장애는 다른 수면질환과 부합하지 않아야 한다.

장애도 호소한다.

ICSD-3에서는 불면증을 만성 불면장애(chronic insomnia disorder), 단기 불면장애(short-term insomnia disorder), 단기 혹은 만성 불면장애와 부합되지 않는 경우인 기타 불면장애(other insomnia disorder)로 구분하였다.[2] 만성 불면장애와 단기 불면장애의 진단 기준은 표 38-2와 같다.[2]

만성 불면장애는 의학적, 정신과적 치료를 받고 있거나, 약물중독 혹은 저소득층 여성에서 흔하다. 특히 성인에서 나이와 연관되어 발생하는 수면 악화 현상 및 동반 질환의 약물 복용이 중복되어 나타나는 경우가 흔하다.[1]

단기 불면장애는 급성 불면증이나 적응성 불면증이라고도 불리며, 연령에 무관하게 발생하며 그 특징으로는 만성 불면장애와 같이 여성, 고령층일수록 빈도가 높고 대부분의 증상이 만성 불면장애와 유사하나 기간과 빈도의 차이가 있다. 시차나 교대근무로 야기되는 일주기 리듬 수면-각성장애와 감별이 필요하다.[1]

불면증에 연관된 과각성상태(hyperarousal state)는 수면 중 교감신경계의 항진(activated sympathetic nervous system)에 의한 심박수 증가, 시상하부-뇌하수체-부신 축의 기능 항진(activated hypothalamic-pituitary axis)으로 인한 코르티졸의 증가, 수면/기상 장애, 신체 대사 증가(increased metabolic rate)와 체온 증가, NREM 수면 시 뇌파(electrical encephalogram: EEG)의 활성 등이 나타난다.

불면증은 우선 면담을 통한 증상에 근거하여 진단하게 된다. 면담 시 불면증의 양상, 기간, 중증도 등 주된 불면 증상의 특성, 수면 환경과 환자의 활동량 등의 수면 전 환경조건(pre-sleep condition)을 파악해야 하며 평상시의 수면시간과 기상시간, 주중 주말의 수면-각성양상(sleep-wake pattern)의 특징 파악, 주간 증상(daytime consequence) 그리고 정신질환이나 정신상태, 약물이나 물질, 신체질환 등 여러 사항들에 대한 자세한 병력 청취와 평가가 필요하다.[16]

또한 2주 정도의 수면일지(sleep log)를 이용하여 수면-각성의 양상이나 일간 변동(day-to-day variation)과 수면리듬을 분석하거나, Epworth Sleepiness Scale (ESS), Insomnia Severity Index 등 다양한 설문지를 통한 평가 방법들이 있다.[17]

수면과 각성을 구별하고 평가하는 데 가장 정확한 방법으로 수면다원검사가 있으며, 수면무호흡증, 하지불안증후군, 기면증, 및 REM 수면 행동장애 등 이차성 불면증의 원인을 찾고 감별하는 데 유용하나 수면다원검사와 다중수면 잠복기검사의 이상 소견이 환자의 임상증상 혹은 주관적인 호소와 항상 일치하는 것이 아니기 때문에 불면증의 일반적인 진단을 위해서는 반드시 시행하지는 않는다.[12]

불면증의 치료는 크게 약물치료와 인지행동치료로 나뉜다.

약물치료에는 크게 벤조디아제핀 수용체 작용제(benzodiazepine receptor agonist), 멜라토닌 제제(melatonin), 항히스타민제 등이 있다.

기본적인 약물치료 방식으로는 zolpidem, eszopiclone, zaleplon과 같은 short-intermediate acting benzodiazepine (BZD) 또는 ramelteon 같은 멜라토닌 수용체 작용제를 사용하며 초기에 사용한 약제가 효과가 없을 경우 다른 약제로 교체한다. 우울증상 또는 공황증상 등이 같이 있는 경우 항우울제 등을 사용할 수 있고 이를 BZD 또는 ramelteon 등에 병합하여 사용할 수 있다. 그러나 위의 약제들은 반감기가 짧아(eszopiclone 제외하고 대개 3시간 미만) 수면유도에 주로 영향을 줄 수 있는 데 반해 일부 BZD와 삼환계 항우울제이자 항히스타민제인 doxepin은 반감기가 길어(15.3시간) 수면유지가 어려울 경우 사용할 수 있다. 약물치료 시에는 치료효과를 나타내는 가장 낮은 유지 용량으로 처방하도록 노력하여야 하며 상태가 호전되면 약물치료를 점차 줄여야 한다. 이 때 인지행동치료가 도움이 될 수 있다.

인지행동치료(cognitive behavioral therapy for insomnia (CBT-I))는 불면과 연관된 잘못된 습관 및 인식을 교정하는 것으로 수면위생교육(sleep hygiene education), 수면제한(sleep restriction), 자극조절요법(stimulus control), 문제해결을 어렵게 하는 잘못된 정보나 믿음을 교정하는 인지 개선, 이완요법(relaxation training) 등으로 구성되어 있다. 인지행동치료가 불면증의 치료에 효과적인 치료법임은 잘 알려져 있지만 약물치료보다 초반 개선효과가 늦어 치료의 순응도가 낮은 이유로 많은 의사들이 약물치료를 선호한다. 하지만 불면증 환자의 치료 시 약물치료와 인지행동치료는 병용하는 것이 좋다.[21]

2. 과다수면 중추장애

과다수면 중추장애(Central Disorders of Hypersomnolence)는 야간 수면의 방해나 수면/각성 리듬 이상이 없는 상태임에도 과도한 주간 졸림이 나타나는 것을 특징으로 하는 질환이다.[19] ICSD-3에서는 과다수면을 8개의 아형으로 분류하였으며(표 38-1),[2] 이중 대표적인 질환이 제1형 기면증(narcolepsy type 1), 제2형 기면증(narcolepsy type 2), 특발성 과다수면(idiopathic hypersomnia), Kleine-Levin 증후군이다. 이 질환들은 수면 양이 아주 많거나, 깨어있는 동안에도 쉽게 잠이 드는 특징이 있다.

일차적으로 임상적 면담을 통해 증상과 과거력에 근거하여 진단하게 되지만 확진을 위해서는 수면다원검사와 입면시간 반복검사(multiple sleep latency test; MSLT)가 필요하다.[2]

제1형 기면증은 탈력발작(cataplexy)을 동반하며 뇌척수액의 hypocretin의 농도가 110 pg/mL 이하로 낮다.[2] 과도한 주간 졸림, 탈력발작, 수면마비(sleep paralysis), 입면환각(hypnagogic hallucination)의 증상이 나타나고, REM 수면이 각성 시에 짧게 나타나는 소견이 관찰된다. 기면증의 졸림은 짧은 잠에 의해 원기가 회복되지만, 몇 시간 후 다시 졸리기 시작한다. 평균 발병 연령이 10대에서 20대 초반이기 때문에 학교나 사회활동, 직업 활동에 중요한 영향을 줄 수 있으므로 정확한 진단과 치료가 중요하다.[24]

ICSD-3에서는 제1형, 제2형 기면증의 진단 기준을 다음과 같이 제시하고 있다. 제1형 기면증은 과도한 주간 졸림이 있으면서 다음 두 가지 조건 중 하나가 있을 경우 진단할 수 있다. 1) 뇌척수액 검사에서 hypocretin-I 농도가 110pg/mL 이하이거나 정상 성인 양의 1/3미만으로 측정, 2) 탈력발작과 함께 MSLT 검사상 평균 수면 잠복기(sleep latency)가 8분 이내이고, 5번의 검사 중 두 번 이상의 sleep-onset REM (SOREM)이 확인되는 경우(전날 시행한 수면다원검사에서 sleep-onset REM(수면시작 후 15분 이내)이 나타날 경우 MSLT 검사상 SOREM을 대치할 수 있다).[3,24]

제2형 기면증은 MSLT 결과는 제1형 기면병과 같으나 탈력발작이 없고 대개 뇌척수액 검사를 시행하지 않으나 시행했을 경우 hypocretin-I 농도가 110 pg/mL 이상이거나 정상 성인 양의 1/3 이상으로 측정된다. 기면병으로 진단되기 위해서는 과도한 주간 졸림과 MSLT 검사 결과가 수면무호흡증, 수면-각성 위상 지연장애, 약물의 복용이나 중단 등에 의해 설명되지 않아야 한다.[3,24]

특발성 과다수면은 탈력발작을 동반하지 않는 주간의 과다한 졸림을 호소하고, MSLT와 수면다원검사에서 한번 이하의 sleep-onset REM (SOREM)이 나타난다.[2] 아침 기상 시 및 낮잠 후에도 깨어나기 힘들어 한다. 사춘기나 젊은 성인에서 증상이 시작되며, 뚜렷한 원인이 없이 발생되므로 주간 졸음을 일으키는 질환이 배제되어야 한다.

Kleine-Levin 증후군은 인지, 정신, 행동 장애를 동반하는 심한 과다수면이 반복적으로 나타났다가 사라지는 질환으로 사춘기 남자에서 자주 발생한다.[2] 수주에서 수개월 지속되는 경우는 드물고 평균 10일 정도 지속된다. 과다수면, 과식증, 과잉 성행위와 같은 행동변화가 나타나며, 첫 증상 발현은 90% 이상이 바이러스 감염, 고열과 같은 전구 사건에 의해 시작되고 알코올, 수면 박탈 및 스트레스가 원인이 되기도 한다.[18,24] 신경학적 검사에서 국소적 이상소견은 없으며 테스토스테론이나 뇌척수액 검사 등의 검사실 소견도 정상이다. 수면다원검사의 결과는 시행되는 시기에 따라 결과가 다를 수 있으나 보통 총 수면시간이 연장되어 나타낸다. Kleine-Levine 증후군의 치료는 어려우며, 리튬이 과다수면과 행동 증상의 치료에 도움이 되고, 재발의 빈도, 강도 및 길이를 줄일 수 있다고 알려져 있다.[18,24]

중추성 과다수면의 성공적인 치료를 위해서는 정확한 진단, 개인의 맞춤형 치료가 필요하며, 행동치료와 약물치료를 병행한다.[15,24] 행동치료는 좋은 수면 환경을 유지하고 잠자리에 드는 시간과 기상 시간을 규칙적으로 유지하며, 낮잠 또한 규칙적으로 과도하게 자지 않도록 한다. 그리고 질병의 증상 및 경과에 대해 교육하고 치료에 대한 반응을 감시하는 추적관찰이 필요하다. 약물치료는 증상 조절에 이용되며, 과도한 졸림증에는 각성 자극제를 사용한다. 최근 modafinil은 기면증과 관련된 주간 졸림증의 일차 치료약으로 사용된다.[14] 또한 특발성 과다수면의 주간 졸림 증상에도 효과가 있다. 그 외에도 신경접합부에 작용해 amine의 효용성을 증가시키는 methylphenidate, dextroamphetamine, methamphetamine이 있다. 노르에피네프린, 세로토닌 재흡수 억제제인 venlafaxine은 탈력발작 치료제로 사용되며, 항우울제는 수면마비, 입면환각을 조절하는 데 상용된다.[15,18,24] 탈력발작을 동반한 기면증에서는 sodium oxybate가 과도한 주간 졸음과 탈력발작의 치료에 첫 번째로 사용된다.[15,18,24]

3. 일주기 리듬 수면-각성장애

ICSD-3에서는 일주기 리듬 수면-각성장애(Circadian Rhythm Sleep-Wake Disorders)를 7가지 아형으로 분류하였으며, 이는 수면-각성 위상 지연 장애(delayed sleep-wake phase disorder), 수면-각성 위상 전진 장애(advanced sleep-wake phase disorder), 불규칙한 수면-각성장애(irregular sleep-wake rhythm disorder), 비 24시간 수면-각성 리듬장애(non-24-hour sleep-wake rhythm disorder), 교대근무 장애(shift work disorder), 비행기 시차 장애(jet lag disorder), 분류되지 않은 일주기 리듬장애(circadian sleep-wake disorder not otherwise specified)이다.[3]

일주기 리듬은 생체 시계(biological clock)에 의해 결정되며, 수면과 각성의 일정이 일주기 리듬과 맞지않아 나타나는 수면장애를 일주기 리듬 수면-각성장애라고 한다. 개인의 생체 시계와 외부적 환경에서 요구되는 일정과의 불일치로 반복적이고 지속적인 수면 붕괴가 발생한다. 수면과 각성을 유도하는 기전에는 문제가 없으나, 하루 중 특정 시간에는 과다 수면 또는 불면을 호소한다.

일주기 리듬과 관련된 생체 시계는 시상하부의 시교차상핵(suprachiasmatic nucleus; SCN)에 위치하고, 이곳에서 수면-각성 주기, 혈압, 체온, 멜라토닌 및 코르티졸과 같은 생리적 과정들이 항상성을 유지하게 된다.

일주기 생체 시계에 가장 큰 영향을 주는 것이 빛과 멜라토닌이다.[22]

특히 멜라토닌은 수면 유도의 기능을 하는 것으로 알려져 있으며 어두컴컴한 환경(대략 5lux)에서 기저수준으로 유지되던 멜라토닌수치가 증가하여 3 pg/mL에 이르게 되는 시간을 dim light melatonin onset (DLMO)이라 한다. 정상인에서 멜라토닌은 평소 잠드는 시간으로부터 약 2시간 전부터 상승하는데 그림 1에서 A를 정상 수면이라 할때 B는 수면-각성 위상 전진 장애, C는 수면-각성 위상 지연 장애 환자의 시간대별 멜라토닌 수치를 개략적으로 나타낸 것이다. 따라서 DLMO가 일반적인 수면시간에 비해 앞으로 당겨져 있는 것을 수면-각성 위상 전진 장애(B), 뒤로 밀려있는 것을 수면-각성 위상 지연 장애(C)라고 할 수 있다(그림 38-1).

진단은 자세한 문진을 통해 이루어지며, 수면 일지 또는 손목 활동 모니터(wrist activity monitor)를 이용할 수 있다. 수면다원검사는 다른 수면 질환의 감별을 위해 이용할 수 있다.[2]

수면-각성 위상 지연 장애는 일반적인 수면-각성 주기에 비해 2시간 이상이 지연된 특징을 갖는다. 늦게 자고 늦게 일어나는 형이며 입면 시에는 불면증을 호소하고 일어나야 할 시간에는 잘 일어나지 못하고 아침 시간에 졸림을 호소한다. 보통은 사춘기에 시작되고 치료를 하지 않으면 인생 후반기까지 지속될 수 있다.[19]

수면-각성 위상 전진 장애는 일반적인 수면-각성 주기에 비해 2시간 이상이 빨라진 경우이다. 주로 이른 아침에 일어나 잠이 들지 못하고 늦은 오후나 이른 저녁에 졸림을 호소한다. 노인층에서 흔하며, 중년 성인에서 1%의 유병률을 보인다.[19]

불규칙한 수면-각성장애는 일정한 수면과 각성 양식이 없고, 24시간 내에 3회 또는 그 이상의 수면을 특징으로 한다.[17] 때문에 밤에는 불면증을 호소하고 낮에는 과도한 졸림을 호소한다. 24시간 동안 수면과 각성 주기는 여러 조각으로 나누어져 있고, 긴 수면이 4시간을 초과하지 않는다.[19]

비-24시간 수면-각성 리듬장애는 24시간 빛/어둠 주기에 동조화되지 못한 내적 주기로 인해 매일 1~2시간 정도의 수면-각성주기의 지연이 발생하며 불면이나 과도한 졸음을 호소하는 질환이다. 시각장애인의 경우 빛에 대한 주기 시계의 민감도 저하로 발생할 수 있으며 유병률이 50% 정도이다.[19]

교대 근무 장애는 내인성 일주기 수면-각성 주기는 정상이지만, 교대 근무에 의해 요구되는 수면-각성 양식과의 불일치와 이로 인한 수면 감소로 발생하며 과도한 졸림

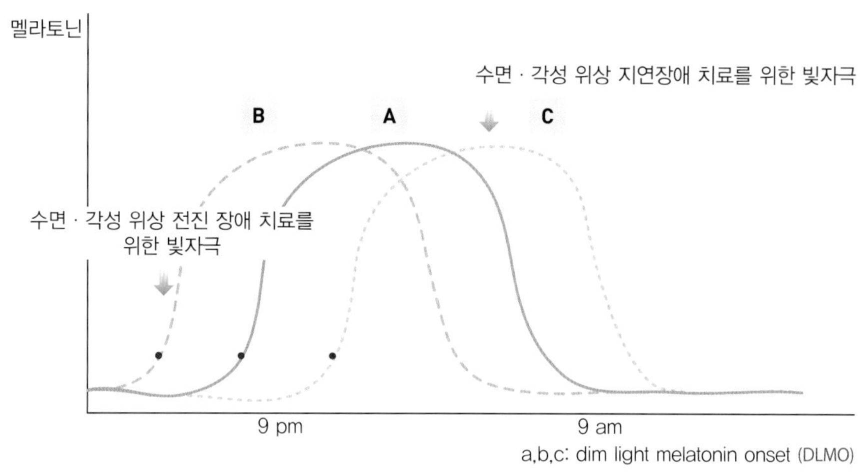

■ 그림 38-1. **체내 멜라토닌의 시간대별 분비에 따른 수면-각성 위상장애와 치료.** **A)** 정상수면, **B)** 수면-각성 위상 전진 장애, **C)** 수면-각성 위상 지연 장애

이나 불면 증상이 특징인 질환이다. 야간 근무자의 20~30%에서 발생한다.[20]

비행기 시차장애는 새로운 시간대에 의해 요구되는 수면–각성 양식과 내인성의 일주기 수면–각성 주기와의 불일치에 의해 발생하는 것으로 통과하는 시간대가 많을수록 나이가 젊을수록 발생 가능성이 높다.[20]

일주기 리듬 수면–각성장애의 치료의 기본은 좋은 수면 환경을 유지시켜주는 것이다. 저녁에는 밝은 빛을 피하고 아침 6~9시에 밝은 빛을 노출시켜주며, 인공적으로 광치료를 시행하기도 한다. 광치료란 빛자극으로 생체시계 중추인 SCN을 자극하면 송과체(pineal body)에서 분비되는 멜라토닌의 분비가 급격히 줄어들게 되므로 이를 이용하여 수면–각성 또는 일주기 리듬을 조절하는 것을 말한다. 예를 들면 조기에 멜라토닌 분비가 증가되는 수면–각성 위상 전진 장애의 경우 빛자극을 미리 주어 멜라토닌 분비가 증가되는 시간을 늦추며, 수면–각성 위상 지연 장애의 경우 평소 기상시간보다 이른 시간에 빛자극을 주어 멜라토닌 분비량을 조기에 감소시킨다(그림 38-1).[19,20]

주간 졸림을 피하기 위해 카페인을 섭취하거나 modafinil, armodafinil 등의 약물이 사용되기도 하며, 수면을 유도하는 경우에는 멜라토닌을 투여하여 일주기 리듬을 조절한다.[19,20]

4. 사건수면(Parasomnia)

수면은 기본적으로 각성상태와는 생리적인 측면이외에도 여러 면에서 크게 다르며, 수면 자체도 크게 non-rapid eye movement (NREM) 수면과 rapid eye movement (REM) 수면으로 나눌 수 있다. 이러한 각 단계(각성, NREM, REM)들은 서로 각 영역이 잘 구분되어 유지되어야하나 병적인 환경 하에서는 서로 다른 단계의 중간으로 끼어들거나 불완전하게 분리 또는 혼재되어 존재할 수 있다.[1,7,13,14]

사건수면은 병적인 환경하에서 입면 시, 수면 중, 수면에서 각성상태로의 전이과정 등 수면과 연관된 상태에서 발생하는 비정상적인 육체의 현상(움직임, 행동)과 경험(꿈, 감정 등) 현상들을 총칭한다.

사건 수면은 각성, NREM 수면, REM 수면의 3개의 상태가 혼재될 때 나타난다. ICSD-3에서는 사건수면을 NREM 관련 사건수면, REM 관련 사건수면, 기타 사건수면, 단독 증상과 정상이형으로 분류하였다.[2]

수면단계에서 NREM과 REM 수면의 특징이 완전히 다

표 38-3. NREM 사건수면과 REM 사건수면의 특징 및 비교

	야경증	악몽
수면 중 발생 시기	수면의 전반 1/2(주로 서파수면 시)	수면의 후반 1/2(REM 수면이 주로 나타나는)
움직임	일반적임	드물다(REM 수면 특성상 움직임이 거의 없다)
발성	흔하다	드물다
자율신경계 활동(공포, 동공산대, 빈맥, 빈호흡등)	강하게 나타남	비교적 가볍게 나타남
망각(amnesia)	있다	없다. 악몽에서 깨어나면 빠르게 지남력을 회복하며 각성함
움직임 시 상태	혼돈, 지남력 상실	명료함
폭력적인 움직임과 상해	흔하다	드물다

르듯 NREM 관련 사건수면과 REM 관련 사건수면 또한 NREM과 REM 수면의 특징과 연관되어 서로 구분된다.

각 단계에서 발생하는 대표적인 사건수면인 야경증(sleep terror)과 악몽(nightmare)을 비교하여 표 38-3에 정리하였다.

1) 사건수면의 구분

(1) NREM 관련 사건수면: 주로 각성장애로 나타난다.

① 혼란각성(confusional arousals): 유발요인으로는 수면박탈, 알코올, 중추억제제 등이 있으며 수면 중 발생은 서파 수면(slow wave sleep; SWS)과 연관되어 있다.

② 수면보행증(sleep walking): 수면박탈, 리튬(lithium), non-benzodiazepine receptor agonist 등이 유발요인이며 서파수면(SWS)에서 주로 발생한다.

③ 야경증(sleep terrors): 서파수면(SWS)에서 주로 발생한다.

④ 수면관련 섭식장애(sleep-related eating disorder)

(2) REM 관련 사건수면

① 수면마비(Sleep paralysis):
잠들기 직전이나 깨어날 때 REM 수면 시의 무긴장증(atonia)이 지속되어 나타나는 것으로 대개 1분 미만으로 나타나고 회복은 자연 소실되거나 외부의 청각 또는 촉각자극으로 종료될 수 있다.

② 악몽장애(nightmare disorder): REM 수면 특성이 과장 확대되는 것으로 생각할 수 있으며 악몽에서 깨어날 때 빠르게 지남력을 회복하고 각성할 수 있다. REM 수면이 주로 나타나는 수면의 후반 1/2에 발생하는 경우가 많다.[5]

③ REM 수면 행동장애(REM sleep behavior disorder; RBD): REM 수면의 가장 큰 특징 중 하나인 무긴장증이 나타나지 않아 복합 운동 행동 또는 발성을 보일 수 있고 이에 동반하여 반복적인 각성을 나타내며 깨어날때 의식이 명료하고 혼돈되거나 지남력을 상실하지 않는다.
진단을 위해서는 수면과 관련된 발성 그리고/또는 복잡한 운동 행동들이 반복적으로 나타나고, 이러한 행동들이 수면다원검사에서 REM 수면 동안 발생하는 것이 관찰되며, 수면다원검사 기록에서 근긴장도 감소가 없는 REM 수면이 관찰되어야 한다.[6]

④ 그러나 위의 진단을 내리기 위해서는 상기 현상들이 다른 치료약물이나 남용약물의 생리적 효과나 다른 의학적 상태가 아니어야 한다.[6]

(3) 기타 사건수면

① 폭발성 머리 증후군(exploding head syndrome)

② 수면 관련 환각(sleep related hallucination)

③ 수면 야뇨증(sleep enuresis): 방광팽창에 대응하여 각성하지 못하는 뇌의 장애나 수면 중 부적절한 방광수축에 의한 원발성 야뇨증과 수면무호흡증, 요로감염, 야간발작 등과 연관된 이차성 야뇨증으로 구분될 수 있다. 원발성 야뇨증의 경우 대개 자연 치유된다.

(4) 야간발작(Nocturnal seizure)

(5) 수면 중 발성(Catathrenia)

① 주로 REM 수면 중 발생되며 호기 시 신음소리 같은 발성이 일어난다.

② 수면무호흡증과 연관되어있는 경우 CPAP 치료가 도움이 된다는 보고가 있다.[23]

2) 사건 수면의 치료

기본적으로 동반되는 수면질환을 치료하며 유발요인을 제거하고 수면에 연관된 손상을 방지하기 위하여 수면환경을 개선 또는 변화시킨다. 약물치료 경우 NREM 관련 사건수면인 야경증은 paroxetin, clonazepam, 수면관련 섭식장애는 pramipexole, topiramate, 수면관련 섹스장애의 경우 escitalopram 등을 사용할 수 있다. REM 관련 사건수면 중 수면마비에는 clomipramine, RBD에는 clonazepam, melatonin을 사용할 수 있다. 그 외 기타 치료로는 야경증에는 인지행동치료(cognitive behavior therapy; CBT)을 시행할 수 있으며 RBD 치료를 위한 침대경보치료(bed alarm therapy) 등이 있다.[5,6,7,13,14,23]

5. 수면관련 운동질환 (Sleep related movement disorders)

수면관련 운동질환은 ICSD-3에서 주기성 사지운동장애(periodic limb movements disorder), 하지불안증후군(restless legs syndrome), 수면 관련 다리경련(sleep related leg cramps), 수면 관련 이갈기(Sleep-related bruxism), 수면 관련 율동성 운동장애(sleep related rhythmic movement disorder), 영아기 양성 수면 간대성 근떨림증(benign sleep myoclonus of infancy), 입면기 척수고유 간대성 근떨림증(propriospinal myoclonus at sleep onset), 내과적 질환에 의한 수면 관련 운동장애(sleep related movement disorder due to a medical disorder), 약물 혹은 물질에 의한 수면 관련 운동장애(sleep related movement disorder due to a medication or substance), 상세불명의 수면 관련 운동장애(sleep related movement disorder, unspecified)로 나눈다.[2]

1) 주기성 사지운동 장애 (Periodic limb movement disorders; PLMD)

주기적 사지운동은 수면 중뿐 아니라 각성 시에도 발생할 수 있다. 수면 중에 일어나는 것을 'periodic limb movement sleep; PLMS'라고 하고 각성 시에 일어나는 것을 'periodic limb movement wake; PLMW'라고 한다.

약물사용이나 다른 질환으로 설명되지 않는 수면장애를 유발하는 수면연관 주기적 사지운동을 주기성 사지운동 장애로 정의하며 진단을 위해 수면다원 검사가 필요하다.

아직까지 그 원인과 발병기전 등이 명확하지는 않지만 여성, 카페인, 스트레스, 정신질환, 정신과적인 약물(clomipramine, lithium, fluoxetine, venlafaxine)과 밀접한 연관이 있는 것으로 알려져 있다. 수면 중 주기적 사지운동장애의 유병률은 약 5~11%로 보고되고 있으며, 연령 증가와 더불어 발생이 증가하고, 하지불안증후군 환자의 약 80~90%에서 관찰되며 기면증(narcolepsy), REM 관련 사건수면과 관련이 있다는 보고도 있다.[10] 하지만, 대부분 수면 혹은 주간 각성에 미치는 영향은 무시할 만하다고 보고되어 있고, 증상이 없는 경우, 수면다원검사에서의 소견은 진단적인 의미가 없다.[4]

표 38-4. 하지불안증후군의 진단기준

① 대개 다리에 불편하고 불쾌한 감각을 동반하거나 이에 대한 반응으로 나타나는 다리를 움직이고 싶은 충동
② 다리를 움직이고 싶은 충동이 쉬고 있거나 활동을 하지 않는 동안에 시작되거나 악화됨
③ 다리를 움직이고 싶은 충동이 움직임에 의해 부분적으로 또는 완전히 악화됨
④ 다리를 움직이고 싶은 충동이 낮보다 저녁이나 밤에 악화되거나 저녁이나 밤에만 발생함
⑤ 위의 증상들이 다른 정신질환, 의학적 상태(자세불편감, 하지 경련, 관절염등), 남용약물이나 치료약물의 생리적 효과에 의한 것이 아니다

①-④의 필수증상 및 기준 및 RLS 유사 증상 유발 질환 배제을 위해 ⑤의 조건도 반드시 충족되어야 함

modified Diagnostic Criteria for RLS from reference #1

2) 하지불안증후군(Restless leg syndrome; RLS)

하지불안증후군은 1945년 스웨덴의 신경과 의사인 Carl Ekbom에 의해 하나의 질병으로 분류되었다. 다리를 움직이고 싶은 충동 및 다리에 불쾌한 감각이상이 동반되는 감각운동성 질환이며, 환자들은 주로 안정을 취하고 있을 때 증상이 발생하며, 야간에 악화되고, 운동 시에는 완화되는 양상으로 나타난다. 다리에 불쾌한 감각뿐 아니라 50%에서는 통증을 동반하고 벌레가 기어가는 느낌, 찌릿한 느낌 등 구체적인 느낌을 묘사하기도 한다. 많은 수의 하지불안증후군 환자들은 불면증(sleep onset insomnia)을 호소하며 수면 부족과 주간 피로감을 호소하기도 하지만 주간 졸림증은 드물다. 진단기준은 표 38-4에 정리하였다.

하지불안증후군은 국내 연구에 따르면 연구 대상자의 7.5%에서 나타난 것으로 보고되었으나 외국의 연구(REST study)에서는 평균 2.7%로 보고되었다. 또한 하지불안증후군은 일반적으로 여성에서의 유병률이 남성에 비하여 높고 연령증가에 따라 점차 증가추세를 보이다 60세 이상에서는 감소한다는 연구결과도 보고되었다.[2,8]

조기 발병형과 후기 발병형으로 나눌 수 있고, 조기 발병형은 대부분 45세 이전에 증상이 시작되는 경우로 후기 발병형에 비해 진행이 느리다. 또한 연관된 질환의 유무에 따라 원발성과 이차성으로 나눌 수 있으며, 원발성의 경우 가족력을 보이는 경우가 많다. 이차성의 경우에는 빈혈, 임신, 만성 신부전 및 말초신경염 등의 질환에서 흔히 동반된다.

발병기전에 대해서는 중추신경계 내의 철(iron), 도파민(dopamine), 글루타메이트(glutamate) 대사 이상이 대표적으로 언급되고 있으며 유전적 요인에 대해서는 현재 연구가 진행 중이다.[11]

임상적인 진단과 함께 환자에서 혈중 철대사에 대한 검사를 시행하는 것이 도움이 되며 검사결과 혈장 ferritin 농도가 50 ng/mL 이하이거나 transferrin 포화도가 17% 이하로 나타나는 경우 경구 철분제제를 이용하여 이차성 하지불안증후군의 가장 대표적인 원인인 철 결핍을 교정하여야 한다.[11,9]

하지불안증후군의 치료는 환자가 호소하는 증상의 정도와 증상이 환자의 수면이나 활동에 미치는 영향을 고려하여 시작하는 것이 바람직하다. 크게 약물치료와 비 약물치료로 구분되며, 이 두 가지를 병행하는 것이 좋다. 증상이 경미하면 규칙적인 수면습관과 지나친 음주나 카페인 섭취 그리고 과식을 피하는 것이 좋으며, 자기 전에 가벼운 운동이나 스트레칭, 다리 마사지 등이 도움이 된다. 하지만, 항우울제 및 항히스타민제 그리고 항도파민제는 증상을 악화시킬 수 있으므로 피하는 것이 좋다.[4,9,11]

치료원칙으로는 단일요법이 원칙이나, 도파민 제제를 기본으로 하고 다른 제제를 병용하여 처방할 수도 있다. 약물치료로는 도파민 전구물질인 levodopa가 먼저 사용되었지만, 현재는 도파민 D2/D3 수용체 작용제(agonist)인 pramipexole과 ropinirole이 일차 선택약제로 사용되고 있다. 불면증이 심한 경우에는 benzodiazepine 제제가 도움이 되고 통증이 주증상인 경우 gabapentin 및

pregabalin이 효과적이며, 증상이 심한 경우 아편제제를 고려할 수 있다. 철분 제제의 경우 혈중 ferritin 수치가 50 ng/mL 미만인 경우에 투여하면 도움이 된다. 그러나 철분 보충 후 혈장 ferritin 농도가 100 ng/mL 이상이거나 transferrin 포화도가 50% 이상이 되지 않도록 주의한다.[4,11]

그러나 levodopa나 short-acting 도파민 수용체 작용제를 장기간 사용할 경우 증상이 평소보다 빠른 오후나 저녁에 발생하고, 조절 후 증상 재발까지의 시간이 짧아질 수 있다. 또한 증상의 강도가 약물치료 전보다 증가하며, 다리가 아닌 다른 부위에도 증상이 나타나고, 기존에 사용하던 약제의 작용시간이 줄어드는 등의 약물 용량을 높이는 것에 따라서 증상 발현도 증가하는 증강(augmentation)현상이 발생할 수 있다. 따라서 도파민 수용체 작용제를 사용할 경우 가능한 낮은 용량으로 유지하려 노력해야하며 동반된 철결핍을 교정하고 항히스타민제, 알코올섭취, 선택적 세로토닌 재흡수 억제제 등 악화유발 약물사용에 주의를 기울여야 한다. 일단 증강현상이 나타난 경우, 약물을 절반 용량으로 복용하거나, long-acting 도파민 수용체 작용제로 전환할 수 있고, 다른 계열의 약제 등을 사용할 수 있다.[10]

참고문헌

1. 권준수, 김재진, 남궁기등. 정신질환의 진단 및 통계 편람 제5판 (Diagnostic and statistical manual of mental disorders 5th edition (DSM-5))한국어판. 서울, 대한민국:학지사;2015. p.391-459.
2. Allen RP, Walters AS, Montplaisir J, et. al. Restless Legs Syndrome Prevalence and Impact: REST General Population Study. Arch Intern Med 2005;165:1286-1292.
3. American Academy of Sleep Medicine. The international Classification of Sleep Disorder: Diagnostic and Coding Manual. 3rd ed. Westchester, IL: American Academy of Sleep Medicine; 2014.
4. Aurora RN; Kristo DA; Bista SR; Rowley JA: Zak RS; Casey KR; Lamm CI; Tracy SL; Rosenberg RS. The treatment of restless legssyndrome and periodic limb movement disorder in adults—an update for 2012: practice parameters with an evidence-based systematic review andmeta-analyses. Sleep. 2012;35(8):1039-1062.
5. Aurora RN; Zak RS; Auerbach SH; Casey KR; Chowduri S; Krippot A; Maganti RK; Ramar K; Kristo DA; Bista SR; Lamm CI; Morgenthaler TI. Best practice guide for the treatment of nightmare disorder in adults. J Clin Sleep Med 2010;6(4):389-401.
6. Aurora RN; Zak RS; Maganti RK; Auerbach SH; Casey KR; Chowdhuri S; Karippot A; Ramar K; Kristo DA; Morgenthaler TI. Best practice guide for the treatment of REM sleep behavior disorder (RBD). J Clin Sleep Med 2010;6(1):85-95.
7. Avidan AY, Kaplish N. The parasomnias:epidemiology, clinical features, and diagnostic approach. Clin Chest Med 2010;31(2):353-370.
8. Cho YW, Shin WC, Yun CH, et al. Epidemiology of restless legs syndrome in Korean adults. Sleep 2008;31:219-223.
9. Garcia-Borreguero D, Stillman P, Benes H, et al. Algorithms for the diagnosis and treatment of restless legs syndrome in primary care. BMC Neurology. 2011;11:28. doi:10.1186/1471-2377-11-28.
10. Garcia-Borreguero D, Williams A. Dopaminergic augmentation of restless legs syndrome. Sleep Med Rev 2010;14(5):339-346.
11. Jung KY. Diagnosis and Treatment of Restless Legs Syndrome.Hanyang Med Rev 2013;33:216-220.
12. Littner M, Hirshkowitz M, Kramer M, et al. Practice parameters for using polysomnography to evaluate insomnia: an update. Sleep 2003;26:754-60.4. Allen RP. Sleep-related movement disorders. In: Avidan AY, Barkoukis. TJ. Review of Sleep Medicine. 3rd ed. Philadelphia: Elsevier Saunders;2012.p.200-215.
13. Mahowald MW, Schenck CH. Non-rapid eye movement sleep parasomnias. Neurol Clin 2005;23(4):1077-1106.
14. Markov, D, Jaffe, F, Doghramji, K. Update on Parasomnias;A Review for Psychiatric Practice. Psychiatry (Edgmont). 2006 Jul; 3(7): 69-76.
15. Morgenthaler TI, Kapur VK, Brown T, et al. Practice parameters for the treatment of narcolepsy and other hypersomnias of central origin. Sleep. 2007;30:1705-1711.
16. Neubauer DN. Insomnia differential pearls and psychiatric co-morbidities. In: Avidan AY, Barkoukis. TJ, editors. Review of Sleep Medicine. 3rd ed. Philadelphia: Elsevier Saunders; 2012.
17. Omachi TA. Measures of sleep in rheumatologic diseases: Epworth Sleepiness Scale (ESS), Functional Outcome of Sleep Questionnaire (FOSQ), Insomnia Severity Index (ISI), and Pittsburgh Sleep Quality Index (PSQI). Arthritis Care Res (Hoboken) 2011;63 Suppl 11:S287-296.
18. Ramdurg S. Kleine-Levin syndrome: Etiology, diagnosis, and treatment. Ann Indian Acad Neurol. 2010;13(4):241-246.
19. Sack R; Auckley D; Auger RR; Carskadon MA; Wright KP; Viti-ello MV; Zhdanova IV. Circadian rhythm sleep disorders: Part II, advancedsleep phase disorder, delayed sleep phase disorder, free-running disor-der, and irregular sleep-wake rhythm. Sleep 2007;30(11):1484-

1501.

20. Sack RL; Auckley D; Auger RR; Carskadon MA; Wright KP; Viti-ello MV; Zhdanova IV. Circadian rhythm sleep disorders: Part I, basic prin-ciples, shift work and jet lag disorders. SLEEP 2007;30(11):1460-1483.
21. Schutte-Rodin S, Broch L, Buysse D, et. al. Clinical Guideline for the Evaluation and Management of Chronic Insomnia in Adults. J Clin Sleep Med. 2008;4(5):487-504.
22. Skene DJ, Arendt J. Human circadian rhythms: physiological and therapeutic relevance of light and melatonin. Ann Clin Biochem. 2006;43(Pt 5):344-353.
23. Songu M, Yilmaz H, Yuceturk AV, Gunhan K, Ince A, Bayturan O. Effect of CPAP therapy on catathrenia and OSA: a case report and review of the literature. Sleep Breath. 2008;12(4):401-405.
24. Sullivan SS, Mignot E. Naorcolepsy and hypersomnias of central orgin: diagnosis, evaluation, and treatment. In: Avidan AY, Barkoukis. TJ, editors. Review of Sleep Medicine. 3rd ed. Philadelphia: Elsevier Saunders; 2012.

CHAPTER

39

비골 골절

이비인후과학 Otorhinolaryngology - Head and Neck Surgery

박찬흠

I 비골 골절

1. 개요

비골은 안면골 중 가장 흔하게 골절되는 부위로 이는 비골이 안면 중앙부위에 자리 잡은 가장 돌출된 부위이며, 연약하기 때문이다. 일반적으로 모든 연령층에서 남성이 여성보다 두 배 정도 많이 발생하며, 20~30대의 젊은 연령층에서 스포츠 활동, 육체적 충돌 등 각종 사고로 인하여 많이 발생한다.[3,17,19] 비골 골절은 외상이 심하게 보이지 않는 경우에도 치료하지 않으면 추후에 외비기형, 비폐색, 비중격 천공 그리고 만성 부비동염 같은 다른 여러 합병증들이 나타날 수 있으며, 소아에서의 비골 골절은 코와 얼굴중간부(midface)의 발달지연 혹은 기형을 유발할 수 있다.[4,6,7,26] 그러므로 비골 골절 발생 직후 정확한 진단적 접근과 적절한 치료를 시행하여야 합병증 발생을 예방할 수 있으며, 추후 발생할 수 있는 비중격 교정술 및 코성형술의 필요성을 줄일 수 있다.

2. 해부학

비골은 둥근 아치 형태의 피라미드(pyramid) 구조로 안각간선(intercanthal line)의 상부는 매우 두꺼운 비골로 이루어져 있으나 하부는 얇은 비골이 앞으로 돌출되어 상외측비연골(upper lateral cartilage)과 비배점(rhinion)을 이룬다(그림 39-1). 따라서 대부분의 비골 골절은 안각간선 아래에서 발생한다. 또한, 비중격의 사골수직판(perpendicular plate of the ethmoid bone)이 비골의 정중선에서 피라미드 구조의 기둥으로 비골을 지탱하고 있으며, 이러한 연합구조 관계로 인하여 비골 골절 시에 비중격 골절 및 비중격 탈구가 흔히 동반하게 된다.[10] 골절된 비중격은 추후에 섬유화로 치유되면서 서서히 비골이나 상외측비연골 등의 연골부위를 당기게 되어 비배부의 변형, 비첨의 불균형 등을 유발하게 되므로 비골 골절 치료 시에 비중격 손상을 간과하지 않는 것이 중요하다.[19]

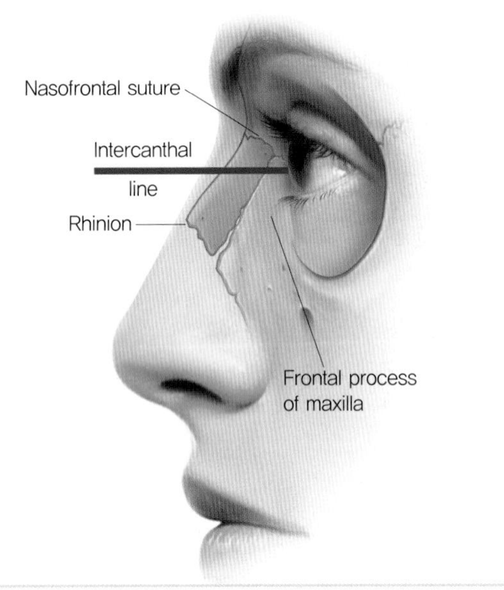

■ 그림 39-1. 안각간선(intercanthal line)을 경계로 위쪽 비골은 두꺼우나 아래쪽 비골은 얇다.

3. 병태생리

골절의 원인이 되는 힘, 충돌 방향, 환자 나이, 그리고 여러 다른 인자들이 비골 골절과 비연골 손상 양상에 영향을 미치게 된다. 젊은 사람은 주로 큰 조각으로 골절되어 중요 분절들의 탈골 형태로 나타나며, 나이든 사람의 경우에는 약해진 비골로 인하여 비골들이 분쇄되는 형태로 많이 발생한다. 반면에, 소아의 경우 연골 손상이 많이 일어나며 불완전 굴곡골절(greenstick fracture) 형태의 비골 손상이 더 많이 나타난다.[4,6,7,10,13] 일반적으로 비골 골절은 정면보다는 주로 측면에서 주어지는 힘에 의해 발생하며 상대적으로 손상받기 쉬운 안각간선 아래의 얇은 비골부위에서 나타난다. 측면에서 가해지는 힘의 방향에 따라 동측에 함몰 골절이 나타나며, 경우에 따라 반대측에 외향 골절(outfracture)이 동반되어 심한 외비 변형을 초래할 수 있다.[5]

연골부의 경우 탄력이 있어 골부에 비해 골절 없이 많은 힘을 흡수할 수 있지만, 외부에 많이 노출되어 있어 역시 손상될 수 있다. 비골이나 비중격으로부터 상외측비연골의 건열(avulsion)과 탈구는 연골성 비배의 함몰을 일으킬 수 있으며, 비골이나 상외측비연골에 전해진 충격으로 상악릉(maxillary crest)에서 비중격 탈구가 발생하거나 연골성 비중격 골절을 일으켜서 비중격 만곡증과 함께 비배의 함몰을 유발할 수 있다.[10] 그리고 이러한 손상은 외비의 혈관에도 손상을 가할 수 있어 비배 혈종이 발생할 수 있다. 한편, 정면가격에 의해서는 비골 골절과 함께 미부 비중격(caudal septum)이 골절되거나 탈구되어 비배의 함몰과 비첨의 두측 회전이 일어날 수 있다. 가해지는 충격이 아주 심한 경우는 비중격의 골절과 함께 비골의 분쇄골절이 발생할 수 있으며, 경우에 따라서는 비골의 분쇄골절과 함께 사골복합체, 누골 등의 안와골이 동시에 골절되는 비안와사골복합체 골절(nasoorbital-ethmoid complex fracture)이 발생할 수 있다.[3,17,19]

비중격 골절이 흔히 일어나는 부위는 비중격과 비골이 연결되는 부위와 비중격 연골이 상악능과 연결되는 부위이다. 비중격 연골은 상악능에서 탈구되거나 수직 혹은 수평으로 골절을 일으킨다. 골절된 비중격은 interlocked stress system을 활성화시켜 섬유화로 치유되는 동안 서서히 비골이나 연골을 당기게 되어 비배부의 변형, 비첨의 불균형, 비강 폐색 등을 유발하게 되므로 비골 골절을 치료할 때 이러한 비중격의 변형을 적절히 교정하는 것이 매우 중요하다.

비골 주변에 있는 구조들은 오토바이 사고와 같은 고속의 충격이 있을 때 함께 손상될 수 있다. 안면 외상환자에서 유루증(epiphora)이 나타나는 경우 비골 골절로 인해 비루관(nasolacrimal duct)이 손상되었을 가능성을 고려해야 하며, 안각간 거리(intercanthal distance)의 벌어짐이 나타날 경우 내안각 인대(medial canthal ligament)의 손상을 의심하여야 한다. 이는 주로 비안와사골복합체 골절에서 발생한다. 경구개의 불안정성 및 입을 벌리고 있는 변형은 상악골 골절을 의심할 수 있는 증상이며, 한쪽 안면부 비대칭(facial asymmetry)은 상악골과 협골의 복합골절(zygomatico-maxillary complex fracture)을 의심

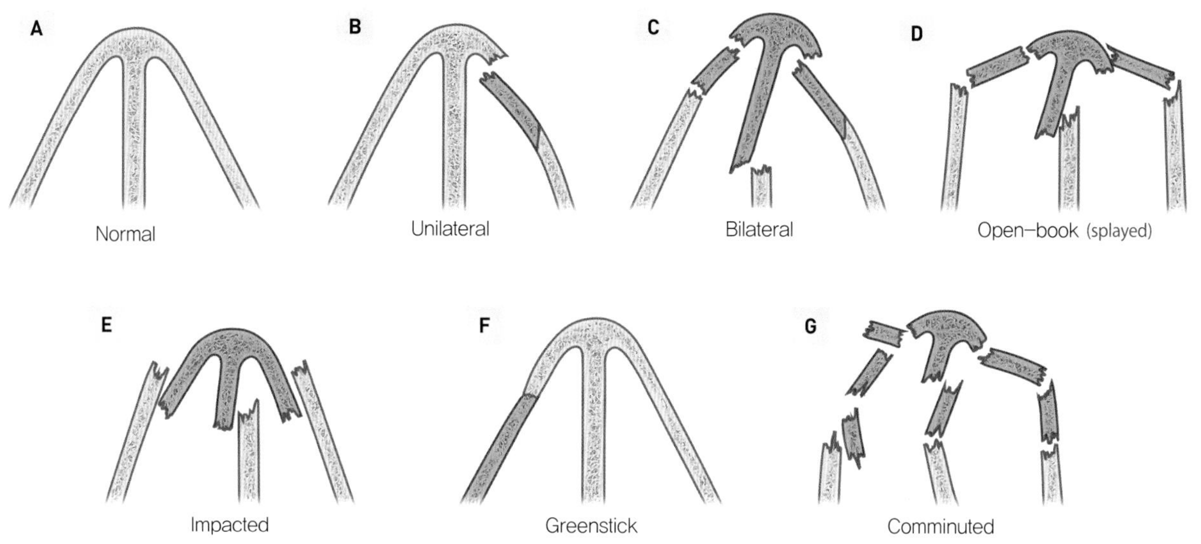

■ 그림 39-2. **비골 골절의 분류**

할 수 있다. 안면부 위쪽에 심한 손상이 발생한 경우에는 전두동의 골절이나 두개저 골절 및 경막 손상으로 인한 뇌척수액의 유출 등을 항상 고려해야 한다.[3,4,17,19,26]

4. 분류

비골 골절의 분류는 여러 학자들에 의해 시도되었으나 다양한 형태의 비골 골절과 이와 동반된 여러 손상으로 인하여 하나의 시스템으로 비골 골절의 분류를 정의하는 것은 어렵다. 그러나 일반적으로 비골 골절은 컴퓨터 단층촬영에서 관찰되는 양상에 따라 비골 피라미드의 편측형(unilateral), 양측형(bilateral), 복합형(comminuted), 함몰형(depressed), 펼침형(open book), 중첩형(impacted), 불완전 굴골형(greenstick) 골절로 구분한다(그림 39-2).[14,17] 또한, 비골 골절 외에도 동반되어 있는 비중격 손상의 종류에 따라 탈구, 편위된 골절 혹은 상악릉으로부터 탈구된 골절 등으로 구분하여 추가로 분류할 수 있으며[11] 상악골, 누골, 사골복합체, 전두동 같은 인접 구조물의 동반 손상 여부에 따라서도 분류를 세분화할 수 있다.[3]

5. 진단

1) 병력청취

비골 골절이 발생한 상황을 자세하게 청취하는 것은 골절의 종류와 정도를 평가하는 데 많은 도움을 줄 수 있다. 예컨대, 교통사고로 인한 골절인 경우 충돌은 어느 쪽이었는지 속도는 어느 정도였는지 등의 정보가 골절을 평가하는 데 도움이 되며, 비교적 저속에서의 사고라도 어린 아이가 앞좌석에 있었을 경우 에어백으로 인한 두부와 경부 손상의 위험성이 있으므로 이를 꼭 확인하여야 한다. 또한 여성의 안면부 손상은 폭행으로 인한 가능성이 있으므로 이를 중요하게 기록하여야만 한다.

병력청취 시 외비의 변형뿐만 아니라 환자의 비강호흡 및 후각기능의 변화나 비출혈, 맑은 콧물 등의 유무는 반드시 확인하여야 한다. 그러나 첫 병력 청취에서는 비강부종으로 인하여 비폐색을 호소하는 환자들이 있을 수 있기 때문에 비강호흡이나 후각기능의 변화는 부종이 사라진 후에 반드시 다시 평가를 시행해야 한다. 비손상 유무와 관계없이 두부손상을 받은 사람의 5%에서 후각소실과 후각감퇴가 나타날 수 있으며 단지 1/3 정도만이 자연적으로 치유된다. 환자들의 과거 병력을 확인하는 것도 중요하며, 특히 외상의 병력이 있었는지, 이전에 코 수술을 받은 적이 있는지, 알레르기 및 비부비동 질환의 유무 등을 확인하는 것이 정확한 평가를 위해 중요하다. 과거 코성형술을 받은 환자들은 수술 후 상처가 완전히 회복된 경우라도 비골 골절이 발생하기 쉬우며, 환자들의 외상 이전 사진과 병력기록 등을 통하여 외비 변형이 있는지를 확인하여야 한다.

2) 신체 검진

비골 골절은 일차적으로 신체 검진을 통해 진단할 수 있다. 외비 변위(deviation)나 비대칭을 관찰함으로 외상에 의한 손상을 인지할 수 있고, 촉진을 통해서 골절의 보다 정확한 분류와 정도를 평가할 수 있다. 한편 비출혈, 비부종, 안구주위 반상출혈(periorbital ecchymosis) 등이 있는 경우에는 심한 외상성 손상을 의심하여 코의 외부만이 아니라 코의 내부도 잘 살펴보아야 한다. 특히 불완전 굴곡골절이 흔히 발생하는 아이들에서는 외부 변형이 거의 없을지라도 내부 이상이 있을 수 있다. 비출혈이 있으면 우선 지혈을 한 다음에 비내 검사를 시행한다. 비중격의 색깔변화, 전위, 그리고 비정상적 종창을 조사한다. 비중격혈종이 의심되면 직접 흡인하거나 점막을 절개하여 조사하고, 손가락이나 면봉으로 비중격의 움직임을 직접 확인하는 것도 유용하다. 성인에서 비중격 탈골이나 골절은 비골 골절에서 흔히 보이는 소견이지만 비중격 전위는 비외상 없이도 나타날 수 있다. 비내 검사에서 측비 혹은 비익연골의 비정상적 위치, 불안정, 혹은 비정상적 움직임은 건열 손상을 암시한다. 구순하접근(sublabial approach)을 통해 전비극(anterior nasal spine)도 만져보아야 한다. 비골 골절의 신체 검진은 단계별로 접근하여 사소한 것도 놓치지 말아야하며, Frankfort plane으로 정렬한 모습을 사진으로 기록하여 치료 전후의 모습을 비교하고 의료 분쟁에 대비하여야 한다.[1,2]

비골 피라미드의 변형, 비골 또는 상외측 연골의 함몰, 비배의 확장은 정면에서 가장 잘 평가할 수 있으며, 측면에서의 시진을 통해 매부리코나 비배의 함몰을 관찰할 수 있다. 두 손가락으로 비골을 잡고 움직여 보면 비골 골절이 있을 경우 염발음(crepitus)이나 비골의 움직임을 느낄 수 있으며, 수상 2~3일 정도 지나 부종이 감소한 후에 다시 환자를 재평가하면 이러한 변형들을 좀 더 정확하게 평가할 수 있다. 차가운 팩을 코 주변으로 대주면 부종이 빨리 사라지며 통증도 경감 시킬 수 있다.

개방성 창상이 있으면, 움직이는 비골이나 비연골 조각들이 있는지 조심스럽게 손으로 만져보아 손상을 보다 정확하게 평가한다. 코의 안쪽을 평가하기 전에는 비출혈에 대비하여 기구들을 준비해 놓아야 하며, 비중격에서 비정상적인 부종이 관찰된다면 비중격 혈종을 의심해야 한다. 비중격 혈종이 의심될 시에는 두 손가락으로 비중격을 만져보는 것이 이를 감별하는 데 도움이 되며, 비중격의 움직임이 증가한 경우 비중격 골절의 동반을 의심할 수 있다. 비중격의 골절과 탈구는 외상 환자에서 주로 나타나지만, 명백한 외상이 없는 정상인에서도 비중격 만곡증이 나타날 수 있으므로 주의해서 감별해야 한다.

3) 영상검사

비골 골절 진단에 있어서 단순 X선 촬영은 진단의 신뢰도가 떨어지기 때문에 병력, 임상소견, 그리고 신체 검진 소견이 중요하다. 그러나 손상 후 시간이 지나 부종 등으로 신체 검진 시에 불명확한 소견을 보일 때는 영상검사를 시행하여 비골 골편의 이동, 비중격 골절 등을 세심히 관찰하고 골절된 부위를 판별하여 정복술 시 교정하여야 할 부위를 정확히 판단해야 한다. 단순 X선 촬영의 진단 신뢰도가 낮은 이유는 첫째, 비골은 단일한 골화중심에서 발달되나 그 외의 골화중심도 있을 수 있어 이러한 발생학적 변이에 의한 다양한 봉합선을 골절선과 감별하는 데 주의가 필요하다. 둘째, 비골상악봉합선(naso-maxillary suture), 비섬모체신경(nasociliary nerve)의 분지가 지나가는 비섬모체구(nasociliary groove) 등과 골절선을 구별하기가 어려우며 셋째, 연조직의 부종이 단순 골절의 골절선을 차폐할 수 있기 때문이다. 마지막으로, 과거의 골절과 최근의 골절을 구분할 수 없어 단순 X선 촬영으로 골절이 입증되어도 실제로 골절의 정복이 필요한지는 판단할 수 없다.

그러나 컴퓨터 단층촬영의 경우 단순 X선 촬영과는 달리 골절의 정도와 유형을 파악하기 쉽고 동반 손상의 유무를 파악하는 데도 유용하다. 특히 3차원 컴퓨터 단층촬영의 경우 골절 부위와 주변부와의 연관 관계를 파악하는 데 크게 도움이 된다. 그러므로 컴퓨터 단층촬영은 안면 부종이 심하거나, 열상 혹은 의식 장애가 있는 경우 등 신체 검사가 제한적인 경우에 유용한 진단 방법이다. 초음파 검사 역시 비골 골절의 진단과 치료에 효과적이다. 단순 X선 촬영과 비교하였을 때 초음파는 진단의 민감도와 특이도가 높으며, 특히 외측 비골 골절을 평가하는 데 유용하다.[16] 게다가 초음파는 환자가 방사선에 노출되지 않는 장점을 지니고 있어 수술 중이나 후에 초음파로 비골 골절의 성공적인 정복을 평가할 수 있다.

6. 치료

1) 정복의 시기

골절된 골편을 정확하게 맞추기 위해서는 정복을 언제 시행하느냐가 매우 중요하다. 골절선 내에 섬유성 결합조직이 손상 후 10일에서 2주 내에 형성되는데 이는 성공적인 정복에 방해가 된다. 그러므로 이 시기 전에 정복술을 시행하는 것이 가장 이상적이다. 그러나 비골 골절이 발생한지 3주 이후에도 정복술이 가능한 경우도 있다.[18,22] 또한 수상 후 바로 정복술을 시도하는 것보다는 2~3일 정도 후 부종이 줄어든 뒤에 골편의 위치를 정확히 파악하여 보다 정확한 정복술을 시행해야 한다.[27] 그러나 손상 후 한두 시간 내에 환자가 내원하여 부종이 없다면, 이러한 지연기 없이 바로 치료하는 것이 바람직하다. 일반적으로 소아에서는 3~7일 내에, 성인에서는 5~10일 내에 비관혈적 정복을 시행하는 것이 추천된다.

2) 경과 관찰, 비관혈적 정복술 또는 관혈적 정복술

비골 골절을 치료하는 데 있어서 가장 적절한 치료는 가장 덜 침습적이면서 후유증이나 합병증 없이 완전한 교정을 하는 것이다. 다른 결함이 없고 전위되지 않은 골절은 관찰만으로도 충분하다. 비관혈적 정복술은 편측으로 내측 전위된 단순 골절에 최선의 방법이다. 코 전체가 함몰된 골절같이 심한 손상에서는 만족스러운 결과를 얻기 위해서 관혈적으로 접근하여 정복하고 고정해주는 것이 좋다.

비관혈적 정복술이 실패하는 가장 중요한 이유는 비중격 골절이 동반되어 있기 때문이다. 그러므로 비중격 골절이 비골 골절에 동반되어 있는 경우 비중격 교정술과 비관혈적 정복술을 같이 하는 것이 바람직한 결과를 유도할 수 있다. 관혈적 정복술 또한 비골 골절에서 종종 적용이 되며, 장기간의 결과로 보았을 때 일부에서 비관혈적 교정술보다 나은 결과를 보이고 있으나 논란의 여지가 있다. 관혈적 정복술은 치료비용이 높으며 외과적 합병증의 위험성이 증가하기 때문에 비관혈적 정복술보다 나은 결과를 얻을 수 있다는 확신이 있는 경우에만 시행하는 것이 바람직하다. Verwoerd는 관혈적 정복술의 적응증으로 양측성 비배부의 골절과 비중격의 심한 변형이 있는 경우, 비중격 병변 유무와 관계없이 주요한 탈구를 동반한 양측성 비골 골절, 비배부의 함몰골절, 골성 비배부의 이동성이 없더라도 연골 피라미드의 골절이 있는 경우 등을 제안하였다.[26]

3) 마취

성인의 단순 비골 골절은 일반적으로 표면 및 국소마취로 치료하며, 수술 직전에 진정제를 서서히 정맥주사하여 환자를 진정시키는 것이 도움이 된다. 그러나 소아 환자 및 예민하거나 공포심이 많은 성인들은 전신마취를 시행하는 것이 바람직하다. 표면마취는 일반적으로 비배부 밑에 위치한 전사골신경(anterior ethmoidal nerve), 중비갑개 뒤쪽에 위치한 접형구개신경(sphenopalatine nerve), 비중격, 그리고 비강저에 시행한다. 표면마취를 시행한 후에 비배부에 위치한 활차하신경(infratrochlear nerve), 비삼각체의 외측에 위치한 안와하신경(infraorbital nerve), 전사골신경의 외비지(external nasal branch of anterior ethmoidal nerve), 비중격 전단의 기저부에 위치한 대구개신경(greater palatine nerve)에 침윤마취를 시행한다. 이때 과도한 국소 마취제의 주입은 부종을 유발하여 교정을 어렵게 하므로 주의해야 한다.

4) 보존적 치료 및 경과 관찰

비골 골절의 치료 목적은 미용적, 기능적으로 코를 회복 시키는 것으로 모든 경우에 수술적 치료가 필요한 것은 아니다. 코의 골절이 의심되지만, 검사상 외비와 비중격의 전위 및 결함이 명확하지 않은 경우 부종이 완전히 가라앉을 때까지 보존적 치료 및 경과 관찰하며 치료 방향을 결정하여도 좋다. 비전위 비골 골절 환자들의 대부분이 보존적 치료만으로 미용적 기능적 장애를 남기지 않고 회복된다. 비전위된 비골에 거상 등의 교정을 시도할 경우 오히려 매부리코, 사비 등의 합병증이 발생할 수 있다.

5) 비관혈적 정복술

경한 정도의 외비 만곡이 있는 비골 골절의 경우 도수 정복만으로도 성공적인 교정이 가능하다. 두 손가락으로 비골을 잡고 만곡의 반대방향으로 부드럽게 힘을 가하여 준다. 이 술기는 간단하지만 골절편이 겹쳐있거나 끼여 있는 경우에는 교정에 실패할 수 있다. 또한 의도치 않은 과교정은 추가적인 비골 혹은 비중격 골절을 일으켜 변형을 더 심하게 만들거나 불안정성을 유발할 수 있다. 대부분의 비관혈적 정복술, 특히 내측으로 편위된 골절의 경우 끝이 뭉툭한 거상기를 사용하는 것이 좋다. Boies 혹은 Joker 거상기 같은 기구를 사용하면 골절편 정복 시에 술자가 촉감을 통해 골편의 정렬이 적절히 되었는지 판단하기 용이하다. 우선, 정복술을 시행하기 전에 비강의 바깥쪽으로 기구의 끝을 안각선에 위치하게 하여 적절한 삽입 정도를 결정한다. 그리고 측정한 길이보다 1 cm 정도 적게 거상기를 비강 내로 삽입한 후에 기구의 끝이 비골의 내측면에 닿으면 거상기를 앞쪽 외측으로 들어올린다. 이때, 기구를 잡지 않은 다른 손으로는 비골 위쪽을 붙잡아 움직이지 않도록 한다. 이는 기구가 들어올리는 힘으로 인하여 비배가 너무 넓어지지 않도록 해주고 정복술 시 적절한 정렬이 이루어질 수 있게 한다. 반대편에 외향 골절이 동반되어 있는 경우에는 엄지손가락으로 외향 골절 부위를 내측으로 동시에 압력을 가하여 비골 피라미드의 위치를 적절히 교정한다(그림 39-3).

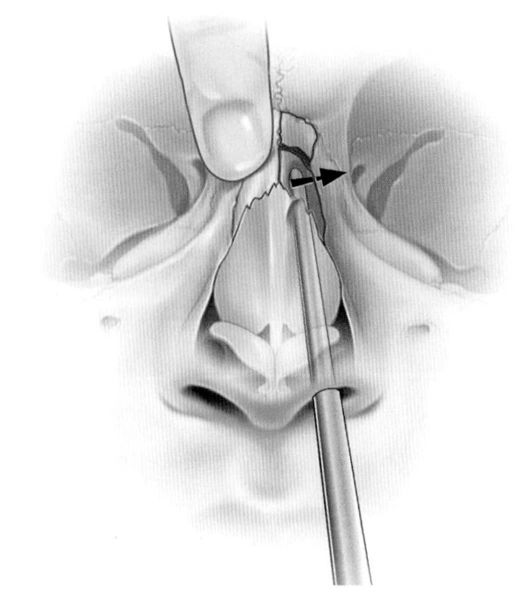

■ 그림 39-3. **단순 비골 골절의 비관혈적 정복술.** 내측으로 편위된 비골절 부위에 Boies 거상기를 위치시키고 비관혈적 정복술을 시행한다. 외향 골절이 동반된 경우 반대손의 엄지로 동시에 밀어주어 비배부가 넓어지지 않도록 한다.

골절편이 겹쳐 있는 경우에는 겸자를 사용하면 교정에 도움이 된다. Walsham 겸자는 비골 골절 교정에 유용하게 사용할 수 있으며, 기구의 한쪽은 비강 내로 삽입하고 다른 쪽은 외비에 위치하여 골편을 정확하게 잡을 수 있

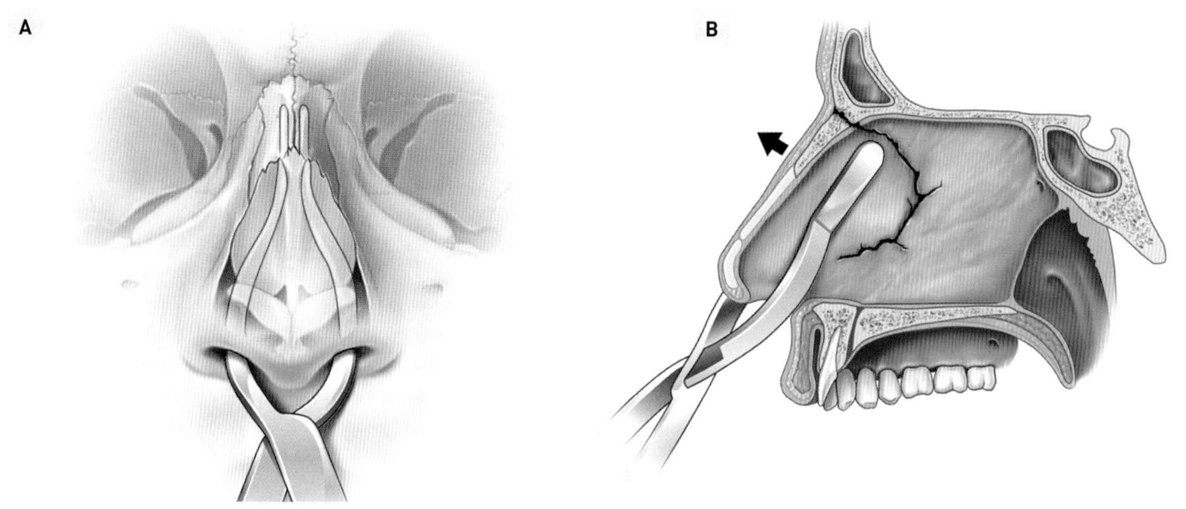

■ 그림 39-4. Asch 겸자를 이용한 비중격 골절의 비관혈적 정복술

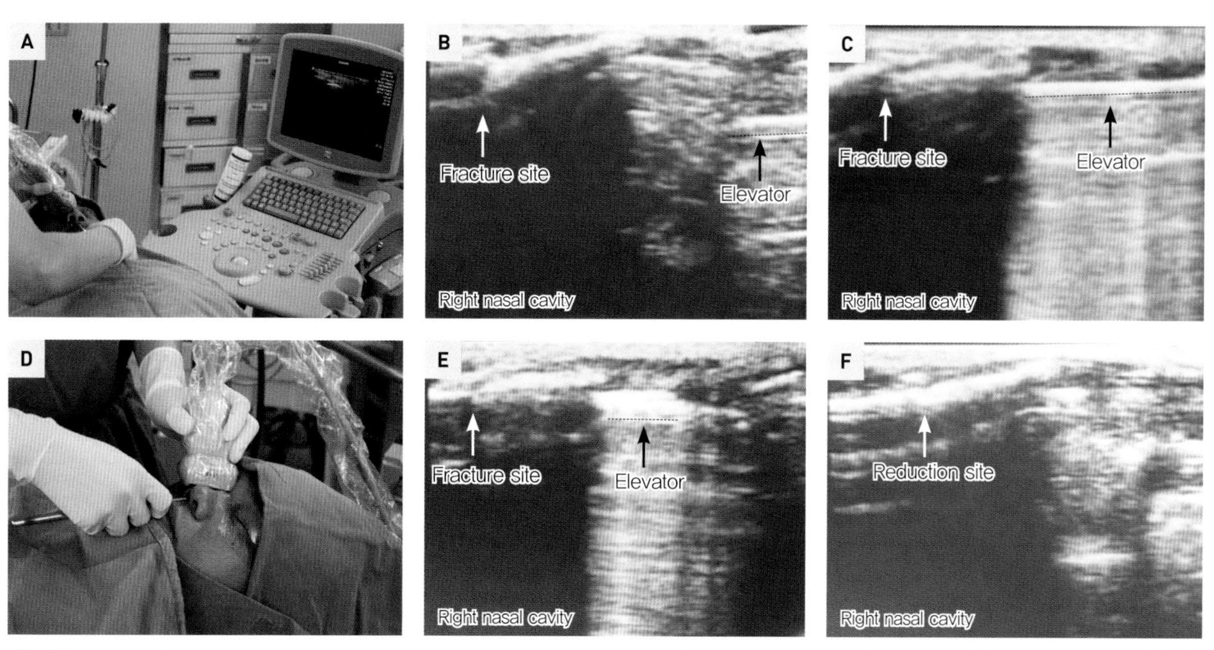

■ 그림 39-5. 초음파를 이용한 비골 골절의 비관혈적 정복술

다. 그러나 피부나 연조직들이 손상될 수 있으며, 과도한 회전력으로 추가적인 골절을 일으킬 수 있다. 비중격의 비관혈적 정복술은 종종 비골 골절의 정복보다 어려운데 Asch 겸자를 이용하면 좋은 결과를 얻을 수 있으며, 이를 비중격의 양쪽편에 위치하도록 삽입하여 콧등의 수직으로 위쪽, 바깥쪽으로 힘을 가해 비중격의 중첩된 부분을 들어올려 비중격을 절절한 위치에 정렬시킨다(그림 39-4). 최근에는 초음파를 이용하여 정확한 골절 부위 확인 및 교정이 가능하며, 연골부 골절 역시 확인할 수 있어 비관혈적 정복술 시 유용하게 활용할 수 있다(그림 39-5).[16]

연골부위 손상을 비관혈적 정복술로 교정하는 것은 매우 어렵고 실패할 확률이 높다. 비관혈적 정복술 후 지속되는 외비 변형은 손상에 대한 부적절한 이해와 치료 시기가 적절하지 못한 경우가 일반적이며, 수상 후 7~10일 사이에 정복술을 시행한 경우 변형이 남아 있다면 비중격 골절을 교정하지 않은 것이 가장 흔한 원인이다. 반면에, 수상 후 2주일 후에 정복술을 시행한 경우 섬유조직 형성이나 빠른 골재생으로 인하여 변형이 남는 것이 가장 흔한 원인이다. 만약 적절한 시기에 정복술을 시행하고 비중격 손상을 교정하였음에도 불구하고 변형이 남아 있다면 불완전 굴곡골절을 고려해야 한다.

정복술을 시행하고 난 후에는 정렬한 골절편이 움직일 수 있으므로 비강 팩킹을 시행하여 골절편이 전위되지 않도록 한다. 비강 팩킹은 일반적으로 3~5일 정도 지난 후에 제거하나 골절편의 불안정성이 큰 경우에는 1주일까지도 거치시킬 수 있다. 이 기간 동안에는 비염이나 부비동염을 방지하기 위해 경구 항생제를 복용한다. 한편, 비중격 부목(septal splint)의 효과는 아직까지 불분명하다. 비중격 부목은 비중격 정복술 후에 추가적인 지지력을 제공하기 위해 혹은 혈종이나 비강 내 협착을 방지하기 위해서 사용하지만 비골 골절에서 일반적으로 사용하는 것이 효과적이라는 증거는 아직 부족하다. 그러나 비중격 복합 골절이나 점막의 과도한 손상이 있는 경우에는 도움이 된다. 비중격 부목은 1주일 후에 제거하며 불안정성이 큰 경우에는 기간을 연장할 수 있다.

반면에, 외비 부목(external nasal splint)은 비골 골절 정복술 후에 일반적으로 사용한다. 이를 사용하기 전에 비배의 과도한 부종과 혈종의 생성을 막아주고 부목의 과도한 흡착력으로부터 피부를 보호하기 위해 종이테이프로 드레싱을 시행한다. 외비 부목은 환자의 코의 모양에 맞추어 재단하여 사용하는데 이때 골절편들의 전위가 일어나지 않도록 주의해야한다. 외비 부목은 7~10일 정도 후에 제거한다. 또한, 정복술 후에는 추가적인 환자 교육이 필요하다. 6~8주 동안은 외부 신체 활동을 가능한 피하여 회복기간에 또 다른 외상을 입어 손상이 심해지는 것을 방지한다. 운동선수나 외부 활동을 멈출 수 없는 경우에는 코를 보호해주는 특수한 마스크를 사용해야 한다. 비강 세척이나 스프레이를 사용하여 혈괴나 가피를 제거하고 유착이 형성되는 것을 막을 수 있다. 비중격 부목을 사용하거나 비점막 손상이 심할 경우에는 경구 항생제를 복용하도록 한다. 마지막으로, 부비동 골절이 동반되어 있는 경우에는 안와나 두개 내로 공기가 들어가지 않도록 심하게 코 푸는 것을 삼가게 한다.

6) 관혈적 정복술

관혈적 정복술은 심하게 변위된 비골 골절을 광범위한 외과적 절제, 정복, 고정 및 재건을 통해 즉시 복구하는 경우와 교정시기를 6개월 뒤로 미루어 상처를 안정화 시킨 뒤 고식적인 외비 성형술을 시행하는 경우로 나누어진다. 외비 변형의 재건에 필요한 가장 적당한 접근방법은 손상 위치와 재건 형태에 따라 달라진다. 만약 손상이 코의 상부 1/3에 위치한 경우 비전두 주름(nasofrontal crease)을 통한 open sky 절개로 복합 비골 골절과 사골동 복합 골절에 직접 접근할 수 있으며, 코의 측면 손상인 경우는 외측비 절개술(lateral rhinotomy)을 이용할 수 있다. 얼굴에 흉터를 남기지 않으면서 위쪽 안면골 손상에 접근할 수 있는 방법으로는 관상두피절개(bicoronal scalp incision)가 있다. 하부 피라미드 손상에서는 양측 경계절개(marginal incision)와 비주절개(transcolumellar incision)를 이용하여 비외접근법 코성형술(open rhinoplasty)을 이용할 수 있다. 골절선을 충분히 노출시킨 후에 골절편을 고정시키는 방법에는 여러 가지가 있다. 작고 얇은 철사(small-gauge wire)를 골절편들을 관통하여 상악골이나 전두골에 고정시킬 수도 있고, 티타늄 마이크로플레이트(microplate)를 이용하여 고정할 수도 있다. 이는 와이어보다 외부에서 만져지는 감촉이 덜하다. 최근에는 생체흡수 플레이트(bioabsorbable plate)를 사용하는 보고도 있으나 아직까지 효용성이 입증되지는 않았다. 구조적

지지가 좋지 않거나 비골 피라미드나 연골의 결손이 심하여 지지가 약해진 경우 자가 두개골이나 늑골 등으로 외팔보 이식(cantilever graft)을 하여 교정할 수 있다.[8]

7. 소아 비골 골절

소아의 비골 골절은 성인과 비교하였을 때 진단과 치료에 있어서 보다 신중해야 한다. 해부학적으로 소아의 코는 연골부분이 많고, 앞으로 돌출되어 있는 부분이 적기 때문에 보다 휘어지기 쉽다. 그러므로 외부의 충격이 주변 구조물로 잘 퍼지게 되고 이로 인해 안면골의 손상이 동반되는 경우가 많다. 부드럽고 휘어지기 쉬운 코는 불완전 굴곡골절이 되기 쉽고 이로 인해 성인과 달리 골절을 촉지하는 것이 어렵다. 이런 경우 단순 X선 촬영이 굴곡 골절을 판단하는 데 도움을 줄 수 있다. 소아에서는 비골의 불완전한 골화로 인해 소아의 안면이나 앞쪽 두개부의 외상 시 비골 골절의 가능성을 신중히 고려해야 한다. 가장 주의해야할 증상으로는 비대칭, 비출혈, 부종, 안와주위 반상출혈, 피부 열상과 비골 염발음이다.

소아에서 발생하는 비외상은 정상적인 코와 안면 발달에 중요한 성장판을 손상시킬 수 있기 때문에 매우 중요하다. 소아의 정상적인 코 성장은 주로 비중격 연골의 성장에 의해 좌우된다. 소아에서 비중격의 성장은 크게 두 번에 걸쳐서 급격히 나타나는데, 첫 번째는 태어나서부터 5살까지이고 두 번째는 10~14살 사이에 나타난다. 그러므로 소아에서는 대부분 비관혈적 정복술이 시행되며 관혈적 정복술은 비중격 성장 시기가 완료된 후까지 미루는 것이 바람직하다.[23,24,25]

소아에서는 골의 치유속도가 빠르기 때문에 좋은 결과를 위해서는 가능한 빨리 비관혈적 정복술을 시행하는 것이 좋다. 정복술 후 작은 비강으로 인하여 유착과 협착이 종종 발생하며, 정복술 후 비중격 부목과 팩킹은 현저한 이득 없이 불편감만 초래하므로 권장되지 않는다.[15] 비록 대부분의 소아에서의 비골 골절은 보존적 치료만으로도 충분하지만 심한 외상에서는 관혈적 교정이 필요할 수 있다. 몇몇 저자들은 이러한 손상에 있어서는 오히려 침습적인 치료가 안면 성장을 방해하지 않으면서 코의 외형과 기능을 교정하는 데 도움이 된다고 증명하였다.[21]

II 비안와사골복합체 골절

1. 개요

과거 비안와(naso-orbital) 골절, 비사골복합체(naso-ethmoid complex) 골절로 불렸던 비안와사골복합체(nasoorbital-ethmoid complex fracture) 골절은 코의 배부 혹은 내안각 부근에 심한 충격이 가해졌을 시에 발생하며 안면골의 다른 부위 골절과 연관되어 발생한다. 비안와사골복합체 골절은 골절 부위 및 동반된 다른 골절 여부에 따라 예후가 달라지며, 신체 검진 및 컴퓨터 단층촬영 분석을 통하여 손상의 범위와 재건의 방법 등을 신중히 결정해야 한다. 만족스러운 치료 결과를 얻기 위해서는 안각간거리(intercanthal distance)와 내안각 인대가 중요하다. 비안와사골 복합체 골절은 흔히 단측성, 양측성, 단순, 분쇄 골절로 나뉘며, 편의상 3개의 형태로 분류한다.[12] 제 I형은 내안각 인대가 부착된 내측 안와연의 한 부분이 골절된 단순 골절로 내안각 인대의 손상은 없다. 제 II형은 내안각 인대가 부착된 채로 발생한 분쇄 골절이며, 제 III형은 분쇄 골절 및 내안각 인대 파열이 동반되어 있는 경우이다. 이와 같은 I, II, III형의 골절은 일측 또는 양측으로 생길 수 있다(그림 39-6).

2. 해부학 및 병태생리

비안와사골 영역은 비골, 안와, 두개골 및 상악으로 이루어져 있으며 골절 시 만족스러운 결과를 위해서는 각각의 부위를 재건해주어야 한다. 구조적인 강도는 전두-상악 지지대(frontomaxillary buttress)에 의해 결정되며,

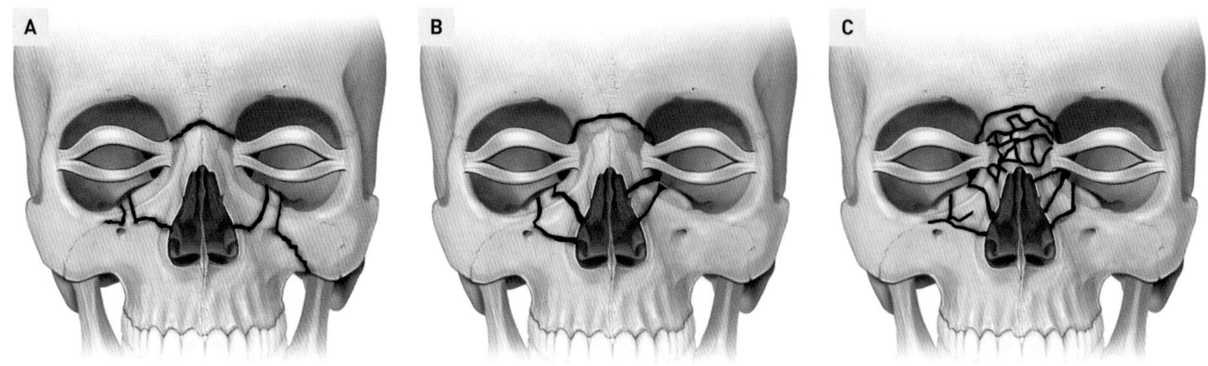

■ 그림 39-6. A) 제 I형: 내안각 인대의 손상 없이 단순 골절만 있는 경우, B) 제 II형: 내안각 인대의 손상은 없으나 분쇄 골절인 경우, C) 제 III형: 내안각 인대의 손상이 동반되면서 분쇄 골절인 경우

이는 재건 시에 주변 골절편들의 지지대 역할을 담당한다. 내측 구조물인 지판, 누골, 사골은 얇고 부서지기 쉬워 주로 분쇄 골절이 많고 내측 전위가 잘된다. 내안각 인대는 누골 및 상악골의 전두돌기 부위에 부착되어 있으며 손상 시 골부의 재건과 인대의 재결합은 양안격리, 안구함몰, 및 누기관 기능 이상을 예방하기 위해 필수적이다. 정상인의 평균 안각간거리(intercanthal distance)는 30~35 mm로 알려져 있으며, 부종으로 인하여 안각간거리를 측정하기 어렵다면, 동공간거리(interpupillary distance)를 측정해 그 절반 값을 구하면 안각간거리와 유사한 측정값을 얻을 수 있다. 비안와사골복합체 골절 시 사골동은 사상판(cribriform plate)과 인접해 있기 때문에 뇌척수액 유출, 기뇌증 및 후각신경 손상이 나타날 수 있다. 비전두관(nasofrontal duct)은 후하방 방향으로 확장되어 사골동을 통하여 비강의 중비도로 내려가는데, 비안와사골복합체 골절 시 비전두관 손상이 동반될 수 있다.

3. 진단

비안와사골 영역에서 골절은 신체 검진과 컴퓨터 단층촬영을 통하여 진단한다.[9,20] 단순 X선 촬영은 골 구조가 겹쳐 보이기 때문에 손상의 정도 및 위치를 판단하기가 어렵다. 신체 검진 시 내안각의 정상적인 예각이 소실되었을 때 골절을 의심할 수 있으며, 정상적으로 내안각은 상안검과 하안검의 경계에 의해 형성되는 예리한 예각을 보이나 내안각 인대가 손상되면 이러한 예각이 없어지고 둔각이 된다. 그리고 하안검이 아래로 내려오기 때문에 공막이 건측보다 많이 보이는 소견을 보인다. 내안각 인대 손상 시 양안격리를 관찰할 수 있는데, 정상인에서 안각간 거리는 동공 간 거리의 50% 정도이기 때문에 이보다 간격이 벌어져 있으면 진단적 가치가 있다. 비안와사골 손상을 입은 환자에서 신체 검진과 함께 컴퓨터 단층촬영을 병행하는 경우 진단의 결과가 가장 좋다.

4. 치료

비안와사골복합체 골절의 치료는 진단과 함께 빠르고 적절한 수술적 조치가 필요하다. 특히, 내안각 인대 손상 시 적절한 교정을 해야 미적으로 만족스러운 결과를 얻을 수 있어 내안각 인대 손상여부를 자세히 살피는 것이 매우 중요하다.[9,12,20] 골절부위 노출 위한 절개법으로는 관상두피 절개가 흔히 사용되며 전두골의 비골돌기를 따라서 상악골 전두돌기 쪽으로 주의 깊게 박리하여 안와의 위쪽과 내측으로 접근하는 것이 골절편과 연조직 처치에 유리하다.

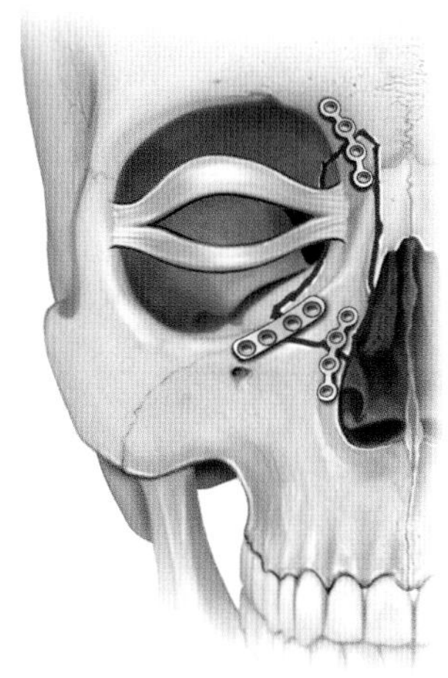

■ 그림 39-7. **비안와사골복합체 골절 치료.** 삼점 고정(Three point stabilization)

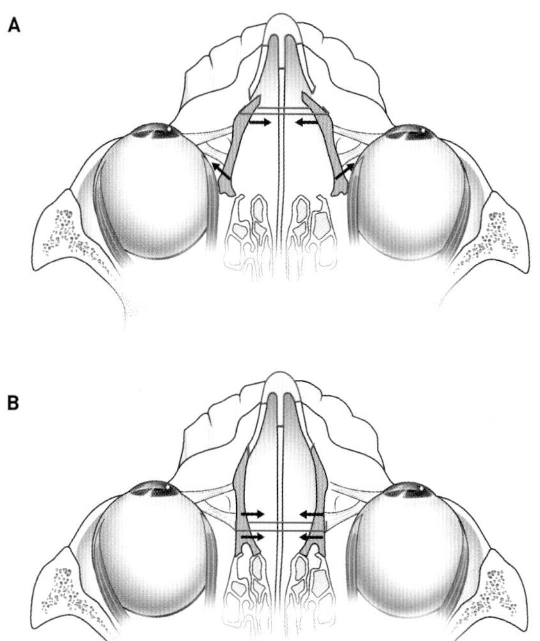

■ 그림 39-8. 경비강 강선고정 강선이 누선와 **(A)** 전방에 위치하면 수술 후에 원안각(telecanthus)이 발생할 수 있으므로 이를 방지하기 위해 반드시 누선와 **(B)** 후상방에 강선고정을 위치시킨다.

1) 제 I형

전위가 없는 단순 골절은 수술적 정복이 필요 없다. 전위가 있는 경우 관상두피 절개, 안검하 절개(subciliary incision), 구순하 절개(sublabial incision) 등을 통하여 골절부위를 노출시키고 마이크로 플레이트를 이용하여 전위된 골절편을 주위의 안정된 골편에 고정해준다. 고정 시에는 3부위 고정법(three point stabilization)이 기본술기로, 비전두 접합부와 비안와사골복합체의 고정, 비안와사골복합체와 상악골의 고정, 그리고 비안와사골복합체와 안와하연(infraorbital rim)의 고정을 포함한다(그림 39-7).

2) 제 II형

분쇄된 골절편을 고정하려면 골절부위를 광범위하게 노출시키고 먼저 작은 골파편들을 강선고정(wiring)을 한다. 내안각 인대의 재부착은 마지막에 시행하는데 내안각 인대 상하부에 각각 드릴로 구멍을 뚫어 강선을 외측에서 내측으로 통과시킨 후 내측에서 강선을 꼬아 단단히 고정시키고, 이렇게 정복된 골절편과 내안각 인대는 경비강 강선고정을 통해 반대쪽 안와에 고정한다. 이때 구멍이 누선와의 앞으로 지나게 되면 내안각 인대가 붙은 골절편이 외측으로 전이되기 쉬우므로 반드시 누선와의 후상방으로 구멍을 만들어야 한다(그림 39-8).

3) 제 III형

제 III형 골절은 경비강 강선고정을 양측으로 시행할 수 없을 정도로 누선와나 후누릉(posterior lacrimal crest)에 골 손실이 있는 경우에 해당된다. 그러므로 이러한 경우 내안각 인대를 찾아 골절편과 연결시키는 것이 중요하며, 골절편이 없는 경우 자가골을 골절편으로 사용하여 인대에 붙여서 제 위치에 정복한다. 제 III형 골절은 대부분 비골이 심각하게 변형되어 비근부의 소실이 동반되기 때문에 자가골을 이용한 융비술을 함께 시행하게 된다.

참고문헌

1. 대한안면성형재건학회. 얼굴 성형 재건. 1st ed. Seoul, Korea: 군자출판사; 2014.
2. 한기환, 박찬흠. 임상사진술의 모든 것. Seoul, Korea:군자 출판사; 2008.
3. Alvi A, Doherty T, Lewen G. Facial fractures and concomitant injuries in trauma patients. Laryngoscope 2003;113:102-6.
4. Anderson PJ. Fractures of the nasal skeleton in children. Injury 1995;26:47-50.
5. Burke E. Chegar, Sherard A. Tantum III, Nasal Fractures, In: Paul W. Flint, Bruce H. Haughey, Valerie Lund, et al, eds. Cummings otolaryngology: head and neck surgery. 6th ed, Philadelphia, PA: Elsevier Saunders, 2015, p 497-8
6. Daw JL, Lewis VL. Lateral force compared with frontal impact nasal fractures: need for reoperation. J Craniomaxillofac Trauma 1995;1:50-5.
7. Dickson MG, Sharpe DT. A prospective study of nasal fractures. J Laryngol Otol 1986;100:543-51.
8. East CA, O'Donoghue G. Acute nasal trauma in children. J Pediatr Surg 1987;22:308-10.
9. Frodel JL. Management of the nasal dorsum in central facial injuries: indications for calvarial bone grafting. Arch Otolaryngol Head Neck Surg 1995;121:307-12.
10. Hoffmann JF. Naso-orbital-ethmoid complex fracture management. Facial Plast Surg 1998;14:67-76.
11. Holt GR. Biomechanics of nasal septal trauma. Otolaryngol Clin North Am 1999;32:615-9.
12. Illum P, Kristensen S, Jorgensen K, Brahe Pedersen C. Role of fixation in the treatment of nasal fracture. Clin Otolaryngol Allied Sci. 1983;8(3):191-5.
13. Markowitz BL, Manson PN, Sargent L, et al. Management of the medial canthal tendon in nasoethmoid orbital fractures: the importance of the central fragment in classification and treatment. Plast Reconstr Surg 1991;87:843-53.
14. Olsen KD, Carpenter RJ, Kern EB. Nasal septal injury in children Arch Otolaryngol 1980;106:317-20.
15. Park CH, Min BY, Chu H R, Lee JH, Chang KH, Jung KN, Hong SJ. New classification of nasal bone fractures using computed tomography and its clinical application. J Clinical Otolaryngol 2005;16:270-4.
16. Park CH, Kim DY, Chun JH, et al. The clinical and radiological evaluation of results about closed reduction for children with nasal bone fractures. Korean J Otolaryngol 2005;48:34-9.
17. Park CH, Joung HH, Lee JH. Usefulness of ultrasonography in the treatment of nasal bone fractures. J Trauma 2009;67:1323-6.
18. Renner GJ. Management of nasal fractures. Otolaryngol Clin North Am 1991;24:195-213.
19. Ridder GJ, Boedeker CC, Fradis M, et al. Technique and timing for closed reduction of isolated nasal fractures: a retrospective study. Ear Nose Throat J 2002;81:49-54.
20. Rohrich RJ, Adams WP. Nasal fracture management: minimizing secondary nasal deformities. Plast Reconstr Surg 2000;106:266-73.
21. Rosenberger E, Kriet JD, Humphrey C. Management of nasoethmoid fractures. Curr Opin Otolaryngol Head Neck Surg 2013;21:410-6.
22. Schrader M, Jahnke K. Tragal cartilage in the primary reconstruction of defects resulting from a nasal septal abscess. Clin Otolaryngol 1995;20:527.
23. Staffel JD. Optimizing treatment of nasal fractures. Laryngoscope 2002;112:1709-19.
24. Stucker FJ, Bryarly RC, Schockley WW. Management of nasal trauma in children. Arch Otolaryngol 1984;110:190-2.
25. van Loosen J, Baatenburg de Jong RJ, van Zanten GA, et al. A cephalometric analysis of nasal septal growth. Clin Otolaryngol 1997;22:453-8.
26. Verwoerd CD. Present day treatment of nasal fractures: closed versus open reduction. Facial Plast Surg 8:220, 1992.
27. Werther JR. External rhinoplasty approach for repair of posttraumatic nasal deformity. J Craniomaxillofac Trauma 1996;2:12-9.

CHAPTER

40

악안면 외상

이비인후과학 Otorhinolaryngology - Head and Neck Surgery

권재환, 김경수

악안면 외상은 응급상황에서 흔하게 마주칠 수 있으며, 악안면의 뼈는 신체의 골격을 이루는 부분 중 아주 복잡하게 구성되어 있기 때문에 여러 과 전문의와의 협의 치료가 필요한 상태가 많다. 악안면 외상의 평가는 특별한 주의가 필요한데 그 이유는 안면부에 중요한 감각기(시각, 청각, 체성감각, 미각, 후각 및 평형감각)가 포함되어 있다는 점과 두경부 부위의 중요 구조물(기도, 혈관, 신경, 위장관계)이 밀접하게 연관되어 있기 때문이다. 또한, 악안면 부위의 미적인 손상에 대한 정신적인 충격은 매우 커서 급성기와 장기간의 심리적인 문제들이 악안면 외상으로 인해 발생할 수 있다. 따라서 악안면 외상에 대해서 분석하는 것은 정상적인 해부학적 구조에 대한 지식뿐 아니라 일반적으로 발생하는 악안면 골절의 양상에 대한 지식이 요구된다.

I 악안면외상 총론

악안면외상의 원인으로 가장 흔한 것은 타인에 의한 폭행(assault)이고, 교통사고, 낙상 및 스포츠 외상 순으로 보고된다. 외상으로 인한 손상은 피부 및 연조직을 침범할 수 있고 골절까지도 발생할 수 있다. 악안면 골절의 빈도순으로는 비골 골절이 가장 많고, 그 다음으로 하악골 골절, 협골 골절의 순이며, 최근에는 진단방법의 발달로 안와 골절의 빈도가 증가 추세에 있다.[3,6] CT의 발달은 악안면외상의 진단 및 평가에서 대단히 중요한 역할을 하고 있으며, 특히 3차원 영상은 술자가 수술 전에 손상의 정도를 정확하게 이해할 수 있도록 도움을 준다. 최근에는 보다 덜 침습적인 수술방법이 개발되고 있으며 내시경과 네비게이션의 도입으로 수술에 많은 도움을 받고 있다.

1. 악안면외상의 초기처치

현재 악안면외상 환자의 처치에 있어서 표준 전문 외상 소생술(Advanced trauma life support; ATLS)을 일반적으로 gold standard로 사용하고 있다. 악안면외상 환자의 사망 원인은 두부 외상, 기도폐쇄로 인한 환기 장애, 흉곽 내 혈관 손상 등 심한 출혈로 인한 쇼크 등이다. 따라서 악안면외상을 평가하기 전에 우선 기도확보, 호흡 및 환기, 순환 및 지혈에 대한 처치를 하고 생명을 위협하는 다른 손상이 있는지 평가하는 것이 중요하다.[40] 특히 악안면 외상 후에 발생하는 오염된 창상과 개방성 골절을 포함한 많은 상황들이 임상적으로는 응급(urgent) 단계로 고려되고 환자가 완전히 안정화될 때까지 치료를 보류할 수 있다.

1) 기도 확보

악안면외상 환자는 후두나 기관지에 대한 직접적인 손상이나 구강 및 인두강의 부종, 출혈 등에 의해 심각한 연조직의 부종으로 인해 이차적으로 기도가 막힐 수 있으므로 기도 확보가 무엇보다도 중요하다. 특히, 항응고제를 복용하는 환자나 응고 질환이 있는 환자에서는 주의를 요한다. 기도 폐쇄를 확인할 수 있는 가장 중요한 방법은 청진이며 탈구된 치아나 골편, 의치 조각, 음식물, 담배 등 이물질이 있는지 주의 깊게 관찰하고 제거하는 것이 기도 확보에 중요하다. 기도확보를 위해서는 환자의 체위가 중요하며, 구강기도 유지기(oral airway)나, 기관 삽관(intubation), 기관 절개술(tracheostomy) 등과 같은 처치가 필요하다.

(1) 환자의 체위

주로 사용되는 자세인 반복와위(semi-prone position)는 혈액, 타액, 뇌척수액의 배출을 용이하게 하고, 입술이나 협부 연조직에 의한 기도 폐쇄를 예방함으로써 기도 유지를 용이하게 한다. 앙와위(supine position)는 경추 손상이 동반된 환자가 아니면 피해야 한다. 불안정한 양측성 하악골 골절 환자에서는 혀 전체가 후방으로 전위될 수 있으므로 손으로 턱을 앞쪽으로 견인하는 것이 기도 확보를 위해 중요하다.

(2) 구강기도 유지기 및 기관 삽관

구강기도 유지기(oropharyngeal airway)를 사용할 수 있으나 의식이 있는 환자에서는 너무 깊이 삽입해서는 안 된다. 불안정한 하악골 골절이 동반된 환자에서는 비인두 튜브(nasopharyngeal tube)가 더 좋다. 총상으로 턱이 심하게 파괴된 경우에는 혀를 전방으로 견인해 주는 것이 무엇보다도 중요한데, 설겸자(tongue forceps) 혹은 수건클립(towel clip)을 이용할 수 있다. Le Fort 골절에서는 상악골과 부착된 연구개가 후하방으로 심하게 전위되어 비인두를 폐쇄할 수 있으므로 비인두 튜브나 기관 절개술을 통한 기도 확보가 필요할 수 있다. 의식이 있는 환자에서는 diazepam, propofol, 근이완제 등을 이용해 마취한 후 삽관하는 것이 좋다. 환자의 머리는 기관(trachea)이 구인두를 향해 하방으로 경사지도록 충분히 낮추어 구토나 갑작스런 심한 출혈로 인한 혈액의 흡인을 예방해야 한다. 대부분의 응급상황에서는 구강을 통한 삽관을 먼저 시도한 후 수술 시기에 맞추어 비강을 통한 삽관을 재시행하는 것이 바람직하다.

2) 쇼크의 처치

악안면외상은 동반된 다발성 골절, 주요 혈관 손상 등으로 출혈성 쇼크를 일으킬 수 있다. 환자의 혈액순환이 적절하지 못하면 빈맥, 저혈압이 발생하고 사지가 창백해지며 호흡수가 증가하고, 동공 확대 등이 나타나는데 이 경우 쇼크를 의심해야 한다. 출혈성 쇼크의 경우 초기 처치로 출혈을 파악하여 지혈해야 하며 수혈이나 수액을 투여하여야 한다.

3) 지혈

악안면외상 환자에서 안면부의 심한 열상으로 인한 다량의 출혈이 있는 경우는 상대적으로 드물다. 일반적으로 비출혈은 자연적으로 멈추지만 경우에 따라서는 팩킹이 필요할 수 있다. 구개부 혈관 손상에 의한 심한 출혈은 혈관, 골막, 골에 이르도록 깊게 봉합하여 지혈할 수 있으며, 실패한다면 풍선(balloon), 거즈 등으로 구개공을 팩킹하는 방법도 있다. 후비공 팩킹으로도 조절되지 않는 비출혈은 사골동맥, 내상악동맥, 외경동맥 등의 결찰 및 색전술이 필요하다.

4) 동반 손상의 평가와 처치

악안면외상 환자의 경우 두부외상을 잘 동반하므로 두피의 타박상, 열상, 두개골 골절의 유무를 관찰하고 동공의 산대를 살펴보아야 한다. 양측 동공산대가 있고 양측이 동일하게 동공반사 반응이 떨어진다면 압박성 두개내 혈종(intracranial hematoma)을, 일측일 경우 시신경 손상을 의심할 수 있다. 이 때 CT가 도움이 되며 수술의 필요 여부를 결정할 수 있다. 이비인후과적으로 귀를 통한 출혈은 측두골 골절을, 귀나 코를 통한 뇌척수액 유출은 두개저 골절이나 뇌경막의 열상을 의심할 수 있다. 이외에도 척추 손상, 사지 골절, 복부손상에 대한 적절한 평가와 처치가 이루어져야 한다.

5) 악안면외상의 평가와 처치

응급상황이 끝나고 환자가 안정되면 악안면외상을 평가하고 처치한다. 문진을 통해 외상의 기전, 의식의 소실 유무, 안구운동의 장애를 포함한 시력의 변화, 어지러움증과 이명을 포함한 청력의 문제, 비강을 통한 호흡의 문제, 통증없이 저작이 가능한지, 치아가 정상적으로 움직이는지에 대한 평가, 얼굴의 이상감각, 저리는 느낌 등을 포함해야 한다. 이학적 검사는 귀, 코, 목 등 악안면 전체를 확인해야 한다. 환자의 머리 위에서 협골의 높이를 확인하여 안면비대칭 유무를 찾고, 비교(nasal bridge)의 폭을 확인한다. 멍, 부종, 열상, 조직의 손실, 이물질, 출혈에 대해 조사하고 촉진을 통해 골절, 염발음(crepitus)의 유무를 파악한다. 안검을 뒤집고 열상 및 이물질을 확인하고, 안구운동, 동공 검사를 포함하여 눈의 손상 유무를 확인한다. 눈의 외상이 의심되면 안과의사에 의해 좀 더 구체적인 검사를 시행한다. 다음으로 코에 대한 평가인데, 탈골이나 안각격리증(telecanthus) 유무를 확인하고, 압통이나 염발음을 촉진을 통해 확인하고, 비중격 혈종, 열상과 뇌척수액 비루를 확인해야 한다. 귀에 대한 평가로는 열상의 유무와 외이도 내 뇌척수액의 존재를 확인하고 고막에 대한 평가를 해야 한다. 혀와 구강에 대한 평가를 하고 하악과 턱관절을 촉진을 통해 가동성 또는 염발음 유무를 확인한다. 치아에 대한 평가에서는 결출(avulsed) 또는 흔들리는 치아를 확인하고, 부정교합에 대한 확인이 필요하다. 치아가 결출되었다면 흡인 유무에 대한 것을 확인한다. 환자에게 설압자 등을 이용하여 씹는(biting) 행위를 하게 하여 통증유무를 확인한다(tongue blade test). 만약 턱의 골절이 있다면 통증이 너무 심해 씹는 것을 어려워한다. 환자의 외이도 내에 손가락을 넣고 하악과(mandibular condyle)를 촉지한다. 환자에게 입을 열고 닫게 했을 때 통증이 있거나 운동에 장애가 있다면 이는 하악과의 골절을 의심할 수 있다. 그 후 세심한 뇌신경 평가를 시행해야 한다. 일반적으로 악안면외상 환자의 일반적 평가에서 CT가 가장 유용하다. 축면(axial view)은 전두동 골절, 비안와사골동 골절, 협골 골절, 상악동 골절, 안와내벽 골절의 평가에 유용하며, 관상면(coronal view)은 안와내벽 및 하벽 골절, Le Fort 골절, 익돌판(pterygoid plate)골절의 평가에 유용하다.

6) 범안면 골절(Panfacial fracture)의 치료원칙

바깥쪽에서 안쪽으로(centripetally) 고정한다. 즉 두개저, 하악골을 먼저 고정하고 중안면골절을 고정하며 중안면 골절도 협골궁, 협골, 비사골복합체, 비골 순으로 외측에서 내측으로 진행하며 고정한다.[33]

2. 연조직 손상의 치료

악안면 외상에서 발생하는 연조직 손상은 찰과상, 절상(incision), 열상(laceration), 자창(puncture injury), 견열(avulsion) 등의 개방성 상처와 좌상(contusion) 등의 폐쇄성 상처가 있다. 이외에도 이물질에 의한 문신, 잔류 이물 등이 있을 수 있다. 상처의 치료 원칙은 지혈, 이물질의 제거, 괴사 조직의 절제, 정확한 해부학적 위치로의 복원, 사강(dead space)의 제거와 적절한 봉합이다.[9,64,65] 안면은 혈관 공급이 풍부하여 보통 4~6일 후에, 눈꺼풀같이 피부가 얇은 경우에는 3~4일 후에 봉합을 제거할 수 있고 귀에서 연골을 봉합한 경우에는 10~14일간 남겨 두는 것이 좋다.[9,64] 연조직의 손상은 심한 부종을 유발하여 기도폐쇄로 이어질 수 있는 상황이므로 주의를 요한다. 연조직의 부종은 어떤 원인에 의해서든 수시간 안에 발생할 수 있음을 명심해야 한다. 또한, 연조직의 부종은 앙와위 자세에서 정맥압의 상승과 림프배출의 감소로 인해 악화될 수 있다.

1) 폐쇄성 상처

좌상은 둔상(blunt trauma)에 의한 타박상으로서, 피부의 심각한 손상은 드물고 대개 소독과 관찰만으로도 충분하다. 대부분의 안면부 좌상은 자연 치유되지만 피막화(encapsulated)된 좌상이나 혈종이 동반된 경우 수술적 치료가 필요하다. 찰과상은 비자극성 비누나 항균성 용제로 무균 소독한 후 개방해 놓는 것이 가장 좋다. 필요한 경우 항생제 연고나 cellulose acetate 거즈 등 가벼운 혈청 흡수형 소독을 하고 면거즈로 덮어 준다.

2) 개방성 상처

절상은 칼에 베인 것과 같이 경계가 깨끗한 상처인 반면, 열상은 불규칙한 상처이다. 열상은 가장 흔한 형태이며, 합병증 없이 봉합이 가능한 단순 표재성 열상(simple superficial laceration)에서 형태나 기능에 심각한 합병증을 남기는 형태까지 다양하다.

연조직 손상 중 가장 보기 흉한 손상 중 하나가 견열 손상이다. 만약 견열 손상에 의해 생긴 피판이 작고, 뺨이나 앞이마 등의 위치에 있다면 단순히 타원형으로 절제한 후 층별로 단순 봉합하면 된다. 단순 봉합이 불가능한 결손 부위는 반흔에 의한 자연치유보다는 인접조직끼리 일차 봉합하거나 피판 혹은 조직이식을 하여 덮어주어야 한다.[9]

악안면 관통상(penetrating trauma)은 심부조직의 손상 때문에 매우 위험하며 안면신경, 이하선관, 눈물기관(lacrimal apparatus)의 손상 가능성을 확인하여 즉각 복원해 주어야 한다. 안면신경이 절단된 경우 가능하면 빠른 시간 내에 봉합해야 기능을 회복할 수 있다. 이하선관의 손상은 협부손상 및 관통상에서 반드시 평가해야 하나 발견하지 못하는 경우가 흔하고 안면신경의 협지(buccal branch)의 손상과 동반되는 경우가 많다. 이하선관 손상의 가장 흔한 증상은 상처부위에 침이 흘러나오는 것이며, 소식자(lacrimal probe)를 이용하여 진단할 수 있고 대부분 현미경을 이용하여 8-0 나 9-0 nylon으로 봉합한 후 실라스틱 스텐트(silastic stent)를 7~10일 정도 유치한다. 수상 초기 이하선관의 손상을 발견하지 못한 경우 감염된 타액선류(sialocele)가 발생하며 이 경우 누공 형성으로 봉합이 대단히 어렵다. 이하선관 손상의 진단이 늦어 복원이 불가능하거나 실패한 경우, 소타액선관(minor salivary gland duct)이나 이하선 실질의 손상으로 누공이 형성된 경우에는 항콜린제로 타액의 양을 줄이거나 압박하는 보존적 치료를 시행하게 되며, 누공이 지속되면 표재성 이하선 적출술(superficial parotidectomy)을 고려한다. 내안검(medial canthus)의 상·하 눈꺼풀(upper, lower eyelid)의 열상이 있으면 눈물 기관의 손상을 의심해야 하고, 스텐트를 넣고 8-0 nylon으로 봉합한다.[12]

3) 이물로 인한 문제

사고로 인한 문신은 적절히 처치하지 않으면 보기 흉

표 40-1. 골절의 유형에 따른 정의

단순골절(simple)	외부와 교통하지 않는 하나의 골절선으로 구성된 골절
개방골절(compound/open)	외부와 교통하는 골절
약목골절(greeenstick)	주로 소아에서 발생하며 골연속성의 불완전한 손상으로 골의 완전한 단절없이 변형만을 유발
분쇄골절(comminuted)	골절부위의 골절편이 여러 조각인 것
복잡골절(complex/complicated)	골절주위의 혈관, 신경 또는 관절의 손상을 동반한 것
감입골절(telescoped/impacted)	한 골편이 다른 골편에 깊고 단단하게 박힌 골절
직접/간접골절(direct/indirect)	직접 : 손상이 가해진 부위의 골절 간접 : 손상이 가해진 곳에서 떨어진 부위에 생긴 골절
병적골절(pathologic)	병변에 의해 약해진 골에서 정상적 동작중에 저절로 발생하거나 가벼운 손상으로 인해 발생하는 골절

한 색으로 피부에 영구적으로 남는다. 진피 내에 함입된 소량의 입자는 12~24시간 내에 조직에 고정되기 때문에 즉시 제거하여야 하며, 적절한 마취하에 단단한 무균솔과 비눗물로 강하게 문지르면 대부분의 문신을 만들 수 있는 이물질을 제거할 수 있다. 총기류나 폭발물에 의한 파편은 대개 깨끗하게 들어가 안면부 깊이 위치하기 때문에 만약 조직 반응이 적다면 특별한 조치 없이 관찰하는 것이 오히려 손상을 줄이는 방법이다. 그러나 유리나 장신구용 금속, 나무 파편, 치아 조각 등은 반드시 제거해야 된다.

3. 악안면 골절에 대한 기초지식

1) 골절의 분류

골절의 분류방법에는 여러 가지 기준이 있는데 우선 골절선 방향에 따른 분류로는 불리 골절(unfavorable fracture)과 유리골절(favorable fracture)이 있다. 골절 상태에 따른 분류로는 단순골절(simple fracture), 개방골절(compound, open fracture), 약목골절(green stick fracture), 분쇄골절(comminuted fracture), 복잡골절(complex, complicated fracture) 및 감입골절(telescoped, impacted fracture)이 있고, 발생 원인에 따른 분류로는 외상성 골절(traumatic fracture)과 병적 골절(pathologic fracture) 등으로 분류할 수 있다. 또한, 위치에 따라 전두동과 전두골을 포함하는 상안면(upper third face)골절과 비골 비중격, 비사골 복합체(naso-ethmoid complex), 안와, 협골, 상악을 포함하는 중안면(middle third face)골절, 하악을 포함하는 하안면(lower third face)골절로 나눈다(표 40-1).[64]

2) 골절의 치유(Fracture Healing)

골절의 치유는 손상된 골이 원래의 크기와 형태로 점진적으로 회복되는 과정을 말한다. 골절의 치유에는 골부 자체 이외에 세 가지의 다른 조직인 골 외막(periosteum), 골 내막(endosteum) 그리고 혈종(hematoma)이 관여한다. 골절의 치유과정은 조직학적으로 볼 때 염증기(inflammatory phase), 복원기(reparative phase), 재형성기(remodelling phase)의 세 과정이 연속적으로 중복되면서 진행된다.

(1) 염증기

골절을 일으키는 외상으로 인해 혈종이 형성되고 조직이 괴사한다. 혈종은 응고되어 응혈괴(blood clot)를 형성하고 괴사된 조직에서 유리된 염증유도체에 의해 급성 부종이 발생한다. 급성 부종은 일종의 부목(splint)기능을 하게 되어 골절의 부동화(immobilizaition)에 도움을 준다.

(2) 복원기

골절부에 형성된 혈종에서 기질화(organization)가 진행되고 골절부위에 새로운 골 조직을 만드는 대부분의 세포들이 육아조직과 함께 나타나 가골(callus)을 형성한다. 이 가골은 연골 내 골화 과정을 거쳐 점차 성숙한 골 조직으로 대치된다.

(3) 재형성기

임상적 치유란 골절부위를 조작할 때 움직임이 없는 상태를 말하는데, 바로 이 시기가 재형성단계의 시작이다. 재형성기의 가골은 기계적 자극에 반응하여 성숙 층판골(mature lamella bone)로 대치되고 불필요하게 과도히 형성된 가골은 점차 흡수되어 정상적인 모양과 강도를 되찾는다.

3) 골절치료의 목적

골절치료의 목적은 손상된 골 조직을 재결합시켜 골절 이전의 강도를 유지하여 골 기능을 회복하는 것이다. 골절에 대한 치료는 보존적 치료와 수술적 치료로 대변되며, 전이가 심한 골절은 대부분 수술적 치료를 요한다. 골절치료에서 정복(reduction)이란 전위된 골편을 본래의 해부학적 위치로 복원시키는 것으로 비관혈적 정복(closed reduction)과 관혈적 정복(open reduction)으로 나누며 비관혈적 정복은 쉽게 시행할 수 있고 혈행을 보존할 수 있다는 장점이 있지만 정확한 골절 정복 및 고정을 할 수 없다는 단점이 있다. 관혈적 정복은 눈으로 골절부위를 직접 관찰함으로써 정확히 정복할 수 있는 장점은 있지만 피부 반흔이 생길 수 있고 시간이 많이 소요된다.

고정(fixation)은 정복부위를 안정화시켜 골 결합이 일어나게 도와주는 것으로 고정 시의 내고정의 안정성에 따라 골절의 치유과정이 결정되는데 골절 고정의 안정성은 골절부위에서 변형의 양을 결정하게 되며, 변형은 골절부위에서 일어나는 골절의 치유형태를 결정하게 된다. 이러한 고정의 방법으로는 직접고정과 간접고정 두 가지로 나눈다. 직접고정은 골절부위를 가로질러 직접 고정하는 것으로 고정의 강도에 따라 골간 강선결찰 고정(interosseous wiring), 소강판 고정(miniplate), 압축강판 고정(compression plate) 등으로 나눈다. 간접고정은 골절 부분을 직접 고정하지 않고 골절된 골의 근위부나 원위부를 고정하는 것으로 악간고정(intermaxillary fixation)이 대표적인 간접고정이다.

안면골절의 고정에 사용되는 물질은 골간 고정에 이용되었던 철사에서 플레이트나 나사못 등으로 발달되어 왔으며, 최근에는 흡수 가능한 플레이트(absorbable plate)도 널리 사용되고 있다.[5,55]

II 악안면 외상 각론

1. 전두동 골절

전두동을 포함함 전두골은 안면에서 가장 강한 뼈 중의 하나이기 때문에 골절이 발생하는 데는 아주 강한 힘이 가해져야 한다. 이러한 이유로 안면골 골절의 대부분은 중안면과 하안면에 일어나고 상안면 골절은 비교적 드물어 전두동 골절은 전체 안면골 골절의 5~15%에 불과하다.[14,43,52] 반면에 전두동 골절은 흔히 두개내손상을 포함한 다발성 동반 손상과 자주 연관되어 나타나는데, 동반되는 악안면 골절로는 안와 골절이 가장 많고, 상악골 골절, 협골궁 골절 및 비안와사골 골절 등도 자주 연관되어 나타난다.[62] 원인은 주로 외상이며, 그 중 교통사고가 가장 흔하다.[19]

1) 병태생리

전두동은 구조가 복잡하고 모양이 불규칙하며 점막은 외상을 당했을 때 낭종을 형성하는 독특한 특징을 가진다. 낭종은 시간이 지나면서 감염되어 점농액류(mucopyocele)를 형성하고 전두골에 골수염을 일으킬 수 있으

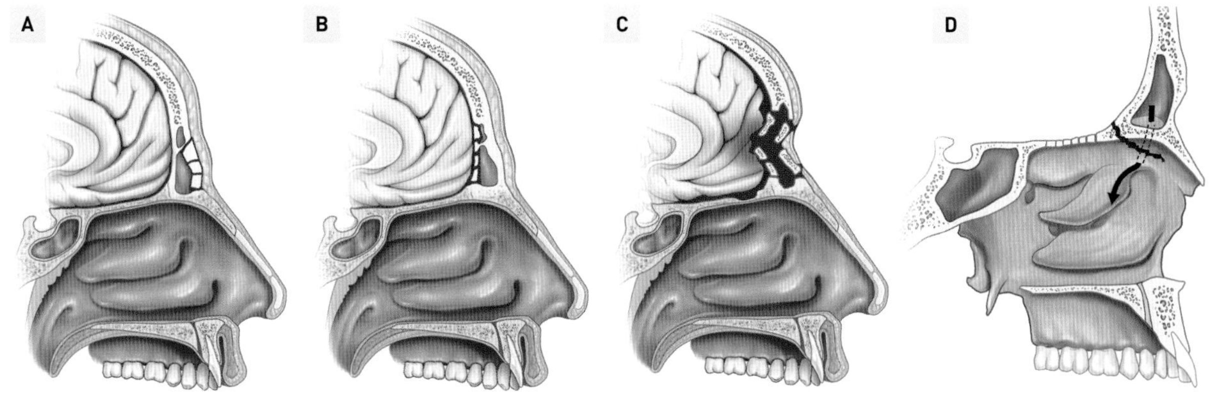

■ 그림 40-1. **전두동 골절의 유형.** A) 전벽골절, B) 후벽골절, C) 관통골절, D) 비전두관 골절

며, 더 심한 경우 두개 내 감염을 일으킬 수 있다. 점액류(mucocele)의 발생에 대해서는 논란이 있지만 골절이 비전두관을 가로질러 관의 협착이 발생하고, 동내의 분비액이 저류되어 발생한다는 설과, 부러진 골편이 함몰되면서 골편 사이에 점막이 끼게 되고, 이때 손상된 점막이 변형되어 낭종을 형성한다는 설이 있다.[14] 전두동은 후벽 내면에 있는 많은 혈관공(vascular foramina; foramen of Breschet)을 통하여 상피하부로부터 정맥이 지주막하공간(subarachnoidal space)으로 들어가게 되는데 이 혈관들이 전두동으로부터 지주막하공간으로 염증을 파급하는 역할을 한다. 이러한 Breschet 혈관공 때문에 전두동을 폐쇄(obliteration)할 때는 반드시 혈관공에 함입되어있는 점막을 드릴로 갈아내어 완전히 제거하여야 한다.

2) 분류

해부학적 위치, 골절 형태, 골편의 전위, 분쇄골절의 유무, 손상된 부비동 벽과 비안와사골 복합체와 전두개저의 동반 손상 유무 등을 기준으로 여러 가지 형태의 전두동 골절 분류방법이 보고되었다.[14] 가장 기본적인 분류로는 전두동 골절은 크게 전벽 골절(anterior table fracture), 후벽 골절(posterior table fracture), 비전두관 골절(nasofrontal duct fracture)로 분류할 수 있으며, 그 외 관통 골절(through-and-through fracture), 기저부(floor)와 모서리(corner) 골절을 추가하기도 한다(그림 40-1).[14,73] 전두동 골절은 전벽 골절이 후벽 골절보다 흔하며, 단독으로 발생하는 후벽 골절은 드물다.

3) 신체검사

연조직 손상으로 전두부에 부종이 있어 골절의 유무를 판단하기가 곤란한 경우가 흔하다. 술 전에 가장 중요한 사항은 뇌척수액 비루의 유무이다. 뇌척수액 비루가 확인되면 이는 뇌막손상을 동반한 후벽골절을 의미하기 때문이다. 상안와신경(supraorbital nerve)의 손상이나 두개골 함몰은 동반된 열상을 통해 광범위한 염증을 유발할 수 있으며,[8,20,27] 비사골이나 상안와골절을 동반한 전벽골절에서는 전두동의 배액에 문제가 발생할 수 있음을 고려해야 한다. 대량의 출혈은 뇌손상을 동반하는 관통골절에서 볼 수 있는데, 특히 상시상정맥동(superior sagittal sinus)이 잘렸을 경우 생긴다.

4) 영상의학적 진단

단순 방사선 영상은 Caldwell 영상과 측면영상(lateral view)이 가장 유용하며 전두동에 골절선과 혼탁이 있으면 전두동 골절을 진단할 수 있다. 전두동의 골절은 종종 뇌손상과 같이 발생하기 때문에 두부의 CT촬영이 필요하고 이때 두부 내 손상과 함께 전두동의 골절을 간과하지 않

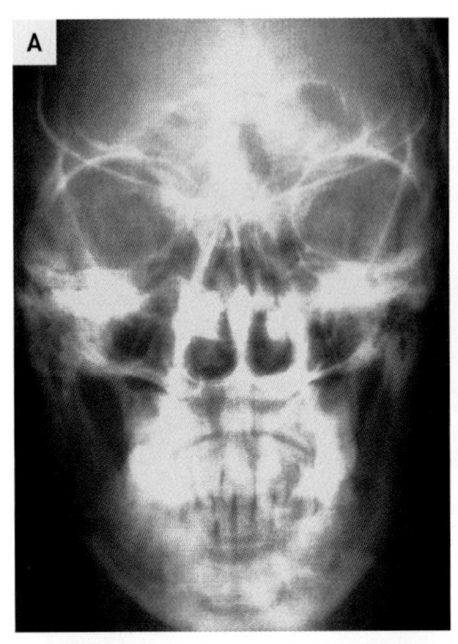

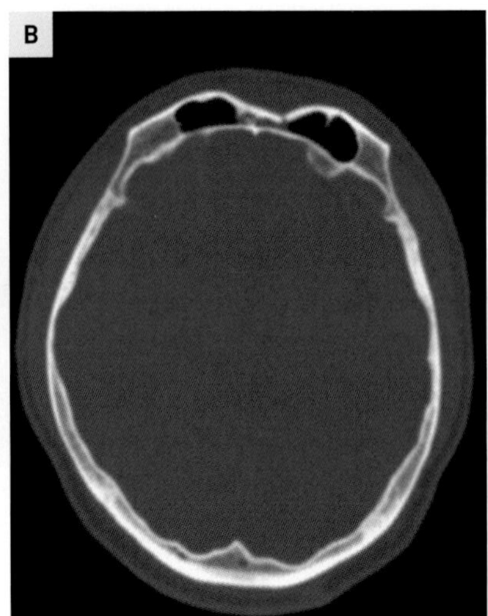

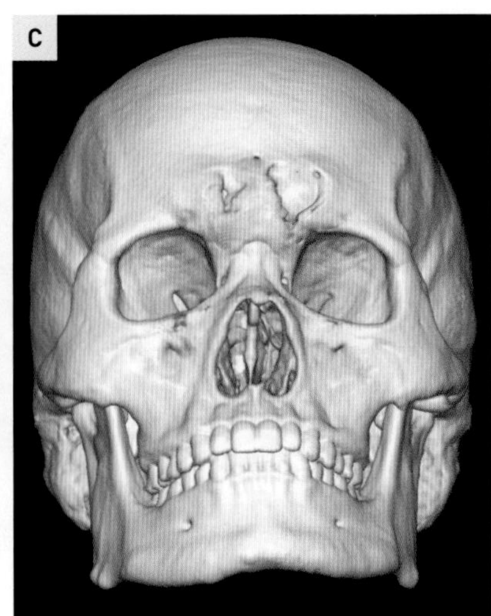

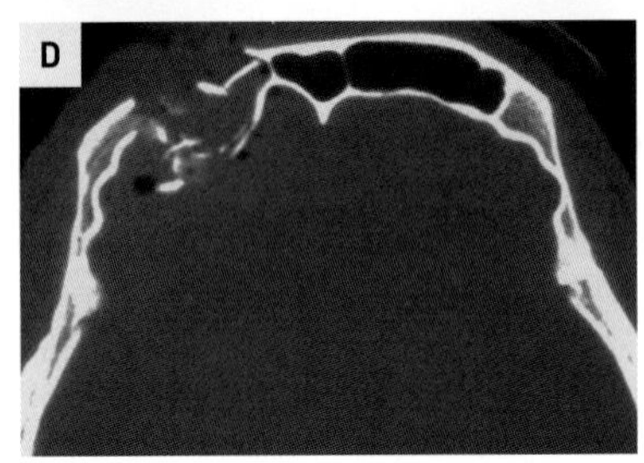

■ 그림 40-2. **전두동 골절의 영상학적 진단.** **A)** 전두동 골절의 단순 방사선 사진으로 골절선이 선명히 보인다. **B)** 전두동 전벽의 함몰 골절. **C)** 전두동 전벽 골절의 3D CT 소견으로 입체적으로 골절을 쉽게 확인할 수 있다. **D)** 우측 전두동의 전후벽 골절(관통골절)

도록 주의하여야 한다. 1~2 mm 간격의 세밀한 CT촬영(Multidetector computed tomography; MDCT)이 필요하며 대부분 축상면(axial) CT로 손상을 정확히 진단할 수 있고, 3D CT는 입체적인 골절 양상을 파악할 수 있으며, 특히, 비전두관의 손상을 평가에 용이하기 때문에 수술적 치료계획에 도움을 줄 수 있다(그림 40-2).[24,50]

5) 치료

전두동 골절의 치료 목적은 미용적인 회복, 전두동 기능의 회복과 합병증의 예방에 있다. 전두동 골절의 치료는 다음 세 가지의 임상적인 측면을 고려해야 하는데, 첫째는 골절의 위치와 전위의 유무,[43,63] 둘째는 뇌막과 뇌의 손상 유무,[61,81] 셋째는 전두동 배액기관의 침범 유무이다.[43] 일반적으로 전위되지 않은 전두동 골절은 수술하지 않고 경과 관찰하며 대략 6주 후 X-ray를 촬영하여 전두동 내의 혼탁 음영이나 기수면이 없어짐을 확인하여야 한다. 만일 기수면이나 혼탁음영이 그대로 존재하면 내시경 등을 이용하여 배액하여야 하고 깨끗한 경우에도 6개월이나 1년 후 CT를 촬영하여 점액류의 발생 가능성이 있는지 파악하여야 한다.[73] 전두동골절의 수술 적응증은 (표 40-2)와 같다.[61]

표 40-2. 전두골 골절에서의 수술의 적응증

전두동 전벽에 함몰 골절이 있는 경우
방사선 소견상 비전두관에 골절이 있는 경우
비전두관이 폐쇄된 경우
전두동 후벽골절로 인해 경막이 찢어진경우
지속되는 뇌척수액 유출
동내에서 기수면(aid-fluid level)이 보이거나 두개강에 기뇌가 있어 시험개방이 필요한 경우

(1) 수술 접근법

골절 부위에 접근하는 절개방법으로는 양측 관상 절개

(bicoronal incision), 눈썹 절개(eyebrow incision), 나비 절개(butterfly incision), Lynch 절개 및 열상을 통한 절개 등이 있다(그림 40-3).[15] 관상 절개는 이마 모발선 후방 2~3 cm에 절개를 가하고 모상건막하면(subgaleal plane)에서 피판을 들어 얼굴 쪽으로 젖히는데 이때 피판에 들어 있는 상안와신경 및 동맥 등을 손상하지 않도록 조심한다(그림 40-4).

관상절개
피부열상을
이요한 절개
나비 절개

■ 그림 40-3. **전두동 골절 치료에 이용되는 절개법**

(2) 전벽골절의 치료

전위된 전벽골절이 가장 흔하며 비안와사골 복합체나 안와 상연(supraorbital rim)을 침범한 경우 25~50%에서 비전두관을 침범한다.[69,70] 전위되지 않은 선상골절은 경과 관찰만 해도 무방하지만, 전위골절은 수술하지 않을 경우 전두부가 함몰되고 점액류가 형성될 수 있기 때문에 수술하여야 한다. 피부 절개 후 골편이 노출되면 골편에 붙은 골막을 최대한 보존하면서 피부갈고리(skin hook)나 작은 골갈고리(bone hook)로 골편을 잡아 올려 정복한다. 정복한 후 고정할 필요가 없는 경우도 있지만 다시 전위될 가능성이 있거나 함몰골절이 있는 경우, 비전두관의 손상이 의심되는 경우에는 철사나 미세강판 등으로 고정한다. 소실된 골편으로 인한 전두동 전벽의 결함이 크면 두개골 이식편(calvarial bone graft)이나 장골 이식편(iliac bone graft)으로 재건하여 준다. 환자는 6주간 엎드려 자면 안 되고, 수술부위의 외상은 피해야 한다(그림 40-5).

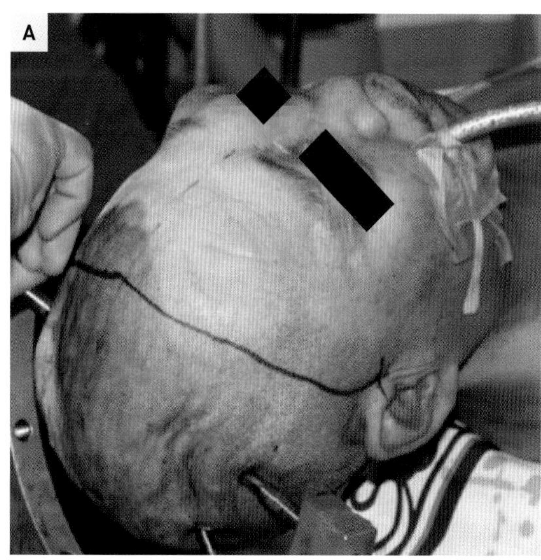

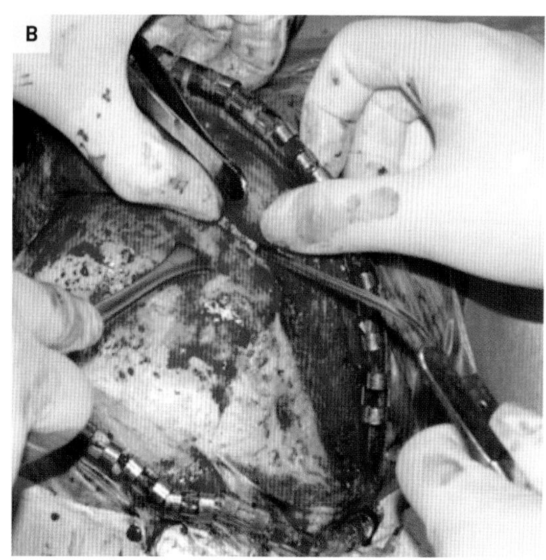

■ 그림 40-4. **관상절개 사진. A)** 모발선 2~3 cm 뒤쪽에서 모발선을 따라서 절개선을 도안한다. **B)** 모상건막하면(Subgaleal plane)으로 출혈도 적고 쉽게 박리를 할 수 있다.

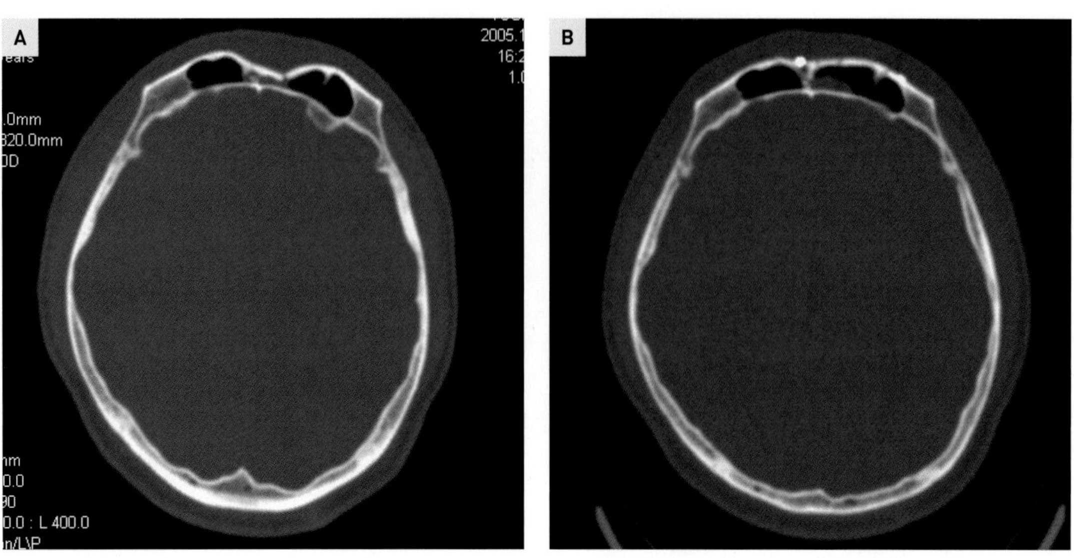

■ 그림 40-5. **전두동 전벽 골절의 정복.** **A)** 전두동 전벽의 골절편이 함몰된 소견을 보인다. **B)** 수술 후 함몰된 전벽이 원위치로 정복되었다.

(3) 후벽골절의 치료

후벽골절 치료에 대한 의견은 아직도 치료자에 따라 논란이 있지만 주된 치료는 골성형피판(osteoplastic flap)을 이용한 전두동 폐쇄술이다. 대부분에서 전벽골절이 같이 동반되며 그렇지 않는 경우 전두동 전벽 골피판을 만들어 전두동 내로 접근하면 후벽의 골절 정도를 알 수 있다. 뇌척수액 누출이 명확하면 주위의 골편을 제거하고, 찢어진 경막은 봉합하는데, 봉합이 불충분하다고 생각되면 측두근막(temporal muscle fascia)이나 대퇴근막(fascia lata)을 손상부위 후벽과 경막 사이 사이에 삽입하여 보강한다. 전위된 골편은 제 위치에 놓고 동내부의 점막을 벗긴다. 전두동 점막을 없애기 위해 curette, drill 등을 사용하며 전두동 중격은 완전히 절제하고 비전두관 점막을 두개골이식편이나 측두근의 일부로 막는다. 경미한 양의 전두동 후벽 골 소실이 있을 때는 자가 지방조직, 해면골, 근육, 사체골이나 다양한 합성물질 등으로 충전을 하지만, 후벽이 25% 이상 골 소실이 있다면 동(sinus)충전을 위한 다른 방법을 고려해야 한다(그림 40-6). 상당량의 골이 소실되었을 경우 지방 등으로 충전하면 이식물의 흡수 및 감염으로 인해 재상피화, 감염, 점액류가 생길 수 있기 때문이다.[14] 이런 경우에는 전두동을 두개화(cranialization)하는 것이 좋다. 전두동 전벽 골편의 점막을 제거하고, 전두동 후벽은 cutting burr를 사용하여 모두 제거한다. 경우에 따라서는 후벽의 골편을 전벽을 재건하기 위한 이식편으로 사용할 수도 있다. 비전두관을 두개골 이식편이나 측두근 또는 근막의 이식편으로 채워 폐쇄한 다음, 전두동 전벽 골편을 철사나 플레이트로 고정하고 두피를 봉합한다(그림 40-7). 골편이 전벽재건에 적당치 않으면 두개골 이식편을 사용한다. 때로 사상판(cribriform plate)과 사골와(fovea ethmoidalis)의 손상과 함께 발생할 수 있는데 두개저부를 두개골막 피판(pericranial flap)으로 강화하면 봉합이 더욱 단단해지고 상처의 치유가 촉진된다.

(4) 비전두관 골절의 치료

비전두관의 단독골절은 진단하기 어려우며, 동내의 혼탁이 유일한 방사선학적 소견일수도 있다. 비전두관의 개방 여부는 다음과 같이 확인한다. 전두동 천공술(frontal sinus trephination)을 시행한 다음 따뜻한 생리식염수로 세척한 후 에피네프린 용액을 주입하여 동을 깨끗이

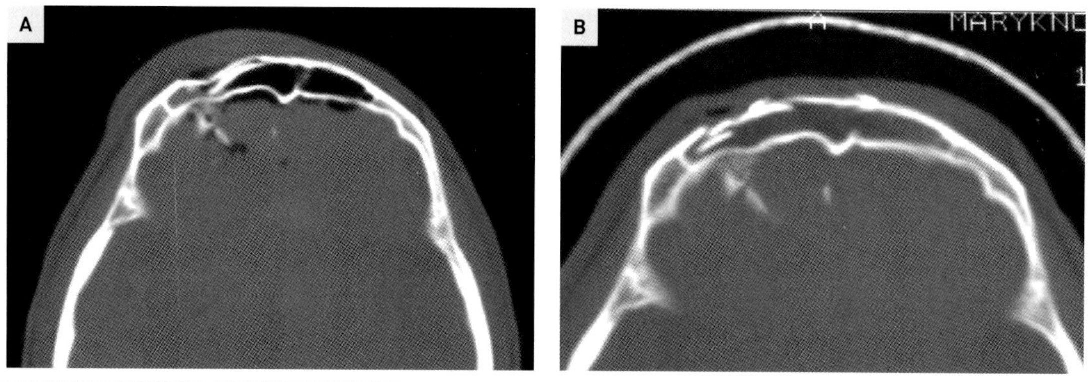

■ 그림 40-6. **전두동 지방 충전술(Fat obliteration). A)** 우측 전두동 골절의 술 전 CT, **B)** 전두강 내가 지방으로 충전되어져 있다.

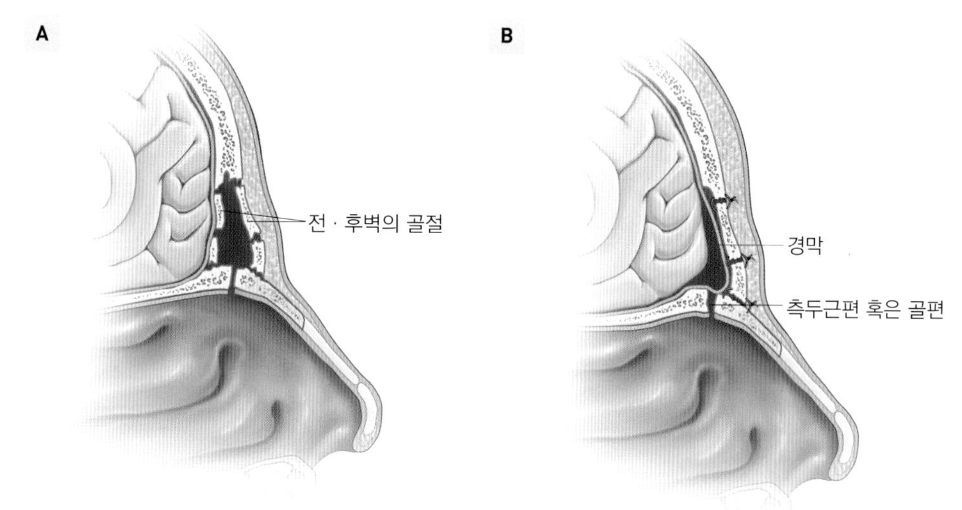

■ 그림 40-7. **전두골 두개강화술(Cranialization). A)** 전두동 전벽과 후벽의 심한 분쇄 골절, **B)** 후벽을 제거하고, 비전두관을 측두근막으로 막고, 전벽을 철사로 고정한 후 전두동을 두개화한 모습

하고 점막을 수축시킨 후 동내강으로 메틸렌블루를 주입하고 비강으로 나오는 것을 확인하거나, 동내에 조영제를 주입한 후 비강으로 나오는 것을 방사선 검사로 확인한다. 골절 정복 후 고무, 금, 실리콘 등 다양한 재질의 스텐트를 유치하기도 하는데 대략 30%에서는 다시 막히게 되므로 동점막을 완전히 제거한 후 비전두관을 폐쇄시키기는 전두동 폐쇄술을 시행할수도 있다.

(5) 관통골절의 치료

가장 심한 손상으로 손상 당시 의식을 잃는 경우가 많고, 10% 정도가 다발성 외상이나 뇌 좌상으로 사망한다.[76] 뇌손상이 심각하기 때문에 실제로 모든 환자는 전두개두술(frontal craniotomy)을 시행 받는다. 대부분에서 전두동 두개화(cranialization)가 필요하다.

(6) 내시경을 이용한 전두동 골절의 치료

내시경수술은 일부 전벽 골절환자에서 제한적으로 사용되고 있으며 관상절개에 의한 감각이상, 반흔 등의 합병증을 피할 수 있다.[11] 두부 중앙과 측면에 작은 절개를 가하고 30도 내시경을 골막하(subperiosteal)로 넣어 골절

부위를 확인한 후 골절을 정복한다.[35,53] 비전두관이 큰 경우 비내접근법으로 전벽 골절 및 비전두관 골절을 정복할 수도 있다.

6) 합병증

전두동 골절로 인한 전체 합병증은 4~18% 정도로 보고되는데, 합병증은 초기와 후기로 구분할 수 있다.[15] 초기 합병증은 6개월 이내에 발생하는 합병증으로 가장 흔한 것은 전두동염이며, 창상감염, 출혈, 뇌척수액 유출 및 뇌막염 등이 발생할 수 있다. 생명을 위협하는 후기 합병증으로는 해면정맥동의 혈전, 골수염, 뇌염, 점액류, 뇌 농양 등이 있다. 점액류는 전두동 골절 환자의 4~6%에서 발생하며, 수술 시 점막을 철저하게 제거해야 예방할 수 있다. 대략 7% 정도의 환자에서 미용상 변형을 가져오며 이마의 함몰변형이 많다.[79] 또한 1% 정도에서는 만성 전두통이 발생할 수 있다.[24]

2. 안와골절(Orbital wall fracture)

안와골절은 1957년 Smith 등[66]이 처음 기술하였으며, 과거 단순방사선촬영만으로는 진단이 어려워 비교적 드문 질환으로 생각되어 왔으나 최근 전산화단층촬영이 보편화 되면서 진단의 빈도가 증가하고 있다.

1) 원인과 진단

원인으로는 교통사고가 가장 많으며 낙상, 구타, 스포츠 손상 등에 의해 발생한다.[49] 증상으로는 안구함몰, 복시, 안와하신경(infraorbital nerve)의 손상에 의한 안면협부의 감각이상, 피하기종, 안구 외안근 운동 장애 등이 나타날 수 있으며, 안과적 검사와 함께 CT영상으로 확진할 수 있다.

2) 골절의 분류 및 형태

안와 골절은 안와벽이 안와의 외측으로 골절, 전위되는 안와 외향골절(orbital blow-out fracture)과, 드물지만 안와벽이 안와의 내측으로 전위되는 안와 내향골절(orbital blow-in fracture)로 나눌 수 있다. 그 외 골절 위치에 따라 하벽 및 내벽 골절로, 동반골절 유무에 따라 관골골절(zygomatic bone fracture), 비사골 복합체 골절(naso-orbito-ethmoid complex fracture) 등 다른 안면부 골절을 동반한 비순수 외향 골절(impure blow-out fracture)과 안와벽만 골절된 순수 안와 외향골절(pure blowout fracture)로, 골절 형태에 따라 골절편의 한쪽이 원래 위치에 붙어있는 두껑문 골절(trapdoor fracture)과 골절편 양쪽이 원래 위치에서 떨어진 비두껑문 골절(non-trapdoor fracture)로 나눌 수 있다(그림 40-8). 지금부터는 흔히 발생하는 안와 외향 골절에 대해 언급하기로 한다.

3) 병태생리

안와 외향골절은 주로 안와하벽과 안와내벽에서 발생한다. 안와내벽의 두께(0.5 mm)는 안와하벽의 두께(1 mm)보다 더 얇지만 안와내벽은 사골동 격벽의 지지를 받는 반면에, 안와하벽은 지지를 하는 구조물이 없고 안와하구(infraorbital groove)와 안와하관(infraorbital canal)에 의해 안와저 중앙에 틈이 생겨 더욱 약해지기 때문에 네 개의 벽 중에 가장 약하다. 그리고 하벽에서도 안와하구를 기준으로 내측이 외측보다 더 얇아 골절 빈도가 더 높다. 외측벽은 가장 두껍기 때문에 골절이 드물고, 상벽 또한 견고하고 전두동이 커서 상벽이 얇은 경우에만 골절이 일어날 수 있다. 대부분 안와하벽의 골절이 더 많이 발생하지만,[2,22] 일부에서는 안와내벽의 단독 골절은 드물어도 안와하벽 골절에 동반한 안와내벽 골절의 빈도는 높다는 보고도 있다.[29]

인와 외향골절이 발생하는 기진에는 수력학 이론(hydraulic theory)과 좌굴 요절 이론(buckling theory) 두 가지가 있다(그림 40-9). 수력학 이론은 안구에 가해지는 힘이 안구내압을 증가시켜 얇은 안와 벽에 골절을 일

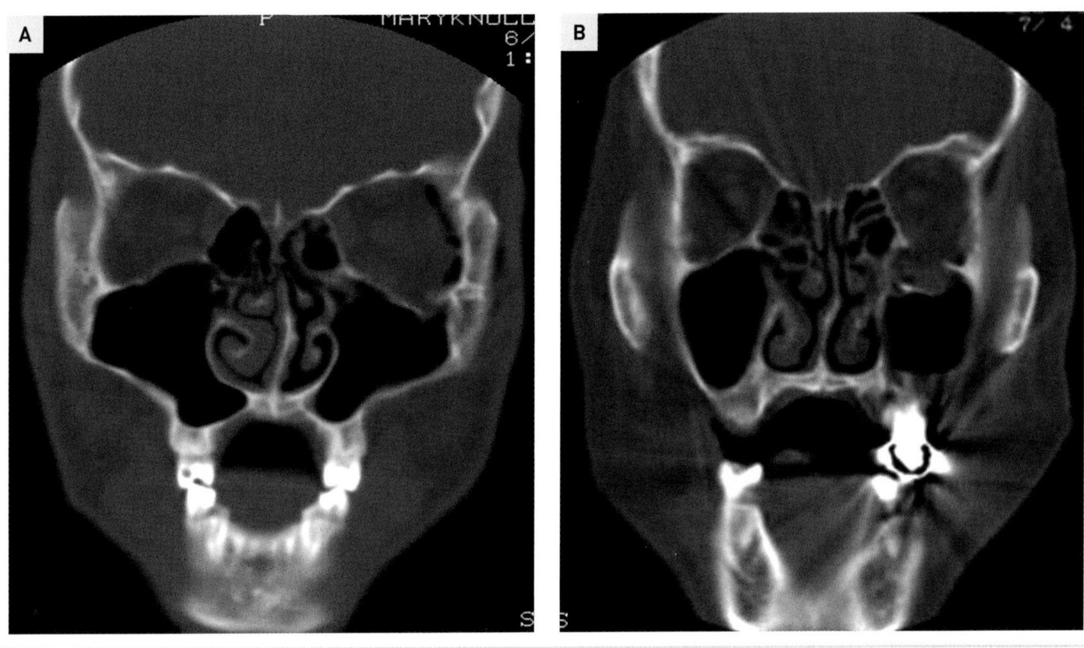

■ 그림 40-8. **골절 형태에 따른 안와 외향골절의 분류.** **A)** 두껑문 골절(trapdoor), **B)** 비두껑문 골절(non-trapdoor)

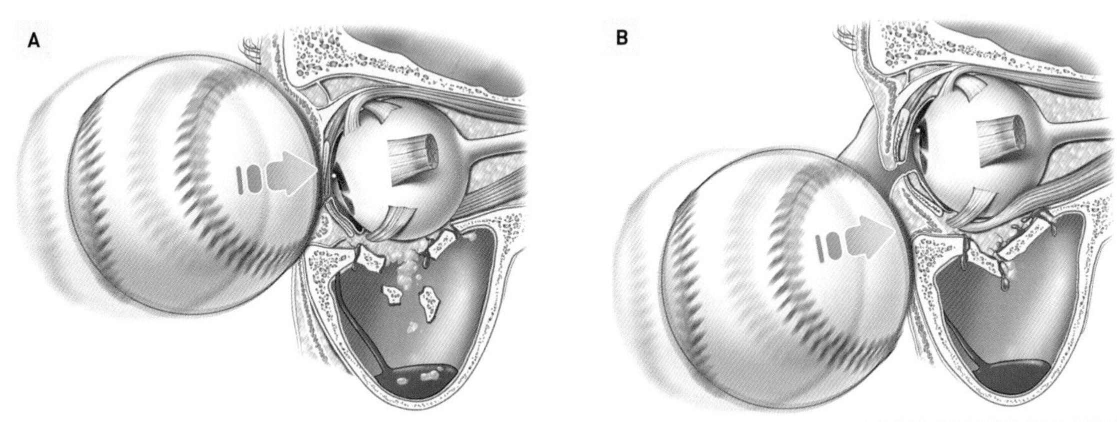

■ 그림 40-9. **안와골절의 병태생리.** **A)**수력학 이론, **B)** 좌굴 요절이론

으킨다는 설이며, 좌굴요절 이론은 안와연에 충격을 받는 순간 안와연이 골절 없이 뒤틀리고 이것이 안와하벽에 전해져서 그 충격으로 골절이 일어난다는 것이다. 실제로 수상 당시 눈이 보호된 상태로 가격을 당했거나 안구의 측면에 가격을 당한 경우에는 후자의 설명이 타당하다. 연구에 따르면 안와저 골절은 주로 좌굴요절 이론에 따라, 안와내벽의 골절은 수력학 이론에 따라 발생한다고 한다.[66] 일반적으로 안와 외향골절은 위에서 언급한 두 가지 기전이 복합적으로, 또는 또 다른 알려지지 않은 기전이 부가되어 발생하는 것으로 생각된다.

4) 임상소견

증상과 징후는 골절부위에 따라 다르다. 대부분 부종이나 반상출혈 같은 연조직 손상이 나타나고 이러한 연조직 손상이 심할수록 골절의 가능성은 증가한다. 안와 외향골절의 주증상은 복시, 안구함몰, 안면부 지각이상 등

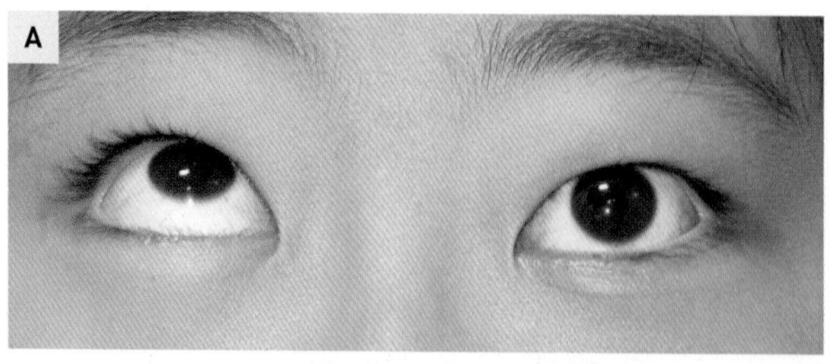

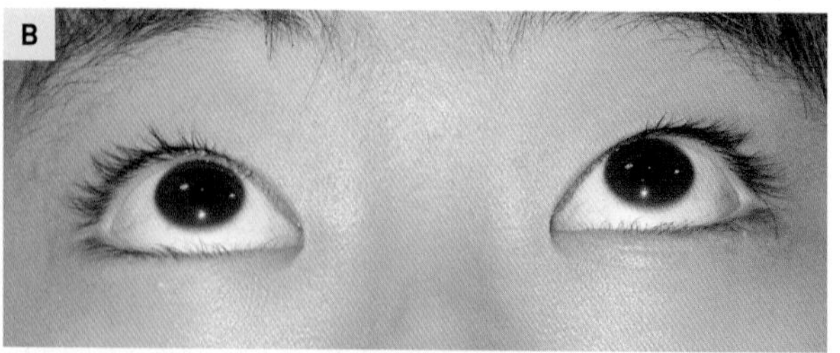

■ 그림 40-10. **안와 외향 골절후 안구운동 장애.** **A)** 수상 후 환자의 좌측 안구 상방주시 안 됨. **B)** 수술 후 좌안의 안구운동 장애가 호전됨을 보인다.

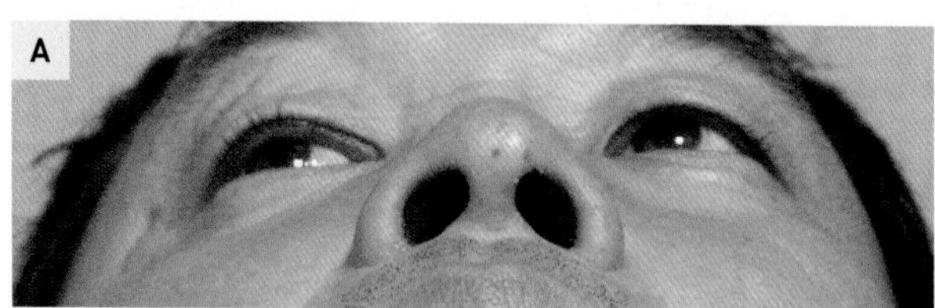

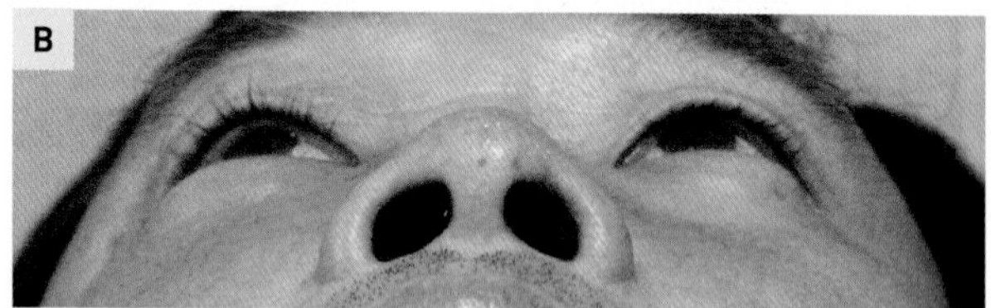

■ 그림 40-11. **안와 외향 골절 환자의 안구함몰.** **A)** 수상 후 우측 안구의 함몰 소견을 보인다. **B)** 수술 후 양안의 돌출 차이가 교정되었다.

이다.[17]

복시는 주로 안구운동장애에 의해 유발되며 이는 외안근의 불균형으로 평행했던 양안의 주시방향에 변이가 생겨 발생한다. 주로 하직근(inferior rectus muscle), 하사근(inferior oblique muscle), Lockwood 인대나 연조직이 골절부위로 감돈되어 생기는 경우가 많으며 이외에도 골파편에 의한 근육열상, 근육 내의 출혈 등에 의한 손상, 근육 내 신경손상 등으로 발생하고 외안근의 손상 후 회복되는 과정에서 반흔이 형성되어 이차적으로 발생할 수도 있다(그림 40-10).[44]

안구함몰은 안와 조직이 부비동 내로 탈출 되거나, 안와지방조직의 위축, 안와골의 지지 소실, 안와용적 증가 등으로 발생한다. 수상 후 첫 며칠간은 보통 안구함몰이 나타나지 않는데 이는 동반된 안와주위 혹은 안와 내 부종과 출혈 때문이다. 초기에 발생한 안구함몰은 수술적 치료의 적응이 되며 초기에 안구함몰이 없다고 해서 시간이 경과하면서 안구함몰이 발생하지 않을 것이라고 보장하지 못한다. 수상 후 몇 개월이 지나 발생하는 안구함몰은 안와지방의 위축과 반흔으로 교정하기 힘들다(그림 40-11).[1]

안면부 지각 이상은 골절과 동반된 안와하신경의 손상 때문이다. 감각저하(hypoesthesia)의 정도는 다양하여 입술과 치아의 일시적 감각저하부터 신경지배 영역 전체의 감각소실(anesthesia)까지 나타날 수 있다. 가끔 감각 이상이 있지만 CT에서 안와저 골절이 없는 경우가 있는데, 이것은 안와하공이 직접 손상을 받아 안와하신경 자체가 손상된 것을 의미할 수 있다.

그 외 안구운동 시 통증, 피하기종, 안와기종, 비출혈 등의 증상이 흔히 발생한다. 피하기종은 환자가 심하게 코를 푼 후 발생하는데, 환자가 안와골절이 있는 줄 모르고 지내다가 수상 후 수일 후에 코를 푼 후 안와종창이나 피하기종이 발생하여 알게 되는 경우도 있다. 또한 드물게는 아주 크고 잘 발달된 진두동에 골절이 있는 경우에도 이러한 안와기종이나 피하기종이 발생할 수 있다.

비출혈은 안와내벽 골절에서 발생할 수 있으며, 안와하벽 골절에서는 상악동에 피가 고이게 된다.

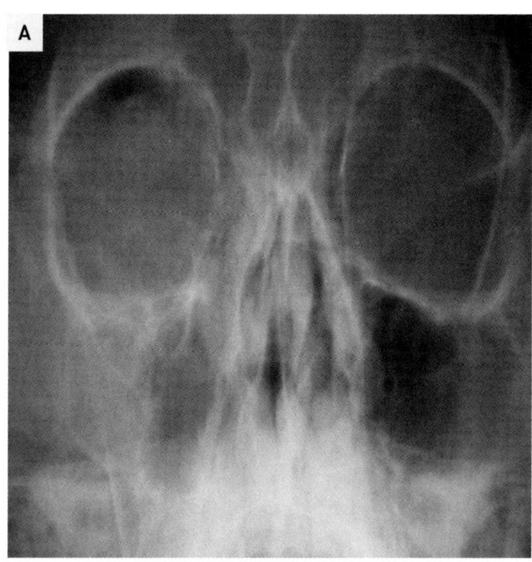

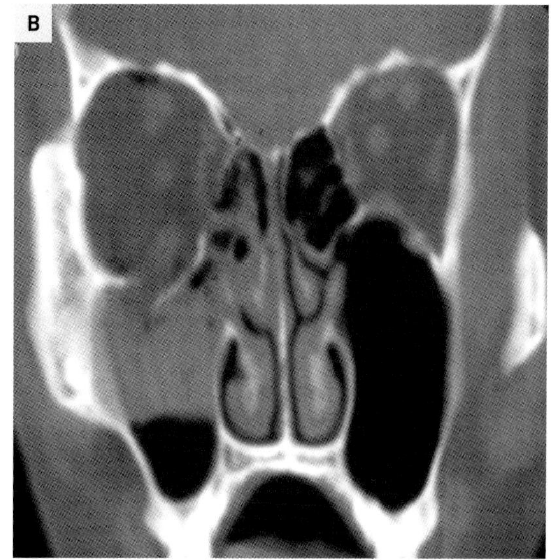

■ 그림 40-12. **안와 외향 골절환자의 영상학적 소견. A)** 우측 안와저 골절 환자의 X-ray 소견. 우측 상악동 혼탁 소견 외 명확한 골절 유무를 알기 힘들다. **B)** 같은 환자의 CT 소견

5) 진단

수상 초기에는 전체적인 안구에 대한 검사를 시행한다. 약 10~30%의 환자에서 각종 안구손상이 동반된다. 안와에 대한 검사는 전술했던 안와벽 골절에 따른 증상과 증후를 찾는 것이다. 이와 더불어 시력, 양측 동공의 비대칭 유무, 동공반사, 시야도 검사한다. 연조직 손상의 유무를 파악하고, 안와연을 촉지하며, 안구돌출계측을 시행한다. 안구 주위 조직이 포착(entrapment)되면 안구운동이 제한받는다. 안구 외안근(extraocular muscle)이 포착된 것을 진단하는 좋은 방법은 견인검사(forced duction test)이다. 국소마취제를 점적한 후 미세한 겸자(forceps)로 결막(conjunctiva)을 통해 하직근을 바로잡거나 각막윤부(corneal limbus)의 공막(sclera)을 잡고 눈을 위로 당겨본다. 반대편 정상 안과 비교하여 위로 당겨지지 않거나 저항이 심하면 양성으로 근육포착 또는 외안근 주위 연부 조직의 포착을 의미한다. 조직의 포착은 없이도 안구 주위 조직에 부종이 심한 경우 위양성 반응을 보일 수도 있다.

손상된 안와에 대한 방사선 촬영은 안와골절의 확진, 골절의 정확한 부위와 크기, 골절편 이탈의 정도, 안와조직의 탈출 정도, 그리고 포착 유무를 판단하기 위해 필요하다. 단순 방사선 영상은 안와 외향골절의 증거가 거의 없는 환자들에서 선별검사로서 어느 정도 가치가 있을 수 있지만 안와 외향골절의 크기와 전위의 정도는 확실히 알 수 없다. CT가 가장 중요하고 정확한 진단방법으로서 골절의 유무와 전위의 정도를 확인할 수 있을 뿐 아니라, 외안근의 포착 또는 근육주위 조직의 포착에 의한 외안근의 전위 등을 알 수 있다(그림 40-12). MRI는 시신경이나 안와혈종을 확인할 목적이 아니면 촬영하지 않는다.

6) 치료

(1) 보존적 치료

처음 환자가 방문하였을 시 코를 풀지 않게 하고 수상 후 2~3일간 얼음찜질을 한다. 환자에게 금기 사항이 없다면 경구 prednisone을 1 mg/kg/일의 용량으로 며칠간 투여하는 것도 안구의 부종을 줄여 수술 필요 여부를 빨리 알 수 있게 해주고 장기적인 안구운동장애를 줄이는 데 도움이 된다. 대부분 안와외향골절 환자들은 보존적 치료만으로 회복이 된다. 수상 초기 복시가 시간이 지날수록 호전되거나, 안구운동 장애가 없는 경우, 전산화 단층촬영상 골절 면적이 크지 않아 안구 함몰이 발생할 가능성이 적다고 판단되면 보존적 치료만으로 충분하다.

(2) 수술의 적응과 시기

수술의 적응증, 시기, 방법 등에 대해 다양한 의견이 있으며 논란이 많다.

수술은 안구운동의 기계적 제한이 있거나, 복시가 2주 이내에 소실되지 않거나, 복시가 새로 나타날 경우 적응이 된다. 또한 2 mm 이상의 안구함몰이 있거나 방사선학적으로 광범위한 골절이 인지될 경우도 적응이 된다(표 40-3).[46,78] 수술 시기에 대해서는 논란이 많지만 너무 일찍 하면 주위연부조직의 종창으로 골절 정복이 어렵고 출혈이 많으며, 너무 늦으면 전위된 골절편이 골화되어 정복이 힘들 수 있어, 안와주위 종창이 충분히 소실된 후 안 검사를 시행하여 수술적응 유무를 판별할 수 있는 7일에서 14일 사이에 시행하는 것이 합리적이다(표 40-4).[30]

표 40-3. 안와 외향 골절의 수술 적응증

	적응증
Absolute	Acute enophthalmos 〉 2 mm
	Mechanical restriction of gaze
	Evidence of muscle entrapment on CT
	White eyed fracture
Relative	Persistence of diplopia
	Conditions that will cause late enophthalmos
	- Displacement 〉 2~3 mm
	- Volume change 〉 1.5 ml
	- Fracture size 〉 50%

(3) 수술

안와 외향골절 수술의 목적은 안와의 모양을 재건하고 용적을 정상화시키는 것이다. 이를 위하여 골절부위로부터 탈출된 안와조직을 정복하고, 골절부위와 안와조직 사이의 유착부위를 제거하며 동시에 재유착을 방지하고, 안와벽을 원래의 위치로 재건하여야 한다.

안와하벽 골절의 수술은 크게 경안와(trans-orbital) 접근법과 경상악동(trans-maxillary) 접근법, 내시경이나 현미경을 통한 경비강(trans-nasal) 접근법으로 나눌 수 있다(그림 40-13).

경안와 접근법에서 안와하연 노출을 위한 절개방법으로는 속눈썹밑 절개(subciliary incision), 안와하주름 절

표 40-4. 안와 외향 골절의 수상 후 수술 시기(Adapted from Michlael, Burnsteine Ophthalmology 2002)

수술 시기	적응증
Immediate	Diplopia persist with entrapped muscle or periorbital tissue in CT
	Associated with non-resolving oculo-cardiac response (OCR) (bradycardia, heart block, N/V, syncope)
	White eyed blowout fracture
	Early enophthalmos / hypoglobus
Within 2 weeks	Symptomatic diplopia with forced duction test (+)
	Minimal clinical improvement over time
	Large floor fracture causing late enophthalmos
	Progressive infraorbital hypesthesia
Observation	Minimal diplopia (not in primary or downgaze)
	Good ocular motility
	No significant enophthalmos

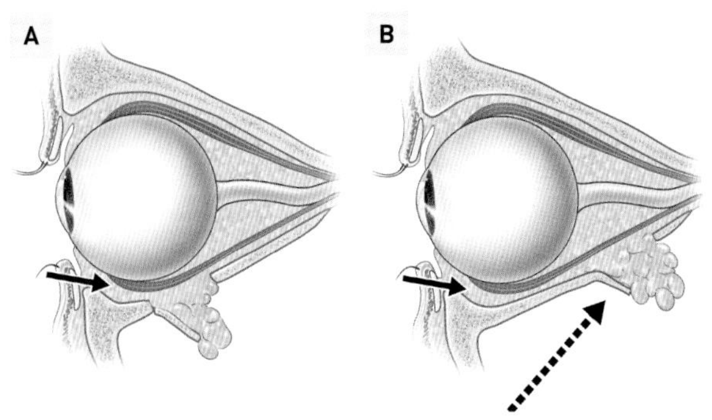

■ 그림 40-13. **골절 위치에 따른 수술적 접근방법.** 골절이 안와 전반부에 위치할때는 경안와접근이, 골절이 안와 후반부에 위치할 때는 경상악동 접근법이 효율적이다.

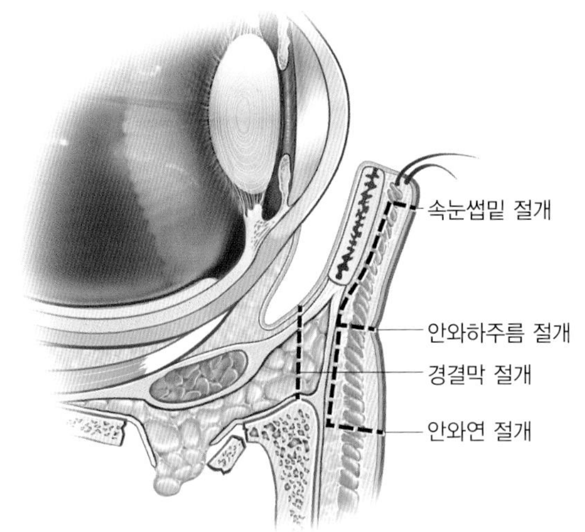

■ 그림 40-14. **안와저에 접근하기 위한 하안검 절개의 방법**

개(infraorbital crease incision) 또는 경결막 절개(transconjunctival incision) 등이 있다. 속눈썹 밑 절개는 일시적이기는 하나 안검외반(ectropion)이 발생하고, 안와하주름 절개는 안와연까지 도달하기 위해 만들어지는 근피판이 길어 술 후 하안검 부종이 발생할 수 있다. 경결막 절개는 안와하연으로 직접 접근하여 안와격막(orbital septum)을 통해 절개하며 술 후 안검외번을 예방할 수 있지만 수술시야의 노출이 제한된다. 속눈썹 및 절개 시에는 사다리 모양으로 절개하는 것이 중요하다. 이는 피부절개선이 안와격막이나 상악동의 골막에 유착되어 안검외반이 발생하는 것을 방지하기 위함이다(그림 40-14).[44]

경안와 접근법을 설명하면 먼저 안와하연 2~3 mm 하방에서 피부를 절개하고 안구 외륜근(orbicularis oculi muscle)을 분리하고 안과격막을 따라 안와하연까지 접근한다. 안와 하연 1~2 mm 밑에 안와 하연을 따라서 골막에 절개를 하고 골막 거상기(periosteal elevator)로 안와하벽을 따라 골막을 들어올린다. 골절부위로부터 안와내용물을 직접 들어올리기 전에 골절부위의 내·외측을 박리하는데, 시야를 확보하기 위해 순응성(malleable) 견인기나 직각으로 된 Sewell 안와견인기를 사용하며 수 분마다 견인을 풀어주어야 한다.[46] 골막 거상기를 안와조직과 골절부위 사이에 조심스럽게 끼워넣으면서 골절부위에서 탈출된 안와조직을 빼낸다. 만약 안와조직이 골절부위에 꽉 끼어 있다면 골절부위를 넓혀 안와조직의 유리를 쉽게 해준다. 골절 후 오랜 시간이 경과한 경우에는 상악동 점막과 안와내용물이 서로 유착되어 안와하신경을 구분하기가 어려우므로 인접조직으로부터 신경을 분리시키기 위해서는 세밀하게 박리해야 한다. 이 단계를 마치면 안와조직을 골절부위로부터 분리하여 안와내용물을 골절면 위로 완전히 들어올려 골절부위 전체를 직접 관찰할 수 있게 되고, 골절부위 위로 삽입물을 넣어 안와저를 재건하여 안와내용물을 지지한다. 대부분 삽입물의 고정은 필요 없다. 삽입물의 위치가 안정적이기 위해서는 골절부위 전체를 덮을 수 있을 정도의 크기인 동시에 앞으로 이동하지 않을 정도로 작아야 한다. 안와연은 후방 안와저보다 1~2 mm 정도 높아 삽입물의 전방이동을 막아주는 역할을 한다. 삽입물을 삽입한 후에는 견인 검사를 시행한다. 안와 하벽에 대한 조작 때문에 부종이 남아 있어서 가끔 반대쪽에 비해 견인검사 시 약간의 제한이 있을 수 있지만 양측이 비교적 대칭적이어야 한다. 만약 제한이 있다면 삽입물의 변연부를 잘 관찰하여 골절부위 전체를 덮고 있는지, 골절부위와 삽입물 사이에 조직이 끼어 있지 않은지 확인해야 한다(그림 40-15). 삽입물이 안와 하벽에 잘

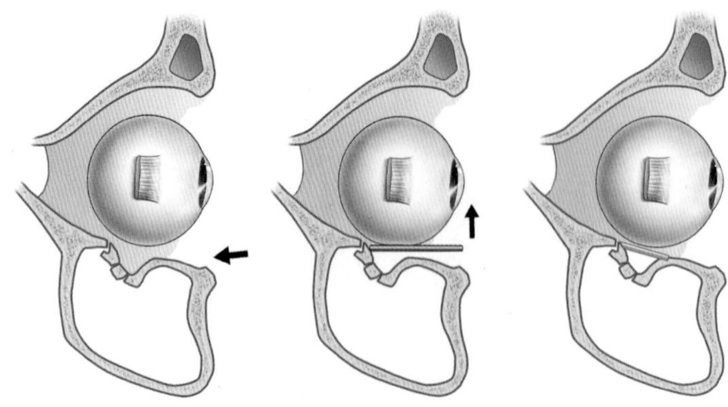

■ 그림 40-15. **안와 하벽 골절에서 경안와 접근법의 모식도**

위치하고 견인검사가 만족스러우면 안와골막을 안와연의 골막에 봉합하고 마지막으로 피부 봉합을 한다. 이때 피부하 봉합(subcutaneous suture)은 시행하지 않는다.

안와하벽 골절에 있어 경안와 접근법은 안와하벽 뒤쪽 골절의 정복이 어렵고 삽입물의 탈출, 감염, 안검외반, 반흔 등의 부작용이 있다.[32] 이런 부작용으로 경상악동 접근법이 사용되는데,[21,51] 비강 상악동 창이나 Caldwell-Luc 접근법을 통해 상악동 내에 접근하여 골절된 안와 하벽을 정복하고, 일시적으로 팩킹이나, hydroxyapatitie 블록[21,41], 실리콘 블록, 실리콘 튜브[4] 등을 삽입하여 지지하기도 한다(그림 40-16, 17).

안와내벽 골절의 경우 내안각(medial canthus) 절개를 통한 경안와 접근술과 최근 비내시경을 이용한 비내 재건술이 주로 사용된다.[30] 비내 접근술은 먼저 내시경이나 현미경하에서 사골동 비내 수술을 시행하고 개방된 사골동 내로 돌출된 안와내용물을 외측으로 밀어 안와 내로 위치시킨다. 안와내벽의 결손 정도에 따라 적절한 크기로 재단한 silastic sheet를 사골동 절제 강 내에 반전된 U자형으로 위치시켜 안와내벽을 지지하고 광범위 항생제에 적신 Merocel을 팩킹하여 silastic sheet의 위치를 고정한다. 이때 silastic sheet가 전두동이나 상악동 자연 개구부를 막지 않도록 주의하고 대략 술 후 4주째 제거한다. 수술 직후와 silastic sheet를 제거한 후 안구 운동의 장애 및 복시 여부, 안구 돌출 여부를 검사하며 CT를 촬영하여 안와내벽의 정복 유무를 확인하여야 한다(그림 40-18, 19). 비내 재건술은 미용상으로 좋은 결과를 보이며 출혈이 적고 내안근 및 코눈물관 손상 등을 피할 수 있으며 안와내벽 골절로 일어날 수 있는 안구주위 감염, 기종, 안와 농양, 점액종 같은 합병증 등이 적게 발생하여 최근에 많이 이용된다.[2,30]

안와내벽 골절의 골결손 부위를 막아주는 또 다른 방법으로 사골동 절제술 후 사골동 내로 탈출된 안와 내용물을 안와 내로 위치시키고 흡수성 판으로 보강시키는 방법도 보고된다(그림 40-20).[77]

골결손을 보강하는 재료로는 상악동 전벽, 두개골, 비중격 연골, 근막, silicone block, silastic sheet, Prolene mesh, Titanium mesh, Medpor® 등 최근 많이 사용되는 흡수성 판 bioresorbable mesh 등이 있다. Titanium mesh의 경우 이물반응이 적고 흡수가 안 되며 골결손 부위에 따라 변형하기가 쉬운 장점이 있지만,[34] 안와용적이 감소되어 생긴 안구 함몰의 경우 titanium mesh 자체의 용적이 적어 부적당하다. Medpor는 안와저의 모양에 잘 부합되고 지지기능을 충분히 할 수 있으며 감염율이나 탈출률이 낮다. 상악동 전벽은 쉽게 얻을 수 있는 자가 골편으로 골절 모양에 따라 성형하기가 쉽고 골편 자체의 굴곡과 두께로 안와용적을 충당할 수 있는 장점이 있지만 공여 부위의 결손이 남고 수술시간이 오래 걸리는 단점이 있다.

수술 직후 항생제와 스테로이드를 투여하고 얼음찜질을 하며 두부를 45~60° 거상한 자세를 유지한다. 안와출

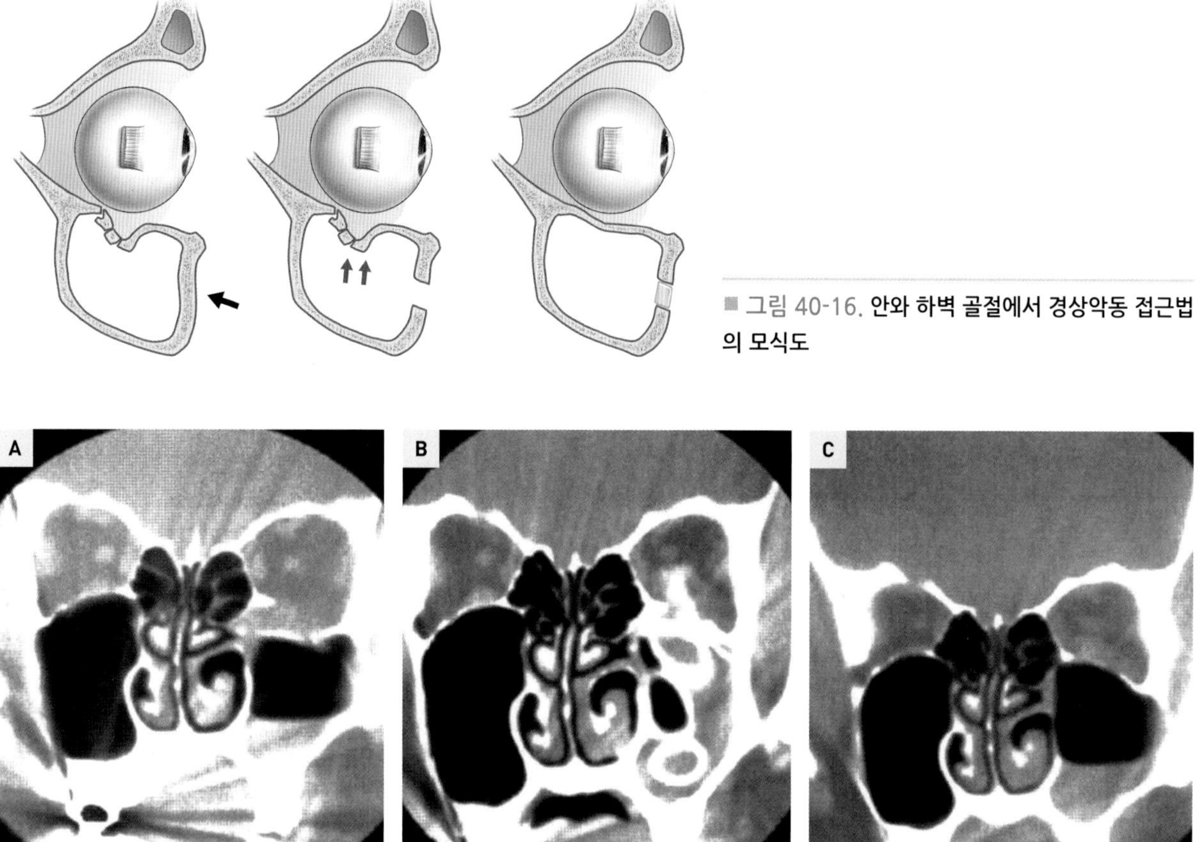

■ 그림 40-16. **안와 하벽 골절에서 경상악동 접근법의 모식도**

■ 그림 40-17. **안와하벽 골절을 상악동내에 실리콘 튜브로 지지하여 정복한 모습. A)** 술 전 모습, **B)** 실리콘 튜브를 이용하여 정복한 모습, **C)** 술 후 모습

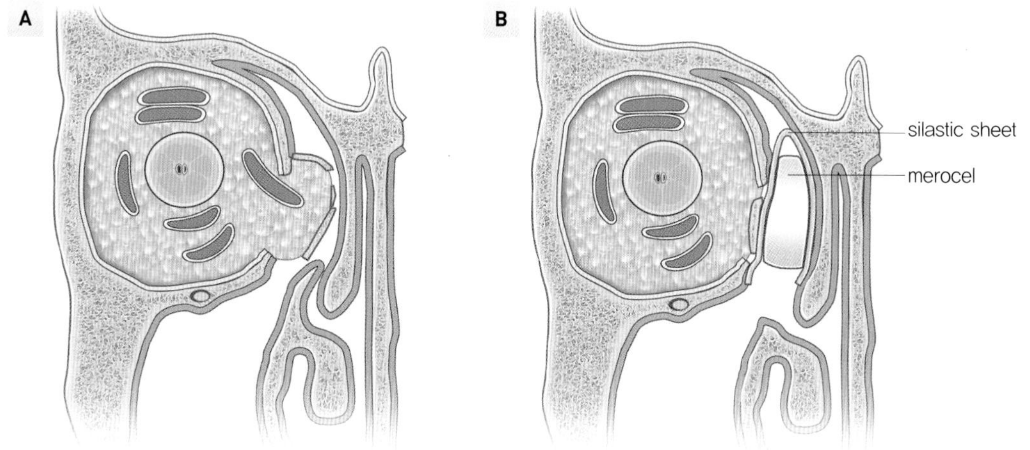

■ 그림 40-18. **안와내벽 골절에서 실라스틱판과 메로셀 팩킹을 이용한 비내시경적 정복술 모식도.** 골절된 안와내벽 골편을 원위치로 정복시키고 실라스틱 판을 역 U 형태로 삽입한 후 가운데 팩킹을 하여 4주 정도 유치시킨 후 제거한다.

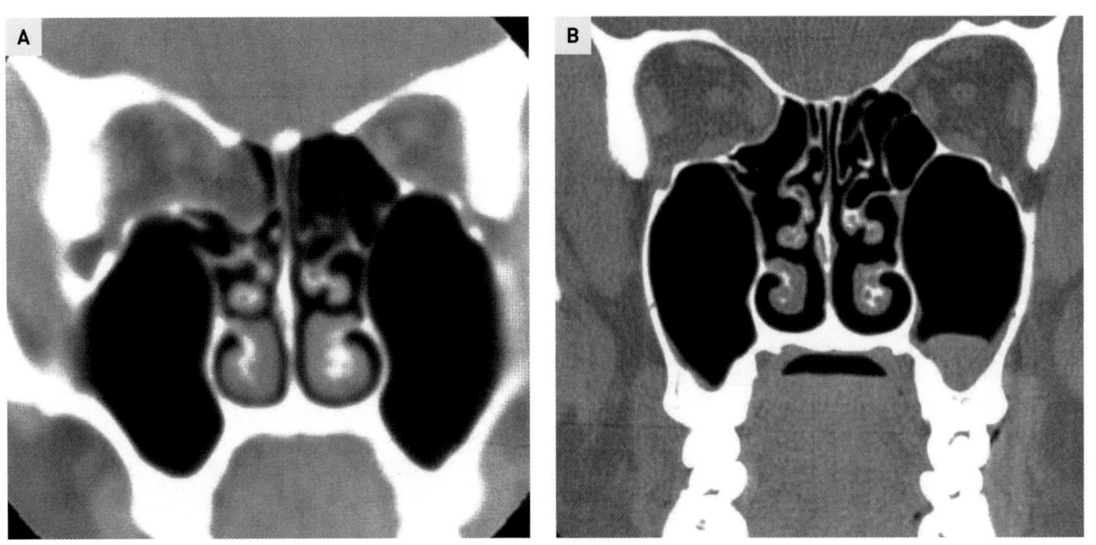

■ 그림 40-19. **우측 안와내벽의 외향 골절.** A) 수술 전 사진, B) 내시경을 이용한 비내 정복술 후의 사진

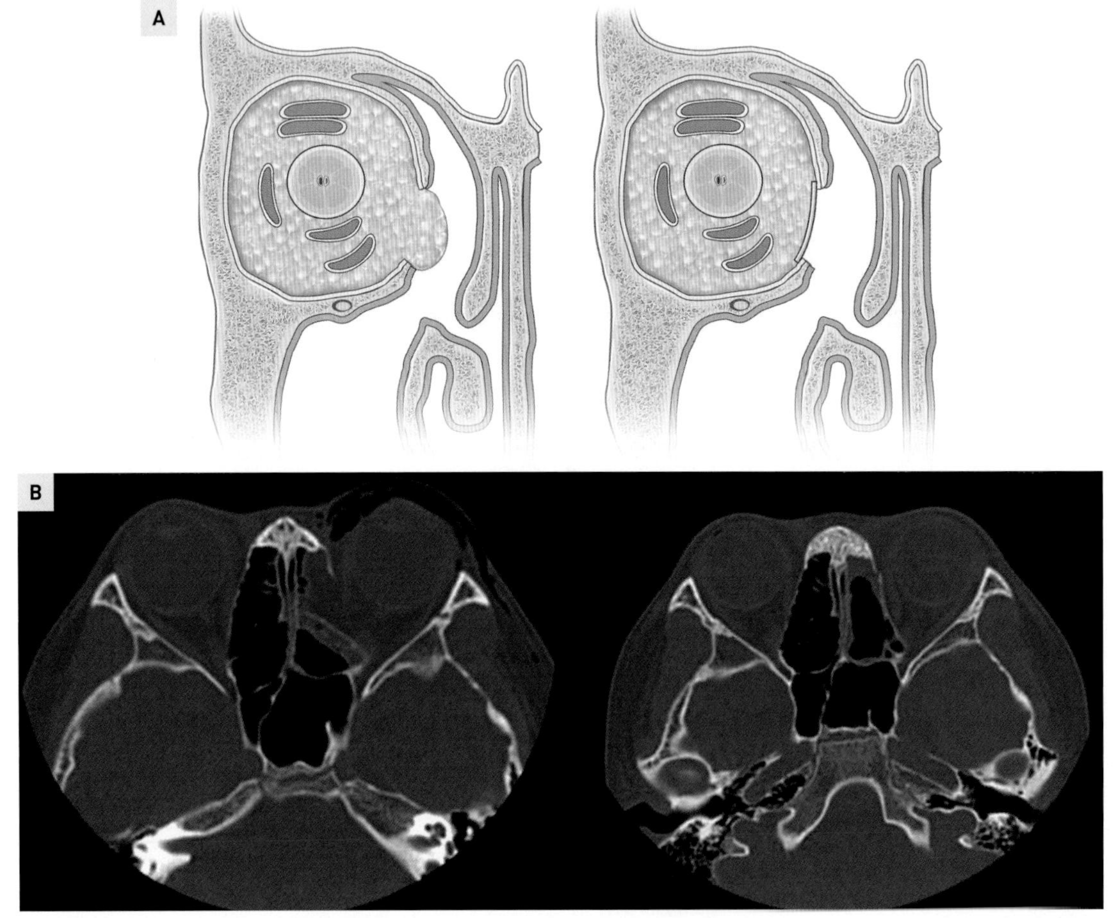

■ 그림 40-20. **안와내벽 골절에서 흡수성 판을 이용한 비내시경적 정복술.** 사골동 절제술 후 골절된 안와내벽을 원래위치로 정복시키고 흡수성 판 등으로 보강한다.

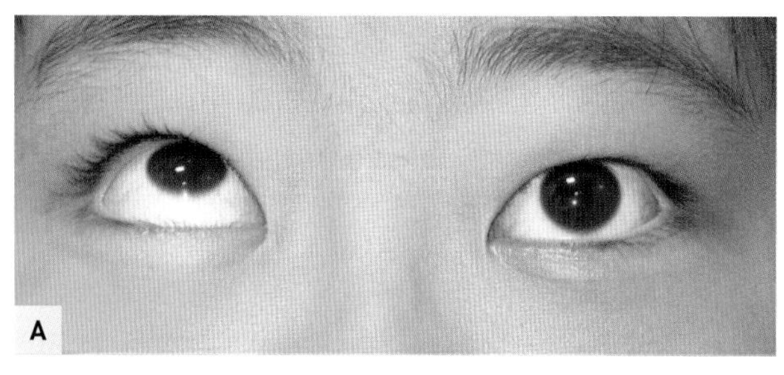

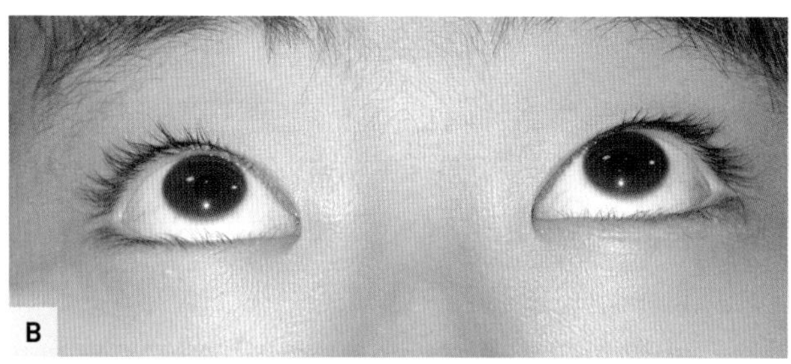

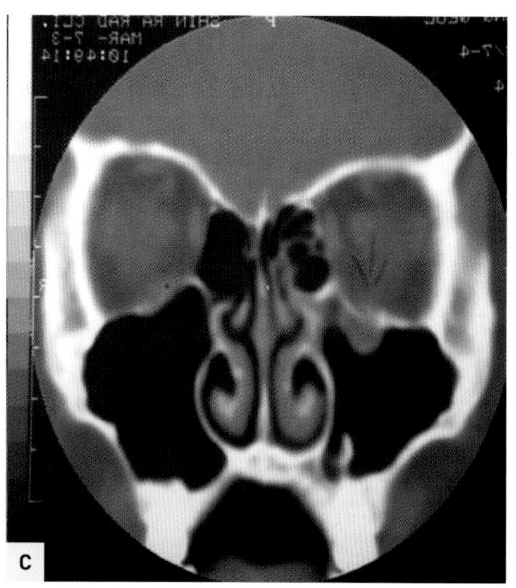

■ 그림 40-21. **"White eyed blowout fracture" 환자의 안구운동 장애 및 CT사진.** **A)** 안면부 수상 후 상방 주시 시 좌안의 안구운동장애가 보이나 안구주위 부종은 심하지않다. **B)** 수술 후 안구운동장애가 호전된 모습. **C)** 관상면 CT에서 좌측 안와저의 경미한 경첩형 골절(trapdoor type)을 나타낸다.

혈을 조기에 발견하기 위해 반상출혈이나 안구전방돌출의 증가 여부, 시력의 변화나 동공의 크기 변화 등을 관찰한다. 술 후 4주간 코를 풀지 않도록 한다.

7) 합병증

수상 후 안구 주위 부종 및 자반이 나타날 수 있으나 대부분 자연 소실된다. 수술 후 24시간 이내의 즉시 합병증에는 안구혈종, 복시 및 안구 장애 등이 있고 이식물에 의한 근육 감돈이나 뇌척수액 누출이 있을 수 있다. 24시간에서 2주 사이의 지연 합병증에는 안구함몰이나 이식물의 감염 및 탈출 등이 있으며 부비동염이 생길 수 있다. 2주 이후에 발생하는 후기 합병증으로는 계속되는 안면부 지각이상, 지속적인 복시, 안구운동 장애, 안구함몰, 안검외반 등이 있을 수 있다. 지속적인 복시는 수상 초기에 발생한 안구 외안근의 손상에 따른 섬유화나 신경손상의 결과이며 외안근에 대한 수술이 필요하다. 술 후 계속되는 안구함몰은 안구지방위축, 포착조직의 불완전한 환원, 또는 잘못 맞추어진 안와 하벽 때문에 발생한 안와용적의 증가 때문이며 이런 경우에는 안와벽을 재골절시켜 안와용적을 정상화시키거나 안와 내에 자가골, 연골, Medpor 등을 삽입하여 늘어난 안와용적을 줄이기도 한다.

8) White eyed blowout fracture

18세 이하에서 안구 주위 수상 후, 안구 연부조직의 부종, 반상 출혈 등이 심하지 않으나, 전산화단층촬영상 안와 외벽이 뚜껑문 골절(trapdoor fracture)을 보이고, 외안근이 골절편 사이에 끼어 있으며, 안구운동 장애와 함께 통증을 호소하는 경우라고 정의하며, 7~14일 정도 기다리는 것 보다 조기에 수술적 치료를 해야 좋은 결과를 얻을 수 있다(그림 40-21).[31]

3. 협골골절

1) 병태생리

협골은 전두골, 접형골, 측두골, 상악골과 접하여 있으며 안면골의 구조와 힘을 유지하는 버팀목 역할을 한다. 협골은 돌출되어 있어 쉽게 손상 받는데 골절의 원인은 교통사고가 가장 많고 최근에는 폭력사고로 인한 손상이 증

표 40-5. 협골골절의 분류

Knight와 North 분류	
I군	비전위 골절(non-displaced fractrue)
II군	협골궁골절(zygomatic arch fracture)
III군	비회전전위 협골체 골절(unrotated displaced body fracture)
IV군	내측회전골절(medially rotated fracture) a. 협상악골버팀체 외방(outward at zygomaticomaxillary buttress) b. 전두협골봉합선 내방(inward at frontozygomatic suture)
V군	외측회전골절(laterally rotated) a. 안화외연 상방(upward at orbitial rim) b. 전두협골봉합선 외방(outward at frontozygomatic suture)
VI군	복합 분쇄골절(complex comminuted fracture)

가 추세에 있다. 협골궁은 교근(masseter muscle), 측두근(temporalis muscle) 등에 의해 싸여 있어 쿠션 역할을 하고 있지만 협골궁과 피부 사이의 연조직 층은 얇다.

2) 분류

협골골절의 분류는 증상과 징후를 예견하는 데 도움이 될 뿐 아니라 교정을 위한 수술계획을 세우는 데도 도움을 준다. 지금까지는 Knight & North의 분류가 많이 사용되었다(표 40-5).[36] 최근에는 CT가 보편화되면서 골절의 전위와 회전 여부를 정확히 평가할 수 있으므로 Waters 영상에 근거한 이 분류는 번거롭고 혼동을 초래할 수 있다. 이에 비해 Zingg이 주장한 분류는 비교적 간단하고 유용하지만 골절편의 전위 방향에 대한 분류가 되어 있지 않다(그림 40-22).[64,83]

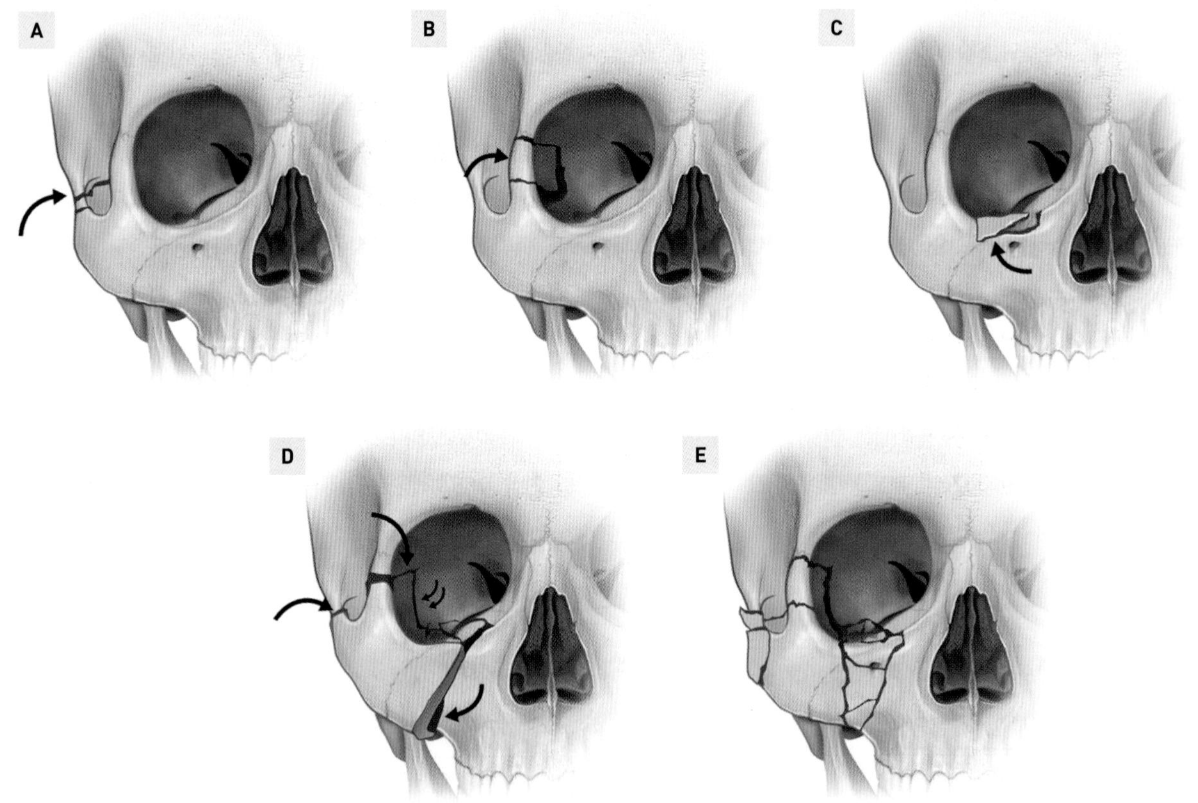

■ 그림 40-22. **협골골절의 분류(by Zingg)**

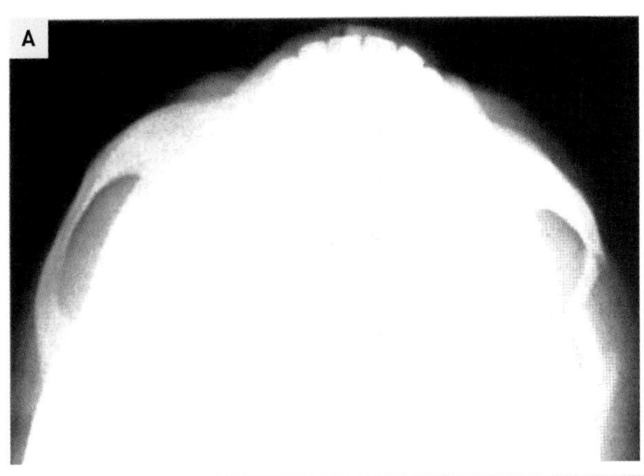

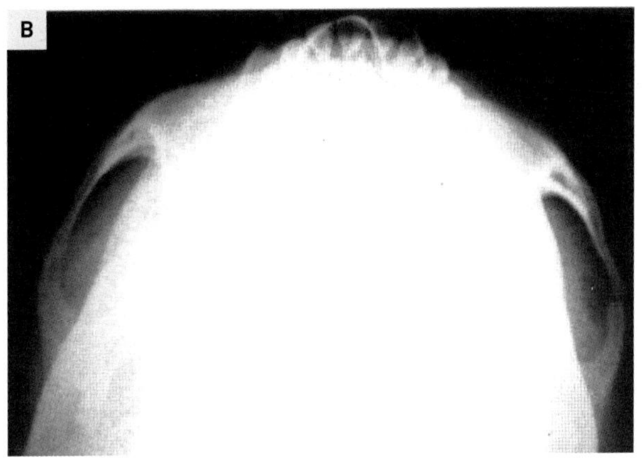

■ 그림 40-23. **협골궁 골절.** **A)** 좌측 협골궁의 골절로 인한 V형 함몰의 모습. **B)** Gillies 접근법을 이용하여 골절을 정복한 후의 사진

3) 임상소견

협골골절은 다른 안면골의 골절과 동반되는 경우가 많은데 상악골 골절 및 안와 골절과 동반된 경우가 흔하다. 협골골절은 전위가 없어 증상이 없는 경우도 있고, 심하게 전위되거나 복잡골절인 경우에는 주위 구조물의 기능장애를 유발해 여러 증상을 보이기도 한다.

(1) 협골궁 골절

협골궁은 비교적 약한 뼈로 주로 협골 측두 봉합선(zygomaticotemporal suture line)이나 그 전후의 두 곳에서 골절되어 골절편이 내측으로 전위되면서 함몰한다. 전위된 협골궁 골절에서는 협골궁 부위의 함몰이나 통증, 개구 시 하악 근돌기(coronoid process)의 운동 장애, 측두근 구축으로 인한 악관절 강직 등이 나타날 수 있다. 기저영상(submentovertex view)이나 협골궁 영상(zygomatic arch view)으로 쉽게 진단된다(그림 40-23).

(2) 삼각골절

삼각골절(tripod fracture)은 협골골절 중 가장 흔하며, 안와외연, 안와하연, 그리고 협골궁의 골절이 특징으로 안와하연에서 상악동의 전외벽으로, 하측두와(infratemporal fossa), 그리고 안와의 하벽, 외벽으로 골절선이 지나간다. 보통 골절편은 하방, 내측, 그리고 후방으로 전위되며 종종 내회전(internal rotation)이 같이 있다.

전위된 삼각골절에서는 대부분 협골융기(malar eminence) 부위가 편평해지나 드물게는 본체가 수직축에서 내전위를 하여 오히려 협골융기 부위가 더 올라가는 경우도 있다. 협골융기의 편평함을 관찰하는 가장 좋은 방법은 머리를 뒤로 젖히고 협골융기부를 눈썹 정도에 수평하게 맞춘 후 손으로 융기부를 눌러 연조직의 부종으로 인한 효과를 차단하면서 관찰하는 것이다. 협골전두봉합선(zygomaticofrontal suture)이나 협골상악봉합선(zygomaticomaxillary suture) 부위의 계단상 변형이 만져지면 삼각골절을 의심해야 한다(그림 40-24).

삼각골절에서는 시력장애, 복시, 안구함몰 등 안 증상이 흔히 나타난다. 복시는 외측안와결절에 부착된 Lockwood 인대가 골절된 협골에 끼이거나, 안구혈종이나 부종, 혹은 상악동 내로 안와 내용물이 탈출되어 발생하며, 안구함몰은 초기에는 안구 주위의 부종 때문에 잘 모르지만 부종이 가라앉으면서 분명해진다. 안구가 아래로 전위되면 안검외반이 발생하기도 한다.[13] 비출혈이 발생할 수 있으며 구강 내 검사에서 염발음(crepitus), 전위, 그리고 치은협구(gingivobuccal sulcus)의 반상출혈(ecchymosis)이 관찰된다. 골절선이 안와하공을 지나면 안와하신경의 손상으로 협부, 상구순부(upper lip), 비외측의 감각마비를 초래하기도 한다.

■ 그림 40-24. **우측 삼각 골절 환자의 사진. A)** 우측 협골부위가 함몰되어 있다. **B)** 수술 후 함몰된 협골부위가 좌측과 동일하게 융기되었다.

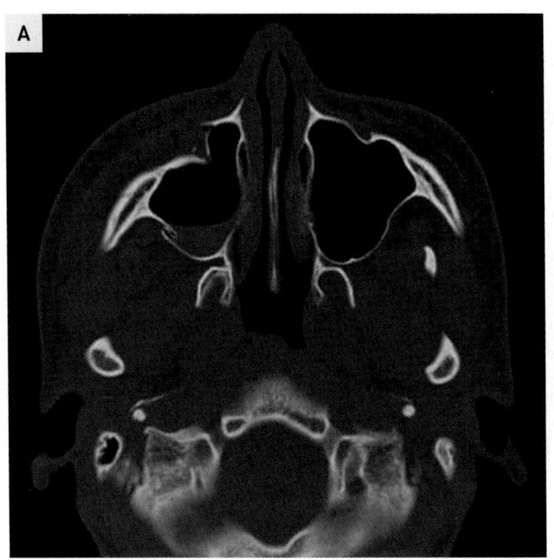
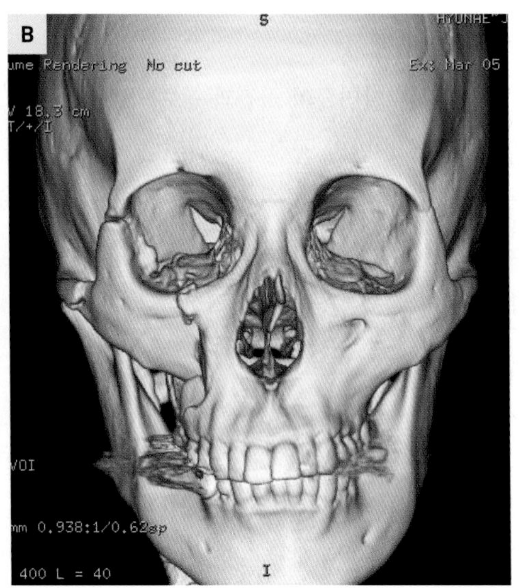

■ 그림 40-25. **우측 삼각골절환자의 축상(axial) CT와 3D CT 영상**

4) 진단

협골의 해부학적 변형은 안구의 하연과 외측연의 촉진으로 알 수 있다. 구강내부 검사에서 협부 전정(buccal vestibule)을 촉진하거나 점상출혈 유무를 관찰한다. 시진도 중요한데 환자의 위쪽에서 안면을 관찰하여 협골 부위의 함몰을 알 수 있다. 안구 손상이 의심되면 즉각적이고 적절한 조치가 이루어져야 하며, 동공반사가 불명확하고 복시가 있으면 안과적 응급상황에 해당된다. 단순방사선 촬영에서는 Waters 영상, Caldwell 영상, 측영상(lateral view), 기저영상(submentovertex view)이 중요하며 이 중 Waters 영상은 안구의 하연, 외측연, 하벽, 상악동 및 협골궁을 잘 나타내어 진단적 가치가 높다.[36] 최근에는 CT나 3D CT영상이 많이 쓰이고 있다. CT의 축상면(axial view)에서 협골의 전위 정도를 알 수 있고 안와저의 골절 여부는 관상면(coronal view)에서 잘 볼 수 있으며 3D CT는 복잡골절을 진단하고 재건하는 데 유용하다(그림 40-25).

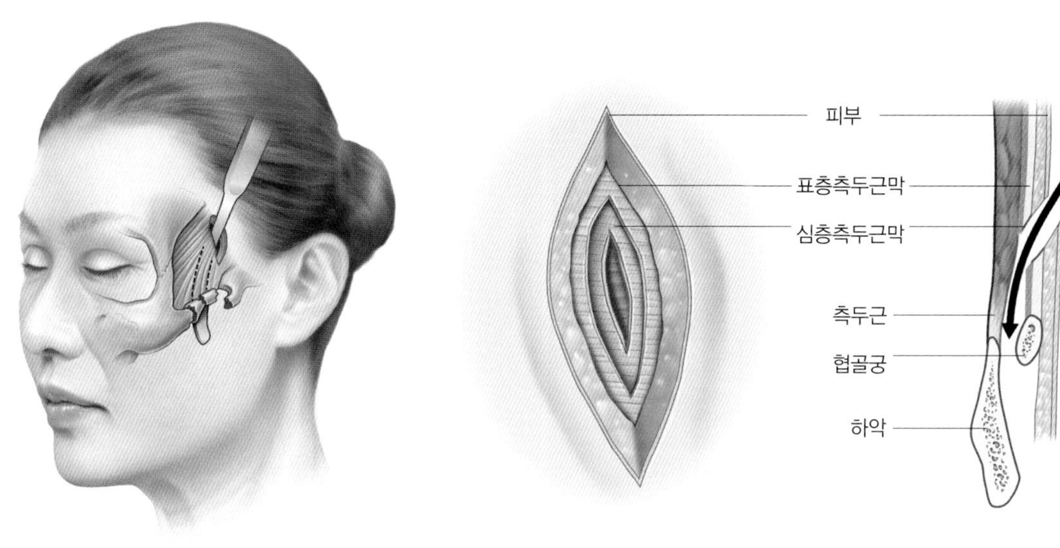

■ 그림 40-26. **협골궁 골절을 Gillies 경로를 통해 정복하는 방법**

5) 치료

협골골절의 치료는 골절의 부위, 형태 등에 따라 결정된다.

(1) 협골궁 골절

협골궁 골절의 정복은 대부분 비관혈적 정복으로 치료하며 부동화는 필요하지 않다. 골절은 7~10일이 지나면 골화가 시작되므로 14일 이내에 시행하여야 한다. 비관혈적 정복에는 구외 접근법과 구내 접근법이 있다. 구외 접근법으로 Gillies 방법이 가장 많이 이용된다.[45] Gilles방법은 이륜(helix)의 전방, 상방 2.5 cm에서 전상방에서 후하방으로 천측두동맥을 피해서 1.5~2 cm의 절개를 가한다. 측두근막을 노출한 후 1 cm 정도 절개를 넣고 근막 밑으로 골막 거상기(periosteal elevator)로 터널을 만든 후 Boies 거상기나 Cottle 거상기를 넣어 궁을 원래 위치로 정복한다. 측두근막이 협골궁의 상연에 부착하기 때문에 근막의 밑으로 거상기를 넣게 되면 쉽게 관골궁의 내측에 도달하게 되어 쉽게 정복이 가능하다(그림 40-26). 한 손으로는 골절 부위를 확인하면서 다른 손으로는 거상기를 잡고 상외측으로 들어 올려 정복한다. 골절편들이 꽉 끼어 있거나, 수상 후 10~14일 이상 수술이 지연된 경우에는 정복이 어려우며 일단 골절편이 정복되면 보통 더 이상의 부목이나 골절고정은 필요없다(그림 40-27).

분쇄골절인 경우 정복이 올바로 유지되지 않는 경우도 있는데 이런 경우 항생제연고를 묻힌 배액관을 삽입하거나 Foley 카테터를 삽입한 후 팽창시켜 정복을 유지하고 1주일 정도 후에 제거하는 방법을 쓰기도 한다.[59]

구내 접근법은 근돌기와 상악골의 외측벽을 따라 골절된 협골궁 밑으로 구강 내에서 거상기를 넣어 정복하는 방법을 말한다. 최근에는 내시경을 이용하여 협골궁 골절을 정복하는 방법이 시도되고 있다.[53]

(2) 삼각골절

안와저나 안와하연의 골절이 심하지 않고 정복 후 골절의 안정성이 유지된다면 수상 후 4~5일 이내에 비관혈적 정복을 한다. 비관혈적 정복은 골절의 모양이나 정복에 필요한 힘의 방향에 따라 달라진다. 구강 내로 접근하거나 이개 전방부위로 접근하여 갈고리를 이용하여 골절편을 정복할 수도 있다.

관혈적 정복은 관상절개(coronal incision), 외측 눈썹

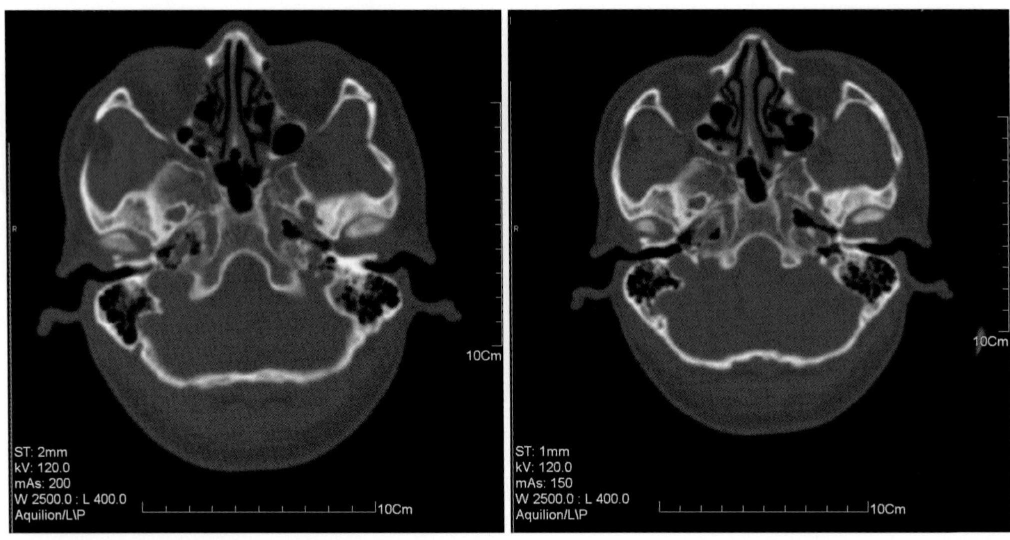

■ 그림 40-27. **협골궁 골절의 정복**

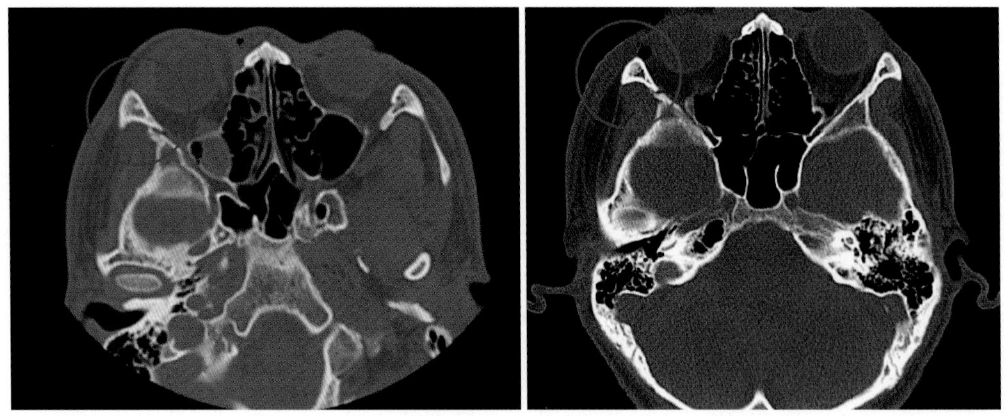

■ 그림 40-28. 협골 삼각골절의 정복술에서 안와 외측벽에서 협골이 접형골과 접하는 골절선의 정확한 정복이 중요하다.

절개(lateral eyebrow incision), 안검 절개(eyelid incision), 구내 절개(gingivobuccal incision) 등을 통하여 골절부에 접근한다. 협골전두(zygomatico-frontal) 부위, 안와 하연(infraorbital rim), 협골 상악(zygomatico-maxillary) 부위의 세 지점이 삼차원적으로 정확히 맞도록 골편을 정복해야 한다. 만일 CT에서 안와판(orbital plate)과 접형골 대익 연결 부위의 전위가 심한 경우에는 안와 외측 벽을 박리한 후 이 부위의 정확한 정복 여부를 확인하는 것이 함몰된 협골부를 정확히 정복시킬 수 있는 중요 포인트이다(그림 40-28). 정복 후 골절편이 불안정하면 고정해야 한다. 고정은 세 지점을 고정하는 것이 이상적이나 대부분은 가장 힘을 많이 받는 부위인 협골 전두 부위와 안와 하연이나 협골 상악 부위 중 하나를 고정해도 가능하다. 고정에는 철사, 핀, 강판(miniplate)이 이용되며, 수술 후 방사선검사로 제대로 정복되었는지 확인하여야 하며 상악동염의 예방을 위하여 적절한 항생제를 사용하여야 한다.[16]

(3) 오래된 골절의 처치

수상 후 10~14일이 경과되면 골절은 자연 치유되기 시작하며, 이후에는 골절의 정복은 어렵거나 불가능하다. 6~12개월이나 그 이상 된 치료되지 않은 골절은 섬유조직의 골화와 연조직의 수축 등으로 안구함몰, 반흔 등의 기형을 남긴다. 이러한 지연된 골절을 치료하기 위해서는 골절 주위를 절골기(osteotome)로 재골절시켜서 골절편을 느슨하게 하거나, 이식편을 이용해 결손 공간을 메우는 등의 작업이 필요하다.

6) 합병증

(1) 안구병변

가장 심각한 안과적 합병증은 실명으로 안구 후 출혈(retrobulbar hemorrhage)이나 시신경 관(optic canal)의 골절에 의한 경우가 많다. 안구 후 출혈이 발생하면 통증이나 안구돌출, 시력저하가 생기며 진단되는 즉시 치료해야 하고, 내과적 치료에 반응이 없으면 감압술 등의 수술적 치료를 시행해야 한다.[13] 협골골절 치료 후 가장 흔한 안구합병증은 지속적인 복시이며, 수술 후 기본 주시방향에서의 복시는 드물지만 극단적인 주시, 특히 상방주시에서는 비교적 흔하다. 하직근(inferior rectus muscle)과 하경사근(inferior oblque muscle)이 2개월 이상 골절편 사이에 끼어 있으면 영구적인 복시를 유발할 가능성이 높다.[26] 안구함몰은 대부분 협골, 안와저나 안와내벽의 골절을 정복하지 않거나 부적절하게 한 경우에 발생한다.

(2) 신경학적 손상

협골 골절에서 가장 흔한 신경학적 손상은 안와하 신경의 손상이다. 아래쪽 눈꺼풀, 코의 외측, 상구순(superior labial region)에 감각이상이 발생하며 완전한 감각소실이 올 수도 있다.[71]

(3) 개구장애

가장 흔한 원인은 협골궁 골절편에 하악골의 근돌기가 끼거나 저작근의 구축으로 인한 일시적인 것이다. 치료는 협골궁 골절편을 재위치시키거나 근돌기를 절제한다.

(4) 안검외반

대부분에서 골절의 수술적 치료 후 안와하연과 피부절개부위의 상처가 섬유성으로 유착하여 안검외반이 생긴다. 이러한 현상은 안와하주름 절개보다는 속눈썹밑 절개를 가할 때 더 많이 생기며 상부 상악골이나 안검주위 연부조직절개를 할 때 사다리 모양으로 절개하면 발생을 방지할 수 있다.[16]

(5) 안검부종

하안검 부종은 안와하주름절개를 할 때 안검의 림프배액이 차단되거나 상처의 반흔구축 때문에 생긴다. 대부분 마사지하면 호전되지만 부종이 지속될 때에는 Z성형술을 해서 상처의 선의 방향을 바꾸고 반흔 구축의 요소를 줄인다.

4. 상악골 골절

1) 해부와 병태생리

상악골은 2개로 구성되어 중앙부에서 봉합되어 있고 5면으로 구성된 피라미드 형태로 상방으로는 협골, 중앙으로는 비골, 비중격, 구개골, 하방으로는 치아가 있다. 골절이 발생하면 익돌판(pterygoid plate)에 부착된 내익돌근(medial pterygoid muscle)에 의해 상악골 절편이 후 하방으로 전위된다(그림 40-29). 상악골은 안와저의 많은 부분을 구성하기 때문에 상악골의 윗부분에 골절이 발생하면 안와저의 골절이 동반되는 경우가 흔하다. 골절이 안와첨부나 시신경관까지 이어지면 시력저하나 실명이 발생할 수 있다.

2) 분류

Le Fort는 상악골 골절을 3가지 기본 유형으로 나누었

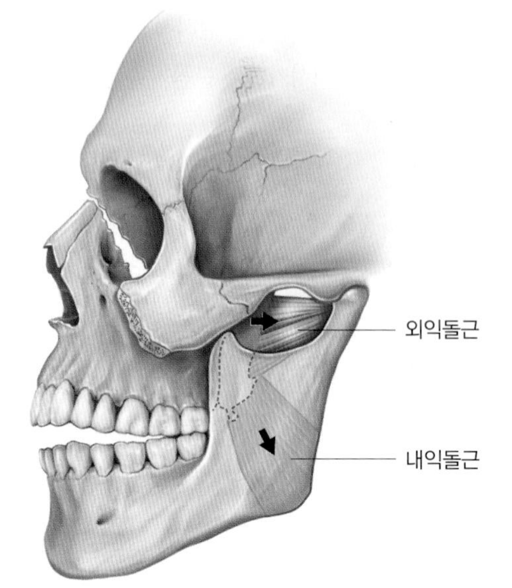

■ 그림 40-29. **내익돌근의 작용에 의해 상악이 후하방으로 전위되어 후방 대구치가 조기 접촉하는 모습**

다. Le Fort I형 골절은 치조릉(alveolar ridge)의 바로 윗부분에서 상악골과 비중격을 가로 지르는 수평방향의 골절로서, Le Fort Ⅱ형 골절은 추체형(pyramidal) 골절인데 골절이 비부를 가로지른 후 상악골을 따라 아래로 가파르게 경사를 이루면서 상악골의 하부벽을 침범하며, 가장 심한 형태인 Le Fort Ⅲ형 골절은 상악골과 비부가 두개저로부터 분리되는 것으로 두개 안면 분리(craniofacial dysjunction)라고도 한다. 이 골절은 비골, 비중격, 양측 안와의 내벽, 외벽, 하벽, 협골궁, 익돌판, 그리고 하측두와(infratemporal fossa)로 이어지며, 안구, 누액계(lacrimal apparatus), 그리고 내안각 인대(medial canthal ligament) 손상이 종종 동반된다. 편측 또는 양측의 협골이 안면골에서 분리되는 것도 자주 관찰된다(그림 40-30).

상악골 골절은 Le Fort I, II, III 골절이 단독으로 발생할 수 있지만 서로 혼합되어 발생하기도 한다. 대개 양측성이지만 골절의 유형이 좌우 대칭인 경우는 많지 않으며 비대칭적인 골절에서는 협골이 상악골에서 완전히 분리되는 경우도 있으며 편측 상악 골절(hemimaxillary fracture)이 발생하기도 한다(그림 40-31).

3) 임상소견과 진단

상악골 골절에서는 익돌근의 작용에 의해 상악이 후하방으로 전위되면서 기도폐색이 발생할 수 있고, 인두나 구개부위의 혈종, 부종, 좌상, 또는 부러진 의치나 치아 때문에 호흡곤란을 일으킬 수 있다. 특히 하악골 골절이 동반된 경우 기도폐색을 더 악화시킬 수 있기 때문에 혼수

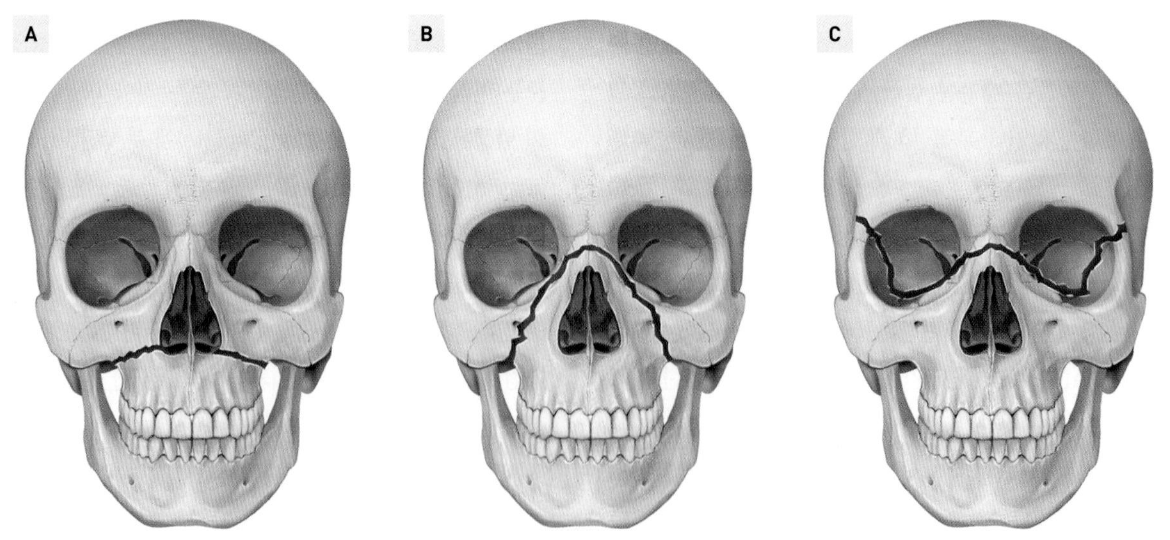

■ 그림 40-30. **Le Fort의 상악골 골절 분류. A)** Le Fort I형 골절, **B)** Le Fort II형 골절, **C)** Le Fort III형 골절

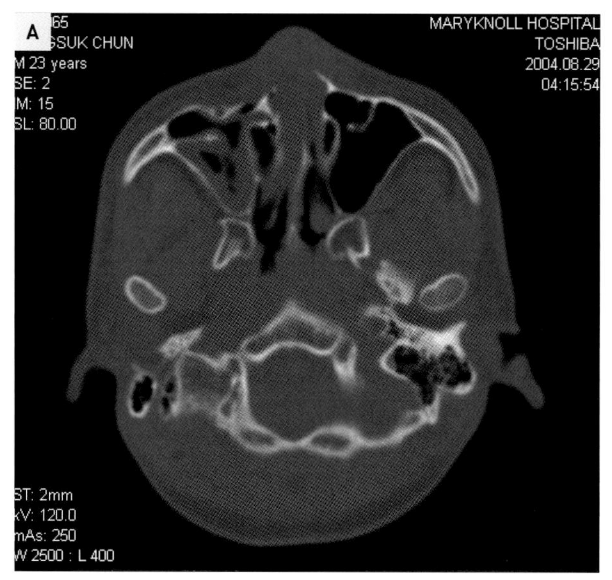

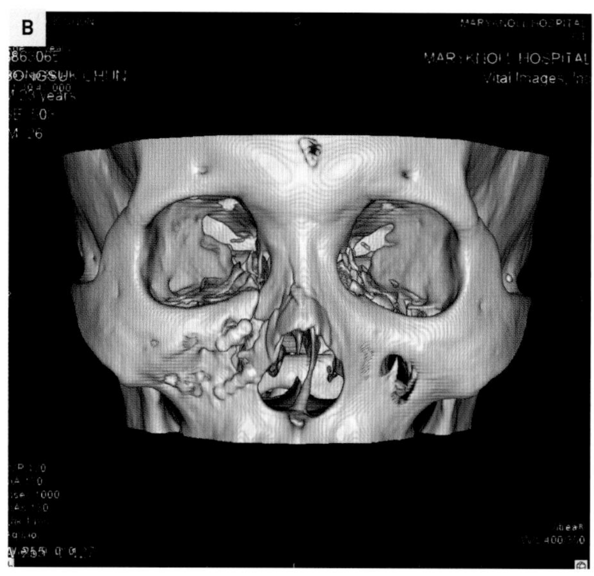

■ 그림 40-31. **우측 상악골 골절의 축상(axial)면 CT 및 수술 후 3D CT 영상**

상태의 환자에서는 구강기도유지기를 이용하여 혀를 전방으로 견인해야 한다.

의식이 있는 환자는 안면부 중앙에 전체적인 통증을 호소하는데 Le Fort Ⅱ형과 Ⅲ형 골절 환자와 협골의 골절이 동반된 환자는 안와하신경이 지배하는 안면부위의 감각저하를 호소하며 개구 장애나 교합 시의 통증이 흔하다. 부정교합은 골절된 상악골이 내익돌근에 의해 후하방의 하악각쪽으로 전위되기 때문에 대구치가 미리 맞닿아 전방 개방교합(anterior open bite)의 형태로 나타난다. 상악골 골절 환자는 특징적인 안면형태를 보이는데 내익돌근에 의한 전위작용은 안면부위의 길이를 연장하고(horse-face), 수상 초기에는 심한 안면부 부종 때문에 뚜렷이 나타나지 않다가 부종이 가라 앉으면서, 안면부를 납작하게(dish-face) 보이도록 한다. 그리고 수상 초기에는 상악골 골절 때문에 생긴 골의 외형 변화를 알아볼 수 없게 하는 purple pumpkin 형태의 안면형태도 Le Fort 골절의 특징적인 소견이다.

부유구개(floating palate)는 Le Fort 골절의 특징적인 징후로 Le Fort Ⅰ형 골절의 경우, 엄지손가락을 치조릉(alveolar ridge)의 앞부분과 전비극(anterior nasal spine)에, 그리고 다른 손가락을 경구개에 놓아 상악골을 쥔 후 반대쪽 손으로 머리를 잡고 움직여 보아 상악골의 움직임을 알 수 있다. 비배부(nasal dorsum)나 안와내연을 촉지할 때 가동성이 있다면 Le Fort Ⅱ형 골절을 의미한다. Le Fort Ⅲ형 골절에서 안와외연 골절 혹은 분리된 협골골절이 동반되어 있다면 안와하연에서 가동성이 느껴지고, 협골골절이 동반된 경우에는 협골궁의 소실과 협골전두 봉합 부위의 계단모양을 확인할 수 있다(표 40-6).

표 40-6. **상악동 골절의 증상**

혈종, 부종, 호흡곤란
안면부 감각이상, 저하
부정교합, 개방교합(anterior open bite)
Purple pumpkin face
접시모양 얼굴(dish-face)
부유구개(floating palate)
뇌척수액 유출(CSF leakage)

상악골 골절은 타 부위의 골절이 동반되는 경우가 흔하며 골절이 비배부와 비중격을 거쳐 넘어가기 때문에 비출혈이 흔하다. 대부분 경도의 출혈이지만 편측 또는 양

측 하행구개동맥(descending palatal artery)이나 내상악동맥(internal maxillary artery)의 손상으로 다량의 출혈이 있을 수 있다. 아주 드물게는 골절이 접형동저나 접형동의 외측벽을 침범하면서 내경동맥(internal carotid artery)이 찢어질 수 있는데 진단과 치료가 어렵고 사망률이 높다.

뇌척수액 비루의 여부도 반드시 조사해야 한다. Le Fort Ⅱ형, 그리고 특히 Ⅲ형 골절에서는 골절선이 사골을 지나가는데 골절선이 두개저까지 연장되면 뇌척수액이 누출될 수 있으며, 실제로 Le Fort Ⅱ형과 Ⅲ형 골절의 25% 이상에서 뇌척수액 누출이 발생한다고 한다.

과거에는 Waters, Caldwell, 측부 그리고 기저영상으로 이루어진 표준 부비동 영상으로 안면 중앙 부위의 골절 유무를 검사하였다. 결국 CT 촬영이 필수적이다.[68,82]

4) 치료

(1) 술 전 관리

수상 초기에는 기도 확보와 비강과 구강 출혈의 지혈이 중요하다. 다량의 비출혈은 응급상황에서는 강력한 팩킹이 유일한 치료수단이며, 만약 일시적으로 조절되면 혈관 조영술이나 경비중격 경로나 외측 하측두와 접근법을 통한 수술적 치료를 하여야 한다. 두개내 손상, 흉부 및 복부손상 등이 있어 안면골절의 정복을 미루고 동반 손상에 대한 수술적 치료를 먼저 하게 될 경우라도 안면열상을 봉합하고, 아치바(arch bar)와 고무 밴드 등을 이용한 악간고정으로 수상 전의 교합을 맞추어 주어야 한다.

(2) 치료

상악골 골절의 치료에 있어서 중요한 것은 적절한 기능과 외양을 복원하는 것이다. 기능적인 측면에서 가장 중요한 것은 치열궁(dental arch)을 원래대로 환원시켜 수상 전의 교합을 얻는 것과, 미용적인 측면에서 가장 중요한 것은 안면골의 수직 높이를 재건하고 상악골의 후전(retrusion)을 막아 안면이 편평해지는 것을 막는 일이다. 또한 안와연이 원래의 대칭성과 외양을 갖도록 재건하고, 코가 가능한 원래의 융기를 되찾도록 해주며, 흔히 동반되는 편측 또는 양측의 내안각 인대 손상을 잘 교정하여 주는 것이 중요하다.

우선적으로 스테인레스강 철사를 이용하여 교합면에 맞게 고정하고 하악골의 치아와 교합이 일치하도록 상하악골을 고정한다.

교합기능의 장애가 있고, 비관혈적 정복으로 안면의 미용적인 면을 해결할 수 없으면 관혈적 정복술을 시행한다. 대부분 구강내 절개를 통해 접근한다. 이러한 절개를 통하여 골절부위를 확인한 다음 골절의 정복을 시행한다. Rowe-Killey 겸자를 이용해 강하지만 서서히, 그리고 지속적으로 힘을 주면서 때로는 위아래 방향으로 약간의 힘을 주면서 전방으로 상악을 당겨 골절을 정복한다(그림 40-32). 거의 모든 Le Fort Ⅲ형 골절과 협골골절이 동반된 모든 Ⅱ형 골절에서는 협골전두부위와 안와저를 확인해야 한다. 안와하연 골절의 경우 속눈썹밑 절개, 경결막 절개 혹은 하안검주름 절개를 통해 접근하여 안와하연과 안와저에 대한 수술을 시행한다. 협골전두부위와 안와연에 대한 정복, 고정을 시행하고 비골골절이 있으면 비골정복을 시행한다.

5. 비안와사골 골절

비안와사골은 두개골 비골 안와 상악으로 이루어져 있으면 악안면 외상에서 진단 및 치료가 가장 어려운 분야 중 하나이다.

1) 증상

다양하게 나타나며 심한 코피가 나면서 안면부 및 안와 주위의 종창을 볼수있다. 비골이 골절되어 뒤쪽으로 전위되어 코가 펑퍼짐 해지고, 내안각 인대(medial canthal ligament)의 손상이 있을 시 양안격리(telecanthus)가 생긴다. 그 외 누관손상으로 인한 유루(epiphora)를

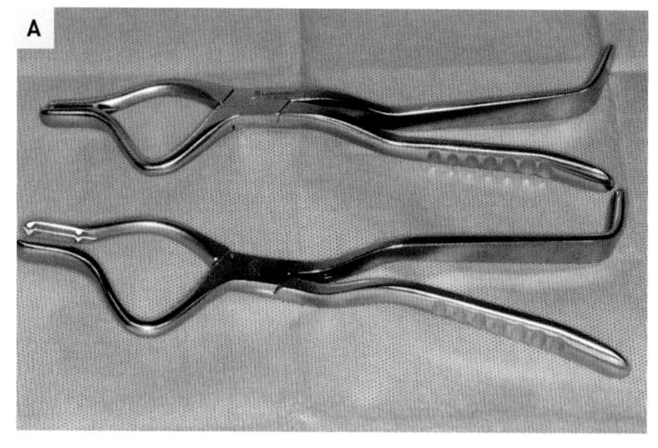
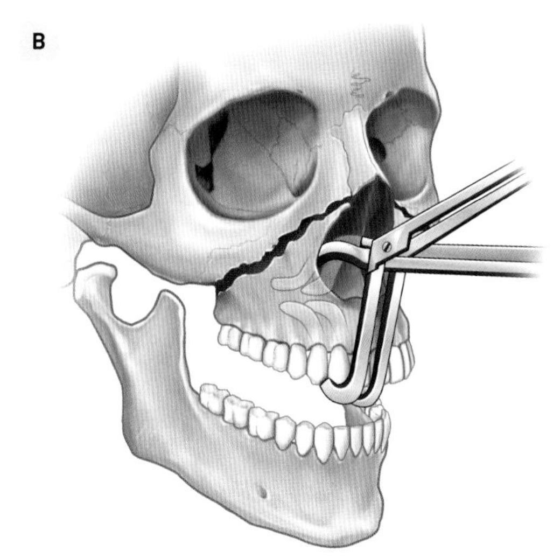

■ 그림 40-32. **상악골 골절의 정복.** **A)** Rowe 겸자, **B)** Rowe 겸자를 이용하여 골절된 상악골을 정복하는 모습

보이기도 한다. 뒤쪽의 사골동 손상 시 뇌척수액 누출, 기뇌증(pneumocephalus), 후각신경 손상이 생기면 후각 이상을 호소하기도 한다.

2) 진단

문진 및 신체 검사로 상기 증상을 확인하고 CT를 찍는 경우 진단하기가 쉽다. 보통 axial scan으로 진단이 가능하고 내안각 인대가 부착되어 있는 골편의 골절 및 전위를 잘 살피는 것이 필요하다.

3) 골절의 분류(그림 40-33)

(1) I형 비안와 사골 골절

내안각 인대가 붙어있는 내측 안와연의 한 부분이 골절된 경우이다. 치료는 떨어져 나온 골절편을 고정하면 된다.

(2) II형 비안와 사골 골절

내안각 인대가 붙어있는 채로 분쇄골절이 생긴 경우이다.

(3) III형 비안와 사골 골절

내안각 인대가 붙어있는 골편이 분쇄골절이 일어나고 인대가 떨어져 나온 것을 말한다. 치료로는 철선술(wiring)이 필요하다.

4) 수술적 치료

내안각 인대를 원래 위치로 복원하는 것이 가장 중요하다. I형 골절인 경우는 골절된 골편을 원래 위치에 고정하여주면 되고, II형 또는 III형 골절인 경우는 분리된 내안각 인대를 골간 철선술로 고정하고 골절편을 최대한 주위 상악골 또는 전두골에 단단히 정복시킨다. 내안각 인대 고정 시 안각 격리증이 다시 생기지 않도록 정상적인 위치보다 약간 후방, 상방에 고정하는 것이 중요하다. 만약 안구 골절이 동반된 경우 먼저 수술 후에 안각 성형술을 시행한다. 비사골 복합체에 대한 수술을 마친 후 마지막으로 비골골절 정복술을 시행하며 골결손이 심할 경우 두개골, 연골 등으로 비배부에 위장이식(camouflage)을 할 수 있다.

6. 하악골 골절

하악은 저작기능에 매우 중요한 부분으로 치료 후 외상전의 저작기능을 회복하기 위해서는 정상적인 교합회복이 절대적이다. 정상교합의 정의는 치열이 가지런히 배열

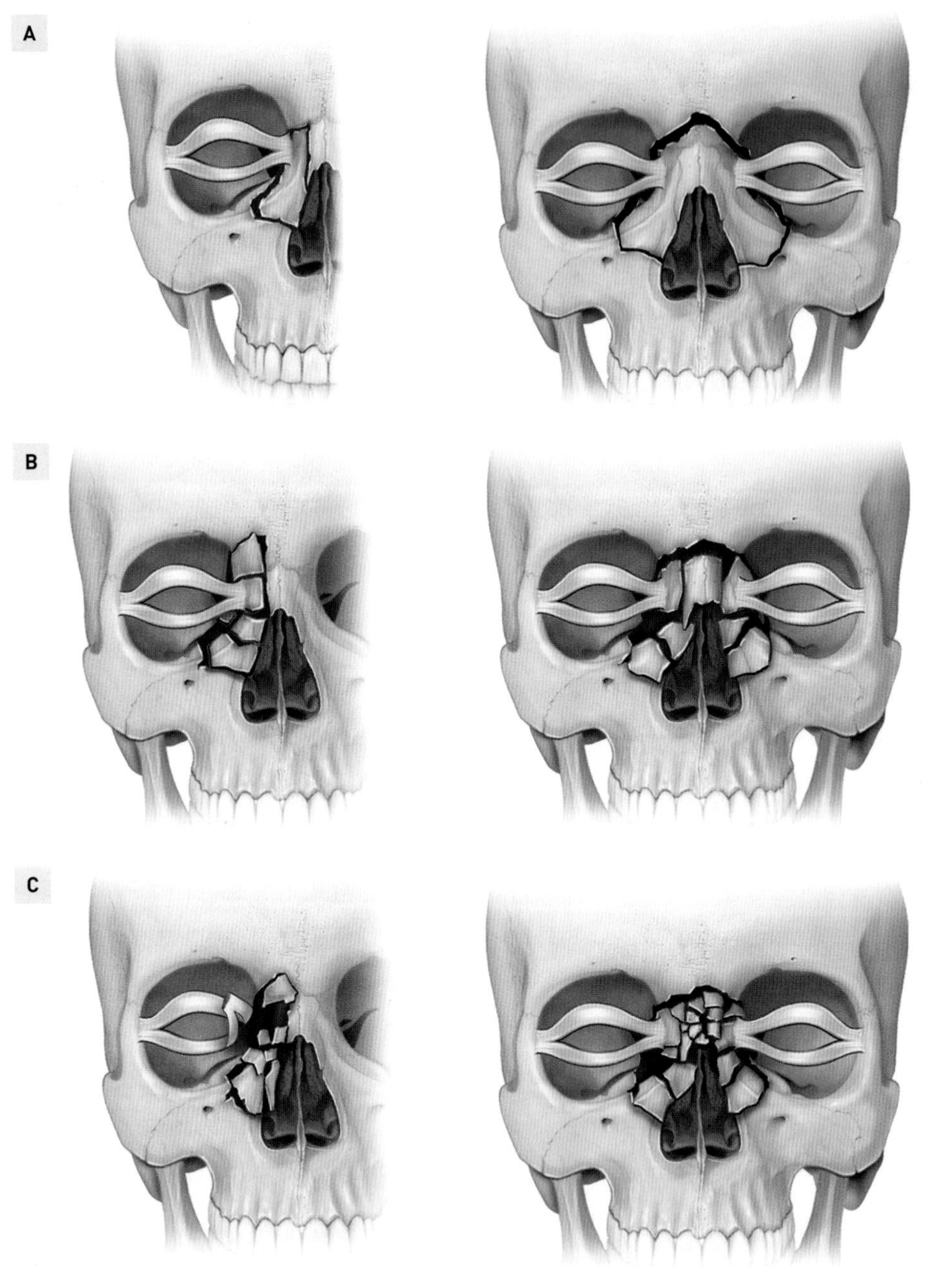

■ 그림 40-33. **비안와사골 골절의 분류**

되어 아래, 윗니가 잘 맞는 경우로 의학적으로는 두개저에 대한 상·하악골의 위치와 크기가 정상 범주에 있고 치아 배열이 정상이며 구치부에서는 상악 제1 대구치의 근심협 교두(mesiobuccal cusp)가 하악 제1 대구치의 협구(buccal groove)에 위치하고 전치부의 수직 및 수평 피개(overbite, overjet)가 정상일 때로 정의한다. 부정교합은 정상교합의 범주를 벗어난 교합상태로 Angle의 분류에 따라 나눈다. 제1급 부정교합은 아래 위 턱의 상태는 정상이나 각 치아가 정상적으로 배열되어 있지 못하거나 치아 사이의 간격이 넓어져 있는 경우를 말하며, 제2급 부

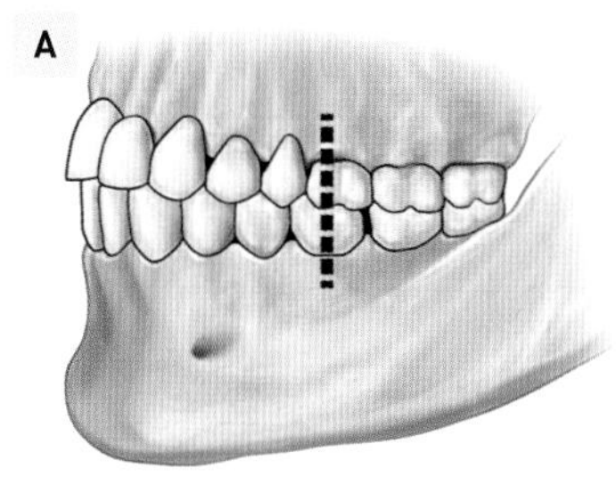

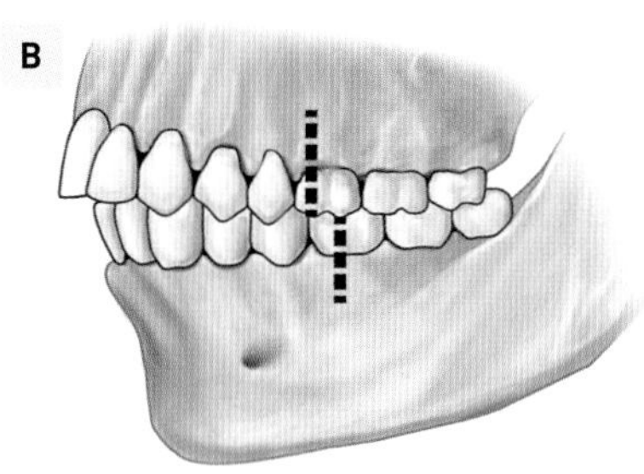

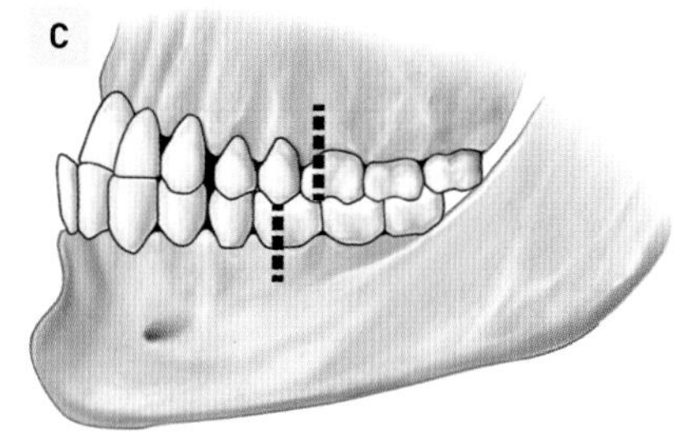

■ 그림 40-34. **하악 부정교합의 Angle 분류.** **A)** 제1급 부정교합, 상악 제1대구치의 근심협 교두가 하악 제1 대구치의 협구와 맞물린다. **B)** 제2급 부정교합. 근심협 교두가 협구의 앞쪽으로 맞물린다. **C)** 제3급 부정교합. 근심협 교두가 협구의 뒤쪽으로 맞물린다.

정교합은 아래턱에 비하여 위턱이 앞으로 나와 있는 경우로 상악 제1 대구치의 근심협 교두가 협구의 앞쪽에 물리는 경우이며, 제3급 부정교합은 위턱에 비하여 아래턱이 너무 앞으로 나와 있는 주걱턱으로 상악 제1 대구치의 근심협 교두가 협구의 뒤쪽에 물리는 경우이다(그림 40-34).

1) 원인 및 빈도

20대 남성에서 호발하고 주요원인은 교통사고, 낙상, 폭행 등이다. 부위별로는 관절돌기(condylar process)골절이 제일 흔하며 하악체(body), 하악각(angle), 하악결합(symphysis), 치조릉(alveolar ridge), 하악지(ramus), 근돌기(coronoid process)의 순으로 빈도가 높다.

2) 분류

골절선의 방향에 따라 근수축력이 골절편의 이동에 크게 작용하여 예후가 불량한 골절을 불리골절(unfavorable fracture)이라 하며 반대의 경우를 유리골절(favorable fracture)이라 한다.

(1) 하악결합 골절(Symphyseal fracture)

상악의 두 중절치(central incisor) 사이의 치조 돌기에서 하악골의 하연까지 골절이 있는 경우이다.

(2) 하악결합방 골절(Parasymphyseal fracture)

절치(incisor)부위의 치조 돌기에서 하악 하연까지 골절이 있는 경우이다.

(3) 하악체 골절(Body fracture)

견치(canine)의 근심면(mesial portion)과 제2 대구치(molar) 원심면(distal portion) 사이에서 골절선이 치조돌기에서 하악체의 하연에 이른 골절이다.

(4) 하악각 골절(Angle fracture)

제2 대구치(second premolar)의 원심부 골절로, 후구치 부위(retromolar area)인 하악지와 하악체의 연결부 만곡에서 하악체 하연과 하악지 후연이 연접한 만곡부까지 골절선이 연결되는 골절이다.

(5) 하악지 골절(Ramus fracture)

골절선이 하악지의 전연으로부터 후연으로 이르거나, 수직으로 하악 절흔(mandiblular notch)에서 하악골의 하연으로 다다른 것이다.

(6) 관절돌기 골절(Condylar fracture)

하악골 골절에서 가장 흔하다.[77] 하악 절흔(manibular notch)에서 하악지 후연에 이르는 골절로 외익돌근(lateral pterygoid muscle) 부착점을 기준으로 관절돌기두 골절(condylar head fracture)과 관절돌기경 골절(condylar neck fracture), 관절돌기 기저부 골절(subcondylar fracture)로 구분한다.

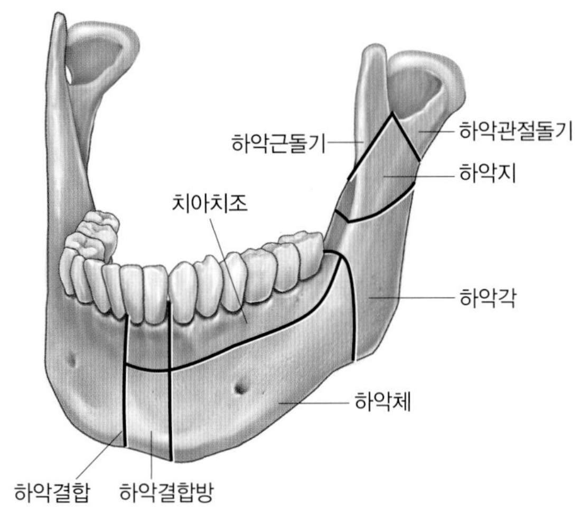

■ 그림 40-35. **하악골골절의 부위별 분류**

(7) 근돌기 골절(Coronoid fracture)

골절이 하악 절흔(mandibular notch)에서 하악지(mandibular ramus) 전연에 이르는 것이다.

(8) 치아치조 골절(Dentoalveolar fracture)

골절이 하악골의 하연에 이르지 않는 유치부위(tooth-bearing portion)의 골절이다(그림 40-35).

3) 병태생리

골절의 부위는 가격하는 힘의 크기, 방향 그리고 표면적에 의해 결정된다. 하악골 관절돌기는 목이 가늘기 때문에 하악골 중에서도 골절빈도가 가장 높은 곳이며 성장 중심이 있기 때문에 하악골 변형과 관절강직, 악관절증(temporomandibular joint arthrosis) 등의 문제가 발생하기 쉽다.

하악골 골절을 비관혈적 정복과 악간고정(intermaxillary fixation)으로 치료하면 대부분은 정상적인 골치유의 과정인 이차적 골유합으로 치유된다. 해부학적인 정복과 경직 내고정(rigid internal fixation)을 시행하고 골절단의 운동성이 아주 제한되었을 때는 일차적 골유합을 관찰할 수 있다. 하악골이 수상 전 강도를 되찾는 데는 대략 20~25주가 걸린다.[52]

4) 진단

(1) 임상소견과 신체검사

환자는 흔히 골절부위의 통증과 압통을 호소하는데 간접골절이 있으면 타격장소와 다른 곳에 통증이나 압통이 있다. 저작곤란은 통증이 하악골 기능을 제한하거나 부정교합 혹은 골절부의 움직임 때문에 생긴다. 하치조신경(inferior alveolar nerve) 분포지역의 이상감각이 있으면 환측 하악골의 하악체나 하악각 부위에서 발생한 전위된 골절을 의심할 수 있다. 전위되지 않은 골절에서 이상감각은 흔하지 않다.

시진은 문진의 내용에 따라 안면의 피부, 하악의 부종, 열창, 혈종 등을 관찰한다. 촉진은 환자가 똑바로 누운 자세에서 환자의 뒤에서부터 시작한다. 먼저 손가락 끝을 하악의 하연에 놓고 하악의 정중앙에서 하악각까지 양측으로 촉진하면서 종창, 계단상 변형 혹은 압통이 있는 부위를 찾는다. 외이도 입구를 통해 관절돌기의 운동을 촉진하고 하악골 자체의 운동도 관찰한다. 개구할 때 편위가 되면 편위 된 쪽의 관절돌기 골절을 의미한다. 새끼손가락을 외이도에 위치시키고 환자에게 입을 벌렸다 닫았다 하게 해본다. 관절돌기하(subcondylar process)골절이 있는 경우 골절이 있는 관절돌기의 운동제한과 통증이 있다. 골절이 의심되는 부위는 양측을 쥐고 조심스럽게 조작하여 가동성을 알아본다. 골절은 발견할 수 없지만 강하게 의심이 되는 경우에 양측 하악각에 압박을 가하면 거의 언제나 골절부위에 통증이 유발되는데 관절돌기 골절은 턱에 후방으로 압력을 가하면 이개전방부위에 통증이 유발된다. 때로는 관절돌기 골절이 외이도 전벽의 상피의 열상을 초래하여 출혈을 할 수 있는데 이때 고막을 잘 관찰하여 두개저 골절의 유무를 판단하여야 한다.

구강도 잘 살펴보아야 하며 특히 연조직, 잇몸, 치아, 구강저를 잘 검사해야 한다. 설하 반상 출혈이 있으면 하악골 골절을 강력히 의심할 수 있다. 부러진 치아, 치아궁(dental arch)의 교합평면이 불규칙한지 확인한다. 환자에게 교합이 이전과 다른지를 물어보고 직접 확인해 보아

표 40-7. **하악골절의 이학적 소견**

부정교합
협부 또는 혀의 반상출혈
점막의 열상
골절 촉진
무감각
개구장애
부종
과잉 침분비
통증
혀열상

야 한다. 외상 환자에서 부정교합의 세 가지 원인은 전위된 골절, 치아손상, 그리고 악관절 탈구이다. 만약 환자가 무치악(edentulous)이고 의치가 있다면 착용 후 교합을 관찰한다(표 40-7).

(2) 방사선검사

하악골 골절이 의심되는 경우 기본적인 필름은 하악골의 측사면 영상(lateral oblique view), 후전방 영상(posteroanterior view), 역Towne 영상(reverse Towne's view)이며, 여기에 파노라마 영상(panoramic view)이 추가된다. 하악결합 골절은 하악 교합 영상(mandibular occlusal view)에서 정확하게 판별할 수 있으며, 관절돌기두의 관절강 내 골절은 흔히 일반 방사선 사진에서 정확하게 보기 힘들고 단층촬영이나 CT에서 상세히 볼 수 있다. 나선형 CT는 하악골절의 진단에 거의 100%의 민감도를 가지며[80] 치근골절(dental root fracture)을 제외하고는 모든 부위에서 파노라마 영상보다 우수하다(그림 40-36).

5) 치료원칙

하악골절의 치료 목표는 정상적인 저작, 발성, 개구, 교합 등의 하악 기능 회복이다. 이 목표를 이루기 위해 정복, 고정, 부동화의 세 가지가 이루어져야 한다.

정복에는 관혈적 정복과 비관혈적 정복이 있다. 관혈적 정복은 골절부위를 직접 보면서 정복할 수 있고 흔히 골절부위에 직접 고정을 시행하게 되며, 비관혈적 정복은 골절부위를 직접 보지 않고 정복을 하지만 골절편의 촉진과 기능부위의 복원으로 정확한 정복 여부를 판단할 수 있다.

고정은 정복된 하악골이 틀어지지 않도록 하는 것으로 직접고정과 간접고정이 있다. 직접고정을 시행할 때는 골절부위가 개방, 가시화된 상태에서 정복이 이루어진 후 골절부위 사이를 안정시킨다. 간접고정은 골절선에서 멀리 떨어진 부위에서 근위부 골절편과 원위부 골절편을 안정시키는 것이다. 악간고정과 외부고정이 그 예이다.

부동화는 골유합을 얻기 위해서 골절부위를 충분한 기간 동안 안정시키는 것을 말한다. 성인에게 간접고정을 시행했을 때 임상적인 안정성을 얻기 위해서는 80%의 환자에서 4주가 필요하다.

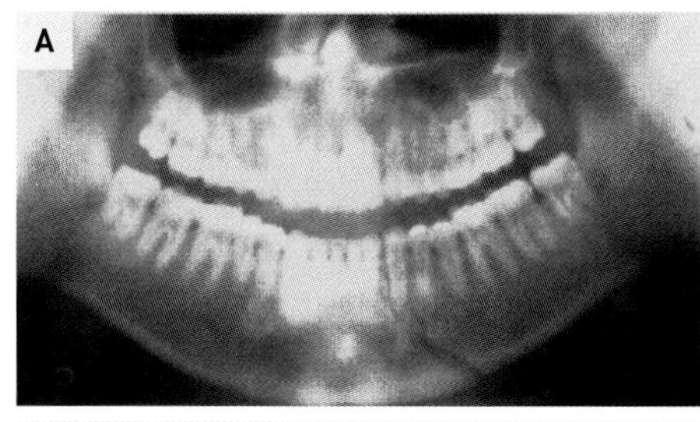

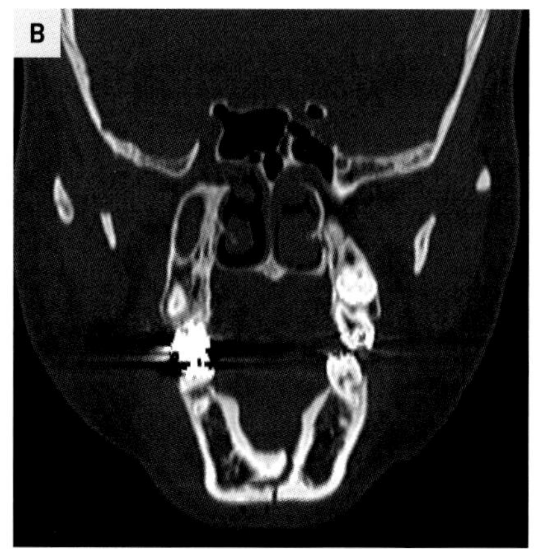

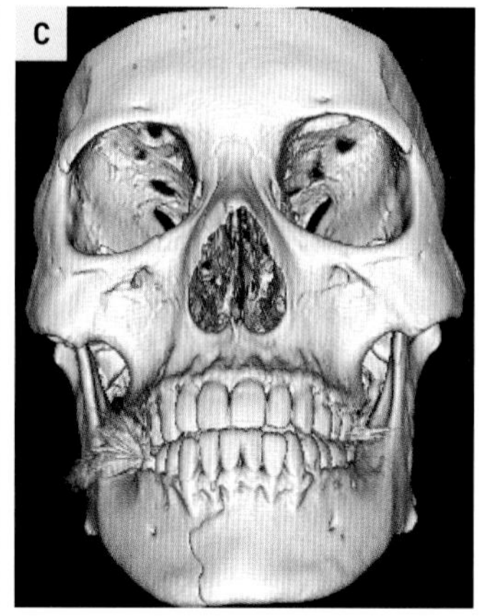

■ 그림 40-36. **하악골 골절의 방사선학적 영상.** **A)** 좌측 하악결합방 골절의 파노라마 영상 소견. **B)** 하악골 정중선 부위의 골절의 관상(coronal)면 CT 영상. **C)** 하악골 골절의 3D 영상

(1) 보존적 처치

하악골 골절에서 가장 널리 사용하는 방법으로 관혈적 정복술의 적응증과 상관없이 모든 경우에 적용된다. 광범위한 분쇄골절은 감염의 위험성 때문에, 심하게 위축된 무치악 골절의 경우는 골형성 능력이 떨어지기 때문에, 그리고 발육중인 치열이 관련된 어린이 골절은 치아에 손상을 줄 수 있으므로 보존적 치료의 적응이 된다. 일반적으로 성인의 하악골 골절 시 악간고정은 6주간 시행한다. 그러나 많은 환자에게서 체중감소가 발생하고 구강위생이 나쁘고 직장으로의 복귀가 늦어지며, 측두하악 관절에 조직학적인 변화가 생기는 단점이 있으므로, 골절의 양상에 따라 다르지만 합병증이 발생되지 않은 단순 하악골 골절의 경우 소아에서는 2~3주, 성인에서는 3~4주 그리고 고령자 군에서는 6~8주 정도 악간 고정이 추천된다.

(2) 수술

관혈적 정복은 불리 골절인 경우, 연조직이 삽입되어 있고 골절치료가 많이 늦어졌을 경우, 복잡 안면골 골절, 관절돌기 골절과 하악골의 또 다른 부위에 골절이 있는 경우, 다른 신체적 문제로 악간고정이 곤란한 환자 등에 시행한다.

관혈적 정복은 접근로에 따라 구강 외 접근법과 경구강 접근법으로 나눌 수 있다. 구강 외 접근법은 시간이 많이 소요되고 눈에 띄는 상흔이 남으며 안면신경의 하악지를 비롯한 주위 구조물에 손상을 줄 수 있다. 이에 반해 경구강 접근법은 수술시간이 짧고, 구강 외에 상흔이 없으며, 안면신경 손상의 위험성이 낮다는 이점이 있다. 이 시술은 국소 마취 하에서도 시행할 수 있으며 수술 후 상처 치료에 어려운 점이 별로 없다.

6) 골절 부위별 치료

(1) 관절돌기 골절(Condylar process fracture)

대부분의 관절돌기 골절은 보존적 치료로 잘 치유된다. 성인이든 소아든 간에 골절된 관절돌기가 변위되어 있지 않고 치아교합 상태가 괜찮으면 굳이 고정할 필요가 없다. 연식(soft diet)을 주면서 입을 벌릴 때 하악이 한쪽으로 치우치지 않는가 확인하기 위하여 환자를 2주간 3~4일 간격으로 내원하게 하여 관찰한다. 골절된 관절돌기가 내방으로 상당히 변위되어 있어도 악간고정만으로 충분하다. 그 이유는 내방으로 변위된 관절돌기가 차츰 저절로 하악와(glenoid fossa)로 이동하여 결국에는 좋은 골배열을 이루게 되며, 악관절은 체중부하를 받는 관절이 아니고 대부분의 부하가 치아나 치근막으로 전달되므로 골절편을 정확히 배열해 주지 않더라도 기능적으로 별 문제가 없기 때문이다. 교합부전이 있거나 골절이 양측성인 경우에는 약 3주간 악간고정을 한다. 1주일에 한 번씩 내원하게 해서 하악이 정중선상에서 벌어지는지 확인한다. 조정하는 데 대개 6~14주간이나 걸린다. 장기간 악간고정을 해야 할 경우에는 적어도 1~2주에 한 번씩 악간고정을 풀고 운동시켜야 악관절 강직이 생기지 않는다. 나중에 관절판(disc)에 변위가 일어나거나 그 밖에 다른 문제가 나타날지 모르기 때문에 적어도 6개월간 환자를 추적 관찰해야 한다.

관절낭 내에 있는 관절돌기두 골절은 진단하기는 어려워, 여러 달이 지난 후에 저작 시 관절 내 잡음, 동통, 관절운동 장애 등이 있고서야 비로소 의심하게 되는 수가 많다. 이런 경우 약 3주간 악관절 운동을 제한하고 필요에 따라 매주 스테로이드를 관절 내에 주사하면서 점차 운동을 늘려나간다. 대부분의 관절돌기 골절은 보존적 치료로 충분히 치료되기 때문에 관혈적 정복을 시행해야 할 경우는 드물다.

관혈적 정복을 할 때는 이개 전 절개(preauricular incision)를 통해서 골절부위에 도달하여 정복한다. 때로는 하악각 부위에 가한 피부절개를 통해서 거상기를 넣어 정복한 후 K-철사로 고정하기도 한다. 정복할 때 골절부위를 해부학적으로 정확히 배열할 필요는 없시반 소아나 무치악 환자에서는 하악지가 짧아지지 않도록 골절단을 잘 맞추어 주어야 한다. 물론 골절부위가 다소 어긋나 있더라도 관절돌기두가 하악와에 들어가 있기만 하면 골유합이 만족스럽게 되는 것이 보통이다.

(2) 하악지 골절(Ramus fracture)

골절부위를 소강판, 철사, lag screw 등으로 고정하고 6주간 악간고정을 한다.

(3) 하악각 골절(Angle fracture)

하악각 골절이 있지만 변위되어 있지 않으면 치아부목과 악간고정을 이용해서 보존적으로 치료해 주면 된다. 그러나 변위가 있으면 관혈적으로 수술해 주어야 한다. 하악각 상연에는 신장력이 작용하고 있고 하악각 하연에는 압박력이 작용하고 있다. 또한 하악각은 거상근 군(elevator muscle group)과 하제근 군(depressor muscle group)의 당기는 힘의 영향을 크게 받는다. 따라서 하악각 골절을 치료할 때는 이러한 힘들에 효과적으로 대응하기 위해서 하악각 상연을 소강판이나 철사로 확고하게 고정하는 것이 중요하다.[18]

(4) 근돌기 골절(Coronoid fracture)

근돌기는 넓고 튼튼한 측두근과 근막, 그리고 협골궁의 보호를 받기 때문에 근돌기 단독으로 골절되는 경우는 드물다. 그리고 측두근과 그 근막이 근돌기의 외면에 붙어 있기 때문에 골절편이 변위되는 경우는 드물어 특별한 치료를 할 필요가 없다.

7) 합병증

하악골 골절의 합병증은 대략 7~29% 정도이며 합병증의 빈도는 골절의 심한 정도와 연관이 있다. 상처 감염이 모든 종류의 하악골 골절에서 가장 흔한 합병증이며 그 외 부정교합, 유합결여, 지연유합, 차아소실, 개구장애, 악관절 강직, 이상감각 등이 있다.

(1) 초기 합병증

출혈과 기도폐쇄, 감염이 있다. 감염은 모든 종류의 하악골절에서 가장 흔하다.[67,72,75] 대부분의 감염은 괴사제거(debridement), 이물질 제거, 정확한 고정, 항생제 투여 등으로 예방할 수 있다.

(2) 후기 합병증

① 신경손상

하악체와 하악각에서 전위골절이 있을 때 하치조 신경에 대한 외상성 손상이 흔하다. 신경의 손상은 1~15%로 보고되고 있다.[38]

② 유합결여와 지연유합

정상적으로 하악골절의 유합은 4주에서 8주 사이에 일어난다. 이 기간 중 골 유합이 일어나지 않을 경우 유합결여(nonunion)라 정의하며 적절한 정복과 고정이 되어 있어 결국은 골유합이 되기 전의 일시적인 상태를 지연유합(delayed union)이라 한다. 원인은 부적절한 정복과 고정, 감염 등이며 무치악골절에서 더 잘 발생한다. 개방골절이나 무치악 골절의 경우에 골막을 지나치게 박리하면 혈류가 줄어들어 지연유합을 유발할 수 있다.

③ 부전유합

부전유합(malunion)은 유합된 골절부위에 여전히 전위가 있는 상태를 말하며, 빈도는 1~18% 정도이다.[60]

④ 악관절 강직

관절강직은 소아에서 많이 발생하며, 관절 낭 내 골절과 장기간의 악간고정과 연관이 있다. 가장 일반적으로 여겨지는 원인은 관절 낭 내 출혈로 인해 비정상적인 섬유화가 일어나 관절강직을 유발하는 것이다. 소아에서 관절강직을 치료하지 않으면 병변 측의 성장장애와 발육불량이 생긴다. 일단 관절강직이 생기면 수술적 치료를 해야 한다. 측두하악관절 성형술(temporomandibular arthroplasty), 강직부위의 골절제, 근돌기 절제술, 그리고 늑연골 이식에 의한 재건술 후 조기에 지속적으로 능동적인 악관절 운동을 해야 한다.

7. 소아의 악안면 외상

소아의 악안면 외상의 빈도는 성인보다 낮으며, 진단은 성인에 비해 어렵고 골절을 간과하기 쉽다. 치료는 즉각적으로 시행되어야 하며 전위를 동반하지 않은 경우는 보존적 치료나 비관혈적 정복을 시도한다. 일반적으로 골과 치아의 성장을 고려해야 하고 장기적인 관찰이 필요하다.

1) 해부학적 특징

출생 시 안면부에서 머리가 차지하는 비율이 대략 8대 1로 성인보다 상대적으로 커서 중안면과 하악 골절의 빈도가 낮고 상대적으로 5세 미만에서는 두부 손상의 빈도가 높다. 성장기에 있으므로 외상 후 성장 장애에 대한 장기간의 주의가 필요하며 특히 하악 관절돌기, 하악골, 비골, 비중격 골절은 주의를 요한다. 6~12세까지는 혼합유치기(mixed dentition)로 이미 자라난 유치와 치조골 내의 영구치 소포(permanent teeth follicle)가 공존하고 있어 이 시기에 상악골과 하악골이 골절되면 영구치의 손상 가능성이 높다.

2) 빈도와 원인

소아의 악안면 외상은 전체의 15% 미만이며 5세 이하에서는 빈도가 낮고[7,47,58] 성장과 함께 증가하다가 사춘기에 성인의 빈도와 같아진다. 학령기 이전에 성인에 비해 빈도가 낮은 것은 안면골과 안면골 사이의 봉합부분이 유연하고 비교적 두터운 지방조직으로 덮혀 있으며, 하악에 영구치가 함몰되어 있고, 부비동의 함기화가 완전하지 않아 외상에 비교적 강하기 때문이다.[45,58] 계절적으로는 외부 활동이 왕성한 여름에 흔하고 남아에서 흔하다. 6세 미만의 학동기전 아동의 경우 낙상이 가장 흔한 원인이며[7,42] 학동기에는 스포츠와 관련된 손상이 많다.

3) 골절 부위와 양상

소아의 골 조직은 완전히 골절되는 경우보다는 약목골절이나 골봉합선이 벌어지는 경우가 더 많다. 2세 이하에서는 전두부의 손상이 많고 나이가 들어감에 따라 턱이나 입술부위의 손상이 흔해진다. 하악골 골절에서는 관절돌기의 골절이 가장 흔한데 혈관이 풍부하고 목이 상대적으로 가늘어 성인보다 소아에서 상대적으로 더 흔하다. 강한 외상으로 발생하는 중안면 골절은 소아에서는 비교적 드물고 그 중 협골골절이 많으며 Le Fort골절은 거의 발생하지 않는다. 중안면 골절은 상악동이 발달하고 영구치가 나면서 그 빈도가 증가하여 대략 13~15세에 가장 높은 빈도를 보인다.

4) 진단

단순촬영에서는 봉합선이 넓고 골부가 유연하여 구별이 어려울 때가 많아 도움이 되지 않으며 삼차원 영상을 포함한 CT가 유용하다.

5) 치료

성인에 비해 골형성 능력과 치유가 빠르므로 골절의 정복은 가능하면 빠른 시간 내에 시행하고 부동화 기간도 대략 2주(성인 4주) 정도로 짧아야 한다. 전위되지 않은 골절에서는 보존적 치료로 가능하며 전위된 골절은 관혈적 정복과 강직 내고정이 치료원칙이나 소아의 상악골과 하악골에서는 많은 치아가 발달하고 있으므로 관혈적 정복을 해야 하는 경우에는 반드시 파노라마 영상을 촬영하여 아직 맹출되지 않은 영구치의 위치를 확인하여야 한다.

(1) 하악골 골절

소아의 하악골 골절은 가능한 비관혈적인 방법으로 치료하여야 한다. 골절 후 3~4일이 지나면 벌써 골절편들이 유합하므로 조속히 치조에 부목을 대고 하악주위철사결박을 하거나 단악고정을 하여 골절 부위를 고정해 주는 것이 중요하다.[25,58] 대부분의 하악 관절돌기 골절은 보존적 치료나 비관혈적 정복으로 치료하며 상악·하악 고정을 할 경우 7~10일을 넘기지 말아야 한다.[67] 정기적인 관찰을 통하여 염증, 부정교합 등의 초기 합병증을 예방하고 치료하여야 하며 영구치 손상, 악관절 장애, 성장장애 등의 후기 합병증에 관심을 가져야 한다.

(2) 중안면 골절

소아의 중안면 골절은 비교적 드물며,[72] 병력과 신체검사, 영상학적 검사로 진단할 수 있다. 신체검사에서 통증, 안면부 비대칭, 안구 함몰이나 안구운동 장애, 복시, 개구 장애 등을 볼 수 있으며 비사골 복합체 골절의 경우 출혈, 안각격리증(telecanthus), 비폐색 등을 동반한다.

(3) 협골 골절

전위되지 않은 협골 골절의 경우 보존적 치료로 치유가 가능하며 분쇄골절이나 미용적, 기능적으로 문제가 될 경우에는 관혈적 정복이 필요하다.

(4) 비골골절

소아의 비골골절은 연조직에 비해 비골이 적어 진단하기가 어렵고 비중격 혈종은 드물지만 연골부의 괴사로 인한 변형과 성장장애를 초래함으로 조기치료가 필요하다. 최근에는 조기치료를 하지 않아도 결과에 차이가 없다는 보고도 있다.[39] 전신 마취하에 7일 이내에 비관혈적 정복을 시행하여야 하며 성인과 달리 관혈적 정복은 성장에 장애를 줄 수 있으므로 피해야 한다. 소아의 비골골절을 적절하게 치료하지 않으면 성장과 함께 곡비, 안비, 사비 같은 후유증이 발생할 수 있으며 성인에서의 비중격 만곡의 원인이 된다.

(5) 안와 골절

안와저 골절에서 수술을 고려할 때 12세 이전의 소아의 경우 영구치 치아가(tooth bud)가 손상될 수 있으므로 상악동을 통한 접근보다는 경안와 접근법을 통한 관혈적 정복이 좋다.[23,28,42] 특히 소아에서 White eyed blowout fracture가 잘 발생하는데 이 경우는 응급으로 수술을 하는 것이 추천된다.

6) 합병증

소아의 경우 골형성 능력이 왕성하며 치유가 빠르고 상대적으로 관혈적 정복과 경직 고정을 요하는 경우가 적어 술 후 염증이나 부정유합(malunion), 유착결여(non-union)의 빈도가 낮다.

III 악안면 외상 치료의 새 지평

현재 다양하게 시도되고 있는 새로운 기술들이 악안면 외상 치료의 미래를 예측할 수 있는 좋은 근거가 될 것이며 다음과 같은 분야에서 많은 시도와 발전이 이루어지고 있다.

1. 생체 흡수형 임플란트(Bioresorbable implants)

생체역학의 원리에 대한 지식이 발달함에 따라 골절의 고정에 사용하는 물질들에 대한 광범위한 발달이 이루어지고 있다. 생체 고정 후 1~2년 사이에 흡수되므로 특히 성장기에 있는 소아 환자의 골절 고정에 유용하다. 궁극적으로 고정에 사용되는 임플란트는 골절 치유과정 동안 적당한 강도를 유지하고, 생체에 이물반응을 일으키지 않으며 시간이 지남에 따라 흡수되어 영구히 소실되는 물질이어야 한다.[82]

2. 내시경 수술(Endoscopic surgery)

악안면 외상의 치료에 있어 내시경은 좋은 수술 시야

확보와 더불어 미용적으로도 우수한 결과를 보이므로 하악골절이나 안와골절, 협골골절[10], 전두동골절뿐만 아니라 다양한 악안면 절골술(maxillofacial osteotomies)에도 이용된다.[74]

3. CAS (Computer Aided Surgery)

CT나 삼차원 CT영상으로 대부분의 악안면 외상을 진단할 수 있으나 악안면 자체가 주변에 많은 연조직이 둘러싸인 3차원 구조이므로 다방향 영상(multidimensional image)을 이용하는 CAS와 같은 개념이 도입되어 진단과 수술에 많은 도움을 주고 있다. 또한 술 중에 사용할 수 있는 portable CT영상 등은 치료의 진행과정과 결과를 예측하는 데 많은 도움을 준다.[37,57,58]

4. Navigation

최근 악안면 외상의 치료에 네비게이션이 도입됨으로 인해 좀 더 정확한 골절 정복술이 가능하고 합병증이 줄어들게 되었다.[54]

참고문헌

1. 권민상, 문정환, 권재환 등. 안와 외향골절 정복술에서 치료성적 및 술 후 합병증 분석. 한이인지 2006;49:802-806.
2. 권재환, 한창용, 반정민 등. 안와 하벽 골절과 내벽 골절의 분석. 한이인지 1998;41:1152-1155.
3. 문정환, 권민상, 박성원 등. 최근 5년간 악안면 외상 환자 527명에서의 임상적 고찰. 한이인지 2004;47:362-367.
4. 문정환, 박성원, 권재환 등. 실리콘 튜브의 탄성을 이용한 안와하벽 골절 정복술. 한이인지 2003;46:1046-1050.
5. 진홍률. 안면외상의 기초. 2004년 추계 전공의 연수강좌 p.204-233.
6. Batineh AB. Etiology and incidence of maxillofacial fractures in the north Jordan. *Oral Surg Oral Med Oral Pathol Oral Radilol Endod* 1998;86:31-35.
7. Benoit R, Watts DD, Dwyer K. A source of suburban pediatric trauma. *J Trauma* 2000;49:477-481.
8. Cantrell R. Fracture of the frontal sinus. *Trans Pac Coast Otoophthalmol Soc Annu Meet* 1974;55:101.
9. Celin SE. Facial trauma: Evaluation and treatment of soft tissue injuries. In :Myers EN(eds). *Operative Otolaryngology and Head and Neck Surgery*. Philadelphia, WB Saunders, 1997.
10. Chen CT, Lai JP, Chen YR, et al. Application of endoscopies in zygomatic fracture repair. *Br J Plast Surg* 2000;53:100-105.
11. Chen DJ, Chen CT, Chen YR, et al. Endoscopically assisted repair of frontal sinus fracture. *J trauma* 2003;55:378-382.
12. Citardi JM. Cerebrospinal fluid rhinorrhea. In: Cummings CW, Flint PW, Harker LA, et al(eds). *Otolaryngology Head & Neck Surgery*. 4th ed. Philadelphia, Elsevier Mosby, 2005, p.1276-1292.
13. Donald PJ. Fracture of the zygoma. In: Donald PJ, Gluckman JL, Rice Dh(eds). The sinuses. New York, Raven Press, 1995, p.313-341.
14. Donald PJ, Ettin M. The safety of frontal sinus fat obliteration when sinus walls are missing. *Laryngoscope* 1986;96:190-193.
15. Doonquah L, Brown P, Mullings W. Management of frontal sinus fractures. *Oral Maxillofac Surg Clin North Am* 2012;24:265-274.
16. Ellis E, Kittedumkerng W. Analysis of treatment for isolated zygomaticomaxillary complex fractures. *J Oral Maxillofac Surg* 1996;54:386-400.
17. Emery JM, Noorden GK, Sclernitzauer DA. Orbital floor fracture: Long term follow-up of cases with and without surgical repairs. *Trans Am Acad Ophthalmol Otolaryngol* 1971;75:802-812.
18. Gear AJ, Apasova E, Schmitz JP, et al. Treatment modalities for mandibular angle fractures. *J Oral Maxillofac Surg* 2005;63:655-663.
19. Gerbino G, Roccia F, Benech A, et al. Analysis of 158 frontal sinus fractures: current surgical management and complications. *J Craniomaxillofac Surg* 2000;28:133-139.
20. Godin D, Miller R. Frontal sinus fractures. *J La State Med Soc* 1998;150:50-55.
21. Gray LN, Kalimuthu R, Jayaram B, et al. A retrospective study of treatment of orbital floor fractures with the maxillary sinus approach. *Br J Plast Surg* 1985;38:113-115.
22. Greenwald HS, Keeney AH, Shamon GM. A review of 128 patients with orbital fractures. *Am J Ophthalmol* 1974;78:655-664.
23. Gussack GS, Luterman A, Powell RW. Pediatric maxillofacial trauma: unique features in diagnosis and treatment. *Laryngoscope* 1987;97:925-930.
24. Guy WM, Brissett AE. Contemporary management of traumatic fractures of the frontal sinus. *Otolaryngol Clin North Am* 2013;46:733-748.
25. Hardt N, Gottsauner A. The treatment of mandibular fractures in children. *J Craniomaxillofac Surg* 1993;21:214-219.
26. Harley RD. Surgical management of persistent diplopia in blow out fractures of the orbit. *Ann Ophthalmol* 1975;7:162-166.
27. Harris L, Marano G, McCorkle D. Nasofrontal duct: CT in frontal si-

nus trauma. *Radiology* 1987;65:195.

28. Holland AJ, Broome C, Steinberg A. Facial fractures in children. *Pediatr Emerg Crae* 2001;17:157-160.
29. Jan GAM de Visscher, Karel GH van der Wal : Medial orbital wall fracture with enophthalmos. *J Cranio Max Fac Surg* 1988;16:55-59.
30. Jeon SY, Kim C, Ma Y, et al. Microsurgical intranasal reconstruction of blowout fracture of the medial orbital wall. *Laryngoscope* 1996;106:910-913.
31. Jordan DR, Allen LH, White J, Harvey J, Pashby R, Esmaeli B. Intervention within days for some orbital floor fractures: the white-eyed blowout. Ophthal Plast Reconstr Surg 199814(6):379-390.
32. Katsuhisa I, Hideaki S, Takeshi O. Endoscopic endonasal repair of orbital floor fracture. *Arch Otolaryngol Head Neck Surg* 1999;125:59-63.
33. Kellman RM, Tatum SA. Complex facial trauma with plating. In: Bailey BJ, Johnson JT, Newlands SD, et al (eds). *Head and Neck Surgery-Otolaryngology*, 4th ed. Lippincott Williams & Wilkins, 2006, p.881-894.
34. Kessler P, Hardt N. The use of micro-titanium mesh for maxillary sinus wall reconstruction. *J Craniomaxillofac Surg* 1996;24:317-321.
35. Kevin A, Shumrick. Endoscopic management of frontal sinus fractures. *Facial Plast Surg Clin North Am* 2006;14:31-35.
36. Knight JS, Noth JF. The classification of malar fractures: an analysis of displacement as a guide to treatment. *Br J Plast Surg* 1961;13:325-339.
37. Kokoska M, Hardeman S, Stack B, et al. Computer-aided reduction of zygomatic fractures. *Arch Facial Plast Surg* 2003;5:434-436.
38. Leach J, Truelson J. Traditional methods vs rigid internal fixation of mandibule fractures. *Arch Otolayngol Head Neck Surg* 1995;121:750-753.
39. Lee DH, Jang YJ. Pediatric nasal bone fractures: does delayed treatment really lead to adverse outcomes? Int J Pediatr Otorhinolaryngol. 2013 May;77(5):726-731.
40. Leigh J, Deil-Dwyer G, Rowe NL. Primary care. In: Rowe NL, Williams JL(ed). *Maxillofacial Injuries*, 2nd ed. New York, Churchill Livingston, 1994, p.65-92.
41. Lemke BN, Kikkawa DO. Repair of orbital floor fractures with hydroxyapatite block scaffolding. *Ophthalmic Plast Reconstr Surg* 1999;15:161-165.
42. Lizuka T, Thoren H, Annio Jr DJ, et al. Midfacial fractures in pediatric patients: Frequency, characteristics, and causes. *Arch Otolaryngol Head Neck Surg* 1995;121:1366-1371.
43. Luce EA. Frontal sinus fractures: Guidelines to management. *Plast Reconstr Surg* 1987;80:500-510.
44. Lyon DB, Newman SA. Evidence of direct damage to extraocular muscle as a cause of diplopia following orbital trauma. *Ophthalmic Plast Reconstr Surg* 1989;5:81-91.
45. Maniglia AJ, Wagenaar AC, Liu W: Maxillofacial trauma in the pediatric age group. *Otolaryngol Clin North Am* 1983;16:717-30.
46. Mathog RH. Management of orbital blow out fractures. *Otolaryngol Clin North Am* 1991;24:70-91.
47. McGraw BL, Cole RR. Pediatric maxillofacial trauma:Age-related variations in injury. *Arch Otolaryngol Head Neck Surg* 1990;116:41-45.
48. McLoughlin P, Gilhooly M, Woog G. The management of zygomatic complex fractures-results of a survey. *Br J Oral Maxillofac Surg* 1994;32:284-288.
49. Motamedi MHK. An assessment of maxillofacial fractures: a 5-year study of 237 patients. *J Oral Maxillofac Surg* 2003;61:61-64.
50. Olson EM, Wright DL, Hoffman HT, et al. Frontal sinus fractures: Evaluation of CT scans in 132 patients. *Am J Neuroradiol* 1992;13:897-902.
51. Persons BL, Wong GB: Transantral endoscopic orbital floor repair using resorbable plate. *J Craniofac Surg* 2002;13:483-488.
52. Peterson LJ, Indresano AT, Marciani RD. *Principles of Oral and Maxillofacial Surgery*. Philadelphia, Lippincott, 1992, p.407-434, p.575-591.
53. Pham AM, Strong EB. Endoscopic management of facial fracture. *Curr Opin in Otolaryngol Head Neck Surg* 2006;14:234-241.
54. Pierrefeu A, Terzic A, Volz A, Courvoisier D, Scolozzi P. How accurate is the treatment of midfacial fractures by a specific navigation system integrating "mirroring" computational planning? Beyond mere average difference analysis. J Oral Maxillofac Surg. 2015 Feb;73(2):315.e1-315.
55. Pietrzak WS, Verstynen ML, Sarver DR. Bioabsorbable fixation devices: status for the craniomaxillofacial surgeon. *J Craniofac Surg* 1997;8:92-95.
56. Ploder O, Klug C, Backfrieder W, et al. A single reformatted oblique sagittal view as an adjunct to coronal computed tomography for evaluation of orbital floor fractures. *J Oral Maxillofac Surg* 2004;62:456-459.
57. Ploder O, Klug C, Voracek M, et al. A computer-based method for calculation of orbital floor fractures from coronal computed tomography scans. *J Oral Maxillofac Surg* 1991;59:1437-1442.
58. Posnick JC, Wells M, Pron GE. Pediatric facial fractures: Evolving patterns of treatment. *J Oral Maxillofac Surg* 1993;51:836-844.
59. Randall DA, Berstein PE. Epistaxis balloon catheter stabilization of zygomatic arch fractures. *Ann Otol Rhinol Laryngol* 1996;105:68-69.
60. Reitzik M, Schoorl W. Bone repair in the mandible: A histologic and biometric comparison between rigid and semirigid fixation. *J Oral Maxillofac Surg* 1983;41:215-218.
61. Rohrich RJ, Hollier LH. Management of frontal sinus fractures: Changing concepts. *Clin Plast Surg* 1992;19:219-232.
62. Rontal ML. State of the art in craniomaxillofacial trauma: frontal sinus. *Curr Otolaryngol Head Neck Surg* 2008;16:381-386.

63. Sataloff R. Surgical management of frontal sinus. *Neurosurgery* 1984;15:593-596.
64. Schultz RC. Morphological and anatomical classification of injury. In: *Facial Injuries*. Chicago, Year Book Medical Publishers, 1988.
65. Schultz RC. Treatment of soft tissue injuries. In : *Facial injuries*. Chicago, Year Book Medical Publishers, 1988.
66. Smith B, Regan WF Jr. Blow-out fracture of the orbit mechanism and correction of internal orbital fracture. Am J Ophthalmol 1957 44(6):733-739.
67. Stacey DH, Doyle JF, Mount DL, et al. Management of Mandibular Fracture. *Plast Reconstr Surg* 2006;117:48-59.
68. Stack BC Jr, Ruggiero FP. Maxillary and Periorbital Fractures. In: Bailey BJ, Johnson JT, Newlands SD et al(eds). *Head and Neck Surgery-Otolaryngology*, 4th ed. Lippincott Williams & Wilkins, 2006, p.841-856.
69. Stanley R. Management of severe frontobasillar skull fractures. *Otolaryngol Clin North Am* 1991;24:139-150.
70. Stevens M, Kline S. Management of frontal sinus fracture. *J Craniomaxillofac Trauma* 1995;1:29-37.
71. Taicher S, Ardekian L, Samet N, et al. Recovery of the infraorbital nerve after zygomatic complex fractures: A preliminary study of different treatment methods. *Int J Oral Maxillofac Surg* 1993;22:339-341.
72. Thaller SR, Huang V. Midfacial fractures in the pediatric population. *Ann Plast Surg* 1992;29:348-352.
73. Tiwari P, Higuera S, Thornton J, et al. The management of frontal sinus fractures. *J Oral Maxillofac Surg* 2005;63:1354-1360.
74. Troulis MJ, Perrott DH, Kaban LB. Endoscopic mandibular osteotomy and placement and activation of semiburied distractor. *J Oral Maxillofac Surg* 1999;57:1110-1113.
75. Valentino J, Levy FE, Marentette LJ. Intraoral monocortical miniplating of mandible fractures. *Arch Otolaryngol Head Neck Surg* 1994;120:605-612.
76. Wallis A, Donald PJ. Frontal sinus fractures: A review of 72 cases. *Laryngoscope* 1988;98:593-598.
77. We JW, Kim YH, Jung TY et al. Modified Technique for Endoscopic Endonasal Reduction of Medial Orbital Wall Fracture Using a Resorbable Panel. *Ophthal Plast Reconstr Surg* 2009 25(4):303-305.
78. Wilkins RB, Havins WE. Current treatment of blowout fractures. *Ophthalmol* 1982;89:464-681.
79. Wilson BC, Da2005, p421-31vidson B, Corey JP, et al. Comparison of complication following frontal sinus fractures managed with exploration with or without obliteration over 10 years. *Laryngoscope* 1988;98:516-520.
80. Wilson IF, Lokeh A, Benjamin CI, et al. Prospective comparison of panoramic tomography(zonography) and helical computed tomography in the diagnosis and operative management of mandibular fractures. *Plastic Reconstr Surg* 2001;107:1369-1375.
81. Wolfe A, Johnson P. Frontal sinus injuries: Primary care and management of late complication. *Plast Reconstr Surg* 1988;82:781.
82. Yueh B. Outcomes research. In: Cummings CW, Flint PW, Harker LA, et al(eds). *Otolaryngology Head & Neck Surgery*, 4th ed. Philadelphia, Elsevier Mosby, 2005, p.421-431.
83. Zingg M, Laedrach K, Chen J, et al. Classification and treatment of zygomatic fractures: a review of 1025 cases. *J Oral Maxillofac Surg* 1992;50:778-790.

CHAPTER 41

안면성형 및 재건술의 기초

이건희, 장진순

I 서론

안면성형 및 재건술이란 선천성 안면기형, 외상으로 인한 손상, 두경부 종양 절제 후 안면피부 및 연부조직결손의 재건, 안면신경 재건, 미용적 안면수술을 모두 포함하는 분야이다. 과거 이과, 비과, 두경부외과로 대별되었던 이비인후과의 새로운 영역으로 이에 대한 이해는 필수적이다. 특히 2010년 11월 대한안면성형재건학회 창립을 계기로 보다 체계화된 학문으로서 향후 많은 발전이 기대된다(대한안면성형재건학회 홈페이지(www.kafprs.or.kr)). 안면성형 및 재건술의 기초에서는 안면피부의 해부와 생리, 수술 기구 및 기본 술기, 흉터교정술에 대해 기술하고자 한다.

II 안면 피부의 해부와 생리

피부는 전신을 모두 덮고 있고 신체부위에 따라 각기 다른 특징을 가지고 있다. 특히 안면부를 덮고 있는 피부는 눈에 쉽게 띄고 시술 후 효과가 바로 나타나는 부분이기 때문에 중요하다.

1. 얼굴 미적단위(Aesthetic units)

인간의 눈은 얼굴을 피부의 윤곽적 특징이 비슷하게 이루어진 단위들로 인식한다. 따라서 얼굴을 미적 단위(그림 41-1A)로 나누고 코는 미적 아단위(aesthetic subunit)(그림 41-1B) 즉, 비배부, 비첨, 비익(nasal ala), 외측면, 연삼각으로 세분화된다. 안면재건에는 이러한 미적 단위와 미적 아단위를 적용하여 재건하는데 코의 재건 대상 부위가 아단위에 걸쳐져 있을 때 아단위를 따라 절개하고 제거를 한 다음 전체를 새로운 조직으로 재건해야 미적으로 훨씬 자연스럽기 때문이다.[8]

2. 피부의 구조

연령별, 신체부위에 따른 차이, 개개인 차이가 크다.

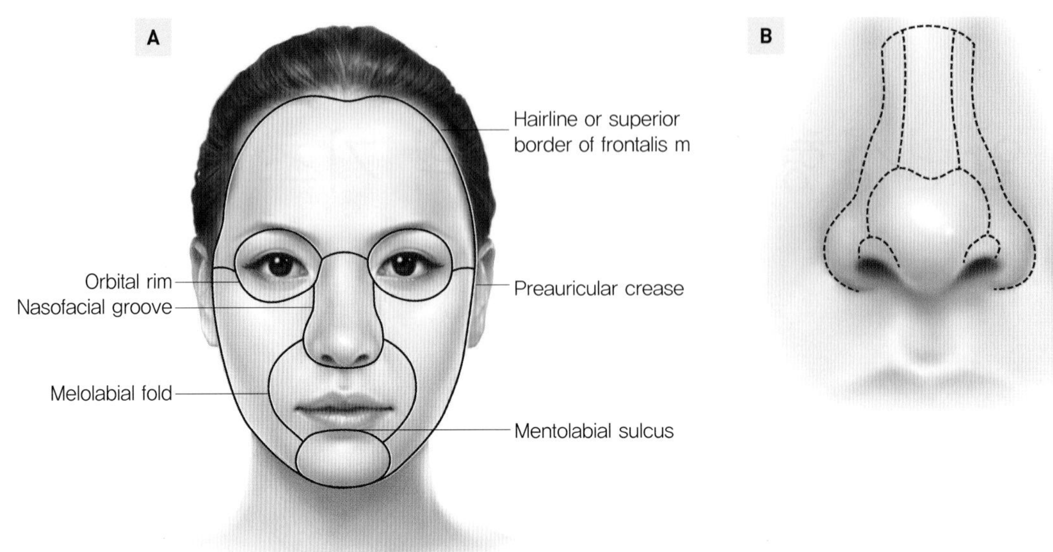

■ 그림 41-1. **안면 미적단위(A)와 코의 미적 아단위(B).** 미적 단위의 경계선에 절개선을 위치하는 것이 좋고 가급적 경계선을 가로지르지 않아야 한다.

얇고 표면에 위치한 표피(epidermis)와 풍부한 섬유화 조직을 포함한 진피(dermis)로 나뉜다. 표피의 두께는 매우 다양한데 눈꺼풀이 가장 피부가 얇다. 진피는 주로 결합조직으로 구성되어 있으며 신경, 혈관, 근육, 림프선, 땀샘, 모발피지샘(pilosebaceous gland) 역시 포함하고 있다. 보다 표층에 위치한 얇은 진피조직을 유두진피(papillary dermis)라 하고, 보다 심부에 위치한 두꺼운 진피층을 망상진피(reticular dermis)라 한다. 진피는 주로 교원질(collagen)로 구성되어 있다. 유두진피 내 교원질 섬유는 표면에 평행하게 배열되어 있는 거친 망상진피의 다발들과 비교했을 때 얇고 임의적, 불규칙적으로 배열되어 있다. 망상진피와 유두진피 내의 교원질 간의 차이는 기계적 박피술(dermabrasion)을 시행할 때 확연히 드러나게 된다. 즉 수술 시 진피 속으로 깊이 박피해나가면 망상진피의 거친 조직이 드러나게 된다. 교원질은 주기적으로 교체가 일어나는데 노화된 피부에서는 교원질 합성이 감소된다. 진피의 주요세포는 섬유세포(fibrocyte)로 상처 치유과정에서 중요한 역할을 한다. 섬유세포는 유두진피에 풍부하고 망상진피에는 드물며 나이가 들면서 감소한다.

기질(ground substance)은 진피의 섬유성분과 세포들의 사이를 채우는 세포외 물질(extracellular substance)로서 글리코아미노글리칸(glycoaminoglycan)을 포함하고 있다. 글리코아미노글리칸은 진피의 건조 중량의 0.2%에 불과하지만 수분을 부피의 1000배 함유할 수 있다. 따라서 기질은 진피의 염분과 수분 균형에 기여하고 결체조직 대사를 조절하는 기능도 가지고 있다.

진피는 표층혈관총(superficial plexus)과 심부혈관총(deep subdermal plexus)으로 나뉜다(그림 41-2).[5] 표층혈관총은 유두진피로 모세혈관을 제공한다. 이 혈관총은 박피술로 표피를 제거한 직후에 보이는 진피 출혈의 원인 혈관들이다. 심부혈관총은 망상진피 내 피부 부속기를 둘러싸고 있으며 큰 혈관들로 구성된다. 피하지방은 개인별 그리고 부위별로 두께가 차이가 있다. 볼, 측두, 목의 오목한 부위에서 가장 두껍다.

3. 이완 시 피부긴장선(Relaxed skin tension lines)

Borges(1973)는 이완 시 피부긴장선에 대해 기술하였

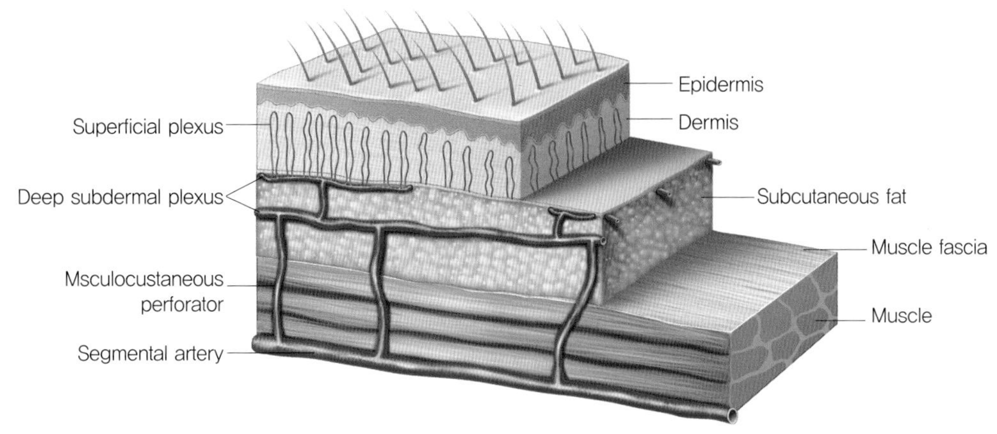

■ 그림 41-2. **진피의 혈관층.** 표층혈관총(superficial plexus)은 유두진피로 모세혈관을 제공하고 심부혈관총(deep subdermal plexus)은 망상진피 내의 큰 혈관들로 구성된다.

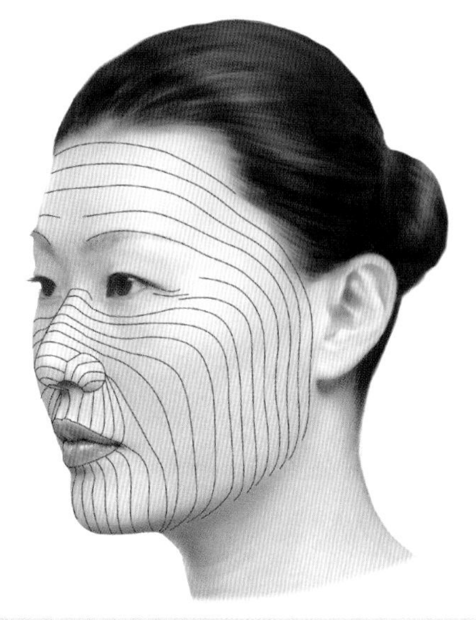

■ 그림 41-3. **이완 시 피부긴장선.** 이마의 수평선이 뺨으로 내려오면서 휘어지고 입 주위에서는 바깥으로 퍼지면서 휘어진다.

는데 중력이나 근육 같은 외력과 무관하게 이완된 피부에서 내적인 힘의 방향(intrinsic vector)에 의해 생기는 선으로 피부 아래 근육의 축과는 수직 관계인 선이다(그림 41-3).[7] 얼굴 대부분에서 근육의 반복적인 운동과 수축으로 생긴 최소 장력선(line of minimal tension) 또는 주름선(wrinkle line)과 일치하고 있으나 외안각(lateral canthus)과 비배부 외측(lateral nasal dorsum), 상비첨(supranasal tip) 등에서는 두 선이 서로 일치하지 않고 미간(glabella)과 턱밑(submentum)에서는 서로 수직으로 교차한다. 이 선과 평행하게 한 절개는 눈에 덜 띄지만 절개선이 이선과 수직이면 흉터가 만들어진다. 피부긴장선에 수직으로 봉합하는 상처는 이완 시 피부긴장선에 일치하게 봉합하는 상처보다 약 두 배의 힘이 필요하다고 한다.

Ⅲ 안면성형 및 재건술의 기구 및 기본 술기

안면성형 및 재건술을 하려면 먼저 안면 피부와 연조직에 대한 이해와 더불어 실제로 사용하는 기구에 대한 기본적인 지식을 갖추고 있어야 하며, 수술에 기본이 되는 술기를 익혀야 한다.

1. 수술을 위한 준비

1) 사진 촬영

사진은 수술 전 계획과 수술 전후의 결과를 비교하는데 반드시 필요하다. 안면 사진은 연한 파란색 스크린을 배경으로 하는 것이 가장 좋으며 35 mm 일안반사(single lens reflex; SLR) 카메라와 105 mm 렌즈 그리고 적

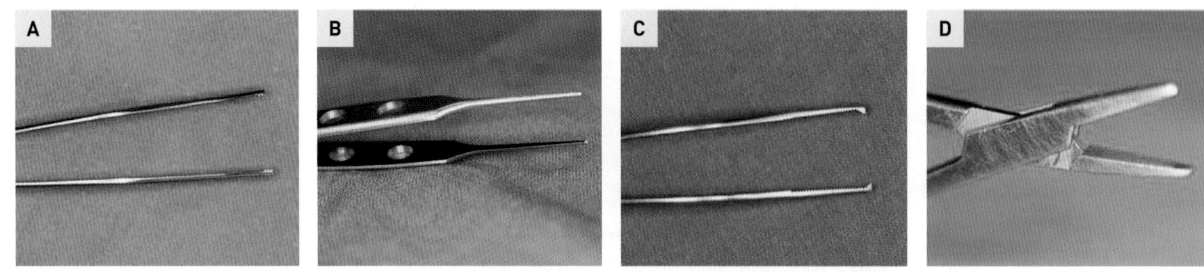

■ 그림 41-4. A) Brown-Adson forcep, B) Bishop-Harmon forcep, C) Adson teeth forcep, D) Webster needle holder. (A)는 연부조직이나 연골을 잡을 때 쓰고, (B), (C)는 피부나 점막을 잡을 때 쓴다. (D)는 이빨이 없어서 작은 바늘을 잡고 진피 내 봉합을 할 때 사용한다.

절한 조명아래서 촬영한다. 수술 전후 결과를 비교하기 위해서는 사진을 찍는 각도를 동일하게 유지하는 게 중요하며 화장의 유무 등 결과에 영향을 줄 수 있는 요소를 최소화하여야 한다.

2) 기구 및 장비

안면은 다른 어떤 신체 부위보다 특히 눈에 잘 띄므로 술자는 상처와 흉터를 최소화하는 데 가장 적합한 기구를 이용해야 한다. 칼날(blade), 겸자(forceps), 바늘잡개(needle holder), 봉합사(suture) 등 각각 적응에 맞는 기구를 이용해야 한다.

칼날은 15번과 11번이 가장 많이 쓰인다. 15번은 날의 모양이 곡선으로 피부 및 연골절개에 많이 사용된다. 11번은 날의 모양이 길고 직선형으로 끝이 뾰족하기 때문에 절개가 깊게 들어가지 않도록 톱을 켜듯이 주의해서 사용해야 한다. 조직손상을 줄이기 위해 겸자는 되도록 작은 것을 쓰는 것이 좋다. Brown-Adson겸자(A)는 깊은 연부조직이나 연골을 잡을 때 주로 사용하며, 피부나 점막을 잡을 때는 Bishop-Harmon 겸자(B)나 Adson teeth 겸자(C)를 이용하여 손상을 최소화한다. 대개 무구겸자(smooth forcep)는 조직전체를 잡아야 할 경우에, 유구겸자(teeth forcep)는 이빨로 특정부위만 잡아야 할 경우에 사용한다. 바늘잡개는 Webster (D)와 Castroviejo가 주로 많이 쓰이는데 Webster는 이빨이 없어서 작은 바늘을 잡고 진피 내 봉합을 할 때 주로 쓴다(그림 41-4A-D). Castroviejo는 피부봉합, 신경이식과 같은 경우 주로 쓰인다.

3) 절개를 위한 국소 마취

27게이지(gauge) 바늘을 이용해야 환자가 통증을 덜 느끼며 1~2%의 lidocaine과 1:100,000 epinephrine을 섞은 용액을 사용한다. 치과용 국소 마취제(2% lidocaine+1:80,000 epinephrine, 1.8 ml)도 많이 사용한다.[6]

2. 절개

1) 계획

절개에 앞서 우선 술자는 피부에 존재하는 특징적인 선들의 위치와 분포에 대해 잘 알고 있어야 한다. 안면부위는 피부의 윤곽적 특징이 비슷한 미적단위로 구성되어 있다. 따라서 미적단위의 경계를 가로지르는 절개선은 가능하면 피해야 한다. 미적단위는 색깔, 질감, 두께, 움직임에 있어서 비슷한 양상을 보이기 때문에 단위의 경계에 절개선을 위치시킴으로써 흉터를 최소화시킬 수 있다.

2) 절개방법

펜으로 피부를 도안하고 15번 혹은 11번 칼날로 절개한다. 11번은 피부에 직각으로 톱질하듯이 절개하기에 용이하며 running W-plasty incision에 필요한 작은 절개들을 하는 데 용이하다. 절개의 시작과 끝은 날의 뾰족한 끝으로 이루어지도록 하여야 한다. 즉 절개시작은 핸들이 피부와 직각이 되게 시작하고 핸들이 45도가 되게끔 절개하고 다시 마지막은 세워준다(그림 41-5).[2] 비스듬한 경사(bevel)를 외측(A)으로 두고 절개하여야 봉합할 때 외번(eversion)(B)이 일어나 절개면의 흉터를 예방할 수 있다(그림 41-6). 절개면은 단일 피부 갈고리(single skin hook)

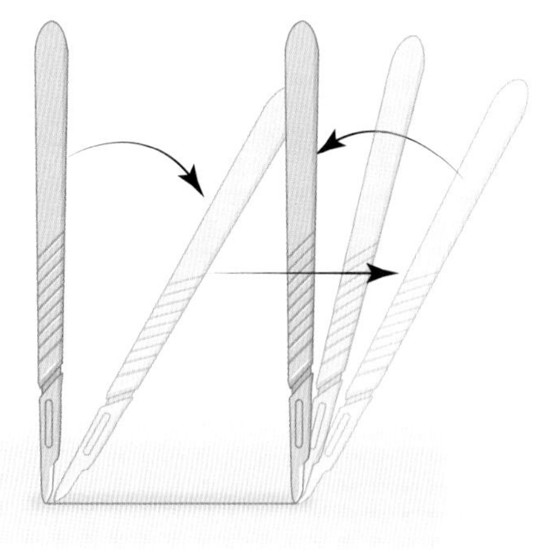

■ 그림 41-5. **올바른 핸들의 사용.** 절개시작은 핸들이 피부와 직각이 되게 시작하고 핸들이 45도가 되게끔 절개하고 다시 마지막은 세워준다.

나 정교한 Bishop Harmon 겸자, Brown-Adson 겸자 등으로 잡아 보호한다. 2~2.5 배율의 양안 루페를 착용하면 미세한 봉합이나 조직을 다룰 때 도움이 된다.

3. 절제

양성 병변을 절제할 때는 흔히 환부에서 1~2 mm 밖에서 절개하고 조직의 성격이 애매모호하거나 악성이 의심될 때는 충분히 안전 경계를 두고 절개한다. 주로 타원모양으로 절제한 후 주위를 넓게 박리하여 주변 조직을 전진시켜 봉합하는 방추형절제술(fusiform excision)을 가장 흔하게 사용한다. 절제 시 장축은 이완 시 피부긴장선에 항상 평행하고, 길이/너비 비율은 3:1이 되어야 견이(dog ear)가 생기지 않는다. 쐐기형절제(wedge resection)는 상·하순을 절제할 때 흔히 쓰이며 절제 후 일차 봉합이 가능한 최대범위는 상순의 경우 전체 폭의 1/4, 하순은 1/3이다. 하안검을 절제할 때는 쐐기형 절제와 동일한 V형 절제를 쓰며 하안검 결손이 전체 길이의 1/4 이상이 되면 측면 외안각 절개술(lateral canthotomy)[15] 이나 절개선을 연장하여 전위 피판을 이용해 장력을 감소시킨 다음 일차 봉합을 한다.

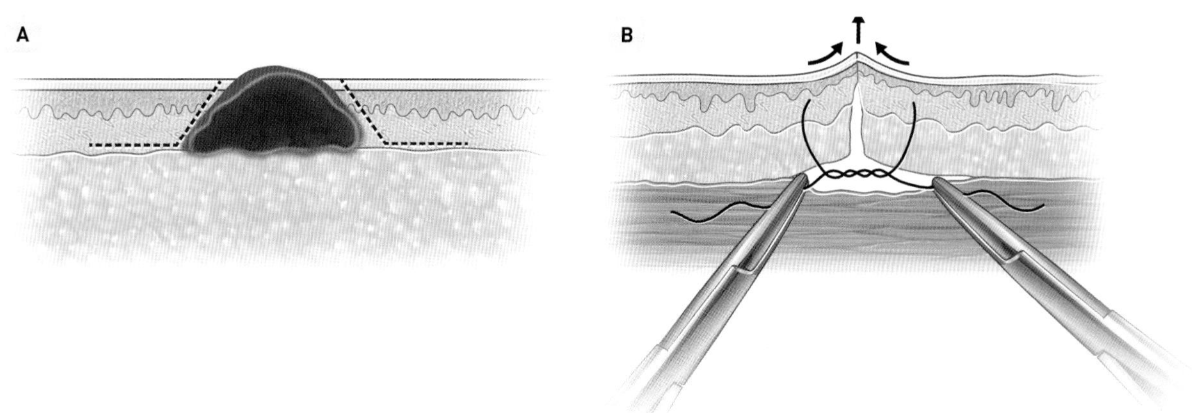

■ 그림 41-6. 한 번에 피부와 피하지방까지 절개하고 비스듬한 경사(bevel)를 외측**(A)**으로 두고 절개하면 봉합할 때 외번(eversion)**(B)**이 일어나 함몰로 생기는 절개면의 흉터를 예방할 수 있다.

4. 봉합

흉터를 최소화하기 위해서 상처연에 조직손상을 줄이고 장력이 걸리지 않게 하며 상처를 외번시켜야 한다. 1차 봉합(primary suture)이란 상처를 피부이식술이나 피판으로 덮지 않고 상처가 생긴 지 8시간 이내에 봉합해주는 것으로 상처감염의 우려가 없다면 가급적 빨리 봉합을 시행하는 것이 좋다. 지연 1차봉합(delayed primary suture)이란 상처의 오염 등으로 8시간 이내에 봉합하지 못한 경우 48~72시간 기다렸다가 봉합하는 경우이다. 2차 의도(secondary intention)란 상처가 육아조직(granulation tissue)과 상피화(epithelialization)로 저절로 치유되는 것을 기다리는 것이다.[2]

봉합에는 창상의 장력을 균등하게 분배하기 위한 절반 원칙(principle of halving)을 적용한다.[6] 즉, 첫 번째 봉합을 중간에서 시작하고 계속 반씩 줄여 나가는 것을 말한다(그림 41-7). 절개면 양측의 길이에 차이가 생기면 긴 쪽의 Burrow 삼각형을 제거해 길이를 맞추어 봉합한다(그림 41-8). 굵은 실보다는 가는 실로 봉합수를 늘려 여러 번 봉합하면 장력이 분배되어 흉터가 덜 생긴다.

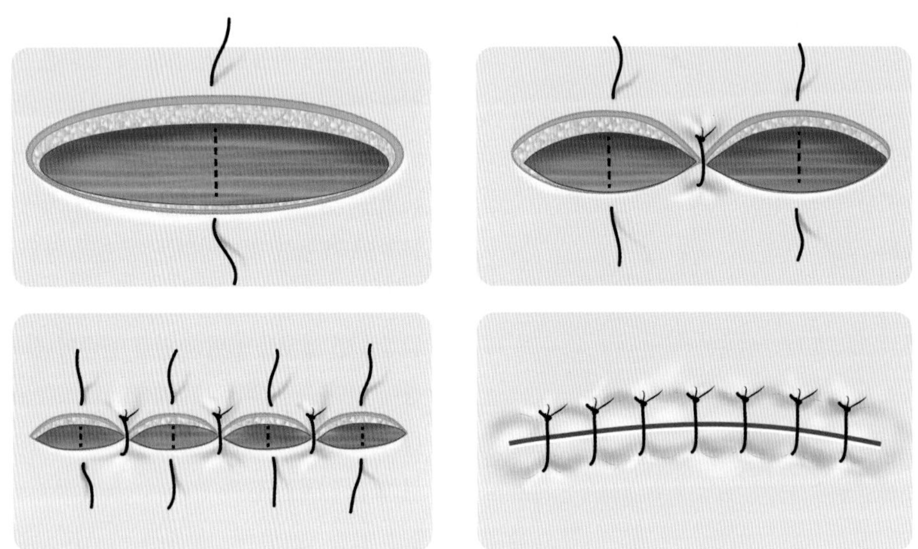

■ 그림 41-7. **절반의 원칙.** 첫 번째 봉합은 창상 전체 길이의 중간에서 시작하고 두 번째 봉합은 첫 번째 봉합과 창상 끝의 가운데에서 계속 반씩 줄여 나가는 것을 말한다.

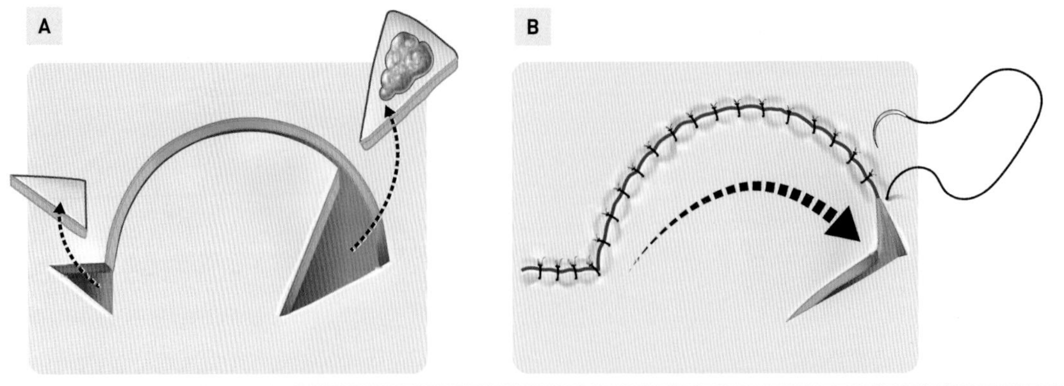

■ 그림 41-8. 절개면 양측의 길이에 차이가 생기면 긴 쪽의 Burrow 삼각형을 제거해 길이를 맞추어 봉합한다.

1) 봉합재료

(1) 봉합사

봉합사는 기본적으로 다루기 쉽고 매듭이 안정적이며 적당한 장력을 지닌 것이 이상적이다. 장력은 봉합사가 끊어지는 힘을 실의 단면적으로 나누어 0의 개수로 표시하는데 개수가 작으면 많은 것에 비해 단면적이 굵고 장력도 강함을 의미한다. 봉합사는 늘어난 뒤 원래 길이와 모양으로 되돌아오려는 탄력성(elasticitiy)과 늘어난 상태로 그대로 있으려는 적응성(plasticity)이 존재하므로 술 후 봉합부위에서 생길 수 있는 부종이나 수축 등과 같은 요소들을 고려하여 봉합사를 선택한다. 기본적으로 안면 피부는 5-0 이나 6-0 봉합사로 봉합한다. 봉합사는 한 가닥으로 만든 단일가닥(monofilament)과 엮거나(braided) 꼬인(twisted)형태로 만든 다중가닥(multifilament)으로 구분하고 조직 내에서 장력 소실이 60일 이내에 발생하면 흡수성(absorbable)으로 그렇지 않으면 비흡수성(non-absorbable)으로 나눈다. 천연 흡수성 봉합사는 젖소의 소장 점막과 양의 점막하층 교원질로부터 만든 장선(plain catgut)과 이를 크롬 처리를 한 chromic catgut이 대표적이다. 그러나 이들은 모두 조직반응이 심해 사용이 제한적이다. 하지만 흡수성 장선을 열처리 하여 장력이 3~5일 내에 소실되기 시작해 21~42일 내에 완전히 소멸되는 속성 흡수성 장선(fast absorbing plain gut)은 신속히 흡수되므로 봉합 자국이 잘 남지 않는다. 이 봉합사로 잠금 연속(locking continuous)봉합방법을 이용해 피부를 닫으면 시간이 절약되는 장점이 있다. 봉합사 제거가 불필요한 경우나 소아에게 유리하게 사용[16]되는 봉합사다. 합성 흡수성 봉합사는 polyglactin 910(Vicryl®)과 polydioxanone (PDS II®)이 대표적이며 Vicryl®은 신속하게 흡수되고 조직 반응도 덜하다는 장점이 있고 PDS II®는 단사(monofilament)이기 때문에 병소(nidus)의 가능성이 낮아 덜 깨끗한 상처를 봉합하는 데도 사용할 수 있어 안면성형 및 재건에 널리 쓰인다. PDS II®와 같은 단사는 기본적으로 조직 반응이 적어 감염률은 감소하지만 매듭의 안정성과 다루기는 Vicryl®과 같은 합사가 더 좋다. 비흡수성 봉합사는 Nylon®이나 Prolene® 같은 합성 봉합사와 실크 같은 천연 봉합사로 나뉜다. 단일가닥인 Nylon®은 조직 반응이 적고 장력이 강해 조직 반응이 심한 실크보다 훨씬 선호된다.[11]

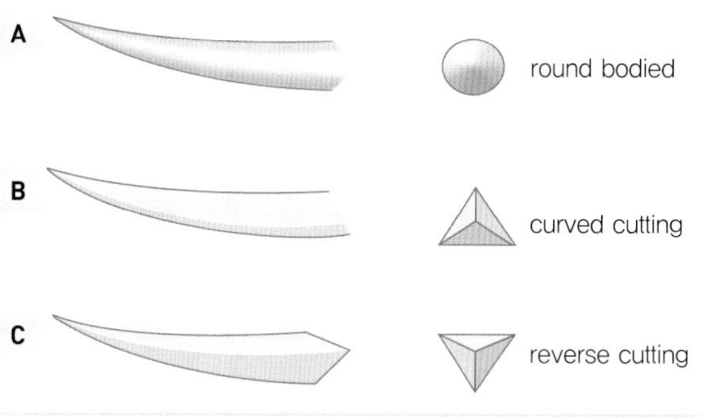

■ 그림 41-9. **봉합침의 침형**

(2) 봉합침(suture needle)

이상적인 봉합침은 가늘며 단단하고 다루기 쉽고 녹슬지 않으며 조직 손상이 적어야 한다. 얼굴은 3/8 circle과 1/2 circle 바늘 길이에 실이 붙은 비외상(atraumatic)형을 봉합침으로 주로 사용한다. 실 쪽 1/3지점을 가볍고 섬세한 소형 Webster나 Castroviejo 바늘잡개 등으로 물어 봉합한다. 침형(point type)에는 절단형(cutting edge), 원형(round), taper point(그림 41-9A) 그리고 혼합형(mixed), tapercut이 있다. 절단형은 고전적인 형태와(그림 41-9B)과 역절단(reverse cutting)(그림 41-9C)이 있는데 역절단형 바늘은 피부나 조직이 단단한 경우에 사용되며 고전적 절단형 바늘보다 실로 인해 봉합부위가 잘릴 위험성이 덜하다.

2) 봉합방법

봉합면 양측을 균등한 길이와 깊이로 봉합한다. 봉합침의 끝이 약간 바깥쪽으로 들어가야 상처의 외번을 줄 수 있고 봉합사는 되도록 상처에서 멀리 위치하도록 한다. 수직매트리스봉합은 피부 표면과 직각으로 들어가 표피

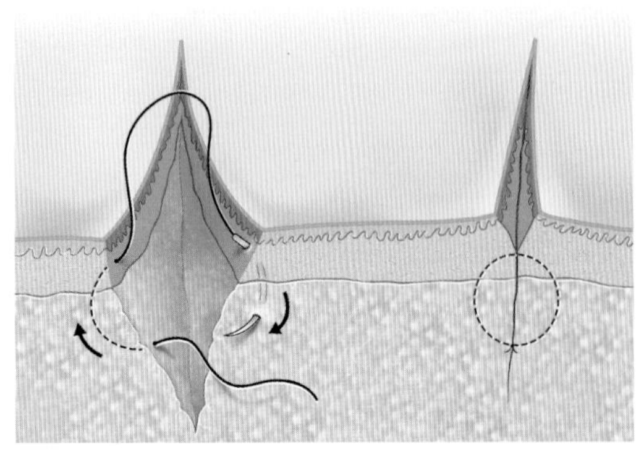

■ 그림 41-10. **진피 내 봉합.** 표피 봉합 전에 먼저 진피와 피하조직을 1/2 circle 비외상형 4-0, 5-0 Vicryl® 이나 PDS II® 로 아래서 고리가 묶이도록 봉합하여 사강과 혈종을 없앤다.

내를 통과해야 한다. 표피 봉합 전에 먼저 진피와 피하조직을 1/2 circle 비외상형 4-0, 5-0 Vicryl® 이나 PDS II® 로 아래서 고리가 묶이도록 봉합하여 사강과 혈종을 없앤다(그림 41-10). 그 다음에 Nylon® 혹은 Prolene® 5-0 또는 6-0로 피부를 외번 시킨다. 외번은 매트리스(mattress) 봉합할 때 가장 잘 일어나고 바늘을 표층보다 심층에 더 넓게 통과시키면 외번이 잘 일어난다. 진피 내 연속(running subcuticular (intradermal))봉합(그림 41-11)은 양측을 진피만 연속적으로 봉합하는 것으로 숙련된 술기를 요하지만 경계면이 일직선인 경우 잘 시행하면 환자의 만족도가 높다. 시간 단축을 위해 단순 또는 잠금 연속 봉합을 이용하기도 하는데, 잠금 연속 봉합은 빠르고 전체적으로 장력은 분산시킬 수 있는 장점이 있지만 봉합을 너무 세게 당겨 혈행에 장애가 일어나지 않도록 조심한다. 봉합 부위 경계가 직각이나 삼각형인 경우 3점 봉합법을 올바르게 이용하여 봉합한다. 상처가 깨끗하지 않으면 드레싱을 해 주지만 미용수술과 같은 깨끗한 상처 봉합에는 항생제 연고 도포는 필요 없고 건조함을 방지하는 바셀린만 발라도 충분하다.

3) 기타 봉합방법

봉합기(stapler)나 cyanoacrylate 조직 접착제[17] 등을

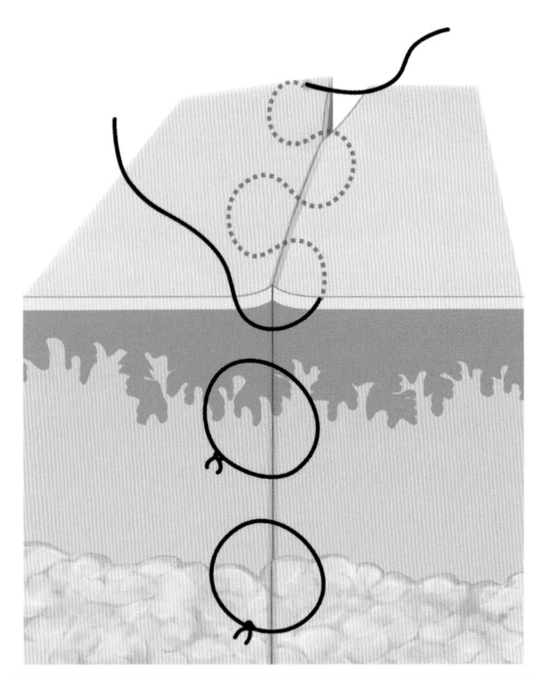

■ 그림 41-11. **진피 내 연속봉합(running subcuticular intradermal).** 양측을 진피만 연속적으로 봉합하는 것으로 숙련된 술기를 요하지만 경계면이 일직선인 경우 잘 시행하면 환자의 만족도가 높다.

사용할 수 있다. 봉합기는 스테인레스 스틸이 조직반응을 거의 일으키지 않기 때문에 경부나 두피의 봉합에 유리하다. 창상이 얇고 장력이 없거나 피하조직을 잘 봉합했을 때에는 피부를 봉합하지 않고 테이프[18]로 접합할 수 있다.

4) 봉합사 제거(Stitch out)

안면부의 봉합사 제거는 보통 4~5일 후에 하며, 봉합사를 제거할 때 봉합부위가 벌어지지 않게 상처 쪽으로 살짝 당기거나 제 위치에 놓고 제거한다(그림 41-12). 대개 안검(eyelid)은 3일, 안면의 다른 부위는 5일 후에 제거하는 것이 원칙이다.

5) 봉합 자국(Stitch mark)

봉합 자국을 예방하려면 적절한 시기에 봉합사를 제거하고 봉합할 때 장력은 줄여야 한다. 봉합 자국은 유분이 많이 분비되는 피부나 염증이 있는 피부, 앞가슴이나 어

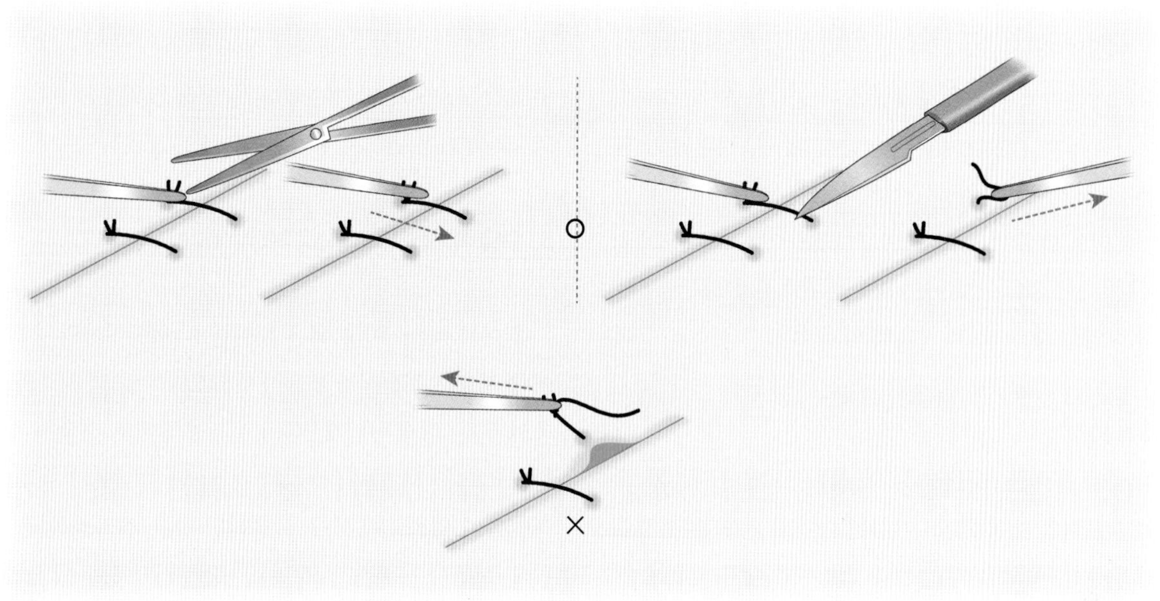

■ 그림 41-12. **봉합사제거의 올바른 방법.** 봉합부위가 벌어지지 않게 상처쪽으로 살짝 당기거나 제 위치에 놓고 제거한다.

깨같이 항상 움직이는 부위, 켈로이드 체질에 잘 생기며 성인보다 소아에서 잘 남고[12] 넓게 봉합하면 봉합 자국이 크게 남는다.

Ⅳ 흉터교정술(Scar revision)

1. 흉터생성의 방지

흉터가 생기기 쉬운 피부나 부위라 하더라도 흉터가 덜 생기도록 노력하는 것이 중요하다. 소독을 정기적으로 시행하여 이물이 끼지 않도록 하고 항생제연고를 써서 상처가 건조하지 않도록 해야 한다.

상처 치유에 관여하는 인자들은 다음과 같다.

1) 조직 내 산소분압

섬유세포는 산소분압이 30 mmHg 이하에서는 증식이 감소하고 교원질의 생성이 불가능하다. 또한 저하된 산소분압으로 감염이 더 잘 일어날 수 있는 상태가 된다. 흡연 자체가 혈류감소로 인해 산소분압을 낮추고, 당뇨를 앓는 경우 미세혈관병(microangiopathy)으로 인해 산소분압이 저하되기 쉽다.

2) 감염

상피화와 혈관 생성을 방해하고 교원질을 분해하여 상처 치유를 지연시킨다. 혈종, 조직괴사 등에 의해 유발된 세균감염이 조직 내 산소분압을 저하시켜 생체의 방어능력을 더욱 저하시킨다.

3) 유전

유전적으로 과도한 교원질과 당단백질의 생산과 침착에 의해 켈로이드가 생길 수 있다.[3] 켈로이드는 주로 흉골과 어깨 등에 호발하며 상처부위를 넘어서 자라는 것이 비후성 흉터와의 차이점이다. 켈로이드는 수술적으로 제거 후에도 재발이 흔하고 다른 부위 수술 시에도 생길 수 있으므로 병력청취할 때 꼭 고려하여야 한다.

4) 환자의 영양상태

단백질의 결핍은 신생혈관생성, 섬유세포 증식, 교원질 합성을 저해하고 부종은 항체반응, 식균작용 등의 기능을 저하시켜 상처 감염의 위험성을 증가시킨다. 비타민 A 결핍 시 상처의 상피화와 교원질의 합성을 억제하고 비타민 C는 교원질 합성의 보조인자이고 중성구에서 초과산화물 라디칼(superoxide radical) 형성을 감소시키므로 결핍은 상처 감염을 증가시키고 치유를 억제한다.

5) 나이

나이가 들수록 교원질 섬유와 섬유세포의 절대수가 감소하고 표피의 재생 기간이 길어진다. 상피층의 친수성과 피지선이 감소하여 피부가 보다 건조하고 상처 치유에 악영향을 미치는 동반질환을 앓을 가능성도 높기 때문에 이차적으로 상처치유에 영향을 미친다.

6) 전신투여약제

스테로이드는 섬유세포가 상처로 이동하는 것을 억제하고 교원질 합성과 상처 수축에 영향을 주어 염증단계를 증가시킨다. 화학요법 약제 또한 염증단계, 교원질합성과 상처수축의 시작에 영향을 줄 수 있다.

2. 수술 전 고려사항

흉터교정술의 목적은 흉터를 주위 피부와 비슷하게 만들어 눈에 덜 표시 나게 하는 수술이다. 안검, 입술 등 피부가 얇고 기름샘이 적은 부위에서는 흉이 덜 생기지만 두꺼운 피부나 피부 장력이 심한 곳, 기름샘이 많은 곳에서는 흉이 뚜렷하게 남는다.[13] 따라서 수술 전에 상처부위에 따라 결과가 달라질 수 있음을 환자에게 미리 설명하고 이해를 구하는 것이 필요하다. 수술의 적절한 시기는 흉이 충분히 성숙할 수 있도록 최소한 6개월 이상 기다려야 하고 대개 12개월 후에 하는 것이 바람직하다. 흉터가 크지 않고 이완 시 피부긴장선에 평행하고 비후되기만 한 경우에는 국소 스테로이드 주사만으로도 효과를 볼 수 있다. 기계적 박피술은 섬유세포의 활성이 높은 조기 8주 이내에 실시할 수 있다고 하지만 상처가 붉은 색으로 지속될 수 있으므로 주의하여야 한다. 동반된 결체조직이나 연부조직의 결함은 반드시 흉터교정술 전에 교정하여야 한다.

3. 수술적 치료(Surgical technique)

길이가 2 cm 이상 혹은 넓이가 2 mm 이상의 흉터가 이완 시 피부긴장선과 평행하지 않으면 수술적 치료의 적응이 된다. 절개면이 깨끗하고 절개면의 피부 긴장을 최소화하고 이완 시 피부긴장선에 평행하게 흉터를 만들고 조직반응이 덜한 봉합사를 사용하면 좋은 결과를 얻을 수 있다. 봉합사를 제거한 후 피부가 벌어지지 않는 방향으로 외과용 테이프를 붙여 긴장을 줄이는 것도 필요하다.

1) 절제법

(1) 단순 절제술(Simple excision)

가장 많이 사용되는 방법으로는 방추형으로 절제하여 흉터를 없애는 방추형 흉터 교정(fusiform scar revision)이 있다(그림 41-13). 주로 폭이 좁고 길이가 짧은 흉터에 많이 사용되며 도안은 가운데를 가장 넓히고 양측 말단부를 30° 이하로 좁혀 만든다. 길이가 너무 길거나 외안각 부위에서는 M 성형술을 이용하여 방추형의 절제 범위와 길이를 줄인다(그림 41-14A). 이때는 상처의 길이는 줄어들지만 또 다른 절개를 해야 하고 3점이 만나는 부위는 Gillies corner stitch(그림 41-14B)로 봉합한다. 흉터를 제거할 때에는 피하흉터조직은 제거하지 않고 남겨놓아야 수술 후 새롭게 상처가 치유되는 데 도움이 된다.

(2) 연속 절제술(Serial excision)

한 번에 봉합하기에 너무 큰 흉터나 상처에 사용하는 방법으로 특히 화상부위 흉터 제거 시 사용한다. 흉터의 일부를 절제한 다음 박리하여 주위의 건강한 피부를 전진시켜 봉합해 흉터의 크기를 줄여나간다. 피부는 힘이 가해지는 방향으로 어느 정도 늘어날 수 있어 이마의 경우 30~40%까지의 결손도 이 방법으로 치료할 수 있다.[20] 흉터 내에 절개선을 넣어야 건강한 조직의 희생을 막을 수 있다. 같은 흉터라도 피부긴장도가 상대적으로 높은 젊은 사람들이 노인들에 비해 절제받는 횟수가 많다. 또한 수술 전에 치유과정이 수개월에서 수년까지 걸릴 수 있다는 점을 주지시켜야 한다.

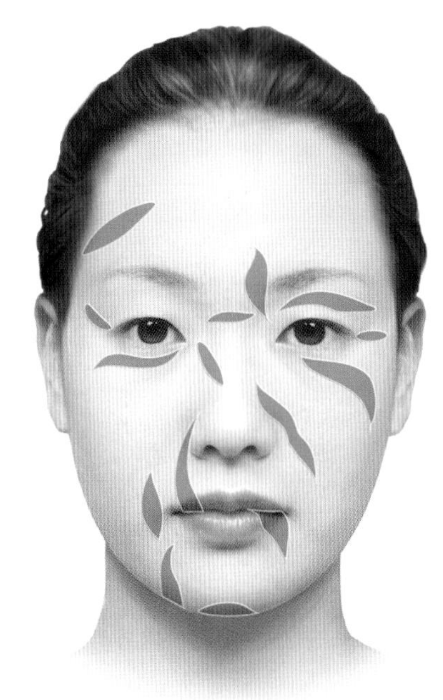

■ 그림 41-13. **이상적인 방추형 흉터교정술의 위치**

2) 불규칙화법, 연장법, 재지향법 (Irregularization, elongation, reorientation)

(1) Z성형술(Z-plasty)

직선의 흉터를 이완 시 피부긴장선과 평행하게 Z모양으로 바꿔 눈에 잘 뜨이지 않게 만드는 방법으로 똑같은 삼각형의 피판을 서로 맞바꿔 흉터의 방향 전환을 통해 흉터 길이는 늘리고 구축(contracture)은 풀어주어 운동장애를 개선할 수 있는 장점이 있다. 주위 모양의 변형 없이 조직이 결손부로 돌려지므로 안검, 입술과 같은 움직이는 구조물 주위에서 유용하게 쓰인다. 또한 자리를 바꾸어줌으로써 비뚤어진 피부 구조도 바로잡을 수 있다. 흉터 위의 선을 구축대각선(contractural diagonal)이라 하며, 이에 수직인 선을 횡대각선(transverse diagonal)이라 한다. Z의 각도가 클수록, 공유변의 길이가 길수록 구축대각선의 길이는 길어진다(그림 41-15).[17] 그러나 실제로 Z의 각도가 30° 미만이나 75° 이상으로는 하기 힘들고 30°이면 25%, 45°이면 50%, 60°이면 75% 길이의 증가가 이루어지므로 대개 60°를 선택한다. 얼굴에서 공유변의 길이가 길면 눈에 잘 띄게 되므로 공유변의 길이는 1~1.5 cm로 하는 것이 좋다.[1] 주위 피부에 여유가 없는 경우 연속 다중 Z성형술(Multiple Z plasty)을 사용하면 횡대각선이 작아져 피부 긴장이 줄고 혈액 공급이 좋은 장점이 있다(그림 41-16).

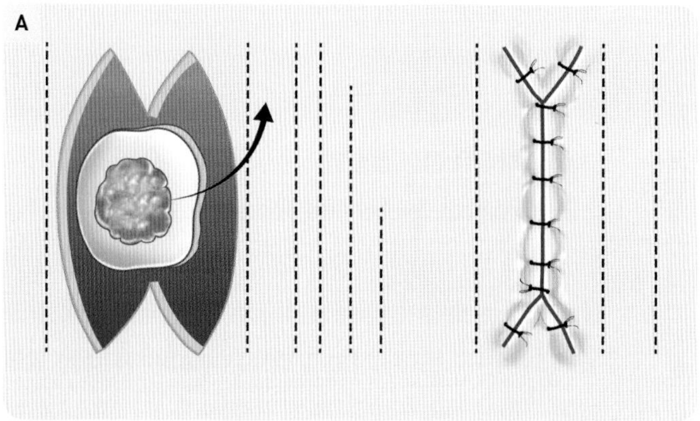

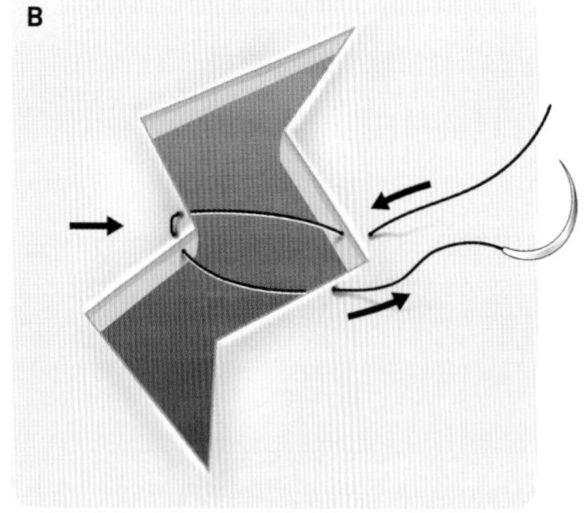

■ 그림 41-14. **A)** M성형술, **B)** Gillies corner stitch

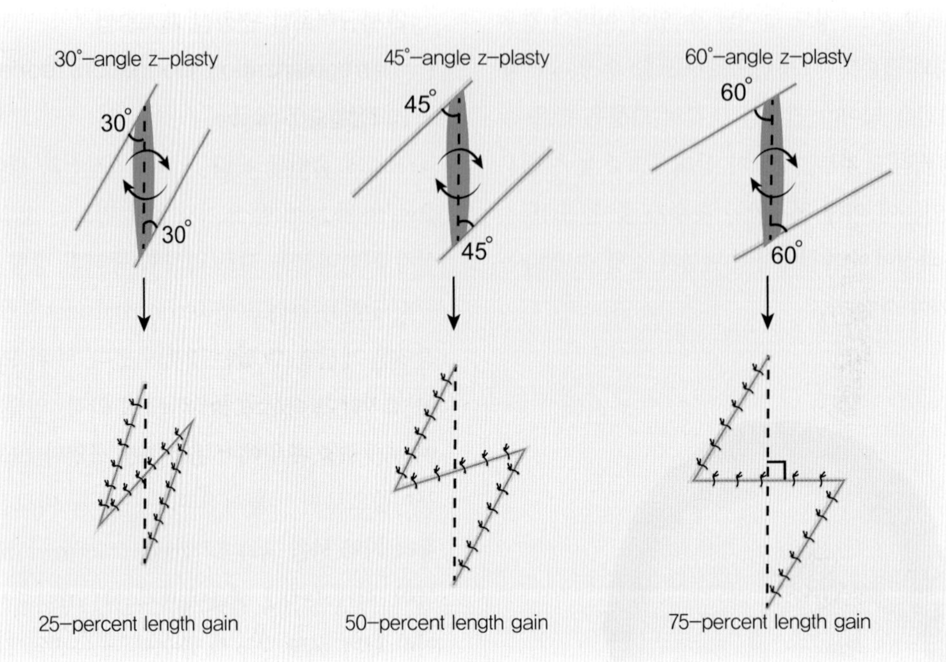

■ 그림 41-15. **가운데 선과 이루는 각도와 연장되는 길이와의 관계**

■ 그림 41-16. **다중Z성형술.** 주위 피부에 여유가 없는 경우에 하나의 큰 Z성형술보다는 연속적이고 작은 Z성형술을 시술하면 횡대각선이 훨씬 작아져 피부 긴장이 줄고 혈액 공급이 좋으며 흉터가 눈에 덜 띄게 된다.

(2) W성형술(W-plasty)

흉터가 이완 시 피부긴장선과 수직으로 만날 때 W자 모양으로 절제하는 술식이다(그림 41-17).[4] Z 성형술처럼 흉터를 연장시키지는 못하지만 꼬불꼬불한 흉터를 만들어 이완피부장력선에 평행한 부분은 눈에 덜 띄고 그에 역행하는 부분은 교정하기 전보다 짧아지기 때문에 흉터가 적어진 것처럼 보인다. 그러나 인접한 정상 피부를 톱니처럼 절제하여 피부 장력이 증가하고 피부 표면은 다소 울퉁불퉁해지는 단점이 있다.

(3) 기하학적 점선 접합법
(Geometric broken-line closure)

M자나 W자 등을 복합적으로 사용하여 길고 큰 상처를 교정하는 방법이다(그림 41-18). W성형술과의 차이는 꼬불꼬불한 선을 불규칙적으로 만드는 것이며 한 쪽에 임의의 불규칙한 형태가 다른 쪽의 경상(mirror image)과 서로 맞물리게 도안하고 봉합하면 흉터가 적어 보인다.

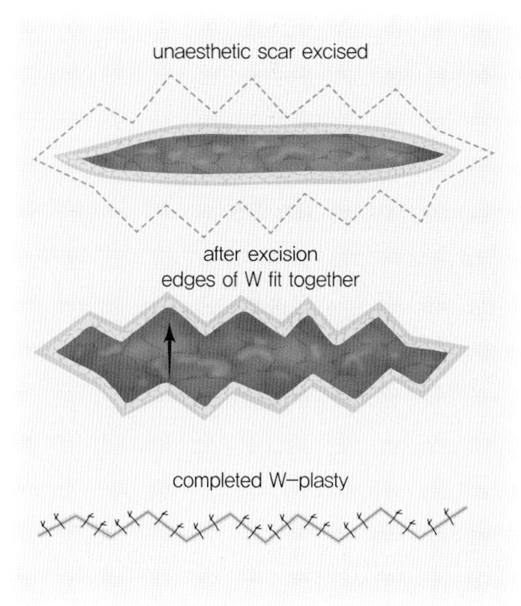

■ 그림 41-17. **W성형술의 원리 및 모식도**

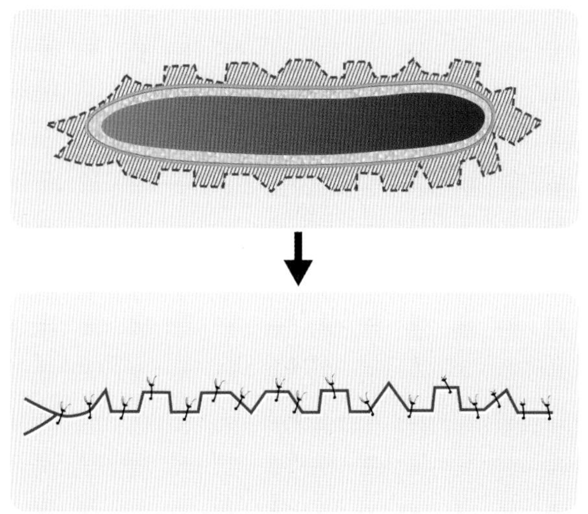

■ 그림 41-18. **기하학적 점선 접합법.** 상처가 길고 큰 경우 M자나 W자 등을 복합적으로 사용하여 교정하는 방법이다.

3) 비수술적 치료

(1) 부신피질 호르몬

Triamcinolone acetonide (Kenalog®)는 비후성 흉터, 켈로이드 치료에 사용된다. 부신피질 호르몬은 교원질 분해 효소를 통해 교원질 분해를 촉진하며 생성 자체도 억제하는 효과가 있다.[1] 전신적 증상이 나타나는 것을 막기 위해 Kenalog 40 mg/ml를 생리식염수와 1:3으로 섞어 만든 후 10 mg/ml를 2~3주 간격으로 한번씩 4~5개월간 주사한다.

(2) 실리콘 겔(Silicone gel)

실리콘 중합체를 발라주거나 실리콘 시트를 하루에 적어도 8시간씩 수개월간 흉터부위에 대어주면 비후성 흉터와 피부색의 변화를 예방하거나 호전시킬 수 있다.[18]

(3) 박피술(Peel and resurfacing)

기계적박피술은 망상진피의 손상 없이 유두진피의 교원질형성을 촉진시킨다. 화학적 박피술은 박피제의 종류에 따라 피부에 투과하는 정도가 달라 얕은 층부터 깊은 층까지 목적에 맞게 쓸 수 있다. 레이저 피부재생(laser resurfacing)도 흉터를 교정하는 데 자주 이용된다.

(4) 연부조직 충전(Soft tisse augmentation)

교원질, hyaluronic acid, 지방 조직이나 실리콘 같은 합성 기원 물질을 주입하여 흉터를 교정하는 방법이다.

참고문헌

1. 강진성. 흉터교정술. 강진성. 최신성형외과학. 계명대학교 출판부. 1995, p.113-148.
2. 박찬흠, 김동규. 얼굴 성형과 재건술의 기구와 기본 술기. 얼굴성형재건. 대한안면성형재건학회, 2014, p.27-38.
3. 안병훈. 상처 치유 및 처치. 얼굴성형재건. 대한안면성형재건학회, 2014, p.47-56.
4. 정동학, 현상민. 흉터재건술. 얼굴성형재건. 대한안면성형재건학회, 2014, p.57-70.
5. 정진혁. 피부의 해부와 생리. 최신안면성형재건. 군자출판사 2015 p.1-10
6. 장진순. 안면성형과 재건술. 이비인후과학, 두경부외과학. 대한이비인후과학회, 2009, p.1431-1466.

7. Borges AF. Relaxed skin tension lines(RSTL) versus other skin lines. *Plast Reconstr Surg* 1984;73:144-50.
8. Burget GC, Menick FJ. The subunit principle in nasal reconstruction. *Plast Reconstr Surg* 1985;76:239-247.
9. Davis JS, Kitlowski EA. The theory and practical use of the Z-incision for the relief of scar contraction. *Ann Surg* 1939;109:1001.
10. Dockey GL, Nilson RZ. Treatment of hypertrophic and keloid scars with silastic gel sheeting. *J Foot Ankle Surg* 1994;33:110-119.
11. Drake DB. Scientific basis of wound closure techniques, 2nd ed. *The Dannemiller Memorial Educational Foundation* 1999, p.41.
12. Ersek RA. Transplantation of purified autogenous fat: a 3 year follow-up is disappointing. *Plast Reconst Surg* 1991;87:219.
13. Kaplan B, Potter T, Moy RL. Scar revision. *Dermatol Surg* 1997;23:435-444.
14. McGills ST, Lucas AR. Scar revision. *Dermatol Clin* 1998;16:165-180.
15. McGregor IA, Mcgregor AD. Free skin graft. In: McGregor IA, Mcgregor AD. *Fundamental techniques of plastic surgery and their surgical applications*, 9th ed. Edinburgh: Churchill livingstone, 1995, p.174.
16. Shumrick KA, Chadwell JB. Facial trauma: soft-tissue lacerations and burns. In: Cummings CW, ed. *Cummings otolaryngology head & neck surgery*.Philadelphia: Elsevier mosby, 2005, p.586-587.
17. Trott AT. Cyanoacrylate tissue adhesives: an advance in wound care. *JAMA* 1997;277:1559-1560
18. Weisman PA. Microporous surgical tape in wound closure and skin grafting. *Br J Plast Surg* 1963;16:379-386.
19. Williams C. Cica-care adhesive gel sheet. *Brit J Nurs* 1996;5:875-876.
20. Winter GD. Formation of the scale and the rate of epithelialization of superficial wounds in the skin of the young pig. *Nature* 1962;193:293-294.

CHAPTER

42

안면노화의 수술적 교정

이비인후과학 Otorhinolaryngology - Head and Neck Surgery

박동준, 최지윤

I 서론

아름다움에 대한 추구, 특히 다시 젊어지는 것에 대한 인류의 노력은 수천 년에 걸쳐 이루어져 왔으며 다양한 방법들이 발전해 왔다. 인간의 얼굴은 나이가 들어감에 따라 점차로 피부 두께가 얇아지고 탄력성이 소실되며 피하지방과 피부의 접착성이 상실되는 것이다. 또한 피부 아래의 피하지방, 안면근육, 안면골 조직의 위축성 변화에 의해 피부의 늘어짐이 심해지며 주름이 깊어진다. 이를 돌리기 위해 보톡스, 필러, 레이져, 실과 같은 비침습적인 방법들이 소개되고 있으나 대부분 일시적인 효과이고 근본적인 개선을 위해서는 안면거상술과 같은 수술적 방법이 효과적이며 지속적인 좋은 결과를 가져올 수 있다. 이러한 안면노화에 대한 접근은 얼굴을 크게 상중하 안면으로 구분하면 편리하다.

II 상안면부 회춘술 (Upper face rejuvenation)

1. 내시경적 눈썹올림술

눈썹과 이마는 눈주변 중심부위로 얼굴표정과 인상을 결정짓는 데 중요한 역할을 하는데 눈썹의 정상 위치는 안와위경계를 기준으로 남자는 약간 아래에 일자형으로 위치하고, 여자는 외측으로 가면서 약간 위로 올라가는 아치형을 이룬다.[17] 눈썹은 피하조직층과 눈썹피부가 골막과 단단히 연결되지 않아서 쉽게 쳐지며 다른 부위에 비해 일찍 노화가 시작된다. 이마거상술의 치료목적은 처진 눈썹을 올리고 눈썹모양을 수정하고 비대칭 눈썹을 교정하고 이마의 주름을 개선하는 것에 있겠다. 노화가 진행됨에 따라 눈과 눈썹의 변화도 오게 되는데 눈주변의 지방이 줄어들면서 눈이 더 들어가 보이고 상안검의 피부는 늘어지고 처지며, 눈썹, 특히 frontalis muscle의 영향을 덜 받는 바깥쪽이 처지게 된다. 이러한 변화로 인해 시야

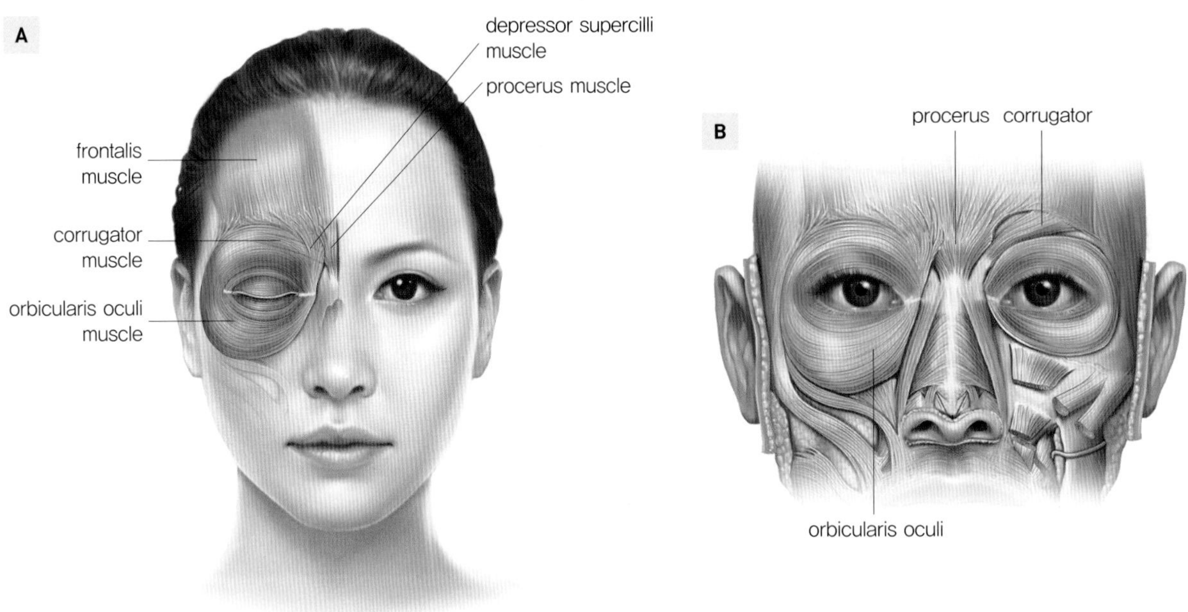

■ 그림 42-1. 눈썹을 올리는 근육은 전두근이며 눈썹을 내리는 근육은 procerus, corrugator, orbicularis oculi muslces이 있다.

가 가려지기 때문에 무의식적으로 눈썹을 올리게 되는 reflex brow raising현상으로 이마의 주름이 깊어지게 된다. Gunter 등은 눈썹과 nasojugal folds가 타원형 모양을 만들며 아름다운 눈은 동공이 그 타원형의 장경에 위치할 때라고 기술하였고, 속눈썹에서 쌍꺼풀까지의 높이가 속눈썹에서 눈썹의 하연까지의 길이의 1/3 정도일 때가 아름답다고 하였다(그림 42-1).[17]

2. 해부

Frontalis muscle은 galea에서 기시하여 전두부 피부에 insertion하고, brow의 유일한 elevator로서 역할을 하며, 안면신경의 전두분지의 지배를 받는다.

이에 반해 depressor 역할을 하는 근육은 여러가지인데 corrugator supercilii, orbicularis oculi, procerus muscle이 좌우에 쌍으로 존재하며, corrugator muscle은 glabella의 세로 주름을 만들고, procerus muscle은 가로 주름을 만든다(그림 42-1).[16]

3. 이상적인 눈썹의 위치

이상적인 눈썹의 위치는 내측 눈썹이 medial orbital rim 위에 있으면서 눈썹의 내측 경계와 medial canthus가 같은 수직선상에 있고 눈썹의 arch의 가장 높은 부분이 적어도 눈썹의 바깥쪽 2/3 지점 또는 lateral limbus의 수직선상에 위치하며 눈썹의 외측 끝부분이 내측보다 위에 있고 남성의 경우 여성보다 더 낮게, 더 직선형으로 보이는 것이 이상적이다(그림 42-2).[17]

4. 수술 전 평가

환자를 진찰할 때 주의해야 할 것은 전두근의 작용에 의해 눈썹이 지속적으로 거상되어 있는 환자들이 많다는 것이다. 전두근의 영향을 없애기 위해 환자에게 눈을 20초간 감게하고 이마를 이완시키고, 천천히 눈을 뜨게하여 전두근의 영향이 없는 상태에서 눈썹과 눈꺼풀의 처짐이 어느 정도인지를 파악해야 한다. 이 검사를 통해 많은 환자들이 reflex brow lifting을 하고 있다는 사실을 알 수

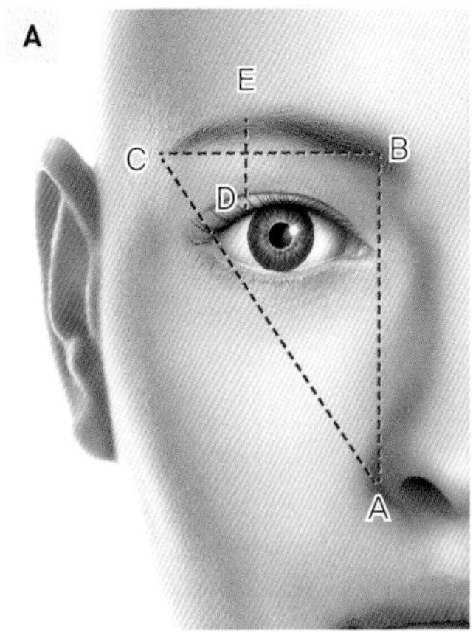

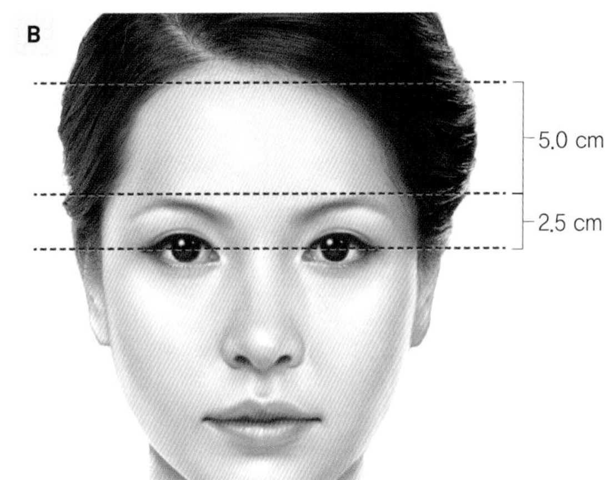

■ 그림 42-2. **이상적인 눈썹의 위치.** **A)** 눈썹의 내측선은 비익과 수직선 상에 위치한다. 눈썹의 외측선은 비익과 외안각을 잇는 선상에 위치한다. 눈썹의 가장 높은 점은 동공의 외측과 수직선상에 위치한다. 눈썹이 여자는 안와연보다 위쪽에 위치하며 남자는 안와연상에 위치한다. 여자는 곡선을 그리고 남자는 수평으로 위치한다. **B)** 동공의 중앙과 눈썹까지의 거리는 2.5 cm, 이마의 높이는 여자가 5 cm, 남자가 6 cm이 적당하다.

있다. 이를 간과하게 되면 눈썹처짐에 의한 것을 단순히 upper eyelid dermatochalasis로 생각하고 forehead/browlift 없이 upper blepharoplasty만을 시행하는 경우가 생긴다. 이럴 경우 눈과 눈썹이 더욱 가까워져서 눈의 모양이 더욱 안좋아지고 다시 교정하기가 매우 어려우므로 주의하여야 한다. 쌍꺼풀 선과 눈썹과의 거리가 1.5 cm 정도는 유지하도록 해야 한다.[12,15]

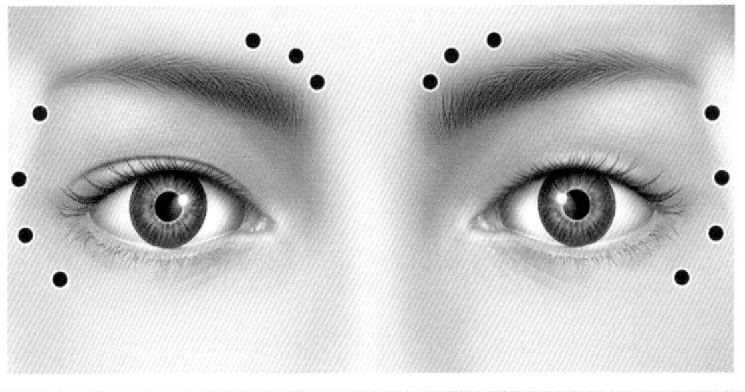

■ 그림 42-3. **보톡스 주사부위.** 내시경적 이마거상술을 시행하기 2주 전에 눈썹내림근에 보톡스 주사를 시행한다. 전두근에는 주사를 시행하지 않는다.

5. 내시경적 눈썹올림술 술기

내시경을 이용한 이마거상술의 장점은 절개를 최소화하고 두피의 지속적인 감각저하 및 탈모를 예방할 수 있다는 것이다. 다만 이마가 튀어나온 경우, 대머리나 두발선이 높은 경우에는 수술에 제한이 따른다.[29] 보통 수술 2주 전에 botulinum toxin A을 central brow와 glabella depressor muscle에 주사를 시행한다(그림 42-3). 다른 방법으로는 수술 중 corrugate muscle을 부분적으로 제거하는 방법도 있다. Glabella region의 근육제거를 과도하게 시행하면 medial brow가 비정상적으로 상승하거나 넓어질 수 있으므로 주의를 요한다.[20] 수술 전 앉은 자세에서 눈썹의 위치를 평가하고 절개부위를 표시한다. Brow elevation 시킬 양과 vector를 정하여 이마와 측두부에 표시를 시행하는데 대부분 여성의 경우에는 수직방향으로 남자는 상외측으로 거상을 시행한다. 다음으로 supraorbital notch, glabellar infrowning lines, 안면신경의 frontal branch의 주행경로 등 주요 해부학적 landmark들을 표시한다. 마취는 일반적으로 전신마취 또는 정맥마취를 하며 추가로 수술부위에 lidocaine + epinephrine 국소 침윤마취를 한다. 약 15분에서 20분 정도 기다려 vasoconstriction된 후 15번 메스를 이용하여 골막하에 이르기까

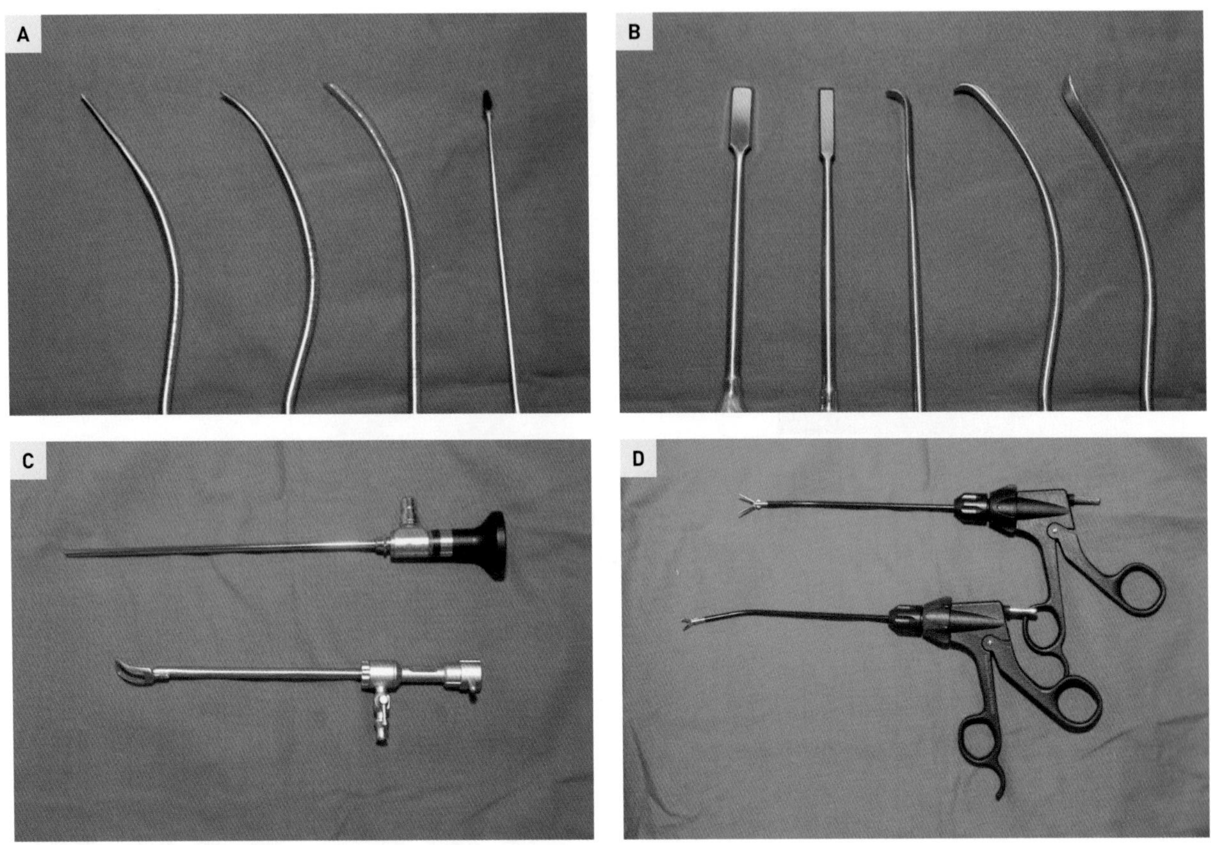

■ 그림 42-4. **내시경적 이마거상술에 필요한 기구들.** **A, B)** dissectors, **C)** endoscope and sheath, **D)** electric coagulator

지 절개를 시행한다. 절개선은 모발선의 1.5~2.0 cm 후방에 이마의 중앙부와 양측면, 양측 측두부에 길이 1~1.5 cm 크기의 5개의 절개선을 넣는다. 이마 부위의 절개선 3개 중 한쪽은 내시경을 넣고 다른 한쪽에는 수술기구를 넣는 방식으로 박리를 진행하게 된다. 양측면의 절개선은 거상할 vector에 따라 위치를 정하고, 절개선 주변의 골막하 박리를 한다. 나중에 고정할 때 골막이 잘 유지되어야 하므로 골막이 손상되지 않도록 조심해서 박리한다. 그 후 blind dissection 방법으로 endoscopic dissector를 이용하여 하방으로는 orbital rim 상부 1.5 cm 정도까지, 외측으로는 temporal line까지, 후방으로는 3~4 cm 정도 두피를 박리한다(그림 42-4). 다음으로 sheath를 씌운 30도 내시경으로 직접 박리 부위를 보면서 supraorbital neurovascular bundles 주변을 박리한다. 이곳은 corrugator m., procerus m.의 근섬유 사이로 신경과 혈관이 있으므로 근섬유의 방향과 평행하게 작은 dissector로 박리하고, 필요하면 근육들을 resection 한다. 주의할 점은 너무 많이 제거하면 미간이 넓어지거나, 미간에 dimpling이 생길 수 있으니 주의한다. 눈썹의 내측의 박리가 끝나면, 안와를 둘러싼 arcus marginalis를 외측부터 시작하여 내측으로 신경과 혈관이 손상되지 않도록 주의하면서 박리를 시행한다. 이곳을 충분히 박리하여야 거상시킬 수 있는 flap의 가동성을 얻을 수 있다.

다음으로 측두부의 절개로 옮겨 박리를 진행한다. 측두부 절개는 1.5~2 cm 정도의 크기로 측두근이 있는 두피 내에 넣으며 절개는 피부와 피하층, temporoparietal fascia까지 진행하여 박리되는 plane은 temporoparietal fascia 아래, deep temporal fascia 위가 된다. 절

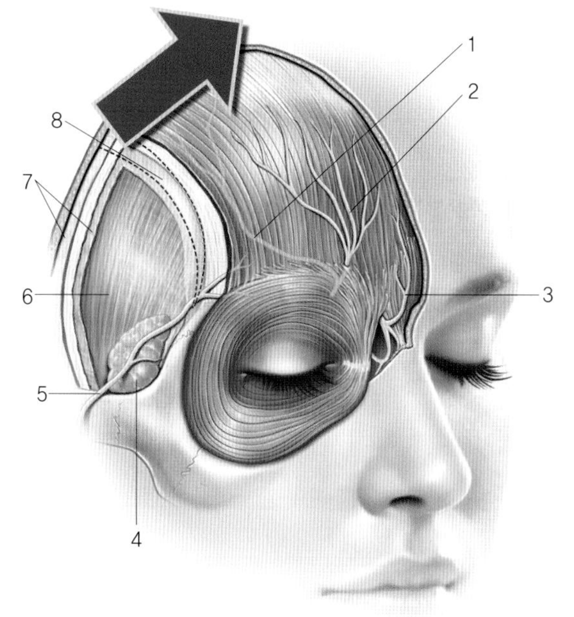

■ 그림 42-5. 측두부와 전두부를 연결 할 때 안면신경의 손상을 막기위해 측두부에서 전두부를 향해 시행한다. conjoined tendon의 상부에서 관통 후 dissector의 날카로운 면을 이용해 아래쪽으로 박리한다. 1: Deep branch of supraorbital nerve, 2: Superficaial branch of supraorbital nerve, 3: Supratrochlear nerve, 4: Temporal fat pad, 5: Frontal branch of facial nerve, 6: Superficail and deep layers of deep temporal fascia, 7: Temporoparietal fascia, 8: Temporal crest

개를 넣을 때 모근이 다치지 않도록 모근과 평행하도록 절개선을 넣는다. Forehead/browlift만 하는 경우 박리범위는 아래로 lateral canthus level이 되고, 전방으로 temporal line까지가 된다. 전술한 바와 같이 이곳을 박리하는 중에 sentinel vein을 만나게 되는데 안면신경 전두분지가 그 위에 있다는 표시이므로 그 주변에 cautery를 할 때 매우 주의하여야 한다. 양측에 만들어진 측두부를 temporal line을 외측에서 내측으로 통과시켜 박리하여 중앙 박리부와 연결하여 하나의 큰 flap을 만든다(그림 42-5). 두개의 포켓이 연결이 되면 endoscopic elevator의 beveled edge를 이용하여 위에서 아래방향으로 temporal attachment를 박리한다. 양측 측두부는 3-0 PDS와 같은 두꺼운 absorbable suture를 측두피판(temporoparietal fascia)을 아래쪽 deep temporalis fascia에 단단히 고정하고, 중앙부는 pericranium에 bone tunnel을 만들어 그곳으로 Prolene suture를 통과시켜 고정하던가 아니면 microscrew를 박아서 이곳에 고정하거나 Endontine으로 고정할 수도 있다. 마지막으로 절개부를 skin staple을 이용하여 봉합한다.[20,13]

6. 그밖의 눈썹올림술

1) 관상절개술과 모발선앞 접근법(Coronal and pretrichial approaches)

관상절개술은 전통적으로 두발선이 낮은 환자에 이상적인 술식인 반면 모발선앞 눈썹올림술은 모발선이 위로 많이 물러나 있고 이마의 피부주름이 깊지 않고 앞쪽 모발의 숱이 많은 경우가 좋은 적응증이 된다. 일반적으로 이마가 넓은 것보다 좁은 것이 더 젊어 보이는 인상을 주므로 모발선앞 절개술이 유용하다. 모발선을 따라 절개하기 때문에 수술 후 관상절개 올림술 시 나타나는 모발선의 후퇴나 이마가 넓어지는 변화가 없고 측두부의 모발선을 유지할 수 있는 장점이 있다. 관상절개 올림술을 받았던 환자에서 재수술이 필요할 때 시행할 수 있다.[34,39]

관상절개술은 두발선의 5~7 cm 상부에 절개를 시행하는 반면 모발선앞 절개는 앞이마 두발선을 따라 양쪽 관자놀이까지 진행된다. 두피절개는 머리카락의 한 줄 혹은 두 줄을 포함하는 두피의 표피층을 제거하고, 두발선의 약 2 mm 후방에서 비스듬하게 절개하여 표피피판을 만든다. 이마 중앙부위를 박리할 때 상안와신경 절단으로 수술 후 두피의 마비가 올 수 있으나, 내시경을 동시에 사용하면 신경 손상을 줄일 수 있어 모발앞 눈썹올림술의 단점을 보강할 수 있다(그림 42-6).

2) 직접눈썹올림술(Direct Brow lift approach)

직접눈썹올림술은 눈썹의 직상방과 상부에 2개의 절개선을 가한 후 피하박리를 시행하고 최소한의 피하박리를

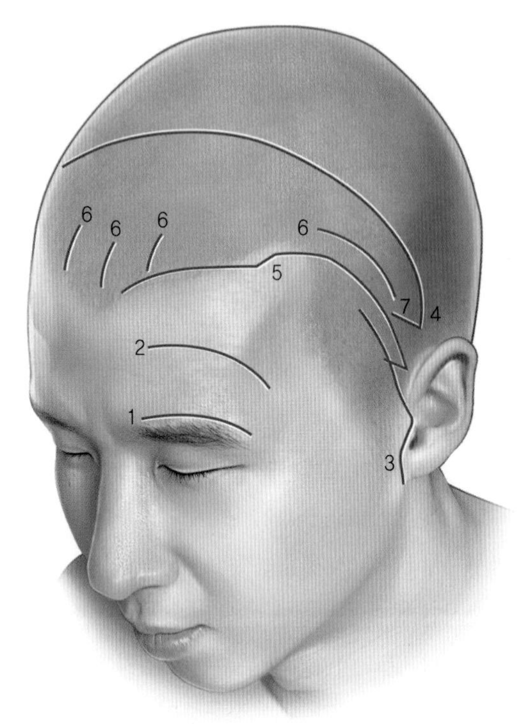

■ 그림 42-6. **눈썹거상술의 수술방법들.** 1: Direct browlift, 2: Midforehead, 3: Temporal extension of rhythidectomy incision, 4: Coronal incision, 5: Pretrichial incision, 6: Endoscopic forehead, 7: Temporal endoscopic

시행하여 봉합하는 술식이다. 부분마취나 수면마취로 수술이 가능하며 술 후 부종과 출혈이 적은 장점이 있다. 반면에 술 후 눈썹의 소실과 흉터가 발생할 수 있는 단점이 있다. 따라서 나이가 많거나 기저질환이 있는 환자에서 좋은 적응이 된다.

아래절개선은 눈썹 바로 위를 따라 표시하며, 위절개선은 다음과 같은 방법으로 그린다. 환자를 앉힌 상태에서 눈썹위 이마를 위로 당겨 눈썹을 원하는 위치까지 올린 다음, 올라간 아래절개선에 표시펜을 위치시킨다. 그리고 위로 당긴 이마를 놓아서 눈썹이 원래 위치로 내려갔을 때 표시펜이 놓이는 이마 피부에 점을 찍어 표시한다. 몇 군데 반복하여 표시하고 표시된 짐들을 연결하여 위절개선을 그린다. 안쪽에서 위•아래경계선은 꼬리가 내려가는 모양으로 만나고, 가쪽에서는 꼬리가 30도가량 올라가도록 S 모양으로 도안하기도 하는데, 이는 수술 후 흉터가 덜 드러나도록 하는 효과가 있다. 눈썹꼬리부위에서는 가쪽으로 1 cm 이상 벗어나지 않도록 하는데 이는 얼굴신경 이마분지의 손상을 예방하기 위함이다.[7]

3) 중이마접근법(Midforehead approach)

중이마접근법은 전신마취 또는 수면마취 하에 시행이 가능하다. 주름이 깊거나 두발선이 높거나 눈썹의 위치가 비대칭이거나 일측안면마비가 있는 경우에 좋은 적응이 된다. 절개선은 깊은 주름위에 놓이게 되며 대부분 양측 절개선이 다른 높이에 위치하게 된다. 술식이 간단하며 피하박리를 시행하여야 두피의 감각이상을 예방할 수 있다.

7. 합병증

1) 신경손상

운동신경인 얼굴신경의 측두분지와 감각신경인 위도르래신경과 위안와신경의 손상이 발생할 수 있다. 이마의 감각이상은 중앙 또는 측두피판의 절개가 위안와신경의 주행쪽으로 확장될 때 일어날 수 있으며, 또한 신경주행부위에 소작기를 과도하게 사용하면 신경손상을 일으킬 수 있다.

2) 상처, 반흔

눈썹과 이마는 눈에 잘 띄는 부위이다. 눈썹올림술에 의해 흉터가 생길 수 있다. 흉터는 박피술이나 필러를 이용해 가려질 수 있다. 흉터를 가리기 위해 문신이나 머리카락이식술이 시행되기도 한다. 모발선앞 절개술 또는 내시경적 이마올림술이 흉터를 최소화할 수 있다.

3) 혈종

지혈을 세심하게 하지 않으면 측두 또는 관상피판 아래로 큰 혈종이 생길 수 있고, 이는 피판의 괴사를 초래할 수 있다. 두피 혈종이 생기고 점점 커지면 봉합부위를 열어 출혈되는 혈관을 찾아 소작해야 한다.

4) 탈모증

탈모증은 봉합이 적절하지 않은 경우, 절개부위에 긴장이 심하게 걸린 경우, 모낭부위에 전기소작기를 많이 사용한 경우에 발생할 수 있다. 박리가 너무 표층에 이루어질 경우에도 머리카락 모낭의 손상이 일어날 수 있다.

 중하안면부회춘술: 안면주름절제술 및 안면당김술(Rhytidectomy and face lift)

1. 서론

얼굴의 노화는 피부에서 지방층, 안면골까지 전층에 걸쳐 발생한다. 안면거상술은 나이가 들어감에 따라 늘어진 연부조직을 당겨 올려 젊은 모습으로 되돌려주는 술기로 얼굴을 상,중,하로 구분하였을 때 중안면 및 하안면에 발생한 피부의 늘어짐과 주름에 대한 교정에 목적이 있다. 지금까지 다양한 수술방법이 소개되어 왔는데 최소침습 안면거상술, 피하박리 안면거상술, 천근건막체제 피판술, 심부안면거상술, 복합안면거상술, 골막하안면거상술 등이다.

2. 역사

Lexer는 1906년에 피하층을 박리하는 안면거상술을 시행하고 이를 보고하였다.[14] Skoog는 1974년에 천층과 심층사이를 박리하는 안면거상술을 시행하였고 중간턱(Jowls)을 포함한 향상된 미용적 개선을 보였다.[42] 1976년 Mitz와 Peyronie는 천근건막체제(superficial musculoaponeurotic system; SMAS)층을 발견하고 이를 명명하였다.[32] 이후 안면거상술은 커다란 발전을 이루게 된다. 그러나 천근건막체제 안면거상술은 중안면부와 협부지방(malar fat pad)에는 효과가 미흡하고 비순구개선은 이루어지지 않거나 오히려 심화되기도 하였다.[32] 1990년에 Hamra는 심부 안면거상술(deep plane rhytidectomy)을 소개하였는데 천층과 심층사이를 박리하여 피부박리는 줄이고 천근건막체제 피판 박리를 뺨 지방층과 피부를 포함한 뺨 지방패드 피부 피판과 경부의 활경근을 포함시키는 하나의 피판으로 만들어 이를 알맞은 방향으로 당겨주어 중안면부의 쳐짐과 구순구를 해결하였다.[18] 이후 이를 변형한 복합 안면거상술(composite facelift), 높은 천근건막체계 안면거상술(high SMAS facelift), 심부 확장 안면거상술(extended deep plane facelift), 골막하 안면거상술(subperiosteal facelift) 등의 방법들이 소개되었으며 천근건막체계(SMAS)를 겹치기(plication) 또는 중첩(imbrication), 피부와 천근건막체계(SMAS)를 분리시킬지 또는 분리하지 않을지 등의 다양한 이견이 있다. 또한 최근에는 덜 침습적인 수술방법이 인기를 끌고 있다.[36,43]

3. 이론적 배경

안면거상술은 귀앞쪽의 절개를 통해서 안면부의 연조직에 접근하여 이를 거상하여 안면부의 모습을 개선하는 것이다. 귀전방에서 피하층을 박리하고 SMAS층을 노출시킨 후 이를 다루게 된다.[4]

천근건막체계 안면거상술은 크게 겹치기(plication) 또는 중첩(imbrication)으로 분류할 수 있다. 천근건막체계층의 겹치기(plication)는 천근건막체계 층을 보전하고 이를 겹쳐서 봉합하여 팽팽하게 만든다. 반면 천근건막체계층의 중첩(imbrication)은 천근건막체계 층의 일부를 절제한 후 서로 당겨서 봉합하여 천근건막체계 층을 팽팽하게 만드는 방법이다.[25]

천근건막체계층의 거상은 SMAS층에 절개를 가한 후 SMAS층과 이하선교근(parotidomasseteric) 근막사이를 박리하여 천층과 심층을 분리하여 거상하는 방법이다.

피하박리를 시행할 때 이론적으로는 피하박리를 많이 할수록 안면부 조직을 많이 거상할 수 있으나 반면에 피부피판이 길어짐에 따라 혈액공급의 감소로 인해 피부피

판의 원위부에 피부괴사의 기회가 많아지게 된다. 피부괴사 및 흉터는 안면거상술의 심각한 합병증이다.[19]

심부 안면거상술은 Skoog에 의해 기술되고 Hamra에 의해 명명이 된 술기로 전이개박리는 피하로 박리를 시작하지만 이하선의 앞쪽에서는 SMAS층 하방으로 박리를 진행하게 된다. 심부 안면거상술은 SMAS층을 피부와 분리하지 않고 붙여서 하나의 피판으로 심부에서 박리하기 때문에 피판이 두꺼워져서 혈액공급이 풍부하게 되며 피부괴사의 확률이 낮다.[19]

이개 바로 전방에서는 천층과 심층이 단단하게 결합되어 있어 SMAS층 하방으로 박리가 어렵다. 따라서 SMAS층 상부로 피하박리를 시행하게 된다. Hamra는 외안각과 하악각을 연결한 선을 중심으로 후방에서는 피하박리를 전방에서는 SMAS층 하방으로 박리를 시행하였다.[18]

4. 수술법(Deep plane facelift)

심부 안면거상술(Deep plane facelift)의 핵심은 중안면뺨(mid cheek)과 광대뼈부위(malar region)의 해부학적 개선에 있다. 뺨덩어리(cheek mass)는 나이가 들면 처져 아래쪽에서 비순구(nasolabial fold)가 깊어지며 lid cheek interface와 nasojugal groove에 초승달 모양의 함몰(hollowness)이 생기고 뺨 돌출이 소실되어 푹 꺼지고 지쳐보이는 외양을 만든다. 얼굴중간의 노화에서 또 다른 특징은 협부지방(buccal fat pad)이다. 젊었을 때는 이 협부지방(buccal fat pad) 덕분에 뺨이 충만하지만, 나이가 들면서 크기가 상대적으로 줄어든다. 이 지방(fat pad)은 4개의 구성요소가 있으며 그 중 협부(buccal)가 가장 크다.[3] 교근(masseter)의 외측 면에는 이하선교근막(parotid masseteric fascia)이 있는데 심부 안면거상술(deep plane technique)에서 핵심구조이다. 이 근막층(fascia layer)은 SMAS층과 그 아래 안면신경의 가지들 사이에 위치한다. 중안면부에서 또 다른 주요 부위는 비순구(nasolabial fold)이다. 이 비순구는 위쪽 지방질 뺨과 아래쪽의 윗입술 사이에서 해부학적 경계를 이룬다. 중안면부 조직들이 나이가 들면서 하수되면 비순구는 깊어지고 환자에게 더 큰 근심거리가 된다.[10] 얼굴의 아래쪽 면은 군턱(jowling)과 악하지방(submental fat)이 대부분을 차지한다. 군턱(Jowling)은 하악선(mandibular line)을 따라 연관된 지방과 피부와 더불어 목과 얼굴에서 넓은 목근(platysma muscle)이 처지기 때문에 발생한다.[23] 심부 안면거상술(Deep plane facelift)을 시술하는 동안, 측두가지(temporal branch)와 하악가지(marginal mandibular branch)는 각각 연결성 결합이 없으므로 주의를 기울여야 한다. 위험지대는 협골궁(zygomatic arch)의 위쪽 부위로 이개(auricle)의 상방(superior attachment)에서 약 2 cm 전방 안와연(bony orbital rim)의 2 cm 후방이다.[9] 이 부분에서 신경은 협골(zygoma)의 바로 위로 지나간다. 안면거상술에서 가장 흔히 손상되는 신경은 대이개신경(greater auricular nerve)이다. 이 신경은 외이도(bony auditory canal)의 약 6.5 cm 아래쪽에 위치한다.[6]

1) 술 전 준비

수술 전 상담을 통해 환자가 원하는 것을 정확히 파악하고 현실적으로 교정이 가능한지 평가하여야 한다. 심하지 않은 피부의 이완과 가벼운 주름은 레이저, 필러, 보톡스와 같은 시술로 간단히 교정이 가능하며 환자의 상태와 가능한 술기에 대해 장, 단점을 설명하고 환자가 원하는 시술을 선택하도록 한다. 수술 전 철저한 병력과 이학적 검사가 필요하다. 수술 과거력, 병력, 투약, 흡연 및 알코올 섭취를 파악한다. 고령인 환자가 많으므로 필요하면 협진을 시행한다. 특히, 아스피린 및 비스데로이드 소염제의 투약, 고혈압, 흡연력 등을 철저히 검토하고 환자에게 설명해 주어야 한다. 다음으로 피부의 특징을 평가한다. 햇빛으로 인한 손상, 흡연력, Fitzpatrick type뿐 아니라 여러 가지 피부 특성들을 술 전 상담과정에서 평가해야 한다. 햇빛으로 인한 손상이 중등 정도인 흰 피부가 대개 가장 잘 치유되며, 반면 짙은 피부색 유형은 시술의 입장에서 더 많은 주의가 필요하다. 수술 전 혈액응고검사를 포함한 모든 기본적인 검사를 시행하며, 환자에게는 최소한 2주 전부터 금연하고 혈액응고를 저해할 수 있는 약제를 최소한 1주간 사용하지 말라고 주의를 준다. 상담이 끝나면 적절한 조명하에 술 전 사진 또는 동영상을 촬영한다.[23,27] 머리, 얼굴, 목이 전체적으로 나오도록 정면, 측면, 사면 촬영을 시행하고 얼굴중앙부위의 확대사진을 촬영한다. 필요에 따라 입주위, 눈주위, 턱밑을 확대하여 촬영한다. 사진 촬영 시 머리카락은 뒤로 넘겨 귀와 안면부가 잘 드러나도록 하고, Frankfort line이 수평이 되도록 자세를 취한다.

2) 이중턱성형술(Submentoplasty)

대부분 심부 안면거상술(deep plane facelift)은 전신마취하에 시행하며 눈썹거상술(browlift), 안검성형술(blepharoplasty), 지방이식(fat graft), 보형물 삽입술 등과 병행하기도 한다. 명확한 목턱각(cervicomental angle)을 만드는 것은 좋은 수술결과를 내는 데 중요한 요소로 필요한 경우 이중턱성형술(subementoplasty)을 먼저 시행하게 된다. 이중턱은 지방의 축적과 넓은목근육이 틀어지면서 목선이 사라지는 현상이다. 이중턱이 심하지 않은 경우에는 지방흡입술이나 레이져를 이용해 턱밑 지방을 적절히 제거함으로써 약간의 개선은 가능하나 심한 경우에는 악하주름(submental crease)의 직 후방에 2.5 cm의 절개를 가하고 피하박리를 시행하여 턱아래연부조직을 노출시킨 후 넓은 목근 상부의 지방을 지방흡입 또는 직접절제를 통해 제거한다. 또한 대부분에서 넓은목근 하부의 지방의 제거가 필요하며 직접절제를 통해 제거하게 되고 출혈의 위험이 있으므로 주의를 요한다. 그러나 과도한 절제는 오히려 코브라목 변형과 같은 합병증을 야기시킬 수 있다. 적절한 지방의 제거가 끝나면 넓은목근을 중앙으로 당겨서 팽팽하게 해주게 되는데 이를 코르셋이중턱성형술(corset submentoplasty)이라고 한다. 넓은 목근의 전방부를 중앙으로 당겨 3-0 PDS (polydioanone)을 이용해서 봉합을 시행한다. 봉합은 상부에서 시작하여 갑상선연골의 직 상방까지 시행을 하고 다시 반대로 올라오면서 한번 더 봉합하여 절개부 근처에서 끝난다. 피부의 이완이 심한 경우에는 잉여피부를 절제 후 피부봉합을 시행한다. 수술 전 설골의 위치를 확인하여야 한다. 설골이 낮게 위치하거나 하악이 너무 왜소한 경우 좋은 결과를 얻기가 어렵다. 이중턱성형술이 끝나면 외측 안면거상술을 시작한다.

3) 절개선(Incision)

안면거상술을 시행함에 있어서 모발선의 변형을 예방하고 정상적인 귀의 형태를 유지하는 것은 매우 중요한 문제이다. 측두부 절개를 시행할 때 측두부 두발선의 앞쪽에 절개를 가할 수도 있고 두발선 내부에 절개를 시행할 수도 있다. 두발선 내부 절개는 반흔이 가려지는 장점이 있으나 두발선이 올라가는 단점이 있고 두발선상 절개는 두발선의 변형은 없으나 반흔이 보이는 단점이 있다. 최근에는 측두 구렛나루 하연에 수평절개를 가하여 거상된 피부피판을 제거하여 두발선의 이동을 줄이면서 반흔을 줄이는 방법이 선호되고 있다. 이개의 앞쪽에서는 귀바퀴(helix)의 전면을 따라 부드러운 곡선으로 내려오다가 이주(tragus)에 도달하면 남자는 이주 전방의 피부가 두껍고 모발이나 수염이 존재하므로 이주 전방에 절개를 가하고 여자에서는 절개선을 감추기 위하여 이주 후방에 절개를 가한다. 다만 봉합 시 피부두께에 맞춰 피부를 얇게 만들어 주어야 하고 이주 전방의 주름이 없어질 위험이 있다. 귓불 주변에서는 귓불아래로 약 1~2 mm 정도 피부를 남기고 절개선을 가해야 술 후 발생할 수 있는 변형을 예방할 수 있다. 귀 후방 절개는 후이개 고랑에 평행하게 2~3 mm 전방에 절개를 가한다. 외이도의 높이까지 절개를 가한 다음 후방으로 절개선을 연장하여 후모발선 경계부를 따라 긴 직선절개를 모발 안쪽을 향해 수평으로 넣거나 모발선을 따라 아래로 연장한다. 모발선 안쪽

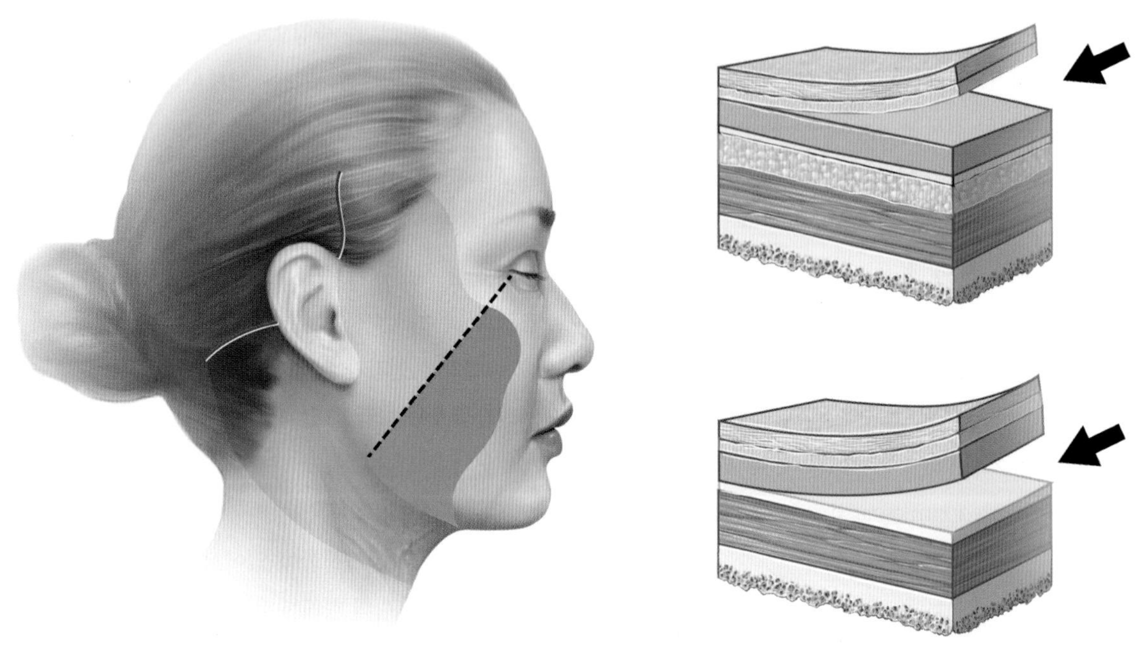

■ 그림 42-7. **Deep plane facelift에서 dissection plane.** lateral canthus와 mandible angle을 잇는 선을 기준으로 뒤쪽은 피하박리, 앞쪽은 sub SMAS로 박리를 시행한다.

으로 수평절개를 가하면 모발선이 변경되는 단점은 있으나 흉터가 최대한 가려진다. 모발선을 따라 절개를 가하면 모발선 변경은 없으나 모발선을 따라 흉터가 남는다는 단점이 있다.

4) 피부 피판의 거상(Skin flap elevation)

절개가 끝나면 외측에서 피하박리를 시행한다. 피부를 들어올리는데 처음에는 10번 메스로 시작하다가 예리하고 가는 가는 안면거상가위(facelift scissor)를 이용하여 모낭아래 진피하 박리를 시행한다. 목에서 피하박리를 시행할 때 흉쇄유돌근(sternocleidomastoid) 근육구조 위에서 박리할 때 근막이 아주 단단히 붙어있어 주의하지 않으면 대이개신경이 손상될 수 있다. 외측의 피하박리는 목에서 중앙으로 연장하여 턱아래 피하박리면과 서로 만나게 된다. 대표적인 sub-SMAS technique이라 할 수 있는 Hamra의 심부 주름제거술은 절개선 절개부터 2~3 cm 정도만 진피하 거상을 시행한 후에 이 지점에서 박리가 깊어지면서 심부(deep plane)를 들어 올린다. 하악각(mandible angle)과 외안각을 잇는 선을 기준으로 깊은 층 박리를 시행한다(그림 42-7). 심층(deep plane) 주름 제거술은 피부박리를 협골 융기와 하악각을 연결하는 선까지 진행한 다음 이 선을 따라 SMAS층 거상을 시작하여 대협골근에 붙은 유지인대 뿐만 아니라 이하선과 교근 유지인대까지 모두 풀어 SMAS층 피부-활경근으로 이어지는 단일 피판을 후상방으로 거상하여 비순구 및 군턱까지 해결하는 안면 거상술을 말한다. 견인기를 이용하여 SMAS 층을 최대한 팽팽하게 당긴 상태에서 반대쪽으로 견인을 하고 10번 메스를 이용해서 절개를 가하면 SMAS 층은 위로 들어올려지면서 교근건막(masseteric fascia)은 바닥에 가라앉으면서 심부(deep plane)가 넓게 보인다. 가위를 세로로 벌리고 손가락을 넣어서 이 층을 넓힌다. SMAS층의 위쪽면을 박리할 때는 메스나 날카로운 가위를 이용하여 박리를 시행하고 SMAS층의 아래면을 박리할 때는 메스의 손잡이나 손가락 등을 이용하여 무디게 박리를 시행한다. 심부 박리는 상방에서 하방으로 진행을 하며 이때 대협골근(zygomatic major muscle)은 반드시 확인해야 한다. 협골근(zygomaticus)은 시술의가 전방에서 중안면부의 연조직을 유리시킬 때 기준점이 되며 근육심층에 있는 안면신경가지를 보호할 수 있다. 들어올린 후에는 볼지방(buccal fat pad)을 처리한다.

박리를 통해 들어올려진 협부측 SMAS 피판은 비순구와 수직으로 상외측으로 거상하여 심부측두근막(deep temporalis fascia)에 2-0 PDS를 이용하여 고정하고 아래쪽 넓은 목근의 후방부는 유양동 골막에 연속고정봉합(running locking suture)을 이용해 원하는 결과가 나올 때까지 반복한 후 고정한다. 따라서 안면거상술의 벡터가 목에서는 수평방향이 되고 중안면부에서는 상방으로 향하게 된다. 심부측두근막과 유양동 골막은 고정되어 있는 구조로 고정이 용이하고 피부의 처짐을 방지할 수 있다. SMAS 피판과 함께 협부지방(malar fat fad)이 거상되면서 중안면부의 볼륨이 증가하고 하안검을 지지해주게 된다. 또한 비순구가 얕아지고 중안면의 negative 벡터가 positive 벡터로 바뀌게 된다.

5) 잉여 피부 제거 및 봉합

다음으로 피부피판(skin flap)을 다듬고 알맞은 위치에 봉합한다. 피부에 긴장이 가지 않도록 여분의 피부를 절제한다. 귀 뒤쪽의 피부를 절제할 때 두발선(hair line)에 계단이 지지 않도록 하고 귓불(lobule)에 긴장이 과도하게 걸리면 뾰족귀(satyr's ear)가 될 수 있으므로 주의한다. 전이개 부위에서 삼각형모양으로 피부를 절제하고 측두부 두발선이 올라가지 않도록 주의한다. 피하봉합은 5-0 PDS를 이용하여 봉합하고 피부는 6-0 나일론을 이용하여 봉합한다. 적절한 압박을 시행하면 드레인을 넣지 않아도 된다. 목과 안면부, 전두부에 압박붕대를 이용해 드레싱을 시행하고 24시간 후에 압박붕대를 풀고 혈종을 확인 후 36시간 동안 가벼운 압박드레싱을 추가로 시행한다. 봉합사는 7일째 제거하여 준다.

5. 합병증

1) 혈종

혈종은 안면거상술의 가장 흔한 합병증으로 많게는 10%까지 보고되고 있다. 남성과 고혈압이 있는 환자, 아스피린, NSAID, 비타민 등 건강보조식품을 복용하는 경우에도 주의를 요한다. 혈종은 대개 술 후 10~12시간 내에 발생한다. 다른 수술과 마찬가지로 술 후 통증과 종창이 발견되면 혈종의 가능성을 생각해야 한다. 혈종이 그대로 방치되면 피판의 괴사가 발생할 수 있으므로 혈종이 발생하면 즉시 확인하여 봉합사를 제거하고 혈종을 제거한 후 철저한 지혈을 시행하여야 한다. 작은 혈종은 18게이지 니들을 이용하여 제거가 가능하다.[24,25]

2) 피판의 괴사

과도한 흡연은 수술의 금기이며 수술 전, 후에 1~2주 금연을 하여야 한다. 피부 괴사는 대개 혈종을 방치한 경우 발생하므로 진공 배액이나 압박드레싱을 하여 피부괴사의 가능성을 줄인다. 피부를 제거할 때 긴장이 생기지 않도록 하여야 피판의 괴사를 예방할 수 있다. 피부의 괴사가 발생하면 보존적 치료를 시행하며 추후 반흔의 가능성이 있다.

3) 신경손상

가장 흔히 손상되는 신경은 대이개신경으로 흉쇄유돌근(sternocleidomastoid)과 단단히 붙어있는 근막을 박리 중 발생하게 된다. 안면신경의 손상은 직접적인 손상보다는 견인, 열손상에 의한 경우가 많아 대개는 일시적이며 측두부가지와 하악가지의 손상이 흔하다.

6. 결론

최근 수십 년 동안 수많은 안면거상술이 소개되어 왔다. 안면거상술을 시행하기 전에 철저한 분석과 상담을 통해 적절한 술식을 찾아야한다. 심부 안면거상술은 피판이 두꺼워 혈액공급이 좋고 피부의 괴사의 위험이 작다. 중안면부와 비순구를 개선할 수 있는 장점이 있다. 유양동 골막과 심부측두근막은 SMAS 피판을 고정하는 데 적절하다. 목부위는 후방으로 당겨서 고정하고 중안면부는 상방으로 당겨서 고정하면 좋은 결과를 보인다. 수술 중 신경손상을 주의하고 혈종을 예방하여야 하며 금연을 시행하여야 한다. 수술 동기와 기대치를 정확히 파악하여 비현실적인 기대를 가지지 않도록 해야한다.

 상·하안검 수술

1. 상안검 성형술(Upper blepharoplasty)

1) 역사

안검성형의 역사는 10세기로 거슬러 올라간다. Avicenne은 상안검의 과다한 주름이 시야를 흐린다고 하였다. 1844년 상안검을 분리 후 절제하여 안검성형술을 실시하였다. 1929년 Bourguet는 안검수술에 처음으로 지방제거를 주장하였고 지방제거술을 하던 중 상안검에는 두 부분의 지방구획이 있다는 것을 보고하였다. 또한 하안검의 지방에 대한 경결막접근법(transconjunctival approach)을 처음으로 보고하였다.[8] 1961년 Gonzalez-Ulloa는 현대의 안검성형술을 정립하였는데 외안각쪽에서 상안검과 하안검의 절개선이 합져지는 절개법을 사용하였다. 1969년 Lewis는 외안각부가 밑으로 쳐지고 안검 피부가 많이 남는 경우에 외안각부에 Z plasty를 가하여 외안각부의 하수와 주름살을 동시에 교정하는 방법을 고안하였다.[26] 1974년 Sheen은 상안검 성형술에서 거근을 검판에 고정하는 방법을 제안하였다.[40] 1976년 Flower는 피부 절개하연에 안검거근을 고정하는 방법을 보고하였다. 1977년 Baker는 과다한 안륜근의 절제가 좋은 결과를 가져온다고 하였다. 이후 안구후부혈종, 안구건조증, 안검외반에 관한 활발한 연구가 이어졌다.[5]

2) 정의

피부이완증(Dermatochalasis)은 나이가 들어감에 따라 상안검 피부가 얇아지고 탄력성을 잃어 아래로 쳐져 주름이 생기는 질환을 말하며 주름은 지방을 포함하지 않는다. 상안검 피부의 과다한 주름을 의미한다.

안검이완증(Blepharochalasis)은 상안검 피부가 늘어져있고 근육의 긴장이 소실된 것을 말하는데 이로 인해 상방주시 때 시야의 제한이 온다.

안검하수(Ptosis)는 정면을 주시한 상태에서 정상적으로 상안검 경계선이 동공을 2 mm 이상 덮어서는 안 되며 상안검의 경계선이 이보다 낮게 위치할 때 안검하수를 고려한다. 또 다른 정의는 상안검 경계선이 동공 중앙에서 2 mm 이하로 떨어져 있을 때이다. 정상적으로 상안검은 10 mm 이상 이동을 하여야 한다. 진성 안검하수는 안검거근 또는 뮬러근육의 기능장애로 인해 발생한다.[41]

3) 해부 및 미용

상안검 피부와 안륜근은 검판 앞쪽에서는 매우 얇지만 눈썹으로 갈수록 점점 두꺼워진다. 얇은쪽 피부에 의해서 형성된 쌍꺼풀이 미용적으로 아름답다는 사실은 이미 잘 알려져 있다. 하지만 불행하게도 상안검성형술에서 여분의 피부를 제거한다는 것은 검판 앞쪽의 얇은 피부를 절제한다는 것을 의미한다. 절제 후 남아있는 피부와 근육은 절제되어진 부분보다 훨씬 두껍다. 남아있는 두꺼운 조직에 의한 쌍꺼풀은 두껍고 부자연스러워 보인다. 이렇게 두껍게 보이는 쌍꺼풀은 일시적인 부종의 결과가 아니라, 조직의 두께에 의한 것이기 때문에 개선되지 않는다. 게다가 눈썹하수는 상안검의 두툼함을 가중시키기 때문에 이러한 문제를 증폭시킨다. 환자는 의사에게 지방을 충분히 제거하지 않았다고 불평한다. 의사가 공격적인 접근을 통해서 안와지방과 피부를 과도하게 제거한 경우,

보기 흉하고 교정이 불가능한 상안검의 위쪽이 움푹 들어가 보이는 변형을 초래할 수 있다.[22] 이마거상술은 쌍꺼풀과 상안검 성형술을 원하는 중년 이상의 환자에게 적합한 수술이다. 상담 시에 의사가 환자의 눈썹을 들어올려 수술 후 예측되는 결과를 직접 보여주면서 설명할 수 있다. 가장 좋은 방법은 우선 이마거상술을 시행하여 눈썹하수를 교정하고 피부 여유를 없앤 후 쌍꺼풀 수술을 시행하여 피부절제를 최소화하는 것이다.

의사는 상안검성형술 후에 붓기가 오래갈 수 있고, 쌍꺼풀은 두껍게 형성될 수 있다는 점을 미리 설명해야 한다.

4) 수술 전 검사

수술 전 검사에서 가장 중요한 부분은 양눈의 비대칭으로 주의 깊게 관찰 후 기록되어야 한다. 대부분의 수술 전 비대칭은 수술 후에도 지속되며 환자들은 수술 후에 수술 전보다도 더 많은 관심을 갖게 된다. 상안검에 내측과 중앙에 안와 지방의 거짓탈출(pseudohernia)의 정도를 눈을 감은 상태에서 가볍게 눌러 확인한다. 시력검사를 포함한 안과적 검사가 필요하다. 쉬르머 검사(10~15 mm/5 min)와 눈물막 파괴 검사를 통해 눈물 분비 검사를 시행하여 안구 건조증 유무를 확인한다. 특히 눈물흘림, 화끈거림, 따끔거림, 눈의 민감도가 증가한 경우에는 반드시 시행하여야 한다. 안구건조증이 확인된 경우 안과적 상담을 시행하고 심한 정도를 평가하여 수술이 가능한지 결정한다. 건조증이 아주 심한 경우 미용적 안검 성형술은 피하는 것이 좋으며, 가벼운 안구 건조증은 피부를 최소한으로 절제를 시행한다.[37]

5) 수술방법

(1) 수술 전 표시

디자인은 환자가 거울을 보고 앉은 자세에서 시행한다. 정면을 응시한 상태에서 이쑤시개나 부지를 이용하여 검판위쪽의 피부를 압박하여 쌍꺼풀을 만들어 본다. 환자에게 이상적인 라인을 선택하도록 한 후에 0.25 mm 두께의 초극세사마킹펜을 사용하여 절개예정선을 디자인한다. 피부를 당겨서 상안검피부가 팽팽해지면서 속눈썹이 올라가기 시작하는 시점에서 디자인을 시행한다. 이 상태에서 눈꺼풀경계선과 절개예정선 사이의 거리를 캘리퍼를 이용해 측정한다. 일반적으로 7 mm 정도가 적당하다. 대개는 내측 1/3 지점에서부터 외안각까지 같은 간격이 유지된다. 이쑤시개나 부지를 이용해서 쌍꺼풀을 만들어 보면서 눈꺼풀경계선과 평행하게 진행하는 희미한 피부주름을 따라 절개 예정선을 그린다. 작은 눈을 가진 사람은 작은 쌍꺼풀이 더 매력적이다. 큰 눈을 가진 환자에게는 큰 쌍꺼풀이 더 자연스럽고 매력적으로 보인다. 바깥쪽 끝지점에서 라인은 눈가 주름을 따라 부드럽게 위를 향하는 곡선으로 연결된다.

위쪽 절개선의 높이를 정하는 것은 아래쪽 절개선의 높이를 결정하는 것 만큼이나 중요하다. 넓은 pretarsal show의 높은 쌍꺼풀을 만들기 위해서 눈꺼풀 경계선경계부터 3~4 mm 지점에 위쪽 절개선을 정할 수도 있지만 대개는 2~3 mm 상방이 적당하다. 위쪽 절개 예정선은 포셉을 이용하여 여분의 피부를 잡아보는 방법(Pinch test)과 이쑤시개나 부지를 표시된 아래쪽 절개 예정선에 갖다 댄 후 피부를 위쪽으로 살짝 밀면서 쌍꺼풀 라인을 만들어 보고 원하는 쌍꺼풀이 만들어 졌을 때 이쑤시개 끝의 위치를 눈꺼풀 위에 표시하면 이 지점이 위쪽 절개 예정선이 된다.

(2) 마취

1:100,000 에피네프린이 혼합된 2% 리도케인을 30G 니들을 이용하여 피하층과 안륜근층에 주사한다. 해부학적 왜곡과 비대칭을 최소화하기 위해서 가능한 최소량을 사용한다. 각각의 눈꺼풀에 1.5 ml의 용액이 사용된다. 안검거근에 마취를 시행하면 안검하수를 유발할 수 있다.

(3) Technique

디자인 및 마취가 끝나면 15분 정도 기다린 후에 절개는 15번 메스를 이용하여 디자인을 따라서 진행한다. 피부-근육 조각을 잘라낸다. 지혈겸자를 이용하여 작은 모세혈관을 소작한다. 하수된 눈썹지방은 필요한 경우 제거될 수 있다. 노출된 안와 격막은 포셉으로 당기면서 긴장을 유지한 상태에서 가위나 지혈겸자를 이용하여 작은 개방창을 형성한다. 안와 격막을 열기 위해서 위쪽 절개선을 위쪽 방향으로 당기고 위쪽 절개선을 따라 비스듬히 안와 격막을 절개한다. 개방창으로 지방과 반짝거리는 안검 거근이 관찰된다. 격막의 내,외측에 절개를 연장하여 거근건막을 완전히 노출시킨다. 포셉으로 잡고 환자에게 눈을 떠 보도록 해서 눈을 뜰 수 없다면 그 구조물이 안검 거근이다. 쌍꺼풀 라인이 잘 잡히도록, 아래쪽 절개선을 따라 1~2 mm의 검판 전 안륜근을 절제한다. 6-0 또는 7-0 나일론을 이용하여 아래쪽 피부 및 피하조직, 안검 거근건막, 위쪽 피부를 봉합한다. 이런 방식으로 안쪽에 2개, 바깥쪽에 2개의 봉합을 더 시행한다. 그런 다음 나머지 부분은 연속봉합을 시행한다. Preaponeurotic plane을 따라서 soft tissue를 적당히 제거하면 dynamic crease를 형성하는 데 도움이 된다.

쌍꺼풀이 있는 경우에는 supratarsal crease를 따라 아래쪽 절개 예정선을 디자인한 후 환자가 전방을 응시한 상태에서 위쪽 절개선도 같은 모양으로 디자인을 하는데, 보통 속눈썹 경계에서 위 2~3 mm 지점에서 시행한다. 그러나 이 위치는 쌍꺼풀을 어느 정도 높이로 만들 것인가에 따라 다르다(그림 42-8).

(4) 고려점

피부이완증 및 쌍꺼풀의 소실이 있는 환자가 supratarsal sulcus 부위가 약간이라도 꺼져 보인다면 지방 제거는 시행되어서는 안 된다. 지방 제거는 함몰을 더 악화시키고, 쌍꺼풀 위쪽으로 많은 주름이 생길 수 있다. 그 대신에 여분의 안검거은 앞쪽의 지방(preaponeurotic fat)을 supratarsal sulcus로 재배치시킨다.

이마거상술과 상안검수술을 동시에 시행할 때 이마거상술을 먼저 시행한 후 상안검 성형술을 시행한다. 상안검 성형술을 이마거상술과 동시에 시행하면 절제되는 피부의 양이 현저히 줄어들게 된다.

(5) 수술 후 처치

수술 직후에 국소 항생제 연고를 하루에 3, 4회 수술 부위에 바른다. 봉합은 수술 후 5~7일째 제거된다(그림 15-17).

6) 합병증

(1) 안와 출혈 및 시력 손상

후방출혈은 수술 후 흔히 발생할 수 있는 합병증으로 드물게 실명을 초래하기도 한다. 출혈의 원인으로는 혈관 손상에 의한 것이 많은데 안와격막을 열지 않거나 단순한 피부절제로는 생기지 않고 지방까지 절제하는 경우에 혈관 끝이 출혈하여 안와 내부로 깊숙이 들어가 생기는 것으로 안구가 혈종 때문에 딱딱하게 되면서 안구가 튀어나오는 현상이 나타나는 경우도 생긴다. 또한 과도한 지방 절제 시 안구후방의 혈관이 견인되어 출혈이 심해지는 수가 있으므로 적절한 전기소작이 필요하다.[28,38]

(2) 토안

노출성 각막염은 수술 시 과도한 피부절제나 안와격막과 안검조직의 일부가 유착되기 때문에 생긴다. 술 전 벨 현상을 평가하는 것이 중요하고 이것이 약하거나 없는 환자는 노출성 각막염이 생기기 쉽기 때문에 수술 전에 안과의와 상의를 하여야 한다.

(3) 안구건조증

안구건조는 안검의 불완전한 닫힘 또는 토안 등에 의해 생기고 수주에서 수개월 이내에 저절로 좋아지는 것이 대부분이다. 대부분 경하게 지나가고 심각한 합병증을 일으키는 경우는 드물다. 그러나 원래부터 안구건조증이 있었던 환자에서 수술 후 더 악화되는 경우가 많으므로 술 전

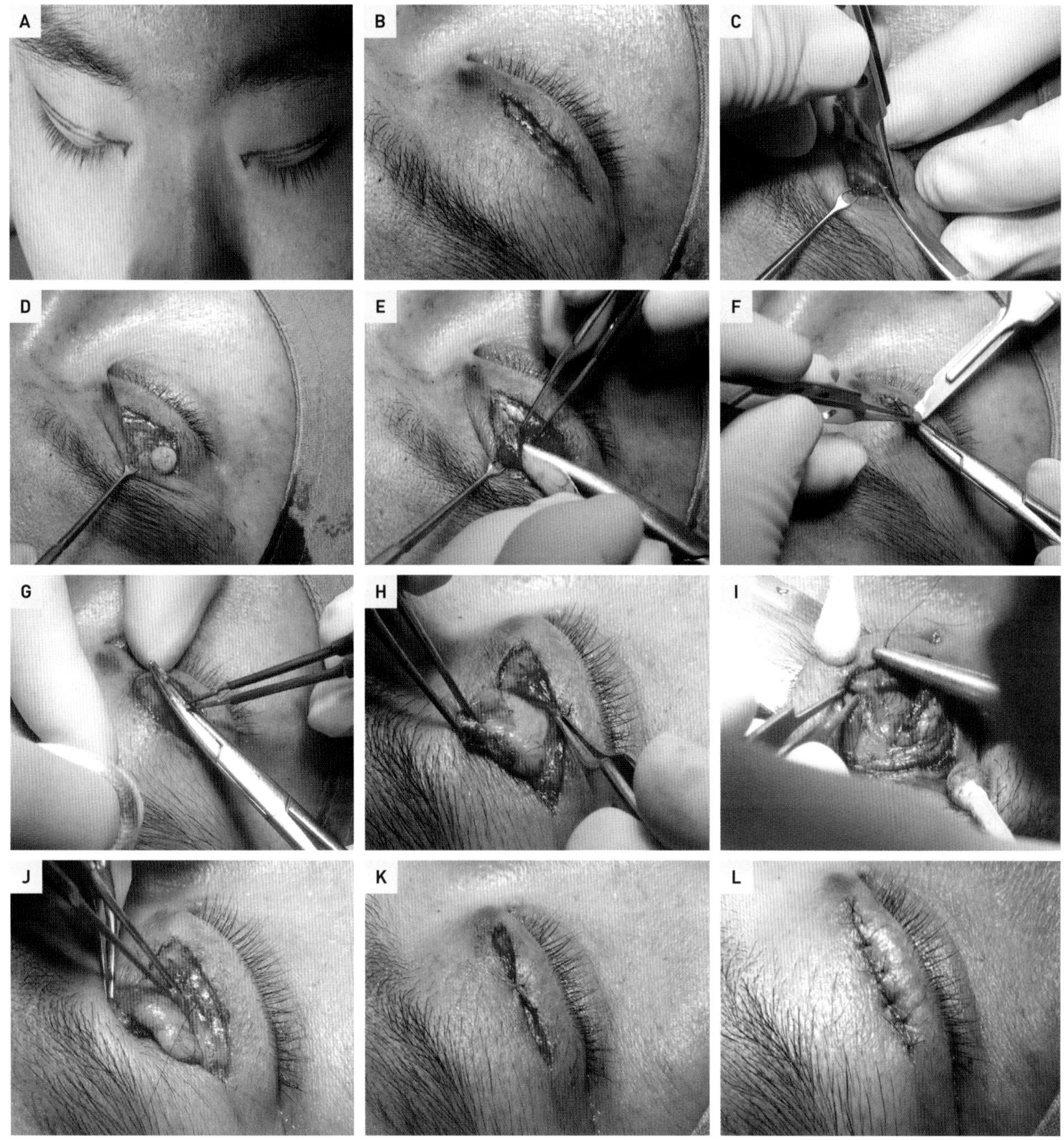

■ 그림 42-8. **절개법에 의한 쌍꺼풀 수술.** **A)** 디자인, **B)** 피부절제, **C)** 안륜근절제, **D)** 후크를 이용해 위쪽 절개선을 윗쪽 방향으로 당긴 후 위쪽 절개선을 따라 비스듬히 안와 격막을 절개한다. **E)** 격막의 내·외측에 절개를 연장하여 거근건막을 완전히 노출시킨다. **F)** 탈출된 안와지방을 겸자로 잡고 15번 메스를 이용해 제거한다. **G)** 안와지방의 출혈을 막기위해 지혈겸자를 이용해 지혈을 시행한다. **H)** 지방아래의 거근건막을 완전히 노출시킨다. **I)** 단단한 고정을 원하는 경우 검판의 상부와 거근건막을 고정한다. **J)** 거근건막을 검판의 상부에 고정하는 모습. **K)** 피부-안검 거근건막-피부 봉합을 5 point에서 시행한다. **L)** 나머지 부분은 피부봉합을 시행한다.

에 면밀히 검사하여 세심하게 살펴 보아야 한다. 상안검수술 후에 생기는 유루의 치료는 원인에 따라 다른데 만약

Schirmer test가 정상이면 눈이 잘 감기지 않아서 유루가 생기는 경우가 많으므로 눈이 잘 감기지 않는 원인을 찾아 치료를 해야 하고 안검폐쇄가 완전한데도 지속적으로 안구의 자극이 있으면 안구건조증을 의심한다. 원래부터 안구건조증이 있는 환자는 과도한 조직의 제거를 피하고 술 후 안연고와 인공누액 등으로 자주 처치를 해준다.[31]

2. 하안검 성형술(Lower blepharoplasty)

나이가 들어감에 따라 눈과 눈 주위에 노화현상이 발생하게 되는데 눈 아래쪽 피부가 늘어지고 주름이 많아지며 지방이 돌출하여 불룩하게 주머니를 형성하게 되는데 이는 피곤하고 지쳐 보이는 인상을 가져다 준다. 하안검을 안전하고 효과적으로 치료할 수 있는 수술법이 개발됨에 따라 하안검 성형술의 수요는 꾸준히 증가하여 미용성형술 중에 가장 많이 시행되는 수술 중 하나가 되었다. 하안검 성형술의 목적은 피부의 늘어짐을 개선하고 젊고 밝은 인상을 만드는 것이다. 하안검 성형술의 최근의 경향은 지방의 과다한 절제가 장기간의 추적관찰에서 눈주위의 함몰을 가져올 수 있어 지방을 보존하고 재배치 및 안와 주변의 볼륨 증가에 초첨이 맞추어져 있다.

1) 하안검 성형술의 적응증

하안검 성형술의 적응증은 눈의 형태를 젊게 만들거나 덜 피곤하게 보이게 만들고 하안검 피부의 늘어짐을 개선하고 눈꺼풀의 비대칭을 개선하는 것이 포함된다. 하안검 성형술의 접근방법은 크게 3가지로 구분 가능한데 경피부피판법, 경피부근육피판법, 경결막 접근법이 있다. 접근법에 따라 피부, 근육, 지방의 절제에 조금씩 차이가 있으므로 적응증도 약간씩 다르다. 여분의 눈꺼풀조직의 형태를 분석하여 환자에 맞는 최상의 술식을 결정한다.[21]

만약 여분의 지방이 없거나 작고 안륜근의 늘어짐이 없다면 경피부피판법이 적당하다. 이 접근법은 가장 보전적이면서 가장 제한된 결과를 가져다 준다.

경피부근육피판법은 가장 흔히 사용되는 수술방법으로 하안검피부의 심한 늘어짐, 안륜근의 비후, 안와지방의 거짓허니아, 하안검 이완이 있는 경우에 적당하다. 전형적으로 노화현상이 심한 나이든 환자가 대상이 된다. 이 술식의 단점은 안륜근을 통해 절개를 가함으로써 출혈, 멍듬과 흉터 수축이 가능하다. 안륜근과 안와격막의 흉터 수축에 따라 하안검의 변위 및 안검외반이 발생하게 된다.[30]

주로 안와지방의 거짓허니아가 있으면서 적절한 하안검의 탄력이 존재하는 경우 경결막 접근법에 의한 하안검 수술이 가장 적합하다. 피부의 늘어짐이 없으면서 안와지방의 거짓허니아가 있는 젊은 환자가 대상이 된다. 또한 이색소성 흉터나 비후성 흉터의 위험성이 있거나 이차성 하안검 성형술(안와지방의 불충분한 제거, 경피부피판법 후 재발), 하안검 외반증 또는 더 나아가 공막노출의 위험성이 있는 경우에 해당한다. 경결막 접근법은 안와지방의 거짓허니아의 제거에 이상적인 술식이나 피부의 늘어짐과 안륜근의 비후는 교정이 안 된다.[35,44]

다른 미용수술과 마찬가지로 술 자는 환자의 정신상태를 파악하여야 한다. 수술 전에 수술의 동기와 결과에 대한 기대치를 이해하는 것이 중요하다. 환자의 만족은 명확한 목표치와 기대치의 일치로부터 나온다.

2) 임상적 평가

하안검 성형술이 성공적인 결과를 보이기 위해서는 주의 깊은 환자의 선택과 현실적인 환자의 기대치이다. 수술 전 질병 및 약물에 대한 과거력을 조사하여 수술이 가능한지 알아본다. 갑상선 질환이 안구병변으로 나타날 수가 있다는 것을 알고 있어야 한다. 그레이브스병은 안구의 돌출, 안검외반, 안구건조증이 발생할 수 있으며 갑상선 저하증은 안검부종을 야기하여 종종 안와지방의 돌출로 오진되는 경우가 있다. 비정상적인 응고, 자가면역질환, 염증성 질환, 급성 또는 만성 안검염 및 알레르기성 피부염은 수술 전에 조절하여 상처치유가 지연되는 것을 예방하여야 한다. 안과적인 병력을 자세히 물어보고 특히, 안구건조증이 있는 경우 수술 후 악화될 수 있으므로 특히 주의를 요한다. 안구건조증의 원인은 다양하며 수술 전 안과적인 협진이 도움이 될 수 있다. 라식 수술을 포함한 각막에 대한 수술이 하안검 수술 후 정상적인 치유과정에 변화를 줄 수 있다. 가장 심각한 합병증은 안구후방출혈에 따른 실명이다.

안구돌출 또는 안구후퇴증이 있는지 확인한 후에 정면을 바라 본 상태에서 안검의 상태를 주의 깊게 관찰한다. 피부의 늘어짐, 안와지방의 돌출, 안검의 이완, 주름, 안륜근의 비후, 페스툰 등의 병적 변화가 흔하게 관찰된다. 안검을 가볍게 눌러 지방의 돌출을 확인하여 안검의 부종과 감별을 할 수 있다. 안검의 부종이 있는 경우 수술 후 지속적인 부종이 생길 수 있으므로 주의를 요한다. 하안검 마진의 위치는 각막륜에 닿아있으면서 공막의 노출이 없어야 한다. 만약 공막의 노출이 존재한다면 안검외반이나 안검내반의 결과일 수 있으며 하안검의 지지구조에 문제가 있는 것을 의미한다. 공막노출 정도를 주의 깊게 관찰하여 환자와 상의하여야 한다. 하안검의 이완은 snap test, pinch test, retraction test를 이용하여 검사하여야 한다. 하안검의 이완을 가진 환자는 미용적인 안검성형술 후 하안검의 변위가 발생하기 쉽다. 수술 전 상담은 표준화된 사진술이 필수적이며 이를 통해 기존의 안검 및 안와주변의 구조를 기록하고 수술방법과 결과를 평가하고 법적인 문제가 발생할 경우 증거로서 사용된다.

3) 수술방법

(1) 마취

부분마취만으로 수술이 가능하지만 정맥하 진정요법과 모니터링이 환자의 안정을 위해 권유할 만하다. 각막보호기를 씌우기 전에 0.5% 테트라케인 안약을 넣은 후 1:100,000 에피네프린이 섞인 1% 리도케인을 0.2 ml를 하안와연을 따라 서너 군데 주사한 후 안륜근의 아래에 절개선을 따라 부분마취를 시행한다. 경결막 접근법을 시행할 경우 결막아래 수술부위에 부분마취를 시행한다. 마취 및 지혈을 위해 주의 깊게 주사를 시행하게 된다. 반면에 주사 시 안검 혈관에 손상을 가하게 되면 출혈을 야기하여 구조를 불분명하게 하고 수술 후 멍이 많이 들게 된다.

(2) 경피부 접근법

경피부 접근법은 안륜근은 건드리지 않고 피부 직하방에서 박리하여 피판을 들어올린다. 수술 전 술자는 환자가 앉아있는 상태에서 절개부위를 표시한다. 안검 마진의 2~3 mm 아래에 절개선을 가하고 필요한 경우 외안각부위에서 crow's foot 주름을 따라 1~1.5 cm 연장을 시행한다. 15번 메스를 이용해 피부만 포함되게 천층 절개를 시행한다. 피부와 근육사이에 섬세하게 박리를 시행하고 근육이 다치지 않도록 조심하면서 지혈을 시행한다.

(3) 경결막 접근법

환자가 하안검 피부의 반흔을 싫어하거나 하안검 피부의 늘어짐은 없는데 지방만 많이 튀어나와서 불룩한 경우 과거 하안검 수술을 받은 적이 있거나, 비후성 반흔이 가능성이 있는 경우, 안검외반의 가능성이 높은 경우에 결막을 통해 접근하여 지방을 충분히 제거해 주거나 필요시 피부만 따로 절제를 시행하거나 하안검에 화학적 또는 레이져를 이용한 박피술을 시행한다. 특히 하안검의 탄성이 유지되는 젊은 환자에서 바람직한 방법이다. 이 술식은 지방이 적게 절제되는 경우가 있지만 안검하축, 안검외반, 안검내반, 하사근마비나 지방의 과다제거와 같은 합병증 예방이 가능하다.

안구보호대를 끼운 후 하안검 결막의 검판 직하방에 칼이나 bovie로 절개를 가하고 안와격막에 도달하여 안구를 가볍게 누르면 튀어나오는 내측, 중앙 및 외측지방을 제거하고 지혈 후 그냥 두거나 한 바늘만 봉합을 시행한다(그림 42-9).

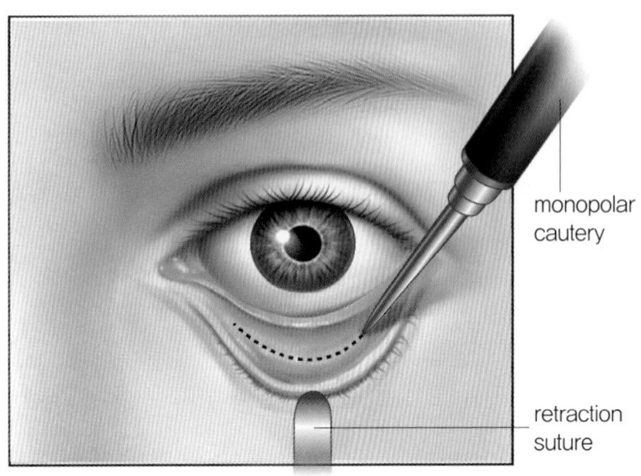

■ 그림 42-9. **경결막접근법**

(4) 경피부근육피판 접근법

이 수술방법은 과잉안륜근이나 안륜근 부족으로 인한 문제처리가 가능하고 피부에 혈액공급을 좋게하며, 일차 수술 후 몇 년이 지나 이차수술을 할 때 늘어진 피부를 피판술로 제거해 줄 수 있으며, 근피판법의 박리는 안륜근과 안와격막 사이의 비교적 출혈이 적은 부위로 접근하여 피부피판에 비해 출혈을 줄일 수 있는 장점이 있어 최근에 많이 사용된다.

먼저 하안검절개부에서 약 4~5 mm까지는 피하로 박리하도록 도안한다. 이 부위는 검판전 안륜근에 해당하는 부위로 이 부위의 안륜근을 남겨두고 피부 피판만 일으키면, 정상적인 안검의 기능이 보호되고 지주역할이 유지되므로 중요한 의미가 있다. 나이가 들수록 검판 전 근육의 불룩함이 줄어들어 인상이 부드럽지 못한 경향이 있는데, 이것을 회복할 수 있는 장점이 있다.

절개는 외안각 부위에서 외측으로 그어 놓은 절개 예정선을 15번 메스로 절개한 후 끝이 뾰족한 가위를 하안검 피부 밑에 넣어서 피하로 내안각부 누점(puntum) 부근까지 박리한다. 이 때 피하박리는 하안검연 2~3 mm 하방의 절개예정선에서 약 4~5 mm까지만 한다. 피하박리가 끝나면 절개예정선을 따라 피부절개를 시행한다.

절개 후 하안검연에 5-0 nylon으로 견인 봉합을 실시하여 상안검쪽으로 견인한 후 노출된 안륜근에 다시 절개선을 도안한다. 이 절개선은 하안검 절개 부위에서 4~5 mm 하방에 있게 하여 bovie나 칼로 근육을 벌린 후 안와격막이 보이면 절개를 중단하고 손이나 끝이 무딘 가위로 안륜근과 안와격막 사이로 출혈 없이 박리를 시행한다.

박리는 대부분 하방으로 안와하연까지 시행하고 심하게 안륜근이 쳐져 있는 환자나 안와지방이 많이 튀어나와 있는 경우에는 관골 전방까지 넓게 박리하고 안와지방은 안와격막을 열고 제거를 한다.

안와지방은 하안검에서 세 개의 구획을 가지고 있으며 중앙지방 구획에 가장 많은 지방이 들어있다. 지방이 제거되는 양은 안와지방이 튀어나온 정도에 따라 결정되어야 하지만 주로 중앙지방구획의 지방을 먼저 제거하고 그 다음 내측지방구획, 외측지방구획 순으로 제거하는 것이 좋으며 보존적으로 제거하는 것이 좋다. 안와지방을 너무 많이 제거하고 나면 하안검 외측이 함몰되어 흉하게 보이며, 공막징이 생기게 된다. 특히 외측지방구획의 지방을 보존적으로 절제하는 것이 중요하다. 지방제거 시 통증을 최소화하기 위해서 국소용액을 주입하지만 안와심부의 국소마취 주입은 혈관손상과 구후혈종 생성을 피하기 위해 주의가 요구된다. 자르고 남은 부분은 나중에 출혈을 피하기 위해 철저히 지혈해야 한다. 지방 제거 시 하사근의 손상에 주의를 하여야 한다. 하사근은 내측과 중앙지방부분에 걸쳐있어 지방 제거 시 절개나 소작에 다치지 않도록 조심해야 한다. 지방절제가 과도한 경우 적은 양의 지방 유리 이식을 해 주어야 한다.

박리된 피부근육피판을 입을 벌리고 눈을 위로 쳐다본 상태에서 적당한 긴장으로 잡아당겨 늘어진 피부를 부족하지도 과하지도 않게 절제해 주어야 한다. 그 다음 근피판을 외상방으로 당긴 후 측안와골막에 5-0 나일론으로 고정해 준다. 이렇게 하여 공막징이나 안검외반을 예방한다.

하안검 피부 봉합은 7-0 나일론으로 연속봉합 또는 단속봉합을 실시한다.

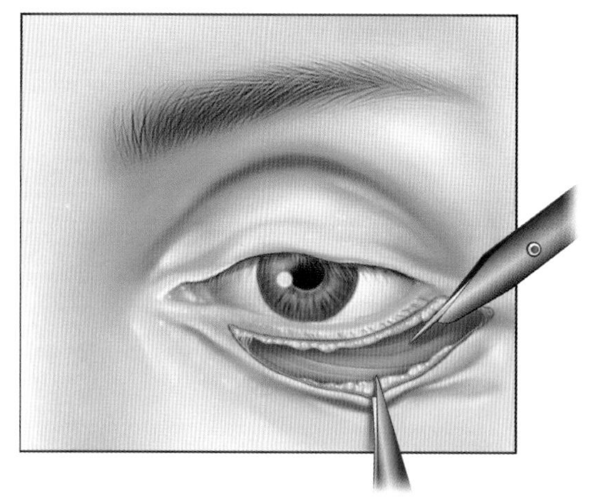

■ 그림 42-10. **경피부근육피판법**

피부근육피판술이 대부분 사용되나 근육과다가 없거나 유전적 혹은 광노화로 인해 안검피부의 과다한 주름이 있는 환자들에게 피부피판술이 적응된다(그림 42-10).

4) 합병증

합병증은 크게 일시적 합병증과 지속적인 합병증으로 나눌 수 있다. 일시적인 합병증은 수술 직후에 생기는 합병증으로 대개 별 문제 없이 나아지는 경우가 대부분이지만 혈종이 특히 문제가 될 수 있어 지혈을 잘 해주는 것이 중요하다. 지속적인 합병증은 안검외반, 비대칭, 안구함몰, 안검하수, 토안, 반흔 등이다.

(1) 후방혈종, 구후출혈

구후출혈은 안성형 수술 후 흔히 있는 합병증으로 드물게 실명을 초래하기도 한다. 원인은 혈관손상으로 지방을 절제하는 경우 혈관 끝이 출혈하여 안와 내로 깊숙이 들어가 생기는 것으로 안구가 혈종 때문에 돌처럼 딱딱하게 되면서 안구가 튀어나오는 현상이 나타난다. 안검의 점상출혈이 증가하고 안구돌출이 저명해지면서 동통을 호소한다. 시력저하나 동공반사의 감소, 안구마비가 생긴다.

치료는 봉합사를 제거하여 개방하고 출혈부위를 찾아서 지혈을 시행한다. Lateral cantholysis와 외안각절제술을 시행한다.[1,33]

(2) 안검외반

마비된 안륜근과 더불어 안검이 수평으로 길어지고, 부종이나 혈종에 의해 안검이 아래로 당겨지고 반흔이나 구축 등에 기인하는데 대부분 저절로 소실이 된다. 술 전 근시나 관골의 저형성, 좁은 안와, 갑상선 질환 등이 있는 경우에 술 후 안검외반이 잘 발생한다. 치료는 마사지가 효과적인데 하안검을 상측방으로 당겨 마사지를 시행하고 간혹 트리암시놀론 주사가 효과가 있다. 수술 시 최소한의 피부 절제를 시행하고 근육을 안와골막에 적절히 고정해 준다. 수술적 요법으로는 하안검의 평행단축술, 외안각 성형술, 피부이식술 등을 시행해 주어야 한다.

 결론

적절한 안면노화에 대한 상담과 정확한 분석이 수술방법을 결정하는 데 필수적이다. 사람에 따라 피부타입, 피부처짐의 정도, 지방의 양, 안면비대칭 등을 주의 깊게 살펴보고 적절한 술식을 선택하여야 좋은 결과를 얻을 수 있다.

참고문헌

1. Adams BJS, Feurstein SS. Complications of blepharoplasty. Ear Nose Throat J 1986;65(1):11-28.
2. Adamson PA, Dahiya R, Litner J. Midface effects of the deep-plane vs the superficial musculoaponeurotic system plication face-lift. Arch Facial Plast Surg 2007;9:9-11.
3. Baker SR . Rhytidectomy. In : Cummings CW, Flint PW, Harker LA, et al, eds. Cummings Otolaryngology: Head and Neck Surgely, 4th ed. Philadelphia: Elsevier Mosby, 2005; 714-749.
4. Baker SR. Deep plane rhytidectomy and variations. Facial Plast Surg Clin North Am 2009;17:557-573.
5. Baker TJ, Gordon HL, Mosienko P. Upper lid blepharoplasty. Plast

Reconstr Surg. 1977;60(5):692-698.

6. Becker FF, Bassichis BA. Deep-plane face-lift vs superficial musculo-aponeurotic system plication face-lift: a comparative study. Arch Facial Plast Surg 2004;6:8-13.
7. Booth AJ, Murray A, Tyers AG. The direct brow lift: efficacy, complications, and patient Satisfaction Br J Ophthalmol 2004;88:688-691.
8. Bourquet J. Les hernies graisseuses de l'orbite: notre traitment chirurgical. Bull Acad Natl Med 1924;92:1270-1272.
9. Carniol PJ, Ganc DT. Is there an ideal facelift procedure? Curr Opin Otolaryngol Head Neck Surg 2007;15:244-252.
10. Cheng ET, Perkins SW. Rhytidectomy analysis: twenty years of experience. Facial Plast Surg Clin North Am 2003; 359-375.
11. Cilento BW, Johnson CM Jr. The case for open forehead rejuvenation: a review of 1004 procedures. Arch Facial Plast Surg 2009;11:13-17.
12. Dailey RA and Saulny SM Current treatments for brow ptosis Current Opinion in Ophthalmology 2003;14:260-266.
13. Daniel RK and Ramirez OM: Endoscopic-assisted aesthetic surgery, Aesthetic Surg. 14:14, 1994; Eaves F: Basics of endoscopic plastic surgery; Forehead lift and glabella frown lines. In Bostwick J, Eaves F, Nahai F, editors: Endoscopic plastic surgery, St. Louis, 1995, Quality Medical Publishing, p.78-79, 228-229.
14. Fomon S. The Surgery of Injury and Plastic Repair. Baltimore, MD: Williams & Wilkins; 1939:1344.
15. Fowers RS, Caputy GG, Flowers SS, et al. The biomechanics of brow and frontalis function and its effects on blepharoplasty. Clin Plast Surg 1993;20(2):255-268.
16. Graham DW, Heller J, Kurkjian TJ, et al. Brow lift in facial rejuvenation: a systematic literature review of open versus endoscopic techniques. Plast Reconstr Surg 2011;128(4):335e-341e.
17. Gunter JP, Antrobus SD. Aesthetic analysis of the eyebrows. Plast Reconstr Surg 1997;99:1808-1816.
18. Hamra ST. Composite rhytidectomy. Plast Reconstr Surg 1992;90:1-13.
19. Hamra ST. The deep-plane rhytidectomy. Plast Reconstr Surg 1990;86:53-61; discussion 62-63.
20. Hetzler L, Sykes JM. The brow and forehead in periocular rejuvenation. Facial Plast Surg Clin North Am 2010;18(3):375-384.
21. Holt JE, Holt GR. Blepharoplasty: indications and preoperative assessment. Arch Otolaryngol 1985;111:394.
22. Jones LT. New concepts of orbital anatomy. In: Tessier P, Callahan A, Mustarde JC, et al, eds. Symposium on plastic surgery in the orbital region. St Louis; CV Mosby, 1976.
23. Kamer FM, Frankel AS. SMAS rhytidectomy versus deep plane rhytidectomy: an objective comparison. Plast Reconstr Surg 1998;102:878-881.
24. Kamer FM, Song AU. Hematoma formation in deep plane rhytidectomy. Arch Facial Plast Surg 2000;2:240-242.
25. Kridel RWH, Soliemanzadeh P. The aging face (rhytidectomy). In: Bailey BJ, Johnson JT, Newlands SH, et al, eds. Head & Neck Surgery - Otolaryngology. Vol. 2. Philadelphia, PA: Lippincott Williams & Wilkins; 2006;2627-2650.
26. Lewis JR Jr. The Z-blepharoplasty. Plast Reconstr Surg. 1969;44(4):331-335.
27. Litner JA, Adamson PA. Limited vs extended face-lift techniques: objective analysis of intraoperative results. Arch Facial Plast Surg 2006;8:186-190.
28. Mahaffey PJ, Wallace AF. Blindness following cosmetic blepharoplasty: a review. Br J Plast Surg 1986;39:213.
29. McKinney P, Mossie RD, Zukowski ML. Criteria for the forehead lift. Aesthetic Plast Surg 1991;15:141.
30. McKinney P, Zukowshi ML, Mossie R. The 4th option: a novel approach to lower lid blepharoplasty. Aesth Plast Surg 1991;15:293-296.
31. McKinney P, Zukowski ML. The value of tear film breakup and schirmer's tests in preoperative blepharo-plasty evaluation. Plast Reconstr Surg 1989;84:572.
32. Mitz V, Peyronie M. The superficial musculo-aponeurotic system (SMAS) in the parotid and cheek area. Plast Reconstr Surg 1976;58:80-88.
33. Moser MH, DiPirro E, MaCoy FJ. Sudden blindness following blepharoplasty: report of seven cases. Plast Reconstr Surg 1973;51:363.
34. Perkins SW, Batniji RK. Trichophytic endoscopic forehead-lifting in high hairline patients. Facial Plast Surg Clin North Am 2006;14(3):185-193.
35. Perkins SW, Dyer WD II, Simo F. Transconjunctival approach to lower eyelid blepharoplasty. Arch Otolaryngol Head Neck Surg 1994;120:172-177.
36. Ramirez OM. The subperiosteal rhyticdectomy: the third generation face lift. Ann Plast Surg 1992;28:218-232.
37. Rees TD, Jelks GW. Blepharoplasty and the dry eye syndrome: guidelines for surgery? Plast Reconstr Surg 1981;68:249.
38. Sacks SH, Lawson W, Edelstein D, et al. Surgical treatment of blindness secondary to intraorbital hemorrhage. Arch Otolaryngol Head Neck Surg 1988;114:801.
39. Schipchandler TZ, Sultan B, Byrne PJ. Endoscopic forehead lift in patients with male pattern baldness. Am J Otolaryngol 2012;33(5):519-522.
40. Sheen JH. Supratarsal fixation in upper blepharoplasty. Plast Reconstr Surg. 1974;54(4):424-431.
41. Siegel RJ. Essential anatomy of contemporary upper lid blepharoplasty. Clin Plast Surg 1993;20:209-212.
42. Skoog T. Plastic Surgery: New Methods and Refinements. Philadelphia, PA: W.B. Saunders; 1974
43. Tonnarcd P, Verpaele A, Monstrey S, et al. Minimal access cranial suspension lift : a modified S-lift. Plast Reconstr Surg 2002;109:2074-

2086.
44. Zarem HA, Resnick JI. Minimizing deformity in lower blepharopasty: the transconjuctival approach. Plast Reconstr Surg 1991;88:215.
45. Zoumalan R, Rizk SS. Hematoma rates in drainless deep-plane face-lift surgery with and without the use of fibrin glue. Arch Facial Plast Surg 2008;10:103-107.

CHAPTER

43

안면노화의 비수술적 교정

이비인후과학 Otorhinolaryngology - Head and Neck Surgery

강제구, 강일규

이마와 안면거상술로 대별되는 수술적 방법은 분명한 효과를 보이지만 지나친 의욕으로 눈썹이나 얼굴이 과도하게 당겨진 부자연스러운 결과가 초래될 수 있으며 불행하게도 많은 경우 비가역적이기 때문에 환자와 술자 모두 신중한 결정이 필요하다. 한편, 안면노화의 주요 원인 중 피하조직 위축과 표정근에 의한 안면부 주름은 수술적 방법으로는 교정이 어려워 지방이식과 박피술(레이저/화학물질)을 통한 제한된 교정만으로 만족해야 했다. 보톡스와 히알루론산 필러의 등장으로 이전에 불가능했던 목표였던 선택적인 표정근 이완과 부위별(눈주위 꺼짐 등의) 연조직 충전이 실현가능한 목표로 바뀌게 되면서 보다 자연스럽고 정교한 안면노화의 교정이 가능해졌다.

보톡스와 필러로 대별되는 주사요법은 비침습적이고 회복이 빠른 방법을 원하는 미용환자들의 필요에도 부합하므로 현재 가장 많이 시행되는 미용시술이 되었으며 신제품개발과 적응증이 넓어지고 있는 역동적인 분야이다.

두 가지 요법에 대한 지식과 경험이 쌓이면서 생긴 중요한 변화 중 하나는 보툴리눔 독소와 필러가 별개의 단독요법으로 쓰이기보다는 병합요법으로 쓰인다는 점이다. 보툴리눔 독소와 필러의 병합요법의 장점으로는 우선, 보툴리눔 독소로 개선효과가 적은 안면하부의 주름의 경우 필러가 효과가 있으므로 보툴리눔 독소의 사용량을 줄일 수 있으며, 반대의 경우로 필러로 개선되지 않는 주름을 보툴리눔 독소를 이용함으로써 필러의 사용량을 줄일 수 있는 양적인 측면에서 상호 보완적인 장점이 있다. 한편으로 보툴리눔 독소에 의해 근육의 움직임이 최소화되므로 필러가 자리 잡은 주위 조직의 움직임도 줄어들어 필러의 수명이 길어지는 작용시간 측면에서의 보완효과도 있다. 하지만 보툴리눔 독소-필러 병합요법의 가장 중요한 장점은 보툴리눔 독소는 얼굴 상부쪽의 적응증을 얼굴아래쪽으로 넓히고 필러는 반대로 얼굴하부에서 위로 올라가면서 함께 쓰이기 시작했던 병합요법의 경험이 쌓이면서 상호작용과 각자 고유의 장점을 제대로 이용할 수 있게 되었다는 점이다. 그리하여 환자별 맞춤 시술이 가능해졌고 전에는 생각지 못했던 안면부의 다양한 미용적 필요를 간단하고 비침습적인 방법으로 충족시킬 수 있게 되었다(그림 43-1, 2).

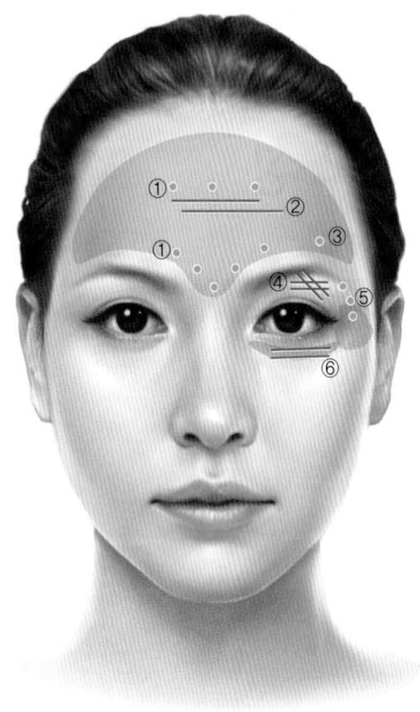

■ 그림 43-1. 보툴리늄 톡신A와 연조직 필러를 이용한 안면상부의 주름개선 방법으로 이 부위는 보툴리늄 톡신 A 주입이 주된 치료법이다. ① 전두근과 미간세로주름부위 보툴리늄 톡신 주입위치 ② 피부 필러주입 위치 ③ 눈썹부위 보툴리늄 톡신 주입위치 ④ 상안검 피부 필러주입 위치 ⑤ 외측눈가주름 보툴리늄 톡신 주입위치 ⑥ 눈밑 피부 및 피하부위 필러주입위치(점선은 보톡스 주입부위를 나타내며 실선은 필러주입 위치를 나타낸다).

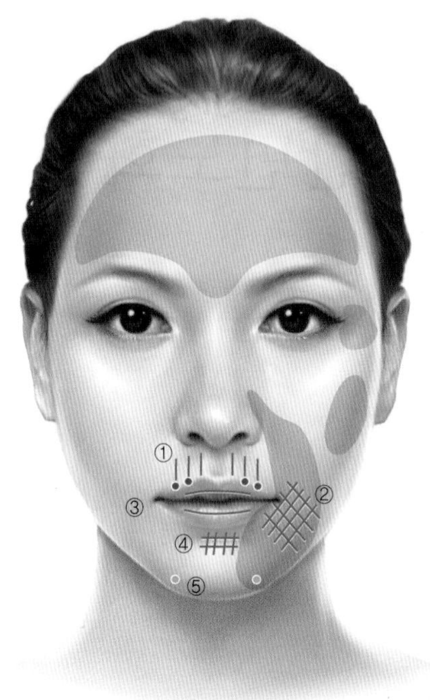

■ 그림 43-2. 보툴리늄 톡신A와 연조직 필러를 이용한 안면하부의 주름개선방법으로 이 부위는 연조직 필러주입이 주된 치료법이다. ① 외측 윗입술부위에 보툴리늄 톡신 A 2~3 U을 주입 ② 피부 및 피하에 필러주입 위치 ③ 입술의 필러주입위치 ④ 피부 및 피하에 필러주입 위치 ⑤ 양측에 보툴리늄 톡신 A 2~4 U을 주입(점선은 보톡스 주입부위를 나타내며 실선은 필러주입 위치를 나타낸다).

I A형 보툴리늄 톡신의 안면부 미용학적 적용

1992년 Carruthers박사가 보툴리늄 독소(botulinum toxin)를 이용하여 미간 주름의 개선효과 사례를 보고하였고, 2002년 미간 주름 치료에 대해 FDA의 보툴리늄 독소 사용 승인을 받은 이후로, 보툴리늄 독소는 안면부 주름뿐 아니라 안면 윤곽 교정을 포함한 다양한 목적의 미용적 개선을 위해 사용되고 있다.[21,32]

보툴리늄 독소는 근육-신경접합부에서 아세틸콜린(acethylcholine)의 분비를 막아 근육 마비현상을 일으키는 신경 독소이다. 이러한 기능은 주로 얼굴의 상부 안면 근육의 반복적 표정으로 인한 잔주름(눈가, 미간, 이마주름의) 개선에 주요한 효과를 나타내지만,[7,25] 점차 적응증이 넓어져서 교근(masseter)에 주입해 볼륨을 감소시키는 효과를 이용해 얼굴을 갸름하게 하는 사각턱 보툴리늄 독소 주입 요법이 동양인에서 널리 시술되고 있다. 최근에는 진피층의 여러 부위에 주사하여 안티 에이징 효과를 유도하는 주사법(multiple intradermal injection of Botulinum toxin, MIDIB)이 사용되고 있는데 이는 메조보톡스, 더모톡신, 리프팅 보톡스 등 여러 이름으로 불리고 있다. 이러한 효과를 가져 오는 기전에 대해서는 확실한 이론적 근거가 부재하지만 첫째로 고전적인 효과로 표정 주름 제거, 둘째는 리프팅 되어보이는 외모의 변화,

셋째로 잔주름이나 모공이 줄고 피부가 탱탱해지는 피부의 변화 등으로 설명되고 있다. 일부의 MIDIB의 연구자들은 보툴리눔 독소를 진피층에 주사하면 진피층의 콜라겐 형성이 증가해서 이런 현상이 나타나고 피지분비도 줄어든다고 주장하지만, 최근까지 발표된 논문들을 메타분석(meta-analysis) 해보면 객관적인 근거가 부족하다.

정밀하고 재현성있는 시술을 위해서는 두경부의 해부학적 지식과 독소단백질의 물성을 이해하는 것이 이비인후과의사로서 중요하기 때문에 표정근에 작용하는 보툴리눔 독소의 효과를 위주로 기술하고자 한다.[1]

1. 보툴리눔 독소의 종류 및 제품

보툴리눔 독소는 항원성에 따라 총 7가지(A, B, C1&C2, D, E, F, G)형으로 나누며 신경 독성을 나타내는 것은 A, B, F이다. 이중 A형이 가장 독성이 강하고, 현재 사용되는 것은 FDA의 승인을 받은 A형과 B형을 이용한 제품이다. 보툴리눔 독소 B형은 A형보다 효과 기간이 짧고 구강 건조의 부작용 발생률이 높아 안면부에는 주로 A형이 쓰인다. 2012 기준으로 시판되는 A형 보툴리눔 독소 제제 상품으로는 Botox®(Allergan, Parsippany-Troy Hills, NJ, USA), Dysport®(Ipsen Limted, Slough, UK), Xeomin®(Merz Pharmaceuticals, Greensboro, NC, USA), 그리고 중국제품인 BTX A®(Lanzhou Institute of Biologic Products, Lanzhou, China)가 있고, 국내 제품으로는 Medytox®(Medytox, Ochang, Korea)와 Botulax®(Hugelpharma, Chuncheon, Korea)가 있으며, 용량은 대부분 1바이알에 100 U인데 Dysport®는 500 U이다. 약효 발현은 이론적으로 주사 후 2일에서 4일이 지나면서 탈신경 효과가 나타나면서 12주에서 16주 후에는 탈신경 되었던 신경말단부에서 새로운 축삭이 발아되거나 신경 분지가 다시 생겨나서 근 수축 기능이 회복되는 것으로 알려져 있으나 실제 임상에서 느끼는 발현 시간은 좀 더 빠르게 나타난다. 보통 시술 후 1~4일 이내에 서서히 나타나기 시작하여 1~2주 사이에 최고 효과를 나타내며 3~6개월에 걸쳐서 효과가 사라진다. 따라서 시술 효과를 정확히 측정하려면 시술 후 약 2주 후에 환자를 다시 관찰하는 것이 좋다. 하지만 주름감소가 아닌 사각턱의 경우는 최대 효과가 3개월째 나타나며 개인차이도 있으므로 주사 후 나타나는 실제 효과에 대해서는 일괄적으로 말하기엔 좀 더 복잡한 측면이 있다. 중요한 것은 보툴리눔 독소의 효과가 영구적으로 유지되지 않으며 시술 부위마다 효과가 시작되는 시기와 유지되는 기간이 달라 지속적인 관리를 원하는 환자에게는 환자의 이전 치료경험을(처음인 경우, 일반적인 data) 기준으로 관리 및 booster 요법에 대한 교육이 필요하다는 점이다.

2. 안면 상부 주입

A형 보툴리눔 독소의 미용적 치료의 고유한 적응증이 되는 부위이다. 안면상부 표정근육의 반복적인 움직임으로 생긴 주름이 치료 대상으로 주로 이마에 수평으로 난 주름살과 눈 가의 crow's feet 주름, 미간 주름을 치료한다. 주름이 손으로 펴지지 않는 경우, 즉 반복적인 표정근의 움직임이 오랫동안 방치되어 골이 깊어진 주름은 보툴리눔 독소 치료만으로 해결되지 않으므로 구별이 필요하다. 안면 상부 주름은 보툴리눔 독소 치료의 효과가 가장 잘 나타나 만족도가 높은 부위이다. 한편, 무거워서 처진 또는 태양광의 영향으로 생기는 안면 하부의 주름살에 대해서는 효과가 떨어진다. 시술의 효과는 이틀 안에 나타난다.

안면상부에서 보툴리눔 독소의 다른 적응증으로는 노화로 인해 쳐진 눈썹모양을 개선(눈썹거근과 내림근의 길항작용을 이용)하거나 눈 주위 근육을 선택적으로 마비시켜 눈 크기를 조정할 수 있고 다양한 원인으로 생긴 안면 비대칭을 치료하는 목적으로 쓰일 수 있다.

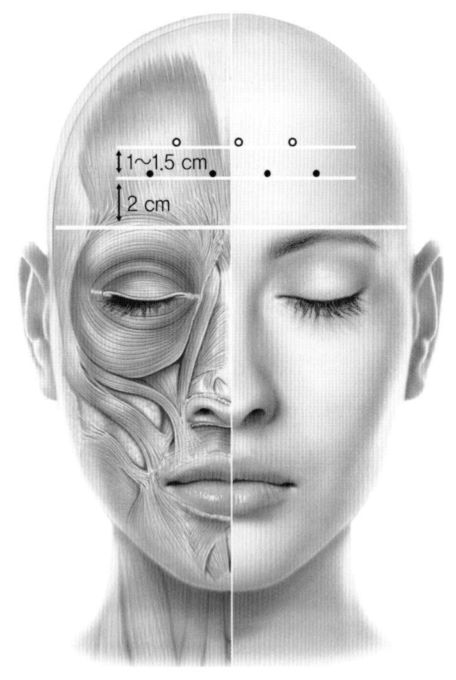

Horizontal forehead lines	
Target muscle	Frontalis
Injection level	Intradermal
Injections points	6~9 points
Injection dose	1~1.5 Unit
Total dose	6~13.5 Unit

■ 그림 43-3. **전두근 보툴리눔 톡신 주입위치.** 안와연에서 2~2.5cm 위에 1~1.5cm 간격으로 가상의 두 줄을 긋고 위 줄에는 3포인트를, 아래 줄에는 4포인트를 포인트당 1~1.5단위를 각각 주사한다.

1) 이마 가로 주름(Horizontal forehead lines)

(1) 해부학

전두근(frontalis)은 이마의 대부분을 덮는 얇은 근육으로 뼈에는 부착하지 않으며 근섬유는 수직 방향으로 배열되어 있으며, 기능적으로 눈썹과 두피를 상방으로 올리는 역할을 한다. 기시부는 모상건막(galea aponeurotica)이고 눈썹과 미간 부위 피부에 부착하므로 그 부착부가 다른 눈 주변 근육들과 복잡하게 얽혀있다.

전두근의 크기와 수축력은 대체로 서양인이 동양인보다 크나 인종과 성별에 따른 차이와 함께 개인 차이가 있어 시술 전 항상 전두근의 분포와 양상, 수축력을 생각하여 시술을 개별화하도록 한다.

(2) 주입방법

안와연(orbital rim)에서 2~2.5 cm 위의 이마 부위에서 주사하는데 1~1.5 cm 간격으로 가상의 평행선을 두 줄 긋고 위 줄에는 3포인트, 아래줄에는 4포인트를 포인트당 1~1.5 U을 각각 주사한다(그림 43-3). 전두근은 깊지 않은 근육이므로 주사의 깊이는 근육 내 주사가 아닌 피하 주사의 깊이로도 충분하며, 여성은 남성보다 전두근 깊이가 얕으므로 진피 내로 주사해도 무방하다.

(3) 부작용

전두근 하부(눈썹 쪽)에 너무 낮게 주사하면 눈썹의 처짐이 발생할 수 있으므로 안와 테두리에서 상부 2 cm 이내에는 주사하지 않는 것이 좋다.[6,13,15,27] 노인의 경우 잠재적인 눈썹 처짐(brow ptosis)이 있고 이러한 경우 이마 주름을 보툴리눔 독소로 치료하는 경우 눈썹 처짐이 발생할 수 있어 주의를 요한다. 한편 눈썹 처짐을 막기 위해 이마 중앙 부위에만 주사하면 소위 '사무라이 눈썹'이 나타날 수 있다. 이때는 균형을 맞추기 위해 전두근 외측 부위에도 주사를 병행하여야 한다. 눈썹 바로 위의 가로 주름도 눈썹 처짐 때문에 치료가 꺼려지는 부위이다. 치료의 한계점을 설명하고 이 부분에도 포인트 당 0.5 U씩 소량만 주입하여 눈썹 처짐의 위험성을 낮추면서 주름의 완화를 기대할 수 있다.

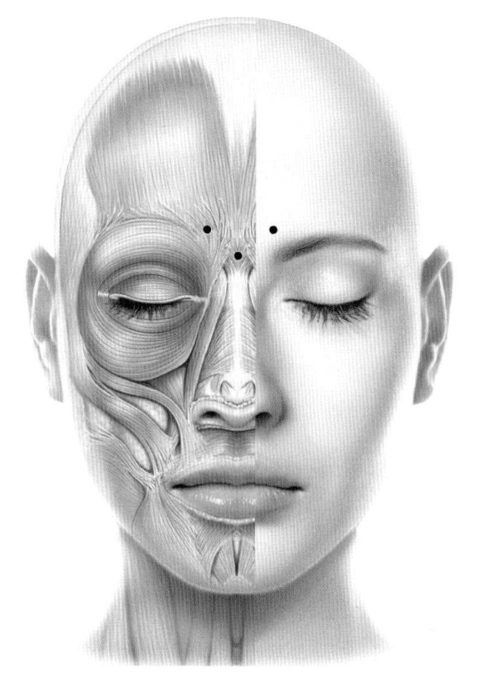

Glabellar frown lins	
Target muscle	Corrugator, Procerus
Injection level	Intramuscular
Injections points	3 ~5 points
Injection dose	2~4 Unit
Total dose	8~12 Unit

■ 그림 43-4. **미간세로주름 보툴리눔 톡신 주입위치.** 비근부 중앙부에 4단위를 주입하고 각 근육을 정확하게 촉진하면서 각각 2~3 단위씩 주입한다.

2) 미간 세로 주름(Glabellar frown line)

(1) 해부학

비근근(procerus)은 비골의 표층에 위치하며 코뼈의 미간부에서 기시하여 눈썹 사이의 피부에 부착한다. 부착부는 안륜근(orbicularis oculi), 전두근(frontalis) 및 눈썹주름근(corrugator)과 서로 얽혀 있다. 내측 눈썹을 내려 미간의 세로 주름을 형성하며 동시에 콧등의 수평주름을 만든다.

눈썹주름근은 안륜근 상방에서 전두근과 안륜근의 심부에 존재하는 비교적 깊게 시작하는 근육으로 눈썹의 피부 조직을 내측 하방(코 쪽)으로 당기거나 찡그리는 표정을 지을 때 미간에 수직 주름을 형성한다.

눈썹내림근(depressor supercilii)은 눈썹주름근의 직하부에 위치하며 위치 및 기능상 독립된 신경과 혈관을 가지는 별개의 근육이다.

눈썹주름근의 발달 정도는 남녀와 인종차이가 있지만 보다 중요하게는 습관에 따라 개인차이가 많은 근육이라 시술 전 근육의 크기와 기능에 대한 평가를 해서 주입위치와 용량을 개인화 한다.

(2) 주입방법

눈썹을 아래로 당기고 중앙으로 모으는 눈썹주름근, 눈썹내림근, 비근근을 목표로 보통 함께 주사한다. 비근부 중앙부에 4단위를 주입하고 각 근육을 정확하게 촉진하면서 총 3포인트에 각각 2~3 U씩 주입한다(그림 43-4).

(3) 부작용

부주의하게 주사하면 근육 내로 주입된 독소가 안와격막(orbital septum)을 통해 확산, 상안검거근(levator palpebrae superioris)를 마비시켜 안검하수(ptosis)가 발생할 수 있다.[15] 희석 배수를 낮추고 주사 바늘이 안와에서 멀어지는 방향으로 하여 정확히 근육 내로 주사하면 방지할 수 있다. 주사 시 눈확위동맥(supraorbital artery)과 도르래위동맥(supratrochlear artery)을 피하여 혈관 내 주입이나 멍이 드는 것을 막는다.

3) 눈가 주름(Periorbital wrinkles, crow's feet)

(1) 해부학

안륜근(orbicularis oculi)은 넓고 편평한 근육으로 안구를 둘러싸며 눈을 감게 하는 조임근이다. 기능적으로 격막 앞쪽(preseptal), 안와 앞쪽(preorbital), 검판 앞쪽(pretarsal) 구획으로 나뉘는데, 이중 preseptal 및 preorbital 구획의 외측부 근육이 까마귀발 주름(crow's feet)을 만든다.

눈가 주름은 근육의 반복적 수축 외에 태양광에 의한 피부노화도 기여하는 부분이 있어서 서양인 보다는 피부가 두껍고 탄성도가 높은 동양인에서 그 정도가 덜 눈에 띈다. 관골의 발달도 관계가 있어 동양인의 경우 안와하부 구조가 공고해서 주로 위쪽에만 주름이 생긴다.

(2) 주입방법

외안각에서 1.5 cm 외측으로 중심점을 잡고 여기로부터 상하로 1 cm 떨어진 곳에 각각 한 포인트씩 총 3포인트를 주사한다. 각각 2~4 U씩 주사한다.

(3) 부작용

안와 내부로 독소가 들어가면 안검 하수가 발생할 수 있다. 이를 예방하려면 안와 1 cm 외측으로 주입한다. 안륜근의 너무 아래쪽까지 주입하면 대관골근(zygomaticus major)에 영향을 주어 웃을 때 입꼬리가 잘 올라가지 않는 부작용을 일으킬 수 있다. 안륜근의 하외측부는 그 자체로도 어느 정도 중안면을 올리는 기능을 담당하므로 과도한 교정은 피한다.

3. 안면 하부 주입법

안면 하부 주름에는 팔자주름(nasolabial fold), Marionette주름, mentalis의 action으로 인한 자갈턱 주름, 윗입술 주름(radial lip lines) 등이 있다. 이들 주름은 표정근의 반복적인 작용에 의해 생기는 안면 상부의 주름과는 달리 주로 연부조직의 볼륨감소와 탄력저하에 의해 생기는 주름이라 보툴리눔 독소에 의한 교정효과가 적고 오히려 부작용이 생길 수 있어 보툴리눔 독소를 쓰기 꺼렸던 곳이었다. 즉, 입 주위는 여러 근육의 다양한 상호작용으로 다양한 표정과 정교한 발음을 하는 기능적인 측면이 강한 부위인데 이러한 기능이 방해받기 쉬워서 보툴리눔 치료보다는 볼륨감소와 탄력저하를 해결해주는 필러를 주로 사용하는 부위였다.[9,18,19,26,31] 최근 들어서 보툴리눔 독소-필러 병합요법이 보편화되면서 이부위에도 보툴리눔 독소가 적극적으로 사용되기 시작하였다. 즉, 보툴리눔 독소 단독치료(monotherapy) 보다는 필러를 포함한 볼륨과 탄력저하에 대한 치료가 함께 이루어지게 되며 환자가 단독치료를 원하는 경우 환자 선택과 함께 시술 전 충분한 설명이 중요하다. 현실적인 기대치를 낮춰야 하며 기대치가 높은 경우 수술을 권한다.

안면하부 보툴리눔 독소치료에서 유의할 점은 '기능성'과 '대칭성'이다. 얼굴하부, 특히 입주변은 수많은 근육이 서로 협동하여 다양한 표정과 미세한 발음 차이를 가능하게 한다. 따라서 근육 기능에 작은 장애도 큰 불편함을 초래할 수 있어 원하는 근육에 대한 이완 결과가 나왔을 때 동반되는 기능 손상에 의한 부작용의 가능성을 설명하고 환자가 수용하면 치료를 진행한다. 안전하고 성공적인 사용을 위한 가이드라인을 요약하면 첫째, 환자 개개인의 주름에 대한 해부학적 특성을 파악하고, 둘째, 해당 근육의 기능에 대한 생리학적 이해가 있어야 하고, 셋째, 환자의 직업과 취미에 대한 고려가 필요하다. 또한 근육들이 대부분 작고 서로 유기적으로 연결되어 있으므로, 정확한 양을 정확한 위치에 주사해서 원치 않는 근육으로 확산되거나 좌우 비대칭이 되는 부작용을 막도록 한다.[6,20,38] 실제 주입에서는 가능한 희석을 적게 하여 확산을 막는 한편 주사의 베벨 방향과 위치를 반드시 확인하고 좌우 주입량을 미리 계획하여 정확한 양을 천천히 주사하는 것이 어느 부위보다 중요하나(그림 43-5).

1) 윗입술 주름(Radial lip lines)

(1) 해부학

구륜근(orbicularis oris)은 입주위에 있는 근육으로 입을 다물고 오므리는 작용을 한다. 윗입술 주름은 구륜근의 수축에 의해 입술선에 수직으로 발생한다. 따라서 구강 구조가 돌출되거나 담배를 자주 피워서 구륜근의 활동도가 지속적으로 높은 사람, 광노화가 심한 사람, 피부가 얇은 사람들에서 일찍 나타난다.

(2) 주입방법

Vermillion border를 따라 왼쪽에 1 U씩 두 포인트, 오른쪽에 1 U씩 두 포인트 정도로 하여 총 5~6 U을 넘지 않도록 한다. 얕게 주사하여 입둘레근의 superficial fiber들만 약화시키도록 한다. 주름이 있다고 구각(mouth angle)부위에 가깝게 주사하면 안된다. 구각부는 입술 거근과 내림근들이 촘촘히 붙는 부위라 원하지 않는 다른 근육이 마비되면 표정이 이상해지거나 비대칭이 되기 때문이다. 정중선(midline)에 주입하는 것도 피해야 하는데 인중이 약해지면서 윗입술 위축이 두드러질 수 있다(그림 43-5).

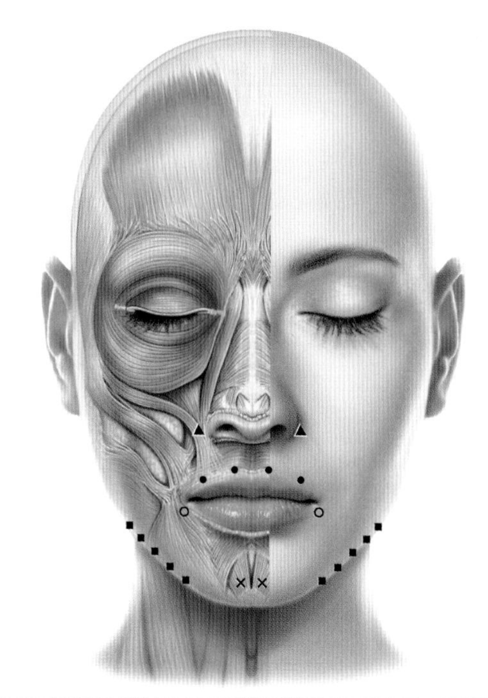

■ 그림 43-5. **안면하부 보툴리눔 톡신 주사 위치.**
● 윗입술주름: 2 U/일측 ○ Marionette 주름: 2 U/일측
▲ 팔자주름: 0.5~2 U/일측 X 턱끝주름: 4~5 U/일측
■ 볼주름: 10 U/일측

(3) 부작용

구륜근이 과도하게 마비된 경우 오므려야 발음되는 파열음 'ㅁ', 'ㅂ', 'ㅍ' 등의 발음이 힘들거나 빨대로 빠는 것 내지는 액체를 마시는 것이 힘들 수 있다. Professional voice user(아나운서, 교사, 악기연주자)에서는 특히 주의가 필요하며 저용량으로 치료하는 것이 안전하다. 연부조직 위축이 심한 노령 환자는 1회 치료 시 총 4 U을 넘지 않도록 해야 하며 부족한 경우 2주 후에 추가로 보충한다. 아래 입술 주름은 치료하지 않는 편이 좋다. 아랫입술내림근(depressor labii inferioris)이 마비되면서 비대칭을 유발하기 쉽다.

2) Marionette 주름

(1) 해부학

입꼬리내림근(depressor anguli oris)은 하악의 사선(oblique line)에서 시작하여 구각으로 연결되는 근육으로 아래쪽으로는 활경근과 연결되어 있고 구륜근(orbicularis oris)과 소근(risorius)과 연결되어 있다. Marionette 주름은 입꼬리내림근의 안쪽과 그 위에 얹혀진 jowl fat에 의해 입꼬리에서 비스듬하게 외측 하방으로 생기는 주름이다. 반복적인 입꼬리내림근의 수축, jowl fat의 축적, 아랫입술 연부조직 볼륨의 감소, 노화에 의한 상/하악골의 흡수 등에 의해 입꼬리가 아래로 떨어지면서 Marionette 주름이 발생한다(그림 43-6). 이 중 보툴리눔 독소 단독으로 좋은 효과를 볼 수 있는 경우는 조직 볼륨의 감소가 많지 않고 주로 입꼬리내림근의 과도한 수축에 의해 생기는 입찡그림(mouth frown)의 경우이다. Mouth frown은 대개 입꼬리내림근과 mentalis를 함께 수축해서 만들며, '입꼬리를 찡그린다'는 문자 그대로 부정적인 인상, 불만인 인상, 슬픈 인상, 권위적인 인상을 주게 되므로 습관적으로 입꼬리내림근을 쓰는 사람은 일찍 치료

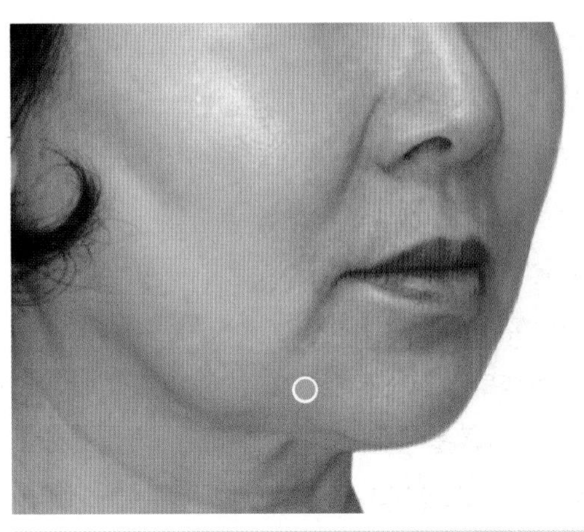

■ 그림 43-6. Marionette 주름은 mandibular ligament를 경계로 외측의 jowl fat과 구분된다.

를 권한다. 중노년에서는 필러시술이나 지방이식으로 jowl 앞 볼륨을 보강해 주는 것이 보툴리눔 독소 치료보다 더 중요하다.[18]

(2) 주입방법

입꼬리에서 옆으로 1 cm, 그 포인트에서 밑으로 1 cm 이동한 포인트에 얕게 2~4 U 정도 주입한다. 실제로는 개인차가 있어 환자에게 입꼬리내림근을 수축해보게 하여 가장 많이 주름지는 부분에 주입하는 것이 좋다. 환자에게 'E' 발음을 길게 시키거나 아래 치아를 보여 달라고 하면 된다(그림 43-5).

(3) 부작용

가장 흔한 부작용은 비대칭적인 결과를 얻는 것으로 치료 시 주입량과 주입점, 주입방향과 속도 등을 가능한 동일하게 맞추는 것이 중요하다. 기존의 비대칭이 있는 환자는 좌우 주입량을 조절해 준다. 깊게 주입하거나 너무 내측으로 주입하면 아랫입술내림근이 마비되어 비대칭이나 입술이 말려드는 양상의 부작용이 생겨 주의해야 한다. 눈가주름 치료하듯, 피하지방층에 주입한다는 느낌으로 하면 안전하다. 너무 외측으로 주입하면 소근(risorius)이 마비되어 활짝 웃어지지 않을 수 있다.

3) 팔자주름(Nasolabial fold)

(1) 해부학

팔자주름의 보툴리눔 독소 치료의 효과는 제한적일 수밖에 없다. 비교적 젊고 피부탄력이 좋으며 지방패드의 하수가 심하지 않은 경우 시도해 볼 수 있는데 팔자 주름의 시작부위가 특히 깊게 패인 경우의 환자에서 상순비익거근(levator labii superioris alaeque nasi)을 많이 쓰는 경우인지를 잘 분별하여 이 근육의 수축이 강한 환자에서 필러시술과 적당히 병합하면 좋은 결과를 볼 수 있다. 더마톡신/보톡스리프팅 등의 시술에서는 팔자 주름을 만드는 다른 여러 근육들(Zygomaticus major & minor, caninus, levator labii superioris)을 대상으로 희석이 많이 된 소량의 톡신을 팔자 주름 외측에 진피 내 주사로 마비시키기도 한다. 하지만 비대칭이나 자연스럽게 잘 웃어지지 않는 심각한 부작용이 발생할 수 있어 주의가 필요하다.

(2) 주입방법

주름이 시작하는 부위, nasofacial groove에 이상구(pyriform aperture) 바로 옆으로 0.5~2 U을 골막 위로 주사한다. 비익거근의 수축이 심한 사람은 2 U까지 사용할 수 있지만 부작용을 주의하고 보존적으로 치료한다. 첫 치료 시엔 1 U을 주사하고 2주 후 환자가 불편해하지 않으면 추가하는 것이 좋다(그림 43-5).

4) 자갈턱 주름(Chin dimpling)

(1) 해부학

턱근(mentalis)은 입술 하부의 쌍으로 된 중앙 근육으로 아래 입술을 거상하고 내미는 역할을 한다. 턱 끝 주름은 mentalis muscle의 과도한 수축에 의해 mentalis muscle이 피부에 부착되는 부위가 복숭아씨나 호두껍데기처럼 보이는 경우를 말한다.

(2) 주입방법

턱의 하부 1/2에서 정중앙으로 양쪽으로 1 cm 정도 떨어진 부위에 골막 위로 한쪽 당 4~5 U 정도를 주입하여 총 10 U을 넘지 않도록 한다(그림 43-5).

(3) 부작용

턱이 많이 뒤로 물러나 있는 경우, mentalis muscle이 입을 다무는 데 중요한 역할을 하는 경우가 많으므로 mentalis muscle이 이완되면 입이 잘 다물어지지 않을 수 있다. 특히 노년층에는 주관적인 불편함이 매우 심할 수 있으므로 노년층의 턱 끝 주름은 용량을 낮게 하는 것이 좋다.

5) 볼주름

(1) 해부학

피부 탄력이 떨어지게 되면 팔자 주름이나 Marionette 주름 외에도 이들에 비교적 평행하게 하악골 경계를 따라 세로로 긴 주름이 발생한다. 광경근(platysma)의 반복적인 수축에 의해 근섬유에 직각으로 발생하는 주름이다.[28] 광경근 타입에 따라 보툴리눔 독소 치료 시 턱선이 매우 예뻐지기도 해서 그 자체로도 미용적인 효과를 가지지만 리프팅 레이저나 프랙셔널 레이저 등으로 치료할 때 보조 역할로 광경근을 마비시켜주면 피부재생 시에 하방으로 당겨지는 힘이 약해지면서 좀 더 좋은 결과를 볼 수 있다.

(2) 주입방법

하악골 경계를 따라 mandible angle에서 mandibular ligament 까지 한쪽 당 10 U 정도를 얕게 여러 포인트로 주사한다. 내측 주사부위는 입꼬리내림근이 함께 마비되므로 용량의 좌우대칭에 각별히 주의한다(그림 43-5).

(3) 부작용

너무 위쪽으로 주사하면 risorius가 마비되어 활짝 웃어지지 않는 부작용이 생기므로 주의한다.

6) 사각턱 교정술(교근축소술)

사각턱 축소술과 종아리 축소술은 여타 주름 치료목적의 A형 보튤리늄톡신의 치료기전과는 다른 효과와 기전을 가진다. 즉, 보툴리눔 독소에 의해 신경 말단부에서 일어나는 화학적 탈신경에 의한 부분적 근마비 현상에 의해 2차적으로 일어나는 근위축 현상을 이용한 것이다. 다른 안면근육들은 두께가 얇아 장기간 반복 시술 후 근 위축이 생기더라도 그 효과가 미미하여 간과되지만 교근의 경우에는 두께가 상당하여 위축 효과가 가시적일 수 있다. 1994년 Smyth가 교근비대증의 치료에서 A형 보튤리늄톡신의 효과를 발표한 이후 이러한 위축 효과를 이용한 시술이 2000년 이후 동양인을 대상으로 활발히 이루어지고 있다.

(1) 해부학

교근(masseter)은 저작근 중 하나로 하악을 강하게 수축시킨다. 하악을 과하게 사용하는 경우 근 비대가 일어나는데 이로 인해 사각턱으로 보이게 된다. 근 위축을 유도하기 위해 비교적 과량을 주사하게 되며 보통 치료부위 근육두께의 6~8%의 감소를 목표로 한다.

(2) 주입방법

환자에게 근육을 수축하도록 하여 가장 돌출된 포인트에 8~10 mm의 깊이로 주입한다. 주입 시 구각과 이주(tragus)를 연결한 선 아래쪽, 교근의 앞쪽 경계에서 1 cm 이내를 주입 경계로 하여 각각 8~10 Unit을 주입하도록 한다. 보통 한쪽에 총 3~6포인트씩 주입하도록 한다. 한쪽에 30 U씩, 총 50~60 U을 주사한다.

(3) 결과 및 부작용

시술 2~4주부터 교근의 두께감소가 나타나기 시작하여 3~4개월에 최대의 효과를 보이며, 5~6개월 이후는 점차 회복되는 경향을 보였다.

반복치료의 효과를 보기 위한 연구의 결과를 보면 평

균 44개월에 걸쳐서 평균 1년에 한번씩 5회 이상 지속적으로 시술받은 경우 첫 시술 전에 비해 10.4%의 평균 감소율을 나타내었으며 6~7개월마다 비교적 규칙적으로 지속적으로 반복시술을 받은 군에서는 12.4%의 감소율을 나타내었다. 효과나 효과지속기간은 1회 주사 시 용량과 밀접한 관계가 있다.

부작용으로는 딱딱한 음식을 씹을 때 힘이 빠진다는 느낌이 들거나 주사부위 통증, 말하기 불편함, 가벼운 두통 몸살기운 등의 가벼운 증상을 호소할 수 있으나 장기간 반복 주사를 맞은 경우에도 별다른 기능상의 문제는 보이지 않았다. 하지만 미용적 문제로 교근의 비대칭 위축이나 submalar hollow 등이 생길 수 있으므로 초보자의 경우 상대적으로 적은 용량으로 시작하여 효과가 가장 크게 나타나는 3개월 뒤에 재주입 시 양측의 효과를 평가하여 용량을 조절한다.

4. 보툴리눔 독소 주입과 관련된 부작용 및 예방

보툴리눔 독소와 관련된 부작용은 크게 세 가지로 나눌 수 있다. 원하지 않는 근육까지 마비가 일어나는 것, 지속적으로 같은 부위에 주사하여 근위축이 초래되는 것, 그리고 장기간 대량 치료를 받은 경우 항체가 생겨 효과가 떨어지는 것이다. 이외에도 국소 부위에 피멍이 들거나 붉어질 수 있고, 두통이나 근육통, 감기 몸살 같은 증상이 유발될 수 있다.[15]

따라서 합병증을 최소화하고 최고의 효과를 얻기 위해서는 1) 충분한 해부학적 지식을 갖고 정확한 부위에 적절한 양을 주입해야 하며, 2) 최소 3개월 이내에 재주사는 가급적 피하도록 하고, 3) 3개월 이내에 400 Unit 이상은 주입하지 않는다. 4) 한 포인트 당 50 Unit 이하로 주입하고, 5) 한 환자가 여러 적응증이 있는 경우 한꺼번에 치료하며, 6) 불필요한 다른 독소형에 노출시키지 않는 등의 치료 원칙을 준수하는 것이 필요하다.[2]

A형 보툴리늄 톡신의 안면부 미용목적의 적용은 시술이 간단하고 회복기간이 필요치 않아 바로 일상에 복귀할 수 있는 장점이 있다. 광범위한 사용과 더불어 미숙한 시술로 인한 부작용 또한 문제가 될 수 있어 시술의는 주름 및 안면의 해부학적 지식과 함께 정확한 주입방법을 숙지하는 것이 중요하다. 여러 술자의 경험에서 얻어진 시술시 주의 사항으로 첫째, 환자의 성별, 나이, 근육의 발달 정도 등에 따라 같은 단위를 주사하더라도 임상적 효과가 다르게 나타날 수 있고, 둘째, 임상적 효과는 주사 용량에 반드시 비례하지 않으며, 셋째, 반복 치료 시에도 효과 및 그 지속성에 대한 예측이 어려운 경우가 있어 시술 전후 표준화된 결과 계측방법에 대한 개발과 효과의 정도와 지속기간에 대한 표준화된 연구가 필요하다.

최근 국내에는 이례적으로 6가지 이상의 보툴리눔 독소가 상품화되어 시판되고 있다. 따라서 이들 제품의 특성을 잘 살피고 장단점을 잘 파악하여 환자에게 적용 시 예상 가능하고 정확한 시술이 되도록 해야 한다.

II 필러주입술

필러는 주로 노화과정으로 생기는 주름을 없애는 목적으로 사용되므로 안면 노화과정을 이해하는 것이 중요하다. 나이가 들어감에 따라 얼굴의 피부는 얇아지고 피하지방과 콜라겐 감소로 인한 탄력저하, 볼륨 감소와 retaining ligament의 약화로 연조직의 처짐 현상이 발생되며 반복적으로 안면근을 사용함으로써 주름이 생기게 된다. 또한 피부와 피하조직의 유착감소로 인하여 안면부에 주름 및 연조직 함몰부위가 생기게 된다. 이러한 안면 주름과 노인성 변화를 보톡스와 함께 필러를 주입함으로써 교정할 수 있다. 필러는 중등도 이상의 깊은 주름이나 함몰부위에 사용된다. 필러 주입술은 간편하게 외래에서 시술할 수 있고 치료과정이 짧다는 장점이 있다.

1. 필러의 역사

1893년 독일의 의사 Neuber가 결핵의 골감염으로 얼굴이 꺼진 환자에게 지방을 이식한 것이 최초 필러 개념의 시술이다. 이후 19세기 말에 Dr. Gersuny가 음낭의 결손부위에 파라핀을 주입하여 좋은 결과를 보고하였고, 20세기 초에는 주사를 이용한 파라핀 주입이 유행하면서 주입물질의 이동, 염증, 육아종 등 많은 부작용이 보고되었다. 20세기 중반에는 실리콘 주사가 유행하였으며 이 시술법 또한 이물반응, 염증 등 여러 가지 부작용을 초래하였다. 1980년대 소 콜라겐을 이용한 근대화된 필러들이 소개되었고 FDA의 공인을 받아 이전 필러들과 다르게 안정성을 얻어 대중적으로 필러가 사용되는 계기가 되었다.

2. 필러의 적응증

필러의 가장 흔한 적응증으로는 안면부 노화로 인한 주름의 치료이다. 팔자주름 및 이마의 주름, 미간주름, 눈밑 주름 등에 사용되며, 윤곽술의 재료로도 최근 많이 사용되고 있다. 안면뿐 아니라 신체의 볼륨의 감소로 인한 함몰 부위에 사용되고 있다. 또한 흉터 및 여드름 흉터 치료에도 사용될 수 있는데 함몰된 흉터나 여드름으로 인한 함몰, 수두자국 등에 필러를 이용한 간단한 시술로 좋은 효과를 보인다.

3. 필러의 종류

현재 사용되고 있는 필러는 그 종류에 따라 크게 콜라겐, polymethylmethacrylate (PMMA), polyacrylamide gel (PAAG), 하이알루론산, calcium hydroxylapatite, Poly-L-Lactic acid 필러 등으로 나눌 수 있다. 이러한 필러들은 각각의 특성이 있고 시술 시 필러의 특성을 이해하고 환자의 요구를 파악하면 필러 시술의 최적의 효과를 얻을 수 있다(표 43-1).

1) 콜라겐 필러

콜라겐종류의 필러로는 소 콜라겐 성분의 Zyderm I® (Allergan, Inc, Irvine, CA, USA)과 사람 콜라겐 성분인 Cosmoderm® (INAMEDS Aesthetics, Santa Barbara, CA, USA)이 있다. 소 콜라겐 성분의 Zyderm I®이 먼저 FDA의 승인을 받았고, 콜라겐 함량을 높인 ZydermII® (Allergan, Inc, Irvine, CA, USA)가 출시되었으나 면역원성과 약 3~3.5% 정도에서 과민반응이 있어 사용 6주 전과 2주 전에 피부반응 검사를 해야 한다는 점과[11], 소의 질환인 bovine spongiform encephalopathy를 사람에게 옮길 수 있다는 단점이 있다.[22] 소의 콜라겐 성분의 필러는 지속기간이 6개월 이내이고, 사람 콜라겐 성분 필러의 경우 피부반응검사를 하지 않아도 되나 collagenase에 의해 분해되므로 지속기간은 그리 길지 않다. 돼지 콜라겐 성분의 필러도 사용되고 있으며 여기에는 TheraFill® (SewonCellontech, Ltd, Seoul, Korea), Evolence® (ColBar LifeScience Ltd, Herzliya, Israel) 등이 있고, 피부반응은 필요하지 않으며 소의 질환인 bovine spongiform encephalopathy 전염의 가능성도 없다는 장점이 있다. 돼지 콜라겐 필러의 경우도 지속 효과는 소 콜라겐 성분의 필러와 비슷하다.[30]

2) Polymethylmethacrylate (PMMA) 필러

Polymethylmethacrylate 필러는 비 흡수성 장기간 지속되는 필러로 여기에 속하는 필러로는 Artefill® (Suneva Medical, San Diego, CA, USA)이 있다. Artefill®은 2006년에 nasolabial fold 교정용으로 미국 FDA 승인을 획득한 최초의 영구필러이다. PMMA microsphere 성분 이외에 소 콜라겐이 함유되어 있어 사용 전 피부반응검사가 필요하다. 주입 후 소 콜라겐은 3개월에 걸쳐 흡수되고 PMMA 성분이 남아 조직이 자라 들어갈 수 있는 역할을 한다.[23] 비흡수성 필러로 효과가 오래가는 장점이 있는 반면 주변조직은 노화과정을 겪는 데 반해 주입된 필러는 오래 남아있어 눈에 띄거나 부자연스

표 43-1. 필러의 주성분과 각각의 특성

주성분	상품명	특징
콜라겐	Zyderm I®	소콜라겐 성분으로 면역성과 과민반응으로 피부반응 필요, 소질환 전염가능
	Zyderm II®	Zyderm I® 보다 콜라게 함량을 높임, 타제품에 비해 콜라겐 함량 높임. 콜라겐 함량 65 mg/cc
	Cosmoderm®	사람 콜라겐 성분으로 진피 섬유아세포에서 추출, 피부반응 불필요, 6개월 정도 지속
	TheraFill®	돼지 콜라겐 성분, 피부반응 불필요
	Evolence®	돼지 콜라겐 성분, 피부반응 불필요
하이알루론산(HA)	Restylane®	Restylane subQ®-Restylane 제품중 입자가 가장 크다, 볼륨증가 목적일때 사용 Restylane perlane®-Restylane과 동일성분이나 입자가 크다 Restylane touch®-눈가주름 및 애교살 등에 적합 hyaluronidase에 의해 녹여 없애는 것이 가능 6~18개월정도 지속
	Juvederm®	Juvederm volbella®-HA 함량 13~17 mg/cc, 안면주름개선, 입술볼륨증가 목적일때 사용 Juvederm voluma®-HA 함량 18~22 mg/cc, 볼륨증가 목적일 때 사용 Juvederm ultra®- HA 함량 22~26 mg/cc, 안면주름개선, 입술볼륨증가 목적일때 사용 Hyaluronidase에 의해 녹여 없애는 것이 가능
	SkinPlus-Hyal®	Implant (hard) type- particle size가 200 μm 이고, 점도가 상대적으로 높아 융비술, 턱, 팔자주름 개선에 사용 Volume type- particle size가 180 μm, 점도가 상대적으로 낮으며, 입술 및 연조직 볼륨 증가시 사용
	Cleviel®	HA 함량이 50 mg/cc로 기존 필러에 비해 HA 함량이 높음 Hyaluronidase에 의해 녹여 없애는 것이 가능하나 더 많은 용량의 hyaluronidase 필요
Calcium hydroxylapatite (CaHA)	Radiesse®	중등도 이상의 깊은 주름과 볼륨 증진이 목적일 때 12~18개월 정도 지속
Poly-L-Lactic Acid (PLLA)	Sculptra®	콜라겐 생성을 촉진시키는 작용 주입 직후의 볼륨감은 며칠 내로 사라지며 3-4주에 걸쳐 서서히 다시 회복
Polymethylmethacrylate (PMMA)	Artefill®	2006년 미국 FDA 승인을 획득한 최초의 영구필러(nasolabial fold 교정용) PMMA 성분외 소 콜라겐이 함유되어 있어 사용 전 피부반응검사 필요
Polyacrylamide gel (PAAG)	Aquamid®	2.5%의 crosslink 과정을 거친 polyacrylamide와 97.5%의 물로 구성 5년 이상 지속되는 장기 지속형 비흡수성 필러

럽다는 단점이 있다. 주입 후 결절, 과립종 및 이물반응이나 흉터 등이 보고되었다.[14]

3) Polyacrylamide gel (PAAG) 필러

Polyacrylamide는 친수성이 높은 고분자 물질로 수분을 함유하면 gel 상태로 되는 특징이 있으며 PAAG 필러에는 Aquamid® (Ferrosan AS, Copenhagen, Denmark)가 있다. Aquamid®는 2.5%의 crosslink 과정을 거친 polyacrylamide와 97.5%의 물로 구성되어 있고 주입 후 5년 이상 지속되는 장기 지속형 비흡수성 필러이다. 일부 연구에서 무독성이고, 알레르기 반응을 일으키지 않으며 태아에게도 무해하고 안정적인 비 흡수성 필러라는 좋은 결과를 보고하였고[4] 유럽에서는 사용이 허가되었으나 아직 미국 FDA의 사용승인을 받지는 못한 상태이다. HIV 감염으로 인한 얼굴지방 감소에는 흡수성 단기 필러보다 이와 같은 영구적으로 지속되는 필러가 더 적합하다는 보고가 있다.[10] 그러나 장기 지속형 필러이므로 시간이 지남에 따라 합병증이 나타날 수 있다.

4) 하이알루론산 필러

하이알루론산은 세포외기질의 주된 성분이며, 우리 몸에서 자연적으로 생기는 glycosaminoglycan compound로 친수성이 높아 자체의 무게보다 1000배 정도의 수분을 함유할 수 있고, 수분과 결합하여 피하 조직 내에서 볼륨을 유지하는 역할을 한다. 우리 몸에서는 endothelial cell, fibroblast, smooth muscle cell 등에서 생산된다. 그러나 하이알루론산은 인체 내에서 효소작용 등에 의해 수일 내에 사라지기 때문에 필러의 재료로 생체 내에서 오래 지속되기 위해서는 cross-linking 과정을 거쳐 안정화되어야 한다. Cross-linking 과정을 통해 하이알루론산 필러는 점성, 응집력, 탄성이 높아져 분해되는 데 시간이 걸려 주입된 필러의 지속기간도 길어진다.

하이알루론산 필러에는 Restylane®, Juvederm®, SkinPlus-Hyal®, Cleviel®등이 있고 이들은 생체 내에서 대략 6~18개월 정도 지속된다. 따라서 하이알루론산 필러 주입 후 도드라진 부위도 시간이 지남에 따라 호전되는 양상을 보인다. 다른 종류의 필러와 비교하여 하이알루론산 필러의 장점은 hyaluronidase에 의해 녹여 없앨 수 있다는 것인데, 과도하게 주입되거나 주입 후 문제가 될 때에는 hyaluronidase를 이용하여 일부 또는 전체를 녹여 그 부작용을 예방할 수 있다. Volume type과 contour 또는 implant type이 있으며, volume type은 입술 및 연조직의 볼륨 증가 목적으로 사용되며, contour 또는 implant type은 눈가주름, 미간주름, nasolabial fold, marionette line 등에 사용되고 콧등, 이마, 턱 등에도 사용된다.

5) Calcium hydroxylapatite (CaHA) 필러

Calcium hydroxylapatite (CaHA) 필러는 CaHA와 carboxymethylcellulose, glycerin, 물로 구성되어 있고 주사 후 생체 내에서 CaHA를 제외한 나머지 성분은 phagocytosis 과정을 겪어 사라지게 되고, CaHA만 남고 주변에 새로운 콜라겐형성이 일어나는데 CaHA는 새로운 조직이 자라 들어갈 수 있는 scaffold 역할을 한다.[17] CaHA필러로는 Radiesse® (Bioform Medical, San Mateo, CA)가 있으며 지속기간이 2년 정도이며 피부가 얇은 곳은 사용을 피하는 것이 좋으며 주입 후 문제 발생 시에는 녹일 수 없고 제거해야 한다. 중등도 이상의 깊은 주름과 함몰부위에 사용되며, 깊은 주름의 경우 진피하부에 주사하고, 볼륨을 증진이 목적일 때는 골막위부위에 주사를 한다.[5]

6) Poly-L-Lactic Acid (PLLA) 필러

Poly-L-Lactic Acid (PLLA) 필러는 다른 필러처럼 채우는 효과가 아니라 주사부위 콜라겐의 생성을 유도한다. PLLA 필러로는 Sculptra® (Sanofi Aventis, Bridgewater, NJ)가 있고 Sculptra®는 PLLA와 carboxymethylcellulose로 구성되어 있다. PLLA 필러 주입은 피하부위로 시행하며 주입 후 PLLA 성분이 남아 콜라겐 생성을 촉진시키는 작용을 한다.[17] 따라서 주입 직후의 볼륨감은 며칠 내로 사라지며 3~4주에 걸쳐 서서히 다시 회복된다.

7) 주입 전 확인해야 할 사항

필러 주입 전 환자와 충분한 상담을 통해 환자의 기대감을 파악하고 현실적으로 필러 주입으로 얻을 수 있는 결과를 설명하는 것이 중요한데, 필러 주입술로 과도한 기대를 하는 경우가 많기 때문이다. 필러 주입 전 환자의 주름이나 함몰된 부위가 필러 주입술로 적합한 부위인지를 확인해야 하는데, 주름이 깊지 않은 경우 보톡스 주사로 호전될 수 있다. 또한 환자가 켈로이드 체질인지 출혈을 증가시키는 약물을 복용 중인지 확인해야 하는데, 출혈성 경향을 증가시키는 약물 복용 시에는 주사 후 멍이 잘 생긴다. 예전에 필러를 맞은 경우 재주입술로 인해 피부괴사 등 합병증의 발생률이 높다. 환자의 얼굴이 비대칭인지 확인하고 시술 받을 부위의 피부 문제 등이 있는지 관찰하고 시술 전후 사진 촬영을 한다.

- 필러주입술에 적합한 주름이나 함몰인지 확인 (보톡스 주사로 교정될 수 있는 주름인지 확인)
- 필러주입술에 대한 과도한 기대가 있는지 확인
- 환자가 켈로이드 체질인지 확인
- 환자가 출혈성 경향의 질환을 가지고 있거나 출혈성 경향을 증가시킬 수 있는 약물 복용 확인
- 예전에 필러주입술을 받았는지 또 받았을 때 문제는 없었는지 확인
- 얼굴이 비대칭이 있는지 확인 및 시술 전후 사진 촬영

4. 시술방법

먼저 신경 차단술 시행 15분에서 30분 전에 국소마취 연고를 발라둔다. 이후 주입하고자 하는 부위에 국소마취제를 주사하거나 국소신경 차단술을 시행한다. 국소마취제를 주입하는 경우 국소마취제의 주입으로 인해 함몰부위가 완화되어 필러주입량이 계획한 양보다 적어질 수 있음을 주지한다. 국소신경차단술은 미간주름부위를 마취하고자 할 경우 supratrochlear nerve를 차단한다. Supratrochlear nerve가 나오는 곳은 glabella 정중앙에서 눈썹 내측방향으로 1.7 cm 정도 외측부위이므로 이곳에 침윤마취를 시행한다. 이마에 전반적으로 필러를 주입할 경우에는 supraorbital nerve 부위도 함께 침윤마취를 시행하는데 이 부위는 glabella 정중앙에서 외측으로 2.7 cm 눈썹부분이다(그림 43-7). 이마의 외측부위, 관자놀이부위는 zygomaticotemporal nerve 부위를 침윤마취한다. 이외 중앙 안면부는 양측 inferior orbital foramen 부위를 침윤 마취하고 비근부위 마취는 안와 내측연에서 내안각 위쪽 1 cm 지점에 주사하여 inferior trochlear never를 마취하고, 콧등부위 마취는 rhinion 에서 5~10 mm 외측부위 external nasal nerve를 침윤마취힌다. Marionette line부위를 개선하고자 할 때는 양측 mental nerve가 나오는 곳을 침윤마취한다. 필러를 주입하는 방법으로는 한 곳에 천자를 한 뒤 바늘을 빼

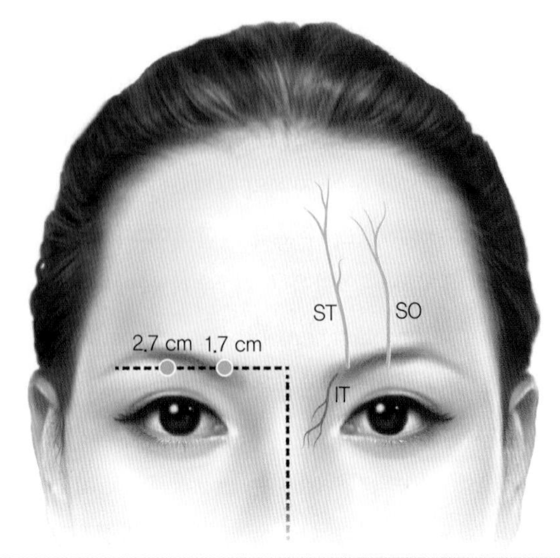

■ 그림 43-7. **이마 부위 필러 시술 시 supratrochlear nerve와 supraorbital nerve 마취 위치.** Supratrochlear nerve의 경우 중앙에서 외측으로 약 1.7 cm, supraorbital nerve의 경우 외측으로 약 2.7 cm 부위에서 나오며 이 부위에 국소 마취제를 주사한다.

면서 주입하는 방법, 여러 군데 천자를 하여 주입하는 방법과 또 볼 등 넓은 부위는 한 곳에 주입을 하고 방향을 바꾸어가며 부채꼴 형태로 주사하는 fanning technique 과 5~10 mm 간격을 두고 평행하게 주입 후 이 방향에 직각으로 다시 평행하게 주입하되 주사 깊이를 다르게 하는 cross-hatching technique이 있다(그림 43-8). Fanning technique은 주사자국이 한 군데라는 장점이 있는 반면 천자부위에서 멀어질수록 필러가 주입되지 않고 빈 곳이 발생할 수 있고 이로 인해 울퉁불퉁해지는 단점이 있다. 주입하는 층은 필러의 종류, 주입하는 부위에 따라 다른데 일반적으로 진피중부, 진피하부, 피하지방층에 주입하는데, 진피하부나 피하지방층에 넣는 것이 주입 후 필러가 만져지거나 눈에 띄는 것을 줄일 수 있고 피부괴사 등의 합병증을 줄일 수 있다. 얕은 주름의 경우 입자가 작은 필러를 진피상부에 주사하고, 깊은 주름의 경우 입자가 큰 필러를 진피의 하부나 피하지방층에 주사한다.[14] 주입바늘의 방향이 아래부위를 향하도록(bevel down) 주입하는 것이 필러가 표층으로 주입되는 것을 예방할 수

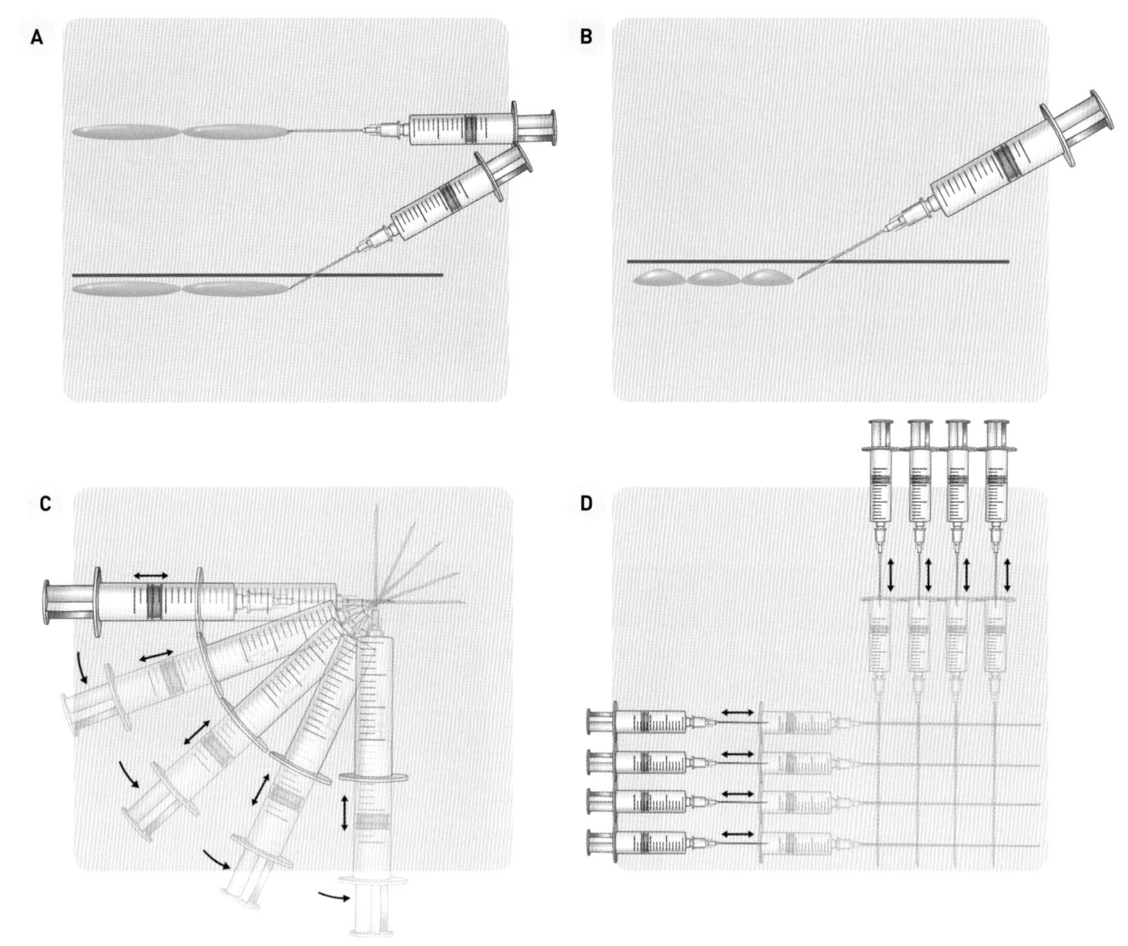

■ 그림 43-8. **필러를 주입하는 다양한 방법.** **A)** Linear threading법. 주사기를 주입 후 뒤로 빼면서 필러를 주입하는 방법. **B)** Serial puncture법. 주사기로 여러 군데를 천자 후 주입하는 방법. **C)** Fan technique 법. 한곳을 천자한 뒤 주사기 방향을 바꾸어가면서 주입하는 방법으로 원위부의 필러가 채워지지 않는다는 단점이 있다. **D)** Cross-hatching 법. 일정한 간격을 두고 평행하게 주입 후 이 방향에 직각으로 다시 평행하게 주입하되 주사 깊이를 다르게 하는 방법으로 넓은 부위 필러주입 시 이용할 수 있다.

있으며, 주입 후 주입된 필러가 보이지 않도록 마사지를 하거나 눌러주는 것이 필요한데 과도하게 눌러주면 필러가 분산되어 필러 주입의 효과가 떨어진다. 주입량은 조금씩 나누어 주입하는 것이 필러 주입 후 도드라져 보이는 것을 예방할 수 있다.

5. 부위에 따른 필러주입술

1) 이마

이마에 볼륨감을 위해 전체적으로 필러를 주입하기 위해서는 상대적으로 많은 양의 필러를 필요로 한다. 대략 4~5 cc 정도의 필러가 필요하며 주입 후에는 피부가 울퉁불퉁해지거나 이마 좌우 비대칭이 올 수 있으므로 주의하여 주입한다. 마취는 supraorbital nerve와 supratrochlear nerve block을 시행하고, 옆쪽은 zygomaticotemporal nerve block을 시행한다. 주입방법은 넓은 부위에 적합한 fanning technique이 주로 사용되는데 이 외 linear threading technique, serial puncture technique도 사용될 수 있다. 주입 깊이는 피하지방층 또는 골막위로 주입하며 주입 후 움직임이 많으면 필러의 흡

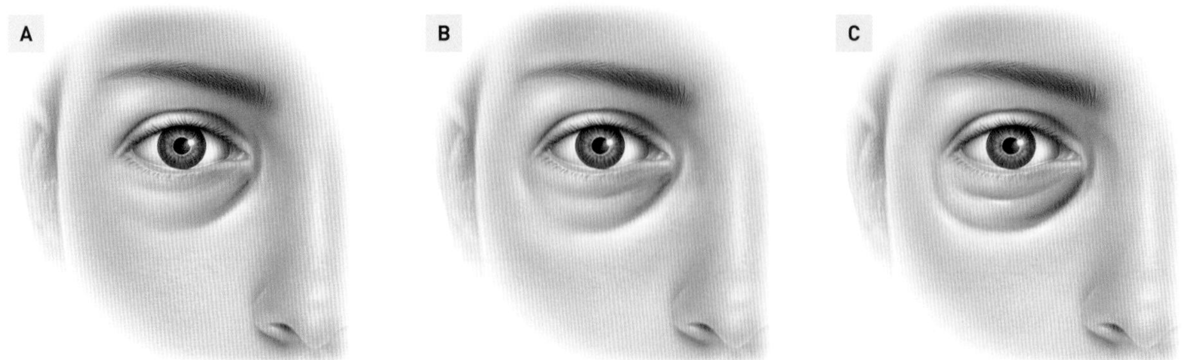

■ 그림 43-9. **눈아래 주름의 분류. A)** Class I: tear trough이 내측에만 국한된 경우, **B)** Class II: tear trough이 내측에서 외측까지 어느정도 진행된 경우, **C)** Class III: tear trough이 전체적으로 진행된 경우이다. 노화가 진행됨에 따라 눈 아래 주름이 내측에서 외측으로 진행되며 내측 및 중앙부위까지의 주름이 필러주입술의 좋은 적응증이 된다.

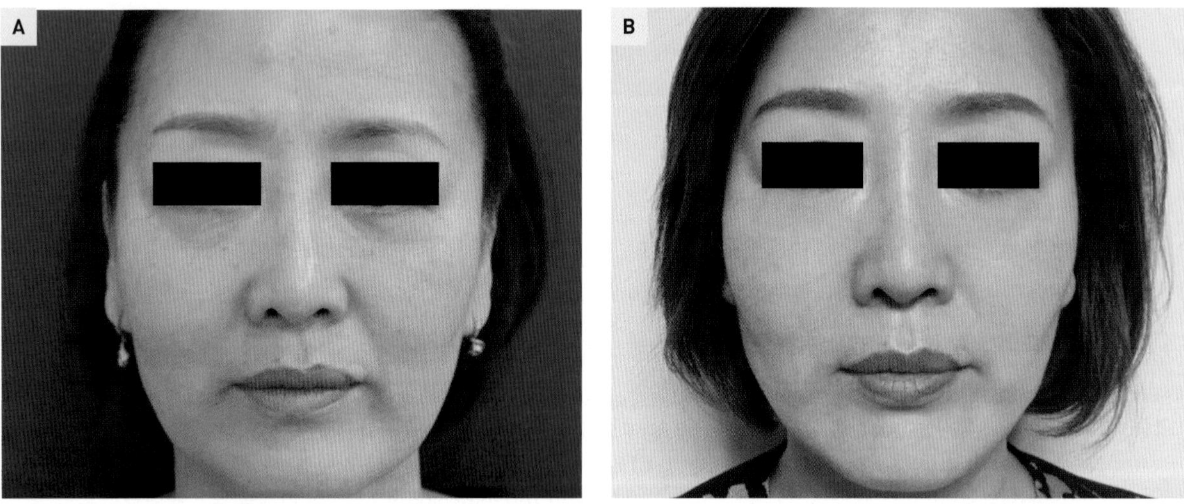

■ 그림 43-10. **눈밑의 주름에서 필러주입술의 효과.** 하이알루론산 필러 1 cc를 양측 눈밑 주름에 주입 후 눈밑 주름이 개선된 모습. 주입술 시행 전**(A)**과 후**(B)** 모습

수가 쉽게 일어나므로 보톡스와 함께 시술하기도 한다. 주입 후 울퉁불퉁해진 부위가 있으면 마사지 등으로 눌러 고르게 펴지게 한다. 이마 미간 주름부위 주입 시 supratrochlear artery에 주입하면 이 혈관분포부위 피부 괴사를 초래할 수 있으므로 소량씩 주입하고 혈관을 천자했는지 흡인하여 확인한다.

2) Tear trough

눈 밑 부위는 피부가 얇고 필러를 과도하게 주입 시 눈에 띄기 쉬우므로 문제 시 해결이 가능한 하이알루론산 필러를 사용하는 것이 좋고, 유색필러의 주입은 피부를 통해 보여질 수 있으므로 무색 필러를 사용하는 것이 좋다. Tear trough의 분류 중 class I, II의 경우처럼 내측 또는 약간 중간까지 진행된 경우가 필러주입술의 좋은 대상이 된다(그림 43-9, 10).

마취는 국소 lidocaine 크림이나 얼음주머니를 이용하는 방법, 국소마취주사법, infraorbital nerve block 등이 있다. 필러 주입량은 대략 한쪽에 0.3~0.5 cc 정도를 주입하는데 조금씩 주입 후 환자의 상태를 평가하면서 추가적으로 주입한다. 주입방법은 내측 주름의 경우 주사기의 바늘이 bevel down이 되도록 한 뒤 바늘을 빼면서 주입한다. Bolus로 주입하는 것은 시술 후 주입된 필러가 뭉쳐 보일 수 있으므로 주의하며, 뭉쳐 보일 경우는 마사지를 시행하거나 손으로 눌러 필러를 펴준다. 이 부위는 혈관이 발달되어 필러 주입 후 멍이 잘 생길 수 있으므로 주입 후 지혈을 충분히 시행한다.

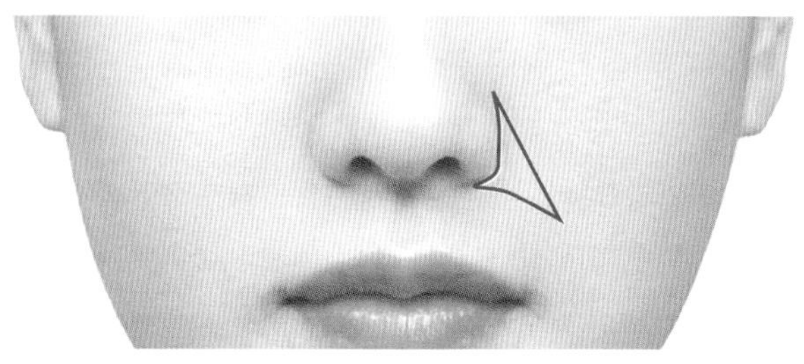

■ 그림 43-11. 비구순부 주위 필러주입 시에는 비구순부 시작 역삼각형부위(붉은 삼각형)에 주입을 해야 효과적이며 fold 바깥에 주입하면 fold가 더 심해지므로 주의한다.

3) Nasolabial fold

Nasolabial fold는 필러시술의 가장 흔한 부위 중 한 곳으로 눈에 띄기 쉬운 곳이므로 양측 비대칭이 되지 않도록 시술하고 주입된 필러가 뭉쳐있지 않도록 유의하여야 한다. 마취는 infraorbital nerve block을 시행하거나 국소마취 크림 도포 후 침윤마취를 시행하는 것으로 충분하다. 그러나 앞서 기술한 바와 같이 침윤마취로 주름이 완화되어 보일 수 있다는 점에 유의한다. Nasolabial fold 시술 시에는 한쪽에 0.5~1 ml를 정도에 따라 주입한다. Nasolabial fold 시작부위, 삼각형 부위인 alar recess 부위(그림 43-11)에 잘 주입해야 효과가 좋으며(그림 43-12) alar recess 밖으로 주입하면 오히려 nasolabial fold가 심해보일 수 있으므로 주의한다. 주입 시 주사바늘의 bevel을 삼각형의 중앙을 향하게 하여 주입하는 것이 좋다. 주입방법은 주사 후 빼면서 주입하는 방법과 몇 군데 천자하여 주입하는 방법, fanning technique 등으로 주입한다. 주입층은 진피와 피하지방 경계부위 또는 그 아래층에 주입한다. 조금씩 주입하고 시술 후 엄지와 검지를

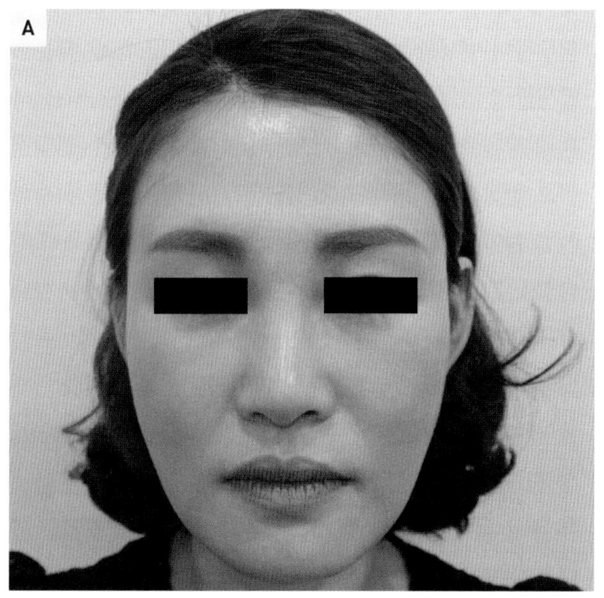

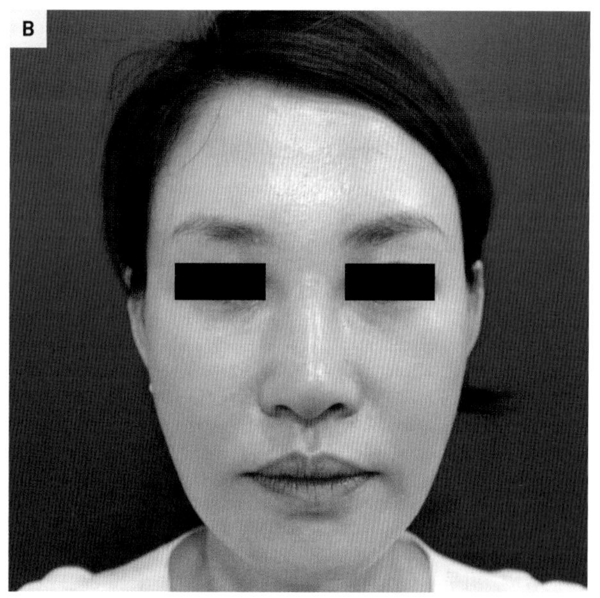

■ 그림 43-12. **양측 nasolabial fold에서 필러주입술의 효과.** 하이알루론산 필러 1 cc를 양측 nasolabial fold에 주입 후 주름이 개선된 모습. 주입술을 시행하기 전(**A**)과 후(**B**)의 모습.

이용하여 한 손가락은 입 안으로 넣고 다른 한 손가락은 피부 쪽에서 마사지를 하여 주입된 필러가 잘 펴져 도드라져 보이지 않도록 한다. 마사지는 무균적으로 시행하고 너무 강한 압력으로 마사지를 하면 필러의 주입 효과가 떨어지므로 유의한다. 이 부위 과교정은 부자연스러운 모습을 초래하며 근육이 수축 시에 더 도드라지게 된다.

4) Marionette lines

노화가 진행됨에 따라 marionette line이 보이게 된다. 이를 교정하기 위해서는 양측에 필러 1~2 ml 정도의 주입으로 효과를 보이며 주입 깊이는 진피 내로, marionette line의 내하방부위에 주입한다. 시술 후에는 냉찜질을 하여 술 후 부종과 멍을 예방하고 주입된 부위의 움직임을 최소화하도록 교육한다. 시술 후 7일 정도는 햇빛에 노출되는 것을 피한다.

5) 입가의 주름

입가의 주름은 입가를 나이들어 보이게 만들며 입을 오므렸다 폈다하는 반복적인 행동에 의해 발생된다. 따라서 보툴리눔 톡신을 필러와 함께 주사하는 것이 더 효과적이다. 보툴리눔 톡신은 orbicularis oris근의 수축을 저해하여 주름을 개선시킨다. 이러한 원칙은 Crow's feet 부위, 미간부위의 주름을 개선 시에도 적용된다. 필러는 진피부위에 주입을 하며 천층에 주입하므로 결절 등이 생기지 않도록 소량씩 주입 후 마사지를 시행하여 주입된 필러가 펴질 수 있도록 한다.

6. 합병증

멍, 부종, 작열감, 주입부위 불편감, 미교정, 과교정, 주입부위의 돌출, 결절형성, 반흔형성 등이 있고, 드물지만 세균감염, 피부괴사, 뇌경색, 실명 등이 필러 주사 후 나타날 수 있다. 주사 후 멍은 주사 후 주입부위의 충분한 시간 동안 압박을 하거나, 아이스 팩을 대어줌으로써 줄일 수 있다. 특히 혈관이 발달된 눈 밑 피부는 주입 후 멍이 잘 생길 수 있으므로 잘 눌러 준다. 부종과 작열감은 주입 후 1~2일 내에 보이고 시간이 지남에 따라 소실된다.

필러 주입 후 주입된 필러가 돌출되어 보이지 않게 하기 위해서는 주입 시 필러를 소량으로 여러 군데 주입하고 주입 후 마사지로 뭉쳐진 필러가 펴질 수 있도록 한다. 흡수성 필러의 경우 주입부위의 돌출이나 결절형성은 시간이 지남에 따라 소실되는 증상이나 영구적인 필러의 경우는 문제가 된다. CaHA 필러나, 하이알루론산 필러 주입 시는 주입된 필러가 뭉쳐져서 발생하는 결절이 많은 반면, PLLA 필러의 경우 섬유성 결절을 형성하기도 한다.[24] 피하 결절은 통증이 없고 주입 후 수주에서 수개월 뒤 발생하며 만져지기는 하나 대부분 눈에 띄지는 않는다. 결절은 주입된 부위에 주로 발생하나 간혹은 이동하기도 하며, 눈 밑 부위는 특히 결절이 쉽게 눈에 띄므로 주입 후 마사지 및 소량씩 주입해야 한다. 필러 주입 후 지연성으로 결절이 문제가 되는 경우는 하이알루론산 필러의 경우 hyaluronidase를 주사하고 다른 종류의 필러의 경우 국소스테로이드 주사 또는 전신스테로이드를 사용해 볼 수 있다.[3] 필러 시술 후 세균감염은 피부 상재균이 주입 시 침투하여 발생할 수 있고, 필러와 관련된 biofilm 때문에 발생할 수 있으며, 뭉쳐진 필러를 펴기 위해 마사지를 하는 과정을 통해서도 일어날 수 있다. 필러 주입 후 만성적이고 반복되는 염증은 biofilm으로 인한 감염을 시사하는 소견이다.[29] 감염이 의심될 때에는 항생제를 사용하고, 감염이 지속 시 주입된 필러를 18G 바늘로 천자 후 짜내거나 제거한다.

필러 주사 후 피부괴사는 주입된 필러가 동맥이나 정맥을 막아서 발생하는데, 주입 시 혈관에 손상을 주거나 직접 혈관 내 필러를 주입한 경우, 과도하게 주입된 필러 또는 주입 후 발생한 부종이 혈관을 압박하여 발생할 수 있다.[12] 동맥이 막히는 경우는 주사직후 피부가 하얗게 또는 회색으로 탈색화 되거나 주사 시 일반적인 통증보다 심한 통증을 호소하는 반면, 정맥이 막히는 경우는 시간이 지나서 나타나는 그물 모양의 푸르스름한 피부양상을 보인다. 필러 주입 중 혈관을 막았다고 판단될 때는 필러주입을 중단하고 주입된 필러를 흡입하여 제거하고 혈류확장을 도모하여 남아 있는 필러가 펴질 수 있도록 조취를 취한다. 얼음 마사지 등 체온을 낮추는 것은 피해야 하며 마사지로 주입된 필러를 펴주고 따뜻한 팩으로 혈관 확장을 도모한다. 아스피린 80 mg 복용과 함께 국소 nitroglycerine paste로 혈관확장을 시킨다. 하이알루론산 필러의 경우는 hyaluronidase를 필러 주입 부위에 주사해야 하며 이러한 치료에도 호전이 없이 피부괴사가 진행될 경우, 고압산소 치료를 시작한다.[8] Platelet rich plasma, 지방유래 줄기세포도 피부괴사 치료에 도움이 된다는 보고도 있다.[20]

필러 주입 후 실명이 올 수 있는데 미간부위, 코부위, nasolabial fold부위 주입 후 발생할 수 있다. 실명과 함께 뇌경색이 동반되기도 한다.

주사 후 실명의 초기 증상으로는 안구통, 시력저하, 안검하수, 두통, 구토 등이 있다. 치료는 거의 불가능하므로 예방이 중요한데 미간, 이마, nasolabial fold에 주입 시 많은 양의 필러를 한번에 주입하지 않도록 주의한다. 주사기의 손으로 누르는 주입부위를 뒤로 당겨 혈액이 주사기 내로 역류되는 지를 확인하는데 혈액이 주사기 내로 주입되면 주사기가 혈관을 뚫은 것이므로 필러 주입 위치를 바꾼다. 또한 환자를 선택 시 필러의 주입의 적합한 대상인지 시술 전 정확한 분석 및 적합한 필러의 선택이 필요하다.

향상된 보툴리눔 독소의 개발과 함께 안전과 지속성을 보장하는 새로운 필러제제의 도입으로 안면노화교정의 목표기준이 한 단계 상승하였다. 빠르게 변화하는 새로운 적응증과 신제품 앞에서 술자로서는 환자안전이라는 초심으로 돌아가는 것이 중요하다. 시장에서 살아남은 제품의 대부분이 지속기간이 짧은 히알루론산 제제임을 볼 때 시장의 검증과 시술 경험의 교훈 모두 환자 안전도가 가장 중요함을 시사한다. 신규 도입된 제품에 대한 신중한 태도가 필요하며 보툴리눔 독소와 필러의 병합요법에 대해서도 지속적인 관찰과 연구가 필요하다. 혈관 내 주입 등에 의한 실명, 조직괴사 등의 심각한 부작용은 간단해 보이는 주사요법이 중대한 위험성이 있는 시술이며 이를 피하기 위해 해부학적 지식이 중요함을 강조한다. 위험한 구조물의 위치와 깊이를 숙지하며 주사술의 목표가 되는 안면근육의 해부학과 함께 필러가 주입될 공간의 안면부 연조직 해부학상의 위치에 대한 심도 깊은 이해가 안전하고 효과적인 교정을 위해서 필수적이다.

참고문헌

1. 배정호. 안면거상술의 해부학. 대한안면성형재건학회. 얼굴성형재건. 군자출판사, 2014, p.505-511.
2. 이수근. 부작용의 예방과 대처법. 보톡스와 필러의 정석. 도서출판 한미의학, 2011, p.167-197.
3. Beleznay K, Carruthers JD, Carruthers A, et al. Delayed-Onset Nodules Secondary to a Smooth Cohesive 20 mg/mL Hyaluronic Acid Filler. Dermatol Surg. 2015;41(8):929-39.
4. Bello G, Jackson IT, Keskin M, Kelly C, et al. The use of polyacrylamide gel in soft tissue augmentation: an experimental assessment. Plast Reconstr Surg. 2007;119:1326-1336.
5. Bentkover SH. The biology of facial fillers. Facial Plast Surg 2009;25:73-85.
6. Blitzer A, Brin MF, Keen MS, et al. Botulinum toxin for the treatment of hyperfunctional lines of the face. Arch. Otolaryngol. Head Neck Surg.1993;119:1018.
7. Borodic GE, Ferrante R, Pearce LB, et al. Histologic assessment of dose-related diffusion and muscle fiber response after therapeutic botulinum At oxin injections. Mov. Disord. 1994;9:31.
8. Brennan C. Avoiding the "danger zones" when injecting dermal fillers and volume enhancers. PlastSurg Nurs. 2014;34(3):108-11.
9. Burke KE, Naughton G, Cassai N. A histological, immunological, and electron microscopic study of bovine collagen implants in the human. Ann. Plast. Surg. 1985;14:515.
10. De Santis G, Pignatti M, Baccarani A, et al. Long-term efficacy and safety of polyacrylamide hydrogel injection in the treatment of human immunodeficiency virus-related facial lipoatrophy: a 5-year follow-up. Plast Reconstr Surg. 2012;129(1):101-9.
11. Downie J, Mao Z, Rachel Lo TW, et al. A double-blind, clinical evaluation of facial augmentation treatments: a comparison of PRI 1, PRI 2,

Zyplast and Perlane. J Plast Reconstr Aesthet Surg. 2009;62(12):1636-43.

12. Emer J. Injectable neurotoxins and fillers: there is no free lunch. Clin Dermatol. 2011;29(6):678-90.
13. Garcia A, Fulton, JE, Garcia A. Cosmetic denervation of the muscles of facial expression with botulinumtoxin : A dose-response study. Dermatol. Surg.1996;22:39.
14. Hilinski JM, Cohen SR. Soft tissue augmentation with ArteFill. Facial Plast Surg. 2009;25(2):114-9.
15. Huang W, Rogachefsky AS, Foster JA, et al. Brow lift with botulinum toxin. Dermatol. Surg. 2000;26:55.
16. Jasin ME1.Nonsurgical rhinoplasty using dermal fillers. Facial Plast Surg Clin North Am. 2013;21(2):241-52.
17. Jonas TJ. Cosmetic uses of neurotoxins and injectable fillers. Bailey's Head & Neck surgery-Otolaryngology 5th2013.Chap197:3247.
18. Kanchwala SK, Holloway L, and Bucky LP. Reliable soft tissue augmentation: A clinical comparison of injectable soft tissue fillers for facial volume augmentation. Ann. Plast. Surg.2005;55:30.
19. Kane MA. Treatment of tear trough deformity and lower lid bowing with injectable hyaluronic acid. Aesthetic Plast Surg. 2005;29:363.
20. Kang BK, Kang IJ, Jeong KH, et al. Treatment of glabella skin necrosis following injection of Hyaluronic acid-filler using platelet-rich plasma. J Cosmet Laser Ther. 2015;8:1-5.
21. Klein AW. Dilution and storage of botulinum toxin. Dermatol Surg.1988;24:1179.
22. Lee JH, Choi YS, Kim SM, et al. Efficacy and safety of porcine collagen filler for nasolabial fold correction in Asians: a prospective multicenter, 12 months follow-up study. J Korean Med Sci. 2014;29 Suppl 3:S217-21.
23. Lemperle G, Hazan-Gaûthier N, Lemperle M. PMMA microspheres (Artecoll) for skin and soft-tissue augmentation. Part II: Clinical investigations. Plast Reconstr Surg. 1995;96(3):627-34.
24. Lemperle G, Morhenn V, Charrier U. Human histology and persistence of various injectable filler substances for soft tissue augmentation. Aesthetic Plast Surg. 2003;27(5):354-66.
25. Lowe, NJ. Botulinum toxin type A for facial rejuvenation: United States and United Kingdom perspectives. Dermatol Surg. 1988;24:1216.
26. Klein JA. The tumescent technique. Anesthesia and modified liposuction technique. Dermatol Clin 1990 Jul;8(3):425-37.
27. Matarasso A, Matarasso SL, Brandt FS, et al. Botulinum A exotoxin for the management of platysma bands. Plast. Reconstr. Surg.1999;103:645.
28. Matarasso SL. Complications of botulinum A exotoxin for hyperfunctional lines. Dermatol Surg. 1998;24:1249.
29. Monheit GD, Rohrich RJ. The nature of long-term fillers and the risk of complications. Dermatol Surg. 2009;35 Suppl 2:1598-604.
30. Moon SH, Lee YJ, Rhie JW, et al. Comparative study of the effectiveness and safety of porcine and bovine atelocollagen in Asian nasolabial fold correction. J Plast Surg Hand Surg. 2015;49(3):147-52.
31. Narins RS, Brandt F, Leyden J, et al. A randomized, double-blind, multicenter comparison of the efficacy and tolerability of Restylane versus Zyplast for the correction of nasolabial folds. Dermatol. Surg.2003;29:588.
32. Rohrich RJ, Janis JE, Fagien S, et al. The cosmetic use of botulinum toxin. Plast Reconstr Surg 2003;112:177S-88S; quiz 188S, 192S; discussion 89S-91S.

CHAPTER 44

코성형술

진홍률, 원태빈

I 코성형 관련 해부학

코의 해부에 대해서는 여러 장에서 자세히 언급되어 있으므로 여기에서는 코성형과 관련되어 중요한 점을 중심으로 비교적 간단히 언급하고자 한다. 한국인과 외국인, 특히 백인종과의 코의 해부학적 차이는 확연하다. 한국인의 코는 두꺼운 피하조직, 넓은 콧등, 펑퍼짐하며 두터운 비첨, 옆으로 퍼진 콧구멍, 얇고 약한 연골, 그리고 함몰된 비주(columella) 등이 특징적이다(그림 44-1).[2] 반면 백인종은 이와 상반된 양상을 보인다. 이처럼 외비의 형태와 구조에 많은 차이를 보임에도 불구하고 우리가 접하는 교과서와 저널들의 내용은 대부분 서양인을 대상으로 한 것이므로 한국인에 적용하기에는 문제가 있다.

본 장에서는 한국인 외비의 해부학적 구조와 특징을 주로 기술하고 이러한 해부와 특징이 수술에 있어 어떤 의미를 갖는가를 설명하고자 한다.

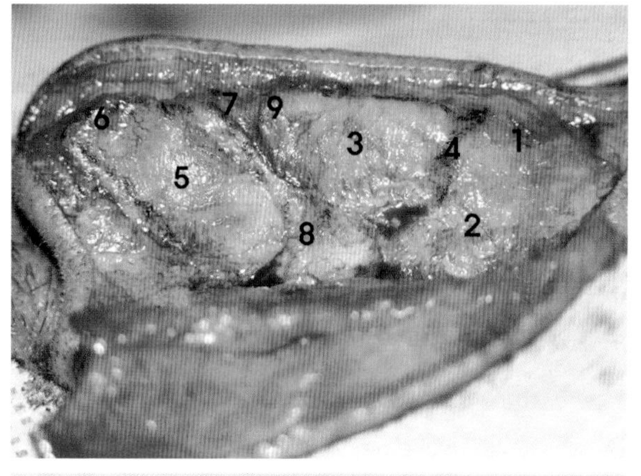

■ 그림 44-1. **한국인 외비의 해부.** 1: 비골, 2: 상악의 전두돌기, 3: 상외측연골, 4: keystone 부위, 5: 하외측연골, 6: 비첨한 정점, 7: 전비중격각, 8: 부연골, 9: 상외측연골의 미측경계

1. 피부와 연조직

한국인 코의 특징 중 하나가 서양인에 비하여 피부가 두껍고 피하조직이 풍부하다는 것이다. 이처럼 피부가 두꺼운 경우, 얇은 피부에 비하여 수술 후 부종과 피하 반

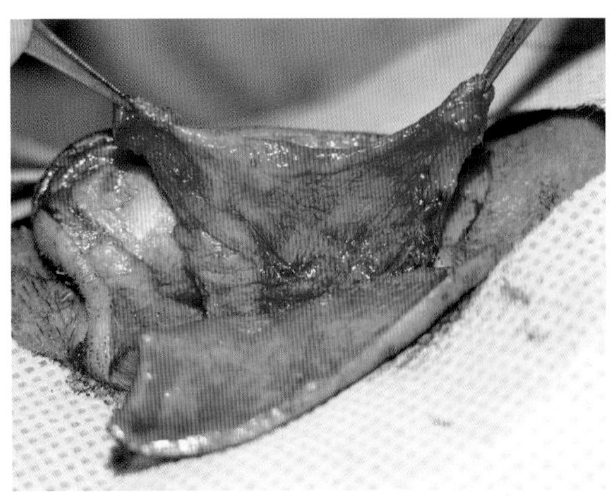

■ 그림 44-2. **외비의 혈관, 신경, 근육 등을 포함하는 superficial musculo-aponeurotic (SMAS).** 모든 코성형 술식은 이 보호층 밑에서 이루어져야 안전하다.

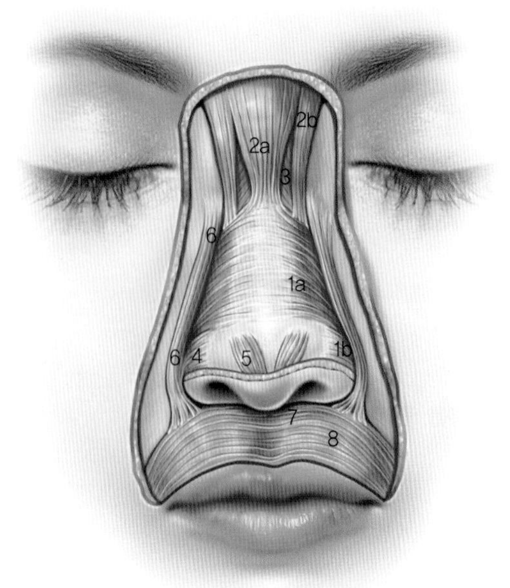

■ 그림 44-3. **외비의 근육들.** 1a: transverse nasalis muscle, 1b: alar nasi muscle, 2a: medial fascicle of the procerus muscle, 2b: lateral fascicle of the procerus muscle, 3: anomalous nasi muscle, 4: dilator naris anterior muscle, 5: compressor narium minor muscle, 6: levator labii superioris alaeque nasi muscle, 7: depressor septi nasi muscle, 8) orbicularis oris muscle.

흔 형성이 심하며 피부의 정착이 늦게 일어나는 단점이 있으나, 다른 측면으로 얇은 피부에 비하여 수술 후 미세한 불규칙함이나 비대칭이 어느 정도 가려질 수 있다는 장점이 있다. 이러한 특징 때문에 두꺼운 피부의 장력에 저항할 수 있는 이식물이 필요하며, 특히 피부가 가장 두꺼운 비첨에 더욱 많은 조작이 필요하다. 외비에서 연조직의 두께는 비첨(nasal tip)과 비근점(nasion)에서 가장 두껍고 비공점(rhinion)에서 가장 얇다.[8,37] 피부와 뼈 및 연골 사이는 표재지방층(superficial fatty layer), 섬유근육층(fibromuscular layer), 심부지방층(deep fatty layer), 그리고 골막(periosteum) 또는 연골막(perichondrium) 등 4개의 층으로 나뉘어져 있다. 이 4개의 층에는 섬유근육층을 포함하며 피하지방을 두 층으로 분리하는 superficial musculo-aponeurotic system (SMAS)이 있는데 이 층은 얼굴 전체를 둘러싸는 하나의 연속된 층으로 안면근육, 광경근(platysma), 두피의 섬유근육층 등과 연결된다(그림 44-2).[27]

외비에 분포하는 주요 혈관이나 신경은 SMAS나 지방층을 지나므로 SMAS 아래인 심부지방층과 연골막 혹은 골막 사이가 코성형술에서 박리하는 이상적인 수술면이 된다. 이 수술면에서 피판은 쉽게 분리되며, 혈관이나 신경조직의 손상이 적어 수술시야가 좋고, SMAS층을 보존하게 되므로 수술 후 상처조직의 수축 등에 의한 변형을 예방할 수 있다.[39]

2. 근육

외비의 여러 근육들은 많은 경우 코성형에서 큰 역할을 하지 않는다. 여러 근육들 중에서는 전비익확대근(dilator naris anterior muscle), 비중격하체근(depressor septi nasi muscle)이 비교적 중요한 역할을 한다(그림 44-3).[12] 안면신경 마비 시 확장근(dilator muscle)이 작용을 하지 않으면 콧구멍을 벌릴 수 없게 되어 비밸브의 폐쇄로 인한 코막힘을 초래할 수 있다. 비중격하체근(depressor septi nasi muscle)은 구윤근(orbicularis

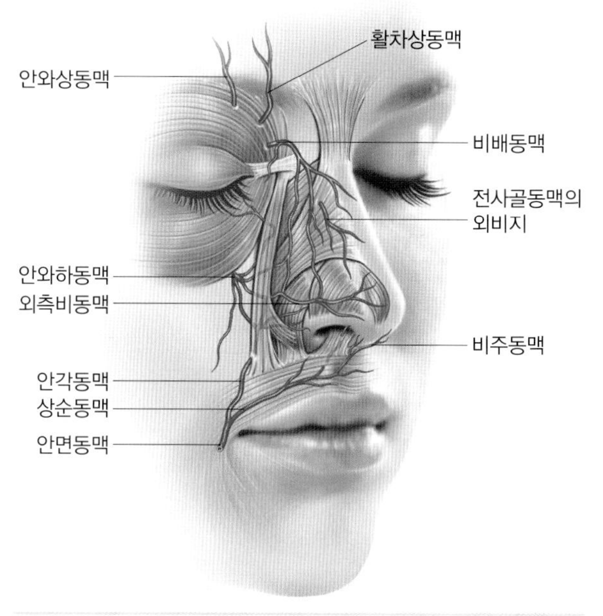

■ 그림 44-4. **외비의 혈액공급**

oris muscle)에서 기원하여 하외측연골(lower lateral cartilage)의 내각(medial crus)에 종지한다. 이 근육은 웃거나 얼굴의 표정을 지을 때 코끝을 아래로 당기므로 미용적 목적으로 코성형술 시 절단이 필요하기도 하다.[39]

3. 혈액공급

외비는 내경동맥의 분지인 안와동맥(ophthalmic artery)과 외경동맥의 분지인 안면동맥(facial artery) 모두에서 혈액공급을 받는다. 안와동맥의 분지인 전사골동맥, 비배동맥(dorsal nasal artery), 외비동맥은 외비의 근위부에 분포한다. 한편 안면동맥에서 상순동맥(superior labial artery)과 안각동맥(angular artery)이 분지하는데, 이들은 각각 비주동맥(columellar artery)과 외측비동맥(lateral nasal artery)을 내어 비첨에 분포하게 된다(그림 44-4).

비첨의 혈액공급은 외측비동맥과 비배동맥이 주공급원이며 일부 비주동맥에 의해서도 공급된다. 외측비동맥이나 비배동맥은 SMAS층이나 바로 바깥에 존재하고 하외측연골의 내각 부위에서 연골막에 가장 근접하므로 비외접근법에 의해 코성형술을 시행할 때 피판을 올린 후 피하조직에서 과도하게 지방을 제거하면 피하조직의 주요 혈관들을 다치게 할 가능성이 많으므로 주의가 필요하다. 비외접근법으로 코성형술을 시행할 때는 경비주절개에 의하여 비주동맥이 절단되게 되는데, 이와 동시에 비익저를 과도하게 절제하여 외측비동맥이 다치게 되고 비첨의 연조직을 제거하면서 비첨의 혈액공급이 장애를 받을 경우에는 비첨의 괴사가 발생할 수도 있으므로 주의를 요한다.[1,37]

4. 외비의 신경분포

삼차신경의 분지인 안신경(ophthalmic nerve)과 상악신경(maxillary nerve)이 분포한다. 근위부에는 안신경의 분지인 활차상신경(supratrochlear nerve)과 활차하신경(infratrochlear nerve)이 분포한다. 비배부의 아래쪽과 비첨에는 전사골신경(anterior ethmoidal nerve)이 분포한다. 이 신경은 연골간절개 시에 손상될 수 있으며 이런 경우 수술 후 감각이상을 호소할 수 있다.[27,37]

5. 비골

골성비배(bony nasal vault)는 한 쌍의 비골과 상악의 전두돌기로 구성된다(그림 44-1, 5). 비골은 한국인의 경우 서양인에 비해 길이가 짧고 높이가 낮으며 옆으로 퍼진 각도가 넓은 경향이 있다. 또 비골의 높이가 낮기 때문에 외측절골술이 비골보다는 두꺼운 상악골을 따라 주행하게 되는 경우가 많아 폭이 3 mm 이상 되는 절골도를 쓰는 것이 권장된다. 외측절골술에 의해 내안각인대나 비루관이 손상되는 경우는 매우 드물다. 비골은 아래에서 비근점으로 갈수록 두꺼워지며 비근점부위에서는 거의 코의 융기가 최저점에 이르게 된다. 비근점 부위의 비골이 휘어 있는 경우는 거의 없으므로 대부분의 절골술이 비근점

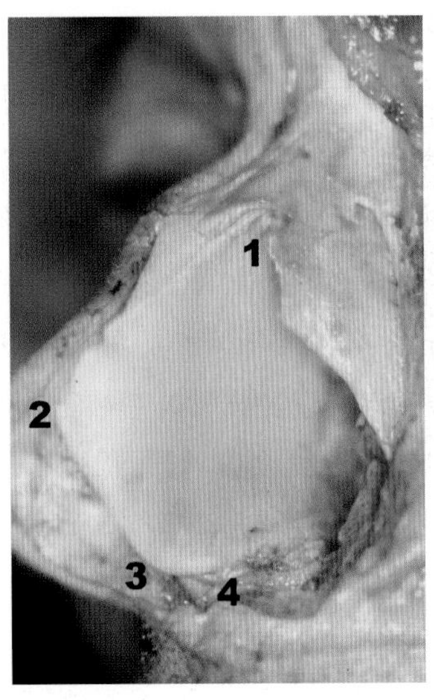

■ 그림 44-5. **비중격연골과 비골과의 접합부.** 상외측연골이 제거된 상태의 사진이다. 1: Keystone 부위, 2: 전비중격각, 3: 중비중격각, 4: 후비중격각

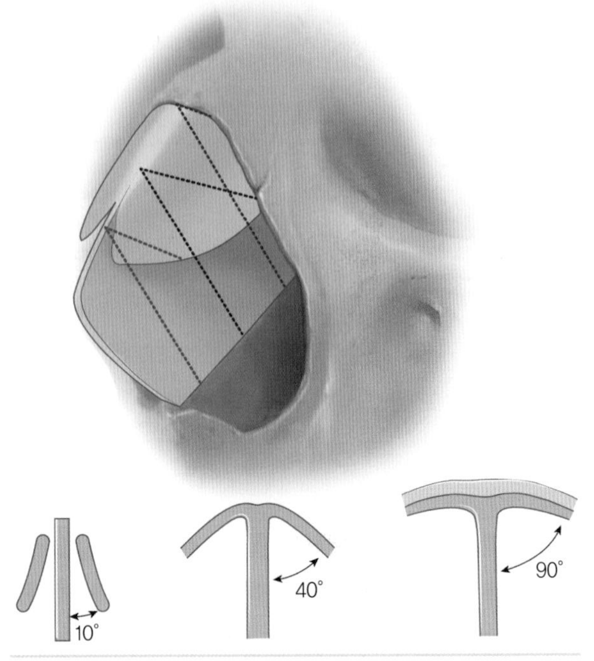

■ 그림 44-6. **상외측연골과 비중격의 연결부위의 단면도**

이상으로 진행하는 것은 의미가 없다.[37]

6. 상외측연골

상외측연골(upper lateral cartilage)은 앞에서 볼 때 삼각형이며 비골과 단단하게 접합하고 있어 그 부위를 keystone 부위라고 하며 상외측연골, 비골, 비중격의 연골부분, 그리고 사골수직판으로 구성된다. Keystone 부위에서 비골과 연골의 접합 부위가 손상되면 안장코(saddle nose)의 발생을 초래할 수 있으므로 코성형술이나 비중격성형술 시에는 이 부위가 손상되지 않도록 주의하여야 한다(그림 44-5).[27]

상외측연골은 비골과의 접합부위에서는 비중격과 거의 90°를 이루고 있으나 아래로 내려오면서 그 각이 줄어들어 미측 부위에서 가장 좁은 각도를 유지하고 있다(그림 44-6). 비골과 인접하는 상외측연골은 어느 정도의 폭을 유지하고 있어 확대코성형술을 시행할 때의 이식물의 폭을 결정하는 요소가 된다. 전비중격각(anterior septal angle)은 비중격의 말단을 말하며, 이 부위에서는 상외측연골과 연결이 되어 있지 않다(그림 44-1, 5).[43]

7. 하외측연골

하외측연골(lower lateral cartilage)은 외측각(lateral crus), 내측각(medial crus), 그리고 중간각(intermediate crus)으로 나누어지며 비첨 수술 시 가장 중요한 해부학적 구조이다(그림 44-7). 중간각은 돔부위(domal segment)와 비소엽부위(lobular segment)로 구분되며 내측각은 비주부(columellar segment)와 족부(footplate segment)로 나눌 수 있다. 양측 하외측연골의 중간각은 약간 벌어져(anlge of divergence) 60° 정도를 이루고 있으며 정면에서 볼 때 비첨에 두 개의 반사점으로 나타난다. 비첨한정점(tip-defining point)은 측면에서 보았을 때 가장 앞으로 튀어나온 하외측연골의 부분을 지칭한다. 상비첨점(supratip break)은 하외측연골과 상외측연골이 교차되면서 생기는 점으로 콧등의 아래쪽 경계이며 아울러 비첨의 시작점이 된다.

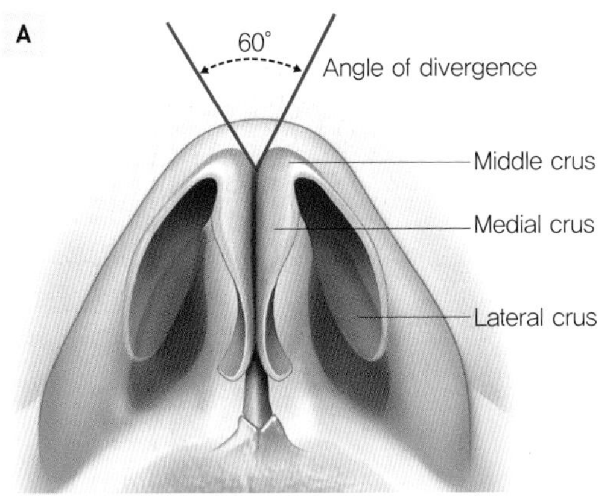

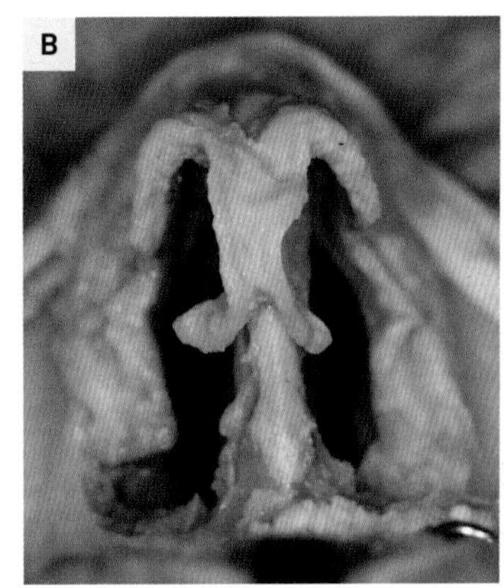

■ 그림 44-7. **하외측비연골의 구조.** A) 모식도, B) 사체에서의 모습

하외측연골은 비첨의 지지에 중요한 역할을 하며 비중격의 지지를 받지 못하여 여러 개의 연조직에 의하여 지탱된다. 경비주절개(transcolumellar incision)를 비주의 중간부 가장 좁은 부위에 넣는 이유는 눈에 띄는 절개선의 길이가 짧고, 이 부위에서 하외측연골의 내측각이 단단하게 받쳐주기 때문에 수술 후 흉터에 의한 수축을 줄일 수 있기 때문이다. 내측각은 피하에 매우 가깝게 있으므로 경비주절개를 넣다가 비주의 가장자리에서 내측각을 손상시킬 경우에는 흉터가 보기 싫게 되는 경우가 있으므로 주의하여야 한다.

한국인의 경우 하외측연골의 크기가 작고 연골의 두께 또한 얇기 때문에 서양인들과는 달리 하외측연골의 조작만으로 비첨조작의 극적인 효과를 기대하기는 어렵고, 특히 하외측연골의 크기가 작을 때에는 외측각을 상부절제(cephalic resection)하는 등의 조작은 피하는 것이 좋다.[3] 하외측연골 외측각의 가장 바깥쪽에는 몇 개의 부연골(accessory cartilage)이 존재하며 이들은 이상구(piriform aperture)와 단단히 연결되어 하외측연골을 지지한다. 상·하외측연골의 연결형태에는 Z자 형태, 상·하외측연골이 서로 접촉하지 않는 형태, 하외측연골이 상외측연골 밑으로 들어가는 형태 등이 있으나 Z자 형태가 가장 흔하다.[27]

8. 비중격연골

연골의 가장 두부측은 keystone 부위로서 연골-비골 단위로 단단히 고정되어 있는 반면 미부측 1/4 정도는 하외측연골과 연결이 되어 있지 않아 자유롭기 때문에 충격에도 비교적 유연하다. 비중격과 상외측연골의 미측경계(caudal margin)가 이루는 각은 한국인에서는 22° 정도이며 이 부위를 내비밸브(internal nasal valve)라 부른다(그림 44-8).[36] 이곳은 코의 단면 중 가장 좁아서 코막힘을 흔히 일으키는 부위이다. 비중격연골의 두께는 서골(vomer)과 접하는 뒤쪽 부분이 앞쪽보다 더 두꺼워 방패이식을 만들 때 방패의 윗부분이 비중격의 후방으로 향하도록 도안하는 것이 바람직하다. 중격연골의 아랫부분이 상악릉(maxillary crest)과 접하는 부위는 두꺼우나 바로 위부터는 얇아져 두께가 균일하지 않아 방패이식이나 비주지주로 사용할 때 제한점이 된다.

Ⅱ 상담과 분석

코성형술은 코의 외형상의 미적인 문제나 기능적인 문제를 교정하는 수술로 외형상의 변형 등을 교정하는 미용적 코성형술, 코막힘 등의 기능의 문제를 해결하기 위한

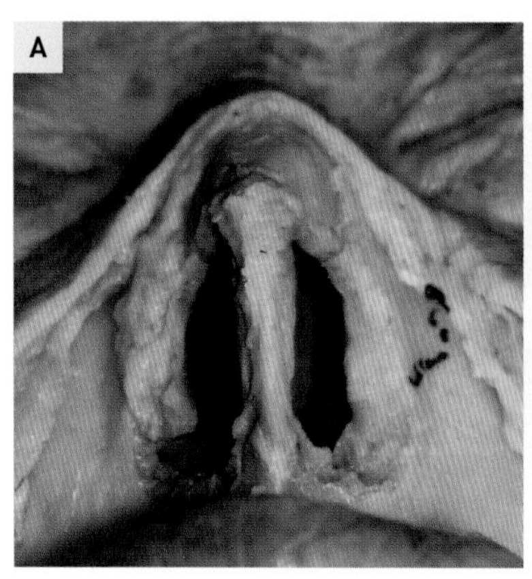

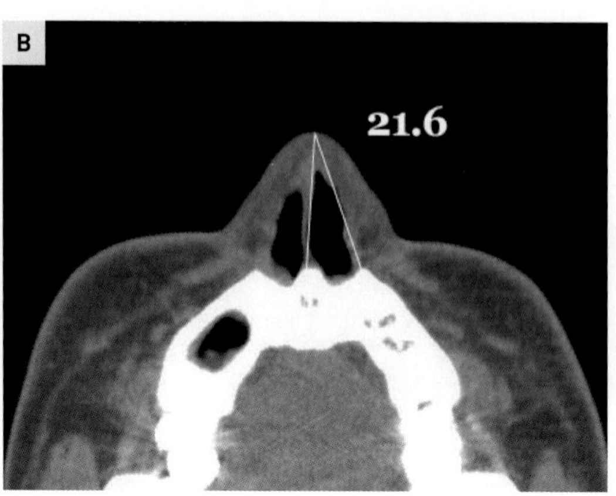

■ 그림 44-8. **한국인의 내비밸브. A)** 사체에서 관찰한 내비밸브의 부위(하외측비연골을 제거한 상태), **B)** CT에서 측정한 내비밸브의 각도. 한국인의 내비밸브의 각도는 평균 22° 정도이다.

기능적 코성형술, 외상이나 종양의 수술로 인해 코가 정상적인 구조를 잃었을 때 시행하는 재건코성형술 등이 포함된다.

코성형술 환자를 수술하기 전에 분석하고 평가하기 위해서 알아야 할 사항들은 다음과 같다. 첫째, 이상적인 코의 모양에 대한 보편적인 기준을 알아야 한다. 둘째, 신체검진을 통해 환자가 가지고 있는 코의 모양과 기능에 대한 문제점을 정확히 분석하고 이에 따른 수술적 계획을 세울 수 있어야 한다. 셋째, 환자를 상담하면서 적절히 환자를 선택, 교육하고 환자와 교감할 수 있는 능력이 있어야 한다.[35]

1. 이상적인 코의 형태

코성형수술에서 추구하고자 하는 이상적인 코의 모양은 환자의 요구사항, 코의 해부학인 구조, 그리고 미적인 기준에 따른 수술자의 권유 등에 따라 조금씩 달라질 수 있다. 코의 모양은 개개인의 성별, 나이, 체형, 그리고 얼굴의 특성에 따라 다르기 때문에 이상적인 코의 절대적인 기준은 존재하지 않지만 보편적으로 인정되는 아름다운 코의 기준은 코성형의로서 반드시 알고 있어야 한다. 매력적인 얼굴은 각 구조 사이에 알맞은 비율과 연관성이 가장 중요하고 특히 눈의 아름다움이 강조되는 얼굴이라고 할 수 있다. 코의 성형은 아래에 기술한 보편적인 미의 기준에서 크게 벗어나지 않는 코의 모양을 만들어 얼굴과 조화되면서 사람들의 시선을 끌지 않는 코를 만드는 것이 그 목표이다. 따라서 코와 더불어 이마, 턱 등도 평가대상에 포함되지만 여기서는 코에 대해서만 기술하기로 한다.

이상적인 코의 모양은 코가 얼굴에서 차지하는 비율과 코 자체의 모양 두 가지로 결정된다. 얼굴 중 코가 차지하는 비율은 얼굴을 수직으로 분할했을 때 1/5 정도이며 수평으로 분할 시 1/3 정도가 이상적이다(그림 44-9). 코 자체만을 보았을 때 이상적인 코의 형태는 우선 정면에서 보아 양미간사이(glabella)에서 턱끝(menton)까지 그은 선이 코끝과 콧등 그리고 입술의 큐피드궁(cupid bow)을 정확히 통과하여야 하며 이 선은 사비 등을 판단하는 기준이 된다. 콧등의 선은 정면에서 양쪽 눈썹의 안쪽에서 시작하여 비첨한정점(tip defining point)으로 이어지는 선이 부드러운 곡선을 이루면서 어느 정도의 폭을 가진 두 개의 선(brow-tip aesthetic line)으로 보여야 한다(그림 44-10).[11,34,48] 비첨은 상비첨점, 하비첨점 등 비첨의 표현점이 잘 나타나는 서양인들과는 달리 부드럽고 한국인의 경우 약간은 둥근 형태의 비첨이 선호된다.[4] 비저의 폭은 양안 사이와 같고 입술의 폭보다는 작으며 아래로 갈수록 넓어지는 것이 좋다. 정면에서 비첨소엽은 갈매기가 날고 있는 모습(gull in flight)처럼 보이는 것이 자연스럽다. 측면에서 볼 때 코는 양안 눈동자를 연결한 선에서부터 융기가 시작되는 것이 적당하다(그림 44-11).[14] 콧등의 선은

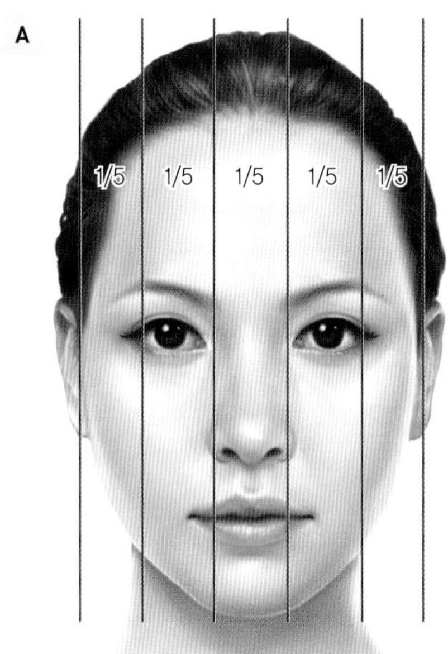

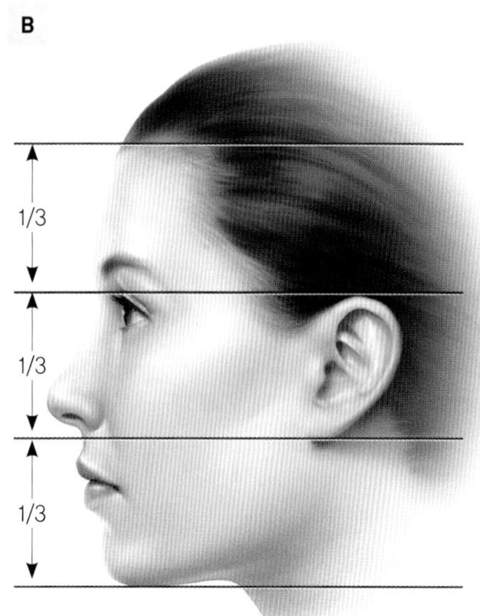

■ **그림 44-9.** 얼굴 중 코가 차지하는 비율은 수직으로 분할했을 때 1/5 정도(**A**), 수평으로 분할했을 때 1/3 정도가 적당하다(**B**).

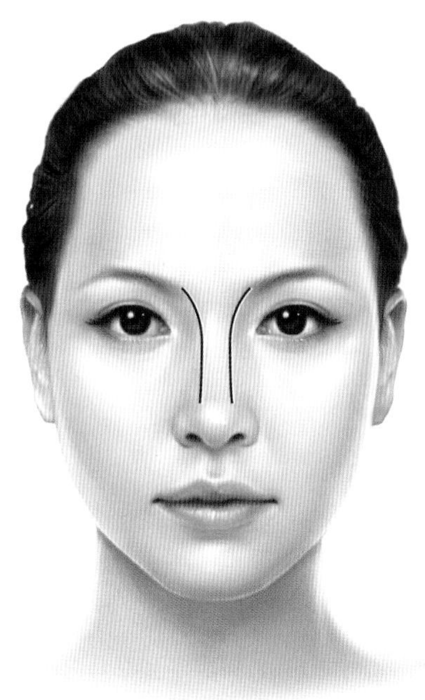

■ **그림 44-10.** 콧등의 선은 정면에서 양쪽 눈썹의 안쪽에서 시작하여 비첨한정점으로 이어지는 자연스러운 곡선을 유지하여야 한다.

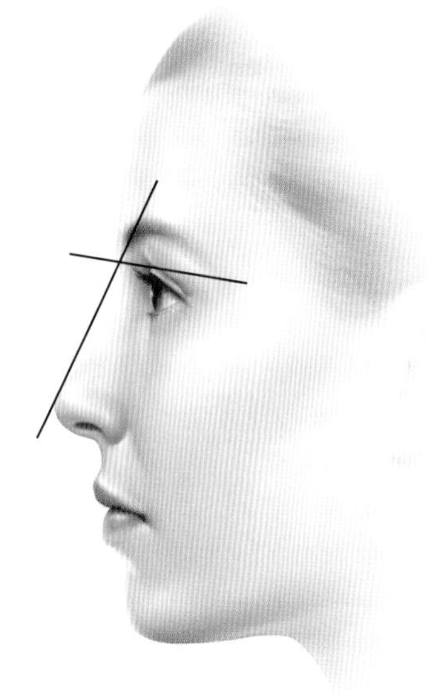

■ **그림 44-11.** 측면에서 볼 때 코의 융기는 양측의 눈동자를 연결한 선에서 시작하는 것이 자연스럽고 콧등은 남자에서는 일직선, 여자에서는 시작점과 비첨을 연결한 선보다 1~2 mm 낮은 것이 자연스럽다.

여자의 경우는 한국의 기와지붕처럼 비근점과 비첨을 연결한 선보다 1~2 mm 정도 낮은 것이 선호되지만 남자의 경우는 일직선이 선호된다.[23] 비첨의 융기는 비익구에서 비첨까지의 거리가 비근에서 비첨까지 거리의 0.55~0.60

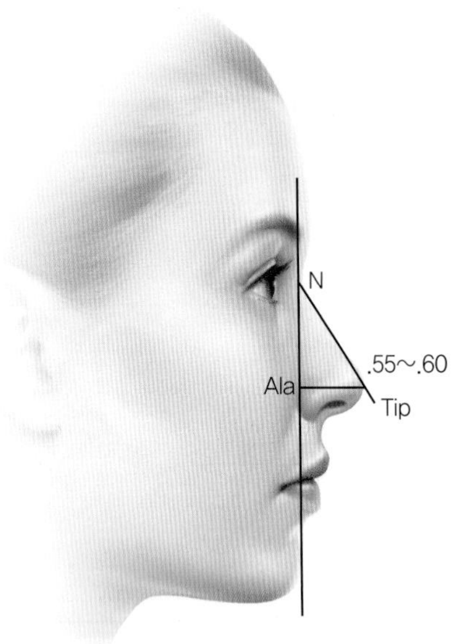

■ 그림 44-12. 비첨의 융기는 비익구에서 비첨까지의 거리가 비근에서 비첨까지 거리의 0.55~0.60 정도가 이상적이다.

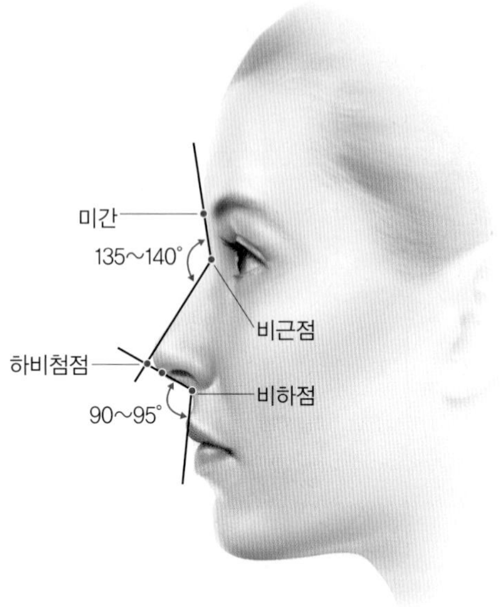

■ 그림 44-13. 비전두각은 135~140°, 비순각은 90~95° 정도가 적당하다.

정도가 이상적이다(그림 44-12). 비주는 비익연보다 2~3 mm 낮게 위치하는 것(columellar show)이 자연스럽다. 콧등과 이마가 비근점에서 이루는 비전두각(nasofrontal angle)은 한국인의 경우 남자에서 135°, 여자에서는 140° 정도가 적당하고, 인중(philtrum)과 비주가 이루는 각인 비순각(nasolabial angle)은 여자의 경우 95°, 남자에서는 90° 정도가 선호되지만 안면의 특징, 성별, 키 등에 따라 달라질 수 있다(그림 44-13).[9,11]

이상의 수치들은 이상적인 코의 형태와 비율을 나타내는 지표들로 환자를 분석하고 수술을 계획하는 데 도움을 준다. 하지만 높이가 몇 mm, 각도가 몇 도 등으로 코의 모양을 따지기 보다는 특별히 부자연스럽게 보이는 코의 모양을 자연스럽게 만드는 데 포인트를 두어 수술 후에는 코의 모양이 아니라 눈, 얼굴 전체의 윤곽 등으로 시선이 가도록 하는 것이 진정한 코성형의 목표라고 할 수 있다.

2. 환자의 분석과 계획

먼저 상기 기술한 보편적인 기준에 근거하여 외비의 모양을 분석한다. 전체적인 코의 모양을 파악하고 비첨, 연골성비배, 골성비배, 비강의 순서로 분석하고 검진한다. 정면에서 보아 코가 휘어져 있는지, 비첨과 코의 폭은 적당한지 등을 분석하고 측면에서 보아 비배부의 높이, 비첨의 융기, 비전두각, 비순각 등은 적당한지, 기저에서 보아 비저의 폭, 비주와 비첨하소엽의 관계 등을 분석한다. 코를 촉진하여 비골의 길이와 피부의 두께를 파악하여야 하고, 비첨의 탄성을 평가하여 비첨지지 구조의 강성을 알아본다. 피부의 상태는 수술계획을 세우기 전에 반드시 고려하여야 하는 중요한 요소이다. 피부가 너무 얇으면 삽입한 이식물의 윤곽이나 조그마한 비배의 불규칙함도 쉽게 눈에 띄이게 되며 점차적으로 피부의 수축(retraction)이 발생하기도 한다. 반면에 피부가 두꺼운 경우에는 원하는 비배의 융기나 비첨의 모양을 얻기가 힘들다. 일반적으로 피부가 너무 얇거나 두꺼운 환자보다 적당한 두께의 환자가 술 후 결과가 좋다. 이개 연골의 채취가 필요한 경우에는 귀의 모양도 살펴보고 만져본다.[35]

다음으로는 비강 내를 관찰하여 비중격, 비밸브, 비갑개 등을 관찰하여 비강기능에 문제점은 없는지 판단하고 연골성 비중격의 크기나 두께 등도 평가한다. 코성형이나 비중격수술 등 수술의 전력이 있는지도 파악해야 하며 알러지, 비후성비염, 만성부비동염 등이 있는지도 파악하여야 한다. 코막힘이나 다른 비강의 기능적 문제가 있는지를 미리 파악하는 것은 수술 후에 기능적 문제가 발생하는 것을 방지하는 데 매우 중요하다. 필요하다면 비강통기도검사(acoustic rhinometry)나 후각검사 등을 미리 시행한다. 아무리 미용적으로 훌륭한 결과를 얻는다고 하여도 기능적 문제가 발생한다면 아무 소용이 없다.

다음으로는 환자의 사진을 촬영한다. 사진촬영은 수술 전 신체검진에서 미처 발견하지 못했던 해부학적, 미용적 이상을 다시 한 번 살펴볼 수 있는 기회를 제공하고, 수술의 계획을 세우는 데 도움을 주며, 환자와의 소통을 효과적으로 하는 데 도움을 준다. 또한 수술 중에는 환자의 해부학적 이상을 정확히 평가하는 데 도움을 준다. 수술 후에는 수술 전후 사진을 비교하여 수술에 사용된 술기와 실제 효과와의 관계를 분석함으로써 자신의 술기를 향상시킬 수 있는 기회를 제공하고, 법적인 문제가 발생하였을 때의 소명의 근거를 제공한다.

디지털 카메라를 많이 이용하는데 피사체의 심도를 깊게 조정하고(f 수치가 13 이상이 바람직하다), 바탕을 푸른색 계통으로 하며, 일정한 조명하에서 정확한 기준점에 의해 촬영하여야 좋은 사진을 얻을 수 있다. 일반적으로 정면, 측면, 사면, 기저면에서의 촬영으로 충분한 정보를 얻을 수 있다(이비인후과영역의 사진촬영 안면부 참조).

환자의 위치를 정확히 잡아야 하는데 정면사진에서는 코의 기저가 귓볼 위치에 오게 하고 비배를 가로지르는 수직중심이 Frankfort 선과 만나는 점이 정중앙에 오도록 한다. 측면사진에서는 이주(tragus)와 안와하연이 같은 선상에 위치하도록 하여 Frankfort 평면에 환자를 맞추고, 카메라의 뷰파인더는 외안각건의 면에 평행하게 한 다음 양측의 눈썹을 맞추면 정확히 측면사진을 찍을 수 있다. 기저사진에서는 비첨이 양측 눈동자를 연결한 선에 오게 하고 비배가 살짝 보이는 자세가 좋다. 이 자세가 비첨을 잘 볼 수 있고 비배가 휘어있는지 여부도 잘 관찰할 수 있다. 사면사진은 비첨이 반대 측 얼굴의 경계에 일치하도록 한다. 자세한 촬영기법은 이비인후과 영역의 사진촬영에서 안면부 촬영을 참고하기 바란다.

성공적인 코성형을 위해서는 이러한 분석을 바탕으로 효과적이고 정확한 수술의 계획을 세우는 것이 중요하다. 마취의 방법, 접근법, 시행할 절개, 사용할 수술의 술기와 재료, 기대되는 효과 등을 정확하게 수술 전 계획지에 기록하는 습관을 길러야 한다. 이러한 계획지는 보다 면밀하게 환자를 평가, 준비하는 데 도움을 줄 뿐 아니라 수술 후에 자신을 평가하여 발전시키는 데 많은 도움을 준다.

3. 환자의 상담과 선택

수술의사는 환자가 수술을 받으려는 동기와 기대치에 대하여 정확히 파악하고 문제가 있는 환자를 배제하는 것 역시 수술 못지않게 중요하다. 미용 코성형의 경우는 성격상 반드시 수술해야 하는 질병의 개념이 아니기 때문에 환자가 수술을 받으려는 동기가 건강한 것인지, 심리적으로 안정된 환자인지, 요구사항이 합리적인지, 수술을 받은 과거력이 있는지, 직업은 무엇인지 등을 파악한 다음 조심스럽게 판단하여 수술 여부를 결정하여야 한다. 면담을 할 때에는 환자가 자신의 요구사항을 자연스럽게 먼저 이야기 하도록 유도한 다음 수술자가 생각하는 코의 이상과 개선 가능한 점을 환자에게 설명한다. 시간을 가지고 환자와 충분히 상담하여 문제와 그 해결방법에 대해 교감을 하고 상호 의견의 일치를 이루는 것이 중요하다. 일방적인 수술자의 생각을 강요하거나, 환자의 무리한 요구를 적절히 수정하고 토론하지 않으면 나중에 법적인 문제로 발전할 수 있다. 특히 기능적인 개선이 없는 순수 미용 목적만의 수술인 경우에는 더욱 더 주의하여 충분한 상담으로 환자와 수술자 간의 의견일치를 얻는 것이 중요하다.[32,36]

수술을 결정할 때 신중히 생각해야 할 환자들은 표

표 44-1. 코성형수술을 결정할 때 신중해야 할 환자들

- 강박증 환자, 완벽주의자
- 성형수술 중독증 환자
- 변덕이 심한 환자
- 비현실적인 기대를 가진 환자
- 스스로 결정하지 못하는 환자
- 아첨을 잘 하는 환자
- 지시를 따르지 않는 부주의한 환자
- 자신이 중요한 인물이라고 생각하는 환자
- 협조하지 않는 환자
- 말이 너무 많은 환자
- 여러 병원을 다니는 환자
- 우울증 환자
- 무례한 환자
- 가격을 너무 깎는 환자
- 소송에 관련된 환자
- 의사나 기타 직원들이 싫어하는 환자

44-1과 같다.

Ⅲ 수술 전후의 처치

1. 수술 전 처치와 마취

평소에 복용하고 있는 약들 중에서 아스피린 등 지혈에 장애를 주는 약이 있으면 적어도 수술 1~2주 전부터는 복용을 중단하도록 한다. 코털은 수술실에서 깎을 수도 있지만 수술 전에 미리 정리하면 수술실에서 시간을 절약할 수 있다. 마취의 종류는 환자나 수술자의 기호에 따라 국소마취나 전신마취를 선택하게 되며 각각 장단점이 있다.[8] 어떤 마취를 하더라도 에피네프린과 리도카인 혼합액을 수술 부위에 적절히 주사하여 충분히 혈관을 수축시키는 것이 수술로 인한 출혈이나 외상을 줄이고 수술을 정확하게 시행하는 데 도움이 된다. 수술 전 비강 내에 혈관수축제를 분무하거나 팩킹하면 부종과 출혈도 감소시키고 추가적인 마취효과를 얻을 수 있다. 국소마취로 수술을 할 경우에는 수술 직전에 midazolam 2~3 mg을 서서히 정맥 주사하여 환자를 가볍게 진정시키는 것이 도움이 된다.[38]

2. 수술 후 처치

수술 후 비내외의 모든 절개부위는 일차적으로 봉합하여야 한다. 비내의 절개부위는 5-0 rapid Vicryl®, 혹은 chromic gut을 이용하여 봉합한다. 비주부위 등의 피부의 절개부위는 6-0 혹은 7-0 nylon을 이용하여 봉합하는데 피부에 장력이 가해질 경우에는 피하로 5-0 Vicryl® 혹은 PDS 등으로 봉합하여 피부에 가해지는 장력을 없앤 다음 피부봉합을 하여야 절개부위가 깨끗하게 치유된다. 비중격수술을 하였다면 quilting suture를 시행하고 흐르는 피나 분비물을 흡수하기 위한 팩킹을 느슨하게 시행한다.

수술 직후는 먼저 생리식염수를 묻힌 거즈로 수술 부위를 위에서 아래로 부드럽게 눌러주면서 피하의 부종을 줄여준다. 다음으로 이식물이나 느슨한 구조물들을 고정하고, 혈종을 예방하고, 부목을 대기위한 목적으로 테이핑을 실시한다. 비배를 알코올로 닦은 다음 Steri-strip®으로 테이핑을 하는데, 우선 코를 위에서 차례로 붙여 내려온 다음 비첨을 들어주듯이 감싸준다.[8] 다음으로 부목을 대어주는데 열가소성 부목(thermoplastic, aqua-plastic splint)이나 알루미늄 부목(aluminum splint, Denver splint)을 사용하여 내안각이나 빰까지 닿지 않으면서 비골과 상외측연골 부위를 감싸준다(그림 44-14A). 열가소성 부목은 뜨거운 물에서 부드러워지고 상온에서 단단해시므로 코의 모양대로 형태를 바꿀 수 있다(그림 44-14B). 이는 절골된 뼈가 붙으면서 코 주위에 가골(callus)이 형성되어 콧등의 측면이 평퍼짐하게 변하는 것을 예방하기 위해서이다. 이후에는 얼음찜질을 눈 주위에 하루 정도 실시하여 부종을 줄여준다.

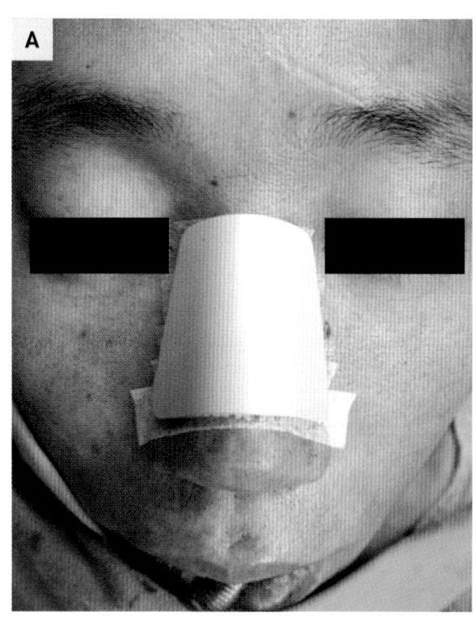
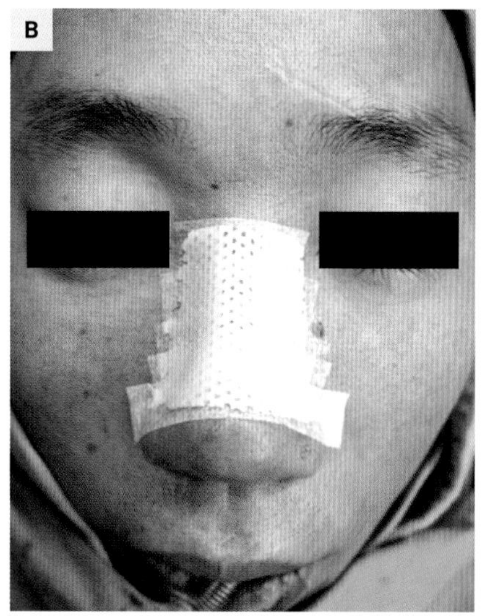

■ 그림 44-14. **코성형술 후에 수술 부위를 보호하고 모양을 잡아주는 알루미늄 부목(A)과 열가소성 부목(B)**

수술 직후에 부종 등으로 인하여 코막힘이 발생할 경우에는 3~4일 정도 Otrivin® 등의 국소충혈제거제를 코안에 점적하도록 한다. 감염을 예방하기 위하여 항생제를 사용하며, 부종을 줄이기 위하여 수술 전 혹은 수술 중에 스테로이드를 사용하기도 한다.[43] 경비주절개부나 코안의 절개부위에는 2~3일 정도는 항생제 연고를, 그 이후에는 바세린 등을 발라주어 마르지 않도록 주의한다.

3. 퇴원 후의 치료

수술 후와 퇴원할 때는 주의사항을 반드시 환자에게 설명해 주어야 한다(표 44-2). 특히 부종이나 눈 주위의 반상출혈은 1~2주 내로 없어진다는 것을 알려주어 환자가 걱정하지 않도록 하고 환자에 따라서는 부종이 완전히 없어지려면 6개월 정도가 걸릴 수도 있다는 것을 설명해 주어야 한다. 봉합사는 수술 후 5~7일 째에, 부목은 일주일 후에 제거한다.[6,43] 부목을 제거한 후에는 알코올 솜으로 수술 부위를 조심스럽게 닦아낸 다음 면거즈로 살짝 덮은 후 약간의 압력을 가하여 부종을 살짝 제거한 후 수술 결과를 면밀히 살펴보아야 한다. 이때 필요하다면 조기 결과를 보기위해 안면 사진을 촬영할 수도 있다. 수술 후 1개월, 3개월, 6개월, 1년째, 그리고 그 이후는 1년마다 추적관찰이 필요하다는 것을 설명해 주어야 한다. 사진은 정기적으로 촬영하여야 하고 결과가 좋든 나쁘든 장기간의 추적관찰은 수술자에게 많은 정보를 제공하고 훌륭한 교육이 됨을 명심하여 가능한 환자들을 장기간 추적관찰 할 수 있도록 최선을 다해야 한다.

Ⅳ 기본 코성형 술기

1. 접근법, 절개, 비배의 노출

코성형을 하기 위한 수술적 접근법에는 비내접근법과 비외접근법이 있다. 어떤 접근법을 이용할 것인가는 환자가 가진 문제와 수술자의 경험, 기호 등에 좌우된다. 비록 비내, 혹은 비외로 나누었지만 수술적 원칙이나 절개법 등에는 많은 공통점이 있다고 할 수 있다. 비외접근법이 선호되는 경우는 표 44-3과 같다. 동양인의 비첨성형술은 연골 등 비첨의 지지구조가 약한 경우가 많고 비배의

표 44-2. 코성형술 후의 주의사항을 기록한 설명지

* 아래의 주의사항을 수술 전후에 꼭 읽어서 기억하도록 하십시오.
* 아래의 주의사항을 잘 지켜야 가능한 최고의 수술결과를 얻을 수 있습니다.
* 아래의 주의사항에 대하여 조금이라도 궁금한 점이 있다면 담당의사에게 문의하도록 하십시오.
  - 별도의 지시가 있을 때까지 코를 풀어서는 안 됩니다. 필요한 경우 코밑으로 흐르는 분비물을 티슈로 부드럽게 닦을 수는 있습니다.
  - 코밑에 붙여준 거즈가 분비물로 젖었다면 간호사에게 알려 담당의사에게 드레싱을 받도록 하십시오.
  - 콧등에 부착시켜 놓은 보호대는 1주일 동안 유지하며 보호대는 외래 통원 치료 때 담당의사가 직접 제거하게 됩니다. 절대로 환자나 보호자가 건드리거나 제거해서는 안 됩니다. 보호대를 부착하고 있는 동안 물에 닿지 않도록 하여 건조하게 유지하여 주십시오.
  - 지속적인 저작(씹음)이 필요한 음식물(예: 오징어, 껌, 질긴 고기, 딱딱한 음식 등)은 피하십시오. 그 외에 특별히 조심할 음식은 없습니다.
  - 과도한 활동은 피하십시오. 가능한 안정하시고, 운동이나 성교 등의 행위는 피하십시오.
  - 양치질은 부드러운 칫솔을 이용하여 부드럽게 하십시오. 상부 입술에 루즈를 바르거나 지울 때 코를 건드리거나 움직일 수 있으므로 주의하십시오. 코를 편안하게 유지하도록 하십시오.
  - 적어도 10~14일(2주) 동안은 장시간의 전화 통화나 과도한 사회활동을 피하십시오.
  - 세면은 할 수 있지만, 코 주위는 피하십시오. 코 주위의 드레싱이 끝날 때(실밥제거 시)까지는 샤워를 피하고 세면대나 물통을 사용하여 세면하십시오.
  - 1주일 동안은 웃거나 찡그리거나 하는 의도적인 얼굴표정을 만들지 마십시오.
  - 코 주위의 드레싱이 젖지 않도록 하십시오. 1주일 동안은 머리를 감지 않도록 하십시오. 코 주위에 물이 닿지 않고 할 수 있다면 주의하여 보호자가 머리를 감겨 줄 수는 있습니다.
  - 1주일 동안은 가슴이나 등에서 열고 닫을 수 있는 상의를 입도록 하십시오. 머리 쪽으로 입거나 벗는 티셔츠나 스웨터, 목티 등의 의류는 피하십시오.
  - 수술 후 6주(42일) 동안은 직사광선이나 뜨거운 광원(전구, 전열기구)을 피하십시오.
  - 수술 후 1달(4주) 동안은 수영을 할 수 없습니다.
  - 코 주위의 드레싱을 제거한 후 코, 눈, 윗입술이 부어 있거나 멍이 들어 있어도 걱정하지 않아도 됩니다. 보통 2-3주 후에는 완전히 사라지게 되며, 일부 환자에서는 코 주위의 부어 오른 상태가 완전히 회복될 때까지 좀 더 시간이 걸리기도 합니다.
  - 담당의사가 처방한 약만 복용하도록 하십시오.
  - 수술 후 1달(4주) 동안은 안경이나 선글라스를 착용해서는 안됩니다.
  - 코 주위의 보호대나 거즈를 완전히 제거한 후에는 순한 비누나 세척액을 사용하여 부드럽게 코와 피부를 닦을 수 있습니다. 주의하여 메이크업(화장)을 할 수도 있습니다.

표 44-3. 코성형 시 비외접근법이 선호되는 경우

심한 비중격 만곡증
심한 비첨의 변형
심한 사비 환자
피부가 아주 두터운 경우
구순열비변형(cleft nose deformity)
재수술 환자
콧구멍이 작은 사람
동양인 또는 흑인

확대술을 같이 시행하는 경우가 많아 비외접근법이 선호된다.[3,6,43]

비외접근법의 장점은 좋은 시야로 인해 해부학적 이상을 정확하게 관찰할 수가 있어 진단과 그에 따른 교정이 좀 더 정확해지고 교육이나 수술 지도에 유리하다는 것이다. 단점으로는 비주에 상흔이 남고, 수술 시간이 좀 더 걸리며, 술 후 부종이 좀 더 발생하며, 아주 드물게는 비주의 피판이 손상되는 것이다. 비내접근법과의 차이점은 비외접근법에서는 비주를 가로지르는 상흔이 남는다는 것과 비첨하소엽 부위의 연조직을 박리한다는 것이다.[6]

비내접근법은 nondelivery 접근법과 delivery 접근법으로 나눌 수가 있다. Nondelivery 접근법은 연골간절개, 경연골절개 등을 통해 거꾸로 하외측연골의 외측각을 박리(retrograde dissection)하는 것이고, delivery 접근법은 경계절개와 연골간절개를 통해 하외측연골의 돔을 노출하는 것인데 한국인의 경우에는 사용하는 경우가 드물다(그림 44-15).[39] 비중격에 가하는 절개의 종류는 변형된

Killian 절개, 반관통(hemitransfixion) 절개, 관통(transfixion) 절개 등이 있다. 비외접근법을 위해서는 경비주절개를 비주의 가장 좁은 부위에 일직선이 아닌 역 "v"형 등으로 비연속적으로(interrupted line) 절개선을 넣고 비주연절개, 경계절개(marginal incision)와 자연스럽게 연결한 다음 비첨의 피부를 연골로부터 박리한다.[23] 비첨을 노출시킨 다음 비배 전체를 연골막 바로 위와 비골의 골막 아래로 박리하게 된다(그림 44-16).

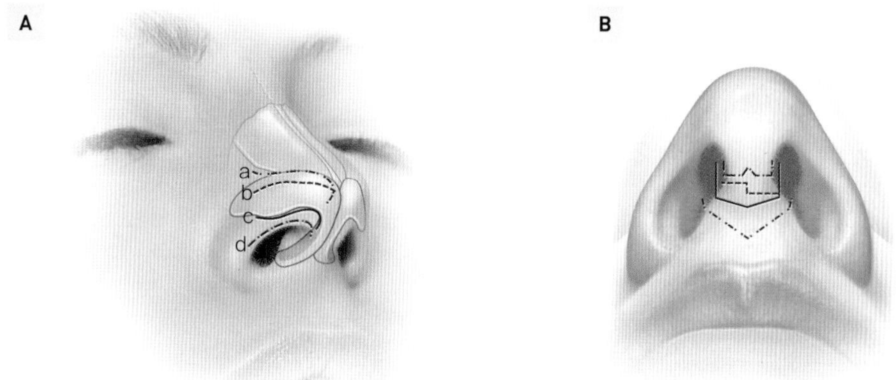

■ 그림 44-15. **코성형에 쓰이는 비내 절개들(A)과 비주 절개들(B).** a: 연골간절개, b: 경연골절개, c: 경계절개, d: 비익연절개

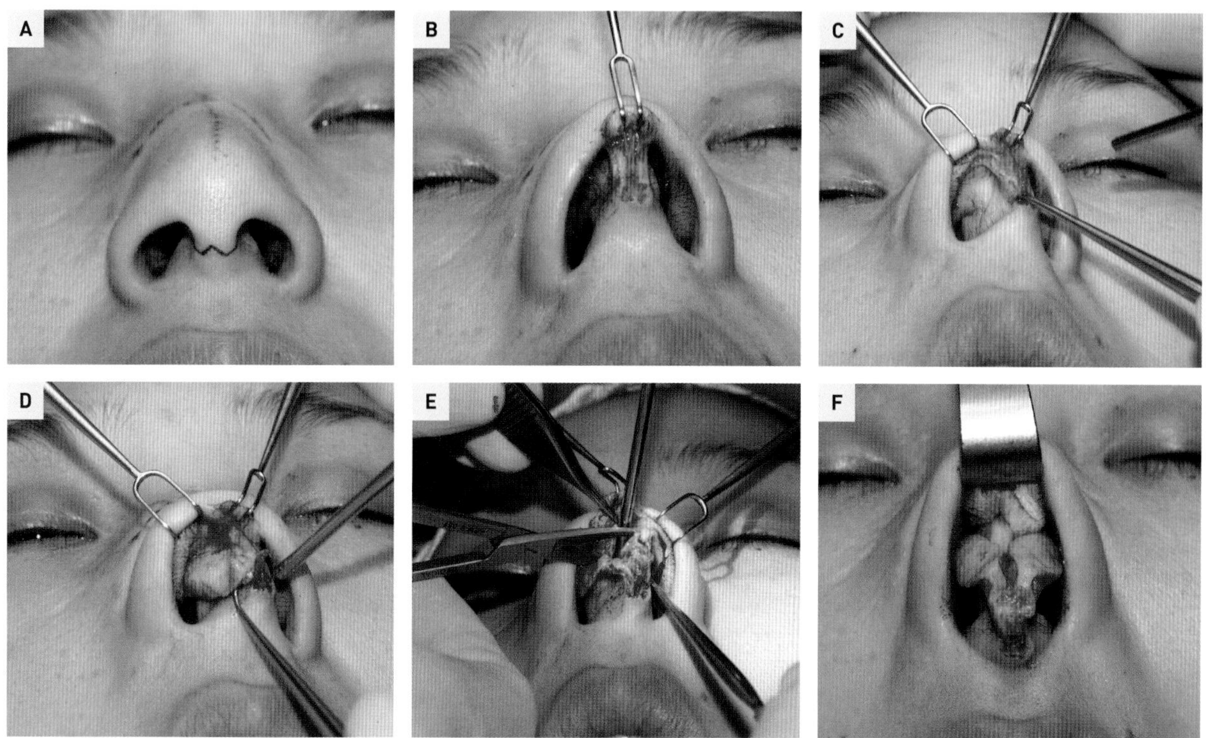

■ 그림 44-16. **비외접근법.** 비주의 중간에 역 "V"형 절개를 가한 다음**(A)** 비주피판을 하외측비연골의 내측각을 다치지 않게 하면서 들어올린다**(B)**. 한쪽의 비공에 가해진 경계절개와 비주절개를 연결하고**(C)** 외측각을 박리한 다음**(D)** 반대측도 같은 방법으로 박리한다**(E)**. 상외측연골과 비배를 노출한 모습**(F)**

2. 수술의 순서

수술의 순서는 논리와 수술자의 경험에 바탕을 두고 신중하게 선택하여야 한다. 환자가 가지고 있는 문제점에 따라 접근의 방식이 달라야 하며 가장 문제가 되는 부분을 먼저 해결한 다음 다른 순서로 넘어가는 것이 바람직하다. 예를 들어 매부리코를 교정할 경우에는 먼저 비혹을 제거한 다음 비첨수술을 시행하게 되고, 사비의 경우는 비중격을 먼저 교정하는 것이 일반적인 수술의 순서이다. 하지만 비첨의 융기와 회전을 먼저 결정하고 비배를 수술할 것인지 아니면 비배의 문제를 먼저 해결할 것인지는 술자의 경험에 달려있다고 할 수 있다. 절골술은 코성형 술식 중에서도 가장 침습적인 술식이므로 가능하면 수술의 마지막 단계에서 시행하는 것이 수술로 인한 부종을 줄일 수 있는 방법이다.[42,44]

3. 자가연골의 채취와 조작

자가연골은 생체 적합성이 높아 감염 및 이식물의 탈출이 적어 코성형술에서 가장 선호되는 재료이다. 코성형을 위한 자가연골은 비중격, 귀, 늑연골에서 얻을 수 있다. 각 연골의 조직학적 특성, 필요한 이식물의 성격과 양, 공여부위 이환, 환자의 특성, 수술 술기 및 시간 등을 고려하여 어떤 연골을 사용할 것인지를 결정해야 한다.

1) 비중격연골

비중격연골(septal cartilage)은 코성형술에서 가장 흔히 사용되는 자가 연골이다. 비배확대술, 강화이식, 외측각이식, 외측각지주이식, 펼침이식, 다양한 형태의 비첨이식 등 거의 모든 종류의 코성형 이식물로 사용되고 있다. 비중격 연골의 장점은 동일한 수술시야에서 쉽게 획득할 수 있으며, 대부분의 일차 코성형에서 필요한 만큼의 이식물 양을 제공하고, 비교적 똑바르고 튼튼하며, 조직학적으로 유리질연골(hyaline cartilage)로 구조적 지지가 필요한 경우에도 사용 가능하며, 조작이 편리하여 원하는 모양으로 디자인하기가 쉽다는 점 등이다.

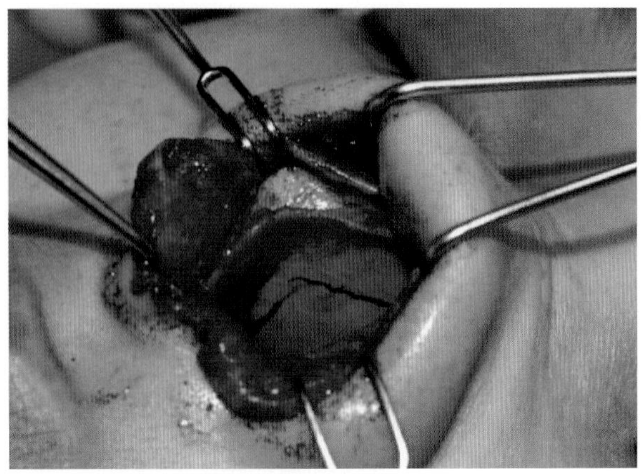

■ 그림 44-17. **비중격연골의 채취.** L-strut를 남기고 비중격연골을 채취한다.

사용하는 방법도 다양하여 원하는 위치에 봉합해서 고정할 수 있으며, 포켓을 만들어 삽입할 수도 있다. 다른 자가연골 이식과 마찬가지로 임상적으로 의미 있는 흡수나 탈출 및 감염은 드물다. 단점으로는 비중격연골의 크기가 작은 환자의 경우 비중격연골만으로 코성형에 요구되는 모든 수요를 감당하기가 어려울 수 있으며, 심한 비중격만곡증이 동반된 경우 효과적인 이식 재료로 사용하기가 어렵다.

비중격연골을 채취할 때는 점막연골막피판(muco-periosteal flap)에 열상이 생기지 않도록 주의하고 연골을 후방의 골성 비중격과 하방의 상악골능선으로부터 분리시킨 다음 채취한다. 가장 주의해야 할 점은 L자 지주(L-strut)의 유지이다. 일반적으로 배측과 미측으로 최소 1 cm 폭의 연골을 남겨야(L자 지주) 비중격과 코의 지지를 유지할 수 있다고 알려져 있으나, 환자 개개인의 중격의 두께와 강도에 따라 보존하는 연골의 양을 결정하는 것이 바람직하다(그림 44-17). 먼저 비배에 평행하게 절개한 다음 수직으로 연골을 절개하여 연결하고, 전층절개보다는 연골 두께의 2/3 정도만 절개한 다음 Freer 기자를 이용하면 반대편 연골막을 손상시키지 않고 연골을 채

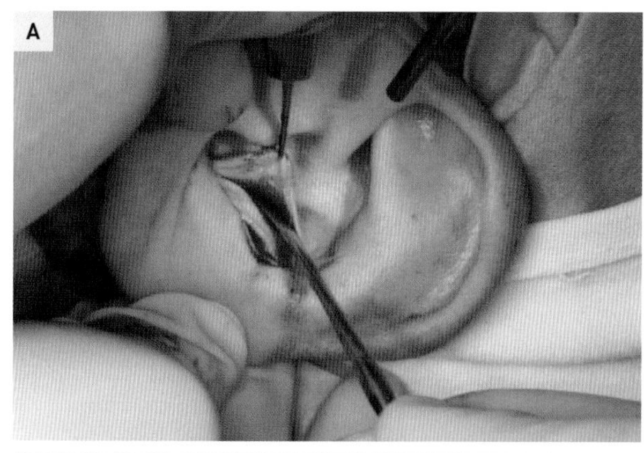

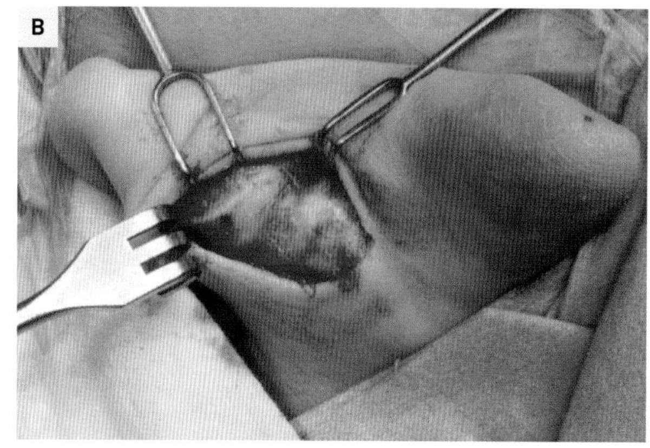

■ 그림 44-18. 이개연골을 채취할 때는 대륜(antihelix)이 외이도 입구의 연골은 보존하여 귀 모양의 변형을 최소화 한다. 전방은 연골막하로 후방은 연골막 위로 박리한다. **A)** 전방접근법, **B)** 후방접근법

취할 수 있다. 비중격연골은 후방으로 갈수록 두께가 증가하므로, 지주 제작이나 비첨 이식 등을 디자인할 때 이를 고려하는 것이 필요하다.

2) 이개연골

이개연골(auricular cartilage)은 탄성연골(elastic cartilage)로 일반적으로 비중격연골에 비해 강도가 약하여 지지를 필요로 하는 이식에서는 사용이 제한되며, 간혹 뒤틀림이나 지속적인 반흔 구축에 의해 변형이 유발되기도 한다. 또한 부스러지기 쉬워 정밀하게 조각하기가 어려운 것이 단점이다. 하지만 이개연골은 비익연골과 조직학적으로 동일하고, 유연하며, 귀 모양 고유의 굴곡을 가지고 있어 비첨의 이식 재료로 많이 사용된다. 특히 이차수술에서, 혹은 코끝의 부드러운 융기가 필요할 때 좋은 재료가 된다. 비중격연골이 기존의 수술이나 외상, 유전적, 혹은 감염성 원인으로 채취 불가능하거나 불충분한 경우에 많이 사용된다. 재건 수술 등에서 피부와 연골 조직이 모두 필요한 경우에는 이개 연골피부복합이식(composite graft)의 형태로도 채취가 가능하다. 이때는 주로 이갑개정(cymba concha) 부위를 이용하는데 결손이 큰 경우에는 이개의 뒤쪽 피부를 이식하기도 한다.

이개연골의 채취는 전방접근법 혹은 후방접근법으로 가능하다(그림 44-18). 전방접근법은 연골의 모양과 경계를 직접 볼 수 있어 큰 연골을 채취하기에 용이하다. 대이륜(antihelix) 경계를 따라 절개를 넣는데, 이때 대이륜 경계의 조금 안쪽에 절개를 넣고 피부 절개선 아래의 연골을 조금 남기면 정면에서 흉터가 보이는 것을 최소화할 수 있다. 전방에서는 연골막하로, 후방에서는 연골막을 연골에 붙인 채로 채취하는 것이 좋다. 이는 채취 시 연골의 안정성을 유지하는 데 도움이 된다. 외이도 입구부의 연골은 보존하고 나머지 연골을 채취하게 되는데, 필요한 양에 따라 이갑개강(cavum concha)과 이갑개정(cymba concha)의 연골을 전부 채취할 수도 있다. 이때 귀의 모양을 결정하는 중요 지지구조인 이륜(helix)의 crus와 대이륜(antihelix)은 남겨 놓아야 한다. 채취한 후에는 지혈을 하고 절개선을 6-0 nylon으로 봉합한 후 채취 부위의 전방과 이개의 뒤쪽에 면솜이나 거즈를 대고 3-0 nylon으로 2~3개의 관통봉합(through-and-through suture)을 하여 수술부위를 압박하여 혈종을 예방하고 3~4일 후에 제거한다.

흉터가 보이지 않게 하기 위해서는 후방접근법을 사용하는데, 먼저 이개 뒤쪽에서 이개 수직축에 평행한 피부 절개를 가한다. 뒤쪽에서 접근하기 때문에 채취 부위를 정확히 찾지 못하는 경우에는 귀 앞에서 주사침으로 표시를 한

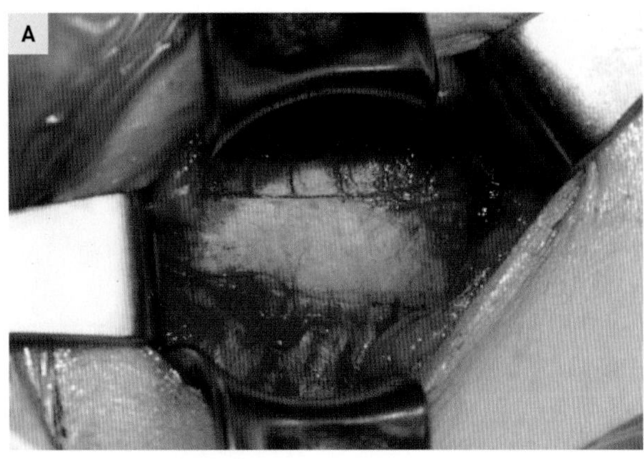
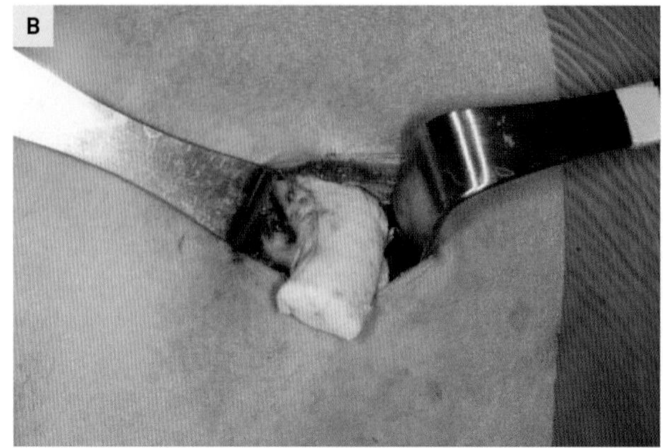

■ 그림 44-19. **늑연골의 채취.** **A)** 늑골-늑연골 경계 부위를 확인한 후에 메스를 이용해서 연골에 절개선을 넣는다. **B)** 늑연골 내측의 연골막을 조심스럽게 박리하면서 늑연골을 분리하여 끄집어낸다.

후 채취하면 도움이 된다. 필요한 양에 따라 연골에 절개를 가하고, 앞쪽에서 연골막하로 박리하여 연골을 채취한다. 이개연골은 이갑개정에서 가장 두껍기 때문에, 비주지주 이식 등의 구조적 지지가 필요한 경우에는 이 부분을 사용하는 것이 좋다. 개인 간에 연골의 크기와 두께 차이가 크기 때문에 수술 전 이에 대한 철저한 검사가 중요하다.

3) 늑연골

심한 기형이나 재수술의 경우 비중격연골이나 이개연골로 부족한 경우가 있으며, 이런 경우 자가 늑연골(costal cartilage)이 좋은 대안이 될 수 있다. 자가 늑연골은 흡수가 적으며 코의 거의 모든 부분의 구조적 결핍을 교정할 수 있는 충분한 양의 연골을 제공해 줄 수 있다. 늑연골의 단점으로는 추가적인 시간과 뒤틀림(warping), 공여부 합병증 등이 있다. 뒤틀림을 예방하기 위하여 늑연골의 양측을 대칭적으로 제거한 후 연골의 중심부만 사용하는 방법이 보편적으로 사용되고 있으며, 이는 특히 비배부 이식에 사용하는 경우에 중요하다. 뒤틀림은 젊은 사람의 연골일수록 심하고, 나이가 들수록 감소한다. 그러나 나이가 들수록 석회화가 진행되어 적절한 이식물로 제작하는 데 어려울 수 있다. 공여부 합병증으로는 가슴 흉터, 흉벽의 기형, 의인성 기흉, 지속적인 통증 등이 있으나 숙련된 술기를 통해 이러한 합병증을 최소화할 수 있다.

대개 5~8번째 늑연골 중에서 채취하는데, 7번 늑연골은 가장 길고 두꺼워 충분한 양의 연골을 얻을 수 있고, 횡격막보다 아래에 위치하여 기흉 등의 합병증의 발생을 줄일 수 있는 장점이 있다. 남성의 경우 채취할 연골 바로 위에 3 cm 정도의 피부절개를 가하고, 여성의 경우는 흉터를 줄이기 위해 유방밑주름에 절개를 넣는데 대부분이 6번 늑연골의 위치이다. 근막을 절개하고 근육이 노출되면, 근육을 절제하지 않고 사선으로 근육 사이를 박리하여 들어가 수술 후 환자의 통증을 줄일 수 있다. 늑연골막에 도달하면 메스로 절개를 가하고 Freer 기자로 분리하여 채취한다. 연골막은 따로 보관해두면 나중에 유용하게 사용할 수 있다. 늑연골의 측면 부위와 뒤쪽의 연골막은 curved elevator로 박리하면 편하다. 흉막이 찢어지지 않도록 연골막 안쪽으로 박리를 진행하며 늑연골의 후면까지 연골막에서 완전히 분리해야 하는데, 주사침 등으로 늑골-늑연골 경계 부위를 확인한 후에 분리하고 two-prong retractor로 그 끝을 견인하여 늑연골의 후면을 보면서 연골막의 박리를 완성한다. 안쪽으로 늑연골을 박리한 후에 늑연골의 전면에 미리 넣어 놓은 절개 부위에서 늑연골을 분리하여 채취한다(그림 44-19). 채취 후에는 양압환기를 시행하여 기흉 여부를 확인해야 한다. 만약 후

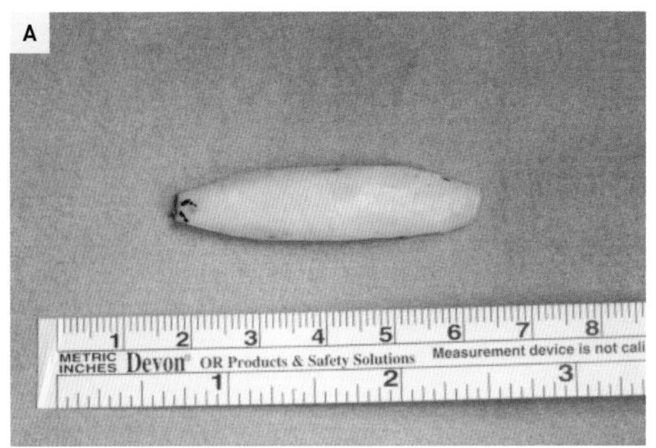

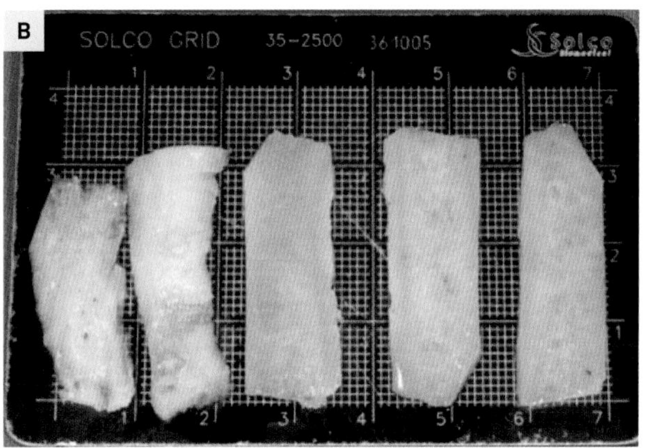

■ 그림 44-20. **채취한 늑연골의 조각.** **A)** 늑연골의 중심부를 대칭적으로 조각하여 비배확대를 위한 유선형의 보트 형태로 제작한 모습. **B)** Dermatome 날을 사용하여 늑연골을 여러 개의 긴 조각으로 만든 모습. 비주지주, 펼침이식, 비중격확장이식 등을 위해 사용할 수 있다.

면의 흉막손상이 발생하여 기흉이 확인되면 nelaton을 삽입한 후 주위로 purse string 모양의 봉합을 하고 nelaton에 음압을 걸어 놓은 상태에서 모든 봉합을 마친 다음 양압환기를 하면서 nelaton을 제거하면 흉관을 삽입하지 않아도 된다. 수술 후에는 흉부 사진을 촬영하여 기흉 유무를 확인하는 것이 좋다. 대개의 경우 가슴 부위의 봉합은 코수술이 끝난 다음에 하게 되는데, 근육층은 튼튼하게 봉합을 하고 층별로 봉합한 후 압박붕대나 복대를 대주고, 봉합사는 7일째에 제거한다. 채취한 연골은 따뜻한 생리식염수에 넣어 뒤틀림을 확인한다. 대개는 1시간 내에 최대한으로 휘어지는 것을 확인할 수 있다.

늑연골을 사용하는 방법은 다양하며 비배의 확대를 위한 경우에는 10번 메스를 사용하여 뒤틀림이 최소인 연골의 중심부를 사용하는 것이 원칙이다(그림 44-20A). 이런 경우 비배부의 면과 균일하게 다듬는 것이 중요하고, 늑연골의 아래쪽에 늑연골막을 덧대어주면 이식물이 흔들리지 않고 고정되는 효과를 얻을 수 있으며 위쪽에 덮어주면 이식물이 도드라져 보이는 것을 예방할 수 있다. 구축된 코의 연장이나 비중격 재건을 위해 사용하는 경우에는 늑연골을 여러 개의 긴 조각으로 만들어 사용할 수 있다(그림 44-20B). 조각들의 두께와 모양, 휘는 정도 등을 고려하여 비주지주, 펼침이식, 비중격연장이식 또는 비배의 확대를 위해 사용할 수 있다.

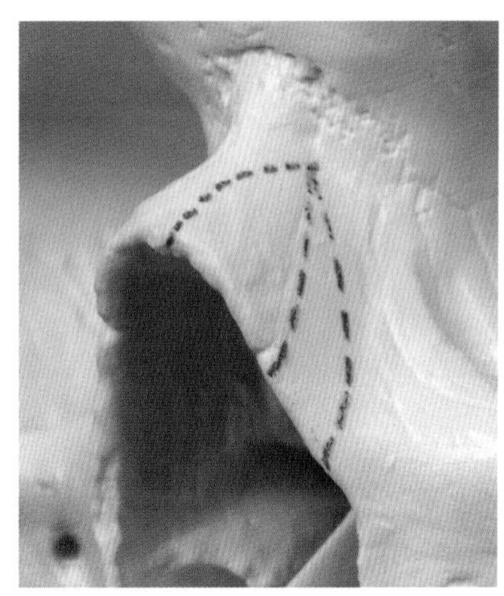

■ 그림 44-21. **내측절골술, 중간절골술, 외측절골술의 경로**

4. 절골술

절골술은 비골 피라미드(nasal pyramid)를 움직이고 모양을 변형시키기 위하여 비골을 자르는 것이다. 절골술이 필요한 경우는 비골의 폭이 너무 넓어 좁힐 경우, 비혹을 제거한 후 열린지붕변형(open roof deformity)을 교정하기 위하여, 그리고 사비를 교정하기 위해서이다. 절골술의 종류에는 내측절골술, 외측절골술, 중간절골술 등이 있으며(그림 44-21) 내·외측절골 부위가 완전히 연결되지

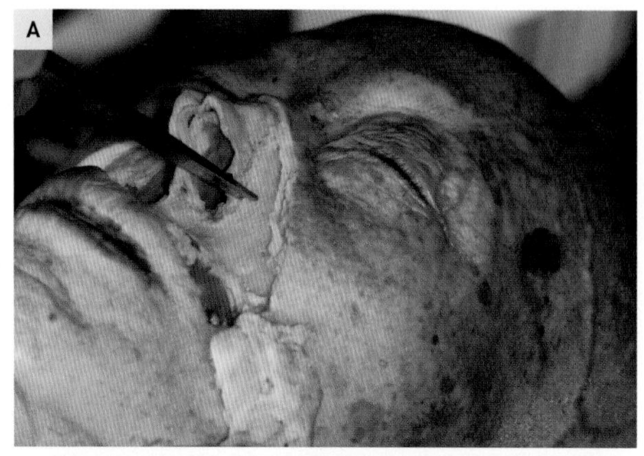

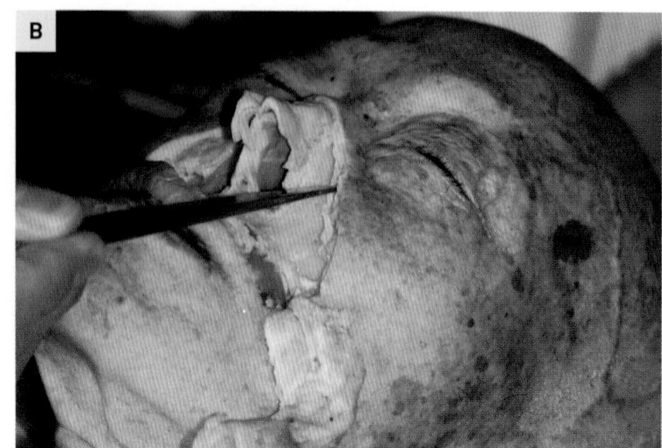

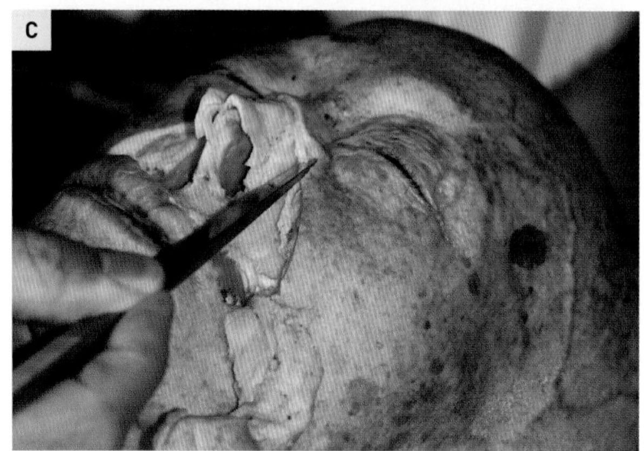

■ 그림 44-22. **High-low-high 외측절골술의 궤도**

않을 경우에는 피부에 11번 메스로 작은 절개를 넣고 2 mm 절골도로 연결부위를 절골한다(percutaneous horizontal osteotomy).[30,33]

내측절골술(medial osteotomy)은 비골과 비중격이 연결되는 정 중앙에서 약간 상외측으로 절골을 시행하며 안와의 내측각을 연결한 선보다는 높지 않게 절골한다. 중간절골술은 아주 넓은 비배를 좁힐 때나 비배의 비대칭이 심할 경우에 사용된다. 외측절골술보다 먼저, 그리고 좀 더 내측에 시행하게 된다. 외측절골술(lateral osteotomy)은 하비갑개가 비강의 외측벽에 붙는 부위에서 시작하여 약간 아래로 주행한 다음 비안면구(nasofacial groove)를 따라 상방향으로 주행하다가 조금씩 내측, 위측으로 주행하여(high-low-high osteotomy) 내측절골술부위와 만나게 된다. 소위 말하는 높다(high), 낮다(low)의 개념은 환자가 누워있는 상태에서 천정부위를 높다고 하고 바닥 부위를 낮다고 가정하여 설명하는 것으로 high-low-high의 궤도를 그리면서 외측절골술이 진행하게 된다(그림 44-22).[23,29]

절골술을 시행하기 10분 전에 반드시 절골술의 궤도 바깥면과 안쪽면에 국소마취제를 침윤하여 절골로 인한 출혈을 최소화해야 한다. 외측절골술의 궤도를 잘 조정하여 가능하면 큰 비골의 조각이 내측으로 이동하도록 해야 수술 후에 계단형의 변형이 만져지는 것을 피할 수 있다.[42] 사비를 교정하기 위한 절골술에서는 내측절골술과 외측절골술이 서로 연결되어 비골 피라미드가 자유롭게 좌우로 왔다 갔다 하고 또한 박리되지 않은 골막에 붙어 안정을 유지하여야 모양을 술자가 의도하는 바대로 만들 수 있고 수술 후에 일직선의 바른 코 모양을 얻을 수 있다(그림 44-23).[29]

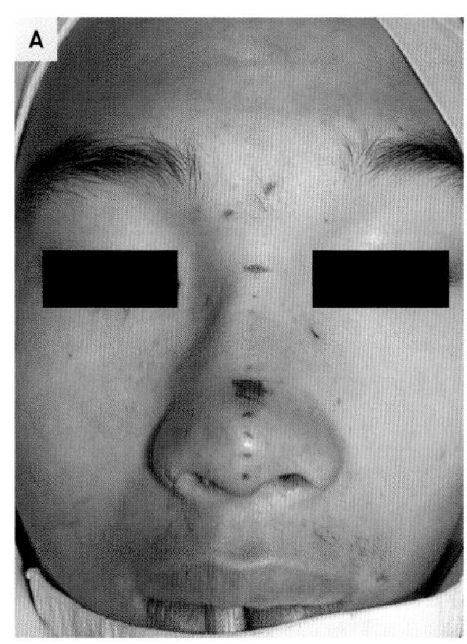

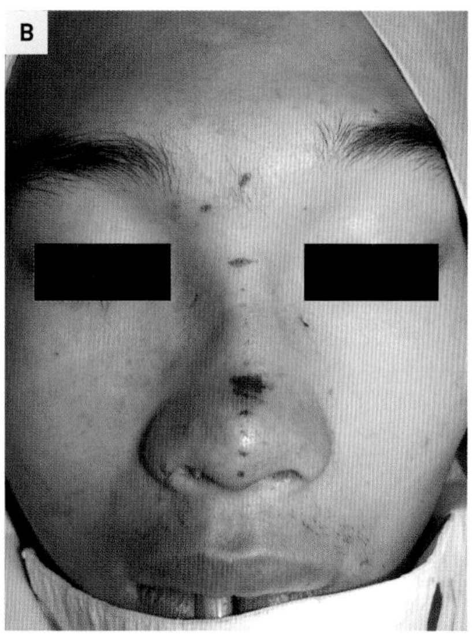

■ 그림 44-23. **사비 교정.** 절골술 후에 비골 피라미드가 사진 A, B와 같이 자유롭게 좌우로 움직일 수가 있어야 골성비배를 똑바로 교정할 수 있다.

V 융비술

융비술은 한국인을 포함한 동양인들에서 가장 많이 시행하는 코성형술이다. 일반적으로 비배를 확대시키는 단순한 술기로 오해하는 경향이 있으나 자연스럽고 얼굴의 형태와 조화되는 코의 확대를 얻기 위해서는 비배와 비첨 모두가 조화롭게 변해야 한다. 성공적인 융비술을 위해서는 외비의 해부학적 구조, 한국인이 선호하는 외비의 형태, 융비를 위한 재료, 그리고 술식에 대한 정확한 이해가 필요하다. 이번 장에서는 비배의 확대를 중심으로 기술하고 비첨의 술식은 비첨수술에 관한 파트에서 다루기로 한다.

1. 융비술 전에 고려할 사항들

수술을 하기 전에 어느 정도 비배를 확대시킬지를 미적 기준과 환자의 의사 등을 고려하여 미리 정해야 한다. 비배의 확대는 비첨의 적절한 융기나 회전과 조화를 이루는 것이 중요하므로 비첨의 형태나 융기정도를 분석하여 비배와 동반하여 수술이 필요한지를 미리 결정하여야 한다. 다음으로 어떤 재료를 이용하여 수술할지를 결정하여야 한다. 환자의 의도, 나이, 직업, 피부의 두께, 가용한 연골의 양이 중요하고 첫 수술인지 재수술인지, 비배만 수술할 것인지 비첨과 같이 할 것인지 등 여러 가지를 고려하여 사용할 재료의 양과 종류를 결정하여야 한다. 특히 연골성비중격의 크기와 두께, 이개연골의 크기와 모양 등을 잘 살펴보아 자가조직으로 충분할 것인지 아니면 인공이식물이 필요할 것이지를 먼저 가늠하여야 한다. 늑연골이나 두개골 이식편의 사용 가능성도 고려한 다음 환자에게 여러 재료의 장단점에 대해 충분히 설명하고 선택을 하게 한다. 이때 무조건 환자가 선택하게 하기보다는 술자가 선호하는 재료에 대한 술자의 경험을 이야기해줌으로써 환자의 이해와 결정을 도와주는 것도 좋은 방법이다.[34]

일반적으로 인공삽입물을 사용하면 추가적인 수술을 피하고, 수술시간을 줄일 수 있으며, 모양도 자연스럽게 될 수 있는 반면 감염이나 탈출, 피부의 변색이나 괴사 등을 유발할 가능성이 있다. 자가 연골이나 뼈 등 자가 조직을 사용하는 경우에는 감염이나 탈출 등 인공삽입물로 인해 발생 가능한 부작용이 거의 없는 대신 이식물을 얻기 위한 추가적인 절개와 시간이 소요되고, 충분한 양을 얻

표 44-4. 융비술시 사용 가능한 이식물들의 장단점

재료	장점	단점
자가이식물		
비중격연골	흡수가 적어, 안정적이다 장기결과의 신뢰도가 높다 공여부 후유증이 적다 염증에 강하다 다양한 형태의 이식에 이상적인 강도를 가졌다	동양인에서는 양이 상대적으로 부족하다 재수술시에는 사용하기 힘든 경우가 많다(이전 수술에서 이미 사용)
귀연골	흡수가 적어, 안정적이다 염증에 강하다 비첨이식이나 재건에 이상적이다	별도의 절개가 필요하다 곡면이며, 구조적 이식을 위해서는 강도가 부족할 수 있다
늑연골	양이 충분하다 비배부의 융기, 비중격 재건시 적합하다	기흉 발생의 위험성 공여부(가슴)의 흉터, 통증 뒤틀림 현상(warping)
측두근막	양이 충분하다 위장(camouflage)을 위해 유용하다	별도의 공여부가 필요하다
두개골	양이 충분하다 코의 상부 1/3(골부) 이식에 사용할 수 있다	경막/뇌 손상 흡수가 많이 된다
동종이식물		
동종늑연골(방사능 또는 약품 처리)	양이 충분하다 생체적합성이 인공이식물보다는 좋다 염증이 발생할 확률이나 탈출의 가능성이 적다.	질병 전파 가능성 흡수될 확률이 높다 뒤틀림 현상
동종진피(Alloderm)	양이 충분하다 생체적합성이 인공이식물보다는 좋다 위장(camouflage)을 위해 유용하다	질병 전파 가능성 흡수될 확률이 높다
인공이식물		
실리콘	사용하기 편리하다 조작하기 편하다 제거가 용이하다 비배의 융기에 적합	염증 또는 거부반응 피막의 형성 조직이 자라 들어가지 않아 생체적합성이 떨어진다 구조적인 지지의 역할은 못한다
Expanded polytetrafluoroethylene (e-PTFE; Gore-Tex)	생체적합성이 비교적 좋다 부드러워 조작하기 편하다 비배이식에 유용하다	
Porous high-density polyethylene (Medpor)	생체적합성이 비교적 좋다 조작하기 편하다 펼침이식이나, 비주지주이식에 유용하다	염증 또는 거부반응 제거하기 힘들다 너무 단단하다

지 못할 경우에는 미용적인 만족도가 떨어질 가능성이 있다. 실리콘이나 고어텍스 등의 인공삽입물을 사용할 때는 부작용의 가능성에 대하여 환자가 동의한 경우에 사용하여야 한다. 특히 외상이나 재수술 등 피하조직과 삽입물이 교통하기 쉬운 경우에는 인공삽입물의 사용을 피하는 것이 나중에 발생할 수 있는 감염 등의 합병증을 예방할 수 있다(표 44-4)(그림 44-24).[3,5,17]

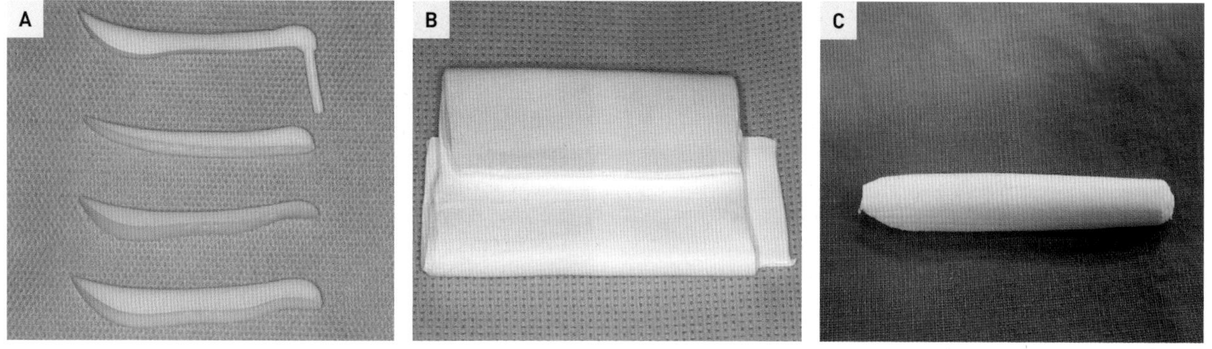

■ 그림 44-24. **코성형에 사용되는 대표적 인공삽입물.** **A)** L자형과 I자형의 실리콘 삽입물. 과거에 쓰이는 "L"자형 대신에 비배는 "I" 자형의 실리콘을 삽입하고 비첨부위는 자가연골로 성형하여야 부작용을 줄일 수 있다. **B), C)** 시트 형태의 고어텍스와 강화된 형태의 고어텍스

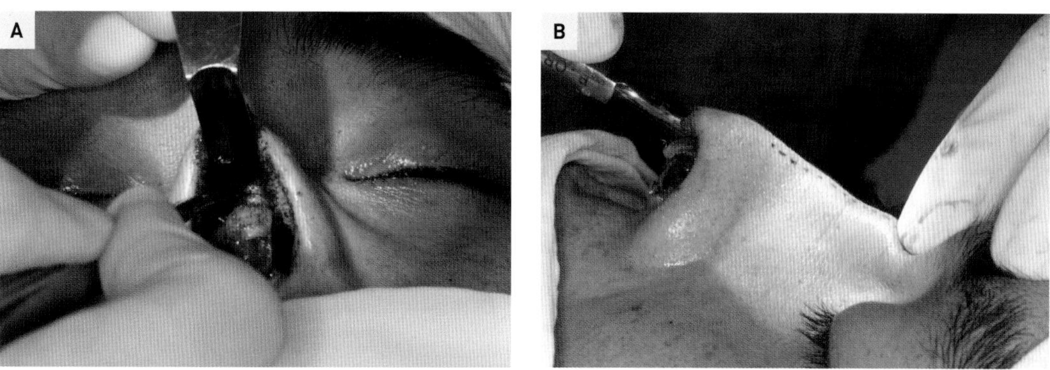

■ 그림 44-25. 이식물을 삽입할 포켓은 비골에서는 골막하로 Joseph elevator를 이용하여 만드는데(**A**) 미리 표시한 지점까지만 박리하여 비근점의 위치가 과도하게 위로 올라가지 않도록 주의한다(**B**).

2. 수술방법

비배의 확대는 주로 이식물의 삽입으로 이루어지는데 비내 혹은 비외접근법을 모두 이용할 수 있다. 비내접근법을 이용할 경우 연골간절개나 경계절개를 흔히 이용하며, 연골성 비배에서는 연골막 위로, 비골에서는 골막 아래로 박리하여 이식물을 삽입한다. 이식물을 삽입할 때는 골막하 접근이 중요한데, 골막 위로 너무 천층에 삽입하면 피부에서 이식물의 윤곽을 볼 수 있으며 이식물이 움직이기 쉽다. 골막하로 접근할 때는 조셉 골막거상기(Joseph periosteal elevator)를 이용하여 골막을 들어올린다. 골막은 수술 전 미리 결정한 코의 예상 시작점인 비근점(nasion)까지만 박리하고 이식물의 삽입을 위한 포켓은 이식물보다 약간 큰 정도로 만들어 이식물이 넉넉히 들어갈 수 있게 해야 한다(그림 44-25).[10]

비내접근법을 사용할 경우에는 한쪽의 비공을 통하여 접근하므로 피하의 박리가 일직선으로 되지 않고 비뚤어질 수 있으므로 박리의 방향에 주의하여야 하고, 초보자의 경우는 양쪽의 절개를 통해 접근하여 포켓을 만드는 것도 좋은 방법이다. 비외접근법을 이용하면 비첨의 수술과 한 시야에서 동시에 시행할 수 있고, 좋은 시야에서 삽입물을 정확히 위치시키기가 용이하다. 포켓을 정확하게 만들면 이식물의 고정이 필요하지 않지만 경우에 따라 비외접근법의 경우 직접 이식물과 상외측연골과 봉합하여

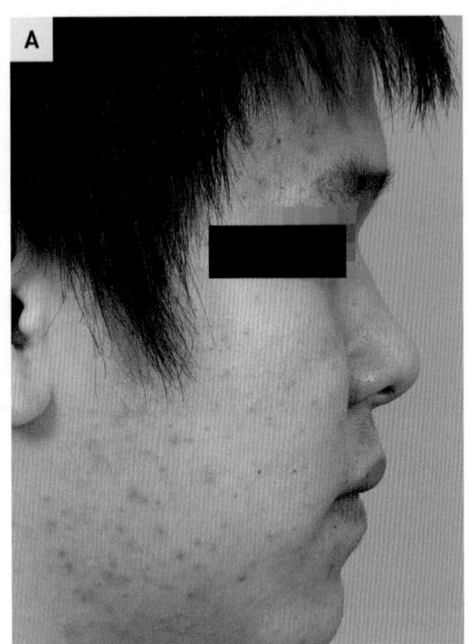

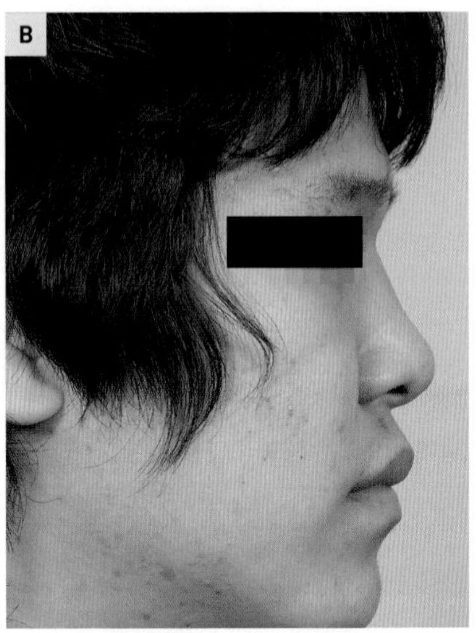

■ 그림 44-26. 비근부에 연골을 이식하기 전(A)과 후(B) 수술 후에 코가 길어 보인다.

고정할 수 있다.

자가조직의 경우 아주 많은 재료가 필요할 때는 늑연골을 이용하고, 국소적으로 확대가 필요하거나 확대를 약간만 할 경우에는 귀나 비중격의 연골을 사용할 수 있다.[13] 자가연골을 여러 겹으로 연결할 때는 5-0 PDS로 연결하게 되는데 비배의 굴곡에 맞게 제작하여야 하며, 또 주위조직과 부드럽고 자연스럽게 연결되게 가장자리를 메스로 잘 다듬거나 Brown-Adson forceps으로 가장자리를 압착(morselize)한다.[12] 이식물의 폭은 비근부나 비첨의 폭, 얼굴의 형태 등을 고려하여 결정하게 되는데 보통 여자의 경우 6~8 mm 남자의 경우 8~10 mm 정도가 된다.[4,14]

두개골 등 자가골 이식을 할 때는 드릴을 이용하여 구멍을 낸 후 nylon 등으로 연결한다. 실리콘은 사이즈를 미리 외래에서 측정하여 적정한 크기를 1~2개 준비해 놓고 필요에 따라시는 수술 중에 다듬어서 사용한다. 실리콘 삽입물을 L 자형으로 비첨까지 일체로 확대시키는 것은 피해야 한다. 특히 비첨부위에 인공삽입물을 사용하고 과도한 긴장이 가해지면 비첨 피부의 변색이나 괴사를 유발할 위험이 있기 때문이다. 고어텍스의 경우는 sheet 형태를 겹치거나 블록을 조각해서, 혹은 이미 조각된 강화 고어텍스를 사용하게 되는데, 수술 중에 크기나 모양을 환자에 맞게 조정하여야 한다. 어떤 인공삽입물이든지 수술 중에 조작은 최소화해야 하며, 항생제 용액에 넣어둔 다음 사용하도록 한다.

3. 비근부 이식/융기

비근부는 코와 얼굴의 조화에 큰 역할을 하며 비전두각이나 비안면각을 결정짓는 요소이다. 비근부가 변하게 되면 코의 높이와 길이가 변하게 되며 비첨도 상대적으로 변하게 된다. 예를 들어 비근부의 이식은 코를 길어보이게 하는 반면 비첨의 융기가 낮아보이게 하는 효과를 가지고 있고 비근부를 드릴이나 rasp 등으로 깊게 하면 그 반대의 효과를 보게 된다. 비근부의 이식은 비전두각이 너무 예각이고, 코가 짧아 보이거나, 매부리코를 교정할 때 전체적인 코의 균형을 맞출 경우에 유용하다(그림 44-26).[19] 비근부의 이식은 수술한 티가 나지 않게 연골인 경우 약화시켜(morselize) 비근부의 굴곡에 맞게 하거나 골막이나 근막 등 연조직을 이용하여 이식한다.[9]

Ⅵ 비첨 수술

비첨성형술은 동서양을 막론하고 코성형술에서 많이 강조되는 부분이며 코성형술을 완성하기 위한 술식이라 할 수 있다. 한국인은 점차 체형이 서구화되면서 외비의 구조도 서구화되는 경향이 있어 다양한 형태의 비첨이 많이 관찰되지만 일반적으로 피부가 두껍고, 연골이 약하고 얇으며, 비주는 함몰되어 있고, 비소엽(lobule)은 펑퍼짐한, 다소 무정형(amorphous)인 특징을 가지고 있다. 이러한 특징으로 인하여 비첨의 모양을 바꾸는 데 있어 많은 제약이 따르며 이러한 제약을 극복하기 위한 다양한 방법이 시도되고 있다. 또한 한국인은 서양인들과는 달리 얼굴이나 코의 모양에 대한 미적 관점이 다르고 해부학적 구조도 다르기 때문에 윤곽이 선명하고 각이 분명한 비첨을 만들기도 어렵거니와 그러한 모양을 크게 선호하지 않는 경향이 있다.

비첨 성형을 위해서는 비첨의 폭(width), 윤곽(definition), 부피(volume), 대칭성(symmetry), 회전(rotation), 지지(support), 융기(projection) 및 비익-비주의 관계에 대해 정확히 분석해야 하며 전면, 측면, 사면 및 기저면에서 다각적인 관찰이 필요하다. 이 중에서 한국인에게 중요한 것은 융기와 회전, 그리고 부피이다. 즉 비첨이 얼마나 높은지와 비첨이 들려있느냐 아니냐 하는 것과 코끝이 너무 뭉툭(bulbous)하지 않게 하는 것이 코성형을 원하는 한국인의 가장 큰 관심사항이다.[16]

이상적인 비첨은 정면에서 볼 때 미간에서 비첨으로 선이 자연스럽게 연결되면서 약간 둥근 형태가 좋으며 비공이 너무 드러나지 않으며, 양측 비익연(alar margin)은 완만한 갈매기 모양의 형태를 취한다. 측면에서는 비익이 함몰되거나 내려와 있지 않아 비주와 적절히 조화되면서 비주가 2~4 mm 이상 노출되지 않은 경우가 이상적이다. 비순각은 90~95°가 적당하며 코의 높이가 코 길이의 50~55%를 차지하면 좋다. 기저면에서는 비저가 너무 넓지 않고 코가 완만한 삼각형 모양(triangularity)을 이루고 비첨하소엽(infratip lobule)이 지나치게 과장되지 않으며, 비공의 모양이 눈물방울(teardrop)형태를 이루어야 한다.[13] 하지만 이러한 이상적인 기준보다도 얼굴과 코 전체 모양, 특히 비배의 높이와 잘 어울리는 자연스러운 비첨의 모양을 얻는 것이 중요하다. 비첨의 융기만 강조되어 너무 들창코가 된다든지, 코의 길이나 크기, 얼굴과 조화되지 않게 너무 융기된 비첨 등은 바람직하지 않다.[21,46]

1. 비첨성형술의 기본개념

Anderson은 비첨이 카메라 삼각대의 세 발처럼 하외측연골의 두 외측각과 내측각에 의해 지지되므로 이 세 구조물을 변형시킴으로써 비첨의 회전과 융기를 조절할 수 있다는 소위 "삼각이론"(tripod concept)을 주장하였다(그림 44-27).[7] 하외측연골의 크기와 탄성도와 더불어 상외측연골과 하외측연골의 연결부위, 그리고 하외측연골의 내측각과 비중격이 연결되는 부위를 비첨의 주요 지지구조(major tip support mechanism)이라고 부른다.[37,38] 이 외에도 많은 비첨의 지지 구조물이 있지만 비첨의 모양과 지지를 결정짓는 가장 중요한 요소는 하외측연골이기 때문에 비첨성형술의 여러 술식은 하외측연골의 모양을 변형시키는 데 중점을 두고 있다.

하외측연골과 더불어 비첨의 모양과 지지에 빼놓을 수 없는 중요한 또 한 가지의 요소는 비중격의 미단부(caudal end)이다.[39,43] 비첨의 융기와 회전을 조절하기 위해, 그리고 수술 후에 장기간에 걸쳐 발생하는 피부의 장력을 변화된 비첨이 견딜 수 있도록 구조적으로 확고한 지지를 하는 것이 중요한데 비중격, 특히 미단부가 이러한 지지를 담당하기 때문이다.

부작용이 없고 장기간의 추적관찰에도 안정된 비첨을 얻기 위해서는 비첨부위의 연골을 포함한 조직의 절제와 손상을 가능한 억제하고 조직을 재배치하거나 모양을 변형시킴으로써 원하는 비첨의 모양을 얻는 것이 바람직하다.[46]

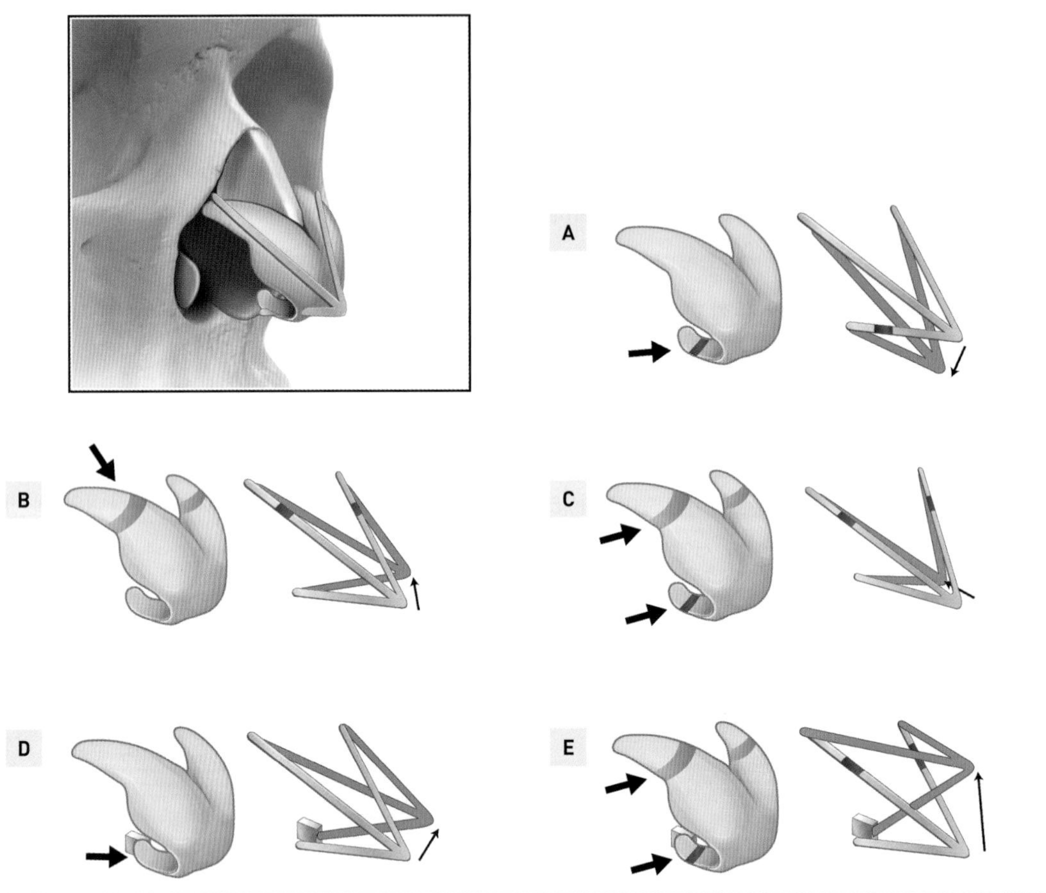

■ 그림 44-27. **비첨성형술의 원리를 설명하는 Anderson의 삼각이론**

2. 연골봉합 vs 연골이식

비록 한국인의 하외측연골이 약하고 작기는 하지만 적지 않은 경우에서 봉합을 이용하여 원하는 비첨의 융기와 회전을 얻을 수가 있다. 효과적인 봉합술을 위해서는 비내접근법 보다는 비외접근법이 더 유리하다. 비익연골의 돔 부위를 서로 단순 봉합하는 돔간봉합(interdomal suture), 각각의 돔을 매트리스 봉합하는 돔내봉합(intradomal suture) 방법을 각각 따로 혹은 같이 시행하여 약간의 융기와 회전을 얻고, 비첨의 폭을 줄이며, 비첨의 지지를 얻을 수가 있다(그림 44-28). 봉합을 위해서는 5-0 PDS를 가장 많이 사용하며, 양측의 대칭성이 유지되도록 하는 것이 중요하다.[16] 간혹 비익연골의 중간각 아래의 비전정피부를 박리하여 상기의 봉합방법을 시행하면(lateral crural steal) 좀 더 많이 비첨을 융기시킬 수 있다.[26] 이 외에도 내측각을 서로 봉합하여 대칭성을 좋게 하고, 내측각의 변형을 교정하며, 비첨의 지지를 확보할

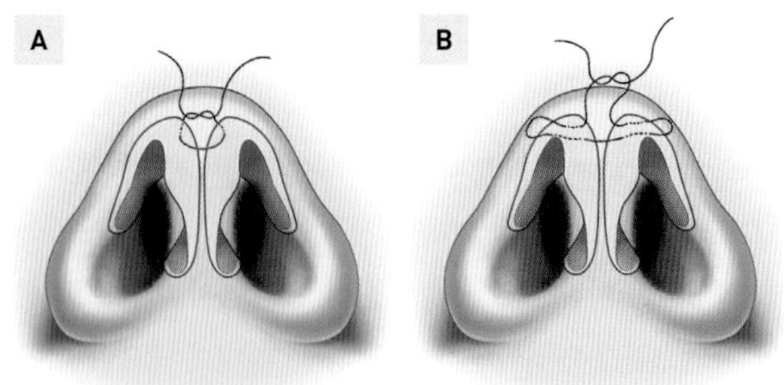

■ 그림 44-28. **A)** 돔간봉합(interdomal suture), **B)** 양측 돔사이봉합(paired transdomal suture)

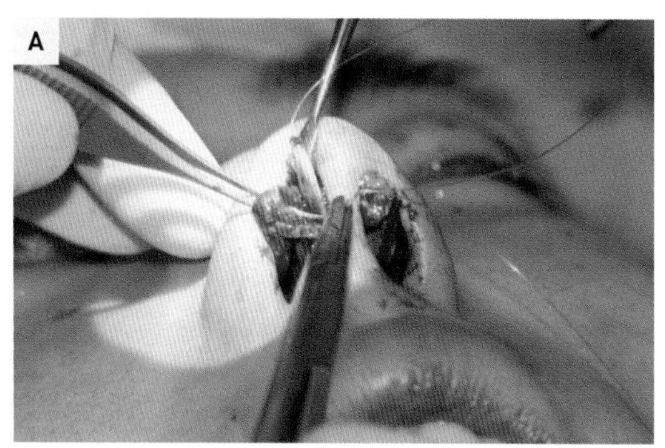

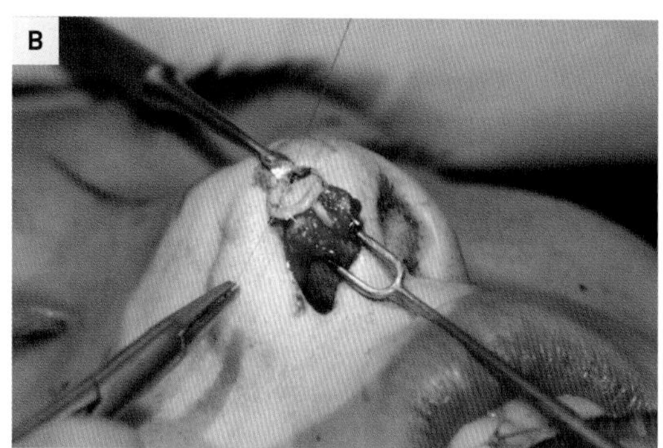

■ 그림 44-29. **비내접근법으로 하외측비연골을 노출시킨 후 비주지주(A)와 모자이식(B)을 시행하는 모습**

수 있거나, 하외측연골을 비중격의 미단부에 고정함으로써 비첨모양의 변형을 시도하거나 지지를 확보하는 것 등도 봉합으로 이루어진다.

한국인에서는 봉합만으로는 많은 경우에서 비첨의 모양을 바꾸는 데 한계가 있기 때문에 비중격이나 이개연골에서 채취한 연골로 비첨에 이식을 하여 필요한 모양의 변화를 얻는다. 비내접근법의 경우 돔아래경계절개(infradomal marginal incision)를 이용하여 비첨에 만든 포켓 내로 연골을 삽입하거나 하외측연골을 노출시키고 비주지주 등으로 내측각을 강화시킨 다음 연골이식을 한다. 비외접근법은 연골의 봉합, 고정을 더 효과적으로 할 수 있게 해주며 방패이식, 모자이식, 비주지주 등을 이용하여 다양하게 비첨에 효과를 줄 수 있다.

비첨의 연골이식의 대표적인 방법으로는 모자이식(cap graft), 방패이식(shield graft), 비주지주(columellar strut) 등이 있다. 이 중 모자이식은 비첨한정점을 나타낼 수 있게 6~8 mm 정도의 폭으로 비중격연골이나 이개연골을 원하는 만큼의 높이로 여러 겹 겹쳐서 돔 부위에 고정하여 융기를 얻는 방법이다(그림 44-29). 대개는 내측각(medial crus) 사이에 비주지주를 사용하여 지지를 강화한 다음에 하여야 효과적인 융기를 얻을 수 있다. 이식한 연골이 도드라지지 않도록 이식물의 가장자리를 잘 다듬고 부드럽게 함으로써 주위조직과 잘 조화되게 하는 것이 중요하고 연골을 약화시키거나(morselize) 근막, 혹은 알

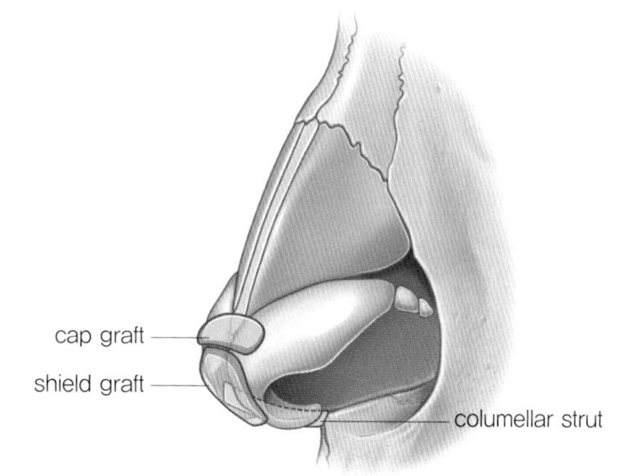

■ 그림 44-30. **비첨에 사용하는 각종 연골이식법**

로덤(alloderm) 등으로 덮어줄 수도 있다. 방패이식은 비첨의 전하단부, 즉 내측각 위에 이식함으로써 비첨의 융기를 증가시키고, 상비첨점(supratip break)이나 하비첨점(infratip break)을 뚜렷하게 하며, 비첨이 대칭적으로 보이게 해주며, 또한 코 길이가 길어보이게 하는 효과를 줌으로써 비첨의 모양을 향상시키는 효과가 있다(그림 44-30, 31).[20,21] 비중격연골이 가장 많이 이용되며 상부의 폭은 비첨한정점(tip defining point)을 나타낼 수 있도록 6~8 mm 정도의 폭으로 하며 경계부위는 경사지게 하여 수술 후 부드러운 선을 갖도록 한다. 흔히는 코끝보다 2~3 mm 올려주지만 한국인에서는 많이 올려주어 비첨의 융기 효과를 극대화하게 되는데 피부가 두텁고 연골이 얇은 경우가 많기 때문에 비첨한정점 위로 올라온 뒤쪽 돔에

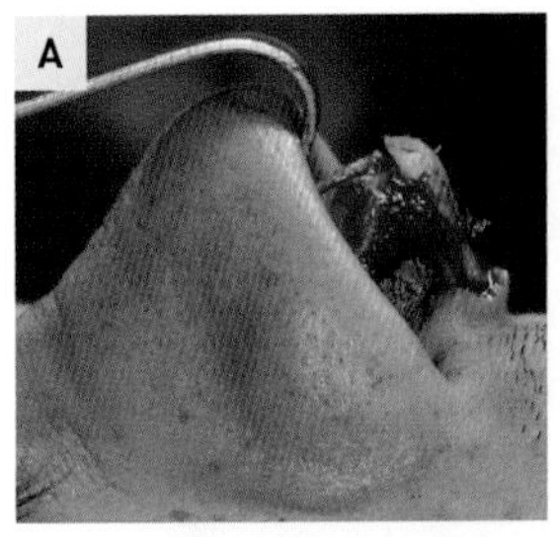
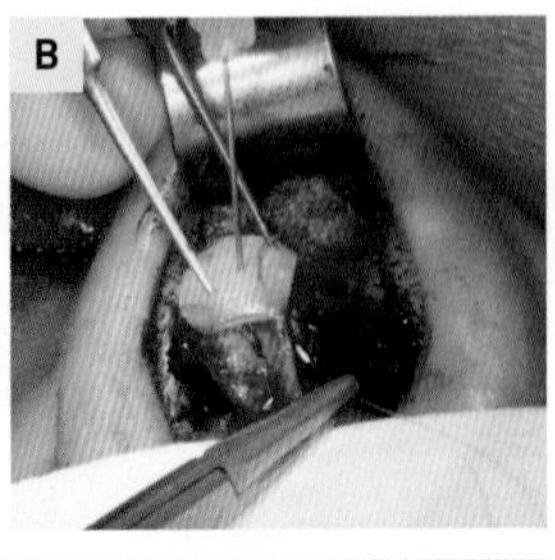

■ 그림 44-31. **방패이식(A)과 모자이식(B)을 시행한 사진**

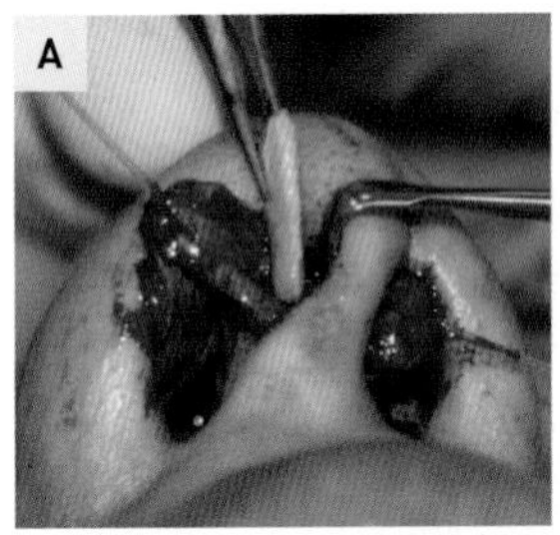
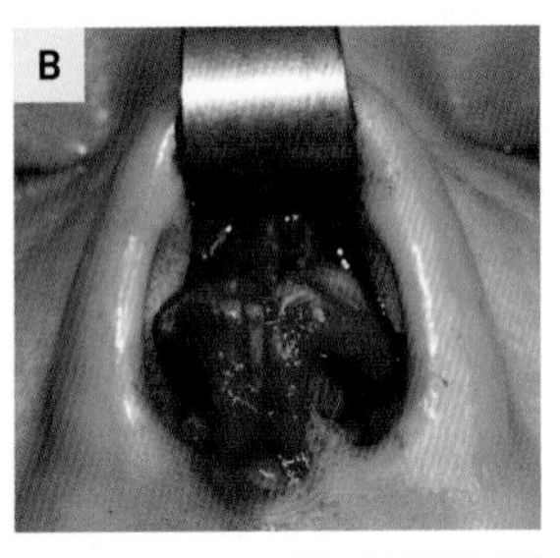

■ 그림 44-32. **비주지주 이식.** **A)** 비내접근법으로 양측 하외측연골의 내측각 사이로 포켓을 만들어 이식물을 삽입한다. **B)** 이식물을 내측각 사이에 위치시킨 다음 봉합하여 고정한다.

연골로 보강해 주어 코끝융기와 함께 비첨이 뒤로 젖혀지는 것을 방지해야 비첨의 상향 회전을 막을 수 있다.[22,39] 비주지주(columellar strut)는 하외측연골의 내측각 사이에 위로 돌출되지 않게 삽입한 다음 고정한다(그림 44-32). 비주지주는 더 높은 비첨의 융기를 얻기 위해 방패이식이나 모자이식 등의 이식을 할 경우 버팀목으로 작용한다.[22]

비중격연골이 가장 좋은 재료이나 늑연골이나 이개연골도 사용될 수 있다. 강력한 비첨의 융기를 원할 때는 폭 3~5 mm로 전비극에서부터 받쳐주는 긴 지주를 사용하고 봉합한다.[42] 이 경우는 비순각(nasolabial angle)을 증가시킴과 동시에 비첨의 전상악부(premaxillary component)까지 융기시켜 비첨의 융기가 자연스럽게 보이는 반면에 수술 후에 비첨이 단단해지고 탄력성이 떨어진다.

비익강화이식(alar batten graft, lateral crural strut graft) 혹은 비익연이식(alar rim graft)은 하외측연골의 외측각의 비대칭을 교정하거나 비첨의 융기를 많이 증가시킬 때 비익연의 경계가 비공쪽으로 함몰되는 것을 방지함으로써 비익-비첨으로 이어지는 곡선을 자연스럽게 만들어주는 효과가 있다. 이개에서 채취한 피부연골이식편은 비익연의 함몰을 교정하는 데 도움이 된다(그림 44-33).[28]

3. 비첨의 융기를 조절하는 법

비첨의 융기는 전상악부(premaxillary component), 비주부(columellar component), 비첨하소엽부(infratip lobular component)의 3가지 요소로 결정된다(그림 44-34). 한국인에서는 전상악부의 발달이 미약해서 비하점(nasolabial junction)이 후전되어 보인다. 이러한 비하점의 후전을 교정하고 비주부와 비첨하소엽부가 조화롭

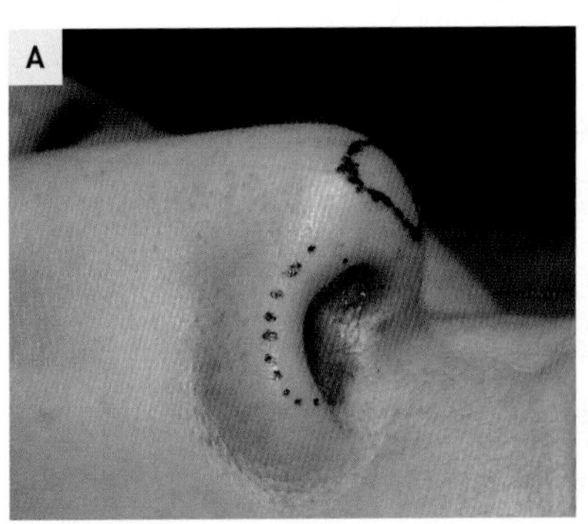
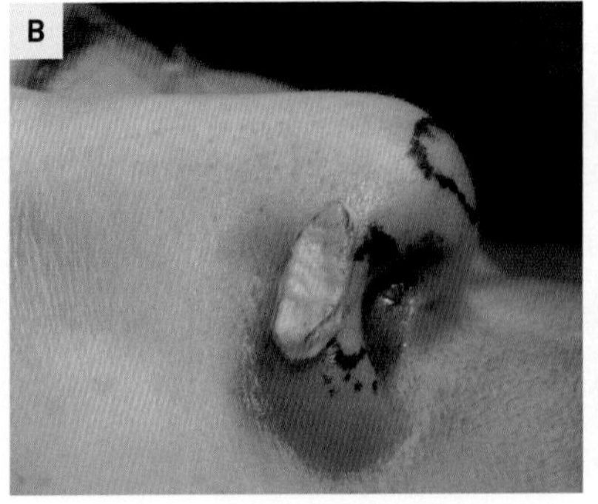
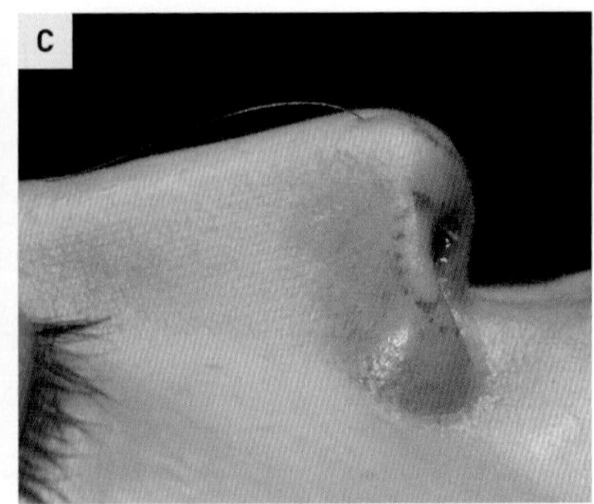

■ 그림 44-33. **A)** 비익연의 함몰 수술 전 모습, **B)** 이개연골복합이식편을 함몰된 비익연에 대어준 모습, **C)** 수술 직후 비익연의 함몰이 교정된 모습

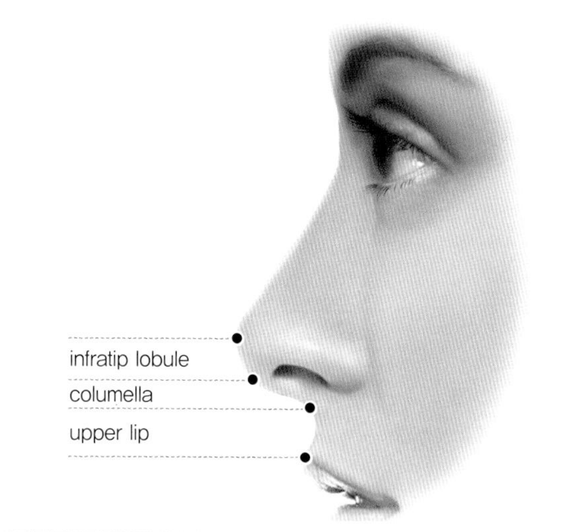

■ 그림 44-34. **비첨 융기의 세 요소**

게 확대되어야만 자연스러운 비첨의 융기를 얻을 수 있다. 흔히 시행하는 연골이식은 비첨하소엽부만을 너무 융기시켜 기저부에서 보았을 때 부자연스러운 융기를 유발하게 된다. 비배와 조화롭게 융기되는 것이 중요하며 비첨의 융기나 윤곽이 너무 강조되는 것은 한국인과 같은 동양인의 경우에는 오히려 부자연스러우며 얼굴과 코의 조화를 해치는 경우를 초래하게 된다.

비첨의 융기를 얻기 위한 방법은 크게 두 가지로 나눌 수가 있다. 첫째는 연골간 봉합, 비주지주, 방패이식, 모자이식 등 각종 비첨의 연골이식을 하는 것이고, 둘째는 비중격연장이식(septal extension graft)을 이용하는 방법이다.[25] 이 두 가지 방법 중 어떤 방법을 선택하느냐 하는 것은 환자의 의견, 비첨의 해부학적 특징, 비첨수술과 동반되는 다른 코성형술의 종류 등 여러 가지 상황을 고려하여 결정하게 된다.[39] 비첨의 지지가 튼튼하고, 피부가 너무 두텁지 않으며, 비첨의 변형이 심하지 않은 경우는 비내접근법으로 연골의 이식을 통한 융기를 선호하고, 강한 비첨의 회전과 동반된 비첨의 융기를 얻기 위해서는 비외접근법을 통한 연골의 이식 혹은 비중격 확장 이식을 선호한다. 비내접근법 중 경계절개나 연골간절개를 이용한 delivery 접근법은 연골이 얇고 연약한 한국인에게는 적당하지 않은 방법이다. 비중격연장이식을 통한 비첨의 조절은 상당히 효과적으로 비첨의 회전과 융기를 조절할 수 있을 뿐만 아니라 전상악부, 비주부, 비첨하소엽부 모두를 조화롭게 융기시킬 수가 있다. 따라서 강한 융기와 회전이 필요한 경우나 부자연스럽지 않고 세 부분 모두가 자연스럽게 융기된 효과를 얻고자 할 경우에는 유용하다.

1) 비내접근법을 이용한 비첨의 융기

비첨의 지지가 비교적 튼튼할 경우에 사용하게 되며 피부가 너무 두껍거나 하외측연골의 내측각이 약한 경우에는 사용에 제한이 있다. 비익연의 경계절개를 비주연을 따라 연장하여(infradomal marginal incision) 하외측연골의 위로 박리하여 돔 부위에 이식물을 위한 공간을 만든 다음 비중격연골이나 이개연골을 이식재료로 사용하여 필요한 만큼 중첩하여 삽입한다. 이식물의 크기는 돔 간 거리(interdomal distance)인 8 mm 정도를 넘지 않도록 하고 이식물의 가장자리를 잘 다듬어 외부에서 표가 나지 않도록 하여야 한다.[39] 이식물을 삽입하는 포켓의 위치에 따라 코의 융기나 회전의 방향을 약간 조절할 수가 있다(그림 44-35). 예를 들어 코를 약간 길어보이게 하면서 융기를 얻고 싶으면 돔과 비첨하소엽(infratip lobule)에 걸쳐 포켓을 만들고, 융기와 함께 상방향 회전이 필요한 경우는 포켓을 돔과 비첨상소엽(supratip lobule)에 걸쳐 포켓을 만든 다음 연골을 이식하면 된다. 이식물의 고정이 불안하면 이식물에 연결된 4-0 PDS를 피부 밖으로 빼낸 다음 테이프로 일주일 정도 고정한 다음 절단할 때는 봉합사를 약간 당긴 다음 자른다. 좀 더 자연스러운 비첨의 모양을 위해 방패이식을 같이 하게 되는 경우는 이식물의 위치 선정에 주의하여야 한다.[20]

2) 비외접근법을 통한 비첨의 융기

비첨의 지지 구조가 약하고 피부가 두꺼운 경우(많은 한국인이 이러한 경우에 속한다)에는 비외접근법을 이용하여 비첨의 융기를 시도한다. 하외측연골의 크기가 크고

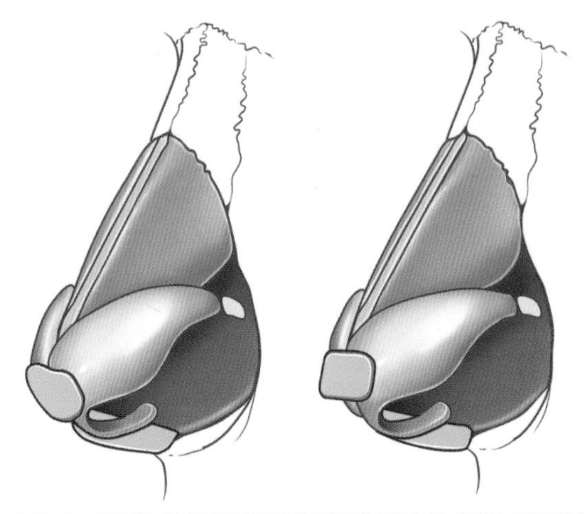

■ 그림 44-35. 이식물을 삽입하는 위치에 따라 비첨이 변하는 모양이 조금씩 달라진다.

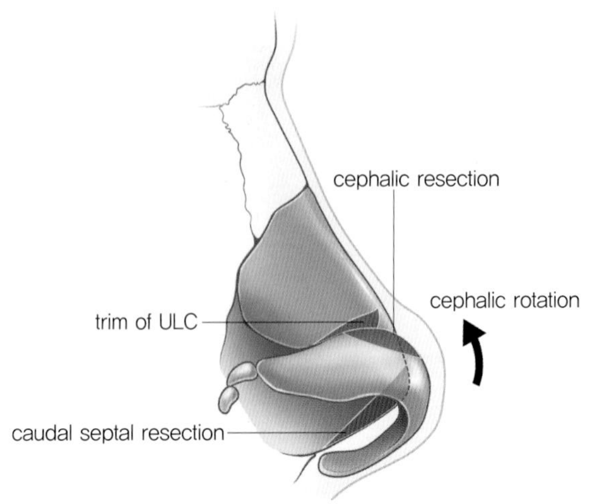

■ 그림 44-36. **비첨의 상향회전을 위한 술식의 모식도**

강도가 좋을 경우에는 비주지주 없이 연골의 봉합만으로 펑퍼짐한 비첨을 교정하고 융기와 회전을 동시에 얻을 수 있지만 대부분은 봉합만으로는 효과적인 비첨의 융기를 얻기 힘들기 때문에 비첨의 이식을 같이 사용하게 된다. 가장 흔히 쓰는 방법이 돔간봉합과 함께 비주지주, 방패이식, 모자이식을 같이 쓰는 방법이다. 돔간봉합과 비주지주는 비첨의 지지를 강화시키는 목적으로, 방패이식과 모자이식은 강화된 지지구조 위에 융기를 시키기 위하여 사용하게 된다.[43] 한국인은 전상악부의 발달이 미약하여 비하점이 후전되어 비순각이 심하게 예각인 경우가 많다. 이러한 것을 개선하기 위한 방법으로 전비극 전방에 연골이나 골편을 필요한 만큼 이식하는 받침이식(plumping graft)으로 비순각을 개선하고 자연스러운 융기와 회전을 얻을 수 있다.[7]

4. 비첨의 회전을 조절하는 법

비첨의 회전조절은 코를 상향회전(cephalic rotation) 시키는 법과 하향회전(caudal rotation) 시키는 법으로 나눌 수가 있다. 상향회전은 비첨의 융기와 더불어 많이 사용되는 술식이며 하향회전은 주로 들창코(short nose)를 교정하면서 같이 많이 사용된다.

코를 상향회전 시키기 위해서는 하외측연골의 외측각을 두측절제(cephalic resection)하는 법, 외측각을 상외측연골에 봉합하는 법, 비중격의 미단부의 상부를 절제하는 법, 상외측연골의 미단부를 일부 절제하는 법 등 여러 가지 방법이 사용된다(그림 44-36). 서양인들에서 많이 이용되는 외측각의 두측절제는 비첨의 상향회전의 억제요소인 상외측연골과의 부착부위를 끊고 상처로 인한 수축으로 비첨의 상향회전을 유도하는 것이다.[6,22] 한국인에서는 흔히 사용되지는 않지만 비첨의 볼륨을 줄이거나, 약간의 상비첨점을 만들거나, 연골간봉합 등의 다른 비첨의 술식을 용이하게 하기 위해서, 혹은 비첨을 약간 상향회전 시키기 위해서 사용한다(그림 44-37). 절제 시에는 외측각을 적어도 6~8 mm 정도는 남겨야 수술 후에 발생하는 비익의 함몰 등의 부작용을 막을 수 있다. 하지만 한국인에서는 연골의 크기가 작고 약하며 피부가 두터워 이 방법만으로는 회전을 확실하게 조절하기 힘들기 때문에 강한 회전을 얻기 위해서는 봉합법과 같이 사용하거나 단속띠법(interrupted strip technique)을 이용한다.[38,39]

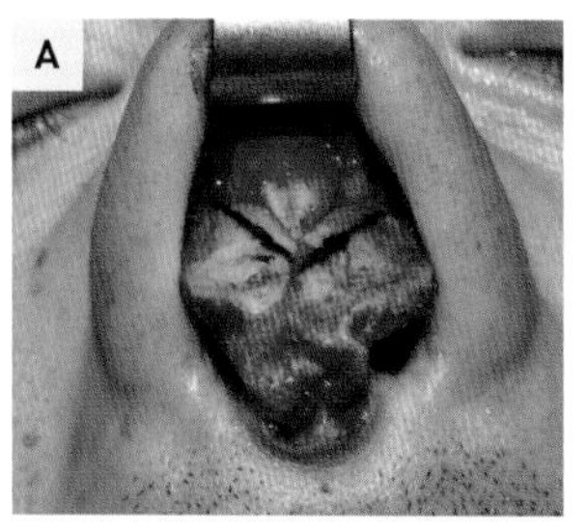

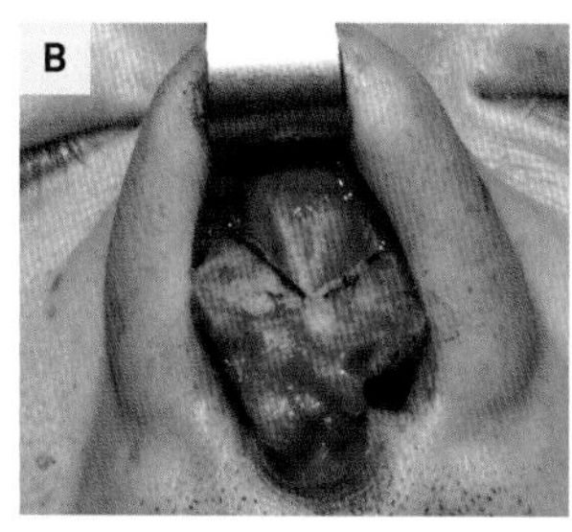

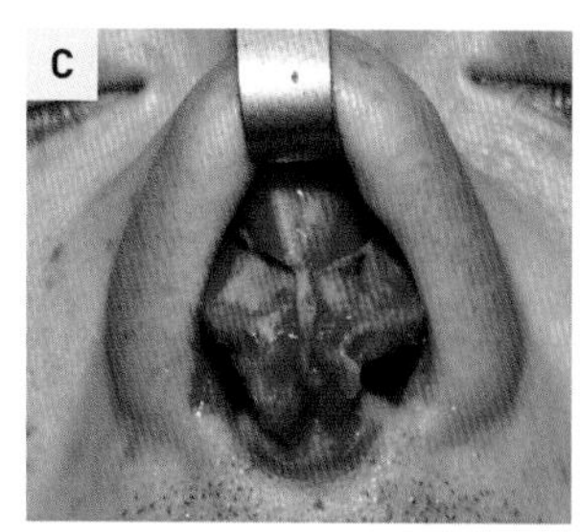

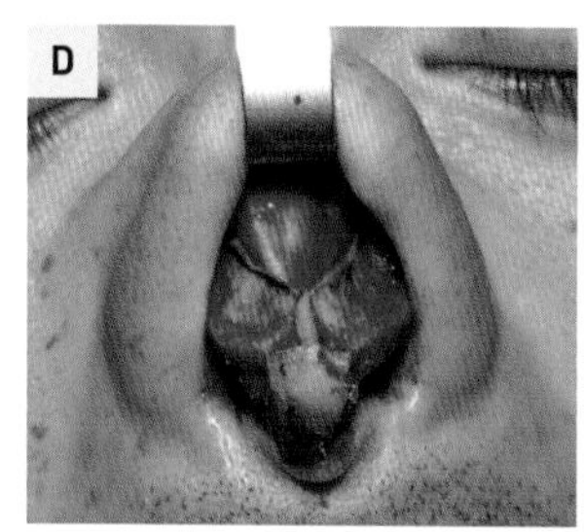

■ 그림 44-37. 하외측연골의 두측절제술(A, B) 후에 비주지주를 이식하고 돔을 봉합(C)한 다음 방패이식(D)을 시행한 모습

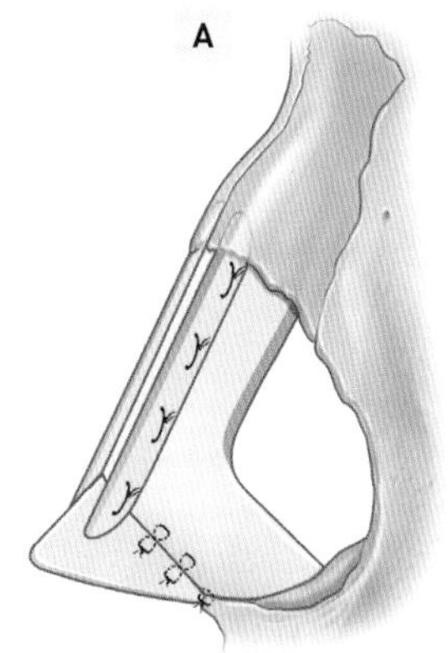

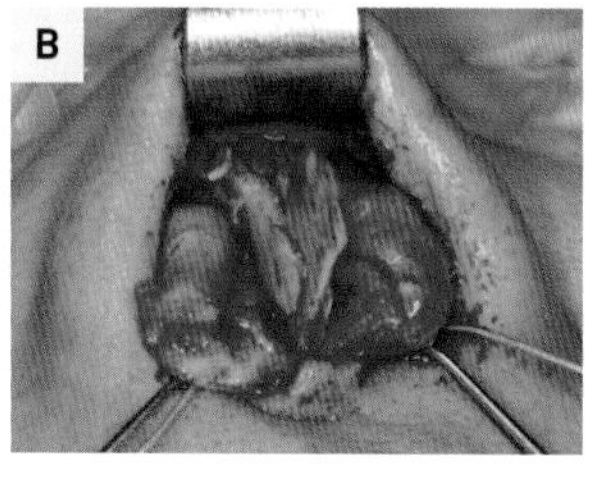

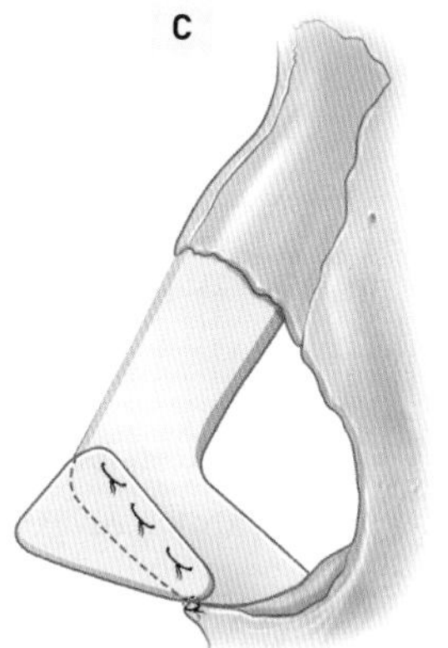

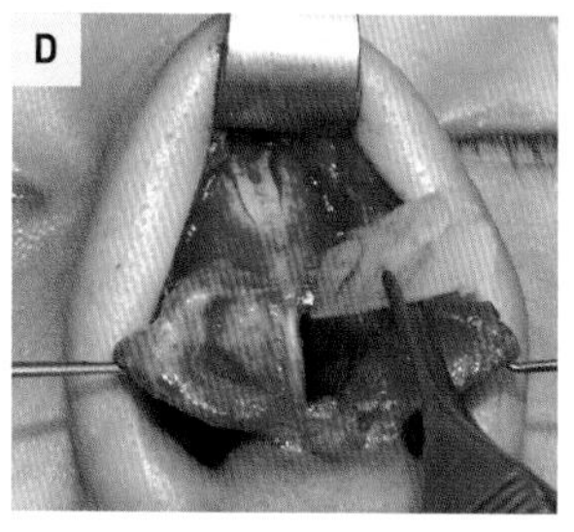

■ 그림 44-38. 단단 형태(end to end type)와 중첩형태(overlapping type)의 비중격연장이식편을 비중격에 고정하는 모식도(A, C)와 실제 수술 사진(B, D)

5. 비중격연장이식을 통한 비첨의 융기와 회전의 조절

비중격연장이식(septal extension graft)은 비중격의 미단부에 채취한 비중격연골이나 늑연골을 중첩 혹은 이어서 미단부를 넘어 튀어나오도록 단단히 고정하는 것을 말한다(그림 44-38). 새롭게 만들어진 비중격의 미단부에 하외측연골을 봉합함으로써 원하는 만큼의 융기와 회전을 즉각 얻을 수 있다. 이 방법은 들창코(short nose)나 비첨이 과도하게 떨어진 경우 강한 융기와 회전을 동시에 얻고자 할 때에 유용하다.[38]

피부의 장력에 흔들리지 않는 새로운 비첨을 얻기 위해서는 비중격연장이식을 상당히 단단히 지지하여야 한다. 비중격의 미단부가 단단하면 문제가 없지만 비중격이 약할 경우에는 보강이식을 해주거나 펼침이식을 연장하여(extended spreader graft) 비중격연장이식을 단단히 고정한다. 이러한 보강 없이 새로운 비첨에 강한 장력이 걸리게 되면 비첨이 수술 후에 틀어지는 경우가 발생한다. 하외측연골은 필요에 따라 상외측연골, 이상구연에서 박리하여 새로운 비중격에 다시 고정함으로써 비첨의 위치를 원하는 곳으로 옮길 수가 있다. 여기에 방패이식, 모자이식, 외측각 이식 등 비첨의 연골을 추가적으로 필요한 만큼 이식하여 코의 회전과 융기를 더욱 조절할 수 있다. 그 다음 비배와의 연결을 고려하여 비배의 이식을 시행한다.

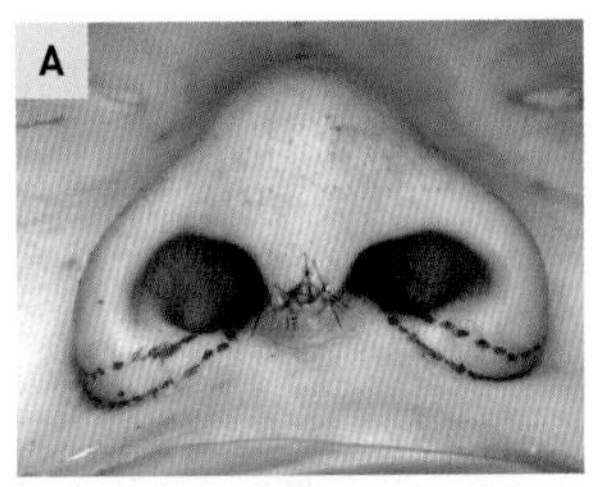

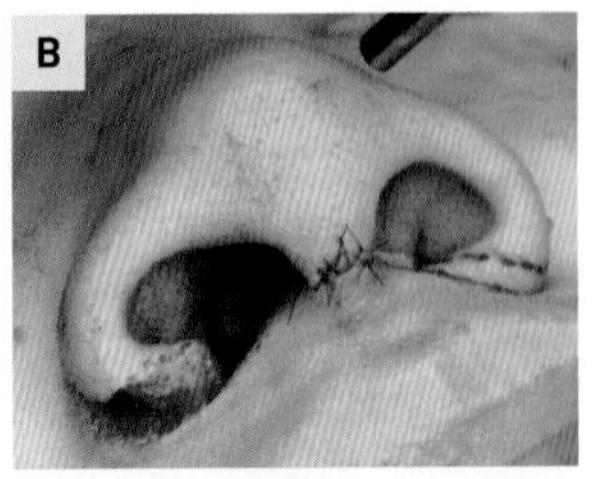

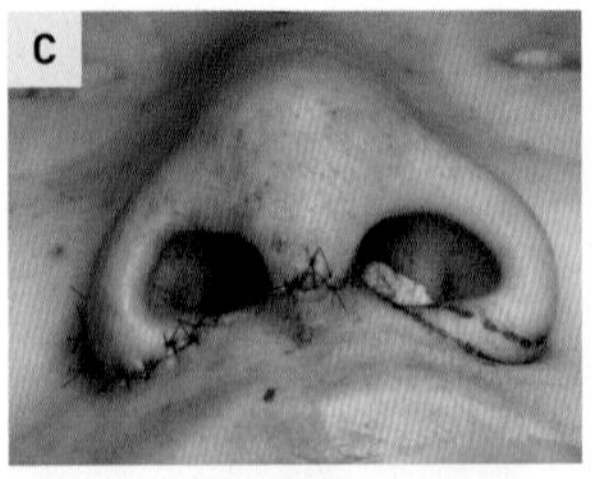

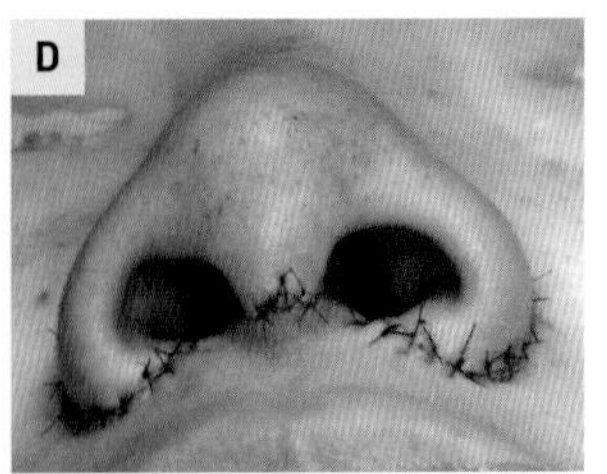

■ 그림 44-39. **비익저의 폭을 줄이고 비익의 벌렁거림을 동시에 교정하기 위한 복합절제. A), B)** 복합절제를 디자인하고 시행한 모습. **C)** 우측을 절제하고 봉합한 후의 모습. 좌측과의 차이점에 주목. **D)** 양측절제를 시행한 모습으로 수술 전과 비교하여 비익의 폭과 벌렁거림 감소한 것을 볼 수 있다.

Ⅶ 비익저 수술

비익저(alar base)는 코의 다른 부위와 마찬가지로 기능과 미용에 많은 기여를 하고 있다.

비익저의 문제는 크게 세 가지로 요약될 수 있다. 첫째는 비익이 벌렁거리는 현상이고, 둘째는 비익저의 폭이 넓은 것이고, 셋째는 이 두 가지가 모두 있는 경우이다(그림 44-39). 비익의 벌렁거림은 기저면에서 보아 비익안면구(alar facial groove)에서 수직선을 그어 돌출되는 비익의 정도에 따라 판단한다. 비익저의 폭을 양측 눈 사이의 간격 정도로 줄이고 대칭적인 삼각형 모양을 만들면서 비익의 벌렁거림을 줄이는 것이 수술의 이상적인 목표이나 한국인의 경우에는 비익저의 폭이 눈 사이의 간격보다 약간 넓어도 미용적인 문제는 없다.

비익저의 모양과 벌어지는 정도는 비익연골의 모양, 탄성정도, 외측각이 얼굴에 연결되는 모양, 비첨의 융기정도 등에 의해 좌우된다.[28] 비익저의 폭을 줄이기 위해서는 외비공턱(nostril sill)의 피부와 연조직을 절제하여야 하며 비익의 벌렁거림은 비익의 쐐기절제(wedge resection)으로 줄일 수 있다. 비익의 절제와 외비공턱의 절제를 동시에 시행하면 비익저의 폭을 줄임과 동시에 비익이 벌렁거림도 동시에 교정할 수 있다(그림 44-40). 비익을 절제하기 위해서 절개를 넣을 때는 비익안면구(alar facial groove)에서 1~2 mm 위쪽에 넣어야 봉합하기가 쉽고 흉터를 감추기가 쉽다. 절제는 항상 좌우의 대칭성이 유지되도록 조심하여야 하고 너무 많이 절제하지 않도록 주의한다. 전형적인 한국인의 코에서는 적절한 비익의 절제가 코성형의 미용적인 효과를 상승시킬 수 있지만 과도한 비익저의 절제는 코막힘을 유발할 수 있기 때문에 주의하여야 한다. 하외측연골의 내측각이 과도하게 벌어진 경우는 내측각을 봉합하면 모양의 개선과 함께 비첨의 지지도 얻을 수 있다.[7]

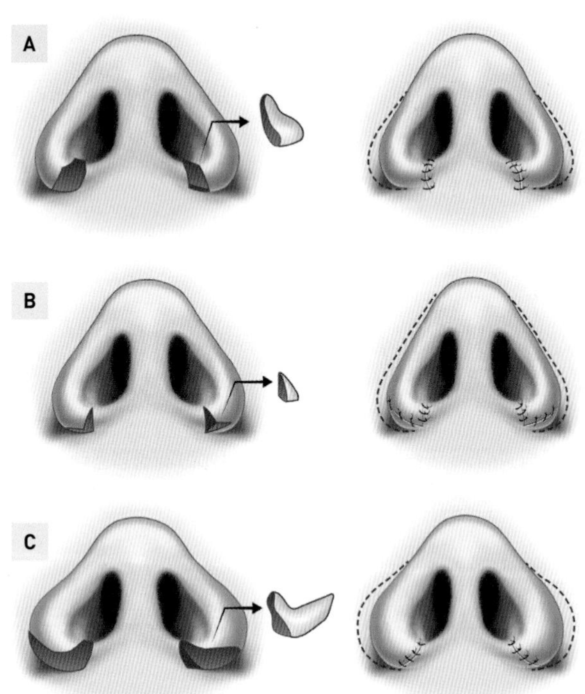

■ 그림 44-40. 비익저의 폭을 줄이기 위한 nostril sill 절제**(A)**와 sliding alar flap **(B)**. 비익저의 폭을 줄이고 비익의 벌렁거림을 동시에 교정하기 위한 복합절제**(C)**

Ⅷ 안장코의 교정

안장코(saddle nose)는 비배의 함몰이 있는 코를 일반적으로 일컫는 용어이다. 주로 외상으로 인해 발생하며 이 외에도 선천성, 비중격교정술이나 코성형술 후, 베게너병 등의 만성 육아종성 질환(chronic granulomatous disease), 종양의 절제 등으로 인해 발생한다. 외상 후에 발생하는 안장코 변형은 안장코뿐만 아니라 사비(deviated nose), 비첨의 변형, 그리고 코막힘을 동반한 비중격변형, 비중격천공, 비밸브의 이상 등이 흔히 동반되어 발생하는 복합적인 문제이며 수술적 교정이 쉽지 않다. 따라서 환자나 의사 모두에게 만족스러운 결과를 얻기 위해서는 충분한 상담과 분석, 계획 후에 수술을 시행해야 한다.

1. 안장코의 분석

먼저 코의 변형에 기여하는 해부학적 요소들을 분석하고 평가하는 것이 중요하다. 그 다음 환자의 요구를 고려하고, 분석과 평가를 바탕으로 신중하게 수술 계획을 세우는 것이 필수적이다. 교정을 위한 여러 수술 단계들 중에서도 곧고 튼튼한 비중격을 확립하여 비중격과 연관된 구조물들의 지지를 확보하는 것이 가장 중요하다. 이를 바탕으로 해부학적 구조를 재배치하거나 복원하고 강화이식, 위장 등을 효과적으로 시행할 수 있다.

일반적으로 안장코는 정면에서 보면 비배와 비저가 정상보다 넓다. 측면에서 보면 비배가 낮거나 함몰되어 있으며 비안면각(nasofacial angle)도 30도 이하인 경우가 많다. 비첨의 융기도 낮으며 비주는 위축되고 짧아져 있다. 기저면에서 보면 비첨은 낮고 비공은 둥글고 퍼져 있으며 비주는 짧고 비저의 폭은 넓다(그림 44-41). 심한 안장코 변형일 때는 비중격이 변형되고 주저앉아서 비배뿐만 아니라 코끝도 들리게 되어 코가 짧아 보일 수 있다.[49]

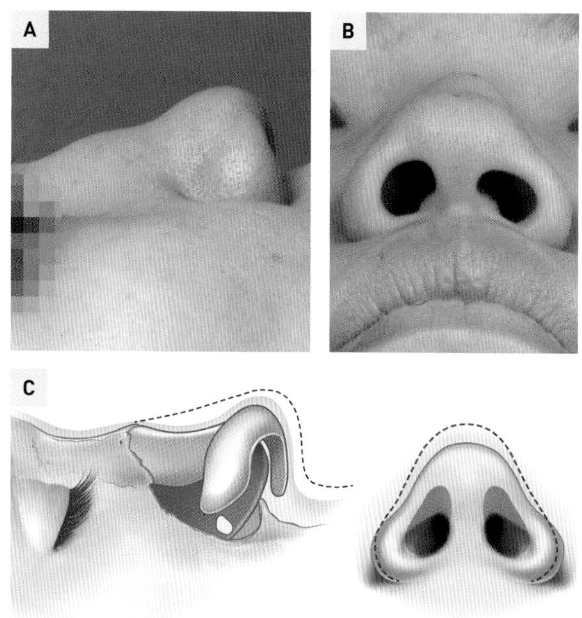

■ 그림 44-41. **안장코 환자의 전형적 인 모습.** A) 비배와 비익저가 넓어지고 연골성 비배가 함몰되었다. B) 비첨의 융기가 감소하고 비공이 둥글고 좌우로 퍼져 있다. C) 변형 전 모습과 비교한 안장코의 모식도

2. 안장코의 재건을 위한 전략

안장코의 정도가 덜 심하고, 연골성 비배의 지지가 어느 정도 남아 있고, 비강 기도가 열려 있으며 연조직의 제한이 없는 경우(minor saddle)에는 중첩이식(onlay graft)만으로 치료가 가능하다(그림 44-42). 이식물의 크기와 높이는 안장코 변형의 결손 정도에 따라 다르다. 3~4 mm 미만의 높이가 필요하다면 비중격연골이나 이개연골을 사용할 수 있다. 결손의 정도가 커서 비중격연골이나 이개연골로 충분하지 않으면 늑연골을 사용한다. 늑연골은 많이 딱딱하기 때문에 환자의 피부가 얇은 경우에는 가장자리가 만져지거나 보이지 않도록 외형을 조심스럽게 다듬어준다. 함몰이 심하고 비중격의 지지가 많이 약화, 혹은 소실된 경우(moderate/severe saddle)에는 약화된 비중격연골로 인해 상부의 연골이식을 지지할 수 없게 되므로 비중격을 재건해서 비배와 비첨의 이식물을 지지할

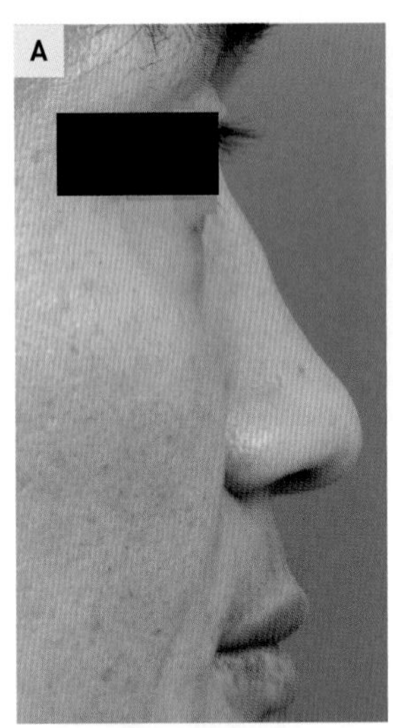

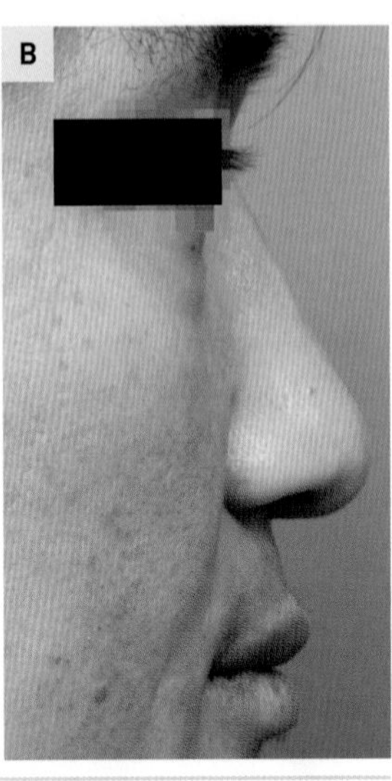

■ 그림 44-42. **비중격의 지지가 손상되지 않고 정도가 심하지 않은 안장코의 교정.** 비중격의 강화나 재건 없이 비배나 비첨의 중첩이식으로 정상 모습을 회복할 수 있다.

수 있게 해야 한다. 이때 두 가지 해결방법이 있다(그림 44-43). 첫째는 약화되거나 없어진 비중격을 강화 혹은 재건한 다음 비배를 이식하는 것이다. 비중격연장이식(septal extension graft), 비중격강화이식(septal batten graft)을 이용하여 약화된 비중격, 특히 미측 비중격을 강화할 수 있고, 약하거나 없어진 비중격은 늑연골 등을 이용하여 대체하여 재건할 수 있다.[49] 비중격연장이식을 미측 비중격에 많이 겹쳐지게 하고 아래쪽에서 전비극과 상악 전부의 지지를 받도록 하면 비배와 비첨물을 견고하게 지지할 수 있다. 이 술식은 골부의 높이는 적절하지만 연골성 비중격과 비배가 무너진 경우에 특히 유용하며, 연골성 비배의 높이와 비첨의 지지를 복원하고 비주의 수축을 예방할 수 있다(그림 44-44). 둘째는 늑연골로 만든 비배의 이식물과 긴 비주지주를 연결(integrated dorsal graft-columellar strut)하여 비중격의 지지를 우회하여 코를 재건하는 것이다. 이 경우 비중격 중간 부분의 지지 없이도 코가 안정된 모양을 유지할 수 있다. 두측으로는 코뼈에 의해서, 미측으로는 긴 비주지주에 의해서 지지되는 이러한 형태의 이식은 미용 목적의 이식과 비배의 구조적 지지 시스템까지 고려한 형태의 재건이다.

Ⅸ 매부리코의 교정

코의 옆모습은 코의 외양을 결정하는 중요한 요소로 작은 변형으로도 인상이 달라져 보이기 때문에 코성형수술에서 옆모습을 개선하는 것이 중요한 부분을 차지한다. 비배의 이상 중에 비혹(nasal hump)으로 인한 매부리코 변형은 한국인에서 드물지 않게 접할 수 있다. 특히 여성에서 매부리코가 있는 경우는 강하고 고집 센 인상을 주게 되므로 교정을 원하는 경우가 많다.

코의 옆모습을 결정하는 중요한 두 요소는 비배(nasal dorsum)와 비첨(nasal tip)이다. 매부리코는 비근점과 비첨을 연결한 가상선보다 콧등이 돌출한 코로 정의된다. 이러한 돌출부위 즉 비혹은 비골, 상외측연골, 비중격연골의 상연으로 구성된다(그림 44-45).[38]

매부리코의 교정은 순수한 미용 목적의 수술이 많아서 미적인 면의 완성에 중점을 두어야 한다. 측면에서 보았을 때 이상적인 코의 모양은 비배가 적절히 높으면서 콧등의 선이 중간에 끊어짐이 없이 일직선으로 이어져야 한다. 또한 비첨이 적당히 높고 어느 정도 윤곽이 뚜렷하여야 한다. 비첨한정점(tip defining point), 상비첨점(supratip break), 그리고 하비첨점(infratip break) 등이 잘 나타나는 것이 미적으로 완벽하지만 동양인은 이러한 점들이 뚜렷이 구분되지 않고 약간 둥근 형태의 비첨을 선호하는 경향이 있다.

1. 한국인의 매부리코 교정 시 유의점

한국인의 매부리코는 서양인들과는 달리 비혹이 크지 않고 비첨이나 비근부를 포함하여 비배가 낮은 경우가 많다. 따라서 비혹을 제거하기 이전에 이상적인 비배의 모양을 고려하여 비첨이나 비배의 융기가 먼저 필요한지 결정

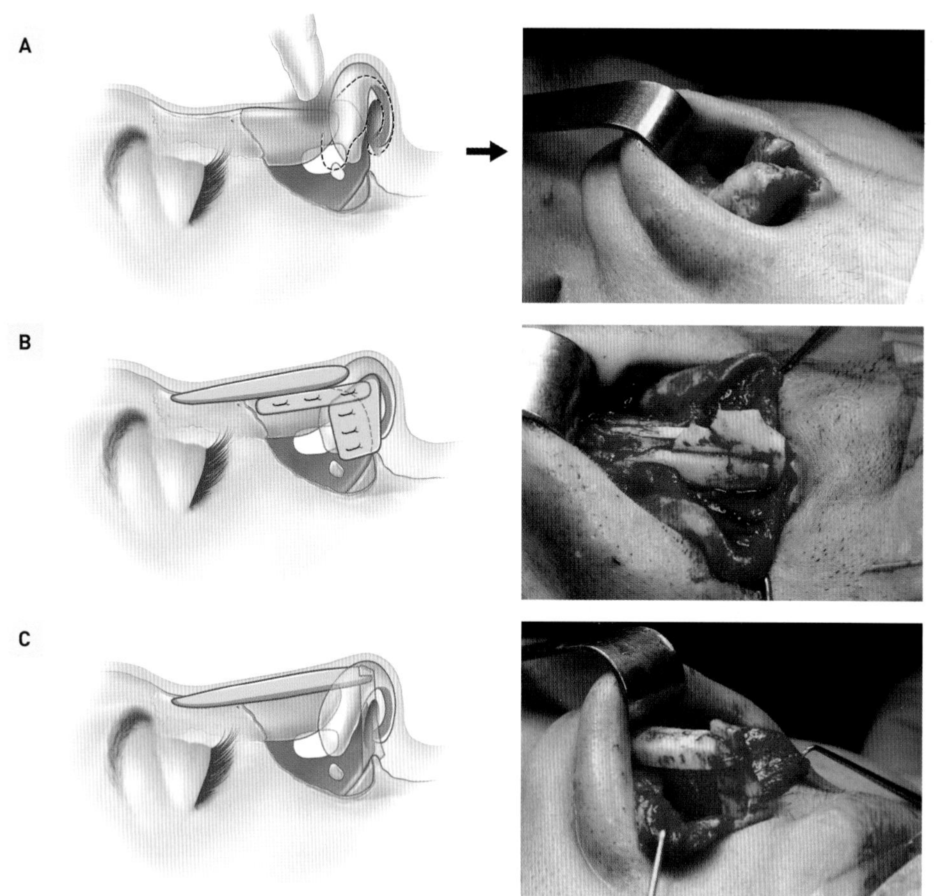

■ 그림 44-43. **비중격의 지지가 없는 안장코를 복원하는 두 가지 방법.** **A)** 비배를 눌러보면 지지가 되지 않고 쉽게 함몰된다. **B)** 미측 비중격에 강화이식(septal batten graft)을 덧대거나 변형된 비중격을 제거하고 대체이식(replacement graft)을 댄 다음 양측 연장펼침이식(extended spreader graft)으로 비중격을 지지, 강화한다. 비중격의 지지가 회복되면 이 위에 다시 중첩이식을 시행하여 비배의 높이를 맞추어준다. **C)** 비주지주를 길게 연장하여 골성 비배에 걸치는 비배의 이식물과 같이 연결해준다.

한 다음 비혹의 제거 정도를 결정하여야 한다. 실제로 비혹이 있는 것인지 아니면 연골성 비배의 함몰에 의한 가성비혹(pseudo hump)인지를 잘 살펴보아야 한다. 한국인의 매부리코 교정은 한국인의 코가 서양인과는 해부학적·미용학적으로 다르다는 점에서 출발한다. 비혹의 제거에만 중점을 둘 것이 아니라 비배 전체의 시작점, 비배의 높이와 비첨과의 조화를 생각하여 비혹의 제거 정도를 결정해야 한다. 조금씩 점차적으로 비혹을 제거하고, 잠재적으로 비배의 함몰을 유발할 인자를 미리 잘 살펴 이를 예방해야 한다.

수술 전에 반드시 비골과 연골의 모양을 잘 살펴보고 또 주의 깊게 만져보아 비골의 길이가 짧은지의 여부를 잘 살펴보아야 한다. 비골이 짧은 경우 비혹을 제거한 후에 비골과 비중격연골, 상외측연골과의 연결부위가 약해져 역 'V'형 변형(inverted V deformity)이 발생할 수 있기 때문이다. 또한 피부의 두께도 잘 살펴보아야 한다. 너무 얇은 피부의 경우는 비혹을 제거한 후에 불규칙한 콧등의 윤곽이 그대로 드러날 수 있기 때문에 조심하여야 한다. 피부는 비첨부위에서 가장 두껍고, 다음이 비전두부, 그리고 비공점 부위에서 가장 얇기 때문에 이 점도 비혹을 제거함에 있어 항상 염두에 두어야 한다.[22] 수술 후 콧등이 일직선이 되기 위해서는 비혹을 제거할 때 비공점

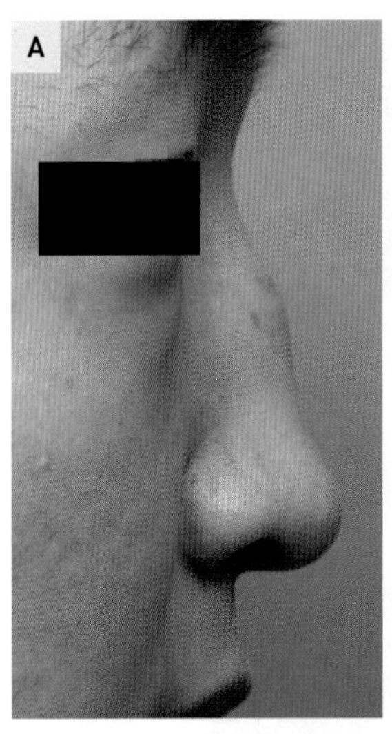

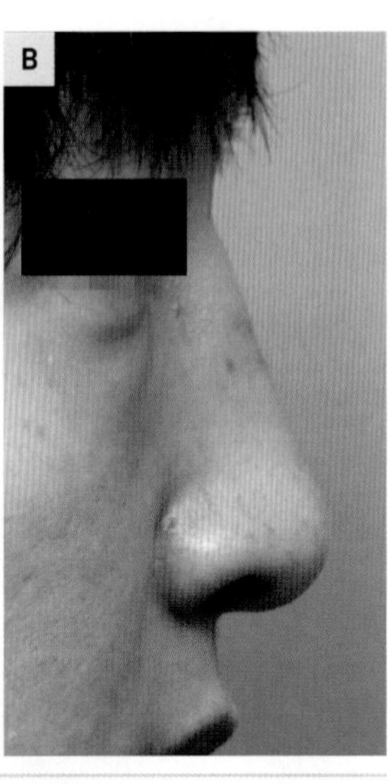

■ 그림 44-44. 28세 남자 환자로 2년 전 외상 후 발생한 안장코를 주소로 내원하였며, 비중격대체이식, 연장펼침이식, 비배이식을 이용하여 재건하였다. 수술 전과 수술 후 1년째 측면 사진에서 안장코의 교정이 잘 이루어진 것을 확인할 수 있다.

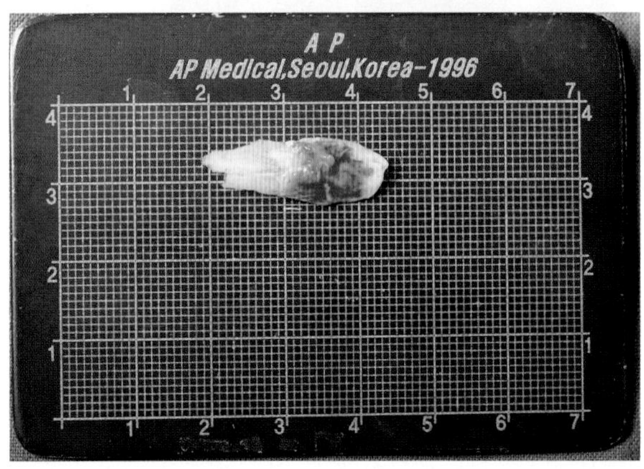

■ 그림 44-45. **수술로 제거한 환자의 비혹.** 연골과 비골로 구성되어 있다.

부위를 약간 남기고 제거하여야 한다.[38] 먼저 비첨이나 비근부의 융기가 필요한지, 어떤 접근법을 사용할 것인지, 연골의 이식이 필요하면 연골을 어느 부위에서 채취할 것인지 등을 수술 전에 환자를 자세히 진찰한 후에 미리 결정한다.

2. 비혹의 제거방법

비내로 접근할 경우에는 두 가지 방법으로 접근이 가능하다. 첫째, 비첨을 조작할 필요가 없으면 연골간절개(intercartilaginous incision)와 막성 비중격의 위 1/3 정도의 반관통절개를 연결하여 접근한다. 때에 따라서는 양측의 연골간절개와 막성 비중격의 관통 절개를 연결하여 비배를 박리하면 비배 전체를 잘 관찰할 수 있고, 비혹을 제거하기가 쉬워지며, 필요한 경우 전비중격까지 쉽게 절제할 수 있어 부적절한 절제로 발생하는 부작용을 줄일 수 있다. 둘째, 비첨을 조작해야 할 때에는 경계절개(marginal incison)를 통하여 접근한다. 어떠한 방법을 이용하든지 비배의 피부를 박리하였을 때 전비중격각(anterior septal angle)까지 비배의 구조물이 충분히 잘 보이는 것이 중요하다.

접근법에 상관없이 상외측연골막 위로 피부를 박리하고 비골피라미드 위에서는 Joseph 기자 등을 이용하여 골막 밑으로 박리한다. 골막을 너무 광범위하게 박리하지 말고 비혹을 제거할 수 있을 정도만 박리한다. 비혹을 절제할 때는 직접 연골성 비배와 골성 비배를 확인하면서 15번 메스로 비골과의 연결부에서 시작하여 두측에서 미측 방향(cephalocaudal)으로 연골부를 절제한다. 비배를 따라 평행하게, 좌우가 균일하게 절제한다. 대개 전비중격각 부위까지 절제가 필요하다. 골부는 Rubin 절골도(Rubin osteotome)로 연골부와 일체로 제거(en bloc resection)한다(그림 44-46). 비근부를 향하여 조심스럽게 절골도를 진행하되 수평을 유지하여 좌우로 기울어지지 않도록 한다. 힘을 갑자기 과하게 가하여 원하지 않게 비골이 절제되는 것을 방지하고, 가해지는 힘을 적절히 조절히기 위하여 두 번씩 끊어 조심스럽게 망치질(two-tap technique)을 한다. 또한 절골도의 날을 날카롭게 유지하여야 힘을 조절하기가 쉽다. 절제한 비혹은 겸자 등을 이용하여 제거한다. 최초로 절제하는 양은 최종적으로 제거하는 양의 80% 정도가 적당하다. 비혹을 제거할 때 비혹

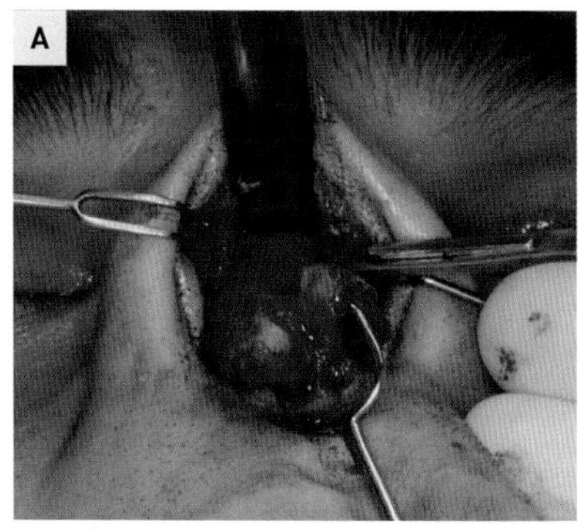

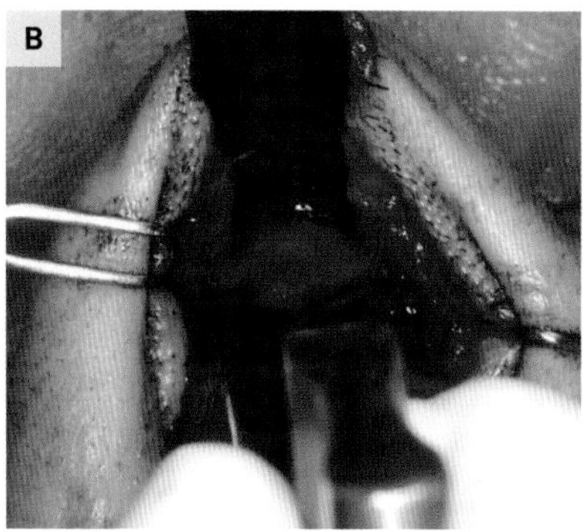

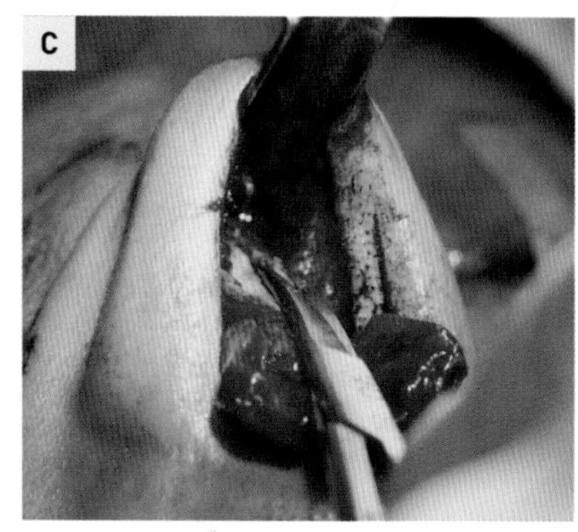

■ 그림 44-46. **비외접근법으로 비혹을 제거하는 방법. A), B)** 비배를 완전히 노출시킨 다음 비내접근법과 마찬가지로 15번 메스와 Rubin 절골도를 이용하여 비혹을 제거한다. **C)** 상외측연골의 잉여 부위가 있으면 낮아진 비중격에 맞추어 가위나 메스로 잉여 부분을 절제한다.

을 이루는 비중격, 상외측연골을 따로 절제한 다음(component resection) 비골을 일체로 제거하는 방법도 있다. 이 방법은 큰 비혹을 제거할 때 비강 내 점막연골막(nasal mucoperichondrium)이 손상되는 것을 방지하는데 점막연골막은 상외측연골이 내측으로 붕괴되면서 비골과 분리되는 것을 방지하고 지지하는 역할을 하기 때문에 반드시 보존해야 한다. 상외측연골이 하내측으로 떨어지면 역 'V'형 변형이 발생한다(그림 44-47).

일단 비혹을 제거하고 나면 먼저 비배의 높이를 살펴보고 만져보아 어느 정도를 더 제거해야 할지, 튀어나온 부위는 어디인지를 살펴본다. 대개 비골 부분은 줄(rasp)로 갈아내면 높이를 조절할 수 있다. 상외측연골이 비중격보다 튀어나온 경우에는 높이를 맞추어주기 위해 잉여 부분을 가위나 메스로 절제한다. 수술 중에는 부종 등으로 인해 비배의 높이를 정확하게 맞추기가 어려우므로 콧등의 높이를 여러 번 손으로 만져보고 불규칙한 면이 없는지, 높이가 적당한지를 점검한다. 갈아낸(rasping) 후에는 반드시 세척해서 미세한 골편 등이 남지 않도록 한다.

큰 비혹을 제거한 후 열린지붕변형(open roof deformity)이 생기면 외측절골술로 비배 부위를 모아준다(그림 44-48). 사비가 동반된 경우에는 내측과 외측절골술 모두를 시행한다. 코의 폭과 높이는 상대적인 개념이므로 절골술로 코의 폭을 좁히면 편평하고 낮아 보이던 비배가

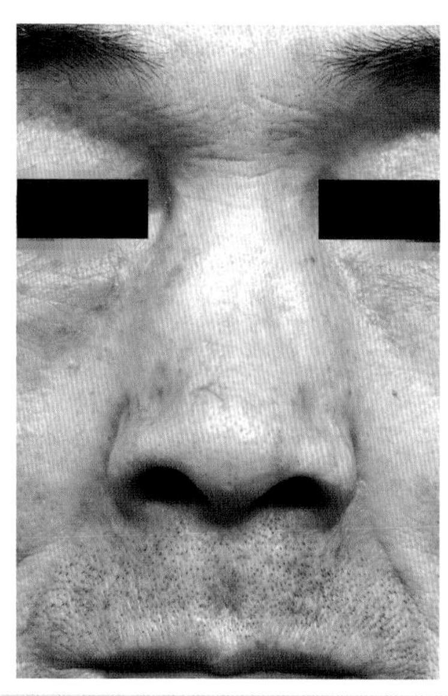

■ 그림 44-47. **상외측연골이 비골에서 분리된 역 "V"형 변형**

좁아지면서 높아 보이게 된다. 이때 필요하면 다시 한 번 더 살짝 갈아낼 수 있다. 사비로 인한 골부의 비대칭 정도가 심한 경우에는 튀어나온 쪽, 즉 볼록면(convex side) 비골을 반대편보다 조금 적게 잘라 내거나 갈아내야 골비배부가 정중앙에 위치했을 때 볼록면의 비골이 모자라는 일을 막을 수 있다.

절골이 완료되면 비배가 불규칙하거나 불완전교정 또는 과교정이 있는지 살펴보고 비근부를 포함한 비배의 융비술이나 비첨성형술을 시행한다. 비근부는 아주 부드럽

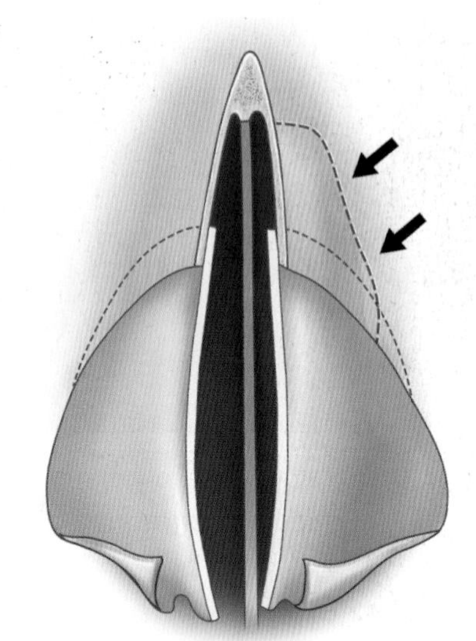

■ 그림 44-48. **비혹 제거 후 발생한 열린지붕변형의 교정.** 비혹을 제거하여 열린지붕변형이 발생한 경우 외측절골술을 시행하여 비골을 내측으로 모아주면 비배가 자연스러워진다.

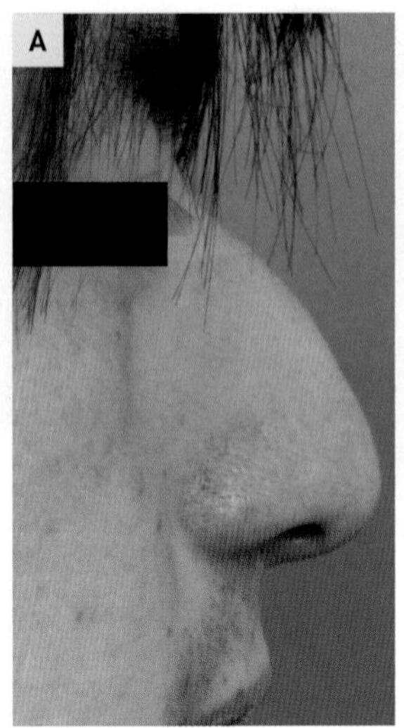

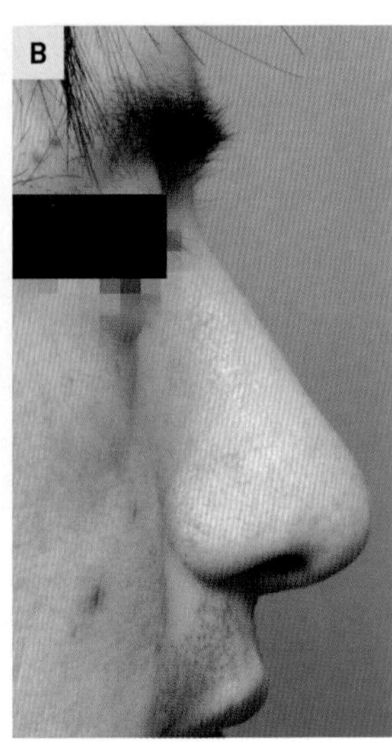

■ 그림 44-49. **매부리코 환자의 수술 전 후 측면 사진**

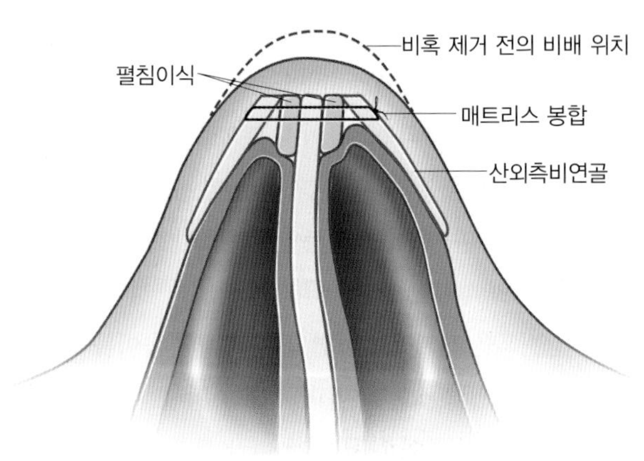

■ 그림 44-50. **비혹 제거 후 펼침이식을 시행한 모식도**

게 만든 연골이나 골막 등의 연조직을 이용하여야 윤곽선이 자연스럽다. 비혹을 전비중격각(anterior septal angle)까지 충분히 제거하지 않은 상태에서 비첨의 융기가 충분하지 않은 경우에는 상비첨점이 돌출되는 매부리코와 유사한 앵무새 부리변형(pollybeak deformity)이 간혹 발생하므로 주의한다. 비혹을 충분히 제거하고 비첨융기술과 비첨회전술을 시행하면 이를 방지할 수 있다.

한국인과 같이 비골이 짧은 경우에는 간혹 비혹을 제거한 다음 비골과 상외측연골의 연결부위가 약해지거나 분리되는 경우가 발생한다. 이러한 경우에는 펼침이식(spreader graft)을 이용하여 연결부위를 강화해주어야 수술 후 발생하는 역 'V'형 변형을 방지할 수가 있다(그림 44-49).

3. 펼침이식

펼침이식(spreader graft)의 목적은 첫째, 비배를 재건하여 비첨에서 비배로 이어지는 선(brow-tip aesthetic line)을 자연스럽게 만드는 것이고, 둘째, 내비밸브를 복원하거나 넓혀주고, 셋째, 배측 비중격과 상외측연골의 만곡을 교정하는 것이다.[15] 대개는 비중격연골을 폭 5 mm, 길이는 상외측연골의 길이에 맞게(보통 20 mm 정도) 재단하여 비중격의 상단에 맞추어 상외측연골과 비중격 사이에 위치시킨다. 편측으로 혹은 양측으로 이식할 수 있으며 고정은 5-0 혹은 4-0 PDS를 이용, 수평 매트리스 봉합(horizontal mattress suture)으로 고정한 다음 상외측연골과 함께 다시 봉합한다(그림 44-50). 비내접근법과 비외접근법 모두 가능하지만 정확한 위치선정과 고정을 위해서는 비외접근법이 선호된다.[43]

Ⅹ 들창코의 교정

1. 개념

들창코(short nose)는 코의 길이가 정상보다 짧아져 정면에서 보았을 때 콧구멍이 과도하게 보이고 측면에서 보았을 때 비첨이 상향회전(cephalic rotation)되어 비주비순각(nasolabial angle)이 정상적인 범위보다 큰 코를 지칭한다. 선천성인 경우도 있지만 주로 외상이나 코성형수술 후에 발생하는데 특히 하외측연골 등 코의 조직을 과도하게 절제했을 때 많이 발생한다. 한국을 비롯한 아시아 국가에서는 인공삽입물을 비배에 삽입하였다가 감염이나 다른 부작용 때문에 제거한 다음 적절한 조치를 취하지 않은 경우에 상처의 수축 등으로 인해 약한 하외측연골이 상향회전되면서 많이 발생한다(그림 44-51). 들창코 교정은 코성형술식 중에서도 매우 힘든 술식 중 하나이다. 들창코는 대부분 여러 번 수술한 후에 합병증으로 발생하므로 이식할 연골이 부족하고 조직이 많이 손상되어 있으며 피부의 탄력성도 떨어져 있기 때문이다.

코의 길이는 비근점에서 비첨한정점(tip defining point)까지의 길이와 비근점에서 비하점(subnasale)까지의 길이, 두 가지로 정의한다(그림 44-52). 이 길이를 연장하는 방법은 세 가지이다. 첫째, 비첨 즉 비첨한정점을 미측, 하향회전시키는 방법, 둘째, 비하점이 짧은 경우 비하점을 아래로 이동시키는 방법, 셋째, 비근점을 위로 올리는 방법이다. 따라서 수술을 계획할 때는 이 세 가지를 염두에 두어야 한다. 먼저 비첨한정점을 하향회전시키는 방법으로는 하외측연골의 위치를 재조정하는 방법과 기존 구조 즉 하외측연골을 그대로 두고 그 위에 이식물을 덧대어 코를 늘리는 효과를 얻는 방법이 있다. 수술 기왕력, 환자의 기대치, 비첨의 상향회전 정도, 피부의 움직임 정도, 가용한 연골의 유무 등 여러 가지를 고려하여 둘 중 한 가지 방법을 선택한다. 이 중 가장 중요한 것은 피부의 움직임 정도이다. 피부가 두껍거나 상흔 등으로 인하여 가동성이 떨어지는 경우에는 비첨을 늘리는 데 한계가 있다. 손으로 피부를 아래로 누르면서 당겨보면 피부 가동성의

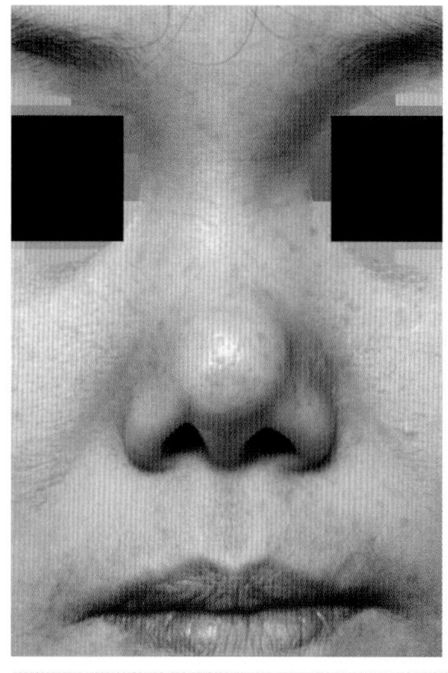
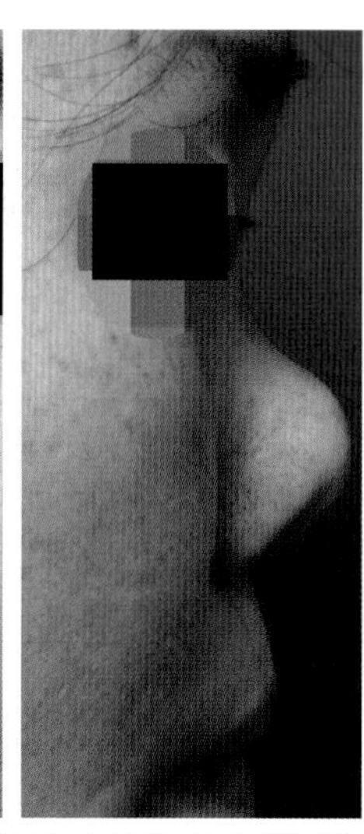

■ 그림 44-51. 과거에 삽입한 실리콘을 제거한 후에 연조직의 구축으로 발생한 들창코. 정면에서 보면 코가 짧고 비공이 과도하게 노출되어 있으며, 측면에서는 비첨이 과도하게 두측회전(cephalic rotation)되고 비배 또한 낮다.

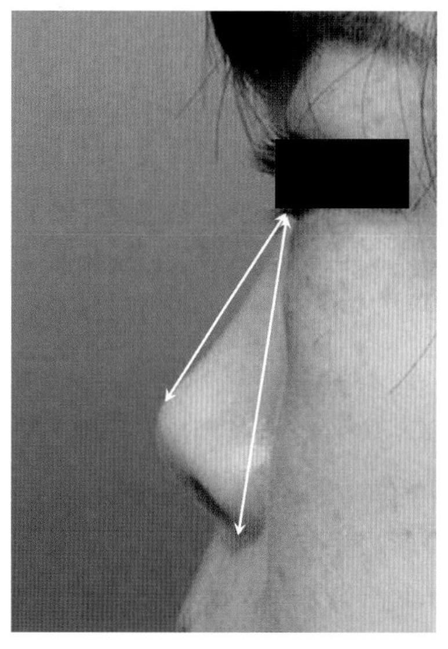

■ 그림 44-52. 코의 길이 비근점(nasion)에서 비첨한정점(tip defining point)까지, 비근점에서 비하점(subnasale)까지를 코의 길이로 본다. 비근점을 올리거나 비첨한정점을 아래로 내리거나 혹은 비하점을 내려서 코의 길이를 길게 만든다.

정도를 예측할 수 있다. 비근점에서 비하점까지의 길이가 짧은 경우에는 비중격연장이식을 통해 비하점을 아래로 이동시켜 코를 길어 보이게 할 수 있다. 비배가 과도하게 낮아 비근점이 실제로 낮은 경우나 비혹이 있어 상대적으로 비근점이 낮아 보이는 경우에도 코가 짧아 보일 수 있다. 이러한 경우에는 비첨의 하향회전과 함께 비근부나 비배에 이식을 시행하여 코가 길어 보이게 할 수 있다.

비첨의 상향회전 정도가 심해 코가 짧아 보이는 경우에는 비배이식으로 비근점을 올리고 비첨에 이식을 하여 비첨한정점을 조금 내리는 방법만으로는 한계가 있다. 따라서 비중격을 연장하고 하외측연골의 위치를 아래로 재조정하여 코의 중앙 부분 전체를 아래로 이동시키는 근본적인 수술이 필요하다.

코의 중앙 부분, 즉 비주와 비첨소엽(tip lobule)을 비중격연장이식 등을 이용하여 늘리는 경우에는 비공과 비익연의 위치도 같이 재조정해야 한다. 이는 늘어난 비중격에 하외측연골을 재위치시키면 하외측연골이 좀 더 수직위치로 이동하면서 비익연이 딸려 올라가는 경향이 있기 때문이다. 따라서 비공과 비익연을 아래로 연장하는 술식을 같이 시행해주어야 코를 좀 더 자연스럽게 연장할 수 있다. 이를 위해서는 하외측연골의 외측각에 강화이식이나 지주이식(lateral crural strut graft)을 해야 한다(그림 44-53). 피부가 얇은 서양인의 경우 외측각을 비전정점막에서 박리한 다음 아래에 긴 지주이식을 덧대고 이를 이상구(pyriform aperture)에 만든 포켓에 넣어줌으로써 완전히 재위치시키는 술식이 도움이 된다. 하지만 연골을 이용한 비익연의 조작은 피부가 두꺼운 한국인에게 그다지 효과적이지는 않다. 피부가 얇은 사람에게는 이러한 강화이식이 많은 도움이 된다.

들창코를 교정할 때 흔히 접하는 문제는 두 가지이다. 첫째, 연골의 이식 등으로 코의 지지대(framework)를 연장할 수는 있지만 비내 점막과 피부는 쉽게 늘어나지 않는다. 피부가 늘어나기 쉽고 일차 수술인 경우에는 결과가 좋지만 재수술이고 피부가 딱딱하여 잘 늘어나지 않는 경우에는 코를 늘리기가 매우 어렵다. 피부를 광범위하게 박리하고 상흔을 제거하더라도 피부가 만족할 만큼 늘어나지 않는 경우가 대부분이다. 둘째, 비첨의 회전과 융기를 동시에 얻기가 쉽지 않다는 것이다. 원하는 융기를 얻을 경우 코는 너욱 상향회전 되기가 쉽고, 들창코를 하향회전만으로 교정할 경우에는 비첨의 융기가 부족해지기 쉽다. 이러한 제한 요소들을 극복하려면 상당히 단단한 지지가 필요하며, 비첨의 '삼각대' 모두가 동시에 늘어나는 방향으로 연골을 이식해야 한다.

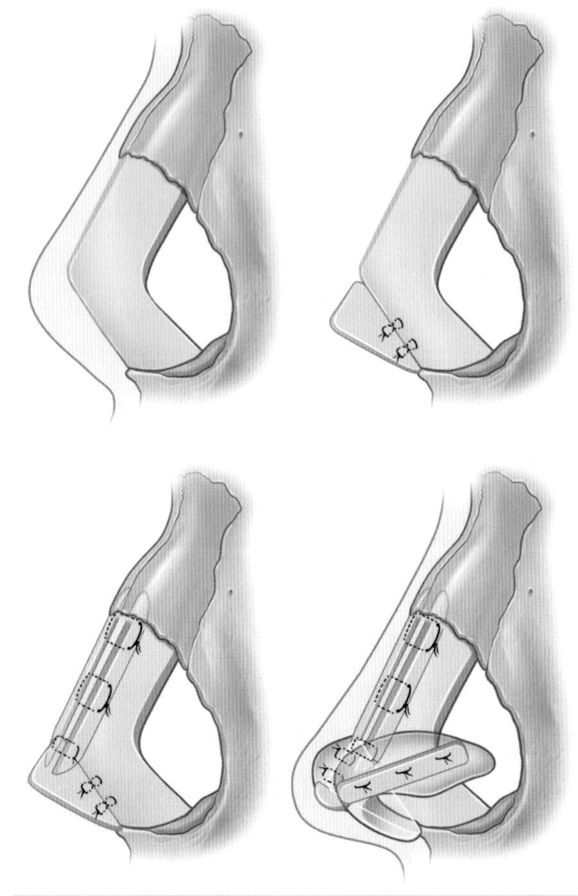

■ 그림 44-53. **들창코 교정의 모식도.** 비중격 연장이식과 연장펼침이식(extended spreader graft)을 시행하여 코의 중앙 부분 전체를 아래로 이동시킨 후 하외측연골의 외측각에 강화이식이나 지주이식(lateral crural strut graft)를 시행하여 비익연을 아래로 연장하는 술식을 같이 시행해주어야 코를 좀 더 자연스럽게 연장할 수 있다.

2. 비중격 연장이식을 이용한 들창코의 교정

먼저 이식에 사용할 재료를 얻는다. 비중격연골이 불충분하다고 판단될 때에는 늑연골이 가장 이상적인 재료이다. 간혹 사골수직판과 서골을 이용하여 비중격 연장이식을 할 수도 있지만 비첨이 아주 딱딱해지고 뼈가 흡수되면서 그 효과가 줄어들 염려가 있다. 이식에 사용할 연골은 편평하고 단단하며 비교적 길어야 요긴하게 쓸 수 있다. 늑연골은 10번 메스로 잘 다듬어 휘지 않는 편평한 모양으로 만들어야 한다. 약간 휜 부위는 반으로 잘라 양쪽의 연장펼침이식으로 쓰면 휜 모양이 서로 상쇄되면서 일직선 모양을 얻을 수 있지만 비중격연장이식은 두껍지 않으면서 똑바른 모양이 좋다. 피부를 넓게 박리하여 피부가 아래로 당겨졌을 때 쉽게 내려올 수 있도록 하는 것이 중요하다. 특히 재수술인 경우 피하에 두꺼운 상흔이 있다면 상흔을 제거하고 구축을 풀어주어야 피부가 당겨져 내려올 수 있다. 상외측연골과 이상구연(pyriform aperture margin)에서 하외측연골을 분리하여 충분히 아래로 움직일 수 있게 만들어야 한다. 하외측연골을 내리기 위해서 상외측연골과 완전히 분리하고 비점막까지 절개한 경우에는 벌어진 비점막 사이에 이개에서 채취한 피부연골 복합이식(composite graft)을 덧대어 하외측연골의 하향회전을 보강하기도 한다(그림 44-54).

새롭게 연장된 비중격에 하외측연골을 다시 고정함으로써 비첨의 위치를 좀 더 아래로, 그리고 하향회전시킴으로써 코를 길어 보이게 한다. 이후 여러 가지 이식물을 이용하여 추가적인 연장을 시도한다. 방패이식, 모자이식이 대표적으로 많이 쓰인다. 하외측연골의 외측각이 약하다면 이를 보강하기 위하여 외측각중첩이식(lateral crural onlay graft)을 하며, 비첨의 회전과 융기를 과도하게 조절하면 비익연이 자연스럽지 못하고 약간 위축되거나 함몰될 수 있으므로 비익연이식(alar rim graft)을 시행하여 비첨에서 비익연으로 자연스럽게 연결되도록 한다(그림 44-55).

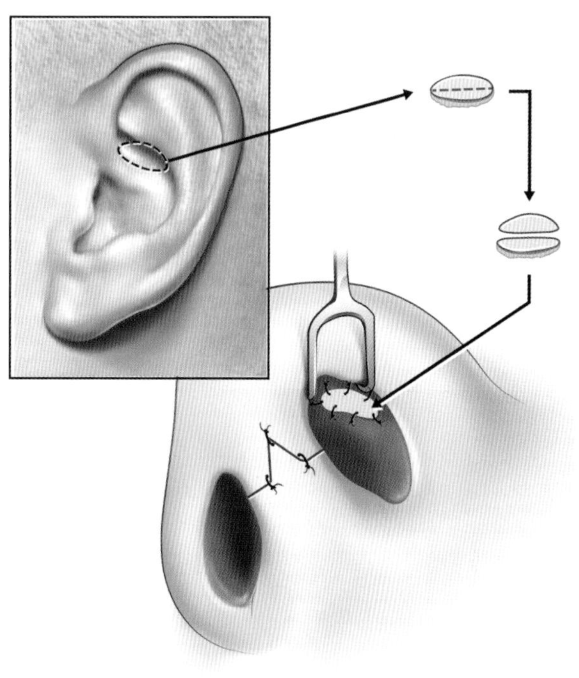

■ 그림 44-54. 하외측연골을 내리기 위해서 상외측연골과 완전히 분리하고 벌어진 비점막 사이에 이개에서 채취한 피부연골 복합이식(composite graft)을 덧대어 하외측연골의 하향회전을 보강하는 모식도

강한 회전과 융기를 얻은 경우에는 비첨 상부와 비배가 연결되는 부위가 약간 낮아지므로 골성 비배에서 연골성 비배, 비첨으로 이어지는 자연스러운 비배의 선을 얻기 위하여 비배에 연골을 이식한다. 또한 비근부를 포함한 비배를 올려줌으로써 상대적으로 코가 길어 보이도록 비배의 중첩이식을 같이 시행한다.

간혹 코의 수축이 심할 경우 길어진 코의 중앙구조물과 박리하여 늘어난 피부는 일차 봉합이 가능하지만 비강 내 피부는 이를 따라오지 못하는 경우가 발생한다. 특히 연조직삼각 부위(soft tissue triangle, nasal facet)를 포함한 변연절개 부위의 비강 쪽 피부가 늘어난 코의 피부를 따라오지 못하기 때문에 결손이 발생한다. 늘어난 코의 피부와 비강 쪽 피부가 일차 봉합이 되지 않으면 상처의 수축으로 인하여 늘어난 코가 다시 짧아지고 비익연이 함몰된다. 따라서 이갑개정(cymba concha) 부위에서

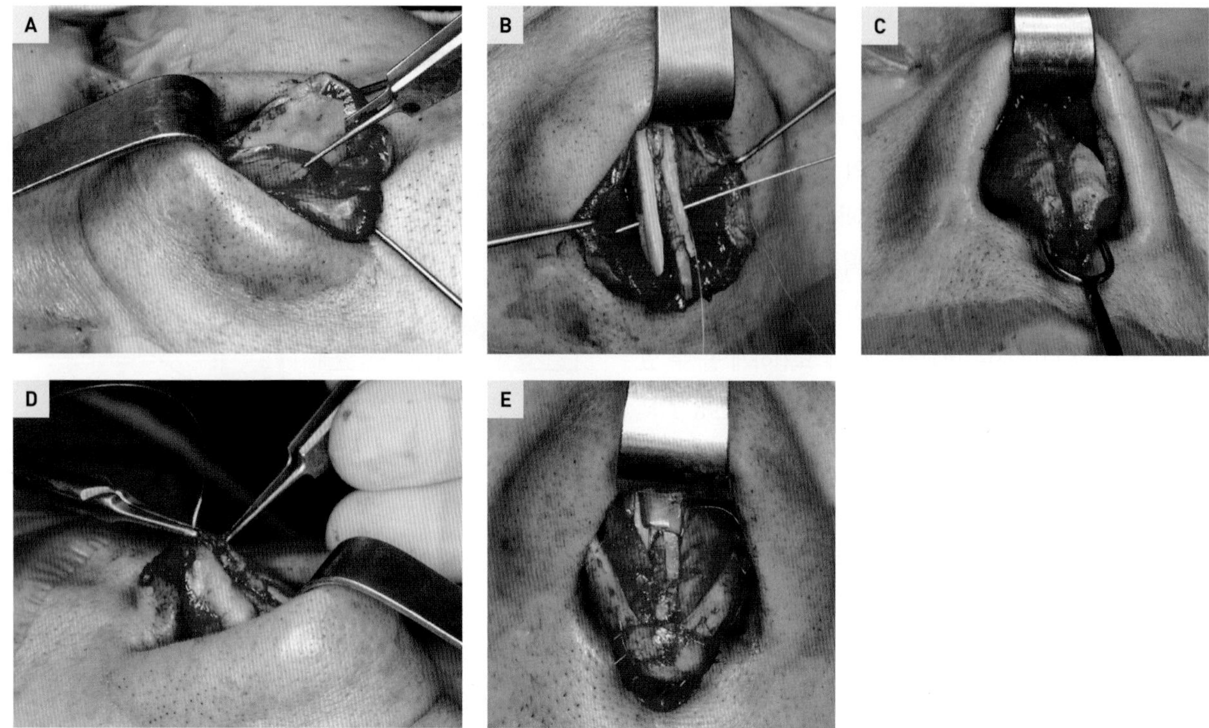

■ 그림 44-55. **비중격연장이식을 이용한 들창코의 수술방법.** **A)** 비중격연장이식을 고정하기 전 모습. 비중격연장이식이 전비극까지 닿고 비첨의 융기 증가, 하향회전에 맞게 디자인되어 있다. **B)** 양측 연장펼침이식(extended spreader graft)을 통해 비중격연장이식을 단단히 고정한다. **C)** 하외측연골을 상외측연골과 이상구에서 박리하여 아래로 당겨서 연장 정도를 평가한다. **D)** 아래로 연장된 하외측연골을 새로운 비중격에 고정한다. **E)** 새로운 비첨위에 추가적인 연장을 위해 시행한 모자이식과 양쪽의 외측각중첩이식으로 외측각을 보강하고 비배에 연골이식을 끝낸 후의 정면 모습

피부연골 복합이식을 채취하여 이 부위를 다시 채워주어야 한다. 비주 부위를 일차 봉합하기 전에 이개의 복합조직을 미측은 변연 절개부에, 두측은 비전정의 피부에 봉합하여 결손 부위를 메워준다. 이러한 모든 조작에도 불구하고 만족할 만큼 코가 늘어나기는 힘들기 때문에 반드시 수술 전에 환자와 주의 깊게 상담해야 한다.

XI 구순열코변형의 교정

구순열코변형(cleft nose deformity, cleft lip nose deformity)은 복잡한 해부학적 이상으로 인해 수술하기가 매우 까다롭고 완벽한 수술결과를 얻기가 힘들기 때문에 코성형 수술의들에게 많은 실망감을 주는 변형 중 하나이다. 특징적인 해부학적 변형은 태아기부터 이미 존재한 구순열증후군의 이차적 결과이다. 최초 변형의 심한 정도, 수술적 교정의 방법이나 시기, 얼굴의 성장 등에 따라 발생하는 이차적인 코 변형의 정도가 결정된다.

구순열코변형의 수술치료에서 문제가 되는 것은 수술의 시기와 방법이다. 구순열을 맨 처음에 교정할 때 코의 변형을 줄이기 위한 일차 코성형(primary rhinoplasty)은 대부분 시행하는데 그 후 언제 코를 다시 수술할 것인가에 대해서는 많은 논란이 있다. 또 하나는 수술방법이다. 형태가 매우 복잡하기 때문에 수술방법도 다양하므로 개개인의 변형 정도에 따라 맞는 수술방법을 선택해야 한다.

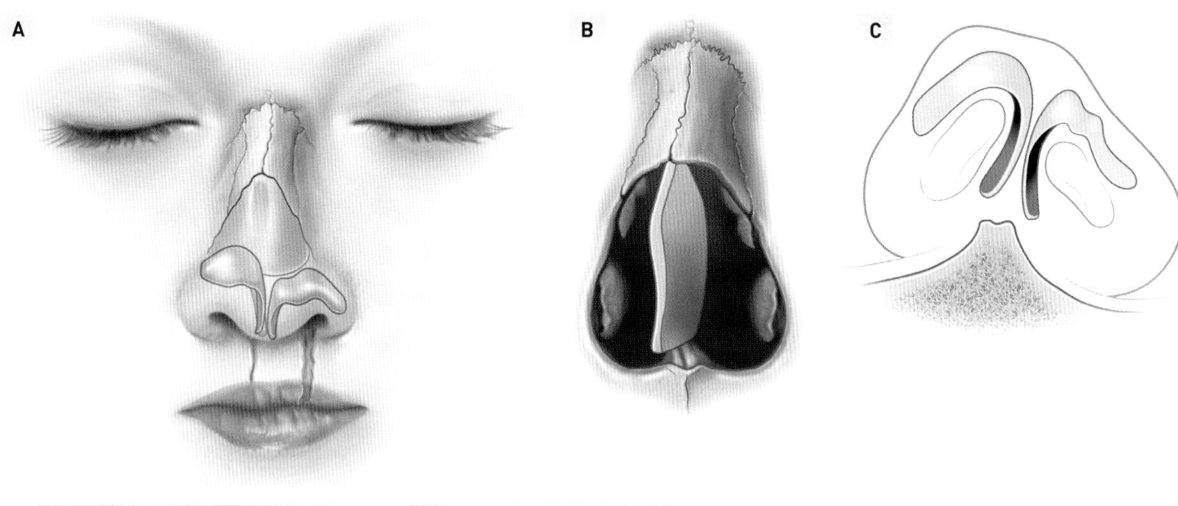

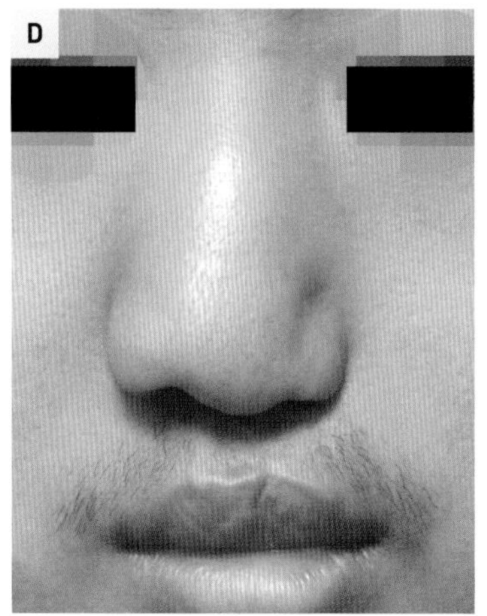

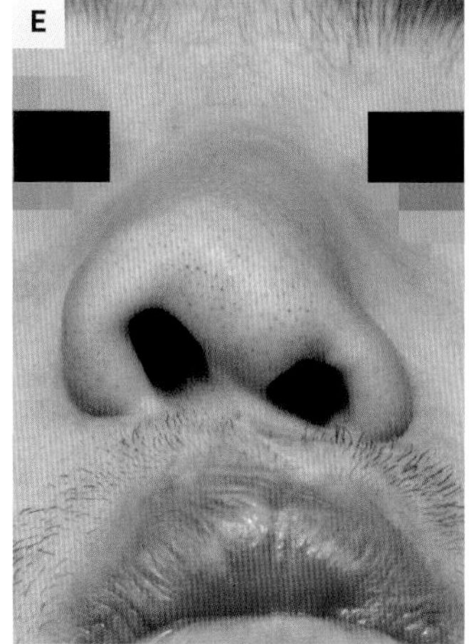

■ 그림 44-56. **편측 구순열코변형.** **A)** 비구순측으로 사비가 있고 비골, 상외측연골, 하외측연골이 비대칭이다. 하외측연골의 외측각은 길고 약간 구겨져 있으며 내측각은 짧다. **B)** 전비극과 미측 비중격이 비구순열 측으로 비중격의 후방은 구순열 측으로 편위 된다. **C)** 구순열 측의 비주는 짧고 하외측연골은 측방, 하방, 후방으로 편위되어 비공이 편평하다. **D), E)** 윗 입술의 상흔과 함께 A~C에서 설명한 모든 변형이 관찰된다.

1. 관련 해부학

구순열코변형을 성공적으로 교정하기 위해서는 코의 변형을 잘 살펴보고 어떠한 변형이 있는지를 판단하는 것이 매우 중요하다. 구순열 측의 비익저를 받치는 전상악(premaxilla)이 결손되어 있으므로 비익저가 내외측 모두에서 지지되지 않아 비익이 비전정 내로 처지고 비전정이 변형된다. 비주와 비중격의 미측(caudal septum)은 구순열 측의 구륜근(orbicularis oris muscle)이 작용하지 않으므로 정상 측 구륜근의 당기는 힘에 의해 정상 측으로 휘게 된다. 구순열 측의 비익저는 측방(lateral), 하방(inferior), 후방(posterior)으로 편위되고 비첨은 비대칭적이며 비공은 편평해진다.

환자에 따라 정도의 차이는 있지만 편측 구순열코변형(unilateral cleft nose deformity)의 경우에는 다음과 같은 해부학적 이상이 관찰된다(그림 44-56).

① 전체적으로 비구순열 측(noncleft side)으로 휜 사비가 있고 비첨이 비대칭인 것이 특징이다.
② 전비극, 비중격연골의 미측은 비구순열 측으로, 비중격의 후방은 구순열 측으로 편위된다.
③ 비골 피라미드는 비구순열 측으로 편위되고 비골은 비대칭이며 구순열 측이 편평하다.
④ 상외측연골은 비대칭이고 구순열 측 상·하외측연골의 연결 부위가 느슨하다.

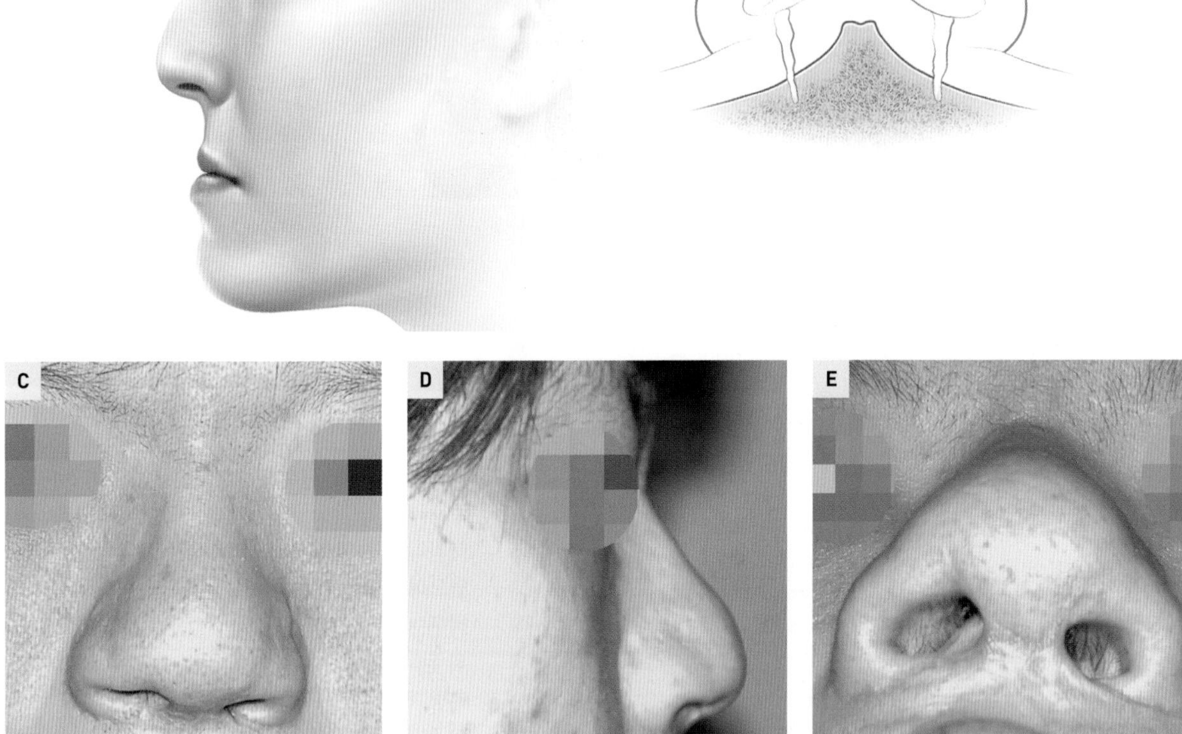

■ 그림 44-57. **양측 구순열코변형.** **A)** 비주가 짧고 비첨의 융기가 부족하고 하향회전되어 있다. 비배가 편평하고 낮으며 상악의 발달부전으로 후전이 있다. **B)** 양측 하외측연골이 아래로 처지고 외측각이 길며 내측각은 짧다. 비익저가 측방, 하방, 후방으로 편위되어 비공이 편평하다. **C)~E)** 일차 코성형을 시행했던 양측 구순열코변형으로 수술 상흔과 함께 특징적인 소견들이 모두 관찰된다.

⑤ 구순열 측의 하외측연골은 아래로 처지고 외측각은 길고 약간 구겨져(buckled) 있으며 내측각은 짧아 아래로 처져 있다.

⑥ 비주는 구순열 측이 짧고 위쪽은 구순열 측으로, 아래는 비구순열 측으로 편위된다.

⑦ 구순열 측의 비익저는 측방, 하방, 후방으로 편위되고 비공은 편평하다.

양측 구순열코변형(bilateral cleft nose deformity)에서 다음과 같은 해부학적 이상이 관찰된다(그림 44-57).

① 전체적으로 비주가 매우 짧고 특히 비첨이 낮고 하향회전되어 있다.

② 비중격의 편위는 없지만 미측, 복측(ventral)으로 발달이 부족하다.

③ 골연골성 비배가 편평하여 비배가 낮아 보인다.

④ 하외측연골이 아래로 처지고 하향회전되어 있다. 외

측각이 길고 내측각이 짧다.

⑤ 비익저는 양측 모두 측방, 후방, 하방으로 편위되어 비공이 매우 편평하다.

양측 구순열코변형의 이러한 해부학적 특징은 구순열이 심할수록 두드러지며 상악의 발달부전(hypoplasia)과 함께 후전(retrusion)이 동반된 경우에는 연골이식만으로는 교정할 수 없고 상악전진술(maxillary advancement)을 시행한다. 구순열을 봉합하기 위해 상악을 과도하게 당기면 오히려 상악의 발달을 저해하므로 성장을 촉진하는 교정기를 착용하고 수술을 연기해서 상악의 성장을 도모한다.

2. 구순열코변형 수술의 시기

구순열코변형의 수술은 일차와 이차로 나눌 수 있다. 일차코성형(primary rhinoplasty)은 처음 구순열을 수술할 때 같이 시행하는 코수술을 말하고, 이차코성형(secondary rhinoplasty)은 맨 처음으로 구순열을 수술한 이후에 하는 모든 수술을 말한다. 이차 코성형은 다시 주로 어린이 때 시행하는 중간 교정(intermediate repair)과 코가 완전히 다 자란 다음에 시행하는 최종 교정(definitive repair)으로 좀 더 세분화할 수 있다.

구순열코변형을 수술하는 시기는 여러 가지 요인을 고려하여 결정한다. 아이가 자라서 코의 변형 때문에 놀림을 받기 전에 하는 것이 좋지만, 조기에 수술을 시행할 경우 코의 성장장애를 유발할 수 있기 때문에 코와 얼굴의 성장이 어느 정도 완성되는 10대 중·후반에 수술하는 것이 더 좋다는 의견도 있다. 전통적으로 환자가 어릴 때에는 코의 심한 조작을 피하였지만 최근에는 일차로 구순열을 수술할 때 코수술을 같이 시행한다. 이는 이러한 수술이 비첨과 비익저가 좀 더 대칭적으로 자라는 것을 도와준다고 생각하기 때문이다. 따라서 최초로 구순열을 교정할 때 비익저를 이상구(pyriform aperture)에서 분리하여 가능한 한 대칭적이고 정상적인 위치로 옮겨주고, 양측 구순열변형인 경우 짧은 비주를 늘려주면 나중에 발생할 코변형의 정도를 줄일 수 있다.

최종 교정의 시기는 상악과 코의 성장 정도, 환자의 심리상태, 동반된 기능적 장애 정도 등 여러 가지를 고려하여 결정한다. 일반적으로 최종 수술은 10대 후반 이후 코가 완전히 자란 다음에 시행한다. 만약 상악이나 하악의 변형이 있으면 코수술을 하기 전에 먼저 이를 교정한다.

3. 비외접근법을 이용한 편측 구순열코변형의 최종 교정

구순열코변형은 최초 코변형의 심한 정도, 환자의 성장, 이전 수술로 인한 상흔 등 여러 요인으로 인해 아주 복잡한 양상을 띤다. 이러한 변형을 교정하기 위해서는 비중격, 비첨, 비골 피라미드, 비익저의 수술과 상악의 확장(augmentation)까지 포함하는 복잡한 수술이 필요하다. 따라서 수술자는 개개인의 변형 정도를 정확하게 평가하여 수술해야 한다. 가벼운 경우를 제외하고는 비내접근법보다는 비외접근법이 선호되고, 특히 비첨이 심하게 변형된 경우에는 비첨을 광범위하게 재건해야 한다. 재료로 자가연골이나 동종연골을 선호하지만 상악을 확장하기 위하여 고어텍스 같은 인공물질을 사용하기도 한다.

비중격 수술에서 중요한 점은, 접근법에 상관없이 편위된 비중격연골을 정중앙에 재위치시키는 것이다. 비중격 양쪽의 점막을 들어 올린 다음 비중격연골을 사골수직판, 비골능선과 분리하고, 편위된 사골수직판이나 서골을 일부 절제하거나 골절시켜 정중앙에 위치시킨다. 사골수직판과 연골이 연결된 부위는 구순열 측으로 휜 경우가 많다. 분리된 연골의 일부를 자유롭게 움직이기 위하여 그리고 필요한 연골편을 얻기 위하여 연골의 일부분을 절제하고, 특히 미측 비중격을 정중앙에 위치시킨다. 비중격연골은 전비극에 다시 고정하거나 필요하면 비중격 강화이식 등으로 고정한다. 전비극이 편위된 경우에는 절골하여 정중앙에 위치시켜야 한다.

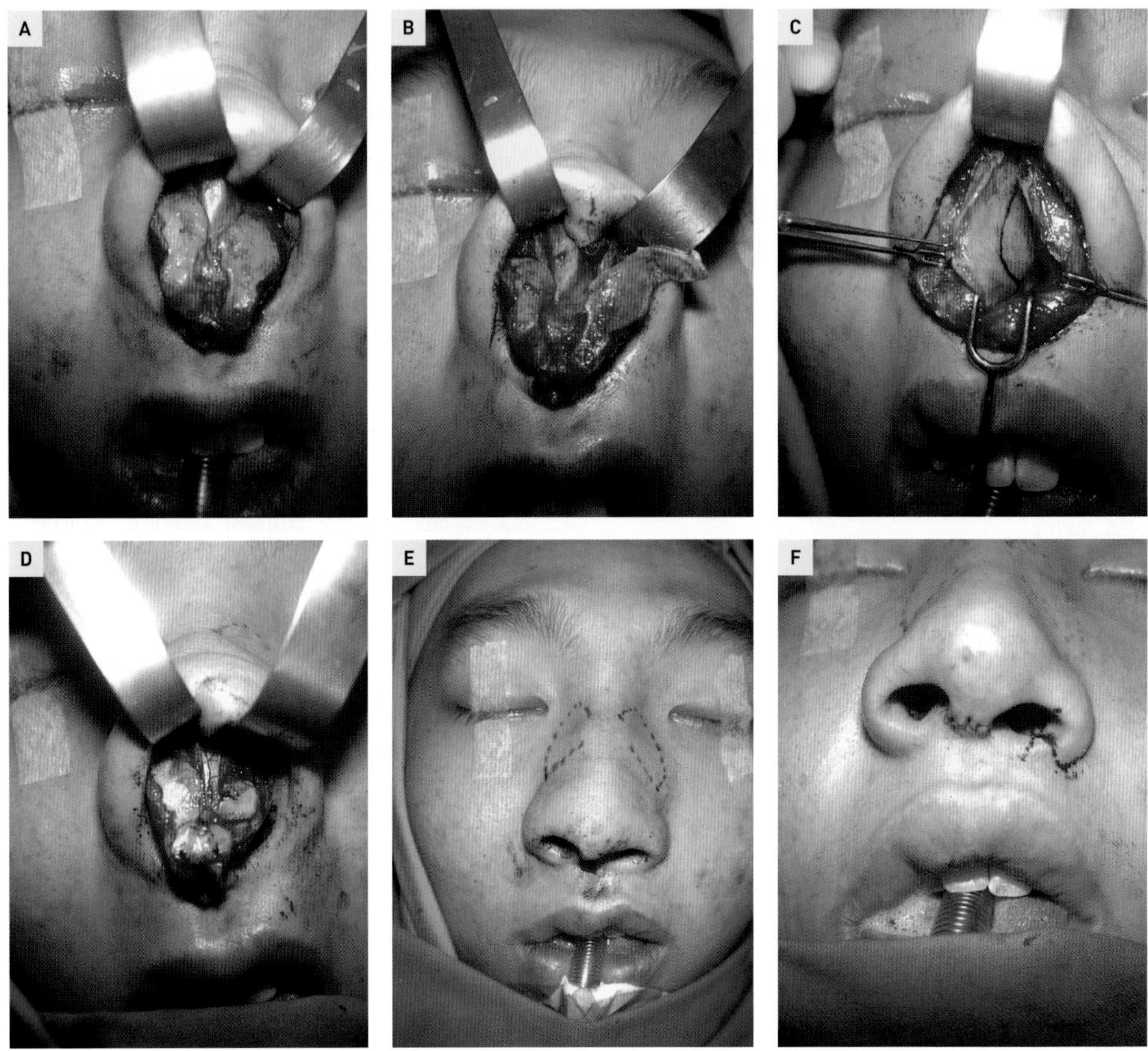

■ 그림 44-58. **편측 구순열코변형의 수술.** **A)** 비외접근법으로 하외측연골을 노출한다. 연골성 비배가 정상 측인 우측으로 편위되고 하외측연골이 하외측으로 기울어져 있다. **B)** 하외측연골을 비전정점막에서 박리한다. **C)** 비중격을 교정하고 이식재료인 비중격연골을 채취할 부위를 표시한다. **D)** 좌측의 펼침이식, 비주지주, 모자이식, 좌측 외측각중첩이식(lateral crural onlay graft) 등을 실시한다. **E)** 골성 비배의 편위를 바로잡기 위하여 좌우 내외측 절골술을 시행한다. **F)** 비익저의 비대칭을 교정하기 위하여 Z성형술을 시행한다.

비주에 역V형 혹은 V형의 절개를 가하고 피판을 거상한다. 특히 비주가 짧은 환자의 경우에는 V형 절개를 가하고 V-Y 형태로 전진시켜 봉합하면 비주를 좀 더 길게 할 수 있다. 구순열 측의 외측각은 정상 측보다 조금 길고 때론 구겨져(buckled) 있으며 내측각은 짧고 아래로 처진다. 하외측연골의 비대칭이 심하지 않은 경우에는 비주지주, 모자이식 등을 이용하여 비첨의 대칭성을 회복시키고 융기시킬 수 있다. 외측각의 변형이 좀 더 심한 경우에는 비전정의 피부에서 구순열 측의 외측각을 분리하여 다시 위치시켜야 한다(그림 44-58). 채취한 비중격연골로 비주지주나 비중격연장이식(septal extension graft)에 이용하여 비첨의 융기와 대칭성 회복을 위한 지지대를 확보한다.

박리한 구순열 측의 외측각을 내측과 좀 더 융기된 위치로 이동시켜 지주와 함께 정상 측과 봉합한다. 구순열 측 외측각중첩이식(lateral crural onlay graft)이나 모자이식 등을 통하여 추가적으로 대칭성을 회복하고 비첨 융기를 증가시킨다.

편위된 비골 피라미드는 내외측 절골술을 이용하여 중앙으로 이동시킨다. 구순열 측 상악의 함몰을 교정하기 위해 연골이나 인공이식물을 이식하여 확대시켜준다. 이를 위하여 비외접근을 위한 절개나 비익저를 재위치시키기 위한 절개를 통해 전상악 부위에 적절한 공간을 만든 다음 이식물을 삽입한다. 이식물이 너무 크거나 부적절한 위치에 삽입할 경우 구강 측으로 튀어 나오거나 불편감을 초래한다.

구순열 측의 비익저가 넓고 과도하게 외측으로 편위된 경우에는 비익저를 내측으로 다시 위치시켜 비익저의 대칭성을 회복해야 한다. 비익저를 재배치하는 데에는 단순 Z성형술(Z-plasty)이 도움이 된다(그림 44-58). 비익저를 재배치한 후에도 여전히 구순열 측의 비전정이 비스듬하게 기울어진 경우가 많기 때문에 비전정 측에 Z성형술을 시행하여 밴드처럼 작용하는 비전정 피부를 유리시켜준다. 이 모든 방법에도 불구하고 기저에서 본 코의 모양을 완벽하게 대칭적으로 맞추기란 매우 어려운 일이다.

XII 코성형 합병증과 재수술

코성형술 후에 합병증은 다양한 원인으로 다양한 시기에 다양한 형태로 나타나게 된다. 합병증의 종류와 그 발생기전을 잘 알아야만 첫째, 환자에게 적절히 설명할 수 있고, 둘째, 그러한 합병증을 방지하거나 최소화할 수 있으며, 셋째, 일단 발생했을 경우 효과적으로 이를 치료할 수가 있다. 합병증은 발생 시기에 따라 수술 중 vs 수술 후, 초기 vs 후기 합병증으로 나누기도 하고, 종류에 따라 기능성, 미용성, 감염성, 심리적 합병증 등으로 구분하기도 한다.

코성형 재수술은 여러 가지 원인으로 하게 되며 명백한 후기 합병증은 재수술의 주요 원인이 된다. 최근 들어 재수술이 증가하는 원인은 첫째, 최근 외모를 중시하는 사회적 분위기로 인해 코성형을 받는 사람의 수가 늘고 있으며, 둘째, 인터넷을 포함한 미디어 기술의 발달 등으로 환자의 기대치가 높아졌으며, 셋째, 아직 수술법이 미숙한 많은 의사들이 너도 나도 코성형을 많이 하기 때문이다. 모든 재수술이 마찬가지이지만, 코성형 재수술은 첫 수술보다 어렵다. 이는 이전 수술에서 발생한 해부학적 변형을 교정해야 하는 술기의 어려움도 있지만 성형수술의 특성으로 인해 환자와 수술자가 느끼게 되는 정신적 스트레스가 첫 수술보다 훨씬 크기 때문이다. 코성형 재수술은 환자의 심리 상태, 환자-의사관계 측면에서도 첫 수술보다 다루어야 할 문제가 많다는 점을 간과해서는 안 된다. 술기적 측면에서도 재수술에서 접하는 다양한 변수들에 대해 적절히 대처하기 위해서는 다양한 코성형 기법에 대한 심도 있는 이해와 경험이 필요하다.

1. 흔한 초기 합병증

1) 출혈과 부종

수술 중이나 수술 직후에 출혈이 발생할 수 있는데 코성형술 자체만으로 심각한 출혈이 발생하는 경우는 드물다. 수술 전에 항상 출혈을 조장할 수 있는 약물을 복용하고 있는지와 전신적인 질환에 대한 자세한 병력청취와 이에 대한 대처가 필요하다. 특히 아스피린 등은 반드시 수술 2주 전부터는 복용을 중단해야 한다.

외비에 대한 조작보다는 동반된 비중격 수술이나 비갑개 수술로 인한 출혈이 오히려 많으므로 지혈에 주의하여야 한다. 코성형 시작 전에 국소 침윤을 한 후 10~15분 정도를 기다려야 하며 항상 적절한 수술 면으로 박리하는 것이 중요하고 출혈하는 혈관들은 소작하여야 한다. 절골은 코성형에서 가장 침습적인 술기로 이로 인한 출혈과

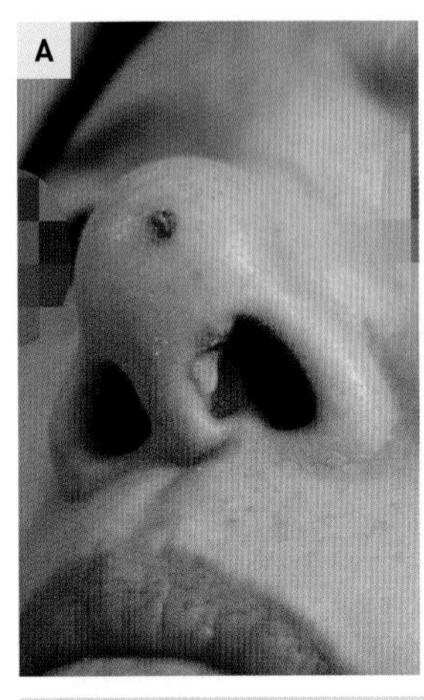

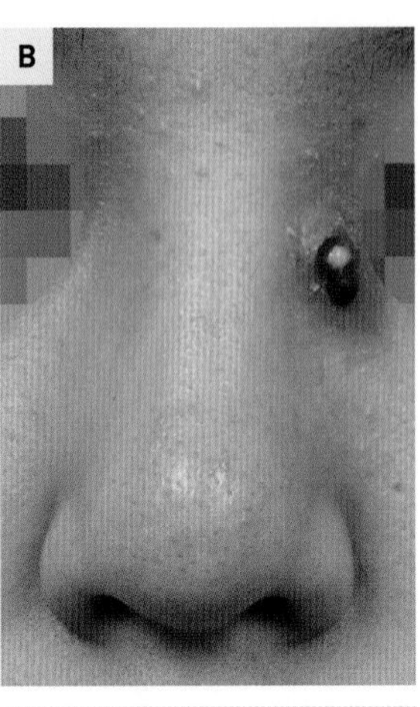

■ 그림 44-59. 인공이식물을 삽입한 후 발생한 감염 농이 비첨(A)과 비근(B) 부위에서 나오고 있다.

부종을 방지하는 것이 중요하다. 절골은 가능하면 수술의 마지막 단계로 시행하는 것이 좋으며 절골 전에 절골이 이루어지는 경로의 내외면을 침윤한다. 3 mm의 가는 절골도를 이용하거나 절골하거나 절골의 경로를 따라 내외의 골막을 미리 박리하면 4 mm의 절골도를 이용하더라도 출혈을 최소화할 수 있다. 절골 후에는 수술 부위를 5분 정도 눌러줌으로 해서 부종의 발생을 최소화할 수 있다. 수술 후에는 얼음찜질을 눈 주위에 1~2일 정도 하면 부종을 줄이는 데 도움이 된다. 전신마취하에 수술할 때는 마취의 심도를 적절히 유지하는 것이 출혈을 줄이는데 도움이 된다. 갑작스러운 혈압의 상승이나 수술 중에 갑자기 환자가 깨는 일이 없도록 마취과 의사와 적절한 의사소통이 중요하다. 부종은 출혈이 발생하는 이유와 비슷한 이유로 발생하며 또한 수술 시간이 길어지면 부종이 증가한다.

2) 감염

감염은 인공삽입물을 쓴 경우 흔히 볼 수 있는 합병증이다(그림 44-59). 발생하는 시기에 따라 초기와 후기로 나눌 수 있으나 명확한 구분법은 없다. 초기 감염은 수술 후 1달 이내에 나타나며 수술 중 또는 수술 직후의 감염이 원인이 되는 경우이며, 후기 감염은 수술 후 20년이 지난 후에도 보고되는데 정확한 원인은 아직 밝혀지지 않았다. 이식물의 종류에 따른 감염 빈도는 연구자마다 다양하지만 자가 이식물의 경우는 인공이식물보다 훨씬 적으며 인공이식물의 경우 실리콘이 고어텍스보다 조금 높다고 한다. 감염된 경우 치료는 일단 약물치료와 국소 세척이다. 자가이식물의 경우에는 호전되는 경우가 많지만 인공이식물을 사용한 경우에는 이러한 치료에 잘 반응하지 않거나 일단 조절된 염증이 재발하는 경우도 있다.

인공이식물을 사용하여 코성형을 할 때는 감염을 예방하기 위하여 수술 전, 수술 중, 수술 후에 각기 적절한 예방책을 적용한다. 수술 전에는 예방적 항생제를 투여하며, 수술 중에는 이식물의 조작을 최소화하고, 이식물을 다루기 직전에 수술 장갑을 새것으로 바꾸며, 항생제 용액으로 이식물이 삽입될 부위를 소독하는 등 신경을 써야 한다. 또한 골막 자체가 방어벽 역할을 하므로 이식물을 골막하면에 적절하게 삽입하는 것도 중요하다. 수술 후에는 절개부위를 소독하고 예방적 항생제를 최소 2주 정도 복용한다. 특히 외상이나 재수술 등 피하조직과 삽입물이 교통하기 쉬운 경우에는 인공삽입물을 사용하지 않아야 감염되는 것을 줄일 수 있다.

3) 그 밖의 급성 합병증

심한 부종으로 인해 일시적인 후각장애나 비폐색이 올 수 있지만 2~3주 지나면서 부종이 가라앉으면 후각은 다시 돌아오게 된다. 수술 직후에 비충혈제거제를 일주일 정도 비내 점적하는 것이 도움이 된다. 비중격의 천공, 비내의 반흔으로 인한 유착이 올 수도 있다. 심한 안구주위의 반상출혈로 인한 색소의 착색이 올 수도 있으므로 수술 후 3~4주간은 햇빛을 피하도록 하여야 한다.[40]

2. 후기 합병증과 재수술의 원인

수술 후 발생하는 초기 합병증으로 인해 재수술하는

경우는 많지 않다. 재수술의 대부분은 수술 후에 늦게 발생하거나 발견되는 비배의 문제, 비첨의 문제, 코막힘의 문제, 그리고 환자의 불만족 등으로 실시하게 된다. 흔한 재수술한 증례들을 분석하여 살펴본 원인들은 표 44-5와 같다. 우리나라에서 코성형 재수술의 주된 원인은 인공이식물과 관련된 것이며, 자가연골을 사용한 경우에는 비배나 비첨의 미용적 문제가 흔하다. 기능적 문제의 발생빈도가 낮은 편은 아니지만 워낙 미용적 문제가 많아 상대적으로 적게 느껴진다.[47]

3. 재수술환자의 상담

코성형 재수술 환자를 평가할 때는 코의 해부학적 이상을 파악하는 것도 중요하지만 우선 환자의 정신 및 감정 상태에 관심을 가질 필요가 있다. 경우에 따라서 환자는 이전 술자에게 불만을 품고 있거나 악의적인 생각까지 가질 수도 있다. 이런 경우에 술자는 이전 술자의 과오를 부각하기보다는 현재 환자가 가지고 있는 문제를 과장되지 않고 있는 그대로 제시해주고 해결하려는 진지한 태도를 갖추어야 한다. 코성형에는 예측하기 힘든 여러 변수가 있으며, 아무리 훌륭한 수술의라 하더라도 재수술이 필요한 환자를 경험할 수 있다. 자신이 수술한 환자인 경우에는 너무 방어적인 태도를 취하기보다는 환자의 생각이나 불만에 귀를 기울여주며 문제가 생긴 원인과 해결방법에 대해 일러주고 재수술이 필요한 경우에는 필요하다고 이야기하는 것이 좋은 관계를 유지하는 데 도움이 된다. 충분한 상담을 통해 환자와 의사 간에 서로 신뢰가 확립되었을 때 재수술을 결정하는 것이 좋다. 환자의 기대가 현실적이지 않거나 환자가 표시하는 불만이 의사가 판단한 평가와 다를 때는 수술을 연기하거나 다른 술자에게 의뢰하는 것도 좋은 방법이다.

수술을 위해서는 먼저 환자의 불만이 무엇인지 알아야 한다. 모양이 불만스러울 수도 있고 기능적인 코막힘이 문제일 수도 있다. 수술은 환자가 가진 문제를 해결해주기

표 44-5. 코성형 재수술의 흔한 원인들

인공삽입물과 관련된 문제
편위(deviation)
이물반응(foreign body reaction)
탈출(extrusion)
감염(infection)
부자연스러운 모양(unnatural, operated look)
구축으로 인한 들창코(contracted, short nose)
인공삽입물과 관련되지 않은 문제
비배의 문제
- 남아 있는 비배의 편위(residual deviation)
- 불규칙한 비배 혹은 함몰(dorsal irregularity or depression)
- 남아 있는 비혹(residual hump)
비첨의 문제
- 비첨의 융기부족(tip underprojection, loss of projection)
- 너무 들린 비첨(upturned, overrotated tip)
- 눈에 뜨이는 이식물(visible graft)
- 비첨의 편위(tip deviation)
코막힘
비중격만곡(uncorrected or residual septal deviation)
비갑개비후(turbinate hypertrophy)
알레르기비염(hidden or untreated allergic rhinitis)
비내 유착(intranasal synechia)
밸브 문제(nasal valve problem)

위해 하는 것이지 술자의 만족을 위해 하는 것이 아니다. 따라서 의사가 불만족스러워하는 문제점을 교정하기보다는 환자가 원하는 부분을 해결 해주었을 때 환자의 만족도가 높아진다. 다음으로, 코의 상태를 정확하게 파악해야 한다. 이전 수술에 대한 정보를 가능한 한 많이 얻어야하며, 수술 전 사진이 있으면 확보하고, 어떤 종류의 수술을 받았는지, 인공삽입물을 사용했다면 어떤 종류를 사용했는지, 몇 번째 수술인지, 특별한 문제는 없었는지 등을 정확하게 파악해야 한다.

코성형 재수술이 어려운 또 하나의 이유는 불확실성이다. 아무리 철저히 계획해도 예측불허의 상황에 종종 부닥치게 된다. 이전 수술로 인한 반흔과 구축으로 인해 해부학적 구조들이 예상과 달리 심하게 변형된 경우를 종종

보게 된다. 특히 보형물을 사용한 경우에는 이로 인해 감춰진 구조적 변형을 예측하기가 힘들다. 따라서 수술 중에 발견되는 새로운 변형을 교정하기 위해 상황에 맞는 적절한 술기를 선택하고 시행할 수 있어야 한다. 재수술에서 접하는 다양한 변수들에 적절히 대처하려면 다양한 코성형 기법에 대한 이해와 경험이 무엇보다 중요하다.

4. 재수술의 시점

특별히 빨리 조치하여야 할 상황이 없는 경우 대부분의 코성형 재수술은 수술 후 1년이 지나 시행한다. 수술 후 형성된 반흔조직이 성숙되고, 피부 연조직의 리모델링이 끝나며 혈관 생성이 완성되는 데 1년 정도가 걸린다. 1년까지는 코 모양이 미세하게 변할 수 있으며 또한 1년이라는 시간은 변화된 코 모양에 환자가 충분히 적응할 시간을 주는 의미도 있다. 처음에 환자는 당연히 바뀐 코에 어색해하며, 사소한 것까지 신경을 쓴다. 그러나 시간이 지나면서 새로운 코에 익숙해지면 전에 불편하게 느꼈던 부분들을 크게 개의치 않게 되는 경우도 있다. 따라서 조급하게 재수술을 계획하기보다는 1년 정도 기다려보는 것이 현명하다. 그러나 항상 1년을 기다려야 하는 것은 아니다. 수술 직후 변형이 명확하게 보이고 수술 당시에 잘못된 부분을 바로잡아 쉽게 교정되는 경우에는 수술 직후에라도 재수술을 할 수 있다. 부작용이 발생한 인공삽입물의 제거 또한 예외이다. 인공삽입물로 인하여 염증이 발생한 경우 주사항생제에 반응이 없거나 인공삽입물이 피부를 변색시키거나 뚫기 직전인 경우에는 즉시 제거하여야 한다.[47]

인공삽입물을 제거한 다음 바로 재건할 것인지 아니면 6개월~1년 정도의 충분한 시간을 기다린 다음 재수술할 것인가는 여러 가지 사항을 고려하여 결정하게 된다. 대부분의 인공삽입물은 비배를 확대하는 데 사용되기 때문에 이를 제거하면 여러 가지 문제가 발생한다. 첫째, 코 모양이 변하기 때문에 환자가 받는 정신적인 스트레스가 크다. 둘째, 인공삽입물 때문에 발생한 염증이나 반흔 등으로 인해 피부가 손상, 구축되어 발생하는 비대칭형의 코, 들창코 등 코 모양의 변형이다. 따라서 가능하면 인공삽입물을 제거하고 동시에 재건해주는 방법이 바람직하다.[50] 하지만 이 또한 여러 가지 문제점을 안고 있다. 첫째, 일단 염증이 발생하면 추가적인 염증이 발생할 위험이 높다. 둘째, 피부나 연골이 손상되어 미적 기준을 정확히 설정하기가 쉽지 않다. 셋째, 사용할 수 있는 이식물의 종류와 양이 제한된다. 따라서 이 모든 것을 고려하여 즉시 재건 여부를 결정하게 된다. 저자의 경험에 따르면 감염된 인공삽입물을 제거하고 난 직후라 하더라도 자가연골 등을 이용한 재건은 비교적 안전하다. 물론 정확하게 코 모양을 완벽하게 바로잡기는 힘들지만 인공삽입물이 제거된 공간을 채워 구축이 오는 것을 방지하고, 환자에게 심리적 안정감을 주고, 나중에 다시 재수술이 필요하더라도 처음부터 다시 시작하는 것보다는 수술하기가 수월하다.

5. 인공이식물과 관련된 문제와 재수술

1) 이식물의 편위(Implant deviation)

이식물 편위(implant deviation)의 가장 흔한 원인은 이식물이 삽입될 공간(pocket)이 대칭적으로 만들어지지 않아 발생하는 좌우방향으로의 편위이다. 일측 비내접근법으로 박리할 경우 한쪽으로 편향된 터널을 만들기가 쉬워 삽입물이 편위되기가 쉽고(그림 44-60), 삽입물이 들어갈 터널을 너무 크게 만든 경우도 원인이 될 수 있으며, 기존에 비배가 휘어진 경우 이를 교정하지 않고 이식물을 삽입한 것도 하나의 원인이 된다. 수술 전 코가 낮을 때에는 휜 코가 눈에 잘 안 보이나, 융비술을 시행하면 휜 모습이 더 눈에 띄게 되므로 수술 전에 사비 여부를 주의 깊게 살펴보아야 한다. 간혹 인공이식물, 특히 실리콘이 아래로 미끄러져 내려가거나 위로 밀려 올라가는 경우도 발생하는데 이를 방지하기 위하여 실리콘에 구멍을 뚫거나 측면에 약간의 홈을 파기도 한다. 정확한 박리면에 약

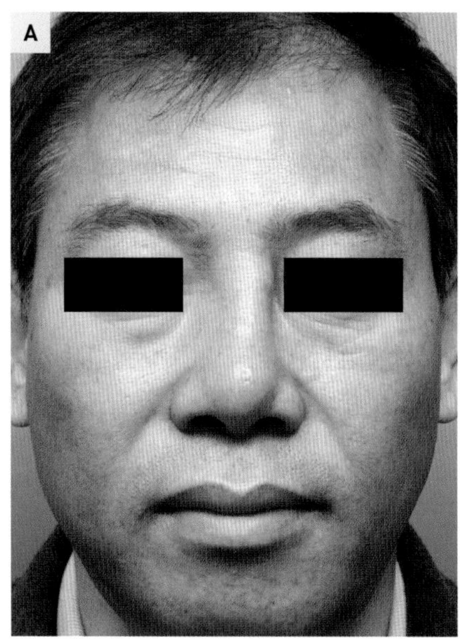

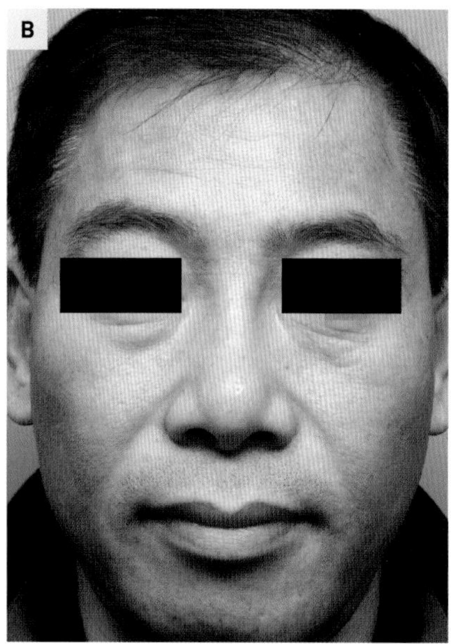

■ 그림 44-60. **A)** 인공이식물의 편위. 비배에 삽입한 실리콘 이식물이 한쪽으로 편위되었고 너무 높이 삽입하여 '수술한 티'가 난다. **B)** 재수술한 지 1년 후의 모습

간 넉넉할 정도의 공간을 만들고 비배에만 삽입하면 이러한 일은 거의 발생하지 않는다.[19,24]

2) 이식물의 탈출(Implant extrusion)

탈출은 대부분 실리콘이나 메드포어 등의 비교적 딱딱한 이식물을 비첨까지 사용한 경우에 흔히 발생한다. 탈출이 일어나는 가장 흔한 장소는 비첨 피부, 막성 비중격 또는 기존의 절개부위이지만 비근부에도 발생할 수 있다(그림 44-61). 기존 수술에 사용한 실리콘 이식물이 비첨 피부를 눌러 압박성괴사(pressure necrosis)를 일으켰다면 최대한 빨리 이식물을 제거하고 자가연골로 비첨의 모양을 재건해주며, 얇아진 피부에는 근막이나 연골막을 덧대어 피부의 반흔 형성과 유착을 예방한다. 탈출을 예방하기 위해 인공이식물의 미측부에 자가연골을 방패 모양으로 덧대주기도 하는데, 이렇게 해도 탈출이 일어날 수 있으므로 좋은 방법은 아니다. 탈출을 예방하려면 보형물을 가동성이 높은 비첨까지 오지 않고 비배에만 사용하고, 비첨의 융기를 위하여 자가연골을 이용해야 한다.

3) 이식물의 제거와 고정

고어텍스나 메드포어는 실리콘에 비하여 조직과의 유착이 심한 편이라 제거하기가 좀 더 힘들다. 특히 비근부에 깊이 삽입한 보형물을 제거하려면 광범위하게 박리해야 한다. 보형물 바로 위로 박리하며, 피부를 뚫거나 손상하지 않도록 매우 주의해야 한다. 편위나 탈출된 실리콘을 제거할 때는 실리콘 주위에 형성된 피막(capsule)도 같이 제거하는 것이 좋다. 특히 아래쪽 피막은 반드시 제거 하고 비골피라미드 위에서는 골막하로 박리하여 연골이나 보형물을 이식해야 한다.[50] 그렇게 하지 않으면 이식물이 고정되지 않고 흔들리거나 삐뚤어진 기존의 터널 모양대로 삽입될 가능성이 높다. 물론 코의 구조를 자세히 살펴 비골 피라미드나 연골성 비배가 편위되어 있으면 이를 미리 교정한 후 융비술을 시행해야 한다.

광범위하게 박리된 비배에 늑연골을 삽입할 때는 고정이 필요하다. 상외측연골에는 4-0 PDS로 쉽게 고정할 수 있지만 골성 비배에는 고정하기가 쉽지 않다. 골성 비배를 줄(rasp)을 이용하여 거칠게 만들고 비골과 접촉하는 연골이식물의 아래에 늑연골막을 덧대어 움직임을 최소화한

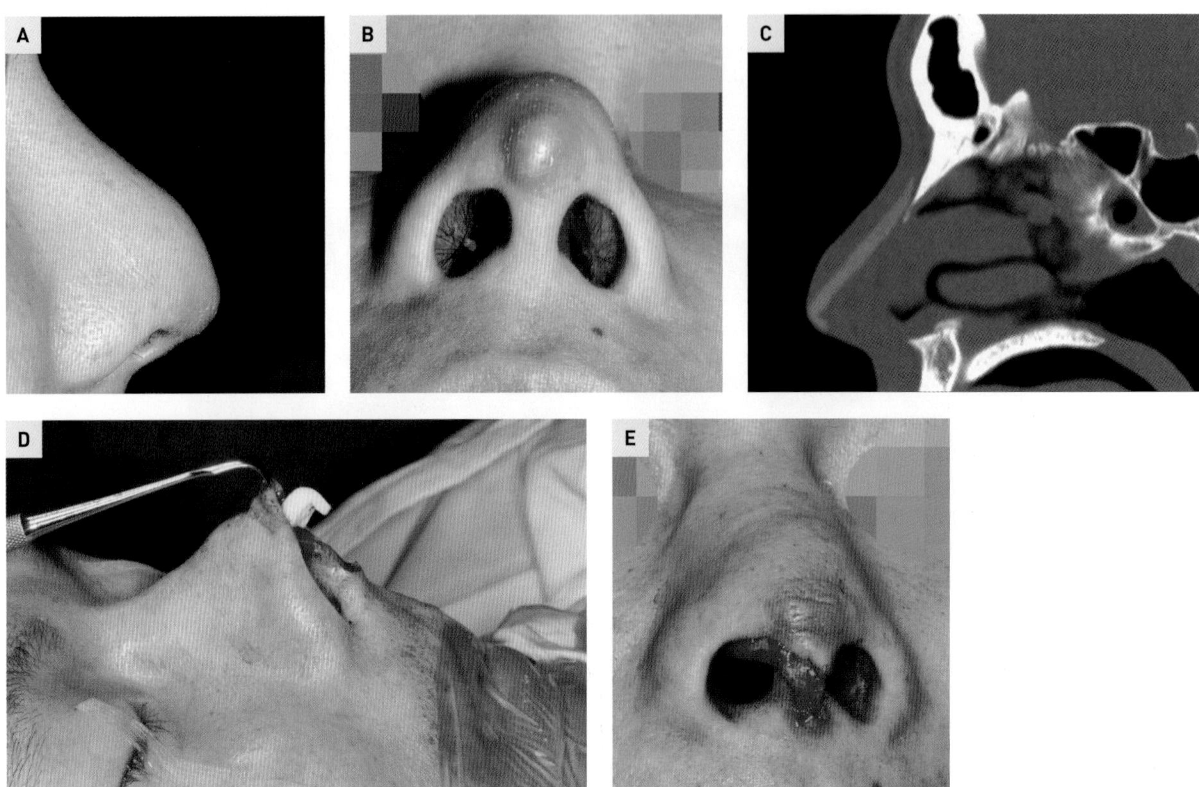

■ 그림 44-61. **실리콘 이식물의 탈출.** **A), B)** 실리콘 이식물로 인해 코끝의 피부가 변색되고 위축되어 탈출하기 직전의 모습. **C)** CT 촬영 결과, 보형물이 코끝의 피부 바로 밑까지 삽입된 모습이 확인된다. **D), E)** 재수술 시에 L 자 모양의 이식물이 튀어 나오고 코끝의 피부가 손상된 모습이 보인다.

다. 이러한 노력에도 불구하고 비근부 주위의 골성 비배에 늑연골을 고정해야 하는 경우가 있는데, 이때에는 두 가지 방법이 있다. 하나는 피부 밖에서 Kirschner-wire (K-wire)로 비골에 고정 한 다음(그림 44-62) 약 2주 후에 외래에서 K-wire를 제거하는 방법이다. 이 방법은 고정하기가 비교적 쉬우며 외래에서 제거할 때도 마취가 필요 없고 제거하기도 어렵지 않다. 16G 바늘로 비골 피라미드에 평행하게 구멍을 뚫고 바늘을 통과시킨 다음 늑연골을 관통하여 피하로 봉합하는 것도 좋은 방법이다.[50]

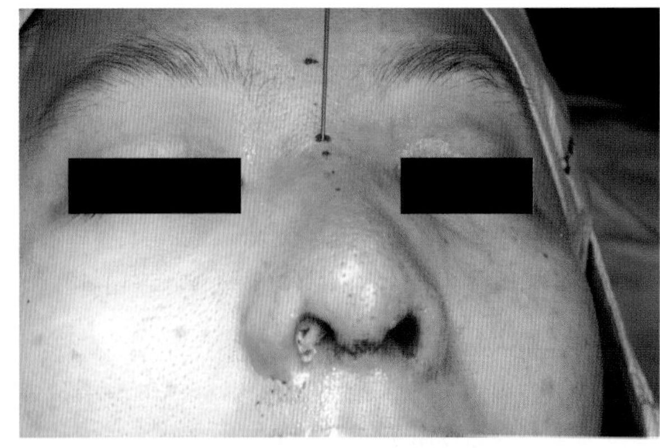

■ 그림 44-62. 실리콘 비배이식물을 제거하고 난 후 자가늑연골로 조각한 비배이식물을 K-wire로 고정한 모습. 핀은 2~3주 후에 제거한다.

4) 이물반응(Foreign body reaction)

이물반응은 인공이식물에 대한 반응이며, 이는 생체적 합성(biocompatibility)이 떨어져 발생한다. 따라서 모든 인공이식물에 대해서 발생할 수 있으며 개인차가 존재한다. 가장 흔한 이물반응은 고어텍스, 실리콘, 메드포어 등의 인공삽입물을 사용했을 경우에 발생하는 지속적인 부

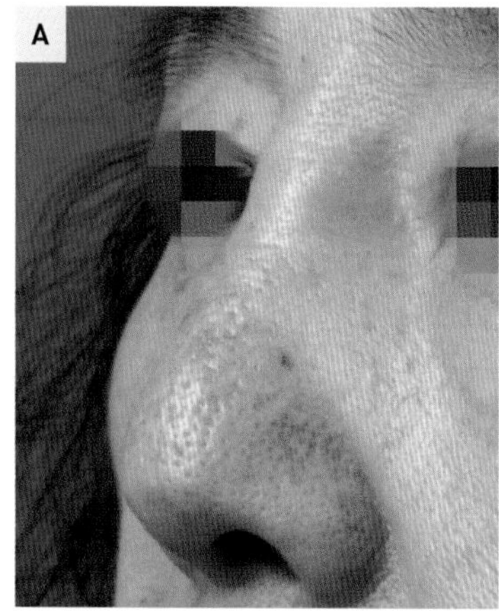

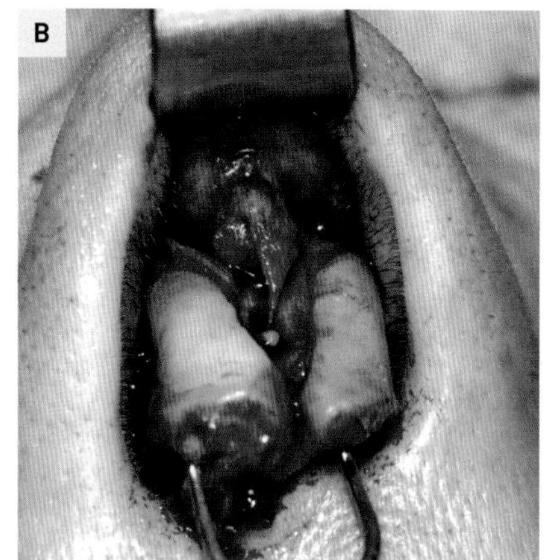

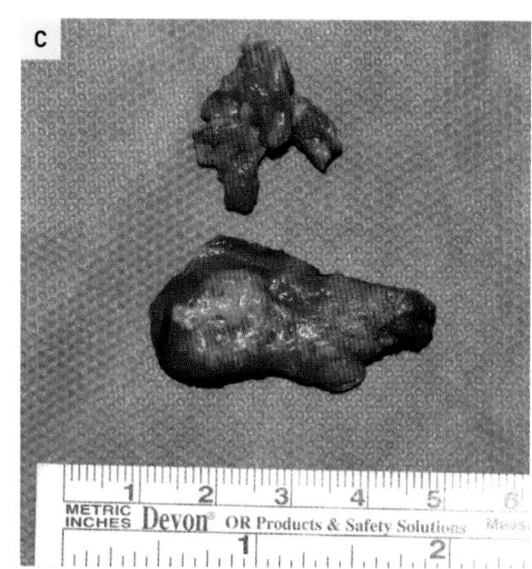

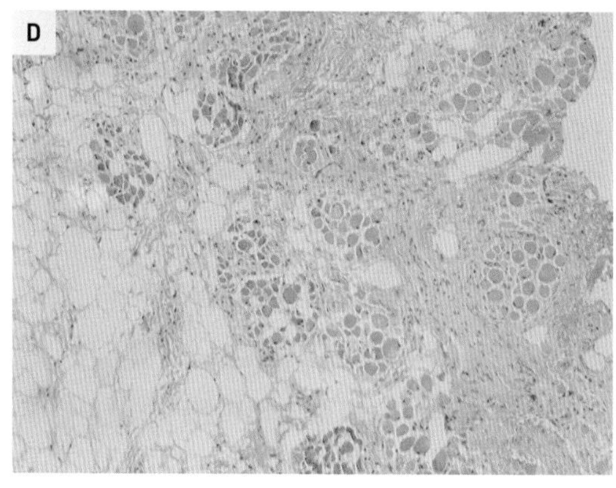

■ 그림 44-63. **액체 파라핀 주입으로 인해 발생한 파라핀종.** **A)** 파라핀 주입으로 비배가 변색되고 불규칙해졌다. **B)** 수술 시야에서 보이는 노란색의 파라핀종. **C)** 제거한 파라핀종의 모습. **D)** 파라핀종의 현미경 소견

종과 발적이다. 이물반응은 일시적일 수도 있지만 반복적으로 발생하기도 하며 결국에는 제거해야만 치료가 된다.

그 외에도 액체 상태로 주입하는 파라핀이나 실리콘에 대한 반응으로서 육아 조직이 뭉쳐서 생긴 파라핀종, 실리콘종 등이 있으며, 드물게 낭종도 발생한다. 파라핀종이나 실리콘종으로 인한 부종과 발적은 스테로이드와 항생제를 쓸 때에는 줄어들었다가 약을 끊으면 다시 재발하는 일이 계속적으로 반복된다. 이물반응의 근본적인 치료는 원인인 이식물을 완전히 제거하는 것이다. 하지만 액체 형태로 주입된 파라핀종이나 실리콘종은 피하의 여러 곳에 산재하기 때문에 전부 제거하기가 힘들며, 제거 시 피부나 연조직이 손상될 수 있으므로 주의해야 한다(그림 44-63). 제거 후에는 반드시 자가조직을 이용하여 코를 재건한다. 자가연골, 근막, 자가진피 등을 많이 사용한다.

불행히도 이물반응을 사전에 예측하기는 힘들다. 따라서 코성형 수술을 위해 인공이식물을 사용할 때는 이물반응에 대해 환자에게 충분히 설명하고 동의를 얻도록 한다.

5) 손상되고 얇아진 피부의 처치

여러번의 재수술로 인해 피부가 얇아진 경우에는 이식물이 비쳐 보이거나 피부가 변색되는 등 여러 가지 문제가 발생할 수 있다. 재수술을 여러번 받고 피부가 얇은 환자의 경우에는 재수술 시에 피부를 박리할 때 손상되지 않게 매우 조심해야 한다. 너무 약해진 피부는 측두근막, 늑연골막, 대퇴근막(fascia lata) 등의 자가조직이나 가공한 인체조직인 동종진피(homologous dermis), 동종근막(homologous fascia) 등을 사용하여 보강해준다.[24]

6) 구축으로 인한 들창코(Short, contracted nose)

상처의 구축으로 인해 비첨이 두측회전되어 발생하는

들창코는 다른 원인으로도 발생하지만 주로 인공이식물을 제거하고 난 후에 발생한다. 자세한 내용은 앞에 기술한 X장을 참고하기 바란다.

6. 비배의 문제

코성형술 후에 발생하는 비배의 여러 문제점이 한국인의 코성형술에서 아마도 가장 흔한 미용상의 합병증이다. 수술 후에 비배가 불규칙하거나, 약간 함몰되거나 혹은 튀어나오는 부분이 발생할 수 있으며, 삽입한 이식물이 편위되는 경우도 흔하게 볼 수 있다. 매부리코를 교정한 후에 비배의 불규칙함이 남는 것은 얇은 피부의 환자에서 주의깊게 골편을 제거하지 못하거나, 비근부나 비배를 확대하기 위해 삽입한 연골이 층이 져 보이거나 불규칙하게 흡수되어 많이 발생한다(그림 44-64). 이러한 것들은 수술 중에 아주 세심하게 이식물을 다듬고, 삽입면을 고르게 하고, 세척으로 골편을 제거하며, 여러 번 비배를 촉지하여 매끄럽게 비배가 형성되었는지를 체크함으로써 최소화할 수 있다.[22] 비골이 짧은 매부리코 환자에서 비혹을 제거할 때 비골과 연골의 연결부위 즉 "key stone" 부위가 약화되어 안장코나 역 "V"형 변형이 발생할 수도 있다. 수술 전 미리 이러한 위험 요소를 파악해야 하며, 연골이식이나 펼침이식을 이용하여 이러한 합병증을 방지할 수 있다.[18]

코성형 후에 비배의 편위가 남는 경우는 기존에 있던 사비가 교정되지 않았거나, 삽입한 비배의 이식물이 편위되었거나, 비중격의 만곡이 충분히 교정되지 않았거나 하는 등의 여러 가지 이유가 있을 수 있다. 특히 사비를 수술한 후에 비배의 편위가 남아 있는 경우를 흔히 볼 수 있는데, 대표적인 원인은 비골 피라미드가 비대칭적인 경우 절골술이 효과적으로 이루어지지 않았기 때문이다. 절골을 완전히 하여 수술 중 시야에서 사비가 아무런 힘을 가하지 않은 상태에서 완전히 똑바로 된 것을 확인하면 대부분 방지할 수가 있다. 특히 주의할 사항은 아주 심한 사비의 경우 골성비중격과 비골이 같이 휜 경우가 많은데

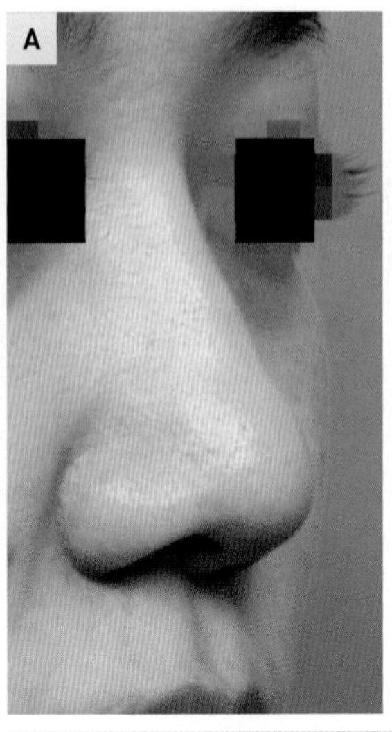

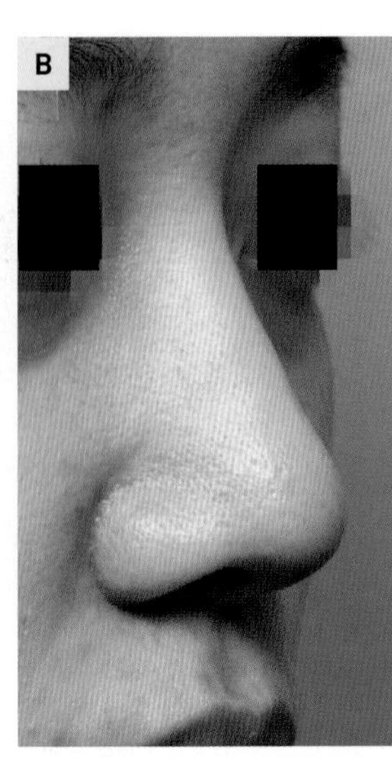

■ 그림 44-64. **코성형 후 발생한 비배의 문제.** **A)** 비배를 확대하기 위해 삽입한 연골이 불규칙해 보인다. **B)** 재수술 후 개선된 비배의 모습

이 경우는 내, 외측 절골술과 함께 골성비중격의 절골도 같이 해야만 완벽하게 똑바른 코를 얻을 수 있다는 점이다.[30,45] 비중격의 만곡이 효과적으로 교정되지 못하면 연골성 비배의 편위가 남을 수 있고, 연조직의 구축(contracture), 상하외측연골의 비대칭 등이 충분히 교정되지 않으면 비첨과 비배의 편위가 남을 수 있다. 가벼운 비대칭은 위장(camouflage) 등으로 비배를 똑바로 보이게 할 수 있다.

7. 비첨의 문제

한국인에서 코성형술 후에 발생하는 비첨의 미용학적 문제는 대부분 융기와 관련된 것들이다. 서양인들에서처럼 과도하게 연골을 제거함으로 해서 생기는 비첨의 변형은 드물고 대신 비첨의 융기 후에 발생하는 변형이 흔하다. 비첨의 편위, 비배와의 불균형이나 코끝의 통증, 비첨이 상향 회전되어 발생하는 들창코, 혹은 이식물을 비첨까지 직접 "L" 자로 넣어 발생하는 비첨부위 피부의 약화 혹은 괴사 등이 한국인에서는 흔한 합병증이다.

비첨이 편위되는 원인은 미측 비중격의 편위, 하외측연

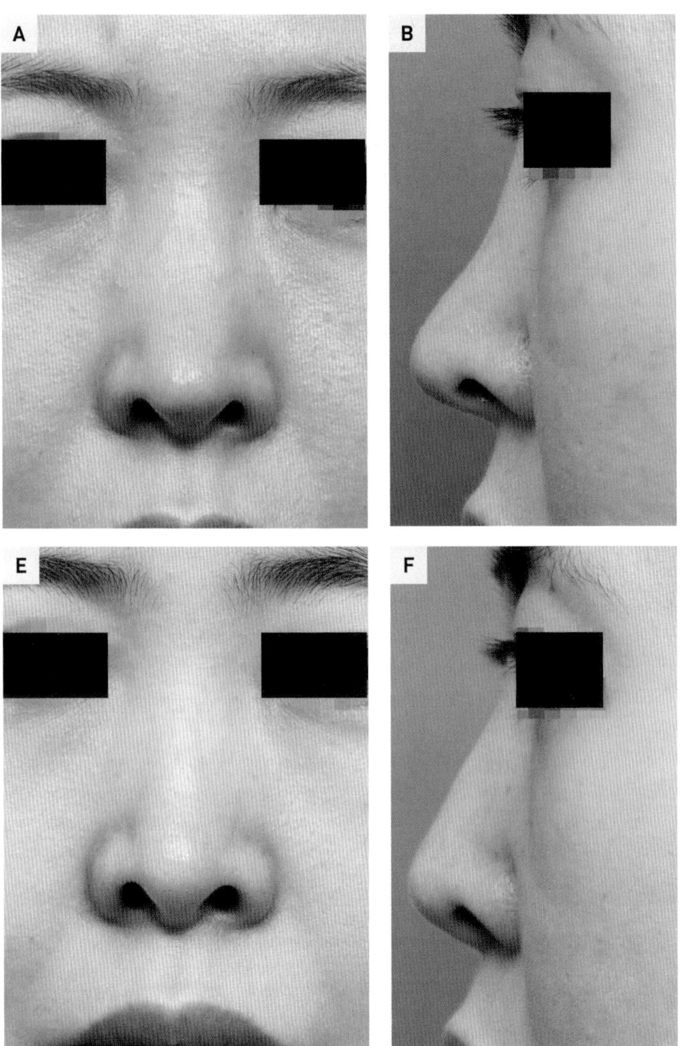

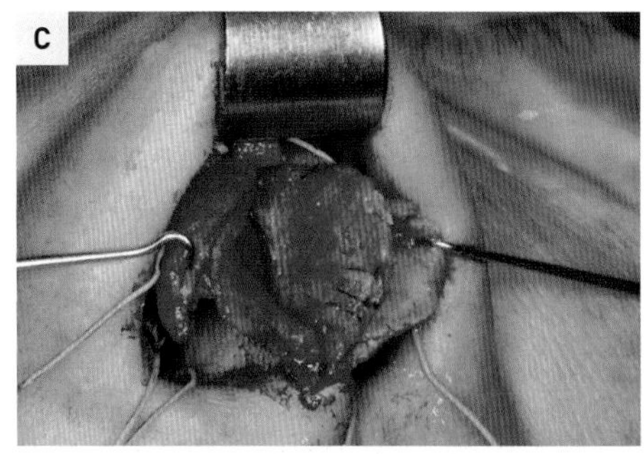

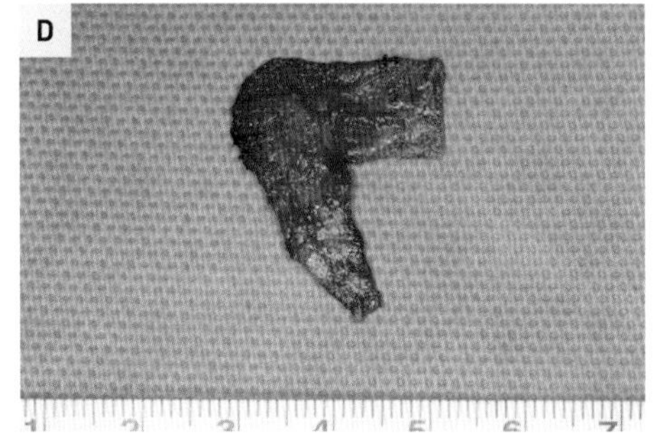

■ 그림 44-65. **Medpor를 이용하여 과도하게 비중격 연장술을 시행한 환자의 예. A), B)** 비첨이 과도하게 융기되어 모양이 부자연스럽고 비첨이 딱딱하여 통증을 유발할 수 있다. **C), D)** Medpor를 이용하여 과도하게 비중격연장이 시행된 것을 알 수 있다. **E),F)** Medpor를 제거한 후 보다 자연스러워진 비첨의 모습

골의 비대칭, 편위된 이식물 등 다양하지만 미측 비중격의 편위로 인한 것이 가장 흔하다. 편위된 비첨을 바로잡기 위해서는 미측 비중격을 정중앙에 위치시키는 것과 하외측연골을 대칭적으로 만드는 것이 중요하다. 하외측연골이 비대칭일 때는 연골을 이식해 대칭성을 회복시켜야 한다. 이 방법이 불가능할 경우에는 방패이식, 모자이식 등을 통하여 비첨이 대칭적으로 보이도록 해야 한다.

비중격의 뼈나 Medpor 등 딱딱한 물질로 비중격연장술을 시행하여 과도하게 비첨을 확대하면 모양이 어색할 뿐만이 아니라 통증을 유발하거나 감염 등으로 인해 비강에서 고약한 냄새가 나는 등의 부작용을 유발한다. 과도한 비첨은 낮추어 자연스럽게 하고 뼈나 Medpor 등은 제거하여야 한다(그림 44-65).

비첨의 융기를 시행할 때 비첨이 상향 회전되지 않도록 이식물의 위치 선정에 유의하고 방패이식 등이 두측으로 휘는 것을 방지하기 위해서 방패이식의 뒤쪽에 이를 지지하기 위한 연골이식을 해야 한다.[39] 항상 비첨에 연골이식을 할 경우에는 힘의 방향을 생각하여 융기, 회전, 코의 길이 등에 대해 종합적으로 판단하여 술식을 결정하여야 이러한 변형을 방지할 수가 있다.

비첨은 끝임 없이 움직이고 장력을 받는 곳이므로 인공이식물을 비첨에 사용하면 비첨의 피부가 변색되거나

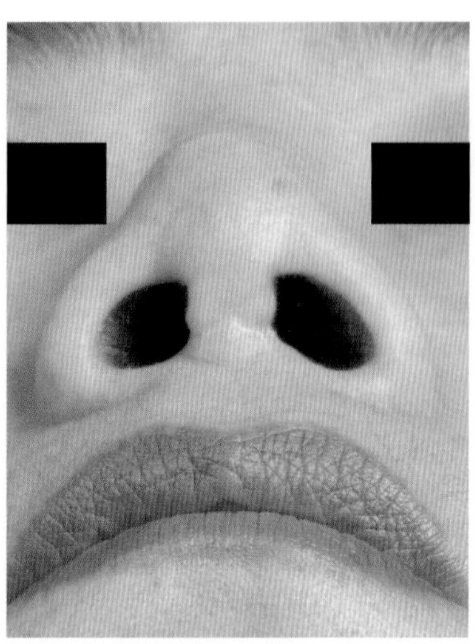

■ 그림 44-66. **비외접근법으로 코성형을 시술한 후에 발생한 비주절개부위의 보기 싫은 상흔**

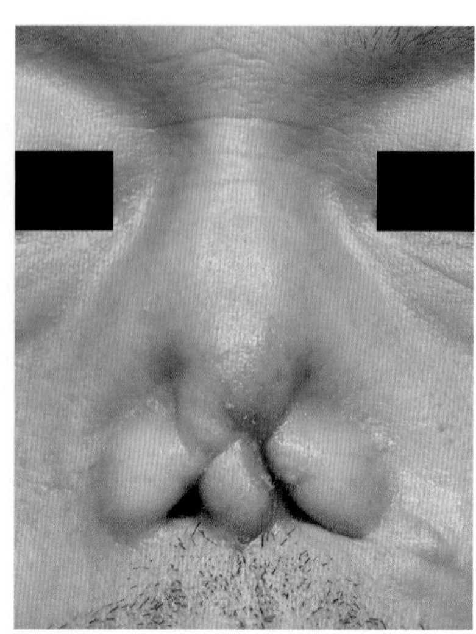

■ 그림 44-67. **반복적인 수술로 발생한 코의 심각한 변형**

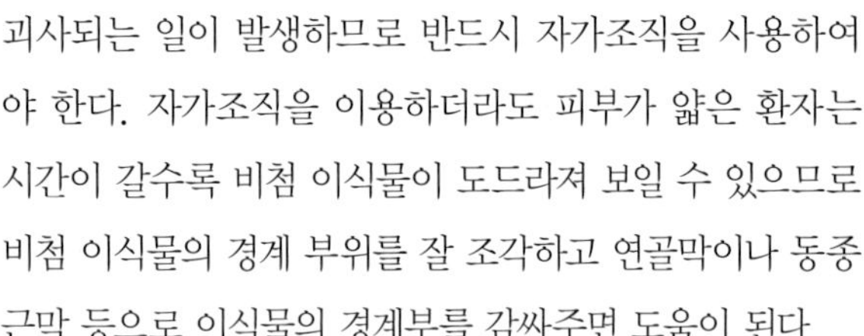

괴사되는 일이 발생하므로 반드시 자가조직을 사용하여야 한다. 자가조직을 이용하더라도 피부가 얇은 환자는 시간이 갈수록 비첨 이식물이 도드라져 보일 수 있으므로 비첨 이식물의 경계 부위를 잘 조각하고 연골막이나 동종근막 등으로 이식물의 경계부를 감싸주면 도움이 된다.

비외접근법을 이용하였을 때 경비주절개부위의 상처가 보기 싫게 되는 경우가 종종 있다(그림 44-66). 이를 방지하기 위해서는 절개와 봉합을 모두 조심스럽고 효과적으로 해야 한다. 비주절개를 가할 때는 피하 바로 밑에 위치하는 비익연골의 내측각을 절개하지 않도록 주의해야 하는데 내측각은 비주에서 형성되는 피판의 지지구조로 작용하여 반흔으로 인한 피부 수축을 줄이는 역할을 하기 때문이다. 봉합은 6-0 혹은 7-0 nylon으로 하며 절개변연부를 잘 외번(eversion)시키는 것이 중요하고 특히 비주연의 코너 부분에서 정성들여 봉합하여 계단형의 변형이 생기지 않도록 하는 것이 중요하다.[23,31] 역 "V"의 양 끝부분을 봉합할 경우에 하단 피판은 약간 내측으로 이에 상응하는 상단 피판은 약간 외측으로 봉합하여 상단 피판을 내측으로 모아주는 느낌으로 봉합하면 좋은 결과를 얻을 수 있다. 절개를 봉합하는 데 과도한 장력이 걸리는 경우는 5-0 Vicryl 혹은 PDS로 한 번 중앙에 피하봉합을 시행하면 피부에 걸리는 장력을 줄일 수 있다. 상흔이 보기 싫을 경우에는 6개월에서 1년이 지난 후에 다시 상처 부위를 절제한 다음 다시 봉합하여 상흔을 개선할 수 있다. 비익저를 절제한 후에 비공이 비대칭이 되거나 비익의 자연스러운 곡선이 사라지고 물방울 모양의 비공변형, 혹은 텐트처럼 비익연이 안면에 바로 연결되는 흉한 변형이 오기도 한다.

반복적인 수술, 특히 잘못된 수술 기법과 인공물질의 사용으로 인한 피부의 구축과 괴사, 비중격 지지의 소실 등 여러 가지가 한꺼번에 겹치는 경우 코의 모양과 기능이 완전히 망가지는 경우가 발생하기도 한다(그림 44-67). 이러한 코는 코의 세 층을 모두 복원하기 위해 오랜 시간 여러 단계에 걸친 고난이도의 복원 수술이 필요하다.

8. 코막힘

코성형술 후 초기에 수술로 인한 부종 등으로 인하여 일시적인 코막힘을 호소할 수도 있다. 하지만 충분한 시간이 지난 다음에도 코막힘을 호소한다면 기존의 비중격만곡증이나 비갑개의 비후를 제대로 교정하지 못했거나 비

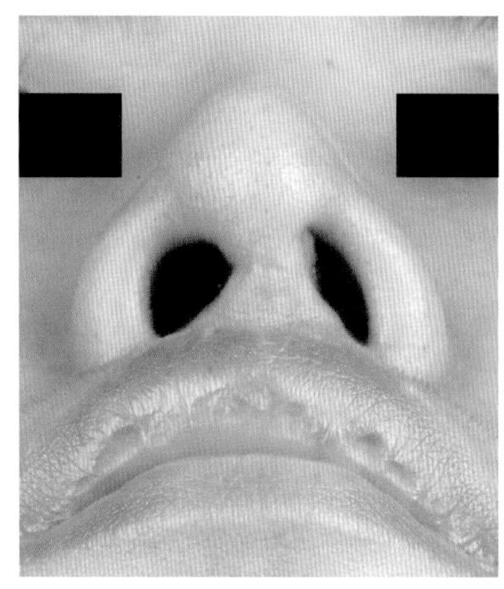

■ 그림 44-68. **미측 비중격의 편위, 잘못된 절개와 봉합으로 발생한 좌측 비공의 협착으로 코막힘을 호소하는 환자.** 심한 비공의 비대칭, 좌측 비공 협착, 흉한 비주의 상흔 등이 눈에 띈다.

강 내의 유착이 생긴 경우, 절개부위를 정확히 봉합하지 못해 비밸브 부위 등에 협착이 생긴 경우, 미처 발견하지 못했던 알레르기성비염 등을 생각해 보아야 한다(그림 44-68).[41,48] 비중격의 만곡과 비갑개의 처치를 수술 전에 미리 잘 평가하여 교정함으로써, 그리고 각 절개부위를 정확하게 봉합함으로써 이러한 합병증을 방지할 수 있다. 유착 부위는 제거한 다음 스텐트 등을 유치하여야 하고 협착이 생긴 부위는 "Z" 성형술이나 복합이식 등을 이용하여 협착 부위를 넓혀주어야 한다.

9. 환자의 불만족

제일 문제가 되는 합병증은 수술 후 환자가 수술 결과에 만족하지 않은 것으로 수술자에게는 상당히 곤혹스러운 상황이다. 객관적으로 보아 명백한 수술의 잘못으로 인한 불만일 수도 있지만 때에 따라서는 주관적인 불만족일 수도 있기 때문에 상당히 조심스럽게 이 문제를 접근해야 한다. 먼저 수술 전 충분한 상담을 통한 의견교환을 함으로써 환자에게 현실적인 기대를 갖게 하는 것이 중요하며, 이 과정에서 문제가 될 소지가 있는 환자는 걸러낼 수가 있다. 수술에 대한 욕심으로 수술자의 능력 밖의 환자를 수술하게 될 경우에는 환자의 불만족이 발생할 소지가 높다.

10. 결론

어떤 수술이든 합병증이 없을 수 없듯이 코성형술도 예외는 아니다. 더구나 많은 경우에서 코성형술은 반드시 해야 하는 "질병치료"의 개념이 아니라 좀 더 나은 자신감과 용모를 갖기 위한 "선택"의 개념이며 이러한 의미에서 더욱 더 합병증의 발생은 그 수술을 시행하는 수술자나 환자 자신에게 많은 영향을 끼치게 된다. 따라서 수술자는 좀 더 환자를 선택하고 수술을 시행하는 데 있어 많은 신경을 써야 하며, 특히 수술 전에 환자와 충분히 상담하여 적절히 환자를 선택하도록 노력해야 한다. 수술자 자신이 하고자 하는 수술에 대한 지식과 술기에 대해 정확하고 충분하게 습득을 하고 있어야 하며, 자신의 능력과 한계를 잘 알고 환자를 선택해야 한다. 그리고 마지막으로 환자의 문제에 대해 진지하게 수술자가 공감하고 있어야 진정한 만족을 환자 자신과 수술자 자신으로부터 얻어낼 수가 있다.

참고 문헌

1. 노관택. 이비인후과학. 일조각 1995. p.180-187.
2. 민양기, 홍석찬. 한국인에서의 외비의 생체계측학적 연구. 대한이비인후과학회지 1987;30(5):698-702.
3. 민양기, 정필상. 외비성형술. 대한이비인후과학회지 1993;36(3):443-439.
4. 윤영석, 박재웅, 정동학 등. 20-30대 한국인이 선호하는 외비형태. 대한이비인후과학회지 1997;40:1122-1127.
5. 정동학, 정영교, 이윤우 등. 융비술시 삽입물재료에 대한 연구. 대한이비인후과학회지 1996;39(2):250-257.
6. Adamson PA. Open rhinoplasty. Otolaryngol Clin North Am 1987;20:837-852.
7. Anderson JR. Surgery of the nasal base. Arch Otolaryngol 1984;110:349-358.
8. Calhoun KH. Introduction to rhinoplasty. In: Bailey BJ (ed). Head & Neck Surgery Otolaryngology. Galveston: J.B. Lippincott, 1993.

p.2113-2127.

9. Daniel RK. The radix. In: Daniel RK (eds), Rhinoplasty. Boston: Little, Brown, 1993, p.151-168.
10. Endo T, Nakayama Y, Ito Y. Augmentation rhinoplasty: observations on 1,200 cases. Plast Reconstr Surg. 1991;87:54-59.
11. Farkas LG, Kolar JC, Munro IR. Geography of the nose, A morphological study. Aesthetic Plast Surg 1986;10:191-198.
12. Graney DO, Baker SR. Anatomy. In: Cummings CW, Fredrickson JM, Harker LA, et al. Otolaryngology-Head and Neck Surgery. 2nd ed. St. Louis: Mosby-Year Book, 1998, p.1185-1196.
13. Gunter JP, Rohrich RJ. Augmentation rhinopalsty: Dorsal onlay grafting using shaped autogenous septal cartilage. Plast Reconstr Surg 1990;86(1):39-45.
14. Gunter JP. Facial analysis for the rhinopalsty patient. Proceedings of the 14th Dallas Rhinoplasty Symposium; 1997 Feb 28-Mar 3;Dallas, Texas. Southwestern;1997. p.45-55.
15. Gunter JP, Rohrich RJ, Adams Jr WP. Dallas rhinoplasty. Quality Medical Publishing Inc., 2002.
16. Jang TY, Choi YS, Jung YG, et al. Effect of nasal tip surgery on Asian noses using the transdomal suture technique. Aesth Plast Surg. 2007;31:174-178.
17. Jin HR, Lee JY, Yeon JY, et al. A multi-center evaluation on the safety of Gore-Tex as an implant in Asian rhinoplasty. Am J Rhinol 2006;20(6):615-619.
18. Jin HR, Lee JY, Shin SO, et al. Key Maneuvers for successful correction of a deviated nose in Asians. Am J Rhinol 2006;20(6):609-614.
19. Jin HR, Won TB. Nasal hump removal in Asians. Acta Otolaryngol Suppl. 2007;558:95-101.
20. Jin HR, Won TB. Nasal tip augmentation in Asians using autogenous cartilage. Otolarygol Head Neck Surg. 2009;140:526-530.
21. Jin HR, Won TB. Recent advances in Asian rhinoplasty. Auris Nasus Larynx. 2011 Apr;38(2):157-164.
22. Johnson CM, Toriumi DM. Open structure rhinoplasty. Philadelphia, W.B. Saunders Company, 1990.
23. Jugo S. Surgical Atlas of external Rhinoplasty. Churchill Livingstone, 1995.
24. Jung DH, Moon HJ, Choi SH, et al. Secondary rhinoplasty of the Asian nose: correction of the contracted nose. Aesthetic Plast Surg. 2004;28:1-7.
25. Kang JG, Ryu J. Nasal tip surgery using a modified septal extension graft by means of extended marginal incision. Plast Reconstr Surg. 2009;123:343-352.
26. Kridel RW, Konior RJ, Shumrick KA, Wright WK. Advances in nasal tip surgery. The lateral crural steal. Arch Otolaryngol Head Neck Surg 1989;115:1206-1212.
27. Lang J. Clinical anatomy of the nose, nasal cavity and paranasal sinuses. New York:Thieme; 1989.
28. Larrabee WF. Special considerations in rhinoplasty. In Bailey BJ (ed). Head & Neck Surgery Otolaryngology, Galveston, J.B. Lippincott, 1993, p.2166-2190.
29. Lee HM, Kang HJ, Choi JH, et al. Rationale for osteotome selection in rhinoplasty. J Laryngol Otol. 2002;116(12):1005-1008.
30. Porter JP, Toriumi DM. Surgical techniques for management of the crooked nose. Aesth Plast Surg 2002;suppl 1:18-23.
31. Rohrich RJ, Sheen JH, Burget GC, et al. Secondary rhinoplasty. Secondary rhinoplasty & Nasal Reconstruction. QMP, Inc, 1996, p.17-26.
32. Rohrich RJ. Rhinoplasty planning. In Proceedings of the 14th Dallas Rhinoplasty Symposium. Dallas: USA. South-western, 1997 Feb 28-Mar 3, p.17-23.
33. Rohrich RJ, Gunter JP, Deuber MA, AdamsWP Jr. The deviated nose : Optimizing results using a simplified classification and algorithmic approach. Plast Reconstr Surg 2002;110(6):1509-1523.
34. Sheen JH, Sheen AP. Aesthetic Rhinopalsty, 2nd ed. St. Louis: Mosby, 1987.
35. Stambauch KI. Preoperative evaluation of the aesthetic surgery patient. In: Bailey BJ'(ed). Head & Neck Surgery Otolaryngology. Galveston: J.B. Lippincott, 1993, p.2092-2097.
36. Suh MW, Jin HR, Kim JH. Computed tomography versus nasal endoscopy for the measurement of the nasal valve angle in Asians. Acta Otolaryngol 2008 (in press).
37. Tardy ME, Brown RJ. Surgical anatomy of the nose. New York: Raven Press; 1990
38. Tardy ME. Rhinoplasty. The art and the science. Philadelphia: Saunders; 1997.
39. Tardy ME. Refinement of nasal tip. In: Bailey BJ (ed). Pillsbury HC. Head & Neck Surgery-Otolaryngology. Philadelphia: JB Lippincott, 1993, p.2141-2165.
40. Tardy ME. Rhinoplasty. In: Cummings CW, Fredrickson JM, Harker LA (eds). Otolaryngology Head and Neck Surgery, 2nd ed. Baltmore: Mosby year book, 1998, p.807-856.
41. Teichgmeber JF. Management of the nasal airway. Proceedings of the 14th Dallas Rhinoplasty Symposium. Dallas: USA. Southwestern, 1997 Feb 28-Mar 3, p.225-234.
42. Trenite GJN. Rhinoplasty: A practical guide to functional and aesthetic surgery of the nose. Kugler Publication, 1993.
43. Toriumi DM, Johson CM. Open structure rhinoplasty, W.B. Saunders Co, 1990.
44. Toriumi DM, Becker DG. Rhinoplasty Dissection Manual. Lippincott Williams & Wilkins, 1999.
45. Vuyk HD. A review of practical guidelines for correction of the deviated, asymmetric nose. Rhinology 2000;38:72-78.
46. Won TB, Jin HR. Nuances with the Asian tip. Facial Plast Surg. 2012 Apr;28(2):187-193.
47. Won TB, Jin HR. Revision rhinoplasty in asians. Ann Plast Surg. 2010

Oct;65(4):379.

48. Won TB, Park KT, Moon SJ, et al. The effect of septorhinoplasty on quality of life and nasal function in Asians. Ann Plast Surg. 2013 July;71:40-44

49. Won TB, Kang JG, Jin HR. Management of post-traumatic combined deviated and saddle nose deformity. Acta Otolaryngol. 2012 Jun;132 Suppl 1:S44-51.

50. Won TB, Jin HR. Immediate reconstruction with autologous cartilage after removal of infected alloplast in revision rhinoplasty. Otolaryngol Head Neck Surg. 2012 Dec;147(6):1054-1059.

CHAPTER

45

기능적 코성형과 사비의 교정

이비인후과학 Otorhinolaryngology - Head and Neck Surgery

장용주

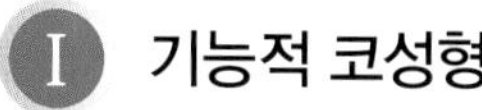

I 기능적 코성형

1. 병태생리

모든 코성형 수술에서 코의 기능 보존 및 향상은 매우 중요한 목표 중의 하나이다. 그러므로 코성형을 기능적 코성형과 그 외의 것으로 구분하는 것은 엄밀한 의미에서 바람직한 구분은 아니다. 그러나 단순히 비중격, 비갑개, 비부비동에 대한 수술로 해결될 수 없는, 코의 구조적 문제에 의하여 기능이상이 발생하고 그에 대한 수술적 교정이 필요한 경우를 기능적 코성형 수술이라 칭할 수 있다. 이번 장에서는 이러한 문제들을 일으키는 여러 변형들에 대한 수술적 치료에 대하여 기술하고자 한다. 기능적 코성형을 위한 코막힘의 이해를 위해서는 비밸브에 대하여 이해해야 한다. 비밸브는 외비밸브(external valve)와 내비밸브(internal valve)로 나뉜다. 엄밀히 내비밸브(internal valve)와 내비밸브 공간(internal valve area)이 구분되어 사용되며 내비밸브는 비중격과 상외측연골 미부 말단으로 이루어지고 내비밸브 공간은 비중격, 상외측연골 말단과 함께 이상구 바닥(pyriform aperture floor), 하비갑개 전단부까지의 공간을 지칭한다.[19] 상외측연골과 비중격이 이루는 각을 비밸브각이라 하며 서양인에서 10~15도를 이루고 동양인에서는 이보다 좀 더 넓다.[18,22] 비밸브각이 좁아진 경우 코막힘의 원인이 될 수 있고 내비밸브의 기능저하는 비밸브각을 이루고 있는 구조물 자체의 변형, 함몰 등으로 인해 유발된다.

2. 분류

코막힘을 일으키는 원인에는 여러 요소들이 있다. 고전적으로 이비인후과 의사들에게 친숙한 비강 내 염증 질환, 종양 질환을 제외하고 코막힘을 일으킬 수 있는 구조적 문제들을 분류하면 표 45-1과 같다.

표 45-1. 코막힘을 일으키는 구조적 문제

외비밸브(external nasal valve) 이상
- 사비(deviated nose) - 비공협착(nostril stenosis) - 비전정협착(vestibular stenosis) - 작은 비공(small nostril) - 비중격 미단부 탈구 혹은 만곡(caudal septal dislocation or deviation) - 오목하고 쉽게 함몰되는 비익엽(concave and easily collapsible alar lobule) - 동적 함몰(dynamic collapse)
내비밸브(internal nasal valve) 이상
- 사비(deviated nose) - 비중격 미부 만곡(caudal septal deviation) - 비중격 상부 만곡(high septal deviation) - 선천성 내비밸브 협소(congenitally narrow internal valve angle) - 오목한 상외측연골(concave upper lateral cartilage) - 이전 비골골절이나 절골술(osteotomy)에 의한 오목한 비외측벽(nasal side wall concavity) - 동적 함몰(dynamic collapse)
기류역동변형(altered airflow dynamics)에 의한 코막힘
- 사비(deviated nose) - 비첨 처짐(tip ptosis) - 빈코증후군(empty nose syndrome)

3. 수술 전 진단과 검사

환자가 호소하는 증상과 환자의 문제를 이해하기 위해 환자의 병력청취 및 적당한 이학적 검사가 필요하다. 코막힘이 언제, 어떠한 상황에서 어느 쪽 코에 발생하는지 등을 포함한 병력청취를 한다. 환자에게 정상적인 흡기 시와 힘을 주어 흡기할 때의 코 모양을 비교하는 것은 환자의 구조적 문제를 파악하는 데 도움이 된다. 몇몇 환자는 자신의 증상을 스스로 파악하여 협부 피부를 손으로 당기면 코막힘이 완화된다고 이야기하는 등 Cottle test maneuver에 의한 코막힘의 호전을 직접 기술하기도 하며, 시중에 판매되는 비익 확장을 위한 테이프나 삽입형태의 실리콘 튜브를 사용하는 환자들도 있다. 이와 같은 경우는 환자의 코막힘 증상이 어느 위치에서 발생하는지 파악할 수 있는 단서가 된다. 코막힘 위치를 파악하기 위해 내비밸브와 외배밸브를 이루는 구조물에 대해 각각의 요소들을 개별적으로 평가를 해야 한다. 비중격은 비공(nostril)부터 비강이 넓어지는 부위인 내비밸브까지 어느 한쪽으로 치우침 없이 가운데에 곧게 위치해야 한다. 비중격 미부 만곡(caudal septal deviation)이나 비중격 상부 만곡(high septal deviation)이 있을 때는 내비밸브가 좁아지게 된다. 즉 비중격의 경미한 치우침에 의한 단면적의 감소가 공기 저항과 공기 흐름에 막대한 영향을 주기 때문이며 이는 베르누이 법칙에 의해 비밸브의 함몰을 유발할 수도 있다. 실제적으로 비밸브의 문제가 의심되는 많은 환자에서 근본적인 문제가 비중격 만곡인 경우가 흔하다. 다른 문제 없이 단지 비정상적으로 좁은 비밸브가 코막힘의 원인인 경우는 저자의 경험을 비추어 보면 매우 드물다. 강한 흡기 시 나타나는 일측의 비익함몰은 반대측 비강에서 비중격 만곡 등으로 인한 코막힘을 보상하기 위해 증가된 공기의 흐름때문에 발생하기도 하며 또는 동측 비익의 측벽이 약화된 것에 의하여 나타날 수도 있다. 예를 들면 비익 연골을 이루는 하외측연골이 구조적으로 약하거나 오목한 모양인 경우, 또는 안면신경 마비 등으로 인해 비익을 넓히는 근육의 기능저하가 있는 경우 동측 비익의 함몰이 발생할 수 있다. 이 경우 면봉 등을 이용하여 modified Cottle test를 시행하였을 때 코막힘이 완화된다면 비밸브의 기능저하를 진단할 수 있고 이와 함께 코막힘의 위치도 알 수 있다. modified Cottle test는 외래에서 간단하게 비밸브의 기능저하를 평가할 수 있는 방법이며 검사하는 위치에 따라 외비밸브와 내비밸브를 각각 평가할 수 있다. 외비밸브 기능저하는 면봉의 끝을 비공의 측벽에 위치시켜 비익을 바깥쪽으로 밀면서 시행한다. 내비밸브의 기능저하는 면봉의 끝을 상외측연골에 위치시켜 상외측 연골을 위로 들어올리면서 환자의 코막힘 개선여부를 통해 확인할 수 있다. 그러나 Cottle test, modified Cottle test 모두 비중격 미부 만곡이나 비중격 상부 만곡 환자에서도 유의한 비강호흡의 호전을 일으키므로, 비밸브 기능저하의 특이적

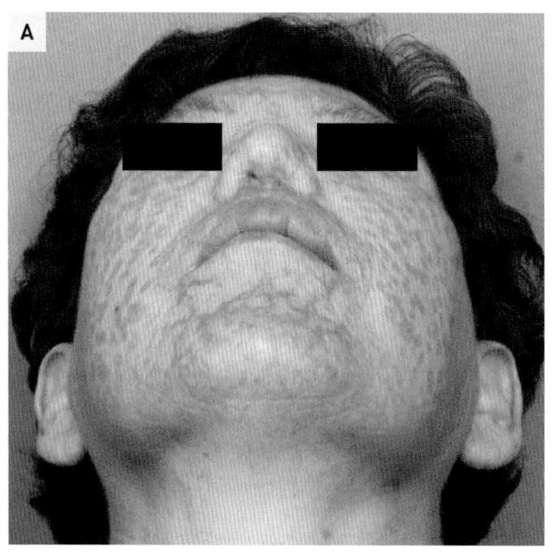

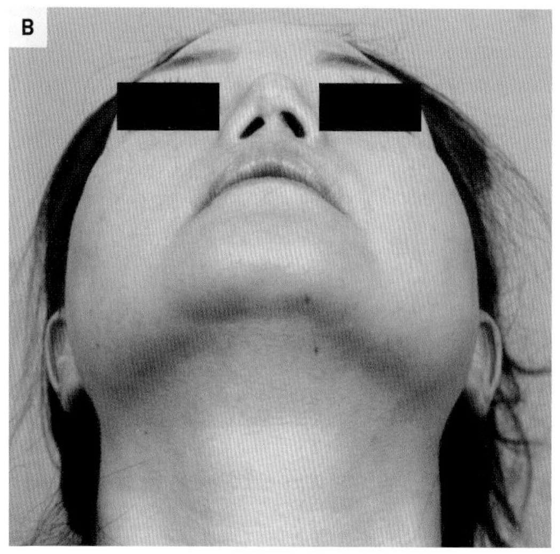

■ 그림 45-1. **비공 협착(nostril stenosis).** 홍역의 후유증(A)과 이전 코성형 수술 후 발생한 반흔 구축(B)으로 비공 협착 소견을 보이는 환자의 기저 사진

인 진단적 검사라고 보기 어렵다. 결론적으로 비밸브의 기능저하를 진단하는 특이적 검사는 없다고 이해하는 것이 옳을 것이다.

4. 수술적 치료

1) 외비밸브의 이상

(1) 비공협착 및 비전정협착 (Nostril stenosis and vestibular stenosis)

이러한 변형은 비공 피부의 반흔 구축(scar contracture)에 의하여 나타나는 현상으로 이전에 앓았던 천연두(small pox)나 홍역(measle)의 후유증, 화상, 자상, 지나친 팩킹에 의한 피부 손상, 코성형 후 나타난 감염에 의한 변형 등이 원인이다(그림 45-1). 이 변형은 비익엽(alar lobule)과 비주(columella), 비공바닥(nostril sill)을 포함하는 원형의 반흔 구축에 의해 나타나며 협착이 심할 때는 완전폐색까지 나타날 수 있다. 지금까지 W-plasty, Z-plasty, running Y-V plasty, 전층피부이식(full thickness skin graft), 복합 연골피부이식(composite chondrocutaneous graft), 코입술 피판(nasolabial flap), mucous membrane graft flap 등의 치료방법이 소개되었다.[3] 수술은 기본적으로 협착을 구성하는 피부 피판을 여러 형태로 디자인하여 비공의 내막(nostril inner lining)으로 사용하는 방법, 부분적으로 귀연골을 이용한 복합이식(composite graft)을 사용하여 골격(framework)과 피부의 부족을 대치하는 방법 등으로 구분할 수 있다. 비익 윤곽(alar contour)의 경미한 흉터는 Z-plasty와 연골이식(cartilage graft)을 조합하여 치료한다. 비익 모양 변형이 부분적인 패임(notching)을 동반할 때는 귀연골 복합이식을 적용하여 개선시킬 수 있으나 미용적 효과는 그리 좋지 않다. 귀연골 복합이식은 유용하게 사용될 수 있는 수술법으로 비공협착이나 비익협착에 의한 코막힘 발생 시 외비밸브의 재건 및 외형적 교정을 위해 사용된다. 이식물은 대게 동측 이갑개주(cymba concha) 또는 이개강(cavum concha)으로부터 얻고 피부와 연골이 결합된 복합체 상태로 채취한다(그림 45-2). 복합이식의 크기는 필요한 것보다 약간 더 크게 하여 이차적인 수축에 대비하여야 한다. 이때 피부를 너무 넓게 절제하면 공여부위에서 일차봉합이 어려우므로 주의해야 하고, 필요한 경우 귀 뒤쪽 피부를 이용한 이식을 할 수도 있다. 비

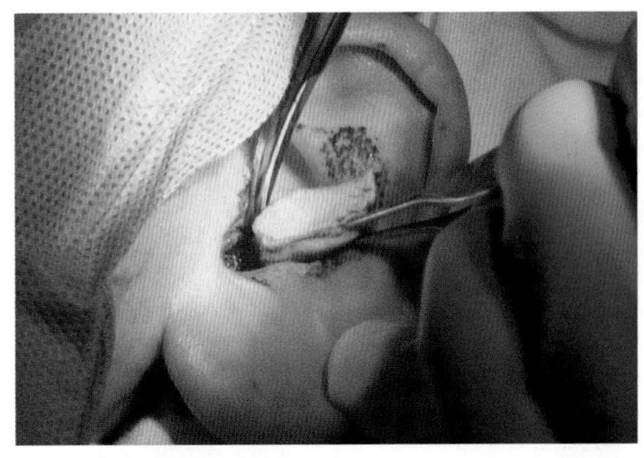

■ 그림 45-2. **이개 복합 이식(conchal composite graft)**

전정피부에 이식물의 크기에 상응하는 포켓을 만들고 복합이식을 시행한 후 봉합을 시행한다. 경우에 따라 경피봉합이 필요할 수도 있다. 회복 후 기저사진에서 이식물의 연골이 비전정 피부로 약간 돌출되어 보일 수 있다. 반흔구축에 의한 심한 비익 모양 변형은 결국 전두 피판(forehead flap)이나 볼-입술 피판(melolabial flap)과 같은 국소피판(local flap)을 적용하여 개선시켜야 한다.

비공 협착과 비전정 협착은 여러 방법을 적용하여도 재발 경향이 매우 높아서 치료가 어려운 변형이다. 술 후 성적을 좋게 하기 위하여 수술 후에 실리콘으로 제작된 비공 유지 장치(nostril retainer)를 사용하는 것이 도움이 될 수 있다.

(2) 작은 비공(Small nostril)

비공의 크기가 어느 정도 이상 커야 한다는 절대적인 기준은 없다. 그러나 비공이 매우 작은 환자들은 이 문제 때문에 코막힘을 느낄 수 있고 아주 작은 비공은 어린 아이의 코와 같은 인상을 주어 미용적으로도 바람직하지 않기 때문에 이는 적절히 치료되어야 한다(그림 45-3). 작은 비공의 기능적 의의를 판단하기 위하여 코막힘을 호소하는 환자에서 양쪽 비공의 기저(base) 부분을 겸자(forceps)를 이용하여 가운데로 모아주거나 또는 비경(nasal speculum)을 이용하여 비공을 위아래로 넓히면 비주가 좁아지면서 코막힘이 완화될 수 있고 이때 코막힘의 호전 여부에 따라 수술 필요성을 판단할 수도 있다.

작은 비공은 다음과 같은 해부학적 특성이 작용하여 나타난다.

- 저형성 하외측연골(hypoplastic lower lateral cartilage)
- 족부(footplate) 부분의 비대, 외측으로의 돌출
- 비익 연부조직의 과다

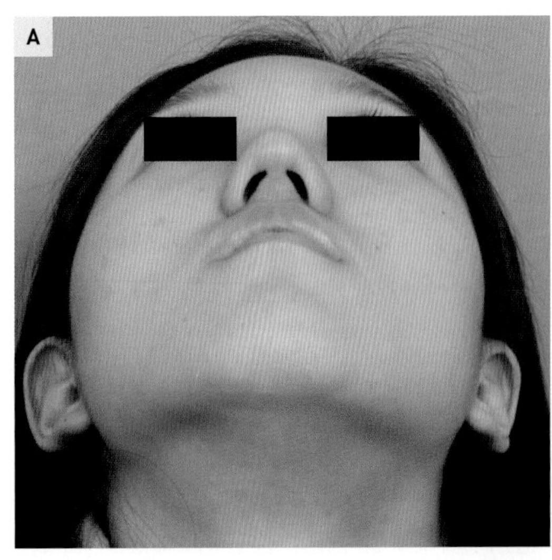

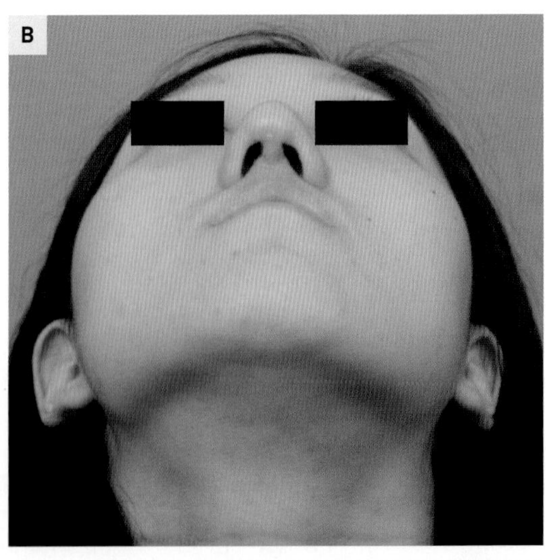

■ 그림 45-3. **작은 비공(small nostril).** 족부(footplate) 부분의 비대로 작은 비공을 보이는 환자의 수술 전(**A**)과 후(**B**) 사진

– 비중격 내림근(depressor septi nasi)의 비후

이를 치료하기 위해 하외측연골 족부(footplate)의 비대가 있으면 외측으로 돌출된 일부를 잘라주고 내측각(medial crus)사이를 좁혀준다. 비중격 내림근(depressor septi nasi)을 부분적으로 절제하고 매트리스 봉합(mattress suture)을 통해 양쪽 족부(footplate)가 비중격 앞쪽으로 당겨지도록 할 수도 있다. 하외측연골이 매우 빈약하고 작은 환자에서는 비공 골격을 근본적으로 확대시켜야 한다. 이런 상황에서 저자는 하외측연골을 주변 피부로부터 박리하여 비중격 연골이나 가슴연골을 이용한 튼튼하고 긴 비주지주(columellar strut)를 위치시키고 내측각 중첩이식(lateral crural onlay graft)을 적용하여 비공을 확대시키는 방법을 적용한다

(3) 비중격 미부 탈구 혹은 만곡 (Caudal septal dislocation or deviation)

매우 잘 발달된 비중격 미부가 전비극(anterior nasal spine)으로부터 편측으로 심하게 탈구되면서 한쪽 비공을 좁게 만들 수 있다(그림 45-4A). 이러한 경우에는 탈구되어 돌출된 미부 비중격을 절제하고 남은 비중격 미부를 전비극의 정중앙에 잘 고정하는 방법으로 수술한다. 그러나 이러한 환자에서 사비가 있는 경우가 흔하므로 사비의 교정 수술의 일부로 비중격 미부를 교정하면 된다. 비중격이 탈구 없이 전비극에 놓여있으나 심하게 편측으로 휘어진 경우에도 외비밸브를 좁혀 코막힘이 발생하고 이는 다양한 방법의 비중격 교정술을 통해 치료할 수 있다(그림 45-4B).

(4) 오목하고 쉽게 함몰되는 비익엽 (Concave and easily collapsible alar lobule)

이러한 기형도 이론적으로는 외비밸브의 기능이상을 일으켜 코막힘을 유발할 수 있다고 알려져 있다(그림 45-5). 그러나 이전 코성형의 수술병력이 없는 환자에서 이 문제가 코막힘의 원인인 경우는 매우 드물다. 이전에 코성형수술 병력이 있고 기능적 이상과 비익엽 오목(alar lobular concavity)을 보이는 환자에서는 다음과 같은 술식이 치료에 도움이 될 수 있다.

① 비익 버팀목이식(alar batten graft)

비익 버팀목이식은 외측벽이 최대로 함몰되는 부위나 비익 상부의 pinching이 발생하는 부위에 포켓을 만들어

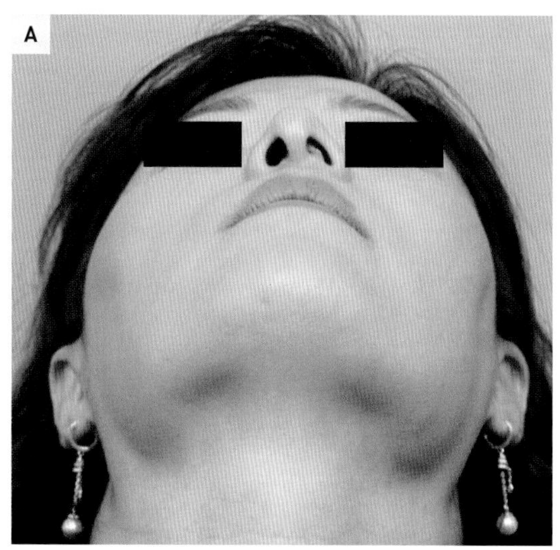

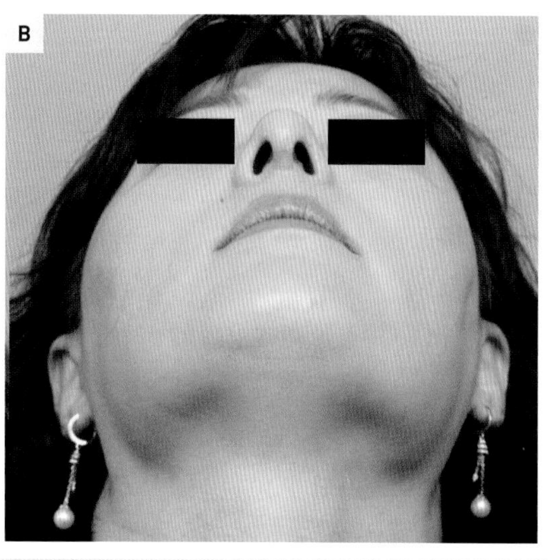

■ 그림 45-4. 비중격 미부 탈구(caudal septal dislocation)로 심한 코막힘과 외비밸브 장애를 보이는 환자의 수술 전(**A**)과 후(**B**) 사진

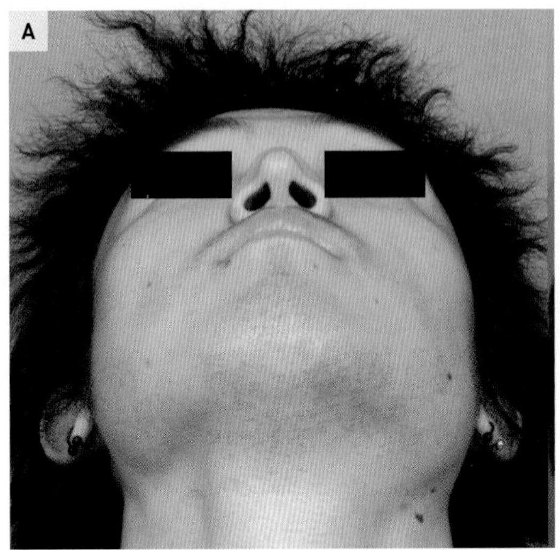

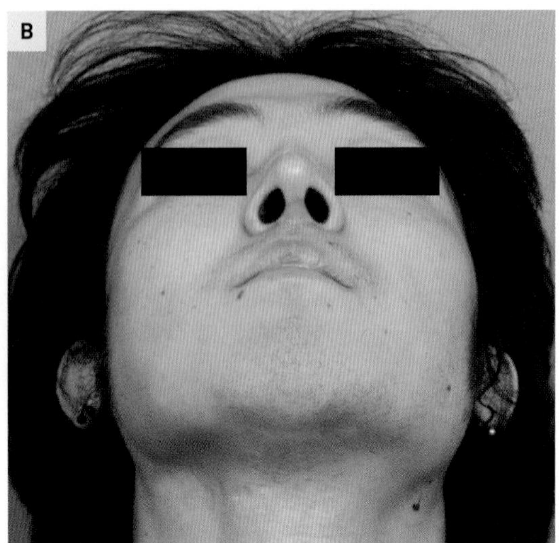

■ 그림 45-5. 비익엽 오목(alar lobular concavity)을 보이는 환자의 수술 전(A)과 후(B) 사진

위치시키는 곡선형태의 연골을 이용한 이식이다. 이식편은 비중격과 귀연골, 가슴연골 등에서 채취하여 사용할 수 있으며 보통 넓이 4~8 mm, 길이 10~15 mm 크기로 재단하며 피부가 두껍거나 함몰이 심한 환자에서는 더 크게 만들어서 사용한다. 하외측연골의 외측각과 평행하게 위치시키거나 아래쪽 절반 정도가 겹치도록 이식편을 위치시키고 바깥쪽 경계가 이상구(pyriform aperture)에 닿도록 한 후 PDS 등으로 고정한다. 삽입하는 위치에 따라 외비밸브 뿐만 아니라 내비밸브를 넓히기 위해 사용될 수도 있다.

② **비익연이식**(alar rim graft)

비익연이식은 외측각 위치이상(lateral crural mal-position), 비익수축(alar retraction), 비익윤곽기형(alar contour anomaly), 비익함몰(alar collapse)의 경우 사용할 수 있는 이식으로 비익연의 모양을 개선하고 지지하는 역할을 한다. 가느다란 연골편을 사용하는 술식이므로 비익엽 전체의 큰 변화를 만들어 낼 수 없기 때문에 대개 비익연이식 단독으로 사용되기 보다는 비익 버팀목이식(alar batten graft)이나 외측각 지주이식(lateral crural strut) 등과 함께 보조적으로 사용된다.

③ **외측각 지주이식**(lateral crural strut graft) or **중첩이식**(onlay graft)

외측각 지주이식과 외측각 중첩이식은 보통 비외접근법으로 시행하며 비익 함몰이나 비익 수축으로 외비밸브가 좁은 환자에서 사용한다. 외측각 위치이상이 있는 경우나 오목한 외측각의 개선이 필요한 경우, 주먹코(boxy nose)의 교정을 위해 돔내봉합(interdomal suture) 등을 시행한 경우에서 발생한 비밸브의 변형 시에도 사용할 수 있다. 지주이식은 외측각과 외측각 아래의 비전정 점막 사이의 공간에 연골을 이식하는 방법이며 중첩이식은 외측각 위에 연골을 이식하는 방법이다.

④ **외측각 뒤집기**(lateral crural flip flop) or **재배치**(repositioning)

외측각이 오목한 형태로 변형되어 비밸브를 좁혀 코막힘을 유발하는 경우 사용할 수 있는 술식이다. 비외접근법 또는 비내접근법을 통해 하외측연골을 노출시키고 외측각을 아래쪽 비전정 점막과 박리한다. 외측각의 바깥쪽 경계까지 모두 박리하여 연부조직과 연결이 없도록 한 후 오목한 비익엽(concave alar lobule)을 절제하고 180도 회전시켜 다시 남아있는 하외측연골에 봉합함으로써 볼

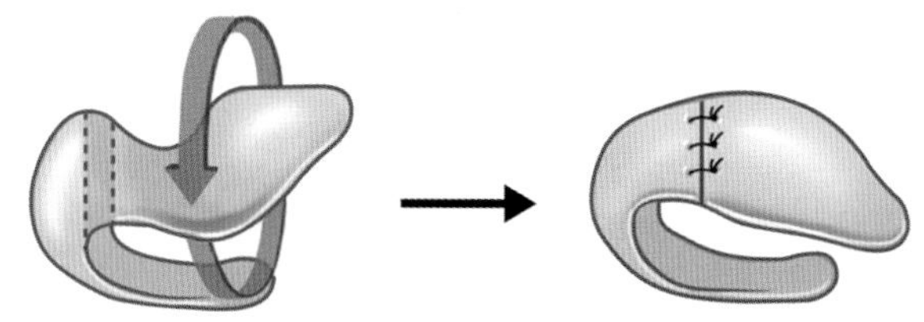

■ 그림 45-6. **외측각 뒤집기(lateral crural flip flop).** 오목한 비익엽(concave alar lobule)을 절제하고 180도 회전시켜 다시 남아있는 하외측연골에 봉합한다.

록한(convex) 형태로 개선시키고 외비밸브를 넓힐 수 있다(그림 45-6). 다른 한 가지 방법은 180도 회전 없이 좌우 외측각을 교환하여 반대편 하외측연골에 봉합함으로써 볼록한 비익 형태로 만드는 것이다.

⑤ **외측각 당김**(lateral crural pull up) or **현수봉합**(suspension suture)

외비밸브를 확장시키기 위하여 외측각에 현수봉합을 시행할 수 있다. 안와연(orbital rim)에 고정하는 경우 결막절개나 속눈썹밑 피부 절개를 가한 후 절개 부위에서 상악골을 따라 비강까지 접근한다. 하외측연골에서 함몰이 최대로 일어나는 부위에 PDS 4-0 등을 이용해 봉합을 시행하고 그 부위의 연골이 봉합사에 의해 당겨지도록 장력을 가한 후 처음 출발하였던 위치 부근의 골이나 골막에 고정한다. 봉합은 비전정(vestibule)을 통해 확인가능하며 시간이 지남에 따라 이 부위는 육아조직으로 바뀌면서 결국 피부 또는 점막 아래에 묻히게 된다. 최근에는 안와절개 없이 외비 접근법으로 상악골 전벽에 구멍을 만들어 고정하기도 한다(그림 45-7).

(5) **동적 함몰**(Dynamic collapse)

동적 함몰은 외비밸브, 내비밸브 구분이 없이 코가 전체적으로 힘이 없이 펄럭거리고 늘어지면서(flaccid) 호흡 시 코가 쉽게 함몰되는 기능이상을 느끼는 경우이다. 이러한 현상이 수술 병력 없는 환자에서 일차적으로 나타나는 것은 드물고 대부분 이전에 행해진, 비중격 연골의 지지구조를 심하게 손상시키는 파괴적인 비중격 교정술 또는 코성형술을 받은 환자들에서 주로 나타난다. 환자들은 경미한 안장코 또는 전형적인 안장코를 보이며 코를 촉진했을 때 코 하부의 절반 또는 1/3이 쉽게 함몰되는 현상을 보인다(그림 45-8A, C). 이런 환자들에서 내시경 검사를 했을 때 비중격은 곧고 비갑개에도 문제가 없는 경우가 많다. 이 환자들이 코막힘을 느끼는 것은 외비밸브, 내비밸브 모두의 함몰 정도가 증가되어 나타나는 현상이다. 앞서 언급된 외비밸브를 넓히는 술식을 적용하지 않더라도 안장코 교정을 시행하면 코막힘이 호전될 수 있다(그림 45-8B, D). 가슴연골을 이용하여 근본적으로 비중격을 높히는 동시에 강화시키고, 비주 지주나 비중격 확장 이식 등으로 하외측연골이 비중격에 단단히 고정되도록 하며 추가적인 비첨 수술을 통해 코를 높고 딱딱하게 만들게 되면 환자의 코막힘이 극적으로 개선되는 효과를 기대할 수 있다. 동적 함몰을 보이는 대부분의 환자에서 코성형 또는 이식물 삽입을 통해 코의 경직도를 증가시키면 호흡능력이 개선되는 효과를 나타낸다.

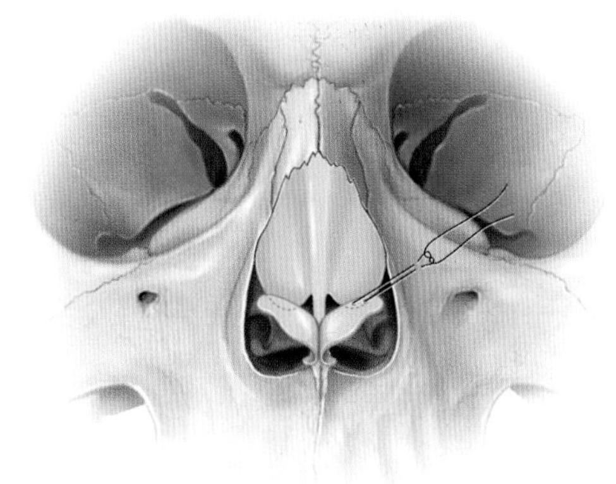

■ 그림 45-7. **현수봉합(suspension suture).** 하외측연골에 봉합을 시행하고 그 부위의 연골이 봉합사에 의해 당겨지도록 장력을 가한 후 안와연(orbital rim)에 고정한 모식도

2) 내비밸브의 이상

이 문제는 대부분 아래와 같은 원인에 의하여 발생한다.

- 사비(deviated nose)

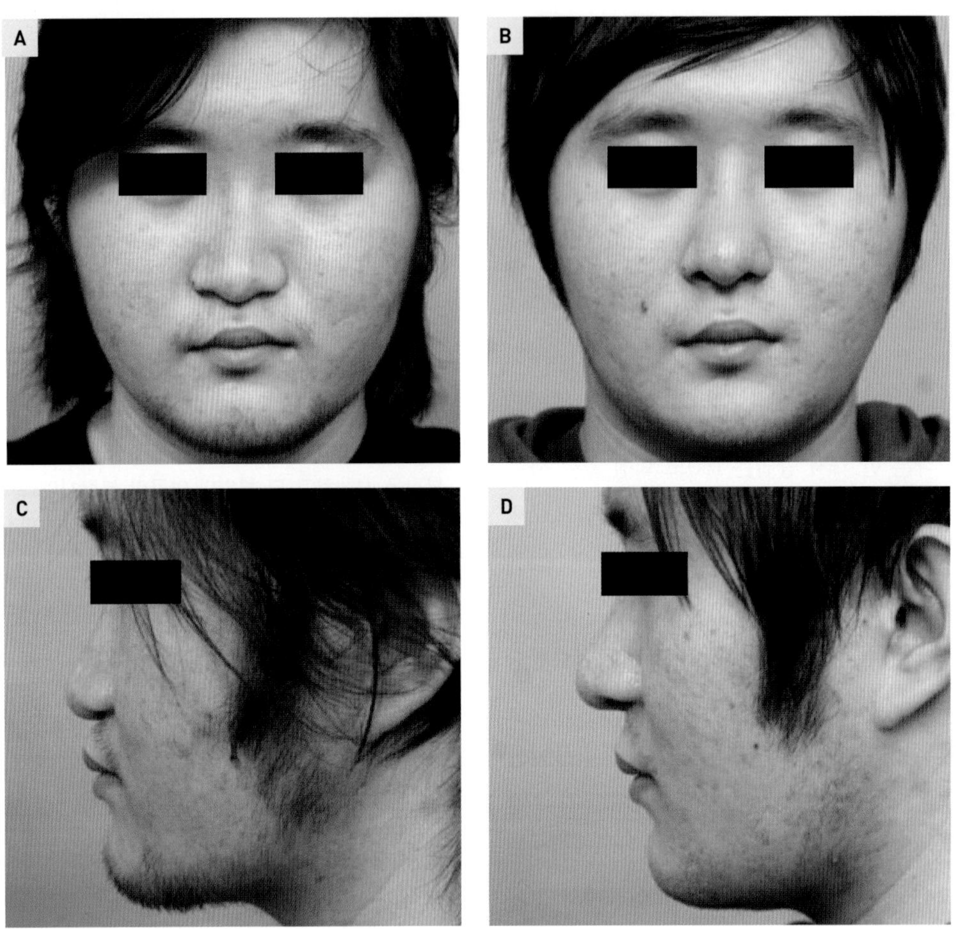

■ 그림 45-8. 비중격 교정술 후 안장코(saddle nose)와 함께 동적 함몰(dynamic collapse)에 의한 흡기장애를 보였던 환자의 수술 전 (A, C)과 후(B, D) 사진

- 비중격 미부 만곡(caudal septal deviation)
- 비중격 상부 만곡(high septal deviation)
- 선천성 내비밸브 협소(congenitally narrow internal valve angle)
- 오목한 상외측연골(concave upper lateral cartilage)
- 이전 비골골절이나 절골술(osteotomy)에 의한 오목한 비외측벽(nasal side wall concavity)
- 동적 함몰(dynamic collapse)

이상과 같은 현상은 외형적으로 사비를 유발하는 경우가 흔하기 때문에 개별적인 원인요소에 대한 치료보다 사비 치료 시 기능이상과 관계된 특정 부분에 관심을 기울여 치료하는 것이 바람직하다. 그러므로 내비밸브를 넓히는 치료를 단독으로 행하는 경우는 흔하지 않다. 그러나 아래와 같은 수술적 방법들이 문헌에 보고되고 치료에 적용 될 수 있다.

(1) 내비밸브 수술

이것은 상외측연골과 비중격이 이루는 비밸브각을 넓혀주는 술식이다. 이러한 수술법 시행을 결정하기 전에 비중격이 전체적으로 바른 위치에서 똑바로 서 있는가를 내시경 검사, 음향 통기도 검사, 필요한 경우 CT를 이용하여 잘 평가하여야 한다. 만약 비중격 만곡증이 환자 코막힘의 원인이라면 비밸브 수술보다는 비중격 교정이 먼저 고려되어야 한다. 서양인(Caucasian)들은 코가 높고 비밸브각이 좁아 아래 기술되는 비밸브 수술들이 자주 시행되고 있으나, 코가 상태적으로 낮고 넓은 한국 사람들에서 이러한 밸브를 넓히는 술식이 어느 정도의 임상적 중요성을 갖는지에 대해 연구결과가 부족하며 술자마다 견해 차이를 보인다. 실제 미국에서 조차도 비밸브각을 넓히는 목적으로 행해지는 나비이식(butterfly graft)의 유용성에 대하여 일치된 의견이 없어 특정 그룹에서만 행해지는 추세임을 주지하여야 한다. 좁아진 비밸브각를 넓히는 수술방법에는 다음과 같은 것들이 있다.

① 펼침이식(spreader graft)

펼침이식는 상외측연골과 비중격 사이의 공간에 긴 막대모양으로 삽입하는 연골 이식물이다.[20] 흔히 펼침이식이 비밸브각을 넓힐 수 있다고 알려져 있으며, 아주 두꺼운 연골을 사용하고 이를 상외측연골과 고정할 때 상외측연골이 약간 들리게 되므로 비밸브각이 넓어지는 효과를 기대할 수 있다. 그러나 우리나라 환자의 코성형 수술 시 얇은 비중격연골의 사용으로 비밸브각이 어느 정도나 넓어질지는 미지수이다(그림 45-9). 오히려 펼침이식은 비중격의 배부 지주(dorsal strut)를 곧게 폄으로써 비중격 미부 만곡이나 비중격 배부 만곡을 교정하는 효과를 통해서 코막힘의 개선에 기여한다고 이해하는 것이 적절할 것이다. 상외측연골이 잘 발달되어 있는 환자의 경우 이를 제거하지 않고 잘 보존하였다면 상외측연골의 비배부측 경계를 비중격 방향으로 말아 넣어 비중격과 고정하여 자가 펼침이식(auto spreader graft)또는 펼침피판(spreader flap) 형태로 사용할 수도 있다. 그러나 이 방법 역시 우리나라 환자에서 실제로 이렇게 상외측 연골이 잘 발달된 환자들이 많지 않아 임상적 유용성에 대해서는 회의적이다.

② 나비이식(butterfly graft), 벌림이식(splay graft)

나비이식과 벌림이식은 상외측연골을 강화시켜 비밸브

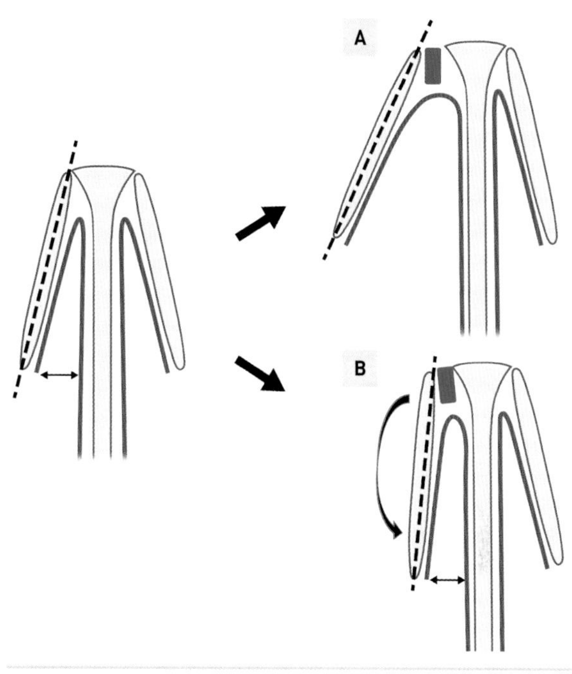

■ 그림 45-9. **펼침이식(spreader graft) 후 비강 단면적의 변화.** 펼침이식을 시행하였을 때 내비밸브가 넓어지는 효과를 기대할 수 있지만**(A)** 오히려 상외측 연골이 tilting되면서 아래쪽 비밸브공간을 좁히는 효과를 가져올 수도 있다**(B)**.

의 함몰을 막는 방법이다.[1,4] 나비 이식은 상외측연골 위에 중첩이식(onlay graft) 형태로 삽입하는 이식물이며 대개 귀연골이나 비중격 연골을 사용한다(그림 45-10). 벌림이식은 상외측연골과 연골 아래 점막 사이로 이식물을 삽입한다. 넓이 0.9~1.2 cm, 길이 2.2~2.5 cm의 크기로 하나의 이식물 형태로 양측 상외측연골에 이식하게 되며 귀연골 사용 시 이륜각에 수직으로 귀연골을 채취하면 새의 날개모양 같은 연골을 얻을 수 있다. 귀연골의 오목한 모양 그대로 이식하게 되면 스프링과 비슷한 원리로 더욱 효과적으로 비밸브를 넓힐 수 있다. 나비이식은 상외측연골 위에 이식하게 되므로 비배부 이식(dorsal augmentation)의 효과와 함께 비배부가 넓어지는 효과를 나타내므로 안장코나 중간비천장의 폭이 좁은 환자에서 효과적으로 사용할 수 있다. 그러나 비배부의 폭이 너무 넓어 보이지 않도록 주의가 필요하다. 또한 이식물이 삽입되면 비첨상부(supratip)가 부풀어 오르는, 미용적으로 바람직하지

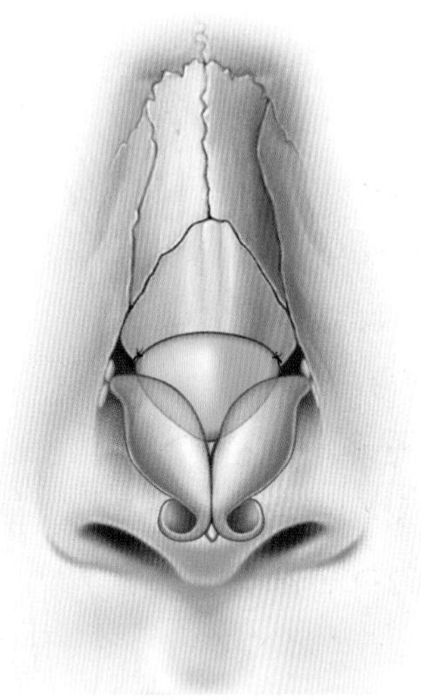

■ 그림 45-10. **나비이식(butterfly graft)**

않은 효과가 나타날 수 있으므로 매부리변형(pollybeak deformity)을 예방하기 위해 비중격의 비배부 부분을 일부 깎아내어(shaving) 높이를 낮춘 후 이식편을 사용할 수도 있다.

③ **현수봉합**(suspension suture)

현수봉합은 외비밸브뿐 아니라 내비밸브를 넓히기 위해 사용할 수 있다. 함몰이 가장 심하게 발생하는 상외측 연골 부분에 봉합을 시행하고 비밸브의 바깥쪽 부분의 단단한 조직에 고정하여 비밸브를 확장시킨다. 고정시키는 부위는 앞서 기술한 내비밸브 확장 시 고정하는 부위와 동일하다. 안와연(orbital rim)이나 비골(nasal bone)에 구멍을 뚫어 고정하거나 골막(periosteum) 등에 고정시킬 수 있으며 골고정 나사(bone anchored screw)를 박아 고정할 수도 있다.[16]

3) 기류역동변형(Altered airflow dynamics)에 의한 코막힘

(1) 사비(Deviated nose)

코가 한쪽으로 심하게 휜 직선형 사비의 경우 흡인하는 공기흐름의 축과 비강의 축이 일치하지 않기 때문에 코막힘을 보일 수 있다. 흡기 시 공기 흐름은 비공을 통해 직선형으로 비강에 들어가지만 사비와 동반된 비중격의 만곡 및 비강골격 구조의 변화로 한쪽 비강은 비중격에 의해, 한쪽 비강은 비측벽에 의해 공기 흐름이 차단된다. 따라서 직선형의 공기흐름은 비강 내 구조적 장애물에 의해 측면으로 휘어져 들어가게 되고 이는 환자가 코막힘을 느끼는 원인이 될 수 있다. 코성형을 통한 사비 교정으로 증상을 개선시킬 수 있으며 사비의 병태생리 및 원리, 수술법에 관련하여 다음 장에서 자세히 설명하도록 한다.

(2) 비첨 처짐(Tip ptosis)

비첨 처짐이 심하여 현저하게 좁은 코입술각(nasolabial angle)을 보이는 환자들이 코막힘을 호소할 수가 있다(그림 45-11A). 이러한 환자들은 비중격이나 비갑개의 이상 없이도 코막힘을 느끼게 된다. 비강을 통하여 흡인되는 공기가 직선형으로 비강에 들어가는 것이 아니라 입구부에서 아래로 향했다가 다시 위로 향하는 움직임을 보이게 된다. 이와 같은 코의 형태를 보이는 환자들에서 외래 진찰 시 코끝을 들어주어 코입술각을 넓혀주면 환자는 현저한 호흡의 개선을 느낄 수 있다. 비중격이나 비갑개, 부비동에 특이한 이상이 없는 환자에게서 코를 들어 주었을 때 비강호흡이 매우 호전되는 현상이 나타나고 비첨 처짐을 개선 시키는, 즉 비첨을 회전시킬 수 있는 수술적 조작을 하게 된다면 환자의 호흡기능을 유의하게 향상시킬 수 있다(그림 45-11B). 이러한 목적으로 행해질 수 있는 술식으로는 두측 절제(lateral crural cephalic resection), 외측각 중첩이식(lateral crural onlay graft), tongue in groove technique, 외측각 뒤집기(lateral crural flip flop) 등의 방법들이 있다.

(3) 빈코증후군(Empty nose syndrome)

빈코증후군은 수술 시 과도한 비갑개의 절제로 인해 정상적인 비강 생리의 장애를 유발하는 드물고 심각한 의인성 질환이다. 비갑개가 심하게 절제된 모든 환자에서 증상이 발생되는 것은 아니지만 일단 빈코증후군이 발생

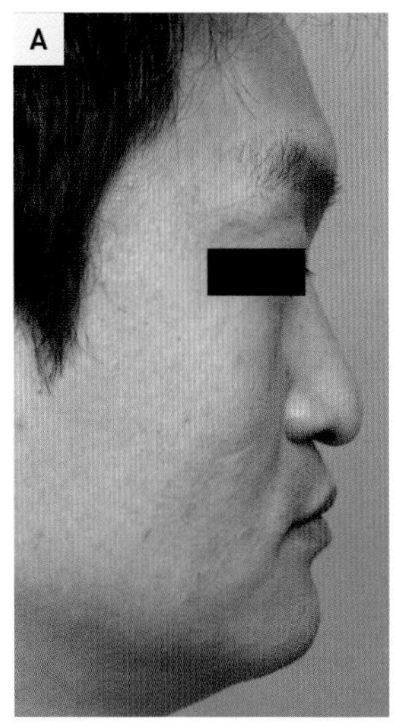

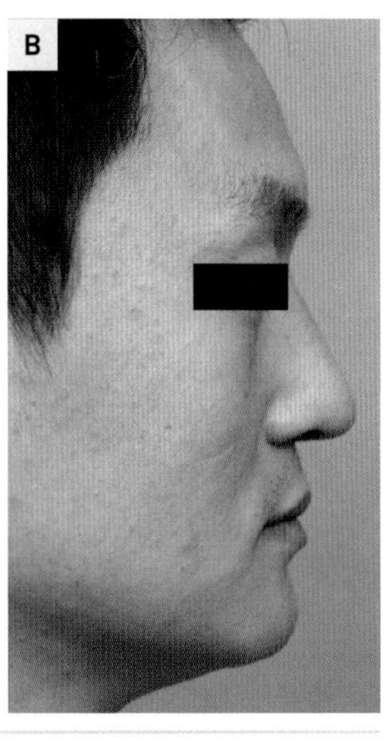

■ 그림 45-11. **비첨 처짐(tip ptosis).** 비첨을 회전시키는 코성형 수술 후 호흡이 개선된 환자의 수술 전(**A**)과 후(**B**) 사진

되면 비강의 정상 호흡 기능에 심각한 영향을 미친다. 빈코증후군 환자들은 주로 점막 건조감, 비폐색, 흡기 시 안면통과 두통, 과도한 가피와 분비물, 호흡 시의 비인강 또는 가슴의 통증을 호소한다. 또한 이 환자들은 여름보다 겨울에 증상이 더 심해짐을 느낀다. 빈코증후군 환자에서는 비강의 비갑개 조직의 결손으로 비강 면적이 넓어짐에 따라 기류의 역동학이 변화됨으로써 병변 측 점막의 염증과 부비동염이 발생할 수 있고 이를 CT에서 확인할 수 있다(그림 45-12A, C). 빈코증후군의 보존적인 치료로는 비강세척, 비강습윤 연고제 사용, 비강의 plugging이 있으나 그렇게 효과적이지 않다. 약물치료에 반응이 없으면 hydroxyapatite, Teflon, Gore-Tex, Plastipore, alloderm과 같은 이식물을 점막하에 이식(augmentation)하는 수술적 치료가 필요하게 된다. 그렇지만 이와 같은 합성 이식물과 동종 이식물(allograft)은 탈출, 거부반응, 감염 등의 합병증 빈도가 높다. 따라서 연골 이식은 이러한 합성, 동종 이식물의 단점을 피할 수 있고, 환자의 증상을 호전시키는 효과적인 치료법이라 할 수 있다. 이식에 필요한 충분한 양의 비중격연골이 있는 경우에는 1~1.5 cm 크기의 L자형 지주를 남기고 가운데 부분의 비중격연골을 채취한다. 이전에 비중격 만곡 교정술을 받은 환자에서는 귀연골이나 가슴연골을 사용한다. 점막하 포켓을 만들기 위하여 하비갑개 직하방, 전방 위치의 이상구경계(pyriform aperture margin)에 점막절개를 가하여 점막을 들어 올린다. 이식물은 하비갑개의 전단부를 재건한다는 생각으로 주로 앞쪽에 위치시킨다(그림 45-12B, D). 저자의 경험에 의하면 가슴연골을 사용한 시술이 충분한 이식을 해줄 수 있다는 점에서 가장 결과가 좋았다.[7,13] 이러한 비갑개 재건은 손상된 비갑개와 동일한 생리적 기능을 수행하는 재건은 될 수 없겠지만 비밸브 공간에서 형성되어야 하는 호흡기류의 물리적 저항을 만들어 줄 수 있다는 점에서 수술적 의의가 있다.

II 사비(Deviated nose)의 교정

사비는 이비인후과 의사가 가장 빈번하게 접하게 되는 코성형 환자의 유형이다. 사비는 미용적으로 개선을 요하는 질환임과 동시에 앞서 언급된 기능적 코성형 수술의 대상질환이기도 하다. 사비 환자는 비골, 상외측연골, 하외측연골, 비중격연골, 비갑개 등의 모든 코의 구성요소의 변형을 복합적으로 가지고 있는 경우가 대부분이다. 그러므로 외비밸브 기능장애, 내비밸브 기능장애를 보이게 된다. 또한 코가 한쪽으로 심하게 휜 직선형 사비의 경우에는 흡인하는 공기흐름의 축과 비강의 축이 일치하지 않음으로 해서 코막힘을 보일 수 있다. 그러므로 사비에 대한 치료는 미용적 관점과 기능적 관점이 모두 고려되어야 하는 기능적 코성형 수술의 집대성이라고 볼 수 있다.

1. 원인

사비의 원인에는 선천성기형, 출생 시의 손상, 코의 외상, 수술의 후유증, 감염 등이 있다. 이들 중 외상의 병력이 가장 중요한 원인이다. 비골 골절에 대하여 이전에 도

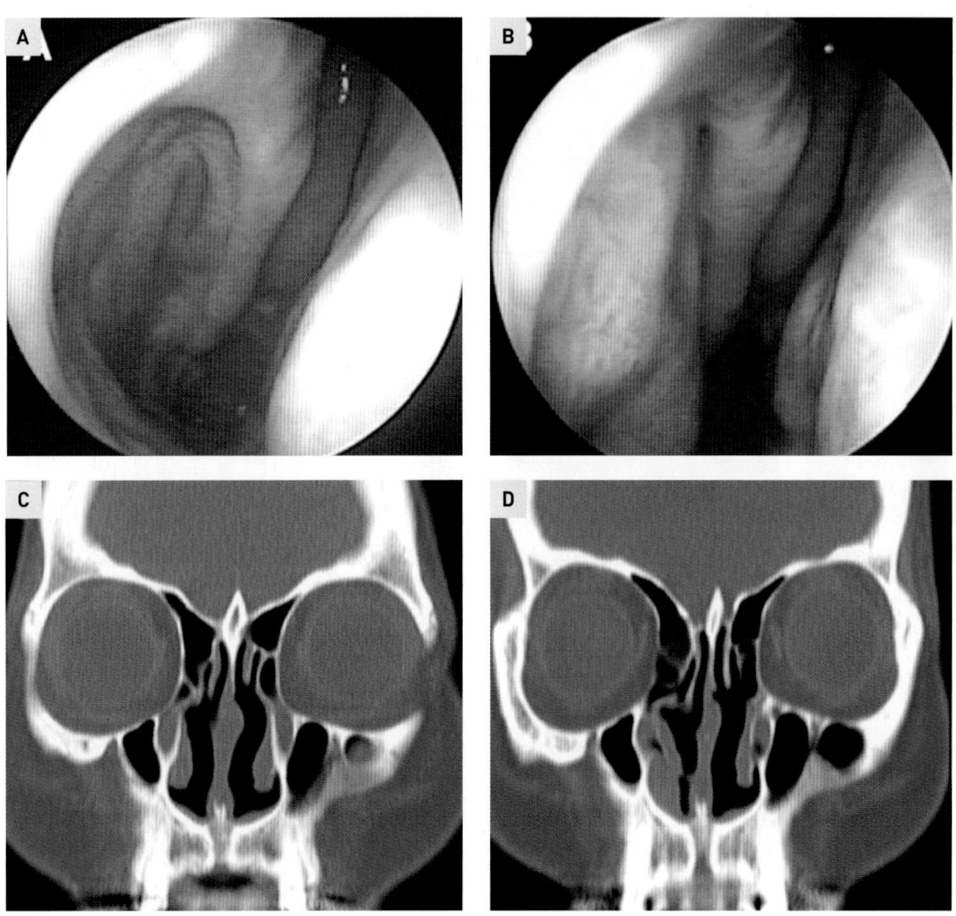

■ 그림 45-12. 가슴연골을 이용한 비갑개 재건으로 현저한 호흡기능의 개선을 보인 환자의 내시경(**A**. 수술 전 **B**. 수술 후) 및 CT (**C**. 수술 전 **D**. 수술 후)

수정복(closed reduction)을 받았던 환자들 중에서도 시간이 경과하면서 사비가 발현되는 경우가 매우 흔하다. 그 이유는 코의 외상이 있었을 때 도수정복만으로는 연골 부분의 손상을 치료할 수가 없고, 뼈부분도 도수정복에 의하여 완전한 구조적 복원을 성취하기 어려우며, 외상을 받은 뼈는 회복 과정에서 2차적인 변화를 일으키게 되기 때문이다.

2. 형태에 따른 분류

사비는 5가지 형태의 분류가 가능하다(그림 45-13). 이는 환자의 정면 사진에서 비배를 골부와 연골부로 나누어 안면 중앙선과의 관계에서 각 부분의 방향을 판단하여 분류한 것이다.[10]

- Type I: 비골이 한쪽으로 휘어있고, 연골부 비배는 반대 방향을 향하는 편위의 형태이다. 외상성 변형에서 흔히 나타난다.
- Type II: 골부는 한쪽 방향으로 향하고 연골부는 곡선의 굴곡을 보이는 기형이다.
- Type III: 골부의 중심축은 안면 중앙 축에 일치하나 연골부 비배의 축은 좌측 또는 우측으로 직선형으로 틀어져 있는 변형이다.
- Type IV: 골부의 축은 안면의 중앙 축에 일치하고 연골부 비배는 굴곡형의 편위를 보이는 형태이다.

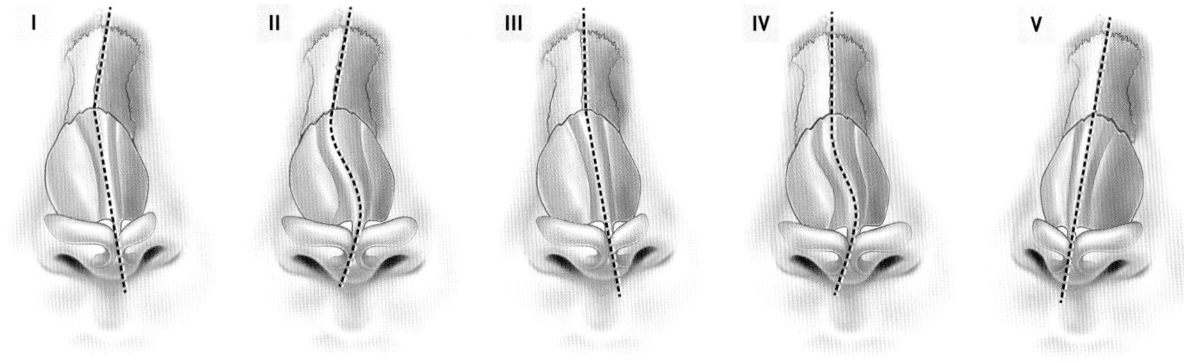

■ 그림 45-13. **사비의 형태 분류**

- Type V: 골부의 중심축과 연골부의 경사가 같은 방향으로 향하면서 안면중심축을 벗어난 기형이다.

이상의 분류를 이용하면 변형의 중심이 어디에 있는가에 대한 체계적인 분석이 가능하고 술 전 치료계획을 세우는 데 도움을 받을 수 있으며 수술의사들 간의 의사소통에 도움이 된다. 이러한 분류는 술 전 정면사진의 분석으로부터 가능한 것이지만, 실제 환자의 수술시야에서는 더욱 복잡한 형태의 기형이 있을 수 있으므로 수술시야에서 확인된 진단에 의거하여 적절한 치료를 수행해야 할 것이다.

3. 병태생리

사비를 일으키는 요소들은 비골 피라미드(bony pyramid), 상외측연골(upper lateral cartilage), 하외측연골(lower lateral cartilage)과 비중격(nasal septum)등 골이나 연골 등 골격 구성 요소들의 변형, 각 구성요소들 간의 접합부위에서의 편위 또는 비대칭적인 부착이다. 그러므로 기형을 교정하기 위해서는 코의 구성요소들의 변형과 변위를 교정할 수 있어야 하고, 비정상적인 연결을 단절시키고 새로운 형태, 방향, 관계를 만들어 주어야 한다. 사비를 보이는 거의 모든 환자는 정도의 차이는 있지만 비중격 만곡을 갖고 있다. 그러나 모든 환자가 코막힘 증상으로 고통받는 것은 아니다. 사비로 병원을 방문한 환자 중 실제 코막힘을 호소하는 환자는 약 80%였다.[17] 사비 환자들에서의 코막힘의 원인으로는 먼저 비중격의 만곡이 가장 흔하다. 비중격의 기형은 미부의 만곡, 비배의 만곡, 중간부분 만곡, 골부의 만곡 등 다양한 형태로 존재하며, 그 형태적 특성에 따라 치료법도 달라져야 한다. 이외에도 비갑개의 비대, 상외측연골의 함몰과 변형에 의한 내비밸브의 장애, 편측 및 양측 비골의 오목변형(concavity)에 의한 이차적인 상외측연골의 함몰, 비중격 미부 변형에 의한 비공의 기형, 약화된 하외측 연골에 의하여 나타나는 흡기 시의 동적인 함몰(dynamic collapse) 등이 코막힘의 원인이다.

4. 수술 전 진단과 검사

사비를 보이는 환자들을 진찰할 때에는 우선 환자의 병력을 정확히 청취하고 미간에서 가운데 앞니(central incisor)까지 시진과 촉진을 해야 한다. 그리고 코 내부의 내시경 사진을 찍고 음향 비강 통기도 검사(acoustic rhinometry), 비강통기도 검사(rhinomanometry), 최대 흡기량 측정기(peak inspiratory flow meter)와 같은 객관적 비강검사, 후각 검사도 시행하여 코의 기능을 평가하여야 한다. 또한 수술 전에 환자에 대한 안면부 사진을 촬영하여야 한다. 여기에는 정면사진(frontal view), 측면

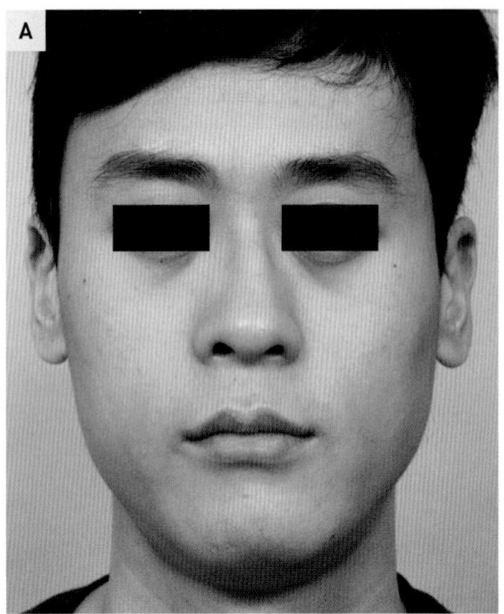
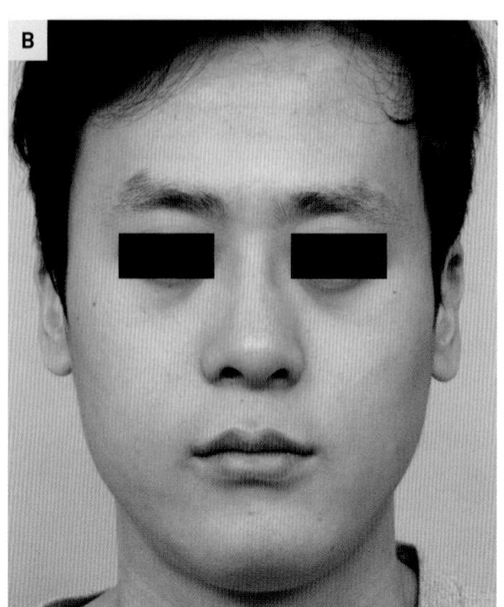

■ 그림 45-14. 안면비대칭과 사비를 보이는 환자의 수술 전(A)과 후(B) 사진

사진(lateral view), 3/4 안면사진(oblique view), 기저사진(basal view)이 포함되어야 한다. 환자의 편위와 비대칭을 분석하기 위해서 우선 정면 사진에서 환자의 코를 위, 중간, 아래로 삼등분한 후 각각에 대하여 얼굴 중심축과의 관계를 평가한다. 위쪽1/3에는 비골 피라미드(bony pyramid), 중간 1/3에는 배부 비중격과 상외측연골이 포함되며, 아래 1/3에는 비익 연골, 비중격 미부, 비익저가 포함된다. 기저사진에서는 전체적인 비첨의 모양을 확인할 수 있으며 비첨과 눈썹과의 관계 및 비중격 미부의 위치파악이 가능하다. 사비의 환자들 중에는 많은 환자가 안면부 비대칭을 보인다(그림 45-14A). 이러한 환자에서는 수술 후에도 코가 얼굴 중앙에 바르게 위치되어 보이지 않아 수술에 대한 만족도가 높지 않다. 또한 비대칭 환자들은 코의 골격이 이미 기울어진 기반(tilted base)에 위치하기 때문에 안면골격 자체의 변형이 해결되기 전에는 코에 대한 수술만으로는 완벽한 대칭성을 확보하기가 어렵다.[24] 그리고 이런 환자들은 양쪽 비익저의 높이가 다른 경우도 많다. 그러므로 안면비대칭이 심한 환자에서 사비가 있을 때 기능적 장애가 심하지 않고 편위가 심하지 않다면 수술의 한계를 충분히 설명하고 수술에 대하여 유보적인 태도를 취하는 것이 의사와 환자 모두를 위하여 바람직하다. 심한 비대칭 환자는 안면골격수술(facial bone surgery)로 안면 비대칭을 우선적으로 개선한 후 코수술을 진행하는 것을 권고하는 것도 바람직하다. 코 형태를 놓고 본다면 수술 후 정면에 위치된 바른 코를 만들기가 쉽지 않다. 그러나 얼굴 전체 균형의 관점에서 본다면 코에 대한 수술은 수술 후에 안면비대칭을 덜 뚜렷하게 보이게 하는 효과를 줄 수도 있다(그림 45-14B). 수술 전 환자와의 면담에서는 수술방법, 가능한 합병증, 비용부담 등에 대하여 설명해 주어야 하며, 코막힘이 있는가도 확인하여 수술의 계획에 포함시켜야 한다. 이러한 환자들과의 면담에서 가장 중요한 것은 휘어진 코를 완벽하게 고치는 것이 기술적으로 매우 어려운 문제이며 불완전 교정과 재발의 위험성이 높다는 것을 이해시키는 것이다.

5. 수술적 치료

1) 목적과 원칙

비강 기도와 겉모습의 대칭성을 확보하는 것이 수술의 목표이다. 그러나 단순히 양쪽의 대칭만 맞추었다고 훌륭한 수술이 되는 것은 아니다. 확보된 대칭성 위에서 비배, 비첨 등의 전체적인 코의 부분들이 조화롭게 어우러질 수 있어야 한다.

2) 수술적 접근법

사비의 교정을 위한 비내접근법(closed approach)은 비배에 접근하기 위한 연골간 절개(intercatilagenous incision), 비중격에 접근하여 양쪽 점막을 박리하기 위한 반관통 절개(hemitransfixion incision) 또는 관통절개(transfixion incision), 비첨에 대한 조작을 하기 위한 경계 절개(marginal incision) 등을 이용하여 실시할 수 있다. 비골 편위의 교정을 위하여 내측절골술(medial osteotomy)을 실시할 때는 먼저 양측 비중격 점막 피판(septal mucosal flap)을 관통절개로 박리하여 들어올린다. 그 후 상외측연골과 비중격 연골을 분리하여 그 공간으로 절골도(osteotome)를 삽입하여 내측절골술을 할 수 있다. 외측절골술는 절골술장에서 기술되는 보편적인 방법으로 행해진다. 비중격 미부의 교정은 L자형 지주의 미부를 재위치 시키기 위한 봉합을 실시하거나 절제 및 봉합(cutting and suture) 술식, 버팀목이식(batten graft) 등을 이용해서 실시한다. 비내접근법에서는 펼침이식을 시술하기가 쉽지 않지만 이식물이 들어갈 부분만큼의 점막 포켓을 비중격의 최상부에 거상기를 이용하여 박리한 후 이식물을 밀어서 끼워 넣는 식으로 행해진다. 비내접근법에서도 상외측 연골과 비중격 연골을 분리할 수는 있으나, 그 연결관계를 재건하기 위한 봉합 고정이 쉽지 않다. 그러므로 비내접근법에서는 돌출된 부분을 깎아주고 부족한 부분에 포켓을 만들어 연골이나 Gore-Tex 등을 이용한 중첩이식(onlay graft)를 삽입하는 방법이 중요한 술식으로 이용될 수 있다. 사비를 비내접근법으로 치료할 때는 교정에 필수적으로 필요한 여러 중요한 수술적 술기를 충분히 시술하기 어렵다는 단점이 있다. 비외접근법을 이용했을 때는 기형의 형태에 대한 진단이 보다 쉽고 연골들을 보다 넓게 노출시킬 수 있어 수술이 편해진다는 장점이 있다. 추후 소개되는 여러 수술적 조작은 대부분 비외접근법의 조건에서 행해지는 술식이다.

3) 해부학적인 위치에 따르는 교정방법

(1) 비골 피라미드의 교정

골성 비배를 이루는 상부 1/3을 교정하기 위한 수술적 방법들에는 절골술, rasping, 중첩이식 등이 있다.

① 절골술(osteotomy)

비골 피라미드를 교정하기 위해서는 절골술을 이용하여 비골의 형태와 방향을 변화시킬 수 있어야 한다. 사비 교정에서 절골술의 목적은 편위된 골성비천장(bony vault)를 원하는 형태로 재구성하기 위하여 골절을 시키는 것이다. 절골술의 순서는 외측절골술(lateral osteotomy)을 시행하기 전 내측절골술(medial osteotomy)을 시행하는 것이 좋다. 내측절골술는 넓은 골성 비배나 심각한 비골 피라미드의 비대칭을 교정하는 데 이용된다. 비배의 높이를 유지하면서 비골이 분리되어 움직일 수 있도록 골성비배의 연결을 끊어주어야 한다. 외측절골술은 비골 피라미드의 측면 윤곽을 대칭적으로 만들기 위하여 이용된다. 이 문제의 교정에서 불완전 골절이 나타난다면 수술 후 이차적으로 다시 원래의 편위가 나타날 가능성이 높다. 그러므로 완벽하게 절골술을 실시하는 것이 술 후 결과를 예측하기에 더 유리하다. 뿌리절골술(root osteotomy)은 radix의 직하부에서 양쪽 내측절골술 사이를 수평으로 절단시키는 것으로 골부 비중격을 중심부에 유지시키기 위해 이용된다.[11] 사비의 교정에서는 내측절골술을 시행하고 외측절골술과 연결시키게 되며, 이때 비골의 가운데 부분에는 삼각형 형태의 뼈조각(골부 비중격)이 남게 된다. 이 골부 비중격의 방향이 편측으로 기울어 있을 때 이 방향을 교정하지 않으면 전체적인 코의 축을 중앙으로 위치시킬 수 없다. 이런 경우, 가운데 부분을 손가락으로 눌러서 골절을 유도하여 교정할 수 있다. 그러나 때로는 골절이 원하는 위치에 정확하게 만들어지지 않을

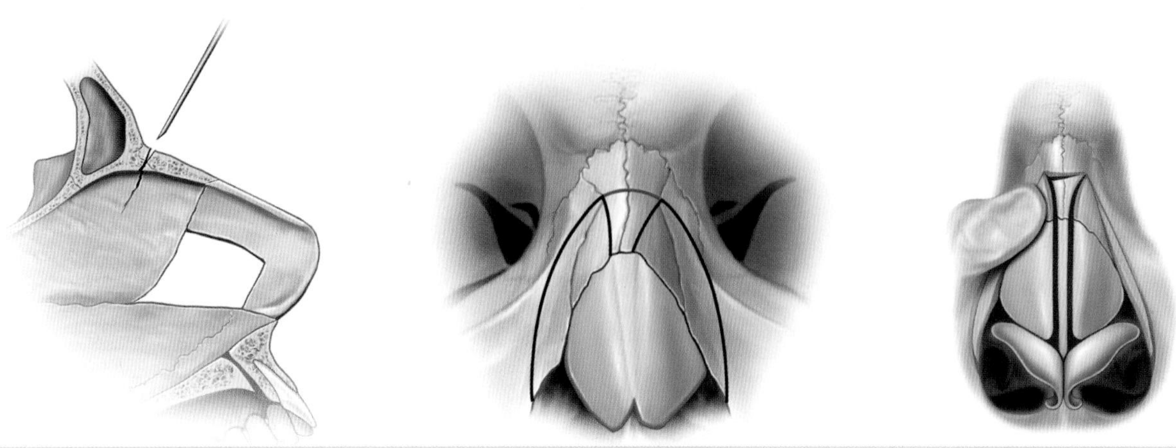

■ 그림 45-15. **뿌리절골술(root osteotomy).** 양쪽 내측절골술 사이를 수평으로 절단시켜 비골 피라미드를 교정한다.

우려가 있다. 즉 원하는 골절선보다 좀더 미부에 만들어지면 keystone area의 손상을 유발할 수 있다. 그 대안으로 경피 뿌리절골술을 시행할 수 있고 경피 뿌리절골술은 양미간 정도의 높이에서 2 mm 절골도를 이용하여 실시하게 된다. 이 방법을 적용하면 안전하게 골성 비중격을 정중앙으로 이동시킬 수 있다(그림 45-15). 이 경피 뿌리 절골술의 대안으로 비강내부터 바깥쪽으로 향하는 절골술을 행하여 이 중심부의 변위를 바로 잡을 수도 있다.[6]

② Rasping

절골술 후 부분적으로 돌출된 뼈가 있거나 비대칭이 있을 때 이를 rasping 할 수 있다. 절골술이 실시된 후에 rasping을 하게 되면 조각난 뼈가 제 위치를 벗어날 수 있으므로 rasping은 가능하다면 절골술을 시행하기 전에 하는 것이 좋다.

③ 중첩이식(onlay graft)

절골술 후에 비골의 축을 바로 잡아도 부분적인 뼈 윤곽의 굴곡이 나타날 수 있다. 이런 상황에서는 부분적으로 함몰된 위치에 중첩이식을 위치시킬 수 있다. 이식편의 재료로는 비중격 교정술중에 채취한 사골수직판(perpendicular plate of ethmoid)이나 비중격 연골, 근막, Gore-Tex 등을 사용할 수 있다. 연골이 두꺼울 때는 약간 압착을 하여 사용한다. 이러한 중첩이식은 비골의 부분적인 함몰만 있을 경우에는 절골술 없이 단독으로도 충분한 효과를 보일 수 있다

(2) 비중격 연골과 상외측연골, 하외측연골의 교정

비중격의 교정은 사비의 수술에서 가장 중요한 과정이고 또한 가장 어려운 부분이다. 비중격은 코의 중앙에 위치하며 코의 구조적 안정성 유지에 결정적인 역할을 한다. 비중격 연골을 비롯한 모든 연골들은 오랫동안 유지되어 온 기존의 형태를 유지하려고 하는 성질이 있기 때문에 휘어진 연골의 교정은 매우 어렵다. 변형된 비중격의 교정은 일단 일측 관통절개을 통한 전형적인 비중격 교정술로도 가능하다. 그러나 사비 환자의 비중격에 대한 교정술은 비외접근법하에서 실시하는 것이 바람직하다. 다음은 비외접근법를 이용한 비중격의 교정과정에 대한 설명들이다.

① 비중격 연골의 교정

비중격 연골의 교정은 크게 표 45-2와 같이 비내교정술(in situ technique)과 체외 비중격 교정술(extracorporeal septoplasty) 두 가지 방법으로 분류한다. 비내교정술은 비중격 연골을 점막과 분리한 후 연골의 가운데 부분을 절제한 후 L자형 지주(L-strut)를 만들고 그 L자형 지주를 똑바로 펴기 위한 여러 조작을 하는 것을 뜻하

표 45-2. 비중격 연골의 교정 방법

비내교정술(in situ technique)
- 펼침이식(spreader graft)
- 배부 L자형 지주 절제 및 봉합(dorsal L-strut cutting and suture)
- 미부 버팀목이식(caudal batten graft)
- 미부 L자형 지주 절제 및 봉합(caudal L-strut cutting and suture)
- 짝지은 버팀목이식(paired batten graft)
- 후방각 절제 및 전비극 재고정(resection of posterior angle and reconnecting to anterior nasal spine)
- 미부 L자형 지주 재배치 봉합(caudal L-strut relocation suture)
체외 비중격 교정술(extracorporeal septoplasty)

며, 체외 비중격 교정술은 심하게 변형된 비중격 연골의 대부분을 절제해 내어 외부에서 곧게 만들어 비중격의 원래 위치로 집어 넣어주는 방법이다.

A) **비내교정술**(in situ technique)

• 펼침이식(spreader graft)

펼침이식은 분리된 상외측연골과 배부 비중격 연골 사이 공간에 삽입되는 연골 이식물이다.[9] 이 방법은 코의 가운데 1/3 부분을 넓혀주어 비배선(dorsal lline)을 자연스럽게 유지시키기 위해서도 이용될 수 있다. 또한 비중격의 지지 구조를 장기간 반듯하게 유지시키기 위해 이용될 수도 있다(그림 45-16A). 펼침이식은 L자형 지주(L-strut)를 남기고 제거된 비중격 연골의 가운데 부분을 이용하여 조각한다. 그러나 흔히 비중격 연골이 작은 사람에게서는 펼침이식으로 사용하기에 충분한 길이와 크기의 연골을 얻기 힘들 때가 있다. 또한 연골의 크기가 적절할지라도 연골 자체가 너무 휘어서 직선형의 펼침이식을 만들기가 어려울 때도 있다. 연골의 양이 충분하지 못하여 이식편으로 이용하는 데 한계가 있을 때는 오목면이나 볼록면 한쪽에만 이식편을 위치시킨다. 그러나 비밸브각(nasal valve angle)을 넓히고 비배 비중격을 반듯하게 유지하기 위해서 가능하다면 양측 모두에 이식편을 위치시키는 것이 바람직하다. 비배지주(dorsal strut)의 휘어짐의 방향과 반대로 휘어진 연골을 삽입하면 두 연골을 봉합하면서 연골을 바로 펼 수 있으므로 때로는 휘어진 연골이 펼침이식 목적으로 더 유용할 수도 있다. 그러나 심한 휘어짐이 있는 경우에는 펼침이식으로 비중격 연골의 굴곡이 펴지지 않는다. 이러한 경우에는 양측 이식편의 두께를 다르게 삽입할 수 있으며 오목면에 볼록면보다 두꺼운 이식편을 삽입하면 비배가 곧게 펴져 보이는 효과를 얻을 수 있다(그림 45-16B). 펼침이식를 삽입하기 전에 L자형 지주의 오목한 면에 부분절개(scoring)를 시행할 수도 있고 부분절개 없이 펼침이식을 삽입할 수도 있다. 펼침이식이

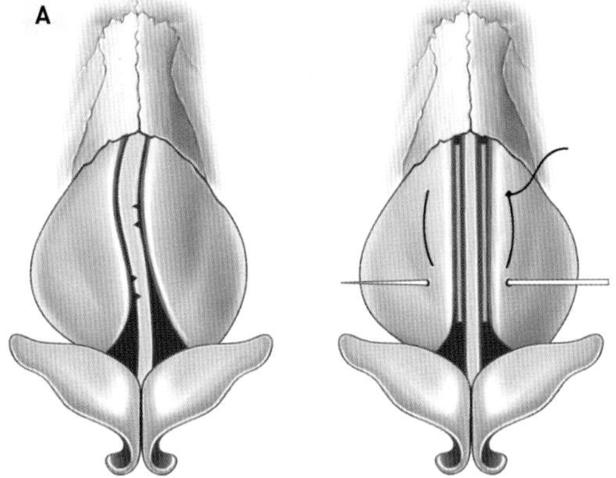

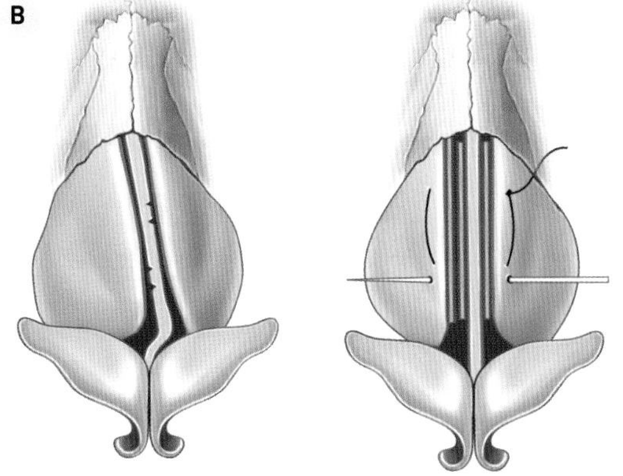

■ 그림 45-16. **휘어진 연골성 비배를 교정하기 위한 다양한 형태의 펼침이식(spreader grafts).** S자 형으로 휘어진 경우 양측에 각각 펼침이식을 시행하여 비배를 곧게 펴주고(**A**) 한쪽으로 치우쳐 휘어진 사비에서 휘어진 반대쪽에 여러 겹의 펼침이식을 시행하여 비배의 휘어짐을 교정할 수 있다(**B**).

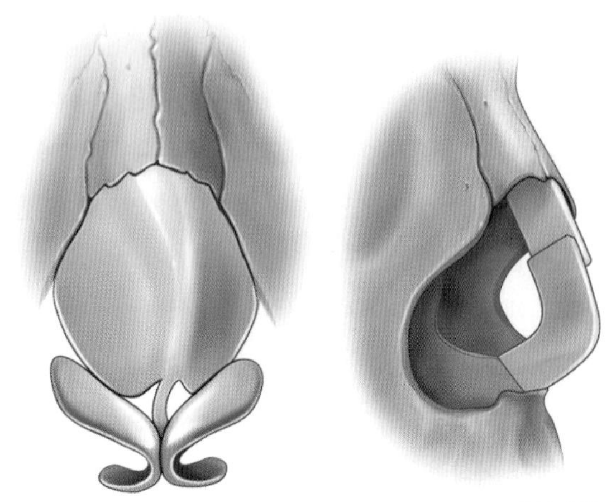

■ 그림 45-17. **비배 L자형 지주 절제 및 봉합(dorsal L-strut cutting and suture technique)**

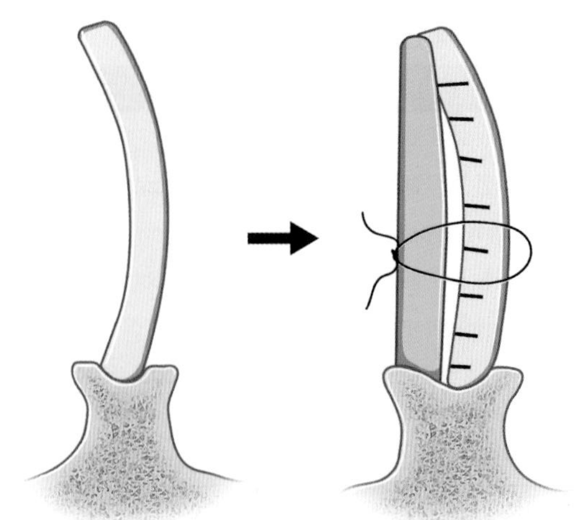

■ 그림 45-18. **비중격 버팀목이식(septal batten graft).** 편위된 비중격 미부의 오목면(concave side)에 약간의 부분절개(scoring)를 가하여 버팀목이식을 시행할 수 있다.

너무 두꺼우면 콧등이 넓어 보이게 하여 미용적인 결과가 좋지 않을 수도 있음을 인지해야 한다.

- 비배 L자형 지주 절제 및 봉합(dorsal L-strut cutting and suture technique)

비배 L자형 지주의 휘어짐이 심한 경우 이를 교정하기 위해 비배 L자형 지주 절제 및 봉합술을 적용할 수 있다.[21] 이 수술적 술기는 keystone area를 보존하고, 비배 비중격의 가운데 휘어진 부분을 자르고 잘려진 면을 약간 중첩한 후 봉합하여 연결하는 것이다(그림 45-17). 이 방법을 적용할 때 연골의 중첩이 과하게 이루어지면 비배 L자형 지주의 길이가 짧아져 코의 두측 회전(cephalic rotation)을 유발할 수 있다. 하지만 양측 또는 한쪽에 확장펼침이식(extended spreader graft)을 삽입하거나 미부 비중격 확장 이식(caudal septal extension graft)을 시술하면 L자형 지주의 길이가 짧아지는 현상을 방지할 수 있다.

- 비중격 버팀목이식(septal batten graft)

코의 전체적인 구조 유지에 있어서 비중격 미부의 강도가 매우 중요하다. 기능적인 면에서도 비중격 미부의 변형이 코막힘에 가장 큰 영향을 준다. 그러므로 사비 환자 수술의 미용적 또는 기능적 성공에 있어서 비중격 미부를 바로 펴고 튼튼하게 만드는 것이 가장 중요한 수술의 과정이다. 버팀목이식은 비중격 미부의 한쪽 면에 위치되는 이식물로 편위된 비중격 미부의 오목면에 약간의 부분절개(scoring)를 하거나 아니면 부분절개 없이 비중격의 가운데 부분으로부터 얻은 연골편을 이용하여 위치시킨다(그림 45-18).[14] 이식편을 위치시킬 때 비중격 미부와 반대방향으로 휘어진 연골편을 위치시켜 봉합을 하면 연골의 굴곡을 해결하기에 좋다. 이때 버팀목이식은 오목면에 위치시키는 것이 연골의 내재적인 굴곡을 극복하는 데 더 효과적이다.

- 비중격 뼈를 이용한 연골의 교정

사비의 교정을 위한 비중격 교정술(septoplasty)시 비중격 연골(quadrangular cartilage)의 중심부위와 함께 사골수직판(perpendicular plate of ethmoid)과 서골(vomer)의 일부를 종종 제거한다. 이때 제거된 뼈도 버팀목이식으로 사용할 수 있다.[23] 비중격 뼈를 사용하기 위해서는 서골과 사골수직판을 양측 점막으로부터 완선히 박리한 후 비중격 가위(septal scissors)를 이용하여 자르고 가능하다면 한 조각으로 제거한다. 채취한 골편은 비중격

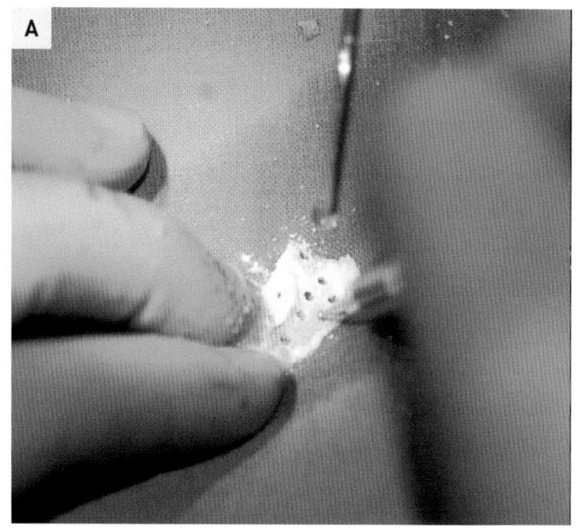

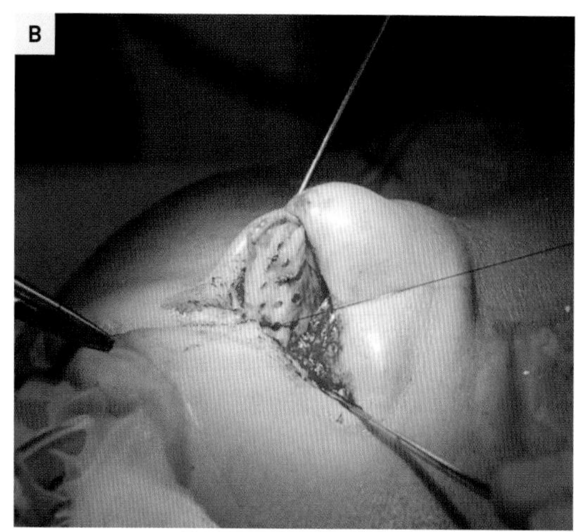

■ 그림 45-19. **비중격 뼈를 이용한 연골의 교정.** 귀수술용 드릴을 이용하여 몇 개의 구멍을 만들고**(A)** 5-0 PDS를 이용하여 봉합을 시행하는 장면.**(B)**

가위나 드릴을 이용하여 원하는 모양으로 다듬어야 한다. 그 후 귀수술용 드릴을 이용하여 몇 개의 구멍을 만든다(그림 45-19A). 5-0 PDS를 이용하여 퀼팅 매트리스 봉합(quilting mattress suture)을 하거나 관통봉합(through and through suture)을 한다(그림 45-19B). 이러한 방식을 통해서 이식편은 L자형 지주의 미부 또는 배부의 한쪽 또는 양쪽으로 단단하게 고정된다. 이 방법은 특히 선천적으로 비중격 연골이 작으면서 골성 비중격이 넓고 편위가 없을 때, 이전에 코성형술을 받은 병력이 있는 환자, 추가적인 공여부 이환율(donor site morbidity)를 피하고 싶은 경우에 적당한 술식이다.

• 비중격 연골의 후방각 절제(resection of posterior angle of cartilage)

전후방 미부 편위(anteroposterior caudal deviation)의 배경에는 상악릉(maxillary crest)과 비배 사이에 존재하는 과잉의 비중격 연골이 있다. 이 연골을 바르게 펴기 위해서는 비중격 미부의 아래쪽 끝 부분(후방 끝(posterior end), 즉 전비극(anterior nasal spine)과의 부착 부위의 작은 조각을 제거할 수 있고, 이 조작은 과잉 연골을 제거함으로써 비중격 미부를 곧게 가운데로 위치시킬 수 있다. 비중격 연골의 후방각이 전비극에서 편위되어 있는 경우는 전비극과의 연결을 단절시키는 과정이 먼저 행해져야 한다. 다음은 연골 미부의 아래쪽에 남는 부분을 조심스럽게 잘라내야 한다. 그 다음으로는 잘라진 연골 면을 전비극의 중앙부에 위치하도록 고정해 주어야 한다. 이 고정이 적절히 되기 위해서 가장 중요한 것은 전비극을 박리할 때 전비극 주변으로 충분한 연부 조직을 남기는 것이다.

• 미부 절제 및 봉합술(caudal cutting and suture technique)

비중격 미부의 전후 방향의 편위가 있을 때에는 C-모양의 만곡이나 급격하게 꺾어져서 돌출된 모양을 보인다. 이럴 때에는 비배 지주 절제 및 봉합술에서와 같이 가운데 부분에서 L자형 지주 미부를 자르고 위와 아래 부분을 약간 중첩시키면 연골을 바로 펼 수 있다.[12] 연골을 겹쳐 놓았을 때 원래 비중격 미부의 세로 길이보다 짧아지지 않는 수준에서 중첩의 정도를 조절한다. 새로 만들어진 비중격 미부의 안정성이 의심될 경우 제거된 중심부 연골이나 뼈로 비중격 버팀목이식을 만들어 오목면에 추가적인 지지를 한다.

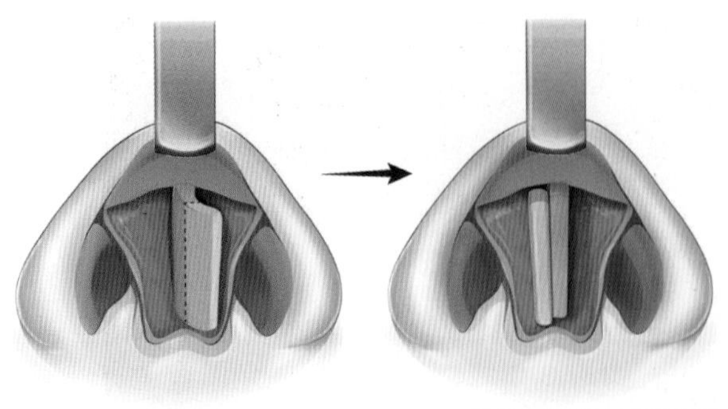

■ 그림 45-20. **두측-미부 편위(cephalo-caudal deviation)의 교정.** 미부에 있는 잉여 연골 부분을 수직으로 잘라낸 후 넓은 쪽 비강으로 비중격 미부 확장 이식을 시행한다.

• 비중격 미부 재배치 봉합(caudal septal relocation suture)

코가 한쪽으로 휘어 보이는 직선형 편위(linear deviation)가 있는 환자에서는 비중격 미부를 전비극에서 분리하여 반대쪽으로 위치시켜 전비극과 나란히(side to side) 연결되도록 재위치 시킨다.

• 두측-미부 편위(cephalo-caudal deviation)의 교정

비중격 미부가 전-후(anterior-posterior)방향의 편위만을 보일 수도 있지만 심한 두측-미부(cephalo-caudal)방향의 편위을 보일 때도 있다. 이러한 두측-미부 편위가 있을 때는 미부로 과잉 발달된 연골이 돌출되어 있는 경우가 흔하다. 이러한 기형을 만났을 때 가장 미부에 있는 잉여 연골 부분을 수직으로 잘라낸다. 그 후 넓은 쪽 비강으로 비중격 미부 확장 이식을 시술하여 편위를 해결하고, 연골 절제에 의하여 나타난 비중격 미부의 단축 현상을 보완한다(그림 45-20). 또 다른 방법은 연골의 아래 부분에 쐐기 절제(wedge excision)를 하여 미부의 가동성을 확보하여 곧게 편 후 다시 전비극과 고정시키는 방법을 사용할 수 있다.

B) 체외 비중격 교정술(extracorporeal septoplasty)

비중격의 변형이 너무 심하여 이상 기술된 비내교정술(in situ technique)으로 교정이 어렵다고 판단될 때 대안이 될수 있는 방법이 체외 비중격 교정술이다. 이 수술방법은 전체 비중격 연골을 원래 자리에서 제거한 이후 체외에서 모양을 만든 다음 원래 자리로 다시 비중격을 집어넣는 술식이다.[15] 체외 비중격 교정술이 복잡한 비중격 만곡증을 치료하는 데 있어 효과적인 방법이지만, 비중격 연골 특히, keystone 부위와 전비극 접합부의 안정성을 약화시킬 수 있고 기술적인 어려움이 있다는 것이 제한점이다.

Keystone의 안정성을 보전하며 시행하는 변형된 체외 비중격 교정술(modified extracorporeal septoplasty)에서는 비중격 연골은 비공점 부분(rhinion area)에 부착된 일부만 남겨두고 심하게 휘어있는 나머지 연골을 제거한다.[8] 제거한 연골로 새로운 L자형 지주를 체외에서 만들게 된다(그림 45-21). 이 과정에서 보통 비배 지주에 두 개의 가지를 Y형으로 만들어 비공점 부분에 남겨진 연골부분이 가운데 오도록 고정하여 준다. 비중격 미부 지주(caudal septal strut)도 가지를 치게 역Y형(inverted Y shape)으로 만든다. 이 때 전비극은 새로 만들어진 비중격의 arm 중간에 위치하도록 하여 연골과 전비극 주변의 연부조직을 실로 고정한다. 이때 필요하다면 비중격 연골, 뼈 또는 귀연골 등을 이용하여 펼침이식나 버팀목이식을 추가할 수도 있다. 새로 만들어진 L자형 지주를 고정 한 후 비중격 연골의 배부는 다시 4-0 PDS로 상외측 연골과 봉합하여 안정성을 배가시킨다. 만약 전비극이 일측으로 편위되어 있는 경우 비중격은 반대쪽 연부 조직과의 봉합을 시행한다.

② 전비극(anterior nasal spine)의 교정

전비극의 위치와 방향은 수술 시에 눈으로 직접 확인하여 평가하여야 한다. 비극의 편위가 있다면 절골도나 gouge를 사용하여 약목골절(green stick fracture)을 만들어 교정할 수 있다. 이 때 완전 골절이 되어 비극 자체가 너무 불안정하게 되는 것은 피해야 한다. 이 방법보다 더욱 안전하고 쉬운 방법은 비중격 연골을 분리하여

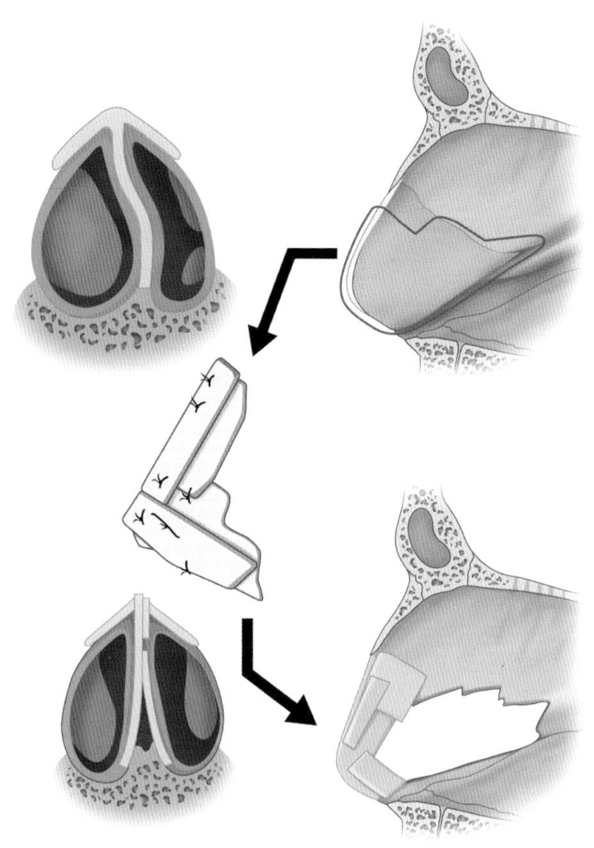

■그림 45-21. **체외 비중격 교정술(extracorporeal septoplasty).** 제거한 연골로 새로운 L자형 지주를 만든 후 남겨진 연골부분에 다시 고정하여 준다.

한쪽으로 고정하여 전비극과 나란히(side to side) 연결되게 하는 방법이다. 한쪽으로 지나치게 돌출된 뼈는 드릴로 약간 갈아준다.

③ 상외측연골 변형의 교정

상외측 연골의 편위는 기본적으로 비중격을 바로 펴고 펼침이식을 시술한 후, 이것들과 상외측 연골을 적절히 고정하면 해결할 수 있다. 그러나 이 조작이 성공적이어도 특정 부분에서 편측의 오목함(concavity)이나 볼록함(convexity)이 남을 수 있다. 이런 변형이 남게 될 때에는 오목면에 연골이나 Gore-Tex 등을 이용한 중첩이식(onlay graft)을 위치시켜 기형을 교정할 수 있다.

(3) 사비 교정에서 필요한 보조적인 술식

비배부 이식(dorsal augmentation)은 사비의 교정의 마지막 단계에 속한다. 이 과정을 통해서 술자는 뼈와 연부 조직의 아름답고 기능적인 균형을 회복할 수 있다. 사비 교정에서 흔히 행해지는 절골술나 펼침이식을 고정하기 위한 봉합 등은 피부가 얇은 환자에서는 술 후 비배의 불규칙(irregularity)을 초래할 수 있다. 또한 수술 과정에서 keystone area의 파괴에 의한 비배의 함몰과 같은 예기치 못했던 일들도 발생하게 된다. 이런 경우 비배부 이식의 필요성이 제기된다. 사비 환자들은 대개 편위가 있었던 부분의 피부, 연부 조직의 위축이나 자체적인 변형을 보이게 된다. 그러므로 적절한 비배부 이식은 편위를 형성하는데 기여했던 연부 조직의 변형도 극복할 수 있게 한다. 이식 물질로는 가능하다면 부피가 크지 않고 부드러운 재질의 삽입물(implant)을 선택하는 것이 좋다. 사비 환자들 중 넓은 비익저(wide alar base) 또는 비익저 비대칭(alar base asymmetry)을 보이는 환자들이 있다. 수술 후 미용적인 완성을 위해서는 넓은 비익저를 개선해 주어야 한다. 비익저 비대칭은 한 쪽 비익 연부조직의 비대가 있으면서 콧구멍의 크기에도 차이가 있는 경우를 말한다. 이런 환자들에게는 일측 비익저 절제술(alar base resection) 또는 비대칭 비익저 절제술을 실시해주어야 한다.

6. 사비와 흔히 동반되는 변형

사비와 곡비(hump nose)가 동반되는 경우가 매우 흔하며 안장코(saddle nose)도 흔히 동반되는 변형이다. 사비와 볼록한 비배부가 동반되어 있을 때는 우선 곡비 제거(hump reduction)를 먼저 실시한다. 특히 연골부 곡비를 먼저 제거한 다음 연골 교정과 이식편을 얻기 위한 L자형 지주의 디자인이 필요하다. 이는 중심부 연골을 먼저 잘라낸 후 곡비 제거를 하게 되면 L자형 지주의 배부가 너무 가늘어질 위험이 있기 때문이다. 또한 골부 곡비 제거를 위한 곡비 절골이나 rasping을 먼저 실시하고 그 이후에 휘어진 골부에 대한 절골술을 실시하게 된다. 상황에 따라서는 내측 절골술이 필요 없을 수도 있다. 곡비가 동반된 사비의 치료 시에는 가능한 한 펼침이식을 유치시키는 것이 후에 나타날 수 있는 중간부 천장(middle vault) 함몰을 예방하는 데 그리고 연골성 비배를 바로 펴는 데 도움이 된다.

안장코도 사비와 흔히 동반되는 변형이다. 이러한 변형은 대부분 연골성 비배의 높이가 골성 비배의 높이보다 낮아서 나타나는 현상이다. 이런 경우일수록 비중격 연골과 상외측연골의 연결을 단절시킨 후 L자형 지주를 높히고 바로 펴는 비중격 재건의 역할이 매우 중요하다. 그러므로 펼침이식, 버팀목이식 등을 적절히 사용하여 새로운 비중격 골격을 만들고 필요하다면 비배 이식도 하도록 한다.

7. 수술의 예후와 합병증

사비의 수술적 교정은 코성형술 중에서도 가장 어려운 분야이다. 그 이유는 사비를 구성하는 기형의 형태가 매우 다양하고 복잡하여 환자 개개인마다 개별화된 수술 기법들을 필요로 하며, 무엇보다도 재발의 가능성이 높기 때문이다. 재발 가능성이 높은 이유는 사비에서는 연골의 기형이 큰 역할을 담당하며, 이 연골의 기형은 여러 수술적 조작 후에도 본래 가지고 있던 연골의 탄성에 의하여 원래 모습으로 돌아가려는 성향이 강하기 때문이다. 편위가 심한 환자일수록 비중격 연골, 상외측연골, 하외측연골의 심한 변형을 동반하는 경우가 많다. 수술의 결과는 의사의 노력에도 불구하고 항상 만족스러운 것은 아니어서 불완전 교정은 항상 올 수 있는 결과라고 생각해야 한다. 또한, 수술에 의하여 지지구조의 약화가 따라올 수 있어서 수술적 치료에 어려움이 있다. 수술 후 일어날 수 있는 합병증은 다음과 같다.

1) 불완전교정 및 편위의 재발

재발 및 불완전 교정의 원인은 다음과 같다.

- 절골술로 파괴된 골성 비배가 시간이 지남에 따라 골성비천장(bony vault)의 변형을 일으킨다.
- 비중격 연골을 바로 펴기 위한 조작들이 시간이 지나면서 연골의 탄성기억(elastic memeory)을 극복하지 못하였다.
- 여러 수술적 조작에 의하여 오히려 연골부 지지구조의 손상이 왔다.
- 비배에 놓여진 이식물(graft)이나 삽입물(implant)의 변형이나 전위가 있다.

2) 비중격 미부 지지구조의 약화에 의한 비첨 지지나 융기의 감소

3) 짧은 코 변형(Short nose deformity)

짧은 코는 다음과 같은 원인에 의하여 나타난다.

- 비배 삽입물(implant)에 대한 피부의 염증반응 및 조직반응으로 피부구축(skin contracture)이 발현되었을 때, 연골부 지지구조의 손상이 있을 때, 비첨 이식편이나 비중격 확장 이식의 흡수, 변형이 있을 때

4) 안장코 변형(Saddle nose deformity)

이 합병증도 짧은 코 변형과 비슷한 이유로 발현되며 연골부 비배의 지지구조 손상, 비배 삽입물의 흡수 등에 의하여 나타나는 현상이다.

5) 코막힘의 불완전 교정 또는 술 전에 없었던 새로운 코막힘의 발생

이 현상은 다음과 같은 원인에 의하여 발생한다.

- 비중격 만곡의 불완전 교정
- 비갑개 비대에 대한 부적절한 치료
- 외비밸브 함몰 또는 내비밸브 협착
- 절골술부위의 함몰 변형

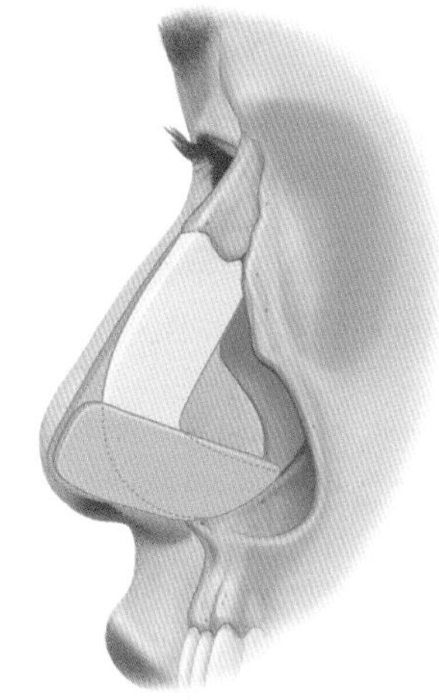
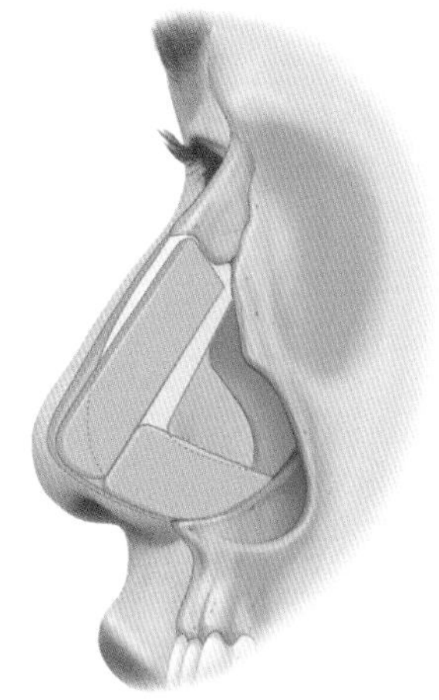
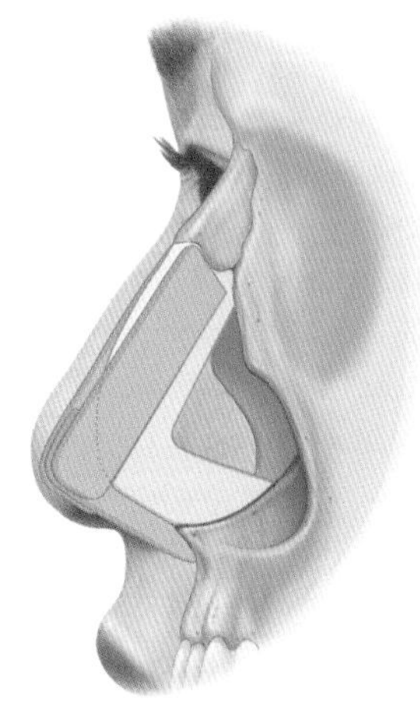

■ 그림 45-22. **가슴연골을 이용한 다양한 형태의 비중격 재건**

8. 사비의 재수술

사비에 대한 수술은 어떤 수술보다도 재수술의 가능성이 높은 수술이다. 사비에 대한 저자의 재수술률은 약 7% 정도이지만 실제적으로 결과에 불만족하는 환자의 비율은 20% 정도였다.[2S] 특히 Type V의 직선형 편위에 대한 치료 결과가 가장 좋지 않았다. 사비의 재수술에서 L자형 지주를 곧게 펴는 것이 성공을 위한 요점이다. 수술 후 사비가 남아있는 경우나 재발하는 경우 가장 흔한 원인은 휘어진 연골부 비배(deviated cartilaginous dorsum) 때문이며 이것은 대개 L-자형 지주를 이루는 비중격 연골이 변형되거나 약한 것에서 기인한다. 사비교정을 위한 대부분의 재수술에서 비중격 재건을 위해 가슴연골을 사용하는 것이 특히 중요한 술식이다. 비중격 골격의 재건은 코성형을 하는 술자에게 가장 어려운 술식 중 하나이다. 대개의 경우 비중격 재건을 위한 충분한 비중격 연골을 얻기 어려우며 특히 재수술의 경우는 더욱 힘들다. 만약 매우 약하고 얇은 연골로 이루어진 L자형 지주가 남아있다면 강하고 두꺼운 가슴연골을 사용하여 지주를 강화시킬 수 있다(그림 45-22).[5] 저자는 사비의 재수술 시 비중격 재건과 비첨수술을 위해 가슴연골을 자주 사용한다. 채취한 가슴연골을 자르기 위해 공여피부절제기(dermatome blade)는 연골을 길고 얇은 strip 형태로 자를 수 있고 이는 펼침이식이나 버팀목 이식에 사용된다.

참고문헌

1. Andre RF, Vuyk HD. The "butterfly graft" as a treatment for internal nasal valve incompetence. Plast Reconstr Surg 2008;122:73e-74e.
2. Cho GS, Jang YJ. Deviated nose correction: different outcomes according to the deviation type. Laryngoscope 2013;123:1136-1142.
3. Dutton JM, Neidich MJ. Intranasal Z-plasty for internal nasal valve collapse. Arch Facial Plast Surg 2008;10:164-168.
4. Gurlek A. Reconstruction of the internal nasal valve with a splay conchal graft. Plast Reconstr Surg 2006;118:806-7; author reply 807-8.
5. Hyun SM, Jang YJ. Treatment outcomes of saddle nose correction. JAMA Facial Plast Surg 2013;15:280-286.
6. Jameson JJ, Perry AD, Ritter EF. High septal osteotomy in rhinoplasty for the deviated nose. Ann Plast Surg 2006;56:40-5; discussion 45.
7. Jang YJ, Kim JH, Song HY. Empty nose syndrome: radiologic findings and treatment outcomes of endonasal microplasty using cartilage implants. Laryngoscope 2011;121:1308-1312.
8. Jang YJ, Kwon M. Modified extracorporeal septoplasty technique in rhinoplasty for severely deviated noses. Ann Otol Rhinol Laryngol 2010;119:331-335.
9. Jang YJ, Sinha V. Spreader graft in septo-rhinoplasty. Indian J Otolaryngol Head Neck Surg 2007;59:100-102.
10. Jang YJ, Wang JH, Lee BJ. Classification of the deviated nose and its treatment. Arch Otolaryngol Head Neck Surg 2008;134:311-315.

11. Jang YJ, Wang JH, Sinha V, et al. Percutaneous root osteotomy for correction of the deviated nose. Am J Rhinol 2007;21:515-519.
12. Jang YJ, Yeo NK, Wang JH. Cutting and suture technique of the caudal septal cartilage for the management of caudal septal deviation. Arch Otolaryngol Head Neck Surg 2009;135:1256-1260.
13. Jung JH, Baguindali MA, Park JT, et al. Costal cartilage is a superior implant material than conchal cartilage in the treatment of empty nose syndrome. Otolaryngol Head Neck Surg 2013;149:500-505.
14. Kim JH, Kim DY, Jang YJ. Outcomes after endonasal septoplasty using caudal septal batten grafting. Am J Rhinol Allergy 2011;25:e166-170.
15. Lee SB, Jang YJ. Treatment outcomes of extracorporeal septoplasty compared with in situ septal correction in rhinoplasty. JAMA Facial Plast Surg 2014;16:328-334.
16. Paniello RC. Nasal valve suspension. An effective treatment for nasal valve collapse. Arch Otolaryngol Head Neck Surg 1996;122:1342-1346.
17. Ryu CH, Lee BJ, Jang YJ. Nasal Obstruction in Patients with Deviated Nose. J Rhinol DE - 2007-11-01 2007;14:88-91.
18. Schlosser RJ, Park SS. Functional nasal surgery. Otolaryngol Clin North Am 1999;32:37-51.
19. Schlosser RJ, Park SS. Surgery for the dysfunctional nasal valve. Cadaveric analysis and clinical outcomes. Arch Facial Plast Surg 1999;1:105-110.
20. Sheen JH. Spreader graft: a method of reconstructing the roof of the middle nasal vault following rhinoplasty. Plast Reconstr Surg 1984;73:230-239.
21. Song HM, Kim JS, Lee BJ, et al. Deviated nose cartilaginous dorsum correction using a dorsal L-strut cutting and suture technique. Laryngoscope 2008;118:981-986.
22. Suh MW, Jin HR, Kim JH. Computed tomography versus nasal endoscopy for the measurement of the internal nasal valve angle in Asians. Acta Otolaryngol 2008;128:675-679.
23. Yi JS, Jang YJ. Effect of septoplasty with a caudal septal batten graft on changes in nasal shape. Ann Otol Rhinol Laryngol 2015;124:288-293.
24. Yi JS, Jang YJ. Frequency and Characteristics of Facial Asymmetry in Patients With Deviated Noses. JAMA Facial Plast Surg 2015;17:265-269.

CHAPTER 46

수면의 생리

이비인후과학 Otorhinolaryngology - Head and Neck Surgery

정유삼

수면은 깨어있는 상태와 반대로 수동적인 상태로 여겨져 왔으나 수면의학의 발전과 함께 수면의 많은 기능에 대해서 알려지게 되었다. 본 장에서는 정상 수면과 수면 생리에 대하여 알아보고자 한다.

I 정상 수면

성인은 90분 정도의 주기로 반복되는 수면주기를 가지고 있다. 90분 동안 여러 단계의 수면기를 거치며 정상 수면 중 수면주기는 대개 4~6회 반복하게 되고 정상 성인의 수면시간은 대략 7~8시간이고 나이가 들수록 수면시간이 줄어든다. 수면기는 수면 중의 행동, 뇌파, 근전도, 안전도 electrooculogram를 기준으로 non-rapid eye movement; nonREM 수면과 REM 수면으로 나눌 수 있다.[1] REM 수면은 꿈을 꾸는 수면으로 안구운동이 활발하고 전신의 근육이 이완되어 있으며 수면 초기에는 비율이 적으나 후반기로 갈수록 그 비율이 증가한다. 수면 시작은 nonREM 수면으로 하게 되고 이어서 REM 수면이 이어지며 두 종류의 수면을 합해 하나의 주기를 가지게 된다. 한 주기는 90분 정도이고 첫 REM 수면은 대개 수면시작으로부터 80~100분 후에 시작되고 보통 1~5분 정도의 짧은 시간 동안만 나타난다. 수면단계 시작부터 REM 수면이 시작되는 것은 성인에서는 비정상이나 3개월 이하의 소아에서는 정상으로 볼 수 있다. 이외에도 수면부족상태나 기면증, REM 억제약물(삼환성 항우울제 등)의 급격한 중단, 비행 시차, 일부 nonREM 억제 항우울제의 만성적 사용, 교대 근무자, 일부 수면무호흡증 환자에서 나타나기도 한다.[14]

NonREM 수면은 수분 정도의 입면기(stage 1)와 뇌파상에 수면방추(sleep spindle) 또는 K 복합체(K complex)가 보이는 얕은 수면기(stage 2)를 20분 정도 거치고, 수분간의 짧은 중등도(stage 3)와 심수면기(stage 4)의 깊은 수면 단계인 서파를 보이는 델타 수면기를 30분간 지속한다. Stage 3과 stage 4 수면을 합하여 서파수면이라고 말한다. 대개 전체 수면의 20~25% 정도를 차지하며, 회복을 위한 수면이라고 알려져 있다.[1] 서파수면은 수면의 전반부에 더 오랜 시간 나타나고 수면의 후반부로 갈수록 비중이 줄어들게 되고 REM수면은 수면의 전반부에 조금 나타나다가 수면의 후반부로 갈수록 비중이 늘어난다. 이는 서파수면은 수면압력을 해소하기 위해 우선적으로 필요한 수면으로 수면박탈 후 수면은 서파수면이 늘어나는 것을 볼 수 있고 REM 수면은 일주기와 관계가 있다. 2단계 수면은 10대에 성인과 비슷하게 전체 수면의 45~55%를 차지하게 된다. 수면방추는 2단계 수면에 특징적으로 생후 6~8주에 보이기 시작하며 nonREM 수면은 생후 3~6개월까지 잘 구분하기 어렵다. 그 이전에는 뇌파상 NonREM 수면은 조용한 수면으로 REM 수면은 활동적인 수면으로 나누어지게 되고 잘 구분이 안가는 경우는 이행성 수면으로 분류한다. REM수면은 신생아기에는 전체 수면 중에서 약 반을 차지하나 나이가 들면서 점점 줄어들어 청년기에는 20~25%를 차지한다.[4]

NonREM 수면은 심박과 호흡이 안정적이고 느리며 저혈압상태를 유지하는 조용한 수면 단계인 반면, REM 수면은 급속안구운동을 나타내며 자율신경제가 항진되어 심박동, 혈압, 호흡의 변동이 심해지고 꿈을 꾸게 되는데, 이때 근육의 긴장도는 가장 저하된 상태이다. 따라서 REM 수면은 마비된 신체에 매우 항진된 뇌기능을 나타낸다. 이러한 REM 수면은 수면 초기에는 수 분간 짧게 지나가다 후반부 수면으로 갈수록 지속시간이 길어진다.[14]

나이가 들면 수면시간, 수면의 깊이가 줄어들고 수면시작이 어려워지며 서파수면과 REM 수면이 줄어든다. 일주기가 짧아져서 더 일찍 잠자리에 들고 일찍 일어나게 된다. 영아는 전체 잠자리에 있는 시간 중 수면시간을 나타내는 수면효율이 90% 이상이고 REM 수면과 nonREM 수면의 한 주기가 45~60분 정도로 짧으며 전체 수면시간은 하루에 14~16시간이다. 청년기에는 수면효율은 90% 이상이고 REM 수면은 전체 수면의 20~35% 정도이며 수면시간은 하루 7~8시간이다. 노년기에는 전체 수면시간 중 수면시작 후 중간에 깨어 있는 시간이 10~25%를 차지할 정도로 늘어나고 수면효율도 75~80%이며 서파수면은 6~17%로 적어지고 수면시간도 7시간 정도로 줄어든다.[10]

여성은 남성에 비해서 더 수면효율이 높고 수면의 깊이도 크며 수면잠복기도 짧고 전체 수면시간도 길다. 그러나 폐경기 이후에는 수면효율이 줄어든다.[39]

II 수면 생리

수면은 단순하게 수동적인 휴식상태가 아니다. 중추신경계의 많은 부분은 수면 중 활동성을 보인다. 깨어 있는 상태와는 생리학적으로 매우 다른 상태이며 이러한 차이가 민감한 개인에게는 큰 영향을 끼칠 수 있다. 심혈관적으로 불안정한 상태인 REM수면에서 뇌졸중, 심근경색, 부정맥 등이 일어날 수 있고 수면에 따른 자율신경계의 변화는 소화기, 호흡기, 심혈관계, 비뇨생식기뿐만 아니라 호르몬 분비와 체온조절에도 영향을 줄 수 있다.

1. 호흡기

호흡의 조절은 중추에서는 연수에서 관할하는 데 중추 및 말초 화학수용기와 폐, 상기도의 수용체, 전뇌와 변연계(limbic cortex)에 의해 영향을 받고 호흡근이나 골격 등의 흉곽과 기도를 포함한 폐 자체에 의해서 조절된다. 호흡은 수의적과 불수의적 조절에 의해 영향을 받는데 깨어있는 상태에서는 수의적, 불수의적 조절 모두에 영향을 받고 nonREM 수면에서는 불수의적 조절만이 관여한다. 깨어 있을 때의 호흡조설은 주로 싱행성 망상 활성계(ascending reticular activating system)에 의해서 유지되고 호흡을 비롯하여 발성, 언어에도 관여한다.[20]

수면 단계의 변화에 따라 호흡양상이 변하여 수면 초기에는 호흡 횟수와 호흡량이 주기적으로 늘었다 줄어들며 순환한다. 이러한 주기성 호흡은 수면에 들어가면서 깨어있을 때의 자극이 사라지고 화학수용체의 민감도가 줄어들면서 얕은 수면상태에서 짧은 각성이 반복적으로 발생하는 것과 연관이 있어 보인다. 상기도 근육의 긴장도와 흉곽 늑간근의 활동이 감소하여 흉곽의 역행성 운동이 생기고 기능적 잔기용량이 감소한다. 따라서 폐포환기의 변동이 커져 과환기와 저환기가 반복되는 주기가 관찰된다. REM 수면중 앙와위일 때 수면무호흡이 가장 심하게 나타나는 것으로 생각된다. 이러한 REM 수면 중의 환기 변동은 심호흡계나 신경계 질환 환자에게는 큰 부담이 될 수 있다. REM 수면 중에는 다양한 호흡 자극에 대한 각성반응도 깊은 서파수면보다 저하된다.[1] 깊은 수면으로 들어가면 호흡도 규칙적으로 안정되며 느려지고 호흡주기는 혈중 산소와 이산화탄소에 의해 결정된다. 건강한 성인은 수면 중에 각성 시보다 1회 호흡량이 감소하여 분당환기량은 0.5~1.5 L/min 감소하게 되고 PCO2가 2~8 mmHg 증가하고 PO2는 3~10 mmHg, 산소포화도는 2%까지 감소하는 저폐포환기 상태가 된다.[20,87]

nonREM 수면 중 저산소증에 대한 호흡반응은 수면 중에 화학민감도가 감소하고 기도저항이 늘어남에 따라 남성에서 줄어들지만 여성에서는 줄어들지 않는다. 고이산화탄소혈증에 대한 호흡반응은 nonREM 수면에서 20~50% 줄어들지만 REM 수면에서는 더욱 줄어든다.[8,25,26,88] 기능하고 있는 숨뇌의 호흡 신경세포 수와 중추 화학수용체의 민감도 감소, 상기도 저항의 증가로 수면 중에는 같은 호흡량을 유지하기 위해서 더 높은 이산화탄소농도가 필요하다.[87] REM 수면 중 호흡은 불규칙 해지고 무호흡도 관찰되며 분당환기량은 깨어 있을 때에 비해서 40% 감소한다. REM 수면 중에 저산소에 대한 호흡반응은 남녀 모두에서 줄어든다.[25,88]

연수의 고립핵(nucleus tractus solitarius, NTS)에 있는 배측 호흡군은 주로 흡기에 작용하고 의핵(nucleus ambiguous)과 nucleus retroambigualis에 위치한 복측 호흡군은 흡기와 호기 모두에 작용한다. 또한 연수의 부리부분(rostral portion)에 위치한 Bötzinger complex와 그 바로 아래에 위치한 pre-Bötzinger 부위는 주로 신경의 속도조절을 담당하여 호흡 리듬에 관여한다.[6,50,58,63,69]

뇌교 부리(rostral pontine)에 위치한 팔결핵(parabrachial)과 흡기를 억제하여 호흡주기를 짧게 만드는 Kölliker-Fuse 핵(호흡조절중추)과 흡기를 지속시켜 흡기의 깊이를 조절하는 뇌교 하부(지속흡식중추)가 숨뇌(연수(medulla))에 영향을 끼친다.[18] 숨뇌의 배측, 복측 호흡신경은 제4 뇌실하부에서 반대쪽으로 내려가 망상척추로(reticulospinal tract)를 타고 호흡근을 담당하는 척수의 운동신경과 시냅스를 이룬다. 경동맥과 대동맥 체(carotid and aortic body)의 말초 화학수용체에서 미주신경을 통한 부교감 신호와 연수(숨뇌)의 복외측면에 위치한 중앙 화학수용체와 전뇌, 중뇌, 교뇌, 망상활성계 등의 중앙화학수용체의 신호가 연수(숨뇌)로 모아져 호흡의 빈도 등을 조절한다. 호흡의 수의적 조절은 전뇌와 대뇌변연계(limbic system)에서부터 기원하여 피질연수로(corticobulbar tract)와 피질척수로(corticospinal tract)을 통해 각성 시의 호흡을 조절하게 된다. 피질척수로를 통한 신경섬유는 숨뇌의 호흡중추에서 출발한 망상척수로의 신경섬유와 만나 각성 시의 호흡을 조절한다.[20]

주로 흡기에 관여하는 근육은 횡경막이고 이는 횡격신경(phrenic nerve, C3, C4, C5)에 의해 지배를 받으며 이외에도 외늑간근(T1-12)이 관여한다. 호기는 수동적이나 노력호흡을 하게 되면 내늑간근이나 복직근, 내외 복사근 등이 관여하게 된다. 이산화탄소의 농도는 주로 중추 화학수용체에 의해 조절되나 일부는 말초화학수용체에 의해서 영향을 받게 되고 산소의 농도는 전적으로 말초화학수용체에 의해서 조절된다.[60,85] 정상인에서 저산소증에 대한 반응은 쌍곡선형이어서 동맥혈산소농도가 60 mmHg 이하로 떨어지면 호흡이 급격하게 증가한다. 반면에 과이산화탄소증에 대한 반응은 직선형이어서 동맥혈이산화탄소농도가 최소치 이하로 떨어지면 호흡이 억제되고 이 지점을 무호흡역치라고 부른다.[85,87]

흡기 시에 나타나는 상기도 확장근의 활성도가 수면중에는 감소하여 흡기 시의 음압에 쉽게 기도내경이 좁아지게 된다. 상기도 확장근의 작용은 상기도 점막에서 신호가 시작되는 반사작용이라고 알려져 있는데 상기도 마취를 한 경우 정상인과 코골이가 있는 사람은 마취 이전에 비해서 수면 시 기도저항이 증가하고 무호흡을 나타내나 폐쇄성 수면무호흡증이 심한 경우 마취이전에 비해서 수면 시 특별한 변화가 없었다.[7,16,23,48] 이는 폐쇄성 수면무호흡증이 심한 경우 점막의 구심성 섬유의 손상이나 반사작용의 둔화로 흡기 시 기도확장반사가 잘 작동하지 않아서 생기는 것으로 생각된다. 술이나 진정제, 나이 등은 상기도 기도확장반사를 감소시키는 요인으로 작용한다.[33,59]

상기도 근육의 긴장도는 깨어 있을 때에 비하여 non-REM 수면에서 감소하고 REM 수면에서는 무력한 상태가 되어 흡기 시 기도확장근의 작용이 거의 없어지므로 수면무호흡증이 발생하기 쉬운 상태가 된다. 기도 확장근 중에서 이설근(genioglossus)은 protriptyline과 strychinine에 의해 긴장도가 증가하고 음주나 진정제에 의해서 긴장도가 감소한다. 구개거근(levator veli palatine)과 구개설근(palaltoglossus)은 흡기와 호기 시에 수축하며 구개범장근(tensor veli palatinit)은 흡기와 호기 전체에 걸쳐 긴장도를 보인다. 후윤상피열근(posterior cricoarytenoid)은 주로 성대를 벌어지게 하는 근육으로 흡기 시에 수축하여 성대가 열리게 한다. 호기 시에도 깨어 있을 때에는 긴장도를 보이나 수면 시에는 긴장도가 없어지고 REM 수면 시에는 불규칙한 긴장도를 보인다.[20] 뇌교(pons)의 제4 뇌실 외측에 위치한 노르아드레날린 핵인 청색반점(locus ceruleus)과 세로토닌계 신경이 위치한 정중선 봉합(midline raphe)의 활동이 줄어들고 뇌간과 척수 운동신경의 과분극이 일어나면서 nonREM 수면에서 근긴장도가 떨어지게 된다.[17]

REM 수면에서는 수의근의 긴장도가 매우 떨어지게 되는 동시에 전뇌는 활성화되고 운동을 담당하는 중뇌는 억제된다.[20] REM 수면에서 근 긴장도가 떨어지는 현상은 신체의 방어작용으로 이해되고 있다. REM 수면은 주로 꿈을 꾸는 수면으로 알려져 있는데 꿈을 꾸는 동안 대뇌는 활성화되어 있으나 근긴장도가 유지된다면 꿈에서의 행동을 그대로 하게 되어 다칠 가능성이 있다. 그러므로 근긴장도를 줄여 대뇌활동은 유지되더라도 신체를 손상으로부터 방어하게 된다. 그러나 각성 시보다 NonREM 수면 시 근 긴장도가 줄어들고 REM 수면 시에는 더욱 떨어지게 되므로 흡기 시에 작용하는 기도확장근의 긴장도 역시 떨어지게 되어 폐쇄성 수면무호흡환자에서는 REM 수면 시에 가장 무호흡이 심해지게 되는 경우가 많다. 그러므로 양압호흡기 적정압력 측정검사 시에도 REM 수면 시에 코골이나 무호흡, 저호흡을 없애는 압력을 측정하는 것이 주된 목표이다. REM 수면이 시작되면 운동, 통증조절, 수면, 습관화에 관여하는 뇌교(pons) 망상체, 5~8번 뇌신경과 청신경, 각성, 주의력, 학습, 보상, 수의 운동, 호흡에 관여하는 외측 뇌교 중뇌피개(lateral pontine tegmentum)과 통증완화를 담당하는 중뇌 복외측 뇌실주위 회백질(periaqueductal gray matter)의 GABA 신경세포 활성화로 뇌교의 콜린 신경이 활성화되고 노르아드레날린과 세로토닌 신경이 억제된다. 콜린 신경이 활성화되면 글루타메이트 신경을 통해 숨뇌(medulla)의 망상체에 위치한 글라이신 운동전 신경을 활성화시키고 이는 뇌간과 척수 운동신경을 과분극시켜 근마비를 일으킨다. 이러한 과분극은 억제성 시냅스후 전위(inhibitory postsynaptic potential; IPSPs)로 측정된다. 간헐적으로 흥분성 시냅스후 전위(exciatory postsynaptic potentials, EPSPs)가 측정되는데 이는 운동신경이 탈분극되면서 근수축으로 나타난다. 촉진성 망상척수로(facilitatory retoculospinal tract)의 신경이 EPSPs를 일으키고 근육의 연축을 유발한다. 이러한 근 연축은 각성 시의 근수축과 달리 불수의적이고 일시적이며 갑작스럽게 나타난다.[17,20,35,65,75]

2. 심혈관계

수면 시에 상대적으로 부교감신경이 교감신경보다 활성화되는데 REM 수면 중에는 간헐적인 교감신경 활성화가 일어난다. 이에 따라서 심박동, 심박출량, 혈압 등이 변화하게 된다. 심박은 nonREM 수면에서 약 5~8% 정도 느려지게 되고 REM 수면에서는 변화가 심해져 서맥과 빈맥이 나타난다.[56,81] 정상인에서도 50%에서는 동성 부정맥(sinus arrhythmia)을 보이고 수면에서 각성이 일어나면 교감신경 활성화에 따라서 심실 부정맥을 보이기도 한다.[56,86] 심박출량은 수면 중에 감소하며 마지막 REM주기에 가장 많이 감소한다.[36,49] 혈압 역시 1~2단계 수면에서는 5~9%, 깊은 단계의 수면에서는 8~14% 감소하고 REM 수면에서는 불규칙한 양상을 보이나 수면에서 깨어나면 혈압이 급격하게 오르게 된다.[36,70] nonREM 수면에서 나타나는 혈압감소는 관상동맥이 좁아져 있는 환자에게는 혈류감소로 인해 심근경색을 일으킬 수 있다. REM 수면에서 보이는 교감신경의 간헐적인 급격한 활성화는 정상인에서는 별다른 문제를 일으키지 않으나 심장 질환자에게는 부정맥, 심근경색 등을 유발할 수 있다.

뇌혈류량은 nonREM 수면에서는 감소하고 REM 수면에서는 증가하게 된다.[13,29,42,43,45,89] REM 수면 중에 혈류량은 시상하부와 뇌간에서 가장 증가하게 되고 대뇌피질과 백질에서는 그 정도가 적다. 뇌혈류량은 REM 수면 중에 뇌교 뇌피개(pontine tegmentum), 배후 중뇌(dorsal mesencephalon), 감각, 충동, 흥분을 중계하는 시상핵(thalamic nuclei), 변연계의 일부로 동기 학습, 감정과 관련된 정보를 처리하는 편도체(amygdala), 주의, 반응억제, 정서반응에 관여하는 전두엽 한가운데 위치한 전측 대상회(anterior cingulate), 기억에 중요한 역할을 하는 내후각피질(entorhinal cortex)에서 증가한다.[12,22,24,44,46,47,54,55] nonREM 수면 중에는 깨어 있을 때와 비교하여 얕은 수면 중에는 뇌교와 시상으로 가는 혈류량이 감소하고 깊은 수면 중에는 중뇌와 신피질로 가는 혈류량이 감소하게 된다.[54,55]

잠이 든 후에 체온이 내려가며 피부의 혈관이 확장하게 되나 REM 수면 중에는 피부의 온도조절 기능이 없어져서 추운 환경에서는 혈류량이 증가하고 더운 환경에서는 혈류량이 감소하게 된다.[3]

REM 수면 중에 나타나는 불안정한 혈압, 심박과 교감신경의 급격한 활성화, 온도조절 기능의 감소 등으로 인해 심장질환이나 뇌졸중 등의 심혈관계 질병이 주로 REM 수면이 많아지는 새벽시간에 나타나기 쉽다.

3. 중추 체성 신경계(Somatic nerve system)

NonREM 수면은 전방 시상하부(anterior hypothalamus)의 복외측시각교차전핵(ventrolateral preoptic, VLPO)과 뇌간 하부의 고립핵(NTS, nucleus tractus solitaries)의 활성화와 상행 망상활성화계(reticular activating system), 히스타민, 아민, 오렉신(orexin)관련 신경을 비롯한 대부분의 대뇌피질의 불활성화를 특징으로 한다. REM 수면 중에는 REM 수면을 관장하는 뇌교(pons)와 함께 많은 대뇌 피질 부분이 활성화되고, 뇌간과 척수의 운동무긴장경로(motor atonia pathway)가 활성화된다.[20]

4. 자율신경계

연수(medulla)의 배측(dorsal)에 위치한 고립핵(NTS)이 자율신경계의 중추로 작용하는데 상부의 뇌간, 시상과 시상하부가 위치한 간뇌, 전뇌, 대뇌 신피질과 연결되어 있다. 심혈관계, 호흡기, 소화기에서 구심성 신호를 NTS에 보내고 NTS에서 연수 상부와 복측 연수, 중간외측척수로(intermediolateral spinal tract)로 원심성 신호를 보낸다. NTS에서는 미주신경과 교감신경을 통해서 자율신경계를 조절하는데 수면유도와 중추 호흡 조절기능을 관장하는 하부 뇌간에 매우 가깝게 위치해 있어서 자율신경계의 이상은 수면과 호흡에 큰 영향을 줄 수 있다.[5,20,40] nonREM 수면 시 전반적으로 부교감신경이 활성화되고 교감신경은 비활성화된다. REM 수면 중에도 부교감신경의 활성도는 더욱 증가하고 교감신경은 더욱 비활성화된다. 그러나 Phasic REM 수면 중에는 간헐적으로 교감신경이 활성화되면서 혈압과 심장박동이 크게 변화하게 되므로 서맥과 빈맥이 나타난다. nonREM 수면 시 부교감신경이 활성화되어 홍체 수축이 발생하고 REM 수면까지 지속된다. 반면 Phasic REM 수면 중에는 간헐적인 교감신경의 활성화에 따라 홍체 확장이 일어나게 된다. 근육과 피부의 혈관에서 미소신경전도법(microneurography)로 교감신경 활성도를 측정해 보면 nonREM수면에서 비활성화 되어있으나 REM 수면에서는 증가하고 특히 Phasic REM 수면에서는 더욱 증가한다.[34,71,77,84] 자율신경계의 변화는 심박변동성(heart rate variability)으로 측정할 수도 있는데 심박변동성을 분석해 보면 0.04~0.15 헤르츠를 보이는 저주파(low frequency, LF)와 0.15~0.4 헤르츠를 보이는 고주파(high frequency, HF)로 나눌 수 있고 저주파는 주로 교감신경을, 고주파는 부교감신경 활성도를 나타낸다. 그러므로 LF/HF는 상대적인 교감신경의 활성도를 나타내게 되는데 이러한 심박변동성의 변화는 뇌전도상의 변화보다 먼저 보인다. NonREM 수면 시 부교감신경의 활성화로 심혈관계의 안정성을 보이며 LF/HF가 줄어들게 되고 REM 수면 시에는 교감신경이 간헐적으로 활성화되면서 심혈관계가 불안정해지며 LF/HF가 변화하게 된다.[2,51,62] 이러한 수면 중 자율신경계의 변화는 심혈관계 질환을 앓고 있는 환자에게 영향을 미쳐 증상이 심해질 수 있다. 또한 이미 자율신경계이상을 나타내는 다계통위축증(multiple system atrophy)이나 가족성 자율신경실소증 등의 질환을 앓고 있는 환자에게 수면 중 심혈관계 질환으로 나타날 수 있다. 또한 흡기시에 교감신경계가 항진되어 심박수가 증가하고 호기 시에는 역으로 부교감신경계가 자극되어 심박수가 저하되는 상태를 호흡성 부정맥이라고 하는데 수면 관련 호흡성 부정맥이 두드러지게 나타날 수 있고 수면 시 자율신경계 변화의 영향으로 심부정맥이나 소화기운동부전, 비뇨생식기질환도 보일 수 있다. 폐쇄성 수면무호흡증 환자에서 보이는 만성적인 교감신경의 활성화가 고혈압, 심근경색, 심부전, 뇌졸중 등의 합병증과 연관이 있는 것으로 생각된다.[20,30,31,72] 또한 폐쇄성 수면무호흡증 환자에서 나타나는 교감신경 활성화는 양압호흡기나 구강내 장치, 성공적인 상기도 수술로 호전될 수 있다.[19,21,37,64]

5. 내분비계

성장호르몬과 프로락틴은 수면에 의해서 분비가 증가하나 갑상선자극호르몬과 코티졸은 수면 중에 감소한다.[15] 대체로 일주기와 수면상태는 잘 조화되는 경우가 많지만 시차가 큰 비행기 여행을 하거나 교대근무에서는 일주기와 수면상태가 일치하지 않게 된다. 하룻밤 수면을 취하고 나서 28시간 동안 깨어있다가 8시간의 잠을 자게 되면 하룻밤을 새고 다음 날 점심시간 즈음에 잠을 자게 되므로 낮과 밤이 바뀌게 되어 수면에 의해 조절되는 호르몬은 낮과 밤에 관계없이 잠을 자는 것과 깨는 것에 따라 분비가 조절되나 일주기에 의해 조절되는 호르몬은 수면과 관계없이 낮과 밤에 따라 동일한 시간대에 분비되게 되어 수면에 의해 조절되는 호르몬과 일주기에 의해 조절되는 호르몬을 나누어 관찰할 수 있게 된다. 성장호르몬과 프로락틴은 수면에 의해서 조절되나 코티졸과 갑상선 자극호르몬은 일주기에 의해서 조절되고 혈당과 인슐린은 일주기와 수면모두에 의해서 영향을 받는다.[78,80]

성장호르몬은 성장호르몬유리호르몬(GH-releasing hormone, GHRH)과 위에서 분비되어 식욕을 일으키는 그렐린(ghrelin)에 의해서 분비가 촉진되고 소마토스타틴(somatostatin)에 의해서 분비가 억제된다.[52] 수면 시에는 성장호르몬이 더 분비되고 수면이 부족하면 성장호르몬의 분비가 줄어든다. 성장호르몬은 주로 서파수면, 깊은 수면에서 분비되게 되므로 서파 수면의 비중이 높은 수면

의 전반부에 주로 분비된다.[32,78,80]

부신피질자극호르몬(adrenocorticotropic hormone, ACTH)은 이른 아침에 최고에 달했다가 낮 동안 줄어들어서 늦은 저녁과 수면의 초반에 가장 낮은 수치를 보인다. 수면 중에는 수면의 후반부에 증가하게 된다. 낮잠은 수치변화에 그리 영향을 주지 않아서 주로 일주기에 의해서 조절되고 서파수면에 의해서 줄어들게 된다.[15] 그러나 수면에 의해 어느 정도는 영향을 받아 수면박탈 시 정상적으로 보이는 분비량의 15% 정도가 줄어든다.[78,80] 수면 중 자주 깨어나는 것은 코티졸 분비를 촉진한다.[28,73] 나이가 들면서 생기는 수면분절은 야간 코티졸 분비를 촉진하고 불면증 환자에서 코티졸이 야간에 높게 유지되는 경우가 많다.[9,82]

갑상선자극호르몬(thyroid stimulating hormone, TSH)은 낮에 낮게 유지되다가 초저녁에 증가하여 수면시작 부근에 최고에 달하고 수면후반부에는 점차 감소하게 된다. 수면박탈 시에는 2배로 증가하여 수면이 TSH를 억제하는 것으로 생각되고 낮잠은 별다른 영향을 주지 못하며 서파 수면에 의해 억제된다.

프로락틴은 수면에 의해 분비가 촉진되나 수면단계에 의해서 영향을 받지 않고 수면시작부터 증가하여 수면 중간에 최고에 이른다. 수면이 방해를 받으면 분비가 억제된다.[74,83]

여포자극호르몬(follicle stimulating hormone , FSH)와 황체형성호르몬(luteinizing hormone, LH)은 수면중에 증가하고 LH의 증가에 따라 남성에서 남성호르몬(testosterone)도 증가하며 이는 REM 수면에 더 증가한다.[41]

음식의 영향을 배제하기 위해서 혈관으로 혈당을 같은 속도로 지속 주입하는 상태에서 측정해보면 혈당과 인슐린은 수면 전반에 증가하였다가 수면 후반에 감소한다. 수면 전반에 혈당이 증가하는 것은 서파수면에 따라 대뇌에서 혈당 사용이 감소하고 이때 분비된 성장호르몬이 인슐린과 길항작용을 하며 활동의 감소로 근육에서의 사용이 줄어들기 때문이고 혈당이 증가함에 따라 인슐린이 따라서 증가한다. 수면후반에 감소하는 것은 각성과 REM 수면에 의해 대뇌에서 사용이 증가한 것과 수면 전반에 증가한 인슐린의 영향, 성장호르본 분비의 감소등으로 인한다.[67,68,79]

동물에서는 굶으면 수면시간이 줄어들고 수면박탈은 식욕을 증가시킨다. 농도가 저하되면 기면병이 발생하게 되는 원인 물질인 hypocretin은 강한 각성효과와 식욕증진효과가 있다. Hypocretin 신경세포는 외측 시상하부에서 청반(locus coeruleus)을 비롯한 각성과 연관된 부분으로 연결되어 있다.[61,76] 렙틴은 지방에서 분비되는 호르몬으로 시상하부에 작용하여 식욕을 억제하며 음식물 섭취에 따라 혈중 농도가 증가하는데 수면 시에는 증가되어 있다.[66] 수면이 박탈되면 분비가 감소한다.[53] 기면증이 있는 환자에서는 렙틴이 줄어있고 수면 시에 증가하는 것도 보이지 않는다.[38] 그렐린은 위에서 분비되는 호르몬으로 식욕을 증가시킨다. 그렐린은 수면 시에 증가하는데 수면이 박탈되어도 별로 감소하지 않는다. 이러한 호르몬의 역할이 수면부족 시에 식욕을 증가시키는 원인이 될 수 있다.[27]

Renin은 nonREM 수면에 증가하고 REM 수면에 감소하여 수면주기가 반복됨에 따라 주기적으로 변화한다.[11]

수면 중에는 식도연동운동을 비롯해서 장운동이 전반적으로 감소되어 있으나 위산분비는 밤 10시에서 새벽 2시 사이에 가장 많다. 침샘의 분비도 적어져 위산역류가 일어나면 오랜 시간 인후두에 머물게 된다. 또한 하부식도괄약근(lower esophageal sphinter)의 압력이 수면 중에는 줄어들게 되고 수면 중에 누워있는 자세로 인해서 중력의 영향으로 위산역류가 잘 일어나게 된다.[20] 폐쇄성 수면무호흡증이 있는 경우 상기도의 음압으로 인해 더욱 위산역류가 잘 일어나게 되고 위산이 후두로 넘어가 흡인이 되면 반사작용으로 인해 성대가 닫혀 무호흡을 유발하게 된다.

수면 중 소변의 양이 줄어들게 되는데 이는 신장에서 사구체 여과율이 줄어들게 되고 항이뇨호르몬의 분비가

증가함에 따라 수분의 재흡수가 증가되어 발생하며 REM 수면에서 더 심하다.[57]

체온은 수면주기와 일주기에 연관되어 변화하는데 수면초기에 떨어지기 시작하고 3번째 수면주기에 가장 많이 떨어진다.[20]

참고문헌

1. 김성완. 수면호흡장애. In: 대한이비인후과학회 편. 이비인후과학-두경부외과학. 일조각. 2009. p.1364-1388.
2. Akselrod S, Gordon D, Ubel FA, et al. Power spectrum analysis of heart rate fluctuation: a quantitative probe of beat-to-beat cardiovascular control. Science 1981;213:220-222.
3. Bach V, Telliez F, Chardon K, et al. Thermoregulation in wakefulness and sleep in humans. Handb Clin Neurol 2011;98:215-227.
4. Barkoukis TJ, Avidan AY, ScienceDirect. Introduction to normal sleep, sleep deprvation, and the workplace. In: Avidan AY, Barkoukis TJ. Review of sleep medicine. 3rd ed. Philadelphia, PA: Elsevier Saunders; 2011. p.12-20.
5. Barron KD, Chokroverty S. Anatomy of the autonomic nervous system: brain and brainstem. In: Low PA. Clinical Autonomic Disorders. Little Brown Boston; 1993. p.3.
6. Berger AJ, Mitchell RA, Severinghaus JW. Regulation of respiration N Engl J Med 1977;297:92-7, 138-143, 194-201.
7. Berry RB, Kouchi KG, Bower JL, et al. Effect of upper airway anesthesia on obstructive sleep apnea. Am J Respir Crit Care Med 1995;151:1857-1861.
8. Berthon-Jones M, Sullivan CE. Ventilation and arousal responses to hypercapnia in normal sleeping humans. J Appl Physiol Respir Environ Exerc Physiol 1984;57:59-67.
9. Bliwise DL. Normal aging. In: Kryger MH, Roth T, Dement WC, editors. Principles and practice of sleep medicine. 4th ed. St Louis: Saunders; 2005. p.24-38.
10. Bliwise DL. Normal aging. In: Kryger MH, Roth T, Dement WC, editors. Principles and practice of sleep medicine. 5th ed. St Louis: Saunders; 2011. p.27-41.
11. Brandenberger G, Follenius M, Goichot B, et al. Twenty-four-hour profiles of plasma renin activity in relation to the sleep-wake cycle. J Hypertens 1994;12:277-283.
12. Braun AR, Balkin TJ, Wesenten NJ, et al. Regional cerebral blood flow throughout the sleep-wake cycle. An H2(15)O PET study. Brain 1997;120(Pt 7):1173-1197.
13. Buchsbaum MS, Gillin JC, Wu J, et al. Regional cerebral glucose metabolic rate in human sleep assessed by positron emission tomography. Life Sci 1989;45:1349-1356.
14. Carskadon MA, Dement WC. Normal human sleep: an overview. In: Kryger MH, Roth T, Dement WC, editors. Principles and practice of sleep medicine. 5th ed. St Louis: Saunders; 2011. p16-26.
15. Cauter EV. Endoscirne physiology. In: Kryger MH, Roth T, Dement WC, editors. Principles and practice of sleep medicine. 4th ed. St Louis: Saunders; 2005. p.266-282.
16. Chadwick GA, Crowley P, Fitzgerald MX, et al. Obstructive sleep apnea following topical oropharyngeal anesthesia in loud snorers. Am Rev Respir Dis 1991;143:810-813.
17. Chase MH, Morales FR. Control of motoneurons during sleep. In: Kryger MH, Roth T, Dement WC, editors. Principles and practice of sleep medicine. 4th ed. St Louis: Saunders; 2005. p.154.
18. Cherniack NS, Longobardo GA. Abnormalities in respiratory rhythm. In: Fishman AF, Cherniack NS, Widdicombe JG. Handbook of Physiology, Sec 3: The Respiratory System. American Physiological Society Bethesda;1986, p.729.
19. Choi JH, Yi JS, Lee SH, et al. Effect of upper airway surgery on heart rate variability in patients with obstructive sleep apnoea syndrome. J Sleep Res 2012;21:316-321.
20. Chokroverty S. Physiological changes in sleep. In: Avidan AY, Barkoukis TJ. Review of sleep medicine. 3rd ed. Philadelphia, PA: Elsevier Saunders; 2011, p.73-90.
21. Coruzzi P, Gualerzi M, Bernkopf E, et al. Autonomic cardiac modulation in obstructive sleep apnea: effect of an oral jaw-positioning appliance. Chest 2006;130:1362-1368.
22. Dang-Vu TT, Desseilles M, Petit D, et al. Neuroimaging in sleep medicine. Sleep Med 2007;8:349-372.
23. Deegan PC, Mulloy E, McNicholas WT. Topical oropharyngeal anesthesia in patients with obstructive sleep apnea. Am J Respir Crit Care Med 1995;151:1108-1112.
24. Desseilles M, Vu TD, Laureys S, et al. A prominent role for amygdaloid complexes in the Variability in Heart Rate (VHR) during Rapid Eye Movement (REM) sleep relative to wakefulness. Neuroimage 2006;32:1008-1015.
25. Douglas NJ, White DP, Weil JV, et al. Hypoxic ventilatory response decreases during sleep in normal men. Am Rev Respir Dis 1982;125:286-289.
26. Douglas NJ, White DP, Weil JV, et al. Hypercapnic ventilatory response in sleeping adults. Am Rev Respir Dis 1982;126:758-762.
27. Dzaja A, Dalal MA, Himmerich H, et al. Sleep enhances nocturnal plasma ghrelin levels in healthy subjects. Am J Physiol Endocrinol Metab 2004;286:E963-967.
28. Follenius M, Brandenberger G, Bandesapt JJ, et al. Nocturnal Cortisol Release in Relation to Sleep Structure. Sleep 1992;15:21-27.
29. Hajak G, Klingelhofer J, Schulz-Varszegi M, et al. Relationship be-

tween cerebral blood flow velocities and cerebral electrical activity in sleep. Sleep 1994;17:11-19.

30. Hedner J, Darpo B, Ejnell H, et al. Reduction in sympathetic activity after long-term CPAP treatment in sleep apnoea: cardiovascular implications. Eur Respir J 1995;8:222-229.
31. Hedner J, Ejnell H, Sellgren J, et al. Is high and fluctuating muscle nerve sympathetic activity in the sleep apnoea syndrome of pathogenetic importance for the development of hypertension? J Hypertens Suppl 1988;6:S529-531.
32. Holl RW, Hartman ML, Veldhuis JD, et al. Thirty-second sampling of plasma growth hormone in man: correlation with sleep stages. J Clin Endocrinol Metab 1991;72:854-861.
33. Horner RL. Respiratory motor activity: influence of neuromodulators and implications for sleep disordered breathing. Can J Physiol Pharmacol 2007;85:155-165.
34. Hornyak M, Cejnar M, Elam M, et al. Sympathetic muscle nerve activity during sleep in man. Brain 1991;114 (Pt 3):1281-1295.
35. Kandel E, Schwartz J, Jessell T. Principles of Neural Science. 4th ed. New York: McGraw-Hill; 2000.
36. Khatri IM, Freis ED. Hemodynamic changes during sleep. J Appl Physiol 1967;22:867-873.
37. Khoo MC, Belozeroff V, Berry RB, et al. Cardiac autonomic control in obstructive sleep apnea: effects of long-term CPAP therapy. Am J Respir Crit Care Med 2001;164:807-812.
38. Kok SW, Meinders AE, Overeem S, et al. Reduction of plasma leptin levels and loss of its circadian rhythmicity in hypocretin (orexin)-deficient narcoleptic humans. J Clin Endocrinol Metab 2002;87:805-809.
39. Lee KA, Moe KE. Menopause. In: Kryger MH, Roth T, Dement WC, editors. Principles and practice of sleep medicine. 5th ed. St Louis: Saunders; 2011, p.1592-1601.
40. Lowey AD, Spyer KM. Central regulation of autonomic functions. New York: Oxford University Press; 1990.
41. Luboshitzky R, Herer P, Levi M, et al. Relationship between rapid eye movement sleep and testosterone secretion in normal men. J Androl 1999;20:731-7.
42. Madsen PL, Holm S, Vorstrup S, et al. Human regional cerebral blood flow during rapid-eye-movement sleep. J Cereb Blood Flow Metab 1991;11:502-507.
43. Madsen PL, Schmidt JF, Holm S, et al. Cerebral oxygen metabolism and cerebral blood flow in man during light sleep (stage 2). Brain Res 1991;557:217-20.
44. Maquet P. The role of sleep in learning and memory. Science 2001;294:1048-52.
45. Maquet P, Dive D, Salmon E, et al. Cerebral Glucose-Utilization during Sleep Wake Cycle in Man Determined by Positron Emission Tomography and [F-18] 2-Fluoro-2-Deoxy-D-Glucose Method. Brain Res 1990;513:136-143.
46. Maquet P, Ruby P, Maudoux A, et al. Human cognition during REM sleep and the activity profile within frontal and parietal cortices: a reappraisal of functional neuroimaging data. Prog Brain Res 2005;150:219-227.
47. Maquet P, Smith C, Stickgold R. Sleep and brain plasticity. Oxford University Press Oxford; 2003.
48. McNicholas WT, Coffey M, McDonnell T, et al. Upper airway obstruction during sleep in normal subjects after selective topical oropharyngeal anesthesia. Am Rev Respir Dis 1987;135:1316-1319.
49. Miller JC, Horvath SM. Cardiac output during human sleep. Aviat Space Environ Med 1976;47:1046-1051.
50. Mitchell RA, Berger AJ. Neural regulation of respiration. Am Rev Respir Dis 1975;111:206-224.
51. Montano N, Ruscone TG, Porta A, et al. Power spectrum analysis of heart rate variability to assess the changes in sympathovagal balance during graded orthostatic tilt. Circulation 1994;90:1826-1831.
52. Muccioli G, Tschop M, Papotti M, et al. Neuroendocrine and peripheral activities of ghrelin: implications in metabolism and obesity. Eur J Pharmacol 2002;440:235-254.
53. Mullington JM, Chan JL, Van Dongen HP, et al. Sleep loss reduces diurnal rhythm amplitude of leptin in healthy men. J Neuroendocrinol 2003;15:851-854.
54. Nofzinger EA. Neuroimaging and sleep medicine. Sleep Med Rev 2005;9:157-172.
55. Nofzinger EA. What can neuroimaging findings tell us about sleep disorders? Sleep Med 2004;5 Suppl 1:S16-22.
56. Parish JM, Shepard JW, Jr. Cardiovascular effects of sleep disorders. Chest 1990;97:1220-1226
57. Peter JG, Fietze I. Physiology of the Cardiovascular, Endocrine and Renal Systems during Sleep. In: Randerath WJ, Sanner BM, Somers VK. Sleep Apnea: Current Diagnosis and Treatment. Karger Basel; 2006. p.29.
58. Phillipson EA. Control of breathing during sleep. Am Rev Respir Dis 1978;118:909-939.
59. Pontoppidan H, Beecher HK. Progressive loss of protective reflexes in the airway with the advance of age. JAMA 1960;174:2209-2213.
60. Read DJ. A clinical method for assessing the ventilatory response to carbon dioxide. Australas Ann Med 1967;16:20-32.
61. Rechtschaffen A, Bergmann BM. Sleep deprivation in the rat by the disk-over-water method. Behav Brain Res 1995;69:55-63.
62. Richard M, LeBlanc AR, Pennestri MH, et al. The effect of gender on autonomic and respiratory responses during sleep among both young and middle-aged subjects. Sleep Med 2007;8:760-767.
63. Richter DW, Ballanyi K, Ramirez JM. Respiratory rhythm generation. In: Miller AD, Bianchi AL, Bishop BP. Neural Control of the Respiratory Muscles. NY: CRC Press; 1996, p.119-130.
64. Roche F, Court-Fortune I, Pichot V, et al. Reduced cardiac sympa-

thetic autonomic tone after long-term nasal continuous positive airway pressure in obstructive sleep apnoea syndrome. Clin Physiol 1999;19:127-134.

65. Salih F, Khatami R, Steinheimer S, et al. Inhibitory and excitatory intracortical circuits across the human sleep-wake cycle using paired-pulse transcranial magnetic stimulation. J Physiol 2005;565:695-701.
66. Schoeller DA, Cella LK, Sinha MK, et al. Entrainment of the diurnal rhythm of plasma leptin to meal timing. J Clin Invest 1997;100:1882-1887.
67. Simon C, Brandenberger G, Follenius M. Ultradian oscillations of plasma glucose, insulin, and C-peptide in man during continuous enteral nutrition. J Clin Endocrinol Metab 1987;64:669-674.
68. Simon C, Brandenberger G, Saini J, et al. Slow oscillations of plasma glucose and insulin secretion rate are amplified during sleep in humans under continuous enteral nutrition. Sleep 1994;17:333-338.
69. Smith JC, Ellenberger HH, Ballanyi K, et al. Pre-Botzinger complex: a brainstem region that may generate respiratory rhythm in mammals. Science 1991;254:726-729.
70. Snyder F, Hobson JA, Morrison DF, et al. Changes in Respiration, Heart Rate, and Systolic Blood Pressure in Human Sleep. J Appl Physiol 1964;19:417-422.
71. Somers VK, Dyken ME, Mark AL, et al. Sympathetic-nerve activity during sleep in normal subjects. N Engl J Med 1993;328:303-307.
72. Somers VK, White DP, Amin R, et al. Sleep apnea and cardiovascular disease: an American Heart Association/American College of Cardiology Foundation Scientific Statement from the American Heart Association Council for High Blood Pressure Research Professional Education Committee, Council on Clinical Cardiology, Stroke Council, and Council on Cardiovascular Nursing. J Am Coll Cardiol 2008;52:686-717.
73. Spathschwalbe E, Gofferje M, Kern W, et al. Sleep Disruption Alters Nocturnal Acth and Cortisol Secretory Patterns. Biological Psychiatry 1991;29:575-584.
74. Spiegel K, Follenius M, Simon C, et al. Prolactin secretion and sleep. Sleep 1994;17:20-27
75. Steriade MM, McCarley RW. Brain Control of Wakefulness and Sleep. New York: Kluwer Academic/Plenum Press; 2005.
76. Taheri S, Zeitzer JM, Mignot E. The role of hypocretins (orexins) in sleep regulation and narcolepsy. Annu Rev Neurosci 2002;25:283-313
77. Takeuchi S, Iwase S, Mano T, et al. Sleep-related changes in human muscle and skin sympathetic nerve activities. J Auton Nerv Syst 1994;47:121-129.
78. Van Cauter E, Blackman JD, Roland D, et al. Modulation of glucose regulation and insulin secretion by circadian rhythmicity and sleep. J Clin Invest 1991;88:934-942.
79. Van Cauter E, Desir D, Decoster C, et al. Nocturnal decrease in glucose tolerance during constant glucose infusion. J Clin Endocrinol Metab 1989;69:604-611.
80. Van Cauter E, Spiegel K. Circadian and sleep control of endocrine secretions. In: Turek FW, Zee PC. Neurobiology of Sleep and Circadian Rhythms. New York: Marcel Dekker; 1999.
81. Vanoli E, Adamson PB, Ba L, et al. Heart rate variability during specific sleep stages. A comparison of healthy subjects with patients after myocardial infarction. Circulation 1995;91:1918-1922.
82. Vgontzas AN, Bixler EO, Lin HM, et al. Chronic insomnia is associated with nyctohemeral activation of the hypothalamic-pituitary-adrenal axis: clinical implications. J Clin Endocrinol Metab 2001;86:3787-3794.
83. Waldstreicher J, Duffy JF, Brown EN, et al. Gender differences in the temporal organization of proclactin (PRL) secretion: evidence for a sleep-independent circadian rhythm of circulating PRL levels- a clinical research center study. J Clin Endocrinol Metab 1996;81:1483-1487.
84. Wallin G. Intraneural recording and autonomic function in man. In: Bannister R. Autonomic Failure: A Textbook of Clinical Disorders of the Autonomic Nervous System. Oxford University PressOxford; 1983. p.36.
85. Weil JV, Byrne-Quinn E, Sodal IE, et al. Hypoxic ventilatory drive in normal man. J Clin Invest 1970;49:1061-1072.
86. Wellens HJ, Vermeulen A, Durrer D. Ventricular fibrillation occurring on arousal from sleep by auditory stimuli. Circulation 1972;46:661-665.
87. White DP. Ventilation and the control of respiration during sleep: normal mechanisms, pathologic nocturnal hypoventilation, and central sleep apnea. In: Martin RJ. Cardiorespiratory Disorders during Sleep. NY: Futura Mount Kisco; 1990. p.53.
88. White DP, Douglas NJ, Pickett CK, et al. Hypoxic ventilatory response during sleep in normal premenopausal women. Am Rev Respir Dis 1982;126:530-533.
89. Zoccoli G, Walker AM, Lenzi P, et al. The cerebral circulation during sleep: regulation mechanisms and functional implications. Sleep Med Rev 2002;6:443-455.

CHAPTER 47

비과 질환의 레이저 치료

유명상

비과 영역에서 레이저는 1977년에 혈관운동성 비염환자에서 하비갑개에 처음 사용되었다. 레이저를 이용한 비염수술이 비점막의 출혈을 효과적으로 줄일 수 있다는 점이 알려지면서 그 후 비강을 포함한 상기도 영역에서 레이저를 이용한 다양한 수술법들이 개발되어 왔다. 초기에는 Argon 레이저가 비강 내 수술에 주로 사용되었으나 그 후 KTP, Nd, CO_2, Holmium 레이저와 같은 여러 종류의 레이저가 그 특성에 따라 비과영역에서 현재 사용되고 있다(표 47-1).

레이저는 종류에 따라 조직에 가해지는 응고(coagulation), 절개(cutting), 증발(evaporation) 등의 특성이 각기 다르게 나타난다. 그리고 레이저빔 유도 시스템과 출력(power), 밀도(density) 역시 레이저의 종류에 따라 차이가 있다. 또한 조작방법도 비강 내에는 손잡이기구(handpiece)나 내시경 또는 수술현미경을 이용하여 레이저를 조직에 조사할 수 있으며 접촉성 혹은 비접촉성 방법 모두 가능하다. 따라서 이비인후과 의사의 입장에서 여러 종류의 레이저들의 특성을 파악하고 비강이나 구강의 점막 조직에 미치는 영향이나 효과에 대해서 이해하는 것이 필요하다. 이를 바탕으로 비과 질환에 따라 가장 적합한 종류의 레이저를 정확한 방법으로 사용하는 것이 중요하다.

I 비과 영역에서 흔히 사용되는 레이저의 종류

1. Argon 레이저

Argon 레이저는 비과 영역에서 가장 먼저 사용된 레이저로 특히 하비갑개 수술에서 사용되어 왔다. 파장이 488~514 nm로 보색인 붉은 색에 잘 흡수되어 선택적으로 혈관 내 헤모글로빈에 반응하기 때문에 레이저 조사 초기에 조직 내 혈관들의 수축을 유발한다.[25] 비강에 사용 시에는 10 W보다 낮은 출력을 주로 사용하며 노출 파이버(bare fiber)나 특수한 말단부(end piece)가 이용된

표 47-1. 비과 영역에서 주로 사용되는 레이저의 종류와 물리학적 특성

	Argon	KTP	CO_2	Nd-YAG	Diode	Ho
Type	기체(이온)	고체	기체	고체	반도체	고체
Continous/pulsed	continuous	pulsed/quasic	pulsed/continuous	continuous	continuous	pulsed
평균 출력	3~10 W	약 10 W	약20 W	약 50 W	약 30 W	약 20 W
파장(wave length)	488/514 nm	532 nm	10.6 μm	1.06 μm	800/900 nm	2.1 μm
색조(color)	청록색	녹색	중적외선	근적외선	근적외선	근적외선
흡수	중간	중간	매우 강함	낮음	낮음	강함
흡수대상(absorber)	헤모글로빈	헤모글로빈	수분	수분	세포	수분
산란(scattering)	낮음	낮음	거의 없음	강함	중간/강함	거의없음
beam guide system	quartz fiber	quartz fiber	ceramic rotating mirror	quartz fiber	quartz fiber	fiber
투과 깊이	0.44 mm	0.39 mm	0.01 mm	4.6 mm	2.9/3.5 mm	0.2 mm
응고괴사층 깊이	0.13/0.14 mm	0.15 mm	0.01 mm	3.1 mm	0.86/1.35 mm	0.15 mm

Adapted from EichlerJ, Gonçalves O. A Review of Different Lasers in Endonasal Surgery: Ar-, KTP-, Dye-, Diode-, Nd-, Ho- and CO_2-Laser. Medical Laser Application 2002,17:192. with permission.

다. 말단부는 파이버를 보호하기 위한 약 6 mm 직경의 수정 quartz 튜브로 이루어져 있고 튜브 끝에는 거울이 있어 레이저 빔을 90도까지 굴절시킬 수 있다.

Argon 레이저는 여러 장점에도 불구하고 가격이 비싸고 고용량의 전원공급 시스템과 냉각 시스템을 필요로 하기 때문에 비과 영역에서 널리 사용하는 데에는 한계가 있다.[12]

2. KTP (Potassium titanium oxide phosphate) 레이저

KTP 레이저는 532 nm의 파장을 가지는 초록생 광으로 Argon 레이저와 비슷하지만 헤모글로빈의 흡수대에 보다 유사하고 조직 투과 깊이가 0.4 mm 정도로 얕다. 이 레이저는 초점 크기가 작고 수술현미경이나 내시경에 부착하여 사용할 수 있다. 주변조직의 손상이 적고 조직을 응고시키는 성능이 뛰어나 비세수술이나 출혈성 병변에서 이용된다. 비과 수술에서는 약 8 W 출력의 KTP 레이저가 하비갑개 수술에서 주로 사용되며, 현미경과 함께 사용하거나 내시경에 부착하여 접촉형으로 사용할 수도 있다. 기타 적응증으로는 유전성 출혈성 모세혈관확장증,[38,41] 구개수구개성형술,[19] 부비동 수술[27] 누낭비강문합술[6,26]등이 있다. .

3. CO_2 레이저

CO_2 레이저는 조직 내 수분에 대부분 흡수되며 투과 깊이가 0.01 mm 정도로 매우 얕고 조직의 색조에 관계없이 일정한 세기의 에너지를 조사할 수 있다. 따라서 에너지 조절이 쉬우며 주위 조직의 손상 없이 선택적인 부위에만 작용하여 미세 수술에서도 사용할 수 있다. 손잡이 기구를 이용하거나 수술용 현미경에 부착하여 주로 사용되어 왔으나, 최근에는 굴곡형 내시경에 연결하여 비강 내 수술에도 이용되고 있다. 비갑개에 사용하기 위해서는 말단에 90도 거울을 가지고 있는 레이저빔 유도 시스템이 유용하다. CO_2 레이저가 적용될 수 있는 비과 수술에는 하비갑개 수술,[12,13,16,28,36] 구개수구개성형술,[8] 후비공폐쇄증 등이 있다.

4. Nd-YAG (Neodymium-yttriumaluminum garnet) 레이저

Nd-YAG 레이저는 사용의 편리성 때문에 비과 영역에서 널리 사용되어 왔다. 1.06 μm의 파장을 가지며 낮은 출력으로 장시간 조사할 경우에는 약 5 mm 정도까지 조직을 투과하여 주위 조직을 응고시키는 성능이 뛰어나 출혈성 병변에 많이 사용되고 있다. 고출력으로 단시간 조사할 경우에는 1 mm 정도의 표면에만 작용하므로 표면에 작용시키기 위해서는 고출력으로 빠르게 이동시키며 조사하던지 접촉 모드를 이용하여야 한다. Nd-YAG 레이저는 굴곡형 내시경이나 손잡이기구과 함께 비강에서 사용되는데 주로 접촉형 손잡이가 사용된다.[20,30] 비강 내 수술에 사용 시 CO_2 레이저와 비슷한 효과를 보인다.[12] 하지만 잘못 조사 시 깊은 투과력 때문에 비중격 천공과 같은 손상이 발생할 수 있으므로 주의해야 한다. Nd-YAG 레이저는 주로 하비갑개 수술에 널리 이용되어 왔으며[9,20,30,40] 이외에도 유전성 출혈성 모세혈관확장증,[38] 비용종 수술,[43] 구개수구개성형술,[17] 누낭비강문합술[34] 등에 사용되고 있다.

5. Diode 레이저

Diode 레이저는 Nd-YAG 레이저에는 조금 못 미치는 3~4 mm의 조직 투과력을 가지며 일반적인 특성은 Nd-YAG 레이저와 유사하나 조직에서 흡수가 좀 더 높게 일어난다. 비접촉성 모드로 사용 시 Arogon이나 KTP 레이저보다는 높은 10~20 W 정도의 출력이 필요하다. 조직 투과력이 높기 때문에 Argon이나 KTP 레이저보다 깊은 응고괴사층을 만든다. Diode 레이저는 비과 영역에서는 주로 하비갑개 수술에 접촉형 혹은 비접촉형으로 사용되고 있다.

6. Holmium 레이저

Holmium 레이저는 조직 표면층의 수분에 대부분 흡수되며 산란은 거의 발생하지 않는다. 따라서 조직 내 수분의 순간적인 증발이 쉽게 발생하므로 조직 절개에 적합한 레이저이다. 비과 수술에 사용되는 Holmium 레이저는 2~8 W의 출력을 가지며 부비동 수술,[37] 하비갑개와 비용종 수술,[31] 절골술,[22] 누낭비강문합술[39] 그리고 후비공 폐쇄증[29] 등에 주로 이용된다. 두개저나 안구 근처에서 사용 시에는 주변 조직의 손상 가능성이 있으므로 고출력으로 사용하는 것은 피하는 것이 좋다.

II 비과 영역에서 레이저의 적응증

1. 하비갑개 비후

고식적인 하비갑개 성형술은 비폐색을 일으키는 만성적인 하비갑개 비후에 대하여 효과적인 치료방법으로 사용되어 왔다. 그러나 수술과 관련된 출혈, 가피형성, 통증, 유착 등의 문제가 있어왔으며, 이를 개선하기 위하여 보다 덜 침습적인 하비갑개 성형술이 소개되기 시작하였다. 레이저를 이용한 하비갑개 수술도 그 중 하나이며 비점막의 생리기능을 비교적 보존시키면서 비갑개 점막을 축소 및 섬유화시킬 수 있다는 개념을 바탕으로 사용되고 있다.[4]

레이저를 이용한 하비갑개 수술에는 CO_2, KTP (potassium-titanyl phosphate), Nd:YAG (neodymium-yttriumaluminum garnet), Ho:YAG (holmium-yttrium aluminum garnet), Diode 레이저 등이 사용되고 있으며 임상에서는 CO_2 레이저가 흔히 사용되고 있다. CO_2 레이저는 그 특성상 주로 조직의 표면에만 작용하므로 구부러진 끝(tip)을 사용하여 하비갑개의 표면에 수직으로 레이저를 조사하게 된다. 일반적으로 화상에 의한 반흔 구축을 통해 하비갑개 조직의 부피를 줄이게 된다.

하비갑개 점막에 레이저를 조사하는 방법은 전후방 줄무늬법과 그물모양법이 있으며, 이를 하비갑개의 전방부나 하방부에만 국소적으로 적용하거나, 전체 점막표면에 적용할 수도 있다.[35] 레이저를 이용한 비갑개성형술 후의 증상 호전율은 문헌에 따라 50~100% 정도로 보고되고 있으며, 수술 후 가피형성, 점막유착, 골부노출 등의 합병증이 발생할 가능성이 있으므로 유의해야 한다. 하비갑개 수술에서 레이저의 이용은 그 이전에 주로 사용하던 하비갑개 절제술을 일부분 대체하였다는 측면에서는 긍정적으로 볼 수 있다. 하지만 그 편이성 때문에 남용의 가능성도 항상 주의해야 하며, 레이저 치료가 환자의 증상을 완전히 없애는 것보다는 증상의 조절에 도움이 되는 방법이라는 사실 역시 환자들에게 주지시킬 필요가 있다.

2. 알레르기 비염

Argon 레이저를 사용한 하비갑개 수술이 보고된 이후 알레르기 비염의 치료로 레이저를 사용하고자 하는 시도가 꾸준히 있어 왔다. 일부 저자들에 의해 알레르기 비염에 대한 레이저 치료의 이론적 배경이 소개되었고 비교적 만족할만한 치료 효과를 보고하는 연구결과들도 보고되었다.[16,24] 예전부터 알레르기 비염의 치료로 CO_2 레이저를 사용하고자 하는 여러 시도가 있었으며, 비교적 높은 성공률을 보고하였다.[13,16] 국내에서도 알레르기 비염 환자에게 CO_2 레이저를 사용하여 최장기간 2년 동안 72.7%의 환자에서 증상개선 효과가 있음을 보고하였다.[2] 하지만 수술 효과의 지속성에 대한 의문은 아직 남아있다. 일부 연구에서는 수술 후 기간이 오래 경과될수록 술 후 만족도가 감소하였으나[2] 다른 연구에서는 수술 후 2년 뒤에도 수술효과가 지속되었다고 보고하였다.[23] 연령 분포에 따른 수술 효과는 성인에서보다 12세 이하의 어린 연령층에서 효과적이었으며[13,23] 증상별 개선도 면에서는 재채기와 비루 등의 증상이 하비갑개 점막하절제술보다 레이저 수술에서 더 효과적이었다.[23]

알레르기 비염에서 레이저 수술은 그 효과의 지속성에 대해 의문이 있고 수술 결과에 영향을 미치는 요소에 대한 연구가 아직까지는 부족한 실정이므로 보다 믿을만한 수술결과를 얻기 위해서는 환자 선정에 유의해야 한다.[2]

3. 비출혈

레이저 조사는 자주 재발하는 비출혈 환자에서 효과적인 치료방법으로 널리 이용되어왔다. Argon 레이저[33]와 KTP 레이저,[27] Nd:YAG 레이저,[11,41] diode 레이저 등이 비출혈 치료에 이용되고 있다. 레이저 광응고술은 안전하고 비교적 확실하게 비강 내에서 발생한 국소 출혈을 치료할 수 있다. 이때 레이저와 함께 사용하게 되는 수술용 내시경을 잘다루는 것이 중요하며, 이는 내시경을 통해 병변부위를 확대해서 정확히 관찰함으로써 주변 조직의 손상을 예방할 수 있기 때문이다.

유전성 출혈성 모세혈관확장증이나 여러 출혈성 혈관 질환 등에서는 레이저 치료 후에도 비출혈이 재발하는 빈도가 높고 치료 효과도 일시적인 경우가 많으므로 유의해야 한다. 자주 재발하는 비출혈에서는 비접촉성 모드의 레이저를 이용하는 것이 기구 접촉으로 인한 의인성 출혈과 주변조직의 손상을 피할 수 있고 수술시간을 줄일 수 있어 효과적이다. 그리고 손잡이기구보다는 파이버를 이용하여 레이저를 조사하는 방법이 화면을 통해 확대된 상을 보면서 병변부위에 국한해서 세밀하게 치료할 수 있는 장점이 있다(그림 47-1). 레이저를 이용한 비출혈 지혈은 수술시간이 짧고 국소마취하에서 비교적 간단하게 외래에서 시행할 수 있다는 장점이 있으나, 큰혈관에서 발생하는 대량출혈에는 사용에 제한이 있으므로 유의해야 한다.

4. 코골이

레이저를 이용한 구개수구개성형술(laser-assisted uvulopalatoplasty; LAUP)은 구개수구개인두성형술

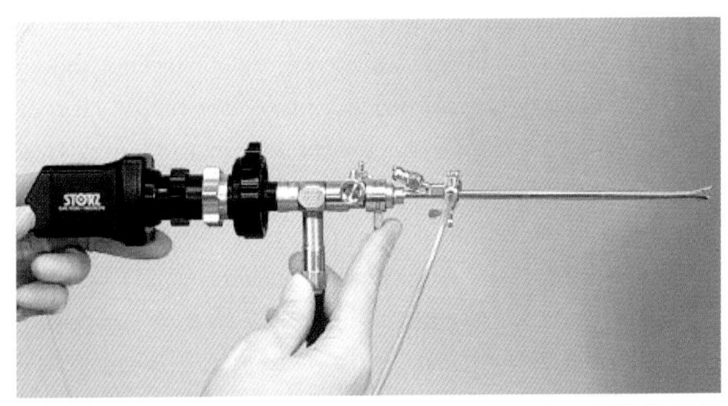

■ 그림 47-1. **비출혈 지혈에 사용되는 내시경과 레이저빔 유도 시스템.** (From Hopf, Marietta, et al. "Endoscopically controlled laser therapy of recurrent epistaxis with the 940 nm diode laser." Medical Laser Application 17.3 (2002): 233. with permission.)

(uvulopalatopharyngoplasty; UPPP)을 시행할 경우 입원 및 전신마취를 해야하는 필요성 및 출혈, 통증 등의 문제점을 개선하기 위해 1990년대에 소개되었다.[21] 레이저는 고열로 조직을 절개함으로써 수술 시 출혈이 비교적 적으며 수술방법이 간편하여 수술시간이 짧고 국소마취하에서 수술이 가능하다는 장점이 있다.[42] 하지만 조직에 열 손상이 가해지므로 술 후 통증이 심할 수 있고 수술부위 반흔에 의하여 종종 연구개가 심한 구축을 일으키며 지속적인 이물감 등을 유발할 수 있다.[15] 또한 LAUP는 단기적 수술 성적은 훌륭하나[7] 장기적으로는 수술 효과 및 해부학적 구조변화 면에서 UPPP보다 불리하다는 점도 단점으로 지적되었으며,[15] LAUP 후 코골이의 재발은 술 후 반흔 조직의 재형성과 관련이 있다고 알려져 있다.[15]

5. 누낭비강문합술

누낭비강문합술(dacryocystorhinostomy)은 비루관 폐쇄에 대한 치료방법으로 누낭(lacrimal sac)과 비강 사이에 영구적인 통로를 만들어주는 수술법이다. 초기에는 비외방법이 주로 이용되었으나 내시경 수술이 보편화된 근래에는 비내시경을 이용한 비내접근 방법이 보다 안전하고 효과적인 치료법으로 알려져 널리 시행되고 있다. 내시경적 비내누낭비강문합술에서는 광원을 통해 누낭의 위치를 확인한 다음 비강측벽을 제거하여 누낭을 노출시키게 된다. 비강 측벽의 누골은 두꺼워 제거하기가 어려워 드릴이나 골겸자를 이용하게 된다. 이때 골절개가 가능한 Holmium 레이저, KTP 레이저 등을 이용하면 보다 쉽게 누골을 절제하고 누낭의 점막을 노출시킬 수 있다(그림 47-2).

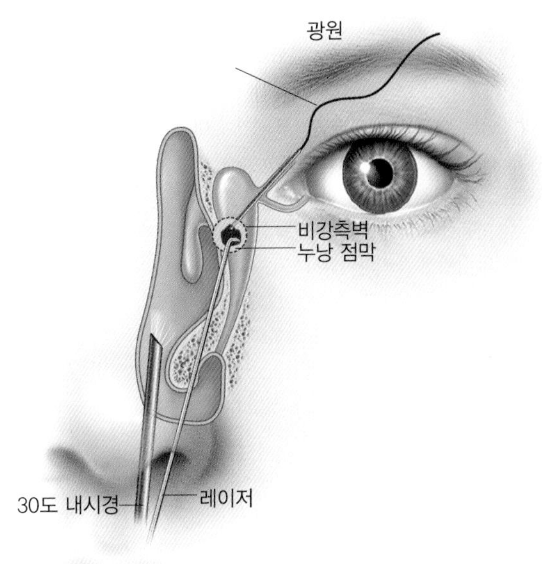

■ 그림 47-2. **내시경적 비내누낭비강문합술.** 내시경과 함께 레이저 탐색자(probe)를 비강으로 삽입하여 비강 내측벽과 누낭에 개구부를 만든다.

6. 선천성 후비공폐쇄

후비공 폐쇄의 치료는 폐쇄의 정도와 환자의 나이에 따라 경구개법과 경비강법 등의 방법이 있다. 최근에는 내시경을 이용한 경비강법이 비교적 간편하고 안전하여 널리 사용되고 있다. 막성 후비공 폐쇄에서는 CO_2 레이저 등이 사용되며, 골성 후비공폐쇄의 경우에는 Nd-YAG 나 Ho 레이저를 이용하여 후비공 폐쇄 부위를 개방시킬 수 있다.

참고 문헌

1. 동헌종. 알레르기비염의 수술적 치료. Allergy Asthma Respir Dis. 2013;1:29-34.
2. 박미향,정우경,정운교. 알레르기성 비염에 대한 비갑개 레이저 수술 후 증상의 호전. 한이인지 1997;40:103-108.
3. 홍순관,신혜정,정성민 등유리·김진경 전통적 방법, 레이저 및 Coblation을 이용한 구개수구개인두성형술 및 구개수구개성형술: 각 수술 방법간의 장단점 비교.한이인지 2002;45:359-365.
4. 홍순관·윤선옥·박수경.레이저 대 Coblation 하비갑개성형술: 수술 성적에 의한 비교 연구. 2002;45:589-593.
5. Agarwal G, Kupferman ME, Holsinger FC, Hanna EY. Sinonasal and nasopharyngeal applications of the hand-held CO_2 laser fiber. *Int Forum Allergy Rhinol* 2011,1:109-112.
6. Allen K, Berlin A. Results of endoscopic KTP Laser assisted dacrocystorhinostomy. *Ophthalmol Plast Reconstr Surg* 1989;20:4860-4869.
7. Astor FC, Hanft KL, Benson C, Amaranath A. Analysis of short-term outcome after office-based laser-assisted uvulopalatoplasty. *Otolaryngology--Head and Neck Surgery* 1998;118:478-480.
8. Carenfelt C. Laser uvulopalatoplasty in treatment of habitual snoring. *Annals of Otology, Rhinology & Laryngology* 1991;100:451-454.
9. DeRowe A, Landsberg R, Leonov V, Katzir A, Ophir D. Subjective comparison of Nd: YAG, diode, and CO_2 lasers for endoscopically guided inferior turbinate reduction surgery. *American journal of rhinology* 1998;12:209-212.
10. Dhong H-J. Surgical treatment for allergic rhinitis. *Allergy Asthma & Respiratory Disease* 2013;1:29.
11. Dobrovic M, Hosch H. Non-contact applications of Nd: YAG laser in nasal surgery. *Rhinology* 1994;32:71-73.
12. EichlerJ, GonÇalves O. A Review of Different Lasers in Endonasal Surgery: Ar-, KTP-, Dye-, Diode-, Nd-, Ho- and CO_2-Laser. *Medical Laser Application* 2002;17:190-200.
13. ElwanyS, Abdel-Moneim MH. Carbon dioxide laser turbinectomy. An electron microscopic study. *The Journal of Laryngology & Otology* 1997;111:931-934.
14. Farzampour S, Fayazzadeh E, Mikaniki E. Endonasal laser-assisted microscopic dacryocystorhinostomy: surgical technique and follow-up results. *Am J Otolaryngol* 2010;31:84-90.
15. FinkelsteinY, Shapiro-Feinberg M, Stein G, Ophir D. Uvulopalatopharyngoplasty vs laser-assisted uvulopalatoplasty: anatomical considerations. *Archives of Otolaryngology-Head & Neck Surgery* 1997;123:265-276.
16. FukutakeT, Yamashita T, Tomoda K, Kumazawa T. Laser surgery for allergic rhinitis. *Archives of Otolaryngology—Head & Neck Surgery* 1986;112:1280.
17. Hanada T, FurutaS, Tateyama T, Uchizono A, Seki D, Ohyama M. Laser - Assisted Uvulopalatoplasty With Nd: YAG Laser for Sleep Disorders. The Laryngoscope 1996;106:1531-1533.
18. Hopf M, Hopf JUG, Rohde E, Müller G, Scheller EE, Scherer H. Endoscopically Controlled Laser Therapy of Recurrent Epistaxis with the 940 nm Diode Laser. *Medical Laser Application* 2002;17:231-241.
19. Ikeda K, Oshima T, Tanno N, Ogura M, Shimomura A, Suzuki H, *et al*. Laser-assisted uvulopalatoplasty for habitual snoring without sleep apnea: outcome and complications. *ORL* 1997;59:45-49.
20. JakobowiczM, Freche C, Delacour J, Durand J. [A new endonasal therapy: the endoscopic YAG laser]. In: *Annales d'oto-laryngologie et de chirurgie cervico faciale: bulletin de la Societe d'oto-laryngologie des hopitaux de Paris* 1989. p.21-25.
21. Kamami Y-V. Outpatient treatment of sleep apnea syndrome with CO_2 laser: laser-assisted UPPP. *The Journal of otolaryngology* 1994;23:395-398.
22. Kautzky M,Susani M, Leukauf M, Schenk P. Holmium: YAG-und Erbium: YAG-infrarotlaser-osteotomie. *Langenbecks Archiv fuer Chirurgie* 1992;377:300-304.
23. KawamuraS, Fukutake T, Kubo N, Yamashita T, Kumazawa T. Subjective results of laser surgery for allergic rhinitis. *Acta Oto-Laryngologica* 1993;113:109-112.
24. Kubota I. Nasal function following carbon dioxide laser turbinate surgery for allergy. American Journal of Rhinology 1995;9:155-161.
25. Lenz H,Eichler J. The effect of the argon laser on the vessels, the macro-and microcirculation of the mucosa of the hamster cheek-pouch. An intravitalmicroscopic study (author's transl). *Laryngologie, Rhinologie, Otologie* 1975;54:612-619.
26. Levin PS, StormoGipson DJ. Endocanalicular laser-assisted dacryocystorhinostomy: an anatomic study. *Archives of Ophthalmology* 1992;110:1488.
27. Levine HL. Endoscopy and the KTP/532 laser for nasal sinus disease. *Annals of Otology, Rhinology & Laryngology* 1989;98:46-51.
28. Lippert BM, Werner JA. CO_2 Laser in Rhinology. *Medical Laser Application* 2002;17:223-230.
29. Meer A, Tschopp K. Choanal atresia in premature dizygotic twins--a transnasal approach with Holmium: YAG-laser. Rhinology 2000;38:191-194.
30. OlthoffA, Martin A, Liebmann F. [Nd: YAG laser treatment of the lower turbinates with contact in hyperreflexic and allergic rhinopathy]. *Laryngo-rhino-otologie* 1999;78:240-243.
31. Oswal V, Bingham B. A pilot study of the holmium YAG laser in nasal turbinate and tonsil surgery. *Journal of clinical laser medicine & surgery* 1992;10:211-216.
32. Pazos G, Mair EA. Complications of radiofrequency ablation in the treatment of sleep-disordered breathing. *Otolaryngology-Head and Neck Surgery* 2001;125:462-467.
33. ParkinJ, Dixon J. Argon laser treatment of head and neck vascular lesions. Otolaryngology--head and neck surgery 1985;93:211-216.
34. Rosen N, Barak A, Rosner M. Transcanalicular laser-assisted dacryo-

cystorhinostomy. Ophthalmic Surgery, Lasers and Imaging Retina 1997;28:723-726.

35. Şapçi T, Şahin B, Karavus A, Akbulut UG. Comparison of the effects of radiofrequency tissue ablation, CO_2 laser ablation, and partial turbinectomy applications on nasal mucociliary functions. The Laryngoscope 2003;113:514-519.

36. Schmelzer B, Katz S, Vidts G. Long-term efficacy of our surgical approach to turbinate hypertrophy. *American journal of rhinology* 1999;13:357-361.

37. Shapshay SM, Rebeiz EE, Pankratov MM. Holmium: Yttrium aluminum garnet laser - assisted endoscopic sinus surgery: Clinical experience. The Laryngoscope 1992;102:1177-1180.

38. Siegel M, Keane W, Atkins Jr J, Rosen M. Control of epistaxis in patients with hereditary hemorrhagic telangiectasia. *Otolaryngology--head and neck surgery* 1991;105:675-679.

39. Silkiss RZ, Axelrod RN, Iwach AG, Vassiliadis A, Hennings DR. Transcanalicular THC: YAG Dacryocystorhinostomy. *Ophthalmic Surgery, Lasers and Imaging Retina* 1992;23:351-353.

40. VagnettiA, Gobbi E, Maria Algieri G, D'Ambrosio L. Wedge turbinectomy: a new combined photocoagulative Nd: YAG laser technique. *The Laryngoscope* 2000;110:1034-1036.

41. WernerJ. Behandlungskonzept der rezidivierenden Epistaxis bei Patienten mit hereditärer hämorrhagischer Teleangiektasie. *HNO* 1999;47:525-527.

42. WoloszkoJ, Gilbride C. Coblation technology: plasma-mediated ablation for otolaryngology applications. In: BiOS 2000 The International Symposium on Biomedical Optics: International Society for Optics and Photonics; 2000. p.306-316.

43. Zhang B. Comparison of results of laser and routine surgery therapy in treatment of nasal polyps. Chinese medical journal 1993;106:707-708.

CHAPTER

48

전신질환의 이비인후과적 발현

김동현

전신적 질환은 코와 부비강을 침범할 수 있다. 종종 코의 증상이 이러한 질환에서 조기에 나타날 수 있다. 또한, 전신적 질환의 코 증상 발현이 일반적인 치료에 반응하지 않는 비 부비강염 형태로 나타나기도 한다. 이비인후과 의사가 이러한 사실을 알고 이해하는 것이 비 부비강의 증상을 치료하는 것뿐만 아니라 전신적 질환을 조기에 진단할 수 있게 하고 치료 방침을 정하는 데 도움이 된다.

I 감염성 질환

1. 결핵(Tuberculosis)

결핵은 결핵균군(*Mycobacterium tuberculosis complex*)에 속하는 세균에 의한 감염성 질환으로 주로 폐를 침범하나, 결핵 환자의 1/3 정도는 폐 외의 장기에 병변을 일으키기도 한다.

비결핵(nasal *tuberculosis*)은 드문 질환으로 단독으로 올 수도 있으며 폐결핵과 연관되어 올 수도 있다. 비중격이나 비갑개의 전방부를 침범하여 궤양을 일으키거나 비중격 연골부에 천공을 만든다(그림 48-1).[29] 환자가 호소하는 증상은 비루, 통증, 비폐색 등이다.

세침흡인 생검을 하거나 항산균 도말이나 배양을 해 진단하는데 진단율이 높지는 않으며 조직검사와 동시에 중합효소 연쇄반응 검사를 해야 한다.[12] 항결핵제를 사용하여 치료하며 첫 2개월간 isoniazid, rifampin, pyrazinamide를 투여하고, 그 후 4개월간 isoniazid와 rifampin을 사용한다. 약제 내성이 있으면 ethambutol을 추가한다. 이상의 약제를 매일 경구 투여하는 것이 일반적이나 첫 2개월 이후에는 1주 2회만 투여해도 거의 같은 효과가 나타난다고 알려졌다.[15]

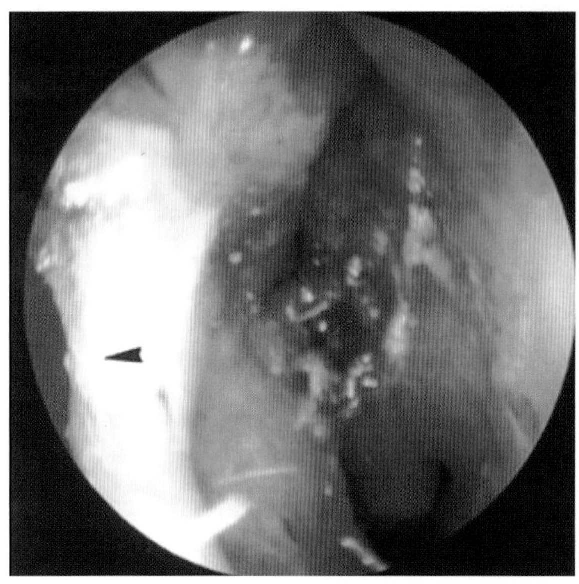

■ 그림 48-1. **좌측 비강의 내시경적 소견.** 비중격 천공(화살표)이 보이며 붉은색의 과립 병변과 가피가 보인다(출처: 박찬희, 김현이, 나기상, 박찬일. 비강 및 부비강에 발생한 결핵. Korean J Otorhinolaryngol-Head Neck Surg 2003:46(11):979-83) 중 Fig 3).

2. 나병(Leprosy)

나병은 *Mycobacterium leprae*에 의해 생기는 만성 질환으로 잠복기가 3~5년이다.

가장 흔한 증상은 지각탈실이다. 비점막에 침윤을 일으켜 만성적인 비충혈과 비출혈이 나타날 수 있으며 비연골을 침범하여 안장코가 발생할 수도 있다.[16] 초기에는 미정 나병(indeterminate leprosy)의 형태로 보통 하나의 저색소 침착성 반점을 보인다. 진행되면 결핵양 나병(tuberculoid leprosy), 경계형 나병(borderline leprosy), 나종 나병(lepromatous leprosy)의 형태를 나타내게 된다. 결핵양 나병은 신경침범이 주된 소견으로 안면신경 침범, 각막염과 각막궤양을 동반하는 안검마비를 초래할 수 있으며 나종 나병은 안구 전반부와 상부 기도를 침범할 수 있다. 병소 부위에 지각이상이 있고 나균의 존재가 밝혀지면 쉽게 진단할 수 있다. 검사방법으로는 피부도말 검사, lepromin test, 지각 검사, 병리조직 검사가 있다. 엽산 길항제인 dapsone (4, 4'-diamino-diphenylsulfone, DDS)이 선택적 치료약제이다.

Ⅱ 육아종성 질환 (Granulomatous disease)

여러 육아종성 질환들은 기도의 조직에서 잘 발생한다. 그것들에는 Wegener 육아종증, Churg-Strauss 증후군, 사르코이드증(sarcoidosis) 등이 포함된다. 이들은 종종 기도, 특히 상기도 비강부위의 국소적 염증반응이 관찰된다. Wegener 육아종증은 코에 증상을 흔히 나타낸다. 비록 매우 흔하게 코나 기도를 침범하지는 않지만, 사르코이드증이나 Churg-Strauss 증후군 또한 초기에 진단하는 데 도움이 되는 특징들이 있다.

1. 사르코이드증(Sarcoidosis)

Besnier-Boeck 질환이라고도 불렸던 사르코이드증은 만성적이며, 비건락 육아종(noncaseating granuloma)의 특징을 갖는 전신적 질환이다. 몸의 거의 모든 기관을 침범할 수 있다. 무증상에서부터 사망에 이르기까지 질환의 정도는 매우 다양하며 코 증상은 이 질환의 첫 임상소견일 수 있다. 병인은 아직 명확하지 않으며, 다양한 감염인자, 화학물질(beryllium, zirconium) 등이 제시되고 있다.[41] 사르코이드증은 전세계적으로 분포하고 있지만, 북유럽과 미국 남부, 오스트레일리아에서 더 높은 발생률을 보인다. 20세에서 40세에 가장 흔히 발생하며 여성이 남성보다 더 많이 이환된다. 또한 흑인이 백인보다 더 호발한다. 대부분 경우에 임상적인 경과는 양성이며 약 2년 내 자연소실되지만 약 10%는 폐섬유화로 더 진행된다. 폐가 사르코이드증에 영향을 주로 받는 기관이며 환자들은 호흡곤란, 흉통, 기침 같은 증상을 호소한다. 약 90%의 환자들

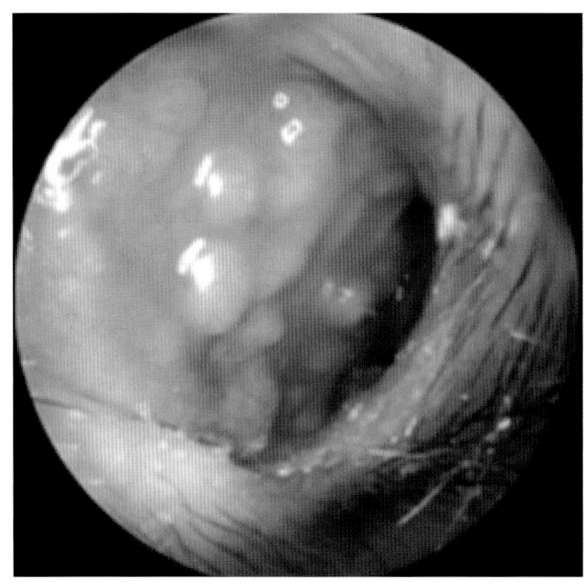

■ 그림 48-2. 비중격에 다발성 결절의 점막비후 소견이 보인다(출처: 홍용성, 최현석, 이성수, 임상철. 비강에 원발한 Sarcoidosis 1예. Korean J Otorhinolaryngol-Head Neck Surg 2008:51(10):938-41 중 Fig 1).

에서 흉강 내 림프선의 비대나 폐 실질의 침범 같은 소견을 보인다. 환자들의 약 40%에서 폐 외 기관의 육아종성 변화를 보인다. 비강이나 부비강의 침범은 매우 드물다. 사르코이드증의 환자군에서 조직학적으로 코 부위의 침범이 확인된 경우는 약 1~6% 정도이다.[26,40] 코를 침범하였을 때 가장 흔한 증상은 코막힘이며, 비출혈, 호흡곤란, 비통증, 유루증, 후각소실도 발생할 수 있다. 코 부위의 사르코이드증은 흔히 비중격이나 하비갑개의 점막을 침범한다. 비강 점막이 흔히 건조하고 가피와 더불어 손상되기 쉽다. 특징적으로 노란색을 띠는 점막하 결절이 발견되기도 하는데 이는 점막 조직검사에서 확인될 수 있는 육아종의 형태이다(그림 48-2). 더 진행되는 경우에는 불규칙한 폴립 모양의 점막이 보이는데 이는 부서지기 쉽고 출혈 경향이 있다. 더 심하면 비중격천공이나 비구강루도 발생할 수 있다. 부비강을 침범하여 부비강 내 점막의 비후나 혼탁화가 발생할 수 있다. 비골의 골 부위에 병변이 나타날 수도 있다. 이러한 병변은 골과 육아종의 반응에 의하며 골다공증이 산재한 형태로 보일 수 있다. 뼈 결합선이 사라지기도 하나 골막 반응은 없다.[19]

사르코이드증의 진단은 조직학적 검사와 방사선적 검사 소견, 면역학적 검사, 생화학적 검사 등 다양한 검사를 통합하여서 한다. 진단 시 임상적으로는 가피, 특징적인 노란색의 점막하 결절이나 부서지기 쉬운 폴립모양의 점막의 변화 소견이 있다. 폐에 대한 영상학적 검사가 필요하며 비부비강의 방사선적 소견은 대부분 코에 발생한 사르코이드증에서 비정상 소견을 보인다(그림 48-3). 폐소견으로는 폐문림프절 비대나 폐섬유화가 흔하다. 비 점막에서 방사성 갈륨(radioactive gallium)의 흡수가 증가한다.[12] Alkaline phosphatase 증가 소견이나 혈청이나 소변의 칼슘 증가 소견이 있다. 혈청 내 안지오텐신전환효소(angiotensin-converting enzyme)의 증가가 활동성 사르코이드증의 83%에서 발생한다. 이 검사는 현재 사르코이드증의 진단과 재발 감시에 매우 유용하다. 그러나 결핵, 림프종, 나병 같은 질환에서도 증가 소견이 있다는 것을 유념해야 한다. 그리고 매독 검사에서 혈청 음성반응이 나온다는 점도 도움이 된다. 사르코이드증의 확진은 비점막에서 다발 상피 모양 세포(multiple epithelioid cells)와 랑게르한스섬 거대세포(Langerhans giant cells)로 구성된 비건락육아종의 존재로 한다. 곰팡이나 항산성 간균의 음성반응은 진단에 도움이 된다.

조직학적 소견으로는 다발성 비건락육아종이 특징적이다. 사르코이드 육아종은 중심부에 농축된 상피모양세포와 주위에 림프구(lymphocyte), 섬유모세포(fibroblasts)로 구성된다(그림 48-4). 결핵, 나병, 베릴륨증(berylliosis), 과민성 폐렴, 곰팡이 질환과 만성 질환에서 발생하는 육아종과 유사한 형태로 나타난다.[10,39]

대부분의 사르코이드증은 2년 안에 특별한 치료 없이 자연적으로 완화된다. 안지오텐신전환효소가 증가되었거나 폐 외 침범이 있는 경우는 일반적으로 치료가 요구된다. 비부비강에 발생한 대개의 사르코이드증도 따라서 치료가 필요하다. 코의 증상은 비강세척이나 국소적 비강 스

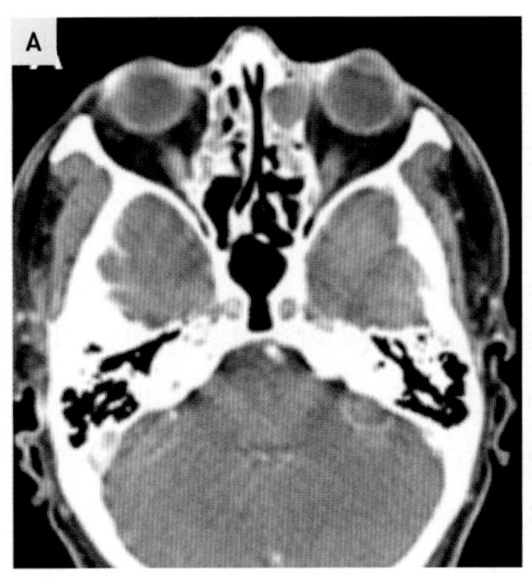

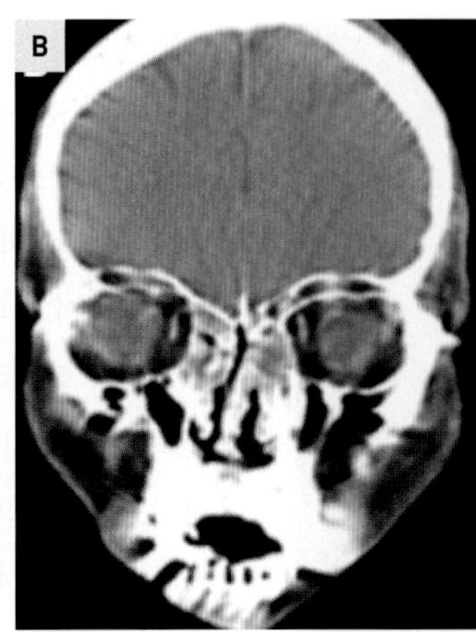

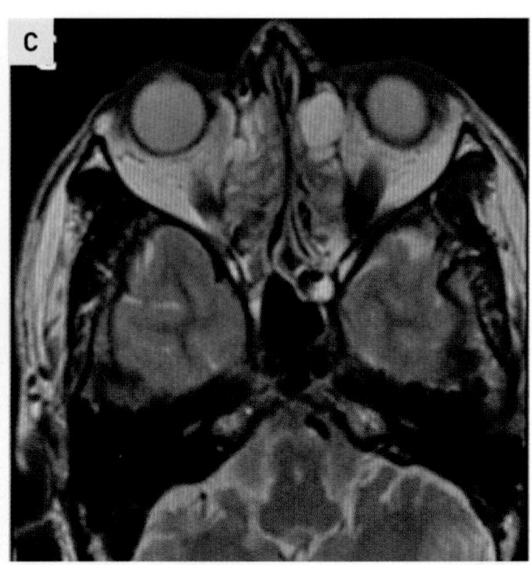

■ 그림 48-3. 전산화 단층 촬영(A,B) 및 자기공명영상(C)에서 양측 전사골동에 걸친 연조직 음영이 관찰되고 있다. 좌측 전사골동에 조영증강되지 않는 비교적 경계가 분명한 연조직 음영이 안와판과 비루관을 누르고 있다(출처: 이정학,김남식, 조진희, 이연수. 사골동에 발생한 사르코이드증 1예 Korean J Otorhinolaryngol-Head Neck Surg 2007:50(8):716-8. 중 Fig 1).

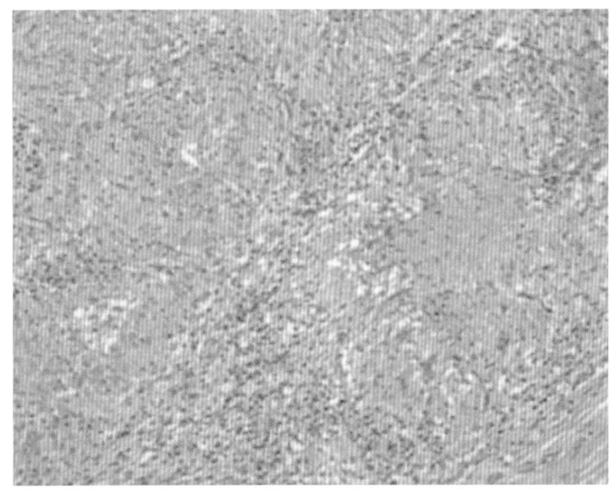

■ 그림 48-4. 비건락육아종 소견이 보이며 주위에 림프구 침윤 소견이 있다(H-E stainX100)(출처: 홍용성, 최현석, 이성수, 임상철. 비강에 원발한 Sarcoidosis 1예. Korean J Otorhinolaryngol-Head Neck Surg 2008:51(10):938-41. 중 Fig 3).

테로이드치료로 조절한다. 이차적 감염은 균 배양검사를 토대로 한 항생제 치료가 필요하다. 수술은 코막힘 증상이 있거나 만성적인 비부비강염이 있으면 유용할 수 있다. 비록 이러한 치료들이 근본적인 치료가 아닐지라도, 심한 증상을 호전시키고 전신적인 치료의 필요성을 감소시키는 데 도움이 된다.[23] 사르코이드증의 주된 치료는 전신적인 스테로이드 치료이다.[28] 만약 고농도의 전신적 스테로이드를 복용하고 있는 경우에 코의 증상이 재발하였을 때는 비강 내 스테로이드 치료는 스테로이드 복용량을 감소시키는 데 도움이 될 수 있다.

Methotrexate는 전신적인 스테로이드 치료가 금기시 될 때 고려될 수 있다.

2. Wegener 육아종증(Wegener granulomatosis)

Friedrich Wegener가 1939년도에 상하기도와 전신적 혈관염과 국소적인 괴사성 또는 증식성 사구체신염으로 특징되는 전신적 질환으로 처음으로 명명하였다.[1] 전형적인 Wegener 육아종증은 상기도와 폐, 신장에 질환이 있는 경우이다. Wegener 육아종증은 종종 중심성 육아종증(midline granuloma)과 혼동되는데, 중심성 육아종증은 림프종, 암종, 그리고 염증 과정을 포함한다. Wegener 육아종증은 외상성 육아종과 같은 육아종 비부비강염의 다른 원인과 감별되어야 한다. Wegener 육아종증은 생검, 조직병리학적 검사, c-ANCA (cytoplasmic antineutrophilic cytoplasmic antibody) 검사를 통하여 진단할 수 있다. Wegener 육아종의 유병률은 10만 명

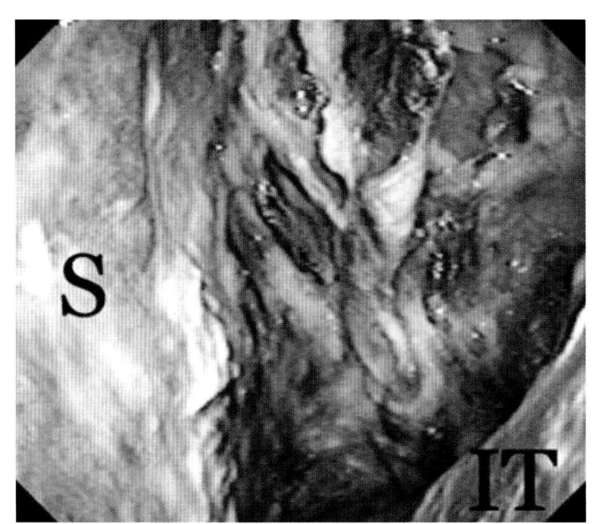

■ 그림 48-5. 비강은 짙은 노란색 괴사 조직으로 심하게 파괴된 소견이다. S: 비중격(nasal septum), IT: 하비갑개(inferior turbinate) (출처: 주영훈,신지현, 조진희, 김민식.양측 안면신경마비를 동반한 wegener씨 육아종 1예. Korean J Otorhinolaryngol-Head Neck Surg 2007:50(9):822-5. 중 Fig 1).

당 3명의 빈도이며 평균 발생 나이는 55세이고 남녀 성별에 따른 차이는 보이지 않는다.[9] 최근의 연구에 따르면 90% 정도에서 백인에게 발생하며 약 1~4% 정도가 아시아인, 히스페닉 등에서 발생한다고 한다.[35] Wegener 육아종증의 비과적 증상은 비울혈, 비중격 가피, 비루, 후각소실, 통증, 비출혈 등이 있다. 이러한 증상들은 비염, 부비강염, 비중격 천공 또는 경비 호흡관의 폐쇄로 진행할 수 있다. 비내시경의 전형적인 소견으로는 비점막의 자갈 모양변성, 부종, 가피가 있다(그림 48-5).[20] 그러나 이러한 증상의 심한 정도가 꼭 질환의 심한 정도를 나타내는 것은 아니다.

Wegener 육아종증의 비특이적인 많은 증상 때문에 진단과 치료가 늦어지는 경우가 종종 있다. Wegener 육아종증은 상기도에 증상에 의하여 특징되고 전신적인 소견이 거의 없는 경우도 있으나 폐에도 종종 침범하여, 기침, 객혈, 가슴 X-ray 상 공동 병변(cavity lesion)을 보이기도 하고 상기도, 하기도와 피부를 침범하고 진행하여 신장도 침범한다. 일단 신기능이 손상되면 적절한 치료를 하지 않으면 빠르게 신부전으로 진행한다.

임상적인 진단은 병력과 특징적인 비강 소견에 의한다. 비정상적인 적혈구 침강 속도(erythrocyte sedimentation rate), 혈색소, 혈청 크레아티닌, 혈청 c-ANCA 검사 소견을 보인다. c-ANCA 검사는 민감도가 70~90%지만 비교적 특이도가 높아 좋은 진단적 검사법으로 알려졌다.[31] 임상적으로 c-ANCA 역가의 증가가 있을 때는 질환이 활동성이거나 재발 가능성을 시사한다. 이러한 소견과 더불어 비생검 결과로 Wegener 육아종증을 진단할 수 있다. 비생검 시 비강 내 가피를 제거하고 그 후 비중격, 비저, 하비갑개 같은 부위로부터 염색이나 배양에 충분한 양의 조직을 얻어야 한다. 배양은 진균이나 항산균(*mycobacteria*) 같은 육아종성 염증 질환을 배제하는 데 필요하다.

조직학적으로는 중소 혈관염 소견이며 벽 내 또는 혈관 주위 괴사성 육아종성 병변을 보인다. 전형적으로 동맥, 세동맥, 모세혈관, 세정맥, 정맥을 침범한다. 그러나 큰 혈관들은 영향을 잘 받지 않는다(그림 48-6).

치료 방식은 질환이 다른 장기를 얼마나 침범하였는가에 따른다.[42] 치료방법으로는 크게 2가지로 나뉜다. 완화를 유도하는 치료와 완화를 유지할 수 있는 상태로 조절하는 치료이다. 완화를 유도하는 주 약제로는 cyclophosphamide (Cytoxan), methotrexate, 글루코코르티코이드(glucocorticoids)가 있다. 신장을 침범한 경우, 혈장 교환술(plasma exchange)을 하기도 한다. 흔히 사용되는 것은 cyclophosphamide이며 Methotrexate는 제한된 형태에서 cyclophosphamide 대신 사용되기도 한다. 글루코코르티코이드는 cyclophosphamide나 methotrexate와 함께 사용된다. 증상이 안정화된 이후에는 trimethoprimsulfamethoxazole로 효과적으로 유지할 수 있다.[32] 이는 부작용이 적고 재발을 방지하는 데 효과가 있는 것으로 알려졌다. 최근에는 이러한 약제에 저항성을 갖는 경우, Rituximab과 Mycophenolate

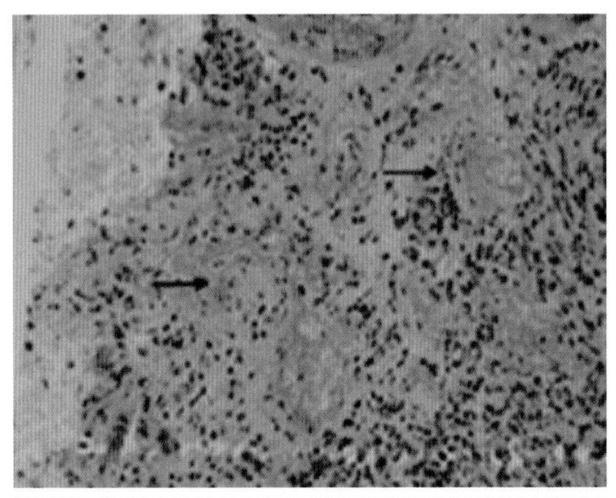

■ 그림 48-6. 혈관 주위를 침범하는 염증세포(화살표)를 동반한 혈관염 소견이 관찰된다(출처: 주영훈,신지현, 조진희, 김민식.양측 안면신경마비를 동반한 wegener씨 육아종 1예. Korean J Otorhinolaryngol-Head Neck Surg 2007:50(9):822-5 중 Fig 3).

mofetil 이 효과가 있다고 보고되었다.[34,36] 완화된 이후에는 안장코나 비중격 천공을 교정하기 위한 수술적 치료도 고려할 수 있다. 또한, 만성적인 비강 가피를 보이는 환자들에게 있어 내시경적인 비부비강 수술은 도움이 된다. 또한, 비강 세척은 치료하는 과정에 필요하며, 죽은 조직을 제거하는 것은 도움이 될 수 있다. 주된 사망원인은 신장 침범으로 인한 만성 신부전증이며, 5년 생존율은 약 70%로 알려졌다.

3. 쳐르그 스트라우스 증후군 (Churg-strauss syndrome)

쳐르그 스트라우스 증후군은 1951년에 처음 기술되었으며 알레르기 육아종성 혈관염으로 알려졌다.[6] 이는 중소 혈관에 영향을 미치며 평균 연령은 50세로 발생 남녀 성비는 같다. 유전적으로 HLA-DRB4와 연관이 있다.[38]

이는 기관지천식, 호산구증가증, 그리고 전신적인 혈관염을 동반한 육아종성 혈관염의 특징을 가지고 있다. 환자는 관절통, 기침, 객혈, 말초 신경통 등을 호소한다.

비강 내 가피와 폴립증과 연관이 있으며 Wegener 육아종증과 구별되게 비강 내 폴립과 천식을 동시에 보인다. c-ANCA는 음성을 보이며 p-ANCA (perinuclear antineutrophil cytoplasmic antibodies)는 70%의 환자에서 양성을 보인다. 사르코이드증에서는 보이지 않는 천식, 호산구증가증, 괴사성 육아종을 동반한 혈관염을 보여 사르코이드증과 구분할 수 있다.[30]

병리학적으로 중소 혈관들에 괴사성 혈관염을 특징적으로 보인다. 괴사성 혈관외액 육아종이 발견되며 혈관과 혈관주위 조직에 호산구가 현저하다. 스테로이드 치료가 표준적인 치료이나 cyclophosphamide가 생명을 위협하는 경우나 예후가 좋지 않을 것으로 예상하는 경우 사용된다.[8] 코의 증상과 비부비강염을 호전시키기 위해 항생제 치료가 필요할 수 있다.

III 종양 질환(Neoplastic diseases)

가장 주목할 코에 발현되는 종양성 전신 질환으로는 T 세포 림프종이다. 백혈병이나 B 세포 림프종도 코에 발현될 수 있다. B 세포 림프종은 비강이나 코인두의 종괴로 인하여 단측의 코의 막힘 증세를 나타낼 수 있다. 급성 백혈병은 상기도 감염과 같은 증세가 있거나 손상받기 쉬운 점막으로 인해 비출혈이 생길 수 있다.

1. T 세포 림프종(T cell lymphoma)

전에는 중심성 악성 세망증(midline malignant reticulosis) 또는 다형성 세망증으로 알려져 있었다. 이는 매우 드문 질환으로 진단하기가 힘들다. 오랜기간 완하되는 비율이 적다. 림프절외 확산 혹은 치료 영역외에서의 재발로 인하여 50% 사망한다.[21,7] 코에서의 T 세포 림프종은 구개인두 편도에서 발생하는 B 세포 기원의 림프종과는 다르다. 임상적인 증상으로는 대개 코막힘에서 시

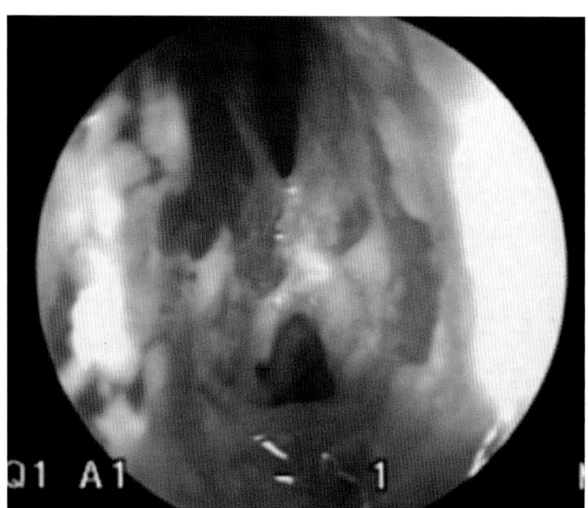

■ 그림 48-7. **비내시경 소견.** 비강이 매우 좁고 비강 내 갈색의 분비물 소견이 보인다. 비강 점막은 매우 부서지기 쉽다(출처: 오정현, 배경희, 안정현, 인승민. 위측성 비염 환자에서 이차적으로 발생한 비강 내 결절 외 NK/T 세포 림프종 1 예. Korean J Otorhinolaryngol-Head Neck Surg 2014:57(1):42-5. 중 Fig 2).

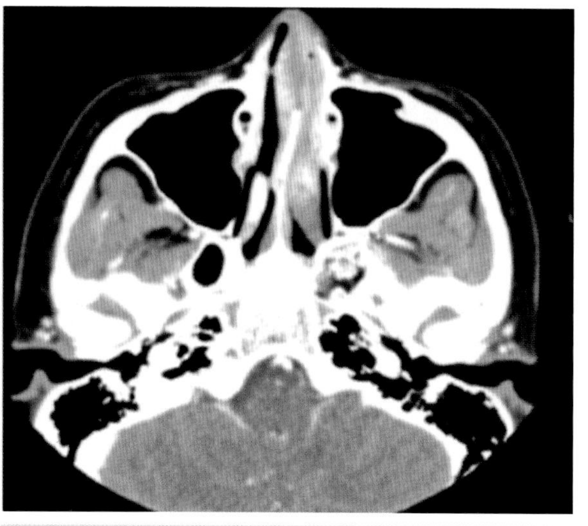

■ 그림 48-8. CT에서 미만성의 불규칙한 점막 비대와 골 벽의 경화, 좌측 하비갑개의 비균질 음영증가 소견이 관찰된다(출처: 오정현, 배경희, 안정현, 인승민. 위측성 비염 환자에서 이차적으로 발생한 비강 내 결절 외 NK/T 세포 림프종 1 예. Korean J Otorhinolaryngol-Head Neck Surg 2014:57(1):42-5. 중 Fig 3).

작하여 화농성 비루, 장액혈액성 분비물이 나온다. 증상이 진행될수록 편측의 점막 궤양이 구개, 부비강, 상구순으로 확장된다. 이는 미만성의 코 점막 궤양을 보이는 Wegener 육아종증과 구분된다. 점막은 창백하고 손상받기 쉬우며, 광범위한 가피가 종종 존재한다(그림 48-7). 구비강누공(Oronasal fistula)이 종종 발생하기도 하고, 약 40%에서 비중격 천공이 발생한다.[11] 한쪽의 코, 얼굴, 구개 또는 안구의 침범이 심하게 진행된다. 전신적인 증상은 진행되어진 경우에 더욱 뚜렷하다. 권태감, 야간 발한(night sweats), 열성반응(febrile episode), 관절통 등이 있다. 혈청학적 검사는 Wegener 육아종증과 유사하다. 다만, HIV (*human immunodeficiency virus*) 검사가 중요하게 포함된다. 비강의 생검은 진단에 도움이 되며 주위의 정상조직과 함께 조직을 얻는 것이 좋다. 전산화단층촬영은 질환의 정확한 평가를 위하여 반드시 필요한 검사이다. 대부분 조영증강되지 않으면서 고형 종양을 시사하는 소견을 보이는데 절반 이하에서 골파괴 소견을 보일 수 있고, 특히 크기가 큰 종양에서 더욱 뚜렷하게 관찰된다(그림 48-8).[18] 조직학적 검사에서 성숙, 미성숙, 비전형적인 림프구, 형질세포(plasma cells), 조직구(histiocytes,) 호산구, 포식 세포(macrophage)들로 구성된 다형성 림프구의 침윤이 있다. 이 침윤은 혈관 내 침습으로 특징지어지며 이는 혈관의 막힘이나 국소 조직의 경색을 일으킬 수 있다. 이로 인해 빠른 조직의 괴사나 허혈을 일으킬 수 있다. 면역조직학적 검사에서 T 세포와 관련된 CD2, CD7, CD45RO, CD43이 표지자가 확인되고 자연 살해세포(natural killer cell)의 표지자인 CD57,35가 확인된다(그림 48-9). 엡스타인-바 바이러스(*Epstein-Barr virus* (EBV))와 T 세포 림프종의 연관성은 종종 보고되었다. EBV 항체의 높은 역가를 보이는 T 세포 림프종 환자의 암세포에서 EBV DNA와 RNA의 검출이 보고되었다.[7,14,24] T세포 림프종의 발병기전에서 EBV의 원인적 역할이 강하게 제시되고 있다. 국소적인 경우는 방사선적 치료에 잘 반응한다. 그리고 화학 치료는 파종(disseminate)되었거

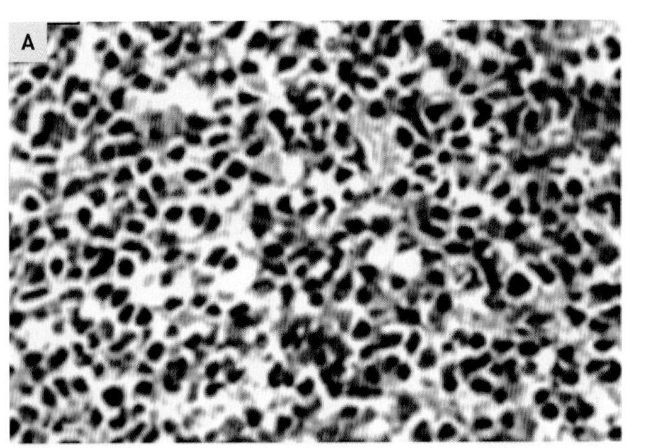

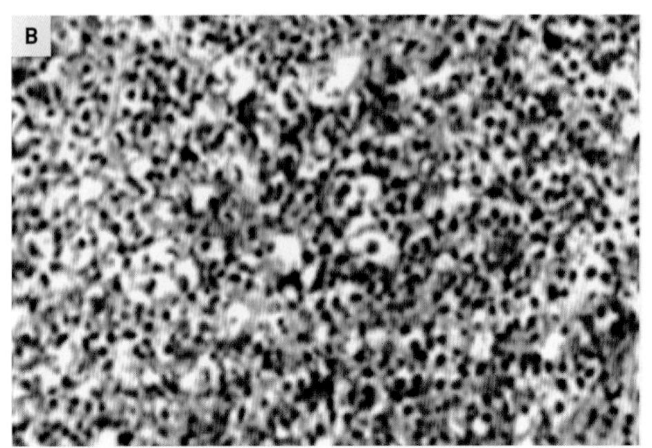

■ 그림 48-9. **A)** 크고 다양한 형태의 림프구들 침윤이 보인다(HE x 400). **B)** Anti CD45RO의 면역화학 염색검사에서 T 세포 림프종 소견이 보인다(출처: 조은영, 이재동, 김명구, 김민관. 급성 시력결손을 동반한 접형동에서 발생하여 터어키안 상부까지 침범한 T세포 림프종 1 예 Korean J Otorhinolaryngol-Head Neck Surg 2003:46(11):984-9 중 Fig 5).

나 재발한 경우에 유용하다. 현재는 원발 병소 조절과 조직 파종을 예방하기 위하여 다 제제 화학 치료와 더불어 방사선 치료가 초기 치료로 권유되고 있다.[7]

2. 백혈병(Leukemia)

백혈병은 골수와 다른 장기에 비정상적인 백혈구의 암성 증식 및 침윤을 보이는 질환이다. 소아기의 악성 종양 중 가장 빈도가 높고 림프종과 함께 전 소아기 악성 종양의 약 50% 이상을 차지한다. 권태감, 열, 자반, 치은종창 등이 흔히 나타나는 증상이다. 비점막에는 점상 출혈과 궤양성 병소가 나타나서 비출혈의 원인이 된다. 전반적인 골수 침범으로 인해 혈소판 생성이 감소하고, 간 침범으로 인해 응고 단백 합성이 감소하여 비출혈이 일어난다고 생각된다. 가능하면 팩킹과 소작을 하지 않고 치료해야 한다.

Ⅳ 자가면역질환

자가면역질환이 비강에 영향을 미칠 수 있다. 재발성 다발성 연골염은 코의 연골부에 영향을 미치고 전신홍반 루푸스(systemic lupus erythematosis)는 코나 비전정의 피부부위에 다발성 연골염을 일으킨다. 쇼그렌 증후군 환자는 가피와 비출혈을 유발하는 비강 건조증을 호소할 수 있다.

1. 재발성 다발성 연골염(Relapsing polychondritis)

재발성 다발성 연골염은 연골부위의 염증을 일으키는 류마티스 질환이며 그 병인은 아직 명확하지 않다. 대개 40대에 발생하며 남녀 성비는 유사하다. 발생률은 1백만 명당 3명꼴이다.[20]

전향적인 연구에서 McAdam 등은 귀의 연골염이나 관절병으로 절반의 환자가 내원하지만, 그 때에도 다기관의 침범은 있다고 하였다.[25] 재발성 다발성 연골염은 흔히 귀, 코, 기도(후두, 기관, 기관지), 관절의 연골부위에 침범한다. 전신적인 발현에는 귀 연골염, 청각과 전정기관의 손상, 다발성 관절염, 코의 연골염, 기관과 후두의 연골염, 눈의 염증, 심혈관계의 혈관염이다. 이 질환의 주된 사망 원인은 기도나 심혈관계 침범에 따른 이차 손상이다.

코에서는 가피, 비루, 비출혈 증상이 나타난다. 비연골 침범은 환자의 약 61%에서 생길 수 있다. 연골부위를 파괴하여 안장코를 유발할 수 있는 비중격 천공을 일으킨다

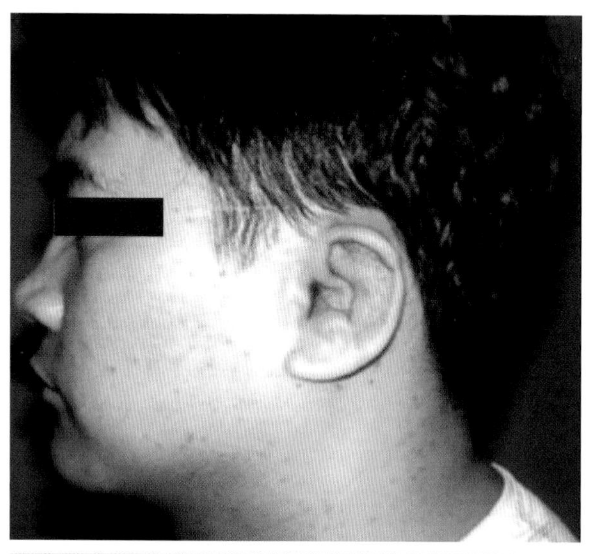

■ 그림 48-10. 홍반을 동반한 좌측 귀의 연골염 소견과 안장코 소견이 보인다(출처: 여상원, 김홍래, 윤종현, 박시내. 혈장반출로 호전된 내이증상을 동반한 재발성 연골염 1예. Korean J Otorhinolaryngol-Head Neck Surg 2005:48(10):1290-3. 중 Fig 1).

(그림 48-10).

McAdam 등은 재발성 다발성 연골염의 진단 기준을 처음으로 기술하였는데,[25] 이는 다음과 같은 세 가지 이상의 소견과 조직학적 확인이 필요하다. 1. 양쪽 귀의 연골염, 2. 미란이 아닌 음성혈청반응의 염증성 다관절염, 3. 코의 연골염 4. 눈의 염증, 5. 기도의 연골염 6. 청각, 전정기관의 손상. Kent 등의 진단기준은 McAdam의 기준에 더하여 연골염의 조직학적 확인과 병변의 두 군데 이상에서 스테로이드 치료에 대한 반응이 있어야 한다고 하였다.[20]

혈청학적 소견은 비특이적이다. 적혈구 침강속도(erythrocyte sedimentation rate), C-반응 단백질(C-reactive protein), 항핵항체(antinuclear antibodies)가 비정상적으로 나타날 수 있다. Zeuner 등은 재발성 다발성 연골염과 HLA-DR4과의 연관성을 기술하였다.[43] 폐기능검사, 가슴 X-ray, 심초음파, CT, MRI가 진단과 병의 정도를 결정하는 데 도움이 된다.

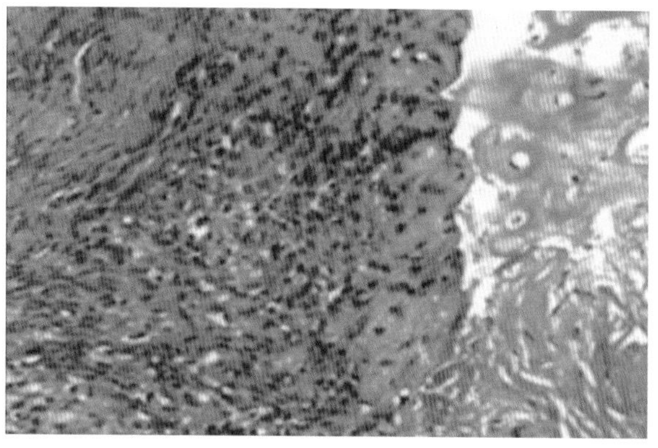

■ 그림 48-11. 염증세포의 침윤이 있는 변성된 연골 소견이 보인다(H- E stain, X100) (출처: 여상원, 김홍래, 윤종현, 박시내. 혈장반출로 호전된 내이증상을 동반한 재발성 연골염 1예. Korean J Otorhinolaryngol-Head Neck Surg 2005:48(10):1290-3. 중 Fig 2).

코의 생검 조직은 연골용해(chondrolysis), 연골염(chondritis), 연골막염(perichondritis) 소견을 보인다. 연골은 H-E 염색에서 호염기성을 잃고 림프구, 중성구, 형질세포의 침범이 연골막에서 명확해 진다. 연골의 손상, 대식세포의 침윤과 섬유상 결합조직으로의 대체가 보인다(그림 48-11).

Prednisone은 질병 활성도를 억제하는 데 효과적이다. Prednisone에 반응하지 않으면 methotrexate, cyclophosphamide나 azathioprine과 같은 면역억제제를 사용한다.

V 면역결핍질환 (Immunodeficiency diseases)

비과에서의 면역결핍은 두 형태에서 중요하다. 후천성 면역 결핍 증후군 AIDS (acquired immune deficiency syndrome)에서 코의 발현과 암이나 혈액학적 질환의 화학치료로 말미암아 의인성(iatrogenic) 면역결핍으로 염증 등이 발생하는 경우이다. 이 두 형태는 코의 염증성 질환을 진단하고 치료하는 데 어려움을 일으킬 수 있다.

1. 비부비강염

면역이 저하된 환자에서의 비부비강염은 일반인에게서 유발하는 병인체와 동일하나 좀 더 미묘한 세균의 감염 증상이 있다. 치료는 유사하며 항생제와 수술적 방법이 있다. 합병증은 안와 주위염이나 안와 농양이 다소 미묘하게 나타날 수 있다. CT상 농양이 명확해지기 이전에 절개적 치료가 이루어질 수 있다.

진균성 부비강염은 면역이 저하된 환자에서 나타나기도 하며 비과영역에서 진단과 치료는 중요하다. 아스페르길루스(*Aspergillus*)나 털곰팡이(*Mucor*)가 흔한 곰팡이 감염이다. 병에 걸린 환자에게서는 혈성 분비물이나, 얼굴 통증, 부종(edema), 열, 부기(swelling)가 발생한다. 이 질환은 종종 빨리 침습적으로 진행되어 안면 연조직염, 비강이나 부비강 내 점막의 괴저성(gangrenous) 변화, 감각 저하, 뇌 신경 마비, 시력 손상, 안구돌출(proptosis)이 생길 수 있다. 비강이나 입천장에서 창백하거나 회색빛의 점막이 보이거나 전형적인 검은색의 중비갑개가 관찰된다. 통증의 감소나 비강의 감각 저하는 의심할 수 있는 징후이다. 소량의 조직검사가 이루어져야 하며 이를 이용하여 배양과 Gomori methanamine 염색을 포함한 현미경적 검사를 해야 한다. CT에서는 파괴적인 골 병변이 나타나기도 한다. 당뇨 환자에게서는 당의 조절이 필요하고 생검이나 배양검사를 통하여 아스페르길루스나 털곰팡이가 확인된 경우는 약물치료가 필요하다. 현재의 항진균치료는 amphotericin B를 전신적으로 투여하고 비강세척을 한다. voriconazole이나 posaconazole이 사용되기도 한다. 만약 환자가 수술적 치료를 감당할 수 있는 상태라면 내시경적으로 죽은 조직제거술(debridement) 같은 술식이 시행되는 것이 좋다.

1) 아스페르길루스증(Asperfillosis)

아스페르길루스증은 한국인 진균증 중 약 18.5%를 차지하며 남녀의 비는 2:1이고 모든 연령층에서 발생할 수 있다. *Aspergillus fumiganus* 감염이 가장 많으며 대부분 면역저하 환자에서 일어난다.

알레르기성 아스페르길루스증은 주로 천식의 과거력이 있는 환자에서 기관지 천식 형태로 발병하며 비아토피성인 사람에서는 흡입한 아스페르길루스 포자가 Ⅲ형, Ⅳ형 과민반응을 일으킴으로써 알레르기성 폐포염이 생긴다.

비강에서는 숙주의 면역상태에 따라 아스페르길루스종(aspergilloma) 만성 무통성 아스페르길루스증, 전격성 아스페르길루스종, 알레르기성 부비강 아스페르길루스증 등의 형태로 나타난다. 아스페르길루스종은 숙주의 면역이 정상이면 감염을 이겨냄으로써 흔히 상악동 내에 국한된 종괴 양상으로 많이 발견되며, 전격성 아스페르길루스증은 면역억제 상태 또는 병약한 환자에서 기회감염으로 생기며 상피층을 파괴하고 인접 조직으로 침투하여 증상을 유발한다.

2) 모균증(*Mucormycosis*)

모균증은 주로 기회 감염의 형태로 나타나며 원인균은 조균속에 속하는 *Rhizopus*, *Rhizomucor*, *Mucor*, *Absidia* 등이다. 주로 당뇨병성 케토산 혈증(diabetic ketoacidosis), 진행된 백혈병, 림프종, 면역결핍증 환자, 장기이식 환자나 광범위 항생제, 스테로이드 또는 세포독성 치료 등을 받는 환자들에게 많이 생긴다. 비강, 폐, 장관이 흔한 발병 장소이다. 비강 내 감염이 있는 경우에는 혈성 삼출액과 함께 비 점막에 흑색의 괴사성 가피를 형성하며 진행되는 경우에는 진균이 비강, 안구, 뇌로 퍼져서 비뇌 모균증(rhinocerbral *mucormycosis*)을 일으킬 수도 있다.

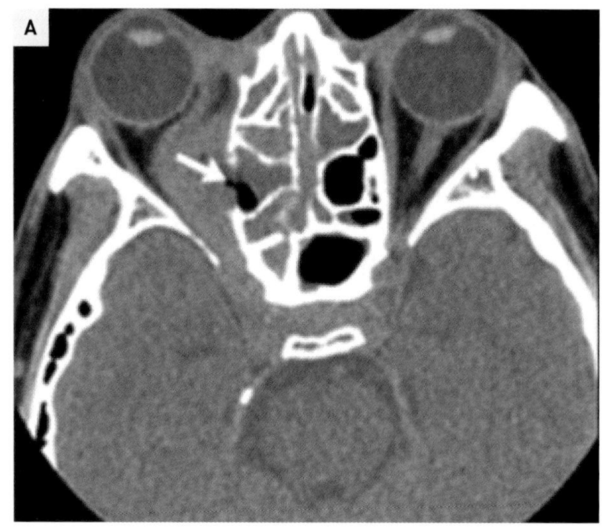

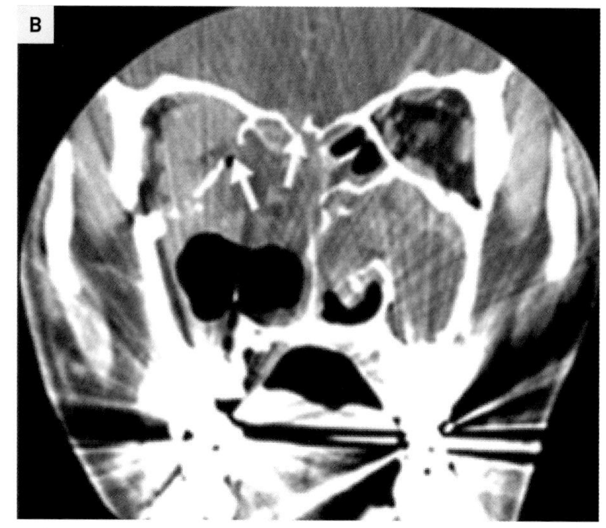

■ 그림 48-12. **A)** 비부비강에 부비강염 소견과 함께 비 용종 소견이 보인다. **B)** 우측 안구와 전두엽으로 골결손 부위(화살표)를 통하여 병변이 침범되는 소견이 보인다(출처: 장형준, 조규섭, 이선희, 노환중. 후천성면역결핍증 환자에서 발생한 부비강염과 동반된 B세포 림프종 1예. Korean J Otorhinolaryngol-Head Neck Surg 2007:50(12):1170-4. 중 Fig 2).

2. 후천성 면역 결핍증(Acquired immune deficiency syndrome; AIDS)

AIDS는 HIV라는 병원체가 T 보조 세포(T-helper cell)를 공격하는 것으로 알려진 상태에서 면역 결핍의 다른 이유 없이 세포 면역결핍으로 인하여 하나 또는 그 이상의 기회감염 질환이 존재하는 증후군으로 알려졌다.

가장 흔한 코의 발현은 만성 비염이고 11~70%에서 부비강염이 오는데 면역결핍, 점막 섬모의 기능부전 등이 그 원인이다.[22] 환자들은 건조감, 가피, 코 울혈, 부분적인 코막힘, 그리고 통증이나 불편감을 호소한다. 화농성 비염은 *cytomegalovirus*의 이차적 발현에서 보인다.

다른 비부비강염의 원인으로는 폐렴 연쇄구균(*Streptococcus pneumoniae*), 헤모필루스 인플루엔자(*Haemophilus influenzae*), 레기오엘라 프로우모필라(*Legionella pneumophila*), 크립토코쿠스 네오프르민스(*Cryptococcus neoformans*), 카스텔란가시아메바(*Acanthamoeba castellanii*)가 제시되었다.

Meiteles 과 Lucente는 초기 비부비강염의 치료로 항생제와 비충혈제거제(decongestant)의 투여를 제시하였고 이 치료가 실패하였을 때는 상악동 세척과 배양이 시행되어야 한다고 하였다. 그리고 만약 효과가 불충분할 때에는 수술적 치료가 필요하다 하였다.[27]

환자에게서 양성 종양이나 악성 종양이 또한 존재할 수 있으며, 이럴때 경우 코 막힘, 난청, 부패한 냄새가 나는 비분비물을 호소할 수 있다(그림 48-12).[44] 비강이나 코인두를 조직 검사하였을 때 양성 림프 비대와 함께 비 호지킨 림프종이 보일 수 있다. 비호지킨 림프종은 부비강, 비인두를 침범하여 비폐색, 구강 종물, 안구돌출, 복시 등의 국소증상을 일으키고 전신 증상도 나타낸다. 예후가 나빠 평균 생존율이 3.5개월이다. 코의 피부, 전정부, 비강, 비중격, 비인두에서 카포시 육종(Kaposi sarcoma)이 나타나기도 한다.[27] 코막힘, 분비물, 비출혈을 호소하며 이학적 소견상 결절 모양의 자색(violaceous) 병변을 보인다. 그 외에도 거대 포진성 궤양이 비전정에서 안면부까지 발생할 수 있다. 이러한 종양들의 치료는 보존적 치료이나 가능하다면 화학 치료와 방사선 치료를 한다.

Ⅵ 피부 질환들(Cutaneous diseases)

특정한 자가면역이나 교원 혈관병(collagen vascular disorders)의 코의 발현은 흔하지 않다. 하지만 몇몇 질환들에서는 코에 심한 증상을 가져올 수 있다.

1. 심상성 천포창(Pemphigus vulgaris)

자가면역 기원으로 추정되는 흉터 없는 수포성 피부염(bullous dermatitis)으로 특징지어지는 흔한 점막 피부 물집 질환이다. 심상성 천포창은 가장 흔한 종류로 중년에서 호발하며 여성에게 많다. 구강이 가장 흔한 두경부와 관련되어 침범하는 부위이나 약 10%의 환자에서는 비강 점막에도 침범한다. 박리 궤양 병변이 보이며, 외비에 더 발생한다. 비중격 앞부위에서 궤양과 더불어 천공이 있는 경우도 보고되었다. 면역 억제제와 더불어 스테로이드가 주된 치료방법이다.

2. 유천포창(Pemphigoid)

유천포창은 물집(blister)과 반흔(scar)형성으로 특징되는 드문 질환이다. 병인으로는 자가면역으로 추정된다. 유사천포 창은 두 개의 범주로 나뉜다. 반흔성 유천포창(cicatricial pemphigoid)은 점막을 흔히 침범하고 수포성 유천포창(bullous pemphigoid)은 피부에 국한된다. 코의 발현은 병에 걸린 환자의 25~50%에서 발생한다.[17] 가장 흔히 침범하는 부위는 코의 앞부위이며 이 부위에서 통증과 더불어 궤양성 가피가 발견된다. 반흔 형성이 비판막(nasal valve)영역에서 흔히 발생하나 비인두에서도 생긴다. 반흔이 양쪽에서 있을 수 있는데 이는 부분적 또는 전체적으로 코막힘을 일으킨다.[13] 치료는 증상 경감을 위한 대증요법을 시행하며, 스테로이드제, 면역억제제가 사용된다.

3. 피부경화증(Scleroderma)

피부경화증은 병인이 잘 알려지지 않은 전신적인 질환이다. 대칭적인 피부의 경직과 혈관 부전이다. 두경부 발현이 매우 흔하며 피부와 구강을 자주 침범한다. 코에서는 점막의 모세혈관 확장으로 인하여 비출혈을 유발한다. 치료는 대증적으로 한다.

4. Behcet 증후군

Behcet 증후군은 구강궤양, 생식기의 궤양과 안구의 염증을 포함하는 질환이다. 전형적인 아프타(aphthous) 궤양을 코점막에서도 발견할 수 있다. 이 병변은 전형적으로 흉터 없이 치유되나 비루, 비중격 천공과 통증을 유발할 수 있다. 치료로는 면역억제제와 더불어 대증적으로 치료하는 방법이 있다.

5. 유전성 출혈성모세혈관확장증(Hereditary hemorrhagic telangiectasia)

유전성 출혈성 모세혈관확장증(Osler-Weber-Rendu disease)은 상염색체 우성 질환으로 피부와 점막의 혈관 구조에 영향을 미친다. 모세혈관 확장으로 자발적인 출혈이 생기며 비출혈이 가장 흔한 증상이다. 비출혈은 경증에서부터 심한 증상까지 다양하다. 환자들은 특히 비출혈, 장 출혈로 인해 빈혈이 있으며 소화기계의 혈관 벽에 근육조직과 탄성조직이 결여되어 모세혈관이 확장되어 있다. 입술, 혀, 비점막, 조상(nail bed)에는 다수의 작은 푸른빛의 모세혈관 확장이 있을 수 있다(그림 48-13). 치료로는 소작술(cauterization), 레이저 제거술(laser ablation), 비중격 피부성형술(septal dermatoplasty), 에스트로젠 치료, 색전술이 있다. 반복적인 소작술은 비중격 천공을 유발할 수 있다. 비중격 피부성형술은 반복된 소작으로 형성된 비중격 천공 부위에 출혈이 심한 경우 효

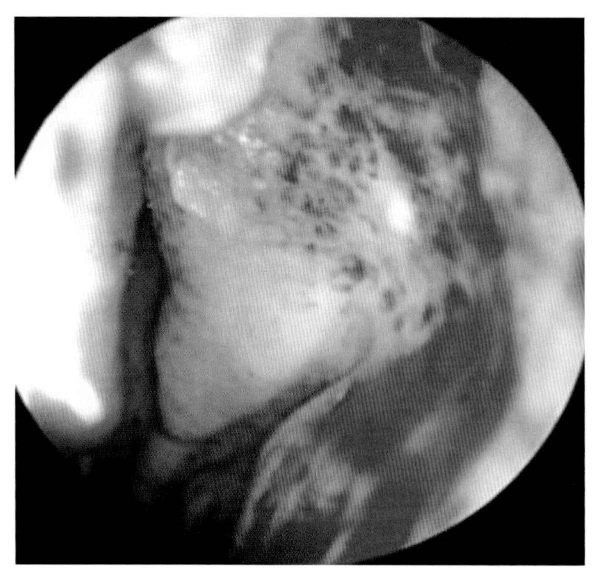

■ 그림 48-13. **비내시경 소견.** 좌측 비강의 측 벽에서 다수의 모세혈관 확장 소견이 관찰된다(출처: 송정환, 김현준, 윤용로, 김윤태. 비강 내 국소 에스트로겐으로 치료한 유전성 모세혈관확장증 1예. Korean J Otorhinolaryngol-Head Neck Surg 2006;49(4):447-50. 중 Fig 2).

과적인 치료방법이다.

Ⅶ 점액 섬모질환(Mucociliary diseases)

비강과 부비강의 염증에 대한 주된 방어 기전은 점액 섬모체계이다. 이 체계의 생리에 관한 철저한 연구가 최근 시작되었고, 점액 섬모체계로 부비강염을 예방하는데, 그 역할이 섬모 기능 부전 증후군이나 낭성 섬유증(cystic fibrosis)에서 점액 섬모 결핍의 효과로 입증되었다. 섬모 기능을 평가하는 새로운 방법들로 이러한 질환을 잘 진단할 수 있을 것이며 좋지 않은 예후가 조기 치료로 조절될 수 있을 것이다.

1. 일차성 섬모운동 이상증(Primary ciliary dyskinesia)

일차성 섬모운동 이상증은 처음에 Kartagener 증후군과 관련이 있다고 기술되었다. 이 운동 이상증은 어린 시절에 시작되는 만성 호흡기 질환으로 특징지어지며 이는 후에 만성 비염, 부비강염, 기관지확장증, 만성 기침, 중이염과 불임을 일으킨다. 발생 빈도는 15,000~30,000 명당 1명꼴이며 상염색체 열성 질환으로 추정된다.[4] 일차성 섬모운동 이상증은 사카린 검사로 진단될 수 있다. 사카린 알약을 하비갑개 전방부에 놓고 환자가 단맛을 느낄 때까지의 시간을 측정한다. 정상인은 대략 최대 30분 정도 소요된다. 그러나 이 검사 결과는 다른 여러 인자에 영향을 받을 수 있고 증상의 특정한 병인을 확인할 수는 없다. 작은 솔을 이용하여 코로부터 살아 있는 섬모세포를 얻어 분석하는 세포검사가 있다. 세포검사는 다양한 간격을 두고 시행되어야 하며 섬모운동 빈도의 감소가 확인되면 진단할 수 있다. 치료는 항생제와 비강세척을 포함하여야 한다. 수술은 분비물이 나오는 양식에 따라 만성이나 재발성 감염이면 시행할 수 있다. 그러나 적절한 수술을 하였을 때라도, 오랫동안 항생제와 비강세척은 증상 조절을 위하여 필요할 것이다.

2. 낭성 섬유증(Cystic fibrosis)

낭성 섬유증은 백인에 흔하고 아시아인에게는 희귀한 질환으로 상염색체 열성으로 유전을 한다. 염색체 7q31-32의 돌연변이와 연관이 있다.[3] 이는 낭성 섬유성 유전자의 결함에 의하여 유발된다. 낭성 섬유증은 장 흡수 장애를 동반한 췌장 부전, 만성 비부비강염, 만성 폐 질환의 임상 양상을 가진 외분비 증상으로 특징된다.[3] 환자들은 비부비강 질환으로 이비인후과에 흔히 방문한다. 코에서는 한쪽 또는 양쪽에 비용종이 발생하고 이는 폐쇄성 비부비강염을 초래한다. 환자들은 전형적으로 코막힘과 코 분비물을 호소한다. 낭성 섬유증은 이비인후과에 방문하기 전 대개 진단되는 경우가 많지만, 어린이로서 비 용종을 가지는 경우는 의심해 보아야 한다. 2회 이상 땀에서 염소 농도가 60 mmol/L 이상이면 진단할 수 있으며, 의심이 되는 경우에는 DNA genotyping으로 확진할 수 있다. 특이한 비 증상으로는 간헐적인 코막힘과 더불어 투명하지만 짙은 비루와 비용종이 있다. 만성 비용종은 콧날비량(nasal bridge) 간격을 넓힌다. 방사선학적 검사에서 특히 전두동에서 보일 수 있는 부비강의 성숙 미숙과 만성 부비강염 소견을 보인다. CT상 비용종과 비강 측 벽의 내측 돌출, 상악동의 점막 저류 소견이 보인다. 비록 낭성 섬유증 환자의 모든 경우에서 방사선학적으로 부비강염 소견을 보이나[2,33] 실제로 약 10%에서만 증상을 보인다.[5] 그러므로 환자의 병력은 치료를 결정하는 데 중요하다. 가장 흔한 병원체는 녹농균(*Pseudomonas aeruginosa*)과 황색포도상구균(*Staphylococcus aureus*)이다. 치료 시 소아청소년과 의사, 호흡기 내과 의사, 이비인후과 의사, 감염내과 의사 간의 협진이 필요하다. 코의 증상 치료는 비 기도의 확보를 유지하는 것과 감염 예방하는 데 중요하다. 또한, 직접 문제가 되는 세균에 대한 장기간의 항생제 치료가 필요할 수 있다. 비강 세척과 국소 스테로이드 제제는 도움이 된다. 비용종 수술과 부비강 수술은 약물치료가 실패한 경우 시행할 수 있으며 수술은 심한 폐쇄성 폐 질환 가능성 인식하에 호흡기 내과와 마취과의 동의하에 시행되어야 한다.

참고문헌

1. Agostini HT, Bräutigam P, Löffler KU. Subretinal tumour in a patient with a limited form of Wegener's granulomatosis. Acta Ophthalmol Scand. 1995;73:460-463.
2. April MM, Zinreich SJ, Baroody FM, et al. RM.Coronal CT scan abnormalities in children with chronic sinusitis.Laryngoscope. 1993;103:985-990.
3. Barker PE.Gene mapping and cystic fibrosis.Am J Med Sci. 1990;299:69-72.
4. Buchdahl RM, Reiser J, Ingram D, et al. Ciliary abnormalities in respiratory disease.Arch Dis Child. 1988;63:238-243.
5. Cepero R, Smith RJ, Catlin FI, et al. Cystic fibrosis-an otolaryngologic perspective.Otolaryngol Head Neck Surg. 1987;97:356-360.
6. Churg J, Strauss L. Allergic granulomatosis, allergic angiitis, and periarteritis nodosa.Am J Pathol. 1951;27:277-301.
7. Cleary KR, Batsakis JG.Sinonasal lymphomas.Ann Otol Rhinol Laryngol. 1994;103:911-914.
8. Cohen P, Pagnoux C, Mahr A, et al. Churg-Strauss syndrome with poor-prognosis factors: A prospective multicenter trial comparing glucocorticoids and six or twelve cyclophosphamide pulses in forty-eight patients.Arthritis Rheum. 2007;57:686-693.
9. Cotch MF, Hoffman GS, Yerg DE, et al. The epidemiology of Wegener's granulomatosis. Estimates of the five-year period prevalence, annual mortality, and geographic disease distribution from population-based data sources. Arthritis Rheum. 1996;39:87-92.
10. Coup AJ, Hopper IP.Granulomatous lesions in nasal biopsies.Histopathology. 1980;4:293-308.
11. Davison SP, Habermann TM, Strickler JG, et al. Nasal and nasopharyngeal angiocentric T-cell lymphomas.Laryngoscope. 1996;106:139-143.
12. Eguchi J, Ishihara K, Watanabe A, et al. PCR method is essential for detecting Mycobacterium tuberculosis in oral cavity samples.Oral Microbiol Immunol. 2003;18:156-159.
13. Fleming MG, Valenzuela R, Bergfeld WF, et al. Mucous gland basement membrane immunofluorescence in cicatricial pemphigoid.Arch Dermatol. 1988;124:1407-1410.
14. Furukawa M, Sakashita H, Kimura Y, et al. Association of Epstein-Barr virus with polymorphic reticulosis.Eur Arch Otorhinolaryngol. 1990;247:261-263.
15. Gilbert DN. The Sanford Guide to Antimicrobial Therapy,34th ed. Hyde Park, VT: Antimicrobial Therapy, Inc., 2004, pp.85-92
16. Gupta A, Seiden AM.Nasal leprosy: case study.Otolaryngol Head Neck Surg. 2003;129:608-610.
17. Hanson RD, Olsen KD, Rogers RS 3rd.Upper aerodigestive tract manifestations of cicatricial pemphigoid.Ann Otol Rhinol Laryngol. 1988;97:493-699.
18. Hmidi M, Kettani M, Elboukhari A, et al. Sinonasal NK/T-cell lymphoma.Eur Ann Otorhinolaryngol Head Neck Dis. 2013;130:145-147.
19. James DG, Barter S, Jash D, et al. Sarcoidosis of the upper respiratory tract (SURT).J Laryngol Otol. 1982;96:711-718.
20. Kent PD, Michet CJ Jr, Luthra HS.Relapsing polychondritis.Curr Opin Rheumatol. 2004;16:56-61.
21. Kouzaki H, Kitanishi T, Kitano H, et al. Successful treatment of disseminated nasal T-cell lymphoma using high-dose chemotherapy and autologus peripheral blood stem cell transplantation: a case report. Auris Nasus Larynx. 2004;31:79-83.
22. Lacovou E, Vlastarakos PV, Papacharalampous G, et al. Diagnosis and treatment of HIV-associated manifestations in otolaryngology.Infect Dis Rep. 2012;4:e9.
23. Long CM, Smith TL, Loehrl TA, et al. Sinonasal disease in patients with sarcoidosis.Am J Rhinol. 2001;15:211-215.

24. Makoshi T, Takahashi H, Kameya T, et al. Detection of epstein-barr virus in nasal T-cell lymphoma.Acta Otolaryngol Suppl. 2002;547:46-49.
25. McAdam LP, O'Hanlan MA, Bluestone R, et al. Relapsing polychondritis: prospective study of 23 patients and a review of the literature. Medicine (Baltimore). 1976;55:193-215.
26. McCaffrey TV, McDonald TJ. Sarcoidosis of the nose and paranasal sinuses.Laryngoscope. 1983;93:1281-1284.
27. Meiteles LZ, Lucente FE.Sinus and nasal manifestations of the acquired immunodeficiency syndrome.Ear Nose Throat J. 1990;69:454-459.
28. Milton CM. Sarcoidosis in ENT practice.Clin Otolaryngol Allied Sci. 1985;10:351-355.
29. Nayar RC, Al Kaabi J, Ghorpade K. Primary nasal tuberculosis: a case report.Ear Nose Throat J. 2004;83:188-191.
30. Olsen KD, Neel HB 3rd, Deremee RA,et al. Nasal manifestations of allergic granulomatosis and angiitis (Churg-Strauss syndrome).Otolaryngol Head Neck Surg (1979). 1980;88:85-89.
31. Radice A, Bianchi L, Maggiore U, et al. Comparison of PR3-ANCA specific assay performance for the diagnosis of granulomatosis with polyangiitis (Wegener's).Clin Chem Lab Med. 2013;51:2141-2149.
32. Regan MJ, Hellmann DB, Stone JH.Treatment of Wegener's granulomatosis.Rheum Dis Clin North Am. 2001;27:863-886.
33. Sakano E, Ribeiro AF, Barth L, et al. Nasal and paranasal sinus endoscopy, computed tomography and microbiology of upper airways and the correlations with genotype and severity of cystic fibrosis.Int J Pediatr Otorhinolaryngol. 2007;71:41-50.
34. Sánchez-Cano D, Callejas-Rubio JL, Ortego-Centeno N.Effect of rituximab on refractory Wegener granulomatosis with predominant granulomatous disease.J Clin Rheumatol. 2008;14:92-93.
35. Seo P, Stone JH. The antineutrophil cytoplasmic antibody-associated vasculitides. Am J Med. 2004;117:39-50.
36. Stassen PM, Tervaert JW, Stegeman CA.Induction of remission in active anti-neutrophil cytoplasmic antibody-associated vasculitis with mycophenolate mofetil in patients who cannot be treated with cyclophosphamide.Ann Rheum Dis. 2007;66:798-802.
37. Sulavik SB, Palestro CJ, Spencer RP, et al. Extrapulmonary sites of radiogallium accumulation in sarcoidosis.Clin Nucl Med. 1990;15:876-878.
38. Vaglio A, Martorana D, Maggiore U, et al. HLA-DRB4 as a genetic risk factor for Churg-Strauss syndrome.Arthritis Rheum. 2007;56:3159-3166.
39. Waldman RH.Tuberculosis and the atypical mycobacteria.Otolaryngol Clin North Am. 1982;15:581-596.
40. Wilson R, Lund V, Sweatman M, et al. Upper respiratory tract involvement in sarcoidosis and its management.Eur Respir J. 1988;1:269-272.
41. Wright RE, Clairmont AA, Per-Lee JH, Butz WC. Intranasal sarcoidosis.Laryngoscope. 1974;84:2058-2064.
42. Wung PK, Stone JH. Sinusology Therapeutics of Wegener's granulomatosis. Nat Clin Pract Rheumatol. 2006;2:192-200.
43. Zeuner M, Straub RH, Rauh G, et al. Relapsing polychondritis: clinical and immunogenetic analysis of 62 patients.J Rheumatol. 1997;24:96-101.

찾아보기

한글

ㄱ

ㄷ

ㄹ

ㅅ

ㅊ

ㅋ

ㅌ

ㅍ

ㅎ

영문

A

B

G

H

I

J

K

L

P

Q

R

T

U

V

W

X, Y

Z

기타